RÖMPP
LEXIKON

Kurt Lang

RÖMPP LEXIKON

Chemie

10., völlig überarbeitete Auflage

Herausgeber:
Jürgen Falbe
Manfred Regitz

Band 1	**A – Cl**	1996
Band 2	**Cm – G**	1997
Band 3	**H – L**	1997
Band 4	**M – Pk**	1998
Band 5	**Pl – S**	1998
Band 6	**T–Z**	1999

RÖMPP LEXIKON

Biotechnologie
1992

Umwelt
1993

Lebensmittelchemie
1995

Naturstoffe
1997

Lacke und Druckfarben
1997

Xi 	Xn 	T 	T+ 		N 
Reizend	Gesundheits-schädlich	Giftig	Sehr Giftig	Radioaktiv	Umweltgefährlich

MAK	Maximale Arbeitsplatz-Konzentration
max.	maximal
Meth.	Methode
MHK	minimale Hemmkonzentration
MIK	Maximale Immissions-Konzentration
min	Minute
mind.	mindestens
Mio.	Million
Modif.	Modifikation
mol.	molekular
Mol.	Molekül
M_R	relative mol(ekul)are Masse (Molmasse)
Mrd.	Milliarde
Nachw.	Nachweis
n	Brechungsindex
neg.	negativ
od.	oder
Oxid.	Oxidation
p.o.	peroral, per os
pos.	positiv
ppb	parts per billion = 10^{-9}
ppm	parts per million = 10^{-6}
ppt	parts per trillion = 10^{-12}
Präp.	Präparat
prim.	primär
qual.	qualitativ
quant.	quantitativ
®	Marke, Warenzeichen
Red.	Reduktion
Rp	verschreibungspflichtig
S	spanische Bezeichnung
S.	Seite
s	Sekunde
s. (S.)	siehe
s.c.	subcutan
Schmp.	Schmelzpunkt (Fusionspunkt)
Sdp.	Siedepunkt (Kochpunkt)
sek.	sekundär
Selbsteinst.	Klassifizierung in WGK gemäß Konzept zur Selbsteinstufung des VCI
sog.	sogenannt(e)
Subl.	Sublimation
subl.	sublimiert
Synth.	Synthese
Syst.	System
SZ	Säure-Zahl
Tab.	Tabelle
Tabl.	Tabletten
teilw.	teilweise
Temp.	Temperatur
tert.	tertiär
TH	Technische Hochschule
Tl.	Teil, Teile
TRgA	Technische Regeln für gefährliche Arbeitsstoffe
TRK	Technische Richtkonzentration
TU	Technische Universität
u.	und
Univ.	Universität
unlösl.	unlöslich
v.a.	vor allem
Vak.	Vakuum
Verb.	Verbindung
verd.	verdünnt
Verf.	Verfahren
Verl.	Verlag
Verw.	Verwendung
vgl. (Vgl.)	vergleiche, Vergleich(e)
VO	Verordnung
Vol.	Volumen
Vork.	Vorkommen
VZ	Verseifungszahl
wäss.	wäßrig
WGK	Wasser-Gefährdungs-Klasse
WHO	World Health Organization
Zers.	Zersetzung
*	als Stichwort in diesem Werk behandelt
°C	Grad Celsius

RÖMPP
LEXIKON

Chemie

10., völlig überarbeitete Auflage

Herausgeber

Prof. Dr. Jürgen Falbe
Prof. Dr. Manfred Regitz

Bearbeitet von

Dr. Eckard Amelingmeier
Dr. Michael Berger
Dr. Uwe Bergsträßer
Prof. Dr. Alfred Blume
Prof. Dr. Henning Bockhorn
Prof. Dr. Peter Botschwina
Dr. Jörg Falbe
Dr. Jürgen Fink
Dr. Hans-Jochen Foth
Dr. Burkhard Fugmann
Prof. Dr. Susanne Grabley
Dr. Ubbo Gramberg
Dr. Herta Hartmann
Prof. Dr. Hermann G. Hauthal
PD Dr. Hans-Wolfgang Helb
Dr. Heinrich Heydt
Dr. Claudia Hinze
Dr. Kurt Hussong
Cornelia Imming
PD Dr. Peter Imming
Dr. Martin Jager
Dr. Margot Janzen
Prof. Dr. Claus Klingshirn
Dr. Herbert Lamp
Dr. Susanne Lang-Fugmann
Dr. Michael Lindemann
Dr. Gisela Lück
Dr. Thomas Neumann
Dr. Gustav Penzlin
Dr. Reinhard Philipp
Dr. Matthias Rehahn
Dr. Karsten Schepelmann
PD Dr. Eberhard Schweda
Prof. Dr. Helmut Sitzmann
PD Dr. Ralf Thiericke
Dr. Christa Wagner-Klemmer
Dr. Bernd Weber
Dr. Gotthelf Wolmershäuser

Georg Thieme Verlag
Stuttgart · New York

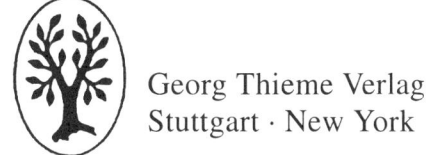

Redaktion:
Dr. Martina Bach
Ute Rohlf
Dr. Barbara Frunder
Dr. Susanne Dieterich
Georg Thieme Verlag
Rüdigerstraße 14
70469 Stuttgart

Übersetzungen:
Karina Gobbato
Jean-Louis Servant
Dr. Salvatore Venneri

Zolltarif-Codenummern:
Karl Kettnaker

Grafik:
Hanne Haeusler
Kornelia Wagenblast
Ruth Hammelehle

Einbandgestaltung: Dominique Loenicker

Die Deutsche Bibliothek – CIP-Einheitsaufnahme

Römpp-Lexikon Chemie / Hrsg.: Jürgen Falbe ;
Manfred Regitz. Bearb. von Eckard Amelingmeier ... –
Stuttgart ; New York : Thieme.
9. Aufl. u.d.T.: Römpp-Chemie-Lexikon
Bd. 4. M–Pk / [Red.: Martina Bach ... Übers.:
Karina Gobbato ...]. – 10., völlig überarb. Aufl. – 1998

1.–5. Auflage (1947–1962) Dr. H. Römpp
6. Auflage (1966) Dr. E. Ühlein
7. u. 8. Auflage (1972/1979) Dr. O.-A. Neumüller
9. Auflage (1992) Prof. Dr. J. Falbe u. Prof. Dr. M. Regitz

Gesamtherstellung:
Konrad Triltsch GmbH
Graphischer Betrieb, Würzburg

Gedruckt auf Permaplan, archivierfähiges Werkdruckpapier aus chlorfrei gebleichtem Zellstoff von Gebrüder Buhl Papierfabriken, Ettlingen.

ISBN 3-13-734910-9 (Band 4)
ISBN 3-13-107830-8 (Band 1–6)

1 2 3 4 5 6

Hinweise für die Benutzung

Alphabet

Im Römpp Chemie Lexikon folgt die Einordnung der Stichwörter dem ABC der DIN-Norm 5007: 1962-11, d.h. Umlaute werden wie ae, oe, ue behandelt. Griechische Buchstaben gehen den lateinischen, klein geschriebene den Großbuchstaben voraus (*Beisp.*: rh, rH, Rh, RH). Bei Eigennamen werden Adelsprädikate u. ähnliche Namensbestandteile im allgemeinen bei der Einordnung unberücksichtigt gelassen. Vorsilben wie primär-, cis-, endo- u. dgl. werden in der alphabetischen Einordnung der Stammverbindungen zunächst übergangen; sie werden ebenso wie α- (alpha), o- (ortho), N- (Stickstoff) u. dgl. als Sortiermerkmale erst innerhalb der Einzelwörter wirksam. Ziffern bleiben bei der Einreihung eines Stichworts zunächst ebenfalls unberücksichtigt.

Schreibweise

Als Schreibweise der Fachbegriffe wird jeweils die derzeit im wissenschaftlichen Schrifttum gebräuchlichste gewählt. Wird ein Wort mit k oder z nicht an der erwarteten Stelle gefunden, so sehe man unter c nach und umgekehrt, das gleiche gilt für Ä.- bzw. Ö- und E-Schreibweise.

Abkürzungen

Die in der aufgeführten Zusammenstellung nicht enthaltenen Abkürzungen sind im Buch an den betreffenden Stellen des Alphabets erläutert. Wird ein Stichwort im darauffolgenden Text wiederholt, so ist als Abkürzung vielfach nur der Anfangsbuchstabe (also etwa A., B. usw.) od. ein geläufiges Akronym (z.B. GDCh) eingesetzt. Die adjektivische Endung „isch" ist häufig abgekürzt und durch einen Punkt ersetzt worden.

Marken (Warenzeichen) und Bezugsquellen

Im Chemie Lexikon sind die eingetragenen Marken nach bestem Wissen mit dem nachgestellten Symbol ® gekennzeichnet. Fehlt dieser Hinweis, so kann daraus *nicht* geschlossen werden, daß die betreffende Bezeichnung im Sinne der Warenzeichen- und Markenschutz-Gesetzgebung als frei zu betrachten wäre und daher von jedermann benutzt werden dürfte. Umgekehrt können aus der irrtümlichen Kennzeichnung einer Benennung mit ® in diesem Werk keine Schutzrechte abgeleitet werden.

Die 10. Auflage des Chemie Lexikons nennt Bezugsquellen nur für eingetragene *Marken *(®). Lieferanten- und Herstellerverzeichnisse für andere Chemikalien befinden sich bei den Stichworten *Bezugsquellenverzeichnisse u. *Chemikalien.

Literaturzitate

Die im Stichworttext zu einem speziellen Aspekt der Abhandlung erwähnten Fremdzitate sind mit einem Index versehen und im zugehörigen Literaturteil (z.B. *Lit.*[1]) aufgeführt; anschließend folgen in alphabetischer Ordnung diejenigen Zitate, die sich mit dem besprochenen Begriff insgesamt beschäftigen (*allg.:*). Die Zitierweise erfolgt in Anlehnung an Chemical Abstracts Service. Herausgeberwerke sind unter dem Personennamen aufgenommen u. nicht unter dem Sachtitel, da dieser meist nicht so einprägsam ist (Landolt-Börnstein statt: Zahlenwerte und Funktionen...). Bei mehr als zwei Autoren ist zumeist nur der erste mit dem Zusatz „et al." aufgeführt.

Codenummern des Zolltarifs

Bei der Mehrzahl der chemischen Verbindungen bzw. Waren finden sich am Schluß des Literaturteils die *kursiv* gesetzte, in eckige Klammern eingeschlossene und mit *HS* gekennzeichnete Angabe des Codes der Nomenklatur des im Januar 1988 in Kraft getretenen Harmonisierten Systems zur internationalen Bezeichnung und Codierung von Waren. Die Angaben erfolgen nach bestem Wissen und Gewissen, aber ohne Gewähr.

Gefahrenklassen

Für den Transport *gefährlicher Güter auf der Straße, auf Schienen-, Wasser- u. Luftwegen existieren eine Reihe von Bestimmungen (s.a. das Stichwort *Transportbestimmungen). In der BRD sind die wichtigsten dieser Bestimmungen die GGVE (Gefahrgutverordnung Eisenbahn = Verordnung über die innerstaatliche und grenzüberschreitende Beförderung gefährlicher Güter mit Eisenbahnen) und die GGVS (Gefahrgutverordnung Straßen = Verordnung über die innerstaatliche und grenzüberschreitende Beförderung gefährlicher Güter auf Straßen). Allen gemeinsam ist die Einteilung der Güter in sog. Gefahrklassen. Die hier ebenfalls nach bestem Wissen u. Gewissen, aber ohne Gewähr gemachten Angaben der Gefahrenklassen finden sich am Ende des Literaturteils, ggf. hinter der CAS-Nr., in eckige Klammern eingeschlossen u. durch *G* gekennzeichnet.

MAK- und TRK-Werte

Die im Chemie Lexikon gemachten Angaben über die Einstufung giftiger Stoffe und Zubereitungen nach der *Gefahrstoffverordnung wie *MAK-, *BAT-, *TRK-Wert sowie LD_{50} (s. Letale Dosis), nach oraler Gabe, erfolgen nach bestem Wissen und Gewissen. Soweit zugänglich wurden auch wichtige Umweltparameter wie Wasser-Gefährdungs-Klasse (*WGK), Angaben zur *biologischen Abbaubarkeit und *Lipid-Löslichkeit aufgenommen.

Häufig zitierte Werke

ACHEMA-Jahrb. **1988**, 2172	Achema-Jahrbuch 88, Frankfurt: DECHEMA 1988 (hier Nr. 2172 des Teiles „Wer weiß über was Bescheid?"; analog **1991** für die Ausgabe 91 bzw. **1994** für die Ausgabe 1994; erscheint alle 3 Jahre)
Analyt.-Taschenb. **5**, 100	Analytiker-Taschenbuch, Berlin: Springer seit 1980 (hier Bd. 5, S. 100)
ApSimon **1**, 100	ApSimon (Hrsg.), The Total Synthesis of Natural Products, Bd. 1–9, New York: Wiley 1973–1992 (hier Bd. 1, S. 100)
Arzneimittelchemie II, 100	Schröder et al., Arzneimittelchemie (3 Bd.), Stuttgart: Thieme 1976 (hier Bd. II, S. 100)
ASP	Dinnendahl u. Fricke (Hrsg.), Arzneistoffprofile, Basisinformation über arzneiliche Wirkstoffe im Auftrag der Arbeitsgemeinschaft für Pharmazeutische Information (API), Loseblattsammlung, das Werk ist alphabetisch geordnet; Stammlieferung 1982 mit 1.–11. Ergänzungslieferung Januar 1996
Barton-Ollis **1**, 100	Barton u. Ollis, Comprehensive Organic Chemistry, Vol. 1–6, Oxford: Pergamon Press 1979 (hier Bd. 1, S. 100)
Batzer **3**, 100	Batzer, Polymere Werkstoffe, Bd. 1–3, Stuttgart: Thieme 1984/1985 (hier Bd. 3, S. 100)
Bauer et al. (2.), S. 100	Bauer, Garbe u. Surburg, Common Fragrance and Flavour Materials – Preparations, Properties and Uses, 2. Aufl., Weinheim: VCH Verlagsges. 1990 (hier S. 100)
Beilstein E IV **7**, 5000	Beilsteins Handbuch der Organischen Chemie, 4. Aufl., Berlin: Springer seit 1918 [hier 4. Ergänzungswerk, Bd. 7, 1969, S. 5000; analog E III/IV **17** für das 3./4. u. E V **17/11** für das 5. Ergänzungswerk]
Belitz-Grosch (4.), S. 100	Belitz u. Grosch, Lehrbuch der Lebensmittelchemie, 4. Aufl., Berlin: Springer 1992 (hier S. 100)
Blaue Liste, S. 100	Blaue Liste, Inhaltsstoffe kosmetischer Mittel (Hrsg.: Fiedler et al.), Aulendorf: Editio Cantor 1989 (hier S. 100)
Brauer **1**, 100	Brauer, Handbuch der Präparativen Anorganischen Chemie, Bd. 1–2, Stuttgart: Enke 1960, 1962 [hier Bd. 1, S. 100; analog (3.) für die 3. Aufl. 1975–1981; Nachfolgewerk ab 1996 s. Herrmann-Brauer]
Braun-Frohne (5.), S. 100	Braun (Hrsg.), Heilpflanzen-Lexikon für Ärzte und Apotheker, 4. Aufl., Stuttgart: Fischer 1981 [hier S. 100; analog Braun-Frohne (5.) für die 5. Aufl. 1987 bzw. Braun-Frohne (6.) für die 6. Aufl. 1994]
Braun-Dönhardt, S. 100	Braun u. Dönhardt, Vergiftungsregister, Stuttgart: Thieme 1975 (hier S. 100)
Büchner et al. (2.), S. 100	Büchner et al., Industrielle Anorganische Chemie, 2. Aufl., Weinheim: VCH Verlagsges. 1986 (hier S. 100).
Büchner et al., S. 100	Büchner et al., Industrial Inorganic Chemistry, Weinheim: VCH Verlagsges. 1988 (hier S. 100)
Carey-Sundberg, S. 100	Carey u. Sundberg, Organische Chemie, Weinheim: VCH Verlagsges. 1995 (hier S. 100)
Compr. Polym. Sci. **5**, 100	Allen u. Bevington, Comprehensive Polymer Science, Vol. 1–7, Oxford: Pergamon Press 1989 (hier Bd. 5, S. 100)
Crueger-Crueger (3.), S. 100	Crueger u. Crueger, Biotechnologie-Lehrbuch der angewandten Mikrobiologie, 3. Aufl., München: Oldenbourg 1989 (hier S. 100)
DAB **1997**	Deutsches Arzneibuch, 10. Ausgabe, mit Ergänzungen (Stand: 4. Ergänzung 05/1995), Frankfurt: Govi 1991 (analog DAB **10/1** für die 1. Ergänzung der 10. Ausgabe; analog Komm. **10** für den Kommentar zur 10. Ausgabe; alphabetisch); analog DAB 1997 für die 11. Aufl. (Loseblattsammlung), Stuttgart u. Eschborn: Deutscher Apotheker-Verl. und Govi-Verl. 1997

Deer et al. (2.), S. 100	Deer, Howie u. Zussmann, An Introduction to the Rock Forming Minerals, 2. Aufl., Harlow (England): Longman Scientific & Technical 1992 (hier S. 100)
Ehrhart-Ruschig, S. 100	Ehrhart u. Ruschig, Arzneimittel, Weinheim: Verl. Chemie 1968 [hier S. 100; analog (2.) **1** für Bd. 1 der 2. Aufl., Bd. 1–5, 1972]
Elias, S. 100	Elias, Makromoleküle, 4. Aufl., Basel: Hüthig u. Wepf 1981 (hier S. 100; analog Elias (5.) **1**, 100 für Bd. 1 der 5. Aufl., 2 Bd., 1990/1992)
Elsevier **14**, 100	Elsevier's Encyclopaedia of Organic Chemistry, Series III: Carboisocyclic Condensed Compounds (Bd. 12, 13 u. 14 mit Teilbänden u. Supplementen), Amsterdam: Elsevier 1940–1954, Berlin: Springer 1954–1969 [hier Bd. 14 (1949) S. 100; analog 14 S, S. 5000 S für Supplement 14]
Encycl. Gaz, S. 100	Encyclopédie des gaz (L'Air Liquide, Hrsg.), Amsterdam: Elsevier 1976 (hier S. 100)
Encycl. Polym. Sci. Eng. **7**, 100	Mark et al., Encyclopedia of Polymer Science and Engineering, New York: Wiley-Interscience 1985–1990 (hier Bd. 7, 1987, S. 100)
Encycl. Polym. Sci. Technol. **12**, 230	Mark, Gaylord u. Bikales, Encyclopedia of Polymer Sciences and Technology (18 Bd.), New York: Wiley-Interscience 1964–1978 (hier Bd. 12, 1971, S. 230; analog **S 1**, 100 für Supplement 1, 1977, S. 100; analog **S 2**, 1978)
Farm	Farm Chemicals Handbook, 37841 Enclid Ave., Meister Publishing Co., Willoughby, Ohio 44094 (erscheint jährlich in aktualisierter Aufl.)
Florey **6**, 100	Florey u. Brittain (Hrsg.), Analytical Profiles of Drug Substances and Excipients (23 Bd.), New York: Academic Press 1972–1992 (hier Bd. 6, S. 100)
Forth et al. (6.), S. 100	Forth, Henschler u. Rummel (Hrsg.), Allgemeine und spezielle Pharmakologie u. Toxikologie, 6. Aufl., Mannheim: BI Wissenschaftsverl. 1992 [hier S. 100; analog (7.) für die 7. Aufl. 1996 Spektrum Verlag].
Fries-Getrost, S. 100	Fries u. Getrost, Organische Reagenzien für die Spurenanalyse, Darmstadt: Merck 1975 (hier S. 100)
Giftliste	Roth u. Daunderer, Giftliste (mit Ergänzungen), Landsberg: ecomed seit 1981
Gildemeister **3a**, 100	Gildemeister u. Hoffmann, Die ätherischen Öle, 4. Aufl. (7 Bd. u. Teilbände), Berlin: Akademie-Verl. 1956–1968 (hier Bd. 3a, 1960, S. 100)
Gmelin	Gmelins Handbuch der Anorganischen Chemie, 8. Aufl., Weinheim: Verl. Chemie seit 1922, Berlin: Springer seit 1974
Gräfe, S. 100	Gräfe, Biochemie der Antibiotika, Heidelberg: Spektrum Akadem. Verl. 1992 (hier S. 100)
Hager (4.) **7b**, 100	Hagers Handbuch der Pharmazeutischen Praxis (List u. Hörhammer, Hrsg.), 4. Aufl., 1967–1989; Bruchhausen et al., 5. Aufl., 9 Bd., Berlin: Springer 1993–1995 [hier Bd. 7b, S. 100; analog (5.), S. 100 für die 5. Aufl.]
Handbook **56**, F 50	Handbook of Chemistry and Physics, Boca Raton: CRC Press (hier 56. Aufl., 1975, Abschnitt F, S. 50; analog 66. Aufl., 1985)
Hassner-Stumer, S. 100	Hassner u. Stumer, Organic Syntheses Based on Name Reactions and Unnamed Reactions, Oxford: Pergamon Press 1994 (hier S. 100)
Helwig-Otto II/100	Arzneimittel. Ein Handbuch für Ärzte und Apotheker, 8. Aufl., 1995, Stuttgart: Wissenschaftliche Verlagsges. (hier Bd. II/100)
Herrmann-Brauer **1**, 100	Herrmann u. Brauer, Synthetic Methods of Organometallic and Inorganic Chemistry, Vol. 1–8, Stuttgart: Thieme 1996 (hier Band 1, S. 100)
Hollemann-Wiberg (101.), S. 100	Hollemann u. Wiberg, Lehrbuch der Anorganischen Chemie, 101. Aufl., Berlin: de Gruyter 1995 (hier S. 100)
Hommel, Nr. 100	Hommel, Handbuch der gefährlichen Güter, 12. Aufl., Berlin: Springer 1997 (Loseblattsammlung)
Houben-Weyl **5/1a**, 100	Houben u. Weyl, Methoden der organischen Chemie, 4. Aufl., Stuttgart: Thieme seit 1952 (hier Bd. 5, Teilband 1a, 1970, S. 100; analog **E2** für den Erweiterungsband 2, 1982)
Hutzinger **1A**, 100	Hutzinger (Hrsg.), The Handbook of Environmental Chemistry, Berlin: Springer seit 1980 (hier Bd. 1A, 1980, S. 100)
Janistyn (3.) **1**, 100	Janistyn, Handbuch der Kosmetika und Riechstoffe, 3. Aufl., 3 Bd., Heidelberg: Hüthig 1978 (hier Bd. 1, S. 100)
Karrer, Nr. 100	Karrer et al., Konstitution und Vorkommen der organischen Pflanzenstoffe (exklusive Alkaloide), Basel: Birkhäuser 1958 (Hauptwerk), 1977 (Er-

	gänzungs-Bd. 1), 1981 (Ergänzungs-Bd. 2/1), 1985 (Ergänzungs-Bd. 2/2) (hier Nr. 100)
Katritzky et al. **4**, 100	Katritzky, Meth-Cohn u. Rees, Comprehensive Organic Group Transformation, Vol. 1–7, Oxford: Elsevier Science 1995 (hier Bd. 4, S. 100)
Katritzky-Rees (2.) **1**, 100	Katritzky u. Rees, Comprehensive Heterocyclic Chemistry, 2. Aufl., Vol. 1–9, Oxford: Pergamon Press 1996 (hier Bd. 1, S. 100)
Kirk-Othmer (2.) **17**, 100	Kirk-Othmer (Hrsg.), Encyclopedia of Chemical Technology, 24 Bd., 2. Aufl., New York: Interscience 1963–1972; 3. Aufl., 26 Bd., New York: Wiley 1978–1984; 4. Aufl. seit 1992 [hier Bd. 17, S. 100; analog **S** für das Supplement; analog (3.) **1** für Bd. 1 der 3. Aufl. bzw. (4.) **1** für Bd. 1 der 4. Aufl.]
Kleemann-Engel (2.), S. 100	Kleemann u. Engel, Pharmazeutische Wirkstoffe, 2. Aufl., Stuttgart: Thieme 1982 (hier S. 100)
Knippers (6.), S. 100	Knippers, Molekulare Genetik, 6. Aufl., Stuttgart: Thieme 1995 (hier S. 100)
Korte (3.), S. 100	Korte, Lehrbuch der Ökologischen Chemie, Grundlagen u. Konzepte für die ökologische Beurteilung von Chemikalien, 3. Aufl., Stuttgart: Thieme 1992 (hier S. 100)
Krafft, S. 100	Krafft, Große Naturwissenschaftler, Düsseldorf: VCI 1986 (hier S. 100)
Kürschner (15.), S. 100	Kürschners Deutscher Gelehrten-Kalender, Berlin: De Gruyter (hier 15. Aufl., 1986, S. 100; analog 12. Aufl. 1976; 14. Aufl. 1983; 16. Aufl. 1992; 17. Aufl. 1996)
Laue-Plagens, S. 100	Laue u. Plagens, Namen- u. Schlagwortreaktionen in der Organischen Synthese, Stuttgart: Teubner 1995 (hier S. 100)
Lexikon der Naturwissenschaftler, S. 100	Lexikon der Naturwissenschaftler, Heidelberg: Spektrum Akad. Verlag 1996.
Luckner (3.), S. 100	Luckner, Secondary Metabolism in Microorganisms, Plants and Animals, 3. Aufl., Berlin: Springer 1990 (hier S. 100)
MAK-Werte-Liste 1996	Deutsche Forschungsgemeinschaft, Senatskommission zur Prüfung gesundheitsschädlicher Arbeitsstoffe (Hrsg.), MAK- u. BAT-Werte-Liste 1996, Weinheim: VCH Verlagsges. 1996
Manske **11**, 100	The Alkaloids, Chemistry and Pharmacology, 45 Bd. bis 1994, Hrsg.: Manske u. Holmes, Bd. 1–4; Manske, Bd. 5–16; Manske u. Rodrigo, Bd. 17; Rodrigo, Bd. 18–20; Brossi, Bd. 21–40; Brossi u. Cordell, Bd. 41; Cordell, Bd. 42–44; Cordell u. Brossi, Bd. 45, New York: Academic Press seit 1950 (hier Bd. 11, S. 100)
March (4.), S. 100	March, Advanced Organic Chemistry, 4. Aufl., New York: Wiley 1992 (hier S. 100)
Martindale (29.), S. 100	Martindale, The Extra Pharmacopoeia (Reynolds, Hrsg.), 29. Aufl., London: The Pharmaceutical Press 1989 [hier S. 100; analog (30.) für die 30. Aufl. von 1993; analog (31.) für die 31. Aufl. 1997]
McKetta **24**, 100	McKetta, Encyclopedia of Chemical Processing and Design, New York: Dekker seit 1976 (hier Bd. 24, 1986, S. 100)
Merck-Index (12.), Nr. 1328	The Merck Index, An Encyclopedia of Chemicals, Drugs, and Biologicals, 12. Aufl., Whitehouse Station, N.J.: Merck & Co., Inc. 1996 (hier Nr. 1328)
Methodicum Chimicum **1**, 100	Methodicum Chimicum (Korte, Hrsg.), Bd. 1, 4–8, Stuttgart: Thieme 1976 (hier Bd. 1, S. 100)
Mutschler (7.), S. 100	Arzneimittelwirkungen. Lehrbuch der Pharmakologie und Toxikologie, 7. Aufl., Stuttgart: Wissenschaftliche Verlagsges. 1996 (hier S. 100)
Nachmansohn, S. 100	Nachmansohn u. Schmid, Die große Ära der Wissenschaft in Deutschland 1900–1933. Stuttgart: Wissenschaftliche Verlagsges. 1988 (hier S. 100)
Negwer (6.), Nr. 100	Negwer, Organic-Chemical Drugs and their Synonyms, 6. Aufl., Berlin: Akademie-Verl. 1987; New York: VCH Publishers 1987 [hier Nr. 100; auch Angabe der Seitenzahl möglich; analog (7.) für die 7. Aufl. 1994]
Neufeldt, S. 100	Neufeldt, Chronologie der Chemie 1800–1980, Weinheim: Verl. Chemie 1987 (hier S. 100)
Nicolaou, S. 100	Nicolaou u. Sorensen, Classics in Total Synthesis, Weinheim: VCH Verlagsges. 1996 (hier S. 100)
Odian (3.), S. 100	Odian, Principles of Polymerization, 3. Aufl., New York: J. Wiley & Sons, Inc. 1991 (hier S. 100)

Ohloff, S. 100	Ohloff, Riechstoffe u. Geruchssinn, Berlin: Springer 1990 (hier S. 100)
Organikum, S. 100	Organikum, 19. Aufl., Leipzig: Barth Verlagsges. 1993 (hier S. 100)
Paquette **1**, 100	Paquette, Encyclopedia of Reagents for Organic Synthesis, Vol. 1–8, Chichester: Wiley 1995 (hier Bd. 1, S. 100)
Pelletier **1**, 100	Pelletier (Hrsg.), Alkaloids, Chemical and Biological Perspectives, New York: Wiley 1983, Oxford: Pergamon 1994 (hier Bd. 1, S. 100)
Perkow	Perkow, Wirksubstanzen der Pflanzenschutz- und Schädlingsbekämpfungsmittel, Berlin: Parey seit 1971 (Loseblattwerk)
Pesticide Manual	The Pesticide Manual, A World Compendium (Incorporating the Agrochemical Handbook) (Worthing u. Hance, Hrsg.), 10. Aufl., Farnham: The British Crop Protection Council 1994
Pharm. Biol. **2**, 100	Pharmazeutische Biologie (Bd. 2–4), Stuttgart: Fischer [hier Bd. 2, 1980, S. 100); analog (2.) **3** bzw. (3.) **2** für die 2. bzw. 3. Aufl. 1984, 1985]
Ph. Eur. **1997**	Deutsche Ausgabe des Europäischen Arzneibuch, 3. Ausgabe 1997, Stuttgart u. Eschborn: Deutscher Apotheker-Verl. u. Govi-Verl. 1997
Pötsch, S. 100	Pötsch, Lexikon bedeutender Chemiker, Leipzig: VEB Bibliograph. Institut 1988 (hier S. 100)
Poggendorff **7b/3**, 100	Poggendorff, Biographisch-literarisches Handwörterbuch der exakten Naturwissenschaften, Leipzig: Barth seit 1863, Berlin: Akademie-Verl. (hier Bd. 7b, Teil 3, 1988, S. 100)
Präve et al. (4.), S. 100	Präve et al., Handbuch der Biotechnologie, 4. Aufl., München: Oldenburg 1994 (hier S. 100)
Ramdohr-Strunz, S. 100	Ramdohr u. Strunz, Klockmann's Lehrbuch der Mineralogie, 16. Aufl., Stuttgart: Enke 1978 (hier S. 100)
R.D.K. (3.), S. 100	Roth, Daunderer u. Kormann (Hrsg.), Giftpflanzen, Pflanzengifte, 3. Aufl., Landsberg: ecomed 1988 [hier S. 100; analog (4.) für die 4. Aufl. von 1994]
Rehm-Reed (2.) **1**, 100	Rehm et al., Biotechnology: a Multi-Volume Comprehensive Treatise, 2. Aufl., 12. Bd., Weinheim: VCH Verlagsges. seit 1992 (hier Bd. 1, S. 100; analog Rehm et al., Biotechnologie, 1. Aufl., 10 Bd., Weinheim: VCH Verlagsges. 1981)
Rippen	Rippen, Handbuch Umweltchemikalien, Landsberg: ecomed, seit 1984
Römpp Lexikon Biotechnologie, S. 100	Dellweg, Schmidt u. Trommer (Hrsg.), Römpp Lexikon Biotechnologie, Stuttgart: Thieme 1992 (hier S. 100)
Römpp Lexikon Lacke u. Druckfarben, S. 100	Zorll (Hrsg.), Römpp Lexikon Lacke u. Druckfarben, Stuttgart: Thieme 1998
Römpp Lexikon Lebensmittelchemie, S. 100	Eisenbrandt u. Schreier (Hrsg.), Römpp Lexikon Lebensmittelchemie, Stuttgart: Thieme 1995 (hier S. 100)
Römpp Lexikon Naturstoffe, S. 100	Steglich, Fugmann u. Lang-Fugman (Hrsg.), Römpp Lexikon Naturstoffe, Stuttgart: Thieme 1997 (hier S. 100)
Römpp Lexikon Umwelt, S. 100	Hulpke, Koch u. Wagner (Hrsg.), Römpp Lexikon Umwelt, Stuttgart: Thieme 1993 (hier S. 100)
Roth u. Kormann, S. 100	Roth u. Kormann, Duftpflanzen – Pflanzendüfte, Landsberg: ecomed 1997 (hier S. 100)
Sax (8.), Nr. 100	Lewis (Hrsg.), Sax's Dangerous Properties of Industrial Materials, 8. Aufl., 3 Bd., New York: Van Nostrand Reinhold 1992 (hier Nr. 100; auch Angabe der Seitenzahl möglich)
Scheuer I **1**, 100	Scheuer, Marine Natural Products – Chemical and Biological Perspectives, Bd. 1–5, New York: Academic Press 1978–1983 (hier Bd. 1, S. 100)
Scheuer II **1**, 100	Scheuer, Bioorganic Marine Chemistry, 6 Bd., Berlin: Springer 1987–1992 (hier Bd. 1, S. 100)
Schlee (2.), S. 100	Schlee, Ökologische Biochemie, 2. Aufl., Berlin: Springer 1992 (hier S. 100)
Schlegel (7.), S. 100	Schlegel, Allgemeine Mikrobiologie, 7. Aufl., Stuttgart: Thieme 1992 (hier S. 100)
Schormüller, S. 100	Schormüller, Lehrbuch der Lebensmittelchemie, Berlin: Springer 1974 (hier S. 100)
Schröcke-Weiner, S. 100	Schröcke u. Weiner, Mineralogie, Berlin: de Gruyter 1981 (hier S. 100)
Schweppe, S. 100	Schweppe, Handbuch der Naturfarbstoffe. Vorkommen, Verwendung, Nachweis, Landsberg: ecomed 1992 (hier S. 100)
Skeist, S. 100	Skeist, Handbook of Adhesive, 2. Aufl., New York: Van Nostrand Reinhold 1977 (hier S. 100)

Snell-Ettre **18**, 100	Snell u. Hilton (ab Band 8: Snell u. Ettre), Encyclopedia of Industrial Chemical Analysis (20 Bd.), New York: Interscience 1966–1975 (hier Bd. 18, 1973, S. 100)
Strube **2**, 100	Strube, Der historische Weg der Chemie, Leipzig: Grundstoffindustrie 1986 (hier Bd. 2, S. 100)
Strube et al., S. 100	Strube et al., Geschichte der Chemie, Berlin: Dtsch. Verl. der Wissenschaften 1986 (hier S. 100)
Stryer (5.), S. 100	Stryer, Biochemie, 5. Aufl., Heidelberg: Spektrum der Wissenschaft Verlagsges. 1990 (hier S. 100)
Stryer 1996, S. 100	Stryer, Biochemie, Übersetzung der 4. amerikan. Aufl. (1995), Heidelberg: Spektrum Akadem. Verl. 1996 (hier S. 100)
Synthetica **2**, 100	Jonas et al., Synthetica Merck, 2 Bd., Darmstadt: Merck 1969, 1974 (hier Bd. 2, 1974, S. 100)
The International Who's Who, S. 100	The International Who's, Who, 16. Aufl., London: Europe Publications 1996 (hier S. 100)
Trost-Fleming **3**, 100	Comprehensive Organic Synthesis, Vol. 1–9, New York: Pergamon Press 1991 (hier Vol. 3, S. 100)
Turner **1**, 100	Turner bzw. Turner u. Aldrige, Fungal Metabolites, Bd. 1 u. 2, London: Academic Press 1971, 1983 (hier Bd. 1, S. 100)
Ullmann (3.) **7**, 100	Ullmanns Enzyklopädie der Technischen Chemie, 3. Aufl., München: Urban und Schwarzenberg 1951–1970; 4. Aufl., Weinheim: Verl. Chemie 1972–1984; 5. Aufl. in Englisch, 1985–1995 [hier Bd. 7 der 3. Aufl., S. 100; analog **E** für den Ergänzungs-Bd.; analog (4.) für die 4. Aufl. bzw. (5.) für die 5. (englische) Aufl., z.B. Ullmann (5.) **A12**, 100]
Voet-Voet (2.), S. 100	Voet u. Voet, Biochemie, Weinheim: VCH Verlagsges. 1992; 2. Aufl., Chichester: Wiley 1995 [hier S. 100; analog (2.) für die 2. Aufl.]
Weissberger **14/3**, 100	Weissberger (Hrsg.), The Chemistry of Heterocyclic Compounds, New York: Interscience seit 1950 (hier Bd. 14, Teil 3, 1962, S. 100)
Weissermel-Arpe (4.), S. 100	Weissermel u. Arpe, Industrielle organische Chemie, 4. Aufl., Weinheim: VCH Verlagsges. 1994 (hier S. 100)
Wer ist wer, S. 100	Wer ist wer? Das Deutsche Who's Who, 35. Ausgabe, Lübeck: Schmidt-Römhild 1996 (hier S. 100)
Who's Who in America, S. 100	Who's Who in America, 50. Ausgabe, New Providence (USA): Marquis Who's Who 1997 (hier S. 100).
Who's Who in the World, S. 100	Who's Who in the World, 58. Ausgabe, London: Europe Publications Limited 1995 (hier S. 100)
Wichtl (3.), S. 100	Wichtl, Teedrogen, 3. Aufl., Stuttgart: Wissenschaftliche Verlagsges. mbH 1997 (hier S. 100)
Wilkinson-Stone-Abel **1**, 100; II **1**, 100	Wilkinson, Stone u. Abel, Comprehensive Organometallic Chemistry, Vol. 1–9, Oxford: Pergamon Press 1981: II 1995 (hier Bd. 1, S. 100 1981, analog II, Bd. 1, S. 100 1995)
Winnacker-Küchler (3.) **6**, 100	Winnacker u. Küchler, Chemische Technologie, 3. Aufl., 7 Bd., München: Hanser 1970–1975 [hier Bd. 6, 1973, S. 100; analog (4.) für die 4. Aufl., 1981–1986]
Wirkstoffe iva (2.), S. 100	Industrieverband Agrar e.V. (Hrsg.), Wirkstoffe in Pflanzenschutz- u. Schädlingsbekämpfungsmitteln. Physikalisch-chemische u. toxikologische Daten, 2. Aufl., München: BLV Verlagsges. 1990 (hier S. 100)
Zechmeister **35**, 100	Zechmeister (Hrsg.), Fortschritte der Chemie organischer Naturstoffe, Berlin: Springer seit 1938 (hier Bd. 35, S. 100)
Zipfel, C 100	Zipfel, Lebensmittelrecht, Kommentar der gesamten Lebensmittel- u. weinrechtlichen Vorschriften sowie des Arzneimittelrechts, München: Becksche Verlagsbuchhandlung, Loseblattsammlung, Neuausgabe seit 1982 [hier Kommentar 100 zum Lebensmittelrecht; analog A (Text zum Lebensmittelrecht), D (Text u. Kommentar zum Arzneimittelgesetz)]

M

μ (my, mü; engl.: mu). Zwölfter Buchstabe im *griechischen Alphabet. Mit μ (vgl. Meso...) werden in mehrkernigen anorgan. *Oxosäuren u. Komplexen (s. Koordinationslehre) brückenbildende Gruppen u. Liganden bezeichnet (IUPAC-Regeln D-2.7, D-7.43, I-9.7 u. I-10.8). Verbindet die Brücke drei od. mehr Zentralatome, so wird μ_3, μ_4 usw. vor ihren Namen gesetzt. In der Physik dient μ als Vorsatzzeichen für Einheiten mit der Bedeutung *Mikro... (= 10^{-6}), als Symbol für *Myonen, für die reduzierte Masse, die elektr. Beweglichkeit, das *Dipolmoment, für verschiedene *Magnetische Momente (vgl. Magnetochemie; μ_B = Bohrsches Magneton, μ_W = Weißsches Magneton, μ_K od. μ_N = Kernmagneton), die magnet. Permeabilität (μ_0 = magnet. Feldkonstante), den Reibungskoeff., in der physikal. Chemie für das *chemische Potential, die *Ionenstärke (veraltet) u. den Joule-Thomson-Koeffizienten. Die veralteten Längeneinheiten μ („Mikron") u. mμ („Millimikron") heißen nach *SI μm (10^{-6} m, Mikrometer) u. nm (10^{-9} m, Nanometer).

m. Symbol für die Längeneinheit Meter; Vorsatzzeichen vor Einheiten mit der Bedeutung *Milli... (= 10^{-3}); Symbol für Masse, für magnet. Dipolmoment, für die magnet. Quantenzahl des Elektrons u. für die *Molalität (vgl. Konzentration; Einheit: mol/kg Lsm.); $\tilde{m}$ war früher Symbol für Osmolalität, s. Osmose. Kursives *m* bedeutet bei Benzol 1,3-Disubstitution, s. Met(a)..., u. bei *Isotopen-Massenzahlen metastabile Kerne, z. B. ^{112m}In, s. Kernisomerie. Abk. mRNA: s. Ribonucleinsäuren.

M. 1. Nach DIN 4076-5: 1981-11 Kurzz. für ein *Holzschutzmittel (geeignet zur Bekämpfung von Schwamm im Mauerwerk).
2. In der Physik Symbol für die Magnetisierung, das Drehmoment, die Gegen-*Induktivität, Vorsatzzeichen vor Einheiten mit der Bedeutung *Mega... (10^6); in chem. Formeln häufig Symbol für ein beliebiges metall. Element der angegebenen Wertigkeit (z. B. M^{II} = zweiwertiges Metall); in der physikal. Chemie Symbol für die Molmasse (M_r, relative Molmasse), als [M] früher für die *Molrotation (vgl. a. optische Aktivität), in der angelsächs. Lit. häufig für mol/L (*Molarität), seltener für mol/1000 g Lsm. (*Molalität), in der Kinetik viel benutztes Symbol für unspezifizierte Stoßpartner (z. B. die Wand des Reaktionsgefäßes).

3M. Kurzbez. für die 3M Company (Minnesota Mining and Manufacturing Company), 3M Center, St. Paul, Minnesota 55144-1000 (USA), ein 1902 gegr. amerikan. Großunternehmen. *Daten* (1996): 74289 Beschäftigte, 14,2 Mrd. $ Umsatz. *Produktion:* Produkte für Verkehrssicherheit, Haushalt u. Freizeit, Büro u. Kommunikation, Werbung u. Verpackung, Medizin u. Gesundheit, Sicherheit am Arbeitsplatz u. Umweltschutz, Industrie u. Handwerk, Automobil u. Luftfahrt, Bau u. Gebäude, Telekommunikation, Elektronik u. Elektrotechnik. *Vertretung u. Tochterges.* in der BRD: 3M Deutschland GmbH, 41453 Neuss.

Maalox® 70. Suspension mit *Magnesium- u. *Aluminiumhydroxid als *Antacidum. ***B.:*** Rhône Poulenc Rorer.

Maaloxan®. Tabl., Kautabl. u. Suspension mit *Aluminium- u. *Magnesiumhydroxid als *Antacidum. ***B.:*** Rhône Poulenc Rorer.

MABS. Kurzz. für Methylmethacrylat (s. Methacrylsäureester)/*Acrylnitril/*1,3-Butadien/*Styrol-Copolymere.

MAC. 1. Kurzz. nach DIN 60001-4: 1991-08 für *Modacrylfasern. – 2. Abk. für *E* *M*aximum *A*dmissible *C*oncentration, die zulässige Höchstkonz. (ZHK) eines Stoffes gemäß EG-Trinkwasser-Richtlinie 80/778/EWG. – 3. Abk. für Membran-*Affinitätschromatographie.
Lit. *(zu 2.)*: Kommission der EG, Generaldirektion XI (Hrsg.), Gemeinschaftsrecht im Bereich des Umweltschutzes, Bd. 7, Wasser, S. 188–215, Luxemburg: Amt für amtliche Veröffentlichungen der EG 1993.

Macaloid®. Chem. veredeltes, gereinigtes *Hectorit als Verdickungsmittel etc. ***B.:*** Langer.

MACCS. Abk. für *M*olecular *Acc*ess *S*ystem. Software-Produkt der Firma Molecular Design Ltd. für *Molecular Modelling.
Lit.: Nature (London) **341**, 466f. (1989).

Macerale. Bei der *Inkohlung von verschiedenen Pflanzenbestandteilen entstehende u. durch Auflichtmikroskopie erkennbare Gefügebestandteile der *Kohle von uneinheitlicher chem. Zusammensetzung. Die M. werden zu M.-Gruppen zusammengefaßt; bei den *Steinkohlen unterscheidet man Vitrinit, Exinit u. Inertinit, bei den *Braunkohlen Huminit, Liptinit (entspricht dem Exinit) u. Inertinit (Tab.).

Tab.: Die Macerale der Kohlen.

Maceral-Gruppe (Vork.)	Maceral
Huminit (Braunkohle)	Textinit, Ulminit, Attrinit, Densinit, Gelinit, Corpohuminit
Vitrinit (Steinkohle)	Telinit, Collinit, Vitrodetrinit
Liptinit (Braunkohle) bzw. Exinit (Steinkohle)	Sporinit, Cutinit, Liptodetrinit, Resinit, Alginit
Inertinit (Braunkohle u. Steinkohle)	Macrinit, Semifusinit, Fusinit, Sclerotinit, Inertodetrinit

Die M. der Vitrinite stammen von verholzten Geweben der Pflanzen ab. Ihr Reflexionsgrad korreliert sehr gut mit dem Gehalt an flüchtigen Bestandteilen der Steinkohle. Die M. der Liptinite bzw. Exinite bildeten sich aus Wachse u. Harze enthaltenden Pflanzenteilen, was sich in einigen M.-Namen widerspiegelt. Sie sind aus Holzkohlen entstanden.
Wie sich Gesteine im allg. aus verschiedenen Mineralien zusammensetzen, bestehen Kohleflöze aus unterschiedlichen Anteilen von M. bzw. M.-Gruppen. In der Kohlepetrographie werden die M.-Vergesellschaftungen *Mikrolithotypen* genannt. Die hier beschriebene Einteilung der M. entspricht der in Europa üblichen des International Committee for Coal Petrography (ICCP), vgl. *Lit.*[1]. – ***E*** macerals – ***F*** macérals – ***I*** macerali – ***S*** macerales

Lit.: [1] Ullmann (4.) **14**, 288–291; (5.) **A 7**, 154–157 ▪ s. Kohle.

Macerationes s. Mazerationen.

Mache-Einheit s. Eman.

Macherey-Nagel. Kurzbez. für die Firma Macherey-Nagel GmbH & Co. KG, 52313 Düren. *Produktion:* Verbrauchsmaterialien für die Sparten Filtrieren – Testen – Chromatographieren. Gruppe Filtrieren: analyt. u. techn. Filtrierpapiere, Filtermembranfilter. Gruppe Testen: pH-Indikatorpapiere, Testpapiere, Teststäbchen für Analytik u. medizin.-diagnost. Zwecke, photometr. Systeme zur Wasseruntersuchung, Testbestecke zur Wasser- u. Bodenuntersuchung. Gruppe Chromatographieren: Packungsmaterialien u. Trennsäulen für die Flüssigkeits- u. Gaschromatographie, Sorbentien u. Fertigungsschichten für die Dünnschicht-Chromatographie, Produkte für die Probenvorbereitung mittels Festphasenextraktion, Produkte zur Probenvorbereitung.

Machorka s. Tabak.

Mach-Zener-Interferometer. *Interferometer, das in der *Spektroskopie oft zur Messung von opt. Dichten eingesetzt wird. In der Abb. ist der prinzipielle Strahlengang wiedergegeben. Der eintreffende Lichtstrahl (heute oft von einem Laser) wird am Strahlteiler 1 aufgespalten. Beide Teilstrahlen werden, nachdem sie unterschiedliche Strecken durchlaufen haben, am Strahlteiler 2 wieder vereinigt, wobei es je nach opt. Wegdifferenz Δs zu pos. ($\Delta s = n \cdot \lambda$, n=ganze Zahl, λ= Wellenlänge) od. neg. $\left(\Delta s = \frac{(2n+1)}{2} \cdot \lambda\right)$ *Interferenz

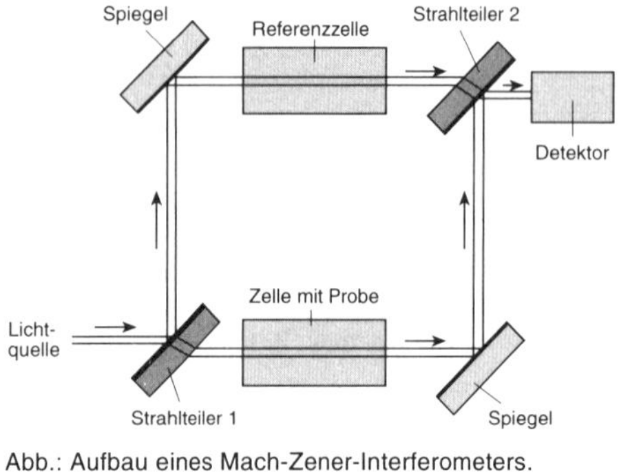

Abb.: Aufbau eines Mach-Zener-Interferometers.

kommt. Während der obere Arm als Referenzweg dient, wird in den unteren Arm die Probe plaziert, deren opt. Dichte mit hoher Genauigkeit ausgemessen wird; bes. die Änderung der opt. Dichte in Abhängigkeit von äußeren Parametern wie Temp., Dichte, elektr. oder magnet. Feldstärke ist von Interesse. – ***E*** Mach-Zener interferometer – ***F*** interféromètre de Mach et Zener – ***I*** interferometro di Mach-Zener – ***S*** interferómetro de Mach-Zener

Lit.: Bergmann u. Schaefer, Lehrbuch der Experimentalphysik, Bd. 3 (Optik), S. 334, Berlin: de Gruyter 1993.

Macisöl s. Muskatnußöl.

Mackinawit. $Fe_{1+x}S$, 0,0<x<0,07. Metastabiles tetragonales, früher oft für *Valleriit gehaltenes Eisensulfid-Mineral mit einer Schichtstruktur aus FeS_4-Tetraedern[1], Kristallklasse 4/mmm-D_{4h}. Winzige tafelige Krist., massiv, fein federig; als Einschlüsse in *Kupferkies u. *Pentlandit. Bronzefarbig metallglänzend, Strich schwarz, H. gering, D. 4,3.
Vork.: In Sulfiderz-Lagerstätten mit Pentlandit u. Kupferkies, z. B. Outokumpu/Finnland, Phalaborwa u. Bushveld/Südafrika, Noril'sk-Talnakh/Sibirien. Überwiegend als unter reduzierenden Bedingungen gebildetes, schlecht krist., dunkel färbendes Fällungsprodukt in tonigen *Sedimenten u. Flußschlämmen. M. hat Bedeutung v. a. als Vorläufer der Bildung von *Pyrit in Sedimenten u. hydrothermalen Syst., oft unter vorheriger Umwandlung in Greigit[2] Fe_3S_4 (*Kobaltnickelkiese). – ***E*** mackinawite

Lit.: [1] Mineral. Mag. **59**, 677–683 (1995). [2] Am. Mineral. **82**, 302–309 (1997).
allg.: Anthony et al., Handbook of Mineralogy, Vol. I, S. 305, Tucson (Arizona): Mineral Data Publishing 1990 ▪ Ramdohr, Die Erzmineralien u. ihre Verwachsungen, S. 734-742, Berlin: Akademie Verl. 1975.

Maclurin s. Morin.

Macrodex® (Rp). Wäss. Lsg. von *Dextran 60 u. Natriumchlorid zur Hämodilution, Thromboseprophylaxe u. als Vol.-Ersatzmittel. ***B.:*** Reusch.

Macrolactine.

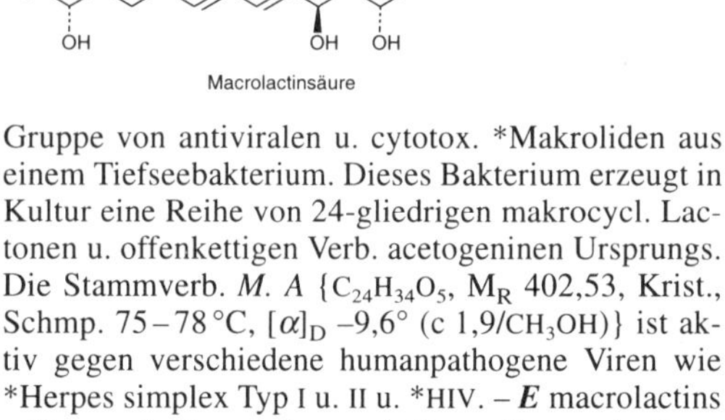

Gruppe von antiviralen u. cytotox. *Makroliden aus einem Tiefseebakterium. Dieses Bakterium erzeugt in Kultur eine Reihe von 24-gliedrigen makrocycl. Lactonen u. offenkettigen Verb. acetogeninen Ursprungs. Die Stammverb. *M. A* {$C_{24}H_{34}O_5$, M_R 402,53, Krist., Schmp. 75–78 °C, $[\alpha]_D$ –9,6° (c 1,9/CH_3OH)} ist aktiv gegen verschiedene humanpathogene Viren wie *Herpes simplex Typ I u. II u. *HIV. – ***E*** macrolactins – ***F*** macrolactines – ***I*** macrolattine – ***S*** macrolactinas

Lit.: Chem. Rev. **95**, 2041 (1995) ▪ J. Am. Chem. Soc. **111**, 7519 (1989); **114**, 671 (1992) ▪ Nachr. Chem. Tech. Lab. **38**, 159 (1990). – *[CAS 122540-27-6 (M. A); 122540-29-8 (M. C); 122540-33-4 (Macrolactinsäure)]*

Macrolactinsäure s. Macrolactine.

Macromelt®. Thermoplast. *Polyamide (Basis dimere Fettsäuren) u. *Polyester als chemikalienbeständige Schmelzklebestoffe zum Kleben, Dichten, Isolieren in vielen Industriebereichen, wie z. B. im Fahrzeugbau, in der Kabel- u. Kabelgarnitur-Ind., in der Gießereitechnik, in der Filter-Ind. sowie als Vergußmaterial von Elektro- u. Elektronikteilen. ***B.:*** Henkel.

Macromer. Handelsname für ein mit Divinylbenzol vernetztes Styrol/Butadien-Stern-*Copolymer.

Macrophage migration-inhibitory factor s. Makrophagenwanderungs-Hemmfaktor.

Macroplast®. Produktionsreihe zäh-elast., 1- u. 2-komponentiger Klebstoffe u. Dichtstoffe/-bänder, vorwiegend Lsm.-frei, auf der Basis von Polyurethan, PVC, Epoxid od. Elastomeren, dient zum Kleben u. Abdichten im Fahrzeug-, Sandwich- u. Filterbau bzw. von Kunststoffen, Metallen, Glas u. Mineralstoffen untereinander. ***B.:*** Henkel.

Macrorod®. *Schmelzklebstoffe für die Schuh-Industrie. ***B.:*** Henkel.

Macrozamin s. Cycasin.

Macrynal®. Sortiment von Hydroxygruppen-haltigen Acryl-Copolymerisationsharzen zur Vernetzung mit Polyisocyanaten für hochwertige Ind.- u. Autoreparaturlacke. ***B.:*** Vianova.

Mactraxanthin.

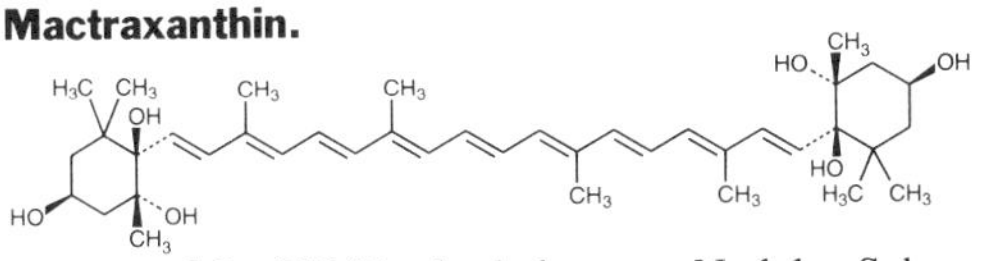

$C_{40}H_{60}O_6$, M_R 636,91, dunkelorange Nadeln, Schmp. 232–233 °C. *Carotinoid aus der eßbaren japan. Muschel *Mactra chinensis*, die in der Brandungszone lebt. – ***E*** mactraxanthin – ***F*** mactraxanthine – ***I = S*** mactraxantina

Lit.: Helv. Chim. Acta **67**, 2043 (1984) ▪ Nachr. Chem. Tech. Lab. **31**, 165 (1983). – *[CAS 86105-69-3]*

Maculae adhaerentes (Einzahl: macula adhaerens) s. Desmosomen.

Maculotoxin s. Tetrodotoxin.

Madagaskarbohnen s. Rangoonbohnen.

MADAUS AG. Heutige Bez. für die 1919 gegr. Firma Dr. Madaus & Co., Ostmerheimer Str. 198, 51109 Köln. *Daten* (1996–97): 760 Beschäftigte, 290 Mio. DM Umsatz. *Produktion:* Pharmazeut. Spezialitäten, Arzneimittel aus Naturstoffen.

Maddrellsches Salz s. kondensierte Phosphate, Natriumphosphate u. Polyphosphate.

Madeiratopas s. Amethyst.

Madelung, Walter (1879–1963), Prof. für Chemie, Univ. Freiburg. *Arbeitsgebiete:* Indigo, Dicyanamid, Konstitution von Di- u. Triphenylmethan-Farbstoffen, Tetraphenylethan-Farbstoffen, Beziehung zwischen Konstitution u. Farbe.

Lit.: Neufeldt, S. 74.

Madelung-Konstante. Eine von der jeweiligen *Kristallstruktur abhängige, von den Ionenradien u. Ladungen jedoch unabhängige Konstante M, die mit der *Coulombenergie* E_c nach

$$E_c = \frac{1}{4\pi\varepsilon_0} \cdot \frac{N_A M e^2}{d} \cdot |z_K \cdot z_A|$$

verknüpft ist. Dabei ist ε_0 die Dielektrizitätskonstante des Vak., N_A die *Avogadrosche Konstante, d der Ionen-Abstand, e die Elementarladung u. z_K u. z_A die Ladung von Kation u. Anion. Die zur Abschätzung der *Gitterenergie nützliche M.-K. ergibt sich z. B. für den Natriumchlorid-Typ zu 1,748, für den Wurtzit-Typ zu 1,641 u. für den Fluorit-Typ zu 2,519. In der *Lit.* werden häufig auch M.-K. angegeben, in die die Ionenladung z. T. mit einbezogen ist[1]. – ***E*** Madelung constant – ***F = S*** constante de Madelung – ***I*** costante di Madelung

Lit.: [1] J. Chem. Educ. **47**, 396–398 (1970).

allg.: Kittel, Einführung in die Festkörperphysik, München: Oldenburg 1996.

Madopar® (Rp). Kapseln u. Tabl. mit Levodopa (s. Dopa) u. *Benserazid zur Behandlung der *Parkinsonschen Krankheit u. symptomat. *Parkinsonismus (außer medikamentös bedingtem Parkinsonoid). ***B.:*** Hoffmann-La Roche.

Maduramicin α (Cygro).

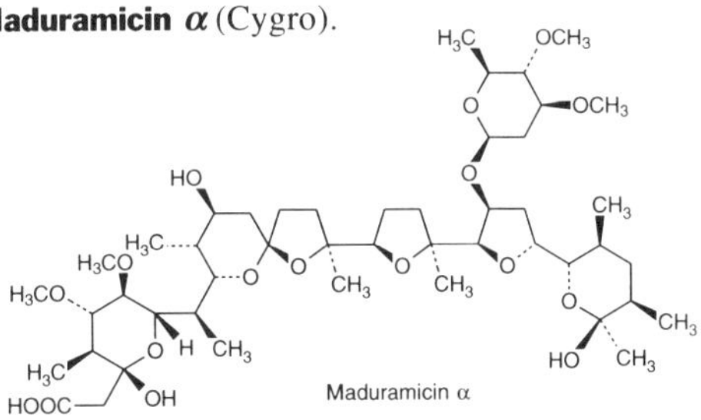

Maduramicin α

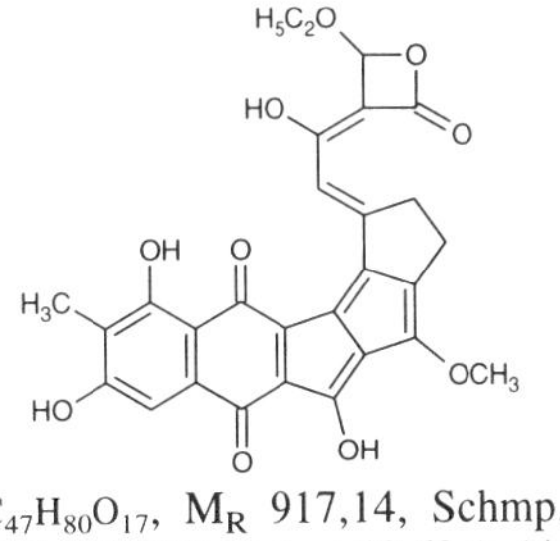

Maduramycin

$C_{47}H_{80}O_{17}$, M_R 917,14, Schmp. des Natrium-Salzes 193–195 °C, $[\alpha]_D$ +40,6° (c 1/CHCl$_3$), Polyether-Antibiotikum aus *Nocardia*-Stämmen u. *Actinomadura yumaense* mit nematizider u. Antimalaria-Wirkung. M. ist nicht zu verwechseln mit dem aus *Actinomadura rubra* isolierten *Maduramycin*[1] ($C_{28}H_{22}O_{10}$, M_R 518,48), einem gegen Gram-pos. u. -neg. Bakterien wirksamen Chinon-Antibiotikum. – ***E*** maduramicin α – ***F*** maduramicine α – ***I = S*** maduramicina α

Lit.: [1] Z. Allg. Mikrobiol. **18**, 389, 603 (1978).

allg.: Antimicrob. Agents Chemother. **39**, 854 (1995) ▪ J. Antibiot. **36**, 343 (1983); **40**, 94 (1987) ▪ Zechmeister **58**, 1–82. – *[HS 2941 90; CAS 79356-08-4 (M. α); 84878-61-5 (M. α, NH_4-Salz = „Cygro"); 61991-54-6 (Maduramycin)]*

Madurit®. Melamin-Formaldehyd-Harze als Pulver od. wäss. Lsg. zur Verw. als Naßfestmittel in der Papier-Ind., als Tränkharze zur Herst. dekorativer Schichtpreßstoffe u. für die Imprägnierung von Grundier- u. Finish-Folien, ferner als Bindemittel für Reibbeläge, härtbare Formmassen u. Glasvliese. ***B.:*** Vianova.

Madurit-Härter®. Reaktionsbeschleuniger für *Madurit®-Typen u. Aminoplastharze. ***B.:*** Vianova.

Maelicke, Alfred (geb. 1938), Prof. für Physiolog. Chemie, Univ. Mainz, Leiter der Arbeitsgruppe Interzelluläre Kommunikation am MPI für Ernährungsphysiologie, Dortmund. *Arbeitsgebiete:* Neurorezeptoren, Entwicklung von Nervensyst., Zelldifferenzierung.
Lit.: Kürschner (16.), S. 2273 ▪ Wer ist wer? (35.), S. 922.

Mäusebekämpfungsmittel s. Rodentizide.

Mäuseln. Der Mäuselgeschmack des *Weines ist eine Weinkrankheit, die bei Traubenweinen seltener, bei Obst- u. Beerenweinen jedoch häufiger auftritt. Befallene Weine erinnern in ihrem Geruch an Mäuseurin u. schmecken aufgrund des hohen Anteils an flüchtigen Säuren essigstichig u. kratzen beim „Abgang". Hohe Lagertemp. u. verspätetes Ablassen von der Hefe begünstigen die Entstehung des Mäuselgeschmacks. In mäuselnden Weinen wurde mehrfach das *„Bacterium mannitopoeum"* gefunden, wobei allerdings fraglich ist, ob es allein für den Fehlton verantwortlich ist, da sich nach Zugabe von Wasserstoffperoxid zu gesundem Wein in manchen Fällen der Mäuselgeschmack hervorrufen läßt. Für den Geschmackseindruck als solchen scheinen substituierte Tetrahydropyridine [1,2] verantwortlich zu sein, deren Bildung durch heterofermentative Milchsäurebakterien in Ggw. von Lysin u. Ethanol nachgewiesen ist [3].

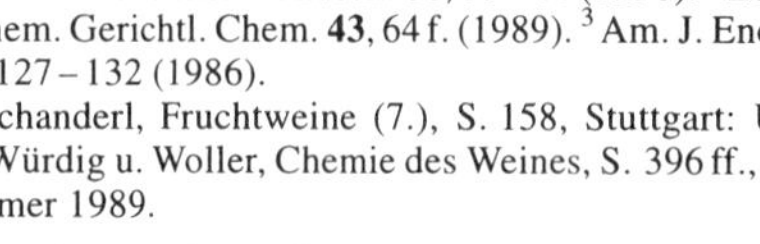

Abb.: Tautomerengemisch des 2-Acetyltetrahydropyridins.

Eine saubere kellertechn. Behandlung der Weine stellt den besten Schutz vor derartigen Fehltönen dar.
Lit.: [1] Dtsch. Lebensm. Rundsch. **86**, 39–44 (1990). [2] Lebensmittelchem. Gerichtl. Chem. **43**, 64f. (1989). [3] Am. J. Enol. Vitic. **37**, 127–132 (1986).
allg.: Schanderl, Fruchtweine (7.), S. 158, Stuttgart: Ulmer 1981 ▪ Würdig u. Woller, Chemie des Weines, S. 396ff., Stuttgart: Ulmer 1989.

Mäusepulver s. Arsenik.

Mafenid (Rp).

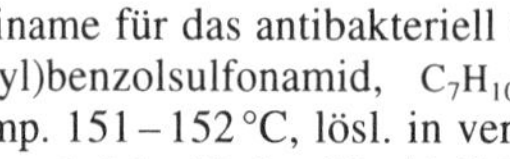

Internat. Freiname für das antibakteriell wirksame 4-(Aminomethyl)benzolsulfonamid, $C_7H_{10}N_2O_2S$, M_R 186,22, Schmp. 151–152 °C, lösl. in verd. Säuren u. Laugen. Verw. wird das Hydrochlorid, Schmp. 256 °C, LD_{50} (Maus i.v.) 900 mg/kg, das Acetat, LD_{50} (Maus i.v.) 1580 mg/kg u. das Propionat, Schmp. 158 °C. M. ist ein *Sulfonamid, das weder durch *p*-Aminobenzoesäure noch durch Eiter od. Serum inaktiviert wird. Es wurde 1942 von Winthrop patentiert u. ist von Winzer (Combiamid® Augentropfen) im Handel. – ***E*** = ***I*** mafenide – ***F*** mafénide – ***S*** mafenida
Lit.: Beilstein EIV **14**, 2779f. ▪ Florey **24**, 277–306 ▪ Hager (4.) **5**, 628 ▪ Martindale (31.), S. 246f. – *[HS 2935 00; CAS 138-39-6 (M.); 13009-99-9 (Acetat); 138-37-4 (Hydrochlorid); 12001-72-8 (Propionat)]*

Mafu®. Insektizid auf der Basis von *Dichlorvos gegen Hygiene- u. Vorratsschädlinge. ***B.:*** Bayer.

Magadiit s. Kieselgesteine.

Magainine. Aus dem hebrä. Wort für Schutz abgeleitete Bez. für Peptide ($M_R \leq 2500$), die das erste in Wirbeltieren entdeckte chem. Abwehrsyst. gegen Infektionen neben dem *Immunsystem bilden. In der Haut südafrikan. Klauenfrösche (*Xenopus laevis*) kommen mindestens zehn Peptide vor. Die beiden wirksamsten Substanzen sind strukturell sehr ähnlich. Es handelt sich um Membran-aktive α-helicale Peptide aus je 23 Aminosäuren: *M. I*, PGS [1]:

H-Gly-Ile-Gly-Lys-Phe-Leu-His-Ser-Ala-**Gly**(10)-Lys-Phe-Gly-Lys-Ala-Phe-Val-Gly-Glu-Ile-Met-**Lys**(22)-Ser-OH

In *M. II* [(Lys^{10}, Asn^{22})-PGS] sind die Aminosäuren in den Positionen 10 (Gly) u. 22 (Lys) durch Lysin bzw. Asparagin ersetzt.
M. sind antibakteriell u. antifung. wirksam, bes. aktiv gegen Protozoen wie Amöben u. Paramecien. 10 µg/mL M. lassen die Einzeller in Minuten anschwellen u. platzen. Diese osmot. Wirkung läßt vermuten, daß M. den Flüssigkeitstransport durch die Zellmembran unterbrechen. Die M.-Gene aus dem Genom der Frösche sind isoliert worden [1]. Natürliche M. u. synthet. Analoga werden auf ihre antivirale, antibakterielle u. antineoplast. Wirkung geprüft. – ***E*** magainins – ***F*** magaininès – ***I*** magainine – ***S*** magaininas
Lit.: [1] J. Biol. Chem. **263**, 5745 (1988).
allg.: Annu. Rev. Biochem. **59**, 395–414 (1990) ▪ Biochem. Pharmacol. **39**, 625 (1990) ▪ Biophys. J. **56**, 1017 (1989) ▪ Chem. Eng. News 17.08.**1987**, 27 ▪ FEBS Lett. **227**, 21 (1988); **228**, 337 (1988); **249**, 219 (1989) ▪ Infect. Immun. **57**, 2628 (1989) ▪ J. Biol. Chem. **266**, 19851 (1991) ▪ Proc. Natl. Acad. Sci. USA **86**, 6597 (1989). – *Synth.:* Chem. Lett. **1989**, 749–752 ▪ FEBS Lett. **236**, 462–466 (1988); **247**, 17–21 (1989).

Magaldrat. Internat. Freiname für *Antacida auf Aluminium-Magnesium-Hydroxid-Basis, z. B. mit der ungefähren Formel

$$Al_2Mg_3(OH)_{12} \cdot x\ MgSO_4 \cdot (1-x)\ H_2O$$

(x = 0,65 bis 0,924; MgO-Gehalt: 28–39%; Al_2O_3-Gehalt: 17–25%). M. ist ein weißes, krist. u. geruchloses Pulver, das in Wasser u. Alkohol prakt. nicht, in verd. anorgan. Säuren dagegen lösl. ist. Die übliche Einzeldosis liegt bei 0,8 bis 1,6 g. M. wurde 1960 von Byk Gulden (Riopan®) patentiert u. ist als Generikum im Handel. – ***E*** = ***F*** magaldrate – ***I*** = ***S*** magaldrato
Lit.: ASP ▪ Hager **5**, 629f. ▪ Martindale (31.), S. 1225. – *[CAS 1317-26-6 ($AlMg_2(OH)_7 \cdot H_2O$); 11085-81-7 ($Al_2Mg_6(OH)_{16}(SO_4) \cdot 4H_2O$); 55964-61-9 ($Al_4Mg_3(OH)_{16}(SO_4)$); 74978-16-8 ($Al_5Mg_{10}(OH)_{31}(SO_4)_2 \cdot x\ H_2O$)]*

Magen. Asymmetr. im Oberbauch gelegene Erweiterung des Gastrointestinaltraktes, die als Speisereservoir dem *Darm vorgelagert ist. Hier findet – nach einer groben Zerkleinerung der Nahrung durch die Zähne u. einem ersten Aufschluß in der Mundhöhle

durch die Enzyme des *Speichels – ein weiterer Nahrungsaufschluß durch den *Magensaft statt.
Ansammlung u. dosierte Entleerung des M.-Inhalts in den Dünndarm sind durch muskuläre Verschlußmechanismen am M.-Eingang (Kardia) u. am M.-Ausgang (Pylorus = Pförtner) gewährleistet. Die M.-Wand besteht aus einer Schleimhaut, die mit einer bindegewebigen Verschiebeschicht einer muskulären Wand aufgelagert ist. Die *Muskelschicht* ist aus Längs- u. Ringmuskulatur aufgebaut u. kann so Mischbewegungen durchführen. Wellen von Muskelkontraktionen (Peristaltik) befördern den M.-Inhalt zum M.-Ausgang. Die *Schleimhaut* des M. ist mit Drüsen ausgestattet, die den *Magensaft absondern.
Ein gestörtes Zusammenspiel der an der M.-Funktion beteiligten Faktoren kann zum Ungleichgew. zwischen den aggressiven Komponenten des M.-Saftes (Säure, Enzyme) u. den Schutzfaktoren (Schleim) führen u. damit zu Schädigungen der Schleimhaut in Form von Entzündungen (*Gastritis) od. Geschwüren. – ***E*** stomach – ***F*** estomac – ***I*** stomaco – ***S*** estómago

Magenbitter. Nach den Begriffsbestimmungen für *Spirituosen[1,2] ist M. ein Spezialbranntwein, der mind. 32% vol Alkohol enthalten muß u. unter Verw. pflanzlicher *Bitterstoffe (*Aloe[3], *Anethol) u. ether. Öle der *Chinarinde hergestellt[4] wird. Zur toxikolog. Relevanz des Anethols s. *Lit.*[5]. M., die zusätzlich eine charakterist. u. leicht scharfe Eigenart besitzen, werden als Boonekamp[1,2] (mind. 40% vol) bezeichnet. Beide werden als *Stomachika getrunken.
Beurteilungsgrundlage sind die Regeln für die Begriffsbestimmung, Bez. u. Aufmachung von Spirituosen[6]. – ***E*** bitters – ***F*** digestif, amer, bitter – ***I*** amaro digestivo – ***S*** licor estomacal, bitter

Lit.: [1] Spirituosenjahrbuch 1990, Berlin: Versuchs- u. Lehranstalt für Spirituosenfabrikation 1990. [2] Bundesgesundheitsblatt **31**, 399 (1988). [3] Angew. Chem. **101**, 1539 (1989). [4] Z. Lebensm. Unters. Forsch. **181**, 132ff. (1985). [5] Sax (8.), Nr. PMQ 750, PMR 000. [6] VO(EWG) 1576/89 vom 29. 05. 1989 (ABl. der EG 32, Nr. L 160) in der Fassung vom 22. 12. 1994 (ABl. der EG Nr. L 366/1). – *[HS 2208 90]*

Magensaft. Sekret, das von den Drüsenzellen des *Magens produziert wird u. in einer Menge von 1 – 3 L pro Tag in das Mageninnere abgegeben wird. M. ist eine farblose, leicht opaleszierende wäss. Flüssigkeit mit einem pH-Wert von 0,9 – 1,5. Wesentliche Bestandteile sind (neben Wasser) *Salzsäure, Eiweiß-spaltende *Enzyme (*Pepsin, Gastricin) u. Schleim (*Mucine).
Die verschiedenen funktionellen Bestandteile des M. werden von unterschiedlichen Zelltypen sezerniert. So sind die *Beleg-* od. *Parietalzellen* die Bildungsstätte der Salzsäure wie auch des Vitamin B_{12}-bindenden *Intrinsic factors. In den *Hauptzellen* wird das *Pepsinogen produziert, aus dem durch Abspaltung eines Mol.-Teils im sauren Milieu das aktive Enzym Pepsin entsteht. Die *Nebenzellen* geben viskosen Schleim aus Pepsin-resistenten Glykoproteinen ab, dessen Aufgabe der Schutz der Magenschleimhaut vor dem Angriff der Salzsäure ist. M. bewirkt einen weiteren Aufschluß der Nahrung u. führt aufgrund seines niedrigen pH-Werts auch zur Abtötung von Keimen.
Die Sekretion wird durch mechan. u. chem. Reizung der Magenwand, durch lokale Hormone des Verdauungstrakts (*Gastrin, *Secretin, *Histamin) sowie durch nervöse Reflexe stimuliert u. reguliert.
Die klin. Untersuchung des durch eine Magensonde gewonnenen M. mit Analyse der Säure-Sekretion des Magens dient der Feststellung von Ursachen bestimmter Formen von Magen- bzw. Zwölffingerdarmgeschwüren. – ***E*** gastric juice – ***F*** suc gastrique – ***I*** succo gastrico – ***S*** jugo gástrico

Lit.: Johnson, Physiology of the Gastrointestinal Tract, New York: Raven Press 1994.

Magenta. Engl. Bez. für *Fuchsin u. CIE-Farbbez. in der *Farbphotographie.

Magerkohle. Eine *Steinkohle mit einem geringen Gehalt an flüchtigen Bestandteilen, s. Kohle.

Magerungsmittel. Sammelbez. für Zuschlagstoffe in der Kokerei-, Keramik- u. Baustoff-Ind.; *Beisp.:* Koksgrus als M. für gut kokende Kohlen, Asche für Ziegel, Sand für Mörtel, Ton etc. – ***E*** lean material – ***F*** matière amaigrissante – ***I*** materiale magrante – ***S*** materia desgrasante

Maggikraut s. Liebstöckel.

Magic Angle Spinning s. NMR-Spektroskopie.

Magische Säure. Von *Olah geprägte Bez. für die *Supersäure $FSO_3H \cdot SbF_5$ [aus *Fluoroschwefelsäure u. *Antimon(V)-fluorid], mit der *Carbokationen erzeugt werden können: In M. S. gelöst, bilden z. B. Alkohole *Carbenium-Ionen, u. selbst Methan u. a. gesätt. Kohlenwasserstoffe werden durch Protonierung in *Carbonium-Ionen wie CH_5^+ überführt – allerdings gibt es noch stärkere Säuren als die M. S, z. B. HF (wasserfrei) + 0,5% SbF_5. – ***E*** magic acid – ***F*** acide magique – ***I*** acido magico – ***S*** ácido mágico

Lit.: O'Donnell, Super-Acids and Acidic Melts as Inorganic Chemical Reaction Media, Weinheim: VCH Verlagsges. 1993
▪ s. a. Supersäuren u. a. Textstichwörter.

Magische Zahlen. In der Kernphysik: Von *Wigner geprägte Bez. für die Ziffern 2, 8, 20, 28, 50, 82, 126, 184. Falls in einem Atomkern die Anzahl der Protonen od. Neutronen einer m. Z. od. einer Summe derselben entspricht, handelt es sich um einen bes. stabilen Atomkern; *Beisp.:* Zinn mit der Ordnungszahl 50 hat 10 stabile *Isotope, u. Blei mit der Ordnungszahl 82 ist das Endprodukt der radioaktiven Zerfallsreihen, s. a. Kernreaktionen. Bes. ausgeprägt wird die Sonderstellung eines Atomkernes, wenn sowohl die Anzahl seiner Protonen als auch die seiner Neutronen eine m. Z. ist, es sich also um *doppeltmaget. Kerne* handelt; *Beisp.:* ${}^{4}_{2}He$, ${}^{16}_{8}O$, ${}^{40}_{20}Ca$, ${}^{208}_{82}Pb$, ${}^{298}_{114}$Element 114.
Die Deutung der m. Z. ergibt sich aus dem 1948 von den Physiknobelpreisträgern *Jensen u. *Goeppert-Mayer entwickelten Schalenmodell der Atomkerne, vgl. *Lit.*[1] u. Atombau.
In der Atomphysik: Cluster (s. Cluster-Verbindungen), die z. B. in kalten Überschall-*Atom- u. *Molekularstrahlen gebildet werden, sind bei bestimmten Größen bes. stabil. Diese, ebenfalls als m. Z. bezeichneten Werte von 13, 55, 147, 309, 561 u. 923 können bei Edelgasen wie Ne, Ar, Kr u. Xe sowie bei CO u. CH_4 als die abgeschlossenen Schalen eines Ikosaeders erklärt

werden[2]. Bei Metallclustern, z. B. Natrium, wurden die m. Z. 8, 20, 40, 58 u. 92 entdeckt (s. Abb. u. *Lit.*[3]), während Silicium bei 45 u. Kohlenstoff bei 60 Atomen bes. stabil ist[3,4,5]. Die räumliche Anordnung der 60 Kohlenstoff-Atome stellt man sich als eine Kugeloberfläche vor, die aus 12 gleichseitigen Fünfecken aufgebaut ist, die durch gleichseitige Sechsecke miteinander verbunden sind (entsprechend der Oberfläche eines Lederfußballes, s. Abb. bei Fullerene).
In der physikal. organ. Chemie: Eine einfache, aber verläßliche Vorhersage über die Aromatizität bei organ. Verb. ist durch die *Hückel-Regel gegeben, wonach im Fall von (4N+2) π-Elektronen in einem Ring von kontinuierlich überlappenden p-Orbitalen das Mol. aromat. ist. N ist eine beliebige ganze Zahl; somit ergeben sich die m. Z. 2, 6, 10, 14, . . (*Lit.*[6]).

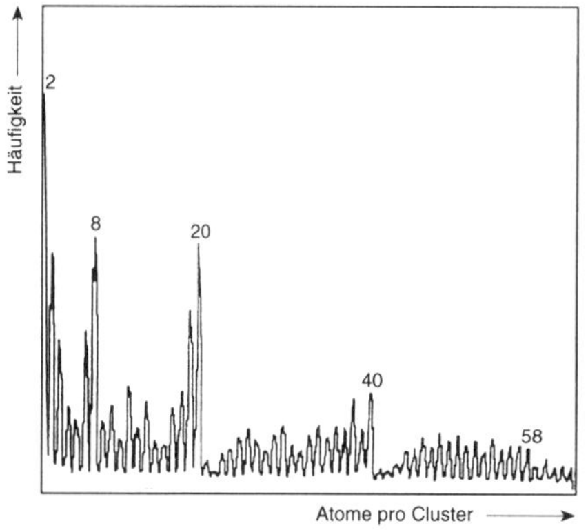

Abb.: Verteilung der Größe von Natrium-Clustern; nach *Lit.*[3].

– ***E*** magic numbers – ***F*** nombres magiques – ***I*** numeri magici – ***S*** números mágicos

Lit.: [1]Musiol et al., Kern u. Elementarteilchenphysik, S. 300 ff., Weinheim: VCH Verlagsges. 1988. [2]J. Chem. Soc. Faraday Trans. **86**, 2411 (1990). [3]Bergmann u. Schaefer, Lehrbuch der Experimentalphysik, Bd. 5 (Vielteilchensysteme), S. 587 ff., Berlin: de Gruyter 1992. [4]Haberland, Clusters of Atoms and Molecules I u. II, Berlin: Springer 1994. [5]Spektrum Wiss. **1990**, Nr. 2, 62. [6]Encyclopedia of Physical Science and Technology, Vol. 12, S. 703, New York: Academic Press 1992.

Magma (von griech.: maza = Teig, Masse; das Magma, die Magmen). Bez. für schmelzflüssiges Gesteinsmaterial, das neben Kristallausscheidungen auch leichtflüchtige Bestandteile[1] (H_2O, CO_2, H_2S, F, HF, Cl_2, HCl, B usw.) enthält. Aus den M. entstehen bei Abkühlung u. Erstarrung die *magmatischen Gesteine. Die allermeisten M. sind *silicat.* Natur[2] u. werden überwiegend durch Aufschmelzung von Gesteinsmaterial in der unteren Erdkruste (z. B. *Granit-M.), in Subduktionszonen (z. B. *Andesit-M.; s. Erde) od. im oberen Erdmantel (z. B. *Basalt-M.) gebildet; es gibt daneben jedoch auch *Karbonatit-M. sowie sulfid. u. oxid. Magmen. Wichtige Eigenschaften eines M. werden bestimmt durch chem. Zusammensetzung, Dichte u. Viskosität. Letztere ist um so größer, je SiO_2-reicher das M. ist; sie kann allerdings durch Wasser u. a. fluide Phasen herabgesetzt werden.

Die Vielzahl der magmat. Gesteine (ca. 900 Gesteinsnamen) wird genet. aus ganz wenigen *Stamm-Magmen* abgeleitet, aus denen sie sich durch spezielle Vorgänge bei sinkender Temp. gebildet haben; *Beisp.: Magmat. Differentiation*, d. h. Trennung eines Stamm-M. in verschiedene, stofflich unterschiedliche, meist durch gewisse Übergänge miteinander räumlich verbundene Teilmagmen, z. B. durch *gravitative* (Kristallisations-)-*Differentiation* (s. magmatische Gesteine); *Kontamination*, d. h. Aufnahme u. Einschmelzung od. Auflösung von Nebengestein; *Magmen-Mischung* od. *Entmischung im schmelzflüssigen Zustand*, z. B. Sulfid- od. Oxid-Schmelze aus silicat. Hauptschmelze, z. T. mit Bildung bedeutender sulfid. od. oxid. Erz-*Lagerstätten. – ***E*** = ***F*** = ***I*** = ***S*** magma

Lit.: [1]Carroll u. Holloway (Hrsg.), Volatiles in Magmas (Reviews in Mineralogy, Vol. 30), Washington (D. C.): Mineralogical Society of America 1994. [2]Stebbins, McMillan u. Dingwell (Hrsg.), Structure Dynamics and Properties of Silicate Melts (Reviews in Mineralogy, Vol. 32), Washington (D. C.): Mineralogical Society of America 1995.
allg.: Cox, McKenzie u. White (Hrsg.), Melt and Melt Movement in the Earth, Oxford u. London: Oxford University Press u. Royal Society 1995 ▪ Hall, Igneous Petrology (2.), S. 220–286, Harlow (England): Longman 1996 ▪ Matthes, Mineralogy (5.), S. 219–243, Berlin: Springer 1996 ▪ Middlemost, Magmas and Magmatic Rocks, S. 1–70, London: Longman 1985 ▪ Ryan (Hrsg.), Magma Transport and Storage, Chichester: Wiley 1990 ▪ s. a. magmatische Gesteine, Petrographie.

Magmatische Gesteine (Magmatite, Eruptivgesteine). Bez. für *Gesteine, die durch Erkalten u. Erstarren eines *Magmas entstanden sind. Im Normalfall ist dieser Vorgang mit der Krist. verschiedener *Mineralien verbunden; ausnahmsweise erstarrt die Schmelze auch ganz od. teilw. zu natürlichem Glas (z. B. *Obsidian).
Einteilung (Klassifikation): Nach dem Bildungsort (Krist.-Ort) der m. G. unterscheidet man in der Erdkruste in Form von Plutonen (z. B. Batholithe, Lakkolithe, Stöcke) erstarrte *Plutonite* (Intrusivgesteine, Tiefengesteine, vgl. Intrusion), an od. nahe bei der Erdoberfläche erstarrte **Vulkanite* (Extrusivgesteine) u. **Ganggesteine*; das geolog. Auftreten dieser Gesteine ist in Abb. 1 veranschaulicht.

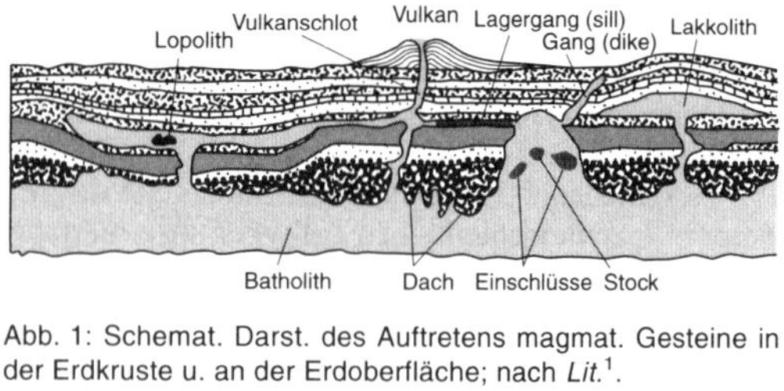

Abb. 1: Schemat. Darst. des Auftretens magmat. Gesteine in der Erdkruste u. an der Erdoberfläche; nach *Lit.*[1].

Eine *umfassende Klassifikation* der m. G. kann nur nach dem jeweiligen Mineralbestand u./od. nach ihrer chem. Zusammensetzung erfolgen. Grundlage der nach *Lit.*[2–4] heute gebräuchlichen Klassifikation ist ein *Doppeldreieck* mit den Eckpunkten Q, A, P u. F (in Vol.-%); es ist in Abb. 2 u. Tab. 1 mit den zugehörigen Gesteinsnamen gezeigt.

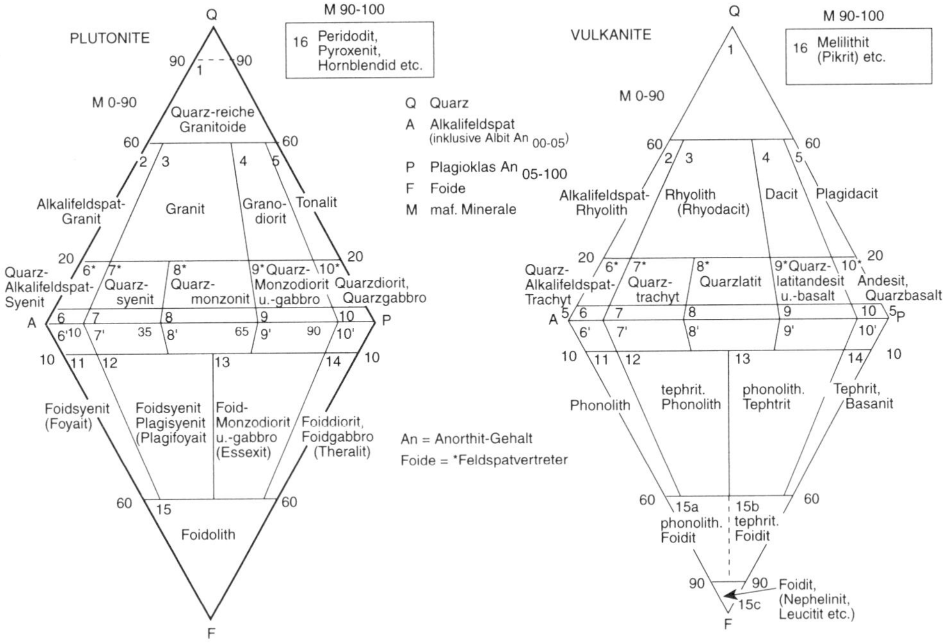

Abb. 2: Klassifikation der Plutonite u. Vulkanite in den Doppeldreiecken Q-A-P-F nach Streckeisen; nach *Lit.*[5], s. a. *Lit.*[2,3].

Tab. 1: Namen der nicht beschrifteten Felder in Abb. 2 (Klassifikation der Plutonide u. Vulkanite).

Nr.	Plutonit	Vulkanit
6	Alkalifeldspat-Syenit	Alkalifeldspat-Trachyt
7	Syenit	Trachyt
8	Monzonit	Latit
9	Monzodiorit, -gabbro	Latitandesit, -basalt
10	Diorit, Gabbro, Anorthosit	Andesit, Basalt
6'–10'	wie 6–10 mit dem Zusatz „foidführend"	

Für die Klassifikation der ultramaf. Gesteine (z.B. *Peridotite) u. einiger weiterer m. G. u. der Mg-reichen Vulkanite (z. B. *Komatiite) sind *Hilfsdiagramme* notwendig, s. Matthes (*Lit.*) u. *Lit.*[4]; zur Klassifikation von *Lamprophyren, *Lamproiten, *Kimberliten u. von *Melilith- u. *Leucit-führenden Gesteinen s. *Lit.*[6]. Wenn Art u. Mengenanteile der Mineralien des jeweiligen m. G. nicht ermittelt werden können, muß man einen sog. *normativen Mineralbestand* (*CIPW-Norm*) errechnen; Meth. s. *Lit.*[7].

Es gibt 3 wichtige Serien von m. G., die *Kalkalkali-Serie* (z. B. *Granit, *Gabbro), die *tholeiit. Serie* (vgl. Basalte) u. die *Alkali-Serie* (mit *Natronvormacht*, z. B. Alkaligranit, *Nephelinsyenit, u. mit *Kalivormacht*, z. B. Lamproite); Details s. Matthes (*Lit.*); zu den Alkalimagmatiten s. a. Fitton u. Upton (*Lit.*), *Lit.*[8–10] u. die aktuellen Arbeiten in *Lit.*[11]; zur Klassifikation der Vulkanite im sog. *TAS-Diagramm* s. Vulkanite. Die SiO_2-Gehalte der m. G. liegen, abgesehen von extremen Zusammensetzungen (z. B. *Karbonatite), zwischen 40 u. 75 Gew.-%; zur Einteilung s. Tab. 2.

Magmat. Differentiation (*Magma): Physikal.-chem. gesteuerter Prozeß der Magmen-Entwicklung: Bei sinkender Temp. beginnt aus einem Magma zunächst eine

Tab. 2: Einteilung der magmatischen Gesteine (m. G.) nach dem SiO_2-Gehalt.

ultrabas. m. G.	unter 45%	SiO_2
bas. m. G.	45–52%	SiO_2
intermediäre m. G.	52–66%	SiO_2
saure m. G.	über 66%	SiO_2

Mineralart auszukristallisieren, dann eine weitere, dann die nächste usw., bis die gesamte Schmelze erstarrt ist, bei Basalten z. B. in einer als *Bowensches Reaktionsprinzip* bezeichneten Abfolge, s. Matthes (*Lit.*). In einem magmat. Frühstadium (bei >900 °C, „*Frühkrist.*") können bereits ausgeschiedene Krist. mit hoher D. (z. B. *Olivin, *Pyroxene, *Spinelle usw.) absinken u. sich am Boden des Magmenkörpers anhäufen (*Gravitative Kristallisationsdifferentiation*); dabei können *intramagmat.* **Lagerstätten*, z. B. von *Chromit, *Ilmenit u. *Magnetit entstehen. Das magmat. Hauptstadium („*Hauptkrist.*") umfaßt den Temp.-Bereich zwischen 900 u. 600 °C. Die seltenen Elemente sowie H_2O u. a. flüchtige Bestandteile werden im Verlauf der Krist. in der verbleibenden Restschmelze angereichert u. während der sog. *Restkristallisation* (600 – 100 °C; s. Lagerstätten) z. T. in eigenen Mineralien abgeschieden, z. B. in den *Pegmatiten. – ***E*** magmatic rocks – ***F*** roches magmatiques – ***I*** rocce magmatiche – ***S*** rocas magmáticas

Lit.: [1]Dietrich u. Skinner, Die Gesteine u. ihre Mineralien, S. 134, Thun: Ott 1984. [2]Earth Sci. Rev. **12**, 1 – 33 (1976). [3]Geol. Rundsch. **69**, 194 – 207 (1980). [4]Le Maitre (Hrsg.), A Classification of Igneous Rocks and Glossary of Terms, Oxford: Blackwell 1989. [5]Matthes, Mineralogie (5.), S. 186, Berlin: Springer 1996. [6]Can. Mineral. **34**, 175 – 187 (1996). [7]Müller u. Braun, Methoden zur Berechnung von Gesteinsnormen, Clausthal-Zellerfeld: E. Pilger 1977. [8]Fortschr. Mineral. **64**, 63 – 86 (1986). [9]Nature (London) **334**, 27 – 31 (1988). [10]Fort-

schr. Mineral. **65**, 19–47 (1987). [11] Can. Mineral. **34**, 173–484 (1996).
allg.: Dietrich u. Skinner, Die Gesteine u. ihre Mineralien, S. 124–202, Thun: Ott 1984 ▪ Fitton u. Upton (Hrsg.), Alkaline Igneous Rocks (Geol. Soc. Spec. Pub. No. 30), Oxford: Blackwell 1987 ▪ Hall, Igneous Petrology (2.), Harlow (England): Longman 1996 ▪ MacKenzie, Donaldson u. Guilford, Atlas der magmatischen Gesteine in Dünnschliffen, Stuttgart: Enke 1989 ▪ Matthes, Mineralogie (5.), S. 183–294, Berlin: Springer 1996 ▪ Wilson, Igneous Petrogenesis, London: Unwin Hyman 1989 ▪ Wimmenauer, Petrographie der magmatischen u. metamorphen Gesteine, Stuttgart: Enke 1985 ▪ s. a. Petrographie, Erde, Magma, Lagerstätten u. die einzelnen Gesteine u. Gesteinsgruppen.

Magmatite s. magmatische Gesteine.

Magnamycin s. Carbomycin.

Magnesia. M. alba s. Magnesiumcarbonat; gebrannte M. od. M. usta s. Magnesiumoxid.

Magnesiaeisenglimmer s. Glimmer.

Magnesiaglimmer s. Phlogopit.

Magnesia-Kainit®. Kali- u. Magnesium-haltige Mineraldünger für die Landwirtschaft. ***B.:*** Kali u. Salz GmbH.

Magnesiamixtur (Magnesiamischung). Man löst 55 g Magnesiumchlorid ($MgCl_2 \cdot 6H_2O$) in wenig Wasser, gibt 140 g Ammoniumchlorid u. danach 131 mL Ammoniak-Lsg. (25% NH_3 in Wasser) zu, verdünnt mit Wasser auf 1000 mL u. filtriert dann. Man verwendet M. u. a. zur quant. Ausfällung von Arsenat (gibt Ammoniummagnesiumarsenat) u. Phosphat (gibt Magnesiumammoniumphosphat). – ***E*** magnesia mixture – ***F*** mixture magnésienne – ***I*** miscela magnesiaca – ***S*** mezcla magnesiana

Magnesiarot. Rotes Farbpulver [mit Rinman(n)s Grün od. *Cobaltgrün im Bautyp verwandt] aus kub. Mischkrist. von MgO mit CoO. – ***E*** magnesia red – ***F*** rouge de magnésium – ***I*** rosso di magnesia – ***S*** rojo de magnesia

Magnesiastäbchen. Weiße, etwa 14 cm lange u. 1,7 mm dicke Stäbchen aus *Magnesiumoxid, die infolge ihres außerordentlich hohen Schmp. (über 2600 °C) auch in der heißesten Leuchtgasflamme nicht schmelzen u. keine Flammenfärbung geben – daher eignen sie sich als Ersatz für Platin-Draht bei *Flammenfärbungen u. Vorproben mit *Salzperlen. Nach jeder Prüfung wird das verunreinigte Ende abgebrochen. Auf diese Weise kann man mit einem einzigen M. ca. 20 Prüfungen ausführen. – ***E*** magnesia bacilli – ***F*** batônnets de magnésium – ***I*** bastoncini di magnesia – ***S*** bastoncitos de magnesia

Magnesia-Verfahren s. Kaliumcarbonat.

Magnesiazement s. Sorelzement.

Magnesiothermie s. Metallothermie.

Magnesit (Bitterspat). $MgCO_3$, schnee- bis gelblichweiße, muschelig brechende, matte, kryptokrist. Massen (*Gel-M.*) od. farblose, weiße, gelbliche, graue od. schwärzliche, glas- bis perlmuttartig glänzende trigonale, meist rhomboedr. Krist. (z. B. in *Chlorit- u. *Talk-*Schiefern in den Alpen) od. spätige Massen (*Kristall-M., Spat-M.*); Kristallklasse u. Struktur wie *Calcit, s. Reeder (*Lit.*); Struktur bei hohen Temp. s. *Lit.*[1]. M. zeigt bis zu einem Druck von 30 GPa keine Phasenübergänge[2]; er ist noch bei im Erdmantel (*Erde) herrschenden Druck-Temp.-Bedingungen stabil[3] u. könnte dort mit Silicaten zu Mineralen reagieren, die mögliche Träger für Kohlenstoff-Gehalte im tiefen Erdmantel sein können[3]. M. ist mit $CaCO_3$ nur sehr beschränkt (s. Reeder, *Lit.*), mit $FeCO_3$ (*Siderit) dagegen vollständig mischbar (Kationenverteilung s. *Lit.*[4]); Eisen-haltiger M. wird als *Breunnerit* bezeichnet. Reiner, nicht durch Eisenoxid, CaO od. SiO_2 (z. B. *Opal) verunreinigter M. enthält 47,8% MgO u. 52,2% CO_2. H. 3,5–4,5, D. ca. 3; lösl. in warmen Säuren.
Vork.: Wirtschaftlich am wichtigsten sind *Verdrängungslagerstätten mit Spat-M.* in Carbonat-Gesteinen (u. a. *Dolomit), z. B. Radenthein u. Trieben/Österreich, Slowakei, USA, VR China u. bei der Zers. von *Serpentin-Gesteinen entstandene *Lagerstätten von Gel-M.*, z. B. Griechenland, Serbien, Türkei. Hauptförderländer sind Rußland, VR China, Nordkorea, Slowakei, Türkei, Österreich u. Griechenland. Weitere Vork. in *Sedimenten, z. B. Bela Stena/Serbien, u. in *Evaporiten.
Verw.: Als bas. feuerfester Ofenbaustein, v. a. in der Stahl-Ind. (*Feuerfestmaterialien); zur Herst. von *Magnesiumoxid (Magnesia) u. Magnesium-Metall, von MgO-reichen Gläsern, M.-Bindern (*Sorelzement), Heraklithplatten; als Füllstoff in Papier; zur Entsäuerung u. Sanierung geschädigter Waldböden; s. a. Magnesiumcarbonat. – ***E*** = ***I*** magnesite – ***F*** magnésite – ***S*** magnesita
Lit.: [1] Am. Mineral. **70**, 590–600 (1985). [2] Earth Planet. Sci. Lett. **99**, 110–117 (1990). [3] Am. Mineral. **77**, 1158–1165 (1992); Phys. Chem. Miner. **20**, 1–18 (1993). [4] Neues Jahrb. Mineral., Abh. **169**, 81–95 (1995).
allg.: Deer et al (2.), S. 633 f. ▪ Ind. Miner. (London) **226**, 29–39 (1986) ▪ Möller (Hrsg.), Magnesite (Monogr. Ser. Mineral. Dep. 28), Berlin: Borntraeger 1989 ▪ Pohl, Lagerstättenlehre (4.), S. 277–283, Stuttgart: Schweizerbart 1992 ▪ Reeder (Hrsg.), Carbonates (Reviews in Mineralogy, Vol. 13), S. 8–15, 51–59, Washington (D. C.): Mineralogical Society of America 1983 ▪ Schröcke-Weiner, S. 515–519 ▪ Ullmann (5.) **A 12**, 417; **A 15**, 560 ff., 606; **A 18**, 611 f. ▪ s. a. Magnesiumcarbonat. – *[HS 2519 10; CAS 12440-90-3]*

Magnesitbinder s. Sorelzement.

Magnesium (von der griech. Landschaft Magnesia in Thessalien abgeleitet; vgl. Magnete). Metall. Element, chem. Symbol Mg, Ordnungszahl 12, Atomgew. 24,3050. Natürliche Isotope (Häufigkeit in Klammern): 24 (78,70%), 25 (10,13%) u. 26 (11,17%). Außerdem sind noch künstliche Isotope ^{21}Mg–^{28}Mg mit HWZ zwischen 0,12 s u. 21 h sowie kürzerlebige ^{29}Mg–^{32}Mg bekannt. Das 2wertige Mg gehört zur 2. Gruppe des *Periodensystems (*Erdalkalimetalle), doch zeigt es zu den über u. unter ihm stehenden Elementen Beryllium u. Calcium weniger Verwandtschaft als zu Lithium (*Schrägbeziehung*) od. Zink (z. B. hinsichtlich Isomorphie u. Leichtlöslichkeit der Sulfate, Doppelsalz-Bildung) aufgrund der sehr ähnlichen Ionenradien. Mit Cu, Ni u. Zn bildet Mg *intermetallische Verbindungen vom *Laves-Phasen-Typ. Die Verb. des Mg sind farblos, sofern nicht der Säurerest farbig ist wie z. B. bei Magnesiumchromat, Magnesiummanganat. Mg ist ein silberweißes Metall,

F

D. 1,738 (*Leichtmetall), Schmp. 650 °C, Sdp. 1107 °C (unter Luftabschluß), H. 2,0; Mg kristallisiert in der hexagonal dichtesten Kugelpackung (s. Kristallstrukturen, Abb. 2c, S. 2283). An der Luft überzieht sich Mg mit einer dünnen Oxidhaut (Passivierung); schon ab 400 °C muß Mg bei der Verarbeitung vor Luft geschützt werden. Mg entzündet sich oberhalb 450 °C u. verbrennt mit blendend hellem Licht zu einem feinen, weißen Rauch bzw. Pulver von Magnesiumoxid, was in *Leuchtsätzen (sog. *Magnesiumlicht*) genutzt wird. Brennendes Mg flackert nicht auf, brennt auch in CO_2, CO, SO_2, NO u. dgl. weiter u. entzieht diesen Verb. den Sauerstoff ($CO_2 + 2\,Mg \rightarrow C + 2\,MgO$). Da brennendes Mg Temp. von 2400 °C erreichen u. Wasser zersetzen kann ($Mg + H_2O \rightarrow MgO + H_2$), löscht man am besten mit Sand od. Eisen-Feilspänen. Von Säuren aller Art, sogar von Essigsäure, wird es sehr leicht unter Salzbildung u. Wasserstoff-Entwicklung angegriffen; auch viele Salzlsg. zerstören Mg ziemlich schnell. Die elektr. Leitfähigkeit beträgt etwa 30%, die Wärmeleitfähigkeit ca. 40% der des Kupfers.

Physiologie: Das biochem. wichtige M. hat im Pflanzenstoffwechsel verschiedene Bedeutungen. Bes. wichtig ist es als Bestandteil des *Chlorophylls, ferner wirkt es aktivierend auf Phosporylierungs-Vorgänge bei *Photosynthese, *Citronensäure-Cyclus, in der *Atmungskette u. weiteren Stoffwechsel-Vorgängen; es ist an allen durch ATP katalysierten Enzym-Reaktionen beteiligt, z. B. Phosphorylierung von Glucose durch Hexokinase. Mg spielt auch eine Rolle bei der Biosynth. von Fettsäuren. Mg-Mangel führt bei Pflanzen zu Magnesium-Mangelsymptomen, die sich z. B. in einem welken Eindruck der Pflanze u. in Aufhellungen des Blattgrüns äußern; bes. auffällig ist der Mg-Mangel in den Nadeln der durch Luftverunreinigungen geschädigten Nadelbäume [1]. Daher ist die Düngung mit Magnesium-haltigen Düngemitteln wichtig, die unter Bez. wie Magnesiumbranntkalk, -löschkalk, -mergel, -mischkalk, Bittersalz im Handel sind bzw. waren. Der erwachsene menschliche Organismus enthält ca. 17–25 g (nach anderen Angaben bis zu 35 g) Mg, von dem etwa die Hälfte in Knochen u. Zähnen eingelagert sind; der Rest ist überwiegend in den Zellen gelöst, z. T. auch an Proteine gebunden, wie etwa in den Ribosomen. Mg wirkt als Aktivator des Zuckerabbaus, als Stabilisator von Plasmamembranen, intrazellulären Membranen u. Nucleinsäuren sowie als Ca-Antagonist [2,3]. Mg-Mangel, z. B. infolge von Darmresorptionsstörungen od. chron. Alkoholismus, äußert sich in tetanieähnlichen Krämpfen; außerdem scheinen dadurch Arteriosklerose u. Herzinfarkt begünstigt zu werden (Näheres s. *Lit.* [4]). Die WHO empfiehlt eine Aufnahme von 200–300 mg Mg/d [5], doch erscheinen 300–350 mg/d wünschenswert [3]: Bes. Mg-reich sind Obst (Mg sorgt für den Zusammenhalt der Pektine), Gemüse u. Vollkornprodukte. Andererseits bewirkt ein erhöhter Mg-Spiegel eine Verminderung der Erregbarkeit von Nerven u. Muskeln, u. bei entsprechender Dosierung wird durch Mg-Salze das Zentralnervensyst. völlig gelähmt, was sich durch Ca-Ionen meist schnell rückgängig machen läßt [6]. Mg-Salze werden medizin. gegen Verstopfung, Fettsucht, Leber- u. Gallenleiden sowie Blutstauungen angewendet.

Nachw.: Mg bildet ein in Wasser schwerlösl. *Magnesiumammoniumphosphat, dessen Bildung zur Analyse des Mg herangezogen werden kann. Reagentien für Mg sind auch *Calmagit u. *Cadion. Über komplexometr., photometr. u. a. Nachw.- u. Bestimmungsmeth. für Mg s. *Lit.* [7], u. zur komplexometr. Titration von Ca neben Mg s. *Lit.* [8].

Vork.: Etwa 1,9% der obersten, 16 km dicken Erdkruste bestehen aus M.; es steht in der Häufigkeitsliste der Elemente an 8. Stelle. Infolge seines sehr unedlen Charakters ist Mg in der Natur nur in Form von Verb. anzutreffen. Am häufigsten ist Mg in den Silicaten verbreitet; zu den wichtigsten Mineralen dieser Art gehören Serpentin, Olivin, Asbest, Meerschaum (Sepiolith), Talk, ferner findet sich Mg im Magnesit, Dolomit, Carnallit, Kieserit, Kainit, Bischofit u. in Bitterwässern. Nach *Lit.* [9] lassen sich Mg- u. K-Minerale im Hochspannungsfeld trennen. Für die Mg-Gewinnung kommen v. a. Magnesit, ferner Dolomit, natürliche u. künstliche Salzsolen sowie Meerwasser in Betracht. Beim Eindunsten von 1 kg Meerwasser erhält man im Durchschnitt u. a. 3,8 g Magnesiumchlorid, 1,66 g Magnesiumsulfat u. 0,076 g Magnesiumbromid; das sind zusammen etwa 15% des gesamten Meersalzes. Über die Bedeutung von Mg-Salzen in natürlichen Wässern s. a. Härte des Wassers, u. zum Mg-Gehalt im Trinkwasser der BRD s. *Lit.* [10].

Herst.: Mg wird durch *Schmelzflußelektrolyse* von *Magnesiumchlorid bzw. in geringerem Umfang durch Red. von *Magnesiumoxid mit Ferrosilicium (geeignet sind auch Fe-Mn-Si-Leg., Al, Calciumcarbid) gewonnen. Das für die Elektrolyse notwendige, weitgehend entwässerte $MgCl_2$ wird z. T. nach dem *Dow-Verf.* aus Meerwasser gewonnen: Man gibt zum Meerwasser die berechnete Menge Kalkmilch od. calcinierten Dolomit, wobei sich unlösl. Magnesiumhydroxid abscheidet:

$$MgCl_2 + Ca(OH)_2 \rightarrow Mg(OH)_2 + CaCl_2.$$

Das $Mg(OH)_2$ wird mit Salzsäure in Magnesiumchlorid überführt. Nach dem *IG-Farben-Verf.* wird Magnesiumhydroxid calciniert u. unter Zusatz von Kohle in Schachtöfen mit Chlor zu $MgCl_2$ umgesetzt (reduzierende Chlorierung):

$$2\,MgO + C + 2\,Cl_2 \rightarrow 2\,MgCl_2 + CO_2.$$

Bei der anschließenden Schmelzflußelektrolyse wird ein Gemisch von wasserfreiem $MgCl_2$ (8–24%) mit Alkali- u. Erdalkalichloriden als Zuschläge, die zur Erniedrigung des Schmp. dienen, eingesetzt. Die Elektrolyse erfolgt bei 700–800 °C u. Zers.-Spannungen von 5–7 V. An den Graphit-Anoden entsteht Chlor, das wiederum zur Herst. von $MgCl_2$ verwendet wird (s. o.). Das an der eisernen Kathode (Elektrolysetiegel) gebildete Mg sammelt sich an der Oberfläche der Schmelze u. wird abgesaugt. Beim Dow-Verf. wird hydratisiertes $MgCl_2$ ($MgCl \cdot H_2O$ u./od. $MgCl_2 \cdot 2\,H_2O$) zur Elektrolyse eingesetzt; dementsprechend entsteht an der Anode ein Gemisch aus Chlorwasserstoff u. Chlor. Der durchschnittliche Stromverbrauch zur Gewinnung von 1 kg Mg beträgt 18–20 kWh bzw. 12–14 kWh bei einem von Norsk Hydro entwickelten Prozeß, der modernen Verf. der Aluminium-Elektrolyse ähnelt.

Die *silicotherm. Gewinnung* von Mg geht von calciniertem Dolomit aus, der mit 70–85%igem Ferrosilicium brikettiert in sog. *Pidgeon-Retorten* aus Chrom-Nickel-Stahl bei 1200 °C im Vak. umgesetzt wird:

$$2(CaO \cdot MgO) + Si(Fe) \rightarrow 2Mg + Ca_2SiO_4 + (Fe).$$

Der gebildete Mg-Dampf wird im wassergekühlten Kopfstutzen kondensiert. Beim *Magnetherm*-Verf. wird zur Erzielung einer flüssigen Schlacke Aluminiumoxid zugesetzt. Zur Entfernung nichtmetall. Verunreinigungen wird das Rohmagnesium noch einer Raffination unterworfen, z. B. durch Einrühren des flüssigen Metalls in Salzschmelzen. Hochreines Mg wird durch *Dest.* gewonnen; man kann heute Reinheitsgrade von 99,999% erreichen. Mg kommt als Barren, Späne, Stangen, Rohre, Platten od. Bänder in den Handel. 1993 wurden weltweit 351 000 t Hütten-Mg produziert (ohne GUS-Staaten). Davon entfielen 240 000 t auf die USA u. Kanada, 89 000 t auf Europa (davon 55 000 t auf Norwegen), 13 000 t auf Japan u. 9000 t auf Brasilien. In der BRD wird seit Ende des 2. Weltkrieges kein Mg mehr hergestellt.

Verw.: Die Hauptmenge des Mg wird für Leg. verwendet, bes. mit Aluminium. Man unterscheidet zwischen Aluminium-Leg. mit bis zu 11% Mg u. den eigentlichen, extrem leichten Leg. mit Mg als Hauptbestandteil, s. Magnesium-Legierungen. Zum Korrosionsschutz des sehr empfindlichen Mg bzw. dessen Leg. werden starke Lackierungen, elektrolyt. sowie chem. Oxid. angewandt, d. h. Verstärkung der Oxid-Schicht mit Dichromat-Lsg. u. Zusätzen von Salpetersäure, alkal. Bädern, Fluoridbädern usw., ferner die indirekte bzw. direkte Galvanisierung, s. a. *Lit.*[11]. Größere Bedeutung hat der Mg-Einsatz als Entschwefelungs- u. Red.-Mittel in der Eisen- u. Stahl-Ind. erlangt, bes. in den USA. Mg dient auch als Red.-Mittel bei der Herst. von Titan, Uran, Zirconium, Hafnium u. Beryllium (*Magnesiothermie*, s. Metallothermie). In der Pyrotechnik verwendet man Mg in Leuchtsätzen u. in Magnesium-Fackeln (Magnesiumlicht; früher für helles Kunstlicht beim Photographieren). In der organ. Chemie dient Mg zum Trocknen u. Absolutieren von Alkoholen sowie als Reaktionspartner bei zahlreichen Synth., von denen die über *Grignard-Reaktionen verlaufenden am bekanntesten sind. Eine Übersicht über die Verw. des Mg bei organ. Synth. (*Beisp.*: *Grignard- u. *Barbier-Wieland-Reaktion) findet man in *Lit.*[12].

Geschichte: Während Mg-Verb. schon lange bekannt waren u. verwendet wurden (als Heilmittel), wurde erst 1755 von *Black auf Unterschiede zwischen Ca- u. Mg-Verb. (Kalkerde u. Bittererde) hingewiesen. Metall. Mg ist erstmals 1808 von Sir H. *Davy durch Schmelzflußelektrolyse isoliert u. 1831 von Bussy u. J. von *Liebig durch Red. von $MgCl_2$ rein erhalten worden. Die industrielle Produktion wurde 1866 in Deutschland aufgenommen. – ***E*** magnesium – ***F*** magnésium – ***I*** = ***S*** magnesio

Lit.: [1] Waldschäden in der Bundesrepublik Deutschland (LIS-Ber. 28, S. 77, 97, 137), Essen: LIS 1982; Chem. Unserer Zeit **24**, 117–130 (1990). [2] Altura et al. (Hrsg.), Magnesium in Cellular Processes and Medicine, Basel: Karger 1987. [3] Belitz-Grosch (4.), S. 380. [4] Der informierte Arzt **10**, Nr. 11, 44–52 (1982). [5] Handbook on Human Nutritional Requirements, S. 63, Geneva: WHO 1974. [6] Braun-Dönhardt, S. 238 f. [7] Friestrost, S. 222–232; Onishi, in: Chemical Analysis (4.) 3, Part II B, S. 3–30, New York: Wiley 1989; Townshend, Encyclopedia of Analytical Science, Oxford: Academic Press 1995. [8] Int. J. Environ. Anal. Chem. **7**, 285–293 (1980). [9] Umschau **81**, 272–275 (1981). [10] Atlas zur Trinkwasserqualität der Bundesrepublik Deutschland (BIBIDAT), S. 16 f., Berlin: Schmidt 1980. [11] Metallstatistik **76**, 55 ff. (1989). [12] Ullmann (5.) **A 9**, 141 f.; Synthesis **1981**, 585–604; Synthetica **1**, 270–282.
allg.: Adv. Molten Salt Chem. **6**, 127–209 (1987) ▪ Brauer (3.) **2**, 900 f. ▪ Büchner et al., S. 233–239 ▪ DIN-Taschenbuch 27: Aluminium, Magnesium, Titan u. deren Legierungen (5.), Berlin: Beuth 1987 ▪ Gmelin, Syst.-Nr. 27, Mg, Tl. A, 1937–1952, Tl. B. 1937–1939 ▪ Hommel, Nr. 282 ▪ Itokawa u. Durlach (Hrsg.), Magnesium in Health and Disease, London: John Libbey 1989 ▪ Kirk-Othmer (4.) **15**, 622–674 (Mg and Alloys), 675–722 (Mg Compounds) ▪ Snell-Ettre **15**, 356–419 ▪ Ullmann (5.) **A 15**, 559–580 ▪ Winnacker-Küchler (4.) **4**, 301–325. – *[HS 8104 11, 8104 19; CAS 7439-95-4]*

Magnesiumacetat. $(H_3C–COO)_2Mg$, $C_4H_6MgO_4$, M_R 142,39. Das Tetrahydrat bildet farblose, zerfließende Krist., D. 1,454, Schmp. 80 °C, leicht lösl. in Wasser u. Alkohol. M. findet Verw. in der chem. Analyse, in der Färberei u. in der Textil-Industrie. – ***E*** magnesium acetate – ***F*** acétate de magnésium – ***I*** acetato di magnesio – ***S*** acetato de magnesio

Lit.: Beilstein E IV **2**, 113 ▪ Gmelin, Syst.-Nr. 27, Mg, Tl. B 1938, S. 336–340 ▪ Kirk-Othmer (4.) **15**, 675 f. ▪ Merck-Index (12.), Nr. 5688. – *[HS 2915 29; CAS 142-72-3 (M.); 16674-78-5 (M. × 4 H_2O)]*

Magnesiumacetylid s. Magnesiumcarbide.

Magnesiumaluminiumsilicat. Kolloidal gefälltes, röntgenamorphes Pulver, das wegen seines Säure-Aufnahmevermögens in der pharmazeut. Ind. als geruch- u. geschmackfreies Antacidum Verw. findet. – ***E*** aluminium magnesium silicate – ***F*** silicate d'aluminium-magnésium – ***I*** silicato di magnesio ed alluminio – ***S*** silicato de magnesio y aluminio – *[HS 2939 90; CAS 12511-31-8]*

Magnesiumammoniumphosphat (Ammoniummagnesiumphosphat). $MgNH_4PO_4 \cdot 6H_2O$, M_R 137,31. Rhomb., farblose bis gelbliche Krist., D. 1,711, die als Mineral *Struvit im Guano vorkommen. Beim Nachw. von Magnesium mit *Natriumphosphat bzw. von Phosphor mit *Magnesiamixtur entsteht dieselbe Verb. in Form eines wasserunlösl., säurelösl., weißen Niederschlags, der aus mikroskop. kleinen, sargdeckelförmigen Krist. besteht. M. ist Bestandteil von feuerhemmenden Anstrichen u. wird als nicht auswaschbares Düngemittel verwendet. – ***E*** magnesium ammonium phosphate – ***F*** phosphate de magnésium-ammonium – ***I*** fosfato d'ammonio e magnesio – ***S*** fosfato de amonio y magnesio

Lit.: Gmelin, Syst.-Nr. 27, Mg, Tl. B, 1939, S. 485–493 ▪ Ullmann (5.) **A 10**, 367. – *[HS 2835 29; CAS 13478-16-5]*

Magnesiumbromid. $MgBr_2$, M_R 184,11. Farblose, hygroskop., in Wasser sehr leicht, in Alkohol wenig lösl. Krist., D. 3,72, Schmp. (wasserfrei) 700 °C; Hexahydrat: D. 2,00, Schmp. 172 °C. M. kommt im Meerwasser zu 0,0076% u. in den Staßfurter Abraumsalzen vor. Synth. M. wird in der organ. Synth. als Elektrolytpaste für Mg-Trockenzellen, früher wurde M. auch als Nervenberuhigungsmittel verwendet. – ***E*** magnesium bromide – ***F*** bromure de magnésium – ***I*** bromuro di magnesio – ***S*** bromuro de magnesio

Lit.: Brauer (3.) **2**, 905 f. ▪ Gmelin, Syst.-Nr. 27, Mg, Tl. B, 1937, S. 158–178 ▪ Kirk-Othmer (4.) **15**, 678 f. – *[HS 2827 59; CAS 7789-48-2 (M.); 13446-53-2 (Hexahydrat)]*

Magnesiumbronze. *Kupfer-Legierungen[1] mit 0,3–0,6% Mg (CuMg0,4) bzw. 0,5–0,8% Mg (CuMg0,7). M. werden in der Elektrotechnik wegen ihren guten mechan. u. elektr. Eigenschaften für Freileitungsdrähte[2] verwendet. – ***E*** magnesium bronze – ***F*** bronze au magnésium – ***I*** bronzo al magnesio – ***S*** bronce de magnesio

Lit.: [1] DIN 17666: 1983-12. [2] DIN 48201-6: 1981-04. – *[HS 7403 29]*

Magnesiumcarbide. MgC_2 (Magnesiumacetylid), M_R 48,33, u. Mg_2C_3, M_R 84,64, gehören zur Gruppe der salzartigen *Carbide. MgC_2 wird therm. zersetzt zu Mg_2C_3 u. Graphit. Mg_2C_3 enthält C_3^{4-}, Tricarbid(4–) (*Allen-Tetraanionen); bei der Hydrolyse entsteht Propin:

$$Mg_2C_3 + 4\,H_2O \rightarrow 2\,Mg(OH)_2 + H_3C{-}C{\equiv}CH.$$

MgC_2 liefert wie die meisten salzartigen Carbide Acetylen. – ***E*** magnesium carbides – ***F*** carbures de magnésium – ***I*** carburi di magnesio – ***S*** carburos de magnesio

Lit.: Brauer (3.) **2**, 915 f. ▪ Gmelin, Syst.-Nr. 27, Mg, Tl. B, 1939, S. 299–301 ▪ Ullmann (5.) **A 5**, 61 ff. – *[HS 2849 90; CAS 12122-46-2 (MgC_2); 12151-74-5 (Mg_2C_3)]*

Magnesiumcarbonat. $MgCO_3$, M_R 84,31. Weiße Krist., D. 2,96, in Wasser schwer löslich. M. entsteht aus wäss. Lsg. nur unter Druck u. wenn diese viel überschüssige Kohlensäure enthält. M. kann mit 5, 3 u. 2 Mol. Kristallwasser je Formeleinheit als Lansfordit, Nesquehonit bzw. Barringtonit kristallisieren u. wird beim Kochen mit Wasser allmählich zu bas. Carbonat zersetzt. M. kommt als Mineral *Magnesit *(Bitterspat)* u. zusammen mit Calciumcarbonat im *Dolomit vor. Viel häufiger als das reine M. wird in Medizin u. Technik ein künstlich (meist durch Ausfällen einer Magnesiumsulfat-Lsg. mit Soda) hergestelltes, bas. M. mit der Bez. *Magnesia alba* (bas. kohlensaure Magnesia, Magnesiumhydroxidcarbonat) verwendet, das etwa der Zusammensetzung $4\,MgCO_3 \cdot Mg(OH)_2 \cdot 4$ od. $5\,H_2O$ entspricht. Diese Magnesia alba ist ein schneeweißes, sehr leichtes, lockeres, wasserunlösl. Pulver, das sich in Säuren viel schneller auflöst als Magnesit u. daher als Ausgangsmaterial für die Herst. anderer Magnesium-Verb. dient. Ferner verwendet man es als Mittel gegen Magenübersäuerung, Zahnpulver, Wundstreupulver, Gegenmittel bei Vergiftungen mit Säuren, Arsenik u. Metallsalzen, zur Herst. von Pudern, Putzmitteln usw., als Füllmittel für Farben, Papier, Kautschuk, zur Klärung von Flüssigkeiten, zur Wärmeisolierung, zur Mineralwasserfabrikation u. dgl. – ***E*** magnesium carbonate – ***F*** carbonate de magnésium – ***I*** carbonato di magnesio – ***S*** carbonato de magnesio

Lit.: Gmelin, Syst.-Nr. 27, Mg, Tl. B, 1938, S. 301–330 ▪ Kirk-Othmer (4.) **15**, 680–684 ▪ Ullmann (5.) **A 15**, 596 f. – *[HS 2836 99; CAS 546-93-0 (M.); 5145-48-2 (Dihydrat); 14457-83-1 (Trihydrat); 61042-72-6 (Pentahydrat)]*

Magnesiumchlorid. $MgCl_2$, M_R 95,21. Farblose, bitter schmeckende, zerfließliche, hexagonale Krist., D. 2,41, Schmp. 713 °C, Sdp. 1412 °C, in Wasser gut löslich. M. bildet Hydrate mit 2, 4, 6, 8 u. 12 Mol. Wasser pro Formeleinheit. Beim Erhitzen der Kristallwasser-haltigen Salze tritt Zers. unter Bildung von Oxidchloriden ein:

$$2\,MgCl_2 + H_2O \rightarrow Mg_2OCl_2 + 2\,HCl.$$

Die vollständige Entwässerung ist daher schwierig; zur Herst. von wasserfreiem M. s. Magnesium. $MgCl_2$ ist ein wichtiger Nebenbestandteil (ca. 10%) der aus Meerwasser gewinnbaren Salze u. kommt außerdem in zahlreichen Solequellen vor; daneben findet es sich in Form von $MgCl_2 \cdot 6\,H_2O$ als *Bischofit sowie im *Carnallit u. *Tachhydrit als Doppelsalz.

Verw.: Als Ausgangsmaterial für die elektrolyt. Mg-Herst., als Trägermaterial für *Ziegler-Natta-Katalysatoren, im Baugewerbe für Steinholz u. Stucco-Arbeiten, zur Gewinnung von Sorelzement, zum Konservieren von Eisenbahnschwellen, zur Verarbeitung von Zuckerrüben, als Staubbindemittel, Elektrolyt in Trockenbatterien, Feuerlöschmittel, Appreturbestandteil, zum Carbonisieren u. Beschweren von Wolle u. Baumwolle, als Caseinleimzusatz usw. – ***E*** magnesium chloride – ***F*** chlorure de magnésium – ***I*** cloruro di magnesio – ***S*** cloruro de magnesio

Lit.: Brauer (3.) **2**, 903 ff. ▪ Gmelin, Syst.-Nr. 27, Tl. B, 1937, S. 104–150 ▪ Kirk-Othmer (4.) **15**, 684–688 ▪ Ullmann (5.) **A 15**, 597–605 ▪ Winnacker-Küchler (4.) **2**, 326 ff.; **4**, 303–308. – *[HS 2827 31; CAS 7786-30-3 (M.); 7791-18-6 (Hexahydrat)]*

Magnesiumcitrat (Trimagnesiumdicitrat).

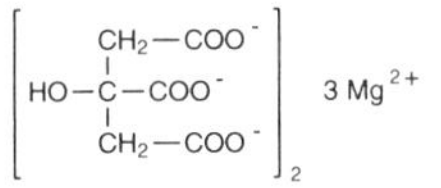

$C_{12}H_{10}Mg_3O_{14}$, M_R 451,11. Tetradecahydrat, weißes, lockeres Pulver, lösl. in verd. Mineralsäuren. M. wird als mildes Abführmittel u. als Nährbodenzusatz verwendet, zugelassen als Kochsalzersatz für diätet. Lebensmittel[1]. – ***E*** magnesium citrate – ***F*** citrate de magnésium – ***I*** citrato di magnesio – ***S*** citrato de magnesio

Lit.: [1] Römpp Lexikon Lebensmittelchemie, S. 186.
allg.: Beilstein E III **3**, 1101 f. ▪ Hager (5.) **8**, 800. – *[HS 2918 15; CAS 3344-18-1]*

Magnesiumethoxid (Magnesiumethanolat, Magnesiumethylat). $Mg(OC_2H_5)_2$, $C_4H_{10}MgO_2$, M_R 114,44. Weißes Pulver, D. 1,04, Schmp. 72–77 °C, lösl. in Alkohol, Chloroform, Tetrachlormethan, Cyclohexan, unlösl. in Benzin; an Luft u. in Wasser zersetzlich. Die Herst. erfolgt durch Einwirkung von amalgamiertem Magnesium auf Ethanol.

Verw.: In der organ. Synth. z. B. als Katalysator für Kondensationsreaktionen, Zwischenprodukt bei der Herst. von Magnesium-organ. Verbindungen. – ***E*** magnesium ethoxide – ***F*** éthoxyde de magnésium, éthylate de magnesium – ***I*** etossido di magnesio – ***S*** etóxido de magnesio, etilato de magnesio

Lit.: Beilstein E III **1**, 1283 ▪ Ullmann (5.) **A 1**, 298–301. – *[CAS 2414-98-4; G 4.2]*

Magnesiumfluat s. Magnesiumhexafluorosilicat.

Magnesiumfluorid. MgF_2, M_R 62,30. Tetragonale, farblose Krist., Schmp. 1265 °C, Sdp. 2239 °C, in Wasser schwer löslich; zur Giftigkeit s. a. Fluoride. M. wird als Antireflexbelag in sehr dünner Schicht z. B. auf die Linsen von Photogeräten auf- T gedampft, sowie als Monokrist. für Fenster, die vom Vak.-UV bis zum Infrarot lichtdurchlässig sind (Weltraumforschung), für andere opt. Zwecke u. in der Keramik verwendet. Es dient weiter als Zusatz in Schweißmitteln für Leichtmetalle, in elektrolyt. Al-Bädern, zur Erzeugung von Mg-Überzügen auf Eisen, Zusatz bei der Reinigung von Graphit u. der destillativen Al-Reinigung, zur Erhöhung der Widerstandsfähigkeit u. Gasdichtigkeit von Formkörpern aus Al_2O_3 u. als Spaltkatalysator für Kohlenwasserstoff-Öle. *Interkalations-Verb. mit Graphit u. Fluor zeichnen sich durch hohe elektr. Leitfähigkeit aus; das $NaF–MgF_2$-*Eutektikum wurde als Wärmespeicher für Sonnenenergie-Syst. vorgeschlagen. – ***E*** magnesium fluoride – ***F*** fluorure de magnésium – ***I*** fluoruro di magnesio – ***S*** fluoruro de magnesio

Lit.: Gmelin, Syst.-Nr. 27, Mg, Tl. B, 1937, S. 98–102 ▪ Kirk-Othmer (4.) **11**, 383–386 ▪ Ullmann (5.) **A 11**, 330. – *[HS 2826 19; CAS 7783-40-6]*

Magnesiumgluconat (Magnesium-D-gluconat).

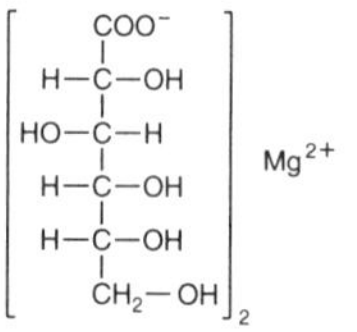

$C_{12}H_{22}MgO_{14}$, M_R 414,60. Geruchloses, fast geschmackfreies, farbloses, wasserlösl. Pulver, entsteht durch elektrochem. Oxid. von D-Glucose in Ggw. von KBr u. Magnesiumsalzen, zersetzt sich bei 200 °C.

Verw.: In *Magnesium-Präparaten gegen vegetative Dystonien, Krämpfe, Asthma, Allergien; zugelassen als Lebensmittelzusatzstoff, E 580 [1]. – ***E*** magnesium gluconate – ***F*** gluconate de magnésium – ***I*** gluconato di magnesio – ***S*** gluconato de magnesio

Lit.: [1] Zipfel, A 3.

allg.: Beilstein E IV **3**, 1256 ▪ Hager (5.) **8**, 801. – *[HS 2918 16; CAS 3632-91-5]*

Magnesiumhexafluorosilicat (Kieselfluormagnesium, Magnesiumfluat, Magnesiumsilicofluorid). $MgSiF_6$, M_R 166,38. Als Hexahydrat giftige, weiße, wasserlösl. Krist. od. Pulver, D. 1,788, Schmp. ca. 120 °C (Zers.). M. wird als *Bautenschutzmittel (zur Wirkungsweise s. Fluate), ferner als *Holzschutzmittel, *Absperrmittel bei Anstrichen, zur Erzeugung von Schutzschichten auf Mg u. Mg-Leg. sowie als Schweißmittel für Leichtmetalle verwendet. – ***E*** magnesium hexafluorosilicate – ***F*** hexafluorosilicate de magnésium – ***I*** esafluorosilicato di magnesio – ***S*** hexafluorosilicato de magnesio

Lit.: Blaue Liste, S. 228 ▪ Gmelin, Syst.-Nr. 27, Mg, Tl. B, 1938, S. 391–392 ▪ Hommel, Nr. 299. – *[HS 2826 90; CAS 16949-65-8]*

Magnesiumhydrid. MgH_2, M_R 26,32. Weiße, aus den Elementen erhältliche, nichtflüchtige, etherunlösl. Substanz, D. 1,45, zerfällt bei 280–300 °C unter Bildung eines Magnesium-Spiegels u. Wasserstoff-Entwicklung. Je nach Herst.-Bedingungen (unkatalysiert bei 500 °C u. 200 bar od. mit Anthracen u. $TiCl_4$, $CrCl_3$ od. $FeCl_2$ bei 20–65 °C u. 1–80 bar) ist M. an der Luft beständig od. selbstentzündlich u. reagiert schwach od. heftig mit Wasser unter H_2-Entwicklung. M. dient als Red.-Mittel, Spezialbrennstoff, Katalysator, Trockenmittel. Das über die katalyt. Hydrierung von Mg zugängliche aktive MgH_2-Mg-Syst. ist für chem. Synth. u. als reversibler Wasserstoff-Speicher u. Hochtemp.-Wärmespeicher geeignet (s. a. Metallhydride u. Wasserstoff). – ***E*** magnesium hydride – ***F*** hydrure de magnésium – ***I*** idruro di magnesio – ***S*** hidruro de magnesio

Lit.: Acc. Chem. Res. **21**, 261–267 (1988) ▪ Angew. Chem. **97**, 253–264 (1985); **102**, 239–250 (1990) ▪ Brauer (3.) **2**, 902 ▪ Gmelin, Syst.-Nr. 27, Mg, Tl. B, 17, S. 1–11 ▪ Kirk-Othmer (4.) **13**, 611 ▪ Ullmann (5.) **A 13**, 205 f. ▪ s. a. Metallhydride. – *[HS 2850 00; CAS 7693-27-8 (MgH_2)]*

Magnesiumhydrogencarbonat (veraltet: Magnesiumbicarbonat, Doppeltkohlensaure Magnesia). $Mg(HCO_3)_2 \cdot x\,H_2O$, M_R 146,34. Wasserlösl. Verb., die z. B. entsteht, wenn Kohlendioxid-haltiges Regenwasser mit *Magnesit od. *Dolomit in Berührung kommt. M. verursacht z. T. die *Härte des Wassers; es ist in reinem, festem Zustand nicht erhältlich, da es beim Eindampfen od. Verdunsten der Lsg. in Magnesiumcarbonat (Bestandteil des Kesselsteins), Wasser u. Kohlendioxid zerfällt. – ***E*** magnesium hydrogen carbonate – ***F*** hydrogénocarbonate de magnésium – ***I*** idrogencarbonato di magnesio – ***S*** hidrogenocarbonato de magnesio

Lit.: Gmelin, Syst.-Nr. 27, Mg, Tl. B, 1938, S. 318–321. – *[HS 2836 99]*

Magnesiumhydroxid. $Mg(OH)_2$, M_R 58,32. Farblose Krist., D. 2,38, in Wasser schwer lösl., in Ammoniumsalz-Lsg. gut lösl., die bei 100 °C unzersetzt getrocknet werden können; bei 380 °C entsteht unter Wasserabspaltung Magnesiumoxid. M. kommt in der Natur als *Brucit vor.

Herst.: Aus Wasser u. Magnesiumoxid od. aus Magnesium-Salzen u. Natronlauge.

Verw.: Zur Erzeugung von Sulfitcellulose, zur *Entschwefelung von Abgasen, als flammhemmender Verstärkerfüllstoff für Kunststoffe u. Kautschuk (s. *Lit.* [1]), Bodenverbesserungsmittel, Rieselhilfe, Flockungsmittel bei der Abwasser-Behandlung [2] u. zur Trinkwasseraufbereitung, in Antacida, als mildes Abführmittel, als Heizölzusatz. – ***E*** magnesium hydroxide – ***F*** hydroxyde de magnésium – ***I*** idrossido di magnesio – ***S*** hidróxido de magnesio

Lit.: [1] Rubber World **200**, 30–32, 35 (1989). [2] Chem. Tech. (Leipzig) **34**, 411–415 (1982).

allg.: Brauer (3.) **2**, 908 f. ▪ Gmelin, Syst.-Nr. 27, Mg, Tl. B, 1937, 54–67 ▪ Kirk-Othmer (4.) **15**, 689 f. ▪ Naturwissenschaften **70**, 612 f. (1983) ▪ Ullmann (5.) **A 15**, 605. – *[HS 2816 10; CAS 1309-42-8]*

Magnesiumhydroxidcarbonat s. Magnesiumcarbonat.

Magnesium-Legierungen. Gruppe von Leg., die neben Magnesium als Hauptbestandteil Zusätze (gewöhnlich bis ca. 10%) an Aluminium, Mangan, Zink, Kupfer, Nickel (Zn, Cu u. Ni bilden *Laves-Phasen), Cer-Mischmetall u. anderen Seltenerdmetallen (SE), Silber, Zirconium, Silicium usw. enthalten. Al-Gehalte über ca. 10% verspröden Magnesium-Legierungen. Zink u. bes. Zirconium erhöhen die Zähigkeit, während Mangan, in den meisten Leg. mit ca. 0,3% enthalten, die Korrosionsbeständigkeit verbessert. Beryllium-Zusätze von einigen ppm verringern merklich die Oxid.-Neigung des schmelzflüssigen Metalls, vergröbern jedoch das Korn. Seltenerdmetalle u. Thorium steigern die Warmfestigkeit. Zirconium-haltige M.-L. müssen Aluminium- u. Mangan-frei sein; sie enthalten statt dessen Zink. Thorium u. SE bilden eine eigene Klasse von Magnesium-Legierungen. Die Dichte liegt für Standard-Leg. zwischen 1,78 u. 1,83 g/cm^3, die elektr. Leitfähigkeit zwischen 7,1 u. 20,0 · 10^4 S/cm, der Wärmeausdehnungs-Koeff. zwischen 26,0 u. 27,3 · 10^{-6}/°C, der Schmp. zwischen 590 u. 650 °C. M.-L. werden eingeteilt in *Mg-Knetleg.* (Basis Mg–Mn, Mg–Al–Zn) u. *Mg-Gußleg.*; letztere werden ihrerseits in Sandguß, Kokillenguß u. Druckguß od. nach Leg.-Bestandteilen untergliedert. Speziell zur Erzeugung von *Gußeisen mit Kugelgraphit entwickelte M.-L. sind Mg–Si–Fe-Leg. mit 5–45% Mg, 35–60% Si u. einem geringen Gehalt an Ca sowie Seltenerdmetallen.

M.-L. können nach den meisten bekannten Verf. verarbeitet werden. Von allen metall. Werkstoffen lassen sich M.-L. mit den höchsten Verarbeitungsgeschw. spanabhebend verformen. Brandgefahr liegt bei kompaktem Metall u. groben Spänen prakt. nicht vor. Dagegen kann sich trockener Schleifstaub wie jeder andere Metallstaub infolge der großen Oberfläche bei Luftkontakt entzünden.

Verw.: Haupteinsatzgebiete von M.-L. sind Luftfahrt, Maschinenbau aller Art, opt. Geräte, Elektrotechnik, Elektronik, Transportmittel, Büromaschinen u. Haushaltsmaschinen, u. zwar generell in Bereichen, bei denen es auf Festigkeit u. Steifigkeit bei möglichst geringem Gew. ankommt sowie niedrige Fertigungskosten bei großen Serien gefordert werden. Zunehmende Bedeutung erhalten M.-L. im Motorenbau für Kraftfahrzeuge. Für die amerikan. Saturn-Raketen wurde eine M.-L. mit 14% Li u. 1,25% Al mit einer Dichte von nur 1,35 g/cm^3 entwickelt. Ein Einsatzgebiet für M.-L. ist auch im Reaktorbau gegeben. – ***E*** magnesium alloys – ***F*** alliages de magnésium – ***I*** leghe di magnesio – ***S*** aleaciones de magnesio

Lit.: DIN 1729-1: 1982-08; DIN 1729-2: 1973-07 ▪ Kirk-Othmer (4.) **15**, 622 ff. ▪ Ullmann (4.) **16**, 331 ff.

Magnesiumlicht s. Leuchtsätze, Magnesium.

Magnesiummethoxid (Magnesiummethanolat, Magnesiummethylat). $Mg(OCH_3)_2$, $C_2H_6MgO_2$, M_R 86,37, weißes Pulver, Schmp. 115–120 °C; findet in organ. Synth. Verw., bildet mit enolisierbaren Dicarbonyl-Verb. stabile Chelate. – ***E*** magnesiummethoxide – ***F*** méthoxyde de magnésium – ***I*** metossido di magnesio – ***S*** metóxido de magnesio

Lit.: Beilstein E III **1**, 1184 ▪ Paquette **5**, 3204 ▪ Ullmann (5.) **A 1**, 298–301. – *[CAS 109-88-6; G 4.2]*

Magnesiummethyliodid s. Methylmagnesiumiodid, Grignard-Reaktion u. Grignard-Verbindungen.

Magnesiumnitrat. Das Hexahydrat $Mg(NO_3)_2 \cdot 6\,H_2O$, M_R 148,31, bildet farblose, zerfließliche, rhomb. Säulen u. Nadeln, D. 1,64, Schmp. 89 °C, die beim Glühen unter Abspaltung von Stickstoffdioxid in Magnesiumoxid übergehen; in Wasser u. Alkohol sehr leicht löslich. M. dient in der Ind. zur Entwässerung von Salpetersäure, zur Stabilisierung von Ammoniumnitrat-Prills (s. Prillen) u. als Flüssigdünger zur Blattdüngung. – ***E*** magnesium nitrate – ***F*** nitrate de magnésium – ***I*** nitrato di magnesio – ***S*** nitrato de magnesio

Lit.: Brauer (3.) **2**, 912 f. ▪ Gmelin, Syst.-Nr. 27, Mg, Tl. B, 1937, S. 78–96 ▪ Hommel, Nr. 283 ▪ Kirk-Othmer (4.) **15**, 701 ff. ▪ Ullmann (4.) **16**, 337. – *[HS 2834 29; CAS 10377-60-3 (M.); 13446-18-9 (M.-Hexahydrat)]*

Magnesiumnitrid. Mg_3N_2, M_R 100,93. C Grünlich-gelbes Pulver, D. 2,712, das sich in Wasser u. feuchter Luft unter Bildung von Magnesiumhydroxid u. Ammoniak zersetzt. M. entsteht durch Umsetzung von Magnesium mit Stickstoff od. Ammoniak bei Temp. >500 °C. Es findet beschränkten Einsatz als Dehydratisierungsmittel, in der Kautschuk-Compoundierung u. zum Nachw. von Wasser in Alkohol-Kraftstoffen. – ***E*** magnesium nitride – ***F*** nitrure de magnésium – ***I*** nitruro di magnesio – ***S*** nitruro de magnesio

Lit.: Brauer (3.) **2**, 911 f. ▪ Gmelin, Syst.-Nr. 27, Mg, Tl. B, 1937, S. 68–73 ▪ Kirk-Othmer (4.), **15**, 625. – *[HS 2850 00; CAS 12057-71-5]*

Magnesiumoctoat s. Octoate.

Magnesium-organische Verbindungen. Neben den präparativ wichtigen *Grignard-Verbindungen, s. Barbier-Wieland-Reaktion [1] u. Grignard-Reaktion, spielen andere M.-o. V. nur eine untergeordnete Rolle. Magnesium-diorganyle erhält man durch *Transmetallierung (z. B. aus Quecksilber-organ. Verb., s. Abb. a) od. durch Disproportionierung von Grignard-Verb. (*Schlenk-Gleichgew.*, s. Abb. b). Auf diesem Weg lassen sich auch Magnesacyclen herstellen. Alkene wie 1,3-Butadien können auch direkt mit metall. Magnesium reagieren (s. Abb. c). Magnesium-butadien dient als Quelle für Butadien-Dianionen, die zur Synth. von Übergangsmetall-Komplexen mit Butadien-Liganden eingesetzt werden können. Im übrigen dienen M.-o. V. als Katalysatoren für die Polymerisation von Alkenen (vgl. a. Ziegler-Natta-Katalysatoren).

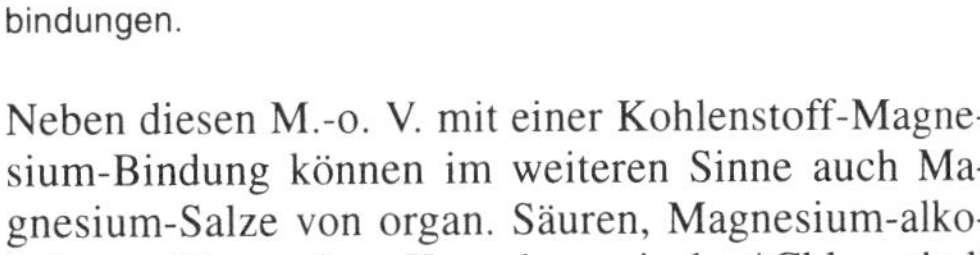
a Mg + R—Hg—R → R—Mg—R + Hg
b 2 R—MgX + O O → R—Mg—R + MgX2 • O O
c Mg + 2
I, THF, 20°C
Mg • 2 THF
2

Abb.: Mögliche Herst.-Meth. für Magnesium-organische Verbindungen.

Neben diesen M.-o. V. mit einer Kohlenstoff-Magnesium-Bindung können im weiteren Sinne auch Magnesium-Salze von organ. Säuren, Magnesium-alkoholate u. Magnesium-Komplexe wie das *Chlorophyll zu den M.-o. V. gerechnet werden. – ***E*** organomagnesium compounds – ***F*** composés organo-magnésiens – ***I*** composti organici di magnesio – ***S*** compuestos organomagnesianos

Lit.: [1] Tetrahedron **52**, 5643–5668 (1996).

allg.: Acc. Chem. Res. **23**, 286–293 (1990) ▪ Houben-Weyl **13/2 a**, 46–527 ▪ Kirk-Othmer (4.) **15**, 676 ▪ Krause, Metallorganische Chemie, S. 49–63, Heidelberg: Spektrum Akadem. Verl. 1996 ▪ Ullmann (5.) **A 15**, 624–627 ▪ Wakefield, Organomagnesium Methods in Organic Synthesis, Orlando: Academic Press 1995 ▪ Wilkinson-Stone-Abel **1**, 156–223; II **1**, 58–107 ▪ s. a. Grignard-Verbindungen.

Magnesiumoxid (gebrannte, calcinierte Magnesia, Bittererde, Magnesia usta). MgO, M_R 40,30. Lockeres, weißes Pulver od. oktaedr. bzw. würfelförmige Krist. (s. Periklas), D. 3,58, Schmp. 2827±30 °C, Sdp. ca. 3600 °C, MAK (als Feinstaub) 6 mg/m^3, in Wasser unlösl., wird jedoch durch dieses langsam in schwer lösl. Magnesiumhydroxid umgewandelt. Krist. MgO wird von Säuren nur schwer, pulverförmiges leichter angegriffen. MgO entsteht z. B. beim Verbrennen von Mg, ferner beim Glühen von Magnesiumhydroxid, Magnesiumcarbonat, Magnesiumnitrat, Magnesit, durch Zers. von Magnesiumchlorid mit überhitztem Wasserdampf, therm. aus Bittersalz bzw. *Kieserit. Bei der Gewinnung aus Meerwasser wird mit Hilfe von gebranntem u. gelöschtem Kalk od. *Dolomit $Mg(OH)_2$ gefällt, das abgetrennt u. calciniert wird.

Verw.: Von den nach Art u. Temp. des Calciniervorgangs verschiedenen Magnesia-Qualitäten dient *Sintermagnesia* zur Herst. von Feuerfest- sowie auch Wärmespeichermaterialien. *Schmelzmagnesia* verwendet man als Isoliermaterial in der Elektrowärmeindustrie. Reaktionsfähiger *Magnesia-Kauster* (chem. Magnesia) wird eingesetzt in Magnesit-Bindern (s. Sorelzement), Zahnpulver, als Antacidum bei Magenübersäuerung u. Säurevergiftungen, als Streupuder, zur Fleckenreinigung (Aufsaugmittel), Uran-Gewinnung in Ionenaustauschern, als Brennstoffzusatz, zur Entkieselung von Wasser in Vollentsalzungsanlagen, in Futtermitteln, als Vulkanisationsverzögerer in Polychloropren u. a. Elastomeren, zur Absorption von Schwefeldioxid, als Eindickmittel für ungesätt. Polyesterharze usw. – ***E*** magnesium oxide – ***F*** oxyde de magnésium – ***I*** ossido di magnesio – ***S*** óxido de magnesio

Lit.: Brauer (3.) **2**, 907 ▪ Gmelin, Syst.-Nr. 27, Mg, Tl. B, 1937, S. 12–14 ▪ Kirk-Othmer (4.) **15**, 703–707 ▪ Pure Appl. Chem. **54**, 681–688 (1982) ▪ Sprechsaal **120**, 1115–1118 (1987) ▪ Ullmann (5.) **A 15**, 605–619 ▪ Winnacker-Küchler (4.) **2**, 328. – *[HS 2519 90; CAS 1309-48-4]*

Magnesiumoxid-Keramik s. Oxidkeramik.

Magnesiumperchlorat. $Mg(ClO_4)_2$, M_R 223,21. Farbloses, hygroskop., sehr leicht wasserlösl. Pulver, D. 2,21, Schmp. 251 °C, bildet mit Wasser verschiedene Hydrate, z. B. ein Hexahydrat (M_R 331,297, D. 1,98, Schmp. 185–190 °C) u. dient deshalb als Trockenmittel (s. dort) anstelle von P_2O_5. Das Hydrat wird auch als Thyreostatikum angewandt. Gemische von M. mit oxidierbaren organ. Stoffen neigen zu heftigen Explosionen. – ***E*** magnesium perchlorate – ***F*** perchlorate de magnésium – ***I*** perclorato di magnesio – ***S*** perclorato de magnesio

O Xn

Lit.: Gmelin, Syst.-Nr. 27, Mg, Tl. B, 1937, S. 154–158 ▪ Hommel, Nr. 284. – *[HS 2829 90; CAS 10034-81-8 (M.); 13446-19-0 (M.-Hexahydrat)]*

Magnesiumperoxid. MgO_2, M_R 56,30. Weißes, lockeres, geschmackfreies Pulver, lösl. in verd. Säuren unter Abspaltung von Wasserstoffperoxid, unlösl. in Wasser; es gibt schon beim Erwärmen auf über 25 °C, bes. bei Ggw. von Feuchtigkeit, Sauerstoff ab.

O

Herst.: Aus Magnesiumoxid od. -hydroxid u. der stöchiometr. Menge Wasserstoffperoxid; man trocknet unterhalb 25 °C. M. kommt nicht in reinem Zustand, sondern in Mischungen mit Magnesiumhydroxid als 5-, 15-, 25- u. 50%iges Präp. in den Handel.

Verw.: Als Bleichmittel, Zusatz zu Zahnpulver, Desinfektionsmittel, innerlich bei Magenübersäuerung, abnormen Gärungsvorgängen in Magen u. Darm, Mattigkeit, Appetitmangel, in der Tierheilkunde bei Staupe der Hunde. – ***E*** magnesium peroxide – ***F*** peroxyde de magnésium – ***I*** perossido di magnesio – ***S*** peróxido de magnesio

Lit.: Brauer (3.) **2**, 907 f. ▪ DAB **10** ▪ Gmelin, Syst.-Nr. 27, Mg, Tl. B, 1937, S. 67 f. ▪ Kirk-Othmer (4.) **15**, 708 ▪ Ullmann (4.) **17**, 715 ▪ Winnacker-Küchler (4.) **2**, 595 f. – *[HS 2816 10; CAS 1335-26-8]*

Magnesiumphosphate. (a) *Magnesiumdihydrogenphosphat* (prim. od. einbasiges M.), $Mg(H_2PO_4)_2$, M_R 218,28, weißes, krist., hygroskop. Pulver, lösl. in Wasser u. Säuren, unlösl. in Alkohol. Beim Lösen in Wasser teilw. Hydrolyse zu H_3PO_4 u. (b). Findet Verw. in Flammschutzmitteln.

(b) *Magnesiumhydrogenphosphat* (sek. od. zweibasiges M.). Das Trihydrat $MgHPO_4 \cdot 3H_2O$, M_R 120,28, liegt als weißes, krist. Pulver vor, D. 2,13, Schmp. 205 °C unter H_2O-Abgabe u. Bildung von (d), wenig lösl. in Wasser, lösl. in verd. Säuren. Dient als Abführmittel, Futtermittelzusatz u. keram. Rohstoff.

(c) *Magnesiumphosphat* (tert. od. dreibasiges M.), $Mg_3(PO_4)_2$, M_R 262,86, Schmp. 1184 °C. Das Pentahydrat $Mg_3(PO_4)_2 \cdot 5H_2O$, weißes, krist. Pulver, wasserunlösl., lösl. in Säuren, ist als Antibackmittel für Tafelsalz u. gegen Magenübersäuerung verwendbar.

(d) *Magnesiumdiphosphat* (Magnesiumpyrophosphat), $Mg_2P_2O_7$, M_R 222,55, weißes Pulver, D. 2,56, Schmp. 1383 °C, unlösl. in Wasser, lösl. in verd. Mineralsäuren. Findet Verw. in der keram., Glas- u. Email-Ind. u. ist die Wägeform bei der gravimetr. Mg-u. Phosphat-Bestimmung. – ***E*** magnesium phosphates – ***F*** phosphates de magnésium – ***I*** fosfati di magnesio – ***S*** fosfatos de magnesio

Lit.: Gmelin, Syst.-Nr. 27, Mg, 1938, Tl. B, S. 397–409 ▪ Ullmann (4.) **18**, 333. – *[HS 2835 29; CAS 13092-66-5 (a); 7757-86-0 (b); 7782-75-4 (b, Trihydrat); 7757-87-1 (c); 10233-87-1 (c, Pentahydrat) 13446-24-7 (d)]*

Magnesium-Präparate. Im menschlichen Organismus spielt *Magnesium eine wichtige physiolog. Rolle, Mg^{2+}-Ionen sind für die Aktivierung zahlreicher Enzyme notwendig. Bei einer täglichen Zufuhr von etwa 10 mmol Mg-Ionen ist die Mg-Bilanz ausgeglichen, was durch eine normale Ernährung erreicht wird. Typ. Symptom eines Mg-Mangels ist eine neuromuskuläre Übererregbarkeit, weniger spezif. Zeichen sind Tremor, Verwirrtheit, Übelkeit u. Erbrechen. Die gegen derartige Zustände u. gelegentlich auch in *Geriatrika eingesetzten M.-P. sind hauptsächlich Mg-Salze von Asparagin-, Orot-, Glutamin-, Ascorbin-, Glucon-, Lävulin-, Milch-, Citronensäure u. a. Carbon- od. Aminosäuren. Die M.-P. können noch zusätzlich Vitamine, Phosphate u. Citronensäure enthalten. Neben diesen M.-P. werden Magnesiumcarbonat, -silicat,

-hydroxid u. -oxid häufig in *Antacida, das Sulfat-heptahydrat auch als mildes *Abführmittel eingesetzt. – *E* magnesium preparations – *F* préparations de magnésium – *I* preparati di magnesio – *S* preparados de magnesio

Lit.: Cowan, Biological Chemistry of Magnesium, Weinheim: VCH Verlagsges. 1995 ▪ Krakau et al., Magnesium, Herzrhythmusstörungen u. akuter Herzinfarkt, Berlin: Springer 1995 ▪ Mutschler (7.), S. 572 ff.

Magnesiumpyrophosphat s. Magnesiumphosphate.

Magnesiumseifen s. Metallseifen.

Magnesiumsilicate. Gruppe von Magnesium-Salzen verschiedener *Kieselsäuren. a) *Magnesiumorthosilicat*, Mg_2SiO_4, M_R 140,69, weiße, orthorhomb. Krist., D. 3,21, Schmp. 1910 °C, unlösl. in Wasser, kommt in der Natur als Forsterit (s. Olivin) vor. – b) *Magnesiummetasilicat*, $MgSiO_3$, M_R 100,39, weiße, monokline Krist., D. 3,192, Schmp. 1557 °C (Zers.), in Wasser unlösl., natürliches Vork. z. B. als Kettensilicat Enstatit (s. Pyroxene). – c) *Magnesiumtrisilicat*, $Mg_2Si_3O_8$, M_R 260,86, weißes, geruch- u. geschmackfreies Pulver, unlösl. in Wasser, kommt natürlich z. B. als Meerschaum (s. Sepiolith) vor.

Der *Serpentin, ein M. vom Chrysotil-Typ, zählt zu den *Asbesten u. ist auch dort behandelt; ein weiteres techn. wichtiges M.-Mineral ist Talkum (s. Talk).

Verw.: Als Filtermaterial, Geruchsbindungsmittel, Füllstoffe in Malerfarben, in der Kautschuk-, Glas-, Keramik- u. Kunststoff-Ind., ferner in Wasch-Bleichmitteln als Sauerstoff-Stabilisator, Mg-Trisilicat auch als Mittel gegen Sodbrennen u. aktivierte M. als Sorptionsmittel für die Dünnschicht- u. Säulenchromatographie (Florisil®). – *E* magnesium silicates – *F* silicates de magnésium – *I* silicati di magnesio – *S* silicatos de magnesio

Lit.: Gmelin, Syst.-Nr. 27, Mg, Tl. B, 1938, S. 349–390 ▪ Kirk-Othmer (3.) **17**, 810 f. ▪ Ullmann (4.) **5**, 194; (5.) **A 2**, 322; **A 12**, 444 ▪ Winnacker-Küchler (4.) **3**, 75. – *[HS 2839 90; CAS 10034-94-3 (a); 13776-74-4 (b); 14987-04-3 (c)]*

Magnesiumsilicid. Mg_2Si, M_R 76,70, harte u. spröde, schieferblaue, kub. Krist. vom *Fluorit-Typ, D. 1,94, Schmp. 1102 °C. Die durch Red. von SiO_2 (Quarzsand) mit Mg erhältliche Verb. zersetzt sich mit Säuren unter Bildung von *Silanen. – *E* magnesium silicide – *F* siliciure de magnésium – *I* siliciuro di magnesio – *S* siliciuro de magnesio

Lit.: Brauer (3.) **2**, 916 f. ▪ Chem.-Ztg. **110**, 132, 148 (1986) ▪ Gmelin, Syst.-Nr. 27, Mg, Tl. A 1937, S. 388–396 ▪ Kirk-Othmer (3.) **20**, 892 ▪ s. a. Silicide. – *[HS 2850 00; CAS 22831-39-6]*

Magnesiumsilicofluorid s. Magnesiumhexafluorosilicat.

Magnesiumstearat. $(H_{35}C_{17}–CO–O)_2Mg$, $C_{36}H_{70}MgO_4$, M_R 591,25. Weißes Pulver, Schmp. 88 °C; unlösl. in Wasser, Ethanol, Ether, lösl. in heißem Ethanol u. Benzol, kann aus wäss. $MgCl_2$-Lsg. u. Na-Stearat hergestellt werden.

Verw.: Als Schmier-, Gleit- u. Formentrennmittel in 0,1 bis 1%iger Konz. für die Tablettierung u. Kapselabfüllung; in Pudern zur Verbesserung der Gleit- u. Deckfähigkeit; in Salben als konsistenzerhöhender u. stabilisierender Zusatz zur Fettphase; zugelassener Lebensmittelzusatzstoff, E 572 [1]. – *E* magnesium stearate – *F* stéarate de magnésium – *I* stearato di magnesio – *S* estearato de magnesio

Lit.: [1] Römpp Lexikon Lebensmittelchemie, S. 802.
allg.: Beilstein E IV **2**, 1213 ▪ Hager (5.) **8**, 804 ▪ Merck-Index (12.), Nr. 5730 ▪ Ullmann (5.) **A 11**, 571. – *[HS 2915 70; CAS 557-04-0]*

Magnesiumsulfat (Bittersalz, Epsomsalz). $MgSO_4$, M_R 120,37. Farblose Krist., D. 2,66, Zers. ab 900 °C zu MgO, SO_3, SO_2 u. O_2; es lösen sich in je 100 g Wasser von 0 °C 26,9 g u. von 40 °C 45,6 g $MgSO_4$. M. bildet folgende Hydrate: Zwischen –3,8 u. 1,8 °C $MgSO_4 \cdot 12H_2O$, zwischen 1,8 u. 48,2 °C das *Bittersalz* ($MgSO_4 \cdot 7H_2O$), das auch als Mineral *Epsomit vorkommt, u. zwischen 48,2 u. 68 °C ein $MgSO_4 \cdot H_2O$, das auch als Mineral *Kieserit vorkommt. Daneben gibt es noch instabile Hydrate mit 2, 4 u. 5 H_2O-Mol. je Formeleinheit sowie eine Reihe von Doppelsalzen wie *Astrakanit, *Langbeinit, *Kainit, *Leonit, *Schönit. Das wichtigste Hydrat des M. ist Bittersalz, das sich in Wasser mit bitterem Geschmack leicht löst; es ist wesentlicher Bestandteil von *Bitterwässern. M. ist ein wichtiges Nebenprodukt der Kali-Ind. u. wird auch aus $MgCO_3$ od. Meerwasser gewonnen.

Verw.: Vorwiegend als Mg-Bestandteil von Mischdüngern (*Kalimagnesia), ferner als Beschwerungs-, Beiz- u. Flammschutzmittel in der Textil-Ind. (schützt Cellulose vor Zerstörung im Peroxid-Bleichprozeß), medizin. gegen Verstopfung, in der Ind. zur Wasserreinigung, zur Bereitung von Spinnbädern für Kunstseide, in der Keramik-Ind. für keram. u. Steatit-Massen, zur Herst. von Badesalzen, Feuerlöschmitteln, Glühphosphaten, Leichtbauplatten, in Cold Creams (anstelle von Borax). – *E* magnesium sulfate – *F* sulfate de magnésium – *I* solfato di magnesio – *S* sulfato de magnesio

Lit.: Gmelin, Syst.-Nr. 27, Mg, Tl. B, 1938, S. 210–273 ▪ Kali Steinsalz **9**, 287–295 (1986) ▪ Kirk-Othmer (4.) **15**, 709–714 ▪ Parfüm. Kosmet. **64**, 616–622 (1983) ▪ Ramdohr-Strunz, S. 607 f. ▪ Ullmann (5.) **A 15**, 619–624 ▪ Winnacker-Küchler (4.) **2**, 324 ff. – *[HS 2833 21; CAS 7487-88-9 (M.); 10034-99-8 (Bittersalz)]*

Magnesiumtongranat s. Granate u. Pyrop.

Magneson.

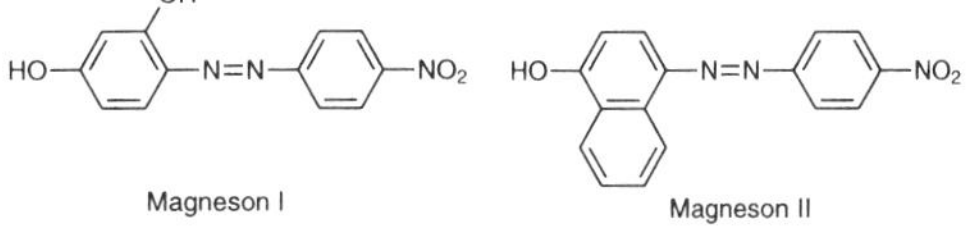

Magneson I   Magneson II

(a) *Magneson I* [4-(4-Nitrophenylazo)-resorcin], $C_{12}H_9N_3O_4$, M_R 259,22. Rötliches Pulver, Schmp. 192 °C; unlösl. in Wasser, lösl. in verd. Natronlauge; Reagenz auf Magnesium u. Adsorptionsindikator [1].

(b) *Magneson II* [4-(4-Nitrophenylazo)-1-naphthol], $C_{16}H_{11}N_3O_3$, M_R 293,28; Reagenz auf Magnesium u. Adsorptionsindikator [2]. – *E* = *I* magneson – *F* magnéson – *S* magnesón

Lit.: [1] Beilstein E IV **16**, 266; Merck-Index (12.), Nr. 5735. [2] Acta Chim. Hung. (Budapest) **57**, 241 (1968); Beilstein E IV **16**, 224; Z. Anal. Chem. **144**, 264 (1955). – *[HS 2927 00; CAS 74-39-5 (a); 5290-62-0 (b)]*

Magnetbänder (Tonbänder, Videobänder, Computerbänder). Magnetisierbare Materialien enthaltende Kunststoffstreifen verschiedener Breite u. Stärke, die zur Speicherung von Informationen geeignet sind, z. B. für Ton-, Film-, Fernseh- u. Datenaufzeichnungen auf Spulen od. Cassetten, auch für audiovisuelle Lehrmittel. Die heutigen, auch auf Entwicklungen der BASF [1] zurückgehenden Magnetbänder bestehen aus einer Trägerfolie (*Polyethylenterephthalat) u. einer magnetisierbaren Schicht aus γ-Fe_2O_3, Co-oberflächenmodifiziertem Eisenoxid, CrO_2, Metallpigment (Fe) bzw. Metall (Co-Ni-Leg.). Das Aufbringen der Magnetschicht geschieht durch Gießen der in einem organ. Binder dispergierten Partikel auf die Trägerfolie bzw. durch Metall-Bedampfung. Die Umpolfeldstärken der Magnetschichten liegen je nach Anw. zwischen 25 kA/m (γ-F_2O_3, Tonband) u. 150 kA/m (Metallpigment, 8 mm Videoband). M. mit hoher Umpolfeldstärke ermöglichen die Speicherung von 15 Mio. Informationseinheiten pro cm^2 (1 Speicherzelle $\triangleq$6 μm^2). Neuere Materialien mit ultradünnen Schichten besitzen 100 Mio./cm^2; sie werden für Festplatten u. Disketten von Computern eingesetzt [2]. – ***E*** magnetic tapes – ***F*** bandes magnétiques – ***I*** nastri magnetici – ***S*** cintas magnéticas

Lit.: [1] Chem.-Ztg. **89**, 212–217 (1965). [2] Phys. Unserer Zeit **27**, 118, 123 (1996); Spektrum Wiss. **1995**, Nr. 9, 66.
allg.: IEEE Trans. Magn. **26**, Nr. 1, 6–11 (1990) ▪ Proc. IEEE, **78**, Nr. 6, 1004–1016 (1990) ▪ J. Magn. Magn. Mat. **88**, 165–176 (1990) ▪ Torre, Magnetic Recording, Encyclopedia of Physical Science and Technology, Vol. 9, S. 323–336, New York: Academic Press 1992.

Magnete. Umgangssprachliche Bez. (auch Magneten) für Gegenstände, die über ein Magnetfeld verfügen (z. B. Dauer- od. Permanent-M. in Stab-, Hufeisen- u. a. Formen) od. die ein Magnetfeld erzeugen (z. B. Elektro-M. bei Stromdurchgang). Die größten u. stärksten M. werden z. Z. für Kernfusionreaktoren (s. Kernreaktoren) entwickelt; so wurden z. B. mit einem supraleitenden Magneten 11 Tesla (*Lit.* [1]) u. Magnetfeldänderungen von 240 Tesla/s (*Lit.* [2]), mit *Hybrid-Magneten sogar ≥30 Tesla erreicht. Gemäß der bisherigen Form der *Maxwellschen Gleichungen besitzt ein M. einen Dipol, bestehend aus Südpol u. Nordpol, od. Pole höherer Ordnung. Anfang der 80er Jahre wurde über die Entdeckung eines magnet. Monopols berichtet. Diese Messungen haben sich bisher nicht bestätigt (Details s. *Lit.* [3] u. magnetische Momente). Die neuen Theorien der Elementarteilchenphysik postulieren für die Frühzeit des Universums (s. Urknall) die Entstehung magnet. Monopole [4].
Der Name „M." wird auf eine griech. Sagengestalt Magnes od. (ebenso wie die Elementnamen Mangan u. Magnesium) auf die thessal. Landschaft Magnesia zurückgeführt. In Anlehnung an „M." werden die elektr. Analoga Elektrete genannt. – ***E*** magnets – ***F*** aimants – ***I*** magneti – ***S*** imanes

Lit.: [1] Phys. Unserer Zeit **28**, 43 (1997). [2] Phys. Unserer Zeit **26**, 81 (1995). [3] Phys. Unserer Zeit **15**, 173 (1984); **21**, 142 (1990); Nature (London) **344**, 706 (1990); Lerner u. Trigg (Hrsg.), Encyclopedia of Physics, S. 674, Weinheim: VCH Verlagsges. 1991. [4] Phys. Unserer Zeit **24**, 158 (1993).
allg.: Spektrum Wiss. **1996**, Nr. 3, 58 ▪ s. Ferromagnetika u. magnetische Werkstoffe.

Magneteisenerz s. Magnetit.

Magnetherm-Verfahren s. Magnesium.

Magnetische Flaschen s. Kernfusion.

Magnetische Flüssigkeiten (Ferrofluide). Bez. für stabile kolloidale Suspensionen ferromagnet. Teilchen mit den makroskop. Eigenschaften einer echten Flüssigkeit. Sie besitzen einen Sättigungsmagnetismus in der Größenordnung von 50 kA/m (vgl.: paramagnet. Salze: 2 kA/m, Eisen: 1700 kA/m, s. magnetische Werkstoffe).
Herst.: a) *Magnetit-Pulver wird in Anwesenheit einer Polymerlsg. u. einer Trägerflüssigkeit etwa vierzig Tage lang in Kugelmühlen gemahlen u. zwischendurch mehrfach zentrifugiert bis die gewünschte Teilchengröße erreicht ist. Die dabei verwendeten Polymere sind Ölsäure, Phosphorsäure-Derivate od. Polymeramine. Als Trägerflüssigkeit verwendet man Wasser, verschiedene Ester, Kohlenwasserstoffe u. Polyphenylether.
b) Ausfällung von Magnetit aus einer Salzlsg.; z. B. entsprechend

$$8\,NaOH + 2\,FeCl_3 + FeCl_2 \rightarrow Fe_3O_4 + 8\,NaCl + 4\,H_2O$$

in Anwesenheit von oberflächenaktiven Polymeren u. einer Trägerflüssigkeit. Der Preis pro Liter m. F. liegt je nach Qualität zwischen 3000 u. 30000 DM.
Aufbau: M. F. bestehen aus Teilchen von ~10 nm Größe, die von einer ~2 nm dicken Polymer-Hülle umgeben sind. Die Bez. „Ferro-" (bei Ferrofluid) bezieht sich nur auf das Innere eines Teilchens; die Flüssigkeit als Ganzes besitzt paramagnet. Eigenschaften.
Anw.: Allg. Bereiche, in denen eine Flüssigkeit leicht kontrollierbaren Kräften gehorchen soll, wie z. B. mechan. Schwingungsdämpfung von Schrittmotoren, vakuumdichte Drehdurchführungen sowie Ferrofluid-Dämpfer in Lautsprechern; durch die Dämpfung werden die Oberschwingungen der Lautsprechermembrane abgefangen, gleichzeitig wird durch die hohe Wärmeleitfähigkeit der m. F. die Magnetspule gekühlt. – ***E*** magnetic fluids – ***F*** fluides magnétiques – ***I*** fluidi magnetici – ***S*** líquidos ferrohidrodinámicos

Lit.: Encyclopedia of Physical Science and Technology, Vol. 9, S. 321, New York: Academic Press 1992 ▪ Phys. Bl. **46**, 377 (1990) ▪ Rosenzweig, Ferrohydrodynamics, Cambridge: University Press 1985 ▪ Stierstadt, Physik der Materie, Weinheim: VCH Verlagsges. 1989.

Magnetische Kernresonanz s. NMR-Spektroskopie.

Magnetische Polymere. Bez. für organ. *Polymere mit ferromagnet. Eigenschaften, die sie z. T. erst beim Erwärmen auf relativ hohe Temp. verlieren. Vertreter der m. P. sind *Polycarbene u. *Poly(*s*-triaminobenzol)e, die bei der durch Iod initiierten *Polymerisation der entsprechenden *Monomeren in Lsg. anfallen (s. *Lit.* [1]). Es handelt sich bei ihnen um eine erst in neuerer Zeit intensiver bearbeitete Polymerklasse mit zunächst noch mehr akadem. Bedeutung. – ***E*** magnetic polymers – ***F*** polymères magnétiques – ***I*** polimeri magnetici – ***S*** polímeros magnéticos

Lit.: [1] Synth. Metals **19**, 709 ff. (1987).
allg.: Encycl. Polym. Sci. Eng., Suppl.-Vol., S. 446–455 ▪ Kahn, Molecular Magnetism, Weinheim: VCH Verlagsges. 1993.

Magnetischer Circulardichroismus s. MCD.

Magnetische Rotationsdispersion s. MORD.

Magnetisches Moment (Symbol: μ). In Anlehnung an das elektr. Dipolmoment definiertes Produkt aus einer Polstärke p u. einem Abstand l: $\vec{\mu} = p \cdot \vec{l}$, die Richtung des Vektors $\vec{\mu}$ zeigt vom magnet. Südpol zum magnet. Nordpol. In einem Magnetfeld der Stärke $\vec{H}$ wirkt auf ein m. M. das Drehmoment $\vec{M} = \vec{\mu} \times \vec{H}$ ($\vec{\mu}$ in der Einheit $V \cdot s \cdot m = T \cdot m^3$), in einem Feld mit der magnet. Flußdichte $\vec{B}$ wirkt $\vec{M} = \vec{m} \times \vec{B}$ ($\vec{m}$ ident. $\vec{\mu}$, aber mit der Einheit $A \cdot m^2$). Die m. M. der Atome u. Mol. werden durch Drehimpulse (Bahndrehimpuls, Rotationsdrehimpuls, Kernspin) hervorgerufen. Ein Elektron besitzt das m. M. μ_B (Bohrsches Magneton, s. Fundamentalkonstanten). Die m. M. der Nukleonen (Proton u. Neutron) sind 1836 mal kleiner. Eine Auflistung der m. M. einiger *Baryonen gibt *Lit.*[1], Tab. der Kernmomente s. *Lit.*[2]. Die Ausrichtung der m. M. aller Atome in einem Stoff bestimmt deren magnet. Eigenschaften (s. Magnetochemie). – ***E*** magnetic moment – ***F*** moment magnétique – ***I*** momento magnetico – ***S*** momento magnético

Lit.: [1] Phys. Unserer Zeit **20**, 61 (1989). [2] Encyclopedia of Physical Science and Technology, Vol. 11, S. 251 ff., New York: Academic Press 1992.
allg.: Lerner u. Trigg (Hrsg.), Encyclopedia of Physics, S. 674, Weinheim: VCH Verlagsges. 1991.

Magnetische Suszeptibiltät (Kurzz. χ). Maß für die Magnetisierung M eines Stoffes in einem Magnetfeld der Stärke H gemäß: $M = \chi \cdot H$; s. magnetische Waage, magnetische Werkstoffe, Magnetochemie. – ***E*** magnetic susceptibility – ***F*** susceptibilité magnétique – ***I*** suscettibilità magnetica – ***S*** susceptibilidad magnética

Magnetische Waage (Magnetwaage). Eine zur Bestimmung der magnet. Suszeptibilität geeignete Meßvorrichtung. Sie erfaßt die auf eine in einem inhomogenen Magnetfeld befindliche Probe einwirkenden Kräfte. Gemessen wird entweder die scheinbare Gew.-Änderung der Probe beim Einschalten des gleichstromgespeisten Elektromagneten (*Gouy-Meth.*) od. die Auslenkung der pendelnd aufgehängten Probe (*Faraday-Meth.*). Paramagnet. (s. Magnetochemie) Proben werden in das Feld hineingezogen, diamagnet. herausgestoßen. Nimmt man die Messung von paramagnet. Proben bei verschiedenen Temp. vor, so lassen sich ggf. ferro- od. ferrimagnet. Anteile erkennen. Die m. W. ist ein wichtiges Instrument der *Magnetochemie, denn sie erfaßt im Gegensatz zur *EPR-Spektroskopie auch den Diamagnetismus. – ***E*** magnetic balance – ***F*** balance magnétique – ***I*** bilancia magnetica – ***S*** balanza magnética

Magnetische Werkstoffe. Sammelbez. für solche Werkstoffe, die unter Einwirkung eines äußeren Magnetfelds auf Dauer magnetisiert werden. Die *Magnetisierung* M eines m. W. hängt von der äußeren Magnetfeldstärke H (Einheit: A/m) u. dem früheren Zustand ab; sie entspricht dem Grad der Ausrichtung der *magnetischen Momente der einzelnen Atome u. ergibt sich bei einer bestimmten Magnetfeldstärke zu: $M = \chi \cdot H$. χ ist die *magnet. Suszeptibilität;* nach ihrer Größe u. ihrem Vorzeichen sind die verschieden magnet. Materialien eingeteilt:

χ = konstant, $|\chi| \ll 1$
$\chi < 0$: diamagnet.
$\chi > 0$: paramagnet.
$\chi = f(H)$, $\chi \gg 1$
ferromagnet.

Unter m. W. versteht man prinzipiell *ferromagnet. Materialien* (s. Ferromagnetika). Sie verlieren ihre ferromagnet. Suszeptibilität bei einer charakterist. höheren Temp. (*Curie-Temperatur; für Fe 768 °C) sehr abrupt bis auf einen paramagnet. Rest. Mit fallender Temp. nimmt bei den metall. Ferromagnetika die Suszeptibilität ständig zu. Bei oxid. m. W. nimmt sie mit sinkender Temp. bis zu einem Maximum bei der charakterist. *Néel-Temp.* zu; bei weiterer Temp.-Abnahme fällt sie nahe 2–10 K bis auf einen paramagnet. Rest (*Antiferromagnetismus*) ab. *Ferrimagnetika* hingegen behalten bei Annäherung an den abs. Nullpunkt eine magnet. Suszeptibilität, welche paramagnet. Größen erheblich übersteigt.
Wird in einem zunächst feldfreien u. unmagnetisierten m. W. die Magnetfeldstärke H erhöht, so folgt die magnet. Flußdichte B [$B = \mu_0(H + M)$, Einheit: *Tesla, Abk. T; μ_0 = magnet. Feldkonstante] der sog. Neukurve (Teil a in der Abb.). Oszilliert die magnet. Feldstärke zwischen den Werten H_1 u. $-H_1$, so beschreibt B eine *innere Hystereseschleife* (Teil b in der Abb.).

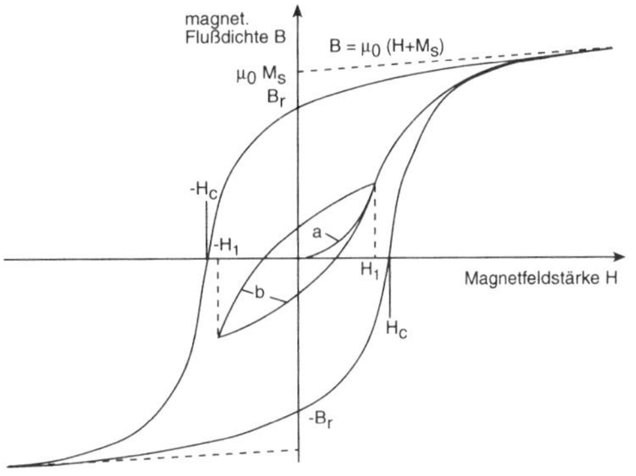

Abb.: Hysteresekurve eines magnetischen Werkstoffs; Details s. Text.

Wird H bis zur Sättigung von M vergrößert (d. h. nun sind alle magnet. Momente ausgerichtet; $M = M_s$ kann nicht weiter erhöht werden), so nähert sich B einer Geraden $B = \mu_0(H + M_s)$. Bei der Zurücknahme von H verbleibt ein endlicher B-Wert, die sog. *Remanenzflußdichte* B_r mit der *Remanenzmagnetisierung* $M_R = B_r/\mu_0$. Um die Magnetisierung auf Null zu bringen, muß in entgegengesetzter Richtung ein Magnetfeld der Stärke H_c aufgewendet werden, das *Koerzitivmagnetfeld* od. die *Koerzitivkraft.* Die Tab. listet die magnet. Stoffkonstanten einiger Werkstoffe auf[1]. Man unterscheidet zwischen „weichen", d. h. leicht magnetisier- u. entmagnetisierbaren (Anw. z. B. Transformatorkerne, Elektromagnete) u. „harten" (Anw. z. B. Dauermagnete, magnet. Speicherung) m. Werkstoffen.
Die weichen m. W. zeichnen sich durch eine sehr niedrige Remanenzflußdichte aus; man erhält sie durch Wärmebehandlung unterhalb der Curie-Temp. in einem Magnetfeld, dessen Feldlinien senkrecht zur spä-

Tab.: Techn. Konstanten von magnet. Werkstoffen bei 20 °C.

Material	Sättigungsmagnetisierung M_s [T]	Koerzitivkraft H_c [A/m]	relative magnet. Suszeptibilität μ neu	relative magnet. Suszeptibilität μ Maximum
Weicheisen	2,12	140	120	2 000
Siliciumeisen	2,00	8	1 500	40 000
78 Permalloy	1,08	4	8 000	100 000
Supermalloy	0,79	0,16	100 000	1 000 000
Cobalt	1,79	800	70	250
Nickel	0,61	56	110	600
Mn-Zn-Ferrite	0,25	8	2 000	–
Alnico V	~1,3	51 000	–	–

teren Flußrichtung verlaufen. Die *Permalloy*-Leg. genannten Werkstoffe bestehen zu 70–80% aus Nickel mit Zusätzen von Chrom, Kupfer u. Molybdän. Sie sind die magnet. weichsten Werkstoffe mit Permeabilitäten bis 10^5–10^6 (*Lit.*[2,3]). Leg. aus Eisen u. Cobalt haben sehr hohe Curie-Temp. u. sind deshalb für Hochtemp.-Anw. geeignet.

M. W. mit Koerzitivfeldstärken über 1000 A/m nennt man *Permanent-, Dauer-* od. *Hartmagnete.* Die wichtigsten Dauermagnete sind AlNiCo-Leg. mit den Hauptbestandteilen Fe, Co, Ni, Al, Cu u. Ti. Da sie sehr hart u. spröde sind, lassen sie sich nur durch Schleifen bearbeiten. Weitere harte m. W. sind PtCo-, FeCoVCr- u. SECo-Legierungen. SECo hat überragende Dauermagnetisierungs-Eigenschaften. FeCoVCr-Leg. können vor der letzten Wärmebehandlung, bei der die Dauermagnetisierungs-Eigenschaften entwickelt werden, verformt werden, d. h. man kann durch Biegen u. Stanzen Magnete in der gewünschten Form herstellen. In der Entwicklung befinden sich m. W. auf NdFeB-Basis; ihre typ. Werte sind: Remanenz 1,2 Tesla, H_c>800 000 A/m; $(B \cdot H)_{max}$>280 kJ/m^3 (s. *Lit.*[2], S. 505 u. *Lit.*[3], S. 76 ff.). Eine Übersicht über neue Entwicklungen, bei denen $(B \cdot H)_{max}$ = 400 kJ/m^3 erreicht wurden, gibt *Lit.*[4]. Unter dem Einfluß starker Magnetfelder können m. W. Vol.-Änderungen erleiden, was man als *Magnetostriktion* bezeichnet (*Joule-Effekt*). Zur magnet. Abschirmung eignet sich z. B. Mumetall[5]. Auf die techn. Bedeutung der m. W. braucht hier nicht eingegangen zu werden, s. a. Magnetbänder u. die folgenden Stichwörter. Bes. intensiv sucht man nach m. W. für die Informationsspeicherung auf Magnetbändern u. -platten[6] od. in Magnetblasenspeichern, für welche man Gadolinium-Gallium-Granate (GGG) benutzt. In der *Kernfusion* u. der *magnetohydrodynam. Energieerzeugung* (*magnetohydrodynamischer Generator, MHD) benötigt man bes. leistungsfähige Magnete; mit m. W. auf der Basis $SE_2(Co_{1-x}Fe_x)_{17}$ sollten Gütezahlen von über 480 kJ/m^3 erreichbar sein. Derartige Magnetwerkstoffe erlauben magnet. Flußdichten von ca. 1–2 Tesla (zum Vgl.: Erdfeld $5 \cdot 10^{-5}$ T, Hufeisenmagnet 10^{-2} T). Heute sind Magnete mit 20–30 T nicht mehr unüblich; über Entwicklungen von supraleitenden Magneten für Flußdichten bis 10^3 Tesla s. Hybridmagnet.

Geschichte: Magnetismus als Phänomen u. Magnete sind schon im Altertum bekannt gewesen. Die Funktion von Magnetpolen beschrieb schon Peregrinus (1269), u. 1750 stellte Dierich den ersten Hufeisenmagneten vor. Der Entdeckung des Elektromagnetismus (Oersted 1820) folgte die Aufklärung der Gesetzmäßigkeiten durch Ampere, Becquerel (1827, Diamagnetismus), Faraday, Maxwell, Weber, Curie, Weiss, Langevin (Begründer der Magnetochemie) u. van Vleck. – ***E*** magnetic materials – ***F*** matériaux magnétiques – ***I*** materiali magnetici – ***S*** materiales magnéticos

Lit.: [1] Chikazumi, Magnetic Materials, Encyclopedia of Physical Science and Technology, Vol. 9, S. 309–322, New York: Academic Press 1992. [2] Kohlrausch, Praktische Physik 2, Stuttgart: Teubner 1996. [3] Kohlrausch, Praktische Physik 3, Stuttgart: Teubner 1996. [4] Phys. Bl. **53**, 437 (1997). [5] Naturwissenschaften **69**, 383–388 (1982). [6] Spektrum Wiss. **1995**, Nr. 9, 66.

allg.: Bland u. Heinrich, Ultrathin Magnetic Structures I and II, Berlin: Springer 1994 ▪ Booth, Magnetism in Metallic Materials, Oxford: Pergamon 1979 ▪ Carrigan u. Trower, Magnetic Monopoles, New York: Plenum 1983 ▪ Cracknell u. Vaughan, Magnetism in Solids, Edinburgh: Univ. Press 1983 ▪ Cyrot, Magnetism of Metals and Alloys, Amsterdam: North-Holland 1982 ▪ Ferchmin u. Kobe, Amorphous Magnetism and Metallic Magnetic Materials Digest, Amsterdam: North-Holland 1983 ▪ Jäger u. Perthel, Magnetische Eigenschaften von Festkörpern (2.), Berlin: Akademie-Verl. 1996 ▪ Kirk-Othmer (4.) **15**, 723–789 ▪ *Landolt-Börnstein NS 2/2, 8, 10–12, 3/4 a, b u. 3/12 a, b, c ▪ Lerner u. Trigg (Hrsg.), Encyclopedia of Physics, S. 669, Weinheim: VCH Verlagsges. 1991 ▪ Moorjani u. Coey, Magnetic Glasses, Amsterdam: Elsevier 1984 ▪ Winkler, Magnetic Garnets, Wiesbaden: Vieweg 1981 ▪ Wohlfarth, Handbook on Ferromagnetic Materials (3 Bd.), Amsterdam: North-Holland 1980, 1983 ▪ Yosida, Theory of Magnetism, Berlin: Springer 1996 ▪ s. a. Ferromagnetika, Magnetochemie u. Supraleitung.

Magnetisierung s. magnetische Werkstoffe.

Magnetit [Magneteisenstein, Magneteisenerz, Eisen(II,III)-oxid]. $Fe^{2+}Fe_2^{3+}O_4$ bzw. $FeO \cdot Fe_2O_3$, vereinfacht Fe_3O_4. M. mit der Struktur eines inversen *Spinells krist. kub.-hexakisoktaedr., Kristallklasse m3m-O_h; die Struktur[1] kann Fehlordnungen aufweisen[2] od. es können alle Gitterplätze gemäß der Formel besetzt sein[3]. Eisenschwarze, stumpf metall. glänzende, undurchsichtige Krist., meist als Oktaeder; körnige bis dichte Aggregate u. abgerollte Körner. Stark ferromagnet. (*Curie-Temperatur 578 °C), oberhalb von etwa 115–120 K gute elektr. Leitfähigkeit. Strich schwarz, Bruch muschelig bis uneben, spröde, H. 5,5–6, D. 5,2, Schmp. 1538 °C; MAK 6 mg/m^3. Häufig Verwachsungen mit *Ulvöspinell* Fe_2TiO_4 (*Titanomagnetit*; bis 6% TiO_2) u. *Ilmenit. Zu Mischkrist.-Bildungen von M. im Dreistoffsyst. (*ternäre Systeme) TiO_2–FeO–Fe_2O_3, Stabilitätsbeziehungen, magnet. u. thermodynam. Eigenschaften, Kristallchemie u. petrolog. (*Petrographie) Bedeutung von M. s. Lindsley (*Lit.*). Der theoret. Eisen-Gehalt von 72,4% wird im allg. nicht erreicht, da M. meist noch Mg, Al (Mischkrist.-Bildung mit Spinell, s. *Lit.*[4]), Ni, Zn, Cr, Ti u. bis über 1,5% V_2O_5 (z. T. abbauwürdig) enthält.

Vork., Bedeutung: In fast allen *magmatischen Gesteinen u. z. B. in *Basalten mit für die dunkle Farbe verantwortlich. In Mondbasalten (*Mondgestein) u. in *Meteoriten. In *metamorphen Gesteinen, z. B. in *Talk- u. *Chlorit-Schiefern in den Alpen. M. ist das neben *Hämatit wichtigste Eisenerz; er ist Hauptbestandteil der M.-*Apatit-Erze von Kiruna u. Grängesberg/Schweden u. der Vanadium-haltigen Titanomagnetit-Erze des Bushveldes in Südafrika u. Bestandteil in *gebänderten Eisensteinen. Bei langsamer Oxid. wandelt sich M. in *Maghemit* (γ-Fe_2O_3) um, bei *Verwitterung in Limonit (*Brauneisenerz) od. Hämatit; er wird oft in *Seifen angereichert (sog. *black sands*, vgl. Ilmenit).

M.-Krist., z.B. in Basalten der Ozeanböden, konservieren Richtung u. Intensität des Erdmagnetfeldes z.Z. ihrer Entstehung; dadurch hat man feststellen können, daß sich das Erdmagnetfeld in der geolog. Vergangenheit oft geändert hat. *Paläomagnet. Streifenmuster*, die durch diese Änderungen in den Gesteinen der Ozeanböden erzeugt worden sind, haben wesentlich zur Klärung der Entstehung der Weltmeere u. zur Theorie der *Plattentektonik beigetragen.

M.-Biomineralisation: Einen wesentlichen Beitrag zum natürlichen remanenten Magnetismus von rezenten u. in der geolog. Vergangenheit gebildeten Tiefsee- u. a. *Sedimenten liefert die Produktion von M., seltener auch von *Greigit* Fe_3S_4 u. *Pyrrhotin, durch *magnetotakt. Bakterien*[5] [vgl. (Bio-)Mineralisation]. Die als *Magnetosomen* bezeichneten, 0,04 µm – 0,1 µm großen M.-Partikel sind in Ketten innerhalb der Zellen angeordnet; zu ihrer räumlichen Verteilung s. *Lit.*[6]. Magnetotakt. Bakterien kommen in Ablagerungen der Tiefsee[7], in Seen, Tümpeln u. Flußmündungen vor; auch unter anaeroben Bedingungen lebende Bakterien können M. produzieren[8,9]. Zu gesteinsmagnet. Kriterien für die Entdeckung von biogenem M. s. *Lit.*[10]; s.a. den Aufsatz über Magnetofossilien u. M.-Biomineralisation in *Lit.*[11]. – ***E*** = ***I*** magnetite – ***F*** magnétite – ***S*** magnetita

Lit.: [1] Phys. Chem. Miner. **20**, 541–555 (1994). [2] Acta Crystallogr. Sect. B **37**, 917–920 (1981); Sect B **38**, 1711–1723 (1982). [3] Mineral. Petrol. **37**, 315–321 (1987). [4] Am. Mineral. **80**, 213–221 (1995); **81**, 375–384 (1996). [5] Spektrum Wiss. **1982**, Nr. 2, 38–49. [6] Earth Planet. Sci. Lett. **145**, 125–134 (1996). [7] Nature (London) **321**, 849 ff. (1986). [8] Naturwiss. Rundsch. **41**, 251 (1988). [9] Nature (London) **334**, 518 f. (1988). [10] Earth Planet. Sci. Lett. **120**, 283–300 (1993). [11] Annu. Rev. Earth Planet. Sci. Lett. **17**, 169–195 (1989).
allg.: Kirschvink, Jones u. MacFadden (Hrsg.), Magnetite Biomineralization and Magnetoreception in Organisms, New York: Plenum Press 1985 ▪ Lapis **12**, Nr. 11, 7–11 (1987) („Steckbrief") ▪ Lindsley (Hrsg.), Oxide Minerals, Petrologic and Magnetic Significance (Reviews in Mineralogy, Vol. 25), Washington (D. C.): Mineralogical Society of America 1991 ▪ Ramdohr, Die Erzmineralien u. ihre Verwachsungen, S. 969–980, Berlin: Akademie-Verl. 1975 ▪ Schröcke-Weiner, S. 360–374 ▪ s.a. Spinelle, Eisenoxide, Erz, Lagerstätten. – *[HS 320649; CAS 1309-38-2]*

Magnetkies s. Eisensulfide u. Pyrrhotin.

Magnetochemie. Ein von *Langevin 1905 begründetes Teilgebiet der physikal. Chemie, in dem aus der Bestimmung der *magnet. Suszeptibilität* (s. magnetische Werkstoffe) bzw. des **magnetischen Moments* Rückschlüsse gezogen werden auf die Elektronenkonfigurationen von Metall-Ionen od. von Molekülen. Grundlage der M. ist die Tatsache, daß sich die Stoffe, sofern sie nicht ohnehin ferro-, antiferro- od. ferrimagnet. Eigenschaften haben, aufgrund ihres Verhaltens in einem inhomogenen Magnetfeld unterscheiden lassen. Solche, die bestrebt sind, sich von Stellen hoher zu Stellen geringerer Feldstärke zu bewegen, werden als *Diamagnetika* bezeichnet; die Abstoßung ist in ihrer (meßbaren) Größe temperaturunabhängig. Solche Stoffe dagegen, die sich umgekehrt verhalten, nämlich die Tendenz zur Wanderung in ein stärkeres Feld zeigen, nennt man **Paramagnetika*; ihre Anziehung ist temperaturabhängig (s. unten). Eine Vorrichtung zur Unterscheidung zwischen dia- u. paramagnet. Stoffen ist die *magnetische Waage, mit der man die Kraft mißt, die ein inhomogenes Magnetfeld auf eine darin befindliche Probe dieses Stoffes ausübt. Die *Magnetisierung* M eines Stoffes (s. magnetische Werkstoffe) ist der *Feldstärke* H proportional: $M = \chi \cdot H$. Der Faktor χ ist die *magnet. Suszeptibilität* (meist als molare od. Molsuszeptibilität χ_{Mol}; früher benutzte man auch die *Grammsuszeptibilität* κ_g). Die Suszeptibilität hat im Falle des Diamagnetismus neg., in den übrigen Fällen pos. Vorzeichen; sie ist bei *Dia- u. Paramagnetismus* unabhängig vom angelegten Magnetfeld. Eine Feldabhängigkeit der Suszeptibilität tritt allerdings dann auf, wenn Wechselwirkung zwischen magnet. Dipolen auftreten, also im Falle von *Ferro-, Ferri- u. Antiferromagnetika (s. Ferromagnetika). Bei ersteren ist unter bestimmten Voraussetzungen die Magnetisierung (Einwirkung auf die *Weiss'schen Bezirke) anhand des *Barkhausen-Effekts zu verfolgen.

Die molare Suszeptibilität χ_{Mol} eines Stoffes setzt sich aus einem diamagnet. Anteil χ_{dia}, der bei sämtlichen Stoffen vorhanden ist, u. einem evtl. paramagnet. Anteil χ_{para} zusammen. Letzerer tritt nur dann auf, wenn die Mol. od. Atome des Stoffes ein magnet. Moment besitzen. Da der paramagnet. Anteil stets größer als der diamagnet. ist, sind die Stoffe mit magnet. Moment stets deutlich paramagnetisch. Während das diamagnet. Glied χ_{dia} stets temperaturunabhängig ist, ist χ_{para} der abs. Temp. T umgekehrt proportional: $\chi_{para} = C/T$ (*Curiesches Gesetz*, s. Curie-Weißsches Gesetz). Die Konstante C hängt dabei vom sog. *magnet. Moment* m des betreffenden Stoffes ab, was die folgende Beziehung verdeutlicht: $C = m^2/3R = N_A \cdot \mu^2/3k$ mit N_A = Avogadrosche Konstante, μ = magnet. Moment, m = magnet. Moment pro Mol, k = Boltzmann-Konstante u. R = Gaskonstante. Somit läßt sich durch Bestimmung der Temp.-Abhängigkeit eines Stoffes sein magnet. Moment ermitteln, wenn dieses nicht durch direkte Messung zugänglich ist.

Der *Diamagnetismus* wird durch die Wechselwirkung zwischen Magnetfeldern u. bewegten geladenen Teilchen (insbes. Elektronen) hervorgerufen; dem Betrag nach ist er klein (0,1 – 0,01) im Vgl. zum Paramagnetismus. Der Paramagnetismus wird durch Spinmomente (verursacht durch das Drehen des Elektrons um seine Achse während der Bewegung, vgl. Spin) u. Bahndrehmomente (verursacht durch das Kreisen um den Atomkern) der Elektronen hervorgerufen. Üblicherweise spricht man hier von *Russell-Saunders-Kopplung* od. von *LS-Kopplung*; dabei stehen L für die Gesamheit aller Bahndrehimpulse (l) von Außenelektronen u. S für die Gesamtheit aller Spindrehimpulse (s). Die Kopplung der beiden *Quantenzahlen L u. S führt zur Gesamtdrehimpuls-Quantenzahl $J = L \pm S$. Die im Effekt noch größeren *Ferromagnetismus* u. *Antiferromagnetismus* sind als das Ergebnis einer Dipolwechselwirkung von Nachbaratomen aufzufassen.

Eine spontane Magnetisierung zeigen manche *magnetische Werkstoffe (z. B. *Ferrite), für die bis zur *Curie-Temperatur *Ferrimagnetismus*, darüber Paramagnetismus charakterist. ist [1]. Im Gegensatz zu Dia- u. Paramagnetismus sind Ferro-, Antiferro- u. Ferrimagnetismus *strukturabhängige* magnet. Eigenschaften. In einem homogenen Magnetfeld drängen diamagnet. Stoffe die Feldlinien in ihrem Innern auseinander (s. Abb. a), während paramagnet. Stoffe sie verdichten (s. Abb. b).

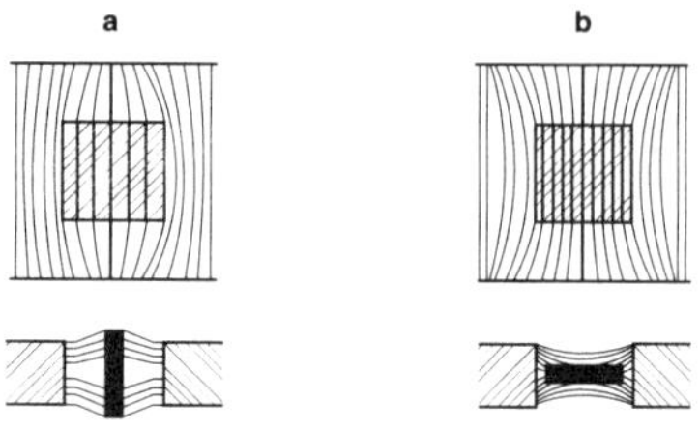

Abb.: a) Diamagnetismus; b) Paramagnetismus.

Diamagnet. sind alle Stoffe, deren Atome od. Mol. abgeschlossene Elektronenschalen besitzen, da sich in diesem Falle die magnet. Einzelmomente der Elektronen gegenseitig aufheben u. somit nach außen kein magnet. Gesamtmoment in Erscheinung tritt (χ_{para} fällt weg). Zu den diamagnet. Stoffen gehören z. B. alle Edelgase u. alle Stoffe mit Edelgas-ähnlichen Ionen (K^+, Ca^{2+}, Br^-, S^{2-} usw.) od. Atomen (hierzu gehören die aus solchen Atomen aufgebauten organ. Verb.). Wenn z. B. 2 Elektronen paarweise dieselbe Bahn besetzen, ist ihr *Spin entgegengesetzt gerichtet (*antiparallel*), so daß sich ihre magnet. Momente gegenseitig aufheben. Stoffe dieser Art sind jedoch diamagnet., weil beim Einbringen in das Magnetfeld auf die Elektronenströme im Atom Induktionswirkungen erfolgen. Der Diamagnetismus spielt bei Koordinationsverb. (s. Koordinationslehre) eine Rolle; eine Reihe von Komplex-Ionen ist diamagnet., auch wenn das Zentral-Ion über ungepaarte Elektronen verfügt u. als solches paramagnet. ist. In diesen Fällen wird durch die Komplexbildung Edelgaskonfiguration erreicht; *Beisp.* für derartige *low-spin-* od. *Durchdringungs-Komplex-Ionen:* $[Fe(CN)_6]^{4-}$, $[Cu(CN)_4]^{3-}$.

Paramagnet. sind alle diejenigen Stoffe, bei denen sich die magnet. Einzelmomente der Elektronen gegenseitig nicht aufheben, so daß die Mol. nach außen hin ein magnet. Moment aufweisen. Das ist prakt. immer dann der Fall, wenn im Mol. ungepaarte Elektronen auftreten. *Beisp.:* H-Atome, NO, NO_2, ClO_2, *freie Radikale, die Ionen Cu^{2+}, V^{4+}. Das Sauerstoff-Mol. ist trotz gerader Elektronenzahl paramagnet., da zu der σ-Bindung mit antiparallelem Spin eine π-Bindung mit parallelem *Spin hinzukommt. Paramagnetismus wird bei folgenden Klassen von anorgan. Verb. angetroffen: 1. Verb. der Übergangselemente (z. B. von 3d-Elementen mit Ti^{3+} bis Cu^{2+}) infolge der Anwesenheit ungepaarter d-Elektronen; – 2. Verb. der *Lanthanoide u. *Actinoide (4f- bzw. 5f-Elektronen); – 3. einige wenige Verb. der 2. Periode mit ungepaarten p-Elektronen, z. B. O_2, NO; – 4. Temp.-abhängig bei einigen Verb., die im Grundzustand keine ungepaarten Elektronen haben, wie z. B. $KMnO_4$ od. K_2CrO_4. Bei den Paramagnetika interessiert vornehmlich das in *Bohrschen Magnetonen ausgedrückte sog. *effektive paramagnet. Moment* (μ_{eff}): $\mu_{eff} = g\sqrt{J(J+1)}$ wobei g = *Landé-Faktor u. J = Gesamtdrehimpuls-Quantenzahl sind. Der *Landé-Faktor*, der auch in der *EPR-Spektroskopie u. beim *Zeeman-Effekt von fundamentaler Bedeutung ist, ergibt sich aus

$$g = 1 + \frac{J(J+1) + S(S+1) - L(L+1)}{2J(J+1)}$$

u. liegt im allg. unterhalb 2.

Unter bestimmten Voraussetzungen, die die *Ligandenfeldtheorie beschreiben kann, wird die Quantenzahl L=0 u. damit J=S=n/2; nach einer von van *Vleck aufgestellten Beziehung wird mit g=2 die sog. *Nur-Spin-Formel* (*E* spin only formula) $\mu_{eff} = \sqrt{n(n+2)}$ mit n = Zahl der ungepaarten (*einsamen) Elektronen ableitbar. Die van Vlecksche Formel wird bes. gut erfüllt bei vielen Verb. der 3d-Reihe, wenigstens soweit nur Spinmomente für das paramagnet. Moment verantwortlich sind (z. B. Ti^{3+} bis Mn^{2+}, vgl. oben 1.).

Durch magnetochem. Messungen konnten zahlreiche Strukturprobleme gelöst werden, so die Klärung von Bindungstypus, Oxid.-Stufe, Wertigkeit, Koordinationszahl od. ster. Anordnung. *Beisp.:* Eisen(II)- u. Eisen(III)-Ionen sind stark paramagnet. mit 4 bzw. 5 einsamen Elektronen. Eisen(II)-chlorid hat z. B. das magnet. Moment (in *Bohrschen Magnetonen ausgedrückt) 5,4, Eisen(II)-sulfat 5,2, die Komplex-Verb. $[Fe(H_2O)_4]Cl_2$ 5,2, der Komplex $[Fe(NH_3)_6]Cl_2$ 5,4; dagegen findet man bei $K_4[Fe(CN)_6]$ als magnet. Moment nahezu null, desgleichen bei $Fe(CO)_5$, bei $[Fe(Dipyridyl)_3]Cl_2$ u. a. Eisen-Komplexen. In den zuerst erwähnten paramagnet. *Anlagerungskomplexen* (*High-spin-* od. *Outer Orbital-Komplexe*) wird das durch die Zahl an ungepaarten Elektronen am Zentralatom bedingte magnet. Verhalten des Eisen-Ions nicht verändert, weil die *Liganden (s. a. Koordinationslehre) lediglich elektrostat. an Eisen gebunden sind, da sie selbst bereits die Edelgas-Anordnung haben. Bei den Hexacyanoferraten(II) u. den übrigen diamagnet. *Durchdringungskomplexen* (*Low-spin-* od. *Inner Orbital-Komplexe,* vgl. Koordinationslehre) liegen dagegen stark polarisierte u. räumlich *gerichtete* Bindungen zwischen dem Zentralatom u. den Liganden vor, daher haben z. B. die Eisen-Atome des Kaliumhexacyanoferrats(II) ihren Paramagnetismus eingebüßt; s. a. Ligandenfeldtheorie. Bes. Erfolge hat die M. bei der Erforschung des festen Metallzustandes erringen können, der z. B. mit opt. Hilfsmitteln infolge der Lichtundurchlässigkeit nur schwer zu studieren ist. In der Organ. Chemie haben magnetochem. Messungen bei der Beobachtung von Polymerisationsvorgängen (allmähliches Verschwinden der Doppelbindungen ist magnet. nachweisbar) u. bei Untersuchungen zur *Aromatizität (Auftreten von dia- bzw. paramagnet. Ringströmen bei aromat. bzw. antiaromat. Syst.) wertvolle Ergebnisse geliefert. Der Radikal-Charakter des Triphenylmethyls (vgl. Hexaphenylethan) gibt sich durch Paramagnetismus zu erkennen, andere stabile organ. *Radikale wie z. B. *2,2-Diphenyl-1-pikrylhydrazyl dienen als Bezugssubstanzen in der *EPR-Spektroskopie (Elektronen-paramagnet. Resonanz), die den Nachw. *einsamer Elektronen [ggf. auch in Biradikalen (s. Radikale) u. *Ketylen, in angeregten Mol. etc.] noch in Konz. von 10^{-15} Mol/L gestattet. Generell bildet das magnetochem. Verhalten der Atome u. Mol., insbes. das Eintreten von *Resonanz-Absorption die Grundlage für zahlreiche wichtige Strukturuntersuchungs-Meth.; *Beisp.* (s. die Einzelstichwörter): EPR-, NMR-, NQR-Spektroskopie, Meth., die auf dem *Faraday-Effekt aufbauen wie der magnet. Circulardichroismus (MCD) u. die magnet. opt. Rotationsdispersion (MORD). Verwandte Wechselwirkungen zwischen Magnetfeldern u. Mol. sind auch verantwortlich für andere *magnetoopt. Effekte* wie die magnet. Doppelbrechung (*Cotton-Mouton-Effekt*) u. den *Zeeman-Effekt. Erst seit wenigen Jahren untersucht man, ob magnet. Kräfte selbst chem. Reaktionen u. deren stereochem. Verlauf beeinflussen können. Mit Hilfe des sog. *magnetokalor. Effekts* (Temp.-Erniedrigung durch adiabat. Entmagnetisierung paramagnet. Salze) lassen sich Temp. von ca. 10^{-4} K erreichen. Einen aktuellen Überblick über Theorie u. Praxis der M. bietet *Lit.*[2]. – ***E*** magnetochemistry – ***F*** magnétochimie – ***I*** magnetochimica – ***S*** magnetoquímica

Lit.: [1] Chikazumi, Magnetic Materials, Encyclopedia of Physical Science and Technology, Vol. 9, S. 309–322, New York: Academic Press 1992. [2] Polk, Postow CRC Handbook of Biological Effects of Electromagnetic Fields (2.), Boca Raton: CRC Press 1996; Prog. Inorg. Chem. **29**, 203 (1982).
allg.: Becker, Electron and Magnetization Densities in Molecules and Crystals, New York: Plenum 1980 ▪ Gerloch, Magnetism and Ligand-Field Analysis, Cambridge: Univ. Press 1983 ▪ Guertin et al., Crystalline Electric Field Effects in f-Electron Magnetism, New York: Plenum 1982 ▪ *Landolt-Börnstein NS 2/1, 2, 8–12 ▪ Molin, Spin Polarization and Magnetic Effects in Radical Reactions, Amsterdam: Elsevier 1983.

Magnetohydrodynamik (Kurzz. MHD). Teilgebiet der Physik, das sich mit der Wechselwirkung zwischen Magnetfeldern u. strömenden, elektr. leitenden Flüssigkeiten (eigentliche MHD bzw. *Magnetofluidodynamik*, Kurzz. MFD), Gasen (*Magnetogasdynamik*, Kurzz. MGD) u. bes. von Plasmen (*Magnetoplasmadynamik*, Kurzz. MPD) beschäftigt. Bes. die MPD ist für die Realisierung der kontrollierten *Kernfusion von großer Bedeutung. Hierbei wird das Plasma als eine Zusammensetzung von sich gegenseitig durchdringendem Atom-, Ionen- u. Elektronenkontinuum beschrieben. Diese Beschreibung ist bei Plasmen großer Dichte, mit starken gerichteten Strömen u. starken Magnetfeldern sehr zutreffend. – ***E*** magnetohydrodynamics – ***F*** magnétohydrodynamique – ***I*** magnetoidrodinamica, idromagnetismo, MHD – ***S*** magnetohidrodinámica

Lit.: Lerner u. Trigg (Hrsg.), Encyclopedia of Physics, S. 680, Weinheim: VCH Verlagsges. 1991.

Magnetohydrodynamischer Generator. Energiewandler, der Wärme direkt in elektr. Energie wandelt. Den prinzipiellen Aufbau gibt die Abb. wieder.
Das teilw. ionisierte Gas aus einer Brennkammer strömt mit hoher Temp. u. großer Geschw. durch ein starkes Magnetfeld (Magnetfeldrichtung senkrecht zur Strömungsrichtung). Auf Grund der *Lorentzkraft werden die Ladungsträger getrennt, so daß ähnlich dem

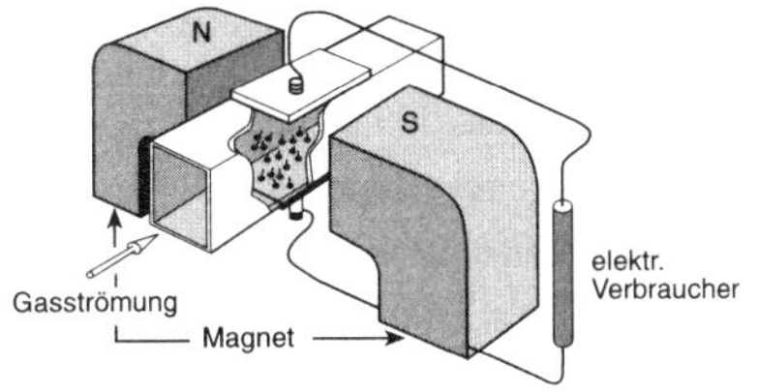

Abb.: Prinzipieller Aufbau eines MHD-Generators.

*Hall-Effekt an zwei gegenüberliegenden Platten eine elektr. Spannung entsteht. Schließt man zwischen diesen Platten einen elektr. Verbraucher an, so kann man dem Generator elektr. Energie entnehmen, die aus der kinet. Energie des Gases stammt. M. G. mit einer Gasturbine kombiniert erreichen Wirkungsgrade von 50–60%. – ***E*** magnetohydrodynamic generator – ***F*** générateur magnétohydrodynamique – ***I*** generatore magnetoidrodinamico – ***S*** generador magnetohidrodinámico

Lit.: Encyclopedia of Physical Science and Technology, Vol. 2, S. 412, New York: Academic Press 1992.

Magnetokalorischer Effekt s. Kältetechnik, Magnetochemie u. Tieftemperaturtechnik.

Magnetonen vgl. Bohrsches Magneton u. Fundamentalkonstanten.

Magnetooptik s. Optoelektronik.

Magnetooptische Effekte s. Magnetochemie, MORD u. Zeeman-Effekt.

Magnetoplumbit s. Ferrite.

Magnetopyrit s. Eisensulfide.

Magnetosomen s. Magnetotaxis.

Magnetosphäre s. Erde.

Magnetostriktion s. magnetische Werkstoffe.

Magnetotaxis. Die Fähigkeit einzelliger Lebewesen (meist Bakterien), sich im Erdmagnetfeld auszurichten u. entlang der Feldlinien zu wandern, wird als M. bezeichnet u. beruht auf intrazellulären magnet. Partikeln. Die *Membran-umhüllten, *Magnetosomen* genannten Organellen enthalten oft Magnetit (vgl. dort), aber auch Eisensulfide wurden gefunden. Magnetotakt. Bakterien kommen in Süß- u. Salzwassersedimenten vor. Die im Meer lebenden magnetotakt. Bakterien streben den nächstgelegenen Erdmagnetpol an u. gelangen so entlang der Feldlinien in tiefere, weniger Sauerstoff-haltige Gewässer. Manche magnetotakt. Bakterien orientieren sich zusätzlich an der Sauerstoff-Konz. (Aerotaxis)[1]. – ***E*** = ***S*** magnetotaxis – ***I*** magnetotassia

Lit.: [1] Biophys. J. **73**, 994–1000 (1997).
allg.: J. Gen. Microbiol. **139**, 1663–1670 (1993) ▪ Sci. Progr. **74**, 347–359 (1990).

Magnetotropismus s. ...tropismus.

Magnetrührer s. Rühren.

Magnetrührstäbchen. Mit *PTFE ummantelte stäbchen-, oliven- od. dreikantförmige Eisen-Stäbchen, die zum Mischen von Reaktionslsg. mit Magnetrührern (s. Rühren) verwendet u. im Laborjargon auch als „Rührfisch" bezeichnet werden. – ***E*** magnetic stirring bars – ***F*** barreaux aimantés de mélange – ***I*** ancoretta magnetica – ***S*** barras para la agitación magnética

Magnetscheidung s. Trennverfahren.

Magnetwaage s. magnetische Waage.

Magnevist® (Rp). Kontrastmittel zur magnet. Resonanztomographie mit dem Dimeglumin-Salz der *Gadopentetsäure. ***B.:*** Schering.

Magnimat®. Metall. Verbundwerkstoff der Krupp VDM GmbH aus Nickel u./od. Kupfer-Legierungen. Dieses Syst. wird als *Münzmetall eingesetzt u. gilt als bes. automatensicher.

Magnonen. Quanten der kollektiven Anregungen in Spinsyst. von magnet. geordneten Festkörpern wie Ferro-, Antiferro- u. Ferrimagnetika (s. a. Quasiteilchen u. elementare Anregung). Die M. weisen eine period., wellenförmige Auslenkung der Spins bzw. der magnet. Momente auf. Der Zusammenhang zwischen Energie E u. Wellenvektor $\vec{k}$ ist schemat. für Ferromagnete in der Abb. dargestellt.

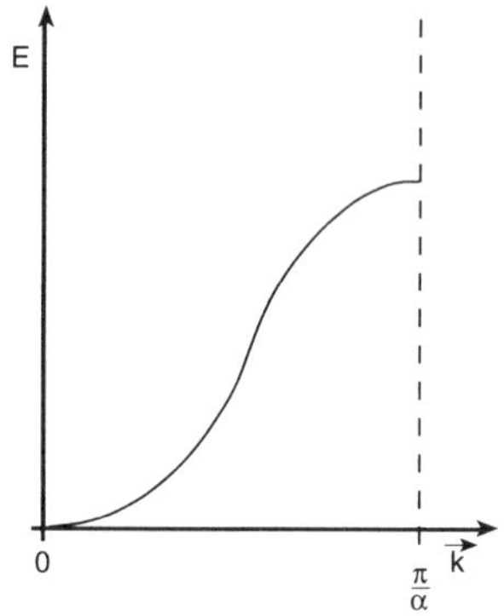

Abb.: Magnonendispersion für einen einfachen Ferromagneten.

In Antiferro- u. Ferrimagneten gibt es noch einen od. mehrere weitere Äste, die in Anlehnung an die *Phononen als „akust." u. „opt." bezeichnet werden. Der Nachw. der M. erfolgt direkt durch inelast. Neutronenstreuung od. indirekt über die Temperaturabhängigkeit der Sättigungsmagnetisierung von Ferromagneten. – ***E*** = ***F*** magnons – ***I*** magnoni – ***S*** magnones

Lit.: Brockhaus, Physik abc, Leipzig: Brockhaus 1989 ▪ Hellwege, Einführung in die Festkörperphysik, 3. Aufl., Berlin: Springer 1988 ▪ Kittel, Einführung in die Festkörperphysik, München: Oldenbourg 1995 ▪ Weißmantel u. Haman, Grundlagen der Festkörperphysik, 4. Aufl., Heidelberg: Barth 1995.

Magnum®. Herbizid auf der Basis von *Chloridazon u. *Ethofumesate gegen Unkräuter in Zucker- u. Futterrüben-Kulturen. ***B.:*** BASF.

Magnus, Albertus s. Albertus.

Magnus-Salz [Tetraamminplatin(II)-tetrachloroplatinat(II), Magnus' grünes Salz]. $[Pt(NH_3)_4]\cdot[PtCl_4]$, M_R 600,09, D. ca. 3,9, grüne Tetraeder, wenig lösl. in Wasser. Dieses Salz wurde 1828 von Gustav Magnus beschrieben; es ist die am längsten bekannte Ammoniak-Komplexverbindung. Ähnliche, später entdeckte Salze sind: *Reiset-Salz I* (farbloses $[Pt(NH_3)_4]Cl_2$), *Reiset-Salz II* (gelbes *trans*-$[Pt(NH_3)_2Cl_2]$) u. *Peyrone-Salz* (orangefarbenes *cis*-$[Pt(NH_3)_2Cl_2]$). Letzteres ist unter dem internat. Freinamen *Cisplatin als *Cytostatikum in Gebrauch, vgl. a. Platin-Verbindungen. – ***E*** Magnus' salt – ***F*** sel de Magnus – ***I*** sale di Magnus – ***S*** sal de Magnus

Lit.: Brauer (3.) **3**, 1722–1725 ▪ Gmelin, Syst.-Nr. 68, Pt, Tl. D, 1957, S. 52–55. – *[CAS 13820-46-7]*

MAG-Schweißen s. Schweißverfahren.

Mahagonisäuren. Öllösl. *Petroleumsulfonate.

Mahlen. Prozeß des *Zerkleinerns, bei dem in *Brechern u. bes. in *Mühlen verschiedener Bauart das Mahlgut in der *Korngröße reduziert wird. Dabei unterscheidet man je nach Endfeinheit *Grob-* u. *Feinbrechen* (>100–1 mm), *Feinmahlen* (1000–10 μm) u. *Feinstmahlen* (<10 μm); gelegentlich spricht man auch von sog. *Kolloidmahlen* (<5 μm). Je nach *Bruchverhalten u. Art des Mahlguts u. der Mühle kann das M. als trockenes od. nasses Verf. od. auch als *Kaltmahlung durchgeführt werden. Beim M. können *mechanochem. Effekte* (s. Mechanochemie) beobachtbar sein; *Beisp.:* *Triboluminszenz u. Bildung *freier Radikale. – ***E*** milling – ***F*** moudre – ***I*** macinare – ***S*** molienda, moler

Lit.: s. Mühlen u. Zerkleinern.

Maier, Günther (geb. 1932), Prof. für Organ. Chemie, Univ. Karlsruhe, Marburg, Gießen, Inst. für Organ. Chemie. *Arbeitsgebiete:* Kleine Ringe, hochreaktive Zwischenstufen, Hetero-π-Syst., Valenzisomerisierungen, Matrixisolations-Spektroskopie.

Lit.: Kürschner (16.), S. 2280 ▪ Nachr. Chem. Tech. Lab. **39**, Nr. 4, 454 (1991); **40**, Nr. 1, 64, Nr. 3, 366 (1992).

Maier-Leibnitz, Heinz (geb. 1911), Prof. (emeritiert) für Techn. Physik, TU München, Präsident der Dtsch. Forschungsgemeinschaft von 1974–1979. *Arbeitsgebiete:* Atomphysik, Kernphysik, Festkörperphysik, insbes. Neutronenphysik, Neutronenexperimente an Kernreaktoren. Nach ihm ist der 1978 vom Bundesministerium für Bildung u. Wissenschaft gestiftete, jährlich verliehene Heinz-Maier-Leibnitz-Preis zur Auszeichnung hervorragender Arbeiten junger Forscher benannt.

Lit.: Kürschner (16.), S. 2282 ▪ Lexikon der Naturwissenschaftler, S. 282.

Maiglöckchen. Bekannter Frühjahrsblüher aus der Familie der Liliaceen (*Convallaria majalis* L.), der in allen Pflanzenteilen außer dem Fruchtfleisch *Herzglykoside vom *Cardenolid-Typ enthält, u. zwar 0,2–0,5% in der getrockneten Droge. Hauptglykoside sind **Convallatoxin*, *Convallosid* u. *Convallatoxol* (Strophanthidol-α-L-rhamnosid, $C_{29}H_{44}O_{10}$, M_R 552,67; die Aldehyd-Funktion von Convallatoxin ist zum Alkohol reduziert), daneben *Convallatoxolosid*, *Glucoconvallosid* u. a., außerdem Saponine (Convallariasäure u. Convallarin), Flavonoide u. verschiedene Säuren. Um die Untersuchung der *Convallaria*-Glykoside hat sich bes. R. *Tschesche verdient gemacht. Medizin. verwendet werden eingestellte Pulver bzw. wäss. od. alkohol. Auszüge. M.-Glykoside eignen sich zur Behandlung von Herzschwäche nicht zu schweren Grades. Die Wirkung tritt rasch ein u. ist gut steuerbar. *Convallaria* kann auch bei Unverträglichkeit von anderen Herzglykosiden gegeben werden. Der von den Blüten ausgehende typ. M.-Duft setzt sich aus einer Vielzahl von Komponenten zusammen[1]; zu den Problemen, den M.-Duft nachzustellen s. *Lit.*[2]. Die getrockneten M.-Blüten werden manchmal in *Niespulvern eingesetzt, das Pulver ist auch Bestandteil des Schneeberger Schnupftabaks; von dieser Wirkung rührt der Name *Nieskraut* für das M. her. – ***E*** lily-of-the-valley – ***F*** muguet – ***I*** mughetto – ***S*** muguete, lirio de los valles

Lit.: [1]Bull. Chem. Soc. Jpn. **38**, 860f. (1965). [2]Parfum. Cosmet. Savons **11**, 269–271 (1968).
allg.: DAB **1997** u. Komm. ▪ Frohne u. Pfänder, Giftplanzen, S. 249f., Stuttgart: Wissenschaftliche Verlagsges. 1997 ▪ Hager (5.) **4**, 975–987 ▪ Rimpler et al., Biogene Arzneistoffe, Stuttgart: G. Fischer 1990 ▪ Steinegger u. Hänsel, Pharmakognosie (4.), S. 574 f., Berlin: Springer 1992. – *[HS 0603 10]*

Maihak. Kurzbez. für die 1910 gegründete Firma Maihak AG, 22303 Hamburg, eine Tochterges. von FANAL Elektrik GmbH. *Daten* (1995): 195 Beschäftigte, 35,4 Mio. DM Umsatz. *Produktion:* Gasanalysatoren, Wasseranalysatoren, Flüssigkeitsanalyse, Füllstandanzeiger, Lecksuchdetektoren für Pipelines, Torsionsmesser.

MAIKES s. Massenspektrometrie.

Maillard-Reaktion (nichtenzymat. Bräunung). Die Reaktion von reduzierenden Zuckern mit Aminosäuren wurde nach L. C. Maillard, der sich 1912 erstmals mit Umsetzungen dieser Art befaßte, benannt[1]. Die äußerst komplexe Reaktion ist für die Farbgebung, das Aroma u. als Indikator einer Erhitzung von Lebensmitteln (s. Milch) von Bedeutung. Einige Produkte der M.-R. besitzen toxikolog. Relevanz. Daneben ist die M.-R. auch an physiolog. Reaktionen *in vivo* beteiligt. In einer mehrstufigen Reaktion kommt es – ausgehend von reduzierenden Zuckern u. Amino-Verb. – über die Zwischenstufen 1-Amino-1-desoxyketosen (*Amadori-Umlagerung), 2-Amino-2-desoxyaldosen (Heyns-Umlagerung), *Furfural od. *5-(Hydroxymethyl)furfural [Erhitzungsindikator in *Honig u. Traubensaft (s. Fruchtsäfte)] u. Amino-ketone (Strecker-Abbau) schließlich zur Bildung von unlösl. *Melanoidinen (s. a. *Lit.*[2]).
Die Geschw. der M.-R. hängt sowohl von der Konz., als auch der Struktur der Ausgangsverb. sowie dem Wassergehalt, dem pH-Wert u. der Temp. ab. Bas. Aminosäuren wie *Lysin, *Tryptophan u. *Histidin reagieren bes. schnell, wobei die Reaktion an der freien ε-Amino-Gruppe des Lysins bes. begünstigt ist. *Pentosen sind als kleinere Mol. reaktiver als *Hexosen, Di- od. *Oligosaccharide.
Lebensmittelchem. Bedeutung: Für den Geruch, das Aroma u. die Farbe einer Vielzahl gebratener, gebackener od. gerösteter Lebensmittel (*Brot, Braten, *Kaffee, *Karamel) sind Produkte der M.-R. mit verantwortlich. Einen Beitrag zum *Fleischaroma liefern neben Trithiolonen weitere Schwefel-haltige Verbindungen[3,4]. Für das typ. Aroma von Weißbrot ist das 5-Acetyl-3,4-dihydro-2*H*-pyrrolid verantwortlich[5–7]. Pyrazine sind als Hauptkomponenten des Nußaromas beschrieben[8]. Typ. Reaktionsprodukte der M.-R., die einen Beitrag zum Geschmack von *Malz, Kräckern, *Karamel, *Kaffee u. *Kakao liefern, sind *Maltol, Ethylmaltol u. 2-Furylmethanthiol. Für den Bittergeschmack Prolin-haltiger Lebensmittel (überhitzte Brotkruste od. Bierwürze)[9] können Bispyrrolidin-Verb.[10] u. Cyclopentazepinone verantwortlich gemacht werden[11]. Produkte der M.-R., die Redukton-Strukturen im Mol. tragen, können die Haltbarkeit von Lebensmitteln verlängern. Ernährungsphysiolog. bedeutsam sind die auf Reaktionen des M.-R.-Typs beruhenden Lysin-Verluste, die zu Produkten wie *Lysinoalanin[12,13], Lysinomethylalanin[14], Furosin[15], *Pyridosin[15], Fructoselysin[16] u. Carboxymethyllysin[17,18] führen. Zu Produkten der M.-R. mit mutagenem u. carcinogenem Potential s. *Lit.*[19]. Einen Überblick zur Bildung dieser Verb., z.B. heterocycl. aromat. Amine (HAA) u. Imidazodinoline (IQ), die zu den stärksten bekannten Mutagenen zu zählen sind u. aus Produkten der M.-R. u. *Kreatin entstehen, gibt *Lit.*[20,21]. Die Bildung der IQ-Verb. erfolgt nur unter drast. Bedingungen. Untersuchungen zum Cytochrom-P-450-abhängigen Metabolismus dieser Verb. beschreibt *Lit.*[22].
Physiolog. Bedeutung: Daß die M.-R. auch *in vivo* abläuft, wurde erstmals an der nichtenzymat. Fructosylierung des *Hämoglobins gezeigt (Reaktion von Fructose mit N-terminalem *Valin). Als Folgeprodukte der Fructosylierung von *Proteinen sind sog. advanced glucosylation end products (AGE)[23] u. Carboxymethyllysin[18] *in vivo* nachgewiesen worden. Einige der AGE scheinen unerwünschte physiolog. Eigenschaften (Netzhauttrübungen, Nierenschäden)[23] zu besitzen. Die Quervernetzung von Proteinen (z.B. Collagenfasern, Aortengewebe), wie sie bei Diabetikern häufig auftritt, ist neben der Fructosylierung eine geeignete Meßgröße zur retrospektiven Überwachung des Blutzuckerspiegels u. gibt Hinweise auf die Stoffwechselsituation eines Menschen. Als bisher einzige Substanz aus der quervernetzenden Aktivität der Glucose mit Proteinen wurde 2-(2-Furoyl)-4-(2-furyl)-1*H*-imidazol identifiziert[24].
Wechselwirkungen zwischen *Zuckern, Produkten der M.-R. u. der *DNA beschreibt *Lit.*[24,25]. Lebensmitteltechnol. wird die M.-R. zur Herst. von Zuckercouleur gezielt eingesetzt (s. 4-Methylimidazol u. Zuckercouleur). Die Zusammenhänge zwischen M.-R. u. künstlicher *Hautbräunung werden unter *Dihydroxyaceton u. *Hautbräunung behandelt. Einen umfassenden Überblick zur M.-R. geben die Reviews von Ledl[26,27] u. Schleicher[28]. – ***E*** Maillard reaction – ***F*** réaction de Maillard – ***I*** reazione di Maillard – ***S*** reacción de Maillard

Lit.: [1]C. R. Acad. Sci. Ser. 2 **154**, 66–68 (1912); **155**, 1554 (1912). [2]J. Agric. Food Chem. **1**, 928–943 (1953). [3]Z. Lebensm. Unters. Forsch. **186**, 489–494 (1988). [4]Lebensmittelchemie **44**, 57–58 (1990). [5]J. Agric. Food Chem. **35**, 252–257 (1987). [6]Chem. Unserer Zeit **24**, 82–89 (1990). [7]Lebenmittelchem. Gerichtl. Chem. **42**, 44 (1988). [8]J. Agric. Food Chem. **22**, 264–269 (1974). [9]Z. Lebensm. Unters. Forsch. **186**, 311–314 (1988). [10]Z. Lebensm. Unters. Forsch. **181**, 386–390 (1985). [11]J. Agric. Food Chem. **35**, 340–346 (1987). [12]J. Agric. Food Chem. **32**, 955–963 (1984). [13]Lebensmittelchem. Gerichtl. Chem. **42**, 58 (1988). [14]J. Agric. Food Chem. **37**, 304–307 (1989). [15]J. Agric. Food Chem. **37**, 1385–1391 (1989). [16]GIT Suppl. **1989**, Heft 2, 25–30. [17]Lebensmittel-

chem. Gerichtl. Chem. **41**, 87–97 (1987). [18] J. Agric. Food Chem. **35**, 427–431 (1987). [19] Carcinogenesis **5**, 921 (1984). [20] Ernähr. Umsch. **39**, 450 ff., 482–494 (1992). [21] J. Agric. Food Chem. **39**, 2237 ff. (1991). [22] Cancer Res. **50**, 3367–3376 (1990). [23] Proc. Nat. Acad. Sci. USA **81**, 583 (1984); Science **258**, 651 ff. [24] Spektrum Wiss. **1987**, Nr. 7, 44–51. [25] Proc. Natl. Acad. Sci. USA **81**, 105 (1984). [26] Angew. Chem. **102**, 597–626 (1990). [27] Z. Ernährungswiss. **30**, 4–17 (1991). [28] Z. Ernährungswiss. **30**, 18–28 (1991).
allg.: ACS Symp. Ser. **409** (1989) ▪ Adv. Food Res. **38**, 115 (1989) ▪ Baltes, Lebensmittelchemie (4.), Berlin: Springer 1995 ▪ Baynes (Hrsg.), The Maillard Reaction in Aging, Diabetes and Nutrition, Prog. Clin. Biol. 304, New York: A. R. Less Inc. 1989 ▪ Belitz-Grosch (4.), S. 245–255 ▪ Chem. Ind. (London) **1988**, 558–561 ▪ Finot et al., in Liardon (Hrsg.), The Maillard Reaction in Food Processing, Human Nutrition and Physiology, Basel: Birkhäuser 1990 ▪ Lebensmittelchem. **47**, 9–14 (1993) ▪ Ullmann (5.) **A 2**, 80; **A 4**, 378; **A 11**, 497.

Maiman, Theodore Harold (geb. 1927), amerikan. Physiker. Aufbauend auf den Ideen von *Townes konzipierte er den Aufbau eines *Rubin-Lasers u. realisierte hiermit im Mai 1960 den ersten *Laser.
Lit.: Lexikon der Naturwissenschaftler, S. 282.

Maincote®. Acrylat-Dispersion zur Formulierung von wäss. Korrosionsschutzfarben. ***B.:*** Rohm and Haas.

Maingold®. Goldgelbe, hochgoldhaltige, universell einsetzbare Dentalleg., auch in Drahtform u. als Kronenblech für Klammern, Kronenringe u. Zahnfacetten lieferbar. ***B.:*** Heraeus Kulzer GmbH.

Mais. Zu den *Gräsern (Poales = Graminales) zählende, neben Weizen u. Reis wichtigste *Getreide-Pflanze der Welt (*Zea mays* L., Welschkorn, Kukuruz; Poaceae = Gramineae), die, in Amerika einheim. u. dort schon vor Columbus angebaut, heute vielfach kultiviert wird. Die Weltproduktion betrug 1994 569 Mio. t. Hauptproduzent war dabei mit weitem Abstand die USA (44%), gefolgt von China, Brasilien, Rumänien, Jugoslawien, UdSSR, Argentinien u. Mexiko. In der BRD wurden 1994 2 357 000 t M. erzeugt. Aus Mexiko sind die ältesten M.-Funde von ca. 5000 v. Chr. bekannt; Abstammung evtl. von einem dortigen Gras. Der M. ist ein einjähriges, 1,5–2,5 m hohes breitblättriges Getreide mit markhaltigem einfachen Stengel. Die einhäusig getrenntgeschlechtliche Pflanze wird durch Wind fremdbestäubt. M. wird in zahlreichen Sorten wie Puff-, Hart-, Weich-, Wachs- u. Zuckermais gezüchtet. Je 100 g Maismehl enthalten durchschnittlich 12 g Wasser, 7,8 g Proteine, 76,1 g Kohlenhydrate, 2,6 g Fette, 0,7 g Faserstoffe, ca. 0,5 g Mineralstoffe (im unvermahlenen Korn), 340 IE Vitamin A, Spuren von B-Vitaminen, im Mehl kein Vitamin C (53 mg im Korn). Außerdem enthalten M.-Körner den Pflanzenwuchsstoff *Zeatin. Dem M.-Eiweiß *Zein fehlen die essentiellen Aminosäuren Lysin u. Tryptophan, u. *Nicotinsäureamid liegt in nicht resorbierbarer Form vor. Daher kann bei einseitiger M.-Ernährung wegen des Mangels an Nicotinsäureamid, das zur *Vitamin B-Gruppe zählt, Pellagra auftreten. Diesem Problem – M. ist in vielen Gegenden Hauptnahrungsmittel – versucht man durch Züchtung entsprechend verbesserter Sorten zu begegnen. Das Hauptpigment von gelbem M. ist *Zeaxanthin.

Verw.: Nahrungsmittel u. Viehfutter; das M.-Eiweiß dient zur Herst. von Aminosäuren u. Würzen. Aus Maisstärke erhält man Pudding, Kinderstärkemehle, feine Gebäcke, Dickungsmittel für Suppe u. Soßen. M. wird auch vergoren, u. aus den Maiskolben kann man Furfurol gewinnen. Weiter ist M. wichtig für die Herst. von *Maiskeimöl, von Maisflocken (*Cornflakes*; aus gekochtem Maisbrei durch Trocknen, Flockieren u. Rösten), *Puffmais* (*Popcorn*; aus gequollenem M. durch Dämpfen unter Überdruck u. plötzliche Druckentlastung) sowie Glucosesirup. Die frühere Verw. der Maisblütengriffel (Stigmata Maydis) in der Volksmedizin reduziert sich aufgrund neuerer Untersuchungen auf diuret. Wirkung durch hohen Kalium-Gehalt [1]. – ***E*** maize (GB), corn (USA) – ***F*** maïs – ***I*** mais, granturco – ***S*** maíz
Lit.: [1] Wichtl (3.), S. 362 f.
allg.: Franke, Nutzpflanzenkunde, 6. Aufl., Stuttgart: Thieme 1997 ▪ Freeling u. Walbot (Hrsg.), The Maize Handbook, New York: Springer 1996. – *[HS 1005 10, 1005 90]*

Maische. Ausgangsprodukt zur Herst. *alkoholischer Getränke u. Fruchtsäfte. Bei der Herst. von *Bier ist darunter die Mischung von Darrmalz u. Wasser, aus der die Würze bereitet wird, zu verstehen. Beim *Wein handelt es sich um die zerquetschten Trauben, die zur Gärung bereitet sind. In der *Fruchtsaft-Technologie wird mit M. das Gemisch zermahlener Früchte bezeichnet, aus denen durch Abpressen der Fruchtsaft erhalten wird. – ***E*** mash; unfermented juice of grapes – ***F*** maische; trempe, moût – ***I*** mosto – ***S*** maische; mosto
Lit.: Belitz-Grosch (4.), S. 811 ▪ Narziss, Die Bierbrauerei (6.), Bd. 2, S. 114–192, Stuttgart: Enke 1985 ▪ Schobinger, Frucht- u. Gemüsesäfte (2.), S. 116–121, 194–199, 269–271, Stuttgart: Ulmer 1987 ▪ Troost, Technologie des Weines (6.), Stuttgart: Ulmer 1988 ▪ Ullmann (4.) **8**, 480 ▪ Würdig u. Woller, Chemie des Weines, Stuttgart: Ulmer 1989.

Maiskeimöl. *Palmitinsäure-reiches Getreidekeimöl aus Mais. M. ist lösl. in Ether u. Dichlormethan sowie wenig lösl. in Alkohol; D. 0,914–0,927, Schmp. –18 °C bis –10 °C, Sdp. 321 °C.
Herst.: Durch Pressen der Keime (Fettgehalt 3,5–5%, davon 80% im Keim, 20% im Endosperm), die als Nebenprodukt bei der Stärkeherst. anfallen, u. anschließende *Raffination. Um Ausfällungen bei tieferen Lagertemp. zu vermeiden, ist eine *Winterisierung [1,2] üblich. Handelsname: Mazola®.
Zusammensetzung [3]***:***

Tab.: Zusammensetzung von Maiskeimöl.

Fettsäure	Kurzschreibweise	Gew.-% am Fettanteil
Myristinsäure	14:0	0,1–1,7
Palmitinsäure	16:0	8,0–12,0
Stearinsäure	18:0	2,5–4,5
Ölsäure	18:1(9)	19–49
Linolsäure	18:2(9,12)	34–62
Linolensäure	18:3(9,12,15)	1,0

Der unverseifbare Anteil (1–3%) besteht aus *Sterinen [4], v. a. *β-Sitosterin u. Campesterin, sowie *Tocopherolen (α-Tocopherol: 0,27%, γ-Tocopherol: 0,56%) [1]. Veränderungen in der Sterin-Fraktion durch technolog. Prozesse (z. B. Hydrieren) sind in *Lit.* [4] beschrieben. M. enthält, obwohl es ein pflanzliches Öl ist, *Cholesterin [5].

Verw.: Zur Herst. von Nahrungsmitteln (*Margarine, *Mayonnaise, Salatöl), *Seifen, Haarpflegemitteln, Schmierstoffen u. Lederpflegemitteln.
Ernährungsphysiologie: Der Gehalt an β-Sitosterin u. Tocopherolen sowie das günstige Verhältnis von ungesätt. zu gesätt. Fettsäuren führt nach Aufnahme von M. im Vgl. zu anderen Ölen zu niedrigen LDL-Cholesterin-Werten[6]. Dies ist günstig zu beurteilen.
Analytik: VZ 188–193, IZ 109–133, Hydroxylzahl 8–12, unverseifbarer Anteil 1,3–3,0%. Der hohe Anteil an *Linolsäure ist charakterist. für Maiskeimöl. Das Verhältnis von γ/β-Tocopherol sowie das Auftreten von α-Tocotrienol[7] sind signifikant. Eine Beimengung von *Sonnenblumenöl kann über den Gehalt an Δ^7-Avenasterin u. Δ^7-Stigmastenol (s. Stigmasterin) erkannt werden. M. kann auch mittels ^{13}C-NMR-Spektroskopie (δ^{13}C-Werte um –14‰) identifiziert werden, da Mais unter den Öl-liefernden Pflanzen die einzige C_4-Pflanze ist.
M. wird nach den Leitsätzen für Speisefette u. Speiseöle[8] beurteilt. – ***E*** maize germ oil, corn germ oil – ***F*** huile de germes de maïs – ***I*** olio di germe di granturco – ***S*** aceite de germen de maíz

Lit.: [1] Belitz-Grosch (4.), S. 213, 588 f., 602. [2] Fat Sci. Technol. **90**, 322–325 (1988). [3] Fat Sci. Technol. **92**, 118–121 (1990). [4] Fat Sci. Technol. **91**, 23–27 (1989). [5] Fat Sci. Technol. **89**, 27–30 (1987). [6] Fette Seifen Anstrichm. **86**, 606–613 (1984). [7] J. Food Sci. **50**, 121–124 (1985). [8] Leitsätze für Speisefette u. Speiseöle vom 9. 6. 1987 (Bundesanzeiger Nr. 140 a), abgedruckt in Zipfel, C 296.
allg.: Ullmann (5.) **A 10**, 225 ▪ Vollmer et al., Lebensmittelführer, Bd. 2, Stuttgart: Thieme 1995 ▪ Zipfel, C 296. – *[HS 1515 21, 1515 29]*

Maiskleber. Bez. für aus *Mais gewonnenes Gluten, das als Hauptprotein *Zein enthält. M. findet Verw. als Klebstoff, in Druckfarben u. Emulsionen, als Überzug u. zur Gewinnung von *Glutaminsäure, kann aber auch zu Fasern versponnen werden. – ***E*** maize gluten – ***I*** glutine di granturco – ***S*** glúten de maíz

Lit.: Elias (5.) **2**, 266.

Maisquellwasser. Das erste Wasch- u. Extraktionswasser bei der Verarbeitung von Mais zu Stärke. Der organ. stark belastete Ablauf wird konzentriert u. dient als preiswerter Zusatz zu techn. Fermentationsmedien, wobei dem Gehalt an Aminosäuren u. Vitaminen die größte Bedeutung zukommt. M. ist leicht verderblich u. wird auch aus diesem Grund durch Aufkonzentrierung stabilisiert. Handelsüblich sind Konzentrate mit ca. 50% Trockensubstanz (TS) bzw. sprühgetrocknete Produkte mit 97% TS. Bezogen auf TS enthält M. durchschnittlich 43% Aminosäuren u. Peptide, 37% Kohlenhydrate, 0,07% Fett u. 17% Asche. – ***E*** corn steep liquor – ***F*** extrait primaire du mais – ***I*** acqua sorgiva di granturco – ***S*** agua viva de maíz

Lit.: Rehm-Reed (2.) **9**, 774 ▪ Römpp Lexikon Biotechnologie, S. 479.

Maitotoxin (MTX). $C_{164}H_{256}Na_2O_{68}S_2$, M_R 3425,90 (Na-Salz) (siehe Abb. unten). M. ist das stärkste bisher bekannte nichtproteinogene Gift, LD_{50} (Maus i.p.) 50 ng/kg. 25 mg M. wurden aus 5000 L Kulturfiltrat des Dinoflagellaten *Gambierdiscus toxicus* (Stamm GII-1) isoliert. M. aktiviert die Phospholipasen A2 u. C. Der durch M. stimulierte Ionenkanal ist selektiv u. läßt im Verhältnis 50:1 mehr Ca^+- als Na^+-Ionen passieren[2]. Verwandte Verb. mit Ciguatera-typ. Symptomen (s. Ciguatera-Toxin) aus *G. toxicus* sind Gambierol[3] u. *Gambierinsäure[4], deren antifung. Aktivität die von *Amphotericin B um den Faktor 2000 übersteigt. – ***E*** maitotoxin – ***F*** maïtotoxine – ***I*** maitotossina – ***S*** maitotoxina

Lit.: [1] Angew. Chem. **108**, 1782, 1786 (1996); J. Am. Chem. Soc. **115**, 2060 (1993); Tetrahedron Lett. **36**, 9007, 9011 (1995). [2] Mol. Pharmacol. **41**, 487 (1992). [3] J. Am. Chem. Soc. **115**, 361 (1993). [4] J. Am. Chem. Soc. **114**, 1102 (1992); J. Org. Chem. **57**, 5448 (1992).
allg.: Chem. Rev. **93**, 1897–1909 (1993) ▪ Nachr. Chem. Tech. Lab. **41**, 173 (1993); **44**, 696 (1996). – *[CAS 59392-53-9 (M.); 131594-69-9 (Na-Salz)]*

Majolika s. Fayence.

Majoran. Im Mittelmeerraum u. a. Gegenden Mitteleuropas, in Asien u. Amerika kultivierte Gewürzpflanze *Majorana hortensis* Moench (*Origanum majorana* L., Lamiaceae) mit aromat. Geruch u. würzigem, leicht brennendem Geschmack, die Bitterstoffe u. als Gerbstoff ein Depsid der Kaffeesäure, Flavone u. Hydrochinon enthält. Die M.-Blätter werden frisch od. getrocknet als Wurstgewürz, für Fleischspeisen, Suppen usw., in Form von Aufgüssen auch bei Meteorismus u. Magenbeschwerden, äußerlich zu Einreibungen, Umschlägen usw. sowie als Zusatz zu Niespulver verwendet. Außerdem enthält M. ein ether. Öl

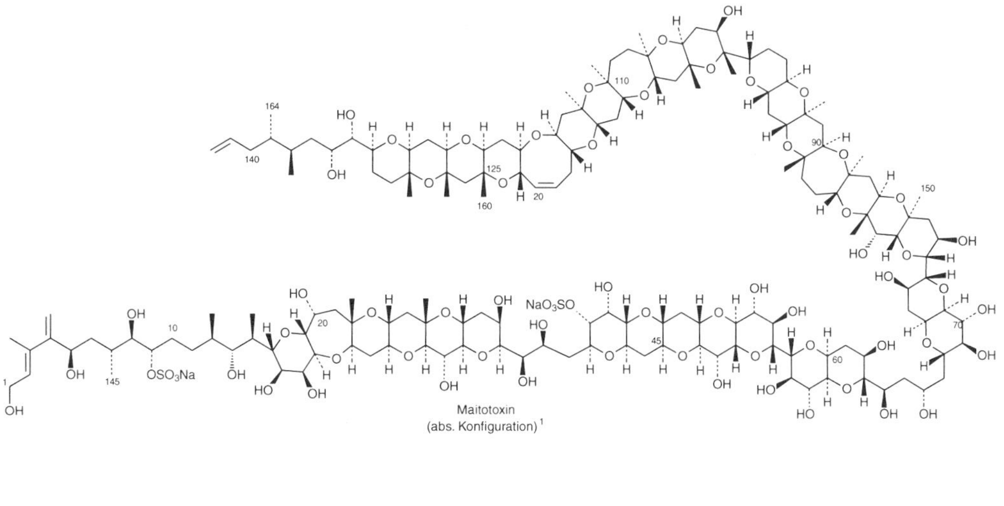

Maitotoxin
(abs. Konfiguration)[1]

(*M.-Öl*), D. 0,895 bis 0,910, lösl. in 1–2 Vol.-Tl. 80%igem Alkohol, FP. 59 °C. Gelbliche Flüssigkeit mit würzigem, etwas an Kardamom erinnernden Geruch, empfindlich gegen Alkali, Säuren, enthält 20–30% Terpinen-4-ol, 15–25% α- u. γ-*Terpinen, 10–15% *cis*-Sabinenhydrat (s. Sabinen) usw.[1]. Der mit M. verwandte Dost od. Wilde M. (*Origanum vulgare*) ist bei *Origanum näher behandelt. – ***E*** marjoram – ***F*** marjolaine – ***I*** maggiorana – ***S*** mejorana

Lit.: [1] Parfum. Flavor **12**, 73 (1987); **14**, 32 (1989); **19**, 39 (1994).
allg.: Hager (5.) **5**, 949–966 ▪ Ullmann (5.) **A 11**, 232 f. – *[HS 0709 90, 0712 90; CAS 8015-01-8 (M.-Öl)]*

Majoranöl s. Majoran.

Major histocompatibility complex s. Histokompatibilitäts-Antigene.

Major intrinsic protein s. Aquaporine.

Majorit s. Meteoriten.

Majusculamide.

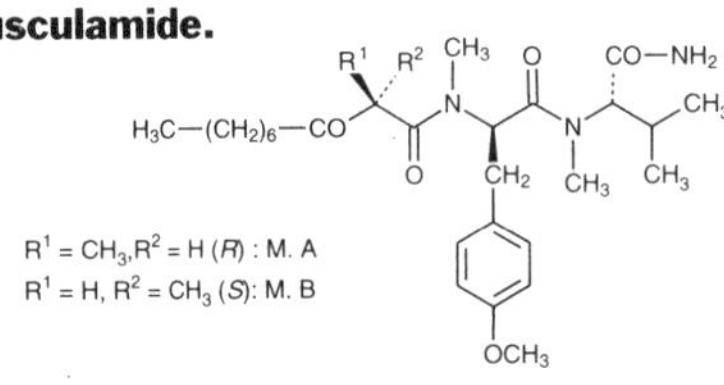

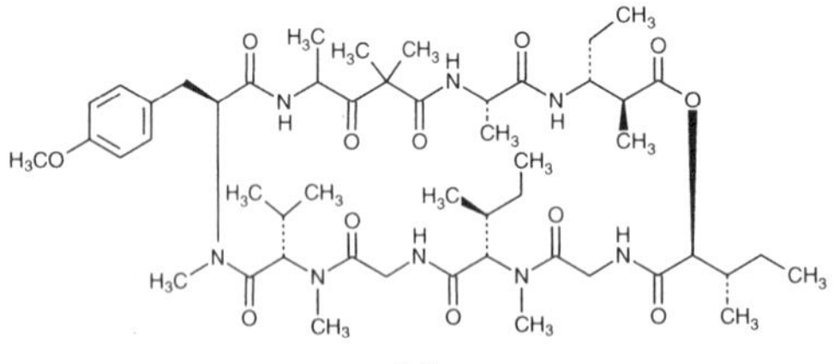

M. C

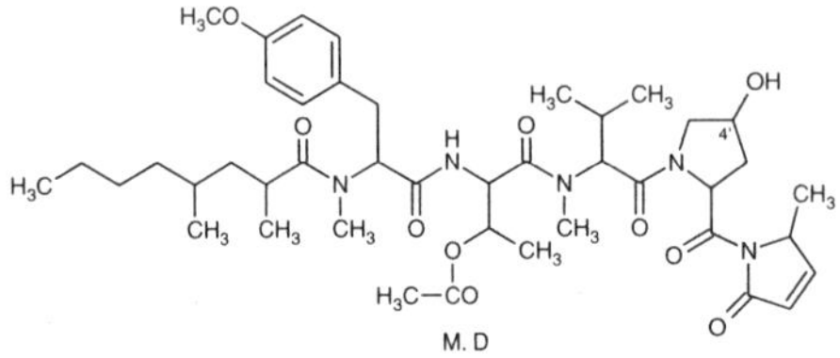

M. D

Die diastereomeren *M. A* ($C_{28}H_{45}N_3O_5$, M_R 503,68, Schmp. 96 °C), *M. B.* (Schmp. 102 °C) sowie *M. C* ($C_{50}H_{80}N_8O_{12}$, M_R 985,23) u. *M. D* ($C_{43}H_{65}N_5O_{10}$, M_R 812,01) sind Lipopeptide bzw. Cyclodepsipeptide aus dem marinen Cyanobakterium *Lyngbya majuscula*. Sie sind cytotox. u. gegen pflanzenpathogene Pilze wirksam. – ***E*** = ***F*** majusculamides – ***I*** maiuscolammidi – ***S*** majusculamidas

Lit.: J. Org. Chem. **42**, 2815 (1977); **49**, 236 (1984) ▪ J. Nat. Prod. **51**, 1299 (1988); **56**, 545 (1993) ▪ Phytochemistry **27**, 3101 (1988). – *[CAS 62758-06-9 (M. A); 62840-08-8 (M. B); 83712-17-8 (M. C); 119603-16-6 (M. D)]*

MAK (Abk. für maximale Arbeitsplatzkonzentration). Der MAK-Wert ist laut Definition der Deutschen Forschungsgemeinschaft (DFG) „die höchstzulässige Konz. eines Arbeitsstoffes als Gas, Dampf od. Schwebstoff in der Luft am Arbeitsplatz, die nach dem gegenwärtigen Stand der Kenntnis auch bei wiederholter u. langfristiger, in der Regel täglich acht-stündiger Exposition, jedoch bei Einhaltung einer durchschnittlichen Wochenarbeitszeit von 40 h im allg. die Gesundheit der Beschäftigten nicht beeinträchtigt u. diese nicht unangemessen belästigt". Die von der „DFG-Senatskommission zur Prüfung gesundheitsschädlicher Arbeitsstoffe" (MAK-Kommission) festgelegten MAK-Werte werden in mL/m³ (ppm) od. in mg/m³ angegeben. MAK-Werte dienen dem Schutz der Arbeitnehmer vor Gesundheitsschäden durch Gefahrstoffe. Die von der DFG jährlich herausgegebene MAK-Werte Liste wird vom Ausschuß für Gefahrstoffe des Bundesministeriums für Arbeit u. Soziales in die Techn. Regel (TRGS 900) übernommen u. bekommt hierdurch ihre gesetzliche Verbindlichkeit. Durch die Gefahrstoffverordnung ist der Arbeitgeber verpflichtet, die Einhaltung von MAK-Werten am Arbeitsplatz zu überwachen (s. Gefahrstoffe). Bei Überschreitung der MAK sind techn. bzw. organisator. Maßnahmen zu treffen.

Lit.: Henschler, Gesundheitsschädliche Arbeitsstoffe, Toxikologisch-arbeitsmedizinische Begründung von MAK-Werten, Weinheim: Verlag Chemie (seit 1972) ▪ Maximale Arbeitsplatzkonzentration und Biologische Arbeitsstofftoleranzwerte (Deutsche Forschungsgemeinschaft), Weinheim: VCH Verlagsges. (jährlich) ▪ Weinmann u. Thomas, Gefahrstoffverordnung mit Chemikaliengesetz, Köln: Heymann ab 1986.

Makadam. Straßenbelag, wobei auf eine gleichmäßig ausgebreitete od. kurz angewalzte Schotterschicht Asphalt (Bitumen), Asphaltemulsion od. Teer gegossen bzw. gespritzt wird u. zum Schluß (evtl. nach vorangegangenem Auftrag von feinem Gesteinsplitt) ein gründliches Auswalzen stattfindet. Der Name ist auf den schott. Ingenieur John Loudon MacAdam (1757–1836) zurückzuführen, der diesen Straßenbelag 1819 erfand. – ***E*** = ***F*** = ***I*** macadam – ***S*** macadán

Lit.: Ullmann (3.) **4**, 427. – *[HS 2517 20, 2517 30]*

Makatussin®. Hustenpräp. auf der Basis von ether. Ölen u. Pflanzenauszügen sowie (Rp) mit *Dihydrocodein, *Diphenhydramin-hydrochlorid, *Emetin, Guaifenesin (s. Guajakolglycerinether), *Butetamatcitrat, *Natriumdibunat, *Tetracyclin u. *Papaverin. ***B.:*** Roland.

Make-up. Dem Engl. (= Aufmachung) entlehnte Bez. für solche meist gefärbten *Kosmetika u. für deren Anw., die der opt. Verschönerung des Gesichts dienen. Dazu rechnet man die in Einzelstichwörtern behandelten Lippenstifte, Augenkosmetika, Puder, Schminken u. in erweitertem Sinn auch Nagellacke. – ***E*** make up – ***F*** maquillage – ***I*** make-up, trucco – ***S*** maquillaje

Lit.: s. Kosmetik u. die Einzelstichwörter. – *[HS 3304 10, 3304 20, 3304 91, 3304 99]*

Makhteshim. Kurzbez. für die internat. agierende 1952 gegr. Firma Makhteshim-Agan, 84100 Beer Sheva (Israel), eine Tochterges. der Israel. Koor Industries Ltd. *Daten* (1995): 1389 Beschäftigte, 281 Mio. $ Umsatz. *Produktion:* Fungizide, Herbizide, Insektizide, Phosgen-Derivate, Pflanzenwuchsstoffe, Zwischenprodukte u. Feinchemikalien für die Pharma-, Farbstoff- u. Explosivstoff-Industrie.

Makkaroni. Röhrenförmige *Nudeln, die aus Hartweizengries hergestellt werden. Mineralstoff-[1] u. Vitamin-Gehalte[2] sowie die hygien. Qualität[3] von M.

sind in der *Lit.* beschrieben. Zur Erhöhung des Eiweiß-Gehalts wird manchmal mit Molkeprotein (s. Molke) angereichert[4]. Eine Begriffsbestimmung gibt die VO über Teigwaren[5]. – ***E*** macaroni – ***F*** macaroni(s) – ***I*** maccaroni – ***S*** macarrones

Lit.: [1] Cereal Chem. **64**, 106–109 (1987). [2] Cereal Chem. **62**, 476–477 (1985). [3] J. Food Prot. **48**, 400–402 (1985). [4] Lebensm. Wiss. Technol. **18**, 76–82 (1985). [5] VO über Teigwaren vom 12. 11. 1934 in der Fassung vom 16. 5. 1975 (BGBl. I S. 1281), § 1 Absatz 2 Nr. 3.
allg.: Vollmer et al., Lebensmittelführer, Bd. 1, Stuttgart: Thieme 1995. – *[HS 1902 19]*

Mako. Geschützte Bez. für eine bestimmte ägypt. *Baumwoll-Sorte von bräunlicher Farbe, die bes. langfaserig u. von seidenartigem Glanz u. weichem Griff ist. – ***E*** maco – ***I*** macò – ***S*** jumel

Makro... Fremdwortvorsatz, abgeleitet von griech.: makrós = groß, lang, weit. – ***E*** = ***F*** = ***I*** = ***S*** macro...

Makroanalyse (Gramm-Analytik). Bez. für diejenigen analyt. Verf., bei denen mind. 0,5 g Probensubstanz (obere Grenze ist etwa 10 g) zur Untersuchung eingesetzt werden; vgl. dagegen Mikroanalyse. – ***E*** macroanalysis – ***F*** macroanalyse – ***I*** macroanalisi – ***S*** macroanálisis

Makroanionen s. Makroionen.

Makrobiotik. Von griech.: makrós = lang, groß (hier im Sinne „allumfassend") u. bíos = Leben hergeleitete Bez. für eine auf den Zen-Buddhismus begründete Lebens- u. Ernährungsform, die den gesamten Kosmos u. damit auch die Lebensmittel in die sich ergänzenden Gegensätze Ying u. Yang einteilt. Ausschließliche Getreideernährung, die, wie alle höheren Ernährungsstufen der M. als Heilnahrung gedacht ist u. nur kürzere Zeit angewendet werden sollte, ist die höchste der 10 Ernährungsstufen (–3 bis +7). Die erste Stufe ist eine gemischte Kost ausgewogener Zusammensetzung (Gemüse, Getreide, Suppe u. in geringen Mengen Fleisch). Mittlere Ernährungsstufen, die nach der M. anzustreben sind, beinhalten hauptsächlich Gemüse u. Vollkornerzeugnisse. Die Flüssigkeitsaufnahme in der M. ist gering. Die höheren Ernährungsstufen sind ernährungsphysiolog. betrachtet wenig ausgewogen, zu Aspekten der makrobiot. Kinderernährung s. *Lit.*[1]. Makrobiot. Ernährung kann beim Erwachsenen zu Vitamin B_{12}-Mangel führen, der sich auch durch den Verzehr von Meeresfrüchten kaum mehr ausgleichen läßt[2]. Die M. beinhaltet unwissenschaftliche u. falsche Aussagen. So soll der menschliche Körper in der Lage sein, Vitamin C zu synthetisieren. Der Verzehr stark salzhaltiger u. verschimmelter Lebensmittel wird empfohlen. – ***E*** macrobiotics – ***F*** macrobiotique – ***I*** macrobiotica – ***S*** macrobiótica

Lit.: [1] Ernähr.-Umsch. **37**, 194–201 (1990). [2] Am. J. Clin. Nutr. **53**, 524–529, 695 ff. (1991).
allg.: Deutsche Gesellschaft für Ernährung, DGE (Hrsg.), Alternative Ernährungsformen, S. 24–27, Frankfurt: DGE 1988 ▪ Kushi, The book of macrobiotics, Revised edition, Boston: Japan Publications 1987.

Makroblend®. Blend aus *Polycarbonat, Elastomermodifikator u. gegebenenfalls *Polyethylenterephthalat; gegenüber Polycarbonat erhöhte Tieftemp.-Zähigkeit u. Benzin-Festigkeit. Für Kfz-Außenteile, Sicherheitshelme u. Sportartikel. ***B.:*** Bayer.

Makro-Brownsche Bewegungen (intermol. Bewegung von Makromol.). Bez. für therm. ausgelöste, rotator. u. translator. Bewegungen ganzer *Makromoleküle in einer *Polymer-Lsg. od. Polymer-Schmelze (s. a. Brownsche Molekularbewegungen u. Mikro-Brownsche Bewegungen). – ***E*** macro-Brownian movements – ***F*** macromouvements Browniens – ***I*** movimenti macro-Browniani – ***S*** movimientos macro-Brownianos

Makrocyclen s. makrocyclische Verbindungen.

Makrocyclische Polymere (Ringpolymere). Bez. für unverzweigte, ringförmige u. damit Endgruppen-freie *Makromoleküle. Im Gegensatz zu den sog. „Makrocyclen", zu denen man traditionsgemäß Ringe mit ca. 10–50 Ringatomen zählt, können m. P. viele Tausend Ringatome u. damit sehr hohe Molmassen aufweisen. Sie entstehen durch Ringschlußreaktionen während od. nach dem eigentlichen Polymerisationsprozeß – durchwegs allerdings in sehr geringen Ausbeuten. M. P. werden z. B. durch Umesterungs- od. Umamidierungs-Reaktionen auch aus zunächst ausschließlich offenkettigen *Polyestern bzw. *Polyamiden in der Schmelze gebildet. Dieser Prozeß führt schließlich zu einem auch theoret. vorhersagbaren Gleichgew.-Zustand zwischen linearen Ketten u. Ringen unterschiedlicher Größe. Ein anderes Beisp. ist die Ringschlußreaktion von linearen *Polymeren mit funktionellen Endgruppen in hochverd. Lsg. mit einem ebenfalls bifunktionellen Reagenz. Beisp. hierfür ist die Umsetzung von nach dem Verf. der lebenden Polymerisation hergestelltem *Polystyrol mit metallorgan. Endgruppen mit *α,α'*-Dibrom-*p*-xylol, die nach folgendem Schema verläuft:

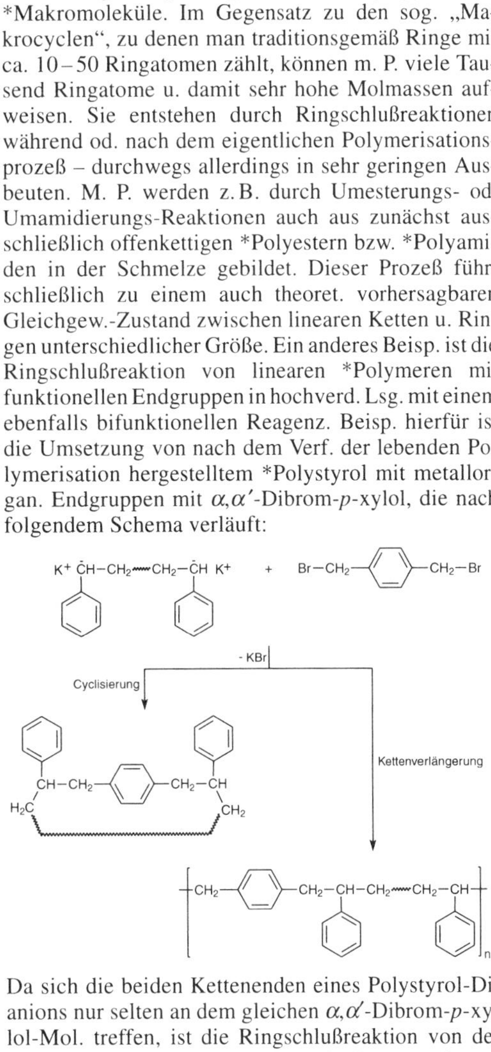

Da sich die beiden Kettenenden eines Polystyrol-Dianions nur selten an dem gleichen *α,α'*-Dibrom-*p*-xylol-Mol. treffen, ist die Ringschlußreaktion von der Bildung von linearem Polystyrol (Kettenverlängerungsreaktionen) begleitet. Das makrocycl. Polystyrol (Molmassen: ca. 5000–500 000 g/mol) läßt sich von dem linearen, das im allg. wesentlich höhere Molmassen hat, durch Fraktionierung abtrennen. Die Wahrscheinlichkeit einer solchen Ringbildung nimmt allerdings mit steigender Kettenlänge der zu cyclisierenden Polymeren immer mehr ab u. geht bei sehr hohen Molmassen gegen Null. In der Natur sind sehr große m. P. dagegen keine Seltenheit, sondern als zirkuläre *Desoxyribonucleinsäuren (s. a. Plasmide) bei Viren u. Bakterien weit verbreitet. Auch in *Proteinen sind oft sehr lange Aminosäure-Ketten zu Ringen geschlossen, u. zwar meist durch *Disulfid-Brücken. Zu Eigenschaften der m. P. s. *Lit.* – ***E*** macrocyclic polymers – ***F*** polymères macrocycliques – ***I*** polimeri macrociclici – ***S*** polímeros macrocíclicos

Lit.: Compr. Polym. Sci. **5**, 63 ▪ Encycl. Polym. Sci. Eng. **9**, 183–195.

Makrocyclische Verbindungen (Makrocyclen). Sammelbez. für *cyclische Verbindungen mit großen Ringen, die ca. 13 od. mehr Ringglieder aufweisen; vgl. a. mittlere Ringe u. kleine Ringe.

Herst.: Zu den lange bekannten Meth. wie *Cyclisierungen u. Additionen nach dem *Ziegler-Verdünnungsprinzip, sind in neuerer Zeit weitere Meth. hinzugekommen, die einen breiten Zugang zu m. V. eröffnen. Zu nennen sind die *Metathese, *Cyclooligomerisation, *Story-Methode u. *Zip-Reaktion. Viele Naturstoffe sind m. V., so z. B. die *Cembranoide, die makrocycl. Bis-*Isochinolin-Alkaloide, die als Antibiotika verwendbaren *Makrolide u. die *Porphyrine. Im Interesse der synthet. organ. Chemie stehen auch m. V. vom Typ der *Kronenether, *Kryptate u. *Katapinate, die als Ionophore Carrier-Funktionen ausüben können, sowie *Annulene, *Catenane, *Cyclophane, *Knoten- u. *Möbius-Moleküle. – ***E*** macrocyclic compounds – ***F*** composés macrocycliques – ***I*** composti macrociclici – ***S*** compuestos macrocíclicos

Lit.: Dietrich, Viout u. Lehn, Macrocyclic Compounds Chemistry, Weinheim: VCH Verlagsges. 1992 ▪ Tetrahdron **51**, 9241–9284, 9767–9822 (1995) ▪ s. a. cyclische Verbindungen u. Ringsysteme.

Makroelemente s. Mineralstoffe.

Makroemulsion. Vor dem Start einer *Emulsionspolymerisation wird eine Emulsion der zu polymerisierenden, wasserunlösl. *Monomeren in Wasser erzeugt. Dazu fügt man der Mischung aus Wasser u. Monomer oberflächenaktive Verb. (*Emulgatoren, *Detergentien, *Seifen) zu, die in der wäss. Phase *Micellen bilden. In diese lagern sich dann die öllösl. Monomeren ein. Je nach gewählten Bedingungen erhält man auf diese Weise entweder opake M. mit einem Durchmesser der entstehenden Monomer-Tröpfchen von ca. 1–10 µm, Miniemulsionen (ca. 0,1–0,2 µm Tröpfchendurchmesser) od. transparente *Mikroemulsionen (0,005–0,1 µm Tröpfchendurchmesser). Unabhängig von diesen Ausgangsbedingungen bilden sich jedoch bei der nachfolgenden *radikalischen Polymerisation der emulgierten Monomeren Polymerpartikel mit Durchmessern von üblicherweise 0,01–10 µm, unter speziellen Bedingungen auch von bis zu 100 µm. Grund hierfür ist der spezielle Mechanismus der Emulsionspolymerisation. Dieser hat seine wesentliche Ursache in der Verw. wasserlösl. *Initiatoren. – ***E*** macroemulsion – ***I*** macroemulsione – ***S*** macroemulsiones

Lit.: Elias (5.) **2**, 93.

Makroester. Bez. für *Makromoleküle, die im Verlaufe *kationischer Polymerisationen auftreten, wenn diese unter Verw. nicht-komplexer Gegenionen (Anionen) durchgeführt werden. Diese Gegenionen können mit den bes. wachstumsfähigen kation. Kettenenden I kovalente Bindungen u. damit weniger wachstumsfähige Ester-Funktionalitäten II ausbilden. Eine starke Neigung zur Ausbildung von M. weisen bei vielen kation. Polymerisationen z. B. die Anionen von *Supersäuren auf. Diese Gleichgewichtsreaktion ist am Beisp. der Polymerisation von *Tetrahydrofuran mit Trifluormethansulfonsäure gezeigt.

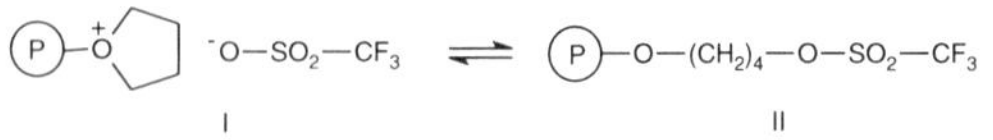

Auch das Lsm. beeinflußt entscheidend die Bildung der M.: In polaren Lsm. liegen überwiegend Makrokationen I vor, während in apolaren Lsm. bevorzugt M. II entstehen. Auch werden die über Makrokationen I verlaufenden Polymerisationen bereits durch Spuren von Wasser beeinträchtigt, während die über M. verlaufenden auch durch relativ große Wassermengen nicht gestört werden.

Da die Geschwindigkeitskonstanten des Kettenwachstums für Makrokationen ca. 50–2000mal größer sind als die der M., erreichen über Makrokationen erzeugte Polymerketten Polymerisationsgrade von ca. 10^3–10^6, während die durch das Wachstum von M. erhaltenen Makromol. Polymerisationsgrade von nur ca. 10–1000 aufweisen. Liegen beide wachstumsfähigen Spezies I u. II in einem Ansatz nebeneinander vor, werden Produkte mit bimodaler Molmassen-Verteilung erhalten.

Mechanist. betrachtet ist die kation. Polymerisation über M. II eine *Polyinsertions-Reaktion: Das jeweils neu eintretende Monomer-Mol. insertiert in die Bindung zwischen der bereits entstandenen Polymerkette u. deren Ester-Endgruppe. Derartige kation. Polymerisationen, die mechanist. als Polyinsertionen ablaufen, werden daher auch als pseudokation. Polymerisationen bezeichnet. – ***E*** = ***F*** macroesters – ***I*** macroestere – ***S*** macroéster

Lit.: Elias (5.) **1**, 399, 435.

Makrofibrillen s. Keratine.

Makrofol®. *Polycarbonat-Folien mit hoher Durchschlagfestigkeit, Reißdehnung, Wärmestandfestigkeit u. Lichttransmission. Bes. für den Kondensatorenbau, als Elektroisolierfolie u. als Informationsträger für Blenden, Zifferblätter u. Signalanzeigen in der Geräte- u. Automobil-Ind. sowie für Sportartikel. Antistat. u. leitfähig eingestellte Polycarbonat-Folien finden Anw. in der Elektronik u. Datentechnik. ***B.:*** Bayer.

α_2-Makroglobulin (α_2-Antiplasmin). M_R ca. 720000. *Glykoprotein der α_2-Globulin-Fraktion (ca. 8% Kohlenhydrat), bestehend aus 4 ident. Untereinheiten, von denen je 2 miteinander *Disulfid-Brücken ausbilden. α_2-M. kommt im menschlichen Blutplasma zu ca. 2 g/L, bei Kindern 4–5 g/L vor. Bei manchen Tieren ist es ein *Akutphasen-Protein. Es ist ein natürlicher Inhibitor vieler mechanist. sehr verschiedener *Proteasen (u. a. *Plasmin, *Thrombin, *Trypsin). Bei Angriff der Protease an einer „Köder"-Region des α_2-M. schnappt aufgrund einer Konformationsänderung des Inhibitors für die Protease eine mol. „Falle" in Form einer reaktiven Thiolester-Gruppierung zu, die sie festhält. Gleichzeitig werden Rezeptor-Erkennungsbereiche auf α_2-M. ausgebildet. Mit deren Hilfe bindet der Komplex an verschiedene Zellen, insbes. auch *Makrophagen, u. wird aus dem Plasma entfernt. Andererseits konnte auch gezeigt werden, daß die Wechselwirkung des Protease/α_2-M.-Komplexes mit dem Makrophagen Auswirkungen auf die immmunolog. Funktionen des letzteren besitzt. Es bestehen Sequenzähnlichkeiten zu den *Komplement-Komponenten C3, C4 u. C5. Zur Wechselwirkung mit *Cytokinen s. *Lit.*[1]. – ***E*** α_2-macroglobulin – ***F*** α_2-macroglobuline – ***I*** = ***S*** α_2-macroglobulina

Lit.: [1] Lab. Invest. **65**, 3–14 (1991).
allg.: Dan. Med. Bull. **40**, 409–446 (1993).

Makroglobuline. Unspezif. Bez. für Globuline mit M_R >400 000.

Makroinitiatoren. Bez. für spezielle *Polymere, aus denen z. B. bei höheren Temp. *Makroradikale gebildet werden, die eine *Polymerisation von *Monomeren unter Bildung von *Blockpolymeren od. *Pfropfcopolymeren auslösen können:

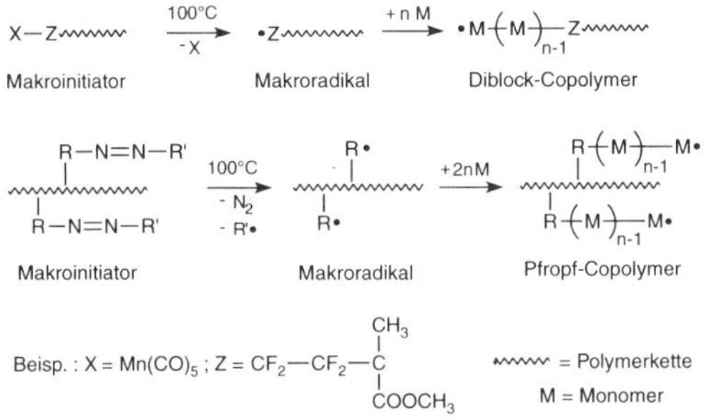

– ***E*** macroinitiators – ***F*** macroinitiateurs – ***I*** macroiniziatori – ***S*** macroiniciadores

Lit.: Compr. Polym. Sci. **3**, 135 f.

Makroionen. Bez. für *Makromoleküle, die nur eine od. wenige ion. Gruppen (meist endständig) im Mol. enthalten. Die Gruppen können anion. (*Makroanionen*) od. kation. (*Makrokationen*) sein. Beisp. für M. sind u. a. *lebende Polymere, die während der anion. od. kation. initiierten lebenden Polymerisation anfallen. M. sind zu unterscheiden von den *Polyelektrolyten, die eine größere Anzahl anion. (*Polyanionen*) od. kation. (*Polykationen*) Gruppen bzw. beider Ionentypen (*Polyampholyte) im Makromol. enthalten. – ***E*** = ***F*** macroions – ***I*** macroioni – ***S*** macroiones

Lit.: Compr. Polym. Sci. **3**, 782 ▪ Elias (5.) **1**, 31; **2**, 77.

Makrokationen s. Makroionen.

Makrokonformation. Niedermol. Verb. wechseln durch Drehung um einzelne Einfachbindungen von einer Konformation in eine andere. Derartige Konformationen, die sich nur auf eine einzelne Bindung beziehen, werden in der Makromol. Chemie auch als Mikrokonformationen od. lokale Konformationen bezeichnet. Makromol. enthalten viele Kettenbindungen, u. prakt. jede Bindung kann verschiedene Mikrokonformation einnehmen. Die jeweilige Sequenz dieser Mikrokonformationen entlang der Polymerkette bestimmt die Gestalt des Makromol. u. wird als M. bezeichnet. Da Makromol. viele rotationsfähige Bindungen aufweisen, von denen jede einzelne in unterschiedlichen Mikrokonformationen vorliegen kann, u. sich die Mikrokonformationen darüber hinaus zeitlich ändern, liegt prakt. jedes existierende Makromol. in einer anderen M. vor. Beispielsweise kann ein *Polyethylen-Mol. mit einem Polymerisationsgrad von 20 001 (20 000 C–C-Kettenbindungen, von denen jede drei verschiedene konformative Lagen *trans*, *gauche*$^+$ u. *gauche*$^-$ einnehmen kann) prinzipiell $3^{20000} \approx 10^{9542}$ M. einnehmen, d. h. mehr Formen als das Universum Mol. enthält.
Die vorherrschende M. gelöster od. amorpher Polymerer ist das sog. statist. Knäuel, ein aus der regellos verknäuelten Polymerkette bestehendes, im Mittel bohnenförmiges Gebilde. Daneben treten insbes. in krist. od. teilkrist. Polymeren weitere M. auf, wie z. B. Helices od. die in *all-trans*-Konformation vorliegende, ausgestreckte Zickzack-Kette. – ***E*** macroconformation – ***I*** macroconformazione – ***S*** macroconformación

Lit.: Elias (5.) **1**, 152, 168; (5.) **2**, 55.

Makrolactame s. Makrolide.

Makrolactone. Makrocycl. Verb., die eine *Lacton-Gruppierung enthalten (Ringgröße ≥10–60). Wichtige Vertreter sind z. B. die *Decarestrictine, die Makrolid-Antibiotika, die einen 12-, 14-, 16- od. 17gliedrigen Lacton-Ring enthalten od. die Polyen-Antibiotika, die als Grundgerüst ebenfalls einen Lacton-Ring enthalten, dessen Ringgröße zwischen 26 u. 38 Gliedern liegt (vgl. Makrolide). Die größten Lacton-Ringe besitzen Monazomycine (48gliedrig) u. Quinolidomicine (60gliedrig). – ***E*** macrolactones – ***F*** macrolactone – ***I*** macrolattoni – ***S*** macrolactonas

Lit.: J. Antibiot. **43**, 438 ff. (1990); **46**, 1557–1569 (1993) ▪ Präve et al. (4.), S. 150, 678–684.

Makrolid-Antibiotika s. Makrolide.

Makrolide (von *Makro... u. *...olid). Von Woodward geprägte Bez.[1] für *makrocyclische Verbindungen, die eine *Lacton-Gruppierung enthalten. Die Mehrzahl der Verb. wirkt als *Antibiotika u. enthält seltene Zucker u. Aminozucker in glykosid. Bindung. Bekannte Vertreter sind einmal die *Makrolid-Antibiotika*. Sie bestehen aus einem 12-, 14-, 16- od. 17-gliedrigen Lacton-Ring u. 1–3 Zuckern, die mit dem Aglykon u. untereinander glykosid. verknüpft sind. *Carbomycin, *Erythromycin, Leucomycin, *Oleandomycin, *Spiramycine u. a. werden v. a. gegen Gram-pos. Erreger eingesetzt.
Ebenfalls makrocycl. Lactone sind die *Polyen-Antibiotika* (26–38-gliedrige Lacton-Ringe mit 3–7 konjugierten Doppelbindungen), die wegen ihrer antifung. Wirkungen gegen Infektionen mit Pilzen u. Hefen Anw. finden (v. a. *Amphotericin B, *Candicidin, *Filipin, *Natamycin, *Nystatin).
Macrotetrolide, cycl. Polylactone, bauen sich aus 4 Tetrahydrofuranylhydroxysäuren auf, enthalten keine Zucker u. wirken als *Ionophore. Sie finden Anw. als Insektizide (*Nonactin, Monactin, Dinactin, Trinactin, Tetranactin).
Zu der heterogenen Gruppe der *atyp. M.* werden die *Avermectine u. *Ivermectine (Anw. in der Veterinär-

medizin gegen Nematoden), *Milbemycin, Venturicidin, Bafilomycin od. Irumamycin gerechnet.
Mit den M.-Antibiotika eng verwandt sind die *Ansamycine*, die anstelle der Lacton- eine *Lactam-Gruppierung (*Macrolactame*) enthalten, z. B. *Rifampicin, Streptovaricidin, *Geldanamycin, *Maytansinoide. – ***E*** **=*F*** macrolides – ***I*** macrolidi – ***S*** macrólidos

Lit.: [1] Angew. Chem. **69**, 50 (1957).
allg.: Higashide, in Vandamme (Hrsg.), The Macrolides: Properties, Biosynthesis and Fermentation, S. 451–509, New York: Dekker 1984 ▪ Omura, Macrolide Antibiotics, New York: Academic Press 1984 ▪ Präve et al. (4.), S. 678–684 ▪ Rehm-Reed **4**, 359–391.

Makrolon®. Ein 1953 von Schnell entwickelter thermoplast. *Polycarbonat-Kunststoff; systemat. Name: Poly[oxycarbonyloxy-1,4-phenylen-(1-methylethyliden)-1,4-phenylen] (Polykohlensäureester des 2,2-Bis(4-hydroxyphenyl)propans = *Bisphenol-A). Der hauptsächlich in Extrusions- u. Spritzguß-Verf. verarbeitete Kunststoff wird bes. für Massivplatten, Stegdoppelplatten, Compact Discs, Gehäuse, Bauteile u. Präzisionsteile in der Elektro-, Phono-, Fahrzeug-, Büromaschinen- u. Haushaltswaren-Ind. verwendet. ***B.:*** Bayer.

Makromere s. Makromonomere.

Makromoleküle (Polymer-Mol., Riesenmol.). M. ist die von *Staudinger eingeführte Bez. für Mol., für die eine vielfache Wiederholung einer od. mehrerer Arten von meist kovalent verknüpften Atomen od. Atom-Gruppen charakterist. ist. Dabei ist deren Zahl so groß, daß sich die Eigenschaften der M. durch Hinzufügen od. Abspalten einiger weniger Atome od. Atom-Gruppen nicht wesentlich ändern. Da die untere Grenze der Molmasse, ab der eine Eigenschaft von der Größe des Mol. unabhängig wird, außer von dessen Zusammensetzung auch von der jeweils betrachteten Eigenschaft abhängt, ist der Übergang von den Mol. der niedermol. Chemie hin zu den M. nicht streng zu definieren. Als untere Molmassen-Grenze der M. wird allg. ca. 10 000 g/mol angegeben; nach oben ist die Molmasse der M. nicht begrenzt. Sie kann Werte bis zu einigen Mio. erreichen. Ein weiteres Charakteristikum von M. ist, daß die verschiedenen Mol. eines Präp. – außer bei speziellen Biopolymeren (z. B. *Enzyme u. *Nucleinsäuren) u. im Gegensatz zu reinen niedermol. Verb. – nicht alle das gleiche Molgew. aufweisen. Vielmehr ist für makromol. Stoffe eine mehr od. minder breite Molmassen-Verteilung charakterist., die z. B. Rückschlüsse auf die Synthesemeth. erlaubt, nach der ein *Polymer dargestellt wurde.
Die Atom-Arten bzw. -Gruppen, die in der Kette eines M. (od. auch eines *Oligomeren) auftreten, werden als konstitutionelle Einheiten (*E* constitutional units) bezeichnet. So enthält die Kette des M. (1)

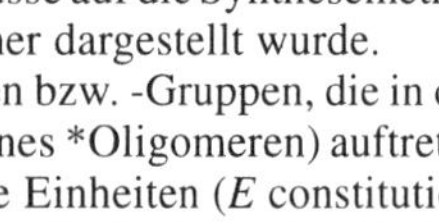

1

beispielsweise die konstitutionellen Einheiten

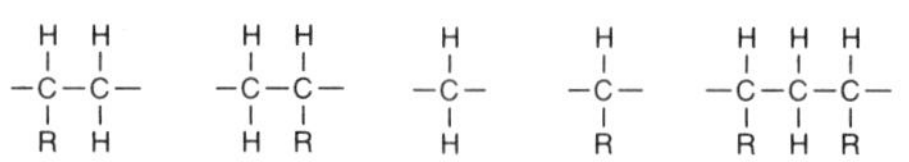

1a **1b**

Davon sind 1 a u. 1 b die kleinsten konstitutionellen Einheiten, mit denen sich die Kette des M. (1) vollständig beschreiben läßt; sie werden *konstitutionelle Repetiereinheiten (KRE; engl.: CRU) genannt. Sind diese wie in der Formel (1) regelmäßig angeordnet, spricht man von einem regelmäßigen M., bei statist. Anordnung [z. B. wie in Formel (2)]

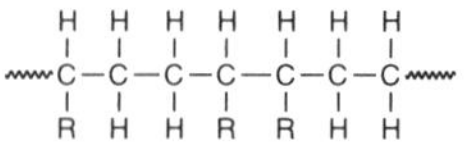

2

von einem unregelmäßigen M. (Polymeren).
M., z. B. die des *Polypropylens, können die konstitutionellen Repetiereinheiten $-CH(CH_3)-CH_2-$ auch als *enantiomere* Grundeinheiten

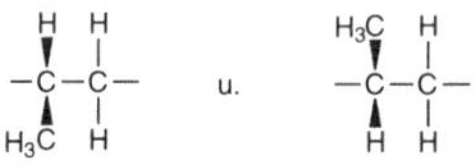

3a **3b**

enthalten. Diese werden als *konfigurative* Repetiereinheiten (*konfigurative Einheit) bezeichnet.
M. können auch *stereochem.* Repetiereinheiten enthalten. Bei *stereoregulärem Polypropylen* z. B. unterscheidet man zwischen den M. (4 a–4 c),

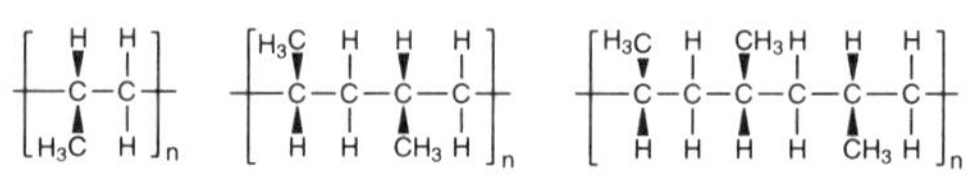

4a **4b** **4c**

von denen 4 a als *isotakt.*, 4 b als *syndiotakt.* Polypropylen bezeichnet wird. *Atakt.* M. (4 c) enthalten die konfigurativen Grundeinheiten in gleicher Anzahl u. statist. Anordnung (s. a. Taktizität).
Die Gestalt der M. kann linear (fadenförmig), kammförmig-, sternförmig- od. dendrit. verzweigt,

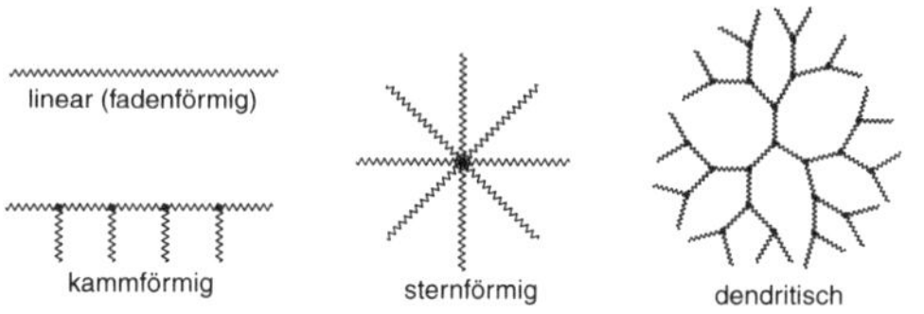

Abb. 1: Schemat. zweidimensionale Projektion eines linearen sowie dreier verschieden verzweigter Polymerer.

weiterhin unregelmäßig vernetzt od. cycl. (s. makrocyclische Polymere) sein. *Fadenmol.* sind vom Aufbau her linear, liegen aber v. a. in Lsg., in der Schmelze u. im amorphen, d. h. glasartig erstarrten Zustand, geknäuelt als sog. *Knäuelmol.* vor, die im statist. Mittel etwa Bohnenform aufweisen.
Werden die einzelnen M. einer Probe durch kovalente intermol. Bindungen miteinander verknüpft (vernetzt), so entstehen in der Regel unlösl., in Lsm. aber noch quellbare Verb., die dann als *Gele bezeichnet werden. Bei spezieller *Vernetzung über kurze Vernetzungsbrücken resultieren dagegen *Korpuskeln* vom Prototyp der Eiweißstoffe. Starke Verzweigungen von M., z. B. bei *Stärke od. *Glykogen, können ebenfalls zu korpuskularen Partikeln, dreidimensional aufgebauten

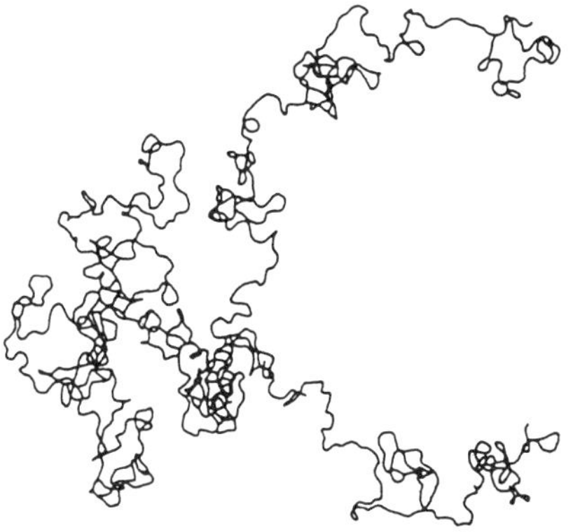

Abb. 2: Statist. Anordnung einer Polymerkette mit 1000 frei rotierenden C–C-Bindungen.

Kugelmol. (*Sphäro*-M.) führen. Verzweigte M. mit längeren, regelmäßigen Seitenketten haben eine kammartige Struktur (s. Kammpolymere). Solche mit relativ wenigen Seitenketten meist unterschiedlicher Länge werden als *Pfropfcopolymere bzw. Pfropfpolymere bezeichnet.

M. können rein anorgan. (*anorganische Polymere), Metall-organ. (*Metall-organische Polymere) od. rein organ. Natur sein; die organ. M. sind mit Abstand am weitesten verbreitet.

M. werden biolog. (s. natürliche Polymere) od. synthet. aufgebaut, wobei die Synth. nach sehr unterschiedlichen Verf. der *Polymerisation od. durch *polymeranaloge Reaktionen an natürlichen od. synthet. Polymeren mit funktionellen Gruppen erfolgt. Sie enthalten mit Ausnahme von komplex aufgebauten natürlichen M. (z. B. Proteine) in der Regel nur eine geringe Anzahl chem. unterschiedlicher Grundeinheiten. Aus unterschiedlichen *Monomeren durch *Copolymerisation gewonnene M. unterscheiden sich je nach der gewählten Monomer-Zusammensetzung, der Polymerisationsmeth. (z. B. radikal., anion., kation. od. Metallkomplex-katalysierte Polymerisation bzw. Polykondensation) u. der Reaktionsführung meist auch in ihrer chem. Zusammensetzung u. der Verteilung der einzelnen Monomerbausteine entlang der Ketten. Die Kettenlängen – u. damit der *Polymerisationsgrad u. die Molmasse – von M. der gleichen Art können, z. B. in Abhängigkeit von den Synth.-Bedingungen, in weiten Grenzen variieren.

M. sind in vielen Fällen neutral, können aber auch ion. Gruppen (anion. u./od. kation.) enthalten (s. Polyelektrolyte, Polyampholyte, ionische Polymere, Ionomere).

M. sind die Basis der *makromolekularen Stoffe, *Polymere u. *Kunststoffe. Diese drei zuletzt genannten Begriffe werden vielfach synonym verwendet. Auf die bes. Eigenschaften von M. kann hier u. bei diesen Stichworten nicht eingegangen werden; Näheres dazu ist bei den einzelnen Polymeren u. Polymerklassen zu finden. – ***E*** macromolecules – ***F*** macromolécules – ***I*** macromolecole – ***S*** macromoléculas

Lit.: s. makromolekulare Chemie, makromolekulare Stoffe, Kautschuk, Kunststoffe, Polymere.

Makromolekulare Chemie. Die m. C. ist der Zweig der Chemie, der sich mit der Herst., Isolierung, Modifizierung u. Untersuchung der Eigenschaften u. Einsatzmöglichkeiten der *makromolekularen Stoffe (*Polymere, *Kunststoffe) beschäftigt. Sie gründet sich auf die Erkenntnisse von *Staudinger, daß Kolloide (s. Kolloidchemie) nicht nur in physikal., sondern auch in chem. Sinne Einzelmol. sein können, für die er den Namen *Makromoleküle (Riesenmol.) prägte.

Die m. C. wurde früher als ein Sektor der *Kolloidchemie betrachtet, die sie allerdings sehr rasch an Bedeutung weit übertraf. Sie wird häufig als *Polymerwissenschaft* bezeichnet, die als z. T. überlappende Sektoren die *Polymerchemie*, die *Polymerphysik* u. Teile der Materialwissenschaften u. *Supramolekulare Chemie umfaßt. Eigentliche Arbeitsgebiete der m. C. sind neben der präparativen Gewinnung von makromol. Stoffen u. der Aufklärung der Mechanismen der zu diesen führenden unterschiedlichen *Polyreaktionen auch die Ausarbeitung analyt. Meth. zur Charakterisierung der hergestellten Produkte, die Prüfung des physikal. Verhaltens der als Werkstoffe (Kunststoffe) eingesetzten Typen, die Untersuchung ihrer chem., biolog. u. ggf. tox. Eigenschaften u. die Erarbeitung einer einheitlichen Nomenklatur für die makromol. Stoffe. Einen Eindruck von den Weiterentwicklungen auf dem Gebiet der m. C. vermitteln u. a. die Jahresübersichten der Zeitschrift „Nachrichten aus Chemie u. Technik“, eine Übersicht über die Möglichkeiten zum Studium der m. C. innerhalb der Universitäten der BRD u. die dort zu absolvierenden einzelnen Lehrgänge vermitteln die Informationsschrift „*Makromolekulare Chemie*“ (*Lit.*[1]) u. der Hochschulführer „*Polymerwissenschaften in Deutschland*“ (*Lit.*[2]), der auch eine Auflistung von nat. u. internat. auf dem Gebiet der m. C. tätigen Fachverbände enthält. – ***E*** macromolecular chemistry – ***F*** chimie macromoléculaire – ***I*** chimica macromolecolare – ***S*** química macromolecular

Lit.: [1] Makromolekulare Chemie, Eine Informationsschrift der Fachgruppe Makromolekulare Chemie der Ges. Deutscher Chemiker (GDCh), Ausgabe 1998. [2] Hochschulführer Polymerwissenschaften in Deutschland, Ausgabe 1994 [zu beziehen durch die *Gesellschaft Deutscher Chemiker (GDCh), Geschäftsstelle Frankfurt a. M.; Ende des Jahres 1998 steht eine Neuaufl. zur Verfügung.]

allg.: Enzyklopädien: Compr. Polym. Sci. **1–7**, Suppl. 1 u. 2 ▪ Encycl. Polym. Sci. Technol. ▪ Encycl. Polym. Sci. Eng. – *Monographien:* Die Zahl der Buchpublikationen auf dem Gebiet der m. C. ist nahezu unüberschaubar. Nachfolgend werden hier nur einige Bücher aufgeführt, die einen guten Zugang zur m. C. vermitteln: Cowie (2.), Chemie u. Physik der synthetischen Polymeren, Braunschweig: Vieweg 1997 ▪ Elias (5.) Bd. 1: Makromoleküle: Grundlagen; Bd. 2: Makromoleküle: Technologie ▪ Lechner, Gehrke u. Nordmeier, Makromolekulare Chemie, Basel: Birkhäuser 1993 ▪ Odian (3.), Principles of Polymerization ▪ Tieke, Makromolekulare Chemie, Weinheim: Wiley-VCH 1997.

Makromolekulare Farbstoffe. Bez. für *Makromoleküle, die chromophore Gruppen (z. B. *Azobenzol-Funktionalitäten) entweder als seitenständige Substituenten der *Polymer-Hauptkette od. kovalent eingebunden in diese enthalten. Die Darst. von m. F. der ersten Gruppe kann durch *Polymerisation Farbstoff-funktionalisierter *Monomerer (z. B. I) od. durch *polymeranaloge Reaktion reaktiver Precursor-Polymerer (z. B. III) erfolgen (s. Abb.).

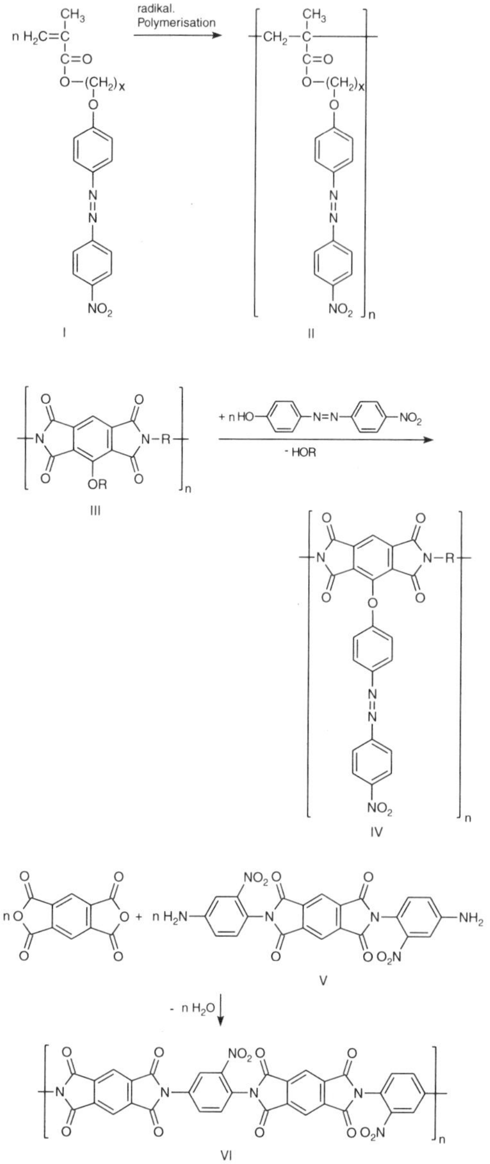

M. F. der zweiten Gruppe werden dagegen vorwiegend durch *(Co)polykondensation unter Verw. funktionalisierter Farbstoff-Monomerer wie z. B. V erhalten. – ***E*** macromolecular dyes, polymeric dyes – ***F*** colorants macromoléculaires – ***I*** coloranti macromolecolari – ***S*** colorantes macromoleculares

Makromolekulare Stoffe. Sammelbez. für aus *Makromolekülen bestehende Substanzen. Während reine niedermol. Stoffe aus Mol. gleicher Bauart u. Größe (Molmasse) bestehen, sind die meisten natürlichen u. synthet. m. S. Mischungen aus Makromol. gleicher od. ähnlicher chem. Zusammensetzung, jedoch unterschiedlicher Größe. Die einzelnen Makromol. einer Substanzprobe weisen verschiedene Polymerisationsgrade u. damit verschiedene Kettenlängen u. Molmassen auf, d. h. sie sind polydispers (polymol.). Streng monodisperse m. S., die nur aus Mol. ein u. derselben Größe u. Zusammensetzung bestehen, treten lediglich in Form einiger *natürlicher Polymerer (z. B. spezielle *Proteine, *Nucleinsäuren) auf. Sie können in einigen Fällen auch synthet. nachgebaut werden (s. Merrifield-Technik). Sehr enge Molmassen-Verteilungen weisen weiterhin einige nach Polymerisations-Verf. wie der lebenden Polymerisation hergestellte synthet. Polymere u. *dendritische Polymere auf.

Wegen ihres durch die hohen Molmassen bedingten extrem niedrigen Dampfdrucks u. ihrer im allg. schlechten Kristallisierbarkeit sind m. S. nicht wie niedermol. Stoffe durch Dest. od. Umkristallisieren zu reinigen. Reinigungsmöglichkeiten sind hier dagegen gegeben u. a. durch Umfällen, fraktionierende Fällung od. Extrahieren mit geeigneten Lösemitteln.

In der Praxis wird terminolog. kaum zwischen den Begriffen m. S., *Makromoleküle, *Polymere u. *Kunststoffe, die vielfach synonym verwendet werden, differenziert. M. S. lassen sich unterteilen in:

1. Lineare m. S., die aus linearen Makromol. mit kettenartig verknüpften Grundeinheiten bestehen;
2. verzweigte m. S., die verzweigte Makromol. mit linearen Haupt- u. Seitenketten enthalten;
3. zweidimensionale m. S. (*Schichten*-Polymere), die aus zweidimensional angeordneten kondensierten Ringen mit od. ohne Seitenketten bestehen;
4. räumlich vernetzte m. S. (räumliche Netzpolymere) ohne Schichtstruktur, aufgebaut aus einem dreidimensionalen Syst. aneinander gefügter Ringe (solche Stoffe existieren nur im festen Zustand);
5. intramol. vernetzte m. S. aus einzelnen in sich vernetzten Makromol.;
6. *interpenetrierende polymere Netzwerke (IPN).

Eine ältere Einteilung (nach *Staudinger) listete die m. S. auf in:

I a) *Naturstoffe*:
1. Kohlenwasserstoffe: Kautschuk, Guttapercha, Balata.
2. Polysaccharide: Cellulosen, Stärken, Glykogene, Mannane, Pektine, Chitine.
3. Polynucleotide: Nucleinsäuren.
4. Proteine u. Enzyme.

I b) *Umwandlungsprodukte von Naturstoffen:*
1. vulkanisierter Kautschuk.
2. Zellwolle, Cellophan, Cellulosenitrat.
3. Leder, Lanital, Galalith.

II *Synthet. Stoffe:* Kunststoffe (Polyplaste) entstanden durch
1. Polymerisation: Buna, Polystyrol, Polymethacrylsäureester.
2. Polykondensation: Bakelit, Nylon, Perlon, Terylen.
3. Polyaddition: Polyurethane.

M. S. sind das Arbeitsgebiet der *makromolekularen Chemie. Die Eigenschaften der m. S. werden weitestgehend bestimmt durch den chem. Aufbau u. die (mittlere) Größe der ihnen zugrunde liegenden Makromoleküle. Sie werden charakterisiert u. a. durch Bestimmung ihrer (durchschnittlichen) Molmasse (mit Hilfe von osmometr., viskosimetr., chromatograph., Lichtstreuungs- od. Sedimentations-Verf. od. Endgruppen-

Analysen) u. Mol.-Struktur, z. B. des Verzweigungs-, Vernetzungs-, Verknäuelungs- u. Kristallinitätsgrades, der Konformation u. a. stereochem. Gegebenheiten (Untersuchungs-Meth.: IR-, NMR-Spektroskopie, Röntgen- u. Neutronenstreuung) sowie ihrer biolog. u./od. chem. Abbaubarkeit. Entsprechende Untersuchungen werden an den m. S. im festen, flüssigen (in der Schmelze) od. gelösten Zustand durchgeführt. Das Auflösen der m. S. erfolgt über einen Quellungszustand unter Ausbildung von Lsg. mit ausgeprägt kolloidalem (s. Kolloidchemie) Charakter. M. S. lassen sich nicht unzersetzt verdampfen, da eine Überwindung der aufgrund der Molekülgröße sehr starken zwischenmol. Kräfte zwischen den einzelnen Makromol. nur bei Temp. erfolgt, die bereits ein Lösen von Hauptvalenzbindungen in den Haupt- u. Seitenketten der Makromol. bewirken.

Das Angebot an m. S. für die unterschiedlichsten Einsatzgebiete ist im Verlaufe ihrer noch recht jungen Geschichte nahezu unüberschaubar geworden. Sie finden techn. Anw. u. a. als *Kunststoffe, *Kunstharze, *Duroplaste, *Thermoplaste, *Elastomere, *Chemiefasern, *Klebstoffe od. Beschichtungsmaterialien in nahezu allen Bereichen des täglichen Lebens. – *E* macromolecular substances – *F* substances macromoléculaires – *I* materie (sostanze) macromolecolari – *S* sustancias macromoleculares

Lit.: s. makromolekulare Chemie, Kunststoffe, Polymere, einzelne Polymere u. Polymerklassen.

Makromonomere (Makromere). M. sind *Oligomere od. *Polymere mit funktionellen Gruppen vorzugsweise an einem Ende des meist kettenförmigen Mol., die an Polymerisationsreaktionen teilnehmen können. M. sind somit als *Monomere mit allerdings bereits recht hoher Molmasse (einige Hundert bis einige Zehntausend g/mol) u. vielfach breiterer Molmassen-Verteilung aufzufassen. In den meisten Fällen enthalten M. funktionelle Endgruppen wie z. B. ungesätt. C–C-Bindungen (Vinyl-, Acryl-Gruppen, Abb. a u. b); Endgruppen können aber auch Oxiran- (Abb. c) od. andere polymerisierbare Heterocyclen sein. Auch Verb., die an einem Ende zwei funktionelle Gruppen, z. B. Hydroxy- u./od. Carboxy-Gruppen (Abb. d, X = CH_2OH, COOH) tragen, über die *Stufenwachstums-Polymerisationen, z. B. *Polykondensationen möglich sind, werden zu den M. gerechnet.

Oligomere mit funktionellen Gruppen an beiden Kettenenden (Abb. e, X = z. B. CH_2OH u./od. COOH), die Edukte für den Aufbau streng linearer Polymerer sind, werden dagegen als *telechel(isch)e Polymere od. *Telomere bezeichnet.

a) ∼∼∼∼CH=CH$_2$ b) ∼∼∼∼C(=O)–CH=CH$_2$

c) ∼∼∼∼CH–CH$_2$ (O) d) ∼∼∼∼C(X)(X)–H e) X∼∼∼∼X

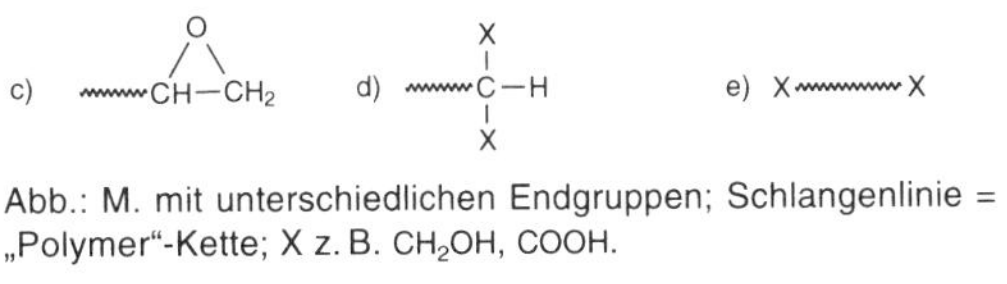

Abb.: M. mit unterschiedlichen Endgruppen; Schlangenlinie = „Polymer"-Kette; X z. B. CH_2OH, COOH.

M. sind in unterschiedlichen *Polyreaktionen zugänglich, von denen die ion. initiierte lebende Polymerisation große Bedeutung hat. Die funktionellen Endgruppen können entweder über den verwendeten *Initiator od. durch Endgruppenverkappung der zunächst gebildeten Makromol. (z. B. der „lebenden" Kettenenden) mit nucleophilen od. elektrophilen Reagenzien eingeführt werden. Das erste, im Jahr 1972 beschriebene M. wurde durch Umsetzung von ω-Chlordimethylsiloxan-Oligomeren mit dem Grignard-Reagenz des *p*-Chlorstyrols erhalten.

$H_2C=CH-\!\!\!\bigcirc\!\!\!-MgCl \;+\; Cl-\!\![Si(CH_3)_2-O]_n\!\!-Si(CH_3)_3$

$\xrightarrow{-MgCl_2}\; H_2C=CH-\!\!\!\bigcirc\!\!\!-[Si(CH_3)_2-O]_n-Si(CH_3)_3$

$0 < n < 10$

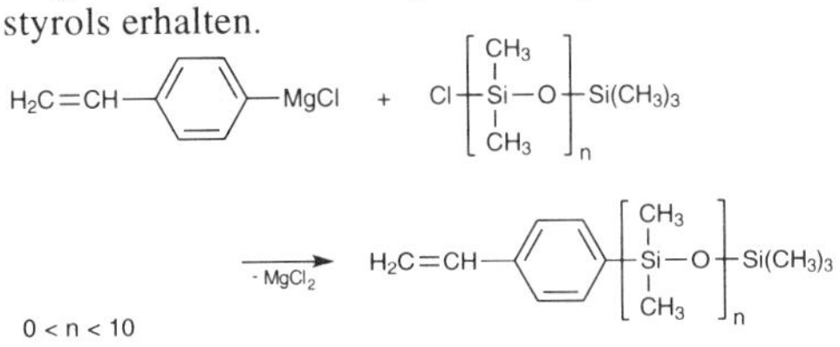

M. sind sowohl homo- als auch mit geeigneten Monomeren copolymerisierbar. Monofunktionelle M. u. solche des Typs d werden bevorzugt zur Synth. von *Pfropfcopolymeren od. *Kammpolymeren mit einheitlichen Längen der Seitenketten eingesetzt. Bis- u. polyfunktionelle M. finden Verw. u. a. als Edukte für die Herst. von *polymeren Netzwerken mit definierten Strukturen. – *E* macromers, macromolecular monomers – *F* monomères macromoléculaires, macromères, macromonomères – *I* monomeri macromolecolari – *S* monómeros macromoleculares, macrómeros, macromonómeros

Lit.: Adv. Polym. Sci. **58**, 1–53 (1984) ■ Encycl. Polym. Sci. Eng. **9**, 195–204.

Makrophagen („Freßzellen", Abk.: MΦ). Aus den *Monocyten* entstehender, hochdifferenzierter Typ der zu den *Leukocyten gehörenden *mononukleären Phagocyten. Monocyten kommen in Blut u. Lymphe vor u. siedeln sich nach ca. 1 Tag als MΦ im Bindegewebe (dort *Histiocyten* genannt), in der Leber (*Kupffer-Zellen*), im Knochen-Gewebe (*Osteoklasten*) u. im Nervensyst. (*Mikroglia-Zellen*) an. Die MΦ u. Monocyten, die jedoch nicht von allen Autoren unterschieden werden, gehören dem *retikulo-endothelialen System an u. machen ca. 5–8% der Leukocytenzahl aus. Sie entstehen im Knochenmark aus denselben geprägten hämatopoet. Vorläuferzellen wie auch die Granulocyten; die Differenzierung zum Monocyten bzw. MΦ wird *in vitro* durch M-CSF (s. Kolonie-stimulierende Faktoren) bewirkt. Die relativ großen MΦ enthalten reichlich *Lysosomen. Sie spielen eine Rolle bei der Beseitigung ausgedienter Körperzellen (z. B. *Erythrocyten) u. bei der unspezif. Immunität, da sie Rezeptoren für den Fc-Teil von *Immunglobulinen sowie für die *Komplement-Komponente C3b besitzen, u. können Antigene, Bakterien u. a. Fremdkörper phagocytieren (s. Phagocytose). Manche Mikroorganismen vermehren sich nach Phagocytose im Inneren der MΦ[1]. Außerdem besitzen aktivierte MΦ die Fähigkeit zum *respiratory burst* (respirator. Ausbruch), bei dem durch die Wirkung des Membran-Enzyms *NADPH-Oxidase* das hochreaktive u. cytotox. *Hyperoxid-Radikal freigesetzt wird[2]. Auch die Produktion von Stickstoffmonoxid (s. Stickstoffoxide), die in MΦ durch *Lipopolysaccharide (LPS, s. a. Endotoxine) im Zusammenwirken mit *Adenosin-5′-di- od. -triphosphat induziert wird[3], dient der Abwehr (von Viren,

Bakterien, Pilzen, Würmern u. Tumorzellen), kann sich jedoch bei entzündlichen Krankheiten auch gegen normale, körpereigene Zellen richten[4]. An der Aktivierung von T-*Lymphocyten beteiligen sie sich als *akzessor. Zellen* durch die Präsentierung verarbeiteter *Antigen-Bruchstücke an ihrer Oberfläche u. durch die Abgabe lösl. Faktoren (*Monokine*, da von *Monocyten* bzw. deren Abkömmlingen) wie *Interleukin 1, 6, 15 u. *Tumornekrose-Faktor (TNF). Bei der Präsentierung des Antigens wird gleichzeitig ein *Histokompatibilitäts-Antigen der Klasse 2 benötigt – sozusagen eine Legitimation des MΦ gegenüber der T-Zelle. Die Aktivierung u. *Chemotaxis der MΦ (bei Entzündungen u. Infektionen) wird durch bakterielle Komponenten[5], z. B. LPS, u. *Lymphokine[6], z. B. *Makrophagenwanderungs-Hemmfaktor, *Interferon γ, *Interleukin 2 u. TNF, gesteuert. Auch bei *Arteriosklerose spielen MΦ eine Rolle, da sie im Blut modifizierte LDL (s. Lipoproteine) aufnehmen u. dann zu *Schaumzellen* werden. Dies wird durch *Säuberungs-Rezeptoren* (scavenger receptors) ermöglicht[7]. Bei Infektionen durch das AIDS-Virus HIV sammelt sich dieses in MΦ an[8]. – ***E*** = ***F*** macrophages – ***I*** macrofaghi – ***S*** macrófagos

Lit.: [1] Curr. Opin. Immunol. **7**, 479–484 (1995). [2] Semin. Cell Biol. **6**, 357–365 (1995). [3] Drug Develop. Res. **39**, 377–387 (1997). [4] Annu. Rev. Immunol. **15**, 323–350 (1997). [5] Int. Rev. Cytol. – Survey Cell Biol. **161**, 263–331 (1995). [6] Curr. Opin. Immunol. **7**, 400–404 (1995). [7] Nature (London) **386**, 292–296 (1997). [8] Science **274**, 1464 f. (1996).
allg.: Curr. Opin. Immunol. **7**, 24–33 (1995) ▪ Horton, Macrophages and Related Cells, New York: Plenum 1993 ▪ J. Leukocyte Biol. **59**, 133–138 (1996) ▪ Pathol. Int. **46**, 473–485 (1996) ▪ Roitt et al., Kurzes Lehrbuch der Immunologie, 3. Aufl., S. 23 ff., 111–114, 144 f., 217 ff., Stuttgart: Thieme 1995.

Makrophagenwanderungs-Hemmfaktor (MIF). *Protein, M_R 37 000, das beim Mensch aus 3 ident. Untereinheiten aus je 114 Aminosäure-Resten besteht. Ursprünglich als *Lymphokin beschrieben, das die ziellose Wanderung der *Makrophagen unterbindet, wird MIF nach neueren Ergebnissen sowohl als *Hormon aus dem *Hypophysen-Vorderlappen ausgeschüttet als auch als *Cytokin bei Einwirkung von Glucocorticoiden (s. Corticosteroide) aus Makrophagen u. T-*Lymphocyten freigesetzt. Als Gegenspieler der Glucocorticoide hebt MIF deren immunsuppressive Einflüsse auf u. wirkt entzündungsfördernd. – ***E*** macrophage migration-inhibitory factor – ***F*** facteur inhibiteur de la migration des macrophages – ***I*** fattore inibitorio della migrazione dei macrofaghi – ***S*** factor inhibitorio de la migración de los macrófagos

Lit.: Crit. Rev. Immunol. **17**, 77–88 (1997) ▪ FASEB J. **10**, 1607–1613 (1996).

Makroradikale. Bez. für *Makromoleküle, die eine od. wenige, meist endständige radikal. Funktion(en) enthalten. M. sind vielfach Zwischenstufen bei der Herst. von *Polymeren durch radikal. initiierte *Polymerisation. Makromol. mit einer größeren Anzahl radikal. Gruppen, die u. a. bei der Synth. von *Pfropfcopolymeren intermediär auftreten, werden dagegen als *Polyradikale* bezeichnet (s. a. Makroinitiatoren). – ***E*** macroradicals – ***F*** macroradicaux – ***I*** macroradicali – ***S*** macrorradicales

Lit.: Elias (5.) **1**, 31.

Makroskopisch s. Megaskopisch.

Makrosmaten s. Geruch.

Makusanit s. Obsidian.

MAK-Werte s. MAK.

Malabarkino s. Kino.

Malachit (Berggrün). $Cu_2[(OH)_2/CO_3]$ od. $Cu(OH)_2 \cdot CuCO_3$; enthält 57,4% Cu. Smaragdgrüne (*Idiochromasie), meist nadelige, oft zu Büscheln gruppierte, glasglänzende, monokline Krist., Kristallklasse 2/m-C_{2h}; öfters als *Pseudomorphosen nach *Azurit. Hell- bis schwarzgrüne Beschläge, Krusten od. traubige, zapfenförmige, stalaktit., faserig-feinkrist., seidenartig glänzende Massen, die unterschiedlich grüne Zeichnungen u. *Achat-artige Bänderungen zeigen können. Zur Struktur s. *Lit.*[1,2]. Bruch muschelig, spröde, H. 4, D. 4,0; Strich grün. Empfindlich gegen Hitze u. Säuren, Ammoniak u. heiße Bäder. Die direkte Entstehung von M. aus Azurit spielt bei den Farben alter Gemälde eine Rolle; wenn zur Darst. des blauen Himmels Azurit verwendet wurde, sind die entsprechenden Partien heute mehr od. weniger grünstichig.

Vork., Verw.: Oft zusammen mit Azurit in *Oxidationszonen von Kupfersulfid-Lagerstätten, z. B. Tsumeb/Namibia, Australien, Chile, Simbabwe, Arizona/USA. Hauptförderländer sind Sambia u. Zaire (Provinz Shaba); von hier stammen der derzeit beste M., der zu Dosen, Schalen, Platten, Figuren, Halsketten u. Cabochons (*Edelsteine u. Schmucksteine) verarbeitet wird. Zur Unterscheidung von M.-Azurit-Verwachsungen von ähnlichen Verwachsungen, Imitationen u. Preßprodukten s. *Lit.*[3]. M. ist ferner Bestandteil der *Patina.

Geschichte: M. war schon bei den Ägyptern, Griechen u. Römern als Schmuckstein, Amulett u. in Pulverform als Augenschminke beliebt; als grüne *Temperafarbe wurde er bis in die Renaissance verwendet. *Name* von griech.: malache = Malve. – ***E*** = ***F*** = ***I*** malachite – ***S*** malaquita

Lit.: [1] Acta Crystallogr. **22**, 146–151 (1967); Z. Kristallogr. **145**, 412–426 (1977). [2] Phys. Chem. Miner. **20**, 27–32 (1993). [3] Z. Dtsch. Gemmol. Ges. **43**, 127–132 (1994).
allg.: Eppler, Praktische Gemmologie (5.), S. 363 f., Stuttgart: Rühle-Diebener 1994 ▪ Gmelin, Syst.-Nr. 60, Cu, Tl. B, 1961, S. 658–662 ▪ Ramdohr-Strunz, S. 578 ▪ Schröcke-Weiner, S. 545 ff. ▪ s. a. Azurit. – *[HS 2603 00, 7103 10, 7103 99; CAS 12069-69-1]*

Malachitgrün [C. I. Basic Green 4, Diamantgrün P od. Bx, Viktoriagrün B od. WB, 4,4′-Bis(dimethylamino)tritylium-chlorid]. T
$C_{23}H_{25}ClN_2$, M_R 364,92, ein Triarylmethan-Farbstoff (Formelbild s. dort). Grüne, metall. glänzende Krist., sehr gut lösl. in Wasser, Ethanol, Methanol u. Amylalkohol.

Herst.: Man erhitzt Benzaldehyd mit Dimethylanilin u. Schwefelsäure, hierauf wird das entstehende Bis[4-(dimethylamino)phenyl]phenylmethan (*Leukomalachitgrün*) mit Bleidioxid u. Salzsäure oxidiert. Obwohl M. nur wenig echte Färbungen liefert (wird durch Chlor zerstört, durch Laugen entfärbt, durch Salzsäure rotgelb gefärbt), hat man es doch zur Grün- bzw. Bläulichgrünfärbung von Baumwolle (Beizung mit Tannin u. Brechweinstein nötig), Seide, Wolle, Jute, Leinen, Stroh, Papier u. zur Herst. von grünen Lackfarben verwendet. In der Mikroskopie dient M. zur Färbung von Pilz-infizierten Pflanzengeweben, Bakterien u. dgl., in der Tüpfelanalyse zum Schwefelsäure-Nachweis. Über einen Phosphat-Nachw. mit Hilfe von M. s. *Lit.*[1]. Nach Werth[2] wirkt M. in Konz. von 3 mg/100 g tödlich auf Ratten. Wegen seiner Wirksamkeit eignet sich M. auch für die Teichwirtschaft. – *E* malachite green – *F* vert malachite – *I* verde malachite – *S* verde malaquita

Lit.: [1] Z. Anal. Chem. **256**, 174 (1971). [2] Arzneim.-Forsch. **17**, 1–6, 155–158 (1967).
allg.: Beilstein E IV **13**, 2279 f. ■ Hager (5.) **2**, 353 ■ Text. Chem. Col. **2**, 191 (1970) ■ s. a. Triarylmethan-Farbstoffe. – [CAS 569-64-2]

Malaga. Ein span. Likörwein, der 16–18% vol Alkohol u. größere Mengen unvergorener Zucker (20–25%) enthält. Zur Extrakterhöhung wird ein Teil des *Mostes eingekocht, od. die Trauben werden noch über die Vollreife hinaus für einige Tage am Stock belassen. Dies führt zu einer Farbintensivierung. Das fertige Erzeugnis ist eine Mischung dreier unterschiedlich erzeugter Weine (vino dulce, vino tierno, vino maestro) in einem bestimmten Mengenverhältnis. Zur Begriffsbestimmung der Verkehrsbez. „Likörwein" s. *Lit.*[1]. Zum Höchstgehalt an Sulfaten (2500 mg/L) s. *Lit.*[2]. – *E* = *F* = *I* malaga – *S* málaga

Lit.: [1] VO (EWG) Nr. 822/87 in der Fassung vom 3.5.1989 (ABl. der EG Nr. L 128/31) Anhang I Nr. 14, in der Fassung vom 22.12.1994 (ABl. der EG Nr. 366/1). [2] Wein-VO vom 4.8.1983 in der Fassung vom 24.8.1990 (BGBl. I S. 1834).
allg.: Würdig u. Woller, Chemie des Weines, S. 732, Stuttgart: Ulmer 1989 ■ Zipfel, C 403, C 404. – [HS 2204 21, 2204 29]

Malakon s. Zirkon.

Malaria (italien.: mala aria = schlechte Luft). Gruppe von Infektionskrankheiten, die durch Einzeller der Gattung *Plasmodium* hervorgerufen werden. Die Erreger werden durch weibliche Stechmücken (*Anopheles*-Arten) auf den Menschen übertragen. Durch den Stich in die Blutbahn gelangt, befallen die Plasmodien (*Sporozoiten*) Leberzellen, wachsen zu *Schizonten* heran u. zerfallen in eine Vielzahl von *Merozoiten*. Diese gelangen wiederum in die Blutbahn u. befallen die roten Blutkörperchen. Dort wachsen die Merozoiten zu Schizonten heran, um dann wiederum in Merozoiten zu zerfallen u. in anderen Erythrocyten ihren Vermehrungscyclus fortzusetzen.
Die Krankheitserscheinungen kommen durch den Zerfall von Erythrocyten, durch freigesetzte Stoffwechselprodukte u. Cytokine, sowie durch Immunreaktionen zustande u. äußern sich v. a. in charakterist. Fieberanfällen mit Schüttelfrost. Man unterscheidet die M. tropica, hervorgerufen durch *Plasmodium* (Pl.) *falciparum*, die M. tertiana (*Pl. vivax* od. *Pl. ovale*) u. die M. quartana (*Pl. malariae*), von denen die M. tropica durch Schädigung des Gehirns bes. gefährlich werden kann. Die Diagnose wird durch den mikroskop. Nachw. der Erreger im Blut gesichert, die Behandlung (s. a. Antimalariamittel) erfolgt mit 4-Aminochinolinen wie *Chloroquin, durch die Kombination von *Pyrimethamin mit *Sulfonamiden od. durch *Mefloquin.

Gegen akute M.-Anfälle wird auch *Chinin eingesetzt. Zur Vorbeugung dient die, an der jeweiligen Resistenzlage orientierte, medikamentöse Prophylaxe (z. B. mit Chloroquin; individuelle Chemoprophylaxe) sowie der Versuch, in den Endemiegebieten die übertragenden Mücken zu dezimieren. Nach dem Verlassen des M.-Gebiets muß die individuelle Chemoprophylaxe, wegen evtl. vorhandener Schizonten, noch über eine gewisse Zeit weitergeführt werden. An der Entwicklung eines Impfstoffs wird intensiv gearbeitet. Die M. ist heute weltweit in den Tropen, z. T. auch in den Subtropen verbreitet. Pro Jahr erkranken etwa 100 Mio. Menschen, etwa 1 Mio. sterben an der Malaria. – *E* = *I* malaria – *F* paludisme – *S* paludismo, malaria

Lit.: Brandis et al., Lehrbuch der Medizin. Mikrobiologie, Stuttgart: Fischer 1994 ■ Dönges, Parasitologie, Stuttgart: Thieme 1988 ■ N. Engl. J. Med. **335**, 800–806 (1996).

Malat-Dehydrogenase [(*S*)-Malat:NAD$^+$-Oxidoreduktase, EC 1.1.1.37, Abk.: MDH]. Am *Citronensäure-Cyclus beteiligte Oxidoreduktase, die in Ggw. von NAD$^+$ (s. Nicotinamid-Adenin-Dinucleotid) die Umwandlung von L-*Äpfelsäure (als Salz: L-Malat) in *Oxobernsteinsäure (Oxalessigsäure; als Salz: Oxosuccinat bzw. Oxalacetat) sowie die gegenläufige Reaktion bewirkt. Sie wird deshalb zur quant. Bestimmung dieser Substrate u. anderer Enzyme benutzt. MDH kommt im Cytoplasma u. in Mitochondrien in jeweils verschiedenen *Isoenzym-Formen vor, was für den Transport durch die innere Mitochondrien-Membran von Bedeutung ist: Nur L-Malat, nicht aber Oxalacetat kann diese durchqueren. Oxalacetat muß zu Transport-Zwecken in ersteres überführt u. anschließend wieder rückverwandelt werden. Die Raumstruktur der mitochondrialen MDH zeigt Ähnlichkeit zur cytoplasmat. sowie auch zur *Lactat-Dehydrogenase. Dennoch sind in bezug auf die Aminosäure-Sequenz das cytoplasmat. u. mitochondriale Isoenzym nur schwach miteinander verwandt, letzteres jedoch deutlich mit bakterieller MDH. In den Chloroplasten der grünen Pflanzen kommen NADP$^+$-abhängige (s. Nicotinamid-Adenin-Dinucleotid) MDH vor (EC 1.1.1.82). Zur Struktur einer archaebakteriellen MDH s. *Lit.*[1]. Decarboxylierende M., auch *Malat-Enzyme* (*E* malic enzymes) genannt (EC 1.1.1.38-1.1.1.40), die NAD$^+$ od. NADP$^+$ benötigen, katalysieren die Reaktion von L-Malat zu Pyruvat. – *E* malate dehydrogenase – *F* malate-déshydrogénase – *I* malato deidrogenasi – *S* malato-deshidrogenasa

Lit.: [1] Science **267**, 1344 ff. (1995).
allg.: Biochim. Biophys. Acta **1100**, 217–234 (1992). – [HS 3507 90]

Malate. Bez. für die Salze u. Ester der *Äpfelsäure (latein.: acidum malicum, Name!); nicht zu verwechseln mit *Maleaten.

Malat-Enzyme s. Malat-Dehydrogenase.

Malathion.

$$H_3CO-\underset{\underset{OCH_3}{|}}{\overset{\overset{S}{\|}}{P}}-S-\underset{}{CH}-CH_2-COOC_2H_5$$
$$|$$
$$COOC_2H_5$$

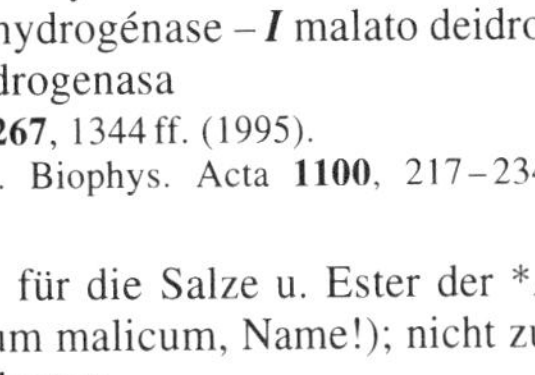

Xn

Common name für (±)-(Dimethoxyphosphorothioylthio)bernsteinsäure-diethylester, $C_{10}H_{19}O_6PS_2$,

M_R 330,35, Schmp. 3 °C, Sdp. 156–157 °C (93,1 Pa), LD_{50} (Ratte oral) 885–2000 mg/kg (GefStoffV), MAK 15 mg/m³; von American Cyanamid 1950 eingeführtes nicht-system. *Insektizid u. *Akarizid mit breitem Wirkungsspektrum gegen saugende Insekten im Obst-, Gemüse- u. Zierpflanzenanbau sowie gegen Vorrats- u. Hygieneschädlinge. – $E = F = I$ malathion – S malatión, malathión
Lit.: Beilstein E IV **3**, 1136 f. ▪ Farm. ▪ Perkow ▪ Pesticide Manual. – *[HS 293090; CAS 121-75-5]*

Malayait s. Titanit.

MALDI. Abk. für Matrix-unterstützte Laser Desorption/Ionisation, s. Massenspektrometrie.

Maleate (Maleinate). Bez. für Salze u. Ester der *Maleinsäure u. für *Maleinsäureester; nicht zu verwechseln mit *Malaten.

Maleimid s. Maleinimid.

Maleinatharze. Bez. für Reaktionsprodukte aus (Kolophonium-)*Harzsäuren, Maleinsäure u. Polyalkoholen (z. B. Glycerin, Pentaerythrit od. *Trimethylolpropan). Dabei können die Ausgangsstoffe in nahezu beliebiger Reihenfolge nacheinander bzw. gleichzeitig zusammen umgesetzt werden. Theoret. sind ca. 30% Maleinsäure(anhydrid) über Diels-Alder-Reaktionen in *Harze einbaubar, prakt. werden aber Werte von 12% nicht überschritten, da höhere Mengen zu vernetzten, unlösl. Produkten führen. M. sind sehr helle, Wärme-, Licht- u. Oxid.-beständige, in geläufigen organ. Lsm. lösl. *Kunstharze. Sie werden aus Lsg. appliziert u. trocknen schnell durch.
Verw.: Als hochglänzende Weißlacke (in Kombination mit Zinkoxid), als Zusatz zu Cellulosenitrat-Lacken u. in Abmischung mit *Alkydharzen als Wachstuch-Lacke. Alkohol-lösl. M. werden u. a. in Flexo- u. Spezialtiefdruckfarben sowie in Verbindung mit Ethylen-Vinylacetat-Copolymeren auch zur Herst. von *Schmelzklebstoffen eingesetzt. – E maleate resins – F résines maléiques – I resine di maleinato – S resinas maleicas
Lit.: Kittel, Lehrbuch der Lacke u. Beschichtungen, Bd. IV, S. 99 f., Berlin-Oberschwandorf: W. A. Colomb 1976 ▪ Ullmann (5.) **A 23**, 73 ff., 84. – *[HS 380690]*

Maleinimid (Pyrrol-2,5-dion, Maleimid).

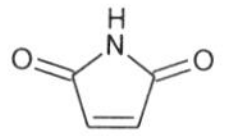

$C_4H_3NO_2$, M_R 97,07. Farblose, ätzende, tränenreizende Krist., Schmp. 93–95 °C, in Wasser, Alkohol, Ether lösl.; LD_{50} (Maus oral) 80 mg/kg, WGK 1 (Selbsteinst.).
Verw.: Als reaktives Dienophil in Cycloadditionsreaktionen; *N*-Alkyl- u. *N*-Aryl-M. dienen als polymerisationsfähige Ausgangsprodukte für Temp.-beständige Polyimide, als Zwischenprodukte bei Synth. von Proteinen[1]. – E maleimide – F maléimide – I maleinimmide – S maleimida
Lit.: [1] Synthesis **1973**, 484 f.
allg.: Beilstein E V **21/10**, 3 ff. ▪ Katritzky-Rees **1**, 272. – *[HS 292519; CAS 541-59-3; G 6.1]*

Maleinsäure [(Z)-2-Butendisäure].

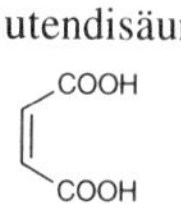

$C_4H_4O_4$, M_R 116,07. Farblose Krist. mit säuerlichem, adstringierendem, charakterist. Geschmack, D. 1,590, Schmp. 130–131 °C (aus Alkohol u. Benzol), 138–139 °C (aus Wasser), gut lösl. in Wasser u. Alkohol, weniger gut in Aceton, Ether u. Eisessig, prakt. unlösl. in Benzol; in konz. Form haut- u. schleimhautreizend, WGK 1; LD_{50} (Ratte oral) 708 mg/kg. M. ist stereoisomer mit *Fumarsäure, in die sie therm. od. katalyt. umgelagert werden kann. Sie ist im Gegensatz zu Fumarsäure keine natürlich vorkommende Verb., u. wird im allg. durch Wasseranlagerung an *Maleinsäureanhydrid hergestellt.
Verw.: Herst. von Polymeren, Kunstharzen (s. Maleinatharze) u. *Maleinsäureestern. M. soll in Zusätzen von etwa 1:10000 das Ranzigwerden von Fetten u. Ölen verzögern. – E maleic acid – F acide maléique – I acido maleico – S ácido maleico
Lit.: Beilstein E IV **2**, 2199 ff. ▪ Beyer-Walter, Lehrbuch der organischen Chemie, 23. Aufl., Stuttgart: Hirzel 1997 ▪ Hager (5.) **8**, 806 ▪ Merck-Index (12.), Nr. 5743 ▪ Ullmann (4.) **16**, 407–414; (5.) **A 8**, 533 f. – *[HS 291719; CAS 110-16-7; G 8]*

Maleinsäureanhydrid (MSA, 2,5-Furandion).

$C_4H_2O_3$, M_R 98,05. Farblose, orthorhomb. Nadeln, D. 1,480, Schmp. 53 °C, Sdp. 197–199 °C, in Wasser (unter Bildung von *Maleinsäure) u. in den meisten organ. Lsm. lösl., in Alkoholen unter Bildung von Estern. Der Staub bzw. der feste Stoff u. die Dämpfe reizen die Augen, die Atmungsorgane u. die Haut. Bei anhaltender Einwirkung kommt es zu Verätzungen, Feuchtigkeit verstärkt die Wirkung. Bei schweren Vergiftungen Lungenödem möglich, MAK 0,1 ppm (MAK-Werte-Liste 1996); LD_{50} (Ratte oral) 400 mg/kg, Emissionsklasse I (TA Luft 3.1.7), Gefahr der Sensibilisierung, WGK 1.
Herst.: Die älteste techn. Meth. ist der oxidative Abbau von Benzol:

$$C_6H_6 + 4\tfrac{1}{2} O_2 \xrightarrow{(V_2O_5)} C_4H_2O_3 + 2\,CO_2 + 2\,H_2O$$

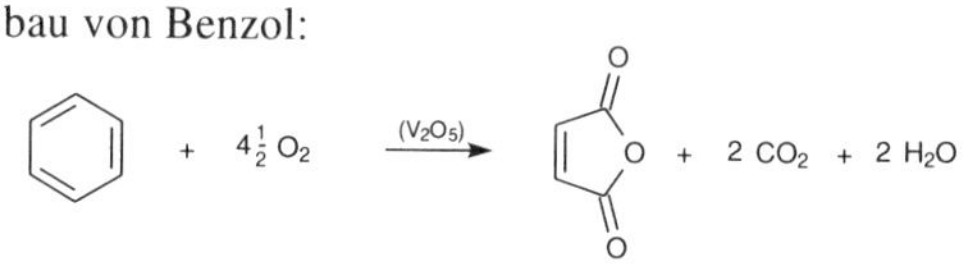

Bis zu Beginn der sechziger Jahre war *Benzol der ausschließliche Rohstoff zur Herst. von Maleinsäureanhydrid. Mit steigender Nachfrage für seine Verw. in Polyesterharzen, Lackrohstoffen u. als Zwischenprodukt z. B. für γ-Butyrolacton, 1,4-Butandiol u. Tetrahydrofuran wurden wirtschaftlichere Meth. auf C_4-Basis (Buten, Butan) ausgearbeitet. 1991 basierten weltweit noch etwa 36% der M.-Kapazität auf Benzol u. der überwiegende Anteil auf C_4-Verb., vorzugsweise Butan. Darüber hinaus fällt M. auch als Nebenprodukt bei der Oxid. aromat. Ausgangsprodukte an, z. B. von Naphthalin od. *o*-Xylol zu Phthalsäureanhydrid od. Toluol zu Benzoesäure. Näheres zur Herst. s. *Lit.*[1,2]. Die weltweite Herstellkapazität für M. betrug 1992 etwa 830 000 t.
Verw.: Hauptsächlich (40–60%) zur Herst. ungesätt. Polyesterharze (Duroplaste) u. zur Modifizierung von Alkydharzen; 10–15% für Fumarsäure u. Äpfelsäure;

bis zu 10% als Zwischenprodukt für Pestizide, z. B. Malathion, Maleinsäurehydrazid; zur Herst. von reaktiven Weichmachern u. Schmieröl-Additiven, Bernsteinsäureanhydrid, γ-Butyrolacton, 1,4-Butandiol, Tetrahydrofuran. Im Laboratorium wird M. als reaktives Dienophil verwendet. – *E* maleic anhydride – *F* anhydride maléique – *I* anidride maleico – *S* anhídrido maleico

Lit.: [1] Weissermel-Arpe (4.), S. 395–403. [2] Kirk-Othmer (4.) **15**, 893 ff.

allg.: Beilstein E V **17/11**, 55–60 ▪ Gesundheitsschädliche Arbeitsstoffe: toxikologisch-arbeitsmedizinische Begründung von MAK Werten, Weinheim: Verl. Chemie 1972–1997 ▪ Hager (5.) **3**, 806 ▪ Hommel, Nr. 285 ▪ Merck-Index (12.), Nr. 5744 ▪ Paquette **5**, 3207 ▪ Ullmann (4.) **16**, 408 f.; (5.) **A 16**, 54 ff. – *[HS 2917 14; CAS 108-31-6; G 8]*

Maleinsäureester.

$$\begin{array}{c} H \quad H \\ C=C \\ ROOC \quad COOR \end{array}$$

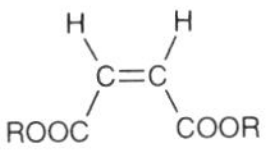

z. B. R = C$_2$H$_5$: *Diethylmaleat* (Maleinsäurediethylester), C$_8$H$_{12}$O$_4$, M$_R$ 172,18, Sdp. 219 °C. Bez. für die Ester der *Maleinsäure, die als Monomere für *Copolymerisationen (Polyadditionen u. Polykondensationen) vielfache Verw. finden. Sie werden aus der freien Säure od. aus *Maleinsäureanhydrid durch Umsetzung mit Alkoholen in Ggw. einer Säure hergestellt. Die zumeist hochsiedenden u. farblosen Flüssigkeiten werden als Lsm., Weichmacher u. organ. Zwischenprodukte in der Synth. von Pharmazeutika u. Pflanzenschutzmitteln eingesetzt. – *E* maleates, maleic esters – *F* maléates – *I* maleati – *S* maleatos

Lit.: Houben-Weyl **E 5/1**, 659 f. ▪ Kirk-Othmer (4.) **15**, 893 ff. ▪ Merck-Index (12.), Nr. 3172. – *[HS 2917 19]*

Maleinsäurehydrazid (MH, 1,2-Dihydro-3,6-pyridazindion).

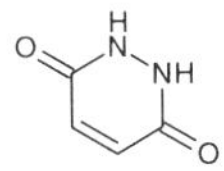

C$_4$H$_4$N$_2$O$_2$, M$_R$ 112,08, farblose Krist., Schmp. 292–298 °C (Zers.), wenig lösl. in heißem Alkohol, besser lösl. in heißem Wasser, entsteht aus Maleinsäureanhydrid u. Hydrazinhydrat. LD$_{50}$ (Ratte oral) 6950 mg/kg (WHO). Von U. S. Rubber Co. 1948 eingeführter Pflanzen-*Wachstumsregulator, eingesetzt zur Wuchshemmung hauptsächlich bei Gräsern u. einigen Baum- u. Straucharten, zur Seitentriebhemmung beim Tabak u. Keimlingshemmung bei Kartoffeln, Karotten u. Zwiebeln, in Kombination mit *2,4-D auch als *Herbizid. M.-Cholinsalz, -Kaliumsalz u. -Natriumsalz mit einem Gehalt von mehr als 1 mg freiem Hydrazin je kg sowie alle anderen Salze u. freies M. dürfen nicht angewendet werden (Pflanzenschutz-Anwendungs-VO vom 25. 7. 1994). – *E* maleic hydrazide – *F* hydracide maléique – *I* idrazide maleica – *S* hidrazida maleica

Lit.: Beilstein E V **24/6**, 13 ff. ▪ Farm. ▪ Katritzky-Rees **1**, 191; **3**, 6 ▪ Keith u. Walters, Compendium of Safety Data Sheets for Research and Industrial Chemicals, Part II, S. 1072 f., Deerfield Beach, Florida: VCH Publishers 1985 ▪ Kirk-Othmer **15**, 681 f. ▪ Perkow ▪ Pesticide Manual ▪ Ullmann (5.) **A 20**, 422. – *[HS 2933 90; CAS 123-33-1]*

Malergold. Sammelbez. für *Gold-Präp., die künstler. od. handwerklich zum Vergolden verwendet werden, z. B. Blattgold od. *Muschelgold. – *E* ormolu – *F* or en coquille, or en chaux – *I* = *S* oro musivo

Lit.: Gatz (Hrsg.), Lexikon der Anstrichtechnik, Bd. 1, (10. Aufl.), München: Callwey 1994. – *[HS 7108 13]*

Malettorinde. Rinde von austral. Eucalyptusbäumen (Gerbstoffgehalt ca. 48%), als Lohmaterial für Blanku. Oberleder verwendet. – *E* maletto bark – *I* corteccia di maletto – *S* corteza de maletto

Lit.: Franke, Nutzpflanzenkunde, 6. Aufl., Stuttgart: Thieme 1997.

Malformine. Gemisch von Giftstoffen mit Cyclopeptid-Struktur, die sich strukturell hinsichtlich einer Aminosäure unterscheiden. Hauptkomponente ist M. A$_1$ (Schmp. >300 °C).

$$\begin{array}{c} S\text{---}S \\ | \quad\quad | \\ \text{D-Cys-D-Cys-L-Val-D-AS}_4\text{-L-AS}_5 \\ 1 \quad\quad 2 \quad\quad 3 \end{array}$$

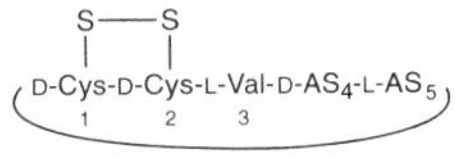

Tab. Daten von Malforminen.

	D-AS$_4$	L-AS$_5$	Summenformel	M$_R$	CAS
M. A$_1$	Leu	Ile	C$_{23}$H$_{39}$N$_5$O$_5$S$_2$	529,71	3022-92-2
M. A$_2$	Leu	Val	C$_{22}$H$_{37}$N$_5$O$_5$S$_2$	515,69	83680-20-0
M. A$_3$ =M. C	Leu	Leu	C$_{23}$H$_{39}$N$_5$O$_5$S$_2$	529,71	59926-78-2

M. verursachen Mißbildungen von Bohnenpflanzen u. Wurzelkrümmungen bei Mais. – *E* malformins – *F* malformines – *I* malformine – *S* malforminas

Lit.: Biosci. Biotech. Biochem. **57**, 240, 787 (1993) ▪ Cole u. Cox, Handbook of Toxic Fungal Metabolites, S. 670–682, New York: Academic Press 1981 ▪ Tetrahedron Lett. **31**, 4337 (1990); **32**, 6715 (1991).

Maliasin® (Rp). Dragées mit dem *Antiepileptikum *Barbexaclon (Phenobarbital u. Levopropylhexedrin). *B.:* Knoll.

Malisch, Wolfgang Walter (geb. 1943), Prof. für Anorgan. Chemie, Univ. Würzburg. *Arbeitsgebiete:* Organometallchemie der Phosphorylide, Organometall-Derivate von Hauptgruppenelement-Verb., speziell der 3., 4. u. 5. Hauptgruppe, Übergangsmetall-Hauptgruppenelement-Mehrfachbindungssysteme.

Lit.: Kürschner (16.), S. 2288.

Mallard, François-Ernest (1833–1894), Prof. für Chemie, Ecole supérieure des Mines, Paris. *Arbeitsgebiete:* Zusammenhänge zwischen Krist.-Formen u. chem. Eigenschaften, Verbesserung der Sicherheitslampen, Phlegmatisierung von Dynamit als Grubensprengstoff mit Ammoniumsulfat.

Mallardit s. Mangansulfate.

Mallinckrodt Baker. 1995 durch Verschmelzung von T. J. Baker Inc. u. einem Teil von Mallinckrodt Chemical Inc. entstanden. Gehört zur Mallinckrodt Group, St. Louis, Missouri. *Daten* (1995): ca. 1400 Beschäftigte, 280 Mio. $ Umsatz. *Produktion:* Hochreine Laborreagenzien u. -chemikalien wie Salze, Säuren, Lsm., Chromatographie-Sorbentien, HPLC-Säulen, Festphasenextraktions-Säulen, hämatolog. Lsg., Prozeßchemikalien für die elektron., pharmazeut. u. Lebensmittel-Industrie. *Vertretung* in der BRD: Mallinckrodt Baker, 64347 Griesheim.

Mallotoxin s. Rottlerin.

Malm s. Erdzeitalter.

Malol s. Ursolsäure.

Malonate. Bez. für Salze u. Ester der *Malonsäure, s. a. Malonester-Synthese.

Malonester s. Malonsäurediethylester.

Malonester-Synthese. Bez. für eine Reaktion, die zur Synth. von Carbonsäuren u. Aminosäuren eingesetzt wird. Die M.-S. ist ein Spezialfall einer allg. Synth., die sich die Acidität von Methylen-Verb. mit zwei Elektronen-ziehenden Gruppen zu Nutze macht; diese können leicht zu den entsprechenden Enolat-Anionen deprotoniert u. anschließend alkyliert, acyliert, aryliert[1] od. nitrosiert werden (vgl. Japp-Klingemann-Reaktion). Die so im Falle des häufig verwendeten *Malonsäurediethylesters („Malonester") gebildeten substituierten Malonester werden zu Malonsäuren verseift, die beim Erhitzen zu substituierten Essigsäuren decarboxylieren.

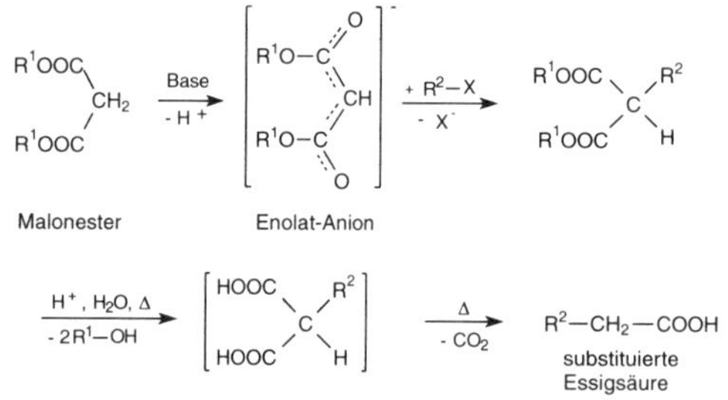

Abb.: Malonester-Synthese.

Andere aktivierte Methylen-Verb., die ähnlich wie Malonester eingesetzt werden können, sind z. B. *Malonsäuredinitril[2], β-Ketoester (*Acetessigester, *Acetessigester-Synth.*), *Cyanoessigsäureester. Eng mit der M.-S. verwandt ist die *Knoevenagel-Kondensation. – ***E*** malonic ester synthesis – ***F*** synthèse par ester malonique – ***I*** sintesi degli esteri malonici – ***S*** síntesis malónica, método del éster malónico

Lit.: [1] Aust. J. Chem. **33**, 113 (1980); **35**, 1859 (1982). [2] Synthesis **1978**, 165–204, 241–282.
allg.: Krauch u. Kunz, Reaktionen der Organischen Chemie (6.), S. 465, Heidelberg: Hüthig 1997 ▪ Laue-Plagens, S. 209 ▪ March (4.), S. 465 ▪ Org. React. **9**, 107 (1957); **19**, 279 (1972).

Malonitril. Korrekte Bez. für das Dinitril der *Äpfelsäure [NC–CH$_2$–CH(OH)–CN], oft fälschlich als Kurzbez. für *Malonsäuredinitril (Malononitril) verwendet.

Malononitril s. Malonsäuredinitril.

Malonsäure (Propandisäure). HOOC–CH$_2$–COOH, $C_3H_4O_4$, M_R 104,06. Farblose, stark reizende Krist., D. 1,619, Schmp. 135 °C, etwas oberhalb dieser Temp. bildet sich unter Abspaltung von Kohlendioxid Essigsäure; LD_{50} (Ratte oral) 1310 mg/kg; WGK 2 (Selbsteinst.). M. ist in Wasser u. Pyridin sehr leicht, in Alkohol u. Ether lösl., in Benzol nicht; in wäss. Lsg. zersetzt sie sich ab ca. 70 °C zu Essigsäure u. CO_2. Beim Erhitzen mit Phosphor(V)-oxid auf etwa 150 °C werden intramol. zwei Mol. Wasser abgespalten, wobei in geringer Menge *Kohlensuboxid entsteht. M. findet sich z. B. im Zuckerrübensaft, doch ist sie im Pflanzenreich viel seltener als die verwandte Oxalsäure. Sie entsteht bei der Oxid. von Äpfelsäure, daher der Name (latein.: malum = Apfel).
Herst.: Z. B. durch Reaktion von *Chloressigsäure mit NaCN u. anschließender Hydrolyse der entstandenen Cyanessigsäure. Salze u. Ester heißen Malonate, unter ihnen ist bes. der *Malonsäurediethylester wichtig.
Verw.: Wichtiges Reagenz in organ. Synth., zur Herst. von Barbitursäure u. ihren Derivaten. – ***E*** malonic acid – ***F*** acide malonique – ***I*** acido malonico – ***S*** ácido malónico

Lit.: Beilstein E IV **2**, 1874–1880 ▪ Beyer-Walter, Lehrbuch der organischen Chemie, 23. Aufl., Stuttgart: Hirzel 1997 ▪ Kirk-Othmer (4.) **15**, 928 ff. ▪ Merck-Index (12.), Nr. 5749 ▪ Paquette **5**, 3213 ▪ Ullmann (5.) **A 8**, 523–532; **A 16**, 63 ff. – *[HS 2917 19; CAS 141-82-2]*

Malonsäurediethylester (Diethylmalonat, Malonester). $H_2C(COOC_2H_5)_2$, $C_7H_{12}O_4$, M_R 160,17. Angenehm riechende, farblose Flüssigkeit, D. 1,055, Schmp. –50 °C, Sdp. 199 °C, sehr wenig lösl. in Wasser, mischbar mit Alkohol u. Ether. Nach Entwicklung von Dämpfen z. B. unter dem Einfluß von Hitze Reizung der Augen u. der Atemwege sowie narkot. Wirkung. Kontakt mit der Flüssigkeit reizt die Augen u. die Haut; LD_{50} (Ratte oral) 15 g/kg, WGK 1 (Selbsteinst.).
Herst.: Aus dem Natriumsalz der Cyanessigsäure durch Behandlung mit abs. Ethanol u. konz. Schwefelsäure od. Chlorwasserstoff.
Verw.: Vielseitiger Synth.-Baustein in der organ. Chemie z. B. als Zwischenprodukt bei der Synth. von Barbituraten, Kunststoffen, Pflanzenschutzmitteln, Riechstoffen u. Aromen, Farbstoffen usw., allg. in *Malonester-Synthesen, *Knoevenagel-Kondensationen u. *Michael-Additionen. – ***E*** diethyl malonate – ***F*** malonate de diéthyle – ***I*** malonato dietilico – ***S*** malonato de dietilo

Lit.: Beilstein E IV **2**, 1881 ff. ▪ Hommel, Nr. 514 ▪ Merck-Index (12.), Nr. 3172 ▪ Paquette **3**, 1822 ▪ Synthesis **1985**, 54. – *[HS 2917 19; CAS 105-53-3; G 3]*

Malonsäuredinitril (Malononitril, oft fälschlich *Malonitril genannt; Dicyanomethan, Methylendicyanid; CAS: Propandinitril). NC–CH$_2$–CN, $C_3H_2N_2$, M_R 66,06. Farblose Krist., D. 1,191, Schmp. 32 °C, Sdp. 219 °C, in Wasser, Alkohol u. Ether löslich.

T 

M. ist hochgiftig: Die Gefährdung besteht in einer schleichend verlaufenden *Blausäure-Vergiftung. Deren Symptome können mit mehrstündiger Verzögerung auftreten. Der Staub u. die bei Erhitzung entstehenden Dämpfe schädigen u. reizen die Augen, die Atemwege, die Lunge sowie die Haut. Kontakt mit dem festen Stoff führt zu starker Reizung u. Schädigung der Augen sowie der Haut. Bei starker Erhitzung erfolgt Zers. unter Bildung von Cyanwasserstoff (*Blausäure); LD_{50} (Maus oral) 19 mg/kg, WGK 2 (Selbsteinst.).
Verw.: Reagenz für die *Knoevenagel- u. *Michael-Addition, zur Synth. von Heterocyclen. M. darf beim Herstellen od. Behandeln von kosmet. Mitteln nicht verwendet werden (Kosmetik-VO vom 19. 06. 1985,

zuletzt geändert am 23. 12. 1996, Anlage 1, Nr. 149). – ***E*** = ***F*** malononitrile – ***I*** dinitrile malonico – ***S*** malononitrilo

Lit.: Beilstein E IV **2**, 1892 ff. ▪ Chem. Rev. **69**, 591–624 (1969); **80**, 329 (1980) ▪ Hommel, Nr. 1069 ▪ Kirk-Othmer (4.) **15**, 940 ▪ Merck-Index (12.), Nr. 5750 ▪ Paquette **5**, 3214. – *[HS 2926 90; CAS 109-77-3; G 6.1]*

Maltase (α-*Glucosidase, α-D-Glucosid-Glucohydrolase, EC 3.2.1.20). In Dünndarm, Pankreassekret, Blut u. Leber sowie in Pflanzen (z. B. Hefen, Getreide) vorkommende Hydrolase, die bevorzugt aus Oligosacchariden vom nichtreduzierenden Ende her 1,4-verknüpfte D-Glucose-Reste abspaltet. Bei der *Bier-Herst. wird die nach Stärke-Verdauung durch α-*Amylase abgespaltene *Maltose unter der Einwirkung von M. zu D-*Glucose hydrolysiert. Eine entsprechende Funktion der M. scheint auch bei der Mobilisierung von Reserve-Stärke in Pflanzen vorzuliegen u. in geringerem Ausmaß auch bei der Brotbereitung mit Hefe eine Rolle zu spielen.

Verw.: In Verb. mit Hexokinase u. Glucose-6-phosphat-Dehydrogenase zur Bestimmung von Maltose u. Saccharose. – ***E*** = ***F*** maltase – ***I*** maltasi – ***S*** maltasa – *[CAS 9001-42-7]*

Maltene (Petrolene). Bez. für den niedermol. Anteil (M_R 300–400) des *Bitumens, in dem die *Asphaltene (M_R 800–3000) als Micellen dispergiert sind. – ***E*** maltenes – ***F*** maltènes – ***I*** malteni – ***S*** maltenos

Lit.: Kirk-Othmer (4.) **3**, 704 ▪ Ullmann (5.) **A 18**, 421 ▪ Winnacker-Küchler (4.) **5**, 155.

Maltit s. Maltose.

Maltodextrine. Durch enzymat. Abbau von *Stärke gewonnene wasserlösl. *Kohlenhydrate (Dextrose-Äquivalente, DE 3–20) mit einer Kettenlänge von 5–10 Anhydroglucose-Einheiten u. einem hohen Anteil an *Maltose. M. werden Lebensmitteln zur Verbesserung der rheolog. u. kalor. Eigenschaften zugesetzt, schmecken nur wenig süß u. neigen nicht zur *Retrogradation. Handelsprodukte sind meist Trockenpulver mit einem Wassergehalt von 3–5% [1,2]. Der Zusatz von M. zu Lebensmitteln ist über das Zucker-Spektrum nachweisbar[3]. Beurteilungsgrundlage für M. ist die Richtlinie Stärkeerzeugnisse des Bundes für Lebensmittelrecht u. Lebensmittelkunde[4]. Die Konservierung von M. mit schwefliger Säure regelt die *Zusatzstoff-Zulassungs-VO (*Lit.*[5]). M. werden auch als Basis zur Herst. von Streusüßen verwendet, wobei der Hinweis „enthält Maltodextrin, daher für Diabetiker nicht geeignet" angebracht sein muß. M. sind als unbedenklich eingestuft (*GRAS-Status). Die M. werden in der modernen Lebensmitteltechnologie als partielle Zucker- u. Fettersatzstoffe (oft in Kombination mit Süßstoffen) verwendet. – ***E*** maltodextrins – ***F*** maltodextrines – ***I*** maltodestrine – ***S*** maltodextrinas

Lit.: [1] Stärke **41**, 395–401 (1989). [2] Stärke **41**, 428 ff. (1989). [3] J. Agric. Food Chem. **37**, 926–930 (1989). [4] Richtlinien für Stärkeerzeugnisse, abgedruckt in Zipfel, C 303. [5] Zusatzstoff-Zulassungs-VO vom 21. 12. 1981 in der Fassung vom 13. 6. 1990 (BGBl. I S. 1053) Anlage 4 Liste B Nr. 14.
allg.: Food Ingr. Europe: Conference Proceedings 1993, S. 136 ff., Maarsoen: Expoconsult Publisher 1993. – *[HS 1702 90]*

Maltol (Larixin, Larixinsäure, 3-Hydroxy-2-methyl-4*H*-pyran-4-on).

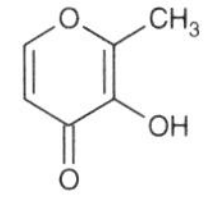

$C_6H_6O_3$, M_R 126,11, angenehm karamelartig riechende Nadeln od. Prismen, Schmp. 164 °C, (sublimiert ab 93 °C), gut lösl. in heißem Wasser u. Chloroform, weniger in Alkohol, schlecht in Ether u. Petrolether. M. bildet sich allg. bei der trockenen Dest. von Cellulose u. Stärke, bei vielen Brat- u. Backprozessen (*Maillard-Reaktion[1]) sowie beim Rösten von Malz (s. a. Kaffee-Ersatz) u. kommt natürlich in Lärchenrinde, Holzpech u. -öl etc. vor.

Herst.: Techn. überwiegend durch Fermentation. M. wirkt als *Geschmacksverstärker der Empfindung „süß" u. spart als Zusatzstoff bei Süßwaren bereits in Mengen von 0,005–0,025% etwa 5–15% des Zuckers ein. Der Weltmarkt betrug 1995 ca. 130 t. – ***E*** = ***F*** = ***S*** maltol – ***I*** maltolo

Lit.: [1] Hopp u. Mori (Hrsg.), Recent Development in Flavour and Fragrance Chemistry, S. 172, Weinheim: VCH Verlagsges. 1993.
allg.: Beilstein E V **18/1**, 114 f. ▪ Belitz-Grosch (4.), S. 387 ▪ Org. Prep. Proced. Int. **24**, 95 (1992) ▪ Sax (8.), Nr. MAO 350 ▪ Ullmann (5.) **A 11**, 205 ▪ Zechmeister **36**, 238–242. – *[HS 2932 99; CAS 118-71-8]*

Maltoporin s. Porine.

Maltose (Malzzucker, Maltobiose, 4-*O*-α-D-Glucopyranosyl-D-glucose).

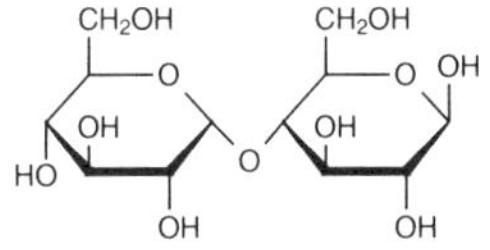

β-Form

$C_{12}H_{22}O_{11}$, M_R 342,30. Süß schmeckende, feine Nadeln, Schmp. 160–165 °C, als Monohydrat Schmp. 102–103 °C, unlösl. in Alkohol, Ether, lösl. in Wasser; $[\alpha]_D$ +112° → +130° (H_2O). Die rechtsdrehende M. zeigt *Mutarotation, reduziert Fehlingsche Lsg. u. bildet mit Phenylhydrazin ein Osazon. Durch verd. Säuren u. *Maltase wird das *Disaccharid M. in Glucose gespalten. Andere aus 2 Glucose-Einheiten aufgebaute Disaccharide sind die zu M. stereoisomere *Cellobiose u. das 1,6-verknüpfte Isomerenpaar *Gentiobiose u. Isomaltose (6-*O*-α-D-Glucopyranosyl-D-glucose); letztere fällt bei der Glucose-Gewinnung aus Stärke an. Andere Oligomaltosen sind Maltotriose, Maltotetraose u. Maltopentaose, die im Maissirup vorkommen u. bei der Amylolyse von Stärke entstehen.

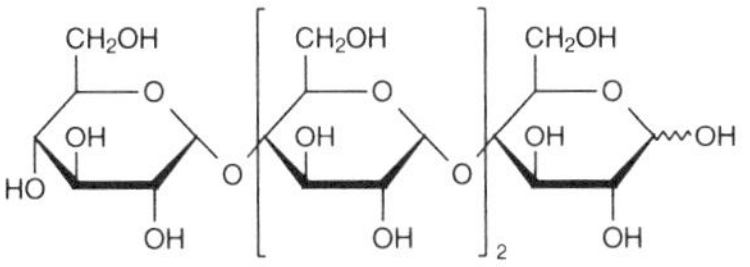

Maltotetraose

Bei der Red. von M. entsteht *Maltit* (4-*O*-α-D-Glucopyranosyl-D-sorbit, $C_{12}H_{24}O_{11}$, M_R 344,32, Schmp. 146 °C), der als *Zuckeraustauschstoff Verw. findet.

M. kommt in verschiedenen Wurzeln u. Knollen sowie in *Malz vor u. entsteht aus Stärke u. Glykogen unter dem Einfluß von *Amylase.
Verw.: Nähr- u. Süßmittel, Bestandteil von Nährböden, Bienenfutter, Stabilisator für Polysulfide usw. Techn. entsteht M. in hoher Ausbeute (80%) durch Einwirkung von Diastase (α- u. β-Amylase) auf *Stärke, beim Bierbrauen (s. Bier) wird M. vergoren; außerdem bildet sie aufgrund von *Maillard-Reaktionen mit Aminosäuren wesentliche Geschmackstoffe im *Brot. – ***E*** = ***F*** maltose – ***I*** maltosio – ***S*** maltosa
Lit.: Adv. Carbohydr. Chem. Biochem. **39**, 213–279 (1981) ▪ Beilstein EV **17/7**, 189ff. ▪ Johnson, Specialized Sugars for the Food Industry, Park Ridge: Noyes 1976 ▪ Merck-Index (12.), Nr. 5753 ▪ Spectrosc. Lett. **28**, 261 (1995) (NMR). – *[HS 1702 90; CAS 69-79-4 (M. allg.); 6363-53-7 (Hydrat); 4482-75-1 (α-Anomer); 133-99-3 (β-Anomer)]*

Malvaliasäure [7-(2-Octylcyclopropenyl)heptansäure].

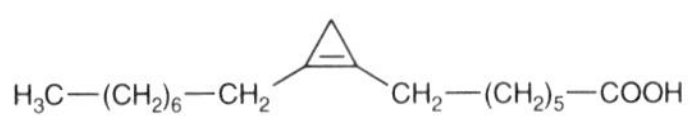

$C_{18}H_{32}O_2$, M_R 280,45. M. kommt neben Sterculiasäure (entsprechende Octansäure) in Malvaceae-Arten, v. a. in *Baumwolle vor. Sie übersteht zwar die *Raffination, nicht aber die *Hydrierung von Baumwollöl.
Toxikologie: M. hemmt die sexuelle Reifung von Ratten u. Hühnern, senkt die Legeleistung von Hennen u. blockiert die Desaturase-Reaktion gesätt. Fettsäuren. Eine carcinogene Wirkung M.-haltiger Fette beschreibt *Lit.*[1]. Zur Analytik s. *Lit.*[2–4]. – ***E*** malvalic acid – ***F*** acide malvalique – ***I*** acido malvaliaco – ***S*** ácido malvánico
Lit.: [1] Fat Sci. Technol. **89**, 338f. (1987). [2] Fette Seifen Anstrichm. **86**, 82ff. (1984). [3] Fette Seifen Anstrichm. **88**, 94f. (1986). [4] Fat Sci. Technol. **91**, 167f. (1989).
allg.: J. Agric. Food Chem. **40**, 626–629 (1992). – *[CAS 503-05-9]*

Malve. Weltweit verbreitete ein- bis mehrjährige, bis zu 150 cm große Pflanzengattung (*Malva* spp., Malvaceae) mit rosa- bis rotviolettfarbenen geruchlosen Blüten. Ein Tee aus getrockneten, Schleim- u. Gerbstoffe enthaltenden Blüten u./od. Blättern insbes. der Art *Malva sylvestris* L. (wilde M., Roßpappel) wirkt als mildes Adstringens u. Reizlinderungsmittel bei Katarrhen, Angina u. Gastroenteritis. – ***E*** mallow – ***F*** mauve sauvage – ***I*** = ***S*** malva
Lit.: DAB **7** u. Komm. ▪ Hager (5.) **5**, 753–762 ▪ Wichtl (3.), S. 364–369. – *[HS 1211 90]*

Malvidinchlorid (Syringidin-, Oenidin-, Enidin-, Primulidinchlorid, 3,4′,5,7-Tetrahydroxy-3′,5′-dimethoxyflavyliumchlorid).

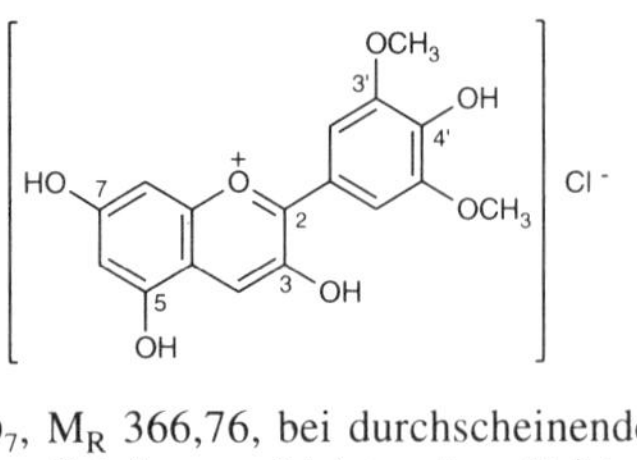

$C_{17}H_{15}ClO_7$, M_R 366,76, bei durchscheinendem Licht rote, bei reflektiertem Licht grüne Krist., Schmp. >300 °C (wasserfrei), lösl. in Ethanol mit rotvioletter Farbe. In Methanol ist M. zunächst lösl., fällt jedoch bald in Form rotvioletter Krist. aus. M. ist das Aglykon des 3,5-Di-*O*-β-D-glucopyranosids *Malvinchlorid* [Malvosid, $C_{29}H_{35}ClO_{17}$, M_R 691,04, rotbraune, grünlich schimmernde Prismen, Schmp. 165 °C (Zers.)], u. a. *Anthocyane. Von M. leiten sich beispielsweise auch die Glykoside *Oenin* [Cyclamin, M.-3-β-glucosid, $C_{23}H_{25}ClO_{12} \cdot 4\,H_2O$, M_R 528,90, $[\alpha]_D$ –421° (0,1% HCl)], das Pigment der Schale blauer Trauben, u. *Primulin* (M.-3-β-galactosid, $C_{23}H_{25}ClO_{12} \cdot 5\frac{1}{2}\,H_2O$, M_R 528,90, bronzefarbene Prismen) ab. M. kommt in Form seiner Glykoside in Malven, Cyclamen, Primeln, Herbstzeitlosen, Phlox-Arten, Beerenfrüchten usw. vor. – ***E*** malvidin chloride – ***F*** chlorure de malvidine – ***I*** cloruro di malvidina – ***S*** cloruro de malvidina
Lit.: Beilstein EV **17/8**, 514ff. ▪ Can. J. Chem. **68**, 755–761 (1990) ▪ Karrer, Nr. 1746, 1747, 1749 ▪ Phytochemistry **28**, 499 (1989); **33**, 1227 (1993) ▪ Tetrahedron **39**, 3005 (1983) ▪ Tetrahedron Lett. **22**, 3621 (1981). – *[CAS 643-84-5 (M.); 16727-30-3 (Malvin); 7228-78-6 (Oenin); 30113-37-2 (Primulin)]*

Malvinchlorid s. Malvidinchlorid.

Malyngolid.

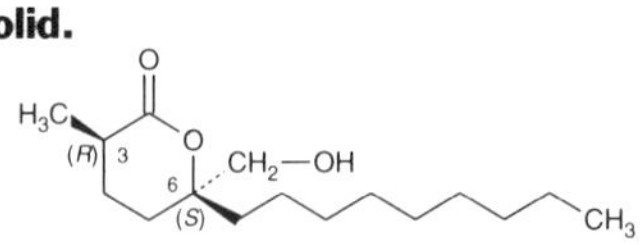

$C_{16}H_{30}O_3$, M_R 270,41, Öl od. Krist., Schmp. 36–37 °C. Antibiot. wirksames δ-Lacton der Malynginsäure[1] aus dem Cyanobakterium *Lyngbya majuscula*. – ***E*** = ***F*** malyngolide – ***I*** malingolide – ***S*** malingolida
Lit.: [1] Sekar et al., Abstr. 17. IUPAC Symp. Chem. Nat. Prod., S. 246, New Delhi 1990.
allg.: Beilstein EV **18/1**, 44 ▪ J. Nat. Prod. **46**, 196 (1983) ▪ Scheuer I **4**, 35. – *Synth.:* Agric. Biol. Chem. **54**, 657 (1990) ▪ Chem. Lett. **1988**, 1739 ▪ Tetrahedron **52**, 5805 (1996). – *[CAS 71582-80-4]*

Malz. Mit Wasser bei ca. 15 °C zum Keimen *(Grünmalz)* gebrachte Stärke-haltige Gerste mit geringem Eiweiß-Gehalt (ca. 9%), aus der nach Trocknung das *Darrmalz* entsteht. M. enthält neben *Maltose u. *Amylasen eine Reihe von Wirkstoffen u. wird als *Malzextrakt, in gerösteter Form – aromagebende Komponente ist *Maltol – im *Kaffee-Ersatz sowie hauptsächlich in der *Bierherst.* (s. Bier) gebraucht, ferner zur Erzeugung von Kornbranntwein u. Whisky. 1 t Gerste ergibt ca. 750 kg M., ausreichend für ca. 40 hL Bier. M. muß vor *Mykotoxin-Bildung geschützt werden. – ***E*** = ***F*** malt – ***I*** malto – ***S*** malta
Lit.: Franke, Nutzpflanzenkunde, 6. Aufl. Stuttgart: Thieme 1997. – *[HS 1107 10, 1107 20]*

Malzbier. Ein süßes, schwach gehopftes, obergäriges Vollbier, dessen Stammwürze (s. Würze) unter Einbeziehung des zugesetzten *Zuckers bei 12% liegt. Der Alkohol-Gehalt liegt zwischen 0,5 u. 1,5%. Der Zusatz von *Zuckercouleur (s. a. Karamel) zur Farbvertiefung ist erlaubt. In Bayern muß ein Zucker-Zusatz durch die Verkehrsbez. „Malztrunk" gekennzeichnet sein, da dort der Zucker-Zusatz zu M. verboten ist. Eine Übersicht über weitere Inhaltsstoffe von M. gibt *Lit.*[1]; s. a. Bier. – ***E*** malt beer, sweet stout beer – ***F*** bière de malt – ***I*** birra di malto – ***S*** cerveza de malta
Lit.: [1] Koch, Getränkebeurteilung, S. 384, Stuttgart: Ulmer 1986.

allg.: Belitz-Grosch (4.), S. 816 ▪ Ullmann (5.) **A 3**, 452 ▪ Zipfel, C 410. – *[HS 2203 00]*

Malzextrakt. Wäss. Auszug aus Gerstenmalz, der durch schonendes Eindicken im Vak. od. Ausfrieren aufkonzentriert wird.
Inhaltsstoffe: Die nach dem Einwirken Malz-eigener *Amylasen wasserlösl. Stoffe sind *Maltose (40–50%), *Dextrine (10–21%), Eiweiß (4–6%), *Glucose (10–12%), Wasser (höchstens 28%), Salze (1,5%, v.a. *Phosphate) u. *Vitamine (hauptsächlich B-Komplex). Zum Aminosäure-Spektrum von Malz s. *Lit.*[1].
Geschmack: Der schwach süßliche, aromat. Geschmack von M. ist auf während dem Mälzen entstandene Röststoffe (*Maltol, Malzoxazin) u. karamelisierte Zucker zurückzuführen[2].
Verw.: Als Pulver od. Sirup zur Herst. von Malzbonbons u. Malzkakao u. als Zusatz zu Dauerbackwaren u. Broten mit dem Ziel der Bräunung[3]. Er wird, mit *Mineralstoffen (Eisen), *Vitaminen u. *Lecithin angereichert, als diätet. Lebensmittel od. Stärkungsmittel (*Roborantien) angeboten. In der Mikrobiologie ist M. zusammen mit Sojapepton u. *Agar ein guter Nährboden für Pilze u. Hefen.
Kennzeichnung: Werden andere Getreidesorten als Gerste verwendet, muß deren Namen dem Wort M. vorangestellt werden (z.B. Weizen-M.). – ***E*** malt extract – ***F*** extrait de malt – ***I*** estratto di malto – ***S*** extracto de malta
Lit.: [1] J. Agric. Food Chem. **34**, 1012–1016 (1986). [2] Angew. Chem. **102**, 597–626 (1990). [3] Getreide Mehl Brot **42**, 142–148 (1988).
allg.: Belitz-Grosch (4.), S. 807 ▪ Ullmann (4.) **8**, 709. – *[HS 1901 90]*

Malzkaffee. *Kaffee-Ersatz (Kaffeesurrogat), der durch Rösten von Gerstenmalz, das bis zu einem bestimmten Grad gekeimt sein muß, hergestellt wird. Eine Behandlung mit Wasserdampf ist üblich.
Zusammensetzung: 4,5% Wasser, 2,6% Mineralstoffe, 74,4% Kohlenhydrate, 1,8% Fett, 10,8% Rohprotein, 5,6% Rohfaser. Beurteilungsgrundlage für M. ist die Kaffee-VO (*Lit.*[1]). In M. wurden *polycyclische aromatische Kohlenwasserstoffe nachgewiesen[2,3]. Die mikroskop. Analyse erfolgt nach *Lit.*[4]. Während des Röstvorgangs von M. entstehen bei Temp. zwischen 152 °C u. 204 °C organ. Säuren[5]. Vorläuferverb. dieser organ. Säuren scheinen Kohlenhydrate zu sein. – ***E*** malt coffee – ***F*** (café de) malt – ***I*** caffè d'orzo – ***S*** café (de) malta
Lit.: [1] Kaffee-VO vom 12.2.1981, in der Fassung vom 27.04.1993 (BGBl. I S. 512, 527). [2] Belitz-Grosch (4.), S. 860. [3] Lindner, Toxikologie der Nahrungsmittel (4.), S. 161, Stuttgart: Thieme 1990. [4] Gassner, Mikroskopische Untersuchung pflanzlicher Lebensmittel (5.), S. 228, Stuttgart: Fischer 1989. [5] Lebensmittelchemie **44**, 32 f. (1990).
allg.: Zipfel, C 375. – *[HS 2101 30]*

Malzzucker s. Maltose.

Mamilit s. Lamproit.

Mammastatin(e). Gemisch natürlich vorkommender Polypeptide vom M_R 47 000 u. 65 000, die als Wachstumsinhibitoren in gesundem menschlichem Brustdrüsengewebe fungieren. M. wird v.a. von Schwangeren vor der Geburt gebildet, um das vermehrte Wachstum der Brustzellen wieder zu beenden. Nach Testergebnissen an Brustkrebsgewebe kann M. das Wachstum des Tumors zwar stoppen, nicht aber die bereits existierenden Krebszellen abtöten. – ***E*** mammastatin(s) – ***F*** mammastatine(s) – ***I*** mammastatina(e) – ***S*** mamastatina(s)
Lit.: Dtsch. Apoth. Ztg. **129**, 1473 (1989) ▪ Science **244**, 1585–1587 (1989).

Mammogenes Hormon s. Prolactin.

Mammotropin s. Prolactin.

Man. Kurzz. für *Mannose in der IUPAC/IUBMB-Notation für *Oligosaccharide.

MAN. Kurzz. für Methacrylnitril.

Manchesterbraun s. Vesuvin.

Manchot, Wilhelm (1869–1945), Prof. für Anorgan. Chemie, TH München. *Arbeitsgebiete:* Herst. zahlreicher Metallcarbonyl-Verb., z.B. von Ruthenium, Kupfer(I)-chlorid u. von Nitroso-Verb. des Eisens.

Mancozeb.

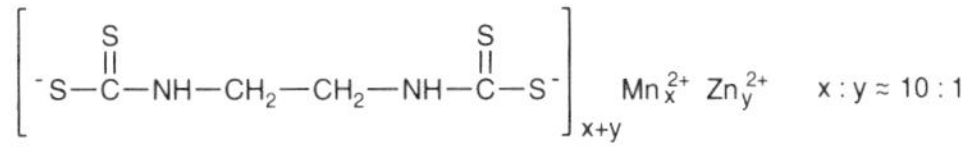

Common name für Gemische polymerer *N,N′*-Ethylenbis(dithiocarbamat)mangan- u. Zink-Komplexe, $(C_4H_6MnN_2S_4)_x \cdot (C_4H_6ZnN_2S_4)_y$ mit x:y≈10:1, zersetzt sich bei ca. 192 °C ohne zu schmelzen; LD_{50} (Ratte oral) >5000 mg/kg, von Rohm & Haas 1961 eingeführtes Blatt-*Fungizid mit breitem Wirkungsspektrum gegen Pilzerkrankungen, in Obst-, Gemüse-, Getreide- u.a. Kulturen, s.a. Dithiocarbamate. – ***E*** = ***I*** = ***S*** mancozeb – ***F*** mancozèbe
Lit.: Farm. ▪ Perkow ▪ Pesticide Manual. – *[HS 3824 90; CAS 8018-01-7]*

Mandarinen. Früchte von *Citrus deliciosa*. Die Entstehung dieser Art wird im Mittelmeergebiet vermutet, ihre Herkunft evtl. von *Citrus reticulata* aus Südostasien angenommen. Kultivierung bes. auf Sizilien u. Malta. M. sind kleine, süßlich aromat. schmeckende, säurearme u. leicht zu schälende Apfelsinen mit zahlreichen Sorten. Die eigentliche, weltweit angebaute M. besitzt zahlreiche Kerne (Samen), *Satsumas* sind kernlos. *Tangerinen* sind die Sorte mit den kleinsten Früchten; *Clementinen*, sehr süß u. früh reifend, gelten als ein intraspezif. M.-bastard. Je 100 g eßbare M.-Anteile enthalten durchschnittlich 86,7 g Wasser, 0,7 g Eiweiß, 0,3 g Fett, 10,1 g Kohlenhydrate (1,68–1,75 g Glucose, 1,25–1,54 g Fructose, 7,0–7,26 g Saccharose), 1 g Rohfaser, 0,7 g Mineralstoffe u. 30 mg Vitamin C; Nährwert 192 kJ (46 kcal). – ***E*** = ***F*** mandarin(e)s – ***I*** madarini – ***S*** mandarinas
Lit.: Franke, Nutzpflanzenkunde, 6. Aufl., Stuttgart: Thieme 1997 ▪ s. Citrusfrüchte u. Mandarinen(schalen)öl. – *[HS 0805 20]*

Mandarinen(schalen)öl. Grünlich-gelbes bis orangerotes Öl, das durch Kaltpressung aus den Schalen der Mandarinorange (*Citrus reticulata*) gewonnen wird. Die Farbe des Öls hängt vom Reifegrad der verwendeten Früchte ab. Es verfügt über eine schwachblaue Fluoreszenz, die auf den Gehalt an *N*-Methylanthranilsäuremethylester zurückzuführen ist u. duftet stark nach Mandarinenschalen, d_4^{20} 0,850–0,855, n_D^{20} 1,473–1,477. M. besteht hauptsächlich aus *Limonen (70%) u. γ-*Terpinen (20%). Die Welt-Jahresproduktion beträgt etwa 150 t, der größte Teil stammt aus Italien. M. findet in der Parfümierung von Lebensmitteln, Likören u. Kosmetika Verwendung, meist in Kombination mit Orangenaroma. – ***E*** mandarin oil – ***F*** essence de mandarine – ***I*** essenza di mandarino – ***S*** esencia de mandarina

Lit.: Flavour Fragr. J. **10**, 33 (1995) ▪ Perfum. Flavor. **19** (6), 29 (1994) ▪ Ullmann (5.) **A 11**, 223. – *[HS 3301 19]*

Mandelate. Bez. für Salze u. Ester der *Mandelsäure.

Mandelat-Racemase (EC 5.1.2.2). *Enzym aus dem Bakterium *Pseudomonas putida* (8 ident. Untereinheiten, M_R je 38500, Cofaktor Mg^{2+}), das die reversible Umwandlung von *S*- in *R*-Mandelsäure katalysiert. Das Enzym weist eine ungewöhnlich hohe Affinität zum Übergangszustand auf u. bewirkt eine Reaktionsbeschleunigung um das $1,7 \times 10^{15}$-fache. Seine Sekundärstruktur beinhaltet ein α/β-Faß (s. Proteine). Zum Reaktionsmechanismus s. *Lit.*[1]. – ***E*** mandelate racemase – ***F*** mandélate racémase – ***I*** mandelato racemasi – ***S*** mandelato racemasa

Lit.: [1] Science **267**, 1159ff. (1995).
allg.: Acc. Chem. Res. **28**, 178–186 (1995) ▪ Biochemistry **36**, 1646–1656 (1997).

Mandelkleie. Bei der Gewinnung von *Mandelöl als Nebenprodukt anfallendes Mandelmehl, welches nach Pressung noch etwa 10% Mandelöl u. das Enzym *Emulsin enthält. M. wird schon seit Jh. als mildes *Hautpflegemittel (mit od. ohne Zusatz von schwachen Alkalien, Seesand) verwendet. – ***E*** bran of almonds – ***F*** son d'amande – ***I*** crusca di mandorla – ***S*** pasta de almendras

Lit.: Fey u. Otte, Wörterbuch der Kosmetik, 4. Aufl., S. 171, Stuttgart: Wiss. Verl.-Ges. 1997 ▪ Vollmer u. Franz, Chemie in Bad u. Küche, S. 29, Stuttgart: Thieme 1991. – *[HS 1404 90]*

Mandeln. 1. Samen der Steinfrüchte des in Vorder- u. Mittelasien heim., in anderen subtrop. Ländern kultivierten Mandelbaumes (*Prunus amygdalus*, *Amygdalus communis*, Steinobstgewächs; Rosaceae). Je 100 g M. (ohne Schale) enthalten 5 g Wasser, 19 g Eiweiß, 54 g Fett (davon 20% Polyenfettsäuren), 9 g Kohlenhydrate, 10 g Ballaststoffe, 0,69 g K, 0,23 g Ca, 0,25 g Mg, 0,5 g P, Vitamine (bes. *Nicotinsäure: 4,18 mg), Nährwert 2720 kJ (650 kcal). Je nach Gehalt an Bittermandelöl unterscheidet man Süße M. (var. *dulcis*), Bittere M. (var. *amara*, enthalten *Amygdalin u. können darum HCN-Vergiftungen verursachen) u. sog. Krach- od. Knackmandeln (var. *fragilis*, Süßmandeln mit brüchiger statt harter Schale).
Verw.: In frischem, gesalzenem od. geröstetem Zustand als Nahrungsmittel, für Backwerk, zur Herst. von *Marzipan, *Mandelöl u. *Mandelkleie. M. dienen auch zur Gewinnung von *Mandelonitril-Lyase u. von *Bittermandelöl. Haupterzeuger von M. waren 1994 Spanien (234000 t) u. USA (476000 t) bei einer Weltgesamternte von 1,27 Mio. t.
2. In der Medizin bezeichnet man als M. od. *Tonsillen* Organe aus lymphat. Gewebe, die ringförmig um den Übergang der Nasen- bzw. Mundhöhle zum Rachen angeordnet u. bes. reich an *Lymphocyten sind. Man unterscheidet die Rachen-M., die Zungen-M. u. die paarige Gaumen-M.
3. S. Mandelsteine. – ***E*** 1. almonds, 2. tonsils – ***F*** 1. amandes, 2. amygdales – ***I*** 1. mandorle, 2. tonsille – ***S*** 1. almendras, 2. amígdalas

Lit. *(zu 1.):* Franke, Nutzpflanzenkunde, 6. Aufl., S. 251, Stuttgart: Thieme 1997. – *[HS 0802 11, 0802 12]*

Mandelöl. Oleum amygdalarum dulcium verum, ein hellgelbes, dünnflüssiges, mild schmeckendes, nichttrocknendes, fettes Öl. D. 0,915–0,92, lösl. in Ether, Dichlormethan, wenig lösl. in Alkohol.
Herst.: Durch kaltes Pressen von süßen Mandeln (Ölgehalt 47–61%) erhält man M. in Ausbeuten von 40–45%. Das Öl wird nach der Pressung entschleimt.
Eigenschaften: M. ist bei –10 °C noch flüssig u. sollte, da es lichtempfindlich ist, in dunklen Flaschen aufbewahrt werden.
Zusammensetzung: Stearinsäure (0,5–2,0%), Ölsäure (67–86%), Linolsäure (7–25%) (nach DAB 10). Einen genauen Überblick gibt *Lit.*[1–3].
Verw.: Wenig als Speiseöl u. im Lebensmittelsektor nur zur Herst. von *Marzipan. Für medizin. u. kosmet. Zwecke sind mehrere Anw. beschrieben[4].
Analytik: IZ 95–100, VZ 190–195, unverseifbarer Anteil <1,5%. Anhand des *Tocopherol-Spektrums läßt sich M. von Aprikosenöl unterscheiden. Dies ist für die Differenzierung zwischen Marzipan u. *Persipan wichtig[5]. M. enthält fast ausschließlich α-Tocopherol, Aprikosenöl dagegen überwiegend γ-Tocopherol[6]. Angaben zum Sterin-Gehalt u. zur Zusammensetzung der Sterin-Fraktion macht *Lit.*[7]. Von M. zu unterscheiden ist *Bittermandelöl, das auch synthet. erzeugt werden kann u. dessen Herkunft mit Hilfe der *Isotopenverdünnungsanalyse festgestellt wird[8]. Eine Unterscheidung zwischen M. u. Mandelsamenschalen-Öl ist anhand des Stearin-Musters möglich[9]. – ***E*** almond oil – ***F*** huile d'amandes – ***I*** olio di mandorle – ***S*** aceite de almendras

Lit.: [1] Fette Seifen Anstrichm. **87**, 4–6 (1985). [2] Fat Sci. Technol. **90**, 464–470 (1988). [3] J. Agric. Food Chem. **36**, 695–697 (1988). [4] Kirk-Othmer **7**, 148. [5] Belitz-Grosch (4.), S. 684, 794. [6] Lebensmittelchem. **44**, 59–61 (1990). [7] Fat Sci. Technol. **91**, 23–27 (1989). [8] J. Agric. Food Chem. **37**, 410–412 (1989). [9] Fat Sci. Technol. **89**, 230–235 (1987). – *[HS 1515 90, 3304 99]*

Mandelonitril-Lyase (Oxynitrilase, Hydroxynitrilase, Prunase, D-α-Hydroxynitril-Aldehyd-Lyase, EC 4.1.2.10). Aus Mandeln od. anderen Pflanzensamen isolierbares Flavin-Enzym, das die stereospezif. Synth. von *Cyanohydrinen aus Aldehyden u. Blausäure auch in präparativem Maßstab katalysiert. Aus beschädigten Samen wird umgekehrt Blausäure freigesetzt (Schutzfunktion). – ***E*** mandelonitrile lyase – ***F*** mandélonitrile-lyase – ***I*** mandelonitril-liasi – ***S*** mandelonitrilo-liasa

Lit.: Biol. Chem. **377**, 611–617 (1996) ▪ Physiol. Plant. **98**, 891–898 (1996). – *[HS 3507 90]*

Mandelsäure (Hydroxy-phenyl-essigsäure, Phenylglykolsäure). H_5C_6–CH(OH)–COOH, $C_8H_8O_3$, M_R 152,15. Die (±)-Form bildet farblose Krist., D. 1,30, Schmp. 119 °C, gut lösl. in Wasser, Alkohol, Ether u. 2-Propanol. M. wurde beim Erhitzen eines Extrakts der bitteren Mandeln mit verdünnter Salzsäure entdeckt.

Synthet. erhält man die (±)-M. aus Benzaldehyd u. Blausäure über das α-Hydroxynitril (Cyanohydrin) u. dessen saure Hydrolyse:

$$H_5C_6-\underset{O}{\overset{H}{C}} \xrightarrow{+HCN} H_5C_6-\underset{OH}{\overset{|}{C}H}-CN \xrightarrow[-NH_3]{+2H_2O} H_5C_6-\underset{OH}{\overset{|}{C}H}-COOH$$

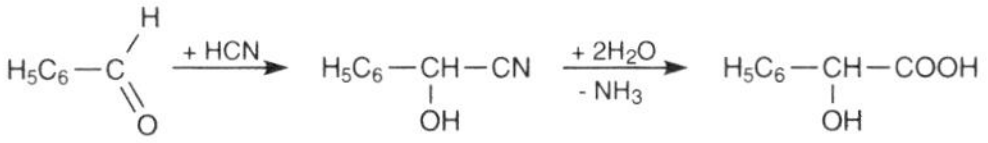

Das Racemat läßt sich mit (+)-Cinchonin in (R)-(−)-$\{[\alpha]_D^{20}$ −158,0°, (c 2,5/H_2O)$\}$ u. (S)-(+)-M. $\{[\alpha]_D^{20}$ +156,6° (c 2,9/H_2O)$\}$ vom Schmp. 133 °C spalten. (R)-M.-Nitril kommt im *Amygdalin vor.
Verw.: Zu organ. Synth. von Pharmaka (Mandelaten, z. B. *Homatropin), als Harnantiseptikum. Die (R)-(−)-M. u. (S)-(+)-M. wird zur Racematspaltung verwendet. – *E* mandelic acid – *F* acide mandélique – *I* acido mandelico – *S* ácido mandélico
Lit.: Angew. Chem. **98**, 363 (1986) ▪ Beilstein E IV **10**, 564 f. ▪ Merck-Index (12.), Nr. 5757 ▪ Paquette **5**, 3219 ▪ Ullmann (5.) **A 13**, 507 f.; 524 f. – *[HS 2918 17; CAS 611-72-3 (±); 611-71-2 ((R)-(−)); 17199-29-0 ((S)-(+))]*

Mandelsäurebenzylester (Benzylmandelat, Benzyl-(RS)-2-hydroxy-2-phenylacetat).
H_5C_6–CH(OH)–CO–O–CH_2–C_6H_5, $C_{15}H_{14}O_3$, M_R 242,27. Farblose, geruchlose Krist., Schmp. 94 °C, unlösl. in Wasser, gut lösl. in Alkohol, Aceton, Ether u. Chloroform. M. wird aus *Mandelsäure u. Benzylalkohol hergestellt; es wird als schwach wirksames Spasmolytikum in Analgetika-Kombinationspräparaten zur Behandlung leichter Schmerzzustände verwendet. – *E* benzyl mandelate – *F* mandélate de benzyle – *I* mandelato di benzile – *S* mandelato de bencilo
Lit.: Beilstein E IV **10**, 573 ▪ Hager (5.) **7**, 443. – *[HS 2918 17; CAS 890-98-2 (allg.); 80409-16-1 (±)]*

Mandelsäurenitril-β-gentiopikrosid s. Amygdalin.

Mandelsteine. Mandeln od. M. entstehen, wenn Blasenräume, die in *magmatischen Gesteinen, v. a. *Vulkaniten, beim Entweichen von Gasen gebildet worden sind, nachträglich mit Mineralien (z. B. Quarz, Achate, Zeolithe, Kalkspat) gefüllt werden; dabei können auch *Drusen, z. B. mit *Amethyst-Krist., entstehen. Beisp. sind die *Melaphyr-M. des Saar-Nahe-Gebietes, die *Diabas-M. im Frankenwald sowie *Basalt-M. verschiedener Vorkommen. – *E* mandelstones – *F* roches amygdaloides – *I* amigdaloidi – *S* rocas amigdaloides

Mandioka s. Maniok.

Mandocef® (Rp). Injektionslsg. mit dem *Cephalosporin-Antibiotikum *Cefamandol-formiatester-Natriumsalz. **B.:** Lilly.

Mandragora (Alraunwurzel). Wurzel von *Mandragora officinarum* L. (Familie der Solanaceen). Die Pflanze kommt im Mittelmeerraum vor. Es ist eine stengellose Staude mit länglich-eiförmigen Blättern, bläulichen, glockenförmigen Blüten u. gelborangen Beeren, die Tomaten ähnlich sehen. Die dicke Wurzel ist meist gegabelt u. sieht gelegentlich mit viel Phantasie einem menschlichen Körper ähnlich (vgl. Ginseng). Mag. Vorstellungen früherer Zeiten, die im Aussehen der Wurzel fußten, wurden scheinbar bestätigt durch die Giftwirkung, die aber auf dem Gehalt an Solanaceen-Alkaloiden beruht (0,35–0,5%; für die Wirkung am wichtigsten: *Scopolamin; außerdem *Hyoscyamin u. a.). M. ist eine berühmte Zauberdroge des Altertums[1], war im ausgehenden Mittelalter Hauptbestandteil von Hexensalben u. wurde früher medizin. als Beruhigungsmittel bei starken Schmerz- u. Erregungszuständen eingesetzt, wo es aber längst von besser wirksamen u. ungiftigeren Stoffen abgelöst wurde. – *E* mandragora – *F* mandragore – *I* mandragola – *S* mandrágora
Lit.: [1] s. z. B. Theophrast, Historia plantarum 9, 8, 8; Plinius maior, Naturalis historia 25, 147 ff.
allg.: Hager (5.) **5**, 762–767 ▪ Schultes u. Hofmann, Pflanzen der Götter, S. 49, 66 f., 86–91, Bern: Hallwag 1980. – *[HS 1211 90]*

Maneb.

$$\left[\begin{array}{c} CH_2-NH-\underset{\underset{S}{\|}}{\overset{\overset{S}{\|}}{C}}-S- \\ CH_2-NH-\underset{\underset{S}{\|}}{\overset{\overset{S}{\|}}{C}}-S-Mn \end{array}\right]_n$$

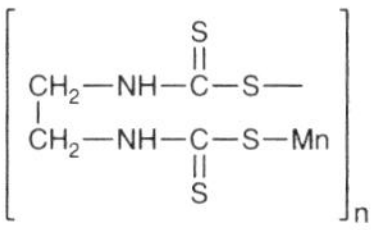

Common name für polymere Ethylenbis(dithiocarbamat)mangan-Komplexe, $(C_4H_6MnN_2S_4)_n$, zersetzt sich ohne zu schmelzen; LD_{50} (Ratte oral) >5000 mg/kg, von DuPont 1950 eingeführtes Blatt-*Fungizid mit breitem Wirkungsspektrum gegen Pilzerkrankungen in Obst-, Gemüse-, Kartoffel-, Gereide- u. a. Kulturen, s. a. Dithiocarbamate. – *E* = *I* = *S* maneb – *F* manèbe
Lit.: Farm. ▪ Perkow ▪ Pesticide Manual. – *[HS 3824 90; CAS 12427-38-2]*

Mangan. Chem. Symbol Mn, metall. Element, Atomgew. 54,938049, Ordnungszahl 25. Mn als anisotopes Element besteht ausschließlich aus dem Isotop 55; daneben gibt es die künstlichen Isotope ^{49}Mn – ^{62}Mn mit HWZ zwischen 0,283 s u. $3,7 \cdot 10^6$ a. Mn steht in der 7. Gruppe des *Periodensystems, zeigt mit seinem schweren Homologen *Rhenium formale Verwandtschaft u. ähnelt dem Eisen z. B. hinsichtlich Vork., Schwerlöslichkeit der niederen Oxide u. der Fähigkeit zur Bildung analoger Verb. wie der *Manganate (K_2MnO_4) u. Ferrate (K_2FeO_4). Mn liegt in seinen (farbigen) Verb. in den Oxid.-Stufen +1 bis +7 vor; die zwei-, vier- u. siebenwertigen Verb. sind am häufigsten anzutreffen. Typ. sind folgende Farben: Rosa (Oxid.-Stufe +2), rot (+3), graublau, braun (+4), blau (+5), grün (+6), violett (+7). Außerdem existieren Verb., in denen Mn die formale Wertigkeit −3 {im Dicarbonylmanganat(3−) $[Mn(CO)_2]^{3-}$} u. −1 aufweist. Die Zuweisung der Oxid.-Stufe Null zum Zentralatom des (Phthalocyaninato(2−))mangan(2−)-Komplexes ist nicht korrekt, weil die Ladung über das π-Syst. des Liganden delokalisiert ist.

Mn ist ein in reinem Zustand stahlweißes bis silberweißes Metall, es zeigt oft bunte Anlauffarben, D. 7,20–7,43 (Schwermetall), Schmp. 1244 °C, Sdp. 2060 °C, H. 6 (ähnlich Feldspat); sehr spröde, in Stahlgefäßen pulverisierbar. Es tritt in 4 Modif. auf: α-Mn (beständig bis 720 °C), β-Mn (720–1100 °C), γ-Mn (1100–1136 °C), δ-Mn (1136 °C – Schmp.). Mn ist ein unedles Metall; es steht in der Spannungsreihe zwischen Aluminium u. Zink. Von Wasser wird Mn langsam angegriffen; in verd. Säuren erfolgt Auflösung unter Bildung von Mn(II)-Salzen u. Wasserstoff; in konz. Schwefelsäure löst es sich unter Schwefeldioxid-Entwicklung. An Luft verbrennt Mn beim Erhitzen zu Mangan(II,III)-oxid (Mn_3O_4), dem beständigsten Manganoxid. Feinverteiltes Mangan ist u. U. pyrophor u. kann sich schon bei Raumtemp. entzünden. Im Chlor-Strom verbrennt Mn zu Mangan(II)-chlorid; mit P, F, S, C, Si u. B verbindet es sich bei gewöhnlicher Temp. od. beim Erwärmen; zur Photochemie der Mn-Verb. s. *Lit.*[1]. Reines Mn ist paramagnet., u. Leg. können starken Ferromagnetismus aufweisen (z. B. die *Heuslerschen Legierungen). Mn-Cu-Leg. haben ein sog. „Formengedächtnis". Bei den *Mangan-organischen Verbindungen handelt es sich im allg. um Komplexe. Mn(II)-Salze liefern beim Schmelzen mit Kaliumnitrat grüne Manganate(VI), färben die Borax- bzw. Phosphorsalze-Perle violett u. werden durch Bleidioxid in Ggw. von Salpetersäure od. durch Persulfate in Ggw. von Ag zu Permanganaten oxidiert, was zum Nachw. dienen kann. Die quant. Bestimmung kann z. B. gravimetr. (z. B. als $Mn_2P_2O_7$), manganometr. nach Volhard-Wolff, durch Redoxtitration nach vorausgegangener Oxid. zum Permanganat od. komplexometr. erfolgen[2]. Neben Fe lassen sich Mn-Spuren leichter nachweisen, wenn eine Anreicherung mit Diethyldithiocarbamat u. Extraktion mit organ. Lsm. vorausgehen. Zur metallurg. Spurenanalyse von Mn ist bes. die Atomabsorptionsspektroskopie geeignet[3]; zur photometr. Bestimmung als Permanganat od. Porphyrinkomplex s. *Lit.*[3,4].

Physiologie: Mn ist ein *essentielles *Spurenelement, das in allen lebenden Zellen vorkommt. Es wird in Form von Mn(II)-Salzen von den Pflanzen aufgenommen u. spielt eine wichtige Rolle bei der Photosynthese[5]. Der Mn-Gehalt pro kg Trockensubstanz beträgt z. B. bei *Erica vulgaris* 0,627 g, Lein 0,6 g, Kiefernholz 0,18 g, Birkenholz 0,25 g, Eichenrinde 0,575 g, Rettichblättern 5,86 g. An verschiedenen Kulturpflanzen konnte gezeigt werden, daß bei völligem Fehlen von Mn eine starke Minderung des Pflanzenwachstums eintritt, die schon durch geringe Mn-Zugaben wieder behoben werden kann; Mn-Mangel ruft u. a. Dörrfleckenkrankheit hervor. Abhilfe schafft die Verw. von MnO- bzw. $MnSO_4$-haltigen Düngemitteln.

Auch bei Tieren ist Mn ein lebenswichtiges Spurenelement: Es ist in zahlreichen Oxidoreduktasen u. anderen Enzymen (Pyruvatcarboxylase, Arginase, alkal. Phosphatase u. a.) enthalten. Mn stimuliert u. a. die Biosynth. des für den Aufbau von Steroidhormonen notwendigen Cholesterins, so daß bei völligem Mn-Mangel Sterilität eintreten kann. Außerdem wird es für die Synth. der Mucopolysaccharide u. die Bildung von Blutgerinnungsfaktoren benötigt sowie für Atmungsketten-Phosphorylierungen. Der menschliche Körper enthält ca. 20 mg Mn, das hauptsächlich in den Mitochondrien, in Zellkernen u. Knochen angereichert ist. Eine tägliche Zufuhr von mind. 3 mg wird als notwendig angesehen; sie wird im allg. durch die Nahrungszufuhr gedeckt. Bes. Mn-reich sind Vollkornprodukte, Nüsse, Keimlinge, Kakao u. Tee; Milch ist dagegen sehr arm an Mn (0,02 mg/L). Das Einatmen von Mn-Staub ist gesundheitsschädlich: MAK (als Gesamtstaub) 5 mg/m^3. Es kommt zur Reizung der Atemwege u. der Haut, zu Bronchitiden u. bei chron. Einwirkung zu *Parkinsonismus-ähnlichen Schädigungen des Nervensyst. mit Sprach- u. Bewegungsstörungen (*Manganismus*, s. *Lit.*[6,7]). In Trinkwasser kann Mn(II) durch Mikroorganismen zu $MnO_2 \cdot xH_2O$ oxidiert werden[8]. Von der WHO ist 1972 der Grenzwert für Mn auf 0,5 mg/L Trinkwasser festgesetzt worden; in der EG gilt allg. 0,05 mg/L, in der BRD 0,1 mg/L als Höchstwert. Überschüssige Mengen lassen sich durch oxidative Fällung entfernen (*Entmanganung*, vgl. *Lit.*[9]).

Vork.: Mn ist das zweithäufigste Schwermetall; es ist in der obersten, 16 km dicken Erdkruste zu etwa 950 ppm enthalten u. steht damit in der Häufigkeitsliste der Elemente an 12. Stelle. Auch auf der Sonne u. in Meteoriten hat man Mn nachweisen können. Da Mn ein unedles Metall ist, kommt es in der Natur nie gediegen, sondern nur in Verb. vor. Als Spurenelement findet man es in fast allen Böden, sowie häufig – zusammen mit Eisen – im Grundwasser, worauf ein „metall. Geschmack" zurückgeführt wird. Vulkan. Gestein enthält im Durchschnitt etwa 0,12% Mn, im Erdkern ist es wahrscheinlich mit ungefähr 1,5% vertreten. Die wichtigsten Mn-Minerale sind die Braunsteine (s. dort die Aufzählung u. die verschiedenen Bez.); weitere techn. mehr od. weniger wichtige Mn-Minerale sind *Braunit ($3Mn_2O_3 \cdot MnSiO_3$), *Hausmannit (Mn_3O_4), *Manganit [γ-MnO(OH)], *Rhodochrosit (Manganspat, $MnCO_3$), Mangankies (Hauerit, MnS_2). Viele Eisenerze sind durch wechselnde Mn-Gehalte ausgezeichnet, z. B. Siegerländer Spateisenstein (31–32% Fe, 5–6% Mn). Ein gemischtes Oxid ist der *Bixbyit* $(Mn,Fe)_2O_3$ (s. *Lit.*[10]), u. der *Franklinit* ist ein *Spinell. Große Mengen an Mn finden sich in den marinen *Manganknollen. Die meisten Mn-Erze (mit Mn-Gehalten zwischen 30 u. 55%) werden im Tagebau bzw. Untertagebau geringer Tiefe gewonnen. Hauptförderländer der Weltproduktion im Jahre 1992 von 19,9 Mio. t Mn waren die Ukraine (5,8 Mio. t), China (3,5 Mio. t), Südafrika (2,5 Mio. t), Brasilien (1,8 Mio. t), Gabun (1,6 Mio. t), Indien (1,4 Mio. t) u. Georgien (1,2 Mio. t).

Herst.: Neben der Red. von Eisen-armen Manganerzen mit Silicium zu etwa 97%igem Mn-Metall u. der heute nicht mehr ausgeführten *Aluminothermie aus Braunstein erfolgt die Gewinnung von reinem Mn-Metall vorwiegend elektrochem. aus hochgereinigter Mangan(II)-sulfat-Lsg.:

$$MnSO_4 + H_2O \rightarrow Mn + H_2SO_4 + 0{,}5\,O_2$$

Das an der Kathode aus rostfreiem Stahl od. Hastelloy® abgeschiedene Mn hat eine Reinheit von über 99,6%. Die Red. von MnO mit Koks erfordert Temp. >1200 °C u. liefert Mn_7C_3, reines Mn wird erst ab ca. 1600 °C erhalten. Da unter diesen Bedingungen bereits hohe Verdampfungsverluste auftreten, wird die Hauptmenge an Mn durch Red. einer Mischung aus Mn- u. Fe-Erzen im Elektro- od. Hochofen in Form von Fe-Mn-Leg. erschmolzen (*Ferromangan).

Verw.: Zur Desoxid. u. Entschwefelung von Eisen u. Stahl; hierzu werden über 90% des Mn in Form von *Ferromangan, Spiegeleisen* u. *Silicomangan* (Leg. aus 65–68% Mn, 16–18,5% Si, 10,5–16% Fe u. max. 2% C) verwendet. Demselben Zweck dient Mn in Nickel- u. Kupfer-Schmelzen. Weitere Verw. als Zusatz zu unlegierten Werkzeugstählen (s. Mangan-Stähle), zur Erhöhung der Korrosionsbeständigkeit von Aluminium-Leg. (die genormten, korrosionsbeständigen Al-Mn-

Leg. enthalten 1–2% Mn, Rest Al) u. Magnesium-Leg., zur Verbesserung der Festigkeit in Bronzen. Mn-Verb. finden sehr vielseitige Anw., z. B. zur Herst. von Pigmenten, im Korrosionsschutz zum Phosphatieren (Mn-Phosphate), als Metallseifen, als Sikkative in der Lack-Ind., in der Hochfrequenz- u. Datenverarbeitungstechnik zur Herst. magnet. Oxide (s. Ferrite), in Trockenbatterien, als Zusatz zu Futter- u. Düngemitteln sowie als Oxid.-Mittel z. B. in organ. Synth.[11], bei der Trinkwasseraufbereitung, Abwasser- u. Abluftreinigung, in der analyt. Chemie (*Oxidimetrie) u. in der Medizin.

Geschichte: Der schon von Plinius beschriebene Braunstein wurde bis zur Mitte des 18. Jh. für eine Art Eisenerz gehalten. Erst 1774 gewann Gahn (auf Scheeles Anregung) aus einem stark erhitzten Kohle-Braunstein-Gemisch etwas metall. Mangan, das er Manganesium nannte (daher die engl. u. französ. Namen). Später kürzte man Manganesium zu Mangan ab, um eine Verwechslung mit dem inzwischen entdeckten Magnesium zu vermeiden; zur Herkunft des Namens s. a. Magnete. – ***E*** = ***I*** manganese – ***F*** manganèse – ***S*** manganeso

Lit.: [1]Chem. Labor Betr. **32**, 158 ff. (1981). [2]Koch, Analytische Chemie des Mangans, Berlin: Springer 1985. [3]Townshend, Encyclopedia of Analytical Science, S. 2780–2787, Oxford: Academic Press 1995. [4]Fries-Getrost, S. 233–238; Onishi, Chemical Analysis (4.) 3, Part II B, S. 31–61, New York: Wiley 1989. [5]Prog. Inorg. Chem. **37**, 99–142 (1989). [6]Braun-Dönhardt, S. 240. [7]Der inform. Arzt **7**, Nr. 11, 18–31 (1979). [8]J. Environ. Anal. Chem. **19**, 227–241 (1985); Toxicol. Environ. Chem. **9**, 309–325 (1985). [9]Winnacker-Küchler (4.) **3**, 544; GWF Gas-Wasserfach: Wasser/Abwasser **129**, 321–327 (1988). [10]Ramdohr-Strunz, S. 510. [11]Mijs u. Jonge (Hrsg.), Organic Synthesis by Oxidation with Metal Compounds, S. 119–314, New York: Plenum 1986.

allg.: Adv. Inorg. Chem. **33**, 197–257 (1989) ▪ Annu. Rev. Microbiol. **38**, 515–550 (1984) ▪ Annu. Rev. Nutrit. **1**, 149–179 (1981) ▪ Brauer (3.) **3**, 1579 f. ▪ Büchner et al., S. 277–288 ▪ Gmelin, Syst.-Nr. 56, Mn A 1, B, C 1–C 10 (1973–1983); D 1–D 7, Coordination Compounds (1979–1990) ▪ Hutzinger **1 D**, 213–217 ▪ Houben-Weyl **4/1 b**, 465–672 ▪ Kies (Hrsg.), Nutritional Bioavailability of Manganese, Washington: ACS 1987 ▪ Kirk-Othmer (4.) **15**, 963–990 (M. u. M.-Leg.), 991–1055 (M.-Verb.) ▪ Snell-Ettre **15**, 447–495 ▪ Ullmann (5.) **A 16**, 77–143 ▪ Winnacker-Küchler (4.) **2**, 633–650; **4**, 207–213. – *[HS 8111 00; CAS 7439-96-5]*

Manganacetate. a) *Mangan(II)-acetat-Tetrahydrat*: $(H_3C{-}COO)_2Mn \cdot 4\,H_2O$, $C_4H_6MnO_4 \cdot 4\,H_2O$, M_R 173,03. Luftbeständige, durchsichtige, blaßrote Nadeln od. Tafeln, D. 1,59, in Alkohol u. Wasser lösl.; LD_{50} (Ratte oral) 3730 mg/kg. Herst. durch Auflösen von Mangancarbonat in verd. Essigsäure. M. wird als Sikkativ, Düngemittel, Sauerstoff-Überträger, Katalysator, Gerberei- u. Textilhilfsmittel verwendet.

b) *Mangan(III)-acetat-Dihydrat*: $(H_3C{-}COO)_3Mn \cdot 2\,H_2O$, $C_6H_9MnO_6 \cdot 2\,H_2O$, M_R 232,07. Zimtfarbene Krist., lösl. in Essigsäure, Ethanol; findet Verw. als Reagenz für selektive Oxidationsreaktionen. – ***E*** manganese acetates – ***F*** acétates de manganèse – ***I*** acetati di manganese – ***S*** acetatos de manganeso(II)

Lit.: Beilstein E IV **2**, 120 ▪ Merck-Index (12.), Nr. 5763 ▪ Paquette **5**, 3221 ▪ Synthetica **2**, 275 f. ▪ Ullmann (4.) **16**, 471; (5.) **A 16**, 131. – *[HS 2915 29; CAS 6156-78-1 (a); 19513-05-4 (b)]*

Manganate. Bez. für die farbigen Salze der hypothet. *Mangansäuren.* Man unterscheidet: Manganate(II) mit dem Anion MnO_2^{2-}, Manganate(III) mit den Anionen MnO_2^- od. MnO_3^{3-} [IUPAC-Name: Trioxomanganat(3–) od. Trioxomanganat(III)], braune Manganate(IV) mit den Anionen MnO_3^{2-}, $Mn_2O_5^{2-}$ [nach IUPAC: Pentaoxodimanganat(IV) od. Pentaoxodimanganat(2–)], $Mn_3O_7^{2-}$ (diese früher als *Manganite* bezeichneten Salze lassen sich auch als Doppeloxide auffassen: $2\,CaO \cdot MnO_2$, $CaO \cdot MnO_2$, $CaO \cdot 2\,MnO_2$, $CaO \cdot 3\,MnO_2$, $CaO \cdot 5\,MnO_2$), blaue Manganate(V) mit dem Anion MnO_4^{3-}, grüne Manganate(VI) mit dem Anion MnO_4^{2-} u. violette Manganate(VII) mit dem Anion MnO_4^-. Die gebräuchlichen Bez. *Manganat* für Tetraoxomanganat(VI) u. *Permanganat* für Tetraoxomanganat(VII) sind weiterhin erlaubt. Gibt man zu einer grünen Manganat(VI)-Lsg. etwas Säure, so schlägt die Farbe nach violett um, weil die entstehende freie Mangansäure restliches Manganat(VI) zu violettem Permanganat(VII) oxidiert u. dabei selbst in manganige Säure übergeht (*Disproportionierung):

$$2\,K_2MnO_4 + H_2MnO_4 \rightleftharpoons 2\,KMnO_4 + K_2MnO_3 + H_2O.$$

Wegen dieses Farbumschlags hat man früher z. B. Kaliummanganat als (mineral.) *Chamäleon* bezeichnet, s. jedoch Kaliumpermanganat. – ***E*** = ***F*** manganates – ***I*** manganati – ***S*** manganatos

Lit.: Chimia **24**, 46–61 (1970); **33**, 372–376 (1979) ▪ Gmelin, Syst.-Nr. 56, Mangan, Tl. C 2 (1975) ▪ Kirk-Othmer (4.) **15**, 1021–1035. – *[HS 2841..]*

Manganblau (Zementblau, C. I. Pigment Blue 33, C. I. 77 112). Blaues, licht-, zement-, kalk- u. wasserglasechtes Mischkrist.-Pigment aus Bariumsulfat-Bariummanganat(V)/(VI) [z. B. $BaSO_4 \cdot Ba_3(MnO_4)_2$], wird in Lacken, Anstrichfarben, als Zementfarbe u. zur Kunststein- u. Kunststoffpigmentierung verwendet. Das Mangan liegt vorwiegend in der Oxid.-Stufe +5 vor. Die Herst. des Pigments erfolgt durch Glühen von Kaliumpermanganat/Bariumsulfat/Bariumnitrat-Mischungen bei 700–800 °C. – ***E*** manganese blue – ***F*** bleu de manganèse – ***I*** blu di manganese – ***S*** azul de manganeso

Lit.: Winnacker-Küchler (4.) **3**, 385. – *[HS 3206 49; CAS 80456-59-1]*

Manganblende s. Alabandin.

Manganbraun (Bister, Manganbister, Mineralbister). Mangan(III)-oxidhydrat von schwarzbrauner Farbe u. wechselnder Zusammensetzung; wird durch Oxid. von Manganhydroxid erhalten u. in der Leim-, Kalk- u. Ölmalerei (früher auch beim Kattundruck) verwendet. – ***E*** manganese brown – ***F*** brun de manganèse – ***I*** bruno di manganese – ***S*** bistre o pardo de manganeso

Manganbronzen. Bez. für *Bronzen, die als Hauptlegierungszusatz 5–15% Mangan enthalten, s. Mangan-Legierungen. M. werden wegen ihrer guten Seewasserbeständigkeit im Schiffbau verwendet. – ***E*** manganese bronzes – ***F*** bronze au manganèse – ***I*** bronzi al manganese – ***S*** bronce de manganeso

Mangan(II)-carbonat. $MnCO_3$, M_R 114,95. Die durch Fällung herstellbare Verb. bildet farblose, sich allmählich bräunlich färbende Krist., D. 3,125, unlösl. in Wasser, lösl. in verd. Säuren u. in Kohlensäure-halti-

gem Wasser unter Hydrogencarbonat-Bildung. Beim Kochen mit Wasser zersetzt sich $MnCO_3$ teilw. unter Hydrolyse. Beim Erhitzen des trockenen Pulver auf über 200 °C tritt Zers. in Manganoxid u. Kohlendioxid ein, beim Glühen an der Luft bildet sich Mn_3O_4. M. kommt in der Natur als *Rhodochrosit (*Manganspat*) vor.
Verw.: Düngemittel-Zusatz, Zwischenprodukt zur Herst. von *Ferriten u. von Mn-Verbindungen. – ***E*** manganese(II) carbonate – ***F*** carbonate de manganèse – ***I*** carbonato di manganese(II) – ***S*** carbonato de manganeso
Lit.: Gmelin, Syst.-Nr. 56, Mn, Tl. C 7, 1981, S. 174–214 ▪ Kirk-Othmer (4.) **15**, 998 ▪ Ullmann (5.) **A 16**, 131 f. ▪ s. a. Rhodochrosit. – *[HS 2836 99; CAS 598-62-9]*

Mangancarbonyle. T Das zu den *Metallcarbonylen zählende *Dimangandecacarbonyl* [Decacarbonyldimangan (*Mn-Mn*)] $Mn_2(CO)_{10}$, M_R 389,98, bildet goldgelbe, monokline, sublimierbare Krist., D. 1,81, Schmp. 155 °C, subl. bei 50 °C (1,3 Pa). Daneben kennt man *Pentacarbonylhydridomangan*, $HMn(CO)_5$, M_R 196,00, farblose Flüssigkeit, Schmp. –20 °C, Zers. bei ca. 50 °C, u. dessen Alkalisalze sowie die *Pentacarbonylmanganhalogenide* der allg. Zusammensetzung $Mn(CO)_5X$, worin X = Cl, Br od. I ist. Mangan-Komplexe, die außer Carbonyl- auch andere Liganden wie Nitrosyl od. Cyclopentadienyl [s. (Methylcyclopentadienyl)mangantricarbonyl] enthalten, sowie Mehrkernkomplexe mit verschiedenen Metallatomen (heteronucleare Komplexe) sind ebenfalls bekannt. – ***E*** manganese carbonyls – ***F*** carbonyles de manganèse – ***I*** carbonili di manganese – ***S*** carbonilos de manganeso
Lit.: Kirk-Othmer (3.) **14**, 851 f. ▪ s. a. Carbonylkomplexe, Mangan-organische Verbindungen u. Metallcarbonyle. – *[HS 2931 00; CAS 10170-69-1 ($Mn_2(CO)_{10}$)]*

Manganchloride. a) *Mangan(II)-chlorid*, $MnCl_2 \cdot 4\,H_2O$, blaßrosarote, hygroskop. Krist., D. 2,01, leicht lösl. in Wasser, lösl. in Alkohol. Die wasserfreie Verb., M_R 125,84, bildet rosafarbene, blättrige Krist., D. 2,977, Schmp. 650 °C, Sdp. 1190 °C, die mit Calciumchlorid u. Cadmiumchlorid isomorph sind. Ferner kennt man noch Di- u. Hexahydrat.
Herst.: Die wasserfreie Verb. erhält man aus Mn od. Ferromangan u. Cl_2 od. durch Entwässern des Tetrahydrats in Drehöfen bei 600–650 °C.
Verw.: Zur Herst. von Manganbraun [Mn(O)OH, Bestandteil der Malerfarbe Umbra], Reizdüngung (Stimulationswirkung), in Verb. mit Eisen-Präp. zur Anämiebehandlung, zur Sauerstoff-Bestimmung nach Winkler, als Reserve unter Schwefel- u. Küpenfarbstoffen, als Reagenz, Trockenmittel bei Anstrichmitteln, Bestandteil von Batterien, als Katalysator bei organ. Reaktionen, als Flußmittel bei der Herst. von Mg u. Mg-Legierungen.
b) *Mangan(III)-* u. *Mangan(IV)-chlorid* sind nur in Form der entsprechenden Pentachloromanganate(III) bzw. Hexachloromanganate(IV) bekannt. – ***E*** manganese chlorides – ***F*** chlorures de manganèse – ***I*** cloruri manganosi, cloruri di manganese – ***S*** cloruros de manganeso
Lit.: Gmelin, Syst.-Nr. 56, Mn, Tl. C 5, 1978, S. 1–93 ▪ Kirk-Othmer (4.) **15**, 998 f. ▪ Ullmann (5.) **A 16**, 132 ▪ s. a. Mangan. – *[HS 2827 39; CAS 7773-01-5 ($MnCl_2$); 13446-34-9 ($MnCl_2 \cdot 4\,H_2O$)]*

Mangandioxid [Mangan(IV)-oxid, Braunstein]. Xn MnO_2, M_R 86,94. Synthet. M. ist ein bräunlich-schwarzes, wasserunlösl. krist. Pulver, D. 5,026, das beim Erhitzen über 527 °C Sauerstoff unter Bildung von Mn_3O_4 abspaltet; zur Struktur der M.-Modif., die als z. T. wichtige Manganerze unter verschiedenen Namen (s. Braunsteine) vorkommen, s. *Lit.*[1]. Wasserhaltige M. mit Schichtengitter sind an der Bildung der *Manganknollen beteiligt. M. wird von verd. kalter Schwefel- u. Salpetersäure kaum angegriffen; beim Erhitzen mit Schwefelsäure entsteht unter Sauerstoff-Abspaltung Mangan(II)-sulfat. Mit kalter konz. Salzsäure bildet M. eine tiefbraune Lsg., die unbeständiges $MnCl_4$ (gibt $MnCl_2$ u. Cl_2) enthält. Wasserstoffperoxid wird durch Mangandioxid unter Sauerstoff-Entwicklung katalyt. zersetzt. Reines Kaliumchlorat zerfällt beim Erhitzen langsam ab 400 °C in Kaliumchlorid u. Sauerstoff; gibt man aber M.-Pulver dazu, so findet lebhafte Zers. schon bei 150–200 °C statt. M. ist ein nicht ungefährliches, sehr kräftiges Oxid.-Mittel gegenüber leicht oxidablen Stoffen wie organ. Verb. od. Schwefel. Über Kationen-Fehlstellen in MnO_2 u. ihren Einfluß auf dessen elektrochem. Reaktivität s. *Lit.*[2].
Herst.: Durch aktivierende Behandlung von natürlichem Braunstein als sog. *Chemiebraunstein* (CMD, Abk. für *E* chemical manganese dioxide), durch chem. Verf., z. B. nach der reversiblen Reaktion gemäß:

$$MnO_2 + N_2O_4 \rightleftharpoons Mn(NO_3)_2$$

mit Kreisführung der nitrosen Gase, u. durch elektrochem. Oxid. von Mangan-Salzlsg., dem heute wichtigsten Prozeß. Hierbei wird sog. *Elektrolytbraunstein* (EMD, Abk. für *E* electrodeposited manganese dioxide) nach anod. Oxid. von Mangansulfat:
Anode:

$$4\,Mn^{2+} \rightarrow 4\,Mn^{3+} + 4\,e^-$$

Kathode:

$$2\,H_2O + 4\,e^- \rightarrow H_2 + 2\,OH^-$$

u. Disproportionierung des gebildeten Mn(III)-Salzes:

$$2\,Mn^{3+} + 2\,H_2O \rightarrow Mn^{2+} + MnO_2 + 4\,H^+$$

an der Anode abgeschieden. Unter Energiezufuhr läuft also folgende Reaktion ab:

$$Mn^{2+} + 2\,H_2O \rightarrow MnO_2 + H_2 + 2\,H^+$$

Zur Gewinnung von MnO_2 im Laboratorium s. *Lit.*[3].
Verw.: In großem Maßstab als *Depolarisator in *Taschenbatterien sowie zur Herst. von *Ferriten, von Mn-Verb. u. Pigmenten. MnO_2 wird als Oxid.-Mittel in organ. Synth. (z. B. der Oxid. von Anilin zu Hydrochinon mit Naturbraunstein), bei der Gasreinigung, in Gasmasken (*Hopcalite) u. in pyrotechn. Artikeln verwendet, ferner für Oxid.-Katalysatoren, in Sikkativen für Lacke u. Farben, als Vernetzer von Polysulfid-Kautschuken. Schließlich dient MnO_2 zur „Entfärbung" von *Glas (s. Glas, S. 1543, Bez. *Glasmacherseife* für M.) u. wird bei der Herst. von Töpferwaren (die braune Glasur auf Töpferwaren, Steingut, Ziegeln usw. besteht oft aus einem geschmolzenen Gemenge von Eisenoxiden u. M.) verwendet. – ***E*** manganese dioxide – ***F*** dioxyde de manganèse – ***I*** diossido (biossido, perossido) di manganese – ***S*** dióxido de manganeso

Lit.: [1] Chem. Unserer Zeit **14**, 137–148 (1980). [2] J. Electrochem. Soc. **135**, 2657–2669 (1988). [3] Brauer (3.) **3**, 1582f.
allg.: Brauer, Herstellverfahren u. Untersuchungen von Mangan-Aquoxiden für alkalische Akkumulatoren, Essen: Girardet 1984 ▪ Büchner et al., S. 281–284, 286 ▪ Gmelin, Syst.-Nr. 56, Mn, Tl. C 1, 1973, S. 126–364 ▪ Kirk-Othmer (4.) **15**, 1003–1017 ▪ Ramdohr-Strunz, S. 534–537 ▪ Synthetica **1**, 290–294 ▪ Ullmann (5.) **A 3**, 352–360; **A 16**, 124–130 ▪ Winnacker-Küchler (4.) **2**, 635–640 ▪ s. a. Mangan, Taschenbatterien. – *[HS 2602 00, 2820 10; CAS 1313-13-9; G 6.1]*

Mangan-ethylenbis(dithiocarbamat) s. Maneb.

Manganferrit s. Spinelle.

Mangangrün [Bariummanganat(VI), Kasseler Grün, Rosenstiehls Grün]. $BaMnO_4$, M_R 256,27. Dunkelgrünes, giftiges Pulver, D. 4,85, in Wasser sehr wenig lösl., wird durch Säuren zersetzt. M. wird in der Freskomalerei anstelle des noch giftigeren *Scheeles Grün* (s. Kupferarsenate) verwendet. – ***E*** manganese green – ***F*** vert manganèse – ***I*** verde di manganese – ***S*** verde manganeso – *[HS 2841 61; CAS 7787-35-1]*

Mangan-Gruppe. Bez. für die 7. Gruppe des *Periodensystems (Mangan, Technetium u. Rhenium). Von dem vierten in die M.-G. einzuordnenden Element 107 (Unnilseptium = Uns), das von IUPAC Bohrium = Bh u. von CAS Nielsbohrium = Ns genannt wird, konnte man bisher nur wenige Atome nachweisen (s. Transactinoide u. Transurane). – ***E*** manganese group – ***F*** groupe du manganèse – ***I*** gruppo manganico – ***S*** grupo del manganeso

Mangan-Hartstähle s. Mangan-Stähle u. Mangan-Legierungen.

Manganige Säure. Veralteter Name für die in freier Form nicht bekannten Sauerstoffsäuren des Mn^{4+}-Ions, H_4MnO_4 bzw. H_2MnO_3, s. Manganate.

Manganismus s. Mangan.

Manganit (Braunmanganerz, γ-Manganoxidhydroxid). γ-MnOOH, frisch braunschwarzes, schwach metall. glänzendes, sprödes, monoklines (pseudorhomb.) Mineral, Kristallklasse 2/m – C_{2h}. Stengelige bis nadelige od. kurzsäulige, stark vertikal gestreifte Krist., Kristallrasen od. radialstrahlige u. wirrstrahlige Massen; auch körnig. Strichfarbe dunkelbraun; H. 4, D. 4,3–4,4, Bruch uneben. Struktur[1] ähnlich der von *Pyrolusit, in den sich M. leicht umwandelt u. mit dem er häufig verwachsen ist. M. gibt beim Erwärmen über 200 °C Wasser ab u. löst sich in konz. Salzsäure; die Boraxperle färbt sich in der Oxid.-Flamme violett (Mn-Reaktion).
Vork.: Hydrothermal (*Lagerstätten) in Gängen niedriger Bildungstemp., z. B. Ilfeld/Harz, Ilmenau u. Elgersburg/Thüringen; in *Oxidationszonen zusammen mit Pyrolusit, *Goethit u. a. – ***E*** = ***F*** = ***I*** manganite – ***S*** manganita
Lit.: [1] Acta Crystallogr. **10**, 439f. (1957).
allg.: Lapis **6**, Nr. 1, 5 ff. (1981) („Steckbrief") ▪ Ramdohr, Die Erzmineralien u. ihre Verwachsungen, S. 1141 ff., Berlin: Akademie-Verl. 1975 ▪ Schröcke-Weiner, S. 490 ff. ▪ Varentsov u. Grasselly (Hrsg.), Geology and Geochemistry of Manganese, Vol. 1, S. 100–104, Stuttgart: Schweizerbart 1980. – *[HS 2602 00; CAS 1310-98-1]*

Manganite. Alte Bez. für Manganate(IV), s. Manganate.

Mangankies s. Mangansulfide.

Manganknollen (polymetall. Knollen). Schon seit 1873 bekannte, hauptsächlich auf den Tiefseeböden aller drei Ozeane (v. a. im Pazifik u. Ind. Ozean) auftretende dunkelrötlichbraune bis schwarze, sphäroidale, ellipsoid., scheibenförmige, nierig-traubige od. plattige, im allg. um grobe Partikel als Keimbildner konzentr.-schalig aufgebaute *Konkretionen mit glatter od. körnig rauher bis poriger Oberfläche; Durchmesser von mehreren mm bis über 20 cm, relativ hohe Porosität, D. 2,1–3,1; zu Haupttypen, Entstehung u. Mechanismen, wie die M. an der Sediment-Oberfläche des Tiefseebodens gehalten werden, s. *Lit.*[1,2] (Ergebnisse dtsch. M.-Forschung im Pazifik).
Komplizierte Zusammensetzung aus innig miteinander verwachsenen organ., kolloidalen od. schlecht krist. Substanzen, Keimfragmenten u. Kristalliten (*Kristalle). Hauptminerale sind bei den Manganoxiden *Todorokit, *Birnessit u. Vernadit $(Mn^{4+},Fe^{3+},Ca,Na)(O,OH)_2 \cdot nH_2O$, Eisen-Minerale sind u. a. Feroxyhit $Fe^{3+}O(OH)$, *Goethit u. *Lepidokrokit. Die chem. Zusammensetzung der M. schwankt aufgrund großer Unterschiede im Bildungsmilieu regional u. lokal in sehr weiten Grenzen, z. B.: 0,04–50,3% Mn, 0,3–50% Fe, 0,01–1,95% Ni, 0,01–1,9% Cu u. 0,01–2,23% Co (Ullmann, *Lit.*), ferner enthalten die M. u. a. Pb, Ba, Mo, Zn, Cd, V, Ti u. Seltenerd-Elemente[3]; Cu, Mo, Ni u. Zn sind ausschließlich an die Mangan-Minerale gebunden.
Bedeutung, Probleme: Die M. stellen die größte Mangan-Lagerstätte der Erde dar, potentiell wirtschaftlich interessant sind sie aber v. a. wegen ihrer Gehalte an Wertmetallen, darunter Ni, Cu u. Co. Die bedeutendsten Vork. mit mittleren Gehalten von 1,3% Cu, 1,4% Ni, 0,5% Co u. 30% Mn (*Lit.*[4]) liegen in einer durchschnittlichen Wassertiefe von 5000 m im sog. *M.-Gürtel* südöstlich von Hawaii. Die in der UN-Seerechtskonvention von 1982 geregelte (Probleme s. *Lit.*[5]) Nutzung der auf etwa $1-3 \cdot 10^{12}$ t geschätzten Erzvorräte in den M. bringt neben geowissenschaftlichen, ökonom. u. techn. Problemen auch erhebliche ökolog. Probleme mit sich[4]. Bisher haben die internat. polit. Probleme, die niedrigen Rohstoffpreise u. die Entwicklung neuer Technologien für den Abbau immer ärmerer festländ. Erzvork. dazu beigetragen, daß mit dem Tiefsee-Bergbau auf M. noch nicht begonnen worden ist; zu den Techniken der M.-Gewinnung s. Ullmann (*Lit.*) u. *Lit.*[6]. – ***E*** manganese nodules – ***F*** nodules de manganèse (océaniques) – ***I*** noduli di manganese – ***S*** nódulos de manganeso (oceánicos)
Lit.: [1] Fortschr. Mineral. **64**, 151–162 (1986). [2] Geol. Jahrb. Reihe D **1991**, Nr. 93, 41–75. [3] Lithos **20**, 97–103 (1987); **30**, 45–56 (1993). [4] Naturwissenschaften **75**, 423–431 (1988). [5] Spektrum Wiss. **1983**, Nr. 5, 28–38. [6] Mar. Mining **9**, 87–103 (1990).
allg.: Füchtbauer (Hrsg.), Sedimente u. Sedimentgesteine (4.) (Sediment-Petrologie Tl. II), S. 581–584, Stuttgart: Schweizerbart 1988 ▪ Halbach, Friedrich u. von Stackelberg (Hrsg.), The Manganese Nodule Belt of the Pacific Ocean, Stuttgart: Enke 1988 ▪ Ullmann (5.) **A 16**, 111–121.

Mangan-Legierungen. Leg. mit dem Hauptlegierungselement Mn werden bevorzugt in der Eisen-Metallurgie verwendet, s. Ferromangan. Deutlich geringere techn. Bedeutung haben Leg. mit Cu u./od. Ni, die wegen ihres hohen elektr. Widerstands od. ihrer hohen therm. Ausdehnungskoeff. Anw. finden, letztere beispielsweise bei *Bimetallen. Weitaus umfangreicher ist dagegen der Einsatz von Mn als Legierungselement. In Stählen verbessert Mn die Zähigkeit, s. Mangan-Stähle; Gehalte bis zu 17% finden sich in *Mangan-Hartstählen* mit ihren ungewöhnlichen Kaltverfestigungseigenschaften. Vereinzelt dient Mn als Ersatz für das teurere Ni in nichtrostenden Stählen. Bedeutung hat Mn auch in *Kupfer-Legierungen (s. Manganbronze) u. *Aluminium-Legierungen, in denen es wichtige Gebrauchseigenschaften wie Festigkeit, Zähigkeit, Verformbarkeit u. Korrosionsbeständigkeit pos. beeinflußt. – ***E*** manganese alloys – ***F*** alliages de manganèse – ***I*** leghe di manganese – ***S*** aleaciones de manganeso

Lit.: Kirk-Othmer (4.) **15**, 963 ff. ▪ Ullmann (4.) **16**, 458 ff.; (5.) **A 16**, 109 ff.

Mangan(II)-naphthenat s. Naphthensäuren.

Mangan(II)-nitrat. Das als Hexahydrat $Mn(NO_3)_2 \cdot 6H_2O$, M_R 178,95, vorliegende M. bildet blaßrosa gefärbte Krist., die bei 26 °C zu einer rötlichen Flüssigkeit schmelzen, lösl. in Wasser u. Alkohol; auch Tri-, Tetra- u. Nonahydrat sind bekannt.

O 

Verw.: Zur Herst. hochreiner Manganoxide, in der Optik u. Elektrotechnik u. zur Herst. von Porzellanfarben. – ***E*** manganese(II) nitrate – ***F*** nitrate de manganèse(II) – ***I*** nitrato di manganese(II) – ***S*** nitrato de manganeso(II)

Lit.: Gmelin, Syst.-Nr. 56, Mangan, Tl. C 3, 1975, S. 268–305 ▪ Kirk-Othmer (3.) **14**, 887 ▪ Ullmann (5.) **A 16**, 132 ▪ Winnacker-Küchler (4.) **2**, 641 ▪ s. a. Mangan. – *[HS 283429; CAS 10377-66-9 (wasserfrei); 15710-66-4 (Hydrate); 17141-63-8 (Hexahydrat)]*

Manganoctoat s. Octoate.

Manganomelan s. Romanechit.

Manganometrie s. Oxidimetrie.

Mangan-organische Verbindungen. Abgesehen von Salzen des Mangans mit organ. Säuren – die nicht zu den eigentlichen M.-o. V. zählen – sind in der Hauptsache Mangan-Komplexe mit organ. gebundenen π-Liganden, z. B. *Cyclopentadienyl (s. Abb. bei Carbonylkomplexe), zu den M.-o. V. zu rechnen. Daneben gibt es auch M.-o. V. mit einer Kohlenstoff-Metall-σ-Bindung wie *Methylmanganpentacarbonyl* (Pentacarbonylmethylmangan, $C_6H_3MnO_5$, M_R 210,02, Schmp. 95 °C; s. Abb. 1). Ein *planar-chiraler* η^2-Mangan-Komplex kann zur diastereoselektiven u. enantioselektiven C,C-Verknüpfung (*Alkylierung, Aldol-Addition*) eingesetzt werden [1] (s. Abb. 2).

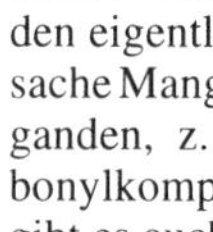

Abb. 1: Methylmanganpentacarbonyl.

– ***E*** organomanganese compounds – ***F*** composés d'organomanganèse – ***I*** composti organici di manganese – ***S*** compuestos de organomanganeso

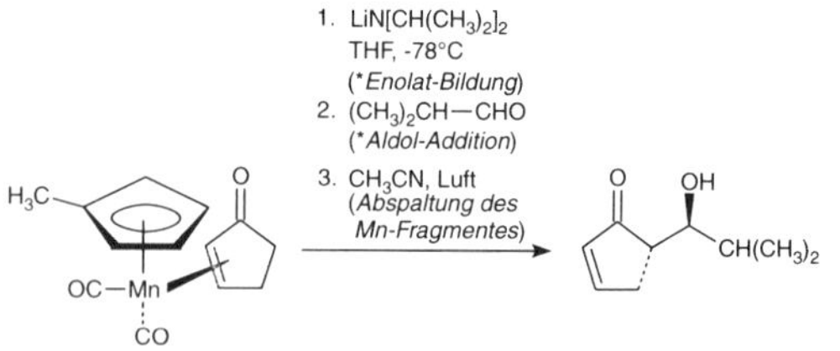

Abb. 2: Diastereoselektive Aldol-Addition mit einer chiralen Mangan-organischen Verbindung.

Lit.: [1] Angew. Chem. **108**, 1825 (1996).
allg.: Houben-Weyl **13/9 a**; **E 18** ▪ Kirk-Othmer (3.) **15**, 958 ▪ McKetta **2**, 8–11 ▪ Wilkinson-Stone-Abel **4**, 1–159; II **6**, 1–150 ▪ s. a. Mangan. – *[CAS 13601-24-6 (Methylmanganpentacarbonyl)]*

Manganosit s. Manganoxide.

Manganoxide. (a) *Manganoxid* [Mangan(II)-oxid], MnO, M_R 70,94. Grünlich-graues bis grasgrünes Pulver, D. 5,43–5,46, in Wasser unlösl., das entsteht, wenn Mangan(II)-carbonat im Wasserstoff- od. Stickstoff-Strom geglüht wird; kommt in der Natur selten als Mineral (*Manganosit*) vor.
(b) *Dimangantrioxid* [Mangansesquioxid, Mangan(III)-oxid], Mn_2O_3, M_R 157,87. Schwarzes Pulver bzw. tetragonale od. kub. Krist., D. 4,50, spaltet ab 940 °C Sauerstoff ab, unlösl. in Wasser. Herst. durch Erhitzen von Mangandioxid auf 500–800 °C od. durch Luftoxidation u. Trocknung von frisch gefälltem MnO, kann bis über 50% Fe_2O_3 als feste Lsg. aufnehmen, wobei sehr farbstarke Schwarzpigmente gebildet werden, u. kommt auch im Mineral *Braunit vor.
(c) *Trimangantetroxid* [Mangan(II,III)-oxid], Mn_3O_4, M_R 228,81. Wasserunlösl., dunkelrotbraunes bis schwarzes Pulver (Spinell-Struktur), D. 4,856, Schmp. 1705 °C, MAK 1 mg/m^3. Mn_3O_4 entsteht durch Glühen von Mn_2O_3 oberhalb 940 °C, kommt als *Hausmannit natürlich vor u. ist das beständigste Manganoxid. Verw. ebenso wie Mn_2O_3 zur Herst. von Halbleitern u. magnet. Materialien.
(d) MnO_2 s. Mangandioxid.
(e) *Dimanganheptoxid* [Mangan(VII)-oxid], Mn_2O_7, M_R 221,87. Dunkle, metall. grünlichbraun schimmernde, ölige Füssigkeit, im Durchlicht rot, D. 2,396, Schmp. 6 °C, die sich an trockener Luft bei Zimmertemp. längere Zeit unverändert hält. Beim Erwärmen zersetzt sich Mn_2O_7 langsam ab –10 °C, explosionsartig ab 95 °C zu Mangandioxid u. Ozon; zwischen diesen Temp. wird Verpuffung beobachtet. Die Schlagempfindlichkeit von Mn_2O_7 ist vergleichbar mit der des Knallquecksilbers. Beim Auflösen in viel Wasser bildet sich die violette, in reinem Zustand nicht darstellbare Permangansäure, $HMnO_4$. Organ. Stoffe (Alkohol, Ether auf Asbest) reagieren heftig unter Entzündung od. Explosion mit Mn_2O_7.
Zur Herst. gibt man mg-Mengen von gepulvertem Kaliumpermanganat in der Kälte in 90%ige Schwefelsäure (Vorsicht!); hierbei sinkt Mn_2O_7 als dunkle, ölige Flüssigkeit allmählich zu Boden.
Neben den erwähnten M. existieren noch Mn_5O_8, Mn_7O_{12} u. Mn_7O_{13}. – ***E*** manganese oxides – ***F*** oxydes

de manganèse – *I* ossidi di manganese – *S* óxidos de manganeso

Lit.: Brauer (3.) **2**, 1580, 1582 f. ▪ Gmelin, Syst.-Nr. 56, Mangan, Tl. C 1, 1973, S. 14–366 ▪ Kirk-Othmer (4.) **15**, 1000, 1003 ff., 1021 ▪ Ullmann (5.) **A 16**, 130 f. ▪ s. a. Mangandioxid. – *[HS 2820 10, 2820 90; CAS 1344-43-0 (a); 1317-34-6 (b); 1317-35-7 (c); 12057-92-0 (e)]*

Manganphosphate. (a) *Mangan(II)-phosphat*, $Mn_3(PO_4)_2 \cdot 3H_2O$, M_R 354,76, rosa od. gelblich-weiß, D. 3,102; kommt in der Natur als Mineral *Reddingit* vor. Zur Gewichtsanalyse von Mn eignet sich das aus der Mn(II)-Lsg. zu fällende Doppelsalz $(NH)_4MnPO_4 \cdot H_2O$, seidenglänzende Krist.; die Verb. geht beim Glühen über in $Mn_2P_2O_7$ (d).

(b) *Mangan(II)-dihydrogenphosphat*, $Mn(H_2PO_4)_2 \cdot 2H_2O$, M_R 248,91; dient zur Phosphatierung von Eisen u. Stahl.

(c) *Mangan(II)-hydrogenphosphat*, $MnHPO_4 \cdot 3H_2O$, M_R 150,92, rote rhomb. Krist. od. rosa Pulver.

(d) *Mangan(II)-pyrophosphat*, $Mn_2P_2O_7$, M_R 283,82, braunrosa, monoklin, D. 3,707, Schmp. 1196 °C; bildet ein Trihydrat, weißes amorphes Pulver. Die Bildung von *Mangan(III)-dihydrogenpyrophosphato-*Komplexen $[Mn_2(H_2P_2O_7)_3]^{3-}$ dient zur Bestimmung von Mn durch potentiometr. Titration; sie werden auch als Oxid.-Mittel in organ. Synth. verwendet.

(e) *Mangan(III)-phosphat*, $MnPO_4 \cdot H_2O$, M_R 149,91, graugrünes Pulver. Auf der Bildung von $MnPO_4$ beruht die Violettfärbung der Phosphorsalz-Perle (*Salzperlen).

(f) *Mangan(III)-metaphosphat*, $(MnP_3O_9)_n \cdot xH_2O$, roter Feststoff. – *E* manganese phosphates – *F* phosphates de manganèse – *I* fosfati manganici – *S* fosfatos de manganeso

Lit.: Blaue Liste, S. 84 f. ▪ Kirk-Othmer (4.) **18**, 696 ▪ Ullmann (4.) **16**, 472 ▪ Winnacker-Küchler (4.) **4**, 665 f. – *[HS 2835 29; CAS 39041-31-1 (a); 10234-99-8 (b); 7782-76-5 (c); 13446-44-1 (d); 13446-43-0 (e); 67101-52-4 (f)]*

Mangan-Proteine. *Proteine, die in ihrer *prosthetischen Gruppe Mangan enthalten. *Beisp.:* Das Wasserspaltende Protein P680 des Photosyst. II der *Photosynthese enthält eine Cluster-Verbindung mit 4 Mangan-Ionen; andere M.-P. sind *Arginase, die tier. mitochondriale *Pyruvat-Carboxylase, *Superoxid-Dismutase, *Concanavalin A. – *E* manganese proteins – *F* manganoprotéines – *I* manganoproteine – *S* manganoproteínas

Lit.: Pecoraro, Manganese Redox Enzymes, Weinheim: VCH Verlagsges. 1992.

Manganschwarz (Zementschwarz). Durch Vermahlen von Mn-Erzen (Braunit, Hausmannit, Braunstein) erhältliches schwarzes Pulver mit ca. 70% MnO_2, 18% SiO_2, 5% Fe_2O_3, das als Zement- u. Fassadenfarbe verwendet wird. – *E* manganese black – *F* noir de manganèse – *I* nero di manganese – *S* negro de manganeso – *[HS 3206 49]*

Manganspat s. Rhodochrosit.

Mangan-Stähle. Eine Gruppe Mangan-legierter *Stähle mit perlit., martensit. od. austenit. Gefügeausbildung, s. Martensit, Perlit, Austenit. Techn. bedeutsam sind die perlit. M.-S. (0,3–1,0% C, 0,8–2,0% Mn), die als Werkzeugstähle für Warmgesenke, Gewindebohrer, Verschleißteile u. ä. eingesetzt werden, sowie die austenit. M.-S. (0,9–1,3% C, 10–14% Mn), die in der Hartzerkleinerung für Hämmer, Brechbacken u. ä. in Gesteins- u. Erzbrechern verwendet werden. Die letztgenannten M.-S. sind auch als *Mangan-Hartstähle* bekannt u. zeichnen sich durch eine beträchtliche Verfestigung bei Kaltverformung aus. Mangan (bis ca. 10%) findet sich auch in korrosionsbeständigen, austenit. Hochleistungsstählen zusammen mit 20–24% Cr, 15–22% Ni u. 5–7% Mo. – *E* manganese steel – *F* aciers au manganèse – *I* acciai al manganese – *S* aceros al manganeso

Lit.: Houdremont, Handbuch der Sonderstahlkunde, 3. Aufl., Bd. I, S. 492 ff., Berlin: Springer ▪ Verein Deutscher Eisenhüttenleute (Hrsg.), Werkstoffkunde Stahl, Bd. I/II, Berlin: Springer 1989.

Mangansulfate. (a) *Mangan(II)-sulfat*, $MnSO_4$, M_R 151,00. In wasserfreiem Zustand fast rein weiße, beständige Verb., D. 3,25, Schmp. 700 °C, Sdp. 850 °C (Zers.), die beim Abrauchen der meisten Mn-Verb. mit Schwefelsäure entsteht. Aus wäss. Lsg. kristallisieren rosafarbene Hydrate: $MnSO_4 \cdot 7H_2O$ (*Mallardit*, monokline Krist., unterhalb 9 °C beständig), $MnSO_4 \cdot 5H_2O$ (*Manganvitriol*, in Berührung mit der Lsg. zwischen 9 °C u. 26 °C beständig, mit Kupfersulfat isomorph), $MnSO_4 \cdot 4H_2O$ [Mangansulfat des Handels, entsteht beim Eindunsten der Mangan(II)-sulfat-Lsg. bei 35–40 °C, monoklin] u. $MnSO_4 \cdot H_2O$ (Monohydrat). Alle diese Verb. sind in Wasser sehr leicht lösl., in Alkohol unlösl.; sie verwittern an offener Luft allmählich, mit Ausnahme des Monohydrats.

Verw.: In der Färberei, Zeugdruckerei, Porzellanfabrikation, zur Desinfektion, Holzbeize, in der mikroskop. Technik u. Maßanalyse, zur elektrolyt. Abscheidung von reinem Mangan u. Mangandioxid, als Zusatz für Mineral- u. Kraftfuttermischungen, zur Bekämpfung der Dörrfleckenkrankheit beim Getreide.

(b) *Mangan(III)-sulfat*, $Mn_2(SO_4)_3$, M_R 398,05. Grüne Krist., D. 3,24, bei 160 °C Zers.; entsteht durch Elektrolyse stark saurer $MnSO_4$-Lsg. u. wurde früher als Oxid.-Mittel bei organ. Synth. verwendet.

(c) *Mangan(IV)-sulfat*, $Mn(SO_4)_2$, M_R 247,05. Schwarze, als Oxid.-Mittel verwendete Krist., die durch anod. Oxid. von $MnSO_4$ in stark saurer Lsg. entstehen. – *E* manganese sulfates – *F* sulfates de manganèse – *I* solfati di manganese, solfati manganosi – *S* sulfatos de manganeso

Lit.: Brauer (3.) **3**, 1589 ▪ Gmelin, Syst.-Nr. 56, Mangan, Tl. C 6, 1976, S. 81–256 ▪ Kirk-Othmer (4.) **15**, 1000 ▪ Ullmann (5.) **A 16**, 132 f. ▪ Winnacker-Küchler (4.) **2**, 641 ▪ s. a. Mangan. – *[HS 2833 29; CAS 7785-87-7 (a); 10034-96-5 ($MnSO_4 \cdot H_2O$); 15244-36-7 ($MnSO_4 \cdot xH_2O$); 13444-72-9 (b); 97730-66-0 (c)]*

Mangansulfide. (a) *Mangan(II)-sulfid*, MnS, M_R 87,00. Wasserunlösl. Verb., D. 3,99, die in verschieden gefärbten Abarten [fleischfarben, grün, orangerot (metastabil)] vorkommt. Gießt man zu $MnCl_2$ od. $MnSO_4$ eine Lsg. von Schwefelammonium (s. Ammoniumhydrogensulfid) od. Natriumsulfid, so entsteht meist ein fleischfarbener od. auch etwas gelblicher Niederschlag von wasserhaltigem MnS, der beim Kochen in die stabilere, grüne Form übergeht, die in der Natur als *Alabandin vorkommt u. ein Steinsalzgitter

aufweist. An der Luft wird der fleischfarbene MnS-Niederschlag unter Braunstein-Abscheidung gebräunt.
(b) *Mangan(II)-disulfid*, MnS_2, M_R 119,06, kommt in der Natur als *Mangankies* vor u. spaltet beim Erhitzen leicht Schwefel ab. Das Mangan ist nach magnet. Messungen hier nicht 4-, sondern 2-wertig; MnS_2 krist. im Pyrit-Gitter. – ***E*** manganese sulfides – ***F*** sulfures de manganèse – ***I*** solfuri manganici – ***S*** sulfuros de manganeso

Lit.: Brauer (3.) **3**, 1587 ff. ▪ Gmelin, Syst.-Nr. 56, Mangan, Tl. C 6, 1976, S. 2–39. – *[HS 2917 19; CAS 18820-29-6 (MnS); 12125-23-4 (MnS₂)]*

Mangantongranat s. Spessartin.

Manganviolett (Nürnberger Violett, Mineralviolett). Violettes Farbpigment für die Malerei aus Mangan(III)-ammoniumdiphosphat, $Mn(NH_4)P_2O_7$.
Lit.: Ullmann (3.) **13**, 800. – *[CAS 10101-66-3]*

Manganvitriol s. Mangansulfate.

Mangelmutanten s. Defektmutanten.

Mango. Pflaumenförmige, fleischige Steinfrüchte des aus Indien stammenden Mangobaumes (*Mangifera indica*, Anacardiaceae), der auch in den subtrop. Gebieten Afrikas u. Amerikas in mehr als 1000 Sorten kultiviert wird. Der M.-Baum ist immergrün u. wird bis 30 m hoch. Die bis 25 cm lange u. 2 kg schwere Steinfrucht besitzt eine ledrige Schale u. ein saftiges, eßbares Mesokarp. Die orange-grünen Früchte enthalten 81% Wasser, 0,4% Eiweiß, 0,4% Fette u. ca. 17% Kohlenhydrate sowie die Vitamine A, B u. C. Die M.-Früchte, deren Aroma z. T. auf *cis*-*Ocimen, β-*Myrcen u. Furaneol zurückgeht, können roh, als Mus od. Marmelade genossen werden; für *Mango-Chutney* werden unreife Früchte mit Ingwer, Rosinen, Pfeffer, Zucker u. anderen Gewürzen eingekocht. Aus dem Harn von mit M.-Blättern gefütterten Kühen wird *Indischgelb gewonnen. 1994 wurden 18,45 Mio. t M. geerntet, mit 10 Mio. t allein in Indien. – ***E*** = ***I*** = ***S*** mango – ***F*** mangue

Lit.: Franke, Nutzpflanzenkunde, 6. Aufl., S. 306 f., Stuttgart: Thieme 1997. – *[HS 0804 50]*

Mangostane. Etwa orangengroße, rotviolette Frucht des in Malaysia heim. gleichnamigen, bis 12 m hohen Baumes *Garcinia mangostana*, Guttiferae. Die intensiv violett färbende Fruchtschale umschließt weißes, aromat. schmeckendes Fruchtfleisch, das die harten Kerne umgibt. Ein voll entwickelter Baum liefert ca. 500 Früchte pro Jahr. – ***E*** mangosteen – ***F*** mangoustan du Malabar – ***I*** mangostani – ***S*** mangustán

Lit.: Franke, Nutzpflanzenkunde, 6. Aufl., Stuttgart: Thieme 1997.

Mangrovenrinde. Rinde der Sproßachsen u. Wurzeln von den an trop. Meeresküsten im Salzwasser-Gezeitenbereich wachsenden *Rhizophora*-Bäumen. M. (Gerbstoffgehalt 10–40%) wird als *Cutchextrakt* in der Gerberei verwendet. – ***E*** mangrove bark – ***F*** écorce de mangrove – ***I*** corteccia di mangrovia – ***S*** corteza de mangle

Lit.: Franke, Nutzpflanzenkunde, 6. Aufl., Stuttgart: Thieme 1997 ▪ s. a. Gerberei u. Gerbstoffe. – *[HS 1404 90]*

Manhattan Project s. Kernwaffen, S. 2136.

Maniladiol s. Oleanan.

Manilahanf (Abaka-, Musa-, Bananenfaser, Kurzz. AB nach DIN 60001-4: 1991-08). Eine *Hartfaser aus Blattscheiden der Faserbanane (*Musa textilis*). Diese ist kein *Hanf-, sondern ein Bananen-Gewächs auf den Philippinen, Java, Borneo u. in Indien u. wird nach 3 Jahren 5–7 m hoch. Die hellgrauen Blattfasern sind fest, zäh, leicht u. witterungsbeständig. M. wird zu Schiffstauwerk, Netzen, Matten u. Hutgeflechten verwendet. – ***E*** Manila hemp, abaca fiber – ***F*** chanure de Manille, abaca – ***I*** canapa di Manila, abaca – ***S*** abacá, cañamo de Manila

Lit.: Brücher, Tropische Nutzpflanzen, S. 366 f., Berlin: Springer 1977 ▪ Kirk-Othmer (3.) **10**, 186 f.; (4.) **10**, 737 ▪ Ullmann (5.) **A 5**, 391, 399. – *[HS 5305 21]*

Manilakopal (Borneo-, Singapore-, Philippinen- od. ind. *Kopal; fälschlich: Weißes *Dammarharz). Weiche bis mittelharte Kopalsorte, die auf den Sundainseln, Philippinen (bes. Luzon) u. Molukken in den Ufersanden in kleinen bis zentnergroßen Stücken gesammelt od. als Harz von Bäumen gezapft wird. Die Stammpflanze heißt *Agathis alba* (Araucariaceae). Die Kopalstücke sind gelb, rötlich, braun od. schwärzlich, durchsichtig od. durchscheinend (ohne Verwitterungsrinde), D. 1,06–1,08, Schmp. 230–250 °C, SZ 125–150, VZ 145–190, vollkommen lösl. in Alkohol, Aceton, teilw. lösl. in Benzin, Chloroform, Terpentinöl. Verw. z. B. für Papier- u. Holzharze, Wachsemulsionen. – ***E*** Manila copal – ***F*** copal de Manille – ***I*** copale Manila – ***S*** copal de Manila

Lit.: Hager (5.) **4**, 129 ▪ s. a. Kopale. – *[HS 1301 90]*

Maniok (Mandioka, Cassava, Kassava, Yucca). Aus den trop. Gebieten Amerikas stammendes u. in Afrika, Indien u. Ostasien angebautes, äußerst genügsames Wolfsmilchgewächs (*Manihot esculenta*, Euphorbiaceae), das von allen Knollengewächsen den höchsten Stärke-Ertrag pro ha liefert. Die Stärke kommt teilverkleistert als **Tapioka* od. *echter *Sago* in den Handel. Die 60–80 cm langen M.-Wurzeln, die 20–40% Stärke enthalten, werden zerrieben u. das durch Abpressen erhaltene Mehl in flachen Schalen auf offener Flamme erhitzt, um die *cyanogenen Glykoside *Linamarin u. Lotaustralin zu zerstören.
Toxikologie: Die in M.-Wurzeln enthaltenen cyanogenen Glykoside *Linamarin (Phaseolunatin, Blausäure-Gehalte ca. 50 mg/100 g) u. Lotaustralin können auf Grund ihrer β-glykosid. Bindung zwar nicht von *Glucosidasen des Menschen, wohl aber von β-Glucosidasen der Darmbakterien gespalten werden, so daß *Blausäure entstehen kann. Das intakte Glykosid ist nicht toxisch. Ein weiterer enzymvermittelter Aktivierungsschritt ist über die beim Verletzen der Pflanzenzellen freigesetzte Linamarinase nachgewiesen. In bestimmten Gebieten Afrikas treten Cyanid-Vergiftungen (Ataxie) epidem. auf; zum Nachw. von Cyaniden in M. s. *Lit.*[1]. Darüber hinaus enthält M. strumigene Thioglykoside, die nach entsprechender Aktivierung *Thiocyanat generieren, so daß einseitige Ernährung mit M.-Stärke zu Iod-Mangelzuständen u. Kropfbildung führen kann. Einen Überblick über die Belastung von M.-Mehlen mit *Mykotoxinen gibt *Lit.*[2]. Über hautsensibilisierende Inhaltsstoffe (Diter-

pene, z. B. Ingenol) in Euphorbiaceen, aber nicht im M., berichtet *Lit.*[3]. Auf Grund der wirtschaftlichen Bedeutung (154 Mio. t 1991 angebaut) als Stärkelieferant, sind inzwischen Verf. zur Detoxifizierung von M. entwickelt worden[4]. Um Ernteausfälle zu vermeiden u. gleichzeitig ökolog. zu wirtschaften werden biolog. Verf. zur Schädlingsbekämpfung bei M. entwickelt[5].
Zusammensetzung: Pro 100 g eßbare Substanz der Wurzel: 12,6 g Wasser, 0,6 g Proteine, 0,2 g Fette u. 86,4 g Kohlenhydrate sowie 4 mg Na, 20 mg K, 12 mg Ca, 2 mg Mg, 1 mg Fe, 0,69 mg Mn, 12 mg P, 4 mg S u. 16 mg Cl.
Verw.: Gekörnte M.-Stärke liefert den echten *Sago*. Aufgrund der hohen Heißviskosität u. der guten Transparenz wird M.-Stärke auch als *Verdickungsmittel eingesetzt. Die Blätter von M. enthalten bis zu 7% Eiweiß u. werden von manchen Völkern als *Gemüse verzehrt. M. wird industriell zu *Glucose u. *Alkohol verarbeitet od. als Pellet in der Schweinemast verwendet. – ***E*** manioc, cassava, mandioca – ***F*** manioc – ***I*** manioca – ***S*** mandioca, yuca brava, guacamote

Lit.: [1] J. Sci. Food Agric. **55**, 277–290 (1991). [2] J. Assoc. Off. Anal. Chem. **72**, 22–26 (1989). [3] Interdiscip. Sci. Rev. **14**, 241–247 (1989). [4] Lebensmittelchem. **48**, 106 (1994). [5] Naturw. Rundsch. **48**, 65 f. (1995).
allg.: Baltes, Lebensmittelchemie (4.), Berlin: Springer 1995 ▪ Food Mark. Technol **8**, Nr. 4, 18 ff. (1994) ▪ Fülgraff, Lebensmitteltoxikologie, S. 219, Stuttgart: Ulmer 1989 ▪ Gassner, Mikroskopische Untersuchung pflanzlicher Lebensmittel (5.), S. 75, Stuttgart: Fischer 1989 ▪ Heiss, Lebensmitteltechnologie (5.), Berlin: Springer 1996 ▪ Herrmann, Exotische Lebensmittel (2.), S. 97, Berlin: Springer 1987 ▪ Lindner, Toxikologie der Nahrungsmittel (4.), S. 15 f., Stuttgart: Thieme 1990 ▪ New Sci. **122**, 63 (1989) ▪ Ullmann (5.) **A 9**, 619. – *[HS 0714 10]*

Manjiroit s. Braunsteine u. Hollandit.

Manna (*das* od. *die* M., von hebrä.: man = aramä.: manna = Geschenk). Alttestamentar. Name für die beim Exodus der Juden vom Himmel gefallene Nahrung, bei der es sich wahrscheinlich um das Sekret (Honigtau, s. Honig) der auf Tamarisken (*Tamarix mannifera*) lebenden Manna-Schildlaus (*Coccus manniparus*) gehandelt hat. Heute Bez. für den eingetrockneten süßen Saft der in Süditalien verbreiteten Manna-Esche (*Fraxinus ornus*, Ölbaumgewächs), der 5,9% Wasser, 0,2% Fett, 2,8% Protein, 5,2% anorgan. Substanzen, 6,7% Cellulose, ca. 80% lösl. Kohlenhydrate [Glucose, Fructose (ca. 10%), Saccharose, Mannit (40–60%), Trehalose, Raffinose, Melecitose usw.] enthält. M. wird als Abführmittel u. zur Mannit-Gewinnung verwendet. Madagaskar-Manna, das *Dulcit liefert, stammt vom Wachtelweizen (*Melampyrum nemorosum*, Scrophulariaceae). Auch verschiedene andere Pflanzen liefern M., z. B. die Manna-Flechte (*Lecanora esculenta*), die Röhren-Kassie (*Cassia fistula*; Früchte als „M.-Brot"), der Hülsenfrüchtler *Alhagi maurorum* (Ausscheidungen der Blätter als „M.-Klee"), die nordamerik. Zuckerkiefer (*Pinus lambertiana*; sog. „Kaliforn. M.") u. der Flutende Schwaden (*Glyceria fluitans*; Früchte). – ***E*** = ***I*** manna – ***F*** manne – ***S*** maná

Lit.: Franke, Nutzpflanzenkunde, 6. Aufl., Stuttgart: Thieme 1997. – *[HS 1302 19]*

Mannane. Gruppenbez. für Glykane, die aus *Mannose-Einheiten aufgebaut sind. Die Ketten bestehen aus 1→4-verknüpften Mannose-Einheiten, die in der β-Pyranose-Form vorliegen. Ein in allen Nadelhölzern häufiger Vertreter der M. ist *Glucomannan*, ggf. mit *O*-Acetyl- u. Galactosyl-Seitenketten (*Galactoglucomannan*), das sich auch in Hefen, Hefeextrakten u. Orchideenknollen findet. Als Verdickungsmittel in der Lebensmittel-Ind. u. als Tablettierhilfsmittel in der Pharma-Ind. werden die *Galactomannane* aus den Früchten des *Johannisbrotbaumes u. aus *Guar-Mehl verwendet. Sie bestehen aus β1-4-Mannose-Ketten, an die Galactose-Mol. als kurze α1→6-Verzweigungen geknüpft sind. Hydrolyse der M. liefert *Mannose. – ***E*** mannans – ***F*** mannanes – ***I*** mannani – ***S*** mananos

Lit.: Adv. Carbohydr. Chem. Biochem. **31**, 241–312 (1975); **33**, 398 (1976); **35**, 341–376 (1978); **41**, 68–104 (1983) ▪ Pharm. Ind. **42**, 1292 ff. (1980); **43**, 570 f., 672 ff., 1238 ff. (1981) ▪ Pharm. Unserer Zeit **3**, 48–62 (1974); **14**, 140 (1985). – *[CAS 11078-31-2 (Gluco-M.); 11078-30-1 (Galacto-M.)]*

Mannazucker s. Mannit.

Mannesmann. Kurzbez. für das 1890 gegr. Unternehmen Mannesmann AG, 40027 Düsseldorf. *Daten* der M.-Gruppe (1995): 119207 Beschäftigte, 1,8 Mrd. DM Kapital, 34,9 Mrd. DM Umsatz. *Führungsunternehmen:* Mannesmann Demag AG, Duisburg, Mannesmann Demag Fördertechnik, Mannesmann Rexroth GmbH, Lohr/Main, Krauss Maffei AG, München, Fichtel & Sachs AG, Schweinfurt, Mannesmann Mobilfunk GmbH, Düsseldorf, Mannesmannröhren-Werke AG, Düsseldorf, Mannesmann Handel AG, Düsseldorf. *Produktion:* Maschinen u. Anlagen, Syst. u. Komponenten für Kraftfahrzeuge, Erzeugnisse der hydraul., pneumat. u. elektr. Antriebstechnik, Meß-, Automatisierungs- u. Informationstechnik, Telekommunikation, Stahlrohre, Dienstleistungen u. weltweiter Handel.

Mannheimer Gold. Kupfer-Zink-Zinn-Leg. (*Messing) mit ca. 15% Zn u. 5% Sn, die ihre bevorzugte Verw. in der Schmuck-Ind. findet. – ***E*** Mannheim gold – ***F*** or de Mannheim – ***I*** oro di Mannheim – ***S*** oro de Mannheim

Mannich, Carl U. F. (1877–1947), Prof. für Pharmazeut. Chemie, Univ. Berlin. *Arbeitsgebiete:* Keto-Enol-Tautomere, Ketobasen, Alkoholbasen, Piperidin-Derivate, Papaverin, Lactone, Digitalisglykoside, *Mannich-Reaktion.

Lit.: Neufeldt, S. 137 ▪ Pötsch, S. 288 f.

Mannich-Basen s. Mannich-Reaktion.

Mannich-Reaktion. Ein von *Mannich gefundener Spezialfall der *Aminoalkylierung, bei dem Formaldehyd die Rolle der Carbonyl-Komponente übernimmt. Dieser wird mit Ammoniak in Form eines Ammonium-Salzes u. mit einer Verb. mit einem aktiven, d. h. als Proton abspaltbaren Wasserstoff-Atom, kondensiert. Die Rolle des Ammoniaks können auch prim. od. sek. (s. Abb. a, S. 2526) Amine u. Amide übernehmen, wobei dann am Stickstoff substituierte *Mannich-Basen*, wie die Endprodukte der M.-R. genannt werden, entstehen. Die Palette der aktiven Wasserstoff-Komponenten reicht von Aldehyden, Ketonen,

Estern, Nitroalkanen, Nitrilen, Aromaten, Heteroaromaten, Alkinen bis zu Blausäure, Alkoholen u. Thiolen. Der durch Säuren katalysierte Mechanismus der M.-R. verläuft über ein aus Formaldehyd u. der Amin-Komponente gebildetes Iminium-Ion als Zwischenstufe; dies wird dadurch bestätigt, daß stabile Iminium-Salze, wie Dimethyl(methylen)iminiumiodid (*Eschenmosers Salz*[1]) in der M.-R. eingesetzt werden können.

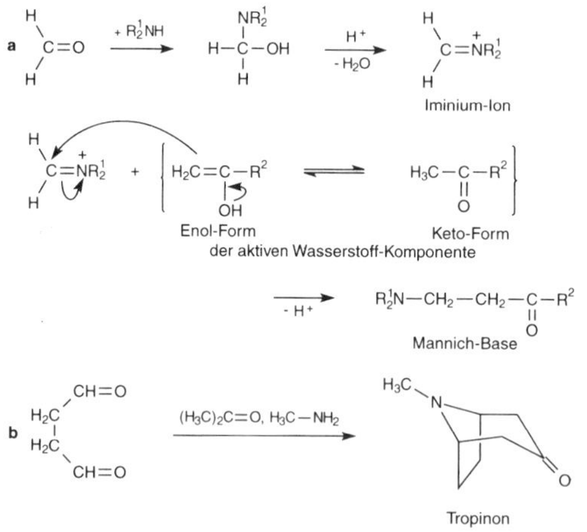

Abb.: Mannich-Reaktion.

Die Bedeutung der M.-R. liegt darin, daß die Mannich-Basen als *β*-Amino-aldehyde od. -ketone leicht einer *β*-Eliminierung unterworfen werden können, wodurch *α,β*-ungesätt. Carbonyl-Verb. zugänglich werden. Eine weitere Anw. besteht in der Möglichkeit, Naturstoffe, z.B. Alkaloide, od. Aza-Makroheterocyclen[2] vom Kronenether-Typ herzustellen. Ein klass. Beisp. ist die von Sir R. *Robinson durchgeführte Synth. von Tropinon (s. Abb. b). – ***E*** Mannich reaction – ***F*** réaction de Mannich – ***I*** reazione di Mannich – ***S*** reacción de Mannich

Lit.: [1] Angew. Chem. **83**, 355 (1971); **88**, 261 (1976). [2] Synlett **1996**, 933–948.

allg.: Angew. Chem. **68**, 265 (1956) ▪ Hassner-Stumer, S. 241 ▪ Isr. J. Chem. **37**, 23 (1997) ▪ Krauch u. Kunz, Reaktionen der Organischen Chemie (6.), S. 113, Heidelberg: Hüthig 1997 ▪ Laue-Plagens, S. 214 ▪ March (4.), S. 900 ff. ▪ Org. Prep. Proced. Int. **28**, 618–622 (1996) ▪ Org. React. **1**, 303 (1942); **7**, 99 (1953) ▪ Trost-Fleming **2**, 893 ff.

Mannit (D-Mannit, D-Mannitol, Mannazucker).

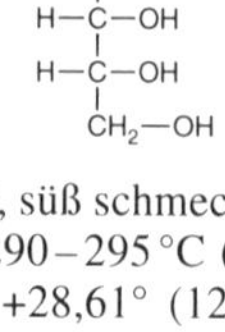

$C_6H_{14}O_6$, M_R 182,17, süß schmeckende Krist., Schmp. 166–168 °C, Sdp. 290–295 °C (0,47 kPa), D_4^{20} 1,52, $[\alpha]_D^{20}$ –0,5° (H_2O), +28,61° (12,8%ige Borax-Lsg.). Der Zuckeralkohol M. gehört zu den *Hexiten. Er kommt in zahlreichen Pflanzen vor u. ist Hauptbestandteil (40–60%) von *Manna. Braunalgen (z.B. *Laminaria cloustoni*) enthalten im Sommer bis zu 40% ihres Trockengew. an Mannit. Marine Tange bilden M. als frühes Photosynth.-Produkt. M. wird in Algen, Pilzen u. Flechten als Reservestoff gespeichert[1]. Coccidien (parasitäre Mikroorganismen) verfügen über einen M.-Cyclus für ihre Energieversorgung[2]. M. wird techn. durch Hydrierung des Fructose-Anteils von Invertzucker gewonnen. Es fällt als Gemisch mit *Sorbit an.
Verw.: Als Lötmittelzusatz, für Elektrolytkondensatoren, zur Produktion synthet. Harze, als Füllstoff in der pharmazeut. Ind.[2], für Bakteriennährböden, als Reagenz zur Borsäure-Titration, zur Synth. des gefäßerweiternd wirkenden *Mannit(ol)hexanitrats, als Ausgangsreagenz in der asymmetr. Synth.[2], als Süßstoff[3], Abführmittel, zur Anurieprophylaxe, in der Lebensmittel-Ind. zur Erhaltung der Streufähigkeit von hygroskop. Stoffen (M. ist nicht hygroskop.), als Schmiermittel u. Stabilisator. – ***E*** mannitol – ***F*** mannitol, mannite – ***I*** mannitolo, mannite – ***S*** manitol, manita

Lit.: [1] Physiol. Veg. **23**, 95–106 (1985). [2] Parasitol. Today **5**, 205 (1989). [3] Dev. Sweeteners **2**, 1–25 (1983); Dietary Sugars in Health and Disease, Bd. 4, Mannitol (Report PB 300-716/AS), Springfield: NTIS 1979; Food Chem. **16**, 231–241 (1985); Food Sci. Technol. **17**, 165–183 (1986); Kokoski, in Williams, Sweeteners: Health Eff., Proc. Int. Conf., S. 127–136, Princeton: Princeton Sci. Publ. 1988.

allg.: Beilstein E IV **1**, 2841 ff. ▪ Carbohydr. Res. **164**, 493 (1987) ▪ Hager (5.) **8**, 812 ff. ▪ Ind. Aliment. Agric. **106**, 757 (1989) ▪ Karrer, Nr. 148 ▪ Kirk-Othmer (3.) **1**, 754 ▪ Starch **37**, 136 (1985) ▪ Ullmann (5.) **A 5**, 90. – *[HS 1702 90, 2905 43; CAS 69-65-8]*

Mannit(ol)hexanitrat (Hexanitromannit, Nitromannit, MHN). E 

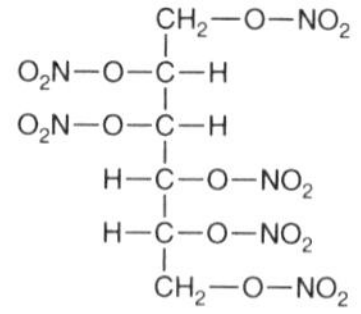

$C_6H_8N_6O_{18}$, M_R 452,15, D. 1,6, Schmp. 112–113 °C, Verpuffungspunkt 185 °C, farblose, explosive Kristallnadeln, unlösl. in Wasser, lösl. in Aceton, Ether u. heißem Ethanol. M. ist ein sehr brisanter Explosivstoff u. schwierig zu stabilisieren, er wurde in den USA verwendet als Initialladung in Sprengkapseln u. elektr. Zündern. Explosivtechn. Daten: Sauerstoffbilanz +7,1%, Explosionswärme 6385 kJ/kg, Normalgasvol. 755 l/kg, Detonationsgeschw. 8260 m/s, Bleiblockausbauchung 510 mL/10 g, Schlagempfindlichkeit 0,8 J (vgl. Explosivstoffe).

Verw.: In der Medizin findet M. unter dem von der WHO vorgeschlagenen Freinamen *Mannitolhexanitrat* in geringem Umfang Anw. als gefäßerweiterndes Mittel bei Angina pectoris. – ***E*** mannitol hexanitrate – ***F*** hexanitrate de mannitol – ***I*** esanitrato di mannite (mannitolo), esanitrosmannite – ***S*** hexanitrato de manitol

Lit.: Beilstein E IV **1**, 2849 ▪ Hager (5.) **8**, 815 f. ▪ Kirk-Othmer (4.) **10**, 5 ▪ Köhler u. Meyer, Explosivstoffe, 8. Aufl., Weinheim: VCH Verlagsges. 1995 ▪ Ullmann (4.) **21**, 659; (5.) **A 8**, 5 ▪ Winnacker-Küchler (4.) **7**, 366. – *[HS 2920 90; CAS 15825-70-4]*

manno-. Kursiv gesetztes Präfix zur Kennzeichnung einer bestimmten Konfiguration bei Kohlenhydraten; vgl. Aldohexosen. – ***E*** = ***F*** = ***I*** manno- – ***S*** mano-

Mannomustin (Rp).

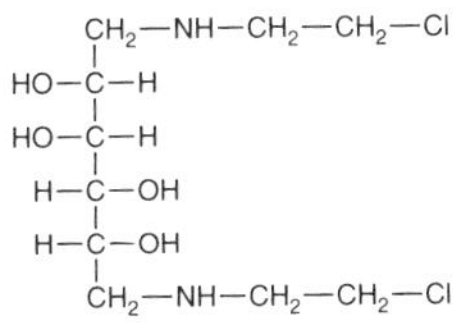

Internat. Freiname für das *Cytostatikum 1,6-Bis-(2-chlorethylamino)-1,6-didesoxy-D-mannit, $C_{10}H_{22}Cl_2N_2O_4$, M_R 305,20, Schmp. 250 °C, Zers. bei 278 °C; lösl. in Wasser, Ethanol u. Pyridin. Verwendet wird das Dihydrochlorid, Schmp. 239–241 °C (Zers.); $[\alpha]_D^{20}$ +18,46° (c 1,81/H_2O), LD_{50} (Ratte i.v.) 56 mg/kg. – ***E*** = ***F*** mannomustine – ***I*** mannomustina – ***S*** manomustina

Lit.: Beilstein E IV **4**, 1911 ▪ Hager (5.) **8**, 816 ▪ Martindale (29.), S. 633. – *[HS 2922 19; CAS 576-68-1 (M.); 551-74-6 (Hydrochlorid)]*

Mannose (D-Mannose, Seminose, Carubinose, Kurzz. Man).

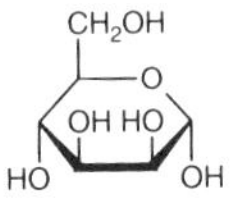

α-Form

$C_6H_{12}O_6$, M_R 180,15, süß schmeckendes Pulver. M. bildet eine α-Pyranose- {Schmp. 133 °C, $[\alpha]_D^{20}$ +30° → +15° (H_2O)} u. eine β-Pyranose-Form {Schmp. 132 °C (Zers.), $[\alpha]_D^{20}$ −16° → +15° (H_2O)}, ist leicht lösl. in Wasser u. Pyridin, lösl. in Methanol u. Ethanol, reduziert Fehlingsche Lsg. u. zeigt *Mutarotation. M. wird durch Hefe vergärt. M. gehört zu den *Hexosen u. ist das 2-Epimere der D-*Glucose. In freiem Zustand kommt M. nur vereinzelt vor (z. B. in Orangenschalen), häufig in glykosid. Form gebunden u. weit verbreitet in komplexen Kohlenhydraten, den sog. *Mannanen (z. B. in der Steinnuß, Johannisbrotsamen, Luzernenkernen, *Guar-Mehl, Orchideenknollen u. Seetang). M. ist bienengiftig [1]. – ***E*** = ***F*** mannose – ***I*** mannosio – ***S*** manosa

Lit.: [1] Science **131**, 297 f. (1960).
allg.: Beilstein E IV **1**, 4328–4333 ▪ Bull. Chem. Soc. Jpn. **66**, 2268 (1993) ▪ Carbohydr. Res. **191**, 150 (1989) ▪ Karrer, Nr. 612 ▪ Merck-Index (12.), Nr. 5791. – *[HS 2940 00; CAS 3458-28-4 (D-M.); 31103-86-3 (M.); 7296-15-3 (α-Pyranose-Form); 7322-31-8 (β-Pyranose-Form)]*

Mannose-bindendes Protein (Mannose-bindendes Lektin, Mannan-bindendes Protein, MBP). Zu den *Collectinen gehörendes oligomeres *Protein (meist dimer bis tetramer; M_R 32 000 je Untereinheit, die aus 3 Polypeptid-Ketten besteht), das (als C-Typ-*Lektin in Anwesenheit von Calcium-Ionen) *Kohlenhydrate bzw. *Glykoproteine mit endständigen *Mannose- u. *N*-Acetylglucosamin-Resten bindet. Als *Akutphasen-Protein steigt seine Konz. im *Serum bei Infektionen an. Durch Bindung an Oberflächen-Kohlenhydrate von Bakterien (z. B. *Lipoteichonsäuren [1]) bereitet es diese zur *Phagocytose vor (Opsonisierung vgl. Opsonine). Außerdem kann MBP das *Komplement-Syst. aktivieren [2]. – ***E*** mannose-binding protein – ***F*** protéines de liaison de la mannose – ***I*** proteina mannosio-legante – ***S*** proteína de enlace de manosa

Lit.: [1] Infect. Immun. **64**, 380–383 (1996). [2] Nature (London) **386**, 506–510 (1997).
allg.: Immunol. Today **17**, 532–540 (1996) ▪ Science **269**, 301 f. (1995).

Mannostatin A s. Cyclite.

Mannuronsäure s. Uronsäuren.

Manoalid.

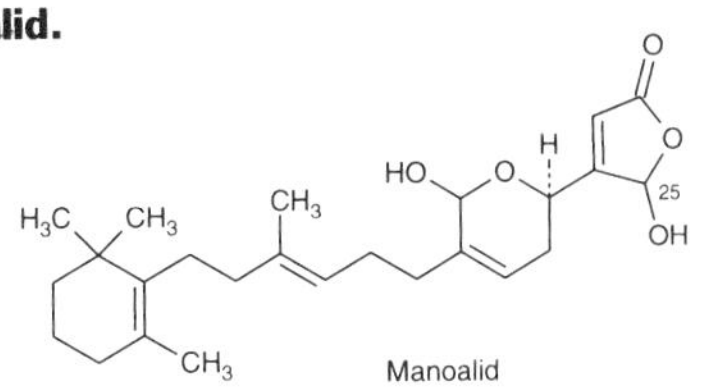

Manoalid

$C_{25}H_{36}O_5$, M_R 416,55. Amorph, als 25-Acetat: Schmp. 117–119 °C. Sesterterpenoider mariner Naturstoff aus dem Schwamm *Luffariella variabilis*, der nach dem Manoa-Tal auf Oahu, Hawaii, benannt ist. M. wirkt entzündungshemmend, analget. u. immunsuppressiv. M. hemmt das Enzym Phospholipase A2 u. die Freisetzung von Calcium-Ionen in verschiedenen Zelltypen [1]. Es befindet sich in klin. Prüfung bei Entzündungen der Haut [2]. Inzwischen wurden auch synthet. Analoga hergestellt u. untersucht, z. B. *Manoalogue* ($C_{20}H_{28}O_4$, M_R 332,41).

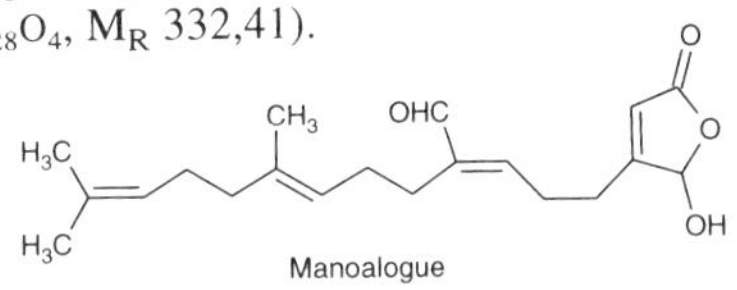

Manoalogue

Ein Artefakt, das bei der Isolierung von M. entstand, *Dehydrosecomanoalid*, wirkt stark immunsuppressiv. – ***E*** = ***F*** = ***I*** manoalide – ***S*** manoalida

Lit.: [1] Biochem. Pharmacol. **35**, 449–453 (1986); **36**, 733–740, 2079 (1987); **37**, 2899–2905, 3639 (1988); Biochem. Biophys. Acta **917**, 258–268 (1987); Br. J. Pharmacol. **92**, 843–849 (1987); Drug Dev. Res. **10**, 205–220 (1987); J. Biol. Chem. **264**, 8520–8528 (1989); J. Pharmacol. Exp. Ther. **244**, 871–878 (1988); Mol. Pharmacol. **32**, 587–593 (1987); **36**, 782–788 (1989). [2] Drugs Future **15**, 460 ff. (1990).
allg.: Fautin, Biomedical Importance of Marine Organisms, S. 133–142, San Francisco: California Acad. Sci. Publ. 1988 (Review) ▪ J. Nat. Prod. **51**, 326–334 (1988) ▪ Tetrahedron **41**, 981 (1985); **50**, 8793 (1994). – *Synth.:* Synthesis **1996**, 171 ▪ Tetrahedron Lett. **26**, 5827–5830 (1985); **27**, 4533–4536 (1986); **29**, 1173–1176, 2401–2404 (1988). – *[CAS 75088-80-1]*

Manoalogue s. Manoalid.

Manometer. Geräte zur Druckmessung in Gasen u. Flüssigkeiten. Während *Barometer bei der Luftdruckmessung abs. Druckwerte messen, wird üblicherweise von den M. ein Differenzdruck [Unter- (Vak.-Meter, s. Vakuumtechnik) od. Überdruck] gegenüber dem Atmosphärendruck angezeigt. Im Gebrauch sind *Flüssigkeits-M.* (U-Rohr-, Schrägrohr-, Gefäß-M.), die gewöhnlich mit Quecksilber od. einer anderen Flüssigkeit hoher Dichte gefüllt sind. In der Technik werden vorwiegend *Deformations-M.* verwendet, deren Funktionsweise auf der Verformung einer Feder (Röhrenfeder-, Plattenfeder-M.) u. dgl. beruht. Sie sind auch z. B. für Hochdruckmessungen in

Autoklaven geeignet. Auch piezoelektr. Erscheinungen, Wärmeleitfähigkeit, Gasionisation u. andere physikal. Effekte werden zur Druckmessung ausgenutzt. Es ist vom zu messenden Druckbereich abhängig, welcher M.-Typ am besten geeignet ist, Details s. a. Vakuumtechnik. *Manostaten* sind dagegen Geräte, die den Druck konstant halten. – ***E*** manometers – ***F*** manomètres – ***I*** manometro – ***S*** manómetros

Lit.: Kohlrausch, Praktische Physik 1, S. 111–127, Stuttgart: Teubner 1996.

Manometrischer Respirationstest s. biologische Abbaubarkeit.

Manostat s. Manometer.

Mansfelder Kupferschiefer s. Kupferschiefer.

Manteltabletten s. Tabletten.

Manumycine.

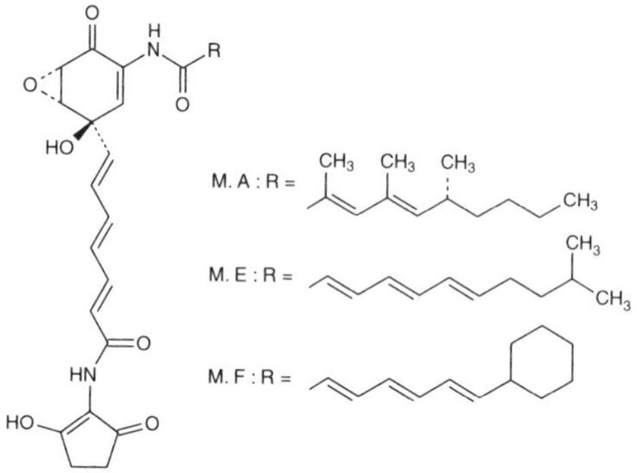

Aus Streptomyceten (z. B. *Streptomyces parvulus*) isolierte Antibiotika (Komponenten A–G). Die M. unterscheiden sich u. a. in der am Sechsring amid. gebundenen Seitenkette (Anzahl der C-Atome u. Doppelbindungen, Verzweigungen):
M. A.: $C_{31}H_{38}N_2O_7$, M_R 550,65, blaßgelbe Krist., Schmp. 139–141 °C (Zers.), $[\alpha]_D$ –185° ($CHCl_3$), wirkt gegen Gram-pos. Bakterien, außerdem antifung., insektizid u. cytotox. (L1210: 0,93 µg/mL). M. A inhibiert die polymorphonukleare Leucocyten-Elastase u. Ras-Farnesyltransferase. Diese Enzyme spielen bei der Metastasierung bzw. beim ungehemmten Wachstum von Tumorzellen eine Rolle, ihre selektive Hemmung würde eine Tumortherapie eröffnen, bei der nicht die DNA der Angriffsort wäre. *M. E:* $C_{30}H_{34}N_2O_7$, M_R 534,61, gelbes Pulver, Schmp. >250 °C (Zers.), $[\alpha]_D$ +128° (Aceton); *M. F* (Asukamycin): $C_{31}H_{34}N_2O_7$, M_R 546,62, gelbes Pulver, Schmp. >250 °C (Zers.), $[\alpha]_D$ +500° (CH_3CN).
Die Biosynth. der M. ist komplex: Dem Sechsring liegt eine C_7N-Startereinheit zugrunde (aus Succinat u. Glycerin), es sind zwei Polyketid-Synthasen beteiligt, Oxygenasen für zwei O-Atome am Sechsring u. Amidasen, die die Seitenkette u. den C_5N-Teil mit dem Gerüst verknüpfen. Die C_7N-Startereinheit kann bei der Vorläufer-dirigierten Biosynth. durch Amino- u. Hydroxybenzoesäuren ersetzt werden. Es entstehen M. mit aromat. Mittelteil. Mit den M. verwandte Antibiotika werden zur M.-Gruppe zusammengefaßt (z. B. Colabomycine, Nisamycin). – ***E*** manumycins – ***F*** manumycine – ***I*** manumicina – ***S*** manumicinas

Lit.: J. Antibiot. **40**, 1530–1554 (1987); **47**, 324–333 (1994) ▪ J. Org. Chem. **58**, 6583 (1993). – *Biosynth.:* Appl. Microbiol. Biotech. **41**, 309 (1994) ▪ J. Am. Chem. Soc. **112**, 3979–3987 (1990) ▪ J. Chem. Soc., Perkin Trans. **1988**, 2123; 1 **1989**, 851 ▪ Pure Appl. Chem. **61**, 485 (1989). – *Wirkung:* Methods Enzymol. **250**, 43–51 (1995) ▪ Proc. Natl. Acad. Sci. USA **90**, 2281 (1993). – *[HS 2941 90; CAS 52665-74-4 (M. A); 156250-43-0 (M. E); 156317-47-4 (M. F)]*

Manzamin (Manzamin A, Keramamin A).

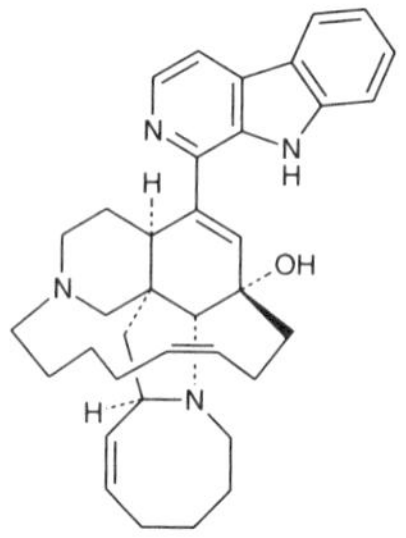

$C_{36}H_{44}N_4O$, M_R 548,77. Hydrochlorid: Schmp. >240 °C (Zers.), $[\alpha]_D$ +50° ($CHCl_3$). Polycycl. Alkaloid aus Meeresschwämmen der Gattungen *Haliclona* u. *Pellina* mit antileukäm. u. antibakterieller Wirkung. Bis 1997 wurden ca. 25 strukturverwandte Verb., die Manzamine B–Y, beschrieben. – ***E*** = ***F*** manzamine – ***I*** = ***S*** manzamina

Lit.: Bioorg. Med. Chem. Lett. **6**, 2565 (1996) ▪ J. Org. Chem. **57**, 2480 (1992) ▪ Heterocycles **31**, 999 (1990) ▪ Pure Appl. Chem. **66**, 2131 (1994) ▪ Tetrahedron **51**, 3727 (1995); **52**, 2319 (1996) ▪ Tetrahedron Lett. **33**, 2059 (1992); **35**, 691, 3191, 6005 (1994). – *[CAS 104196-68-1]*

MAO. Abk. für *Methylalumoxan u. *Monoamin-Oxidase.

MAO(-Hemmer) s. Monoamin-Oxidase.

MAP. 1. Abk. für *M*echanical *A*lloyed *P*roducts. Pulver-metallurg. hergestellte Superleg., vorwiegend auf Nickel-Chrom-Basis mit eingelagerten Metalloxiden, z. B. Yttriumoxid, mit hoher Zeitstandfestigkeit bei höchsten Temp. (bis 1150 °C) für Gasturbinen u. ä.
2. s. Mikrotubulus-assoziierte Proteine. ***B.*** *(für 1.):* Inco.

MAPK, MAP-Kinasen s. Mitogen-aktivierte Protein-Kinasen.

Maprenal®. In Lsm. lösl. Melamin- u. Benzoguanamin-Harze zur Kombination mit Acryl-, Alkyd-, Epoxid- u. Phenol-Harzen zur Herst. hochwertiger Einbrennlacke. ***B.:*** Vianova.

Maprolu® (Rp). Injektionslsg. u. Filmtabletten mit dem *Antidepressivum *Maprotilin-Hydrochlorid bzw. -Mesilat. ***B.:*** Hexal.

Maprotilin (Rp).

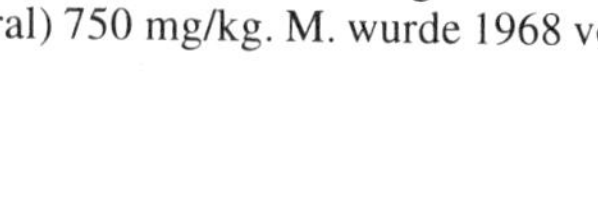

Internat. Freiname für das Antidepressivum *N*-Methyl-9,10-ethanoanthracen-9(10*H*)-propanamin, $C_{20}H_{23}N$, M_R 277,40, Schmp. 92–94 °C. Verwendet wird das M.-hydrochlorid, Schmp. 230–232 °C; gut lösl. in Chloroform u. Methanol, wenig lösl. in Wasser. LD_{50} (Maus oral) 750 mg/kg. M. wurde 1968 von Ciba (Ludiomil®, Geigy) patentiert u. ist als Generikum im Handel. – ***E*** = ***F*** maprotiline – ***I*** = ***S*** maprotilina

Lit.: ASP ▪ Florey **15**, 393–426 ▪ Martindale (31.), S. 323 f. – *[HS 292149; CAS 10262-69-8 (M.); 10347-81-6 (M.-Hydrochlorid)]*

Maracuja s. Passionsfrüchte.

Marangoni-Effekt. Als M.-E. wird die Ausbreitung von Mol., z. B. grenzflächenaktiven Mol., in einer frisch erzeugten Oberfläche bezeichnet. Werden beispielsweise zwei Tröpfchen in einer Emulsion durch Zerteilung eines größeren Tröpfchens gebildet, ist die frisch erzeugte Oberfläche zunächst frei von Emulgator-Molekülen. Dies erzeugt einen Gradienten der Oberflächenspannung zwischen den Bereichen der Grenzfläche, die mit Emulgator-Mol. besetzt sind bzw. frei von diesen sind, der durch Ausbreitung der Emulgator-Mol. ausgeglichen wird. Dadurch kann es zu Instabilitäten der Grenzfläche kommen. Der M.-E. wird bei der Bildung u. Stabilisierung von *Emulsionen u. *Schäumen wirksam. – ***E*** Marangoni effect – ***F*** effet Marangoni – ***I*** effetto Marangoni – ***S*** efecto Marangoni

Lit.: Ullmann (5.) **A 9**, 305 ▪ Winnacker-Küchler (4.) **1**, 370.

Maranil®. Anionaktive Emulgatoren für die Emulsionspolymerisation. ***B.:*** Henkel.

Maranta (Pfeilwurz). Die von den Antillen stammende, bis 150 cm hohe Pflanze *Maranta arundinacea* L., Marantaceae, liefert die auch als *Arrowroot bezeichnete M.-Stärke, die aus dem Wurzelstock gewonnen wird. Die Stärkekörner (s. Stärke) weisen charakterist. querliegende Kernspalten auf.

Zusammensetzung u. Verw.: M.-Mehl enthält durchschnittlich 84,4% Stärke, 14,5% Wasser, 0,7% Eiweiß u. 0,2% Fett, verkleistert bei etwa 70 °C, u. wird zu Suppen, Saucen, diätet. Nährmitteln, in der Textil-Ind. usw. verwendet. – ***E*** = ***I*** = ***S*** maranta – ***F*** marante

Lit.: Gassner, Mikroskopische Untersuchung pflanzlicher Lebensmittel (5.), S. 81 f., Stuttgart: Fischer 1989 ▪ Herrmann, Exotische Lebensmittel (2.), S. 98, Berlin: Springer 1987. – *[HS 0714 10]*

Maraschino (Aussprache -sk-). Ein wasserklarer Kirschlikör, der unter Verw. des Kirschbranntweins der Marascakirsche (dalmatin. Sauerkirsche) hergestellt wird. M. ist nach Artikel 37 der Begriffsbestimmung für *Spirituosen[1] zu den Fruchtaromalikören zu zählen; s. a. alkoholische Getränke. Der Alkohol-Gehalt muß, je nach Extrakt, mind. 30 bzw. 32% vol betragen. Beurteilungsgrundlage für M. sind die Regeln zur Begriffsbestimmung, Bez. u. Aufmachung von Spirituosen[2].

In M. wurden höhere Mengen an Ethylcarbamat (bis 300 µg/L) nachgewiesen[3,4], die auf die Mitverarbeitung von Blattauszügen bei der Herst. zurückzuführen sind[5]. Für *Obstbranntweine empfahl das damalige Bundesgesundheitsamt höchstens 400 µg/L Ethylcarbamat. – ***E*** = ***I*** maraschino – ***F*** marasquin – ***S*** marasquino

Lit.: [1] Spirituosenjahrbuch 1990, Berlin: Versuchs- u. Lehranstalt für Spirituosenfabrikation 1990. [2] VO (EWG) Nr. 1576/89 vom 29. 5. 1989 (ABl. der EG 32, Nr. L 160 vom 12. 6. 1989). [3] Food Add. Contam. **6**, 383–389 (1989) in der Fassung vom 22. 12. 1994 (Abl. der EG Nr. L366/1). [4] Food Add. Contam. **7**, 477–496 (1990). [5] Dtsch. Lebensm. Rundsch. **83**, 344–349 (1987). – *[HS 2208 90]*

Marasmine s. Welkstoffe.

Marasminsäure.

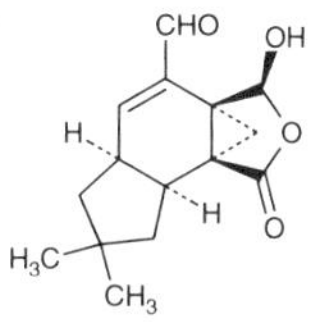

$C_{15}H_{18}O_4$, M_R 262,30, Krist., Schmp. 173–174 °C, $[\alpha]_D$ +182° ($CHCl_3$). Antibiot. wirksames Marasman-Sesquiterpen aus dem Pilz *Marasmius conigenus* (Schwindlingsart) u. anderen Basidiomyceten. M. war Ziel zahlreicher Synthesearbeiten. – ***E*** marasmic acid – ***F*** acide marasmique – ***I*** acido marasmico – ***S*** ácido marásmico

Lit.: ApSimon **1**, 398–405 ▪ Beilstein E III **10**, 3559. – *Synth.:* J. Am. Chem. Soc. **102**, 7146 (1980); **104**, 3216 (1982); **112**, 775–779 (1990) ▪ Tetrahedron **37**, 2199 (1981). – *[CAS 2212-99-9]*

Marasmus s. Proteine.

Marax®. Tabl. u. Suspension mit *Magaldrat, wasserfrei gegen Sodbrennen u. Reizmagen. ***B.:*** Asche.

Marcfortine. Indol-Alkaloide, die neben *Roquefortin von dem Schimmelpilz *Penicillium roqueforti*, der zur Produktion von Roquefortkäse Verw. findet, gebildet werden. Hauptkomponente ist *M. A*, das von *M. B* u. *M. C* begleitet wird; Daten s. Tabelle.

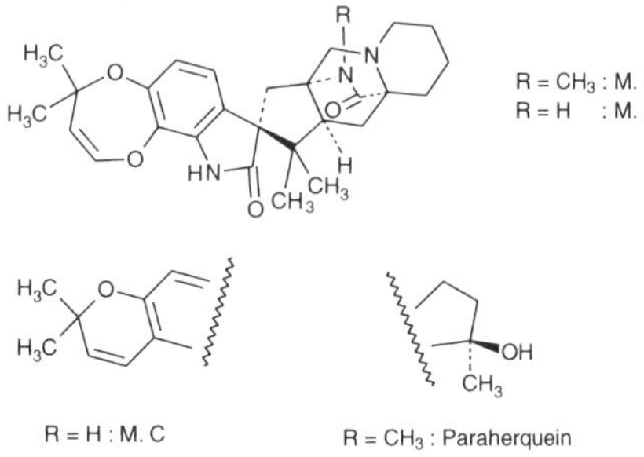

Tab.: Daten von Marcfortinen.

	Summen-formel	M_R	Schmp. [°C]	$[\alpha]_D$ ($CHCl_3$)	CAS
M. A	$C_{28}H_{35}N_3O_4$	477,60	242–244 Krist.		75731-43-0
M. B	$C_{27}H_{33}N_3O_4$	463,58	178–180	–68°	75789-29-6
M. C	$C_{27}H_{33}N_3O_3$	447,58	264–267	–64°	75789-30-9

Die M. leiten sich biosynthet. von 2 Einheiten Dimethylallylpyrophosphat, Tryptophan u. 2-*Piperidincarbonsäure ab. Eine sehr ähnliche Struktur hat das von *Penicillium paraherquei* gebildete *Paraherquein*[1] (Paraherquamid, $C_{28}H_{35}N_3O_5$, M_R 493,60, Prismen, Schmp. 244–247 °C). Die M. sind aufgrund ihrer antiparasitären Wirkung von pharmakolog. Interesse[2]. – ***E*** = ***F*** marcfortines – ***I*** marcfortine – ***S*** marcfortinas

Lit.: [1] J. Am. Chem. Soc. **115**, 9323 (1993); **118**, 557–579 (1996). [2] US. P. 4 866 060 (12. Sept. 1989), Merck & Co., Erf.: Mrozik.

allg.: Tetrahedron Lett. **22**, 1977 ff. (1981); **35**, 1135 (1994) ▪ Thomson, The Chemistry of Natural Products, S. 321 f., Glasgow: Blackie 1985. – *[CAS 77392-58-6 (Paraherquein)]*

MARCKS (myristoyliertes Alanin-reiches C-Kinase-Substrat). Am Amino-terminalen Glycin-Rest myristoyliertes zelluläres *Protein (331 Aminosäure-Reste), das *Calmodulin in Ggw. von Calcium-Ionen bindet, *Synapsin komplexiert, F-*Actin mit der Plasmamembran (s. Cytoplasma) verbrückt u. als eines der wichtigsten Substrate der *Protein-Kinase C (PKC) gilt. Mit Hilfe des Myristoyl-Restes bindet MARCKS an die Plasmamembran. Nach *Phosphorylierung durch PKC wird es von der Membran verdrängt u. kann, ebenso wie nach Calmodulin-Bindung, F-Actin nicht mehr vernetzen. MARCKS ist notwendig für die Ausbreitung von Fibroblasten auf dem Substrat[1]. – ***E*** = ***F*** = ***I*** = ***S*** MARCKS

Lit.: [1] Curr. Biol. **7**, 611-614 (1997).
allg.: Biochem. Soc. Trans. **23**, 587–591 (1995) ▪ J. Biol. Chem. **268**, 1501–1504 (1993).

Marcomycin s. Hygromycine.

Marcumar® (Rp). Tabl. u. Ampullen mit dem *Antikoagulans *Phenprocoumon. ***B.:*** Hoffmann-La Roche.

Marcus, Rudolph Arthur (geb. 1923), Prof. für Physikal. Chemie, CalTech, Pasadena (Kalifornien). *Arbeitsgebiete:* Reaktive u. unelast. Stoßprozesse, Elektronenübertragungen u. damit verbundene Energiezustandsänderungen, Photosynthese. 1992 erhielt er den Nobelpreis für Chemie.

Lit.: Lexikon der Naturwissenschaftler, S. 283 f.

Marcus-Gleichung s. Marcus-Theorie.

Marcusson-Methode. Ein früher übliches Verf. zur Bestimmung des Flammpunkts.

Marcus-Theorie. Von R. A. *Marcus (Nobelpreis 1992[1]) entwickelte Theorie der Elektronentransferreaktionen, die nach dem *Outer-Sphere-Mechanismus ablaufen. Hiernach resultiert die *Aktivierungsenergie einer solchen Reaktion aus den Änderungen der Kernkonfigurationen von Reaktanten u. Produkten. In vereinfachter Form beschreibt die M.-T. den Elektronentransfer mit Hilfe zweier sich schneidender Parabeln, die den Verlauf der *freien Enthalpie G von Reaktanten (R) bzw. Produkten (P) längs der Reaktionskoordinate q darstellen (s. Abb. 1). Die Geschwindigkeitskonstante k einer Elektronentransferaktion wird nach der Theorie des *Übergangszustandes berechnet als $k = A \cdot \exp(-\Delta G^*/k_B T)$, wobei A der präexponentielle Faktor, k_B die Boltzmann-Konstante (s. Boltzmann'sches Energieverteilungsgesetz) u. T die abs. Temp. sind. A hängt vom Typ der Elektronentransferaktionen ab, z. B. ob sie inter- od. intramol. ist. Für ΔG^* ermittelte Marcus den Ausdruck

$$\Delta G^* = \frac{\lambda}{4}\left(1 + \frac{\Delta G^0}{\lambda}\right)^2$$

in dem ΔG^0 die *freie Reaktionsenthalpie u. λ einen Reorganisationsterm darstellt, welcher sich aus einem Lsm.-abhängigen Anteil λ_0 u. einem Schwingungsanteil λ_i zusammensetzt ($\lambda = \lambda_0 + \lambda_i$). Für sog. Selbstaustauschreaktionen mit isotopenmarkierten Ionen (gekennzeichnet durch einen Stern), z. B.

$$[Fe(H_2O)_6]^{2+} + [^*Fe(H_2O)_6]^{3+} \rightarrow [Fe(H_2O)_6]^{3+} + [^*Fe(H_2O)_6]^{2+},$$

hat ΔG^0 den Wert Null. Trotzdem kann ΔG^* einen erheblich großen Wert annehmen, der bei der betrachteten Reaktion bei Raumtemp. 32 kJ mol^{-1} beträgt. Aus der M.-T. geht die folgende *Kreuzrelation* hervor, die häufig auch als *Marcus-Gleichung* bezeichnet wird:

$$k^2 = k_1 \cdot k_2 \cdot K \cdot f.$$

Hierbei sind k_1 u. k_2 die Reaktionsgeschwindigkeitskonstanten zweier Selbstaustauschreaktionen, K die Gleichgewichtskonstante der Gesamtreaktion u. f ein von k_1, k_2 u. K abhängiger Faktor, dessen Wert gewöhnlich nahe bei Eins liegt.

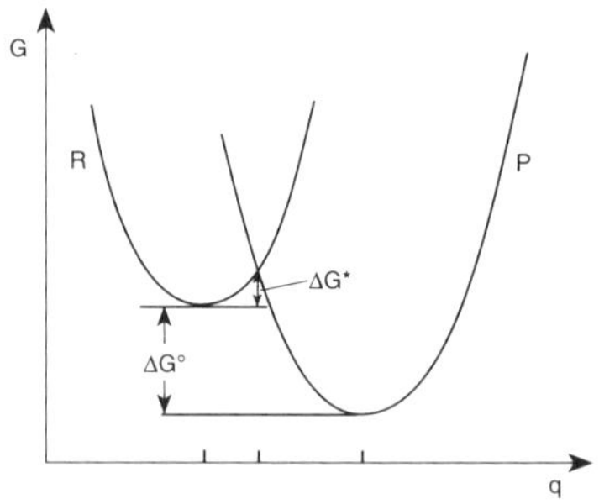

Abb. 1: Freie Enthalpie von Reaktanten (R) u. Produkten (P) – samt Umgebung – als Funktion der Reaktionskoordinate q.

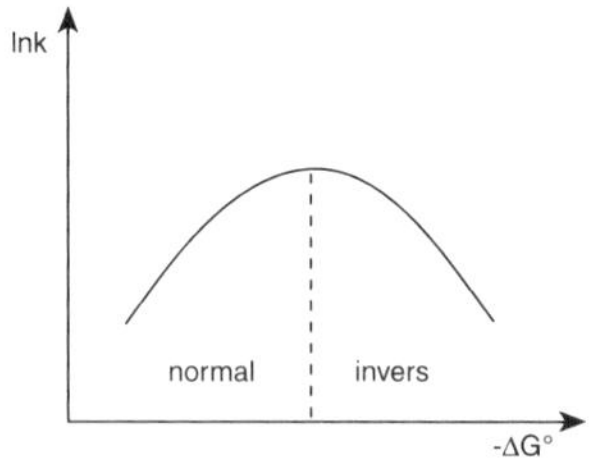

Abb. 2: ln k (k = Reaktionsgeschwindigkeitskonstante) als Funktion des Negativen der freien Reaktionsenthalpie.

Die M.-T. lieferte als wichtige Vorhersage den sog. *inversen Bereich* (s. Abb. 2), für welchen $-\Delta G^0 > \lambda$ gilt. Er entspricht einer Abnahme der Reaktionsgeschwindigkeitskonstante mit zunehmend neg. Werten von ΔG^0. Das Maximum von ln k entspricht der Stelle $-\Delta G^0 = \lambda$. – ***E*** Marcus theory

Lit.: [1] Angew. Chem. **105**, 1161–1172 (1993).
allg.: Annu. Rev. Phys. Chem. **15**, 155 (1964) ▪ Eberson, Electron Transfer Reactions in Organic Chemistry, New York: Springer 1987 ▪ Kochanski (Hrsg.), Photoprocesses in Transition Metal Complexes, Biosystems and Other Molecules: Experiment and Theory, Norwall: Kluwer 1992 ▪ Shriver, Atkins u. Langford, Anorganische Chemie, Weinheim: VCH Verlagsges. 1992.

Marder s. Musteliden.

Marekanit s. Obsidian.

Margarine. Durch Emulgieren, hauptsächlich nach dem Typ Wasser in Öl, aus genußtauglichen Fetten hergestellte Zubereitung, die mind. 80% Gesamtfett u. höchstens 1% Milchfett enthält.
Zusammensetzung: In 100 g M. sind 0,5 g Eiweiß, 80 g Fett, 16–19 g Wasser u. 0,5 g Kohlenhydrate enthalten. Als pflanzliche Rohstoffe werden *Soja-,

*Palm- u. *Sonnenblumenöl (hoher Gehalt an ungesätt. Fettsäuren), als tier. Rohstoffe Seetieröle u. *Rindertalg verwendet. Letztere sind meist durch Härtung, *Fraktionierung u. Umesterung modifiziert u. bedingen dadurch die Eigenschaften der Margarine. Die Emulsion wird durch *Emulgatoren (Diacetylweinsäure, Roh-*Lecithin) stabilisiert. Als Wasserphase wird häufig Mager-*Milch eingesetzt, die erwünschte Aromastoffe (*2,3-Butandion) u. für Bräunungsreaktionen essentielle Zucker (*Lactose) enthält. Eine Aromatisierung ist möglich [(Z-4-Heptenal]. Zur Farbgebung darf nach der Zusatzstoff-Zulassungs-Verordnung[1] *Bixin (E 160b) zugesetzt werden. Kochsalz dient der Geschmacksabrundung (0,1–0,2%). M. darf ab einem Wassergehalt über 15% mit *Sorbinsäure konserviert werden[2]. Die Vitaminisierung mit 0,5 mg α-*Tocopherol/g Linolsäure, 15–20 IE/g Vitamin A, 5 IE/g Provitamin A u. 1 IE/g Vitamin D ist üblich. Der Nährwert (3200 KJ/100 g) entspricht dem von Butter.

Herst.: M. wird heute kontinuierlich in Rohr- od. Kratzkühlern hergestellt, die auf –15 °C vorgekühlt sind, wobei die drei Verf.-Schritte Emulgieren, Unterkühlen u. Krist. durchlaufen werden.

Andere M.-Sorten: *Halbfett-M.* enthält zwischen 39 u. 41% Gesamtfett (höchstens 2% Fettstoffe nichtpflanzlicher Herkunft) u. ist wegen des hohen Wassergehalts nicht zum Braten u. Backen geeignet. Einen Überblick über Sorten u. Zusammensetzung gibt *Lit.*[3]. Neben dem Margarine-Gesetz können die Leitsätze für M. u. M.-Schmalz[4] für die Beurteilung der Merkmale sowie bes. zur Kennzeichnungen von M. herangezogen werden.

Analytik: Zur Analyse von M. stehen die *Methoden nach § 35 LMBG (L 13.05-1 bis 13.05-6) zur Verfügung. Der Nachw. des qualitätsbestimmenden Parameters *Linolsäure sollte nach einem gaschromatograph. Verf.[5] erfolgen. Die Belastung von M. mit *Halogenkohlenwasserstoffen liegt im Durchschnitt unter 100 ppb[6]. Ausnahmen sind Produkte aus Geschäften, die im Emissionsbereich chem. Reinigungen liegen[7]. *trans*-Fettsäuren können als Hydrierungsprodukte in M. auftreten[8,9]. Die Nickel-Gehalte von M. (aus Hydrierungskatalysatoren) stellen keine Gefährdung des Verbrauchers dar[10–12]. Spuren von 4-Nitrosomorpholin (1 ppb) in M. konnten auf *Migration aus dem Verpackungsmaterial[13] zurückgeführt werden. Zum Nachw. von Vitamin D in M. s. *Lit.*[14]. Jahresproduktion (BRD, 1995): 613 000 t.

Geschichte: 1869 wurde dem Franzosen H. Mège Mouriès für die Herst. eines Buttersatzfettes ein von der französ. Regierung auf Anregung Napoleons III. gestifteter Preis zuerkannt. Dieses Butterersatzfett (Butter war damals knapp u. teuer) wurde durch Emulgieren einer Rinderfettfraktion (Oleo margarin) mit Wasser u. anschließender Kühlung, die zur Verfestigung führte, erhalten. Der Name M. ist auf den irrigen Glauben zurückzuführen, in Oleo margarin dominiere Margarin, das *Triglycerid der *Margarinsäure (17:0), deren Name von griech.: márgaron = Perle abgeleitet ist (1819 von *Chevreul isolierte perlglänzende Krist., die später als Gemisch von *Palmitinsäure u. *Stearinsäure identifiziert wurden). – ***E*** = ***F*** = ***I*** margarine – ***S*** margarina

Lit.: [1] Zusatzstoff-Zulassungs-VO vom 22. 12. 1981 in der Fassung vom 08. 03. 1996 (BGBl. I, S. 460) Anlage 6 Liste B Nr. 8. [2] Zusatzstoff-Zulassungs-VO vom 22. 12. 1981 in der Fassung vom 13. 6. 1990 (BGBl. I, S. 1053) Anlage 3 Liste B Nr. 16. [3] Belitz-Grosch (4.), S. 597 f. [4] Leitsätze für Margarine u. Margarineschmalz in der Fassung vom 10. 4. 1984, abgedruckt in Zipfel, C 291. [5] Fat Sci. Technol. **92**, 150–153 (1990). [6] Food Add. Contam. **5**, 267–276 (1988). [7] Z. Lebensm. Unters. Forsch. **185**, 267–270 (1987). [8] Dt. Lebensm. Rundsch. **91**, 113 f. (1995); Ernähr.-Umschau **42**, 122–126 (1995). [9] J. Assoc. Off. Anal. Chem. **68**, 46–51 (1985). [10] Fresenius Z. Anal. Chem. **328**, 388 f. (1987). [11] Fat Sci. Technol. **89**, 220–224 (1987). [12] Mitt. Geb. Lebensmittelunters. Hyg. **78**, 344–396 (1987). [13] J. Food Sci. **51**, 216 f., 232 (1986). [14] Mitt. Geb. Lebensmittelunters. Hyg. **76**, 112–124 (1985).

allg.: Auswertungs- u. Informationsdienst f. Ernährung, Landwirtschaft u. Forsten (AID) e. V. (Hrsg.), Speisefette, Bonn: AID 1988 ▪ Baltes, Lebensmittelchemie (4.), Berlin: Springer 1995 ▪ Heiss, Lebensmitteltechnologie (5.), S. 108–113, Berlin: Springer 1996 ▪ Ullmann (5.) **A 8**, 240 ▪ Osteroth (Hrsg.), Taschenbuch für Lebensmittel-Chemiker u. Technologen, Bd. 2, S. 129–136, Berlin: Springer 1991 ▪ Vollmer et al., Lebensmittelführer, Bd. 2, Stuttgart: Thieme 1995 ▪ Zipfel, C 290, C 291. – *[HS 1517 10, 1517 90]*

Margarinsäure (Heptadecansäure, Daturinsäure). $H_3C–(CH_2)_{15}–COOH$ $C_{17}H_{34}O_2$, M_R 270,44. Krist., D. 0,858, Schmp. 61 °C, Sdp. 227 °C (13,3 kPa), unlösl. in Wasser, wenig lösl. in Alkohol, lösl. in Ether. Als ungeradzahlige *Fettsäure tritt M. in der Natur nur in sehr geringen Mengen auf. Alle in der älteren chem. Lit. beschriebenen, z. B. aus *Margarine od. *Datura*-Arten (*Stechapfel) gewonnenen M.-Präparate erwiesen sich später als Gemische von *Palmitinsäure u. Stearinsäure. – ***E*** margaric acid – ***F*** acide margarique – ***I*** acido margarico – ***S*** ácido margárico

Lit.: Beilstein E IV **2**, 1193 f. ▪ Biochemistry **4**, 2254 (1965) ▪ Karrer, Nr. 704 ▪ Justus Liebigs Ann. Chem. **698**, 93 (1966) (Synth.) ▪ Lipids **4**, 615 (1969) (Metabolismus) ▪ Sax (8.), Nr. HAS 500. – *[HS 2915 90; CAS 506-12-7]*

Margarit (Kalkglimmer, Perlglimmer; von griech.: margarites = Perle). $CaAl_2[(OH)_2/Al_2Si_2O_{10}]$, perlmuttglänzender, durchscheinender, weißer, rötlichweißer od. perlgrauer monokliner *Glimmer. Meist als dünne sechsseitige Tafeln u. körnig-blättrige bis schuppige Aggregate. Vollkommene Spaltbarkeit; die Spaltplättchen sind spröde („*Sprödglimmer*") u. zerbrechlich. H. 4, D. 3,0–3,1.

Vork.: In *metamorphen Gesteinen, z. B. in *Chlorit-Schiefern (Zillertal), in Glimmerschiefern (Schweiz), in Smirgel, s. Korund (z. B. Insel Naxos/Griechenland, an mehreren Orten in den USA). M. wird im Baugewerbe gelegentlich als Bestreuungsmaterial (z. B. für Dachpappe) verwendet. – ***E*** = ***F*** = ***I*** margarite – ***S*** margarita

Lit.: Anthony et al., Handbook of Mineralogy, Vol. II, S. 516, Tucson (Arizona): Mineral Data Publishing 1995 ▪ Bailey (Hrsg.), Micas (Reviews in Mineralogy, Vol. 13), S. 61–104, Washington (D. C.): Mineralogical Society of America 1984 ▪ Naturwissenschaften **60**, 152 (1973) ▪ Ramdohr-Strunz, S. 750 f. ▪ s. a. Glimmer. – *[HS 2525 10; CAS 1318-86-1]*

Marggraf, Andreas Sigismund (1709–1782), Direktor des chem. Laboratoriums der Akademie der Wissenschaften Berlin. *Arbeitsgebiete:* Zink, Phosphor u. Phosphorsäure, Unterscheidung von Soda u. Pottasche, von Calciumoxid u. Tonerde, Flammenfärbung von Na u. K, Einführung des Mikroskops zur Beobachtung von Salzkrist., Entdeckung der Ameisensäure, Nachw. von *Saccharose im Zuckerrübensaft, Gewinnung von Rohrzucker aus der Runkelrübe.

Lit.: Lexikon der Naturwissenschaftler, S. 284 ▪ Strube **2**, 88, 90, 101, 130, 171 ▪ Strube et al., S. 55, 74.

Margosaöl s. Neemöl.

Maria die Jüdin (etwa 3. od. 4. Jh. v. Chr.). Auf sie geht die erste Beschreibung der Dest. zurück, woran der noch heute in Frankreich übliche Name für ein Wasserbad „bain Marie" erinnert (obwohl das Wasserbad lange vorher bekannt war).

Lit.: Pötsch, S. 290.

Marialith s. Skapolith.

Mariendistel. In Südeuropa u. Vorderasien heim., weltweit verbreitete Pflanze [*Silybum marianum* (L.) Gaertn., synonym *Carduus marianus* L., Asteraceae], die im Mittelalter in den Klostergärten als Heilpflanze gezüchtet wurde. Die M. ist ein- od. zweijährig, wird 60 bis 150 cm hoch, hat weißgeäderte, dornig gezähnte Blätter u. purpurfarbene Blüten. Die Wurzeln u. das Kraut enthalten *Fumarsäure u. verschiedene C_{13}- u. C_{17}-Polyenine. Medizin. werden die grau bis schwarz glänzenden *Früchte* seit dem Altertum als Gallen- u. Leberschutzpräp. genutzt; die sog. *Marienkörnchen* enthalten bis zu 30% Eiweiß, 15–30% fettes Öl mit einem hohen Anteil an ungesätt. Fettsäuren u. 0,7–3% *Flavonoide wie *Silymarin, *Taxifolin, *Quercetin u. *Campher-Öl. Wirksamstes Agens ist das *Silymarin, ein Flavanon-Gemisch, das bei akuter Hepatitis u. bei Leberschädigung durch verschiedene hepatotox. Verb., selbst gegen die Gifte des *Knollenblätterpilzes, wirksam ist. – ***E*** St. Mary's thistle, Lady's thistle – ***F*** chardon Marie – ***I*** cardo della Madonna – ***S*** cardo mariano, cardo lechero

Lit.: Bundesanzeiger 50/13.03.86 ▪ DAB **1997** u. Komm. ▪ Hager (4.) **6 b**, 398–404 ▪ Rimpler et al., Biogene Arzneistoffe, Stuttgart: G. Fischer 1990 ▪ Wichtl (3.), S. 126–129. – *[HS 1211 90]*

Marienglas s. Gips.

Marienkäfer. Als M. bezeichnet man eine Familie (Coccinellidae) der Insekten-Ordnung der Käfer (Coleoptera). Weltweit sind etwa 4000 M.-Arten bekannt, davon etwa 70 Arten in Mitteleuropa. Klein bis mittelgroß, ist den M. der hochgewölbte, halbkugelige Körper u. meist eine farbig lebhafte Deckflügel-Zeichnung gemeinsam, die selbst innerhalb einer Art sehr stark variieren kann. Der Grad der Pigmentierung ist Temp.- u. Feuchte-abhängig. Bei Störung lassen sich M. gerne fallen u. bleiben bewegungslos, mit angezogenen Beinen auf dem Rücken liegend u. dadurch die unauffällig dunkle Unterseite nach oben präsentierend am Boden liegen (Sichtotstellen). Zusätzlich werden zur Abwehr (von Feinden) aus feinen Poren an den Gelenkhäuten zwischen Schenkel u. Schiene der Beine Tropfen der gelb-orangenen Blutflüssigkeit abgegeben (enthält zahlreiche giftige Alkaloide, z. B. *Coccinellin u. Adalin, die von den Tieren selbst synthetisiert wird). Gutes Flugvermögen, oft in Massenansammlungen an Bäumen, Felsen od. Berggipfeln bei Wanderflügen (auch z. T. über offenem Meer mit großen Verlusten) u. zur Überwinterung.

Ernährung: Bei den meisten M.-Arten sind die Larven u. auch die Imagines räuber., indem sie kleine Insekten fressen, v. a. auch Blattläuse (biolog. Schädlingsbekämpfung).

Häufige Arten: Siebenpunkt-M. (*Coccinella septempunctata*): Ein Weibchen legt bis zu 800 Eier ab, eine Larve verzehrt insgesamt über 600 Blattläuse. – Zweipunkt-M. (*Adalia bipunctata*): Je Flügeldecke namengebend nur ein schwarzer Punkt auf der leuchtend gelbroten Fläche, die mit allen Übergängen bis zu schwarz mit zwei roten Punkten variieren kann. – ***E*** lady-bird – ***F*** coccinelle – ***I*** coccinella – ***S*** mariquita

Lit.: Gewecke, Physiologie der Insekten, Stuttgart: Fischer 1995 ▪ Jacobs u. Renner, Biologie u. Ökologie der Insekten, 2. Aufl., Stuttgart: Fischer 1988.

De Marignac, Jean Charles Galissard (1817–1894), Prof. für Chemie, Genf. *Arbeitsgebiete:* Bestimmung von Atomgew., Ozon, Schwefelsäure u. ihre Hydrate, Seltene Erden, Entdeckung des Ytterbiums u. Gadoliniums, des Isomorphismus von Niob-, Zinn- u. Wolfram-Salzen, Voraussage der *Isotope.

Lit.: Lexikon der Naturwissenschaftler, S. 284 ▪ Neufeldt, S. 71 ▪ Pötsch, S. 291 ▪ Strube **2**, 106, 193 ▪ Strube et al., S. 138, 140.

Marihuana (Cannabis-Kraut). Bez. für ein *Rauschgift, das im allg. mit Tabak vermischt geraucht („gekifft"), aber auch gegessen od. als Aufguß getrunken wird. Es wird durch Zermahlen der Blüten u. Deckblätter des die gleichen Aroma- u. Inhaltsstoffe wie *Haschisch (Cannabis-Harz) enthaltenden ind. Hanfs (*Cannabis sativa* L.) gewonnen. Der Gehalt an dem für die halluzinogenen Eigenschaften hauptsächlich verantwortlichen Δ^9-*Tetrahydrocannabinol beträgt 0,5–4% [1]; zur klin. u. psychosozialen Wirkung der Halluzinogene s. dort, bei Cannabinoide, Haschisch, Rauschgifte u. Sucht. In der BRD wurden 1994 21,7 t M. sichergestellt [2]; insgesamt wird in Europa mehr Haschisch, in Nordamerika mehr M. konsumiert [3]. Eingehende biochem. Untersuchungen haben kürzlich gezeigt, daß M. u. andere Cannabis-Zubereitungen ähnliche Effekte im Hirn auslösen wie sog. „harte" Drogen [4]. Der Name M. ist ein Deckname für den in Mittel- u. Südamerika angebauten Hanf u. könnte von indian.: malihua od. portug.: Maranguano = der Berauschte abstammen od. sich von Maria Johanna ableiten, da irrtümlicherweise nur den weiblichen Pflanzen psychotrope Aktivität zugeschrieben wurde. – ***E*** marihuana, marijuana, „mary jane" – ***F*** = ***S*** marihuana – ***I*** marijuana

Lit.: [1] Harvey, Marihuana 84, S. 37, Oxford: IRL Press 1985. [2] Jahrbuch Sucht '96, Geesthacht: Dtsch. Hauptstelle gegen Suchtgefahren 1995. [3] Pharm. Unserer Zeit **16**, 33 (1987). [4] Science **276**, 1967 f, 2048 f, 2050 f. (1997).
allg.: Pharm. Ztg. **140**, 1843–1849 (1995); **141**, 11–23 (1996). – *[HS 1211 90]*

Marikultur s. Meerwasser.

Marindinin s. Kawain.

Marin(e)leim. 1. Histor. Bez. für ein Fugendichtungsmaterial bei holzbeplankten Schiffen, wurde früher aus Kautschuk, Asphalt u. Petroleum od. Schwefelkohlenstoff hergestellt. – 2. s. Marinzement. – ***E*** marine glue – *F* colle de marine – *I* colla marina – *S* cola marina

Lit.: Lüttgen, Die Technologie der Klebstoffe, 2. Tl., S. 87, Berlin: Pansegrau 1957.

Marine Naturstoffe. Neben den Pflanzen u. den Mikroorganismen (Bakterien, Pilze) wurden etwa ab Anfang bis Mitte der 70er Jahre die Meeresorganismen als weitere Quelle für *Sekundärmetabolite größtenteils ungewöhnlicher Struktur erschlossen. Unter den m. N. finden sich z. B. viele halogenierte Substanzen u. sehr wirksame niedermol. Toxine. Die steigende Zahl von Veröffentlichungen u. Monographien verdeutlicht die zunehmende Forschungsaktivität auf diesem Sektor der Naturstoffchemie. Bis zum Jahr 1996 wurden ca. 6000 niedermol. m. N. beschrieben. Viele m. N. sind Leitstrukturen u. Modellverb. für die Wirkstoff-Forschung. – *E* marine natural products – *F* produits naturels marins – *I* prodotti naturali marini – *S* productos naturales marinos

Lit.: ACS Symp. Ser. **262** (Seafood Toxins) (1984); **418** (Marine Toxins) (1990) ▪ Angew. Chem. **105**, 1 ff. (1993) ▪ Chem. Ind. (London) **1996**, 54–58 ▪ Chem. Rev. **92**, 613–631 (1992); **93**, 1671–1944 (1993) ▪ Dtsch. Apoth. Ztg. **132**, 673–683 (1992) ▪ Jefford et al., Pharmaceuticals and the Sea, Lancaster: Technomic Publ. Co. Inc. 1988 ▪ Mebs, Gifte im Riff, Stuttgart: Wiss. Verlagsges. 1989 ▪ Microb. Ecol. **12**, 65–78 (1986) (marine Mikroorganismen) ▪ Nat. Prod. **1987**, 539–576; **1990**, 269–309; **1995**, 223–269 ▪ Nat. Prod. Rep. **4**, 539–576 (1987); **6**, 143–171 (1989); **7**, 269–310 (1990); **13**, 75–125 (1996) (Review) ▪ Sarma, Daum u. Müller, Secondary Metabolites from Marine Sponges, Berlin: Ullstein Mosby 1993 ▪ Scheuer I ▪ Scheuer II ▪ Tetrahedron **51**, 4571–4618 (1995) ▪ Tu, Marine Toxins and Venoms, New York: Dekker 1988 ▪ Zaborsky u. Attaway, Marine Biotechnology, New York: Plenum Press (seit 1993) ▪ Zechmeister **48**, 81–202; **49**, 151–363 ▪ s. a. Naturstoffe, Antibiotika, Alkaloide, Mykotoxine, Terpenoide.

Marine Organismen. Die Gesamtheit der im Meer lebenden *Bakterien-, Pflanzen- u. Tierarten. Die meisten Arten der bis heute bekannten *marinen Bakterien* sind anpassungsfähige Formen, die gleichzeitig auch auf dem Festland u. im Süßwasser vorkommen. Für die Nährstoff-Regulation im Meer sind die heterotrophen Bakterien (s. Heterotrophie) entscheidend, die den Meeresboden bis in große Tiefen besiedeln u. totes organ. Material zersetzen. In der Lichtzone der oberen Wasserschichten halten sich die *photoautotrophen *Cyanobakterien auf, die dem *Phytoplankton* (s. Plankton) angehören.
Die *marine Flora* wird von der großen Gruppe der *Algen gebildet, den einzelligen Algen u. den großwüchsigen mehrzelligen Algen. Aufgrund ihres Lichtbedarfs für die *Photosynthese befinden sie sich in den oberen Schichten der Meere. Die marinen Pflanzen, insbes. das Phytoplankton, sind die Primärproduzenten der Meere.
Der *marinen Fauna* gehören Tierarten der unterschiedlichsten Größe, Gestalt u. phylogenet. Artengruppen an (*Fische, *Krebse, Muscheln, Quallen, *Schwämme, *Seeigel, *Nesseltiere, Einzeller u. a.). Sie besiedeln den gesamten marinen Raum bis in große Tiefen. Einzeller u. die Larvenstadien verschiedener mariner Tiere bilden das *Zooplankton* (s. Plankton). Die marine Fauna kann in Primär- u. Sekundärkonsumenten unterteilt werden. Erstere ernähren sich vom Phytoplankton u. reichern es für die Sekundärkonsumenten an. Zur Deckung des Nahrungsmittelbedarfs auf der Erde werden in zunehmendem Maße Zuchtprogramme für marine Algen u. Fische entwickelt (s. Aquakultur). – *E* marine organisms – *F* organismes marins – *I* organismi marini – *S* organismos marinos

Lit.: Rheinheimer, Mikrobiologie der Gewässer, Jena: Fischer 1991.

Mariner Gelbstoff s. Meerwasser.

Marinobufagin.

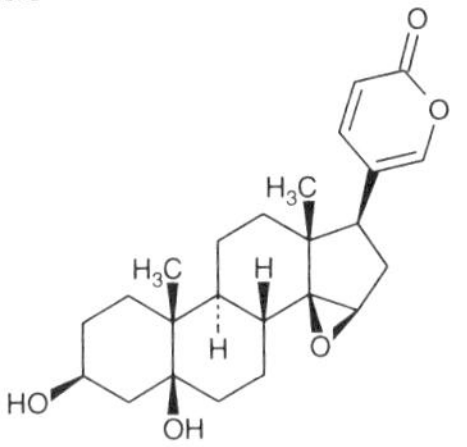

$C_{24}H_{32}O_5$, M_R 400,51. Prismen, Schmp. 224–225 °C, $[\alpha]_D^{25}$ +10° ($CHCl_3$), LD_{50} (Maus) 0,152 mg/kg. *Bufadienolid aus dem Sekret der brasilian. Kröte *Bufo marinus*, in der auch die entsprechende 5-Desoxy-Verb. Resibufogenin vorkommt. Im Gegensatz zu anderen Bufogeninen sind diese beiden Epoxy-Verb. pharmakolog. nur schwach wirksam; s. a. Krötengifte. – *E* marinobufagin – *F* marinobufagine – *I* marinobufagina – *S* marinobufagín

Lit.: Beilstein E V **19/6**, 343 ▪ Chem. Pharm. Bull. **28**, 1559 (1980). – *[CAS 470-42-8]*

Marinzement (Marinleim). Bez. für von Mollusken erzeugte, faserverstärkte Klebstoffe, mit denen sich die Tiere an Unterlagen anheften od. ihre Behausungen aufbauen. Die Matrix der M. besteht aus 3,4-Dihydroxy-L-phenylalanin-(*Dopa)-)reichen Proteinen, die Fasern aus verschiedenen Materialien wie z. B. Collagen-ähnlichen Verb. bei Muscheln, Seidenfibroin-ähnlichen bei riffbildenden Würmern u. β-Chitin bei Tunikaten (Manteltieren). – *E* marine glue – *I* = *S* cemento marino

Lit.: Elias (5.) **2**, 681.

Mariotte, Edme (1620–1684), Physiker in Paris. *Arbeitsgebiete:* Interpretation des *Boyle-Mariotteschen Gesetzes, Anw. auf die Bestimmung der geograph. Höhe eines Ortes, Hydro- u. Aerostatik, Stoßgesetze, Pflanzenwachstum u. -ernährung, Wasserkreislauf auf der Erde u. a. physikal. Erscheinungen.

Lit.: Krafft, S. 2, 64, 233 ▪ Naturwissenschaften **71**, 238 (1984) ▪ Pötsch, S. 191 ▪ Strube **2**, 71, 75 ▪ Strube et al., S. 126.

Markasit (Wasserkies). FeS_2, rhomb. Mineral, Kristallklasse mmm-D_{2h}, dimorph (*Polymorphie) mit *Pyrit; zur Kristallchemie u. Struktur s. *Lit.*[1], zur strukturellen Beziehung M.-Pyrit u. zu Pyrit-M.-Verwachsungen s. *Lit.*[2]. Krist. tafelig bis flach beilförmig, prismat.; derb körnig, stalaktit., nierig-traubig, als Knollen u. Krusten. Verschiedene *Zwillinge werden nach ihrem Aussehen als *Kammkies* u. *Speerkies*, grobstrahlige bis feinfaserige Aggregate als *Strahlkies* u. völlig dichte Massen als *Leberkies* bezeichnet. H. 6–6,5, D. 4,8–4,9; Farbe messinggelb mit grünlichem Stich; oft bunt angelaufen. M. ist gegenüber Pyrit ther-

modynam. metastabil. Er wird bei niedrigen Temp. (<300 °C, oft <100 °C) aus sauren Lsg. (pH<5) gebildet, häufig über eine FeS-Vorläuferphase, s. dazu *Lit.*[3]; zur Umwandlung von M. in Pyrit s. *Lit.*[4].
Vork.: In *Sedimentgesteinen, z.B. in Tonsteinen, *Mergeln u. *Kalken; als Ausscheidungen auf Stein- u. Braunkohlen („*Kohlenpyrit*"). Hydrothermal in vulkanogenen Sulfiderz-*Lagerstätten, in Pb-Zn-Lagerstätten in Carbonat-Gesteinen (z.B. Missouri u. Oklahoma/USA) u. in „Schwarzen Rauchern" (Lagerstätten). – ***E*** = ***F*** = ***I*** marcasite – ***S*** marcasita

Lit.: [1] Phys. Chem. Miner. **7**, 177–184, 253–259 (1981). [2] Am. Mineral. **81**, 119–125 (1996). [3] Geochim. Cosmochim. Acta **55**, 1495–1514, 3491–3504 (1991). [4] Econ. Geol. **87**, 1141–1152 (1992).
allg.: Anthony et al., Handbook of Mineralogy, Vol. I, S. 312, Tucson (Arizona): Mineral Data Publishing 1990 ▪ Ramdohr, Die Erzmineralien u. ihre Verwachsungen, S. 896–902, Berlin: Akademie-Verl. 1975 ▪ Schröcke-Weiner, S. 260ff. – *[CAS 1317-66-4]*

Marke. Bez. für die früher auch *Warenzeichen* genannten, rechtlich geschützten Kennzeichen, die geeignet sind, Waren od. Dienstleistungen eines Unternehmens von denjenigen anderer Unternehmen zu unterscheiden. Kennzeichen in diesem Sinne können Worte, Buchstaben, Abb., Hörzeichen, dreidimensionale Gestaltungen einschließlich der Form einer Ware od. ihre Verpackung sowie sonstige Aufmachungen einschließlich Farben u. Farbzusammenstellungen sein. M. werden für Einzelpersonen (natürliche od. jurist. Personen, einschließlich einer Person des öffentlichen Rechts), eine Personenges. od. mehrere Personen eingetragen. Im dtsch. Markengesetz in der Fassung des Markenrechtsänderungsgesetzes vom 19.07.1996 (Markenrechtsreformgesetz) werden die Voraussetzungen für den Schutz einer M. Anmeldung, Prüfung, Bekanntmachung, Schutzhindernisse, Widerspruch, Schutzinhalt, Schutzdauer u. -verlängerung, internat. Registrierung, Löschung, Rechtsnachfolge, Lizenzen u. dgl. mehr geregelt. Das Gesetz setzt eine Richtlinie der EG zur Angleichung der Rechtsvorschriften der Mitgliedsstaaten vom 21.12.1988 um.
Grundlage für die Anmeldung u. alle weiteren Verf. ist u. a. die VO zur Ausführung des Markengesetzes (Markenverordnung) in der geänderten Fassung vom 03.12.1996. In der BRD wird eine M. beim *Deutschen Patentamt angemeldet. Anmeldung, Verlängerung u. Widerspruch sind kostenpflichtig u. werden durch eine Gebührenverordnung geregelt, außerdem wird Auskunft über registrierte M. erteilt. Der Schutz entsteht durch Anmeldung u. durch Benutzung des Zeichens u. besteht über 10 Jahre. Die Verlängerung der Schutzrechte kann beliebig häufig erfolgen. Die im Register (Markenrolle) eingetragenen M. werden im Markenblatt des Patentamts od. auf Datenträgern veröffentlicht. Mit der Eintragung im Register u. der Veröffentlichung erhält der Besitzer einer M. ein ausschließliches Recht auf Nutzung u. hat bei Verletzung dieses Rechts Anspruch auf Unterlassung u. Schadensersatz. Das Patentamt prüft allerdings nicht von Amts wegen auf mögliche ältere Rechte an einer Registrierung. Wenn durch ein Widerspruchsverf. ältere Rechte auf eine M. festgestellt werden, wird die M. gelöscht. Insoweit handelt es sich zunächst um ein vorläufig eingetragenes Recht.
Wird eine eingetragene M. über einen Zeitraum von 5 Jahren nach der Anmeldung nicht genutzt, kann sie verfallen, auf diese Art kann der früher oft vorgenommene prophylakt. Schutz von noch nicht genutzten M. verhindert werden. Von der Eintragung ausgeschlossen sind M., die in den allg. Sprachgebrauch übergegangen sind u. damit zur Bez. der Ware od. Dienstleistung üblich geworden sind (z.B. Nylon, Vaseline).
Im dtsch. Markengesetz ist eine internat. Registrierung nach dem Madrider Markenabkommen von 1891 (MMA) u./od. nach dem Protokoll vom 27.06.1989 zum Madrider Markenabkommen verankert (PMMA). Die internat. Registrierung wird durch die Vermittlung des Dtsch. Patentamtes vorgenommen u. der Markenschutz erstreckt sich dann für die Dauer von 20 Jahren auch auf die Mitgliedsländer des MMA u./od. des PMMA. Die Gebühr für die Registrierung wird an das Internat. Büro der Weltorganisation für geistiges Eigentum (WIPO: Abk. für World Intellectual Property Organization) gezahlt.
Die Kennzeichnung einer geschützten M. geschieht durch das Anfügen eines R im Kreis (® = Registered as Trademark) direkt im Anschluß an das geschützte Zeichen (z.B. Persil®). Im Chemie-Lexikon kann keine Unterscheidung für die im amerikan. auch häufig gebrauchte Bez. TM (für *E* Trademark = Handelsname) gemacht werden. Alle hier beschriebenen eingetragenen Markenzeichen sind nach bestem Wissen u. Gewissen mit der Bez. ® gekennzeichnet. Ist eine registrierte Wortmarke irrtümlich nicht entsprechend bezeichnet, kann daraus nicht geschlossen werden, daß sie im Sinne der Markengesetzgebung als frei zu betrachten ist u. von jedem benutzt werden kann. – ***E*** (trade) marks

Lit.: Gardener's Chemical Synonyms and Trade Names Handbook, Ashford: Gower Publ. 1994 ▪ http://deutsches-patentamt.de und http://transpatent.com.

Marker s. Genmarker.

Mark-Gaylord-Bikales. Kurzbez. für Encycl. Polym. Sci. Technol. (s. Vorwort, häufig zitierte Werke).

Mark-Houwink-Beziehung s. Viskosität.

Markierte Verbindungen. Bez. für chem. Verb., die teilw. od. vollständig aus markierten Mol. (*Tracern*) bestehen. Der Chemiker denkt beim Begriff „m. V." v. a. an *isotopenmarkierte* Verbindungen. Bei diesen ist das Verhältnis der natürlich vorkommenden *Isotope eines od. mehrerer in der Verb. vorkommenden Elemente verändert. So können beispielsweise die beiden ^{1}H-Atome des Wassers ganz od. teilw. durch Deuterium (^{2}H od. D) od. Tritium (^{3}H od. T) ersetzt werden: D_2O od. $^{2}H_2O$; ^{1}HTO.
Werden radioaktive Isotope eingesetzt, dann spricht man auch von *Radioindikatoren.* Die m.V. verhalten sich im allg. bei physikal., chem., techn. u. biolog. Vorgängen wie die unmarkierten. Es können jedoch Isotopieeffekte auftreten. So wird das Verhältnis $^{14}CO_2/^{12}CO_2$ bei der Photosynth. zugunsten des stabilen Isotops verschoben, was eine Korrektur bei der Altersbestimmung mit der Radiocarbon-Meth. erforderlich macht.

Werden radioaktive Isotope zur Markierung eingesetzt, dann läßt sich der Weg der m. V. z. B. bei techn. Mischvorgängen od. im Metabolismus eines Lebewesens, über die radioaktive Strahlung verfolgen. Für die Anzahl geeigneter radioaktiver Isotope sind deren Herst., Halbwertszeit, Strahlenart u. Energie sowie gegebenenfalls die Radioaktivität des Tochternuklids von Bedeutung. Für die in der Biologie u. Medizin wichtigen Elemente Stickstoff u. Sauerstoff stehen keine geeigneten Radioisotope zur Verfügung. Bei ihnen wird auf die stabilen Isotope ^{15}N u. ^{18}O zur Markierung zurückgegriffen. Der Nachw. der entsprechenden m. V. erfolgt dann massenspektrometr. od. mittels NMR-Spektroskopie.

Große Mol. können an verschiedenen Positionen markiert werden. Bei Essigsäure z. B. können das C-Atom der Carbonyl-Gruppe u./od. das C-Atom der Methlyl-Gruppe mit ^{14}C markiert werden. Zusätzlich können auch die H-Atome durch Deuterium u./od. Tritium ersetzt werden. Somit ergeben sich vielfältige Möglichkeiten von Doppel- u. Mehrfachmarkierungen. Bei Mehrfachmarkierungen mit unterschiedlichen Radionukliden spielt die gleichzeitige Nachweisbarkeit, v. a. bei β-Strahlern wie ^{14}C, ^{3}H od. ^{32}P, eine bedeutende Rolle. Die Herst. von m. V. ist ein wichtiges Arbeitsgebiet der Radiochemie. Sie erfolgt durch direkte Synth., Austauschreaktionen od. Meth. der Biotechnologie.

Nomenklatur: Eine *isotopensubstituierte* Verb. enthält an allen spezifizierten Stellen in jedem Mol. nur das angegebene Nuklid; *Beisp.:*

$^{14}CH_4$ od. (^{14}C)-Methan: Jedes Methan-Mol. enthält nur ^{14}C-Nuklide.

$C_2H_5{}^{18}OH$ od. (^{18}O)-Ethanol: Jedes Ethanol-Mol. enthält nur ^{18}O-Nuklide.

Isotopenmarkierte Verb. bestehen aus einer Mischung von unmodifizierten u. durch Isotope modifizierten Molekülen. Dabei gibt es mehrere Möglichkeiten der Markierung: $[^{14}C]H_4$ od. $[^{14}C]$Methan: Mischung aus $^{14}CH_4$- u. CH_4-Molekülen.

$CH_3[^{14}C]H_2$ $[^{14}C]OOH$ od. $[1,2\text{-}^{14}C]$Propionsäure: Mischung aus CH_3CH_2COOH- u. $CH_3{}^{14}CH_2{}^{14}COOH$-Molekülen.

Ferner definiert man noch $[G\text{-}^{14}C]$Essigsäure, wenn das Isotopenverhältnis der Nuklide auf unterschiedlichen Mol.-Positionen unterschiedlich ist, u. $[U\text{-}^{14}C]$Essigsäure, wenn das Verhältnis auf allen Positionen gleich ist (statist. Verteilung).

Verw.: In der Technik benutzt man m. V. zur Verfolgung von Strömungs- u. Diffusionsvorgängen, Mischungsprozessen, zum Aufsprühen von Undichtigkeiten in geschlossenen Syst., zur exakten Bestimmung sehr starker Verdünnungen, von Schichtdicken, Füllhöhen, Umlaufzeiten, Abnutzungserscheinungen, zur Untersuchung der *Korrosion, zur Feststellung der Löslichkeit schwerlösl. Körper, zur Autoradiographie, Radiochromatographie, zur Feststellung von Austauschreaktionen u. anderen Zwecken. Im Laboratorium werden m. V. zur qual. u. quant. Analyse herangezogen, um z. B. die zeitliche Abfolge von Reaktionen, Gesetzmäßigkeiten von Umlagerungen u. Substitutionen, also um Reaktionsmechanismen zu studieren u. Konstitutionsbeweise zu führen. Bes. Bedeutung haben die m. V. auf dem Gebiet der Biochemie u. Physiologie erlangt. Genaugenommen kann man sagen, daß die Aufklärung der *Biogenese-Wege erst durch Anw. der Markierungstechnik möglich geworden ist. Stoffwechselvorgänge, Atmungsprozesse, Knochenbildung, Einzelheiten des Kreislaufs usw. wurden mittels m. V. (Radiopharmazeutika, s. a. Nuklearmedizin) aufgehellt, u. der *Radioimmunoassay machte es möglich, Spuren von Pflanzenschutzmitteln in Lebensmitteln, von Hormonen in Babynahrung od. DDT in Muttermilch nachzuweisen. – ***E*** label(l)ed compounds – ***F*** composés marqués – ***I*** composti marcati – ***S*** compuestos marcados

Lit.: Hoffmann u. Lieser, Methoden der Kern- und Radiochemie, Weinheim: VCH Verlagsges. 1991 ▪ Lieser, Einführung in die Kernchemie, 3. Aufl., Weinheim: VCH Verlagsges. 1991.

Markierung. In der Chemie versteht man unter M. die Kennzeichnung eines Stoffes derart, daß er sich zwar innerhalb eines Kollektivs gleichartiger Stoffe durch spezif. Eigenschaften heraushebt, sich aber ansonsten chem. gleichartig verhält. Hier ist also nicht nur zu denken an die mit Isotopen *markierten Verbindungen (M. im engeren Sinne), sondern auch an makroskop. Proben, die durch Zusatz eines Indikators gekennzeichnet sind, an die Gasodorierung, an den Farbstoffzusatz zu leichtem Heizöl, die Beimischung von Leuchtstoffen od. Ferriten zu Rohöl od. Sprengstoffen usw. In Biochemie u. Molekularbiologie markiert man häufiger Makromol. zur Strukturaufklärung, zum Nachw. od. zur Verfolgung von Stoffwechselvorgängen; *Beisp.:* M. von Antigenen mit ^{125}I für den Radioimmunoassay, Anbringen von Fluorochromen an Antikörper für die Mikroskopie od. von Spinsonden für die *EPR-Spektroskopie (s. Spinmarkierung). Jargonhaft spricht man oft von *Sonden* od. benutzt den engl. Ausdruck *Label,* u. zwar sowohl für die markierenden Stoffe od. Mol. (z. B. die Fluorochrome) als auch für die markierten Verb. innerhalb ihrer nichtmarkierten Umgebung. – ***E*** label(l)ing – ***F*** marquage – ***I*** marcaggio, marcatura – ***S*** marcaje, marcado, marcación

Lit.: s. markierte Verbindungen u. die Textstichwörter.

Markierverhalten. Der Begriff M. bezieht sich, bei enger Anw., lediglich auf die *geruchliche* Markierung, d. h. auf solche Fälle, in denen tatsächlich „Marken" (Harn, Kot, Drüsensekrete) abgesetzt werden (z. B. meterweite Kot- u. Harn-Verteilung beim Flußpferd *Hippopotamus amphibius* durch die propellerartige Bewegung der pinselförmigen Schwanz-Endquaste). Im weiteren Sinn gehören zum M. auch *akust.* od. *opt.* Markierungen.

Alle drei Formen des M. dienen der Kenntlichmachung eines Reviers (Territoriums). Viele Frösche u. Vögel tun dies durch Rufe u. Gesänge, während die leuchtend gefärbten Männchen der Prachtlibellen die Grenzen ihrer Reviere in einem auffälligen Flug abfliegen u. dadurch gegenüber artgleichen Konkurrenten deutlich machen. – ***E*** marking behaviour – ***F*** comportement de marquage – ***I*** comportamento di marcaggio – ***S*** comportamiento marcador

Markl, Hubert (geb. 1938), Prof. für Zoologie u. Verhaltensforschung, Univ. Konstanz, von 1986 bis 1991

Präsident der Dtsch. Forschungsgemeinschaft, Bonn; seit 1996 Präsident der Max-Planck-Gesellschaft. *Arbeitsgebiete:* Verhaltensforschung u. Sinnesphysiologie, Evolution sozialen Verhaltens bei Tieren.

Lit.: Kürschner (16.), S. 2302 ▪ Nachr. Chem. Tech. Lab. **40**, Nr. 1, 63 (1992) ▪ Wer ist wer (35.), S. 933.

Markownikoff, Vladimir Vasilevic (1838–1904), Prof. für Chemie, Univ. Kazan, Odessa u. Moskau. Im Rahmen seiner Diss. beschrieb er 1869 die unter dem nachfolgenden Stichwort bekannten Phänomene. Weitere Arbeitsgebiete: Erdöluntersuchungen, Cycloalkane.

Lit.: Lexikon der Naturwissenschaftler, S. 284 ▪ Pötsch, S. 291.

Markownikoffsche Regel. Eine von V. V. *Markownikoff 1869 aufgestellte Regel, wonach bei der elektrophilen *Addition von *unsymmetr.* elektrophilen Reagenzien (Halogenwasserstoffe, Wasser, Alkohole u. a.) an *unsymmetr.* Alkene, bevorzugt dasjenige Regioisomere gebildet wird, bei dem sich der *elektrophilere* Teil des Additionsreagenz an dem Kohlenstoff-Atom der Doppelbindung wiederfindet, das die *meisten Wasserstoff-Atome* besitzt. Das tiefere Verständnis für die M. R. ergibt sich daraus, daß bei der zweistufig verlaufenden, elektrophilen Addition, das Elektrophil an die Doppelbindung so addiert, daß das *stabilere *Carbenium-Ion* als Zwischenstufe gebildet wird.

Geht man von der Gültigkeit des *Hammond-Postulates aus, so sollte die Bildung des stabileren Carbenium-Ions durch den energet. günstigeren Übergangszustand bewirkt werden. Alkene mit Elektronenakzeptor-Resten können die M. R. verletzen, da in diesen Fällen das zu erwartende Carbenium-Ion einem anderen positivierten Atom benachbart wäre, was energet. ungünstig ist. Verläuft die Addition nicht elektrophil sondern nach einem radikal. Mechanismus, so wird die M. R. ebenfalls verletzt. Grund hierfür ist, daß sich das *stabilere u. ster. günstigere Radikal* als Zwischenstufe bildet.

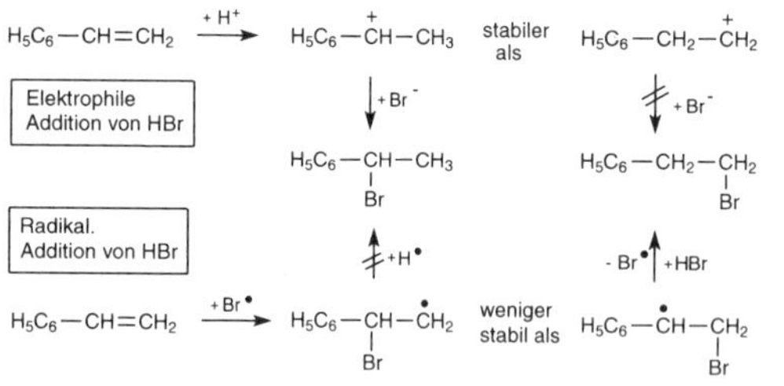

Abb.: Beisp. für eine Markownikoff- u. eine Anti-Markownikoff-Addition.

Ein illustratives Beisp. ist die Addition von HBr, die nur unter Ausschluß von Radikal-Startern nach Markownikoff, sonst als *Antimarkownikoff-Addition* abläuft. – ***E*** Markovnikov rule – ***F*** règle de Markovnikoff – ***I*** regola di Markovnikoff – ***S*** regla de Markovnikoff

Lit.: Hassner-Stumer, S. 242 ▪ Krauch u. Kunz, Reaktionen der Organischen Chemie (6.), S. 39, Heidelberg: Hüthig 1997 ▪ March (4.), S. 750 ff. ▪ s. a. Addition.

Markröhrchen. Dünnwandige Glaskapillaren mit definiertem Durchmesser u. kleinem Absorptionskoeff. für Röntgenstrahlung, die sich am oberen Ende trichterförmig erweitern u. zur Aufnahme von *Kristallen od. Pulvern dienen. Mit Hilfe von M. lassen sich insbes. luft-, feuchtigkeits- u. temp.-empfindliche *Einkristalle od. Kristallpulver zur Durchführung von *Röntgenstrukturanalysen auf einem Goniometerkopf montieren. – ***E*** mark tubes – ***F*** capillaires de mark – ***I*** capillari di marcatura – ***S*** capilares de mark

Markscheide s. Myelin.

Markscheidewesen. Von Markscheide = Grubengrenze (über- u. untertage) abgeleitete fachsprachliche Bez. für die Vermessung im Bergbau. – ***E*** subterranean geometry – ***F*** géometrie souterraine, topographie souterraine – ***I*** topografia mineraria – ***S*** topografía subterránea

Markush-Formeln (Generalformeln). In Tab., bes. in Patenten, übliche *chemische Zeichensprache. In M.-F. zeigt man variable *Fragmente* in definierten *Partialstrukturen* durch Kurzz. an, ggf. mit Zahl- od. Strichindizes, u. definiert sie in Tab., z. B. *R, R′, R^1 (*Rest, Radikal), *X (Heteroatom-Rest), Ar (*Aryl...-Rest), E (Ester-Gruppe), L (Ligand). Für variable Zahlen von Gruppen, Ketten- od. Ringgliedern setzt man tiefgestellte Buchstaben ein, z. B. $Cl_xF_{3-x}C\text{–}CCl_yF_{3-y}$, $H_3C\text{–}(CH_2)_{m-1}\text{–}(O\text{–}CH_2\text{–}CH_2\text{–})_nOH$. Variable Position zeigt man durch einen blind zwischen zwei Positionen endenden, von dem Rest ausgehenden Bindungsstrich an; *Beisp.:*

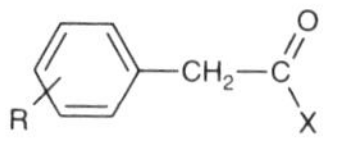

mit R = 2-, 3-, 4-CH_3 od. –C_2H_5 u. X = Cl, NH_2, $NH(CH_3)$. In chem. *Datenbanken sind M.-F. über geeignete Notationen (*Fragment-Codes*) abfragbar. – ***E*** Markush (generic) formulas – ***F*** formules (bzw. structures) de Markush – ***I*** formule di Markush – ***S*** fórmulas (bzw. estructuras) de Markush

Marmatit s. Zinkblende.

Marmelade. Eine streichfähige Zubereitung aus Zucker-Arten u. Pulpe, Saft od. Mark von Früchten unter Verw. von mind. 200 g Früchten pro kg Erzeugnis [1]. Dies ist erheblich weniger als bei *Konfitüren. 75 g der Früchte müssen, bezogen auf 1000 g Erzeugnis, vom Endokarp stammen. Lösl. Trockenmasse: Mind. 60%. Erzeugnisse anderer Frucht-Arten werden entweder als Konfitüren od. *Gelee bezeichnet [1].

Die zur M.-Herst. notwendige Gelierung beruht auf dem natürlichen od. zugesetzten Gehalt an *Pektin, das bei Zusatz unter 1%, Zucker-Gehalten von 58–75% u. pH-Werten zwischen 2,8 u. 3,5 ein stabiles Gel ausbildet [2]. Der Zusatz von *Wein- u. *Milchsäure ist üblich. Für Erzeugnisse, deren unlösl. Bestandteile größtenteils entfernt wurden, darf die Bez. *Gelee-M.* gebraucht werden. Die Konservierung von M. mit *schwefliger Säure (Höchstmenge 50 mg/kg) u. *Sorbinsäure (nur für brennwertverminderte M., Höchstmenge 0,8 g/kg) ist nach *Zusatzstoff-Zulassungs-VO geregelt [3]. Der Nachw. der *Konservierungsmittel kann nach *Lit.*[4] erfolgen. Bei entsprechender Kennzeichnung darf M. unter Verw. von Citrusschalen hergestellt werden; zur Verw. u. Bestimmung von Silicon-Entschäumern in M. s. *Lit.*[5]. Der allg. Sprachgebrauch versteht unter M. häufig die in der Konfitüren-VO als Konfitüren od. Gelee definierten Erzeugnisse. – ***E*** jam, marmalade – ***F*** marmelade, confiture – ***I*** marmellata – ***S*** mermelada

Lit.: [1] Konfitüren-VO vom 26. 10. 1982 u. Änderungs-VO vom 18. 12. 1992 (BGBl. I, S. 2423). [2] Belitz-Grosch (4.), S. 288, 766. [3] Zusatzstoff-Zulassungs-VO vom 22. 12. 1981 in der Fassung vom 13. 6. 1990 (BGBl. I, S. 1053) Anlage 4 Liste B Nr. 20 a u. Anlage 3 Liste B Nr. 37. [4] J. Assoc. Off. Anal. Chem. **68**, 902–905 (1983). [5] J. Assoc. Off. Anal. Chem. (Int.) **76**, 581 ff. (1993).
allg.: Food Mark. Technol. **7** (Nr. 4), 5–13 (1993) ▪ Heiss, Lebensmitteltechnologie (5.), Berlin: Springer 1996 ▪ Zipfel, C 355. – *[HS 2007 91]*

Marmelid, Marmelosin. Unübliches Synonym für *Imperatorin.

Marmor. Im Sprachgebrauch der *Petrographie Bez. für *metamorphe Gesteine mit mehr als 50 Vol.-% *Calcit (*Calcit-M.*, Kalk-M.) od. *Dolomit (*Dolomit-M.*), entstanden aus *Kalken od. Dolomit-Gesteinen durch Regionalmetamorphose od. *Kontaktmetamorphose. M. ist schneeweiß od. verschieden gefärbt. Die Färbung kann einheitlich sein od. fleckig, das Gestein streifig durchziehen od. „marmorieren". M. sind meist reine Carbonatgesteine, können aber durch vielerlei Mineralien verunreinigt sein; die Übergänge zu *Kalksilicatgesteinen sind fließend. Die große Mannigfaltigkeit der *techn. Marmore*, d. h. alle dekorativen u. polierfähigen, auch nicht-metamorphen Kalke u. Dolomite, ist durch die sehr variable Verteilung der färbenden Mineralien u. Gefüge-Besonderheiten der Gesteine bedingt, s. Müller (*Lit.*; dort auch Handelsnamen); solche M. finden sich z. B. im Rhein. Schiefergebirge, im Frankenwald u. bei Berchtesgaden.
Vork.: Oft in Gebirgsgürteln, z. B. Alpen. Rein weiße M. z. B. in Italien (u. a. Carrara), Griechenland (z. B. Inseln Naxos u. Paros), der Türkei u. Rumänien; in der BRD (keine Abbaustellen) im Odenwald, Fichtelgebirge (Wunsiedel), Bayer. Wald u. Erzgebirge.
Verw.: Wegen der leichten Bearbeitbarkeit seit der Antike als Ornament- u. Monumentalstein in der Außen- u. Innenarchitektur, als Statuen-M., für Kunstgegenstände, für Grabmale, für Wand- u. Bodenplatten, als Spaltsteine für Park- u. Gartengestaltung. – ***E*** marble – ***F*** marbre – ***I*** marmo – ***S*** mármol

Lit.: Bucher u. Frey, Petrogenesis of Metamorphic Rocks, S. 171–189, Berlin: Springer 1994 ▪ Dietrich u. Skinner, Die Gesteine u. ihre Mineralien, S. 295 ff., Thun: Ott 1984 ▪ Müller, Gesteinskunde (5.), Ulm: Ebner 1996 ▪ Yardley, McKenzie u. Guilford, Atlas metamorpher Gesteine u. ihrer Gefüge in Dünnschliffen, S. 50–55, Stuttgart: Enke 1992 ▪ s. a. metamorphe Gesteine u. Metamorphose. – *[HS 2515 11]*

Marmorgips (Marmorzement). Bei Rotglut doppelt gebrannter, zwischen den Brennvorgängen mit härtenden Stoffen (z. B. Kaliumalaun-, Borax- od. Wasserglas-Lsg.) getränkter Gips. M. wird für Kunststein, zu Mosaikarbeiten, Kitt u. dgl. verwendet. – ***E*** marble gypsum – ***F*** gypse de marbre – ***I*** gesso (cemento) di marmo – ***S*** yeso de mármol

Lit.: Winnacker-Küchler (3.) **2**, 234.

Maronen s. Kastanien.

Maronenröhrling [*Xerocomus badius* (Fr.) Kühn ex. Gilb. Synonym: *Boletus badius* Fr.]. Der M. gehört zur Familie der Boletaceae (Röhrenpilze) u. kommt häufig in Nadelwäldern vor. Nach den Leitsätzen für Pilze u. Pilzerzeugnisse[1] sind M. als *Speisepilze zu beurteilen, obwohl sie in rohem Zustand giftig sind. Als Hutfarbstoffe des M. sind *Badione u. *O*-Methylpulvichinone beschrieben[2]. Norbadion A bildet normalerweise mit Kaliumchlorid einen Komplex (1:1). Nach *Lit.*[3] ist Norbadion A auch in der Lage, mit $^{137}CsCl$ einen solchen Komplex zu bilden. Die hohe Anreicherung von ^{137}Cs im M., die nach dem Reaktorunfall von Tschernobyl beobachtet wurde[3,4], ist durch eine solche Komplexbildung zu erklären. – ***E*** cep(e) – ***F*** bolet bai, cèpe bai – ***I*** boleto dei castagni – ***S*** hongos de los castaños

Lit.: [1] Leitsätze für Pilze u. Pilzerzeugnisse vom 27. 1. 1965 in der Fassung vom 25. 7. 1975 (GMBl. Nr. 23, 503), abgedruckt in Zipfel, C 325. [2] Angew. Chem. **96**, 435 ff. (1984). [3] Angew. Chem. **101**, 495 f. (1989). [4] Z. Lebensm. Unters. Forsch. **185**, 91–97 (1987).
allg.: Roth, Giftpilze, Pilzgifte, S. 119, Landsberg: ecomed 1990. – *[HS 0709 51]*

MARPOL s. Bilge u. Ölpest.

Marquardt, Peter (geb. 1910), Prof. (emeritiert) für Pharmakologie, Univ. Freiburg. *Arbeitsgebiete:* Toxikologie, Pharmakologie, Enzymologie u. Biochemie des autonomen Nervensyst., bes. des Acetylcholins, der Adrenalin-Derivate u. Toxikologie des Histamins, Fremd- u. Zusatzstoffe in Lebensmitteln.
Lit.: Kürschner (16.), S. 2306 ▪ Wer ist wer (35.), S. 935.

Marquardt-Masse. Feinporiges, bis ca. 1800 °C beständiges Hartporzellan aus 65% Kaolin u. 35% Al_2O_3. – ***E*** Marquardt's composition – ***F*** composition de Marquardt – ***I*** massa Marquardt – ***S*** masa de Marquardt

Marquis-Reaktion. Farbreaktion zum Nachweis von phenol. Verb., z. B. *Meskalin u. *Morphin, mit Formaldehyd u. konz. Schwefelsäure (Bildung farbiger Diphenylmethylium-Kationen). – ***E*** Marquis reaction

Mars s. Planeten.

Marschflugkörper s. Kernwaffen, S. 2135.

Marseiller Seifen s. Seifen.

Marsgelb. Durch alkal. Fällung von Fe(II)-Salzen u. anschließende Oxid. hergestelltes, bräunlich-orangegelbes *Eisenoxid-Pigment. – ***E*** Mars yellow – ***F*** jaune de Mars – ***I*** giallo di Marte – ***S*** amarillo de Marte – *[HS 2821 10]*

Marsgrün. Pigment, das durch Mischen von Berliner Blau mit Marsgelb od. durch Farbstoff-Fixierung auf Grünerde erhalten wird. – ***E*** Mars green – ***F*** vert de Mars – ***I*** verde di Marte – ***S*** verde de Marte

Marsh-Test. Von James Marsh (1790–1846, Assistent von Faraday in Woolwich) entwickelte Meth. zur Bestimmung von *Arsenik. – ***E*** Marsh test – ***F*** méthode de Marsh – ***I*** prova di Marsh – ***S*** ensayo de Marsh

Marsrot. Rote Malerfarbe (*Eisenoxid-Pigment) aus künstlich hergestelltem Fe_2O_3 (ca. 75%), das durch Fällen u. Glühen gewonnen wird u. evtl. Zusätze von

$CaSO_4$ u. $BaSO_4$ enthält. – ***E*** Mars red – ***F*** rouge de Mars – ***I*** rosso di Marte – ***S*** rojo de Marte – *[HS 2821 10]*

Martensin A s. Imidazol-Alkaloide.

Martensit. 1. Allg. bei Leg. die Bez. für ein thermodynam. instabiles Gefüge, das bei einer bestimmten Temp. (*M.-Punkt, M.-Temp.*) durch *Scherung entlang spezif. Gitterebenen entsteht. Obwohl die bei diesem Umklappvorgang auftretenden Verformungen sehr gering sind, erhöht sich in ihrer Folge die Dichte der Versetzungen im *Kristallgitter, was zu einer erheblichen Verfestigung (Härtung, Versprödung) des Werkstoffs führen kann. Der Schervorgang tritt legierungsabhängig im Bereich zwischen Raumtemp. u. mehreren 100 °C auf. Die bei niedrigen Temp. bewirkten reversiblen Verformungen werden techn. in Form des *Memory-Effektes in den Leg.-Syst. Cu–Zn, Ti–Ni u. Al–Ni genutzt.
2. Speziell bei *Stählen Bez. für die instabile Gefügeform im Syst. Eisen – Eisencarbid (Zementit, Fe_3C), die durch rasches Abkühlen (Abschrecken) der oberhalb von 723 °C stabilen, kub.-flächenzentrierten γ-Phase des Eisens (*Austenit) entsteht. Durch einen Schervorgang klappt der Austenit beim M.-Punkt in die bei tieferen Temp. stabile, kub.-raumzentrierte α-Phase (α-*Ferrit) um. Da im Austenit bis zu 2% Kohlenstoff lösl. sind, im Ferrit dagegen nur bis zu 0,02%, führt der im Ferrit „zwangsgelöste" Kohlenstoff zu einer tetragonalen Verzerrung des Ferrit-Gitters; dieses Gefüge wird als M. bezeichnet. Sowohl die mit dem Schervorgang verbundene Erhöhung der Versetzungsdichte als auch die Verzerrung des Ferrit-Gitters bewirken eine erhebliche Steigerung der Festigkeit (Härte), die mit einer entsprechenden Verminderung der Zähigkeit einhergeht. Der Vorgang der M.-Bildung wird auch als *Umwandlungshärtung* bezeichnet. Beim Erwärmen im Anschluß an das Härten (*Anlassen*) diffundiert Kohlenstoff aus dem M.-Gitter aus u. bildet zunächst submikroskop. Fe_3C-Ausscheidungen; bei hinreichend hoher Anlaßtemp. entstehen Fe_3C-Platten (s. Perlit). Gefügeformen, die zwischen den Grenzfällen M. u. Perlit liegen, werden als *Zwischenstufengefüge* bezeichnet (z.B. Bainit). Mit zunehmender Ausdiffusion des Kohlenstoffs entspannt sich das tetragonal verzerrte M.-Gitter u. geht in das kub.-raumzentrierte Ferrit-Gitter über. In der Folge vermindern sich Festigkeit u. Härte; Zähigkeit u. Verformbarkeit steigen an. Eine Kombination von Härten mit nachfolgendem Anlassen wird als *Vergüten bezeichnet. Die zur M.-Bildung erforderlichen Abkühlbedingungen werden entscheidend durch die Leg.-Elemente in Stählen beeinflußt. Die Möglichkeiten der Werkstoffbeeinflussung durch Umwandlungshärtung haben in Kombination mit den modifikationsabhängigen Löslichkeitssprüngen für Kohlenstoff dem Stahl seine herausragende Bedeutung gegeben. – ***E*** = ***F*** = ***I*** martensite – ***S*** martensita

Lit.: Hougardy, Umwandlung u. Gefüge unlegierter Stähle, 2. Aufl., S. 65 ff., Düsseldorf: Verl. Stahleisen 1990 ▪ Verein Deutscher Eisenhüttenleute (Hrsg.), Werkstoffkunde Stahl, Bd. I, S. 150 ff., Berlin: Springer 1989.

Martens-Temperatur. Die M.-T. ist ein Maß für die Erweichungstemp. eines *Polymeren. Sie wird bestimmt, indem auf einen Standard-Probekörper eine definierte Last aufgelegt wird u. dann die Temp. sukzessive erhöht wird, bis sich die Probe um einen festgelegten Betrag durchbiegt. Für amorphe Polymere liegt die M.-T. typischerweise 20 °C unterhalb der *Glasübergangstemperatur. – ***E*** Martens temperature – ***F*** température de Martens – ***I*** temperatura di Martens – ***S*** temperatura Martens

Lit.: Elias (5.) **1**, 820.

Martin, Archer John Porter (geb. 1910), Prof. für Physikal. Chemie, Mill Hill, London. *Arbeitsgebiete:* Analyt. Chemie, Entwicklung der Verteilungschromatographie, Konstruktion des ersten Gaschromatographen, zusammen mit *Synge Nobelpreis für Chemie 1952.

Lit.: Chem. Labor Betr. **36**, 102 f. (1985) ▪ Lexikon der Naturwissenschaftler, S. 285 ▪ Neufeldt, S. 211, 216, 234, 367 ▪ Nobel Prize Lectures-Chemistry 1942–1962, Amsterdam: Elsevier 1964 ▪ Pötsch, S. 292 ▪ The International Who's Who (16.), S. 1019.

Martin-Gleichung. Bez. für die empir. Beziehung zwischen der *Viskositätszahl (η_{sp}/c) u. der Konz. (c) eines *Polymers in verd. Lösung. Sie hat die Form

$$\ln(\eta_{sp}/c) = \ln([\eta]) + k\,[\eta]c,$$

wobei $[\eta]$ die Grenzviskosität (Staudinger-Index) u. k eine Konstante sind. Obwohl die M.-G. bei hohen Konz. c – bei denen die verwandten Huggins- od. Kraemer-Gleichungen versagen – das *Viskositäts-Verhalten von Polymer-Lsg. oft gut beschreibt, ist die lineare Extrapolation von $\ln(\eta_{sp}/c)$ auf c = 0 häufig wenig zuverlässig, was zu gravierenden Fehlern bei der Bestimmung von $[\eta]$ führen kann. – ***E*** Martin's equation – ***F*** équation de Martin – ***I*** equazione di Martin – ***S*** ecuación de Martin

Lit.: Elias (5.) **1**, 98; **2**, 716.

Martin-Roth-Stiehler-Gleichung (MRS-Gleichung). Bez. für die empir. Gleichung

$$\sigma = E\,(\lambda^{-1} - \lambda^{-2})\,\exp\,[A\,(\lambda - \lambda^{-1})],$$

die eine Beziehung zwischen Spannnung σ u. Dehnung λ kautschukelast. Körper herstellt. A u. E werden dabei als Konstanten betrachtet. – ***E*** MRS equation – ***F*** équation de Martin-Roth-Stiehler – ***I*** equazione di Martin-Roth-Stiehler – ***S*** ecuación de MRS

Martinswerk GmbH. Sitz in 50127 Bergheim. *Daten* (1996): 546 Beschäftigte, 218 Mio. DM Umsatz. *Produktion:* Aluminiumhydroxide: Spezialqualitäten als Flammschutzmittel für die Kunststoff- u. Kautschuk-Ind., als Füllstoff- u. Streichpigmente für die Papier-Ind., Standardqualitäten für die Herst. von Zeolithen u. Aluminium-Salzen; Aluminiumoxide: Spezialqualitäten für die Keramik u. Feuerfest-Ind., Poliermittel, Gasreinigung u. -trocknung, Standardqualitäten für die Korund-Herst., Spezialpigmente für die Papier- u. Karton- sowie Farben- u. Lack-Ind.; Magnesiumhydroxid als Flammschutzmittel für die Kunststoff- u. Kautschuk-Industrie.

Martit s. Hämatit.

Martiusgelb s. Naphthol-Farbstoffe.

Martonite. Französ. Deckname für ein *Tränengas* aus 80% Monobromaceton u. 20% Monochloraceton, wurde im 1. Weltkrieg als *Kampfstoff eingesetzt. – ***E*** = ***F*** martonite – ***I*** martoniti – ***S*** martonita

Lit.: Klimmik et al., Chemische Gifte u. Kampfstoffe, Stuttgart: Hippokrates 1983.

Martricarin, Martricin s. Proazulene.

Marvelon® (Rp). Antikonzeptionsmittel (Tabl.) mit *Desogestrel u. *Ethinylestradiol. ***B.:*** Organon.

Marzipan. Mischung aus M.-Rohmasse u. gepuderter *Saccharose in einem Verhältnis von mind. 1 : 1, evtl. unter Verw. von *Stärke-Sirup (bis 3,5%) od. *Sorbit (bis 5% als Feuchthaltemittel).
Für höhere M.-Güteklassen steigt der Rohmassenanteil bis 5:1 an (Königsberger M.), od. es dürfen nur Rohmassen der Qualität M00 verwendet werden (Lübecker M.). *Lübecker M.* ist als Herkunftsbez. u. nicht als Gattungsbez. zu verstehen u. muß damit aus Lübeck kommen. Die Zusammensetzung u. Herst. des qualitätsbestimmenden Rohstoffs M.-Rohmasse (Güteklassen M00–MI, richten sich nach dem Herkunftsland der süßen Mandeln u. dem Anteil an bitteren Mandeln) u. des M. wird in den Leitsätzen für Ölsamen u. daraus hergestellten Massen u. Süßwaren beschrieben [1]; weitere Begriffsbestimmungen s. *Lit.*[2,3].
Ein M.-ähnliches, qual. weniger hochstehendes Produkt ist das *Persipan, das aufgrund seines abweichenden *Tocopherol-Spektrums[4] (als Folge der Verarbeitung unterschiedlicher Öle, s. a. Mandelöl) von M. unterschieden werden kann.
Zusammensetzung: Für M.-Rohmasse bzw. M. gelten folgende Richtwerte: Mandel-Trockensubstanz mind. 48 bzw. 24%, Zusatz von Saccharose u./od. Invertzucker max. 35 bzw. 67,5%, Wasser max. 17 bzw. 8,5%; Fettgehalt mind. 28 bzw. 14%. Die Verarbeitung entbitterter bitterer Mandeln ist verboten. Zur Geschmacksabrundung wird *Rosenwasser zugesetzt. Genaue Angaben zur Herst. u. Zusammensetzung von M. sind *Lit.*[3,5,6] zu entnehmen.
Den Zusatz von *Antioxidantien, *Konservierungsmitteln u. Farbstoffen sowie deren Kenntlichmachung regelt die Zusatzstoff-Zulassungs-Verordnung (*Lit.*[7]).
Analytik: Zum Nachw. von Antioxidantien in M. existiert eine *Methode nach § 35 LMBG (L 43.16-1). Angaben zum Metall-Gehalt macht *Lit.*[8].
Geschichte: Der Name M. ist von der seit ca. 1500 belegten venezian. Bez. marzapane für diese Süßware abgeleitet, deren weitere Herkunft ungewiß ist. Jahresproduktion (BRD, 1995): 26220 t. – ***E*** marzipan, marchpane – ***F*** massepain, pâte d'amandes – ***I*** marzapane – ***S*** mazapán

Lit.: [1] Leitsätze für Ölsamen u. daraus hergestellte Massen u. Süßwaren, Bundesanzeiger 140a vom 9. 6. 1987, abgedruckt in Zipfel, C 355e. [2] Richtlinie des Bundes für Lebensmittelrecht u. Lebensmittelkunde: Begriffsbestimmung für Zuckerwaren u. verwandte Erzeugnisse, Hamburg: Behrs 1982. [3] Lebensmittelkontrolleur **4**, 22 ff. (1989). [4] Lebensmittelchemie **44**, 59 ff. (1990). [5] Belitz-Grosch (4.), S. 794. [6] Hoffmann, Zucker u. Zuckerwaren, S. 230–242, Berlin: Parey 1985. [7] ZZulV vom 22. 12. 1981 in der Fassung vom 13. 6. 1990 (BGBl. I, S. 1053). [8] Zucker Süßwaren Wirtsch. **39**, 162 (1986).
allg.: Dragoco Bericht **1993**, 49 ▪ Heiss, Lebensmitteltechnologie (5.), Berlin: Springer 1996 ▪ Ullmann (5.) **A 7**, 417 ▪ Vollmer et al., Lebensmittelführer, Bd. 2, Stuttgart: Thieme 1995 ▪ Zipfel, C 355 ▪ Zucker Süßwaren Wirtsch. **44**, 335 f. (1991). – *[HS 1704 90]*

MAS s. NMR-Spektroskopie u. Mößbauer-Spektroskopie.

Mascara s. Augenkosmetika.

Maschenfestmittel. Heterogen zusammengesetzte Gruppe von Stoffen, die die Bildung von *Laufmaschen* in Gewirken verhindern. Als M. werden gewöhnlich *Appreturen auf der Basis von Polystyrol, Polyacrylat, Naturharzen, Kieselsäuren etc. verwendet, die auch als *Schiebefestmittel dienen können. – ***E*** ladder-proofing agents – ***F*** produits pour rendre indémaillable – ***I*** agente indemagliabile – ***S*** productos para hacer indesmallable

Lit.: Chwala u. Anger, Handbuch der Textilhilfsmittel, S. 727–734, Weinheim: Verl. Chemie 1977 ▪ Rouette, Lexikon für Textilveredlung, Bd. 3, S. 1885, Dülmen: Laumann-Verl. 1995.

Maschenweite s. Korngröße u. Mesh.

Maschinengeschirrspülmittel. Bez. für Reinigerformulierungen, die aus sog. Alkaliträgern, Komplexbildnern, Bleichkomponenten, Enzymen u. Netzmitteln bestehen u. dem maschinellen Reinigen von Geschirr, Gläsern, Bestecken u. dgl. dienen. Während bis 1990 als Alkaliträger noch Natriummetasilicat diente, das inzwischen als ätzend eingestuft wurde, werden heute unterschiedliche Kombinationen von Natriumdisilicaten, Soda u. Natriumhydrogencarbonat eingesetzt (*niederalkal. Reiniger*). Als Komplexbildner werden Phosphate od. Natriumcitrat, ggf. in Verb. mit Polycarboxylaten, verwendet. Aktivchlorträger wie Natriumdichlorisocyanurat (vgl. Chlorisocyanursäuren) sind prakt. vollständig durch Natriumperborat od. -percarbonat u. TAED (s. Waschmittel) od. Mangan-Komplexe als Acceleratoren für die Bleiche ersetzt. Als Enzyme dienen überwiegend *Proteasen u. *Amylasen, als Netzmittel schwach schäumende *nichtionische Tenside. Zusatzkomponenten wie Silber-Schutzmittel runden die Produktleistung ab[1]. Beim *maschinellen* Geschirrspülen werden außer den Reinigern noch *Klarspüler* (wäss. Lsg. nichtion. Tenside mit niederen Alkoholen als Lösungsvermittler u. Citronensäure) u. ggf. *„Salz“* (als zusätzliches Wasserenthärtungsmittel) benötigt. Angebotsformen von M. sind Granulate u. Tabl.; zur Bestimmung der Reinigungsleistung von M. vgl. *Lit.*[2,3]. – ***E*** machine dishwashing detergents – ***F*** détergent pour machine à laver la vaisselle – ***I*** detersivi per lavastoviglie – ***S*** detergentes para máquinas lavaplatos

Lit.: [1] Seifen, Öle, Fette, Wachse **120**, 400 (1994). [2] Seifen, Öle, Fette, Wachse **119**, 822–828 (1993); **120**, 405–408 (1994); **121**, 160–167 (1995). [3] Seifen, Öle, Fette, Wachse **124** (1998).
allg.: Cahn (Hrsg.), Proc. 3rd World Conference on Detergents: Global Perspectives, S. 108 ff., Champaign: AOCS Press 1994 ▪ Henkel-Ref. **29**, 41–48 (1993) ▪ Ullmann (4.) **20**, 148 ff.; (5.) **A 7**, 141 ff.

Maschinenrichtlinie. Grundlage für Anforderungen an Bau u. Ausrüstung von Maschinen ist die EU-Maschinenrichtlinie. Es handelt sich um eine Richtlinie nach Artikel 100a des Vertrages zur Gründung der europ. Wirtschaftsgemeinschaft. Die M. behandelt den Anwendungsbereich, das Inverkehrbringen, den freien Warenverkehr, Schutzklauseln, die erforderlichen Bescheinigungsverf., die EG-Kennzeichnung, das In-

krafttreten, Übergangsbestimmungen u. die Aufhebung von Vorschriften. Sie legt in Anhang I die Beschaffenheitsanforderungen in Form von grundlegenden Sicherheits- u. Gesundheitsanforderungen fest. Die EU-M. ist mit der 9. VO zum Gerätesicherheitsgesetz in nat. Recht umgesetzt worden. Sie ist anzuwenden auf alle Maschinen, auswechselbare Ausrüstungen u. Sicherheitsbauteile, die seit dem 1. 1. 1995 erstmalig in der EU in Verkehr gebracht wurden.
Ab diesem Datum müssen selbständig funktionsfähige Maschinen eine EG-Kennzeichnung (CE-Zeichen) aufweisen u. mit einer Konformitätserklärung versehen sein, aus der hervorgeht, daß die Maschinen den grundlegenden Sicherheits- u. Gesundheitsanforderungen aller relevanten EU-Richtlinien entsprechen. Darüber hinaus gehört eine Betriebsanleitung in der Sprache des Betreibers zur Pflichtausstattung der Maschine.
Bei nicht selbständig funktionsfähigen Maschinen werden die Konformitätserklärung u. das CE-Zeichen durch die Herstellererklärung ersetzt.
Für Maschinen, die vor dem 1. 1. 1995 in Verkehr gebracht wurden u. nach den bis dahin geltenden nat. Vorschriften gebaut sind, gelten die Festlegungen der M. nicht, wenn die Maschinen nicht wesentlich verändert wurden. – ***E*** machinery directive – ***I*** direttiva sulle macchine – ***S*** directiva de maquinarias

Lit.: Richtlinie 89/392/EWG des Rates vom 14.06.1989 zur Angleichung der Rechtsvorschriften der Mitgliedstaaten für Maschinen (ABl. EG Nr. L 183, S. 9), zuletzt geändert durch die Richtlinie 91/368/EWG des Rates vom 20.06.1991 (ABl. EG Nr. L 198, S. 16) ▪ 9. VO zum Gerätesicherheitsgesetz vom 12.05.1993 (BGBl. I, S. 704) in der Fassung vom 28.09.1995 (BGBl. I, S. 1213).

Maser (Abk. für *E* *m*icrowave *a*mplification by *s*timulated *e*mission of *r*adiation). Im M. wird eine im Mikrowellenbereich (10^7 bis 10^{11} Hz; s. Mikrowellen) anschwingende elektromagnet. Welle durch stimulierte Emission (s. Abb. 1 bei Laser) verstärkt. Der schemat. Aufbau des atomaren Wasserstoff-M. ist in der Abb. wiedergegeben.

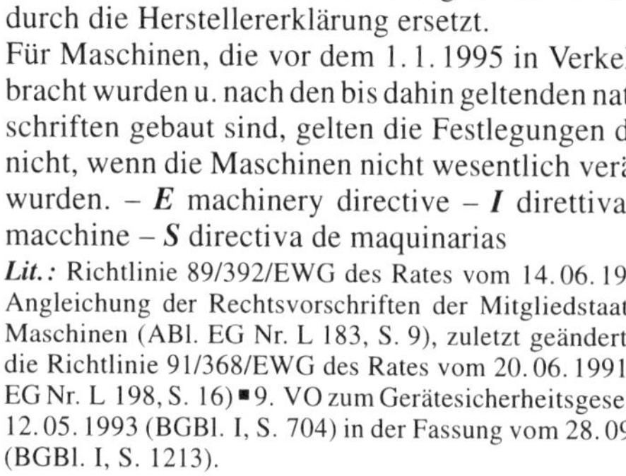

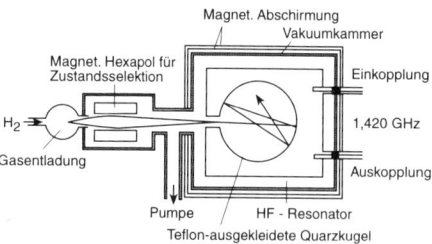

Abb.: Schemat. Aufbau des Wasserstoff-Maser.

In einer Gasentladung wird aus H_2-Mol. atomarer Wasserstoff erzeugt, von dem ein Strahl durch ein inhomogenes Magnetfeld geschickt wird, das nur die Atome, die sich in dem angeregtem *Hyperfeinstruktur-Zustand F = 1 befinden, in den Hohlraumresonator weiterleitet. Als Sammelgefäß dient eine Quarzkugel. Deren Wand ist mit Teflon beschichtet, damit bei Wandstößen keine Änderung der Spins stattfindet u. sich die Atome lange in dem Hochfrequenz-Resonator bewegen. Aufgrund der langen Aufenthaltsdauer erhält man sehr schmale Linien, wenn der Resonator auf den Hyperfeinstruktur-Übergang $F=1 \rightarrow F=0$ abgestimmt wird. Die Stabilität beträgt 10^{14} für Mittelungszeiten zwischen 1 u. 10^5 s. Neben den Gasstrahl-M., die CH_2O mit 14,4886 GHz, $C_{12}H_{16}O$ mit 12,8 GHz, H mit 1,420405 GHz u. $^{14}NH_3$ mit 23,870 GHz sowie $^{15}NH_3$ mit 22,789 GHz verwenden, gibt es opt. gepumpte Gas-M., wie z. B. ^3He mit 103 kHz, ^{85}Rb mit 3,0359 GHz u. ^{87}Rb mit 6,8347 GHz sowie eine Reihe von Festkörper-M. (z. B. Rubin mit 9,22 GHz, weitere Beisp. s. Tab. 472 in *Lit.*[1]). Es werden v. a. bestimmte paramagnet. Ionen (z. B. Cr^{3+}, Fe^{3+}) eingesetzt, die z. B. in die Kristallgitter von Aluminiumoxid (Rubin) od. Titandioxid (Rutil) eingebettet sind; hierzu gehören auch Krist. von Lanthanethylsulfat $[H_5C_2OSO_3)_3La \cdot 9\,H_2O]$ mit eingebetteten Gd^{3+}-Ionen u. Nd-gedopte Ca-Wolframate bzw. Sr-Molybdate. Die hohe Meßgenauigkeit der M.-Frequenz u. deren geringe Beeinflußbarkeit durch äußere Wirkung hat den M. auch die Anw. als Zeit- u. Frequenzstandards erschlossen. Dies gilt v. a. für den Ammoniak-Molekülstrahl-M., der sich als *Atomuhr bewährt hat. Ihr Haupteinsatzgebiet finden M. bei Mikrowellen-Präzisionsmessungen, in der Radioastronomie u. in der Signalverstärkung. Bezüglich M. im Weltall s. *Lit.*[1], S. 481.
Geschichte: Der erste M. wurde 1954 von C. H. Townes u. Mitarbeitern an der Columbia University in New York gebaut. Es war ein NH_3–M. mit einer Wellenlänge von 1,25 cm. 1960 gelang es Maiman, das Verstärkungsprinzip im opt. Spektralgebiet ebenfalls zu realisieren, indem er den *Rubin-Laser baute. 1964 wurde der Nobelpreis für Physik an Townes, sowie die russ. Wissenschaftler A. M. Prokhorov u. N. G. Basov für die Entwicklung des M. vergeben. – ***E*** = ***F*** masers – ***I*** maser – ***S*** máseres

Lit.: [1] CRC Handbook of Laser Science and Technology, Boca Raton: CRC Press 1982.
allg.: Hellwig, Time and Frequency, Encyclopedia of Physical Science and Technology, Vol. 16, S. 763–780, New York: Academic Press 1992 ▪ Lerner u. Trigg (Hrsg.), Encyclopedia of Physics, Weinheim: VCH Verlagsges. 1991.

Maskierung. In der Chemie versteht man unter dem geschickt gewählten Begriff „M." das „Unkenntlichmachen" einer Substanz durch eine dazu geeignete zweite Substanz; in der *Geochemie begegnet einem häufig eine M. bestimmter Elemente (Zr, Ti, V, Hf, Seltenerdmetalle) durch andere Elemente aufgrund der ähnlichen *Atomradien (*Tarnung*, vgl. a. Mischkristalle). Gelegentlich spricht man statt von M. von *Sequestrierung* (von *E* sequester = entfernen, beschlagnahmen), doch ist dieser Ausdruck im Dtsch. wenig gebräuchlich. Als *Maskierungsmittel* (*Sequestrierungsmittel*, *E* sequestrants) bezeichnet man Substanzen, die jeweils die unerwünschte Reaktion von störenden Fremdsubstanzen bei einer analyt. Bestimmung verhindern, indem sie sie in lösl. *Komplexe, andere Oxid.-Stufen od. in reaktionsunfähige Formen überführen, z. B. in *Chelate. M.-Mittel werden in der Fleckentfernung, in Korrosionsschutz, Wasseraufbereitung, Extraktionstechnik, Entgiftung, Komplexometrie, Abwasserbehandlung der Galvanotechnik u. als Builder in Waschmitteln eingesetzt. In der Hauptsache verwendet man als M.-Mittel EDTA, Nitrilotriessigsäure, Phosphate, Polyhydroxycarbonsäuren, Citrate, Dimercaprol, Ammoniumfluorid u. Triethanolamin. Als bes. nützliche, vielfach auch selektive M.-Mittel haben sich *Kronenether, *Kryptanden u. ähnliche *makrocyclische Verbindungen erwiesen. Durch Anw. der M. kann man z. B. Pb neben Cu, Ni neben Fe, Al u. Mn, Mg od. Zn neben Al usw. bestimmen. Weitere Anw.-Gebiete von M. findet man unter Chelate. – ***E*** masking – ***F*** masquage – ***I*** mascheramento – ***S*** enmascaramiento

Lit.: DiStasio, Surfactants, Detergents and Sequestrants, Park Ridge: Noyes 1981 ▪ Fb NRW 2918 (1980) ▪ Kolthoff-Elving 2/1 ▪ Struct. Bonding (Berlin) **43**, 159–186 (1981) ▪ Top. Curr. Chem. **98**, 163–189 (1981).

Masonite-Verfahren. Mechan. *Holz-Aufschluß-Verf. der Masonite Co., bei dem zerkleinertes Holz unter Dampf einem Druck von 60–70 bar ausgesetzt u. plötzlich entspannt wird. Dabei zerreißen die Holzzellen u. aus den Zelltrümmern kann *Lignin sowie eine braune, flockige Masse (*Masonite*) isoliert werden, die z. B. zu Platten gewalzt u. nach dem Trocknen zur Wärme-, Schall- u. Elektroisolation Verw. finden kann. Das M.-V. wurde 1926 von dem amerikan. Chemiker W. H. Mason erfunden. – ***E*** Masonite process – ***F*** procédé Masonite – ***I*** processo Masonite – ***S*** procedimiento Masonite

Lit.: Kirk-Othmer (2.) **21**, 603, 605 f.; (3.) **14**, 4 ▪ Ullmann (4.) **12**, 721; (5.) **A 28**, 339.

MASQUOL® P. Sequestriermittel auf *Phosphonsäure-Basis. ***B.:*** PROTEX-EXTROSA.

Massachusetts Institute of Technology s. MIT.

Maßanalyse (Titrimetrie, titrimetrische Analyse). Das Prinzip der M. besteht darin, daß man zu einem bekannten Vol. einer Lsg. des zu bestimmenden Stoffes gerade so viel einer Lsg. bekannter Konz. einer Reagenzlsg. zusetzt, wie zur vollständigen (genau definierten) u. möglichst rasch verlaufenden Umsetzung erforderlich ist. Der *Endpunkt der Reaktion (s. a. Äquivalenzpunkt) muß dabei deutlich erkennbar sein; er kann auch mit Hilfe eines *Indikators od. durch elektrochem. od. physikal. Meth. sichtbar gemacht werden. Hierbei kann grundsätzlich jede physikal. Größe benutzt werden, die sich beim Erreichen des Endpunktes deutlich ändert. Die Durchführung der maßanalyt. Bestimmung bezeichnet man als *Titration, den Gehalt od. chem. Wirkungswert der Reagenzlsg. (*Titrierflüssigkeit = Titrans*) als *Titer.* Das Vol. der zu analysierenden Lsg. wird in der Regel mit einer *Pipette festgelegt, die Reagenzlsg. – im allg. eine *Normallösung (*Maßlsg.*) – läßt man aus einer *Bürette zufließen. Da das Vol. der Reagenzlsg. gemessen wird, bezeichnet man die M. auch als *volumetr. Analyse* od. *Volumetrie.* Bei der Herst. der Titrierflüssigkeit muß deren Wirkwert durch genaue *Einstellung* (Bestimmung der *Faktoren) ermittelt werden, d. h. der Gehalt an reagierender Substanz wird durch Titration einer bestimmten Menge an *Urtitersubstanz bestimmt. Meistens verwendet man jedoch käuflich erhältliche, gebrauchsfertige Normallsg., wie z. B. 1 n KOH (*E* 1 N KOH), häufiger noch „zehntelnormale" Lsg. (1/10-Normallsg., n/10 od. 0,1 n). Es sei darauf hingewiesen, daß die Bez. „Normallösung" u. „Normalität" (s. dort) nicht SI- u. DIN-konform sind, aus prakt. Gründen aber beibehalten werden.

Die maßanalyt. Verf. werden wie folgt unterteilt: (a) Redoxtitrationen bzw. Oxidimetrie (Manganometrie, Iodometrie, Bromatometrie, Bromometrie, Chromatometrie, Iodatometrie u. Cerimetrie); – (b) Fällungs- u. Komplextitrationen; – (c) Neutralisationstitrationen (Acidimetrie, Alkalimetrie); – (d) elektrochem. Meth. wie Konduktometrie u. Potentiometrie, die insbes. für Titrierautomaten (Titriprozessoren) eine Rolle spielen.

Geschichte: Als Begründer der M. ist der Franzose François Descroizilles (1751–1825) zu nennen, der bereits 1791 mit einer einfachen Bürette den Indigo-Gehalt durch Titration mit Chlorwasser bestimmte. Der Gebrauch von Indikatoren geht wohl auf *Boyle zurück. Verschiedene maßanalyt. Meth. (Acidimetrie, Alkalimetrie, maßanalyt. Silber-Fällungsanalyse) wurden erstmals in Paris von *Gay-Lussac (1830) ausgearbeitet; daher sind viele Fachausdrücke dieses Gebietes vom Französischen hergeleitet, so z. B. Titration, Bürette, Pipette, Indikator. – ***E*** volumetric analysis – ***F*** analyse volumétrique – ***I*** analisi volumetrica, analisi per titolazione – ***S*** análisis volumétrico

Lit.: Analyt.-Taschenb. **2**, 197–209 ▪ Jander u. Jahr, Maßanalyse, 15. Aufl., Berlin: de Gruyter 1989 ▪ Oehme u. Richter, Instrumental Titration Techniques, Heidelberg: Huethig 1987 ▪ Schwedt, Analytische Chemie, S. 82–91, Stuttgart: Thieme 1995.

Masse (Symbol: m). Eine der physikal. Grundgrößen, deren Grundeinheit im *SI das Kilogramm (kg, *Masseneinheit*) ist. Die frühere Unterscheidung zwischen *Masse* (im CGS-Syst. mit Gramm als Grundeinheit) u. *Gew.* (mit Kilopond als Grundeinheit, in die die Fallbeschleunigung *g* eingeht) entfällt heute. DIN 1305: 1988-01 definiert M. als „die Eigenschaft eines Körpers, die sich sowohl in Trägheitswirkung gegenüber einer Änderung seines Bewegungszustandes als auch in der Anziehung auf andere Körper äußert. Die M. ist orts*un*abhängig". Dagegen wird für das orts*ab*hängige Produkt aus *m* u. *g* die Bez. *Gewichtskraft* empfohlen. Die Einheit der Atommasse ist *u* (s. Atomgewicht). Für die Zukunft ist vorgesehen, die Einheit der M. auf eine atomare Einheit zurückzuführen, indem die *Avogadro-Konstante u. der Gitterabstand in Silicium-Einkrist. verwendet werden.

In der Physik wird zwischen der trägen u. der schweren M. unterschieden. Die träge M. folgt aus der Beschleunigung a, die eine Kraft F erzeugt: $F = m \cdot a$. Die schwere M. tritt im Gravitationsgesetz auf. Mit Hilfe der *Interferometrie von Atomen u. *Elementarteilchen will man prüfen, ob Beschleunigung u. Gravitation in gleicher Weise an M. koppeln[1]. – ***E*** mass – ***F*** masse – ***I*** massa – ***S*** masa

Lit.: [1] Phys. Unserer Zeit **25**, 36 (1994).
allg.: IUPAC, Größen, Einheiten u. Symbole in der Physikalischen Chemie, Weinheim: VCH Verlagsges. 1996.

Massefärbung s. Spinnfärbung.

Maßeinheiten (Maße). Veraltete Bez. für *Einheiten.

Massel. Hüttentechn. Bez. für in offenen Sandformen (*Masselbetten*), *Kokillen od. Gießmaschinen durch Gießen erzeugte Metallblöcke, die zur Weiterverarbeitung bestimmt sind. – ***E*** pig – ***F*** saumon (de fonte), gueuse – *I* lingotto, massello – *S* riel de fundición cruda, lingote

Lit.: Lueger, Lexikon der Technik, Bd. 5 (Hüttentechnik), S. 397, Stuttgart: DVA 1963.

Massenanteil. Andere Bez. für Massenbruch, s. Konzentration.

Massendefekt. Bez. für die Differenz zwischen der Masse eines Atomkernes u. der Summe der Ruhemassen der Nukleonen (Protonen u. Neutronen), aus denen der Kern aufgebaut ist. Dies sei am Beisp. des Heliums demonstriert: Der ^{4}He-Kern ist aufgebaut aus zwei Protonen [Ruhemasse $m_p = 1{,}007276470 \cdot u$, mit u (1 atomare Masseneinheit) $= 1{,}6605402 \cdot 10^{-27}$ kg ≙ 931,49432 MeV, s. Fundamentalkonstanten u. Atomgewichte] u. zwei Neutronen ($m_n = 1{,}008664904 \cdot u$), deren Summe $m_1 = 2 \cdot (m_p + m_n) = 4{,}031882748 \cdot u$ ergibt. Das *Atomgewicht von ^{4}He beträgt $4{,}002602 \cdot u$. Subtrahiert man hiervon die Masse der beiden Hüllenelektronen (mit je $m_e = 5{,}48579903 \cdot 10^{-4} \cdot u$), so erhält man für die tatsächliche Masse des ^{4}He-Kerns: $m_2 = 4{,}001503 \cdot u$. Die Differenz $\Delta m = m_1 - m_2 = 0{,}03038 \cdot u$ ist der M., oft auch als Massenschwund bezeichnet. Die gemäß $E = \Delta m \cdot c^2$ berechnete Energiemenge von E = 28,299 MeV ist die Bindungsenergie des ^{4}He-Kerns; sie wurde bei der Verschmelzung der vier Nukleonen frei u. in Form von γ-Strahlung emittiert. Wollte man einen ^{4}He-Kern in seine Bestandteile zerlegen, so müßte man die Energie E aufwenden. In Tab. 4 bei Atombau wird nicht die gesamte Bindungsenergie eines Atomkernes aufgeführt, sondern die Bindungsenergie pro Nukleon. Im Fall des ^{4}He-Kerns ist dies: $E_B = E/4 = 7{,}0747$ MeV. Der M. steigt für größere Kerne an; bei Zinn beträgt er fast eine atomare Masseneinheit, bei Uran fast zwei Einheiten. Die über den M. berechnete mittlere Bindungsenergie E_B pro Nukleon liegt bei den meisten Elementen um 8 MeV.

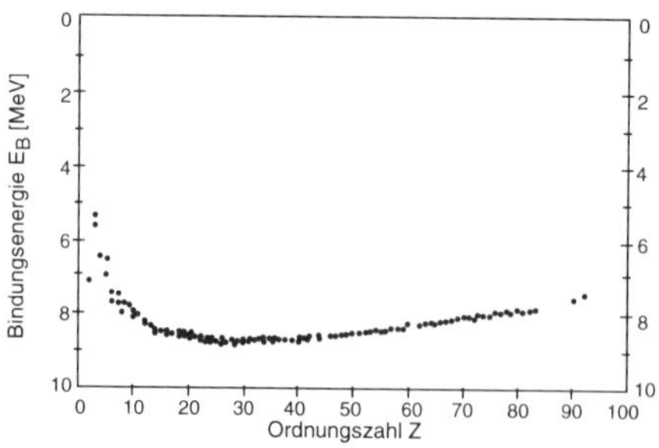

Abb.: Aus dem Massendefekt bestimmte Bindungsenergie E_B pro Nukleon für die verschiedenen Atomkerne.

Wie die Abb. zeigt, ist E_B für Kerne mit einer Ordnungszahl Z um 30 am größten; bei der Spaltung eines großen Kernes, z.B. Uran mit Z = 92, wird Bindungsenergie der Atomkerne frei (s. Kernenergie u. Kernreaktionen), ebenso wie bei der Verschmelzung von Wasserstoff-Kernen zu Helium-Kernen (s. Kernfusion). – *E* mass defect – *F* défault de masse – *I* difetto di massa – *S* defecto de masa, pérdida de masa

Lit.: Musiol et al., Kern- u. Elementarteilchenphysik, 2. Aufl., Frankfurt a. M.: Harri Deutsch 1995.

Massendichte s. Dichte.

Masseneffekt s. Kollisionseffekt.

Masseneinheiten s. Masse u. Atomgewicht (*atomare Masseneinheit u*).

Massenentwicklung (Massenvermehrung, Gradation). Populationsdynam. Begriff, mit dem ein starker *Abundanz- bzw. Populationszuwachs u. die Vorgänge danach bezeichnet werden, Spezialfall eines Massenwechsels (s. Populationsdynamik). Eine M. führt intermediär zu Populationsdichten, die über dem normalen, langfristigen Fassungsvermögen der Umwelt liegen, weshalb der Vermehrungsphase (*Progradation*) ein Populationsrückgang, oft in Form eines Massensterbens (*Retrogradation*), folgt. Dabei unterscheidet man die folgenden Stadien: *Erhaltung* (Latenz, die *Population hat einen zum Überleben notwendigen Mindestbestand, den eisernen Bestand), *Erholung* (Akkreszenz, die Population erreicht den Normalbestand; Progression, die Population wächst weiter), *Begrenzung* (Kumulation, Maximum wird erreicht) u. *Zusammenbruch* (Retrogradation = Regression u. Dekreszenz; Regression, die Population sinkt auf den Normalbestand; Dekreszenz, die Population sinkt auf den eisernen Bestand). In bezug auf einen mit Schädlingen befallenen Wirt od. eine befallene Agrarkultur werden *Inkubations-* (keine erkennbaren Schadsymptome), *Prodromal-* (schwache Schäden), *Eruptions-* (starker Anstieg der Schädlingspopulation, s. Kalamität; spezif., schwere Schadsymptome) u. *Krisenstadium* (Erholung od. Untergang der befallenen Organismen) unterschieden. – *E* outbreak – *F* croissance en masse – *I* gradualismo, focolaio epidemico – *S* desarrollo de masa (de población)

Lit.: Schubert, Lehrbuch der Ökologie (3.), Jena: G. Fischer 1991 ▪ Schwerdtfeger, Demökologie, Hamburg: Parey 1968 ▪ Wissel, Theoretische Ökologie, Berlin: Springer 1989.

Massengehalt s. Konzentration.

Massenkraftabscheider. Bei der *Abluftreinigung s. Entstaubung u. Nebelabscheider, bei der *Abwasserbehandlung s. mechanische Abwasserbehandlung.

Massenkultur. Fermentationsverf. mit hoher Zelldichte (Biotrockenmasse ≥25 kg/m³). In *Batch-Fermentationen erzielt man bis zu 50 kg/m³ (s. *Lit.*[1]). Wegen der begrenzten Löslichkeit mancher Substrate u. des neg. Einflusses hoher Salzkonz. können noch höhere Zelldichten (Biotrockenmasse >100 kg/m³) nur noch in *kontinuierlicher Fermentation mit Zellrückführung bzw. mit Fed-Batch-Verfahren (s. Fed-Batch-Fermentation) erzielt werden (vgl. Hochzelldichtefermentation). Wesentliche Voraussetzung für eine M. ist die Kenntnis der das Zellwachstum limitierenden Faktoren im Kulturmedium. Hohe Zelldichten sind für alle Prozesse von Bedeutung, deren Produktivität mit der Zelldichte gekoppelt ist. Dies gilt sowohl für die Herst. der Zellen selbst (*Backhefe, *Single Cell Protein, Futterhefe) als auch für die Herst. von *Metaboliten (z.B. *Ethanol, *Milchsäure) u. die *biologische Abwasserbehandlung. M. ist nur mit *Submersverfahren möglich. – *E* mass culture – *F* culture en masse – *I* coltura di massa – *S* cultivo en masa

Lit.: [1] Bioprocess Eng. **1**, 51–59 (1986) ▪ TIBTECH (= Trends Biotechnol.) **14**, 98–105 (1996).

Massenkunststoffe. Bez. für *Kunststoffe, die – wie z.B. *Polyolefine, *Polystyrol, *Polyvinylchlorid, *Polyamide od. *Polyester u. viele andere *Polymere mit Werkstoff-Eigenschaften – in z.T. riesigen Mengen im großtechn. Maßstab produziert werden. – ***E*** bulk plastics – ***F*** plastiques produits en masse – ***I*** plastiche di massa – ***S*** plásticos de fabricación en masa

Massenmittel (Gewichtsmittel des Molekulargew.). Fast alle polymeren Materialien sind dadurch charakterisiert, daß die in ihnen enthaltenen *Makromoleküle keine einheitliche Kettenlänge, sondern vielmehr eine charakterist., mehr od. weniger breite *Molmassen-Verteilung aufweisen. Da es viel zu aufwendig ist, die gesamte Molmassen-Verteilungskurve zu bestimmen u. als Parameter zur Beschreibung eines polymeren Präp. anzugeben, werden üblicherweise nicht die Verteilungskurven selbst, sondern lediglich verschiedene arithmet. Mittelwerte der Molmassen angegeben. Diese sind durch unterschiedliche polymeranalyt. Meth. experimentell einfach zugänglich. Darüber hinaus werden zusätzlich die Verhältnisse verschiedener dieser Molmassen-Mittelwerte zur näheren Charakterisierung eines Polymeren herangezogen. Dadurch wird eine Information zur Breite der jeweiligen Verteilungskurve erhalten. Neben dem Zahlen-, dem Zentrifugen- u. dem Viskositäts-Mittel der Molekulargew. ist das M. eine der wichtigsten Kenngrößen eines makromol. Stoffes. Für seine Beschreibung wird zunächst der „Gewichtsbruch“

$$w_i = (N_i\,M_i)/[\Sigma\,(N_i\,M_i)]$$

definiert. Dieser gibt den Gewichtsanteil an Makromol. in der Probe an, die aus *i* Segmenten (z.B. Monomerbausteinen) der Masse M_i bestehen u. in der Probe N_i-mal vorkommen. Für das Massenmittel des Molekulargew. $M_w = \Sigma\,w_i\,M_i$ gilt damit

$$M_w = [\Sigma\,(N_i\,M_i^2)]/[\Sigma\,(N_i\,M_i)].$$

Es zeigt sich, daß das M. einer Polymerprobe bei demjenigen Molekulargew. liegt, dessen Mol. den hinsichtlich ihrer Masse größten relativen Anteil in der Probe stellen. Das M. wird in der Regel durch Licht- od. Röntgenkleinwinkelstreuung an verd. Polymerlsg. erhalten. Mit diesen Meth. können M. von bis zu einigen Mio. ermittelt werden. – ***E*** weight-average molecular weight – ***F*** masse moléculaire pondérée – ***I*** media aritmetica del peso molecolare – ***S*** peso promedio del peso molecular

Lit.: Elias (5.) **1**, 3, 82; **2**, 53 ▪ Tieke, Makromolekulare Chemie, S. 10, Weinheim: Wiley-VCH 1997.

Massenspektrograph(ie) s. Massenspektrometrie.

Massenspektrometrie (Massenspektroskopie, MS). Bez. für ein physikal. Verf., das *Ionen entsprechend ihrem Verhältnis Masse/Ladung (m/z) auftrennt u. registriert. Die Registrierung der getrennten Ionen kann entweder auf einer Photoplatte geschehen od. als Ionenstrom elektr. erfolgen. Im ersten Fall spricht man von *Massenspektroskopie* u. im zweiten (für die analyt. Chemie wichtigeren) von *Massenspektrometrie*; die verwendeten Geräte bezeichnet man entsprechend als *Massenspektrograph* bzw. *Massenspektrometer*. Ein Massenspektrometer besteht prinzipiell aus drei Teilen: Einer Einrichtung zur Erzeugung von Ionen („Ionenquelle“), einer Trennvorrichtung („Analysator“) u. schließlich dem Auffänger (Faraday-Käfig, Sekundärelektronen-Vervielfacher) zur Registrierung der Ionen. Zum Zubehör zählen neben der notwendigen Elektronik eine Datenverarbeitungsanlage sowie Pumpen für das benötigte Vakuum.

Massenspezif. Trennsyst. beruhen auf 4 Prinzipien:

a) *Quadrupol-Massenspektrometer.* Sie enthalten 4 konzentr., parallel zueinander angeordnete runde Stabelektroden (s. Abb. 1).

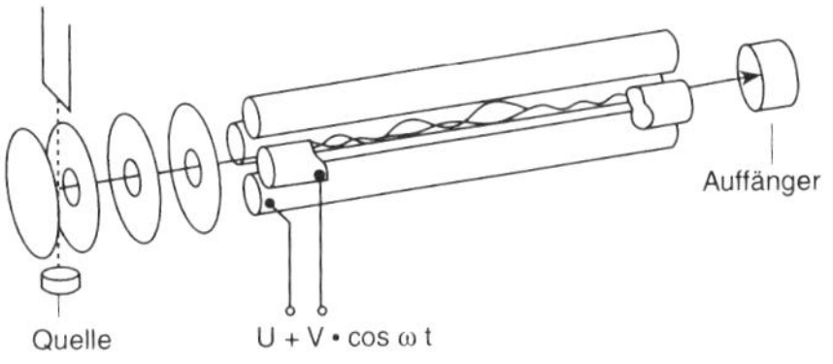

Abb. 1: Quadrupolgerät.

An jedes Paar gegenüberliegender Elektroden legt man eine Gleichspannung U, die von einer hochfrequenten Wechselspannung V · cos (ω · t) überlagert wird. Ein Ionenstrahl im Inneren des Stabsyst. wird durch das Hochfrequenzfeld zu Schwingungen angeregt, die massenabhängig sind. Nur für Ionen einer bestimmten Masse bleibt die Schwingungsamplitude so klein, daß sie das Syst. passieren können u. in den Auffänger gelangen. Die anderen Ionen treffen auf die Stäbe u. werden eliminiert. Durch Ändern der Werte für Gleich- u. Wechselspannung erreichen Ionen unterschiedlicher Massen den Auffänger, d.h. das sog. *Massenspektrum* kann durchfahren werden. In seinen Hauptleistungsdaten wie Massenbereich, Auflösung u. Genauigkeit der Massenbestimmung ist das Quadrupolgerät eher mäßig. Es besticht aber durch seine Aufnahmegeschw. u. Einfachheit. Infolge seines günstigen Leistungs-/Preis-Verhältnisses ist es das am häufigsten verwandte Massenspektrometer.

b) *Flugzeitmassenspektrometer* (*E* time-of-flight MS, Abk.: TOF-MS). Bei diesen Geräten werden die Massen im eigentlichen Sinne nicht getrennt. Die in der Ionenquelle erzeugten Ionen werden durch einen kurzen Spannungsstoß beschleunigt u. auf einer feldfreien Flugstrecke allein durch ihre massenabhängige Flugzeit unterschieden (Abb. 2).

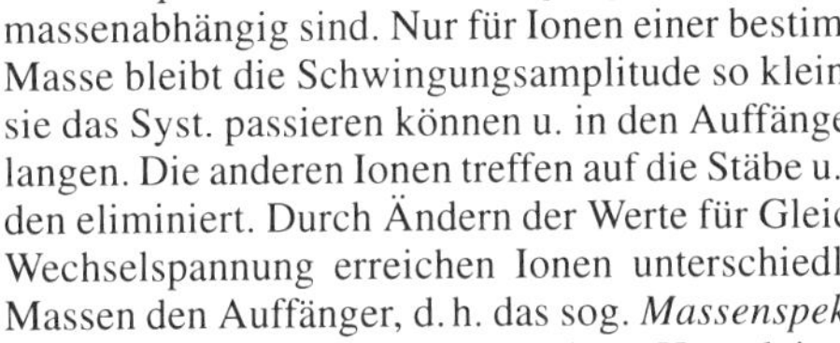

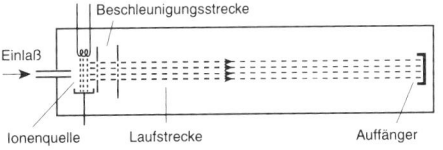

Abb. 2: Flugzeitmassenspektrometer.

Durch dieses Verf. ist der Massenbereich unbegrenzt u. nur von der Flugzeit abhängig. Die Aufnahmegeschw. dieser Geräte ist mit 10000 Spektren/s extrem hoch. Daher wurden derartige Geräte zur Untersuchung sehr schneller Reaktionen wie Explosionen herangezogen. Die Nachweisempfindlichkeit ist sehr gut, da Spalte nicht benötigt werden; außerdem werden alle erzeugten Ionen detektiert. Die Auflösung ist dagegen mäßig. Spezielle Ionisierungsverf. rücken diesen Gerätetyp zur Untersuchung von biolog. Makromol. mit relativen Molmassen von mehreren Hunderttausend in den Vordergrund.

c) *Fourier-Transform-Massenspektrometer* benutzen zur Massenanalyse ein *Cyclotron; s. ICR-Spektroskopie. Sie zeichnen sich durch extrem hohe Auflösung bei niedrigen Massen aus. Sie benötigen dazu ein ultrahohes Vak. (ca. 10^{-8} mbar). Bei höheren Massen nimmt die Auflösung ab, wobei die Empfindlichkeit gut bleibt.

d) *Sektorfeldgeräte.* Der älteste Massenspektrometer-Typ ist das Sektorfeldgerät. Es hat seinen Ursprung in den vor über 100 Jahren entdeckten Kanalstrahlen (s. Kathodenstrahlen). Durchläuft ein monoenerget. Ionenstrahl ein magnet. Sektorfeld, so werden Ionen mit verschiedenen m/z-Verhältnissen unterschiedlich stark abgelenkt, wobei eine sog. Richtungsfokussierung stattfindet (Abb. 3).

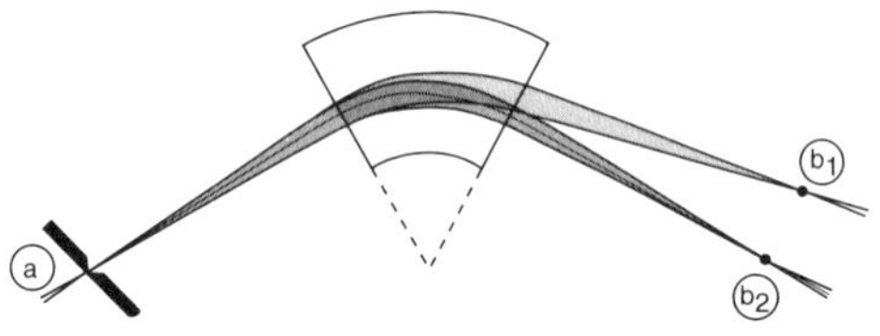

Abb. 3: Sektorfeldgerät.

Analog der Terminologie aus der Optik wird dieser Vorgang als Abb. des Spaltes a an den Stellen b_1 u. b_2 beschrieben. Der Winkel des Sektorfeldes kann verschieden gewählt werden.

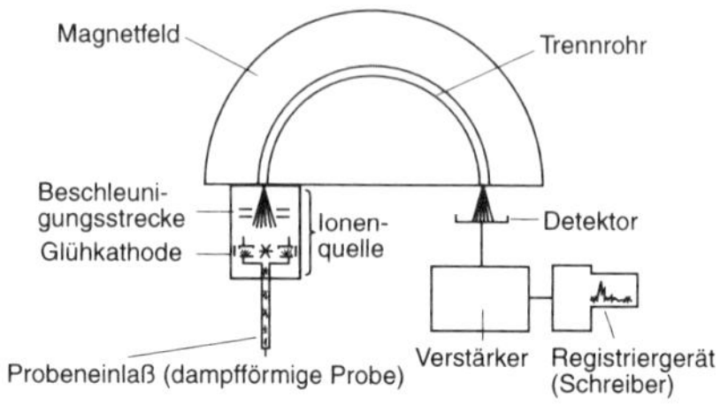

Abb. 4: Massenspektrometer mit 180°-Sektorfeld.

In Abb. 4 ist ein Massenspektrometer mit einem 180°-Sektorfeld dargestellt. Das sog. Trennrohr läßt bei vorgegebener Einstellung von elektr. u. magnet. Feldern nur Ionen eines speziellen m/z-Verhältnisses passieren. Durch Änderung der Spannung des Beschleunigungsfeldes bei konstantem Magnetfeld od. durch Änderung des Magnetfeldes bei konstanter Beschleunigungsspannung läßt sich das Massenspektrum erzeugen. Bringt man zwischen Beschleunigungsstrecke u. Magnetfeld noch ein homogenes elektrostat. Feld an, so erhält man ein sog. *doppelfokussierendes Massenspektrometer*, bei dem sowohl eine Richtungsfokussierung von Ionen gleichen m/z-Verhältnisses als auch eine Energie(Geschw.)-Fokussierung erfolgt. Da hier Massen mit ppm-Genauigkeit bestimmt werden, können aus Tab., in denen die unterschiedlichen Massendefekte der an Mol.- u. Fragment-Ionen beteiligten Atome u. deren Stöchiometrie berücksichtigt sind, die entsprechenden Bruttoformeln gefunden werden. Zur Masseneichung benutzt man bes. Verb. auf Perfluoralkyl-Basis, z. B. Perfluorkerosin. Wegen des Anfalls erheblicher Datenmengen werden Anlagen zur Datenverarbeitung herangezogen.

Die *Ionisation des Untersuchungsmaterials, d. h. die Erzeugung der erforderlichen, zeitlich konstanten Ionenströme einheitlicher Energie, erfolgt im Hochvak. in der Ionenquelle. Unter den verschiedenen Ionisationstechniken ist die durch Beschuß mit Elektronen, die von einem glühenden Heizdraht ausgesandt werden, die verbreitetste. Die Ionisierung der Mol. (M) durch Elektronenstoß (EI von *E*electron impact) verläuft formal nach: $e^- + M \rightarrow 2e^- + M^+$. Die Ionisierung wird üblicherweise bei etwa 70 eV vorgenommen. Dieser Energiebetrag übersteigt die *Ionisationsenergie bei organ. Verb. um ein Mehrfaches, so daß sich an die Bildung des Mol.-Ions im allg. Zerfallsprozesse (Fragmentierungen) u. Umlagerungen anschließen. In deren Folge entstehen weitere, für einzelne Substanzen, Substituenten u. Bindungstypen charakterist. Ionen- u. Neutralfragmente (letztere lassen sich natürlich nicht direkt nachweisen). Der Mechanismus des Abbaues von Mol. organ. Substanzen in der Ionenquelle des Massenspektrometers wurde systemat. an vielen Verb.-Typen vergleichend untersucht, wobei Regeln für ihren Abbau gefunden wurden. Aus der Kenntnis der *Fragmentierungs- u. *Umlagerungs-Mechanismen der im Massenspektrometer stattfindenden Abbau-Reaktionen läßt sich ein Massenspektrum wie das des *Progesterons (Abb. 5) interpretieren: Das Ion mit dem m/z-Verhältnis 314 ist das Mol.-Ion (M^+, M_R des Progesterons 314,45).

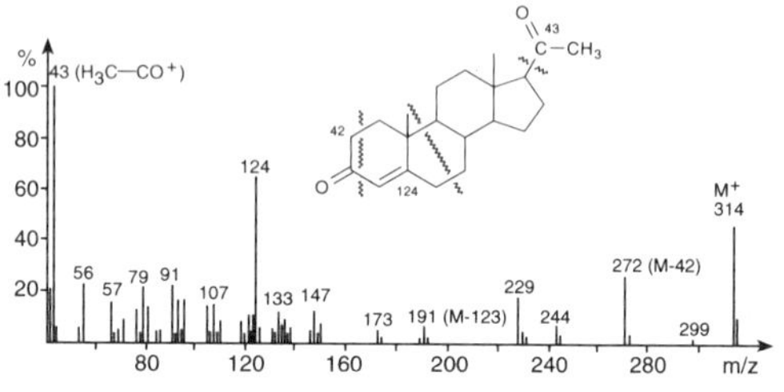

Abb. 5: Massenspektrum des Progesterons.

Die Wellenlinien in der Strukturformel in Abb. 5 symbolisieren einige Bruchstellen des Moleküls. Der Massenpeak bei m/z 299 entspricht dem Verlust einer Methyl-Gruppe, der bei m/z 272 dem von Keten aus dem Ring A des Progesterons. Aus dem Auftreten dieses Spaltstücks gemeinsam mit dem intensivsten Ion (*Basispeak* mit der Masse 124), das alle Atome des Ringes A enthält, kann man auf das Vorliegen eines an C-4 u. C-5 ungesätt. 3-Oxosteroids schließen. Dabei sind die bei (m/z) +1, z. B. bei 315, auftretenden Peaks auf das Vorhandensein von Isotopen zurückzuführen (*Isotopenpeaks*) od. auf eine Wasserstoff-Wanderung infolge von *Stoßprozessen. Daneben treten im Massenspektrum ggf. mehrfach geladene Ionen in Erscheinung, ferner sog. metastabile Ionen, die aus Fragmentierungsprozessen stammen, die nicht schon in der

Ionenquelle, sondern verzögert erst in od. hinter der Beschleunigungsstrecke stattgefunden haben. Aus dem Auftreten derartiger metastabiler Ionen lassen sich oft wertvolle Schlüsse auf Bildungsmechanismen u. Stabilität von *Zwischenstufen ziehen.
Mit dem Ziel, den Anw.-Bereich der MS auch auf energieempfindliche u. nichtflüchtige Substanzen mit großer Molmasse auszudehnen, wurden eine Reihe weiterer Ionisierungsverf. entwickelt. Eine viel verwendete Ionisierungs-Meth. ist die chem. Ionisation (CI von *E* chemical ionization), bei der zwischen Ionisation infolge Ladungsaustausch ($X^+ + M \rightarrow M^+ + X$) od. durch *Ionen-Molekül-Reaktion unterschieden werden kann; als X^+ eignen sich insbes. aus bestimmten *Reaktantgasen* wie Isobutan, Methan od. Ammoniak hervorgehende Ionen. Eine hilfreiche Eigenschaft der chem. Ionisation ist die Bildung neg. geladener Ionen, da Mol.-Anionen eine größere Stabilität als die korrespondierenden pos. geladenen Ionen besitzen u. durch unterschiedliche Fragmentierung zusätzliche strukturelle Informationen liefern können. Die Bedingungen der CI liefern sog. therm. Elektronen, die durch Stoßreaktionen mit den Reaktantgas-Mol. therm. Energie erreichen. Durch Elektroneneinfang (EC von *E* electron capture) von Analyten mit pos. Elektronen-Affinität können Mol.-Anionen gebildet werden. Geeignete Verb. für den Elektronen-Einfang sind halogenierte u. Nitro-Verb., Phosphatester u. polycycl. aromat. Kohlenwasserstoffe. Durch Derivatisierung (Perfluorpropionyl-, Perfluorbenzyl- u. Perfluorbenzoyl-Derivate) werden weitere Verb. dieser Meth. zugänglich. Der Hauptvorteil der CI liegt in der Möglichkeit, Informationen über Mol.-Massen zu erhalten, wenn dies durch EI nicht möglich ist. Sie wird aber auch häufig für die quant. Analyse eingesetzt, wenn die EI keine geeignete Ionen für die Quantifizierung liefert.
Für hochmol., therm. labile Verb. eignen sich Desorptions-Meth., bei denen die Probe in „kondensierten" Phasen (Matrix, Folie) vorliegt. Hierzu zählen Ionisierung durch schnelle Edelgas-Atome (FAB, von *E* *f*ast *a*tom *b*ombardment), Ionisierung durch Zerfallsprodukte aus Californium-252 (PDMS von *E* plasma desorption MS) sowie die Matrix-unterstützte Laser-Desorption/Ionisation (MALDI). Mit FAB läßt sich sogar *Insulin untersuchen. Da hierbei auch Cs^+-Ionen als Stoßpartikel eingesetzt werden, spricht man auch von „liquid" SIMS (flüssige Sekundär-Ionen MS, im Gegensatz zu „dry" SIMS für Oberflächenuntersuchungen, s. Ionenstrahl-Mikroanalyse). Bei der PDMS befindet sich die Probe auf einer 0,5–1 µm dicken Aluminium- od. aluminierten Polyester-Folie u. die Californium-252 (^{252}Cf)-Quelle hinter der Folie. Der ^{252}Cf-Zerfall liefert α-Partikel u. zwei hochenerget. Spaltprodukte, welche gleichzeitig in entgegengesetzter Richtung emittiert werden. Eines der Spaltprodukte startet den Detektor für die Flugzeit-Messung, während das andere die Folie durchdringt u. die Probe trifft. Die Ionen der Probe werden dann von der Folie weg beschleunigt, die auf 10–20 kV gegenüber einem geerdeten Gitter am Eintritt eines TOF-Gerätes gehalten wird.
Im MALDI-Experiment wird die Probe mit einem großen Überschuß an Matrix-Verb., die streng die Wellenlänge des Lasers absorbiert, gemischt, auf ein Metall-Target aufgebracht u. getrocknet. Ein Laserstrahl trifft die Probe in einem bestimmten Winkel u. desorbiert Ionen, die dann in einem TOF-Gerät analysiert werden. Eine typ. MALDI-Matrix muß bestimmte Eigenschaften aufweisen: Sie muß Energie bei der Laser-Wellenlänge absorbieren u. ausreichend flüchtig sein, während die angeregten Matrix-Mol. die Analyt-Mol. ionisieren sollen, üblicherweise durch Protontransfer. In der Originalarbeit von *Hillenkamp* wurde zur Analyse von Proteinen Nicotinsäure als geeignete Matrix bei einer Wellenlänge von 266 nm verwandt. Die am häufigsten verwandten Matrices sind zur Zeit 2,5-*Dihydroxybenzoesäure sowie 3,5-Dimethoxy-4-hydroxyzimtsäure (Sinapinsäure, s. Sinapin). Beide Substanzen absorbieren effektiv bei 337 nm (Stickstoff-Laser) u. unterdrücken die Absorption der Probe selbst. MALDI in Verb. mit einem TOF-Instrument ist eine sehr empfindliche Technik. Wegen der Probenbereitung ist 1 pmol Analyt erforderlich, während die eigentliche Analyse mit bedeutend weniger Substanz auskommt. MALDI hat darüber hinaus den Vorteil, daß mit steigender molarer Masse die Ionenausbeute nicht abnimmt u. ist deshalb für einen größeren Bereich von Biopolymeren anwendbar, z. B. Proteinen, Glykoproteinen, Oligonucleotiden u. Polysacchariden. Diese Vorteile in Verb. mit der einfachen Handhabung haben MALDI zur populärsten Technik im Bereich der Biochemie gemacht.
Mit der PDMS u. v. a. mit MALDI sind Biopolymere mit Molmassen von 260000 u. mehr analysierbar. Wegen ihres unbeschränkten Massenbereiches u. ihrer großen Empfindlichkeit (große Ionentransmission, alle erzeugten Ionen werden detektiert) werden hierfür gern Flugzeit-Massenspektrometer eingesetzt. Hierbei werden Nachweisgrenzen von 10^{-18} mol erreicht. Da diese Geräte jedoch eine geringe Auflösung besitzen, wurden doppeltfokussierende Sektorfeldgeräte mit großem Massenbereich entwickelt. Der Nachteil der „weichen" Ionisierung (soft ionization) liegt darin, daß man oft außer der Molmasse keinerlei weitere Information über die untersuchte Substanz erhält. Daher wurden CA-Kammern (von *E* *c*ollisional *a*ctivation) entwickelt, die bis zu einem gewissen Druck mit Stoßgas (Edelgas) gefüllt werden. Die Mol.-Ionen kollidieren mit den Mol. des Stoßgases u. fragmentieren. Das Ergebnis ist ein CID-Spektrum (von *E* *c*ollisional-*i*nduced *d*issociation).
Weitere Ionisierungsverf. sind die Feldionisation (FI) mit starken elektr. Feldern ($10^1 - 10^8$ V/cm) u. die Felddesorption (FD), bei der sich auch therm. sehr empfindliche Mol. (Oligosaccharide, Glykoside, Nucleoside, Peptide) messen lassen. Der Felddesorptions-Prozeß kann auch bei höheren Drücken angewandt werden, indem man durch Sprühen der Analyt-Lsg. Nebel von kleinen geladenen Tröpfchen erzeugt, aus denen dann nachfolgend Ionen gebildet werden (s. Elektrospray-Ionisation, ESI). Der Spray kann dabei durch elektr. (Elektrospray), therm. (Thermospray) od. aerodynam. Energie erzeugt werden. Bei der ESI werden mehrfach geladene Ionen gebildet, so daß auch Substanzen mit großen Molmassen in Geräten mit ein-

geschränktem m/z-Bereich, wie Quadrupolgeräten, gemessen werden können. Ein wichtiger Vorteil der Spray-Ionisationen ist die Möglichkeit der direkten Kopplung von *Flüssigkeitschromatographie mit der MS.
In der sog. „anorgan." MS od. Atom-MS, die in Ergänzung zur AAS u. AES Elemente an verschiedenen Materialien mit unterschiedlicher Zielsetzung zu untersuchen gestattet, werden folgende Verf. verwendet: Funkenionisation (SSMS von *E* spark source), therm. Ionisation (TIMS), Ionisation durch induktiv gekoppeltes Plasma (ICP-MS), Glimmentladung, Laser Microprobe Resonance Ionization u. a.
Verw.: Als Routine-Meth. zur Substanzidentifizierung hat die MS schon lange ihren festen Platz in der analyt. Chemie. Die Entwicklung der MS in der Organ. Chemie wurde v. a. durch die systemat. Untersuchungen von Djerrassi, Beynon, Biemann, Spiteller, Budzikiewicz, McLafferty u. Reed geprägt u. durch die Entwicklung der Computer in Hard- u. Software. Spezielle Verf. wie LAMMA bzw. LIMA (von *E* laser microprobe bzw. laser-induced ion mass analyzer), DADI (von *E* direct analysis of daughter ions) u. M(A)IKES (von *E* mass-analysed ion kinetic energy spectrometry) können nur erwähnt werden. Die Wirkung der CA-Kammer für CID-Spektren wurde schon erwähnt. Hinzuzufügen ist ein ähnliches Verf., die Erzeugung von SID-Spektren (von *E* surface-induced dissoziation).
Leistungsstarke Analysengeräte entstehen in Kopplung mit anderen Methoden. Hier steht an erster Stelle die Kopplung mit der *Gaschromatographie. Kleine Quadrupole u. der sog. *Ion-Trap-Detektor werden als massenselektive Detektoren eingesetzt (Bench-Top-Geräte), aber auch die Kopplung mit größeren Quadrupolen u. Sektorfeldgeräten wird angeboten. Weniger häufig ist die Verb. von *HPLC u. MS (Thermospray-Elektrospray-Ionisierung, continuous flow FAB). Ein Spezialfall ist die Tandem-MS, d. h. die Kopplung von mehreren MS-Systemen. Neben dem dreistufigen (*E* triple stage) Quadrupolgerät (3 Quadrupole in Serie), das interessante Experimente in der Spurenanalytik zuläßt, findet man die Kopplung aller Gerätetypen als MS/MS-Systeme. Die weitere Verw. der MS in Chemie, Physik, Medizin, Materialwissenschaften usw. ist so vielfältig, daß auf eine detaillierte Aufzählung verzichtet werden muß. – ***E*** mass spectrometry – ***F*** spectrométrie de masse – ***I*** spettrometria di massa – ***S*** espectrometría de masas

Lit.: Analyt.-Taschenb. **3**, 167–185; **5**, 135–158 ▪ Baer (Hrsg.), Large Ions, Chichester: Wiley 1996 ▪ Hübschmann, Handbuch der GC/MS: Grundlagen u. Anwendungen, Weinheim: VCH Verlagsges. 1996 ▪ Johnstone u. Rose, Mass Spectrometry for Chemists and Biochemists, 2. Aufl., Cambridge: Cambridge Univ. Press 1996 ▪ Townshend, Encyclopedia of Analytical Science, Bd. 5, S. 2787–3034, New York: Academic Press 1995 ▪ Ullmann (5.) **B 5**, 515–558.

Massenspektroskopie s. Massenspektrometrie.

Massentransfer-Koeffizient (Stoffübergangskoeff.). Bez. für eine Größe, die den Massentransfer innerhalb eines Syst. od. über eine Phasengrenzfläche hinweg beschreibt. Der M.-K. (k_L) ist definiert als das Verhältnis von Massentransfer zur Differenz der Massenkonz. auf beiden Seiten der Grenzfläche u. hat die Dimension $m \cdot s^{-1}$. In der *Biotechnologie spielt der volumetr. Sauerstoff-Koeff. k_La (Dimension: s^{-1}), das Produkt aus flüssigkeitsseitigem Stoffübergangskoeff. k_L u. spezif. Phasengrenzfläche a ($m^2/m^3 = m^{-1}$), zur Beurteilung der Sauerstoff-Versorgung in *Bioreaktoren eine entscheidende Rolle. – ***E*** mass transfer coefficient – ***F*** coefficient de transfert de masse – ***I*** coefficiente di trasferimento di massa – ***S*** coeficiente de transferencia de masa

Lit.: Crueger-Crueger ▪ Rehm-Reed (2.) **3**, 188–217, 405 f.

Massenverhältnis. Beim betrieblichen Umweltschutz bezeichnet M. das Verhältnis der Masse der als *Abfall bzw. Emission anfallenden Reste zur Masse der erzeugten Produkte od. der Einsatzstoffe. – ***E*** mass ratio – ***F*** rapport de masse – ***I*** rapporto di massa – ***S*** razon de masa

Massenvermehrung s. Massenentwicklung.

Massenwechsel s. Populationsdynamik.

Massenwirkungsgesetz (Abk.: MWG). Gesetz, das die Bedingungen für die Einstellung von *chemischen Gleichgewichten erfaßt. Dieses 1867 von *Guldberg u. Waage erstmals formulierte Gesetz (*Guldberg-Waage-Gesetz*) lautet: Bei einem chem. Gleichgew.-Zustand in homogenen, d. h. einphasigen Syst., ist der Quotient aus dem Produkt der Konz. der Reaktionsprodukte u. dem Produkt der Konz. der Ausgangsstoffe (Reaktanden, Edukte) bei einer bestimmten Temp. konstant. Anders ausgedrückt: Eine umkehrbare chem. Reaktion kommt bei einer estimmten Temp. dann (äußerlich) zum Stillstand (*stationärer Zustand, Gleichgew.-Zustand, dynam. Gleichgew.), wenn der Quotient aus dem Produkt der Konz. der Reaktionsprodukte u. dem Produkt der Konz. der Ausgangsstoffe einen bestimmten, für die *Reaktion charakterist. Zahlenwert K (als *Gleichgewichtskonstante*, seltener als *Massenwirkungskonstante* bezeichnet) erreicht hat. Im Gleichgew.-Zustand sind die Geschw. von Bildung u. Zerfall des Produkts (d. h. der *Hin-* u. *Rückreaktion*) gleich. Dieser Zustand ist unabhängig von den eingesetzten Stoffmengen; er wird nur durch Druck u. Temp. (d. h. von den Außenbedingungen) beeinflußt. Im Bereich der Anorgan. Chemie ist die Anwendbarkeit des M. in der Praxis v. a. auf verd. Zustände der reagierenden Bestandteile beschränkt, nämlich auf Gasgemische od. gelöste Stoffe, deren Gesamtdruck ≤ 1 bar u. deren Konz. (genauer: *Aktivität) ≤0,1 mol/L ist.
Im Folgenden soll das MWG – unter teilw. Beibehaltung der älteren Bez. – an einem Beisp. aus der Organ. Chemie näher erläutert werden. Gleichgültig, ob man bei gewöhnlicher Temp. 1 Mol (60 g) Essigsäure mit 1 Mol (46 g) Ethanol vermischt od. 1 Mol (88 g) Ethylacetat mit 1 Mol (18 g) Wasser, stets entsteht durch chem. Reaktion allmählich ein Gemenge der ungefähren Zusammensetzung: 20 g Essigsäure, 15 g Ethanol, 59 g Ethylacetat u. 12 g Wasser. Das bedeutet, daß hier stets nur etwa 2/3 der eingesetzten Säure mit 2/3 des eingesetzten Alkohols verestert bzw. 1/3 des eingesetzten Esters verseift werden. Die beiden Reaktionen verlaufen also unvollständig u. umkehrbar, d. h. unter Einstellung eines *chem. Gleichgew.* (über die Schreibweise solcher Gleichgewichtsreaktionen s. chemische Zeichensprache):

$$H_3C\text{–}COOH + C_2H_5OH \rightleftharpoons H_3C\text{–}COOC_2H_5 + H_2O.$$

Bezeichnet man mit S die Essig*säure*, mit A den Ethyl*alkohol*, mit E den Essigsäureethyl*ester*, mit W das *Wasser*, mit [ ] die Konz. der entsprechenden Substanz, mit v die Geschw. der *Ester-Bildung* (aus Alkohol u. Essigsäure), mit v′ die Geschw. der *Ester-Verseifung* zu Alkohol u. Essigsäure u. mit k bzw. k′ die Geschw.-Konstanten der Hin- bzw. Rückreaktion, so ist $v=[S]\cdot[A]\cdot k$ u. $v'=[E]\cdot[W]\cdot k'$. Im Gleichgew.-Zustand ist $v=v'$ u. daher $[S]\cdot[A]\cdot k=[E]\cdot[W]\cdot k'$ od.

$$\frac{[E]\cdot[W]}{[S]\cdot[A]}=\frac{k}{k'}=K.$$

Der Wert für K errechnet sich im obigen Beisp. leicht zu

$$\frac{(2/3)\cdot(2/3)}{(1/3)\cdot(1/3)}=4.$$

In anschaulicher Weise läßt sich die Gültigkeit des MWG auch anhand der *Mutarotation von Glucose demonstrieren [1].

K erreicht bei den verschiedenen Gleichgew.-Reaktionen sehr unterschiedliche Werte u. ist außerdem von Druck u. Temp. abhängig. Läßt man bei gleichbleibender Temp. unter Normaldruck den Essigsäure-Anteil (60 g) unverändert u. erhöht den Anteil des Alkohols, so wird der Nenner des obigen Bruches vergrößert. Da nun aber der Gesamtwert des Bruches unter den gegebenen Bedingungen gleich bleiben muß, so muß sich auch der Zähler des Bruches so weit vergrößern, daß wieder der gleiche K-Wert entsteht. Dies geschieht einfach dadurch, daß sich gerade so viel Essigsäure- u. Alkohol-Mol. zu Essigsäureethylester u. Wasser umwandeln, bis der alte K-Wert wieder erreicht ist. Entsprechendes ist natürlich auch bei einer Erhöhung der Essigsäure-Konz. der Fall. Verdoppelt man z. B. den Anteil des Alkohols (od. der Essigsäure), so steigt die Ester-Bildung von 66% auf 85%. Man kann die Ester-Bildung aber auch erhöhen, wenn der Zähler verkleinert wird; dies geschieht z. B. durch Bindung des Wassers mit Hilfe von Schwefelsäure. Bei allen heterogenen Reaktionen, die unter Bildung von Niederschlägen od. unter Gasentwicklung vonstatten gehen, wird der Zähler der Gleichung sozusagen fortgesetzt verkleinert (infolge Ausscheidung eines Reaktionsprodukts), weshalb diese Reaktionen in einer Richtung (scheinbar) vollständig verlaufen. In abgewandelter Form läßt sich das MWG jedoch auch auf solche Reaktionen anwenden.

Allg. kann man nach dem MWG chem. Reaktionen entweder durch Konz.-Steigerung der miteinander reagierenden Stoffe od. durch Konz.-Verminderung der Reaktionsprodukte in Richtung der Reaktionsprodukte lenken. Ähnliche Gesetzmäßigkeiten wie im oben ausgeführten Beisp. der Ester-Bildung finden sich in der Anorgan. u. Organ. Chemie in großer Zahl; man kann sie folgendermaßen allg. formulieren: Verläuft eine Reaktion nach dem folgenden Schema (bei konstanter Temp. u. konstantem Druck): $aA+bB+\ldots \rightleftarrows mM+nN\ldots$, so nimmt das MWG die allg. Form an:

$$\frac{[M]^m\cdot[N]^n}{[A]^a\cdot[B]^b}=K.$$

Hierin bedeuten die Exponenten a, b, ..., m, n, ... die stöchiometr. Faktoren (Molzahlen) der Reaktionsgleichung. Wenn es bei einer Gleichgew.-Reaktion auch gleichgültig ist, welche Reaktionspartner rechts od. links in der Reaktionsgleichung stehen, so schreibt man doch heute üblicherweise die rechts stehenden Reaktionspartner in den Zähler des MWG, die links stehenden in den Nenner. Der Betrag von K bezieht sich somit nur auf die angegebene Reaktionsgleichung. An Stelle der Stoffmengenkonz. können auch andere Konz.-Maße wie z. B. die *Partialdrücke od. die *Molenbrüche – bei nichtidealem Verhalten der Partner auch die *Aktivitäten – in das MWG eingeführt werden, wobei sich natürlich der Betrag von K ändert. Die Druck- u. Temp.-Abhängigkeit der Gleichgew.-Konstanten wird qual. durch das Le Châtelier-Braunsche **Prinzip des kleinsten Zwanges* beschrieben. Das MWG erklärt u. a. die Wirkungsweise von Pufferlsg. (s. Puffer), die Vorgänge beim *Ausfällen sowie beim *Auswaschen od. Auflösen von Niederschlägen (s. Löslichkeitsprodukt), die Löslichkeitsbeeinflussung von Salzen durch zugesetzte Elektrolyte, die Beinflussung der Ausbeute, den pH-Wert, Verteilungs- u. Absorptionsphänomene, die Endprodukt- u. die kompetitive Hemmung bei enzymat. Reaktionen. Für die industrielle Technik hat das MWG deshalb bes. Bedeutung, weil es die Bedingungen eingrenzt, unter denen bei einer chem. Reaktion max. Ausbeuten erzielt werden können. Es sagt allerdings nichts aus über die *Kinetik einer Reaktion u. damit über die *Reaktionsgeschwindigkeit.

Geschichte: Der Grundgedanke des MWG wurde bereits von *Berthollet 1799 richtig aufgefaßt u. 1803 in dem Buch „Essay de statique chimique" veröffentlicht. Er vermutete z. B., die natürliche Soda Ägyptens könnte aus wenig Kochsalz u. viel Kalk entsprechend der Gleichung $CaCO_3+2\,NaCl \rightarrow Na_2CO_3+CaCl_2$ entstanden sein, während bei gewöhnlichen Konz.-Verhältnissen die Reaktion bekanntlich umgekehrt verläuft. Bei Untersuchungen der Saccharose-Inversion kam Wilhelmy um 1850 in Berührung mit dem MWG, ohne dieses formulieren zu können. Guldberg u. Waage studierten bes. die Reaktion $BaSO_4+K_2CO_3 \rightleftarrows BaCO_3+K_2SO_4$ bei höherer Temp. in Platin-Gefäßen. Das von ihnen formulierte Gesetz blieb zunächst unbekannt u. wurde später unabhängig von verschiedenen Seiten (Jellet 1873, van't Hoff 1877) von neuem entdeckt; vgl. a. chemische Gleichgewichte. – ***E*** mass action law – ***F*** loi d'action de masses – ***I*** legge dell'azione di massa – ***S*** ley de acción de masas

Lit.: [1] Chem. Unserer Zeit **8**, 121 (1974).
allg.: Barrow, Physikalische Chemie, Braunschweig: Vieweg 1984 ▪ Laidler, Kinetics (Chemistry), in Encyclopedia of Physical Science and Technology, Vol. 8, S. 379–402, New York: Academic Press 1992.

Massenzahl. Zahl der in einem Atomkern enthaltenen *Nukleonen (*Protonen u. *Neutronen). Die M. wird links hochgestellt vor das Elementsymbol gesetzt (z. B. ^{40}K). – ***E*** mass number – ***F*** nombre de masse – ***I*** numero di massa – ***S*** número de masa

Massepolymerisate (Substanzpolymerisate). Bez. für nach dem Verf. der *Massepolymerisation hergestellte *Polymere, z. B. Masse-*Polyvinylchlorid (M-PVC). – ***E*** bulk polymerizates, mass polymerizates – ***F*** polymérisats séquencés en masse – ***I*** polimerisati di massa – ***S*** polimerizados secuenciados en masa

Massepolymerisation (Polymerisation in Substanz, Substanzpolymerisation). Als M. wird die *Polymerisation von Monomeren in Abwesenheit von Lsm. od. Verdünnungsmitteln bezeichnet. Die Reaktionsgemische der M. enthalten also nur die reinen Monomeren u. die für den Start der Polymerisation erforderlichen Initiatoren od. Katalysatoren. Selbst auf diese kann in bestimmten Fällen, z. B. bei Polymerisationsinitiierung durch Einwirkung von Strahlen, verzichtet werden. Dementsprechend zeichnen sich die bei der M. anfallenden *Polymere, die sog. *Massepolymerisate, durch hohe Reinheit aus.

Als Monomere für die M. eignen sich in der Regel nur solche, die unter den Polymerisations-Bedingungen flüssig sind. In speziellen Fällen können jedoch auch feste Monomere (z. B. bei Acrylamid) in Masse polymerisiert werden.

Bei M. unterscheidet man zwischen der Quasi-*Lösungspolymerisation u. der Quasi-*Fällungspolymerisation, je nachdem, ob die resultierenden Polymere in ihren Monomeren lösl. od. unlösl. sind. Im ersten Fall treten mit wachsendem Monomerumsatz u. Polymerisationsgrad der gebildeten Polymere, bedingt durch die z. T. dramat. zunehmende Viskosität der Reaktionsgemische (Geleffekt), gravierende Probleme u. a. hinsichtlich der Abführung der Reaktionswärme auf. Die Gefahr des „Durchgehens" solcher Reaktionen wird techn. oft dadurch minimiert, daß die M., zumindest im fortgeschrittenen Stadium, in dünnen Schichten durchgeführt wird. Auf diesem Wege wird z. B. das *Plexiglas® der Firma Röhm hergestellt (s. a. Polymethylmethacrylate).

Sind die entstehenden Polymere in ihren Monomeren dagegen unlösl., u. wird die M. unterhalb des Schmp. der Polymeren durchgeführt, so fallen diese während der Polymerisation aus. Durch das Ausfallen der entstandenen Polymere kommt es hier nicht zu der starken Viskositätserhöhung, u. die Ansätze bleiben bis zu recht hohen Umsätzen gut rührbar u. damit techn. beherrschbar. Entsprechendes Verhalten zeigen u. a. *Polyacrylnitril, *Polyvinylchlorid od. *Polytetrafluorethylen, die z. T. als Massepolymerisate techn. Bedeutung erlangt haben.

Die M. kann als radikal. Polymerisation, u. a. bei Ethylen, Styrol, Vinylchlorid od. Methylmethacrylat, aber auch als *Polykondensation (z. B. Herst. von *Polyestern) od. *Polyaddition (z. B. Synth. von *Polyurethanen) durchgeführt werden. – ***E*** bulk polymerization, mass polymerization – ***F*** polymérisation séquencée, polymérisation en masse – ***I*** polimerizzazione in massa – ***S*** polimerización en masa

Lit.: Elias (5.) **1**, 484 ▪ Encycl. Polym. Sci. Eng. **2**, 500–514 ▪ Houben-Weyl **E 20/1**, 182–195.

Masse-PVC (M-PVC). Bez. für nach dem Verf. der *Massepolymerisation hergestelltes *Polyvinylchlorid.

Massicot s. Bleioxide.

Maßlösungen s. Normallösungen.

Masterbatch. Dem Engl. (= Hauptmenge) entlehnte, bes. in der Kautschuk- u. Kunststoff-Ind. viel benutzte Bez. für Vor- od. Stamm-Mischungen von Zusatzstoffen – *Antioxidantien, *Inhibitoren, *Mastikations-Hilfsmittel u. a. – in konz. Kautschuk- od. Kunststoff-Mischungen. In Form der M. lassen sich die für die Weiterverarbeitung dieser *Polymere notwendigen, oft geringen Mengen Zusatzstoffe leichter dosieren u. homogen einarbeiten. – ***E*** masterbatch – ***F*** série-maître, mélange-maître, masterbatch – ***I*** masterbatch, mescola madre – ***S*** mezcla básica, masterbatch

Masthilfsmittel. Umgangsprachliche Bez. für die als Leistungsförderer in Anlage 3 Nr. 1 der Futtermittel-VO (FMVO) [1] u. des Futtermittel-Gesetzes [2] zugelassenen Stoffe natürlichen od. synthet. Ursprungs. Die Wirkung dieser in subklin., nutritiven Dosen verabreichten antibiot. wirksamen Substanzen besteht vermutlich in einer verbesserten Glucose-Ausnutzung u. der Verschiebung der Darmflora (verminderte Besiedlung mit Toxinbildnern). Die erreichten Mastzeitverkürzungen bewegen sich in Bereichen von 3–8%, wobei das Ziel die Verbesserung der Zuwachsraten u. der Futterverwertung ist. Bei Legehennen wird eine Erhöhung der Legeleistung beobachtet.

Als Leistungsförderer zugelassen sind:

- Avoparcin (E 715)
- Flavophospholipol (Bambermycin, E 712)
- Monensin-Natrium (E 714)
- *Spiramycin (E 710)
- Tylosinphosphat (E 713)
- *Virginiamycin
- Zink-*Bacitracin (E 700)

Daten zur Zulassung bezüglich Tierart, Tieralter, Einsatzkonz. u. Wartezeit sowie Warnhinweise für den Anwender sind der FMVO [1] zu entnehmen. Daten zur Toxikologie finden sich in *Lit.* [3,4].

Neben den oben genannten M. biogener Natur sind zwei synthet. Stoffe zugelassen:

Carbadox (1) [Methyl-2-(1,4-dioxido-2-chinoxalinylmethylen)-hydrazincarboxylat, s. Abb.], $C_{11}H_{10}N_4O_4$, M_R 262,23. Ein Chinoxalin-1,4-dioxid, das nur bei Ferkeln unter 4 Monaten angewendet werden darf, wirkt gegen Gram-neg. Bakterien u. ist, genau wie sein Kurzzeitmetabolit (6–12 h) Desoxycarbadox, mutagen u. carcinogen. Die Langzeitmetaboliten (bis 4 Wochen) *Methycarbazat* u. Chinoxalin-2-carbonylsäure zeigen keine carcinogene Wirkung.

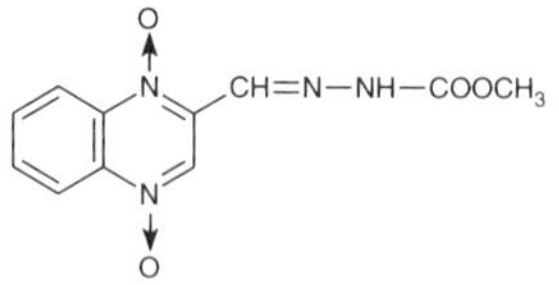

(1)

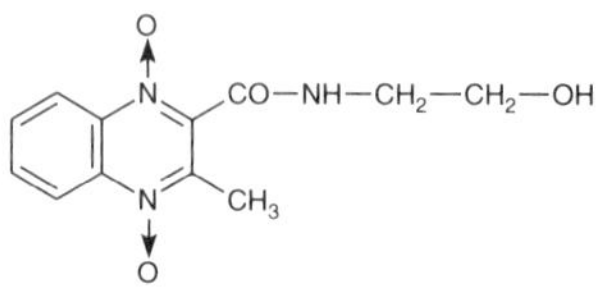

(2)

Olaquindox (2) [*N*-(2-Hydroxyethyl)-3-methyl-2-chinoxalincarboxamid-1,4-dioxid, s. Abb.], $C_{12}H_{13}N_3O_4$, M_R 263,25. Hier bestehen ebenfalls toxikolog. Bedenken, so daß die Anw. beschränkt ist. *Nitrovin* ist aufgrund teratogener Effekte nicht mehr zugelassen.

Unerlaubterweise gelangen auch *Thyreostatika (z. B. Thiouracile, Thioimidazole) zum Einsatz, die eine erhöhte Wasseraufnahme der Muskulatur u. durch Hemmung der Schilddrüsenaktivität einen verringerten Grundumsatz bewirken[4]. Ebenfalls unerlaubt werden Steroidhormone u. andere Verb. mit estrogener Wirkung (*Trenbolon, *Diethylstilbestrol, Zeranol) eingesetzt. Der von diesen Verb. ausgehende anabole Effekt macht sie als M. interessant; s. hierzu Anabolika u. *Lit.*[5]. Im Jahre 1988 konnte die illegale Anw. der β_2-Sympathomimetika *Clenbuterol u. *Salbutamol nachgewiesen werden[6,7,8]. Diese Verb. sind als Tierarzneimittel, nicht aber als Wachstumsförderer zugelassen. Ihre Verw. ist in Europa rückläufig. – ***E*** anabolic agents – ***F*** agents anabolisants – ***I*** agenti anabolizzanti – ***S*** agentes anabolizantes

Lit.: [1] Futtermittel-VO vom 11. 11. 1992 in der Fassung vom 28. 01. 1997 (BGBl. I, S. 62). [2] Futtermittelgesetz vom 02. 08. 1995 (BGBl. I, S. 991). [3] Großklaus, Rückstände in von Tieren stammenden Lebensmitteln, S. 80–87, Berlin: Parey 1989. [4] Prändel, Fleisch, S. 675 f., Stuttgart: Ulmer 1988. [5] J. Chromatogr. **489**, 11–21 (1989). [6] Dtsch. Lebensm. Rundsch. **85**, 35–39 (1989). [7] Dtsch. Lebensm. Rundsch. **85**, 178 ff. (1989). [8] Z. Lebensm. Unters. Forsch. **192**, 430 ff. (1991); **193**, 126–129 (1991).
allg.: Beilstein E V **24/3**, 426 (Carbadox); **25/4**, 388 (Olaquindox) ▪ Belitz-Grosch (4.), S. 440, 444 ▪ Bundesgesundheitsbl. **34**, 21 ff. (1991) ▪ Hoffmann et al. (Hrsg.), Zur Problematik der Anwendung sexualhormonwirksamer Anabolika beim landwirtschaftlichen Nutztier, Gießen: Lehmanns 1988 ▪ Zipfel, C 100, D 520. – *[HS 2309 90; CAS 6804-07-5 (Carbadox); 23696-28-8 (Olaquindox)]*

Masticin-, Masticonsäuren s. Mastix.

Mastikation (Mastizieren). Gummitechnolog. Bez. für den Abbau langkettiger Kautschuk-Mol. zur Erhöhung der *Plastizität bzw. Reduzierung der (Mooney-)Viskosität von *Kautschuken. M. wird durchgeführt durch Behandlung insbes. von *Naturkautschuk in Knetern od. zwischen Walzen bei möglichst niedrigen Temp. in Ggw. von M.-Hilfsmitteln (Mastizierhilfsmittel). Die dabei einwirkenden hohen mechan. Kräfte führen zu einem „Zerreißen“ der Kautschuk-Mol. unter Bildung von *Makroradikalen, deren Rekombination durch Reaktion mit Luftsauerstoff verhindert wird. M.-Hilfsmittel wie aromat. od. heterocycl. Mercaptane bzw. deren Zink-Salze od. Disulfide beschleunigen durch Begünstigung der Bildung von Primärradikalen den M.-Prozeß. Aktivatoren wie Metall- (Eisen-, Kupfer-, Cobalt-) Salze von Tetraazaporphyrinen od. Phthalocyaninen ermöglichen eine Erniedrigung der Mastikationstemperatur. M.-Hilfsmittel werden bei der M. von Naturkautschuk in Mengen von ca. 0,1–0,5 Gew.-% in Form von *Masterbatches eingesetzt, die eine gleichmäßige Verteilung dieser geringen Chemikalienmenge in der Kautschukmasse erleichtern. – ***E = F*** mastication – ***I*** masticazione – ***S*** masticación

Lit.: Batzer **2**, 240 f. ▪ Elias (5.) **2**, 482 ▪ Encycl. Polym. Sci. Eng. **9**, 480 ff.

Mastikationshilfsmittel s. Mastikation.

Mastix (von griech.: mastichē = Kaumasse, Pistazienharz). Blaßgelbe od. gelblichgrüne, staubige, kugel-, birnen- od. tropfenförmige Körner (bis 2 cm Durchmesser) von schwach aromat. Geruch, bitter gewürzhaftem Geschmack u. glasglänzendem Bruch; D. 1,04–1,06, Schmp. 105–120 °C, SZ 50–70, lösl. in Ether, Xylol, Benzol u. 80%iger Chloralhydrat-Lsg., z. T. lösl. in Alkohol, Aceton, Chloroform, Terpentinöl. Der M. ist ein pflanzliches *Harz, das durch Anritzen einer im Mittelmeergebiet (bes. auf Chios) gezüchteten Varietät von *Pistacia lentiscus* (kleiner, immergrüner, 3–4 m hoher Strauch od. Baum, Anacardiaceae) gewonnen wird. Hauptbestandteile: Masticonsäuren ($C_{32}H_{48}O_4$, M_R 496,73) etwa 38%, Masticoresene ($C_{35}H_{56}O_4$, M_R 540,83) etwa 50%, ferner Masticinsäure ($C_{23}H_{36}O_4$, M_R 376,54, Schmp. 90–91 °C), Bitterstoffe 5,5%, ether. Öl 2%.
Verw.: M. wird als Überzug für Zuckerwaren u. Kakaoerzeugnisse, Zusatz zu Kaugummi, Glasurmittel für Kaffee, zu Kitten u. feineren Lacken (Gemäldelacke, Photolacke), in der Parfümerie als Fixiermittel u. in Griechenland zum Harzen von Wein (Retsina) verwendet. – ***E = F*** mastic – ***I*** resina mastice, mastice – ***S*** almáciga, mástique, mastic – *[HS 1301 90]*

Mastizieren s. Mastikation.

Mastoparan (Mastoparan I). $C_{70}H_{131}N_{19}O_{15}$, M_R 1478,93, farbloses flockiges Pulver, $[\alpha]_D$ –71,4° (H_2O). Peptid aus dem Wespengift von *Vespula lewisii* mit der Strukturformel:

H-Ile–Asn–Leu–Lys–Ala–Leu–Ala–Ala–Leu–Ala–Lys–Lys-Ile–Leu–NH_2.

M. aktiviert die *Histamin-Ausschüttung aus Mastzellen. – ***E*** mastoparan – ***F*** mastoparane – ***I = S*** mastoparano

Lit.: Biopolymers **25** (Suppl.), S115–S121 (1986) ▪ Mebs, Gifttiere, S. 164–170, Stuttgart: Wissenschaftliche Verlagsges. 1992 ▪ Trends Pharmacol. Sci. **11**, 358–362 (1990). – *[CAS 72093-21-1]*

Mastzellen. Den basophilen Granulocyten (s. a. Leukocyten) ähnliche Zellen, die im Bindegewebe, in Blutgefäßwänden u. im Lymphsyst. vorkommen. Ihre basophilen Granula enthalten *Histamin, *Heparin, ATP, *Proteinasen u. andere entzündungsfördernde *Mediatoren. Auf ihrer Oberfläche tragen sie Rezeptoren für *Immunglobuline der Klasse E, aber auch für bestimmte IgG-Mol. u. den *Komplement-Faktor C3b. Eine große Rolle spielen M. bei der anaphylakt. Reaktion (*Allergie vom Soforttyp). Dabei löst die *Antigen-Antikörper-Reaktion eines Allergens (s. Allergie) mit an der M.-Oberfläche gebundenen IgE eine Abgabe des Inhalts der Granula nach außen (Degranulierung) aus. – ***E*** mast cells – ***F*** mastocytes – ***I*** mastcellule – ***S*** mastocitos

Lit.: Roitt et al., Kurzes Lehrbuch der Immunologie, Stuttgart: Thieme 1995.

Mastzellen-degranulierendes Peptid (MCD-Peptid, MCDP).

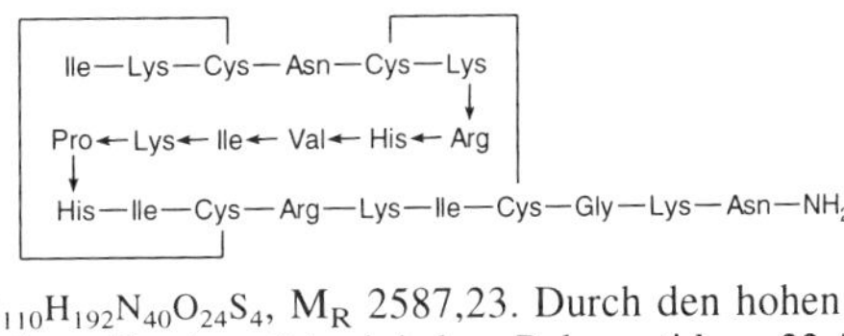

$C_{110}H_{192}N_{40}O_{24}S_4$, M_R 2587,23. Durch den hohen Gehalt an *Lysin u. *Arginin bas. Polypeptid aus 22 Aminosäuren mit 2 *Disulfid-Brücken. Das MCDP ähnelt dem *Apamin; ebenso wie dieses kommt es zu ca. 2% in der Trockensubstanz des *Bienengifts vor. In niedrigen Konz. bewirkt es Degranulierung u. somit *Histamin-Ausschüttung der *Mastzellen, in höheren Konz. wirkt es dagegen entzündungshemmend. Als *Neurotoxin kann MCDP im Gehirn epilept. Anfälle auslösen u. senkt den Blutdruck. Während die Wirkung auf Mastzellen durch Aktivierung von *G-Proteinen vermittelt wird, sind die neurotox. Erscheinungen durch das Blockieren von *Kalium-Kanälen bedingt. – ***E*** mast cell-degranulating peptide – ***F*** peptide dégranulant les mastocytes – ***I*** peptide mastocito-degranulante – ***S*** péptido desgranulador de los mastocitos

Lit.: J. Pharm. Pharmacol. **42**, 457–461 (1990) ▪ Pept. Res. **7**, 77–82 (1994).

Masurium s. Technetium.

Masut. Hochsiedende Bestandteile des Erdöls od. Produkte der Hochtemperaturpyrolyse (Sdp. >350 °C), die als Schmiermittel, für Heizöl, als Ausgangsprodukte zur Herst. von Krackbenzin usw. verwendet werden. – ***E*** = ***S*** mazut – ***F*** mazout – ***I*** masut

Lit.: Brockhaus, Naturwissenschaften u. Technik, Bd. 3, S. 229, Mannheim: Brockhaus 1989 ▪ J. Appl. Chem. USSR **61**, 2315–2318 (1988).

Matador®. Breit wirksames Fungizid mit system. Eigenschaften auf der Basis von *Tebuconazol u. *Triadimenol gegen Echten Mehltau, Rostkrankheiten u. verschiedene Blattfleckenerkrankungen an Weizen, Gerste u. Roggen. ***B.:*** Bayer.

Matatabiether s. Nepetalacton.

MATC. Abk. für *E* *M*aximum *A*cceptable *T*oxic *C*oncentration.

Mate (Yerba-Mate, Paraguay-Tee). Aus den über Rauchfeuern geschwelten u. anschließend zerkleinerten Blättern u. Blattstielen der südamerikan. Stechpalme *Ilex paraguariensis* St. Hil. (Aquifoliaceae) hergestellte Aufgüsse. M. wird traditionellerweise mit metall. Siebröhren (Bombilla) aus ausgehöhlten Flaschenkürbissen (Mate) getrunken, worauf der Name zurückzuführen ist.

Zusammensetzung: M. enthält *Coffein (0,5–1,5%), *Theobromin (0,01–0,2%), Gerbstoffe (5–10%) (*Tannine) u. Rohprotein (12%).

Physiolog. Wirkung: Ca. ein Drittel des Coffeins geht in das Getränk über, so daß dessen Wirkung insgesamt als anregend (etwas milder als Kaffee) beschrieben werden kann. Da M. als appetitanregend gilt, ist die appetitzügelnde Wirkung von M.-Extrakt-haltigen Schlankheitsmitteln zweifelhaft. Eine Korrelation zwischen exzessivem M.-Konsum (M. wird sehr heiß getrunken) u. Ösophaguscarcinom[1] ist beschrieben.

Als Beurteilungsgrundlage sind die Leitsätze für Tee u. teeähnliche Erzeugnisse[2] heranzuziehen; zur mikroskop. Analyse von M. s. *Lit.*[3]. Die Aromastoffe von M.[4] sollen über antibakterielle Aktivität verfügen[5]. – ***E*** Brazil tea, Paraguay tea, maté – ***F*** maté – ***I*** = ***S*** mate

Lit.: [1] Cancer Res. **50**, 426–431 (1990); Europ. J. Cancer Prev. **1**, 259–264 (1992). [2] Leitsätze für Tee u. teeähnliche Erzeugnisse, Anhang II B Nr. 10, abgedruckt in Zipfel, C 372. [3] Gassner, Mikroskopische Untersuchung pflanzlicher Lebensmittel (5.), S. 246, Stuttgart: Fischer 1989. [4] Agric. Food Chem. **39**, 1275–1279 (1991). [5] Agric. Food Chem. **41**, 107–111 (1993). *allg.:* Belitz-Grosch (4.), S. 862 ▪ Giftliste ▪ IARC Monogr. **51**, 273–286 (1991). – *[HS 0903 00]*

Materialgleichung (rheolog. Zustandsgleichung). Nach einem Axiom der Rheologie weist die „Antwort“ eines jeden Körpers auf eine von außen wirkende Kraft sowohl viskose als auch elast. Anteile auf. Während jedoch auf der einen Seite Flüssigkeiten wie Wasser sehr leicht verformbar sind u. einem ideal-viskosen (Newtonschen) Verhalten sehr nahe kommen, u. andererseits Festkörper wie Eisen einen großen Widerstand gegen Verformung leisten, nach kleiner Deformation wieder in den Ausgangszustand zurückkehren u. somit nahezu ideal-elast. (Hookesche) Körper sind, zeigen viele makromol. Stoffe bes. ausgeprägt sowohl viskoses als auch elast. Verhalten: Polymer-Schmelzen fließen zwar, reagieren gleichzeitig aber auf eine kurzzeitige Deformation mit einer elast. Rückstellkraft. Feste amorphe od. teilkrist. Polymere verhalten sich andererseits bei geringer Deformation elast., verformen sich jedoch bei größeren Deformationen irreversibel u. können unter hinreichend hohem Druck sogar fließen. Ein Extrembeisp. hierfür ist der sog. *Bouncing Putty (hüpfender Kitt). Je nach Größe, Dauer u. Geschw. der Deformation kann man somit bei makromol. Stoffen ein ganz unterschiedliches Verhalten beobachten. Um die Beziehungen zwischen Spannung u. Dehnung bzw. deren Zeitabhängigkeiten quant. zu erfassen, versucht die Rheologie, allg. M. od. rheolog. Zustandsgleichungen aufzustellen. Für das außerordentlich komplexe Verhalten von Polymeren ist dies allerdings bis heute nicht zufriedenstellend gelungen. Man ist daher bislang gezwungen, die Eigenschaften solcher Materialien zunächst als ideal-viskos od. ideal-elast. anzunehmen u. die restlichen Einflüsse als Abweichungen vom idealen Verhalten einzuführen. – ***E*** constitutive equations – ***F*** équation des constituants – ***I*** equazioni costitutive – ***S*** ecuación constitutiva

Lit.: Elias (5.) **1**, 890.

Materialprüfung. Weniger gebräuchlicher Begriff für *Werkstoffprüfung. – ***E*** materials testing – ***F*** essai des matériaux – ***I*** prova dei materiali – ***S*** ensayo de materiales

Materialschutz s. Konservierung u. Korrosionsschutz.

Materie. Von latein.: materia = Stoff, Vorrat, Thema, Ursache abgeleiteter Begriff des Stofflichen. Ein Vol., das frei von M. ist, bezeichnet man als *Vakuum. In der klass. Physik sowie in der Chemie, d. h. im Energiebereich bis zu wenigen eV, wird Materie so behandelt, als ob sie ein bestimmtes Vol. kontinuierlich ausfüllt u. dabei einen bestimmten *Aggregatzustand besitzt. Bei Energien bis zu einigen keV erkennt man, daß die Atome im wesentlichen „leer“ sind; d. h. innerhalb einer Elektronenhülle von einigen 10^{-10} m Durchmesser befindet sich ein Atomkern mit einer typ. Größe von 10^{-15} m. Der Zwischenraum ist zwar frei von M., aber mit einem starken elektrostat. Feld ausgefüllt, in dem jedes elektr. geladene Teilchen stark abgelenkt wird (*Bremsstrahlung). Ab Energien von einigen MeV sieht man, daß auch der Atomkern aus einzelnen Teilchen, den Nukleonen (einer Gruppe der

*Elementarteilchen) aufgebaut ist. Noch höhere Energien zeigen, daß ein Nukleon aus drei Quarks besteht. Die Vergabe des Nobelpreises für Physik 1990 an die beiden Amerikaner Jerome I. Friedman u. Henry W. Kendall sowie den Kanadier Richard E. Taylor würdigt ihre Arbeiten, in denen sie die Existenz punktartiger Substrukturen in Nukleonen nachgewiesen haben [1].

In der Quantenmechanik wird M. nicht mehr durch eine punktförmige Masse beschrieben (Teilchencharakter der M.), sondern man ordnet ihr einen Wellencharakter (s. Materiewellen) zu. Gemäß der von A. Einstein im Rahmen der Allg. Relativitätstheorie formulierten Beziehung $E = m \cdot c^2$ (c = Lichtgeschw.) entsprechen sich Energie E u. Materie der Masse m. Sie sind ineinander umwandelbar.

Unter *Antimaterie versteht man M., die ebenso wie M. aus Elementarteilchen aufgebaut ist, allerdings aus den entsprechenden *Antiteilchen. – ***E*** matter – ***F*** matière – ***I*** = ***S*** materia

Lit.: [1] Phys. Bl. **46**, 438 (1990).

allg.: Physik abc, Leipzig: Brockhaus 1989.

Materiewellen (de Broglie-Wellen). 1924 von de *Broglie formulierte Beschreibung für Materie, indem er den *Welle-Teilchen-Dualismus* des Lichtes auf bewegte Teilchen anwendete. Setzt man den Impuls einer Welle $p = h/\lambda$ (h = Plancksches Wirkungsquantum, λ = Wellenlänge) gleich dem Impuls eines Teilchens $p = m \cdot v$, so erhält man als Wellenlänge der M.:

$$\lambda = \frac{h}{p} = \frac{h}{m \cdot v},$$

wobei für m die Masse in der relativist. Schreibweise $m = m_0/\sqrt{1 - v^2/c^2}$ eingesetzt wird, mit m_0 = Ruhemasse, v = Geschw. des Teilchens u. c = Lichtgeschwindigkeit. Experimentell wurde diese Formulierung bestätigt, indem man Beugungsfiguren von Elektronenstrahlen beobachtete. Eine direkte Beobachtung der Interferenzstrukturen von M. ist in jüngster Zeit durch *Bose-Einstein-Kondensation möglich. Durch Laserkühlen werden z. B. Alkali-Atome auf Temp. weniger nK abgekühlt, wobei sie in einen kohärenten Zustand (s. Kohärenz) übergehen. In einer Anordnung ähnlich einem Doppelspaltexperiment werden *Interferenzen mit Abständen von 10–20 μm beobachtet, die direkt der Wellenlänge der M. entsprechen.

M., bes. von Elektronen u. Ionen werden techn. in Mikroskopen angewendet (s. Elektronenmikroskop u. Ionenmikroskop). Aufgrund des wesentlich höheren Impulses der Teilchen, besitzen die M. eine sehr viel kleinere Wellenlänge als sichtbares Licht u. erlauben somit eine weit höhere Auflösung. – ***E*** matter waves, de Broglie wave – ***F*** ondes matérielles, ondes de De Broglie – ***I*** onde materiali, onde di de Broglie – ***S*** ondas materiales, ondas de de Broglie

Lit.: Phys. Bl. **53**, 192 (1997).

Mathematik. Innerhalb der Chemie ebenso wie in Physik, Medizin, Biochemie etc. ist die M. als Hilfswissenschaft (Angewandte M.) unentbehrlich. Abgesehen von dem für die *Stöchiometrie notwendigen Fachrechnen sind Differential- u. Integralrechnung, Differentialgleichungen u. lineare Algebra in Spezialanw. für die Chemie mind. ebenso wichtig wie die Gebiete der Gruppentheorie, Wahrscheinlichkeitsrechnung, Statistik, Vektor- u. Matrizenrechnung, Stochastik, Optimierung, numer. Verf., Topologie, Graphentheorie, Fourier-Transform-Technik usw.; nicht wenige dieser mathemat. Meth. sind in Einzelstichwörtern in ihrer Bedeutung für die Chemie näher behandelt. Durch die Entwicklung programmierbarer Taschenrechner, die Einführung von *Mikroprozessoren u. insbes. die Bereitstellung von Rechenprogrammen (Software) für die elektron. Datenverarbeitung ist die Anw. mathemat. Prinzipien auf die Beschreibung von Mol., Strukturen, Isomerieverhältnissen, Reaktionen u. Übergangszuständen, aber auch von biolog. Fließgleichgew. u. Enzymkinetiken ebenso erleichtert worden wie die Anw. auf Probleme der chem. Dokumentation u. der Datensammlungen. Mathemat. Symbole u. deren Schreibweisen sind wiedergegeben in *Lit.* [1]. – ***E*** mathematics – ***F*** mathématique – ***I*** matematica – ***S*** matemática(s)

Lit.: [1] IUPAC, Größen, Einheiten und Symbole in der Physikalischen Chemie, Weinheim: VCH Verlagsges. 1996; DIN 1302: 1994-04; ISO Internat. Standard Ser. Teil 11.

allg.: Eich u. Fuhrer, Numerical Methods in Multibody Dynamics, Stuttgart: Teubner 1996 ▪ Gu, Mathematical Modeling and Scale-up of Liquid Chromatography, Berlin: Springer 1995 ▪ Keil et al., Scientific Computing in Chemical Engineering, Berlin: Springer 1996 ▪ Neunzert, Progress in Industrial Mathematics, Stuttgart: Teubner 1996 ▪ Ruegg, Wahrscheinlichkeitsrechnung und Statistik, München: Oldenbourg 1994 ▪ Vetters, Mathematik, Formeln u. Fakten, Stuttgart: Teubner 1996 ▪ Zachmann, Mathematik für Chemiker (5.), Weinheim: VCH Verlagsges. 1994 ▪ weitere *Lit.* s. Scientific and Technical Books and Serials in Print, New York: Bowker (jährlich). – *Zeitschriften:* Computers and Chemical Engineering, Oxford: Pergamon (seit 1976) ▪ Computers and Chemistry, Oxford: Pergamon (seit 1977) ▪ Journal of Computational Chemistry, New York: Wiley (seit 1980) ▪ Match, Mülheim: MPI Strahlenchemie (seit 1975).

Matijević, Egon (geb. 1922), Prof. für Chemie, Clarkson College of Technology, Potsdam, N. Y. (USA). *Arbeitsgebiete:* Monodisperse Kolloide, Kolloid-Stabilität, Tenside, Adhäsions-Phänomene, Aerosole, Lichtstreuung.

Lit.: Who's Who in America (50.), S. 2776.

Matildit s. Schapbachit.

Matric(ar)in s. Proazulene.

Matrilysin (Matrix-Metall-Proteinase 7). Zur Familie der *Matrix-Metall-Proteinasen (MMP) gehörendes *Enzym (EC 3.4.24.23), das in der Substratspezifität den *Stromelysinen u. in der Raumstruktur des aktiven Zentrums einer *Collagenase ähnelt, sich aber durch das Fehlen eines Carboxy-terminalen Segments von anderen MMP unterscheidet. Durch M. werden z. B. *Casein, *Collagen (Typen I, III, IV u. V), *Elastin, *Entactin, *Fibronectin, *Laminine u. *Proteoglykane proteolyt. gespalten. Als *Cofaktoren werden Calcium- u. Zink-Ionen benötigt. Außer in Drüsenepithelien wird M. v. a. in Tumoren gefunden, wo es beim Eindringen metastasierender Zellen in die Gewebe behilflich sein könnte. – ***E*** matrilysin – ***F*** matrilysine – ***I*** = ***S*** matrilisina

Lit.: Int. J. Biochem. Cell Biol. **28**, 123–136 (1996).

Matrin (Matridin-15-on, Lupanidin).

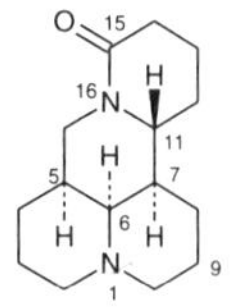

(+)-Form

$C_{15}H_{24}N_2O$, M_R 248,36, Krist., Schmp. 77 °C (als Hydrobromid 272–275 °C), $[\alpha]_D^{15}$ +40,9° (H_2O). *Chinolizidin-Alkaloid aus 4 Fabaceen-Gattungen (*Euchresta, Goebelia, Sophora, Vexibia*; Schmetterlingsblütler) mit antiulceröser, antineoplast. u. antibakterieller Wirkung. Das M.-Gerüst enthält vier chirale C-Atome, wodurch acht verschiedene Diastereoisomere resultieren. Hiervon sind sechs bekannt, vier als natürliche Alkaloide: *Sophoridin* (5β-M.), *Isomatrin* (5β,6β,7β-M.), *Allomatrin* (6β-M.), u. *Darvasamin* (5β,11α-M.), die in der chines. Volksmedizin als *Kuh Seng-* bzw. in der japan. als *Shinkyo-gan*-Droge Verw. finden. Weiterhin sind Matrin-N^1-oxid u. mehrere Hydroxymatrine als Naturstoffe bekannt. – ***E*** = ***F*** matrine – ***I*** = ***S*** matrina

Lit.: Beilstein EV **24/2**, 301–304 ▪ Merck-Index (12.), Nr. 5799. – *Biosynth.:* Can. J. Chem. **59**, 106 (1981). – *Synth.:* Chem. Pharm. Bull. **34**, 2018 (1986) ▪ J. Chem. Soc., Chem. Commun. **1986**, 905. – *[HS 293990; CAS 519-02-8 (M.); 16837-52-8 (M.-N^1-oxid); 641-39-4 (Allomatrin); 36284-98-7 (Darvasamin); 17801-36-4 (Isomatrin); 6882-68-4 (Sophoridin)]*

Matrix (von latein.: mater = Mutter; Plural: Matrizen). In der Chemie versteht man unter M. das (starre od. hochviskose) Hüllmaterial, das einen anderen (gelösten) Stoff eingeschlossen hält. Beispielsweise können durch Abkühlung erstarrte Lsm. (Benzol, EPA = Gemisch aus Diethylether, Ethanol u. Isopentan), Polymere od. andere im *Glaszustand befindliche Stoffe als M.-Materialien für reaktive Spezies wie *Radikale od. *Ionen dienen; letztere werden, da ihre Reaktionsmöglichkeiten wegen fehlender Diffusionsfähigkeit in der M. eingeschränkt sind (*Käfig-Effekt), in den *erstarrten Medien* (*E* rigid media) den spektroskop. u. anderen physikal. Untersuchungen zugänglich. Z. B. wird bei der *Matrix-Isolationsspektroskopie* das zu untersuchende Material in einem Festkörper bei sehr niedriger Temp. (wenige Kelvin) eingeschlossen. Viele chem. aggressive Mol. (*Radikale, *Ionen) konnten so zum ersten Mal spektroskop. untersucht werden. Auch wenn man als Festkörper einen chem. nicht reaktiven Stoff einsetzt, meist ein Edelgas wie Argon, so ist der Einfluß der Matrix auf die Energieniveaus des Mol. zu berücksichtigen (*E* matrix shift). Von Matrizen spricht man auch bei zellulären Polyurethanen, bei Ionenaustauschern u. Einschlußverb., bei der Immobilisierung von Enzymen etc. für die Affinitätschromatographie u. bei anderen Meth. der Festphasentechnik. Bestimmte Typen von *Bikomponentenfasern bestehen aus in M. eingebetteten Fibrillen (*Matrixfasern*), u. bei Tabl. – insbes. bei Depot-Präp. – wird der Wirkstoff häufig in eine M. eingebettet. An M. im Sinne von „Muster, Urform" (*E* template) ist zu denken bei der Desoxyribonucleinsäure sowie bei bestimmten anorgan. Stoffen wie den *Montmorilloniten, die als evolutionstheoret. bedeutsame Matrizen bei der Polymerisation von Aminosäuren in Frage kommen. *Topotakt. Effekte* (vgl. Topochemie) von M. zeigen sich z. B. auch bei der *Mineralisation von Knochen, Zähnen u. a. Hartsubstanzen in tier. u. menschlichen Geweben, wobei hauptsächlich Collagen u. Proteoglykane als M. fungieren.
Synthet. nützliche *M.-Reaktionen* sind M.-Polymerisationen, bei denen man makromol. Verb. mit stereoregulärer Struktur synthetisieren kann[1,2]. – ***E*** matrix – ***F*** = ***I*** matrice – ***S*** matriz

Lit.: [1] Pure Appl. Chem. **53**, 627–641 (1981). [2] Plaste Kautsch. **29**, 563–566 (1982).
allg.: Acc. Chem. Res. **14**, 138 ff. (1981) ▪ Barnes, Matrix Isolation Spectroscopy, Dordrecht: Reidel 1981 ▪ Nancollas, Biological Mineralization, Berlin: Springer 1982 ▪ Smyth, Analytical Chemistry of Complex Matrices, Stuttgart: Teubner 1996.

Matrix-Fibrillen-Fasern. Zur Herst. von sog. *Bikomponentenfasern durch Naß-, Trocken-, Dispersions- od. Schmelzspinnen werden zwei Spinnlsg. verschiedener Zusammensetzung getrennt der Spinndüse zugeführt u. erst unmittelbar vor der Düsenöffnung vereinigt. Im entstehenden Faden können die beiden Komponenten Seite-an-Seite vorliegen (I), eine Kern-Mantel-Struktur (II) bilden od. eine Matrix-Fibrillen-Struktur (III) besitzen.

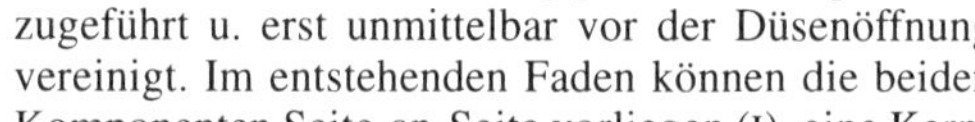

I II III

In den USA werden die M.-F.-F. als Matrixfasern bezeichnet. – ***E*** matrix fibers – ***F*** fibres de structure matricielle – ***I*** fibre di fibrille a matrice – ***S*** fibras matriciales

Lit.: Elias (5.) **2**, 512.

Matrixine s. Matrix-Metall-Proteinasen.

Matrix-LCD-Display s. LCD.

Matrix-Metall-Proteinasen (Matrixine, MMP). Familie Struktur-ähnlicher *Metall-Proteasen, die bei Gewebs-Umbau die *extrazelluläre Matrix abbauen. Zu den MMP gehören u. a. die *Collagenasen, Gelatinasen (EC 3.4.24.24 u. 3.4.24.35), *Stromelysine u. *Matrilysin. Gegen unerwünschten Abbau findet einerseits eine Kontrolle ihrer Produktion in den verschiedenen Geweben statt[1], andererseits sind natürliche Inhibitoren vorhanden[2]. Darüber hinaus werden die meisten MMP als inaktive Proenzyme entlassen, die erst aktiviert werden müssen[3]. Die MMP spielen auch eine Rolle bei Zellwanderung[4] u. Tumor-Metastasierung[5]. Zu therapeut. Zwecken (Tumor, Gelenkskrankheiten usw.) werden synthet. Inhibitoren entwickelt[6]. – ***E*** matrix metalloproteinases – ***F*** métalloprotéinases matricielles – ***I*** metalloproteinasi della matrice – ***S*** metaloproteinasas

Lit.: [1] Crit. Rev. Eukaryot. Gene Expr. **6**, 391–411 (1995). [2] Trends Endocrinol. Metab. **7**, 28–34 (1996); J. Protein Chem. **16**, 237–255 (1997). [3] Biol. Chem. **378**, 151–160 (1997). [4] Science **277**, 225–228 (1997). [5] J. Biochem. **119**, 209–215 (1996). [6] Pharmacol. Ther. **70**, 163–182 (1996).
allg.: Biopolymers **40**, 399–416 (1996) ▪ Matrix Biol. **15**, 511–541 (1997).

Matrix-Polymerisation. Bez. für Polymerisationen, bei denen die wachsenden Polymerketten an einer festen Unterlage, der Matrix, angebunden sind. Insbes. Biopolymere (*Proteine) werden in der Regel an Matrices aufgebaut. Diese durch Matrices kontrollierten Polyreaktionen führen zu Polymeren, deren Makromol. ident. in bezug auf ihre Konstitution (Sequenz der Grundbausteine) u. damit auch hinsichtlich ihrer Molmasse sind. Derartige Polymere werden als *monodisperse Polymere bezeichnet. Ein bekanntes Matrix-Polymerisationsverf. ist die *Merrifield-Technik. – ***E*** matrix polymerization – ***F*** polymérisation matricielle – ***I*** polimerizzazione a matrice – ***S*** polimerización matricial

Lit.: Elias (5.) **2**, 45.

Matrizen. Plural von *Matrix; zur Bedeutung in der experimentellen Chemie s. dort. In der Mathematik versteht man unter M. eine Menge von m·n Elementen (z. B. reelle od. komplexe Zahlen, Funktionen, Differentiale u. a.), die in einem rechteckigen Schema angeordnet sind. Der Typ (m, n) der M. gibt hierbei die Anzahl der Zeilen (m) u. die Anzahl der Spalten (n) an; für m = n liegt eine quadrat. M. vor. Das Rechnen mit M. spielt in vielen Bereichen der Chemie (z. B. bei der quant. Auswertung komplexer Reaktionen, bei der Analyse von Spektren od. in der *Quantenchemie) eine wichtige Rolle. – ***E*** = ***F*** = ***S*** matrices – ***I*** matrici

Matrizenmechanik. Von W. *Heisenberg 1925 eingeführte Darst. der *Quantenmechanik, bei der die in der klass. Mechanik auftretenden Größen (z. B. Ort, *Impuls od. *Energie) durch *Matrizen dargestellt werden. Wie E. *Schrödinger 1926 zeigen konnte, ist die M. mit der dem Chemiker besser vertrauten *Wellenmechanik äquivalent. – ***E*** matrix mechanics – ***F*** calcul matriciel – ***I*** meccanica delle matrici – ***S*** mecánica de matrices

Matrizenpolymerisation. Bez. für *Polymerisationen, die zu (Tochter-)*Polymeren führen, deren chem. Struktur u. *Polymerisationsgrad durch das morpholog. Muster (Matrize) eines vorgelegten anderen (Eltern-)Polymeren geprägt wird. M. als Polymerisationsverf. ist bei der Biosynth. von Polymeren, z. B. bei der Bildung von *Proteinen, weit verbreitet, wird aber auch zur Synth. von nichtbiolog. Polymeren häufiger angewandt, u. a. bei der Polymerisation von (Meth)acrylaten, (Meth)acrylamiden, Maleinsäure, Vinylpyridin od. Vinyloxazolidonen. Bei der M. werden nach folgendem Schema:

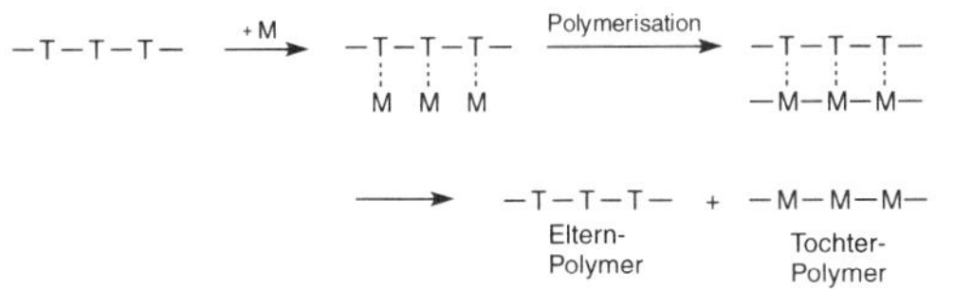

die *Monomere M an die Bausteine T der Matrix angelagert u. zum Tochter-Polymeren –M–M–M– polymerisiert, das dann vom Eltern-Polymeren abgelöst wird. Auch wenn Einsatzmöglichkeiten z. B. bei der Synth. von *IPN, der Herst. von Membranen od. Fasern denkbar sind, haben aus der M. resultierende Polymere bisher keine prakt. Anw. gefunden. – ***E*** template polymerization, matrix polymerization – ***F*** polymérisation matricielle – ***I*** polimerizzazione matriciale – ***S*** polimerización matriz

Lit.: Compr. Polym. Sci. **3**, 245–257 ▪ Elias (5.) **1**, 507 ▪ Houben-Weyl **E 20/1**, 59 f. ▪ Odian (3.), S. 291.

Matrizenreaktionen s. Matrix.

Matsutake-Alkohol s. 1-Octen-3-ol.

Mattauch, Josef (1895–1976), Prof. für Kernchemie, MPI für Chemie, Mainz. *Arbeitsgebiete:* Kernphysik u. Massenspektrographie, Aufstellung der *Mattauch-Regel, Bindungsenergien der Atomkerne, Isotopen-Häufigkeiten, Grundlage der Rubidium-Strontium-Datierung.

Lit.: Kürschner (12.), S. 2019 ▪ Lexikon der Naturwissenschaftler, S. 285 f. ▪ Neufeldt, S. 187, 210 ▪ Pötsch, S. 293 ▪ Strube et al., S. 203.

Mattauch-Regel (Isobarenregel). Die 1934 von *Mattauch aufgestellte Regel lautet: Es gibt keine stabilen *Isobare, deren Kernladung sich nur um eine Einheit unterscheidet. *Beisp.:* Stabil sind die Isobare: $^{130}_{52}$Te, $^{130}_{54}$Xe u. $^{130}_{56}$Ba; $^{130}_{51}$Sb, $^{130}_{53}$I u. $^{130}_{55}$Cs sind dagegen radioaktiv. Allerdings sind einige Ausnahmen von der M.-R. bekannt: Die stabilen Isobare $^{113}_{48}$Cd u. $^{113}_{49}$In sowie $^{123}_{51}$Sb u. $^{123}_{52}$Te unterscheiden sich jeweils um nur ein Proton. – ***E*** Mattauch rule – ***F*** règle de Mattauch – ***I*** regola di Mattauch – ***S*** regla de Mattauch

Lit.: Feather, Nuclear Stability Rules, New York: Cambridge Univ. Press 1952.

Mattbrennen s. Brennen.

Mattcreme s. Hautpflegemittel.

Mattglas s. Glas (S. 1543).

Matthes & Weber. Kurzbez. für die 1838 gegr. Firma Matthes & Weber, 47009 Duisburg, bis 1. 1. 1994 eine 100%ige Tochterges. von Henkel. *Produktion:* Soda, Natriumhydrogencarbonat, Ätznatron.

Mattieren von Glas s. Glasarbeiten.

Mattiersand. Feinster Sand für Gebläse- od. Schleifzwecke, z. B. zur Herst. von Mattglas.

Mattierung. Allg. Bez. für das *Entglänzen,* d. h. die Glanzminderung an verschiedenen Stoffen. *Beisp.:* M. von Textilwaren durch *Spinnmattierung* (Anw. von mattierenden Kunstfaser-Einschlüssen z. B. aus *Titandioxid od. *Siliciumdioxid, Kunststoffdispersionen u. dgl.) od. *Nachmattierung* (Anw. mattierender Flüssigkeiten auf Stückware). Mit derartigen *Mattierungsmitteln* behandelt man auch Pelze, Lacke etc. Lackfilme können durch Schleifen mattiert werden. – ***E*** delustering – ***F*** mise au mat – ***I*** opacizzazione – ***S*** mateado, deslustrado

Lit.: Ullmann (5.) **A 18**, 366.

Mattsalz s. Ammoniumfluoride.

Maturasen s. Ribonucleinsäuren.

Maturation-promoting factor s. Cycline.

Mauerpfeffer. Als Dickblattgewächs (Crassulaceae) zu den Sukkulenten zählende, niedrig kriechende, gelbblühende Pflanze *Sedum acre* (Scharfer M., Sedoideae), die aufgrund ihres Gehaltes an *Sedamin* ($C_{14}H_{21}NO$, M_R 219,33, s. Formel) u. ä. Piperidin-Alkaloiden blutdrucksenkend wirkt.

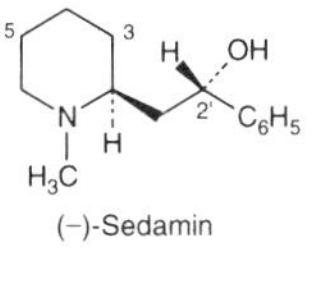

(–)-Sedamin

M. enthält außerdem Flavon-Glykoside, Gerbstoffe, Schleime u. Gummi; das frische Kraut wirkt abführend u. brechreizerregend. M. wird wie auch die verwandten Alpen-M. (*S. alpestre*) u. Rote Fetthenne (*S. telephium*; Futterpflanze der Raupen des Apollos – Papilionidae, Ritterfalter – im nördlichen europ. Verbreitungsgebiet, *Sedum album* = Weißer M. im Alpenraum) bei Hypertonie, als Abführ- u. Brechmittel, äußerlich auch als Rubefaciens u. mißbräuchlich als Abortivum verwendet. – ***E*** wall pepper – ***F*** orpin brûlant, poivre de muraille – ***I*** riso dei muri, erba pignola – ***S*** pan de cuco, uvas de gato

Mauersalpeter s. Calciumnitrat.

Mauersteine, Mauerziegel s. Ziegel.

Maulbeerbaum vgl. Morin.

Maurerekzem s. Chromate.

Mauritius-Faser (Fique, Kurzz. FI nach DIN 60001-4: 1991-08). Bez. für *Hartfasern aus Gefäßbündelteilen der agavenähnlichen *Fourcroya gigantea*; ähnliche Eigenschaften besitzen die Cabuya- u. Pita-Fasern. – ***E*** = ***F*** = ***I*** = ***S*** fique

Lit.: Kirk-Othmer (3.) **10**, 188; (4.) **10**, 738. – *[HS 5305 91]*

MausEx®. Schädlingsbekämpfungsmittel auf der Basis von *Difethialon (Gelköder, Granulat). ***B.:*** Frowein.

Mauvein (Perkins Mauve, Perkin-Violett). Erster synthet. *Anilin-Farbstoff, der von dem 18jährigen engl. Studenten Sir W. H. *Perkin in A. W. v. Hofmanns Laboratorium 1856 bei der Oxid. von unreinem Anilin mit Dichromat entdeckt wurde. Dieses Produkt enthielt als Hauptbestandteil das sog. Pseudomauvein, wie das M. selbst (Formel s. bei Safranin) ein Phenazin-Derivat. Mit diesem anfangs vielverwendeten Farbstoff wurden in England um die Jh.-Wende noch die Penny-Briefmarken gefärbt; heute hat M. keine Bedeutung mehr. – ***E*** mauve, mauveine – ***F*** mauvéine – ***I*** malveina – ***S*** mauveína

Lit.: Beilstein H, 397 ▪ Endeavour **33**, 149–155 (1974).

MAW. Abk. für *m*edium *a*ctivity *w*aste, s. radioaktive Abfälle.

Maxam-Gilbert-Methode s. Sequenzanalyse.

Maximale Arbeitsplatzkonzentration s. MAK.

Maximale Immissions-Konzentration s. MIK u. Immissionen.

Maximale Nutzarbeit s. Affinität.

Maximum Admissible (Acceptable) Concentration s. MAC.

Maximum Permissible Risk Level (MRL). Konz. einer Substanz, bei der 95% der Spezies eines *Ökosystems geschützt sind.

Lit.: ECETOC Technical Report 56, Aquatic Toxicity Data Evolution, Brussels: ECETOC 1993.

Max-Planck-Gesellschaft (MPG). Kurzbez. für die Max-Planck-Ges. zur Förderung der Wissenschaften e. V. mit Sitz der Generalverwaltung in 80539 München, Hofgartenstr. 2. Die 1948 gegr. MPG als eine der führenden Forschungsorganisationen in der Welt betreibt natur- u. geisteswissenschaftliche Forschung im Dienste der Allgemeinheit mit dem Ziel, Schwerpunkte in bestimmten Forschungsbereichen in Ergänzung zur Forschung an den Hochschulen zu bilden. Ihre Bestimmung geht aus § 1 der Satzung vom 22. 6. 1972 hervor: „Die MPG verfolgt den Zweck, die Wissenschaft zu fördern, insbes. durch Unterhaltung von Forschungsinstituten. Sie setzt die Tradition der früheren Kaiser-Wilhelm-Ges. zur Förderung der Wissenschaften e. V. fort. Die Inst. der Ges. betreiben die wissenschaftliche Forschung frei u. unabhängig."

Die MPG ist die Nachfolgeorganisation der 1911 gegr. Kaiser-Wilhelm-Ges. (KWG). Sie widmet sich v. a. neuen Forschungsbereichen, die durch ihre Aufgabenstellung, Größe u. Struktur für die Hochschulforschung noch nicht reif od. weniger geeignet sind. Zur Erfüllung ihres Auftrags betreibt die MPG z. Z. (1997) 75 Inst. u. Forschungsstellen in der Biolog.-Medizin., Chem.-Physikal.-Techn. u. Geisteswissenschaftlichen Sektion. Nach der dtsch. Wiedervereinigung wurden in den neuen Bundesländern u. in Berlin-Ost 27 Arbeitsgruppen, zwei Außenstellen u. sieben geisteswissenschaftliche Forschungsschwerpunkte, elf Max-Planck-Inst. u. ein Teilinst. gegründet. Die MPG beschäftigt rund 10735 Mitarbeiter, davon etwa 2725 Wissenschaftler. Der Jahresetat 1997 belief sich auf 1944 Mio. DM, wovon 1836 Mio. DM durch Aufwendungen des Bundes u. der Länder (je 50% Grundfinanzierung) gedeckt wurden. Weitere Mittel flossen der MPG aus Mitgliedsbeiträgen, Spenden, eigenem Vermögen u. Betriebseinnahmen, aus der Vertragsforschung u. aus nichtstaatlichen Förderungseinrichtungen zu. Sowohl in ihrer Größe wie in ihrer Organisationsform unterscheiden sich die einzelnen Max-Planck-Inst. (MPI) mitunter erheblich. Die Anzahl der Mitarbeiter je Inst. u. Forschungsstelle liegt zwischen einem Dutzend u. tausend.

Präsidenten der MPG: O. *Hahn (1948–1960), A. *Butenandt (1960–1972), R. Lüst (1972–1984), H. A. Staab (1984–1990), K. F. Zacher (1990–1996), H. Markl (seit 1996).

Publikationsorgane: Jahrbuch der MPG, Göttingen: Vandenhoeck & Ruprecht (jährlich); MPG-Spiegel.

INTERNET-Adresse: http://www.mpg.de

Maxwell. Nicht gesetzliche Einheit für den magnet. Fluß. 1 Maxwell = 10^{-8} Weber; s. Weber.

Maxwell, James Clerk (1831–1879), Prof. für Physik, Aberdeen, London u. Cambridge. *Arbeitsgebiete:* Elektrizität, Magnetismus, Dreifarbentheorie, kinet. Gastheorie, Aufstellung der nach ihm benannten Gleichungen der Elektrodynamik, Verteilungsfunktion u. Lichttheorie; s. a. die nachfolgenden Stichworte.

Lit.: Krafft, S. 235 f. ▪ Lexikon der Naturwissenschaftler, S. 286 f. ▪ Nachmansohn, S. 30, 35 ▪ Neufeldt, S. 46, 49, 57 ▪ Pötsch, S. 293 ▪ Strube **2**, 75 ▪ Strube et al., S. 104, 126 ▪ Tolstoy, James Clerk Maxwell, Chicago: Univ. Press 1983.

Maxwell-Boltzmannsche Geschwindigkeitsverteilung. Sie gibt die Geschw.-Verteilung an, die Partikel der Masse m in einem Gas der Temp. T besitzen, sofern das *Boltzmannsche Energieverteilungsgesetz gilt.

Die *eindimensionale Verteilungsfunktion* $f(v_x)$ gibt den Bruchteil dN/N der Partikel (Gesamtzahl N) in dem Geschw.-Intervall zwischen v_x u. $v_x + dv$ an:

$$f(v_x) = \frac{dN}{N \cdot dv_x} = \sqrt{\frac{m}{2\pi \cdot k \cdot T}} \cdot e^{-\frac{m \cdot v_x^2}{2 \cdot k \cdot T}}$$

wobei k die Boltzmann-Konstante ist (s. Fundamentalkonstanten). Abb. 1 zeigt die graph. Darst. für zwei Temp.; das Maximum der Verteilung ist stets bei $v_x = 0$. Je höher die Temp. ist, um so breiter wird die Verteilung.

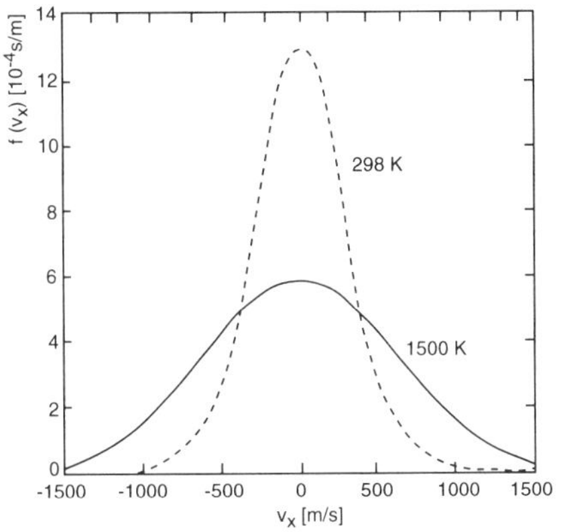

Abb. 1: Eindimensionale Geschw.-Verteilung für zwei Temp. (Zahlenbeisp. für N_2).

Aus der eindimensionalen Verteilung f(v) wird die zwei- u. drei-dimensionale Geschw.-Verteilung errechnet. Die *dreidimensionale Verteilungsfunktion* g(v) gibt an, welcher Bruchteil der Partikel eine Geschw. zwischen $v = v_x^2 + v_y^2 + v_z^2$ u. $v + dv$ besitzt (v_x = Komponente von v in Richtung x; v_y u. v_z entsprechend):

$$g(v) = \frac{dN}{N \cdot dv} = 4\pi \cdot \sqrt[3]{\frac{m}{2\pi \cdot k \cdot T}} \cdot v^2 \cdot e^{-\frac{m \cdot v^2}{2 \cdot k \cdot T}}$$

Abb. 2 zeigt die Funktion g(v) für zwei Temperaturen.

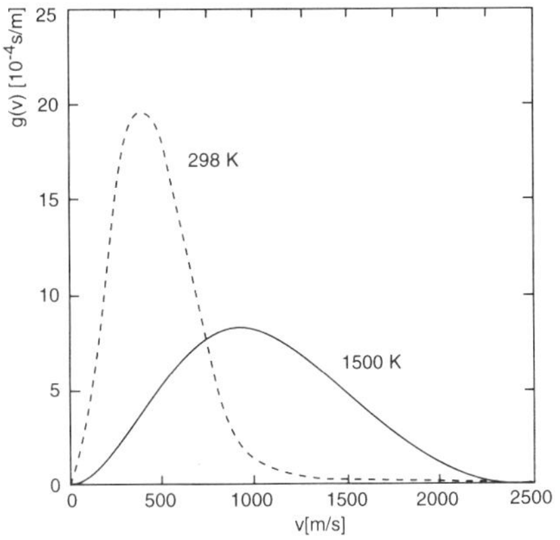

Abb. 2: Dreidimensionale Geschw.-Verteilung für zwei Temperaturen.

In einem kalten Überschallstrahl wird die Geschw.-Verteilung oft so beschrieben, daß der Strömungsgeschw. ū eine M.-B.-G. mit der Temp. T überlagert wird (s. Abb. bei adiabatische Abkühlung). – ***E*** Maxwell-Boltzmann velocity distribution – ***F*** distribution des vitesses de Maxwell-Boltzmann – ***I*** distribuzione della velocità di Maxwell-Boltzmann – ***S*** distribución de las velocidades de Maxwell-Boltzmann

Lit.: Atkins, Physikalische Chemie, Weinheim: VCH Verlagsges. 1996 ▪ Scoles (Hrsg.), Atomic and Molecular Beam Methodes, Oxford: University Press 1988.

Maxwell-Modell. Mechan. Modell zur Beschreibung des *Viskoelastizitäts-Verhaltens von polymeren Werkstoffen, das auf J. C. *Maxwell zurückgeht. Darin wird die Dehnung ε eines Materials, das sowohl mit viskosem Fließen als auch mit einer elast. Rückstellkraft auf eine von außen angelegte Spannung σ reagiert, durch Kombination des Newtonschen u. des *Hookeschen Gesetzes in der Form $\varepsilon = \varepsilon_{elast} + \varepsilon_{visc}$ beschrieben. Es wird damit angenommen, daß die beiden Beiträge streng additiv sind. Übersetzt in ein mechan. Modell beschreibt das M.-M. ein Syst., das aus einer Feder u. einem mit dieser in Reihe geschaltetem Kolben besteht, der eine Flüssigkeit der Viskosität η enthält:

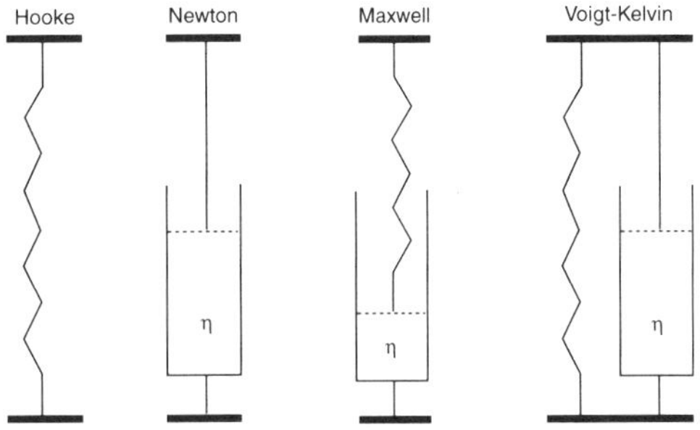

Mit dem Hookeschen Gesetz $\sigma = E \cdot \varepsilon$ (E = Elastizitäts- od. Young-Modul), dem Newtonschen Gesetz $\sigma = \eta (d\varepsilon/dt)$ u. G = Schubmodul erhält man die Gleichung für die Bewegung einer Maxwell-Einheit, wenn man $\varepsilon = \varepsilon_{elast} + \varepsilon_{visc}$ als Differentialgleichung ausdrückt:

$$d\varepsilon/dt = (1/G) \cdot (d\sigma/dt) + \sigma/\eta.$$

Für konstante Scherbeanspruchung ($d\varepsilon/dt = 0$) folgt daraus $(d\sigma/dt) + G\sigma/\eta = 0$. Nimmt man weiterhin an, daß $\sigma = \sigma_0$ (σ_0 = Anfangsbelastung sofort nach der Dehnung des Polymeren) zum Zeitpunkt t = 0 gilt, so lautet die Lösung dieser Gleichung $\sigma = \sigma_0 \exp(-t \cdot G/\eta)$. Daraus folgt unmittelbar, daß die Schubspannung exponentiell mit der Zeit t relaxiert, wenn ein Maxwell-Element bei konstanter Scherbeanspruchung gehalten wird. Die Zeit $t = (\eta/G)$, nach der die Spannung auf 1/e ihres ursprünglichen Wertes abgefallen ist, wird als die Relaxationszeit τ bezeichnet. Die Gleichungen können für Scherung u. Zug verallgemeinert werden, u. G kann durch E ersetzt werden. Damit folgt, daß ein Maxwell-Körper unter konstanter Dehnung zunächst eine sofortige elast. Deformation zeigt, der ein viskoses Fließen folgt. Ein alternatives Modell zur Beschreibung viskoelast. Festkörper, bei dem das viskose u. das elast. Element parallel geschaltet sind, ist das *Voigt-Kelvin-Modell. Zur Beschreibung polymerer Materialien sind diese beiden einfachen Modelle jedoch meist unzureichend. – ***E*** Maxwell (fluid) model – ***I*** modello di Maxwell – ***S*** modelo Maxwell

Lit.: Cowie, Chemie und Physik der synthetischen Polymeren, S. 312, Braunschweig: F. Vieweg Verlagsges. 1997 ▪ Elias (5.) **1**, 940 ▪ Lechner, Gehrke u. Nordmeier, Makromolekulare Chemie, S. 336, Basel: Birkhäuser 1993.

Maxwellsche Gleichungen. Satz von vier Gleichungen, die das Verhalten elektromagnet. Felder (des elektr. Feldes $\vec{E}$ u. der magnet. Induktion $\vec{B}$) beschreibt. Sie lauten in der Vektorschreibweise

$$\mathrm{rot}\,\vec{E} = -\frac{\partial \vec{B}}{\partial t}$$

$$\mathrm{rot}\,\vec{B} = \mu_0 \vec{j} + \frac{1}{c^2}\frac{\partial \vec{E}}{\partial t}$$

$$\mathrm{div}\,\vec{E} = \frac{\rho}{\varepsilon_0}$$

$$\mathrm{div}\,\vec{B} = 0$$

bzw. in Materie

$$\mathrm{rot}\,\vec{E} = -\frac{\partial \vec{B}}{\partial t}$$

$$\mathrm{rot}\,\vec{H} = \vec{j} + \frac{\partial \vec{D}}{\partial t}$$

$$\mathrm{div}\,\vec{D} = \rho$$

$$\mathrm{div}\,\vec{B} = 0$$

Hierbei ist $\vec{E}$ die elektr. Feldstärke in der Einheit V/m, $\vec{D} = \varepsilon_0 \cdot \vec{E} + \vec{P}$ die dielektr. Verschiebung, wobei $\vec{P}$ die Polarisierung ist, beide in der Einheit (A s)/m^2, $\vec{H}$ die Magnetfeldstärke in A/m u. $\vec{B} = \mu_0\,\vec{H} + \vec{M}$ die magnet. Flußdichte, wobei $\vec{M}$ die Magnetisierung ist, jeweils in der Einheit (V s)/m^2. Desweiteren ist $\vec{j}$ die Stromdichte u. ρ die Ladungsdichte.
Die erste Gleichung ist das Faradaysche Gesetz der *Induktion. Die zweite Gleichung wird auch Amperesches Gesetz genannt u. beschreibt das Magnetfeld, das durch einen Strom erzeugt wird. Die dritte Gleichung beinhaltet das *Coulombsche Gesetz. Die vierte Gleichung besagt, daß es keine magnet. Ladung, d. h. magnet. Monopole, gibt. – ***E*** Maxwell equation – ***F*** équations de Maxwell – ***I*** equazioni di Maxwell – ***S*** ecuación de Maxwell

Lit.: Demtröder, Experimentalphysik 2, Berlin: Springer 1995.

Maxwellscher Dämon. Von J. C. *Maxwell ersonnenes Fabelwesen, das als Denkmodell in der Lage sein sollte, bestimmte Gesetze der Thermodynamik wie die *Gasgesetze od. die *Hauptsätze außer Kraft zu setzen. – ***E*** Maxwell's demon – ***F*** démon de Maxwell – ***I*** diavoletto di Maxwell – ***S*** demonio de Maxwell

Lit.: Int. Lab. **9**, Nr. 4, 35–38 (1979) ▪ Sci. Am. **217**, Nr. 5, 103–110 (1967).

Maxwell-Verteilung s. Gasgesetze.

Mayer, Roland (geb. 1927), Prof. für Organ. Chemie, TU Dresden. *Arbeitsgebiete:* Organ. Schwefel-Verb., Heterocyclen, Pseudoaromaten, aktivierte Carbonyl-Verb., Pflanzeninhaltsstoffe, Zusammenhänge zwischen Konstitution u. Farbe, Geruch u. Geschmack.

Lit.: Kürschner (16.), S. 2345 ▪ Nachr. Chem. Tech. Lab. **39**, Nr. 12, 1450 (1991); **40**, Nr. 2, 101, 258 (1992) ▪ Pötsch, S. 294.

von Mayer, Julius Robert (1814–1878), Arzt in Heilbronn. *Arbeitsgebiete:* Berechnung des mechan. Wärmeäquivalents, ausgehend von der Beobachtung, daß die Farbunterschiede zwischen arteriellem u. venösem Blut in den Tropfen geringer ausfällt, da zur Wärmeproduktion weniger Sauerstoff-Ausnutzung erforderlich ist; außerdem Prinzip von der Erhaltung der Energie, Energiegewinnung der Sonne, Geophysik.

Lit.: Krafft, S. 238 f. ▪ Lexikon der Naturwissenschaftler, S. 287 ▪ Nachmansohn, S. 33, 266, 267 ▪ Neufeldt, S. 34 ▪ Pötsch, S. 294 ▪ Strube **2**, 72 f., 99 ▪ Strube et al., S. 61, 104.

Mayers Reagenz. Das Reagenz (Lsg. aus 1,358 g = 5 mmol $HgCl_2$ in 60 mL Wasser u. 5 g = 30 mmol KI in 10 mL Wasser, die nach Mischen zu 100 mL aufgefüllt wird) gibt mit vielen Alkaloiden in schwach saurer Lsg. weiße, krist. Tetraiodomercurat(2–)-Niederschläge. – ***E*** Mayer's reagent – ***F*** réactif de Mayer – ***I*** reattivo di Mayer – ***S*** reactivo de Mayer – *[CAS 7783-33-7]*

Mayo-Gleichung. Um bei radikal. Polymerisationen Produkte nicht zu hoher Molmassen zu erhalten, die sich nachteilig auf die Verarbeitungs- u. Materialeigenschaften auswirken würden, werden den Reaktionen vielfach *Reglersubstanzen zugesetzt. Diese übernehmen in einer sog. „Kettenübertragungsreaktion" im Austausch gegen z. B. ein Wasserstoff- od. Halogen-Atom den radikal. Charakter des wachsenden Polymer-Kettenendes u. starten anschließend selbst das Wachstum einer neuen Polymerkette, z. B.

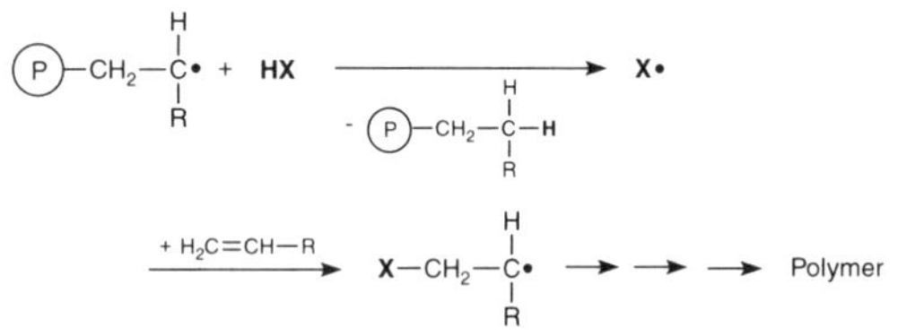

Als Kettenüberträger können z. B. das Monomer selbst od. das Lsm. wirken. Meist werden jedoch die Regler (z. B. Mercaptane) gezielt zugesetzt, um den Polymerisationsgrad zu begrenzen. Die Wirkung aller kettenübertragender Spezies in einem Reaktionssyst. auf den Polymerisationsgrad P_n kann mit Hilfe der M.-G. quant. erfaßt werden. Sie basiert auf einer vereinfachten kinet. Beschreibung der radikal. Polymerisation u. ergibt für den Polymerisationsgrad P_n eines Polymers, das sich in Ggw. regelnd wirkender Agenzien bildet, die Beziehung

$$1/P_n = 1/P_{n,o} + K_M + K_S\,[S]/[M] + K_{HX}\,[HX]/[M].$$

Darin sind $P_{n,o}$ der bei völligem Fehlen von Kettenübertragung theoret. zu erreichende Polymerisationsgrad, K_M, K_S u. K_{HX} die Übertragungskonstanten auf das Monomere M, das Lsm. S u. den Regler HX, u. [M], [S] u. [HX] die Konz. von Monomer, Lsm. u. Regler in mol/L. Die für die Berechnung von P_n benötigten K-Werte können Tabellenwerken entnommen werden. Dabei sind die Werte von K_M u. K_S meist viel kleiner als die Werte von K_{HX}. – ***E*** Mayo equation – ***F*** équation de Mayo – ***I*** equazione di Mayo – ***S*** ecuación de Mayo

Lit.: Lechner, Gehrke u. Nordmeier, Makromolekulare Chemie, S. 58, Basel: Birkhäuser 1993.

Mayonnaise. Eine Öl-in-Wasser-*Emulsion, die aus Speiseöl pflanzlicher Herkunft (häufig *Sojaöl), Hühnereigelb, Zucker, Salz, Gewürzen u. Essig hergestellt wird. Glycerophospholipide des Eigelbs stabilisieren die Emulsion. Der Mindestfettgehalt beträgt 80%, der Mindesteigelbgehalt 7,5% des Fettgehalts.
Den Zusatz von *Konservierungsmitteln regelt die Zusatzstoff-Zulassungs-Verordnung[1]. *Sorbinsäure, *Benzoesäure u. *PHB-Ester sind zugelassen. Die Mitverarbeitung von Farbstoffen od. färbenden Lebensmitteln ist nicht erlaubt. Produkte mit niedrigerem Fettgehalt (<50%), sog. *Salat-M.*, können Dickungsmittel (*Pektin, *Gelatine, *Stärke) sowie Milch-Eiweiß enthalten. Kräuterhaltige M. mit mind. 50% Fett werden als *Remouladen* bezeichnet.
Zusammensetzung: Eiweiß 2%, Fett 80% u. Kohlenhydrate 3%. 100 g M. hat einen Nährwert von 3200 KJ.
Analytik: Zur Analyse von M. sind die *Methoden nach § 35 LMBG (L 20.01-1 bis 20.01/02-6) sowie die Untersuchungsmeth. der dtsch. Feinkost-Ind.[2] anzuwenden. Zum Nachw. von *EDTA, das zur Komplexierung von katalyt. wirksamen Metall-Ionen eingesetzt wird, s. *Lit.*[3].
Geschichte: Der Name M. soll von der Stadt Mahón auf Menorca abgeleitet sein. Jahresproduktion (BRD, 1995): 28 700 t. – ***E = F*** mayonnaise – ***I*** maionese – ***S*** mayonesa

Lit.: [1] ZZulV vom 22. 12. 1981 in der Fassung vom 13. 6. 1990 (BGBl. I, S. 1053), Anlage 3 Liste B Nr. 11. [2] Bundesverband der dtsch. Feinkostind. e. V. (Hrsg.), Untersuchungsmethoden für die Feinkostindustrie, Bonn: Bundesverband der dtsch. Feinkost-Ind., Loseblattsammlung ab 1977. [3] Z. Lebensm. Unters. Forsch. **181**, 35–39 (1985).
allg.: Baltes, Lebensmittelchemie (4.), Berlin: Springer 1995 ▪ Belitz-Grosch (4.), S. 599 ▪ Schwedt, Chemie u. Analytik der Lebensmittelzusatzstoffe, S. 72, 87, 114, Stuttgart: Thieme 1986 ▪ Zipfel, C 247, C 251. – *[HS 2103 90]*

Mayow, John (1643–1679), Arzt in Bath (England). *Arbeitsgebiete:* Atmungs- u. Verbrennungsvorgänge. M. gelangte etwa 100 Jahre vor *Lavoisier zu einer nahezu richtigen Deutung der Verbrennung.

Lit.: Lexikon der Naturwissenschaftler, S. 287 ▪ Pötsch, S. 294 ▪ Strube **2**, 20.

Maytansinoide (Maitansinoide). Gruppe von Makrolid-Antibiotika mit antileukäm., antimitot. u. cytotox. Eigenschaften aus dem äthiop. Strauch *Maytenus ovatus*, anderen Celastraceen u. *Trewia nudiflora* (Euphorbiaceae) sowie den japan. Moosen *Isothecium subdiversiforme* u. *Thamnobryum sandei* (Neckeraceae).

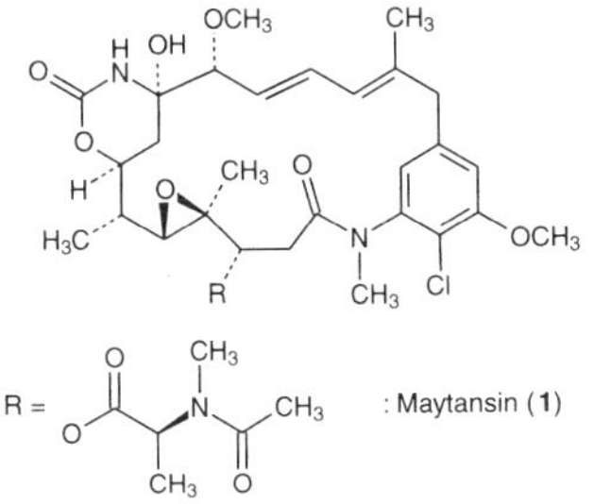

: Maytansin (**1**)

R = OH : Maytansinol (**2**) (Ansamitocin P-0)
R = O—CO—CH3 : Maytanacin (**3**) (Ansamitocin P-1)
R = O—CO—CH2—C2H5 : Ansamitocin P-3' (**4**)
R = O—CO—CH2—CH(CH3)2 : Ansamitocin P-4 (**5**)

Tab: Daten von Maytansinoiden.

Summenformel	M_R	Schmp. [°C]	$[\alpha]_D$ ($CHCl_3$)	CAS
1 $C_{34}H_{46}ClN_3O_{10}$	692,21	171–172 farblose Krist.	$[\alpha]_D^{26}$ –145°	35846-53-8
2 $C_{28}H_{37}ClN_2O_8$	565,06	173–174	$[\alpha]_D^{23}$ –309°	57103-68-1
3 $C_{30}H_{39}ClN_2O_9$	607,10	234–237	$[\alpha]_D$ –121°	57103-69-2
4 $C_{32}H_{43}ClN_2O_9$	635,15	182–185 (Zers.)	$[\alpha]_D$ –134°	66547-09-9
5 $C_{33}H_{45}ClN_2O_9$	649,18	177–180 (Zers.)	$[\alpha]_D$ –142°	66547-10-2

M. leiten sich von Maytansin, dem ersten bekannten Ansamycin pflanzlichen Ursprungs ab; es sind zahlreiche aus Celastraceen isolierte Derivate bekannt (s. Tab.). Die mit den M. eng verwandten *Ansamitocine* wurden außer in *Nocardia* sp.[1] auch in Oregon-Moosen u. den mit ihnen assoziierten Actinomyceten gefunden[2], so daß vermutlich auch die aus Pflanzen isolierten M. mikrobiellen Ursprungs sein können.
Alle aufgeführten Verb. besitzen ausgeprägte pharmakolog. Eigenschaften[3]. – ***E*** maytansinoids – ***F*** maytansinoïdes – ***I*** maitansinoidi – ***S*** maitansinoides

Lit.: [1] Nature (London) **270**, 721 (1977); Tetrahedron **35**, 1079 (1979). [2] Experientia **46**, 117 (1981). [3] Pharmacol. Ther. **55**, 31 ff. (1992) (Review).
allg.: Agric. Biol. Chem. **48**, 1721–1729 (1984) (Ansamitocine) ▪ Arch. Pharm. (Weinheim, Ger.) **326**, 853–856 (1993) ▪ Beilstein EV **27/37**, 232–235 ▪ J. Am. Chem. Soc. **101**, 4732 (1979); **102**, 6597, 6613 (1980) (Synth.) ▪ J. Antibiot. **35**, 1415 ff. (1982) (Biosynth.) ▪ J. Nat. Prod. **51**, 845–850 (1988) ▪ J. Org. Chem. **61**, 7133 (1996) ▪ Manske **23**, 71–204; **25**, 142–155. – *Toxikologie:* Quant. Struct. Act. Rel. **10**, 306–332 (1991) ▪ Sax (8.), Nr. MBU820, APE529.

Maytansin(ol) s. Maytansinoide.

Maytin, Maytolin s. Agarofurane.

Mazerate s. Mazerationen.

Mazerationen (Macerationes, Mazerate). Bez. für mit Wasser od. (seltener) anderen Lsm. bei 20 °C hergestellte *Extrakte von *Drogen od. Zellaufschlüsse (z. B. mit dem *Schulzeschen Mazerationsgemisch). Als M. bezeichnet man auch eine bestimmte Art der *Enfleurage. – ***E*** macerations – ***F*** macérations – ***I*** macerazioni – ***S*** maceraciones

Lit.: Hager (5.) **1**, 622 f. ▪ Ullmann (4.) **12**, 215.

Mb. Abk. für *Myoglobin.

MBA. Abk. für **N,N'*-Methylenbis(acrylamid).

mbar. Symbol der Einheit Millibar (s. Bar u. Druck), seit 1. 1. 1984 durch hPa (Hektopascal), 100 Pa od. 0,1 kPa ersetzt.

MBAS. *Aniontenside lassen sich in Wasser u. Abwasser als sog. MBAS (*M*ethylen*b*lau-*a*ktive *S*ubstanzen) nachweisen (*Longwell-Manience-Methode). Die Meth. beruht auf der Komplexbildung des kation. Farbstoffs *Methylenblau mit anion. Substanzen. Die

Komplexe sind mit Chloroform od. Dichlormethan extrahierbar u. in dieser Phase photometr. bestimmbar. In ähnlicher Weise arbeitet die Meth. der Eptonschen *Zweiphasentitration. Die Longwell-Maniece-Methode ist in den dtsch., engl. u. amerikan. *Einheitsverf. zur Wasseruntersuchung*, die *Epton-Titration in den *DGF-Einheitsmeth.* standardisiert. – ***E*** methylene blue active substances

MBB. Abk. für Monobrombiphenyl(e), s. PBB.

MBBA. Abk. für **N*-(4-Methoxybenzyliden)-4-butylanilin.

MBDA. Abk. für *4,4′-Methylenbis(*N*,*N*-dimethylanilin).

MBDE. Abk. für Monobromdiphenylether, s. PBDE.

MBE. Abk. für *E* *M*olecular *B*eam *E*pitaxy, s. Molekularstrahl-Epitaxie.

MBER. Abk. für *M*olecular *B*eam *E*lectric *R*esonance. Technik der *Spektroskopie, die mit der Mikrowellenspektroskopie verwandt ist u. Informationen über die geometr. Struktur u. elektr. Eigenschaften von Mol. liefert.

MBK. Abk. für „*M*ethyl*b*utyl*k*eton", s. Hexanone.

MBP. Kurzz. für *Mannose-bindendes Protein.

MBPT. Abk. für „*M*any *B*ody *P*erturbation *T*heory" (Vielteilchen-Störungstheorie). Klasse von Verf. der *Quantenchemie zur Beschreibung von *Elektronenkorrelation; s.a. Störungstheorie.

MBS. Kurzz. (nach DIN 7728-1: 1988-01) für Methacrylat (s. Methacrylsäureester)/*1,3-Butadien/*Styrol-Copolymere.

MBT. Abk. für *2-Mercaptobenzothiazol.

MBTFA. Abk. für **N*-Methylbis(trifluoracetamid).

MBTH.

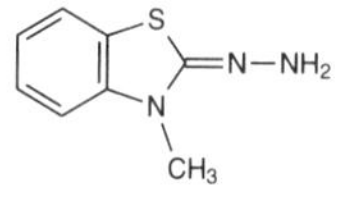

Abk. für 3-Methyl-2(3*H*)-benzothiazolon-hydrazon, $C_8H_9N_3S$, M_R 179,23. Das Hydrochlorid-Hydrat, Schmp. 276–278 °C, ist ein vielseitiges Reagenz für Nachw. u. Bestimmung von aliphat. Aldehyden, Oxosäuren, Aminen, Iminen, Phenolen u. Azulenen.

Lit.: Anal. Biochem. **129**, 329 (1983) ▪ Beilstein EV **27/11**, 10 f. ▪ Pure Appl. Chem. **51**, 1803–1814 (1979). – *[HS 2934 20; CAS 1128-67-2]*

MBV-Verfahren (*M*odifiziertes *B*auer-*V*ogel-Verf.). Ein mit Chromaten in alkal. Lsg. arbeitendes Chromatier-Verf. zur Erzeugung von Oxid-Schutzschichten auf *Aluminium. – ***E*** MBV process – ***F*** procédé MBV – ***I*** processo MBV – ***S*** procedimiento MBV

MC. Kurzz. (nach DIN 7728-1: 1988-01) für *Methylcellulosen.

MCB. Abk. für Monochlorbiphenyl(e), s. PCB.

McCabe-Thiele-Methode s. Destillation (S. 916).

McClintock, Barbara (1902–1992), Prof. für Botanik u. Genetik, Cold Spring Harbor Laboratory (Long Island, N. Y.). Sie erhielt 1983 den Nobelpreis für Physiologie od. Medizin für ihre 1957 an Mais u. anderen Pflanzen gemachte Entdeckung der „controlling elements" beweglicher Abschnitte des Genoms.

Lit.: Lexikon der Naturwissenschaftler, S. 287.

McCormack-Reaktion. Die Herst. von Dihydro-*Phospholen aus 1,3-Butadienen u. Phosphonigsäure-dihalogeniden wird als M.-R. bezeichnet. Diese als [4+1]-*Cycloaddition aufzufassende Reaktion bietet den einfachsten Zugang in die Klasse der Fünfringheterocyclen mit Phosphor als Ringatom.

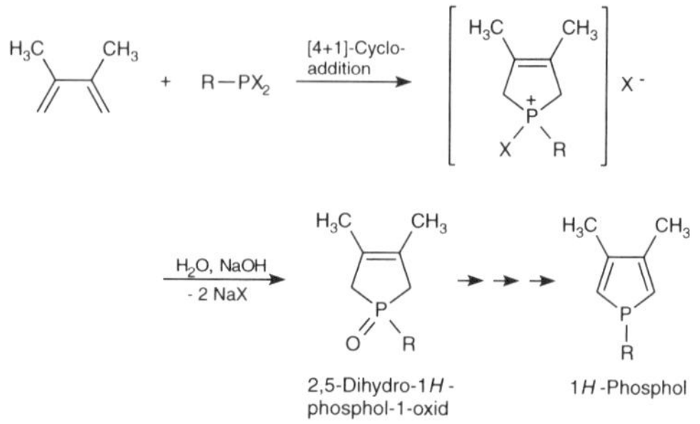

Abb.: McCormack-Reaktion.

– ***E*** McCormack reaction – ***F*** réaction de McCormack – ***I*** reazione di McCormack – ***S*** reacción de McCormack

Lit.: Hassner-Stumer, S. 247 ▪ s. a. Phosphor-organische Verbindungen.

MCD. 1. Abk. für den *m*agnet. *C*ircular*d*ichroismus, einen unter dem Einfluß eines äußeren Magnetfeldes auftretenden circularen Dichroismus, dem eine circulare Doppelbrechung (*Faraday-Effekt) zuzuordnen ist. Im Gegensatz zum *Cotton-(Mouton)-Effekt – der linearen Doppelbrechung im Magnetfeld – ist die Ausbreitungsrichtung des Meßlichtes beim MCD parallel zum äußeren Magnetfeld. Der MCD gibt Auskunft über die elektron. Struktur von Atomen u. Mol. u. ist als Phänomen der *Elektrochromie u. dem Kerr-Effekt – linearer Dichroismus u. lineare Doppelbrechung im elektr. Feld – gleichzustellen. Der MCD ist daher im Gegensatz zum *Circulardichroismus (CD) keine Beobachtung der *Chiralität u. somit in seinem Vorzeichen nicht durch die abs. *Konfiguration von Mol. bestimmt. Der unterschiedliche Typ der Doppelbrechung u. des Dichroismus – circular bzw. linear – ist auf die unterschiedliche Symmetrie des magnet. u. elektr. Feldes zurückzuführen.

2. MCD-Peptid s. Bienengift u. Mastzellen-degranulierendes Peptid.

Lit.: Chem. Unserer Zeit **15**, 78–87 (1981); **16**, 160–168 (1982) ▪ Encyclopedia of Physical Science and Technology, Vol. 10, S. 454, New York: Academic Press 1992 ▪ Klessinger u. Michl, Lichtabsorption und Photochemie Organischer Moleküle, S. 144–168, Weinheim: VCH Verlagsges. 1989 ▪ Nachr. Chem. Tech. Lab. **31**, 642 ff. (1983) ▪ Piepho u. Schatz, Group Theory in Spectroscopy: With Applications to Magnetic Circular Dichroism, New York: Wiley 1983 ▪ Thulstrup, Aspects of the Linear and Magnetic Circular Dichroism of Planar Organic Molecules, Berlin: Springer 1980.

MCDD. Abk. für Monochlordibenzo[1,4]dioxin(e), s. Dioxine (S. 1000).

MCDF. Abk. für Monochlordibenzofuran(e), s. Dioxine (S. 1000).

MCDP. Abk. für *Mastzellen-degranulierendes Peptid.

MCD-Peptid s. Mastzellen-degranulierendes Peptid.

MCH. Abk. für *Melanin-konzentrierendes Hormon.

mCi. Kurzz. für Millicurie = 10^{-3} Curie = 37 MBq, d. h. in einer Probe dieser *Aktivität finden 37 Mio. Zerfälle pro Sekunde statt, s. Curie.

McLeod-Manometer. Ein Quecksilber-gefülltes *Manometer zur Messung eines *Vakuums im Bereich von $10-10^{-6}$ mbar (je nach Ausführung). – ***E*** McLeod gage (USA), gauge (GB) – ***F*** vacuomètre de McLeod – ***I*** manometro di McLeod – ***S*** manómetro (de) McLeod

Lit.: Kohlrausch, Praktische Physik 1, S. 90, Stuttgart: Teubner 1996.

McMillan, Edwin Mattison (1907–1991), Prof. für Physik, Univ. Berkeley, Kalifornien. *Arbeitsgebiete:* Kernreaktionen, Transurane, Mitentdecker von Plutonium u. Neptunium, Konstruktion des Synchrotrons, Nobelpreis für Chemie 1951 (zusammen mit *Seaborg).

Lit.: Lexikon der Naturwissenschaftler, S. 287f. ▪ Neufeldt, S. 209, 217, 367 ▪ Pötsch, S. 295.

MCM-Katalysatoren (*M*ulti-*c*omponent-*m*etal-oxide). Ein Vielkomponentensyst. auf der Basis von Metalloxiden mit Molybdän als zentralem Bestandteil. Einsatzgebiete sind im allg. Oxidationsprozesse, z. B. die katalyt. Oxid. von Propen zu Methylmethacrylat. – ***E*** MCM catalysts – ***F*** catalyseurs MCM – ***I*** catalizzatori MCM – ***S*** catalizadores MCM

Lit.: Weissermel-Arpe (4.), S. 308.

McMurry-Reaktion. Bez. für eine Reaktion, bei der Carbonyl-Verb. zu *Pinakolen od. Alkenen umgesetzt werden (s. Abb. a). Als Reagenz wird intermediär aus Titan(III)-chlorid durch Red. mit z. B. Lithiumaluminiumhydrid erzeugtes niedervalentes Titan mit Oxidationszahlen zwischen 0 u. 2 eingesetzt. Tiefe Temp. bewirken die Umsetzung der Carbonyl-Verb. zu 1,2-Diolen (*Pinakol-Kupplung*); bes. wertvoll ist, daß diese Kupplung auch *intramolekular* erfolgen kann, wobei man *makrocyclische Verbindungen erhalten kann. Bei höheren Temp. bilden sich dagegen Alkene u. im intramol. Fall Cycloalkene. Nachteilig ist, daß beide Reaktionen mit geringer Diastereoselektivität ablaufen.

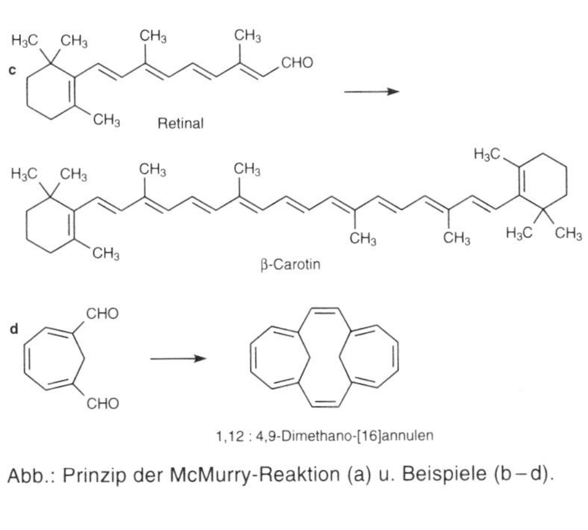

Abb.: Prinzip der McMurry-Reaktion (a) u. Beispiele (b–d).

Die M.-R. hat große Bedeutung in der Synth. von Naturstoffen (s. Abb. c) u. „exot." Mol. (s. Abb. d) erlangt; sie steht in ihrer Bedeutung in einer Reihe mit der Peterson-Olefinierung (s. Peterson-Reaktion) u. der *Wittig-Reaktion; vgl. a. Tebbe-Grubbs-Reagenzien. – ***E*** McMurry reaction – ***F*** réaction de McMurry – ***I*** reazione di McMurry – ***S*** reacción de McMurry

Lit.: Acc. Chem. Res. **16**, 505 (1983) ▪ Angew. Chem. **108**, 2582–2609 (1996); **109**, 2309, 2477 (1997) ▪ Brückner, Reaktionsmechanismen, S. 522, Heidelberg: Spektrum Akadem. Verl. 1996 ▪ Chem. Rev. **89**, 1513–1524 (1989) ▪ Chimia **43**, 39–49 (1989) ▪ Hassner-Stumer, S. 249 ▪ Krauch u. Kunz, Reaktionen der Organischen Chemie (6.), S. 491, Heidelberg: Hüthig 1997 ▪ Laue-Plagens, S. 217 ▪ Kontakte (Darmstadt) **1985**, 14–21 ▪ March (4.), S. 1227 ▪ Nachr. Chem. Tech. Lab. **31**, 814ff. (1983) ▪ Synthesis **1989**, 883–897 ▪ Trost-Fleming **3**, 563ff.

3M Company s. 3M.

MCP s. periplasmatische Bindungsproteine.

MCPA.

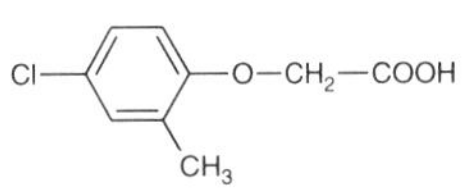

Xn

Common name für 4-Chlor-*o*-tolyloxyessigsäure, $C_9H_9ClO_3$, M_R 200,62, Schmp. 118–119 °C, LD_{50} (Ratte oral), 700 mg/kg (GefStoffV), von ICI (jetzt Zeneca) 1945 eingeführtes selektives Hormon-ähnliches Nachauflauf-*Herbizid gegen Unkräuter im Getreide-, Reis- u. Zuckerrohrbau sowie auf Grünland. Die Anw. erfolgt in Form des Na-, K- od. Diethylammonium-Salzes bzw. des Ethyl-, Butyl-, Isooctyl- od. 2-Butoxyethylesters. – ***E*** MCPA – ***I*** acido 4-cloro-o-tolilossiacetico – ***S*** ácido 4-cloro-o-toliloxiacético

Lit.: Beilstein EIV **6**, 1991 ▪ Farm. ▪ Perkow ▪ Pesticide Manual. – *[HS 2918 90; CAS 94-74-6]*

MCPB.

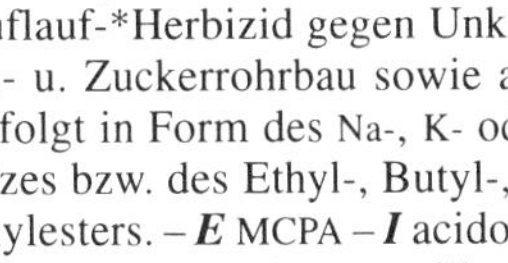

Xn

Common name für 4-(4-Chlor-*o*-tolyloxy)buttersäure, $C_{11}H_{13}ClO_3$, M_R 228,67, Schmp. 100 °C, LD_{50} (Ratte oral) 680 mg/kg (GefStoffV), von May & Baker (jetzt Rhône-Poulenc) 1954 eingeführtes selektives Nachauflauf-*Herbizid gegen Unkräuter im Getreide- u. Erbsenanbau sowie auf Grünland. – ***E*** MCPB – ***I*** acido 4-(4-cloro-*o*-tolilossi)butirrico – ***S*** ácido 4-(4-cloro-*o*-toliloxi)-butírico

Lit.: Beilstein EIV **6**, 1996 ▪ Farm. ▪ Perkow ▪ Pesticide Manual. – *[HS 2918 90; CAS 94-81-5]*

MCP-Legierung. Sortiment von niedrigschmelzenden Leg. mit Schmp. zwischen 20 °C u. 300 °C. Einzelne Vertreter sind z. B. *MCP 60* mit Bismut, Blei, Zinn, Cadmium u. Indium, ab 64 °C flüssig; *MCP 70*, bestehend aus Bismut, Blei, Zinn, Cadmium, ab 70 °C flüssig; *MCP 96* mit den Komponentenmetallen Bismut, Blei u. Zinn, ab 96 °C flüssig.
Die MCP-Leg. werden zum Bonden hitzeempfindlicher od. schwer lötbarer Materialien, zum Abschirmen gegen Hochfrequenz- od. elektromagnet. Störfelder sowie radioaktiver Strahlung, zur Verankerung von mechan. Bauteilen bei Montagen, zum Einspannen regelmäßig geformter Werkstücke für die Bearbeitung, zum Biegen von Rohren, Prüfgießen, für die Herst. von Ausschmelzkernen, Schmelzsicherungen, Formen u. Werkzeugen sowie beim Feinguß verwendet. Mit Hilfe des *MCP-Syst.* zum Spritzen dieser Leg. können z. B. Kopiermodelle, Galvanoplastikmater sowie stat. Beschichtungen hergestellt werden. ***B.:*** HEK.

McReynolds-Konstanten s. Gaschromatographie.

MCS. Abk. für *E* *M*ultiple *C*hemical *S*ensitivity; vielfache Chemikalienüberempfindlichkeit. Veraltete Bez. für (nach *WHO) *I*diopathic *E*nvironmental *I*ntolerances (IEI), umweltbezogene Unverträglichkeiten unklarer Ursache. Die Symptome lassen sich in drei Gruppen einteilen: Zentralnervöse Beschwerden, Reizwirkungen u. gastrointestinale Beschwerden. Häufig wird über Unwohlsein, Kopfschmerz, Konzentrationsstörungen, Husten od. Durchfall geklagt. Als Ursache wurden früher kleinste Mengen verschiedener Chemikalien, später auch Nahrung, elektromagnet. Felder u. a. angenommen. Kritiker erklären alle Symptome als Lerneffekt (Konditionierung) u. psych. *Stress-Reaktion (Kompensation). Therapiert wird z. B. durch Vermeidung der angenommenen Ursachen, Diät od. Zufuhr hochdosierter Vitamine. Aus toxikolog. Sicht sind die Symptome nicht zu erklären. In einer Untersuchung von über 2000 Fällen vermuteter Erkrankung durch *Umweltchemikalien z. B. aus *Innenraumbelastung kamen tatsächlich nur in 2% der Fälle Chemikalien als Krankheitsursache in Frage. In der Regel waren Schimmelpilze die Verursacher der IEI[1]; s. a. *Lit.*[2]. – ***E*** multiple chemical sensitivity – ***F*** sensitivité chimique-multiple (SCM) – ***I*** sensibilità chimica multipla – ***S*** sensibilidad química múltiple

Lit.: [1] Chemie Report **1996**, Nr. 3/4, S. 8 f., Nr. 10, S. 9 f. [2] Focus vom 20. 8. 1996.
allg.: Arch. Occup. Environ. Health **66**, 213 – 216 (1994) ▪ Strubelt, Gifte in Natur u. Umwelt, S. 28 – 34, Heidelberg: Spektrum 1996.

MCSCF-Verfahren. Abk. für „*M*ulti-*C*onfiguration *S*elf *C*onsistent *F*ield"-Verfahren. Wichtiges Verf. der *Quantenchemie, mit dem auch elektron. angeregte Zustände u. die Spaltung chem. Bindungen in neutrale, im allg. radikal. Fragmente untersucht werden können. Die MCSCF-*Wellenfunktion ist eine Linearkombination von aus *Slater-Determinanten aufgebauten *Konfigurationszustandsfunktionen, wobei sowohl die Linearkoeff. als auch die in den Slater-Determinanten auftretenden Einelektronenwellenfunktionen (*Orbitale) energieoptimiert werden. Das MCSCF-V. wird häufig als Ausgangspunkt für die Meth. der *Configuration Interaction verwendet; man redet dann von *MR-CI. Eine Variante des MCSCF-V. ist *CASSCF. – ***E*** MCSCF method – ***F*** procédé MCSCF – ***I*** metodo MCSCF – ***S*** método MCSCF

Lit.: Adv. Chem. Phys. **69**, 1 – 62, 63 – 200, 399 – 446 (1987) ▪ McWeeny, Methods of Molecular Quantum Mechanics, 2. Aufl., London: Academic Press 1989 ▪ Roos, Lecture Notes, in Quantum Chemistry, S. 177 – 254, Berlin: Springer 1992.

MCT (MKT). Abk. für engl. *m*edium *c*hain *t*riglycerides = mittelkettige Triglyceride, d. h. für Triglyceride von Fettsäuren mittlerer Kettenlänge (C_8–C_{12}), die ggf. Verw. in Margarine u. in der Diät bei *Fettsucht u. erhöhten *Blutfett-Werten finden. MCT finden auch Verw. in Sondennahrungen, Infusionen zur parenteralen Ernährung sowie als Hilfsstoffe u. Träger in Pharmazeutika, *Beisp.:* Miglyol®-Neutralöle. – ***E*** MCT – ***I*** trigliceride a catena media, MCT – ***S*** triglicéridos de cadena media

Lit.: DAB **1997** u. Komm. ▪ Eckart (Hrsg.), Fett in der parenteralen Ernährung, Germering: Zuckschwerdt 1993.

mCyt. Kurzz. für *5-Methylcytosin.

Md. 1. Abk. für *Milliarde. – 2. Chem. Symbol für das Element *Mendelevium.

MD. Abk. für *Molekulardynamik.

MDH. Abk. für *Malat-Dehydrogenase.

MDI. Abk. für *4,4′-Methylendi(phenylisocyanat).

MDMA s. Ecstasy.

MDP. Abk. für *Muramyl-Dipeptid.

MDPE. Kurzz. (nach ASTM) für engl.: medium-density polyethylene = *Polyethylene mittlerer Dichte (ca. 0,93 – 0,94 g/cm³).

MDR. Abk. für Multidrug-Resistenz, s. P-Glykoprotein.

Mdr1-Protein s. P-Glykoprotein.

ME s. Eman.

Meaverin®. Injektionslsg. mit *Mepivacain-hydrochlorid, auch zusätzlich mit *Adrenalin od. *Noradrenalin od. *Polidocanol (Gel), zur Lokalanästhesie. ***B.:*** Rhône Poulenc Rorer.

Mebendazol (Rp).

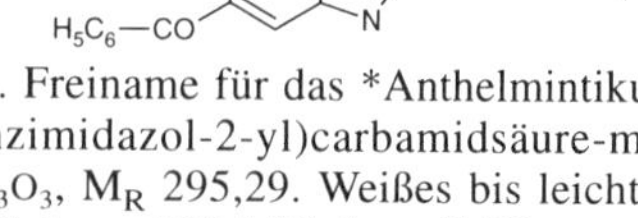

Internat. Freiname für das *Anthelmintikum (5-Benzoylbenzimidazol-2-yl)carbamidsäure-methylester, $C_{16}H_{13}N_3O_3$, M_R 295,29. Weißes bis leicht gelbliches Pulver, Schmp. 288,5 °C, λ_{max} (10% DMF in CH_3OH) 312 nm ($A^{1\%}_{1cm}$ 517); prakt. unlösl. in Wasser, verd. anorgan. Säuren, Alkohol, Ether u. Chloroform, leicht lösl. in Ameisensäure. M. wurde 1971 u. 1972 von Janssen (Vermox®) patentiert. – ***E*** mebendazole – ***F*** mébendazole – ***I*** mebendazolo – ***S*** mebendazol

Lit.: ASP ▪ Beilstein E V **25/15**, 258 ▪ Florey **16**, 291 – 326 ▪ Hager (5.) **8**, 817 ff. ▪ Martindale (31.), S. 118 f. ▪ Ph. Eur. **1997** u. Komm. – *[HS 2933 90; CAS 31431-39-7]*

Mebeverin (Rp).

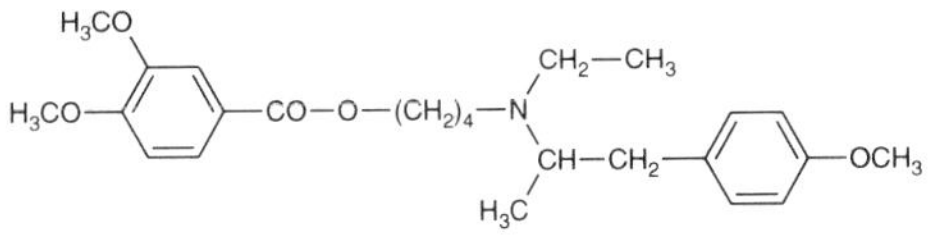

Von der WHO vorgeschlagener Freiname für das Muskelrelaxans (±)-3,4-Dimethoxybenzoesäure-4-{ethyl-[2-(4-methoxyphenyl)-1-methyl]-amino}butylester, $C_{25}H_{35}NO_5$, M_R 429,55, Schmp. 129–131 °C, λ_{max}(0,1 M HCl) 220, 263 nm ($A^{1\%}_{1cm}$ 610, 280). Verwendet wird meist M.-hydrochlorid, M_R 466,01, Schmp. 105–107 °C, auch 129–131 °C angegeben, ein weißes, krist. Pulver, das in Wasser gut lösl. ist. M. ist von Solvay Arzneimittel (Duspatal®) im Handel. – ***E*** mebeverine – ***F*** mébévérine – ***I*** = ***S*** mebeverina

Lit.: Hager (5.) **8**, 820 ff. ▪ Martindale (31.), S. 227. – *[HS 2922 50; CAS 3625-06-7 (M.); 2753-45-9 (Hydrochlorid)]*

Mebhydrolin (Rp).

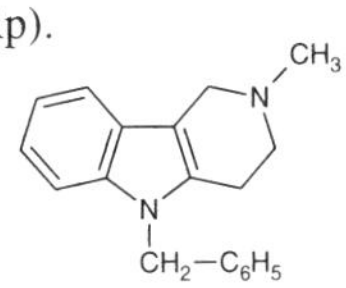

Internat. Freiname für das *Antihistaminikum 5-Benzyl-2,3,4,5-tetrahydro-2-methyl-1*H*-pyrido[4,3-*b*]indol, $C_{19}H_{20}N_2$, M_R 276,38, Schmp. 95 °C, Sdp. 207–215 °C (133 Pa). Verwendet wird meist M.-*Napadisilat, M_R 841,1, Schmp. 280 °C (Zers.), λ_{max} (CH_3OH) 286, 315, 320 nm ($A^{1\%}_{1cm}$ 273, 11, 13). M. wurde 1954 von Bayer patentiert. – ***E*** = ***F*** mebhydroline – ***I*** mebidrolina – ***S*** mebhidrolina

Lit.: Beilstein E V **23/7**, 328 f. ▪ Hager (5.) **8**, 822 ff. ▪ Martindale (31.), S. 447. – *[HS 2933 90; CAS 524-81-2 (M.); 6153-33-9 (Napadisilat)]*

Mecarbam.

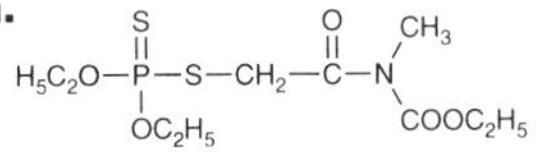

T

Common name für *S*-(*N*-Ethoxycarbonyl-*N*-methylcarbamoylmethyl)-*O*,*O*-diethyldithiophosphat, $C_{10}H_{20}NO_5PS_2$, M_R 329,36, gelbes Öl, Sdp. 144 °C (2,7 Pa), LD_{50} (Ratte oral) 36 mg/kg (GefStoffV), von Murphy Chemical Ltd. 1958 eingeführtes schwach-systern. *Insektizid u. *Akarizid mit ovizider Wirkung gegen Hemipteren u. Dipteren im Obst-, Reis- u. Gemüseanbau. – ***E*** = ***I*** mecarbam – ***F*** mécarbame – ***S*** mecarban

Lit.: Farm. ▪ Pesticide Manual. – *[HS 2930 90; CAS 2595-54-2]*

Mecetronium-etilsulfat.

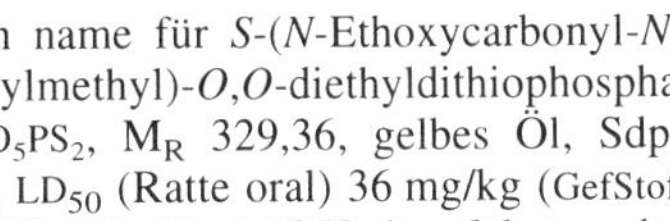

Internat. Freiname für das desinfizierend wirkende *Tensid Ethylhexadecyldimethylammonium-ethylsulfat, $C_{22}H_{49}NO_4S$, M_R 423,69, sehr leicht lösl. in Wasser, Ethanol u. Aceton. Es ist von Bode (Sterillium®) in Kombination mit 1- u. 2-Propanol im Handel. – ***E*** mecetronium etilsulfate – ***F*** étilsulfate de mécétronium – ***I*** mecetronio etilsolfato – ***S*** etilsulfato de mecetronio

Lit.: Hager (5.) **8**, 824 f. ▪ Martindale (31.), S. 1138. – *[HS 2923 90; CAS 3006-10-8]*

Mechanik. Ältestes Teilgebiet der *Physik, das sich mit der Bewegung materieller Syst. unter dem Einfluß von Kräften beschäftigt. Die grundlegende Gleichung

$$\vec{F} = d\vec{p}/dt$$

($\vec{F}$ = Kraft, $\vec{p}$ = Impuls, t = Zeit) geht bis auf Galilei zurück. Während in der klass. Mechanik die Masse m (sie ist über die Geschw. $\vec{v}$ mit dem Impuls verbunden: $\vec{p} = m \cdot \vec{v}$) unabhängig von der Geschw. ist, muß in der relativist. M. die Änderung der Masse berücksichtigt werden: $m = m_0/\sqrt{1 - v^2/c^2}$ (m_0 = Ruhemasse, c = Lichtgeschw.). Teilgebiete der M. sind: Dynamik; Statik; Bewegung eines Massenpunktes, eines Syst. von Massenpunkten u. eines ausgedehnten Körpers; Schwingungslehre, wie z. B. harmon. Schwingung; Erhaltungssätze für Energie, Impuls u. Drehimpuls. – ***E*** mechanics – ***F*** mécanique – ***I*** meccanica – ***S*** mecánica

Lit.: Davis, Mechanics, sowie Heller, Mechanics of Structures, Encyclopedia of Physical Science and Technology, Vol. 9, S. 561–586, New York: Academic Press 1992 ▪ Demtröder, Experimentalphysik 1, Berlin: Springer 1994 ▪ Physik abc, Leipzig: Brockhaus 1989.

Mechanisation. Die Unterstützung u./od. der Ersatz menschlicher Arbeitskraft durch mechan. Arbeitsgeräte (Maschinen). Erfolgt der Betrieb von Maschinen mit Hilfe geeigneter Instrumente, spricht man von *Automation. Hierbei wird der Mensch für die Einrichtung u. Durchführung von Arbeits- u. Produktionsprozessen nicht mehr unmittelbar gebraucht. Die Automation läßt sich daher in gewisser Weise als Kombination von M. u. *Instrumentation auffassen. – ***E*** mechanization – ***F*** mécanisation – ***I*** meccanizzazione – ***S*** mecanización

Mechanische Abwasserbehandlung (mechan. Abwasserreinigung, -klärung). Verf. zur Beseitigung ungelöster Bestandteile aus *Abwasser. In *Kläranlagen wird eine m. A. der *biologischen Abwasserbehandlung vorgeschaltet, damit Pumpen, Gerinne u. Belüftungseinrichtungen nicht durch grobe Feststoffe verstopft od. beschädigt werden. Schwimmstoffe wie Fette u. Öle sind normalerweise dem *biologischen Abbau in Kläranlagen schlecht zugänglich u. werden meist ebenfalls mechan. entfernt.

Zu den Verf. (s. Abb.) bzw. Einrichtungen, die Massenkräfte wie Schwerkraft u. Fliehkraft nutzen, gehören die *Sedimentation (z. B. in *Dortmundbrunnen, *Sandfang u. *Zyklon), die Schwimmstoff-Abscheidung (Flotation, s. Sink-Schwimm-Aufbereitung; z. B. in Ölabscheidern) sowie das *Zentrifugieren (mit Dekanter u. Separator). Der Naßabscheidung von Stäuben entspricht prinzipiell (mit vertauschten Phasen) die *Flotation bei der Abwasserbehandlung. Sieb- bzw. Filtrierverf. (s. Sieben) sind durch *Rechen, Siebe u. Filter bei der Abwasserbehandlung realisiert.

Durch m. A. werden in der *Vorklärung kommunaler Kläranlagen typischerweise prakt. alle Grobstoffe

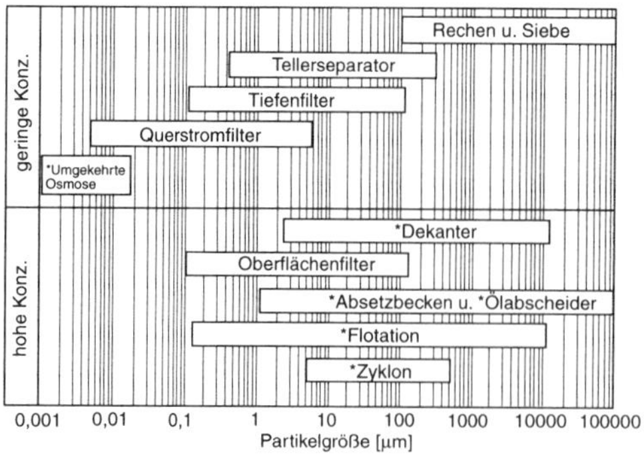

Abb.: Einteilung der mechan. Abwasserbehandlungsverf. nach Partikelgrößen; nach *Lit.*[1].

einschließlich Sand sowie etwa 40 bis 70% der suspendierten Stoffe mit bis zu 40% der organ. Belastung aus dem Abwasser entfernt. In der Nachklärung werden suspendierte Abwasserbestandteile u. Abwasserbehandlungsprodukte (wie *Faulschlämme u. *Belebtschlamm) in der Regel durch Sedimentation abgeschieden. – ***E*** mechanical wastewater treatment – ***F*** épuration mécanique des eaux d'egout – ***I*** depurazione meccanica delle acque di scolo – ***S*** depuración mecánica de las aguas residuales

Lit.: [1]Brauer (Hrsg.), Handbuch des Umweltschutzes u. der Umweltschutztechnik, Bd. 4, S. 536–574, Berlin: Springer 1996.
allg.: Abwassertechnische Vereinigung (Hrsg.), ATV-Handbuch Mechanische Abwasserreinigung (4.), Berlin: Ernst 1997 ▪ Birr et al., Umweltschutztechnik (5.), S. 124–129, Leipzig: Deutscher Verl. für Grundstoffindustrie 1992 ▪ Hosang u. Bischof, Abwassertechnik (10.), S. 328–386, Stuttgart: Teubner 1993 ▪ Ullmann (5.) **B 8**, 128–136.

Mechanische Spannung s. Festigkeit.

Mechanismus s. Reaktionsmechanismen.

Mechanismus-begründete Enzym-Inaktivatoren s. Suizid-Substrate.

Mechanochemie. Bez. für ein Gebiet der Physikal. Chemie, das sich mit dem chem. Verhalten von Stoffen bei mechan. Einwirkung befaßt; Wilhelm *Ostwald gab die folgende Definition: „M. ist die Lehre von den Beziehungen der mechan. Energieformen zur chem. Energie." Bei Hochpolymeren kann man z.B. durch *Zerkleinern, Druck- u. Scherbeanspruchung, Schnellrühren, Ultrabeschallung (s. Ultraschallchemie) u. dgl. die Bildung von *freien Radikalen, den Bruch von chem. Bindungen u. damit eine Mol.-Verkleinerung bewirken. Die erste *mechanochem. Reaktion* dieser Art wurde von Waentig 1927 beim Zermahlen von Cellulose in der Kugelmühle beobachtet. Die Energie kann auch als **Tribolumineszenz* od. *Mechanolumineszenz* auftreten (*Lit.*[1]). Gelegentlich spricht man summar. von *Mechanoemission* u. könnte hierunter auch Schallemissionen (Zinngeschrei) od. Teilchenemissionen (z.B. *Exoelektronen) verstehen. Die erwähnten Phänomene faßt man als solche der *Tribochemie zusammen u. stellt sie denjenigen der *Teinochemie gegenüber, worunter man eine *mechanochem. Transformation,* d.h. die Umwandlung chem. Energie in mechan. Arbeit (z.B. bei der *Muskel-Kontraktion) versteht. – ***E*** mechanochemistry – ***F*** mécanochimie – ***I*** meccanochimica – ***S*** mecanoquímica

Lit.: [1]Spektrum Wiss. **1982,** Nr. 9, 120–126.
allg.: Casale u. Porter, Polymer Stress Reactions, Bd. 2, New York: Academic Press 1978 ▪ Heinicke, Tribochemistry, Berlin: Akademie-Verl. 1984.

Mechanochemische Enzyme s. molekulare Motoren.

Mechanorezeptoren (Mechanosensoren). Bez. aus der Sinnesphysiologie für Sinneszellen (*Rezeptoren), die mechan. Reize wie Berührung, Druck, Schwingungen, Schwerkraft u. Bewegung aufnehmen, in nervale Impulse umwandeln u. in das Zentralnervensyst. weiterleiten. Die M. sind von unterschiedlicher Struktur. So tragen M. vom ciliären Typ, die sog. Haarzellen, fadenförmige Zellfortsätze, deren Abbiegung bei mechan. Reizung die Sinneszelle erregt. M. dieses Typs finden sich z.B. als *Haarsensillen* u. *Scolopidien* von Gliederfüßlern (Spinnen, Insekten, Krebse) od. als *Haarzellen* bei Weichtieren u. Wirbeltieren. Beim Menschen finden sich Haarzellen im Gehör- u. Gleichgewichtsorgan des Innenohres. M. ohne Sinneshaar sind Nervenzellen mit freien Nervenendigungen bei wirbellosen Tieren sowie die verschiedenen, z.T. mit bes. Endstrukturen ausgestatteten mechanosensiblen Sinneszellen z.B. der *Haut von Wirbeltieren. In der menschlichen Haut sind z.B. M. für die Qualitäten des Tastsinnes (Druck, Berührung u. Vibration) ausgebildet. Auf Druck reagieren die sog. *Merkel-Zellen,* auf Berührung die *Meissnerschen Körperchen* u. die Rezeptoren an den Haarwurzeln. Die *Pacinischen Körperchen* reagieren auf Vibration. Zudem ist ein Teil der im Zusammenhang mit der Schmerzwahrnehmung stehenden *freien Nervenendigungen* auf starke mechan. Reize empfindlich. – ***E*** mechanoreceptors – ***F*** mécanorécepteurs – ***I*** meccanorecettori – ***S*** mecanorreceptores

Lit.: Horn, Vergleichende Sinnesphysiologie, Stuttgart: Fischer 1982 ▪ Schmidt, Neuro- und Sinnesphysiologie, Berlin: Springer 1995.

Mechanotransduktion s. Signaltransduktion.

Mecke, Reinhard (1895–1969), Prof. für Physik. Chemie, Univ. Heidelberg u. für Theoret. Physik, Univ. Freiburg. *Arbeitsgebiete:* IR-Spektroskopie, Struktur des Wassermol., Banden-, Schwingungs- u. Rotationsspektren, Sonnenspektrum.

Lit.: Nachr. Chem. Tech. **13**, 289 (1965) ▪ Z. Elektrochem. **64**, 549 f. (1960).

Meclastin. Früherer Name für *Clemastin.

Meclocyclin (Rp).

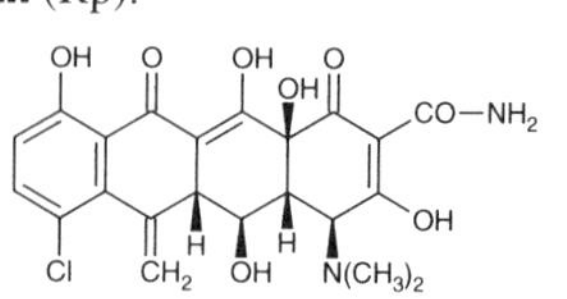

Internat. Freiname für das antibiot. wirksame *Tetracyclin-Derivat (4*S*)-7-Chlor-4α-(dimethylamino)-3,5α,10,12,12a-pentahydroxy-6-methylen-1,11-dioxo-1,4,4aα,5,5aα,6,11,12aα-octahydro-2-naphthacencarboxamid, $C_{22}H_{21}ClN_2O_8$, M_R 476,87, λ_{max} (CH_3OH/0,01 M HCl) 245, 347 nm ($A^{1\%}_{1cm}$ 459, 265); LD_{50} (Maus oral) > 5 g/kg. Verwendet wird meist M.-5-Sulfosalicylat, M_R 695,06, λ_{max} (CH_3OH/0,01 M HCl) 239, 268, 346 nm ($A^{1\%}_{1cm}$ 415, 169, 185); M. wurde 1961 von Pfizer patentiert u. ist von S&K Pharma (Meclosorb®) zur lokalen Behandlung oberflächlicher Hautinfektionen u. der Akne vulgaris im Handel. Lagerung: Licht- u. Luft-geschützt. – *E* meclocycline – *F* méclocycline – *I* = *S* meclociclina

Lit.: Hager (5.) **8**, 826f. ▪ Martindale (31.), S. 247. – *[HS 2941 30; CAS 2013-58-3 (M.); 73816-42-9 (M.-5-Sulfosalicylat)]*

Meclofenoxat (Centrophenoxin).

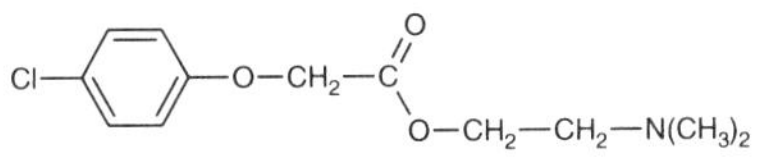

Internat. Freiname für das Nootropikum (4-Chlorphenoxy)essigsäure-2-(dimethylamino)ethylester, $C_{12}H_{16}ClNO_3$, M_R 257,71 verwendet wird das Hydrochlorid, Schmp. 136–141 °C, LD_{50} (Maus i.v.) 330, (Maus oral) 1750, (Maus i.p.) 845 mg/kg. Es ist von Promonta Lundbeck (Helfergin®) u. Isis Pharma (CERUTIL®) im Handel. – *E* meclofenoxate – *F* méclofénoxate – *I* meclofenoxat – *S* meclofenoxato

Lit.: ASP ▪ Beilstein E IV **6**, 846 ▪ Hager (5.) **8**, 829f. ▪ Martindale (31.), S. 1723f. – *[HS 2922 50; CAS 51-68-3 (M.); 3685-84-5 (Hydrochlorid)]*

Mecloqualon (BtMVV Anlage I, nicht verkehrsfähig).

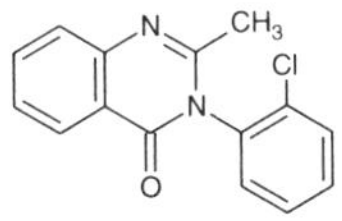

Internat. Freiname für das *Sedativum u. Hypnotikum 3-(2-Chlorphenyl)-2-methyl-4(3*H*)-chinazolinon, $C_{15}H_{11}ClN_2O$, M_R 270,71, Schmp. 126–128 °C, λ_{max} (C_2H_5OH) 226, 265, 305 u. 316 nm. – *E* = *I* mecloqualone – *F* mécloqualone – *S* mecloqualona

Lit.: Beilstein E V **24/3**, 131 ▪ Hager (5.) **8**, 830. – *[HS 2933 59; CAS 340-57-8]*

Mecloxamin.

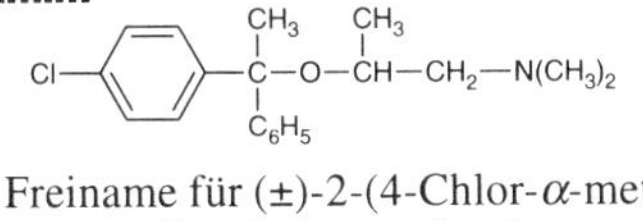

Internat. Freiname für (±)-2-(4-Chlor-α-methyl-benzhydryloxy)-*N*,*N*-dimethyl-propylamin, $C_{19}H_{24}ClNO$, M_R 317,85, Sdp. 154–160 °C (80 Pa). M. wurde 1960 von den Astra Werken als *Sedativum u. Hypnotikum patentiert. – *E* mecloxamine – *F* mécloxamine – *I* = *S* mecloxamina

Lit.: Hager (5.) **8**, 830f. ▪ Martindale (31.), S. 502. – *[HS 2922 19; CAS 5668-06-4]*

Meclozin (Rp).

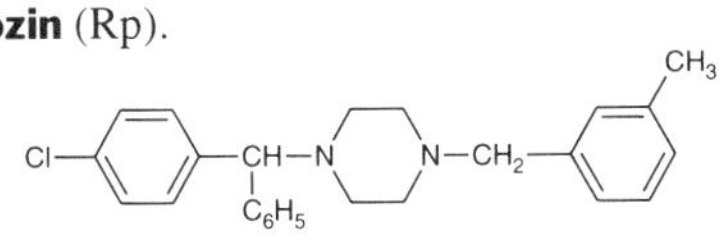

Von der WHO vorgeschlagener Freiname für das Antihistaminikum, Antiemetikum u. Hypnotikum (±)-1-(4-Chlorbenzhydryl)-4-(3-methylbenzyl)piperazin, $C_{25}H_{27}ClN_2$, M_R 390,95, Sdp. 230 °C (267 Pa). Verw. meist als M.-dihydrochlorid, Schmp. 217–224 °C, λ_{max} (CH_3OH) 229, 267 nm ($A^{1\%}_{1cm}$ 309, 21); Lagerung dicht verschlossen. M. wurde 1951, 1954 u. 1955 von UCB (Postafen®) patentiert u. ist als Generikum im Handel. – *E* meclozine – *F* méclozine – *I* = *S* meclozina

Lit.: Hager (5.) **8**, 831 f. ▪ Martindale (31.), S. 447 ▪ Ph. Eur. **1997** u. Komm. – *[HS 2933 59; CAS 569-65-3 (M.); 1104-22-9 (Dihydrochlorid)]*

Mecobalamin s. Methylcobalamin.

Mecocyanin s. Mohn.

Mecoprop (CMPP). Xn

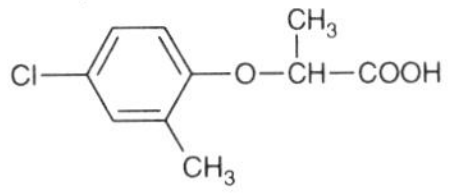

Common name für (±)-2-(4-Chlor-*o*-tolyloxy)propionsäure, $C_{10}H_{11}ClO_3$, M_R 214,64, Schmp. 94–95 °C, LD_{50} (Ratte oral) 930 mg/kg (GefStoffV), von The Boots Company Ltd. 1957 eingeführtes selektives Hormonähnliches Nachauflauf-*Herbizid gegen Unkräuter im Getreideanbau u. auf Grünland. – *E* = *I* = *S* mecoprop – *F* mécoprop

Lit.: Beilstein E IV **6**, 1996 ▪ Farm. ▪ Perkow ▪ Pesticide Manual. – *[HS 2918 90; CAS 7085-19-0]*

Mecoprop-P. Common name für (*R*)-2-(4-Chlor-*o*-tolyloxy)propionsäure. *Mecoprop ist das Racemat.

Lit.: Beilstein E IV **6**, 1996 ▪ Pesticide Manual. – *[CAS 16484-77-8]*

Mectizan s. Ivermectin.

Medawar, Sir Peter Brian (1915–1987), Prof. für Biologie, National Inst. Med. Res., London. *Arbeitsgebiete:* Zoologie, Anatomie, experimentelle Biologie, Immunologie, Toleranzphänomen beim Gewebeaustausch, Nobelpreis für Physiologie od. Medizin 1960 (zusammen mit *Burnet); wurde auch als Schriftsteller u. Philosoph bekannt.

Lit.: Lexikon der Naturwissenschaftler, S. 288.

Medazepam (BtMVV, Anlage III C).

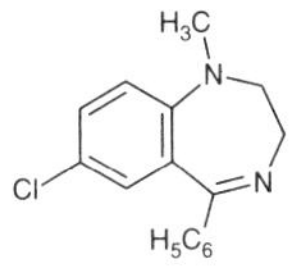

Internat. Freiname für den *Tranquilizer 7-Chlor-2,3-dihydro-1-methyl-5-phenyl-1*H*-1,4-benzodiazepin, $C_{16}H_{15}ClN_2$, M_R 270,77. Gelbliches, fast geruchloses krist. Pulver, Schmp. 95–97 °C; pK_a 6,2; λ_{max} (0,1 M HCl) 253, 458 nm ($A^{1\%}_{1cm}$ 860, 640); LD_{50} (Maus oral) 1070, (Maus i.p.) 360 mg/kg; prakt. unlösl. in Wasser, lösl. in Chloroform (1:1), Ether (1:5) u. Alkohol (1:8). M. wurde 1963 von Hoffmann-La Roche (Nobrium®, außer Handel) patentiert u. ist von TPW (Rudotel®) u. AWD im Handel. – *E* = *I* = *S* medazepam – *F* médazépam

Lit.: ASP ▪ Beilstein E V **23/9**, 37 f. ▪ Hager (5.) **8**, 834 f. ▪ Martindale (31.), S. 719. – *[HS 2933 90; CAS 2898-12-6]*

Mediatoren (Mediatorstoffe; von latein.: mediare = vermitteln). In Biologie u. Medizin sehr allg. Bez. für chem. Substanzen, die in winzigen Mengen als hochspezif. wirkende **Cytokine, Transmitter* od. *Signalstoffe* (*Hormone im weiteren Sinn, Gewebshormone, aber auch intrazelluläre Vermittler wie *second messenger) bei Immunreaktionen, Entzündungen, Wundheilungsvorgängen, Schmerzauslösung, Allergien, Verbrennungen usw. in vielen Geweben gebildet werden können. Dabei werden die M. oft aus Vorstufen freigesetzt, nicht selten aber auch aus innerzellulären Vesikeln durch Exocytose entlassen. Zu den M. rechnet man z. B. so unterschiedliche Verb. wie *Histamin, *Serotonin, *Kinine, *Prostaglandine, *Leukotriene u. *Lymphokine. – ***E*** mediators – ***F*** médiateurs – ***I*** mediatori – ***S*** mediadores

Mediatorstoffe s. Hormone u. Mediatoren.

Medicagensäure.

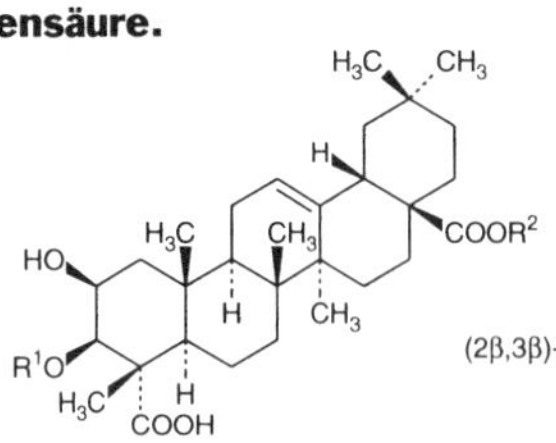

(2β,3β)-Form

	R^1	R^2
Medicagensäure	H	H
Compound F	α-D-Glc*p*-(1→4)-β-D-Glc*p*-	H
Compound G2	β-D-Glc*p*-	H
Medicosid G	β-D-Glc*p*-	β-D-Glc*p*-

Glc*p* = Glucopyranosyl

$C_{30}H_{46}O_6$, M_R 502,69, orthoromb. Krist., Schmp. 352–353 °C, $[\alpha]_D$ +106° (C_2H_5OH). M. ist das Aglykon zahlreicher *Saponine aus Wurzeln der Luzerne (Alfalfa, *Medicago sativa*) u. a. Leguminosen, z. B. *Dolichos kilimandscharicus* (Compound G 2). M. u. die von M. abgeleiteten Glykoside, bes. G 2 u. F, sowie synthet. Derivate haben im Vergleich zu anderen Saponinen eine gute Wirkung gegen verschiedene pflanzliche u. tier. Pilzerkrankungen. Die 2α,3β-Form heißt *Barringtogensäure* u. wird in *Barringtonia*-Arten gefunden. – ***E*** medicagenic acid – ***F*** acide médicagénique – ***I*** acido medicagenico – ***S*** ácido medicagénico

Lit.: Acta Crystallogr., Sect. C **45**, 341 ff. (1989) ▪ Acta Soc. Bot. Pol. **56**, 101–106, 119–126, 281–285 (1987); **57**, 361–370 (1988) ▪ Antimicrob. Agents Chemother. **32**, 1586 f. (1988) ▪ Beilstein EIV **10**, 2321 ▪ Carbohydr. Res. **193**, 115–123 (1989) ▪ Helv. Chim. Acta **79**, 385 (1996) ▪ J. Agric. Food Chem. **34**, 960–963 (1986); **36**, 902–909 (1988) ▪ J. Phytopathol. **125**, 209 (1989) ▪ J. Sci. Food Agric. **43**, 289 (1988) ▪ Phytochemistry **28**, 1379 f. (1989); **39**, 875 (1995); **40**, 1499 (1995) ▪ Ullmann (5.) **A 23**, 493. – *[CAS 599-07-5 (M.); 49792-23-6 (3-O-β-D-Glucopyranosid); 471-58-9 (Barringtogensäure)]*

Medical Literature Analysis and Retrieval System s. MEDLARS.

Medikamente s. Arzneimittel u. Pharmazeutika.

Medium. Im Zusammenhang mit der Bez. Reaktions-M. („Milieu") häufig gebrauchter Begriff, um die Bedingungen, unter denen sich eine chem. Reaktion abspielt, näher zu charakterisieren. So spielen sich Verseifungen in einem alkal. M. ab, viele Reaktionen mit empfindlichen organ. Substanzen bedürfen eines wasserfreien, vor Sauerstoff geschützten M.; reaktive Zwischenstufen, wie z. B. Radikale, können in einem glasartigen M. (*Matrix) bei tiefen Temp. nachgewiesen werden. Die Stärke von Säuren u. Basen ist stark vom verwendeten M. abhängig. So ist z. B. Pikrinsäure in Dimethylformamid (DMF) eine stärkere Säure als Bromwasserstoff, während in Wasser die Verhältnisse umgekehrt sind. – ***E*** medium – ***F*** médium – ***I*** mezzo – ***S*** medio

Lit.: March (4.), S. 269.

Medivent®. Einrichtungen zur Kaltwindtherapie mit flüssigem Stickstoff in der physikal.-therapeut. Medizin. ***B.:*** Messer Griesheim.

Lit.: gas aktuell **33**, 7–13 (1987).

Medivitan®. Injektionslsg. mit *Vitamin B_{12} u. a. B-Vitaminen, *Ascorbinsäure u. *Lidocain-hydrochlorid gegen Neuropathien u. a. Mangelzustände. ***B.:*** Medice.

Medizin. 1. Aus dem Latein.: medicina = Heilkunst. Wissenschaft von Gesundheit u. Krankheiten des Menschen (Human-M.) u. der Tiere (Veterinär-M.) sowie von den Ursachen, Wirkungen, der Vorbeugung u. Heilung der Krankheiten. – 2. Heilmittel, Medikament. – ***E*** medicine – ***F*** médecine – ***I*** = ***S*** medicina

Medizinalgewicht s. Apothekergewicht.

Medizinische Chemie. Wissensgebiet, das sich mit chem. Aspekten der Medizin u. der Anw. chem. Meth. in der Medizin befaßt. Dabei ist zum einen an Fragestellungen der medizin. Forschung u. deren Beantwortung mit Hilfe der Chemie – meist *Biochemie – zu denken. Soweit hierbei physiolog. Vorgänge betrachtet werden, wird auch von *Physiologischer Chemie gesprochen. Zum andern wird hierunter auch häufig die *Klinische Chemie verstanden, d. h. die immer noch wachsende Anw. der (bio)chem. Analytik in der klin. Medizin, die für die Diagnostik heute nicht mehr wegzudenken ist. – ***E*** medicinal chemistry – ***F*** chimie médicale – ***I*** chimica medica – ***S*** química médica

Lit.: Silvermann, Medizinische Chemie, Weinheim: VCH Verlagsges. 1994.

Medizinische Klebstoffe. Bez. für *Klebstoffe, die im medizin. Bereich eingesetzt werden, z. B. zum Verkleben von Wunden u. Geweben, zur Fixierung von Implantaten aus Keramik, Metall u. Kunststoffen, zur Befestigung von Stimulatoren od. Prothesen bzw. für Zahnreparaturen. An für *in vivo* angewandte m. K. werden hohe Anforderungen bezüglich Haftung auf feuchten Oberflächen, Biokompatibilität u. toxikolog. Unbedenklichkeit, Abbau- od. Resorbierbarkeit gestellt. Wichtigste Vertreter der m. K. sind *Polymethacrylate u. *2-Cyanoacrylsäureester. Auch m. K. auf Protein-Basis sind bekannt; s. a. Cyanacrylat-Klebstoffe. – ***E*** adhesives for medical applications – ***F*** adhésifs pour applications médicales – ***I*** adesivi medicinali – ***S*** adhesivos para aplicaciones médicas

Lit.: Allen, Adhesives, Vol. 10, S. 1–6, London: Elsevier Applied Science Publishers 1986 ▪ Encycl. Polym. Sci. Eng. **9**, 494 ▪ Hastings, Structure Property Relationships in Biomaterials, Boca Raton: CRC Press Inc. 1984 ▪ s. a. Klebstoffe u. medizinische Kunststoffe.

Medizinische Kohle. Auf der Basis von *Holz- od. *Tierkohle (insbes. Blutkohle) gewonnene *Aktivkohle, die zur *Adsorption von Giftstoffen, Bakterien, Gasen etc. im Magen-Darm-Trakt eingenommen wird. Wichtig für die Adsorptionsfähigkeit der M. K. ist der pH-Wert, da z. B. Phenole, Barbitursäuren u. a. schwache Säuren in sauren Lsg. gut, in alkal. schlecht adsorbiert werden. Um die Giftstoffe vollständig zu adsorbieren, muß eine ausreichende Menge m. K. gegeben werden, für Erwachsene mind. 10 g [1]. – *E* medicinal charcoal – *F* charbon médical – *I* carbone di legna medicinale – *S* carbón medicinal

Lit.: [1] Dtsch. Apoth. Ztg. **123**, 1487 f. (1983).
allg.: DAB **1997** u. Komm. ▪ Hager (4.) **3**, 694 ▪ s. a. Aktivkohle u. Holzkohle.

Medizinische Kunststoffe. Dieser Begriff umfaßt *Kunststoffe u. *Polymere, die im weitesten Sinne im medizin. Bereich sowohl für *ex vivo-* als auch für *in vivo-*Anw. eingesetzt werden. Zur *ex vivo-*Kategorie zu rechnen sind Produkte, die zur Herst. von medizin. Arbeitsmitteln (z. B. Griffe von Scheren od. Skalpellen), Hilfsmitteln (z. B. Flaschen, Schutzbrillen) od. Geräten (z. B. Schlauchpumpen od. Endoskope) benutzt werden. Voraussetzung für die Eignung eines Kunststoffes für solche Anw. ist neben günstigen Werkstoffeigenschaften (z. B. mechan. Festigkeit u. Verarbeitbarkeit) aus hygien. Gründen insbes. dessen gute Sterilisierbarkeit. Diese Anforderungen werden z. B. von *Polyethylen, *Polypropylen, *Polyvinylchlorid, *Polystyrol, *Polymethacrylaten, *Polyamiden u. *Polycarbonaten erfüllt. Wesentlich höhere Anforderungen werden an m. K. für den *in vivo-*Bereich gestellt. Hier spielen die Kompatibilität mit körpereigenen Zellen u. Geweben sowie Blutflüssigkeit u. toxikolog. Unbedenklichkeit – auch für mögliche Abbauprodukte der Kunststoffe – eine dominierende Rolle. Derartige Biokompatibilität ist erforderlich für: a) Dauerhafte Implantate aus Kunststoff, für Hüft-, Knie-, Schulter- u. Fingergelenke, für Kinn-, Nasen- od. Brustprothesen, Herzklappen od. intraokulare Linsen; b) temporäre Anw. von m. K., z. B. für Kontaktlinsen od. Zahnprothesen, Katheter, Dialyseschläuche od. resorbierbares Nahtmaterial. Beisp. für Kunststoffe für Anw. nach a) sind Polyethylene mit ultrahoher Molmasse, *Polymethylmethacrylate, Siliconkautschuk (dessen Einsatz in der kosmet. Chirurgie ist allerdings heute im Verdacht schwerer Nebenwirkungen), *Polyester u. *Polyurethane, für Anw. nach b) 2-Hydroxyethylmethacrylat-*Homo- u. *Copolymere mit über den Comonomer-Gehalt regulierbarem Wasseraufnahmevermögen für weiche Kontaktlinsen bzw. *Polymilchsäuren für chirurg. Nahtmaterial. Zu den *in vivo* einsetzbaren m. K. gehören auch die *medizinischen Klebstoffe (*Cyanacrylat-Klebstoffe) u. Basispolymere für *Polymer-gebundene Wirkstoffe (*Polyvinylalkohol, *Polyacrylamide u. a.). – *E* polymers for medical applications – *F* polyméres et plastiques pour applications médicales – *I* prodotti sintetici medicinali – *S* polímeros y plásticos para aplicaciones médicas

Lit.: Adv. Polym. Sci. **122**, 1 (1995); **126**, 1 (1996) ▪ Boretos u. Eden, Contemporary Biomaterials, Park Ridge, N. Y.: Noyes Data Corp. 1986 ▪ Encycl. Polym. Sci. Eng. **9**, 486–508.

Medizinische Physik s. Biophysik.

Medizinische Seife s. Seifen.

Medizinische Weine s. Vina medicata.

MEDLARS. Abk. für *Med*ical *L*iterature *A*nalysis and *R*etrieval *S*ystem, dem rechnergestützten Dokumentationsdienst der *NLM, der seit 1964 weltweit Zugang zur biomedizin. Lit. bietet. MEDLARS ermöglicht den Zugang zu mehr als 40 Datenbanken der NLM aus den Bereichen: AIDS-Information, Toxikologie u. chem. Substanz-Information. Die bekannteste Datenbank ist *MEDLINE. Als Suchhilfen online verfügbar sind Thesauri mit kontrolliertem Vokabular der NLM u. MeSH (Medical Subject Headings). Der Online-Zugang ist über das Suchprogramm GRATEFUL MED od. via Internet möglich. In den USA sind die Datenbanken über das NLM Online-Network zugänglich. Internat. arbeiten Inst. wie *DIMDI in der BRD als MEDLARS-Center, um einen weltweiten Zugang zum MEDLARS-Syst. zu garantieren.

MEDLINE. Abk. für *MED*lars on*LINE*. MEDLINE ist eine bibliograph. Datenbank der *National Library of Medicine, die weltweit die Lit. aus allen Bereichen der Biomedizin, einschließlich der Arbeits- u. Umweltmedizin, Zahnmedizin, Veterinärmedizin, der experimentellen u. klin. Medizin, Toxikologie, Pharmakologie u. Pharmazie u. der Ernährungswissenschaft erfaßt u. über *STN International zugänglich ist. MEDLINE entspricht dem gedruckten Index Medicus, Index to Dental Literature u. International Nursing Index u. umfaßt 8,8 Mio. Zitate von 1966 bis heute. Wöchentlich kommen 33 000 neue hinzu. Quellen sind Zeitschriften (3900), Bücher u. Konferenzbeiträge. Seit 1996 sind auch die Datenbanken OLDMEDLINE, die 307 000 Zitate der Jahre 1964 u. 1965 umfaßt sowie PREMEDLINE, die aktuelle Zitate enthält, die in MEDLINE noch nicht erfaßt sind, zugänglich. Als Lerndatenbank steht LMEDLINE zur Verfügung. Das menügeführte Suchprogramm GRATEFUL MED, das seit 1986 für Windows-, DOS- u. Macintosh-Syst. verfügbar ist, bietet auch Ungeübten die Chance, Recherchen durchzuführen. Zusätzlich ist seit 1996 die WWW-Version INTERNET GRATEFUL MED verfügbar.

Medrogeston (Rp).

Internat. Freiname für das *Gestagen 6,17α-Dimethylpregna-4,6-dien-3,20-dion, $C_{23}H_{32}O_2$, M_R 340,50, Schmp. 144–146 °C; $[\alpha]_D^{23}$ +79° (c 1/$CHCl_3$); λ_{max} 288 nm ($A^{1\%}_{1cm}$ 734). M. wurde 1964 u. 1965 von Am. Home Prod. patentiert u. ist von Solvay Arzneimittel (Prothil®) im Handel. – *E* = *I* medrogestone – *F* médrogestone – *S* medrogestona

Lit.: Hager (5.) **8**, 835 ff. ▪ Martindale (31.), S. 1495. – *[HS 2937 92; CAS 977-79-7]*

Medroxyprogesteron-acetat (Rp).

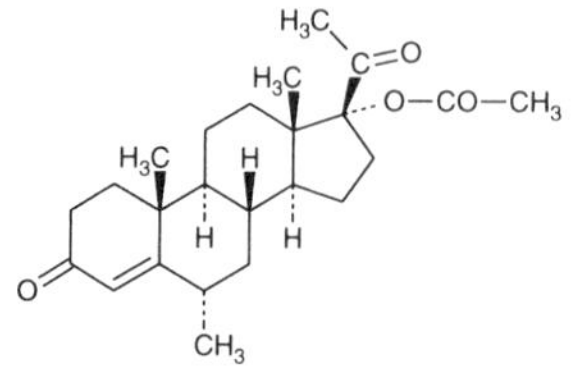

Internat. Freiname für das synthet. *Gestagen 17*α*-Acetoxy-6*α*-methyl-4-pregnen-3,20-dion, $C_{24}H_{34}O_4$, M_R 386,53. Weißes, krist., geruchloses Pulver, Schmp. 206–209 °C, auch 220–223,5 °C (aus Chloroform) angegeben; $[\alpha]_D^{20}$ +75° (c 1/$CHCl_3$); λ_{max} 241 nm ($A_{1cm}^{1\%}$ 426); in Wasser prakt. nicht, in Chloroform (1:10), Aceton (1:50), Dioxan (1:60) u. Alkohol (1:800) dagegen löslich; Lagerung: Vor Licht u. Luft geschützt. M. wurde 1961 u. 1968 von Upjohn (Farlutal®, Clinofem®, Clinovir®) patentiert. – ***E*** medroxyprogesterone acetate – ***F*** acétate de médroxyprogestérone – ***I*** acetato di medrossiprogesterone – ***S*** acetato de medroxiprogesterona

Lit.: ASP ▪ Beilstein E IV **8**, 2212 ▪ Hager (5.) **8**, 837 ff. ▪ Martindale (31.), S. 1495 f. ▪ Ph. Eur. **1997** u. Komm. – *[HS 2937 92; CAS 71-58-9]*

Medrylamin.

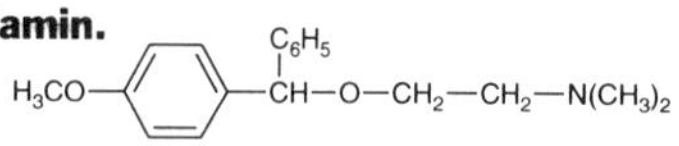

Internat. Freiname. für das *Antihistaminikum (±)-2-(4-Methoxy-benzhydryloxy)-*N,N*-dimethyl-ethylamin, $C_{18}H_{23}NO_2$, M_R 285,37, Sdp. 181–183 °C (400 Pa); λ_{max} (C_2H_5OH) 232, 276, 282 nm. Verwendet wird auch das Hydrochlorid, Schmp. 143 °C. M. wurde 1954 von UCB patentiert. – ***E*** medrylamine – ***F*** médrylamine – ***I*** = ***S*** medrilamina

Lit.: Beilstein E IV **6**, 6670 ▪ Hager (5.) **8**, 839 f. ▪ Martindale (29.), S. 456. – *[HS 2922 50; CAS 524-99-2 (M.); 6027-00-5 (Hydrochlorid)]*

Medryson (Rp).

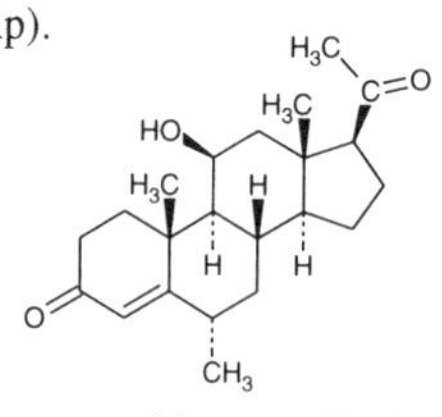

Von der WHO vorgeschlagener Freiname für das bes. gegen Augenentzündungen eingesetzte Glucocorticoid 11*β*-Hydroxy-6*α*-methyl-4-pregnen-3,20-dion, $C_{22}H_{32}O_3$, M_R 344,49, Schmp. 155–158 °C; $[\alpha]_D$ +189° ($CHCl_3$). M. wurde 1958 u. 1961 von Upjohn patentiert u. ist von Winzer (Ophtocortin®) u. Pharm-Allergan (Spectramedryn®) im Handel. – ***E*** medrysone – ***F*** médrysone – ***I*** medrisone – ***S*** medrisona

Lit.: Beilstein E IV **8**, 2211 ▪ Hager (5.) **8**, 840 f. ▪ Martindale (31.), S. 1052. – *[HS 2937 29; CAS 2668-66-8]*

Medulla. Latein. Wort für Mark. In der Biologie u. Medizin Bez. für die Marksubstanz von z. B. *Gehirn, Lymphknoten od. *Nebennieren. In der Medizin bedeutet M. oft die Kurzform für Medulla oblongata (verlängertes Mark), eines Hirnteils, der den Übergang des Rückenmarkes zum Gehirn darstellt. – ***E*** medulle, marrow – ***F*** moelle, médulle – ***I*** midollo – ***S*** médula

Meehanite®. Geschützte Sammelbez. für Gußeisensorten (*Grauguß) der Firma Meehanite Metal Corp. mit vergleichsweise geringem Gehalt an feinverteiltem Graphit (2,5–3% C). Dies wird erreicht durch *Impfen der Schmelze mit Calciumsilicid u. gewährleistet gute mechanische Eigenschaften. Die Herst. von M. basiert auf einem Patent, das 1922 A. F. Meehan erteilt wurde. M. umfaßt Gruppen von Grauguß niedriger Festigkeit, verschleißfestem, hochtemperaturbeständigem u. korrosionsbeständigem Grauguß sowie auch Grauguß mit Kugelgraphit. Mehrere Gruppen erfüllen die Spezifikationen entsprechender dtsch. DIN-Normen.

Lit.: Brunhuber (Hrsg.), Gießerei Lexikon, 15. Aufl., Berlin: Fachverl. Schiele & Schön 1991.

Meeresbiologie. Wissenschaftszweig der Ozeanologie (Meereskunde), der sich mit den im Meer lebenden Organismen, den Bakterien u. Pilzen *(Meeresmikrobiologie)*, den Pflanzen, der Meeresflora *(Meeresbotanik)*, u. den Tieren, der Meeresfauna *(Meereszoologie)*, beschäftigt. Die *Meeresökologie* untersucht die Beziehungen der Organismen untereinander u. zu ihrem von physikal. u. chem. Faktoren bestimmten Lebensraum. An der etwa 200jährigen Forschungsgeschichte der M. über die Zusammensetzung u. Funktion mariner Ökosyst. sind alle Disziplinen der Biologie beteiligt, vorrangig die Ökologie. Zu den aktuellen angewandten Problemen der Meeresökologie gehören die rationelle Nutzung der Nahrung aus dem Meer ohne Zukunftsschäden u. fundierte Empfehlungen zum Schutz der Meere vor Verunreinigungen (s. Robbensterben, Verklappung) u. Abfällen, die durch menschliche Aktivitäten verursacht werden. – ***E*** marine biology – ***F*** biologie marine – ***I*** talassobiologia – ***S*** biología marina

Lit.: Tardent, Meeresbiologie, 2. Aufl., Stuttgart: Thieme 1993.

Meeresleuchten s. Aequorin, Biolumineszenz, Luciferine u. Scintillone.

Meerrettich (Kren). Die 20–30 cm lange u. 3–4 cm dicke Pfahlwurzel der M.-Pflanze *Armoracia rusticana* (Brassicaceae), ein aus Südrußland stammendes Gewürz der Bauerngärten, besitzt einen scharf beißenden Geschmack u. Geruch. Dieser wird verursacht durch die aus den *Glucosinolaten (hauptsächlich *Sinigrin u. Gluconasturtiin) beim Verletzen des Gewebes (z. B. Reiben) durch *Myrosinase freigesetzten *Senföle wie Allyl- od. Phenylethylisothiocyanat. Auch *Peroxidase u. *Lysozym sind in M. enthalten. Geraspelt dient M. zum Würzen feiner Soßen, Fleisch- u. Fischgerichte, wird auch als Beikost gegessen u. als Konserve (z. B. Meerrettich-Senf) verkauft. – ***E*** horseradish – ***F*** raifort sauvage – ***I*** barbaforte – ***S*** rábano picante

Lit.: Franke, Nutzpflanzenkunde, 6. Aufl., Stuttgart: Thieme 1997. – *[HS 0706 90]*

Meersalz s. Meerwasser u. Natriumchlorid.

Meerschaum s. Sepiolith.

Meerwasser. Unter M. versteht man das Wasser der Weltmeere (*Ozeane, Mittel- u. Randmeere*). Der Salzgehalt der Meeresteile beträgt (in %): Nördlicher Atlantik 3,5, Südlicher Atlantik 3,7, Ind. Ozean 3,4, Rotes Meer 4,1, Westliches Mittelmeer 3,7, Östliches Mittelmeer 3,8, Schwarzes Meer 1,5–1,8, Ostsee 2,0 (westlicher Teil) bis 0,2 (östlicher Teil). Das Tote Meer als Binnensee führt 28% Salze. „Künstliches M." erzeugt man durch Lösen von 28 g NaCl, 7 g $MgSO_4 \cdot 7H_2O$, 5 g $MgCl_2 \cdot 6H_2O$, 2,4 g $CaCl_2 \cdot 6H_2O$ u. 0,2 g $NaHCO_3$ in 985 mL dest. Wasser. Die Konz. von Natrium verhält sich zu der von Kalium wie 30:1. Ein M. definierter Zusammensetzung ist das SMOW (Standard Mean Ocean Water). Der pH-Wert der Ozeane liegt zwischen 7,8 u. 8,2; als *Puffer wirken vor allem Carbonat, Borat u. die Sedimentgesteine. Die Salze des M. entstammen der Verdunstung von Flußwasser, der Verwitterung von Sedimenten, hauptsächlich aber der Reaktion von heißen vulkan. Quellen mit den Basalten des Meeresbodens. Die relative Zusammensetzung der Hauptbestandteile des M. ist so konstant u. unabhängig von Herkunft u. Wassertiefe, daß nur mit empfindlichen analyt. Meth. Abweichungen festgestellt werden können. Dagegen zeigen die Nährstoffe NO_3^-, NO_2^-, NH_4^+ u. HPO_4^{2-} große Konz.-Schwankungen: Werden sie in den obersten Wasserschichten vom Phytoplankton (s. Algen) verbraucht, so werden sie von den in größeren Tiefen lebenden Bakterien gebildet. Vertikale, anhand der Isotopenverteilung aus Kernwaffen-Fallout meßbare Konvektion infolge der Tag-Nacht-Schwankungen der M.-Temp. sowie der Auftrieb durch M.-Strömungen u. Wind bewirken die lebensnotwendige Vermischung der Wasserschichten; erst dadurch wird der Aufbau der Nahrungskette vom Einzeller bis zu den Fischen u. Wasservögeln möglich. Der Gehalt des M. an gelöster organ. Materie beträgt 0,5–1,5 mg C/L. Der organ. gebundene Kohlenstoff besteht zu ca. 90% aus sog. *marinem Gelbstoff*, für den Fulvinsäure- u. *Huminsäure-ähnliche Strukturen u. die ungefähre Zusammensetzung $[C_8H_{15}NO_5]_X$ wahrscheinlich gemacht wurden. M. ist nicht trinkbar. Höhere Konz. stören das Ionen-Gleichgew. im Organismus u. das osmot. Syst., stark verd. (30 mL in 300 mL Süßwasser) wird M. schon seit dem Altertum als Abführmittel, gegen Hautschäden u. dgl. verwendet. Ernährungsphysiolog. ist *Meersalz* nicht anders als bergmänn. gewonnenes Speisesalz zu bewerten.

Die gesamten Ozeanwasser enthalten in gelöster Form 10^{10} bis 10^{12} t Schwermetalle in Konz. von 10^{-3} bis 10^{-7} g/t; diese Konz. sind so gering, daß eine Gewinnung von Au, Ag, Ni, Pb, Mn, Cu, U usw. vorerst unwirtschaftlich ist, doch wird an Verf. zur Uran-Anreicherung gearbeitet. In Konz. von 1 g bis 0,01 g je t M. liegen vor: F, Ar, N, Li, Rb, P, I, Ba, In, Al, Fe, Zn, Mo. Von den im M. gelösten Stoffen (in Prozent, bezogen auf 3,5%) werden techn. Natriumchlorid (77,7), Magnesiumchlorid (10,9), Magnesiumsulfat (4,7), Bromide, Iodide u. in geringeren Mengen Kaliumsalze (z.B. im *Kjelland-Verfahren) gewonnen. Andererseits ist auch die Brauch- u. Trinkwassergewinnung aus M. durch *Meerwasserentsalzung techn. bedeutungsvoll. Wichtige Rohstoffquellen für Erze (vgl. Manganknollen), Erdöl u. Erdgas sind die Böden der Meere. Die Kontinentalabhänge u. Schelfgebiete in Meerestiefen zwischen 60 u. 1300 m haben wegen ihrer Phosphorit-Vork., die Küsten- u. Strandbereiche für die Gewinnung von Sand u. Kies, von Ti, Monazit, Chromit, Zirkon, Kalk u. dgl. prakt. Bedeutung. Infolge seines Salzgehaltes fördert M. die *Korrosion vieler Werkstoffe; andererseits ist es auch ein gutes Konservierungsmittel, wie die Bergung jahrhundertealter Schiffe zeigt.

Aus dem M. werden auch organ. Verb. als Inhaltsstoffe von Seetang u. *Algen aller Art (enthalten bis zu 50% Eiweiß u. Fett) gewonnen, z.B. *Agar-Agar, *Alginsäure, *Carrageen usw.; in fruchtbaren Meeresgebieten werden durch Photosynth. jährlich ca. 1000 g Glucose pro m^2 erzeugt. Die Aufzucht von Algen für Nahrungszwecke wird als *Marikultur* bezeichnet. Auf der Suche nach neuen Arzneimitteln aus maritimen Organismen wurden sehr vielgestaltige Naturstoffe (*marine Naturstoffe) isoliert. Man fand Antibiotika, Steroide, Prostaglandine, Carotinoide, Terpene, Cembranoide u. viele Substanzen mit einem hohen Gehalt an Chlor od. Brom. Viele tierische Meeresbewohner zeichnen sich durch bes. Giftigkeit aus, z.B. *Hohltiere u. *Nesseltiere. Auch die Phänomene des *Meeresleuchtens* (vgl. Scintillone) sind heute gut untersucht. Als Lieferanten von Nahrungsmitteln erlangen die Meere steigende Bedeutung, denn sie umfassen das 2,5fache aller Landmassen, erhalten 71% des auf die Erdkugel gestrahlten Sonnenlichts u. enthalten mehr Pflanzennährstoffe als die Festlandsböden. Bes. Bedeutung besitzt die Eiweißgewinnung aus Fischen, Krill u.a. Krebsen, Tintenfischen usw. Manche wertvollen Speisefische, Muscheln u. Austern werden in *Aquakultur* aufgezogen.

In jüngerer Zeit hat das Problem der *Verunreinigung* des M. erheblich an Bedeutung gewonnen. Als Quellen für die M.-Verschmutzung kommen hauptsächlich in Frage: Abfälle der Schiffahrt (insbes. von Tankern, vgl. Ölpest), Verunreinigungen aus der Erdölgewinnung sowie feste u. flüssige Abfälle (Ind.-Abfälle, Dünnsäuren, Müll, Fäkalien, Faulschlamm usw.), die entweder direkt ins Meer geleitet werden, aus den Flüssen stammen od. von Schiffen „verklappt" werden. Hierunter versteht man das Verwirbeln u. damit Verdünnen flüssiger Stoffe durch Einbringen in den Schiffsschraubenbereich. *Transportbestimmungen für Chemikalien auf See werden von der IMO (s. IMDG-Code) erlassen. Die *Ozeanologie* (Ozeanographie) od. *Meereskunde* beschäftigt sich mit den Untersuchungen der chem. u. physikal., die **Meeresbiologie* mit der der biolog. Phänomene des M. u. seiner Bewohner. Als Teilgebiet der Geologie, insbes. der *Hydrologie, befaßt sich die Meereskunde auch mit Bildung (Halmyrogenese) u. Auflsg. mariner Sedimente (Halmyrolyse) sowie mit der Rohstoffnutzung einschließlich der *Meerwasserentsalzung. – ***E*** sea water, ocean water – ***F*** eau de mer – ***I*** acqua marina – ***S*** agua de mar

Lit.: Gerlach, Marine Systeme, Berlin: Springer 1994 ▪ Gunkel, Bioindikation in aquatischen Ökosystemen, Jena: Fischer 1994 ▪ s. a. bei Meeresbiologie, Meerwasserentsalzung, Ölpest. – *[HS 2501 00]*

Meerwasserentsalzung. Verf. zur Aufbereitung von Meerwasser mit dem Ziel der landwirtschaftlichen od.

häuslichen Nutzung. Im Meerwasser sind durchschnittlich 35 000 ppm Salz enthalten. Für den menschlichen u. tier. Organismus kann ein Salzgehalt im Trinkwasser von maximal 500 ppm toleriert werden (in der übrigen Landwirtschaft sind gelegentlich Werte bis 1500 ppm akzeptabel); Meerwasser ist daher ohne vorherige Aufbereitung nicht als Trinkwasser nutzbar.
Zur M. werden therm. Verf. (Ausfrieren, Dest.) u. physikal.-chem. Verf. (Ionenaustausch, Membrantechnologien wie Elektrodialyse, Umkehr- u. Druckosmose) angewandt.
Zu den Verf. ohne Änderung des Aggregatzustandes gehören die *umgekehrte Osmose u. die *Elektrodialyse. Zu den Verf. mit Änderung des Aggregatzustandes gehören Verf. mit einem Phasenwechsel flüssig – gasf. – flüssig (s. Destillation). Beim Phasenwechsel flüssig – fest – flüssig ist das Gefrierverf. erprobt worden. Diese Meth. der M. verwendet vorgekühltes Wasser, welches in eine Unterdruckkammer mit etwa 0,4 kPa eingesprüht wird. Beim Eintritt verdampft ein Teil des Wassers u. entzieht seine Verdampfungswärme dem restlichen Wasser, welches dabei so weit abkühlt, daß Eisbildung einsetzt. Sole u. Eiskrist. werden in einen gleichzeitig als Wasch- u. Schmelzturm benutzten zweiten Behälter gefördert. Das aufschwimmende Eis wird zunächst mit Produktwasser gewaschen u. die sich bildende Eissäule am oberen Ende ständig abgetragen. Die Schmelzwärme des ausgetragenen Eises wird zur Vorkühlung des Speisewassers benutzt.
Ein neuartiges Verf. dieser Art ist das *Hydrat-Verfahren.* Als Hydrat-Bildner nimmt man gasf. Substanzen, z. B. Propan, das in Form einer Clathrat-Verb. 17 H_2O-Mol. binden kann. Dazu wird ein Gemisch aus Meerwasser u. Wasser, das den Prozeß bereits einmal durchlaufen hat, in einem Hydrat-Bildungsbehälter mit flüssigem Propan vermischt. Ein Großteil des Propans verdampft; die dabei eintretende Temp.-Absenkung beschleunigt den Vorgang der Hydrat-Bildung. Das Gemisch aus Sole u. Krist. wird in einer zweiten Kammer getrennt, die Krist. werden gewaschen u. schließlich in einer dritten Kammer geschmolzen. Die hierfür benötigte Wärme liefert der Propan-Dampf, der durch einen Kompressor wieder zu flüssigem Propan verdichtet wird u. anschließend erneut in den Prozeß eintritt. Dieses Verf. weist einen guten energet. Wirkungsgrad auf. – ***E*** saline water conversion, sea water desalting, desalination of sea-water – ***F*** dessalement de l'eau de mer – ***I*** dissalazione dell'acqua marina – ***S*** desalación del agua de mar

Lit.: Chem. Produktion **1982**, 8 ff. Nr. 4 ▪ Desalination **59**, Nr. 8, 343 ff. (1986); **60**, Nr. 2, 117 ff. (1986) ▪ Fortschrittsber. VDI-Ztg. Nr. **194**, R3 (1989) ▪ Naturwiss. Rundsch. **32**, 59 ff. (1979) ▪ Ullmann (5.) **B 2**, 3–44; **A 16**, 254 ▪ Umwelt **1986**, Nr. 2, 121 ff.

Meerwein, Hans Lebrecht (1879–1965), Prof. für Chemie, Bonn, Königsberg u. Marburg. *Arbeitsgebiete:* Pinakolin-Umlagerungen, bicycl. u. polycycl. C-Verb. mit Brückenbindung. Red. von Aldehyden u. Ketonen mit Al-Alkoholaten (s. Meerwein-Ponndorff Verley-Reduktion), Methylierungen mit Diazomethan, tert. Oxonium-Salze, aromat. Diazo-Verb., Polymerisation von Tetrahydrofuran, Reaktionsmechanismen.

Lit.: Lexikon der Naturwissenschaftler, S. 288 ▪ Neufeldt, S. 102, 159, 156 ▪ Pötsch, S. 295 ▪ Strube et al., S. 133.

Meerwein-Arylierung s. Meerwein-Reaktion.

Meerwein-Ponndorf-Verley-Reduktion. Von den drei genannten Autoren unabhängig voneinander 1925–1926 gefundene *Reduktion* von Aldehyden od. Ketonen zu prim. od. sek. Alkoholen mit Aluminium-tri-2-propanolat in 2-Propanol als Reagenz. Die M.-P.-V.-R. ist reversibel u. als Oxid. unter dem Namen *Oppenauer-Oxidation bekannt.

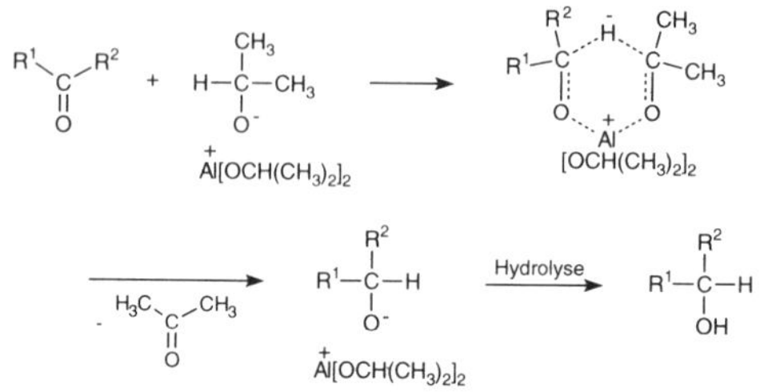

Das Gleichgew. wird durch Entfernen des gebildeten Acetons, z. B. durch azeotrope Dest. im Sinne der M.-P.-V.-R. verschoben, das gebildete Aluminiumalkoholat läßt sich hydrolyt. spalten. Da die Reaktion unter sehr milden Bedingungen abläuft, können auch Carbonyl-Verb. mit weiteren funktionellen Gruppen, z. B. mit Doppelbindungen, reduziert werden. Man nimmt an, daß die Reaktion über den angedeuteten cycl. Übergangszustand unter Übertragung eines Hydrid-Ions abläuft [1]; in einigen Fällen wird ein *SET-Mechanismus postuliert [2]. – ***E*** Meerwein-Ponndorf-Verley reduction – ***F*** réduction de Meerwein-Ponndorf-Verley – ***I*** riduzione di Meerwein-Ponndorf-Verley – ***S*** reducción de Meerwein-Ponndorf-Verley

Lit.: [1] J. Am. Chem. Soc. **85**, 2337 (1963); **102**, 5956 (1980). [2] Tetrahedron Lett. **23**, 2273 (1982); **25**, 5551 (1984); **27**, 465 (1986). *allg.:* Hassner-Stumer, S. 251 ▪ Krauch u. Kunz, Reaktionen der Organischen Chemie (6.), S. 205, Heidelberg: Hüthig 1997 ▪ Laue-Plagens, S. 221 ▪ March (4.), S. 913, 917 ▪ Org. React. **2**, 178–223 (1944) ▪ Trost-Fleming **8**, 88 ▪ s. a. Reduktion.

Meerwein-Reaktion. Ein breites Spektrum von Alkenen, wie z. B. solche mit Halogen-, Acetoxy-, Phenyl-, Pyridyl-, Alkenyl-, Formyl-, Acyl-, Cyan-Substituenten, lassen sich mit *Diazonium-Verbindungen *arylieren.* Diese Reaktion, die unter der Katalyse von Kupfer(II)-chlorid nach einem *Radikal-Mechanismus abläuft, wird im allg. als *Meerwein-Arylierung* bezeichnet (s. Abb. a); sie ist häufig von einer Reihe von Nebenreaktionen begleitet, die ihren präparativen Wert einschränkt.

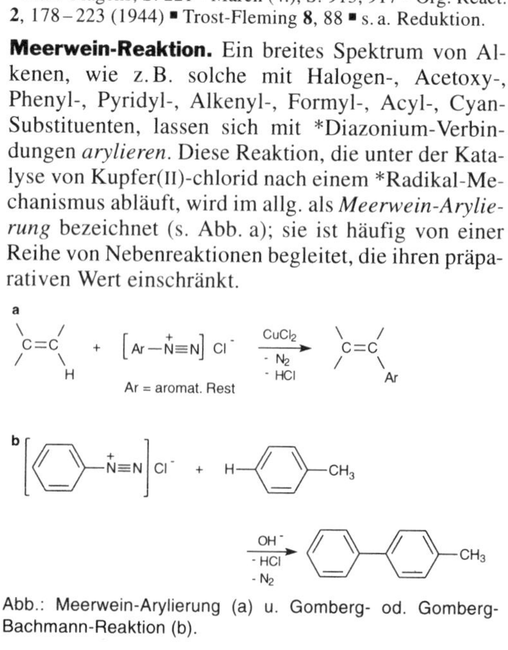

Abb.: Meerwein-Arylierung (a) u. Gomberg- od. Gomberg-Bachmann-Reaktion (b).

Eine enge Verwandschaft besteht zu der *Gomberg-* od. *Gomberg-Bachmann-Reaktion* [1,2], bei der Diazonium-Verb. in alkal. Lsg. mit Aromaten zu Biarylen gekuppelt werden (s. Abb. b); vgl. a. Kupp(e)lung. Eine intramol. Variante hierfür ist die *Pschorr-Synthese. – ***E*** Meerwein reaction – ***F*** réaction de Meerwein – ***I*** reazione di Meerwein – ***S*** reacción de Meerwein

Lit.: [1] Chem. Soc. Rev. **15**, 261 (1986). [2] Laue-Plagens, S. 153. *allg.:* Houben-Weyl **10/3**, 171 ff.; **E 19 a**, 1222–1230 ▪ Krauch u. Kunz, Reaktionen der Organischen Chemie (6.), S. 141, Heidelberg: Hüthig 1997 ▪ March (4.), S. 715 ff. ▪ Org. React. **11**, 189–260 (1960); **24**, 225–259 (1976) ▪ Russ. Chem. Rev. **53**, 943–955 (1984) ▪ Trost-Fleming **4**, 757.

Meerwein-Salze. Ein *Meerwein zu Ehren geprägter Name für Trialkyloxonium-Salze z. B. $[(H_3C)_3O]^+BF_4^-$, die als starke Alkylierungsmittel in der organ. Chemie Verw. finden; s. a. Oxonium-Salze. – ***E*** Meerwein salts – ***F*** sels de Meerwein – ***I*** sali di Meerwein – ***S*** sales de Meerwein

Lit.: Hassner-Stumer, S. 250.

Meerwein-Umlagerung s. Wagner-Meerwein-Umlagerung.

Meerzwiebel (Bulbus Scillae). Getrocknete, in Streifen geschnittene, mittlere, fleischige Zwiebelschuppen der nach der Blütezeit gesammelten Zwiebel von *Urginea maritima* L. Baker [syn. *Scilla maritima, Drimia maritima* L. Stearn, *Urginea scilla* (Liliaceae)], die im Mittelmeergebiet, bes. Italien verbreitet ist. Die Hauptglykoside der *Weißen M.* sind die mit *Krötengiften eng verwandten, herzwirksamen *Bufadienolide Scillaren A, Proscillaridin A u. a.; sie leiten sich von dem Aglykon *Scillarenin ab. M. wirkt außerdem diuretisch. Verwendet werden sowohl die Reinglykoside als auch Extrakte der M. bei Herzinsuffizienz. M.-Glykoside reizen die Magenschleimhaut u. führen in höheren Dosen zu Übelkeit u. Erbrechen. Die *Rote M.* – eine Varietät der Weißen M. – enthält neben Scillaren A u. Scillaren F als Hauptglykosid *Scillirosid, das ebenso wie Pulver aus der getrockneten Roten M. gegenüber Nagetieren stark tox. wirkt u. daher als *Rodentizid verwendet wird. Daneben enthält M. Schleimstoffe u. Polyfructosane. In Ägypten wurde die Rote M. schon um 1500 v. Chr. als Cardiakum benutzt. – ***E*** sea onion, squill – ***F*** oignon marin – ***I*** scilla marittima, squilla – ***S*** escila, cebolla albarrana

Lit.: Bundesanzeiger 154/21.08.85 u. 43/02.03.89 ▪ DAB **1997** u. Komm. ▪ Hager (5.) **6**, 1030–1050 ▪ s. a. Herzglykoside. – *[HS 1211 90]*

Mefenacet.

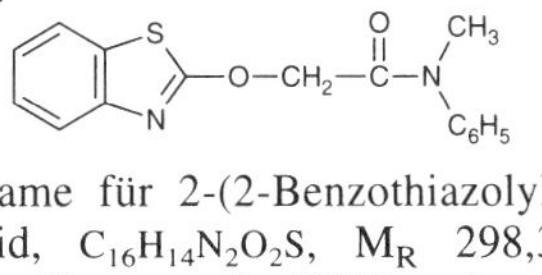

Common name für 2-(2-Benzothiazolyloxy)-*N*-methylacetanilid, $C_{16}H_{14}N_2O_2S$, M_R 298,35, Schmp. 135 °C, LD_{50} (Ratte oral) >5000 mg/kg (Bayer), von Bayer 1987 in Japan eingeführtes selektives *Herbizid gegen Ungräser u. einige Unkräuter im verpflanzten Wasserreis, meistens in Kombination mit anderen Wirkstoffen. – ***E = I = S*** mefenacet – ***F*** méfénacet

Lit.: Farm. ▪ Pesticide Manual. – *[CAS 73250-68-7]*

Mefenaminsäure (Rp). Internat. Freiname für die analget., antiphlogist. u. antirheumat. (als *Prosta-

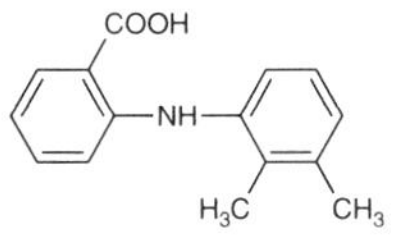

glandin-Synth.-Hemmer) wirksame 2-(2,3-Dimethylanilino)-benzoesäure, $C_{15}H_{15}NO_2$, M_R 241,28. Mikrokrist. Pulver, Schmp. 230–231 °C (Zers.); pK_a 4,2; λ_{max} (0,1 M NaOH) 285, 340 nm ($A^{1\%}_{1cm}$ 409, 202); LD_{50} (Maus oral) 630 mg/kg. In Wasser prakt. nicht, in Alkohol u. Chloroform etwas löslich. Lagerung: Dicht verschlossen. M. wurde 1961 von Parke Davis (Parkemed®) patentiert u. ist auch von Gödecke (Ponalar®) im Handel. – ***E*** mefenamic acid – ***F*** acide méfénamique – ***I*** acido mefenamico – ***S*** ácido mefenámico

Lit.: ASP ▪ Hager (5.) **8**, 841–844 ▪ Martindale (31.), S. 58 f. – *[HS 2922 49; CAS 61-68-7]*

Mefenorex (BtMVV, Anlage III C).

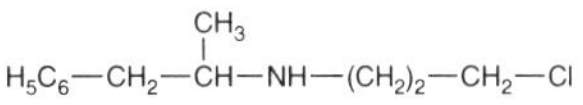

Von der WHO vorgeschlagener Freiname für den *Appetitzügler (±)-*N*-(3-Chlorpropyl)-1-phenyl-2-propanamin, $C_{12}H_{18}ClN$, M_R 211,73. Verwendet wird das Hydrochlorid, Schmp. 128–130 °C. M. wurde 1966 von Hofmann-La Roche patentiert u. ist von Asta Medica (Rondimen®) im Handel. – ***E = I = S*** mefenorex – ***F*** méfénorex

Lit.: ASP ▪ Martindale (31.), S. 1553. – *[HS 2921 49; CAS 17243-57-1 (M.); 5586-87-8 (Hydrochlorid)]*

M-Effekt s. Resonanz.

Mefloquin (Rp).

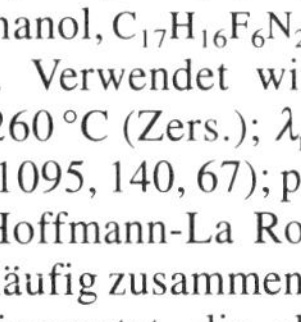

(Racemat)

Internat. Freiname für das gegen *Malaria wirksame (±)-(*R**,*S**)-α-(2-Piperidyl)-2,8-bis(trifluormethyl)-4-chinolinmethanol, $C_{17}H_{16}F_6N_2O$, M_R 378,31, Schmp. 178–178,5 °C. Verwendet wird das Hydrochlorid, Schmp. 259–260 °C (Zers.); λ_{max} (CH_3OH) 222, 282, 316 nm ($A^{1\%}_{1cm}$ 1095, 140, 67); pK_a 8,6. M. wurde 1979 u. 1985 von Hoffmann-La Roche (Lariam®) patentiert. M. wird häufig zusammen mit *Pyrimethamin u. *Sulfadoxin eingesetzt, die gleichzeitige Gabe von *Chinin od. *Chinidin sollte vermieden werden. – ***E*** mefloquine – ***F*** méfloquine – ***I*** meflochina – ***S*** mefloquina

Lit.: ASP ▪ Beilstein E V **23/12**, 190 ▪ Florey **14**, 157–180 ▪ Martindale (31.), S. 468. – *[HS 2933 40; CAS 53230-10-7 (M.); 51773-92-3 (Hydrochlorid)]*

Meforex®. *FCKW, die als Kühlmittel in Kühlschränken u. air-condition in Autos, zum Aufschäumen von Kunststoffbauteilen in der Auto-Ind., als therm. Isolierung u. als Spray-Zusatz in der Pharmazeut. Ind. Verw. finden. ***B.:*** BASF.

Mefoxitin® (Rp). Trockensubstanz zur Injektion mit dem *Antibiotikum *Cefoxitin-Natrium. ***B.:*** MSD.

Mefrusid (Rp).

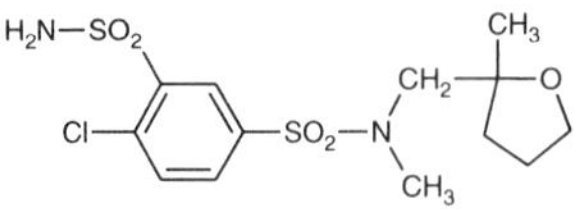

Internat. Freiname für das *Diuretikum (±)-4-Chlor-N^1-methyl-N^1-(2-methyl-tetrahydrofurfuryl)-1,3-benzoldisulfonamid, $C_{13}H_{19}ClN_2O_5S_2$, M_R 382,90; (±)-Form: Schmp. 149–150 °C, λ_{max} (CH_3OH) 276, 284 nm ($A^{1\%}_{1cm}$ 44, 31); (+)-Form: 146 °C, $[\alpha]^{20}_{578}$ +5,4° (c 2,026/CH_3OH); (–)-Form: 146 °C, $[\alpha]^{20}_{578}$ –5,5° (c 2,1/CH_3OH); die (–)-Form hat eine größere diuret. Aktivität als die (+)-Form. M. wurde 1966 u. 1967 von Bayer (Baycaron®) patentiert. – ***E*** = ***I*** mefruside – ***F*** méfruside – ***S*** mefrusida

Lit.: Beilstein E V **18/9**, 497 ▪ Hager (5.) **8**, 847 ff. ▪ Martindale (31.), S. 903. – *[HS 2935 00; CAS 7195-27-9]*

Mega... Von griech.: mégas = groß abgeleiteter Vorsatz, bes. zur Bez. des Millionenfachen von physikal. Einheiten (Symbol: M); *Beisp.:* 1 Megapascal = 1 MPa = 10^6 Pa. – ***E*** = ***I*** = ***S*** mega... – ***F*** méga...

Megacillin® (Rp). Tabl. mit *Phenoxymethylpenicillin-Kaliumsalz gegen Infektionen. ***B.:*** Grünenthal.

Megafuge®. Gekühlte u. ungekühlte Tischzentrifuge für alle Trennaufgaben im Labor. ***B.:*** Heraeus Instruments GmbH.

Megagrisevit® (Rp). Ampullen u. Dragée mit *Clostebol-acetat, gegen Eiweiß-Mangelzustände infolge degenerativer u. chron. Erkrankungen etc. ***B.:*** Pharmacia & Upjohn.

Megalac®. Suspension mit Almasilat gegen Sodbrennen u. Reizmagen. ***B.:*** Krewel Meuselbach.

Megaperls®. Superkompaktwaschmittel in Perlenform; *Beisp.:* Persil Megaperls, Spee Megaperls. ***B.:*** Henkel.

Megaphon.

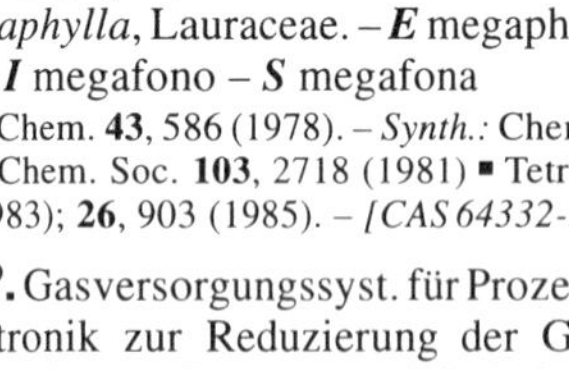

$C_{22}H_{30}O_6$, M_R 390,47, Krist., Schmp. 151–152 °C, $[\alpha]^{27}_D$ –23° (C_2H_5OH). Inhaltsstoff aus Wurzeln von *Aniba megaphylla*, Lauraceae. – ***E*** megaphone – ***F*** mégaphone – ***I*** megafono – ***S*** megafona

Lit.: J. Org. Chem. **43**, 586 (1978). – *Synth.:* Chem. Lett. **1984**, 67 ▪ J. Am. Chem. Soc. **103**, 2718 (1981) ▪ Tetrahedron Lett. **24**, 1125 (1983); **26**, 903 (1985). – *[CAS 64332-37-2]*

Megapur®. Gasversorgungssyst. für Prozeßgase in der Mikroelektronik zur Reduzierung der Gefahr einer Gasverunreinigung. ***B.:*** Messer Griesheim.

Lit.: gas aktuell **34**, 5–13 (1988).

Megaskopisch (von griech.: megas = groß u. skopein = sehen). Begriff, der die Summe aller jener Details kennzeichnet, die mit dem unbewaffneten Auge an einem Mineral, einer Mineral-*Paragenese od. einem Gesteins-Handstück erkennbar sind. In gleichem Sinne wird der Begriff *makroskopisch* benutzt. – ***E*** megascopic – ***F*** mégascopique – ***I*** megascopico – ***S*** megascópico

Lit.: Lapis **3**, Nr. 11, Beilage „Lapis-Lexikon" (1978).

Megestat® (Rp). Tabl. mit dem *Gestagen *Megestrol-acetat zur palliativen Behandlung von fortgeschrittenen Carcinomen der Brust od. der Gebärmutter. ***B.:*** Bristol-Myers Squibb.

Megestrol (Rp).

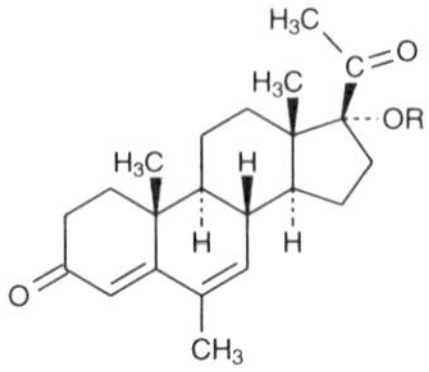

R = H : M.
R = CO—CH₃ : M.-acetat

Von der *WHO vorgeschlagener Freiname für das palliativ bei Brust- u. Gebärmuttercarcinom wirksame *Gestagen 17α-Hydroxy-6-methyl-pregna-4,6-dien-3,20-dion, $C_{22}H_{30}O_3$, M_R 342,48, Schmp. 203–204 °C; $[\alpha]^{20}_D$ +42,6° (c 1/$CHCl_3$). Verw. findet meist das Acetat $C_{24}H_{32}O_4$, M_R 384,52; weißliches, geruchloses, krist. Pulver, Schmp. 214–216 °C; $[\alpha]^{24}_D$ +5° ($CHCl_3$); λ_{max} (C_2H_5OH) 287 nm ($A^{1\%}_{1cm}$ 653); in Wasser prakt. nicht, dagegen in Aceton, Chloroform (1:0,8), Alkohol (1:55) u. Ether (1:130) löslich. Lagerung: vor Licht geschützt. M. wurde 1959 von Searle (Megestad®, Bristol-Myers Squibb) patentiert. – ***E*** = ***S*** megestrol – ***F*** mégestrol – ***I*** megestrolo

Lit.: Beilstein E IV **8**, 2430 f. ▪ Hager (5.) **8**, 849 ff. ▪ IARC Monogr. **21**, 431–439 (1979) ▪ Martindale (31.), S. 1496 f. – *[HS 2937 92; CAS 3562-63-8 (M.); 595-33-5 (Acetat)]*

Meglumin. Internat. Freiname für *N*-*Methyl-D-glucamin, das als Salzbildner für viele Arzneistoffe verwendet wird. M.-acetrizoat, -iodamidat, -iotalaminat u. Di-M.-iocarminat u.a. werden als Bestandteil radioopaker *Röntgenkontrastmittel eingesetzt. – ***E*** = ***F*** meglumine – ***I*** = ***S*** meglumina

Lit.: Beilstein E IV **4**, 1914 ▪ Hager (5.) **8**, 851 f. ▪ Martindale (31.), S. 1724. – *[HS 2922 19; CAS 6284-40-8]*

Mehl. 1. Allg. Bez. für stark zerkleinerte bis pulverförmige Stoffe (*Puder); *Beisp.:* Sägemehl, Gesteinsmehl.

2. Im engeren lebensmittelchem. Sinn Bez. für das von den äußeren Bestandteilen des Korns (Frucht- u. Samenschale, Aleuronschicht, Keimling, Haarschopf, s. Getreide) befreite feingemahlene Endosperm (Mehlkörper) verschiedener Gramineen (Getreidemehl). Aus anderen Stärke-haltigen Pflanzen (*Kartoffel, *Maniok, *Sojabohne) wird ein als *Stärkemehl* bezeichnetes Produkt erhalten.

Verw.: Getreidemehl dient zur Bereitung von *Brot, *Teigwaren, Suppen u. Soßen.

Zusammensetzung: Die Zusammensetzung der M. hängt sowohl von der Getreideart als auch vom *Ausmahlgrad* ab. Z.B. enthalten 100 g genießbarer Teil Weizenmehl, Type 1050, u.a.:

12 g Eiweiß, 2 g Fett, 71 g Kohlenhydrate, 1550 kJ (370 kcal), 2 mg Na, 205 mg K, 14 mg Ca, 230 mg P, 2,8 mg Fe, 0,45 mg Vitamin B_1.

Roggenmehl, Type 1150:

9 g Eiweiß, 75 g Kohlenhydrate, 1490 kJ (356 kcal), 1 mg Na, 295 mg K, 20 mg Ca, 235 mg P, 2,4 mg Fe, Vitamine: 0,20 mg B_1, 0,10 mg B_2, 1,2 mg Niacin.

Die M.-Proteine (10–14% der Trockensubstanz) lassen sich in *Albumine, *Globuline *Prolamine u. *Gluteline (sog. *Osborne-Fraktionen*) unterteilen. Die beiden letztgenannten sind Hauptbestandteile des **Klebers*, der für die Backfähigkeit eines Mehles von entscheidender Bedeutung ist. Prolamine des Weizens, Roggens u. der Gerste können bei geeigneter genet. Prädisposition **Zöliakie* hervorrufen.

Herst.: Früher wurde das ganze Korn zwischen 2 Mühlsteinen zermahlen u. das M. durch Sieben von anderen Kornbestandteilen abgetrennt. Heute erfolgt die Reinigung des M. von Fremdbestandteilen (Besatz) vor dem Vermahlen. In der Hochmüllerei wird das Endosperm (s. Getreide) nach vorhergehendem Befeuchten (Netzen) auf geriffelten Walzen von anderen Kornbestandteilen getrennt, die durch Schäl- u. Bürstmaschinen entfernt werden. Erst dann folgt der eigentliche Mahlprozeß, der je nach Feinheit die eigentlichen Produkte *Schrot, Grieß, Dunst (Feingries)* u. *M.* liefert. Rückstände u. Nachprodukte ergeben das *Futtermehl*. Von der Art des Mahlens hängt der *Ausmahlgrad* ab. Das ist der mittlere Mineralstoffgehalt (Asche) in Gramm bezogen auf 100 kg Trockensubstanz des Mehls. Helle M. mit hohem Ausmahlgrad (z.B. Typ 405) werden für feine Backwaren, dunkle M. (z.B. Type 1050) für Brot verwendet. Die *Typzahl*, die nach § 2 der Neufassung der 17. Durchführungs-VO zum Getreide-Gesetz [1] auf der Packung anzugeben ist, gibt an, wie hoch der Aschegehalt eines M. ist. M. darf nur nach Typen abgegeben werden, diese sind im Getreide-Gesetz [2] bzw. der 17. Durchführungs-VO des Getreide-Gesetzes [3] festgelegt. Neben oben genannten Vorschriften gilt zur Kennzeichnung von M. die Lebensmittel-Kennzeichnungs-VO [4]. Qualitätsbestimmend für M. sind nicht unbedingt der Ausmahlgrad (Helligkeit ist kein Qualitätskriterium), sondern die Backeigenschaften, die vom Kleberanteil, Fett- u. Lipid-Gehalt u. vom Säuregrad abhängen; s.a. *Lit.* [5]. Zur Veränderung der Backeigenschaften werden Meth. der **Mehlbehandlung* angewendet. Ein Vgl. zwischen hellen u. dunklen M. unter ernährungsphysiolog. Aspekten ist *Lit.* [6] zu entnehmen.

Allergien: Berufsbedingte *M.-Stauballergien* sind im Müller- u. Bäckerhandwerk sowie in Silobetrieben u. Mälzereien mit einem Sensibilisierungsindex der Beschäftigten von 26–44% [7] relativ häufig. Das Bäckerasthma ist unter dem Namen „obstruktive Atemwegserkrankung" als Berufskrankheit anerkannt. 1988 wurden 2015 Fälle von Bäckerasthma angezeigt, wobei die Zahl der Neuerkrankungen bei 1% jährlich liegt [8]. Als eigentliches Allergen wurde ein einkettiges, in 0,15 molarer Kochsalz-Lsg. lösl. Protein (M_R 14500) identifiziert, das an Immunglobulin F (IGF) von Bäckerasthmatikern bindet [9,10]. Mehl/Luft Gemische können zu Staubexplosionen gezündet werden. – ***E*** 2. flour – ***F*** 2. farine – ***I*** 2. farina – ***S*** 2. harina

Lit.: [1] VO zur Kennzeichnung von Getreidemahlerzeugnissen vom 3.2.1982 (BGBl. I, S. 137). [2] Getreide-Gesetz vom 3.8.1977 (BGBl. I, S. 1521). [3] VO über Mahlerzeugnisse aus Getreide vom 21.7.1961 in der Fassung vom 20.10.1981 (BGBl. I, S. 1131); AID Verbraucherdienst **37**, 210–214 (1992). [4] Lebensmittel-Kennzeichnungs-VO vom 06.09.1984 in der Fassung vom 08.03.1996 (BGBl. I, S. 460). [5] Getreide, Mehl, Brot **43**, 177–180 (1989). [6] Getreide, Mehl, Brot **40**, 18–21 (1986). [7] Verband der chem. Ind. (Hrsg.), Schriftreihe Chemie u. Fortschritt, Allergien, (2.), S. 9, Frankfurt 1986. [8] Getreide, Mehl, Brot **44**, 147–150 (1990). [9] FEBS Lett. **248**, 119 (1989). [10] Planta **176**, 221 (1988).
allg.: Belitz-Grosch (4.), S. 608–668 ▪ Pomeranz, Modern Cereal Science and Technology, Weinheim: VCH Verlagsges. 1987 ▪ Ullmann (4.) **8**, 704; (5.) **A 4**, 333–338; **A 6**, 115 ▪ Vollmer et al., Lebensmittelführer, 2. Aufl., Bd. 1, Stuttgart: Thieme 1995 ▪ Zipfel, C 310, C 370. – *[HS 110100, 110210, 110290]*

Mehlbehandlung. *Meth. zur Farbveränderung:* Durch Einarbeiten von bis zu 2% Sojamehl, das reich an Typ-II-Lipoxygenasen ist, können *Carotinoide cooxidiert werden [1]. Die Bleichung des Mehls mit Chlor, Chlordioxid od. Ozon ist verboten, da 99% des angewendeten Chlors mit dem Mehl reagieren, wobei allerdings 45% Chlorid entstehen [2]. Daneben sind Chlor- u. Chlorhydroxyfettsäuren [3] nachgewiesen worden, die auch zum Nachw. [4] einer Chlor-Behandlung herangezogen werden können. Diese Meth. werden mit dem Ziel der Farbaufhellung (Mehlbleichung) angewendet. Um Mehle, v.a. Roggenmehle, dunkler erscheinen zu lassen, wird häufig Zuckercouleur (s. Karamel) zugesetzt. Dies ist nach der *Zusatzstoff-Zulassungs-VO nicht erlaubt [5].

Meth. zur Verbesserung der Backeigenschaften: **Ascorbinsäure* (Zusatzmengen 2–6 g/100 kg Weizenmehl) wird beim Kneten des Teigs durch eingeschlossene Luft zu Dehydroascorbinsäure oxidiert, die endogenes *Glutathion dem Disulfid-Austausch mit Kleber-Proteinen entzieht u. damit die Proteine vor einer Depolymerisation schützt. Dies hat pos. Auswirkungen auf die rheolog. Eigenschaften des Teigs. Ebenfalls pos. Auswirkungen auf die *Rheologie u. Viskosität von Weizenteigen hat der Zusatz von *proteolyt. Enzymen* (Proteinasen), die für einen partiellen Abbau der Kleberproteine sorgen [6]. Auch *Azodicarbonamid* (Diazendicarboxamid; $H_2N–CO–N{=}N–CO–NH_2$; Zusatzmengen 1–2 g/100 kg) dient der Verbesserung der Teigeigenschaften kleberschwacher Weizenmehle u. reduziert den Energieaufwand beim Knetprozeß. Die Wirkung beruht auf der beim Anteigen von Mehl mit Wasser sehr schnellen Oxid. von Thiol.-Verb. nach:

$$–N{=}N– + 2\,RSH \rightarrow –NH–NH– + R–S–S–R.$$

Einen Überblick über weitere Meth. (z.B. Einsatz von Kaliumbromat) gibt *Lit.* [1]. – ***E*** flour treatment – ***F*** traitement de la farine – ***I*** trattamento della farina – ***S*** tratamiento de la harina

Lit.: [1] Belitz-Grosch (4.), S. 646ff. [2] J. Food Sci. **49**, 1136ff. (1984). [3] Z. Lebensm. Unters. Forsch. **176**, 169–172 (1983). [4] Z. Lebensm. Unters. Forsch. **176**, 173ff., 285–288 (1983). [5] Zusatzstoff-Zulassung-VO vom 22.12.1981 in der Fassung vom 08.03.1996 (BGBl. I, S. 460), Anlage 6, Liste A Nr. 3. [6] Z. Lebensm. Unters. Forsch. **191**, 104–109, 110–115 (1990).
allg.: Baltes, Lebensmittelchemie (4.), Berlin: Springer 1995 ▪ Kommission der EG, Bericht des Wissenschaftlichen Lebensmittelausschusses, 26. Folge, S. 6f., Luxemburg: EUR 13913, 1992 ▪ Ullmann (5.) **A 6**, 620; **A 11**, 577.

Mehlkleister s. Kleister.

Mehlmotten s. Mottenbekämpfung.

Mehlstauballergie s. Mehl.

Mehltau. Durch Pilze hervorgerufene Pflanzenkrankheiten, bei denen man zwischen Echtem u. Falschem M. unterscheidet; unter **Meltau* versteht man (meist) etwas anderes. Der durch parasit. *Pilze der Ordnung Erysiphales hervorgerufene *Echte M.*, der bes. bei Wein, aber auch bei Stachelbeeren, Eichen u. vielen krautigen Pflanzen (z.B. Rosen) auftritt, wird hauptsächlich mit Schwefel-haltigen *Fungiziden bekämpft, während gegen den durch Peronosporaceen hervorgerufenen *Falschen M.* bei Wein u. Hopfen bes. Kupfer-haltige Präp. (z.B. Kupferkalkbrühe, Bordeauxbrühe) wirksam sind; mit organ. Fungiziden lassen sich beide M.-Arten bekämpfen. – ***E*** mildew – ***F*** mildiou – ***I*** oidio – ***S*** mildiú

Mehlwurmfaktor s. Carnitin.

Mehrelementlampen s. Hohlkathodenlampen.

Mehrfachbindung s. Doppelbindung u. Dreifachbindung.

Mehrfachprozesse s. Kernreaktionen.

Mehrfarbendruck. Der M. findet Anw. im Buch- u. Offsetdruck. Pigmente für den M. haben bes. kolorist. Bedingungen einzuhalten, die in genormten Farbskalen auf europ. Ebene festgelegt sind. Die in den verschiedenen Normen für den Buch- u. Offsetdruck aufgestellten Farbskalen für den Drei- u. Vierfarbendruck sollen u.a. ermöglichen, daß die chemigraph. bzw. photolithograph. Anstalten Druckfarben beziehen können, die die durch die Norm festgelegten Resultate ergeben. Durch die speziellen Anforderungen ist die Zahl der für den M. geeigneten Pigmente stark eingeengt. – ***E*** polychrome printing – ***I*** policromia, stampa in policromia – ***S*** impresión policroma o a varias tintas, policromía

Lit.: Herbst u. Hunger, Industrielle organische Pigmente, 2. Aufl., Weinheim: VCH Verlagsges. 1991.

Mehrkanalpipette s. Kolbenhubpipette.

Mehrkernige Verbindungen. In der *organ. Chemie* Bez. für solche *cyclischen Verbindungen, deren einzelne Ringe direkt miteinander über Einfach- od. Doppelbindungen verknüpft sind (*Beisp.:* Biphenyl, Terphenyl); vgl. dagegen kondensierte Ringsysteme. In der **Koordinationslehre* bezeichnet man mit *mehrkernig* solche Übergangsmetall-Komplexe, die mehr als ein Zentralatom besitzen. – ***E*** polynuclear compounds, ring assemblies – ***F*** composés polynucléaires – ***I*** composti polinucleari – ***S*** compuestos polinucleares

Mehrkomponenten-Reaktion. Komplizierte, nur über mehrere Stufen herstellbare Verb. werden gewöhnlich so synthetisiert, daß die einzelnen Stufen isoliert, gereinigt u. als Edukte in dem nächsten Syntheseschritt eingesetzt werden. Dieses Verf. ist oft mit mäßigen Gesamtausbeuten verknüpft. In neuerer Zeit versucht man deshalb, diesen Nachteil zu umgehen, indem man mehrere Ausgangsverb. gleichzeitig (s.a. Eintopfreaktion) zur Reaktion bringt. Für dieses Verf. hat sich der Begriff M.-R. od. *Multikomponenten-Reaktion* eingebürgert. Ein bekanntes Beisp. ist die *Ugi-Vierkomponenten-Reaktion zur Herst. von Dipeptiden. Inzwischen wurde über eine Siebenkomponenten-Reaktion berichtet, die mit 48% Ausbeute zum Endprodukt führt [1]. M.-R. verlaufen nach dem *Tandem-* od. *Domino-Prinzip* (s. Tandem-Reaktionen), d.h. jeder Reaktionsschritt ist Voraussetzung für den darauffolgenden. – ***E*** multicomponent reactions – ***F*** réaction en plusieurs étapes – ***S*** reacciones multicomponentes

Lit.: [1] Angew. Chem. **105**, 634 (1993).
allg.: Angew. Chem. **109**, 1777 (1997) ▪ J. Prakt. Chem./Chem.-Ztg. **339**, 499 (1997) ▪ Pure Appl. Chem. **69**, 565 (1997) ▪ s.a. Tandem-Reaktionen.

Mehrnährstoffdünger s. Düngemittel.

Mehrphasen-Polymere s. Polymer-Blends.

Mehrphotonen-Spektroskopie. Teilgebiet der *Spektroskopie, bei dem in der Probe Übergänge durch zwei od. mehr Photonen angeregt werden. Die Abb. zeigt hierfür einige Beisp.: Bei der *resonanten Zwei-Photonen-Absorption* (a) wird das Syst. (Atom od. Mol.) zunächst in einen Zwischenzustand angeregt, von wo aus es durch ein zweites Photon weiter angeregt wird. Das mittlere Niveau kann auch durch ein „virtuelles", d.h. eigentlich nicht existierendes, Niveau ersetzt werden (b). Die Übergangswahrscheinlichkeit ist nun zwar wesentlich kleiner als bei a, aber immer noch groß genug, daß solche Übergänge bei Anregung mit heutigen Lasern beobachtet werden; man spricht hier von *nichtresonanter Zwei-Photonen-Absorption.*

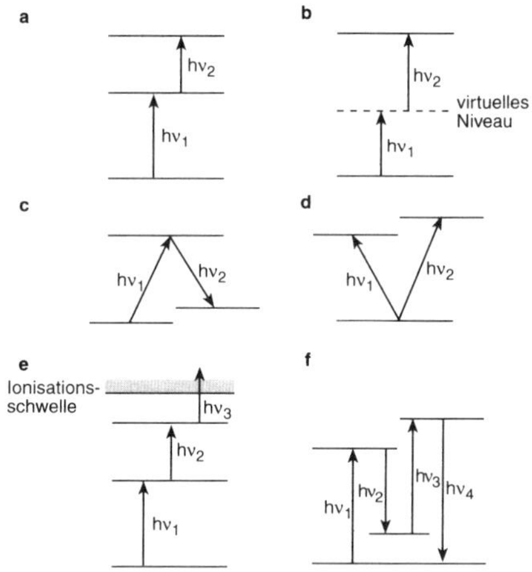

Abb.: Beisp. für Mehrphotonenprozesse.

Zwei weitere Beisp. sind die sog. *Doppelresonanzprozesse* in c (λ-Typ) u. d (v-Typ). Das Auftreten solcher Mehrphotonenprozesse kann direkt durch emittierte Fluoreszenz beobachtet werden. So erhält man z.B. bei a u. b unter Einstrahlung von sichtbarem Licht Fluoreszenz im ultravioletten Spektralbereich; dies ist auch der Fall, wenn das Syst. mit einem weiteren Photon ionisiert wird (Mehr-Photonen-Ionisation). Erfolgt die Anregung in die Zwischenzustände resonant, wie in e dargestellt, so spricht man von *resonanter Mehr-Photonen-Ionisation* (Kurzform: REMPI); f zeigt das Beisp. einer Vier-Wellen-Mischung, wie sie in Mol. für

Stokes-Übergänge od. in Festkörpern zur *Frequenzmischung realisiert wird.
Mehrphotonenprozesse haben bei kleinen Lichtintensitäten I eine sehr niedrige Übergangswahrscheinlichkeit W. Während bei einem Ein-Photonenübergang W proportional zu I ist, steigt bei einem Zwei-Photonen-Prozeß W mit I^2 (sofern keiner der Einzelschritte gesätt. wird) u. entsprechend ein Drei-Photonen-Prozeß mit I^3. M. kann also erst mit sehr hohen Intensitäten, d.h. im allg. nur mit Lasern, durchgeführt werden.
Anw.: In der hochauflösenden Spektroskopie wird durch Zwei-Photonen-Spektroskopie mittels zweier entgegengesetzt laufender Lichtstrahlen der *Doppler-Effekt der absorbierenden Atome u. Mol. eliminiert, u. man erhält so Doppler-freie Spektren (*Lit.*[1] gibt ein Beisp. für Benzol). Untersuchungen hochangeregter, sog. Rydberg-Zustände in Mol. od. niedriger elektron. angeregten Zuständen, die aufgrund eines schlechten Franck-Condon-Faktors durch Ein-Photonen-Anregung nicht erreicht werden können, z.B. ^1A_g-Zustände in linearen Polymeren. Anregung in atomare Niveaus oberhalb der Ionisationsschwelle (*E* above threshold ionization). Substanzspezif. u. z.T. auch zustandsspezif. Ionisation ergibt, kombiniert mit herkömmlicher Massenspektroskopie eine sehr empfindliche Analysenmeth. (*Lit.*[2]). Ferner Präparation von Mol. in bestimmten Rotations- u. Schwingungsniveaus (*Lit.*[3] u. *STIRAP) zur Bestimmung von zustandsspezif. Wirkungsquerschnitten, sowie zur Erzeugung durchstimmbarer Laserstrahlung (s. parametrische Verstärkung). – ***E*** multiphoton spectroscopy – ***F*** spectroscopie multiphotonique – ***I*** spettroscopia di multifotoni – ***S*** espectroscopia multifotónica

Lit.: [1] J. Chem. Phys. **80**, 4686 (1984). [2] Letokhov, Laser Photoionization Spectroscopy, New York: Academic Press 1987; Spektrum Wiss. **1994**, Nr. 2, 19. [3] Phys. Unserer Zeit **21**, 202 (1990).
allg.: Delone u. Krainov, Multiphoton Processes in Atoms, Berlin: Springer 1994 ▪ Demtröder, Laser Spectroscopy, Berlin: Springer 1996 ▪ Fujimura u. Lin, Multiphoton Spectroscopy, Encyclopedia of Physical Science and Technology, Vol. 10, S. 495–524, New York: Academic Press 1992 ▪ Hollas, High Resolution Spectroscopy, London: Butterworths 1982.

Mehrschritt-Polymere. Selten verwendete Bez. für *Polymere, die in unterschiedlichen, nacheinander erfolgenden *Polyreaktionen hergestellt werden. Beisp. für M.-P. sind u.a. *Blockpolymere u. *Pfropfcopolymere.
Lit.: Elias (5.) **1**, 34.

Mehrstoffbronzen. Bez. für gegossene *Kupfer-Legierungen, die neben dem Hauptlegierungselement noch weitere Zusatzelemente – wie z.B. Blei, Zink, Eisen, Nickel od. Mangan – zur Verbesserung bestimmter Eigenschaften enthalten (s.a. Bronzen). – ***E*** complex bronzes – ***F*** bronzes complexes – ***I*** bronzi complessi – ***S*** bronces complejos
Lit.: s. Bronzen, Kupfer-Legierungen.

Mehrstufenreaktionen s. Stufenreaktionen.

Mehrwegverpackung s. Verpackungsabfälle.

Mehrzähnig. Liganden, die über mehrere Koordinationsstellen an das Zentral-Atom (od. -Ion) gebunden sind, nennt man m.; *Beisp.:* *Ethylendiamintetraessigsäure (EDTA) od. *Kronenether; s.a. Koordinationslehre. – ***E*** multidental – ***F*** multidenté – ***I*** multidentale – ***S*** multidentado

Mehrzentrenbindung. Im allg. von 2 *Elektronen bewerkstelligte *chemische Bindung, an der mehr als 2 Zentren (Atomkerne) beteiligt sind. Die M. ist mit klass. Valenzvorstellungen nicht od. nur schwer zu erklären; eine zwanglose Beschreibung liefert die *MO-Theorie. Ein häufig vorkommender Fall der M. ist die *Dreizentrenbindung; das hierfür einfachste Beisp. liegt beim H_3^+-Ion vor, das unter dem Stichwort chem. Bindung (S. 676) ausführlich besprochen wird. M. findet man bevorzugt in Elektronenmangel- u. Elektronenüberschuß-Verb., so den *Boranen bzw. Edelgashalogeniden (*Lit.*[1,2]). – ***E*** multicentric bonding – ***F*** liaison polycentrique – ***I*** legame multicentrico – ***S*** enlace multicéntrico
Lit.: [1] Kutzelnigg, Einführung in die Theoretische Chemie, Bd. 2, Die chemische Bindung (2.), Weinheim: VCH Verlagsges. 1993. [2] Huheey, Anorganische Chemie, Berlin: de Gruyter 1995.

Mehrzentrenreaktionen. Nach IUPAC-Vorschlag[1] entbehrliche, weil weitgehend mit *pericyclische Reaktionen bedeutungsgleiche Bez. für solche *konzertierten Reaktionen, die über einen *cycl.* **Übergangszustand* verlaufen. – ***E*** multicenter reactions – ***F*** réactions polycentriques – ***I*** reazioni multicentriche – ***S*** reacciones multicéntricas
Lit.: [1] Pure Appl. Chem. **55**, 1338 (1983).

Meidinger-Element s. galvanische Elemente.

de Meijere, Armin (geb. 1939), Prof. für Organ. Chemie, Univ. Göttingen, Hamburg. Gastprof. Univ. of Wisconsin, Madison/USA; Technion, Haifa/Israel; Princeton Univ., New Jersey/USA; Univ. Marseille/Frankreich. *Arbeitsgebiete:* Struktur-Reaktivitäts-Beziehungen, Kleinring-Derivate als Synth.-Bausteine, organ. Synth., Metallorganika in der organ. Synth., neue ungewöhnliche Mol. u. Materialien.
Lit.: Kürschner (16.), S. 2361 ▪ Nachr. Chem. Tech. Lab. **44**, Nr. 12, 1210 (1996).

Meiose. Bei der Ausbildung von Geschlechtszellen Form der Zellteilung, bei der (haploide) Tochterzellen mit dem halben Chromosomensatz der diploiden Eltern entstehen. Zum Mechanismus s. Mitose. – ***E*** = ***S*** meiosis – ***F*** méiose – ***I*** meiosi
Lit.: s. Mitose.

Meisenheimer-Komplexe. Bez. für isolierbare Salze, die erstmalig von Jakob Meisenheimer (1876–1934)[1] bei der Umsetzung von 2-Ethoxy-1,3,5-trinitrobenzol (*Pikrinsäure-ethylester*) mit Natriummethanolat erhalten wurden[2,3] (s. Abb. 1). Sie werden als Beweis für den zweistufigen Additions-Eliminierungs-Mechanismus bei der nucleophilen Aromaten-Substitution angesehen (S_NAr-*Mechanismus*, s. Abb. 2); s.a. Substitution.

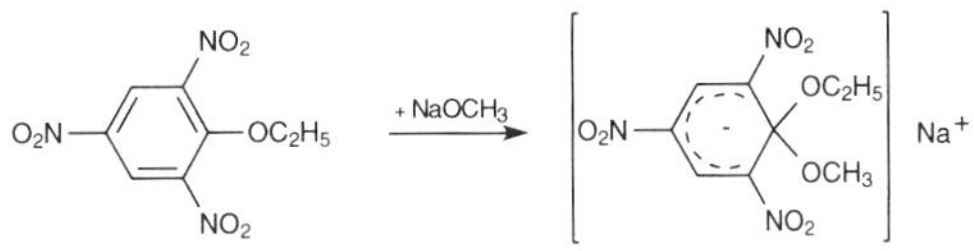

Abb. 1: Bildung eines Meisenheimer-Komplexes.

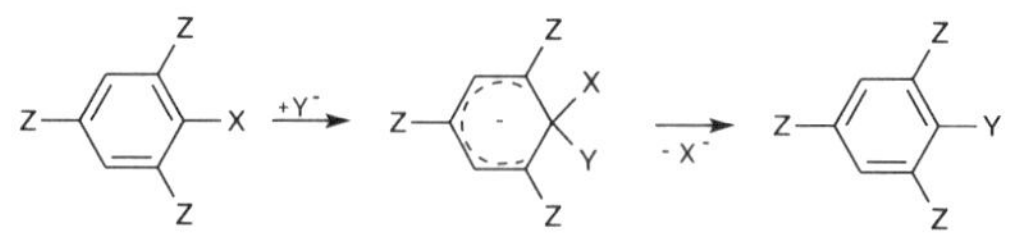

Abb. 2: Mechanismus der nucleophilen Aromaten-Substitution (Z = Elektronenakzeptor-Substituent; Y^- = Nucleophil; X = Austrittsgruppe).

Als Aromaten kommen v. a. solche mit Elektronenakzeptor-Resten, z. B. Nitro-Gruppen in ortho- u./od. para-Stellung zu einer Austrittsgruppe in Frage. Farbige M.-K. spielen bei vielen Nachw.-Reaktionen eine Rolle, bei denen aromat. Nitro-Verb. zugesetzt werden, z. B. bei den *Jaffé-, *Janovsky-, *Kedde- u. *Zimmermann-Reaktion. M.-K. können auch bei *Kreatinin- od. Ketosteroid-Bestimmungen in der Medizin diagnost. genutzt werden. – ***E*** Meisenheimer complexes – ***F*** complexes de Meisenheimer – ***I*** complessi di Meisenheimer – ***S*** complejos de Meisenheimer

Lit.: [1] Ber. Dtsch. Chem. Ges. **68**, A 32 (1935). [2] Justus Liebigs Ann. Chem. **323**, 205 (1902). [3] J. Chem. Soc., Perkin Trans. 2, **1984**, 1793.
allg.: Chem. Rev. **70**, 667–712 (1970); **82**, 77–152, 427–459 (1982) ▪ Hassner-Stumer, S. 253 ▪ Patai, The Chemistry of Amino, Nitroso and Nitro Compounds and their Derivatives, S. 1225–1260, Chichester: Wiley 1982 ▪ Pure Appl. Chem. **16**, 61–82 (1966); **56**, 467–477 (1984).

Meisenheimer-Umlagerung. Bez. für die *Umlagerung von Aminoxiden in substituierte *Hydroxylamine bei höheren Temperaturen.

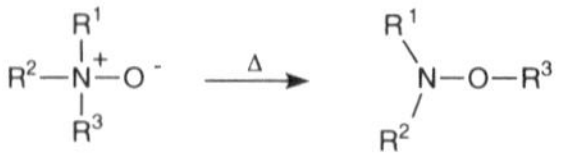

Die M.-U. gehört zu der Gruppe der Umlagerungsreaktionen, wie beispielsweise die *Sommelet-, die *Stevens- u. die *Wittig-Umlagerung, die über ein Radikalpaar, das sich in einem Lsm.-Käfig befindet, ablaufen. Aminoxide mit Allyl-Resten am Stickstoff-Atom lagern unter Allylverschiebung um (s. Allyl-Umlagerung). Sind in den Resten am Aminstickstoff-Atom β-Wasserstoff-Atome vorhanden, so konkurriert die *Cope-Eliminierung* mit der M.-U. (s. Eliminierung). – ***E*** Meisenheimer rearrangement – ***F*** réarrangement de Meisenheimer – ***I*** trasposizione di Meisenheimer – ***S*** transposición de Meisenheimer

Lit.: Krauch u. Kunz, Reaktionen der Organischen Chemie (6.), S. 120, Heidelberg: Hüthig 1997 ▪ March (4.), S. 1102.

Meißner-Ochsenfeld-Effekt s. Supraleitung.

Meitner, Lise (1878–1968), Prof. für Physik, Berlin, TH Stockholm. *Arbeitsgebiete:* Radioaktivität, Kernphysik, Kernreaktionen, Höhenstrahlung, β- u. γ-Strahlen, radioaktiver Rückstoß. Sie war maßgebend an der Erforschung der Radioaktivität, insbes. der α- u. β-Strahlung beteiligt. 1909 entdeckte sie mit O. *Hahn den radioaktiven Rückstoß bei der α-Umwandlung, 1918 das langlebige Proactinium-Isotop ^{231}Pa als Zerfallsprodukt des Thorium-Isotops ^{231}Th. Gemeinsam mit ihrem Neffen O. R. Frisch lieferte sie 1939 eine Erklärung für die von O. Hahn u. F. W. Straßmann entdeckte Kernspaltung. Nach ihr ist das chem. Element mit der Ordnungszahl 109 (Meitnerium) benannt.

Lit.: Angew. Chem. **90**, 876–892 (1978) ▪ Lexikon der Naturwissenschaftler, S. 289 ▪ Nachr. Chem. Tech. Lab. **27**, 404–408 (1979) ▪ Stolz, Otto Hahn – Lise Meitner, Leipzig: Teubner 1989 ▪ Z. Chem. **20**, 237–243, 243–247 (1980).

Meitnerium s. Periodensystem.

Meizothrombin s. Prothrombin.

Mejonit s. Skapolith.

MEK. Abk. für Methylethylketon, s. 2-Butanon.

MEKA s. Phosducin.

MEKC s. Kapillarelektrophorese.

Méker®-Brenner.

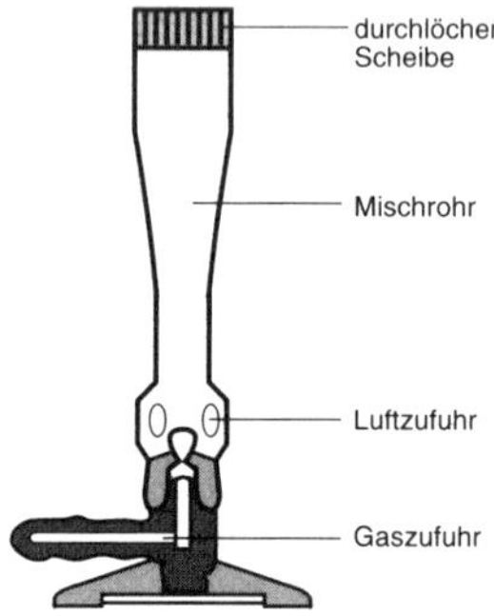

Von der französ. Firma G. Méker aus dem *Bunsenbrenner entwickelter Brenner, bei dem das kon. erweiterte Gasmischrohr oben mit einem durchlöcherten Nickel-Rost abschließt. Dieser erschwert das Zurückschlagen der Flamme u. bewirkt, daß die Einzelflämmchen zu einer gleichmäßig heißen (1660 °C), nahezu geräuschlosen Flamme zusammentreten. – ***E*** Méker burner – ***F*** brûleur Méker – ***I*** bruciatore Méker – ***S*** mechero Méker

Mekka-Balsam s. Balsame.

Mekonium s. Opium u. Kot.

Mekonsäure (3-Hydroxy-4-oxo-4*H*-pyran-2,6-dicarbonsäure, Hydroxychelidonsäure, Mohnsäure, Opiumsäure).

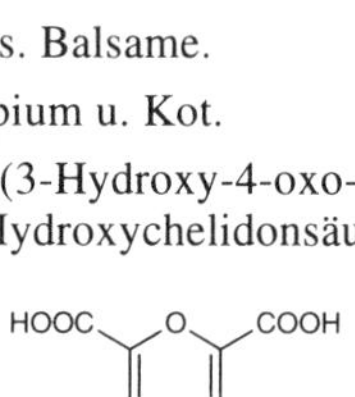

$C_7H_4O_7$, M_R 200,10, Krist. (mit 3 Mol Kristallwasser), Zers. bei 270 °C (Entwässerung bei 105 °C, Zers. in Komensäure unter Kohlendioxid-Abspaltung), Subl. bei 210–215 °C lösl. in heißem Wasser, Methanol, Essigester, Aceton, sehr gut lösl. in Ethanol u. Benzol pK_{a1} 1,83, pK_{a2} 2,11, pK_{a3} 11,3. M. kommt zu 4–6% im *Opium vor (mékōn = griech. Mohnkapsel). M. bildet ein rotgefärbtes Eisen(III)-chelat. – ***E*** meconic acid – ***F*** acide méconique – ***I*** acido meconico – ***S*** ácido mecónico

Lit.: Beilstein E V **18/9**, 319 ▪ Merck-Index (12.), Nr. 5824 ▪ Phytochemistry **17**, 2087 (1978) ▪ R. D. K. (4.), S. 855 ▪ s. a. Opiate. – *[HS 2932 90; CAS 497-59-6]*

Meladinine® (Rp). Tabl. mit *Xanthotoxin zur Behandlung der Schuppenflechte. ***B.:*** Basotherm.

Melamin (1,3,5-Triazin-2,4,6-triamin, Cyanursäuretriamid).

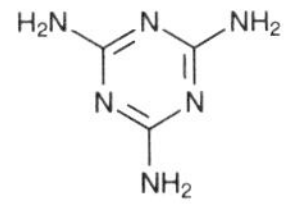

$C_3H_6N_6$, M_R 126,12. Monokline Prismen, D. 1,573, therm. Zers. ab 350 °C, sublimiert; in kaltem Wasser wenig, in heißem gut lösl., unlösl. in Ether, reizt Augen, Haut u. Schleimhäute; LD_{50} (Ratte oral) 3161 mg/kg, krebsverdächtig.
Herst.: Durch Trimerisierung von *Cyanoguanidin od. heute überwiegend durch Cyclisierung von Harnstoff unter CO_2/NH_3-Abspaltung.

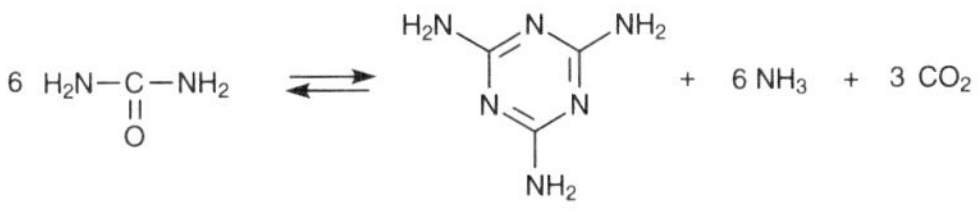

Die Herstellkapazität für Melamin betrug 1990 weltweit etwa 550000 t. Die Hauptanw. findet Melamin durch Polykondensation mit Formaldehyd zu *Melamin-Harzen, die als Duroplaste, Leime u. Klebstoffe eingesetzt werden. – ***E*** melamine – ***F*** mélamine – ***I*** melammina – ***S*** melamina

Lit.: Beilstein E V **26/9**, 128 f. ▪ Gmelin, Syst.-Nr. 14, Tl. D 1, 1971, S. 347–363 ▪ Katritzky-Rees **3**, 461 ff. ▪ Merck-Index (12.), Nr. 5853 ▪ Ullmann (4.) **16**, 503–514; (5.) **A 2**, 130 f. ▪ Weissermel-Arpe (4.), S. 52. – *[HS 293361; CAS 108-78-1]*

Melamin-Aldehyd-Harze s. Melamin-Harze.

Melamin-Formaldehyd-Harze (7728-1: 1988-01, Kurzz. MF). Als MF werden (nach DIN 7708-3: 1975-10) zu den *Aminoplasten zählende härtbare Kondensationsprodukte aus *Melamin u. *Formaldehyd bezeichnet. Zunächst reagiert das Melamin mit diesem Aldehyd sauer od. bas. katalysiert zu *N*-Methylol-Verb., wie z. B. Hexamethylolmelamin.

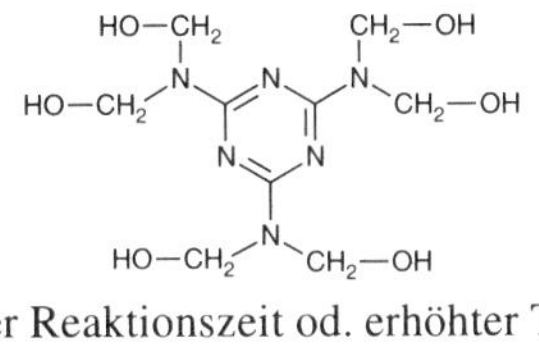

Bei längerer Reaktionszeit od. erhöhter Temp. reagieren dann die Methylol-Gruppen mit weiterem Melamin unter Ausbildung von Methylen-Brücken od. – bei Reaktionen von Methylol-Gruppen untereinander – von Methylolether-Brücken. Bevor diese Prozesse jedoch zu einem engmaschig vernetzten, sehr harten, wärmebeständigen u. vollständig unlösl. Harz führen können, hält man die Reaktion in der Regel auf der Stufe noch lösl. bzw. schmelzbarer Vorkondensate auf, um Füllstoffe unterzumischen. Zur Verbesserung der Löslichkeit dieser Vorkondensate kann zusätzlich ein Teil der noch erhaltenen Methylol-Gruppen verethert werden.
Die abschließende Aushärtung der MF, auch der modifizierten, erfolgt dann in der Praxis fast ausnahmslos bei höheren Temp. (>100 °C) überwiegend in Ggw. saurer Beschleuniger. Sie verläuft unter Abspaltung von Wasser u. Formaldehyd (bei veretherten Produkten auch unter Freisetzung von Alkohol) zu irreversibel über Methylen- bzw. Methylenether-Brücken vernetzten *Duroplasten:

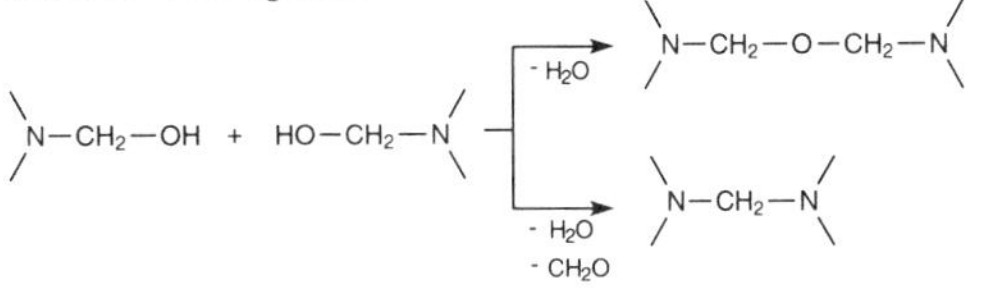

Einen Netzwerk-Ausschnitt eines MF-Harzes zeigt die Abbildung.

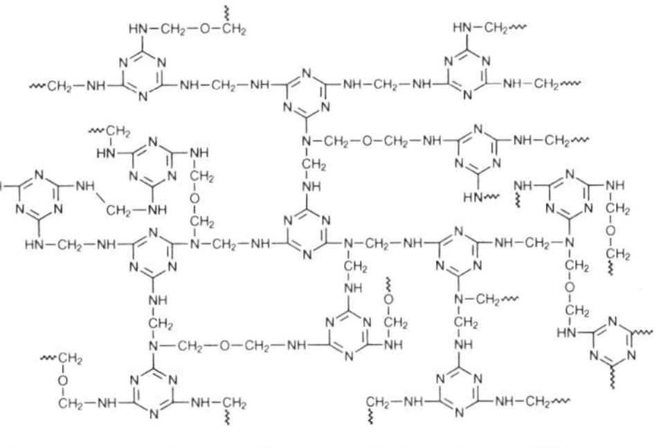

Abb.: Netzwerk-Ausschnitt eines Melamin-Formaldehyd-Harzes.

Der Härtungsprozeß der MF verläuft über Vol.-Schwindung der Harze, die bei der Herst. von Filmen od. Formkörpern den Einsatz von Zusatzstoffen, z. B. von *Alkyd- od. Acrylat-Harzen bei der Verw. der MF als Filmbildner in Lacken od. von organ. u. anorgan. Träger- u. Füllstoffen (als Pulver, Faser, Vliese od. Geweben) beim Einsatz als Formkörper, erforderlich macht.
Zur Eigenschafts-Variation können MF auch durch Reaktion mit Aminen, Aminocarbonsäuren od. Sulfiten (zu wasserlösl. Produkten) bzw. durch Mischkondensation von Melamin u. Formaldehyd mit anderen gegenüber Aldehyden reaktiven Verb. wie Phenolen (s. Melamin-Phenol-Formaldehyd-Harze) od. Harnstoff (s. Melamin-Harnstoff-Formaldehyd-Harze) modifiziert werden.
Eigenschaften: Die farblosen u. transparenten MF besitzen hohe Oberflächenhärte, Abriebfestigkeit u. Flammfestigkeit sowie gute Beständigkeit gegenüber Chemikalien, Wasser, organ. Lsm. u. Temperatur. Sie sind gute elektr. Isolatoren mit hoher Kriechstromfestigkeit.
Verw.: MF werden in un- od. teilvernetzter Form als feste (Pulver) od. flüssige Massen eingesetzt, u. a. zur Herst. von Laminaten u. Formteilen wie Elektroisolierteilen (Stecker, Schalter, Schaltelemente), Griffen für Küchengeräte sowie Eß- u. Trinkgeschirr, zur Beschichtung von Holzwerkstoffen, zur Verleimung von Spanplatten, zur Naßfestausrüstung von Papier, als Textilhilfsmittel, Additive für hydraul. Bindemittel u. als Einbrennlacke. – ***E*** melamine resins – ***F*** résines mélamine, résines de mélamine-formaldéhyde – ***I*** resine di melammina e formaldeide – ***S*** resinas de melamina(-formaldehído)

Lit.: Batzer **3**, 99 ff. ▪ Encycl. Polym. Sci. Eng. **1**, 752–784 ▪ Houben-Weyl **E 20/3**, 1811–1890 ▪ Woebcken, Duroplaste, Kunststoff-Handbuch, 2. Aufl., Bd. 10, S. 41–50, München: Hanser 1988. – *[CAS 9003-08-1]*

Melamin-Harnstoff-Formaldehyd-Harze (Kurzz. UMF, von *E urea melamine formaldehyde resins*). Bez. für zu der Gruppe der *Aminoplaste gehörende Polykondensationsprodukte auf der Basis von Melamin, Harnstoff u. Formaldehyd. Sie können durch Abmischen von *Melamin-Formaldehyd-Harzen (MF) u. *Harnstoff-Harzen (UF), besser aber durch Einwirkung von Formaldehyd auf Mischungen von Melamin u. Harnstoff gewonnen werden. UMF zeichnen sich gegenüber den reinen MF durch niedrigere Herst.-Kosten, gegenüber UF durch verbesserte Eigenschaften, z. B. durch verringerte Wasseraufnahme aus.
Verw.: U. a. zur Herst. von Spanplatten, als Hilfsmittel zum Verfestigen von Papier u. zur Nachbehandlung von Textilien. – ***E*** urea melamine formaldehyde resins – ***F*** résines de mélamine-urée-formaldéhyde – ***I*** resine di melammina, urea e formaldeide – ***S*** resinas de melamina-urea-formaldehído

Lit.: Angew. Makromol. Chem. **135**, 193 ff. (1985) ▪ Kunststoffe **77**, 1264–1267 (1987). – *[HS 3909 10; CAS 25036-13-9]*

Melamin-Harze. *Melamin läßt sich generell unter geeigneten Bedingungen mit Carbonyl-Verb. (Aldehyde, Ketone) zu härtbaren, zu den *Aminoplasten zählenden sog. M.-H. polykondensieren. Von diesen haben aber nur die Reaktionsprodukte mit Formaldehyd, die *Melamin-Formaldehyd-Harze (Kurzz. MF) u. mit Harnstoff bzw. Phenol modifizierte MF-Typen (*Melamin-Harnstoff-Formaldehyd-Harze, *Melamin-Phenol-Formaldehyd-Harze) techn. Bedeutung erlangt. – ***E*** melamine resins – ***F*** résines de mélamine – ***I*** resine di melammina, resine melamminiche – ***S*** resinas de melamina

Lit.: Woebcken, Kunststoff-Handbuch, 2. Aufl., Bd. 10, S. 41, München: Hanser 1988 ▪ s. a. einzelne Melamin-Harze u. Aminoplaste. – *[HS 3909 20]*

Melaminharz-Formmassen. Bez. für *Formmassen auf der Basis von *Melamin-Formaldehyd-Harzen.

Melamin-Phenol-Formaldehyd-Harze (Kurzz. MPF). Bez. für zu der Gruppe der *Aminoplaste gehörende, zu *Duroplasten aushärtbare Polykondensationsprodukte aus Melamin, Phenol u. Formaldehyd, die durch Abmischen von *Melamin-Formaldehyd-Harzen (MF) u. Phenol-Formaldehyd-Harzen (PF; s. Phenol-Harze) od. durch Einwirkung von Formaldehyd auf Mischungen aus Melamin u. Phenol zugänglich sind. MPF sind PF hinsichtlich verbesserter dielektr. Eigenschaften u. erhöhter Kriechstromfestigkeit, MF bezüglich geringerer Schwindung beim Aushärten u. reduzierter Neigung zur Rißbildung unter Feuchtigkeits- u. Wärmeeinfluß überlegen. MPF sind beständig gegen schwache Laugen, Wasser, organ. Lsm. sowie Öle u. Fette, unbeständig gegenüber starken Laugen u. Säuren. MPF werden u. a. zur Herst. von Haus- u. Küchengeräten, hellfarbigen Isolierteilen u. als Schichtpreßstoffe verwendet. – ***E*** melamine phenol formaldehyde resins – ***F*** résines de mélamine-phénol-formaldéhyde – ***I*** resine di melammina-fenolo-formaldeide – ***S*** resinas de melamina-fenol-formaldehído

Lit.: Hoppenstedt, Kunststoff Produkte '88, 157 ff., Darmstadt: Hoppenstedt u. Co. 1988. – *[CAS 25917-04-8]*

Melamin-Phenolharz-Formmassen. Bez. für *Formmassen auf der Basis von *Melamin-Phenol-Formaldehyd-Harzen.

Melampyrit (Melampyrin) s. Dulcit.

Melanine. Braune bis schwarze *Pigmente, die bei Menschen u. Wirbeltieren in *Melanocyten gebildet werden u. im wesentlichen die *Pigmentierung, d. h. die Färbung von *Haut u. *Augen, *Haaren u. *Federn bestimmen u. vor Strahlungseinwirkung schützen. Menschen verschiedener Hautfarbe haben vergleichbare Melanocytenzahlen: Die Farbunterschiede sind auf die Konz. u. Verteilung der M. zurückzuführen. Auch bei *Sommersprossen, Leberflecken* u. dgl. ist die Melanocytenzahl nicht erhöht, wohl aber die M.-Konz. in diesen Gewebspartien.
Bei manchen Wirbeltieren, bes. Amphibien, Reptilien u. Fischen, sind an der Ausbreitung von M. in der Haut die Hormone *Melanotropin bzw. *Melatonin u. *Melanin-konzentrierendes Hormon als Gegenspieler beteiligt, indem sie eine Dilatation bzw. Kontraktion der Melanocyten bewirken, so daß die Haut dunkler bzw. heller erscheint. M. finden sich auch in Pilzen [1], im Skelett der Insekten u. als färbender Bestandteil in der Tinte der Tintenfische. Name von griech.: melas = schwarz.
Bildung: Chem. handelt es sich bei den M. um komplexe Aggregate chinoider Substanzen der empir. Formel $(C_8H_3NO_2)_x$, die sich vom *Indol ableiten u. unter Einwirkung bestimmter Enzyme [wie der *Tyrosinase, welche sich in bes. Partikeln (den *Melanosomen*) befindet] aus aromat. Chromogenen entstehen. Dabei spielen Hydroxylierungen (von L-Tyrosin zu L-Dopa), Oxid. (z. B. von L-Dopa zu L-Dopachinon) u. Cyclisierungen eine Rolle, vgl. Phenol-Oxidasen; wesentliche Zwischenprodukte der M.-Bildung sind die chinoiden Verb. Dopachrom u. Indolchinon. Man unterscheidet zwischen den braunen bis schwarzen *Eumelaninen* u. den in roten Haaren u. Vogelfedern vorkommenden roten u. gelben *Phäomelaninen*, die noch L-Cystein an Dopachinon gebunden haben. M. als ca. 10–15% Protein enthaltendes Polymerisat (*Melanoprotein*) ist strukturell mit den *Huminsäuren u. *Lignin verwandt u. bildet leicht Radikale. Diese wiederum könnten als *Radikal-Fänger die durch Sonnenstrahlung im Hautgewebe gebildeten Radikale unschädlich machen.
Die M.-synthetisierenden Enzyme liegen gewöhnlich in gehemmtem Zustand vor; durch Sonnen-, Alpha- od. Röntgenstrahlung wird diese Hemmung beseitigt, so daß sich mehr M. bildet. Umgekehrt kann die Bildung von M. z. B. durch Hydrochinonbenzylether künstlich gehemmt werden, so daß derartige Verb. zur *Depigmentierung Verw. finden. Bei Säugern wird durch Melanotropin in den Melanocyten die Produktion der Eumelanine angeregt. Durch das Agouti-Signalprotein wird die Synth. der gesamten M. gedrosselt u. eher die der Phäomelanine angeregt [2].
Patholog. Störungen: Beim *Albinismus ist die zu M. führende Reaktionssequenz blockiert, während die Ursache der *Vitiligo noch unbekannt ist. Ein Auftreten von ungleichmäßig braunen Stellen, meist im Gesicht, wird *Melanose* genannt. Verschiedene M. kommen auch in gut- u. bösartigen Geschwulsten (*Melano-

men, da von Melanocyten ausgehend) u. als patholog. Bestandteile im Harn vor; aus diesem isoliertes M. ist ein dunkelbraunes bis schwarzes Pulver (Zers. bei 185 °C), wenig lösl. in Wasser u. Alkali-Lsg., lösl. in konz. Eisen(III)-chlorid-Lösung. – ***E*** melanins – ***F*** mélanines – ***I*** melanine – ***S*** melaninas

Lit.: [1] Enzyme Microb. Technol. **19**, 311–317 (1996). [2] Pigment Cell Res. **9**, 191–203 (1996).
allg.: Bioessays **14**, 49–56 (1992) ▪ FASEB J. **5**, 2902–2909 (1991) ▪ Pigment Cell Res. **6**, 186–192 (1993) ▪ Porta, Melanins and Melanogenesis, San Diego: Academic Press 1992 ▪ Zechmeister **64**, 93–148.

Melanin-konzentrierendes Hormon (MCH).

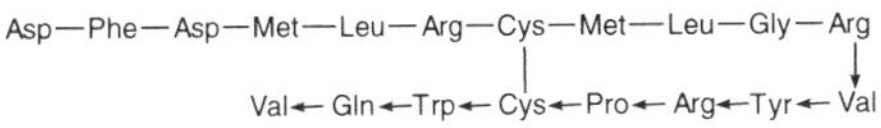

Abb.: Aminosäure-Sequenz des MCH von Mensch, Maus u. Ratte.

$C_{105}H_{160}N_{30}O_{26}S_4$, M_R 2386,85. Heterodet cycl. Peptid-Hormon (s. Cyclopeptide) aus 19 Aminosäure-Resten (AR), das in *Hypothalamus u. *Hypophyse der Wirbeltiere aus einem Vorläufer-Protein aus 144 AR (Pro-MCH) gebildet wird. MCH regt in *Melanocyten (*Melanophoren*) von Fischen die Aggregation der Melanosomen (*Melanin-haltigen Partikeln) an u. wirkt antagonist. zu *Melanotropin. Bei Säugern wird auf Grund der Verteilung im Hirngewebe vermutet, daß MCH als *Neurotransmitter od. Neuromodulator an der Kontrolle zielgerichteten Verhaltens od. genereller Erregung beteiligt ist. – ***E*** melanin-concentrating hormone – ***F*** hormone mélanine-concentrant – ***I*** ormone melanina-concentrante – ***S*** hormona concentradora de la melanina

Lit.: Ann. N. Y. Acad. Sci. **680**, 64–77, 11–129, 279–289 (1993) ▪ Crit. Rev. Neurobiol. **8**, 221–262 (1994) ▪ Peptides **17**, 1063–1073 (1996) ▪ Trends Endocrinol. Metab. **5**, 120–126 (1994).

Melanit s. Granate.

Melanocortine. Sammelbez. für *Corticotropin (ACTH), α-, β- u. γ-*Melanotropin (MSH) u. deren Fragmente, die aus dem Vorläufer-Protein *Proopiomelanocortin* (vgl. Endorphine) entstehen. Durch die M.-Rezeptoren, von denen bis jetzt 5 bekannt sind (MSH-, ACTH-Rezeptor u. M.-Rezeptoren 3–5), die alle von *G-Proteinen abhängig sind, üben sie Wirkungen aus auf Pigmentierung, Funktion der *Nebennieren-Rinde, *Immunsystem, zentrales u. peripheres Nervensyst., Opiat-Sucht[1], *Lipolyse, Fettleibigkeit[2] u. *Insulin-Resistenz. – ***E*** melanocortins – ***F*** mélanocortines – ***I*** melanocortine – ***S*** melanocortinas

Lit.: [1] Life Sci. **61**, 1–9 (1997). [2] Nutrit. Rev. **55**, 85–88 (1997).
allg.: Mol. Cell. Endocrinol. **128**, 171–177 (1997).

Melanocyten. Zellen, die in der tiefsten Schicht der Oberhaut (Epidermis, s. a. Haut) liegen u. *Melanin bilden können. Ihre Dichte schwankt zwischen 1000 u. 2000 pro mm^2, je nach Hautareal. Über Fortsätze geben die M. das synthetisierte Melanin in Form von Melanosomen an die umgebenden Zellen ab. Die Farbe der menschlichen Haut (s. a. Hautbräunung) wird durch Anzahl, Größe u. Verteilung der Melanosomen in den Zellen der Oberhaut bestimmt, die Anzahl der M. ist bei verschiedenen Menschen im wesentlichen gleich. Zu M.-stimulierendem Hormon s. Melanotropin. – ***E*** melanocytes – ***F*** mélanocytes – ***I*** melanociti – ***S*** melanocitos

Melanocyten-stimulierendes-Hormon (MSH) s. Melanotropin.

Melanoid(in)e. Braungefärbte *Pigmente heterogener Natur, die während der *Maillard-Reaktion entstehen u. häufig zur Farbgebung gerösteter od. erhitzter Lebensmittel (Brot, Kaffee) beitragen.

Physiolog. Wirkung: M. senken nach oraler Applikation den Cholesterin-Spiegel im Serum[1] u. verringern die Bioverfügbarkeit von Calcium[2].

Arbeiten zur Reaktionskinetik, die an Modellsyst. mit Glucose u. Aminosäuren durchgeführt werden, zeigen, daß die Bildung der M. einer Kinetik 1. Ordnung[3] folgt. Struktur u. Inhaltsstoffe dieser als sehr inhomogen beschriebenen Stoffklasse sind in *Lit.*[4–6] beschrieben. – ***E*** melanoidins – ***F*** melanoïdines – ***I*** melanoid(in)e – ***S*** melanoidinas

Lit.: [1] Agric. Biol. Chem. **51**, 969–976 (1987). [2] J. Food Sci. **52**, 1699–1705 (1987). [3] Analyst (London) **112**, 183 (1987). [4] Agric. Biol. Chem. **50**, 1951–1957 (1986). [5] J. Food Sci. **52**, 813–816 (1987). [6] Lebensmittelchem. Gerichtl. Chem. **40**, 49 f. (1986).
allg.: Angew. Chem. **102**, 597–626 (1990) ▪ Belitz-Grosch (4.), S. 234, 764 ▪ Hoffmann, Zucker u. Zuckerwaren, S. 160 f., Berlin: Parey 1985 ▪ Ullmann (5.) **A 4**, 378.

Melanoliberin s. Melanotropin.

Melanom. An der *Haut, seltener an den Schleimhäuten vorkommende Geschwulst (Tumor), die aus den Pigmentzellen der Epidermis (*Melanocyten) entsteht. Gutartige Tumoren der Melanocyten treten als Hyperpigmentierung od. auch als Wucherung einer patholog. Variante der Melanocyten, der Nävuszellen, auf. Dagegen ist das *maligne M.* ein bes. bösartiger Tumor, der von den Melanocyten v. a. der Haut, aber auch der Schleimhäute, der Aderhaut des Auges u. der Hirnhäute ausgeht. Es tritt in verschiedenen Typen auf, die nicht ganz leicht von gutartigen Pigmentflecken zu unterscheiden sind. Zu den Faktoren, die das Auftreten von M. begünstigen, zählen die Sonnenstrahlen. So findet man bestimmte M.-Typen bes. häufig an dem Sonnenlicht ausgesetzten Körperregionen. Die einzige Behandlung der M. ist ihre operative Entfernung. Da die Tumoren Tochtergeschwülste (Metastasen) in den übrigen Körper ausstreuen, muß die Entfernung rechtzeitig erfolgen. – ***E*** = ***I*** = ***S*** melanoma – ***F*** mélanome

Lit.: Steigleder, Dermatologie u. Venerologie, S. 454–460, Stuttgart: Thieme 1992.

Melanophlogit. $46\,SiO_2 \cdot 6(CO_2,N_2) \cdot 2(CH_4,N_2)$, bei Raumtemp. eine tetragonale *Überstruktur aufweisendes, oberhalb ca. 40–65 °C kub. *Clathrat des *Siliciumdioxids (*Clathrasil*); Struktur s. *Lit.*[1]. Würfelige Krist., meist als komplex verwachsene Krusten u. rundliche Massen. Farblos, blaßgelb bis tief rötlichbraun; wird beim Erhitzen schwarz. D. 1,99–2,1.

Vork.: In Schwefel-Ablagerungen in Sizilien; ferner Chvaletice/Tschechien, Mount Hamilton/Kalifornien. – ***E*** melanophlogite – ***F*** mélanophlogite – ***I*** melanoflogite – ***S*** melanoflogita

Lit.: [1] Z. Kristallogr. **164**, 247–257 (1983).
allg.: Anthony et al., Handbook of Mineralogy, Vol. II, Tl. 2, S. 532, Tucson (Arizona): Mineral Data Publishing 1995

▪ Heaney, Prewitt u. Gibbs (Hrsg.), Silica (Reviews in Mineralogy, Vol. 29), S. 529 ff., Washington (D. C.): Mineralogical Society of America 1994 ▪ Science **148**, 232 ff. (1965). – *[CAS 17679-66-2]*

Melanophoren-Hormon s. Melanotropin.

Melanoproteine s. Melanine.

Melanose s. Melanine.

Melanosomen s. Melanine.

Melanostatin s. Melanotropin.

Melanotropin (Melanocyten-stimulierendes Hormon, MSH, Melanophoren-Hormon, Intermedin). Zu den *Melanocortinen gerechnete Gruppe von Sequenz-ähnlichen linearen Peptid-Hormonen aus dem Mittellappen der *Hypophyse. Die Sequenz des α-MSH stimmt mit den ersten 13 Aminosäure-Resten (AR) des *Corticotropins überein, β-MSH mit den AR 39–56 des β- u. γ-*Lipotropins. Die gemeinsame Vorstufe der genannten Hormone u. der *Endorphine ist das Protein *Proopiomelanocortin.*

Tab.: Aminosäure-Sequenzen menschlicher MSH-Formen (Sequenz-Ähnlichkeiten sind unterstrichen).

α-MSH	Ser-Tyr-Ser-Met-Glu-His-Phe-Arg-Trp-Gly-Lys-Pro-Val-NH_2 $C_{75}H_{107}N_{21}O_{18}S$, M_R 1622,86
β-MSH	Asp-Glu-Gly-Pro-Tyr-Arg-Met-Glu-His-Phe-Arg-Trp-Gly-Ser-Pro-Pro-Lys-Asp $C_{98}H_{138}N_{28}O_{29}S$, M_R 2204,40
γ-MSH	Tyr-Val-Met-Gly-His-Phe-Arg-Trp-Asp-Arg-Phe-NH_2 $C_{72}H_{97}N_{21}O_{14}S$, M_R 1512,75

Die MSH-Ausschüttung aus der Hypophyse wird durch zwei Hormone des *Hypothalamus geregelt, die (zusammengenommen) eine dem *Oxytocin entsprechende Aminosäure-Sequenz haben: Das *Releasing-Hormon *Melanoliberin* (Melanotropin-freisetzendes Hormon, MRH od. MRF) der Zusammensetzung Cys-Tyr-Ile-Gln-Asn-Cys bewirkt die Freisetzung von MSH, u. *Melanostatin* (ein die Melanotropin-Freisetzung hemmendes Hormon der Zusammensetzung Pro-Leu-Gly-NH_2, MRIH, MIH od. MIF) verhindert sie.

Funktion: Unter der Wirkung von MSH wird bei Kaltblütern (Fischen, Amphibien, Reptilien) durch Expansion der Melanophoren u. Dispersion der in diesen Zellen enthaltenen *Melanine die Haut dunkler. Die antagonist. Wirkung der Hormone *Melatonin u. *Melanin-konzentrierendes Hormon macht diesen Vorgang reversibel, so daß beide Prozesse zusammen eine Farbanpassung an die Umwelt ermöglichen. Bei Säugern wird durch MSH in den Melanocyten die Produktion der Eumelanine (s. Melanine) angeregt. α-MSH wirkt entzündungshemmend [1] u. Fieber-senkend u. beschleunigt die Regeneration von Nerv u. Muskel [2]. Der MSH-Rezeptor (Melanocortin-Rezeptor 1) hat wahrscheinlich 7 Membran-durchspannende α-Helices (s. Helix) u. signalisiert über ein *G-Protein u. mit Hilfe von *Adenosin-3′,5′-monophosphat als *second messenger. Das *Agouti-Signalprotein* wirkt als Antagonist an diesem Rezeptor [3]. – ***E*** melanotropin – ***F*** mélanotropine – ***I*** = ***S*** melanotropina

Lit.: [1] Immunol. Today **18**, 140–145 (1997). [2] Rev. Neurosci. **4**, 321–363 (1993). [3] Nature (London) **371**, 799–802 (1994). *allg.:* Endocrine Rev. **14**, 564–576 (1993) ▪ Vaudry u. Eberle, The Melanotropic Peptides, New York: N. Y. Acad. Sci. 1993. – *[CAS 581-05-5 (α-M.); 9034-42-8 (β-M.); 9083-38-9 (Melanostatin)]*

Melansäure. Eine *Naphthylaminsulfonsäure, s. Tab. Naphtholsulfonsäuren.

Melanterit s. Eisensulfate.

Melaphyr. In Mitteleuropa immer noch gebräuchliche Bez. für ein dunkles, in frischem Zustand schwarz aussehendes, im allg. sek. verändertes, dicht bis feinkörnig od. auch porphyr. (*Gefüge) ausgebildetes basalt. Gestein (*Basalte) mit Plagioklas (*Feldspäte) u. Augit (*Pyroxene) als Hauptmineralien. Oft reich an blasenartigen, mit Mineralien gefüllten Hohlräumen (M.-*Mandelsteine).

Vork., Verw.: Saar-Nahe-Gebiet, Harz, Thüringer Wald, Dolomiten. Frischer M. ist sehr zäh u. hart u. daher für Pflastersteine u. Splitt geeignet. – ***E*** melaphyr(e) – ***F*** mélaphyre – ***I*** melafiro – ***S*** meláfiro

Lit.: Dietrich u. Skinner, Die Gesteine u. ihre Mineralien, S. 180, Thun: Ott 1984 ▪ Matthes, Mineralogie (5.), S. 205, Berlin: Springer 1996.

Melarsoprol (Rp).

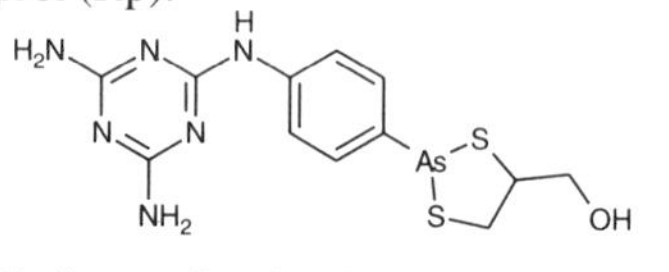

Internat. Freiname für das Trypanozid (±)-2-[4-(4,6-Diamino-1,3,5-triazin-2-ylamino)phenyl]-1,3,2-dithiarsolan-4-methanol, $C_{12}H_{15}AsN_6OS_2$, M_R 398,33, Schmp. 217 °C (Zers.). M. wurde 1953 u. 1956 von Friedheim patentiert. – ***E*** melarsoprole – ***F*** mélarsoprol – ***I*** melarsoprolo – ***S*** melarsoprola

Lit.: Beilstein E V **27/43**, 401 ▪ Chemotherapie **39**, 225–234 (1993) ▪ Hager (5.) **8**, 852 ff. ▪ Martindale (31.), S. 619. – *[HS 2934 90; CAS 494-79-1]*

Melasse. Der sirupartige, tiefbraune, unangenehm schmeckende Rückstand der Zucker-Herst., der nicht mehr zur *Kristallisation gebracht werden kann.

Zusammensetzung: *1. Rübenzucker-Herst.:* 50% Saccharose, 23% Wasser, 20% Nicht-Zuckerstoffe (Dextrine, Betaine, Milchsäure), 2% Stickstoff-Verb., 1% Invertzucker u. seltene Zucker wie Raffinose od. Ketose. – *2. Rohrzucker-Herst.:* 30–40% Saccharose, 15–25% Invertzucker, bis 5% *Aconitsäure u. (im Gegensatz zu Rübenzucker-M.) nur geringe Mengen an Betainen. Eine Unterscheidung zwischen Rohr- u. Rübenzucker-M. ist auch anhand des Aminosäure-Spektrums möglich.

Verw.: Nach dem Kochen mit verd. Schwefelsäure u. Ionenaustauscherbehandlung können aus M. Monosaccharide (*Glucose, *Fructose), Zuckeralkohole (*Mannit, *Sorbit), *Citronensäure u. *Glycerin gewonnen werden. In der Tierernährung gilt M. als gutes Mischfutter. Preßhefen, Eiweiß u. Ethanol können mit biotechnolog. Verf. aus M. erzeugt werden. Zuckerrohr-M. liefert nach Vergären Rum od. Arrak. M. wurde früher als minderwertiger Rohstoff zur Herst. von *Kaffee-Ersatz verwendet. – ***E*** molasses – ***F*** mélasse – ***I*** melassa – ***S*** melaza

Lit.: Belitz-Grosch (4.), S. 788 ▪ Chem. Unserer Zeit **18**, 181–190 (1984) ▪ Hoffmann, Zucker u. Zuckerwaren, S. 66,

74, Berlin: Parey 1985 ▪ Ullmann (5.) **A 9**, 447, 616 ▪ Winnacker-Küchler (4.) **5**, 678, 706 ▪ Zipfel, C 375. – *[HS 1703 10, 1703 90]*

Melatonin [3-(2-Acetylamino-ethyl)-5-methoxyindol].

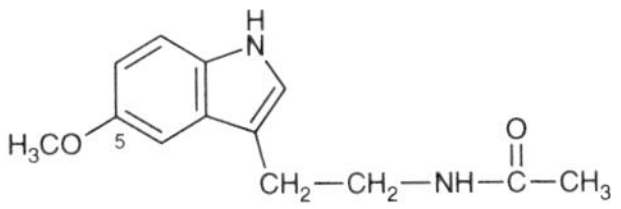

$C_{13}H_{16}N_2O_2$, M_R 232,28. Blaßgelbe Blättchen, Schmp. 118–119 °C. Das synthet. zugängliche Gewebshormon, ein biogenes Amin aus der *Epiphyse (Zirbeldrüse) von Wirbeltieren, wird aus *Serotonin durch Acetylierung mit einer im Dunkeln aktiven *N*-Acetyltransferase (EC 2.3.1.5) u. Methylierung mit *N*-Acetylserotonin-*O*-Methyltransferase (EC 2.1.1.4) gebildet. Auf diese Weise soll M. die *Chronobiologie* od. den *circadianen Rhythmus* – die innere biolog. Uhr – von Tieren regeln. So ist M. für die nächtliche Absenkung der Körpertemp. mitverantwortlich u. induziert Schlaf. Daher kann es bei Schlafrhythmusstörungen verwendet werden [1]. In der follikulären Phase des Menstrualcyclus wird die Sekretion der *gonadotropen Hormone stimuliert. M. wirkt als Antioxidans [2] u. seine nachlassende Produktion spielt möglicherweise eine Rolle beim Altern [3]. Zur Beeinflussung des Immunsyst. durch M. s. *Lit.*[4]. M. wirkt bei wechselwarmen Tieren als Gegenspieler des *Melanotropins u. führt über eine Kontraktion der Melanophoren zu einer Aufhellung der Haut. – ***E*** melatonin – ***F*** mélatonine – ***I*** = ***S*** melatonina

Lit.: [1] J. Pineal Res. **21**, 193–199 (1996). [2] Life Sci. **60**, 2255–2271 (1997). [3] Aging – Clin. Exp. Res. **7**, 340–351 (1995). [4] Int. Arch. Allergy Immunol. **112**, 203–211 (1997).
allg.: Acta Neurobiol. Exp. **56**, 757–778 (1996) ▪ Cell **83**, 1059–1062 (1995) ▪ Frontiers Hormone Res. **21**, 1–201 (1996); **23**; 1–169 (1997) ▪ J. Pineal Res. **21**, 200–213 (1996) ▪ Neurosci. Biobehav. Rev. **20**, 403–412 (1996) ▪ Spektrum Wiss. **1997**, Nr. 7, 58–64 ▪ Tang et al., Melatonin. A Universal Photoperiodic Signal with Diverse Actions, Basel: Karger 1997. – *[CAS 73-31-4]*

Melbex s. Mycophenolsäure.

Melcret®. Qualitätsverbessernde Zusätze zu Zement, Kalk u. Gips; Dispergier- u. Emulgiermittel. ***B.:*** SKW Trostberg.

Meldolablau [9-(Dimethylamino)benzo[*a*]phenoxazinylium-chlorid); C.I. Basic Blue 6].

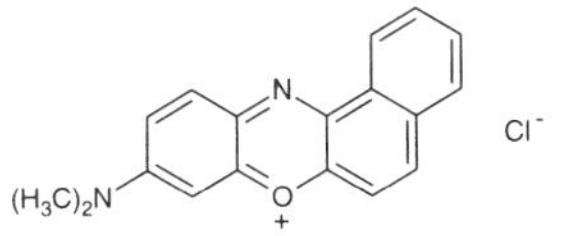

$C_{18}H_{15}ClN_2O$, M_R 310,78, meist als Verb. mit $ZnCl_2$ (Chlorozinkat) im Handel. Aus 4-Nitroso-*N*,*N*-dimethylanilin-Hydrochlorid u. 2-Naphthol entstehender kation. Blaufarbstoff (*Phenoxazin-Farbstoff) zur Lederfärbung u. als Reagenz für enzymat. Analysen sowie als direktziehender Farbstoff für Wolle u. Seide verwendbar. M. besitzt sehr gute Echtheiten, hat aber keine schöne Nuance. Sein Staub reizt die Schleimhäute. – ***E*** Meldola's blue – ***F*** bleu de Meldola – ***I*** blu di Meldola – ***S*** azul de Meldola

Lit.: Beilstein E V **27/12**, 265 ▪ Möllering et al., Methoden der enzymatischen Analyse, S. 145–153, Weinheim: Verl. Chemie 1974. – *[CAS 966-62-1 (Chlorid); 7057-57-0 (Chorozinkate)]*

Meldrumsäure (2,2-Dimethyl-1,3-dioxan-4,6-dion, Malonsäureisopropylidenester).

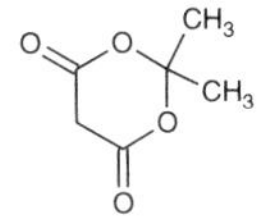

$C_6H_8O_4$, M_R 144,12. Farblose Krist., Schmp. 95 °C (Zers.), lösl. in organ. Lsm., unlösl. in Wasser. M. wird aus Malonsäure u. Aceton in Ggw. von Essigsäureanhydrid hergestellt.

Verw.: Vielseitiges Reagenz in der organ. Synth., für Knoevenagel-Kondensationen, Michael-Additionen, Acylierungsreaktionen, für Dialkylierungen, zur Herst. von *β*-Ketoestern. – ***E*** Meldrum's acid – ***F*** acide de Meldrum – ***I*** acido di Meldrum – ***S*** ácido de Meldrum

Lit.: Beilstein E V **19/5**, 8 f. ▪ Chem. Soc. Rev. **7**, 345–358 (1978) ▪ Heterocycles **32**, 529 (1991) ▪ Merck-Index (12.), Nr. 5858 ▪ Paquette **3**, 2057. – *[CAS 2033-24-1]*

Melianin A s. Melianol.

Melianol.

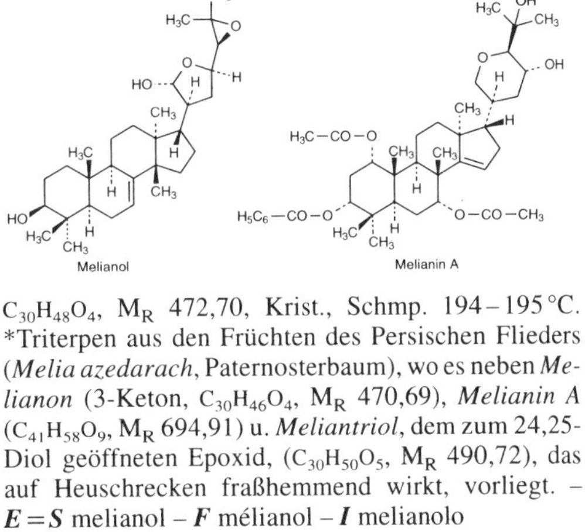

Melianol Melianin A

$C_{30}H_{48}O_4$, M_R 472,70, Krist., Schmp. 194–195 °C. *Triterpen aus den Früchten des Persischen Flieders (*Melia azedarach*, Paternosterbaum), wo es neben *Melianon* (3-Keton, $C_{30}H_{46}O_4$, M_R 470,69), *Melianin A* ($C_{41}H_{58}O_9$, M_R 694,91) u. *Meliantriol*, dem zum 24,25-Diol geöffneten Epoxid, ($C_{30}H_{50}O_5$, M_R 490,72), das auf Heuschrecken fraßhemmend wirkt, vorliegt. – ***E*** = ***S*** melianol – ***F*** mélianol – ***I*** melianolo

Lit.: Beilstein E V **18/3**, 386 (M.); **17/8**, 437 (Melianin A) ▪ Chem. Pharm. Bull. **34**, 100 (1986); **40**, 1053 (1992) ▪ Heterocycles **41**, 741 (1995) ▪ R. D. K. (4.), S. 491 ▪ Tetrahedron **51**, 2477 (1995). – *[CAS 16838-01-0 (M.); 6553-27-1 (Melianon); 57589-59-0 (Melianin A); 25278-95-9 (Meliantriol)]*

Melianon, Meliantriol s. Melianol.

Meliatin s. Loganin.

Meliatoxine.

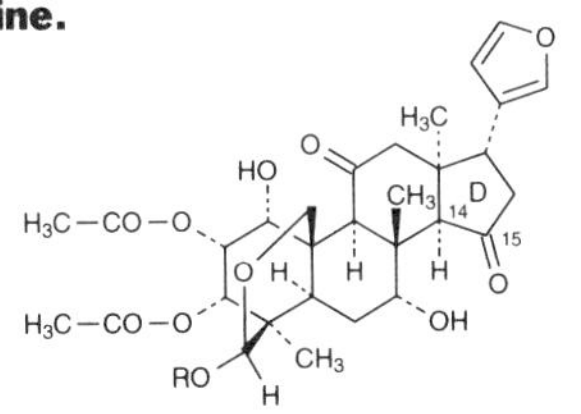

R = CO–CH(CH₃)–C₂H₅ : M. B₁

R = CO–CH(CH₃)–CH₃ : M. B₂

Triterpenoide Giftstoffe (*Limonoide) aus dem Persischen Flieder (*Melia azedarach*, Paternosterbaum), z.B. *M. B₁* [$C_{35}H_{46}O_{12}$, M_R 658,74, Pulver, Schmp. 140–150 °C (Zers.)] u. *M.* B_2 [$C_{34}H_{44}O_{12}$, M_R 644,71, Pulver, Schmp. 155–162 °C (Zers.)]. Auffällig ist die strukturelle Ähnlichkeit der M. mit dem Fraßhemmer Azadirachtanin (vgl. Azadirachtine) aus dem Ind. Flieder. Strukturverwandt mit den M. sind die Trichiline [1], die im D-Ring eine 14β,15β-Epoxid- anstelle der 15-Oxo-Funktion tragen. – ***E*** meliatoxins – ***F*** méliatoxines – ***I*** meliatossine – ***S*** meliatoxinas

Lit.: [1] Heterocycles **36**, 725 (1993); **38**, 2407 (1994); Phytochemistry **41**, 117 (1996).
allg.: Phytochemistry **22**, 531 (1983) ▪ s.a. Limonoide. – *[CAS 87617-81-0 (M.B₁); 87617-80-9 (M.B₂)]*

Melibiase s. Galactosidasen.

Melilith. $(Ca,Na,K)_2(Mg,Fe,Al)[(Si,Al)_2O_7]$, zu den Sorosilicaten gehörende Gruppe von Mineralien u. synthet. hergestellten Verb. der allg. Formel $X_2T^1T_2^2O_7$; X = großes ein- bis dreiwertiges Kation, T^1 u. T^2 = kleine zwei- bis vierwertige Kationen auf kristallograph. unterschiedlichen Plätzen in der Struktur; *Beisp.:* $(Ca,Sr)_2(Mg,Co,Zn)[Si_2O_7]$, s. *Lit.* [1]. In der Natur vorwiegend Mischkrist. aus den Endgliedern *Gehlenit* $Ca_2Al[AlSiO_7]$ (Struktur s. *Lit.* [2]; mit Phasen-Umwandlung durch geänderte Al/Si-Ordnung [3]; Schmp. 1590 °C) u. *Åkermanit* $Ca_2Mg[Si_2O_7]$ (Struktur s. *Lit.* [4], Schmp. 1451 °C), s. *Lit.* [5]. Die meisten M. enthalten außerdem Natrium u. Eisen; Eisen-Åkermanit $Ca_2Fe^{2+}[Si_2O_7]$, Eisen-Gehlenit $Ca_2Fe^{3+}[AlSiO_7]$ u. Natrium-M. $NaCaAl[Si_2O_7]$ sind synthet. hergestellt worden. M. krist. tetragonal-skalenoedr., Kristallklasse $\bar{4}2m$-D_{2d}; Krist. kurzsäulig, dicktafelig, quaderartig; auch körnig. H. 5,5, D. 2,9–3,1; Glasglanz, auf frischem Bruch Fettglanz. Farblos, häufiger aber gelb bis braun (griech.: mel = Honig), auch grau; meist getrübt. M. wird von Säuren leicht unter Gelatinieren zerstört. ***Vork.:*** Als Bestandteil Calcium-reicher bas., SiO_2-untersättigter Vulkanite u. subvulkan. Gesteine; z.B. in *M.-*Basalten* u. *Melilithiten* (dunkel, Hauptminerale M. + *Pyroxene) in Süddeutschland (Kaiserstuhl, Hegau, Schwäb. Alb), Böhmen u. Italien. Gehlenit bes. in durch *Kontaktmetamorphose überprägten unreinen *Kalken, z.B. Monzoni-Stock/Italien. Als Bestandteile von Schlacken u. Zementklinkern; in Chondriten (*Meteoriten). – ***E*** = ***I*** melilite – ***F*** mélilite – ***S*** melilita

Lit.: [1] Phys. Chem. Miner. **23**, 81–88 (1996). [2] Neues Jahrb. Mineral., Abhandl., **144**, 254–267 (1982). [3] Phys. Chem. Miner. **21**, 110–116 (1994). [4] Neues Jahrb. Mineral., Monatsh. **1981**, 1–10. [5] Phys. Chem. Miner. **19**, 185–195 (1992).
allg.: Deer et al. (2.), S. 108–113 ▪ Deer, Howie u. Zussman, Rock-Forming Minerals (2.), Vol. 1B, Disilicates and Ring Silicates, S. 285–334, Burnt Mill (Harlow): Longman Scientific & Technical 1986 ▪ Schröcke-Weiner, S. 708–712. – *[CAS 12173-94-3]*

Melilithit s. Melilith.

Melinar® PET. *Polyethylenterephthalat zur Herst. von Kunststoff-Flaschen, Weithals-Behältern, Verpackungsbändern, Folien für Verpackungszwecke sowie thermoplast. Behältern mit einer Temp.-Stabilität von –40 °C bis +220 °C für Fertigmenüs usw. ***B.:*** ICI.

Melinex®. *Polyester-Folien für die Elektro-Ind., zur Herst. von Magnetbändern, für den Zeichenbedarf, zur Verpackung u. für dekorative Zwecke sowie auf dem Drucksektor, für Farbbänder, Kohlepapiere, Formtrennmittel, Klebebänder u. Teststreifen im Pharma-Bereich. ***B.:*** ICI.

Melissengeist. Alkohol. Destillat aus den Blättern der Melisse (s. Melissenöl), ggf. unter Zusatz von Auszügen aus anderen Heilkräutern. – ***E*** carmelite water – ***F*** eau de carmélite, eau de mélisse – ***I*** spirito di melissa – ***S*** agua de melisa

Lit.: s. Melissenöl.

Melissenöl. Sehr komplex zusammengesetztes ether. Öl aus der *Zitronenmelisse* (*Melissa officinalis*, Lippenblütler). Es ist zum überwiegenden Teil in den Lamiaceen-Drüsenschuppen auf der Blattunterseite lokalisiert u. besteht insgesamt aus ca. 72 Komponenten, von denen der größte Teil terpenoiden Ursprungs ist. Hiervon beträgt der Anteil an Monoterpenen ca. 61% (dabei dominieren die *Citrale) an *Sesquiterpenen 37% sowie 3–5% an Gerbstoffen. M. riecht zitronenartig. Die Klassifizierung einiger sog. „Melissenöle" des Handels ist recht schwierig. Neben den seit langem bekannten Wirkungen (sedativ, spasmolyt., antibakteriell) wurden eine Reihe neuer Eigenschaften der Melisse entdeckt [u.a. virustat. (z.B. zur Herpes simplex-Behandlung), immunstimulierende, antineoplast. Wirkung]. – ***E*** lemon balm oil, melissa oil – ***F*** essence de mélisse – ***I*** olio di melissa – ***S*** esencia de melisa

Lit.: DAB **8**, 304f., Komm.: 494–497 ▪ Dtsch. Apoth.-Ztg. **129**, 155f. (1989) ▪ Hager (5.) **1**, 566ff.; **4**, 1114; **5**, 811ff. ▪ H&R Contact **35**, 22–25 (1984) ▪ Pharm. Unserer Zeit **14**, 112–121 (1985). – *[HS 3301 29]*

Melissinsäure s. Triacontansäure.

Melissylalkohol s. 1-Hentriacontanol u. 1-Triacontanol.

Melitose s. Raffinose.

Melitoxin s. Dicumarol.

Melitracen (Rp).

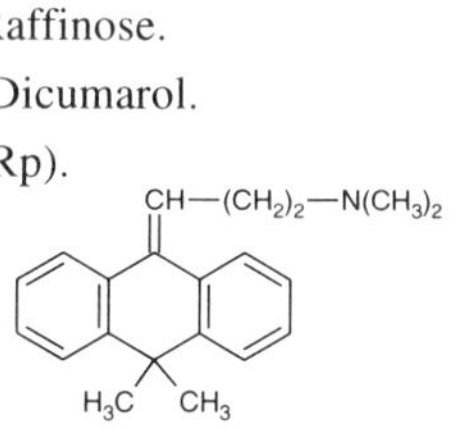

Internat. Freiname für das *Antidepressivum 3-(10,10-Dimethyl-9(10*H*)-anthryliden)-*N*,*N*-dimethyl-propylamin, $C_{21}H_{25}N$, M_R 291,43. Verwendet wurde das Hydrochlorid, Schmp. 245–248 °C; LD_{50} (Maus i.v.) 52 mg/kg. M. wurde 1963 u. 1965 von Kefalas A/S patentiert. – ***E*** = ***I*** melitracene – ***F*** mélitracène – ***S*** melitraceno

Lit.: Martindale (31.), S. 324. – *[HS 2921 49; CAS 5118-29-6 (M.); 10563-70-9 (Hydrochlorid)]*

Melitriose s. Raffinose.

Melittin (Melittin I, Mellitin, Forapin). $C_{131}H_{229}N_{39}O_{31}$, M_R 2846,54, weißes, wasserlösl. Pulver. Stark bas. Polypeptid, Hauptbestandteil des *Bienengiftes (LD_{50} Maus i.v. 3,5 mg/kg), in dem es zu ca. 50% des Trockengew. enthalten ist. M. besteht aus 26 Aminosäuren folgender Sequenz:

Gly-Ile-Gly-Ala-Val-Leu-Lys-Val-Leu-Thr-Thr-Gly-Leu-Pro-Ala-Leu-Ile-Ser-Trp-Ile-Lys-Arg-Lys-Arg-Gln-Gln-NH_2.

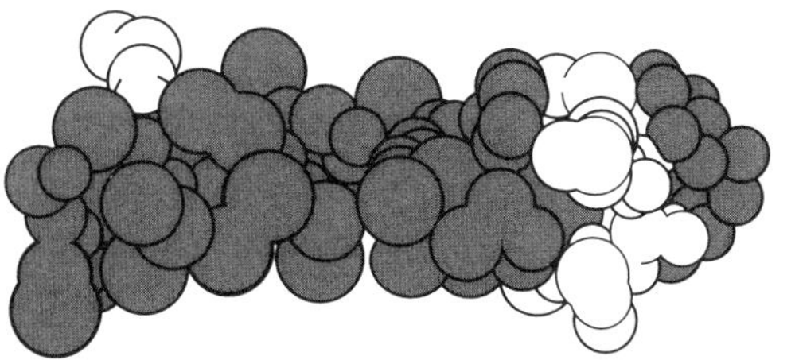

Abb.: Raumstruktur des Melittins nach Strukturdaten aus der *Protein Data Bank. Wasserstoff-Atome sind nicht gezeigt. Die helleren Atome gehören zu pos. geladenen Aminosäure-Resten (L-Lysin u. L-Arginin).

M. wird durch Pepsin, Trypsin u. Chymotrypsin gespalten. Die Aminosäure-Sequenz bedingt eine invertseifenähnliche Struktur: die Positionen 1–20 werden hauptsächlich durch neutrale bzw. hydrophobe Aminosäuren besetzt, der C-terminale Teil besteht aus bas. Komponenten. Infolgedessen bildet M. tetramere Anionen-Kanäle in Membranen aus u. wirkt als direktes Hämolytikum; im Gegensatz hierzu steht die indirekt hämolyt. wirksame Phospholipase A, ebenfalls aus Bienengift. Berichtete Todesfälle im Anschluß an Bienenstiche können jedoch nicht auf M. zurückgeführt werden, sondern sind Folge von allerg. Überreaktionen, die zum anaphylakt. Schock führen. M. kann Muskelkontraktion auslösen. Aufgrund seiner entzündungshemmenden Wirkung wird M. als Antirheumatikum verwendet. – ***E*** melittin – ***F*** mélittine – ***I*** melittina – ***S*** melitina

Lit.: J. Membrane Biol. **156**, 197–211 (1997) ▪ Toxicon **31**, 669–695 (1993). – *[CAS 20449-79-0]*

Mellein (Ochracin, 8-Hydroxy-3-methyl-1-isochromanon).

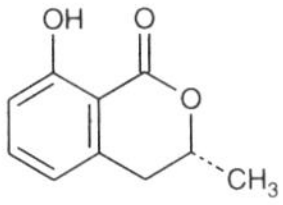

(-)-(*R*)-Form

$C_{10}H_{10}O_3$, M_R 178,18, Krist., Schmp. 56 °C, $[\alpha]_D$ −108° bzw. +102° ($CHCl_3$). M. kommt sowohl in der (*R*)-Form als auch in der (*S*)-Form in Schimmelpilzen vor. M. gehört zu den Ochratoxinen. Es wirkt schwach antimikrobiell. – ***E*** mellein – ***F*** melléine – ***I*** melleina – ***S*** meleína

Lit.: ACS Symp. Ser. **330**, 295 (1987) ▪ Agric. Biol. Chem. **50**, 997 (1986) ▪ Beilstein E V **18/1**, 274 ▪ Gazz. Chim. Ital. **121**, 455 (1991) ▪ Heterocycles **33**, 357 (1992) ▪ Tetrahedron **41**, 5295 (1985) ▪ Turner **1**, 123; **2**, 509 ▪ Zechmeister **49**, 1–50. – *[CAS 480-33-1(R); 62623-84-1(S)]*

Melleril (Rp). Dragees u. Retardtabl. mit dem *Neuroleptikum *Thioridazin-Hydrochlorid. ***B.:*** Novartis.

Mellit (Honigstein). $Al_2[C_{12}O_{12}] \cdot 18\,H_2O$, Aluminium-Salz der *Mellit(h)säure. Hellweingelbe bis dunkel orangefarbene (oft honiggelbe; latein.: mel = Honig), fettig od. harzartige glänzende, durchscheinende bis undurchsichtige, meist kleine, dipyramidale, seltener auch prismat. tetragonal-trapezoedr. Krist. (Kristallklasse 422 – D_4) od. Körner, Bruch muschelig; H. 2–2,5, D. um 1,6. M. ist lösl. in Salpetersäure u. Kalilauge, unlösl. in Wasser u. Alkohol; fluoresziert blau in kurzwelligem UV-Licht.

Vork.: Meist auf Klüften von Braunkohlen- u. Steinkohlenlagern u. in bituminösen *Sedimenten, z.B. Dransfeld bei Göttingen, Bitterfeld/Sachsen u. Tatabanya/Ungarn. – ***E*** = ***F*** = ***I*** mellite – ***S*** melita

Lit.: Lapis **11**, Nr. 10, 9 ff. (1986) („Steckbrief") ▪ Powder Diffraction **4**, 172 f. (1989) (Röntgendaten) ▪ Ramdohr-Strunz, S. 798. – *[CAS 15490-99-0]*

Mellit(h)säure (Benzolhexacarbonsäure).

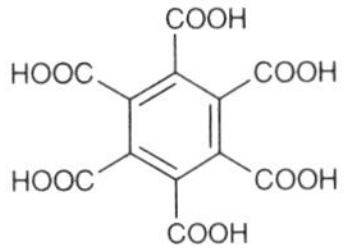

$C_{12}H_6O_{12}$, M_R 342,17. Seidenglänzende Nadeln, die in Wasser u. Alkohol leicht lösl. sind u. im geschlossenen Röhrchen bei 288 °C schmelzen. M. entsteht in sehr geringer Ausbeute bei der Oxid. von Graphit, Ruß u. dgl. mit Salpetersäure, Permanganat od. Hypochlorit, als Al-Salz kommt es in der Natur als *Mellit vor. – ***E*** mellitic acid – ***F*** acide mellitique, acide mellique – ***I*** acido mellitico – ***S*** ácido melítico

Lit.: Beilstein E IV **9**, 3825 ▪ Kirk-Othmer (4.) **18**, 992 f. ▪ Ullmann (5.) **A 5**, 251. – *[HS 2917 39; CAS 517-60-2]*

Mellitoxin (4-Hydroxytutin, Hyenanchin).

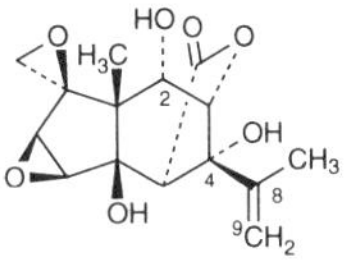

$C_{15}H_{18}O_7$, M_R 310,30, Krist., Schmp. 225–240 °C (Zers.), $[\alpha]_D$ +32° ($CHCl_3$). *Sesquiterpen aus *Toxicodendron capense* (syn. *Coriaria arborea, C. capense*) sowie *Scolypopa australis*, einer Raupe, die von Blättern der *Coriaria arborea* lebt. – ***E*** mellitoxin – ***F*** mellitoxine – ***I*** mellitossina – ***S*** melitoxina

Lit.: Aust. J. Chem. **42**, 1881 (1989) ▪ Beilstein E V **19/10**, 605 ▪ Tetrahedron **42**, 5551 (1986) ▪ s.a. Corianin. – *[CAS 3484-46-6]*

Mellor. Kurzbez. für das erstmals von Joseph W. Mellor (1869–1938) 1922–1937 herausgegebene 16bändige *Handbuch „Mellor's Comprehensive Treatise on Inorganic and Theoretical Chemistry", das alle Elemente u. deren wichtigste Verb. unter vorwiegend physikal.-chem. Gesichtspunkten behandelt. Das Werk wurde inzwischen mehrfach nachgedruckt u. durch 8 Erg.-Bd. (bis 1971) vervollständigt.

Melment®. Qualitätsverbessernde Zusätze zu Zement, Kalk u. Gips. ***B.:*** SKW Trostberg AG.

Melnikovit s. Pyrit.

Melotte-Metall. Als *Schmelzlegierung beispielsweise in Feuerlöschsyst. (Sprinkler-Anlagen) eingesetzter Werkstoff aus 50% Bi, 31% Sn u. 19% Pb, Schmp. 99,5 °C. – ***E*** melotte fusible alloy – ***F*** métal melotte – ***I*** metallo melotte – ***S*** metal melotte

Meloxicam (Rp).

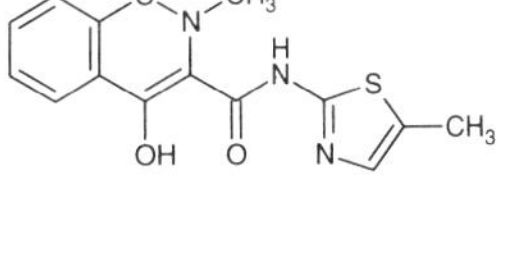

Internat. Freiname für das *Antiphlogistikum 4-Hydroxy-2-methyl-*N*-(5-methyl-2-thiazolyl)-2*H*-1,2-benzothiazin-3-carboxamid-1,1-dioxid, $C_{14}H_{13}N_3O_4S_2$, M_R 351,39, Schmp. 254 °C (Zers.); LD_{50} (Maus oral) 470 mg/kg. M. wurde 1979 von Thomae (Mobec®) u. 1980 von Boehringer Ingelheim patentiert. M. ist ein *Cyclooxygenase-Hemmer, u. es wird postuliert, daß es die COX 2 stärker als die COX 1 hemmt, was eine bessere Verträglichkeit zur Folge hat. – ***E*** = ***I*** = ***S*** meloxicam – ***F*** méloxicam

Lit.: Drugs **51**, 424–432 (1996) ▪ Martindale (31.), S. 59 ▪ Pharm. Ztg. **141**, 2838, 4492–4495 (1996). – *[HS 2935 00; CAS 71125-38-7]*

Melperon (Rp).

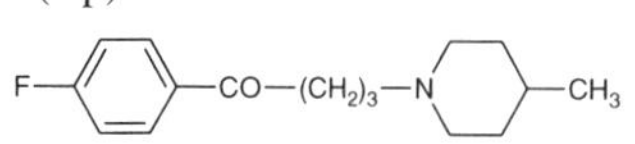

Internat. Freiname für das *Neuroleptikum 1-(4-Fluorphenyl)-4-(4-methylpiperidino)-1-butanon, $C_{16}H_{22}FNO$, M_R 263,35, Sdp. 120–125 °C (13,33 Pa). Verwendet wird das Hydrochlorid, Schmp. 209–211 °C; LD_{50} (Maus oral) 230, (Maus i.v.) 35 mg/kg. M. wurde 1964 u. 1974 von Ferrosan patentiert u. ist von Knoll (Eunerpan®) im Handel. – ***E*** = ***I*** melperone – ***F*** melpérone – ***S*** melperona

Lit.: ASP ▪ Beilstein E V **20/4**, 122 f. ▪ Hager (5.) **8**, 854 ▪ Martindale (31.), S. 719. – *[HS 2933 39; CAS 3575-80-2 (M.); 1622-79-3 (Hydrochlorid)]*

Melphalan (Rp).

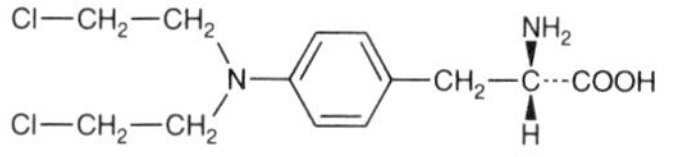

Internat. Freiname für das alkylierende *Cytostatikum 4-[Bis(2-chlorethyl)amino]-L-phenylalanin, $C_{13}H_{18}Cl_2N_2O_2$, M_R 305,20, Schmp. 182–183 °C (Zers.); $[\alpha]_D^{22}$ –31,5° (c 0,67/CH_3OH); λ_{max} (CH_3OH) 260 nm ($A_{1cm}^{1\%}$ 707); LD_{50} (Ratte i.p.) 4,486 mg/kg. Weißes bis sandfarbenes Pulver, in Wasser prakt. unlösl., in verd. anorgan. Säuren dagegen löslich. Lagerung: vor Licht u. Luft geschützt. M. wurde 1962 von National Research Development Corporation patentiert u. ist von Glaxo Wellcome (Alkeran®) im Handel. – ***E*** = ***F*** melphalan – ***I*** melfalan – ***S*** melfalán

Lit.: ASP ▪ Beilstein E IV **14**, 1689 ▪ Florey **13**, 265–304 ▪ Hager (5.) **8**, 854 ff. ▪ Martindale (31.), S. 581 f. – *[HS 2922 49; CAS 148-82-3]*

Melrosum®. *Hustensirup Forte* mit Thymianfluidextrakt. – *M. Medizinalbad* mit Thymianöl u. Kiefernnadelöl. – *M. Codein Hustensirup* (Rp) enthält: *Codein-phosphat u. Honig. – *M. Hustensirup N* enthält Tinct. Herba Grindeliae, Tinct. Rad. Pimpinellae, Tinct. Rad. Primulae, Tinct. Flor. Rosae u. Tinct. Herba Thymi. ***B.:*** Rhône Poulenc Rorer.

Meltau. Gelegentlich mit *Mehltau verwechselte Bez. für den sog. *Honigtau* (vgl. Honig), der entweder eine Ausscheidung von *Blattläusen od. ein *Exsudat von Baumblättern ist. – ***E*** honey dew – ***F*** miellée, miellure – ***I*** melata – ***S*** melazo, melera

Melusat®. Riechstoff auf der Basis von Ethyl-3,5,5-trimethylcapronat, $C_{11}H_{22}O_2$, M_R 186,30; Geruch: fruchtig, blumig, mit einer Apfel-Note. ***B.:*** Henkel.

Memantin (Rp).

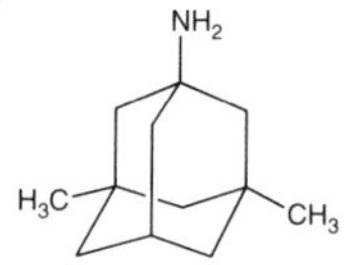

Internat. Freiname für das muskelrelaxierende Antiparkinsonmittel (s. Parkinsonismus) 3,5-Dimethyl-1-adamantanamin, $C_{12}H_{21}N$, M_R 179,35; n_D^{25} 1,4941. Verwendet wird das Hydrochlorid, Schmp. 258 °C, auch 290–295 °C angegeben. M. wurde 1968 von Lilly patentiert u. ist von Merz & Co (Akatinol Memantine®) im Handel. – ***E*** memantine – ***F*** mémantine – ***I*** = ***S*** memantina

Lit.: Martindale (31.), S. 1165. – *[HS 2921 30; CAS 19982-08-2 (M.); 41100-52-1 (Hydrochlorid)]*

Membran-Angriffs-Komplex s. Komplement.

Membranelektroden s. ionenselektive Elektroden u. ionenselektive Feldeffekttransistoren.

Membranen. ***1. Biolog. Membranen:*** Im anatom.-medizin. Sprachgebrauch bezeichnet man verschiedene Körperhäute als M.; *Beisp.:* Membrana pellucida (Eihaut des Primärfollikels), Membrana tympani (Trommelfell), *Basalmembran. Im folgenden soll jedoch nicht von diesen gesprochen werden, sondern von den *Zellmembranen* (Elementarmembranen, Biomembranen), d. h. den geschlossenen flexiblen Strukturen, die alle *Zellen u. viele ihrer Organellen umgeben. Unter diesen sind Doppelschichten von 6–10 nm Dicke zu verstehen, die bei der Elektronenmikroskopie (s. Elektronenmikroskop) nach entsprechender Präparation im Querschnitt als eine hellere, von zwei dunklen flankierte Linie erscheinen können. Diese – nicht selten auch *Lamellen* genannten – M. grenzen das *Cytoplasma jeder Zelle nach außen (als *Plasmalemma* od. *Plasmamembran*) u. ggf. auch nach innen gegen Vakuolen (als *Tonoplast*) ab, bilden bei *Eukaryonten die Grenzschichten von Zellorganellen wie *Mitochondrien, *Chloroplasten, des *endoplasmatischen Retikulums (ER), *Golgi-Apparats, der *Lysosomen, des Zellkerns etc. (vgl. die Abb. bei Zellen), umhüllen als Myelinscheide die Nervenfasern, umschließen viele Viren usw.

Struktur u. Dynamik: Trotz ihrer vielfältigen Funktionen (s. u.) sind die verschiedenen *Elementarmembranen* chem. u. mol. relativ einheitlich aufgebaut. Sie bestehen alle aus (Glyko-)Lipiden (*M.-Lipiden*)[1] u. (Glyko-)Proteinen (*M.-Proteinen*)[2]; bei ersteren handelt es sich vorwiegend um *Phospholipide* wie *Lecithine u. *Kephaline sowie *Sphingomyeline, die in wäss. Medium spontan Doppelschichten bilden, vergleichbar der smekt. Phase flüssiger Kristalle (s. Abb. 1 dort). Als M.-Lipide können zusätzlich Cholesterin, Sphingolipide, Lipopolysaccharide, Glykolipide usw. auftreten. Nach heutiger Auffassung (*Flüssig-Mosaik-Modell*, s. Abb.) sind in die *Lipid-Doppelschicht* (*E* lipid bilayer) 20–80% Proteine eingebettet, die entweder als *integrale M.-Proteine* die gesamte M. durchdringen (A) od. aber mit ihrem hydrophoben Teil nur teilw. in sie eintauchen (B). In allen bekannten Fällen sind sie vektoriell, d. h. mit definierter Orientierung bezüglich Innen- u. Außenseite der M., angeordnet. *Periphere M.-Proteine* sind mit der M. assoziiert, ohne in sie einzudringen (C).

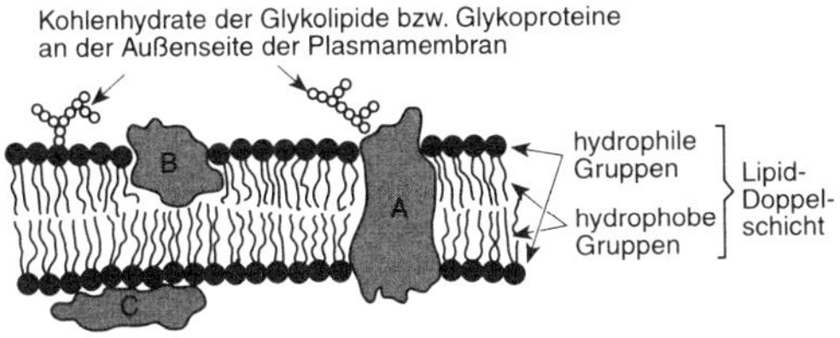

Abb.: Aufbau einer biolog. Membran nach dem Flüssig-Mosaik-Modell (A, B u. C s. Text).

Der Zusammenhalt der verschiedenen M.-Bestandteile wird durch *hydrophobe Bindung ermöglicht, da sowohl die Lipide als auch die M.-Proteine hydrophobe Gruppen enthalten. Die integralen M.-Proteine besitzen in die M. eingebettete – oft helikale – Bereiche aus hydrophoben Aminosäure-Resten; die hydrophoben Helices können – allerdings mit umstrittener Zuverlässigkeit – aufgrund der Aminosäure-Sequenz vorhergesagt werden. Die peripheren M.-Proteine andererseits enthalten des öfteren kovalent gebundene Lipide, die als „Anker" in die M. eingelassen sind (s. Glykosylphosphatidylinosit-Anker, Myristoyl-Proteine, Prenylproteine), od. hydrophobe Aminosäure-Sequenzen (Membrananker-Sequenzen). Die gleichzeitig vorhandenen hydrophilen Bereiche der *amphiphilen M.-Mol. gruppieren sich an den Oberflächen u. werden hydratisiert. Wegen der hydrophoben Wechselwirkungen ist es für die M. energet. am günstigsten, abgeschlossene, d. h. bläschenförmige Strukturen (*Vesikeln) zu bilden (wie bei Seifenblasen). Innen- u. Außenseite der Biomembranen sind hinsichtlich ihrer Zusammensetzung aus speziellen Lipiden u. Proteinen sowie durch den Kohlenhydrat-Gehalt unterschieden. Sowohl Lipide als auch Proteine können leicht lateral, d. h. in den Ausdehnungsrichtungen der M. diffundieren [3], aber nur schwer transversal, von einer Seite der M. zu anderen (M. als zweidimensionale Flüssigkeit). Dennoch existieren auch lateral abgegrenzte M.-Bereiche (Domänen), in denen sich bevorzugt bestimmte Proteine bzw. Lipide anreichern [4]. Die Fluidität wird durch die jeweilige Lipid-Zusammensetzung bestimmt: Lipide mit ungesätt. Acyl-Resten gestalten die M. beweglicher, Cholesterin macht sie starrer. Starre Aggregate aus Lipiden u. Proteinen könnnen als „Flöße" in der M. umhertreiben [5]. Daneben haben M.-Lipide oft Einfluß auf M.-Proteine, indem sie deren Aktivität regulieren.

Biolog. Funktionen: Mit Hilfe ihrer M. ist die Zelle gegenüber der Umwelt als Individuum abgeschlossen u. gewinnt außerdem verschiedene gegeneinander abgegrenzte Reaktionsräume (*Kompartimente). Da M. fluide sind, besitzen sie im allg. keine Formbeständigkeit. Die Plasma-M. vieler Zellen ist jedoch an ihrer Innenseite durch ein Syst. von Protein-Fasern, das *Membranskelett* [6] (vgl. Cytoskelett), unterlegt, was den Zellen den Widerstand gegenüber Scherkräften ermöglicht. Die Plasma-M. ist der Sitz der immunolog. wirksamen Glykoproteine (z. B. Histokompatibilitäts-Antigene, Blutgruppensubstanzen), Glykolipide u. Lipopolysaccharide.

Die M. sind Barrieren mit selektiver Permeabilität (halbdurchlässige M.), durch die auch aktiver *Transport von Stoffen* (s. Membrantransport) stattfindet. Passiver Stofftransport durch die M. erfolgt durch Diffusion (durch Poren od. mol. Kanäle – vgl. Ionenkanäle) od. durch erleichterten Transport; bei letzterem werden *Permeasen benötigt. Im Fall des aktiven Transports durch *mol. Pumpen* ist zusätzlich eine Energiequelle [meist *Adenosin-5′-triphosphat (ATP)] erforderlich, um ein chem. bzw. elektrochem. Potential zu überwinden. Auch durch *Ionophore werden M. für bestimmte Ionen-Arten durchlässig.

Sekretor. Proteine, M.-Proteine u. M.-Lipide werden bei Eukaryonten am bzw. im endoplasmat. Retikulum (ER) synthetisiert u. im Golgi-Apparat sowohl weiterverarbeitet als auch nach Bestimmungsort sortiert. Zum Protein-Transport durch M. s. *Lit.* [7]. Zur Insertion von M.-Proteinen in Mitochondrien-M. s. *Lit.* [8]. Als M.-Vesikeln werden die Proteine u. Lipide zur Plasma-M. bzw. zur Bestimmungsorganelle transportiert [9], mit welchen sie verschmelzen bzw. wo sie ihren Inhalt durch *Exocytose ausschütten. Umgekehrt können Substanzen, Partikeln, Viren u. Zellen durch *Endocytose aufgenommen werden, wobei sie zunächst in membranumschlossenen endocytot. Vesikeln im Cytoplasma erscheinen. Bei diesen Vorgängen ermöglichen gewisse *fusogene Proteine* sowie die Hydrolyse von ATP u. GTP (s. Guanosinphosphate) die Verschmelzung der Lipid-Doppelschichten miteinander. Zu dieser Fusionsmaschine gehören z. B. das *N-Ethylmaleimid-sensitive Fusionsprotein* (*N*-Ethylmaleimid-sensitiver Faktor, NSF), das *Adenosintriphosphatase-Aktivität besitzt, die *lösl. NSF-Anheftungsproteine* (SNAP), die SNAP-Rezeptoren (SNARE) auf Vesikel- u. Zielmembran (v-SNARE bzw. t-SNARE) sowie das *kleine GTP-bindende Protein Rab, das den Prozeß an die GTP-Hydrolyse koppelt [10].

Plasmamembranen sind auch der Ort der hormonellen u. neuronalen *Signalübertragung* (s. Signaltransduktion) über spezif. *Rezeptoren, die durch Änderung ihrer Konformation die Durchlässigkeit od. elektrostat. Polarisierung der Membran verändern od. im Zellinneren die Bildung od. Freisetzung verschiedener Signalstoffe (*second messengers) veranlassen. Die Nervenleitung z. B. nutzt ein *Membranpotential* aus, das durch die *Natrium-Kalium-ATPase aufrecht erhalten wird. Die elektr. Kapazität einer Plasma-M. liegt bei 1 μFarad/cm^2, typ. Ruhepotentiale bewegen sich um –70 mV (Innenseite neg.).

Auch die *Energiegewinnung* der Zellen ist an M. gebunden. Die Proteine der pflanzlichen u. bakteriellen *Photosynthese sind in den Chloroplasten (genauer: Thylakoiden) bzw. der bakteriellen Plasma-M., die der *Atmungskette in der inneren Mitochondrien-M. (bzw. wiederum der bakteriellen Plasma-M.) vektoriell angeordnet, um die *chemiosmotischen Reaktionen zu ermöglichen.

2. Techn. Membranen: In neuerer Zeit werden in der Ind. zunehmend für die Stofftrennung od. bei der Durchführung chem. Reaktionen synthet. Membranen eingesetzt; Beisp. sind Brauchwasser- u. Abwasserreinigung, biotechn. Verf. u. chem. Verfahren. Dabei spielen bes. die Aufarbeitung wäss. Syst., die Tren-

nung von Gasen od. Flüssigkeiten u. Elektrolyten eine Rolle. Neben organ. Membran-Material [z.B. Polysulfone, Polytetrafluorethen (PTFE) od. perfluorierten Polymeren mit endständigen funktionellen Gruppen] gibt es auch anorgan. Membranen (z.B. aus Aluminiumoxid, Kohlenstoff-Fasern, Zirkoniumdioxid), die mit Temp. bis 400 °C, teilw. bis zu 900 °C (Trägermaterial Siliciumcarbid) belastet werden können.
Techn. relevante Membran-Prozesse sind z.B. *Mikrofiltration, *Ultrafiltration, *umgekehrte Osmose, *Elektrodialyse, *Pervaporation. Da im allg. techn. Membranen sehr feine Poren mit geringer Permeabilität aufweisen, muß bei Membran-Verf. eine möglichst große Fläche auf kleinem Raum untergebracht werden, um techn. relevante Durchflußmengen zu realisieren. Für industrielle Zwecke werden deshalb Anlagen mit mehreren 100 m^2 Membranfläche gebaut.
Bei techn. Membran-Verf. werden vielfach auch halbdurchlässige Membranen eingesetzt. Ein Beisp. hierfür ist die Herst. von Natronlauge durch Elektrolyse von Natriumchlorid-Lsg.[11] (*Chloralkali-Elektrolyse). In diesem Verf. ist die Trennwand zwischen Kathoden- u. Anodenraum eine Membran, die für Kationen u. Wasser, nicht aber für Anionen durchlässig ist (Ionenaustauschmembran auf der Basis von perfluorierten Polymeren mit endständigen Carboxy- od. Sulfonsäure-Gruppen). Dadurch ist es möglich, eine Chlorid-freie Natronlauge zu gewinnen. – ***E*** = ***F*** membranes – ***I*** membrane – ***S*** membranas

Lit.: [1] Prasad, Manual on Membrane Lipids, Berlin: Springer 1996. [2] von Heijne, Membrane Protein Assembly, Berlin: Springer 1997. [3] Annu. Rev. Biophys. Biomol. Struct. **26**, 373–399 (1997). [4] Am. J. Physiol. **41**, F425–F429 (1997). [5] Nature (London) **387**, 569–572 (1997). [6] Curr. Topics Membranes **43**, 147–167, 293–372 (1996). [7] Science **271**, 1519–1526 (1996). [8] Trends Biochem. Sci. **21**, 261–267 (1996). [9] De Lima et al., Trafficking of Intracellular Membranes. From Molecular Sorting to Membrane Fusion, Berlin: Springer 1995. [10] Alberts et al., Molekularbiologie der Zelle, 3. Aufl., S. 760 f., Weinheim: VCH Verlagsges. 1995; Biochim. Biophys. Acta **1357**, 155–172 (1997); Biol. Unserer Zeit **26**, 179–186 (1996). [11] Onken u. Behr, Chemische Prozeßkunde, S. 494 f., Stuttgart: Thieme 1996.
allg. (zu 1.): Hanke u. Hanke, Methoden der Membranphysiologie, Heidelberg: Spektrum 1997 ▪ op den Kamp, Molecular Dynamics of Biomembranes, Berlin: Springer 1996 ▪ Lipowsky u. Sackmann, Structure and Dynamics of Membranes, Amsterdam: Elsevier 1995 ▪ Merz u. Roux, Biological Membranes. A Molecular Perspective from Computation and Experiment, Basel: Birkhäuser 1996 ▪ Papa u. Tager, Biochemistry of Cell Membranes. A Compendium of Selected Topics, Basel: Birkhäuser 1995. – *Zeitschrift:* Journal of Membrane Biology, Berlin: Springer (seit 1969) ▪ Ullmann (5.) **A 16**, 182 ff. – *(zu 2.):* Spektrum Wiss. **1995**, Nr. 8, 84–97.

Membranfilter. M. sind mikroporöse *Membranen, bestehend aus einer festen Matrix mit definierten Poren mit Durchmessern von <2 nm bis >20 µm. Sie werden aus verschiedenen Materialien hergestellt, einschließlich Keramik, Metallen, Metalloxiden u. Polymeren. Bezüglich ihrer Struktur können sie symmetr. (der Porendurchmesser variiert nicht über den Membranquerschnitt) od. asymmetr. (der Porendurchmesser steigt von der einen Seite der Membran zur anderen um den Faktor 10–1000) aufgebaut sein. M. werden hauptsächlich durch Sintern von Pulvern, Strecken von Folien, Bestrahlen u. anschließendes Ätzen von Filmen u. Phasen-Inversions-Techniken hergestellt; zur Verw. s. Membranfiltration. – ***E*** membran filter – ***F*** filtres (à) membrane – ***I*** filtro a membrana – ***S*** filtro de membrana

Lit.: s. Membranfiltration.

Membranfiltration. Als M. faßt man die wichtigsten durch einen hydrostat. Druck betriebenen Membran-*Trennverfahren, wie *Mikrofiltration, *Ultrafiltration u. *umgekehrte Osmose, zusammen. Die einzelnen Verf. unterscheiden sich v.a. durch ihre Trenngrenzen. Die M. erfolgt ausschließlich durch einen Druckgradienten, wobei der Filtereffekt vom mittleren Porendurchmesser bestimmt wird. Die M. ist eine Siebfiltration; dabei geschieht die Abscheidung überwiegend auf der Membranoberfläche.
Die *Mikrofiltration* (Trenngrenze: etwa 0,1–10 µm) spielt sich im wesentlichen im Bereich 0,2–1,2 µm ab, bei Druckdifferenzen von 5–40 kPa. Sie wird in allen Produktionsbereichen eingesetzt, wo hochgereinigte, partikelarme, keimfreie Produkte verlangt werden, z.B. im Pharmabereich, in der Getränke- u. in der Elektronik-Industrie.
Bei der *Ultrafiltration* (Abk.: UF) wird die Anschlußgrenze (*E* cut-off) auf die Molmasse anstatt auf die Partikelgröße bezogen. Sie spielt sich im Bereich von ca. 1000 bis 2 Mio. *Dalton ab. Die UF wird im Prozeßbereich überwiegend dynam. durchgeführt, d.h. mit Membranüberströmung. Dabei fällt neben dem *Filtrat*, auch *Permeat* genannt, noch das *Konzentrat*, das auch als *Retentat* bezeichnet wird, an. Es werden überwiegend asymmetr. strukturierte Membranen zum Abtrennen, An- u. Abreichern gelöster mittel- u. hochmol. Stoffe wie Enzyme, Hormone, Eiweiße, Antibiotika, Pyrogene, Viren, Polysaccharide, aber auch Kolloide, Tenside, Pestizide, Ölemulsionen u. sonstiger organ. Substanzen entsprechender Molekülgröße verwendet.
Bei der *umgekehrten Osmose* wird die Umkehrung der normalen Osmose durch Überwindung des osmot. Druckes mittels Anlegen eines höheren Drucks erzwungen. Dabei wird z.B. reines Wasser aus einer Salzlsg. durch eine semipermeable *Membran (vgl. Permeabilität) abgetrennt. Anw. findet die umgekehrte Osmose daher im großen Maßstab bei der Trinkwassergewinnung durch *Meerwasserentsalzung sowie bei der *Entgiftung u. beim *Recycling von Abwässern. – ***E*** membran filtration – ***F*** filtration par membrane – ***I*** filtrazione a membrana – ***S*** filtración por membrana

Lit.: Gasper, Handbuch der industriellen Fest-Flüssig-Filtration, S. 129–148, Heidelberg: Hüthig 1990 ▪ Townshend, Encyclopedia of Analytical Science, Bd. 5, S. 3035–3050, New York: Academic Press 1995 ▪ Ullmann (5.) **A 16**, 187–258.

Membranlipide s. Membranen (biolog. Membranen), Glyko- u. Phospholipide.

Membranpermeation s. Pervaporation.

Membranproteine s. Membranen (biolog. Membranen).

Membranpumpen s. Pumpen.

Membranreaktor s. Bioreaktor.

Membranskelett s. Cytoskelett.

Membrantransport. An dieser Stelle soll nicht der Transport von Membran-*Vesikeln innerhalb der

Zelle, sondern der Stoffdurchtritt (Permeation, Translokation) durch biolog. *Membranen besprochen werden.

1. Obwohl die Lipid-Doppelschichten biolog. Membranen Barrieren für den Stofftransport darstellen u. dadurch zur Abgrenzung der Zelle nach außen u. zur inneren *Kompartimentierung beitragen, sind sie nicht für alle Stoffe vollkommen dicht, sondern lassen aufgrund ihrer fluiden Natur u. der Möglichkeit von Porenbildung grundsätzlich den Stoffdurchgang in Form *freier Diffusion* zu. In der Praxis beschränkt sich die Membran-Permeabilität auf kleine polare Mol. ($M_R<75$, z. B. Wasser, Essigsäure) u. hydrophobe Teilchen (z. B. Steroid-Hormone); letztere aufgrund ihrer Löslichkeit im hydrophoben Membraninneren. Durch diese Semipermeabilität (Halbdurchlässigkeit) der Biomembranen sind die osmot. Phänomene (s. Osmose) der Zellen bedingt.

2. Beim *vermittelten Transport* sind spezif. Membranbestandteile (meist Proteine) beteiligt, die selektiv die jeweiligen Substrate befördern. Man unterscheidet die kontrollierte Diffusion durch Kanäle, die erleichterte (katalysierte) Diffusion mit Hilfe von Carriern (Permeasen) u. den prim. aktiven Transport durch Pumpen. Die kontrollierte u. erleichterte Diffusion werden zusammen mit der unter 1. besprochenen freien Permeation auch als passiver Transport bezeichnet.

Durch *Kanäle* werden meist Ionen transportiert (s. Ionenkanäle). Es handelt sich dabei um integrale Membranproteine (im allg. Komplexe aus mehreren Untereinheiten, z. B. der *Acetylcholin-Rezeptor), die eine Pore aufweisen. Aber weniger große exogene Mol. wie die *Ionophore (z. B. *Gramicidine) können sich in der Membran zusammenlagern u. solche Poren ausbilden. Im Unterschied zu den Poren der freien Diffusion werden hier selektiv nur bestimmte Teilchen passieren gelassen. Dies geschieht aufgrund der Porengröße sowie wahrscheinlich durch spezif. Wechselwirkung der transportierten Ionen mit in od. an der Pore vorhandenen polaren Gruppen des Proteins. Außerdem kann der Transport durch die Anwesenheit bestimmter Liganden od. durch das elektr. Membranpotential kontrolliert werden (Liganden- bzw. Spannungs-abhängige Kanäle).

Der Begriff des **Carriers* ist mehrdeutig. Im vorliegenden Zusammenhang ist dabei zum einen an kleinere in der Membran vorhandene Mol. zu denken, die von einer Seite der Membran zur anderen diffundieren können u. dabei nach Art einer Fähre andere Mol. od. Ionen transportieren (z. B. *Valinomycin). Sie werden meist ebenfalls den Ionophoren zugerechnet. Zum anderen sind darunter Membran-durchspannende, meist oligomere Proteine zu verstehen, die eher wie Schleusen funktionieren, indem sie das Transportgut (oft Nährstoff-Mol. wie Zucker, Aminosäuren) auf der einen Seite der Membran binden, eine reversible Konformationsänderung (eine Art Umstülpung od. Öffnung nach der anderen Seite) erfahren u. das Substrat auf der anderen Membranseite abgeben. Der Carrier-vermittelte Transport als *passiver Transport* ist Energie-neutral u. wird nur durch das elektrochem. Potential der beteiligten Teilchensorte, d. h. durch den Konz.-Unterschied im Zusammenwirken mit elektrostat. Kräften (bei Ionen), diesseits u. jenseits der Membran angetrieben. Im einfachen Fall (*Uniport*) wird nur ein Substrat transportiert. Bei *Cotransport* ist der Transport zweier verschiedener Substrate mechanist. gekoppelt – die Cosubstrate können nur gemeinsam transportiert werden, u. zwar entweder in der gleichen Richtung (*Symport) od. entgegengesetzt (*Antiport). Hierbei kann eine Teilchensorte entgegen dem elektrochem. Potential transportiert werden, wenn die dazu nötige Energie durch den Potential-abwärts gerichteten Transport der anderen Spezies aufgebracht wird; man spricht dann auch von *sek. aktivem Transport*. Die makromol. Carrier gleichen *Enzymen, aber mit Transportfunktion statt katalyt. Funktion, unterliegen wie diese einer Sättigungskinetik, sind spezif. hemmbar u. werden daher oft als *Permeasen* bezeichnet.

Ganz ähnlich wie die Permeasen funktionieren die mol. *Pumpen* od. Ionenpumpen (s. dort unter 2.) – ebenfalls meist oligomere Membran-durchspannende Proteine – nach einer Art Schleusenmechanisms. Allerdings werden hier für den *prim. aktiven Transport* chem. Energiequellen in Anspruch genommen, um das Transportgut entgegen einem Konzentrationsgefälle bzw. einer Potentialdifferenz auf einer Seite der Membran anzureichern; sie gleichen also eher Schiffshebewerken. Mechanist. wird im Prinzip das Substrat auf einer Seite mit bestimmter Affinität gebunden u. durch Konformationsänderung der anderen Membranseite zugänglich gemacht, jetzt jedoch mit verringerter Affinität. Der Mechanismus der Kopplung der Energie-liefernden Reaktion an diesen Vorgang ist in den meisten Fällen noch unbekannt; oft wird jedoch davon ausgegangen, daß während des Transportcyclus temporär eine Phosphat-Gruppe von *Adenosin-5′-triphosphat (ATP) auf das Protein übertragen wird (*Adenosintriphosphatasen des P-Typs). Durch die Spaltung von ATP wird der Transport irreversibel in eine Richtung gelenkt.

Kompliziert gestaltet sich der aktive Transport von Proteinen durch Membranen, z. B. beim Protein-Import in *Mitochondrien, *Plastiden od. andere Zellorganellen. Die Proteine docken an spezif. Rezeptoren an, werden vor dem Transport (Translokation) entfaltet u. als entfaltete Polypeptid-Ketten mit Hilfe spezieller Membranprotein-Komplexe u. weiterer Hilfsproteine unter ATP-Verbrauch transportiert. Nach dem Transport werden mittels spezieller *Proteasen (*Signalpeptidasen*) Teile der Proteine, die als *Signalpeptide od. -sequenzen bezeichnet werden, abgespalten u. die Proteine wieder gefaltet. Beim Entfaltungs- u. spezif. Wiederfaltungsvorgang sind *Chaperone beteiligt. Durch den ATP-Verbrauch u. die Abspaltung der Signalpeptide wird der Transport der Proteine irreversibel. – Zur Regulation des Membrantransports durch das *Cytoskelett s. *Lit.*[1]. – ***E*** membrane transport – ***F*** transport membranaire – ***I*** transporto di membrana – ***S*** transporte membranar

Lit.: [1] FASEB J. **8**, 1161–1165 (1994).
allg.: Pharm. Res. **12**, 1823–1837 (1995) ▪ Stein, Channels, Carriers and Pumps. An Introduction to Membrane Transport, San Diego: Academic Press 1990.

Memory-Effekt. 1. *In der Polymerchemie*: Bez. für den Befund, daß unvernetzte, hochmol. *Polymere wie z. B. nicht-vulkanisierter *Naturkautschuk, oberhalb ihrer *Glasübergangstemperatur – im sog. Kautschuk-elast. Bereich – nach kurzzeitiger Deformation wieder weitgehend ihre ursprüngliche Form annehmen. Diese Materialien weisen somit ein gewisses „Erinnerungsvermögen" (*E* memory effect) an ihren Ursprungs-Zustand auf. Diese Fähigkeit eines Elastomeren, selbst nach Dehnungen von bis zu 400% seiner frühere Gestalt wieder einzunehmen, hängt mit dem Langketten-Charakter des Materials zusammen. Vor der Deformation sind die Mol. der Polymer-Probe stark verknäuelt u. durchdringen einander stark. Die einsetzende Deformationskraft verursacht wegen der gegenseitigen Durchdringung der Ketten eine Dehnung der Polymer-Knäuel u. zwingt diesen eine entrop. ungünstige, gestrecktere *Makrokonformation auf. Diesen Zustand versuchen die Polymerketten wieder zu beseitigen, indem sie voneinander abzugleiten beginnen. Ist die Zugbelastung allerdings so kurz, daß sich die Verhakungsstellen noch nicht lösen konnten, nimmt das Elastomere nach Entfernung der Deformationskraft seine ursprüngliche Form wieder an. Dauert die Deformation jedoch hinreichend lange, so erreichen die Ketten den entrop. günstigen, geknäuelten Zustand dadurch zurück, daß sie voneinander abgleiten u. so die Verhakungen lösen. Durch das sich daraus ergebende Fließen relaxieren die Segmente wieder, u. ein M.-E. ist nicht mehr festzustellen. Ist die M_R einer Probe zu gering, um eine hinreichende Verschlingung der Ketten ineinander zu gewährleisten, fließt das Material schon bei kurzzeitigen Belastungen deutlich u. verhält sich somit eher wie eine viskose Flüssigkeit.
2. *In der Metallurgie*: Sog. Formgedächtnis von *Legierungen, basierend auf einer reversiblen, verformungsinitiierten, thermoelast., martensit. Umwandlung (s. Martensit). Als Folge einer Erwärmung erfolgt eine Rückverformung in den ursprünglichen Zustand. Der M.-E. tritt beispielsweise auf bei Nickel-Titan-Leg. (s. Nitinol) u. Kupfer u. findet techn. Anw. in der Medizin- u. Elektrotechnik.
3. *In der Analytik*: Beeinflussung des Meßergebnisses durch Rückstände in der Meßvorrichtung. – ***E*** memory effect – ***F*** effet mnémonique – ***I*** effetto di memoria – ***S*** efecto de memoria

Lit. *(zu 1.)*: Cowie, Chemie u. Physik der synthetischen Polymeren, Braunschweig: Vieweg 1997 ▪ Elias (5.) **2**, 388. – *(zu 2.)*: Gräfen (Hrsg.), Lexikon Werkstofftechnik, S. 331, Düsseldorf: VDI-Verl. 1993 ▪ Stöckel, VDI-Bericht Nr. 797, Düsseldorf: VDI-Verl. 1990 ▪ Umschau **84**, 77 (1984).

Memory-Polymere. Bez. für *Polymere mit quasi „eingebautem Gedächtnis". Beisp. hierfür sind Polymere, die unterhalb ihres Schmelzbereiches ihre Form in Abhängigkeit von der Temp. reversibel verändern können. Solche Eigenschaften zeigen *Kunststoffe, die aus einem harten (unelast.) u. einem weichen (elast.) Polymeren aufgebaut sind. Anw.-Möglichkeiten für M.-P. zeichnen sich ab u. a. im medizin. Bereich (Herst. von Kathetern od. Kanülen). – ***E*** memory polymers – ***F*** polymères avec mémoire – ***I*** polimeri di memoria – ***S*** polímeros con memoria

Lit.: Chem. Ind. (Düsseldorf) **1989**, Nr. 10, 57 f.

Memosil® C. D. Transparentes additionsvernetzendes *Silicon für zahnärztliche Abformungen (Bißregistrierung, Okklusalstempel). ***B.:*** Heraeus Kulzer GmbH.

Menachinone s. 2-Methyl-1,4-naphthochinone u. Vitamine (K-Gruppe).

Menadiol.

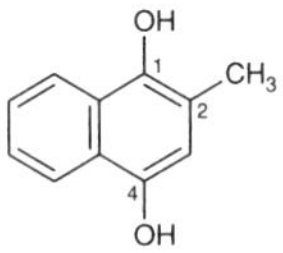

Internat. Freiname für das auch *Vitamin K_4* genannte 2-Methyl-1,4-naphthalindiol, $C_{11}H_{10}O_2$,. M_R 174,19, Schmp. 168–170 °C; λ_{max} (5% HCl in C_2H_5OH 95%) 245, 265, 324, 332 ($A^{1\%}_{1cm}$ 1774, 144, 294, 288); das zusammen mit Phytol zur Synth. von Vitamin K_1 (s. 2-Methyl-1,4-naphthochinone) sowie in Form seiner Salze als Antihämorrhagikum Verw. findet. *M.-diacetat*, $C_{15}H_{14}O_4$, M_R 258,26, ist ein farbloses Krist.-Pulver, Schmp. 112–114 °C, fast unlösl. in Wasser, schwer lösl. in Alkohol. Es wirkt ebenso wie das *M.-bisphosphat* blutstillend. Auch das Disulfat wird wegen seiner *Vitamin-K-ähnlichen Eigenschaften pharmazeut. genutzt. – ***E*** = ***S*** menadiol – ***F*** ménadiol – ***I*** menadiolo

Lit.: Beilstein E IV **6**, 6581 ▪ Hager (5.) **8**, 856 f. ▪ Martindale (31.), S. 1393 ff. – *[HS 2907 29; CAS 481-85-6 (M.); 573-20-6 (Diacetat); 131-13-5 (Tetranatrium-bisphosphat)]*

Menadion s. 2-Methyl-1,4-naphthochinone u. Vitamine (K_3).

Menaphthon s. 2-Methyl-1,4-naphthochinone u. Vitamine (K_3).

Menarche s. Menstruation.

Mendelejew, Dmitri Iwanowitsch (*E* Mendeleev) (1834–1907), Prof. für Chemie, Petersburg. *Arbeitsgebiete:* Krit. Temp., Atomgew. u. Molmassen., Erdöltechnologie, Lagerstättenkunde, bes. aber die Aufstellung eines *Periodensystems der Elemente u. Voraussage von bis dahin unentdeckten Elementen im Jahre 1869 gleichzeitig mit J. L. *Meyer, aber unabhängig von ihm. Nach ihm ist das chem. Element mit der Ordnungszahl 101 (Mendelevium) benannt.

Lit.: Chem. Internat. **1984**, Nr. 6, 18–31 ▪ Krafft, S. 241 f. ▪ Lexikon der Naturwissenschaftler, S. 290 ▪ Nachmansohn, S. 117 ▪ Neufeldt, S. (61), 333 ▪ Pötsch, S. 297 ▪ Strube **2**, 58 ff. ▪ Strube et al., S. 98 f.

Mendelevium (Symbol Md, in der älteren *Lit.* auch Mv). Künstliches radioaktives *Actinoiden-Element, Ordnungszahl 101 (*Transurane). Isotope 247–259 mit HWZ zwischen 2,9 s u. 56 d. Die HWZ des längstlebigen Isotops 258 wird als Folge der Zusammensetzung des Atomkerns (sog. „behinderter Kern") angesehen. Bisher sind durch Aufbaureaktionen, z. B. Kernverschmelzung von Uran mit Neon gemäß

$$^{238}_{92}U + ^{22}_{10}Ne \rightarrow ^{256}_{101}Md + ^{1}_{1}p + 3\,^{1}_{0}n$$

nur unwägbar winzige Mengen erhältlich, u. das häufigste Isotop 256 (HWZ 1,3 h) geht unter K-Einfang in $^{256}_{100}Fm$ über, das seinerseits spontan zerfällt (HWZ ca. 2,7 h). Somit ist über die makroskop. Eigenschaften dieses u. der beiden folgenden Actinoiden-Elemente Nobelium u. Lawrencium so gut wie nichts bekannt.

Geschichte: Das nach *Mendelejew benannte Element wurde von Ghiorso u. Seaborg 1955 durch Beschießen des Einsteinium-Isotops 253 mit energiereichen α-Strahlen (41 MeV) im Zyklotron der Univ. of California in Berkeley erstmals künstlich hergestellt: $^{253}Es(\alpha,n)^{256}Md$. – ***E*** mendelevium – ***F*** mendelévium – ***I*** = ***S*** mendelevio

Lit.: Angew. Chem. **100**, 1471–1491 (1988) ▪ s. a. Actinoide u. Transurane. – *[HS 2844 40; CAS 7440-11-1]*

Mendelsche Gesetze. Die von dem österreich. Augustiner-Mönch Gregor Mendel (1822–84) um 1865 auf Grund von Kreuzungsversuchen mit Erbsen abgeleiteten Gesetzmäßigkeiten der Vererbung, die in drei Regeln zusammengefaßt sind:

1. *Gesetz von der Uniformität.* Bei der Kreuzung von zwei reinerbigen Eltern (P, Parentalgeneration), die sich in einem od. mehreren Genpaaren (s. Allel) unterscheiden, ist die erste Tochtergeneration (F_1, Filialgeneration) in *Genotyp u. *Phänotyp einheitlich, da sich die Allele bei der Bildung von Gameten trennen. Bei *dominant-rezessivem* Erbgang wird der Phänotyp des Elters mit dem *dominanten* Allel ausgeprägt; bei *intermediärem* Erbgang liegt der F_1-Phänotyp zwischen dem der Eltern, wobei die Herkunft des dominanten Allels vom väterlichen od. mütterlichen Partner ohne Bedeutung ist.

2. *Gesetz von der Spaltung.* Bei der Kreuzung der F_1-Hybriden untereinander spalten Geno- u. Phänotyp der nächsten Generation (F_2) in einem bestimmten Zahlenverhältnis auf:

– Bei einem dominant-rezessiven Erbgang 3:1, d. h. 3 ist die Häufigkeit des Phänotyps des Elters mit dem dominanten, 1 die dessen mit dem rezessiven Allel.

– Bei einem intermediären Erbgang liegt das phänotyp. Verteilungsverhältnis bei 1:2:1, d. h. die beiden Eltern-Merkmale treten bei je 25% der F_2-Organismen auf, das Hybridmerkmal bei 50%. Zu den verschiedenen Phänotypen gehören jeweils bestimmte Klassen von Genotpyen; die Ursache liegt in der unabhängigen Trennung der Allele während der *Meiose (s. a. Mitose) bei der Gametenbildung. Das 2. M. G. gilt jedoch nur für Erbgänge, die auf Heterozygotie (Mischerbigkeit) in einem einzigen Genpaar beruhen.

3. *Gesetz von der freien Kombinierbarkeit* der Allelpaare. Allele von Genen, die auf einer Koppelungsgruppe (d. h. auf einem Chromosom) lokalisiert sind, werden gemeinsam vererbt; sind die Genpaare jedoch auf verschiedenen Koppelungsgruppen lokalisiert, so werden sie unabhängig voneinander vererbt u. sind untereinander frei kombinierbar.

Die 3 M. G. stellen die Grundlage der Genetik dar. Sie wurden nach ihrer Wiederentdeckung um 1900 durch Correns, Tschermak u. De Vries in den nachfolgenden Jahrzehnten um zahlreiche Befunde zum Gesamtgebiet der klass. Genetik ergänzt. – ***E*** Mendelian laws of heredity – ***F*** lois de Mendel – ***I*** leggi di Mendel – ***S*** leyes de Mendel

Lit.: Gottschalk, Allgemeine Genetik, Stuttgart: Thieme 1994 ▪ Knippers (6.).

Menglytat. Internat. Freiname für das antitussiv wirksame (–)-(1*R*)-Menthol-ethoxyacetat, $C_{14}H_{26}O_3$, M_R 242,35, Sdp. 155 °C (2,666 kPa), d_4^{20} 0,9545; $[\alpha]_D^{20}$

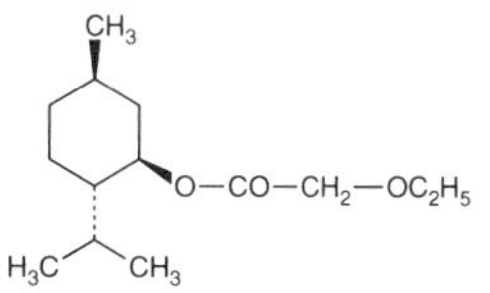

–160,6°, in Wasser wenig lösl., in Ethanol, Ether u. Chloroform löslich. – ***E*** = ***F*** menglytate – ***I*** = ***S*** menglitato

Lit.: Beilstein E II **6**, 47 ▪ Hager (5.) **8**, 860 ▪ Martindale (31.), S. 1072. – *[HS 2918 90; CAS 579-94-2]*

Meningokokken-Impfstoff (Rp). Meningokokken (*Neisseria meningitidis*) sind Krankheitserreger, die den Nasen-Rachenraum befallen. Gefürchtet ist die Meningitis (Hirnhautentzündung), die sie unter Umständen verursachen können. Neben der Behandlung mit *Antibiotika, insbes. *Sulfonamiden od. *Rifampicin, stehen Impfstoffe von verschiedenen Herstellern zur Verfügung, die gereinigte Polysaccharide aus Stämmen von *Neisseria meningitidis* der Gruppen A, C, W_{135} u. Y enthalten; in der BRD von Pasteur Mérieux MSD (Gruppen A u. C). – ***E*** meningococcal vaccine – ***F*** vaccin antiméningitique – ***I*** vaccino meningococco – ***S*** vacuna contra la meningitis meningocócica

Lit.: Kayser et al., Medizinische Mikrobiologie, Stuttgart: Thieme 1993 ▪ Ph. Eur. **1997** u. Komm. ▪ Pharm. Ztg. **138**, 198–201 (1993).

Meniskus. 1. Von griech.: meniskos = Halbmond abgeleitete Bez. für die Begrenzungsfläche von Flüssigkeiten (bzw. für deren Form) bes. in engen, stehenden Röhren. In diesen nimmt die Oberfläche einer Flüssigkeit als Folge der *Oberflächenspannung (*Kapillarität) u. in Abhängigkeit von Faktoren wie Rohrdurchmesser, *Adhäsion, *Kohäsion u. *Benetzung eine mehr od. weniger konvexe od. konkave Form an, die im Längsschnitt typischerweise halbmondförmig erscheint. Bei Meßinstrumenten mit Flüssigkeits-Steigrohren wie z. B. Thermometern u. bestimmten Barometern, bei Büretten u. Pipetten muß die M.-Bildung bei Präzisionsmessungen entsprechend berücksichtigt werden. Details hierzu sind in *Lit.*[1] gegeben.

2. In der Medizin versteht man unter M. bestimmte Faserknorpelringe im Kniegelenk. – ***E*** meniscus – ***F*** ménisque – ***I*** = ***S*** menisco

Lit.: [1] Kohlrausch, Praktische Physik 1, S. 116, Stuttgart: Teubner 1996.

Mennige s. Bleioxide.

Menopause s. Menstruation.

Menotropin (Rp). Bez. für das Menopausen- od. *Urogonadotropin (human menopausal gonadotropin, HMG). M. ist von Ferring (Menogon®), Organon (Humegon®) u. Serono (Pergonal®) im Handel. – ***E*** menotropin – ***F*** ménotropine – ***I*** = ***S*** menotropina

Lit.: ASP ▪ Hager (5.) **8**, 860 f. ▪ Martindale (31.), S. 1285. – *[CAS 61489-71-2]*

Mensch. In der biolog. Systematik ist der M. die Unterart *Homo sapiens sapiens* der Art *Homo sapiens*. Die übrigen Arten der Gattung *Homo* (*H. habilis, H. erectus*) sind im Laufe der Evolution des M. ausgestorben. Vor ca. 10 Mio. Jahren hatte sich die Evoluti-

onslinie der Menschen-artigen (*Hominiden*) von der der Affen-artigen (*Pongiden*) getrennt. Daraus gingen mit der Entwicklung der Zweifüßigkeit zunächst die *Australopithecus*-Arten hervor, aus denen sich vor ca. 2,5 Mio. Jahren die Gattung *Homo* entwickelte. Die Australopithecinen starben vor ca. 1 Mio. Jahren aus, während sich *Homo habilis*, dann *H. erectus* u. schließlich *H. sapiens* weiterentwickelten. Die Vergrößerung der Hirnkapazität, die mit dieser Entwicklung einherging, führte zur Entwicklung von Sprache u. Werkzeuggebrauch, letztlich zur Entstehung von Kultur mit einer eigenen Form der Evolution. Der M. lebt daher als einziges Lebewesen in einer teilw. weitgehend selbstgeschaffenen kulturellen Umwelt.
Der Körper des M. wird in Kopf, Rumpf u. Gliedmaßen gegliedert. Das Gerüst der *Knochen (Skelett) ist Stütze für die Muskeln u. inneren Organe. Es besteht aus ca. 210 Einzelknochen, die durch Gelenke beweglich verbunden sind. Nach außen hin bildet die *Haut die Körpergrenze u. bietet Schutz gegenüber äußeren Einflüssen. Ein zentrales u. peripheres *Nervensystem mit seinen vegetativen u. somat. Komponenten reguliert zusammen mit dem hormonellen Syst. die Lebensvorgänge. Sinnesorgane stellen den Kontakt mit der Außenwelt her. Die inneren Organe haben Funktionen im Rahmen von Ernährung, Verdauung, Atmung, Fortpflanzung, Blutkreislauf u. Stoffwechsel.
Chem. besteht der menschliche Körper aus ca. 60% Wasser, ca. 5% Mineralstoffen sowie organ. Substanzen wie Proteinen, Fetten, Kohlenhydraten, Nucleinsäuren etc. Von den chem. Elementen sind im menschlichen Organismus nur Wasserstoff (63%), Sauerstoff (25,5%), Kohlenstoff (9,5%), Stickstoff (1,4%) u. Calcium (0,31%) in größerer Menge enthalten, die übrigen 19 in Säugetierorganismen vorhandenen Elemente machen zusammen ca. 0,4% der Atome aus (Kalium 0,06%, Natrium 0,03%, Chlor 0,03%, Schwefel 0,05%, Magnesium 0,01%)[1].
Die Wissenschaft vom Menschen ist die *Anthropologie*, zum einen als Teilgebiet der Biologie mit dem Schwerpunkt auf der Erforschung der Evolution des M. u. dem Studium seiner geograph. Verteilung u. Variabilität, seiner Konstitution u. seines Wachstums, zum anderen als Lehre vom Menschen in Philosophie, Religion u. Pädagogik. – ***E*** man, human being – ***F*** homme, être humain – ***I*** uomo – ***S*** hombre, ser humano

Lit.: [1] Sci. Am. **226**, 52 (1972).
allg.: Fleischhauer, Staubesand u. Zenker, Benninghoff Anatomie, Bd. 1–3, München: Urban & Schwarzenberg 1985 ▪ Portmann, Biologische Fragmente zu einer Lehre vom Menschen, Basel: Schwabe 1969 ▪ Schmidt u. Thews, Physiologie des Menschen, Berlin: Springer 1995 ▪ Streit, Evolution des Menschen, Heidelberg: Spektrum 1995.

Menstruation (latein.: menstruus = monatlich). Fachsprachliche Bez. für die monatliche Regelblutung der Frau (Menses, Periode). Die M. ist eine period. auftretende Blutung aus der Gebärmutter infolge Abstoßung der Gebärmutterschleimhaut, wenn keine Befruchtung (s. a. Konzeption) stattgefunden hat. Sie tritt von ihrem Beginn z. Z. der Geschlechtsreife (die erste M. wird als *Menarche* bezeichnet) bis zu ihrem Ende im Klimakterium (*Menopause*) durchschnittlich alle 29 d mit großer interindividueller Schwankungsbreite auf u. dauert etwa 4 d. Die Periodik der M. (M.-Cyclus) wird durch ein hormonelles Wechselspiel zwischen *Hypothalamus-*Hypophysen-Syst. u. Eierstöcken (Ovarien) gesteuert. Durch Hormone der *Hypophyse (FSH u. LH) wird die *Estrogen-Bildung in einem herangereiften Follikel stimuliert, was zu charakterist. Veränderungen der Gebärmutterschleimhaut führt, die eine Einnistung des befruchteten Eies (Nidation) möglich machen. Nach dem Eisprung übernimmt das von dem im Eierstock zurückgebliebenen Gelbkörper (Corpus luteum) gebildete *Progesteron die Aufrechterhaltung des aufnahmebereiten Zustandes der Gebärmutterschleimhaut. Wenn keine Befruchtung u. Nidation stattgefunden haben, sinkt die Produktion der Ovarialhormone u. die Gebärmutterschleimhaut wird abgestoßen. Veränderungen der M. infolge verschiedener Erkrankungen od. Störungen des M.-Cyclus äußern sich in Verminderung (*Hypomenorrhoe*), seltenerem Auftreten (*Oligomenorrhoe*) od. Ausbleiben (*Amenorrhoe*) der Blutung sowie in ihrer Verstärkung (*Hypermenorrhoe*) od. Verlängerung (*Menorrhagie*). Eine schmerzhafte M. bezeichnet man als *Dysmenorrhoe*. – ***E*** = ***F*** menstruation – ***I*** mestruazione – ***S*** menstruación

Lit.: Haeberle, Die Sexualität des Menschen, Berlin: Gruyter 1985 ▪ Stegner, Gynäkologie und Geburtshilfe, Stuttgart: Enke 1996.

Mensuren s. Meßzylinder.

***p*-Menthadiene.** Zweifach ungesätt. monocycl. Monoterpene, die sich vom *p*-Menthan ableiten; s. Limonen, Phellandren u. Terpin(ol)en.

***p*-Menthan** (1-Methyl-4-isopropylcyclohexan).

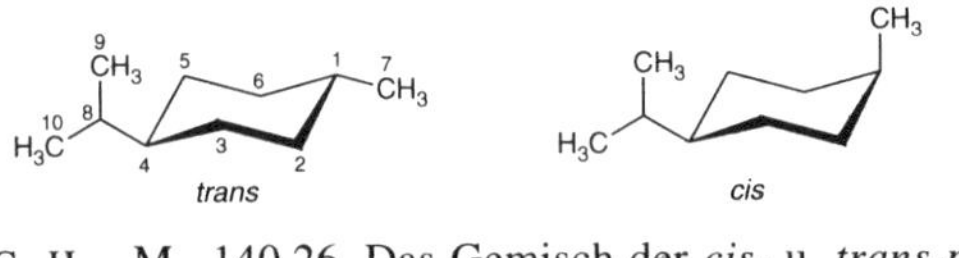

$C_{10}H_{20}$, M_R 140,26. Das Gemisch der *cis*- u. *trans-p*-Menthane ist eine leichtbewegliche, farblose, fenchelartig riechende Flüssigkeit. *cis-p*-M.: Sdp. 168,8 °C (99,2 kPa), *trans-p*-M.: Sdp. 168,1 °C (99,2 kPa). M. wird als *cis/trans* Mischung durch Hydrierung von *p*-Cymol, Limonen, Terpinen u. dgl. erhalten u. ist ein Grundkörper vieler natürlicher Terpene. In der Natur kommt es im ether. Öl der Früchte von *Eucalyptus globulus* vor.
Verw.: Zwischenprodukt für die Herst. von *p*-Menthanhydroperoxid. – ***E*** = ***F*** *p*-menthane – ***I*** = ***S*** *p*-mentano

Lit.: Beilstein E IV **5**, 151 f. ▪ Ullmann (4.) **22**, 540, 541; (5.) **A 26**, 210. – *[HS 2902 19; CAS 99-82-1 (p-M.); 1678-82-6 (trans-p-M.); 6069-98-3 (cis-p-M.)]*

***p*-Menthanhydroperoxid.** $C_{10}H_{20}O_2$, M_R 172,27. Techn. M. ist ein Gemisch mit HO-O-Gruppen in 1-, 4- od. 8-Stellung des **p*-Menthans. Farblose bis schwach gelbliche Flüssigkeit; die Dämpfe reizen sehr stark die Augen u. die Atemwege sowie die Haut. Selbst kurzer Kontakt mit der Flüssigkeit reizt sehr stark u. gefährdet ernsthaft die Augen (Hornhautschäden), auch starke Reizung der Haut.

O

C

Verw.: Katalysator für die radikal. Polymerisation. – ***E*** *p*-menthane hydroperoxide – ***F*** hydroperoxyde de *p*-menthane – ***I*** idroperossido di *p*-mentano – ***S*** hidroperóxido de *p*-mentano

Lit.: Hommel, Nr. 691 ▪ Ullmann (4.) **22**, 541; (5.) **A 19**, 227. – *[HS 2909 60; CAS 80-47-7 (8-p-M.); G 5.2]*

3-*p*-Menthanole s. Menthol.

3-*p*-Menthanon s. Menthon.

Menthene. Einfach ungesätt. Derivate des *p*-*Menthans. Die wichtigsten sind: *8-p-M.*[1], *4(8)-p-M.*, *3-p-M.*[2], *2-p-M.*[3], *1-p-M.*[3], $C_{10}H_{18}$, M_R 138,25.

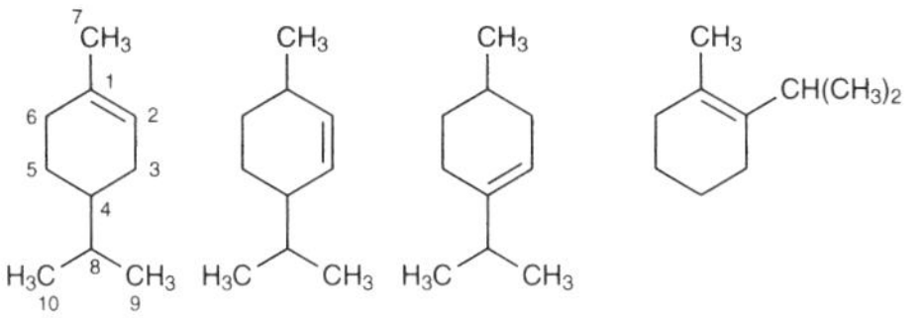

1- 2- 3-*p*-Menthen 1-*o*-Menthen

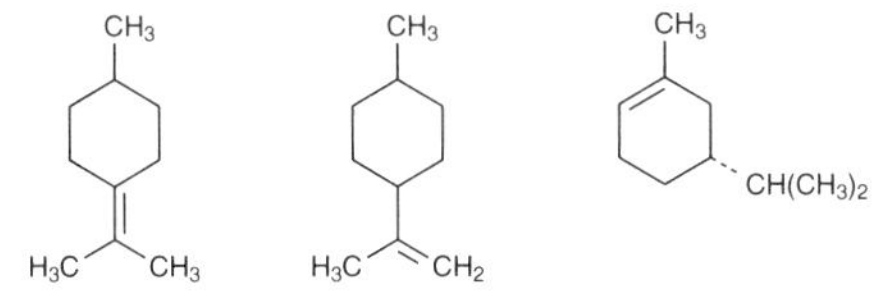

4(8)-*p*-Menthen 8-*p*-Menthen 1(6)-*m*-Menthen (*R*)

Alle Verb. sind opt. aktive farblose Öle. Neben den *p*-M. gibt es noch einige *m*-M. {z. B. *8-m-M.*, *3(8)-m-M.*, *1(6)-m-M.* als (*R*)- u. (*S*)-Form[4]}. Nach Pfefferminze duftet das *1-o-Menthen*. Ebenfalls bekannt ist das *2-o-Menthen*. – ***E*** menthenes – ***F*** menthènes – ***I*** menteni – ***S*** mentenos

Lit.: [1] Justus Liebigs Ann. Chem. **721**, 133 (1969). [2] J. Org. Chem. **40**, 923 (1975); **41**, 578 (1976); **44**, 1340 (1979); Sax (8.), Nr. MCE 500. [3] Bull. Chem. Soc. Jpn. **44**, 485 (1971). Tetrahedron Lett. **1977**, 1035. [4] Tetrahedron Lett. **1966**, 5157. *allg.:* ApSimon **4**, 494, 508; **7**, 366–395 (Synth.) ▪ Beilstein E IV **5**, 299–303. – *[CAS 1124-27-2 (4(8)-p-M.); 500-00-5 (3-p-M.); 5502-88-5 (1-p-M.); 17066-64-7 (R-Form von 1(6)-m-M.); 14234-19-6 (S-Form von 1-m-M.); 15733-49-0 (2(8)-o-M.)]*

***p*-Menthene.**

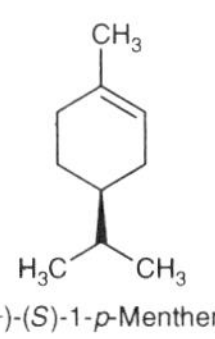

(–)-(*S*)-1-*p*-Menthen

$C_{10}H_{18}$, M_R 138,25. Einfach ungesätt. Derivate des *p*-*Menthans; 6 verschiedene Isomere sind bekannt. (–)-(*S*)-1-*p*-M. (Carvomenthen), Sdp. 175–177 °C, $[\alpha]_D^{20}$ –112° (reine Flüssigkeit) findet Verw. in organ. Synthesen. – ***E*** *p*-menthenes – ***F*** *p*-menthénes – ***I*** *p*-menteni – ***S*** *p*-mentenos

Lit.: Beilstein E V **24/2**, 413 f. ▪ Ullmann (4.) **20**, 222. – *[CAS 499-94-5]*

***p*-Menth-1-en-8-thiol.**

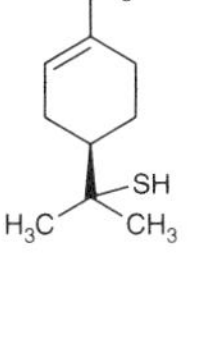

(+)-(*R*)-Form

$C_{10}H_{18}S$, M_R 170,31, Öl, Sdp. 40 °C (0,13 Pa), D_4^{20} 0,948, n_D^{20} 1,503. Grapefruit-Aromastoff aus Grapefruitsaft mit extrem niedriger Geruchsschwelle: 0,02 ppt für die (+)-(*R*)- u. 0,08 ppt für die (–)-(*S*)-Form. 0,02 ppt entspricht etwa 10^{-4} µg/m³ Luft. Strukturell sehr eng verwandt mit M. sind der Duftstoff (+)-*trans-8-Mercapto-p-menthan-3-on* (R = H):

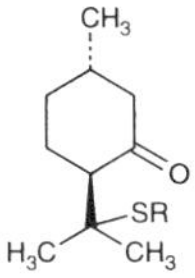

R = H, CO—CH_3

$C_{10}H_{18}OS$, M_R 186,31, Sdp. 57 °C (1 Pa) sowie sein *S*-Acetyl-Derivat (R = CO–CH_3), $C_{12}H_{20}O_2S$, M_R 230,35 aus dem afrikan. *Bucco-Blattöl, das durch Wasserdampfdest. der Blätter der Rutaceen *Barosma betulina* u. *B. crenulata* gewonnen wird. Das Öl enthält hauptsächlich cycl. Terpene (10% *Limonen). Die oben genannten Schwefel-haltigen Menthan-3-one rufen das charakterist. Aroma Schwarzer Johannisbeeren hervor. Synthet. wird 8-Mercapto-*p*-menthan-3-on durch Reaktion von *Pulegon mit Schwefelwasserstoff in Ggw. einer Base gewonnen. Die Duftstoffe sowie das natürliche Bucco-Öl werden zur Parfümierung von Lebensmitteln u. Parfüms (auf Chypre-Basis) verwendet. – ***E*** *p*-menth-1-ene-8-thiol – ***F*** *p*-menth-1-ène-8-thiol – ***I*** *p*-ment-1-en-8-tiolo – ***S*** *p*-ment-1-eno-8-tiol

Lit.: ApSimon **7**, 372 f. ▪ Eur. Pat. Appl. EP 54847 (1980), Firmenich SA, Erf.: Domole ▪ Helv. Chim. Acta **65**, 1785 (1982) ▪ Ohloff, S. 135 ▪ Ullmann (5.) **A 11**, 178, 218. – *[CAS 71159-90-5 (p-M.); 38462-22-5, 35117-85-2 (8-Mercapto-p-menthan-3-on), (±)- bzw. (+)-trans Form); 57074-34-7 (S-Acetyl-Derivat)]*

Menthol [(–)-3-*p*-Menthanol, Pfefferminzcampher]. $C_{10}H_{20}O$, M_R 156,26. M. hat drei asymmetr. C-Atome u. kommt demzufolge in vier diastereomeren Enantiomerenpaaren vor (vgl. die Formelbilder, die anderen vier Enantiomeren sind die entsprechenden Spiegelbilder).

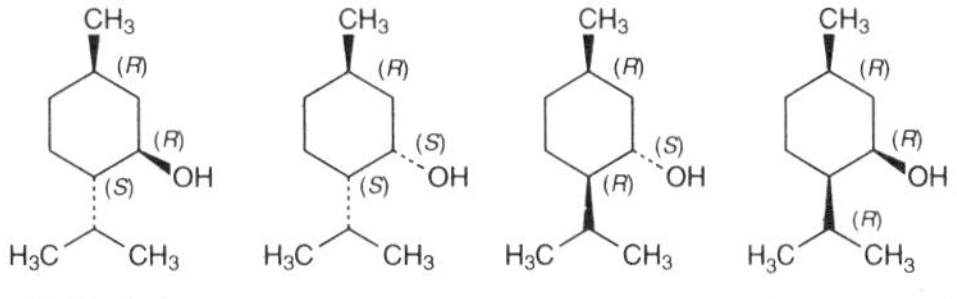

(-)-Menthol **(1)** (+)-Neomenthol **(2)** (+)-Isomenthol **(3)** (+)-Neoisomenthol **(4)**

Die Diastereomeren, die destillativ getrennt werden können, werden als *Neoisomenthol*, *Isomenthol*, *Neomenthol* [(+)-Form: Bestandteil des japan. Pfefferminzöls] u. *Menthol* bezeichnet. Wichtigstes Isomer ist (–)-M. (Levomenthol), glänzende, stark pfefferminzartig riechende Prismen, D_4^{20} 0,890, Schmp. 31, 33, 35 u. 42,5–43 °C (existiert in vier verschiedenen Modif.), Sdp. 216 °C, $[\alpha]_D^{20}$ –50° ($CHCl_3$), LD_{50} (Ratte p.o.) 3,3 g/kg, wenig lösl. in Wasser, leicht lösl. in Alkohol, Ether, Chloroform. M. wirkt in alkohol. Lsg. antisept., erhöht den Blutdruck, wirkt auf Magen, Darm, Gallenwege schwach krampflösend, regt die Gallenproduktion an u. stillt Juckreize. M. erzeugt beim Einreiben auf der Haut (bes. an Stirn u. Schlä-

fen) infolge Oberflächenanästhesierung u. Reizung der kälteempfindlichen Nerven bei Migräne u. dgl. ein angenehmes Kältegefühl; tatsächlich zeigen die betreffenden Stellen normale od. erhöhte Temperatur. Diese Wirkungen besitzen die anderen Isomeren von M. nicht. M. kann Kontaktdermatitis auslösen.
Vork.: (–)-M. ist Hauptbestandteil des aus der Pfefferminze (*Mentha piperita*, Lamiaceae) gewonnenen *Pfefferminzöls; es findet sich in sehr großen Mengen (bis zu 90%) im ether. Öl der chines. u. japan. *Mentha arvensis* (Japan. Heilpflanzenöl).
Isolierung: Japan. Pfefferminzöl wird gekühlt, die M.-Krist. werden durch Zentrifugieren abgetrennt. So erhaltenes (–)-M. wird durch Umkrist. aus tiefsiedenden Lsm. gereinigt. Pfefferminzöl aus *Mentha piperita* wird durch Krist. gereinigt, das enthaltene *Menthon (30–50%) hydriert u. vom entstandenen (+)-Neomenthol durch Krist. abgetrennt.
Synth.: 1. (+)-*Citronellal wird in Ggw. saurer Katalysatoren, z.B. Kieselgel, cyclisiert. Die resultierende Mischung opt. aktiver Isopulegole wird aufgetrennt u. (–)-Isopulegol zu (–)-M. hydriert, od. das Gemisch wird hydriert u. die resultierenden M.-Isomere werden getrennt. – 2. Die katalyt. Hydrierung von (–)-Piperiton (Hauptbestandteil von *Eukalyptus dives-Öl*) an *Raney-Nickel ergibt eine Mischung von M.-Isomeren, von denen (–)-M. durch Krist. u. Verseifung des Chloracetats abgetrennt werden kann. – 3. Racem. (±)-M. (z.B. aus der katalyt. Hydrierung von Thymol) kann auf verschiedenen Wegen in die Enantiomeren gespalten werden. Dies kann techn. durch fraktionierte Krist. der (+)- od. (–)-Benzoesäurementhylester durch Impfung mit den jeweils opt. reinen Krist. erfolgen. Es wurden auch enzymat. Meth. zur Racematspaltung entwickelt[1].
Verw.: In der Likör-, Süßwaren-, Parfüm- u. Zigaretten-Ind., in Körperpflegemitteln wegen seiner desinfizierenden u. erfrischenden Wirkung, in Zahn- u. Mundpflegemitteln, Lotionen u. Haarwässern. In der Medizin ist M. Bestandteil von Salben (z.B. bei Hautirritationen durch leichte Verbrennungen, Insektenstiche, Juckreiz) u. Einreibemitteln. Auf Schäden, gegebenenfalls Vergiftungserscheinungen, die auf Überdosierungen zurückzuführen sind, speziell bei Säuglingen u. Kleinkindern, ist zu achten. Verb. von M. mit Säuren werden *Menthylester* genannt. M. u. Toluolsulfonsäurementhylester finden Verw. in der asymmetr. Synth.[2] u. zur Bestimmung der opt. Reinheit von Aminosäuren. – ***E*** = ***F*** menthol – ***I*** mentolo – ***S*** mentol

Lit.: [1] Methods Enzymol. **136**, 293–302 (1987). [2] Fieser u. Fieser, Reagents for Organic Synthesis, Bd. 11, 312–315 (1984); Bd. 12, 294–298 (1986); Bd. 13, 172 ff., New York: Wiley.
allg.: ApSimon **4**, 518; **7**, 376 ff. ▪ Beilstein EIV **6**, 149–152 ▪ Berger et al., Top. Flavour. Res. Proc. Int. Conf., S. 201–218, Marzling-Hangenham: H. Eichhorn 1985 ▪ Hager (5.) **4**, 468, 596; **5**, 824–838; **8**, 860 f. ▪ H&R Contact **34**, 26–31 (1985) ▪ Karrer, Nr. 292 ▪ Kirk-Othmer (3.) **22**, 742–745 ▪ Nicolaou u. Sorensen, Classics in Total Synthesis, S. 343–380, Weinheim: VCH Verlagsges. 1996 (Synth. Rev.) ▪ Perfum. Flavor. **13**, 37 f., 40, 42 f., 46 (1988) ▪ Ullmann (5.) **A 11**, 167 ff. – *[HS 2906 11; CAS 2216-51-5 (1); 89-78-1 ((±)-M.); 2216-52-6 (2); 23283-97-8 (3); 20752-34-5 (4)]*

Menthon (3-*p*-Menthanon). $C_{10}H_{18}O$, M_R 154,24. M. besitzt zwei asymmetr. C-Atome u. kommt demzufolge in zwei diastereomeren Enantiomerenpaaren vor: (1*R*,4*R*)-Form: (+)-Isomenthon, (1*S*,4*S*)-Form (–)-Isomenthon; (1*R*,4*S*)-Form: (–)-Menthon, (1*S*,4*R*)-Form: (+)-Menthon.

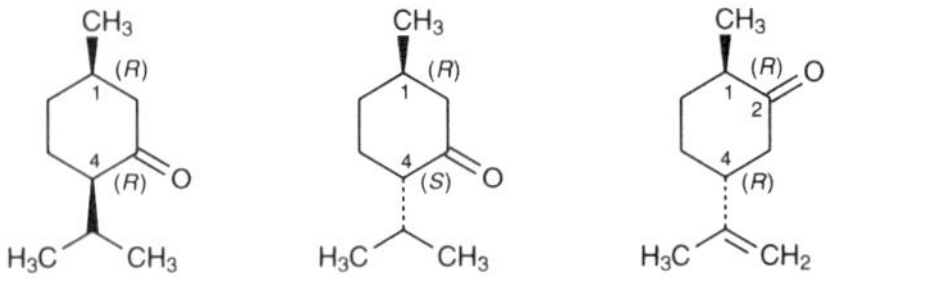

(+)-Isomenthon (1) (–)-Isomenthon (2) Dihydrocarvon (1*R*,4*R*) (3)

Es handelt sich um farblose Öle. (–)-M. kommt in vielen Pflanzenölen vor, bes. im Geranium- u. Pfefferminzöl (*Mentha arvensis*), es duftet leicht nach Minze, hat einen bitteren Geschmack, ist in organ. Lsm. gut lösl., D_4^{20} 0,896, n_D^{23} 1,4490. M. wird durch Oxid. von *Menthol hergestellt.
Verw.: In der Parfümerie u. zur asymmetr. Synth.[1]. Weitere wichtige Menthanone u. Menthenone sind *Carvon, *Dihydrocarvon* {8-*p*-Menthen-2-on, $C_{10}H_{16}O$, M_R 152,25, Öl, Sdp. 221 °C, $[\alpha]_D$ +17,5° ($CHCl_3$)} u. *α-Santolinenon*[2] [(*R*)-1(7)-*p*-Menthen-2-on, $C_{10}H_{16}O$, M_R 152,24]. – ***E*** = ***F*** menthone – ***I*** mentone – ***S*** mentona

Lit.: [1] Fieser u. Fieser (Hrsg.), Reagents for Organic Synthesis Bd. 14, 201 ff., New York: Wiley 1989. [2] Perfum. Flavor. **2**, 23 (1980).
allg.: Agric. Biol. Chem. **53**, 2517 (1989) (Synth. Menthon) ▪ ApSimon **2**, 116–126; **4**, 515–520; **7**, 367, 376, 428 ▪ Beilstein EIV **7**, 87 f. ▪ Food Cosmet. Toxicol. **14**, 315 (1976) (Isomenthon) ▪ Karrer, Nr. 545, 546 ▪ Perfum. Flavor. S. 23 (1980) (Dihydrocarvon) ▪ Sax (8.), Nr. MCG 275, DKV 175 ▪ Ullmann (5.) **A 11**, 171 f. – *[HS 2914 29; CAS 1196-31-2 (1); 491-07-6 ((–)-Form von 1); 14073-97-3 (2); 3391-87-5 ((+)-Form von 2); 5524-05-0 (3); 93215-97-5 (α-Santolinenon)]*

Menthoneurin®. Präp. gegen rheumat. Beschwerden (Salbe) mit Glykol-monosalicylat u. *Menthol bzw. (Vollbad-Lsg.) Nicotinsäuremethyl- u. -benzylester u. *Campher. ***B.:*** Tosse.

Mepacrin (Rp).

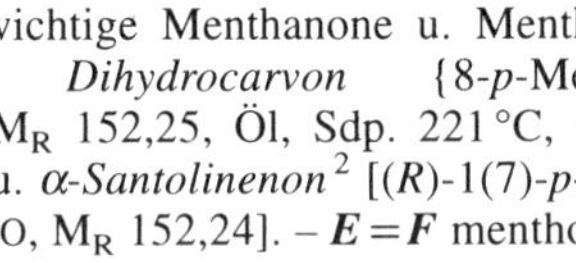

Internat. Freiname für das (±)-N^4-(6-Chlor-2-methoxy-9-acridinyl)-N^1,N^1-diethyl-1,4-pentandiamin, $C_{23}H_{30}ClN_3O$, M_R 399,96. Verwendet wird das Dihydrochlorid-Dihydrat, Zers. bei 248–250 °C. M. wurde 1930 als erstes synthet. schizontozides Malariamittel von I. G. Farben patentiert. Es wird heute noch gegen Lambliasis eingesetzt, als Bandwurmmittel ist es obsolet. – ***E*** mepacrine, quinacrine (USA) – ***F*** mépacrine – ***I*** = ***S*** mepacrina

Lit.: Beilstein EV **22/12**, 235 ▪ Hager (5.) **8**, 863 ff. ▪ Martindale (31.), S. 620. – *[HS 2933 90; CAS 83-89-6 (M.); 6151-30-0 (Dihydrochlorid-Dihydrat)]*

Mepanipyrim. Common name für 4-Methyl-*N*-phenyl-6-(1-propynyl)-2-pyrimidinamin. $C_{14}H_{13}N_3$, M_R 223,27, Schmp. 125–126 °C, LD_{50} (Ratte oral) >5000 mg/kg, von Kumiai Chem. Ind., Japan, Anfang der neunziger Jahre entwickeltes *Fungizid u. a. gegen

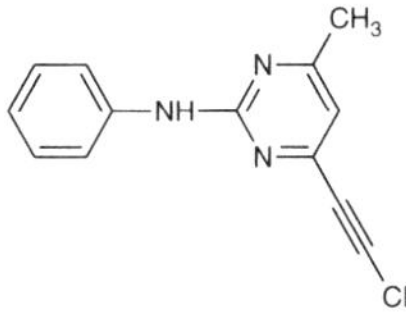

Mehltau im Wein, bei Erdbeeren, Tomaten u. Gurken u. gegen Schorf im Steinobst. – ***E*** mepanipyrim – ***F*** mépanipyrim – ***S*** mepanipirim

Lit.: Pesticide Manual. – *[CAS 110235-47-7]*

Meparfynol s. Methylpentynol.

Meperidin. Ältere Kurzbez. für *Pethidin.

Meperidine. In den USA gebräuchlicher Name für *Pethidin.

Mephenesin (Rp).

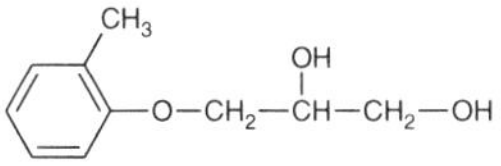

Internat. Freiname für das *Muskelrelaxans (±)-3-(2-Methylphenoxy)-1,2-propandiol, $C_{10}H_{14}O_3$, M_R 182,22. Weiße, fast geruchlose Krist., Schmp. 70–73 °C; λ_{max} (C_2H_5OH) 272, 277 nm ($A^{1\%}_{1cm}$ 90, 80); LD_{50} (Maus i.p.) 471, (Maus oral) 990 mg/kg; lösl. in Alkohol (1:8), Chloroform (1:12) u. Wasser (1:100). Verwendet wird auch das 1-Carbamat, $C_{11}H_{15}NO_4$, M_R 225,24, Schmp. 93 °C; λ_{max} (C_2H_5OH) 272, 277 nm ($A^{1\%}_{1cm}$ 72,7, 64,1). M. wurde 1947 von Carroll u. Boake Roberts, 1952 von Squibb patentiert u. ist von Kade (Dolo Visano M®) im Handel. – ***E*** mephenesin – ***F*** méphenésine – ***I*** = ***S*** mefenesina

Lit.: Beilstein E IV **6**, 1952 ▪ Hager (5.) **8**, 866 f. ▪ Martindale (31.), S. 1521 f. – *[HS 2909 49; CAS 59-47-2 (M.); 533-06-2 (1-Carbamat)]*

Mephenytoin.

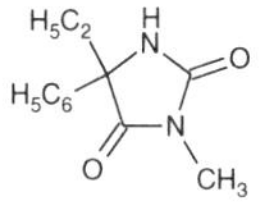

Internat. Freiname für das *Antiepileptikum (±)-5-Ethyl-3-methyl-5-phenyl-2,4-imidazolidindion, $C_{12}H_{14}N_2O_2$, M_R 218,25 (vgl. a. Hydantoine). Weißes, krist. Pulver, Schmp. 136–137 °C; LD_{100} (Ratte i.p.) 270 mg/kg, lösl. in wäss. Lsg. von Alkalihydroxiden. M. wurde 1934 von Sandoz patentiert. – ***E*** mephenytoin, methoin – ***F*** méphénytoïne – ***I*** mefenitoina – ***S*** mefenitoína

Lit.: Beilstein E V **24/8**, 93 ▪ Martindale (31.), S. 376. – *[HS 2933 21; CAS 50-12-4]*

Mephosfolan. Common name für Diethyl-(4-methyl-1,3-dithiolan-2-yliden)phosphoramidat. T

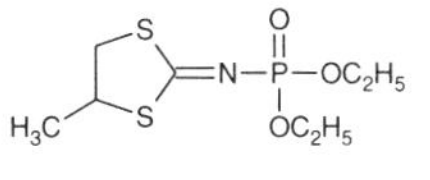

$C_8H_{16}NO_3PS_2$, M_R 269,31, Sdp. 120 °C (0,13 Pa), LD_{50} (Ratte oral) 3,9–8,9 mg/kg, von American Cyanamid Co. (jetzt American Home Products) entwickeltes system. *Insektizid u. *Akarizid mit Kontakt- u. Fraßgiftwirkung gegen saugende u. beißende Insekten im Baumwoll-, Obst-, Gemüse-, Hopfen-, Kartoffel-, Reis- u. Maisanbau. – ***E*** = ***I*** mephosfolan – ***F*** méphospholan – ***S*** mefosfolán

Lit.: Perkow ▪ Pesticide Manual. – *[HS 2934 90; CAS 950-10-7]*

Mepindolol (Rp).

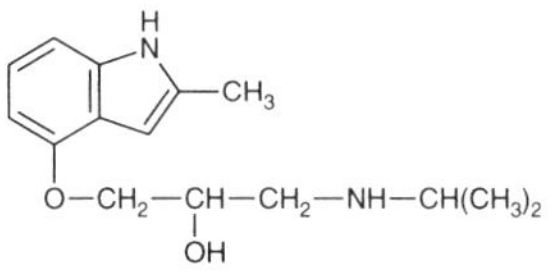

Internat. Freiname für den adrenerg. β-Rezeptorenblocker (±)-1-Isopropylamino-3-(2-methyl-4-indolyloxy)-2-propanol, $C_{15}H_{22}N_2O_2$, M_R 262,36, Schmp. 100–102 °C. Verwendet wird meist das Sulfat; λ_{max} (CH_3OH) 267, 287 nm ($A^{1\%}_{1cm}$ 328, 149). M. wurde 1969 von Sandoz patentiert u. ist von Schering (Corindolan®) im Handel. – ***E*** = ***S*** mepindolol – ***F*** mépindolol – ***I*** mepindololo

Lit.: ASP ▪ Beilstein E V **21/3**, 37 ▪ Hager (5.) **8**, 870 ff. ▪ Martindale (31.), S. 903. – *[HS 2933 90; CAS 23694-81-7 (M.); 56396-94-2 (Sulfat)]*

Mepiquatchlorid. Xn

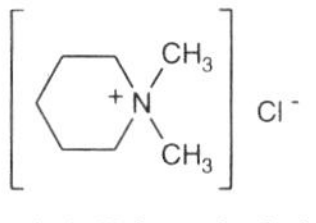

Common name für 1,1-Dimethylpiperidiniumchlorid, $C_7H_{16}ClN$, M_R 149,66, zersetzt sich ab ca. 285 °C, LD_{50} (Ratte oral) 464 mg/kg, von BASF 1978 eingeführter Pflanzen-*Wachstumsregulator zur Anw. im Baumwoll- u. Getreideanbau. – ***E*** mepiquat chloride – ***F*** chlorure de mépiquat – ***I*** cloruro di mepiquato – ***S*** cloruro de mepicuat

Lit.: Beilstein E V **20/2**, 24 f. ▪ Farm. ▪ Perkow ▪ Pesticide Manual. – *[CAS 24307-26-4]*

Mepivacain.

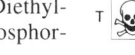

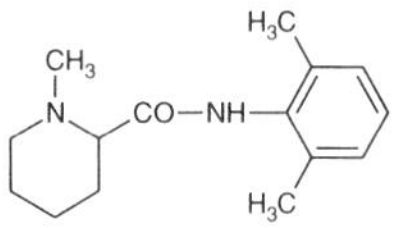

Internat. Freiname für das bes. zur Leitungsanästhesie gebrauchte *Lokalanästhetikum (±)-*N*-(2,6-Dimethylphenyl)-1-methyl-2-piperidincarboxamid, $C_{15}H_{22}N_2O$, M_R 246,35, Schmp. 150–151 °C; pK_b 6,3. Verwendet wird meist das Hydrochlorid, Schmp. 262–264 °C; λ_{max} (0,01 M HCl) 263, 271 nm ($A^{1\%}_{1cm}$ 17, 13); LD_{50} (Maus s.c.) 280 mg/kg. M. wurde 1957 von A. B. Bofors patentiert u. ist als Generikum im Handel. – ***E*** mepivacaine – ***F*** mépivacaïne – ***I*** mepivacaina – ***S*** mepivacaína

Lit.: ASP ▪ Beilstein E V **22/1**, 223 ▪ Hager (5.) **8**, 873 ff. ▪ Martindale (31.), S. 1336 f. – *[HS 2933 39; CAS 96-88-8 (M.); 1722-62-9 (Hydrochlorid)]*

Meprin (EC 3.4.24.18). In Ratten, Mäusen u. Menschen gefundene Membran-gebundene od. sezernierte *Metall-Protease (*Astacin-Familie; Cofaktor: Zink-Ionen) aus dem Bürstensaum (s. Mikrovilli) von Niere u. Darm sowie aus dem Speichelleiter. M. bildet Tetramere entweder aus vier gleichen (α_4 od. β_4) od. aus je zwei verschiedenen Untereinheiten (UE; $\alpha_2\beta_2$). In letzterem Fall sind jeweils zwei verschiedenartige

UE miteinander durch *Disulfid-Brücken verknüpft. Die α- bestehen aus 683, die β-UE aus 640 *Aminosäuren-Resten; das Enzym ist hoch glykosyliert. M. hydrolysiert *Proteine bevorzugt an der Carboxy-Gruppe hydrophober Aminosäure-Reste. – *E* meprin – *F* méprine – *I = S* meprina
Lit.: Adv. Exp. Med. Biol. **389**, 13–22 (1996).

Meprobamat (Rp; BtMVV, Anlage IIIC).

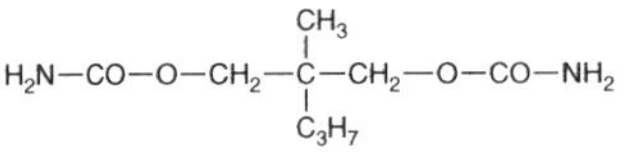

$$H_2N-CO-O-CH_2-\underset{C_3H_7}{\overset{CH_3}{C}}-CH_2-O-CO-NH_2$$

Internat. Freiname für den *Tranquilizer 2-Methyl-2-propyl-1,3-propandiol-dicarbamat, $C_9H_{18}N_2O_4$, M_R 218,25. Farblose Krist. od. weißes krist. Pulver, Schmp. 104–106 °C; LD_{50} (Maus i.p.) 800 mg/kg. In Wasser wenig, in Aceton u. Alkohol leicht lösl.; Lagerung unter Luftausschluß. M. wurde 1955 von Carter Prod. patentiert u. ist von Kade (Visano N/mini®) im Handel. – *E* meprobamate – *F* méprobamate – *I = S* meprobamato
Lit.: ASP ▪ Beilstein E IV **3**, 73 ▪ Florey **1**, 207–232; **11**, 587–591 ▪ Hager (4.) **1**, 337; **2**, 354–359 ▪ Martindale (31.), S. 719 f. ▪ Ph. Eur. **1997** u. Komm. – *[HS 2924 10; CAS 57-53-4]*

Meproscillarin (Rp).

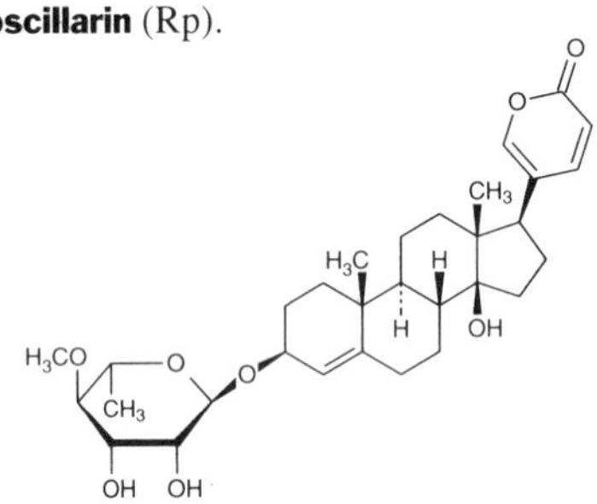

Internat. Freiname für das herzwirksame 4′-*O*-Methyl-*proscillaridin, $C_{31}H_{44}O_8$, M_R 544,68, Schmp. 213–217 °C; $[\alpha]_D^{20}$ –94° (CH_3OH); λ_{max} (CH_3OH) 299 nm ($A_{1cm}^{1\%}$ 107). M. wird halbsynthet. aus *Proscillaridin hergestellt. Es war von Knoll (Clift®) im Handel. – *E* meproscillarin – *F* méproscillarine – *I* meproscillarina – *S* meproscilarina
Lit.: ASP ▪ Beilstein E V **18/3**, 587 ▪ Hager (5.) **8**, 875 f. ▪ Martindale (31.), S. 903. – *[HS 2938 90; CAS 33396-37-1]*

Meptazinol (Rp).

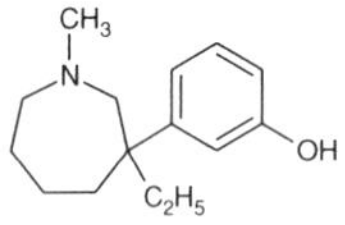

Internat. Freiname für das *Analgetikum (±)-3-(3-Ethyl-1-methyl-3-azepanyl)-phenol, $C_{15}H_{23}NO$, M_R 233,35, Schmp. 127,5–133 °C; λ_{max} (C_2H_5OH) 277 nm ($A_{1cm}^{1\%}$ 91). Verwendet wird das Hydrochlorid, Schmp. 183–187 °C. M. ist ein Opioidrezeptor-Partialagonist u. hat chem. Ähnlichkeit mit *Pethidin. Eine körperliche Abhängigkeit ist zwar möglich, aber klin. nicht bedeutsam. Deshalb ist M. nicht als Betäubungsmittel eingestuft. M. wurde 1970 u. 1973 von Wyeth (Meptid®) patentiert. – *E = F = S* meptazinol – *I* meptazinolo
Lit.: ASP ▪ Beilstein E V **21/2**, 463 ▪ Hager (5.) **8**, 877 ff. ▪ Martindale (31.), S. 59 f. – *[HS 2933 90; CAS 54340-58-8 (M.); 34154-59-1 (Hydrochlorid, Racemat)]*

Mepyramin.

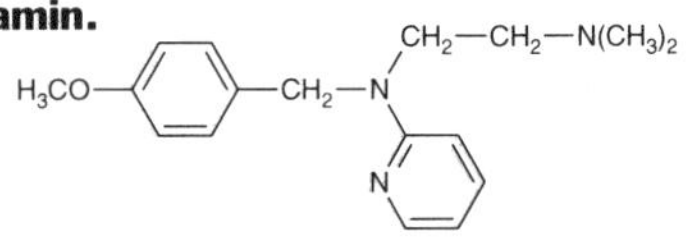

Internat. Freiname für das *Antihistaminikum *N*-(4-Methoxybenzyl)-*N′*,*N′*-dimethyl-*N*-(2-pyridyl)-1,2-ethandiamin, $C_{17}H_{23}N_3O$, M_R 285,38, Sdp. 210 °C (166,5 Pa); n_D^{25} 1,5760 bis 1,5765; pK_{b1} 5,1; pK_{b2} 10; LD_{50} (Maus oral) 312 mg/kg; in Wasser sehr leicht löslich. Verwendet wird meist das Hydrogenmaleat, $C_{21}H_{27}N_3O_5$, M_R 401,46, Schmp. 99–103 °C; λ_{max} (CH_3OH) 245, 308 nm ($A_{1cm}^{1\%}$ 463, 122). M. wurde 1950 von Rhône-Poulenc patentiert. – *E* mepyramine, pyrilamine – *F* mépyramine – *I = S* mepiramina
Lit.: ASP ▪ Beilstein E V **22/8**, 381 f. ▪ Hager (5.) **8**, 879 ff. ▪ Martindale (31.), S. 447 ▪ Ph. Eur. **1997** u. Komm. – *[HS 2933 39; CAS 91-84-9 (M.); 59-33-6 (Hydrogenmaleat)]*

Mequinol s. 4-Methoxyphenol.

Mequitazin (Rp).

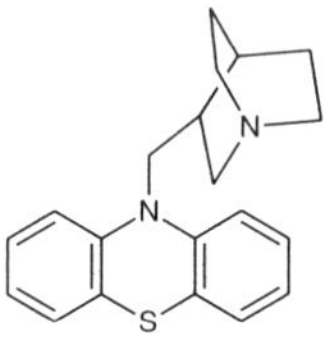

Internat. Freiname für das sedierend wirkende *Antihistaminikum (±)-10-(3-Chinuclidinylmethyl)-10*H*-phenothiazin, $C_{20}H_{22}N_2S$, M_R 322,46, Schmp. 120–131 °C; λ_{max} (CH_3OH) 253, 305 nm ($A_{1cm}^{1\%}$ 990, 132). M. wurde 1970 u. 1976 von Sogeras patentiert u. ist von Rhône-Poulenc Rorer (Metaplexan®) im Handel. – *E* mequitazine – *F* méquitazine – *I = S* mequitazina
Lit.: Beilstein E V **27/6**, 339 ▪ Hager (5.) **8**, 881 ff. ▪ Martindale (31.), S. 448. – *[HS 2934 30; CAS 29216-28-2]*

mer- (meridional). Kursiv zu setzende Stereobez. für oktaedr. Komplexe mit drei gleichen Liganden in „Meridian"-Anordnung; Näheres u. Abb. s. fac-. – *E = F = I = S* mer-

Mer. 1. Gelegentlich gebrauchte Bez. (abgeleitet von griech.: méros = Teil) für die kleinsten strukturellen Einheiten von *Polymeren.
2. Die Endsilbe ...mer wird in substantiv. u. adjektiv. Fachwörtern verwendet, die Anzahlen von Teilen od. Eigenschaften von Teilchen bezeichnen; *Beisp.:* mono-, di-, tri-, oligo-, polymer = aus ein, zwei, drei, einigen, vielen Teilen aufgebaut; *Isomere = gleiche od. ähnliche Teilchen; Mesomer = „Zwischenteilchen", „Mittelding"; Tautomer = dasselbe Teilchen (in umgelagerter Form). Die Vorsilbe Mer(o).. bedeutet Teil... od. teilweise; *Beisp.:* *Merocyanine, Merozoiten (s. Malaria).
3. In internat. Freinamen u. Marken ist die Vorsilbe Mer... meist von latein.: mercurium = Quecksilber abgeleitet. – *E* 1. mer, 2. ...mer(ic), mer(o)..., 3. mer... – *F* 2. ...mère, ...mérique, mer(o)..., 3. mer... – *I* 1. mer(o)..., 2. mero – *S* 2. ...mero, ...mérico, mer(o)...,3. mer...

Merbromin (Rp).

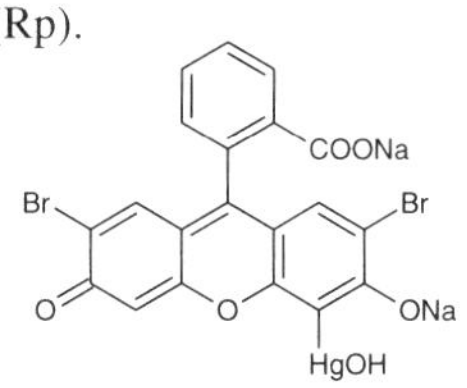

Internat. Freiname für das auch *Mercurochrom* genannte *Antiseptikum 2′,7′-Dibrom-4′-(hydroxomercurio)fluorescein-Dinatriumsalz, $C_{20}H_8Br_2HgNa_2O_6$, M_R 750,65. In Wasser lösl. (1:1); Lagerung: vor Licht u. Luft geschützt. Es ist von Krewel Meuselbach (Mercuchrom®) im Handel. – ***E*** merbromin – ***F*** merbromine – ***I*** = ***S*** merbromina

Lit.: Hager (5.) **8**, 883f. ▪ Martindale (31.), S. 1138. – *[HS 2932 99; CAS 129-16-8]*

Mercaptale s. Thioacetale.

Mercaptane s. Thiole u. vgl. Mercapto...

Mercaptide s. Thiolate.

Mercapto... Präfix für die unsubstituierte Atomgruppierung –SH in Namen für organ. Verb. (IUPAC-Regel C-511.1; kaum übliche, neue Bez. nach Regel R-5.5.1.2: Sulfanyl...); Suffix für –SH als Hauptfunktion: *...thiol. *Beisp.:* s. folgende Stichwörter; Herkunft der Bez. s. Thiole. – ***E*** = ***F*** = ***I*** = ***S*** mercapto...

Mercaptoaminosäuren. Gruppenbez. für *Aminosäuren, die die Mercapto(SH-)Gruppe enthalten, z.B. *Cystein u. *Homocystein. – ***E*** mercaptoamino acids – ***F*** mercaptoaminoacides – ***I*** mercaptoam(m)inoacidi – ***S*** mercaptoaminoácidos

2-Mercaptobenzimidazol (1*H*-Benzimidazol-2-thiol; bevorzugtes Tautomer: 1,3-Dihydro-2*H*-benzimidazol-2-thion).

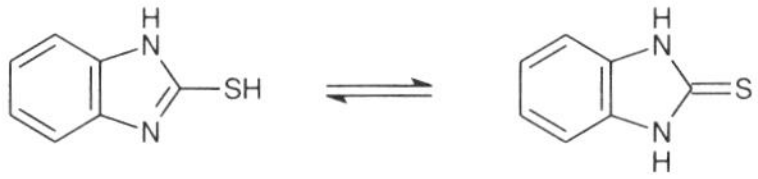

$C_7H_6N_2S$, M_R 150,19. Farblose, glänzende Blättchen, Schmp. 304 °C, lösl. in Ethanol u. Methanol; LD_{50} (Ratte oral) 750 mg/kg, WGK 2 (Selbsteinst.); Emissionsklasse I (TA Luft 3.1.7). Die Herst. erfolgt z.B. aus *o*-Phenylendiamin mit Schwefelkohlenstoff. 2-M. wird als Alterungsschutzmittel für Kautschuk verwendet. – ***E*** = ***F*** 2-mercaptobenzimidazole – ***I*** 2-mercaptobenzimidazolo – ***S*** 2-mercaptobenzimidazol

Lit.: Beilstein EV **24/2**, 413f. ▪ Merck-Index (12.), Nr. 1112 ▪ Ullmann (5.) **A 19**, 408; **A 26**, 781. – *[HS 2933 90; CAS 583-39-1]*

2-Mercaptobenzoesäure (2-Thiosalicylsäure).

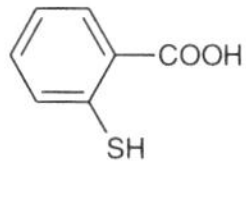

$C_7H_6O_2S$, M_R 154,18. Schwefelgelbe Flocken, Blättchen od. Nadeln, Schmp. 164–165 °C (Subl.), wenig lösl. in heißem Wasser, gut lösl. in Eisessig u. Alkohol. M. wird an der Luft od. – unter Blaufärbung – durch Fe(III)-Salze in alkohol. Lsg. zu 2,2′-Dithiodibenzoesäure oxidiert. Man gewinnt M. aus diazotierter Anthranilsäure u. Natriumpolysulfiden mit anschließender Red. der 2,2′-Dithiodibenzoesäure (*Dithiosalicylsäure*).

Verw.: Zur Herst. von *Thioindigo-Farbstoffen u. *Thiomersal, als Reagenz auf Fe. – ***E*** 2-mercaptobenzoic acid – ***F*** acide 2-mercaptobenzoïque – ***I*** acido 2-mercaptobenzoico – ***S*** ácido 2-mercaptobenzoico

Lit.: Beilstein EIV **10**, 272 ▪ Kirk-Othmer **17**, 742; (3.) **20**, 523 ▪ Merck-Index (12.), Nr. 9498. – *[HS 2930 90; CAS 147-93-3; G 6.1]*

2-Mercaptobenzothiazol [MBT, Benzothiazol-2-thiol; bevorzugtes Tautomer: 2(3*H*)-Benzothiazolthion].

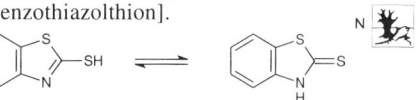

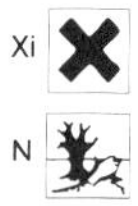

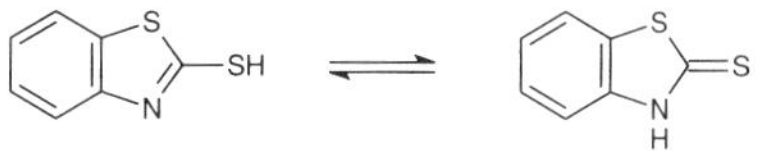

$C_7H_5NS_2$, M_R 167,24. Farblose bis blaßgelbe, monokline Nadeln od. Blättchen von unangenehmem Geruch, Schmp. 182 °C, D. 1,42–1,52, leicht lösl. in Aceton, lösl. in Alkali- u. Alkalicarbonat-Lsg., wenig lösl. in Alkohol, Ether, Benzol u. Eisessig, fast unlösl. in Wasser. M. wirkt stark sensibilisierend; LD_{50} (Ratte oral) 100 mg/kg; WGK 3; Emissionsklasse I (TA Luft 3.1.7).

Herst.: Aus Anilin, Schwefelkohlenstoff u. Schwefel unter Druck bei 250°–300 °C.

Verw.: Techn. wichtiger Vulkanisationsbeschleuniger in der Kautschuk-Ind. (Captax®), Korrosionsschutzmittel, Flotationsmittel, Reagenz auf Cadmium sowie zur Bestimmung von Cu, Pb, Bi, Ag, Hg, Tl, Au, Pt, Ir. – ***E*** = ***F*** 2-mercaptobenzothiazole – ***I*** 2-mercaptobenzotiazolo – ***S*** 2-mercaptobenzotiazol

Lit.: Beilstein EV **27/11**, 47f. ▪ Brauer, Gefahrstoff-Sensorik, Landsberg: Ecomed Verlagsges. 1988–1990 ▪ Katritzky-Rees **1**, 388–411; **6**, 322ff. ▪ Merck-Index (12.), Nr. 5916 ▪ Ullmann (4.) **23**, 146f.; (5.) **A 5**, 187 ▪ s.a. Thiazole. – *[HS 2934 20; CAS 149-30-4]*

Mercaptobernsteinsäure s. Thioäpfelsäure.

Mercaptodimethur s. Methiocarb.

Mercaptoessigsäure s. Thioglykolsäure.

Mercaptoessigsäure-Natriumsalz s. Natriumthioglykolat.

2-Mercaptoethanol (Monothioethylenglykol). HS–CH_2–CH_2–OH, C_2H_6OS, M_R 78,13. Farblose, unangenehm nach H_2S riechende Flüssigkeit, D. 1,117, Sdp. 157 °C, lösl. in Wasser u. vielen organ. Lösemitteln. Die Dämpfe reizen stark die Augen, die Atemwege, die Lunge u. die Haut. Kontakt mit der Flüssigkeit bewirkt starke Reizung der Augen u. der Haut. Die Flüssigkeit wird in hohem Maße auch über die Haut aufgenommen. Unter dem Einfluß von Feuchtigkeit, Wasser od. Säure bildet sich hochgiftiger Schwefelwasserstoff; LD_{50} (Ratte oral) 244 mg/kg; WGK 3; Emissionsklasse I (TA Luft 3.1.7).

Verw.: Vielseitiges Reagenz in der organ. Chemie u. in der Biochemie. – ***E*** 2-mercaptoethanol – ***F*** 2-mercaptoéthanol – ***I*** 2-mercaptoetanolo – ***S*** 2-mercaptoetanol

Lit.: Beilstein EIV **1**, 2428f. ▪ Hommel, Nr. 860 ▪ J. Org. Chem. **57**, 6286 (1992) ▪ Merck-Index (12.), Nr. 5917 ▪ Paquette **5**, 3238. – *[HS 2930 90; CAS 60-24-2; G 6.1]*

2-Mercaptoethansulfonsäure s. Mesna u. Coenzym M.

Mercaptole s. Thioacetale.

8-Mercapto-*p*-menthan-3-on s. *p*-Menth-1-en-8-thiol.

3-Mercapto-1,2-propandiol (α-Thioglycerin).

$$HO-CH_2-\underset{\underset{OH}{|}}{CH}-CH_2-SH$$

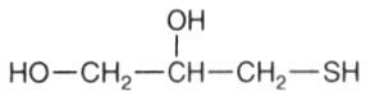

$C_3H_8O_2S$, M_R 108,17. Gelbliche, sehr viskose Flüssigkeit von schwach sulfid. Geruch, D. 1,295, Sdp. 100 °C (1,3 hPa), wenig lösl. in Wasser, mischbar mit Alkohol, unlösl. in Ether, WGK 3. Wird zu Kaltwellpräp. u. für organ. Synth. verwendet. – *E* = *F* 3-mercapto-1,2-propanediol – *I* 3-mercapto-1,2-propandiolo – *S* 3-mercapto-1,2-propanodiol

Lit.: Beilstein E III **1**, 2339 ▪ Merck-Index (12.), Nr. 9471 ▪ Ullmann **8**, 211. – [HS 293090; CAS 96-27-5]

Mercaptopropionsäuren.

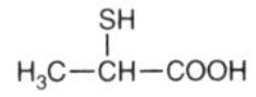

$$H_3C-\underset{\underset{SH}{|}}{CH}-COOH \qquad HS-CH_2-CH_2-COOH$$
$$\text{2-M.} \qquad\qquad\qquad \text{3-M.}$$

$C_3H_6O_2S$, M_R 106,13. *2-M.* (2-Thiomilchsäure): Farblose bis leicht gelbliche, unangenehm riechende Flüssigkeit, Schmp. 10–12 °C, Sdp. 203–208 °C in Wasser, Alkohol, Estern usw. lösl.; LDL_0 (Ratte oral) 50 mg/kg, WGK 3, Emissionsklasse I (TA Luft 3.1.7). 2-M. wird aus 2-Chlorpropionsäure u. konz. wäss. H_2S-Lsg. od. aus 2-Brompropionsäure mit Na_2S_2 hergestellt u. in Enthaarungs- u. Kaltwellpräparaten verwendet. *3-M.* (veraltet: 3-Thiohydracrylsäure), farblose Masse, D. 1,218, Schmp. 17–19 °C, in Wasser u. organ. Lsm. lösl.; LD_{50} (Ratte oral) 96 mg/kg, WGK 3, Emissionsklasse I (TA Luft 3.1.7). – *E* mercaptopropionic acids – *F* acides mercaptopropioniques – *I* acidi mercaptopropionici – *S* ácidos mercaptopropiónicos

Lit.: Beilstein E IV **3**, 682, 726 f. ▪ Merck-Index (12.), Nr. 9476. – [HS 293090; CAS 79-42-5 (2-M.); 107-96-0 (3-M.)]

Mercaptopurin.

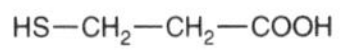

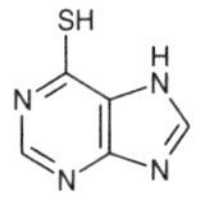

Internat. Freiname für das mit *6-Purinthiol* tautomere *Cytostatikum* 1,7-Dihydro-6*H*-purin-6-thion (auch Thiohypoxanthin genannt), $C_5H_4N_4S$, M_R 152,17. Als Monohydrat gelbes krist. Pulver, Schmp. 314 °C (Zers.); λ_{max} (CH_3OH) 216, 329 nm ($A_{1cm}^{1\%}$ 793, 1110); in Wasser unlösl., in heißem Alkohol u. Alkalien löslich. M. ist ein Purin-Antimetabolit, unterdrückt ggf. die Abstoßung von Transplantaten u. ist Ausgangsmaterial für die Synth. vieler Purin-Derivate. Es wurde 1955 von Burroughs Wellcome (Puri-Nethol®) patentiert u. ist auch von medac (MERCAP®) im Handel. – *E* = *F* mercaptopurine – *I* = *S* mercaptopurina

Lit.: ASP ▪ Beilstein E V **26/13**, 220 f. ▪ Florey **7**, 343–357 ▪ Hager (5.) **8**, 885 f. ▪ Martindale (31.), S. 583 f. ▪ Ph. Eur. **1997** u. Komm. – [HS 29 35 9; CAS 6112-76-1 (Thiol-Form); 50-44-2 (Thion-Form)]

2-Mercaptopyrimidin-4-ol s. 2-Thiouracil.

3-Mercaptovalin s. Penicillamin.

Mercaptursäuren s. Glutathion.

Mercerisation (Merzerisation). Von dem Engländer Mercer 1844 erfundenes *Textilveredlungs-Verf. für Baumwollgarne u. -gewebe. Es verleiht der von Natur aus relativ stumpfen *Baumwolle Glanz u. führt zu erhöhter Farbstoff-Affinität, höherer Reißfestigkeit u. zu weicherem, fülligem Griff des Materials. Der in verschiedenen Varianten auch an Hochmodul- u. Polynosicfasern ausgeführte M.-Prozeß besteht im wesentlichen in der Einwirkung von 20–26%iger Natronlauge u. *Mercerisierhilfsmitteln bei ca. 10 °C unter gleichzeitiger od. anschließender Ausübung einer Zugspannung. Unterbleibt die Spannung des Materials (man spricht dann statt von M. von *Laugieren*), so erhält man geschrumpfte, elast. *Stretch*-Garne u. -Gewebe. Die M. ist verbunden mit verschiedenen physikal. Veränderungen u. chem. Reaktionen der Baumwollfaser wie z. B. Entspiralisierung u. Bildung von Alkalicellulose bzw. Hydratcellulose, Entstehung von Alkoholaten u. Mol.-Verbindungen. – *E* mercerization – *F* mercerisage – *I* mercerizzazione – *S* mercerizado

Lit.: Kirk-Othmer (4.) **7**, 634, 636 f. ▪ Rouette, Lexikon für Textilveredlung, Bd. 2, S. 1209–1220, Dülmen: Laumannsche Verlagsges. 1995 ▪ Ullmann (4.) **9**, 251; **23**, 22 f.; (5.) A **5**, 397; A **26**, 264.

Mercerisierhilfsmittel. Alkali-beständige *Netzmittel für die stark alkal. *Mercerisations-Flotten, die meist grenzflächenaktive Komponenten (z. B. Alkanolamine, Alkylsulfonate, Alkylethersulfate) u. entschäumend u. netzend wirkende, hydrotrop gelöste Substanzen enthalten, z. B. Phosphorsäureester von Alkoholen mit 4–8 C-Atomen, Butylglykol od. ethoxylierte Amine. – *E* mercerization auxiliaries – *F* auxiliaires de mercerisage – *I* ausiliari della mercerizzazione – *S* auxiliares de mercerizado

Lit.: Rouette, Lexikon für Textilveredlung, Bd. 2, S. 1220 f., Dülmen: Laumannsche Verlagsges. 1995 ▪ Ullman (4.) **23**, 22 f.; (5.) A **26**, 264.

Merck. Kurzbez. für die Merck-Gruppe unter Führung der Merck KGaA u. der E. Merck-Beteiligungen oHG, 64271 Darmstadt. *Daten der Merck-Gruppe* (1995): 6,3 Mrd. DM Umsatz, 27 762 Beschäftigte. *Tochterges. u. Beteiligungen:* Dr. Theodor Schuchardt & Co., Merck Produktionsvertriebsges., Hermal Kurt Herrmann, Allergopharma Joachim Ganzer, Gemeinnützige Wohnbau, Cascan GmbH & Co. KG, Bracco Industria, Kanto Kagaku K. K. etc. *Produktion:* Arzneimittel (Herz-Kreislauf, Schilddrüse, Corticosteroide, Magen-Darm, Vitamin-Präp.), Reagenzien (Biochemica, Chromatographie, Laborreagenzien), Diagnostica (für Immunologie, Mikrobiologie, Cytologie, Histologie, Hämatologie), Ind.-Chemikalien (Flüssigkrist., Prozeßchemikalien, Aufdampfchemikalien), Feinchemikalien (Pharmawirkstoffe, Vitamine, Lebensmittelzusatzstoffe, Kosmetikwirkstoffe), Pigmente (Perlglanz- u. Effektpigmente).

Merck, Heinrich Emanuel (1794–1855), Obermedizinalrat, Apotheker, Begründer der Firma *Merck im Jahre 1827. Baute nach Bearbeitung der Trennungs- u. Isolierungsmeth. der Alkaloide die Produktion von Morphium, Strychnin, Santonin, Codein u. Coffein auf.

Lit.: Pharm. Ztg. **125**, 371 (1980) ▪ Pötsch, S. 298 ▪ Strube et al., S. 102.

Merck & Co., Inc., Whitehouse Station, N. J. 08889-0100, USA, gegr. 1887. International tätiger Pharmakonzern mit Schwerpunkt auf der Entwicklung u. Produktion von Arzneimitteln für Mensch u. Tier sowie anderer chem. Spezialitäten. *Daten* (1995): 45 200 Beschäftigte, 16,7 Mrd. $ Umsatz.

Merckle. Kurzbez. für die 1881 gegr. Firma Merckle GmbH, 89143 Blaubeuren, mit der Tochtergesellschaft ratiopharm GmbH & Co., Ulm (100%). *Daten* (1995): 1200 Beschäftigte, 120 Mio. DM Umsatz. *Produktion:* Arzneimittel.

Mercko...®. Anlautender Wortbestandteil in den von der Firma Merck durch Marken geschützten Handelsnamen.

Merckofix®. Fixationsspray für die Cytodiagnostik. *B.:* Merck.

Merckoglas®. Flüssiges Deckglas für die Mikroskopie. *B.:* Merck.

Merckognost®. Schnelltests für die medizin. Diagnostik. *B.:* Merck.

Merckoplate®. Fertignährböden für die Mikrobiologie. *B.:* Merck.

Merckoquant®. Teststäbchen zum Nachw. u. zur halbquant. Bestimmung von Ionen. *B.:* Merck.

Merckotest®. Fertigtests für die medizin. Diagnostik. *B.:* Merck.

Merckotube®. Fertignährböden für die Mikrobiologie. *B.:* Merck.

Merck-1-Test®. Komplette Reagenziensätze zur Bestimmung von jeweils einem Parameter in der medizin. Diagnostik. *B.:* Merck.

Mercuchrom®. Eine 2%ige Lsg. von *Merbromin zur Wunddesinfektion. *B.:* Krewel-Meuselbach.

Mercuri... Veraltete Bez. für zweiwertiges *Quecksilber; *Beisp.:* Mercurichlorid $HgCl_2$, nach IUPAC-Regel I-5.5: Quecksilberdi-, Quecksilber(II)- od. Quecksilber(2+)chlorid; vgl. Mercuro... = Quecksilber(I). – ***E*** mercuric... – ***F*** mercurique... – ***I*** mercuri..., mercurico – ***S*** mercúrico...

Mercurierung. Bez. für die Einführung von Quecksilber in organ. Verb., s. Quecksilber-organische Verbindungen. – ***E*** = ***F*** mercuration – ***I*** mercurazione – ***S*** mercuración

Mercurimetrie. Bez. für die Bestimmung von Cl^-- u./od. Br^--Ionen durch Titration mit $Hg(NO_3)_2$ unter Verw. von 1,5-Diphenylcarbazon als Indikator, der beim Auftreten eines Hg^{2+}-Überschusses von farblos nach blau umschlägt. – ***E*** mercurimetry – ***F*** mercurimétrie – ***I*** mercurimetria – ***S*** mercurimetría

...mercurio-. Präfix für Quecksilber-Reste; *Beisp.:* –HgCl = (Chloromercurio)-, $-Hg-O-CO-CH_3$ = (Acetatomercurio)-. – ***E*** = ***F*** = ***I*** = ***S*** ...mercurio-

Mercurisorb® Roth. Marke von Roth für ein Silbersalz-haltiges Schnellabsorptionsmittel zur vollständigen u. raschen Aufnahme von verschüttetem Quecksilber. Gew.-gleiche Mengen werden nach Überstreuen mit M. in weniger als 5 min aufgenommen, wobei Absorptionsvorgänge, Salz- u. Amalgam-Bildung mitspielen. *B.:* Roth.

Mercuro... Veraltete Bez. für Salze des einwertigen *Quecksilbers, in denen Diquecksilber(2+)-Ionen (Hg_2^{2+}) vorliegen.

Mercurochrom s. Merbromin.

Mereprine®. Sedierend wirkender Sirup mit dem Antiallergikum *Doxylamin-succinat. *B.:* Klosterfrau.

Meresa® (Rp). Kapseln, Tabl. u. Ampullen mit dem *Antidepressivum *Sulpirid. *B.:* Dolorgiet.

Mergel. Bez. für *Kalk-reiche, hell- bis dunkelgraue, bräunliche od. durch *Glaukonit grünliche, feinkörnige, gut spaltbare, oft an Mikrofossilien (z. B. *Foraminiferen) reiche, beim Anhauchen erdig riechende, in frischem Zustand z. T. sehr harte *Tone; *Ton-M.* enthalten 25–35%, M. 35–65% u. *Kalk-M.* 65–75% Kalk. Hauptminerale sind *Calcit (seltener auch *Dolomit) u. *Tonminerale. Sind noch weitere Gemengteile vorhanden, so spricht man z. B. von sandigen, kieseligen (mit *Quarz), glaukonit. od. bituminösen Mergeln. M. sind in marinen *Sediment-Serien weltweit verbreitet, oft als Kalk-M.-Wechselfolgen. Sie sind ein wichtiger Rohstoff für die Zement-Industrie. – ***E*** marl – ***F*** marne – ***I*** marna – ***S*** marga

Lit.: Dietrich u. Skinner, Die Gesteine u. ihre Mineralien, S. 249 f., Thun: Ott 1984 ▪ Rothe, Gesteine, S. 72, 89, Darmstadt: Wissenschaftliche Buchges. 1994 ▪ s. a. Kalke, Sedimentgesteine. – *[HS 2530 90]*

Mergelkalk s. Kalkmergel.

Mergital®. *Fettalkoholpolyglykolether auf der Basis nachwachsender, natürlicher Fettrohstoffe. Verw. als Tenside zur Herst. von Wasch- u. Reinigungsmitteln od. als Grundstoffe zur Formulierung von Emulgatorsystemen. *B.:* Henkel.

Merichinoide Verbindungen. Von R. *Willstätter u. Piccard 1908 geprägte Bez. für intensiv farbige Verb., die man heute im wesentlichen als *Radikal-Ionen formuliert; *Beisp.:* *Ketyle, *Semichinone (*Merichinone*) u. *Wurstersche Salze. – ***E*** meriquinoid compounds – ***F*** composés mériquinoides – ***I*** composti merichinoidi – ***S*** compuestos meriquinoides

Merichinone s. Semichinone.

Meridional s. mer-.

Merino. Bez. für die Wolle (Faserdurchmesser ca. 25 μm) des ursprünglich aus Spanien stammenden Merinoschafs u. für die aus M.-Wolle gefertigten *Kammgarn-Erzeugnisse. – ***E*** = ***I*** = ***S*** merino – ***F*** mérinos

Meristeme s. Pflanzen.

Merkmal. Kennzeichen bzw. erkennbare Eigenschaften eines Phänomens. Man unterscheidet formale (stat.) M., welche die Größe u. Struktur wiedergeben, u. funktionelle (dynam.) M., welche die Wechselwirkungen mit anderen Phänomenen sowie Änderungen von Struktur u. Größe beinhalten. In der Biologie werden M. bezüglich Gestalt (morpholog. M.), Chemismus (chem. M.), Physiologie (physiolog. M.), Verhalten (etholog. M.) u. a. unterschieden. Individuelle M.

sind für Einzelindividuen einer *Population typ. (z. B. beim Menschen manche Persönlichkeits-M.), taxonom. M. hingegen kennzeichnen Populationen bzw. *Arten u. sind genet. bedingt. Taxonom. M. werden in der *Taxonomie zum Klassifizieren von Organismen herangezogen, wobei ursprüngliche (plesiomorphe) u. abgeleitete (apomorphe) M. je nach Klassifizierungsebene bedeutsam sind. Als Negativ-M. wird das Fehlen eines in der Vergleichsgruppe vorhandenen M. verstanden, z. B. flugunfähige Vögel. – ***E*** character, marker – ***F*** caractère, signe particulier – ***I*** carattere – ***S*** caracteristica

Lit.: Lexikon der Biologie (7.), Bd. 5, S. 416, Freiburg: Herder 1988.

Merocyanine. Von griech.: meros = Teil u. *Cyanin-Farbstoffe abgeleitete, von Hamer geprägte Bez. für *Polymethin-Farbstoffe der allg. Struktur [in neutraler (oben) u. in zwitterion. (unten) Schreibweise]:

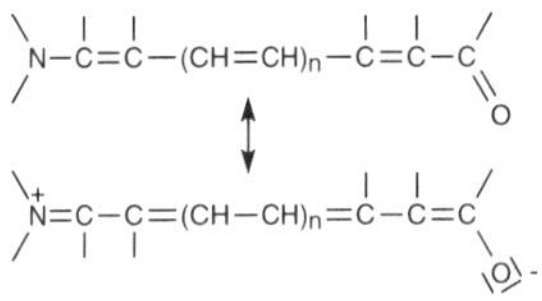

Nicht selten verlaufen analyt. genutzte Farbreaktionen über M. (*Lit.*[1]). Die gelegentlich auch als *Neutrocyanine* zusammengefaßten M. finden in der photograph. Chemie als Sensibilisatoren Verw., einige auch als Textil-Farbstoffe. – ***E*** merocyanines – ***F*** mérocyanine – ***I*** merocianine – ***S*** merocianinas

Lit.: [1] Pharm. Unserer Zeit **5**, 145–154 (1976).
allg.: Kirk-Othmer (4.) **7**, 337; **18**, 851, 855 ▪ Pharm. Unserer Zeit **11**, 74–82 (1982) ▪ Zechmeister **18**, 511–611 ▪ Zollinger, Color Chemistry, 2. Aufl., S. 35, 58, 345, 403, 415, Weinheim: VCH Verlagsges. 1991 ▪ s. a. Cyanin-Farbstoffe u. Polymethin-Farbstoffe.

Meropenem (Rp).

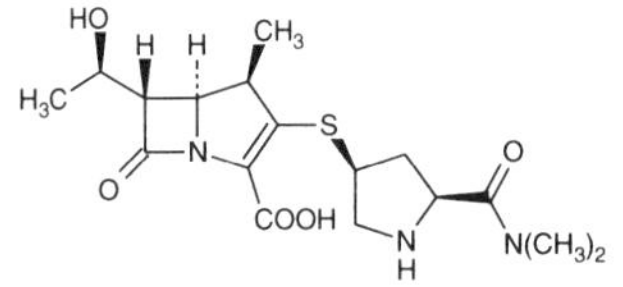

Internat. Freiname für das *Carbapenem-Antibiotikum (4*R*,5*S*,6*S*)-3-[(3*S*,5*S*)-5-(Dimethylcarbamoyl)-3-pyrrolidinylthio]-6-((*R*)-1-hydroxyethyl)-4-methyl-7-oxo-1-azabicyclo[3.2.0]hept-2-en-2-carbonsäure, $C_{17}H_{25}N_3O_5S$, M_R 383,46; verwendet wird das Trihydrat; LD_{50} (Maus i.v.) 2 g/kg. M. zeichnet sich durch ein breites Wirkungsspektrum aus u. hat im Vergleich zu *Imipenem den Vorteil, daß es gegen Dehydropeptidasen stabil ist. M. wurde 1984 u. 1990 von Sumitomo patentiert u. ist von Zeneca/Grünenthal (Meronem®) im Handel. – ***E*** = ***I*** = ***S*** meropenem – ***F*** méropénème

Lit.: Drugs **50**, 73–101 (1995) ▪ Martindale (31.), S. 247 ▪ Pharm. Ztg. **142**, 1814–1821 (1997). – *[CAS 96036-03-2 (M.); 119478-56-7 (Trihydrat)]*

Merosin s. Laminine.

Merrifield, Robert Bruce (geb. 1921), Prof. für Biochemie, Rockefeller Univ., New York. *Arbeitsgebiete:* Purine, Pyrimidine, Peptid-Synth., Entwicklung der nach ihm benannten Festphasen-Technik; hierfür Chemie-Nobelpreis 1984; s. a. nachfolgendes Stichwort.

Lit.: Lexikon der Naturwissenschaftler, S. 290 ▪ Neufeldt, S. 267, 288, 370 ▪ Pötsch, S. 299 ▪ Who's Who in America (50.), S. 2910.

Merrifield-Technik (Merrifield-Synth.). Bez. für eine bes. Form der *Festphasen-Technik, die *Merrifield (Nobelpreis für Chemie 1984) für die *Peptid-Synthese bereits 1960 gedanklich entworfen hatte u. die heute in vielen Laboratorien routinemäßig u. automatisiert praktiziert wird. Bei der M.-T. werden alle zur Knüpfung der *Peptid-Bindung notwendigen Schritte vorgenommen, während die Aminosäuren bzw. die unfertigen Peptide an einem unlösl., quellfähigen Kunstharz (meist ein Copolymerisat aus Styrol mit 2% Divinylbenzol) gebunden sind. Dazu wird zunächst die erste, an der Amino-Gruppe durch eine Schutzgruppe blockierte Aminosäure (meist als *Boc-Aminosäure) mit ihrer Carboxy-Gruppe an das Harz gebunden, u. zwar über dessen Chlormethyl-Substituenten od. Benzylalkohol-Gruppierungen. Die am *Träger verankerte Aminosäure wird von der Boc-Gruppe befreit u. mit der nächsten Boc-Aminosäure verknüpft etc., wobei wie im Fall der ersten Veresterung meist *Dicyclohexylcarbodiimid (DCC) als Wasser-entziehendes Kondensationsmittel herangezogen wird.

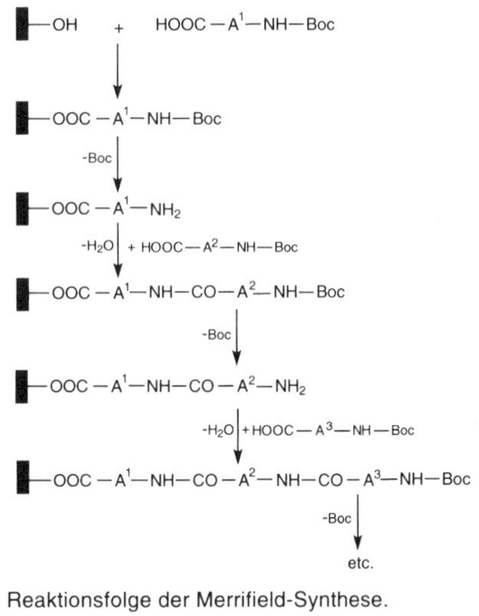

Abb.: Reaktionsfolge der Merrifield-Synthese.

Zwischen den einzelnen Reaktionsschritten muß das Reaktionsmedium völlig reagenzfrei gewaschen werden. Da andere Reinigungsoperationen mit den an den Trägermaterialien gebundenen Aminosäuren bzw. Peptiden nicht möglich sind, muß eine quant. Umsetzung in den jeweiligen Reaktionsschritten angestrebt werden. Dies versucht man durch Anw. der Reagenzien in großen Überschüssen zu erreichen. Nach Abschluß der Peptid-Synth. läßt sich die Trennung vom Trägermaterial mit Bromwasserstoffsäure in Trifluoressigsäure vornehmen. Da die Umsetzungen in den Einzelschritten der Praxis jedoch nicht zu 100% vollständig sind, ergibt sich eine Verunreinigung durch unerwünschte Peptide, deren Entfernung nicht einfach ist, was die Zahl der durchführbaren Schritte prakt. begrenzt.

Die stereotype Aufeinanderfolge gleichartiger Reaktionen macht die M.-T. für die *Automation geeignet. Mit kommerziell erhältlichen „Synthesizern" lassen sich ohne jegliche manuelle Eingriffe beliebige Aminosäuren in großer Zahl aneinanderreihen – für die Synth. der *Ribonuclease (124 Aminosäure-Reste) benötigten Gutte u. Merrifield etwa drei Wochen (für 11931 Einzeloperationen u. 11 mg Ausbeute, die allerdings stark verunreinigt war). Routinemäßig werden heute Peptide mit 50 Resten in guter Ausbeute u. Reinheit synthetisiert. Die Attraktivität der automatisierten M.-T. erklärt sich aus einem drast. gesunkenem Zeitaufwand im Vgl. zur manuellen Meth. bei gleichzeitig deutlich gestiegener Ausbeute. Zur *Immobilisierung der Ausgangsmaterialien sind zahlreiche neue Trägermaterialien (insbes. *Polyacrylamide, aber auch *Polyethylenglykol) eingeführt u. method. Verbesserungen dadurch erreicht worden, daß man die reaktiven Ketten nicht wie in der schemat. Abb. gezeigt direkt auf den Kunstharzträger aufpfropft, sondern diese – ähnlich wie in der *Affinitätschromatographie – durch sog. *Spacer* od. *Links* vom Trägermaterial trennt. Weitere Vereinfachungen ergeben sich durch die Kontrolle der Reaktionsschritte durch Mikrocomputer usw. Die M.-T. konnte inzwischen von der Peptid-Synth. auch auf die Synth. von *Oligosacchariden u. *Oligonucleotiden übertragen werden. – ***E*** Merrifield technique – ***F*** technique de Merrifield – ***I*** tecnica di Merrifield – ***S*** técnica de Merrifield

Lit.: Stryer 1996, S. 71 ff.

Mersalyl (Rp).

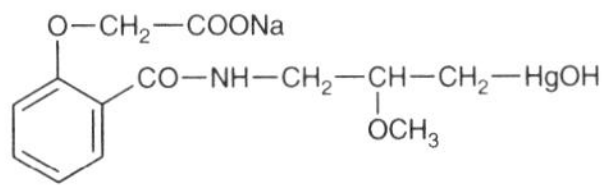

Von der WHO vorgeschlagener Freiname für das diuret. wirkende Natriumsalz der (±)-[2-(3-Hydroxomercurio-2-methoxypropylcarbamoyl)-phenoxy]-essigsäure, $C_{13}H_{16}HgNNaO_6$, M_R 505,85; LD_{50} (Maus i.v.) 72,6 mg/kg. M. wurde 1925 von Hoechst patentiert. – ***E*** = ***F*** mersalyl – ***I*** mersalile – ***S*** mersalilo

Lit.: Beilstein E IV **14**, 2058 ▪ Hager (5.) **8**, 886 f. ▪ Martindale (31), S. 903. – *[HS 2931 00; CAS 492-18-2]*

Mersol®80. Sulfonsäurechlorid als Rohstoff für die Lederhilfsmittel-Industrie. ***B.:*** Bayer.

Mersolat®. Aus *Mersol®80 od. analog erzeugten Alkansulfonylchloriden durch Verseifung hergestellte Alkansulfonate (*Mepasinsulfonate*, *Mesapone*) u. Chloralkansulfonate verschieden hohen Sulfochlorierungsgrades. Verw. als Waschrohstoffe, für Reinigungs-, Desinfektions- u. Lederfettungsmittel. Die M. sind als Basis des sog. Einheitswaschpulver im 2. Weltkrieg bekannt geworden. ***B.:*** Bayer.

Mersolat® H + W. *Alkansulfonate für die Herst. von Textilhilfsmitteln, Lederhilfsmitteln u. als Rohstoff für Flüssig- u. Desinfektionsreiniger. ***B.:*** BASF.

Merz. Kurzbez. für die 1908 gegr. Firma Merz & Co., GmbH & Co., 60048 Frankfurt. *Daten* (1995), Gruppe: 1400 Beschäftigte, 405 Mio. DM Umsatz. *Produktion:* Arzneimittel, Kosmetika u. Dentalprodukte.

MES. 1. Abk. für die 2-Morpholinoethansulfonsäure

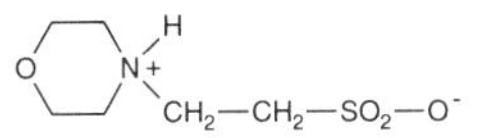

($C_6H_{13}NO_4S$, M_R 195,23, farblose, wasserlösl. Krist., Schmp. >300 °C), die als Puffer im physiolog. Bereich pH 5,8–6,5 verwendet wird. – 2. Abk. für Methylestersulfonate, α-Estersulfonate, Salze von α-Sulfomonocarbonsäureestern. Bez. für eine Tensidklasse mit der allg. Formel R^1–CH(SO_3M)–COOR^2 (R^1, R^2 = Alkyl, M = Alkalimetall), die durch direkte Sulfonierung von *Fettsäuremethylestern u. anschließende Neutralisation der Sulfo-Gruppe zugänglich ist. MES zeichnen sich durch geringe Wasserhärteempfindlichkeit sowie ein günstiges Ökoprofil aus u. werden vorwiegend in *Wasch- u. Reinigungsmitteln eingesetzt. – 3. s. Mößbauer-Spektroskopie.

Lit. *(zu 1.):* Beilstein EV **27/3**, 115 f. ▪ Biochemistry **5**, 467 (1966) ▪ J. Chromatogr. **71**, 525 (1990) ▪ s. a. Puffer. – *(zu 2.):* Rao, Sajic Proc. 4th World Surf. Congr., Bd. 2, S. 383–391, Barcelona 1996 ▪ Stache, Anionic Surfactants – Organic Chemistry, S. 461–498, New York: Dekker 1995. – *[HS 2934 90; CAS 4432-31-9]*

Mesaconsäure s. Methylfumarsäure.

Mesalazin (Rp).

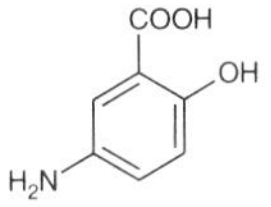

Internat. Freiname für die bes. gegen Darmentzündungen antiphlogist. wirksame 5-Aminosalicylsäure, $C_7H_7NO_3$, M_R 153,13, Schmp. ca. 280 °C (Zers.). In kaltem Wasser schwer, in heißem Wasser besser löslich. M. wurde 1956 von J. R. Geigy patentiert u. ist als Generikum im Handel. – ***E*** mesalazine, mesalamine – ***F*** mésalazine – ***I*** = ***S*** mesalazina

Lit.: Beilstein E IV **14**, 2058 ▪ Hager (5.) **8**, 888 ff. ▪ Martindale (31.), S. 1227. – *[HS 2922 50; CAS 89-57-6]*

Mesamoll®. *Weichmacher aus Alkylsulfonsäureestern des Phenols zur Verw. in der PVC-Verarbeitung, in der Lack-Ind., in Kitten u. Fugendichtungsmassen, als Spülflüssigkeit für Polyurethan(PUR)-Verdüsungsmaschinen, auf dem Kautschuk-Sektor. ***B.:*** Bayer.

Mescalin s. Meskalin.

Mescorit® (Rp). Filmtabl. mit dem *Antidiabetikum *Metformin-Hydrochlorid. ***B.:*** Boehringer Mannheim.

Mesembrin-Alkaloide.

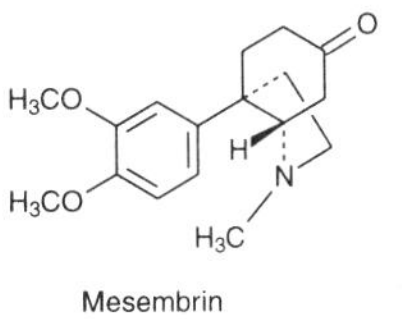

Mesembrin

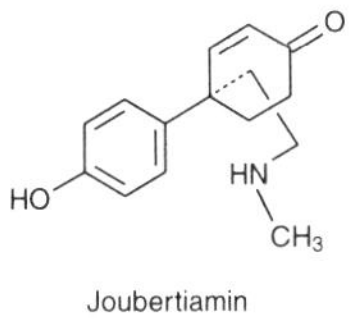

Joubertiamin

Gruppe von *Indol-Alkaloiden aus Mittagsblumen (*Mesembryanthemum*-Arten). (–)-*Mesembrin* {$C_{17}H_{23}NO_3$, M_R 289,37, Öl, Sdp. 186–190 °C (40 Pa), $[\alpha]_D^{20}$ –55,4° (CH_3OH)} verfügt über eine Cocain-artige Wirkung. Die Pflanzen werden in Südwestafrika zur Herst. der Droge Channa verwendet. Zusammen mit

Mesembrin kommt *Joubertiamin* ($C_{15}H_{19}NO_2$, M_R 245,32, Öl) vor. – ***E*** mesembrine alkaloids – ***F*** alcaloïdes de mésembrine – ***I*** alcaloidi della mesembrina – ***S*** alcaloides de mesembrina

Lit.: Beilstein EV **21/13**, 169 ▪ Manske **9**, 467–481. – *Biosynth.:* J. Chem. Soc., Chem. Commun. **1977**, 60 ▪ Phytochemistry **17**, 719 (1978). – *Synth.:* Chem. Lett. **1989**, 1963 ff. ▪ Heterocycles **42**, 135 (1996) (Mesembrin) ▪ J. Org. Chem. **60**, 6785 (1995) ▪ Tetrahedron: Asymmetry **4**, 1409 (1993) ▪ Tetrahedron **49**, 8503 (1993) (Joubertiamin) ▪ Tetrahedron Lett. **26**, 4083 (1985); **33**, 6023, 6999 (1992); **35**, 6499 (1994). – *[HS 2939 90; CAS 24880-43-1 (Mesembrin); 28379-30-8 (Joubertiamin)]*

Mesh. Bez. für die Anzahl der Öffnungen eines Siebes (s. Sieben) bezogen auf die Kantenlänge der Öffnung in Inch (Zoll). Demnach hat ein Sieb von 5 mesh 25 Öffnungen pro sq in. ($in^2 = 2{,}54 \times 2{,}54\ cm^2$). Die Angabe dient als Maß zur Beschreibung der Partikelgröße z. B. von Schüttgütern wie Adsorbentien u. in der *Siebanalyse* (s. Korngröße). Zunehmenden mesh-Werten entsprechen abnehmende Teilchen- bzw. Sieböffnungs-Durchmesser (Maschenweiten). Es sei darauf hingewiesen, daß mindestens 4 voneinander abweichende Siebtypen existieren, womit auch der mesh-Wert variiert: Tyler standard, US Bureau of Standards (einander sehr ähnlich), British standards, Institution of Mining and Metallurgy. Die Tab. stellt den Maschenweiten in mm die mesh-Werte des US Bureau of Standards gegenüber.

Tab.: Maschenweite bei Sieben.

mesh	mm	mesh	mm
2½	8,00	50	0,30
3	6,73	60	0,25
5	4,00	80	0,18
8	2,38	100	0,149
10	2,00	140	0,105
14	1,41	170	0,088
18	1,00	200	0,074
20	0,84	270	0,053
30	0,59	325	0,044
40	0,42	400	0,037

– ***E*** = ***I*** mesh – ***F*** maille, mesh – ***S*** malla, mesh

Lit.: ASTM Specification E 11–61, Philadelphia: ASTM ▪ Ullmann (5.), **B 2**, 15–19 ▪ s. a. Korngröße u. Sieben.

Mesidin. Trivialname für 2,4,6-Trimethylanilin (Mesitylamin).

Mesilate. Internat. Kurzbez. für Methansulfonate (Mesylate) in den Freinamen pharmazeut. Präp., s. Methansulfonsäure. – ***E*** mesilates – ***F*** mésilates – ***I*** mesilati – ***S*** mesilatos

Mesityl... Bez. für den unsubstituierten 2,4,6-Trimethylphenyl-Rest (IUPAC-Regeln A-13.1, R-9.1.19-b), vgl. Mesitylen. – ***E*** mesityl... – ***F*** mésityl... – ***I*** mesitil..., di mesitile – ***S*** mesitil...

Mesitylen (1,3,5-Trimethylbenzol). Xi

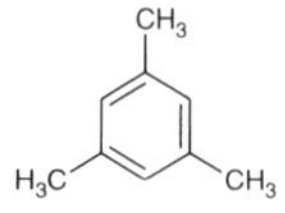

C_9H_{12}, M_R 120,19. Farblose Flüssigkeit, D. 0,864, Schmp. –45 °C, Sdp. 165 °C, unlösl. in Wasser, lösl. in Alkoholen u. Ether. Die Dämpfe reizen die Augen u. die Atemwege sowie die Haut. Sie wirken in hohen Konz. narkot. u. können Blutbildveränderungen auslösen. Kontakt mit der Flüssigkeit ruft starke Reizung der Augen u. der Haut hervor; WGK 2 (Selbsteinst.); Emissionsklasse II (TA Luft 3.1.7).

Vork.: M. findet sich in der Leichtölfraktion des Steinkohlenteers.

Herst.: Durch Erhitzen von Aceton mit verd. Schwefelsäure od. Bauxit unter Wasserabspaltung, od. durch Friedel-Crafts-Methylierung von Toluol od. Xylol.

Verw.: Lsm., Farbstoffzwischenprodukt. Zur Herkunft des Namens s. *Lit.*[1]. – ***E*** mesitylene – ***F*** mésitylène – ***I*** mesitilene – ***S*** mesitileno

Lit.: [1] Angew. Chem. **60**, 109–111 (1948).

allg.: Beilstein E IV **5**, 1016–1024 ▪ Hommel, Nr. 617 ▪ Merck-Index (12.), Nr. 5967 ▪ Ullmann (5.) **A 13**, 253, 254. – *[HS 2902 90; CAS 108-67-8; G 3]*

Mesityloxid (4-Methyl-3-penten-2-on). Xn

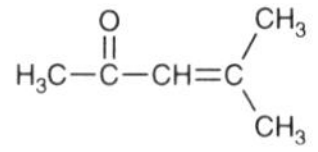

$C_6H_{10}O$, M_R 98,14. Farblose, ölige Flüssigkeit mit honigähnlichem Geruch, D. 0,854, Schmp. –59 °C, Sdp. 130 °C; in Wasser sehr wenig lösl., mit Alkohol u. Ether mischbar, bildet bei längerer Einwirkung von Luftsauerstoff explosible Peroxide u. polymerisiert leicht. Die Dämpfe reizen die Augen sowie die Atemwege u. haben betäubende Wirkung. Vorübergehende Störungen der Herz-, Leber- u. Nierenfunktion möglich. Die Flüssigkeit wird auch über die Haut aufgenommen, Kontakt mit der Flüssigkeit führt zu Reizung der Haut, WGK 1, MAK 25 ppm, bzw. 100 mg/m^3 (MAK-Werte-Liste 1996); LD_{50} (Ratte oral) 1120 mg/kg.

Herst.: Aus Diacetonalkohol (aus basenkatalysierter Aldol-Reaktion des Acetons) durch Dehydratisierung[1].

Verw.: M. besitzt vor allem als Vorstufe von Methylisobutylketon (MIBK s. Methylpentanone) Bedeutung. Daneben ist es ein gutes Lsm. für die Lack-Ind., dessen Verw. jedoch durch seine tox. Eigenschaft begrenzt ist. Ausgangsprodukt für Synth. insbes. von Terpenen u. Riechstoffen, als Extraktionsmittel für Th u. U bei der Erzflotation. – ***E*** mesityl oxide – ***F*** oxyde de mésityle – ***I*** mesitilossido – ***S*** óxido de mesitilo

Lit.: [1] Weissermel-Arpe (4.), S. 304.

allg.: Beilstein E IV **1**, 3471–3474 ▪ Hommel, Nr. 286 ▪ Merck-Index (12.), Nr. 5968 ▪ Ullmann (5.) **A 1**, 88; **A 15**, 87 ff. – *[HS 2914 19; CAS 141-79-7; G 3]*

Meskalin [Mescalin, Mezcalin, Hallucinex, 2-(3,4,5-Trimethoxyphenyl)ethylamin].

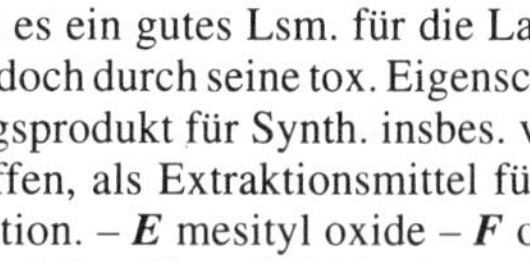

$C_{11}H_{17}NO_3$, M_R 211,26, farblose bas. Krist., Schmp. 35–36 °C, Sdp. 180 °C (15,7 kPa), lösl. in Wasser, Alkohol, Chloroform, unlösl. in Ether u. Petrolether. M. bildet mit Säuren wasserlösl. krist. Salze. Für einen

Schnelltest eignet sich die Orangefärbung mit Formaldehyd in schwefelsaurer Lösung. M. ist das wichtigste *Lophophora-Alkaloid aus dem mexikan. Kaktus *Lophophora williamsii* (*Peyotl, Mescal). In seinen pharmakolog. Eigenschaften ähnelt es Anhalonidin (vgl. Anhalonium-Alkaloide), *Lophophorin, Pellotin u. a.: M. wirkt lähmend auf das ZNS, in großen Dosen (>400 mg) erzeugt es Blutdruckabfall, Bradykardie, Atemdepression u. Vasodilatation. In hohen Konz. ruft es fortschreitende Lähmung hervor. Die bekannteste Wirkung von M. (Dosen von 100–200 mg) ist jedoch die Erzeugung visueller, farbiger Halluzinationen, die Veränderung der Sinneseindrücke, des Denkens, der Urteilsfähigkeit, der Gefühle bis hin zur Bewußtseinsspaltung, dem Verlust des Zeit- u. Raumgefühls usw. M. ist in dieser Hinsicht mit anderen halluzinogenen Drogen wie LSD u. *Psilocybin vergleichbar. M. erregt – ähnlich wie LSD – gelegentlich auch das Brechzentrum. Es wirkt pupillenerweiternd, auch bei hellem Licht findet keine Verengung mehr statt, weshalb mexikan. Indianer nur nachts Peyotl zu sich nehmen. M. ist schwach giftig, LD_{50} (Maus p.o.) 880 mg/kg.

Geschichte: M. ist eines der ältesten bekannten *Halluzinogene; es wurde schon in vorkolumbian. Zeit von mittelamerikan. Volksstämmen verwendet u. z. B. von den Azteken bei religiösen Handlungen benutzt. Der Name ist von mexikan.: mexcalli (berauschendes Getränk aus Pflanzen) hergeleitet. Der span. Mönch Sahagún beschrieb im 16. Jahrhundert den Gebrauch von Peyotl-Knollen in Mittelamerika als Genußmittel, v. a. aber zu kult. Zwecken. In Mexiko wurde M. weitgehend durch Agavenwein (*Pulque) ersetzt u. nur noch wenige Stämme verwenden es heute zu Fruchtbarkeitsfesten. Stattdessen wurde der M.-Kult von vielen nordamerikan. Prärie-Indianern nach 1870 übernommen (Peyotl-Kult der „Native American Church“). M. wurde 1896 von A. Heffter erstmalig isoliert u. auch eingenommen. Der Strukturbeweis erfolgte durch Synth. (E. Späth 1919) aus Trimethoxybenzoesäure. M. fällt unter das Betäubungsmittelgesetz. – ***E = F*** mescaline – ***I = S*** mescalina

Lit.: Beilstein E IV **13**, 2919 ▪ Dtsch. Apoth. Ztg. **133**, 108 (1993) ▪ Hager (5.) **3**, 775 ff., **5**, 708 f. ▪ J. Chromatogr. **189**, 79 (1980) ▪ Merck-Index (12.), Nr. 5965 ▪ Pharm. Unserer Zeit **14**, 129–137 (1985) ▪ R. D. K. (4.), S. 470 ff., 857 f. ▪ Phytochemistry **16**, 9 (1977) ▪ Sax (8.), MDI 500, MDI 750 ▪ Schmidbauer u. vom Scheidt, Handbuch der Rauschdrogen, Frankfurt a. M.: H. Fischer 1994 ▪ Ullmann (5.) **A 1**, 357. – *[HS 2939 90; CAS 54-04-6]*

Mesna (Rp). $HS–CH_2–CH_2–SO_2–ONa$. Internat. Freiname für das Natrium-Salz der 2-Mercaptoethansulfonsäure, $C_2H_5NaO_3S_2$, M_R 164,17, Schmp. 274,8 °C. M. wurde 1966 u. 1971 als *Mucolytikum von U. C. B. (Mistabronco®), 1979 u. 1980 als Prophylaktikum gegen die Urotoxizität der *Cytostatika vom Oxazaphosphorin-Typ von Asta Medika (Uromitexan®) patentiert. – ***E = F = I = S*** mesna

Lit.: ASP ▪ Beilstein E IV **4**, 85 ▪ Hager (5.) **8**, 890 f. ▪ Martindale (31.), S. 984. – *[HS 2930 90; CAS 19767-45-4]*

Meso... Von griech.: mésos = mittlerer abgeleiteter Vorsatz in chem. Namen u. allg. Bez. mit unterschiedlicher Bedeutung. Kursives *meso-* wird beim alphabet. Sortieren ignoriert.

1. Bez. einer mittleren Hydratationsstufe bei anorgan. Verb.; *Beisp.:* Mesoperiodsäure = H_3IO_5.
2. Stereobez. für opt. inaktive Mol. mit zwei spiegelbildlichen chiralen Hälften; *Beisp.: meso-**Weinsäure; vgl. optische Aktivität u. Diastereo(iso)merie.
3. Veraltete Bez. für Positionen zwischen zwei Ringen, z. B. in Porphin (5,10,15,20- = *meso*-Tetraphenyl-) u. Anthracen (9- = *meso-* od. *ms*-Chlor-). Das Brückensymbol *μ ist Abk. für *meso.*
4. Veraltete Bez. für eine bestimmte Konfiguration der *Inosite: *meso-*, heute: *myo-.
5. Veraltete Bez. für Mittelstücke *kondensierter Ringsysteme, die durch Mehrfachverknüpfung zweier Ringsysteme entstehen; *Beisp.: meso*-Naphthodianthren = Phenanthro[1,10,9,8-*opqra*] = perylen, das Stammgerüst von *Hypericin (zwei 1,8,9-verknüpfte Anthracene bilden einen Naphthalin-Kern).
6. In allg. Bez. bedeutet Meso... einen mittleren Zustand (*Beisp.:* *Mesomerie) od. eine Zwischenstellung (*Beisp.:* *Mesonen = Teilchen mittlerer Masse); s. a. die folgenden Stichwörter. – ***E = I = S*** meso... – ***F*** méso...

Mesobilirubin (früher: Mesobilirubin IX).

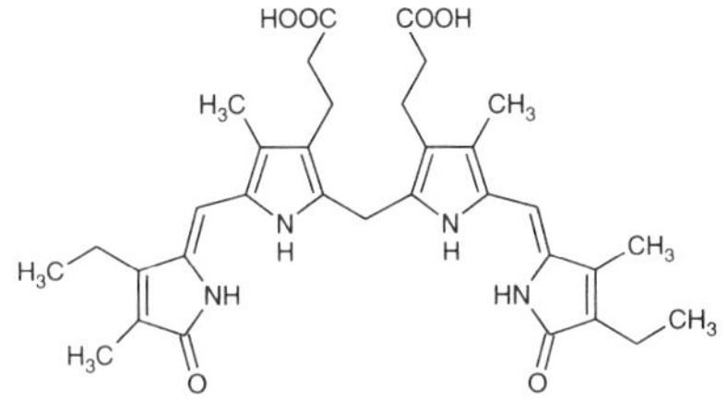

$C_{33}H_{40}N_4O_6$, M_R 588,70. Das *Z,Z*-Isomere [Abb.; gelbe Krist. aus Pyridin, Schmp. 321 °C, nach anderen Angaben: 315 °C (Zers.), 305 °C (Zers.)] ist ein Abbauprodukt der *Gallenfarbstoffe, das ebenso wie *Bilirubin, *Urobilin u. *Stercobilin zu den linearen *Tetrapyrrolen gehört. Von dem Erstgenannten unterscheidet es sich durch den Besitz zweier Ethyl- statt Vinyl-Gruppen. – ***E*** mesobilirubin – ***F*** mésobilirubine – ***I*** mesobilirubino – ***S*** mesobilirrubina

Lit.: Beilstein E V **26/15**, 519. – *[CAS 16568-56-2]*

Mesogen. Als m. (od. *mesogene Gruppe*) bezeichnet man eine Substanz (od. Gruppierung), die in einem bestimmten Temp.-Bereich eine sog. *Mesophase* bildet, s. flüssige Kristalle. – ***E*** mesogen – ***F*** mesogène – ***I*** mesogeno – ***S*** mesógeno

Mesohydrophyten s. Mesophyten.

Mesoionische Verbindungen. Aus *mesomer* u. *ion.* zusammengesetzter Begriff für in der Regel 5-gliedrige, nach außen ungeladene Heterocyclen, deren Valenzstrichformeln sich nicht ohne elektr. Ladungen darstellen lassen, die nicht ausreichend durch *eine* zwitterion. Grenzformel beschrieben werden können u. die im Fünfring 6 π-, unter Beteiligung der exocycl. Atome, 8 π-Elektronen delokalisieren. Man unterscheidet etwa 70 verschiedene m. V., wobei die Oxazolium-5-olate (*Münchnone*, s. Azomethin-Ylide) u. die 1,2,3-Oxadiazolium-5-olate (*Sydnone) die bekanntesten Vertreter sind.

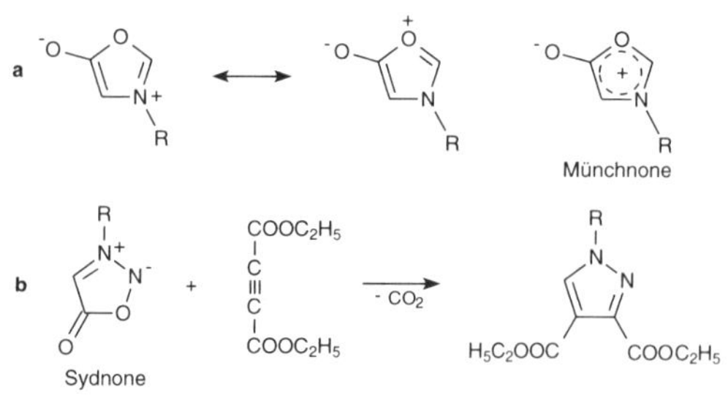

Abb.: Mesoionische Verbindungen; (a) Münchnone, (b) Sydnone.

Die Herst. der m. V. geschieht bevorzugt durch Kondensationsreaktionen; z. B. synthetisierte *Huisgen die Münchnone durch Kondensation von *N*-Acylaminosäuren mit Essigsäureanhydrid. M. V. zeigen z. T. einen ausgeprägten Dipolcharakter. So sind Münchnone verkappte *Azomethin-Ylide u. Sydnone verkappte *Azomethin-Imine, die sich für *1,3-dipolare Cycloadditionen hervorragend eignen (s. Abb. b). – ***E*** mesoionic compounds – ***F*** composés mésoioniques – ***I*** composti mesoionici – ***S*** compuestos mesoiónicos

Lit.: Adv. Heterocyclic. Chem. **19**, 1–122 (1976) ▪ Padva, 1,3-Dipolar Cycloaddition Chemistry, Vol. 2, S. 1 ff., New York: Wiley 1984 ▪ Synthesis **1994**, 123 ▪ Tetrahedron **38**, 2965–3011 (1982); **41**, 2239–2329 (1985).

Mesokarp s. Perikarp.

Mesolith s. Natrolith.

Mesomerie (von griech.: mesos = zwischen u. meros = Teil). Von *Ingold 1933 eingeführter Begriff[1], der im angelsächs. Sprachraum weitgehend durch den v. a. von *Pauling geprägten Begriff *Resonanz[2] ersetzt ist. Beiden zugrunde liegt ein quantenmechan. Näherungsverf. zur Behandlung der elektron. Struktur von Mol., welches eine nahe Verwandtschaft zu den *Lewis-Formeln besitzt u. als Valenzstrukturmeth. (s. Valence-Bond-Methode) bezeichnet wird. In der heutigen *Theoretischen Chemie hat der Begriff M. nur noch eine geringe Bedeutung; v. a. in der Organ. Chemie wird er aber für qual. Betrachtungen u. aus didakt. Gründen noch häufig verwandt.

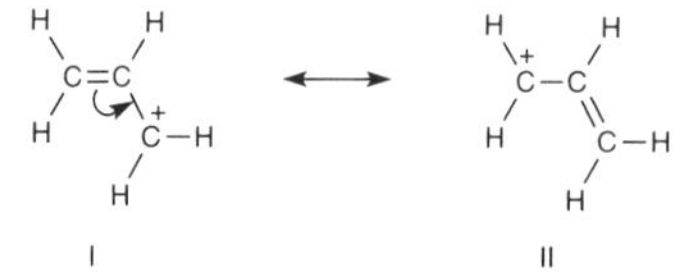

I II

Abb.: Mesomere Grenzstrukturen des Allyl-Kations.

Der Begriff M. kommt dann zur Anw., wenn ein vorgegebenes Mol. nicht mit einer einzigen Lewis-Formel, in diesem Falle auch *Grenzformel* od. *Grenzstruktur* genannt, befriedigend beschrieben werden kann. Eine derartige Situation liegt z. B. beim Allyl-Kation vor (s. Abb.), welches über zwei äquivalente C,C-Bindungen verfügt, die in ihrer Stärke zwischen einer *Einfach- u. einer *Doppelbindung liegen. Das angesprochene Näherungsverf. setzt die *Wellenfunktion des Allyl-Kations Ψ an als Linearkombination der Wellenfunktionen der Grenzstrukturen I($|\Psi_I|$) u. II($|\Psi_{II}|$), welche aufgrund ihrer Äquivalenz das gleiche Gew. erhalten: $\Psi = |\Psi_I| + |\Psi_{II}|$. Sind beide (od. in anderen Fällen auch mehrere) Grenzstrukturen nicht äquivalent, dann erhalten sie unterschiedlich große Werte für die Linearkoeff. c_I gemäß:

$$\Psi = \sum_I c_I\, \Psi_I .$$

Die Bestimmung der Koeff. c_I über das *Energievariationsprinzip führt dazu, daß die den elektron. Grundzustand beschreibende Wellenfunktion Ψ eine tiefere Energie besitzt als die zu den Wellenfunktionen Ψ_I der einzelnen Grenzstrukturen gehörigen Energiewerte. Die Energiedifferenz zwischen dem durch Ψ beschriebenen „mesomeren Zustand" u. den Grenzstrukturen bezeichnet man als *M.*- od. *Resonanzenergie*. Der Sprachgebrauch, eine Verb. sei *M.* od. *resonanzstabilisiert*, bedeutet daher meistens, daß durch Delokalisation von π-*Elektronen eine Stabilisierung erreicht wird. Man sollte sich bei der Verw. des M.- od. Resonanz-Begriffs klarmachen, daß den durch einzelne Lewis-Formeln beschriebenen Grenzstrukturen keinerlei Realität zukommt u. daß Formulierungen wie „die Verb. reagiert aus dem mesomeren Grenzzustand A heraus" unsinnig sind. – ***E*** mesomerism – ***F*** mésomérie – ***I*** mesomeria – ***S*** mesomería

Lit.: [1] J. Chem. Soc. **1933**, 1120. [2] Pauling, Die Natur der chemischen Bindung, 2. Aufl., Weinheim: Verl. Chemie 1964.

Mesomerie-Effekt s. Resonanz.

Mesomerieenergie s. Mesomerie.

Mesonaphthodianthren s. Meso...

Mesonen. Familie von *Elementarteilchen, die der starken Wechselwirkung unterliegen u. somit den *Hadronen zuzurechnen sind. Die Bez. M., d. h. mittelschwere Teilchen, rührt daher, daß die zuerst entdeckten Teilchen dieser Familie Massen zwischen denen eines *Elektrons u. eines *Protons besitzen. M. haben ganzzahligen *Spin u. gehorchen somit als *Bosonen der *Bose-Einstein-Statistik. Die ersten M., die *π-M.* od. *Pionen*, wurden 1947 von *Powell u. Mitarbeitern in der *kosmischen Strahlung nachgewiesen; die bereits 10 Jahre früher beobachteten *Myonen (μ-M.) zählt man inzwischen zu den *Leptonen. Die Existenz der Pionen wurde schon 1935 von dem japan. Physiker *Yukawa postuliert, der eine M.-Theorie der *Kernkräfte aufstellte. Seine Idee bestand darin, daß Kernkräfte durch ein M.-Feld vermittelt werden. Analog zu den *Photonen bei der elektromagnet. Wechselwirkung spielen nach Yukawa die M. die Rolle der Feldquanten bei den Kernkräften. Nach heutiger Vorstellung setzen sich M. aus Quark-Antiquark-Paaren zusammen, z. B. das pos. geladene Pion π^+ aus einem up-Quark (u) u. dem Antiteilchen des down-Quarks ($\bar{d}$). Die Spins der Quarks sind hierbei zu einem *Singulett gekoppelt u. der *Bahndrehimpuls ist gleich Null, so daß der *Term $^1S_0$ resultiert. Kopplung der Quark-Spins zu einem *Triplett liefert das ρ^+-M. (Term $^3S_1$). Zum Quarkaufbau u. a. Eigenschaften der übrigen M. s. Elementarteilchen, insbes. Tab. 3 auf S. 1136. – ***E*** mesons – ***F*** mésons – ***I*** mesoni – ***S*** mesones

Lit.: s. Elementarteilchen.

Mesonen-Atome. Bez. für solche *exotischen Atome, an deren Aufbau *Mesonen beteiligt sind. *Beisp.:* Ein neg. geladenes Pion π^- umkreist statt eines

Elektrons e^- den pos. geladenen Atomkern. Alle M.-A. sind instabil u. zerfallen nach kurzer Zeit. – ***E*** mesonic atoms – ***F*** atomes à mésons – ***I*** atomi mesonici – ***S*** átomos mesónicos

Mesophasen s. flüssige Kristalle.

Mesophile Organismen s. Mesophilie.

Mesophilie. Wachstums-Charakteristik von *Mikroorganismen, deren optimale Vermehrungstemp. im Bereich zwischen 20–42 °C liegt. Die meisten Boden- u. Wasserbakterien sind mesophil; s.a. Bakterien, Thermophilie. – ***E*** mesophily – ***F*** mésophilie – ***I=S*** mesofilia

Lit.: Schlegel (7.), S. 197.

Mesophyten (Mesohydrophyten). Pflanzen wechselfeuchter Standorte, d.h. meist mäßig feuchter, gut durchlüfteter Böden, die in der Regel nur kurzen Trockenperioden ausgesetzt sind. Sie weisen nur geringen Verdunstungsschutz auf u. stehen physiolog. zwischen den *Hygrophyten u. den *Xerophyten. Zur *Adaptation des Stoffwechsels bei Wasserstreß s. *Lit.* – ***E*** mesophytes – ***F*** mésophytes – ***I*** mesofite – ***S*** mesofitas

Lit.: Schlee (2.), S. 42–62, 166–170.

Mesoporphyrin s. Porphyrine.

Mesoprobe s. Mikroanalyse.

Mesosiderite s. Meteoriten.

Mesosomen. Einstülpungen der Cytoplasma-*Membran bei Bakterien. Die Funktion der nur unter bestimmten Bedingungen sichtbaren M. ist bislang unbekannt, möglicherweise handelt es sich in den meisten Fällen um Präparationsartefakte. – ***E*** mesosoms – ***F*** mésosomes – ***I*** mesosomi – ***S*** mesosomas

Lit.: Plattner u. Hentschel, Taschenlehrbuch Zellbiologie, S. 52f., Stuttgart: Thieme 1997 ▪ Schlegel (7.), S. 46.

Mesosphäre s. Atmosphäre.

Mesothorium. Histor. bedingte Bez. für zwei radioaktive Isotope der *Thorium-Zerfallsreihe* (s. Radioaktivität): MsTh I = $^{228}_{88}Ra$ (1905 von O. *Hahn entdeckt) u. MsTh II = $^{228}_{89}Ac$. – ***E*** mesothorium – ***F*** mésothorium – ***I=S*** mesotorio

Mesotocin s. Oxytocin.

Mesoxalsäure (Oxomalonsäure, Ketomalonsäure, Oxopropandisäure).

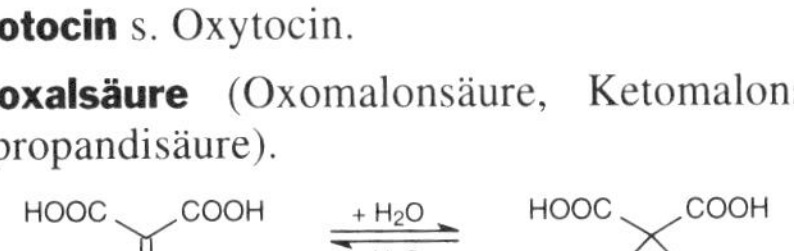

M. M.-hydrat

$C_3H_2O_5$, M_R 118,04; farblose hydratisierte Krist. (Dihydroxymalonsäure), $C_3H_4O_6$, M_R 136,06, Schmp. 113–121 °C, sehr gut lösl. in Wasser, Ethanol u. Diethylether. M. kommt in der Luzerne (*Medicago sativa*, Fabaceae) u. in der Zuckerrübe vor. Die wäss. Lsg. reduziert ammoniakal. Silbersalz-Lsg., zerfällt beim Kochen in *Glyoxylsäure u. Kohlendioxid, beim Eindampfen bilden sich Oxalsäure u. Kohlenmonoxid. M. wirkt oral eingenommen antidiabetisch. Bei den Estern der M. sind die hydratisierte u. die Oxo-Form getrennt faßbar. – ***E*** mesoxalic acid – ***F*** acide mésoxalique – ***I*** acido mesossalico – ***S*** ácido mesoxálico

Lit.: Beilstein E III **3**, 1355 ▪ Karrer, Nr. 867. – *Synth.:* Fieser u. Fieser (Hrsg.), Reagents for Organic Synthesis, Bd. 6, S. 188; Bd. 8, S. 170; Bd. 10, S. 143, New York: Wiley ▪ Synthesis **1976**, 411 ▪ Synth. Commun. **24**, 695 (1994). – *[HS 2918 30; CAS 473-90-5 (Oxo-Form); 560-27-0 (Hydrat)]*

Mesozoikum s. Erdzeitalter.

ME 605-Spritzpulver®. Insektizid auf der Basis von *Parathion-methyl, gegen saugende u. beißende Schädlinge im Obst- u. Weinbau. ***B.:*** Bayer.

Messen. Verf., bei denen die Quantität einer physikal. Größe durch Vgl. mit einem Standard od. einem Normal bestimmt wird. Dieses Normal ist im Prinzip frei wählbar; es muß aber räumlich u. zeitlich konstant sein. Man hat sich internat. auf einen Satz von sechs *Basiseinheiten geeinigt, in denen alle *Fundamentalkonstanten angegeben werden u. die die Grundlagen für die *gesetzlichen Einheiten bilden.

Das Ergebnis einer Messung wird ausgedrückt durch den *Meßwert* (er ist das Produkt aus Meßzahl u. Einheit) sowie im allg. die *Meßunsicherheit.* Diese setzt sich aus dem *statist. Fehler,* der aus der Streuung der Meßwerte um einen Mittelwert resultiert, u. dem *prinzipiellen Meßfehler* zusammen, der durch die Art der Messung gegeben ist.

Für die Ermittlung des statist. Fehlers gilt folgende mathemat. Abschätzung: Die Meßwerte einer Stichprobe streuen um die wahre Meßgröße. Die beste Schätzung für den Erwartungswert, bei Vorliegen einer Normal- od. Poisson-Verteilung, gibt das arithmet. Mittel $\bar{x}$, auch *Mittelwert* genannt, an. Aus n Meßwerten x_i einer Meßreihe erhält man

$$\bar{x} = \frac{1}{n} \cdot \sum_{i=1}^{n} x_i .$$

Die Streuung der Meßwerte um den Mittelwert wird durch die mittlere quadrat. Abweichung, genannt die *empir. Varianz,* beschrieben:

$$s^2 = \frac{1}{n-1}(x_i - \bar{x})^2 .$$

Die Größe s wird als *empir. Standardabweichung* bezeichnet. Die Mittelwerte mehrerer Meßreihen streuen geringer als die einzelnen Meßwerte. Deshalb ist die *Standardabweichung des Mittelwertes* gegeben durch

$$\sigma = \frac{s}{\sqrt{n}} = \sqrt{\sum_{i=1}^{n} \frac{(x_i - \bar{x})^2}{n(n-1)}} .$$

σ wird mit steigendem n, d.h. größere Anzahl von Einzelmessungen, immer kleiner. Sobald σ aber kleiner als der prinzipielle Meßfehler ist, kann die Meßgenauigkeit durch Erhöhen von n nicht weiter gesteigert werden.

Wird ein weiterer Meßwert ermittelt, so liegt er mit einer Wahrscheinlichkeit von 68,27% innerhalb des Bereichs $\bar{x} \pm \sigma$ (Ein-σ-Regel), mit 95,5% innerhalb von $\bar{x} \pm 2\sigma$ (Zwei-σ-Regel) u. mit 99,7% innerhalb $\bar{x} \pm 3\sigma$ (Drei-σ-Regel).

Wurde eine einzelne Zahlengröße N-mal gemessen, z.B. eine bestimmte Anzahl von radioaktiven Zerfällen innerhalb eines Meßintervalls, so gilt $\bar{x} = N$ u. $\sigma = s = \sqrt{N}$; weitere Details s. *Lit.*[1].

Bei der Beurteilung der Zuverlässigkeit von Meßergebnissen sind die Kenntnisse von *Genauigkeit u. *Reproduzierbarkeit (Präzision) unabdingbar; eine Fachbibliographie zum Thema Meßgenauigkeit findet sich in *Lit.*[2]. Eine selbstverständliche Voraussetzung beim M. ist das Eichen (s. Kalibrieren) der Meßgeräte. – ***E*** measuring – ***F*** mesure – ***I*** misurazione – ***S*** medir, medición

Lit.: [1] Barra, Measure and Integration, Encyclopedia of Physical Science and Technology, Vol. 9, S. 541–560, New York: Academic Press 1992. [2] Pure Appl. Chem. **55,** 907 (1983).
allg.: Analyt.-Taschenb. **1**, 43–62 ▪ DIN 1319-1: 1995-01; 1319-2: 1980-01 (Entwurf: 1996-02); 1319-3: 1996-05 ▪ Gränicher, Messung beendet – was nun, Stuttgart: Teubner 1996 ▪ Henrion u. Henrion, Multivariante Datenanalyse, Methodik u. Anwendung in der Chemie u. verwandten Gebieten, Berlin: Springer 1995 ▪ IUPAC, Größen, Einheiten u. Symbole in der Physikalischen Chemie, Weinheim: VCH Verlagsges. 1996 ▪ Ruegg, Wahrscheinlichkeitsrechnung u. Statistik, München: Oldenbourg 1994 ▪ Taylor, Fehleranalyse, Weinheim: VCH Verlagsges. 1988 – *Organisationen:* Physikalisch-Technische Bundesanstalt (PTB), Bundesallee 100, 38116 Braunschweig.

Messenger s. Ribonucleinsäuren u. second messenger.

Messenger-Ribonucleinsäuren s. Ribonucleinsäuren.

Messenger-RNA s. Ribonucleinsäuren.

Messer Griesheim. Kurzbez. für die zur *Messer Gruppe gehörende Messer Griesheim GmbH.

Messer Gruppe. Gegr. 1898 in Höchst am Main, gehört die M. G. heute mehrheitlich zur Höchst AG (66,66%), die restlichen Gesellschaftsanteile werden von der Messer Industrie GmbH gehalten. Das Unternehmen mit Sitz in 60547 Frankfurt am Main hat weltweit zahlreiche Tochter- u. Beteiligungsgesellschaften. *Daten* (1996, weltweit in Klammern): 3354 (10021) Beschäftigte, 1,2 (2,5) Mrd. DM Umsatz. *Produktion:* Ind.-Gase, Anlagen zur Gasgewinnung u. Verf. zur Gasanw. für die Bereiche Chem. Ind., chem. Labor, Schweißen u. Schneiden, Umwelttechnik, Spezialgase, industrielle Verfahrenstechnik, Lebensmitteltechnik, Metallurgie, Elektronik, Medizin, Gasversorgung, Versorgungskonzepte, Schweiß- u. Schneidtechnik.

Messing. Sammelbez. für geknetete od. gegossene Kupfer-Zink-Legierungen. Die Färbung dieser Leg. liegt zwischen hellgelb (hohe Zn-Gehalte) u. rotgelb (niedrige Zn-Gehalte). Die alte Kurzbez. Ms mit Zusatz des Kupfer-Gehalts in Prozent (z. B. Ms 58) wurde ersetzt durch die Kurzbez. Cu u. den Zusatz der chem. Symbole der Legierungselemente unter Angabe ihres Gehalts in Prozent (z. B. CuZn 28).
Von techn. Interesse sind nur Leg. mit mehr als 52% Cu. Oberhalb von ca. 62% besteht das *Gefüge nur aus Cu-reichen α-*Mischkristallen; Leg. dieses homogenen Typs sind gut verarbeitbar. Unterhalb dieses Gehaltes liegt ein Gemisch aus α-Mischkrist. u. Zn-reichen β-Mischkrist. vor (s. Hume-Rothery-Phasen). Aufgrund der Mischkristallhärtung weist M. gute Festigkeit auf, daneben auch eine hervorragende Korrosionsbeständigkeit, bes. im Kontakt mit salzhaltigen Wässern. Leg. dieses Typs finden Anw. in der Sanitär-Ind., opt. Ind. (z. B. Fassungen), Schmuck-Ind. u. bei der Pumpenherstellung.
Cu-Zn-Sonderleg. (*Sondermessinge*) entstehen durch Zusätze von Mn, Al, Si, Fe, Sn u. Ni; sie weisen je nach Zusatzart u. -menge bestimmte Eigenschaften auf. *Automatenmessing* enthält Pb als spanbrechenden Zusatz zur Verbesserung der spangebenden Bearbeitbarkeit. Bes. Leg. des Syst. CuZn sind: *Tombak* mit mehr als 72% Cu, *Talmigold* (*Abessin. Gold*, auch vergoldetes Tombak) mit bis zu 1% Au, *Nürnberger Kupferrot* mit 1,2% Zn, *Pinchbeck* mit ca. 10% Zn, *Mannheimer Gold* mit ca. 15% Zn u. 5% Sn, *Muntz-Metall* mit ca. 40% Zn, *Musivgold* (*Mosaikgold*) mit ca. 35% Zn. – ***E*** brass – ***F*** laiton – ***I*** ottone – ***S*** latón

Lit.: Dtsch. Kupferinstitut (Hrsg.), Kupfer-Zink-Legierungen, Berlin: Dtsch. Kupferinstitut 1966 ▪ DIN 17660: 1983-12 ▪ Metals Handbook, Vol. 2, Nonferrous Alloys and Pure Metals, S. 239 ff., Metals Park: Am. Soc. for Metals 1979. – *[HS 7403 21]*

Meßkolben.

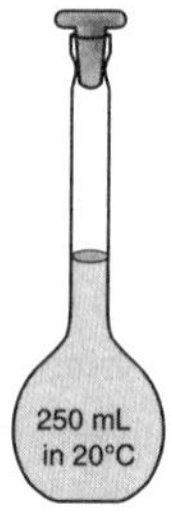

Abb.: Meßkolben.

*Kolben aus Glas, Polypropylen od. anderen Kunststoffen mit u. ohne Stopfen, die je nach Größe eine genaue Abmessung von Flüssigkeiten im Bereich von 1–2000 mL ermöglichen. In der Mitte des verhältnismäßig engen Flaschenhalses ist ein feiner Eichstrich eingeätzt; ist der Kolben bis zu dieser Marke gefüllt (der Eichstrich muß Tangente am tiefsten Punkt des *Meniskus sein), so enthält er (bei Eichung auf *Einguß*) genau die auf dem M. angegebene Menge. – ***E*** measuring flasks – ***F*** ballon jaugé, ballon gradué, fiole jaugée – ***I*** matraccio graduato – ***S*** matraz aforado

Lit.: DIN 12664: 1983-08.

Meßpipetten s. Pipetten.

Meßstelle. *Immissions-Meßpunkt (-ort), Meßinstrument od. Fachinstitution. Nach *TA Luft ist für die Ermittlung der Vorbelastung der Luft mit der *Genehmigungsbehörde ein Meßplan abzustimmen, in dem das Beurteilungsgebiet (in Abhängigkeit von der Schornsteinhöhe der *genehmigungsbedürftigen Anlage), die Beurteilungsflächen, Meßobjekte, M. mit Meßhöhe, -zeitraum, -häufigkeit u. -verf. anzugeben sind[1].
Nach *Bundes-Immissionsschutzgesetz § 26 haben die mit der Ermittlung von *Emissionen u. Immissionen beauftragten M. bestimmte Anforderungen hinsichtlich Fachkunde, Zuverlässigkeit u. gerätetechn. Ausstattung zu erfüllen. Gleiches gilt für die anerkannten M. für Messungen gemäß GefStoffV[2]. – ***E*** measuring station – ***F*** point de mesure, instance de mesure – ***I*** luogo della misurazione di immissione – ***S*** puesto de medición

Lit.: [1]TA Luft, 2.6.2. [2]Bundesanstalt für Arbeitsschutz, Gefährliche Arbeitsstoffe GA25, Verzeichnis der Meßstellen für gefährliche Stoffe, Dortmund: BAU 1991.

Meßtechnik s. Messen.

Meß- u. Regelmechaniker s. Prozeßleitelektroniker.

Meß- u. Regeltechniker. *Chemie-Beruf mit zweijähriger Ausbildung an einer Fachschule für Technik, die einschlägige Berufserfahrung voraussetzt u. einen Einsatz im techn. Bereich auf mittlerer Ebene erlaubt, d. h. zwischen *Ingenieur u. Meß- u. Regelmechaniker (s. Prozeßleitelektroniker). Der Einsatz des M.- u. R. ist bei allen Automatisierungsfragen gefordert u. kann auch ingenieurmäßige Funktionen wie Entwicklung u. Anw. geeigneter Meß- u. Regelgeräte umfassen. – ***E*** measurement and control technician – ***F*** technicien de mesure et réglage – ***I*** tecnico di misurazione e di regolazione – ***S*** técnico de medidas y control

Meßzylinder. Zylindr. Glasgefäße mit einer von unten nach oben verlaufenden Skala (Mensur).

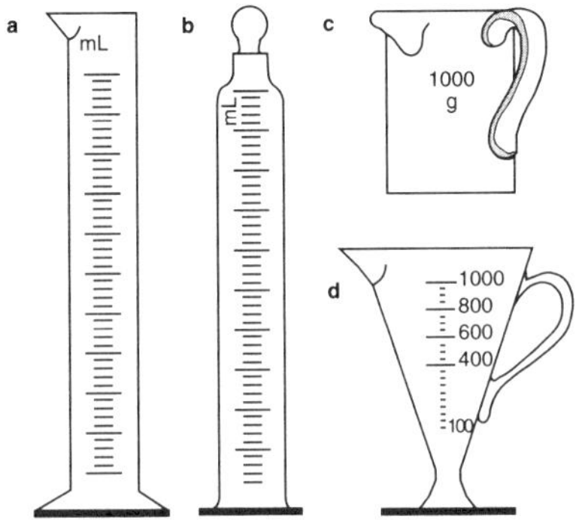

Abb.: Meßzylinder.

Die Ablesegenauigkeit wird mit zunehmendem Durchmesser des M. ungenauer. Für die Abmessung u. Vermischung verschiedener Flüssigkeiten eignen sich die sog. *Mischzylinder* (s. Abb. b); dies sind M., deren oberster Teil verengt u. mit einem Glasstopfen verschließbar ist. – ***E*** graduated cylinders – ***F*** éprouvette graduée – ***I*** cilindro graduato – ***S*** probeta graduada

Lit.: DIN 12680-1: 1975-10; 12680-2: 1983-04; 12685-1: 1975-10; 12685-2: 1983-04.

Mesterolon (Rp).

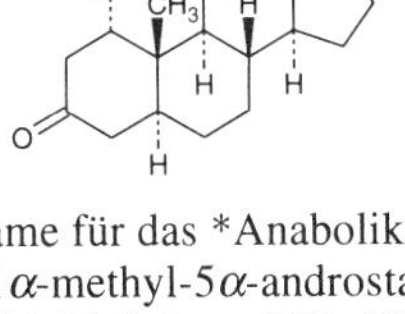

Internat. Freiname für das *Anabolikum u. Androgen 17*β*-Hydroxy-1*α*-methyl-5*α*-androstan-3-on, $C_{20}H_{32}O_2$, M_R 304,47, Schmp. 203–205 °C, $[\alpha]_D^{20}$ +20° bis +25° (c 2/$CHCl_3$), λ_{max} (CH_3OH) 282 nm ($A^{1\%}_{1cm}$ 0,68). M. wurde 1962 u. 1968 von Schering (Proviron®) patentiert u. ist auch von Jenapharm (Vistimon®) im Handel. – ***E***=***I*** mesterolone – ***F*** mestérolone – ***S*** mesterolona

Lit.: ASP ▪ Hager (5.) **8**, 891 ff. ▪ Martindale (31.), S. 1497. – *[HS 2937 99; CAS 1424-00-6]*

Mestinon® (Rp). Ampullen, (Retard-)Tabl., Dragées mit dem *Cholin-Esterase-Hemmer *Pyridostigminbromid. ***B.:*** Hoffmann-La Roche.

Mestranol (Rp).

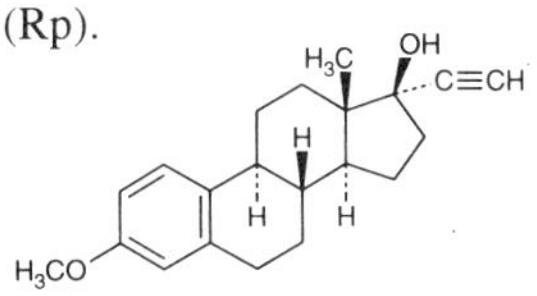

Internat. Freiname für das *Estrogen 3-Methoxy-19-nor-17*α*-pregna-1,3,5(10)-trien-20-in-17-ol [17*α*-Ethinyl-3-methoxy-1,3,5(10)-estratrien-17*β*-ol], $C_{21}H_{26}O_2$, M_R 310,43, den 3-Methylether des *Ethinylestradiols. Weißliches, geruchloses, krist. Pulver, Schmp. 150–151 °C, λ_{max} (CH_3OH) 279, 287,5 nm ($A^{1\%}_{1cm}$ 82, 14,4), prakt. unlösl. in Wasser, lösl. in Chloroform (1:4,5), Dioxan (1:12), Aceton u. Ether (1:23) u. Alkohol (1:44). Lagerung: Lichtgeschützt. M. wurde 1954 von Searle patentiert u. ist generikafähig als Kontrazeptivum in Kombination mit *Chlormadinonacetat od. *Norethisteron im Handel. – ***E***=***F***=***S*** mestranol – ***I*** mestranolo

Lit.: ASP ▪ Beilstein E IV **6**, 6877 ▪ Florey **11**, 375–406 ▪ Hager (5.) **8**, 893 ff. ▪ Martindale (31.), S. 1497 ▪ Ph. Eur. **1997** u. Komm. – *[HS 2937 92; CAS 72-33-3]*

Mesulfen.

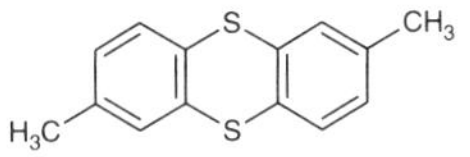

Von der WHO vorgeschlagener Freiname für das als *Antiscabiosum wirksame 2,7-Dimethylthianthren (veraltete Numerierung 2,6-Dimethylthianthren), $C_{14}H_{12}S_2$, M_R 244,36, Schmp. 123 °C, Sdp. 184 °C (399,9 Pa), n_D^{20} 1,662 bis 1,670, λ_{max} (C_2H_5OH) 259 nm ($A^{1\%}_{1cm}$ ~1300). In Wasser prakt. nicht, in Aceton, Chloroform u. Ether leicht löslich. M. ist von medopharm (Citemul®) im Handel. – ***E*** mesulfen – ***F*** mésulfène – ***I*** mesulfene – ***S*** mesulfeno

Lit.: Beilstein E V **19/2**, 72 ▪ Hager (5.) **8**, 895 f. ▪ Martindale (31.), S. 1089. – *[HS 2934 90; CAS 135-58-0]*

Mesurol®. Akarizid. Insektizid, Molluskizid u. Vogel-Repellent auf der Basis von Mercaptodimethur, zur Anw. in verschiedenen Kulturen. ***B.:*** Bayer.

Mesuximid (Rp).

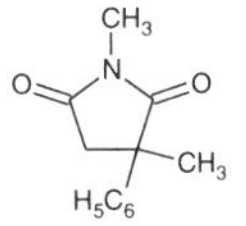

Internat. Freiname für das *Antiepileptikum (±)-1,3-Dimethyl-3-phenyl-2,5-pyrrolidindion, $C_{12}H_{13}NO_2$, M_R 203,24, Schmp. 50–56 °C, Sdp. 121–122 °C (13,3 Pa); LD_{50} (Maus oral) 1,55 g/kg. In Wasser schwer lösl. (1:350), besser lösl. in Chloroform (1:<1), Ether (1:2) u. Ethanol (1:3). Lagerung: Vor Luft geschützt. M. wurde 1953 von Parke Davis (Petinutin®) patentiert. – ***E***=***I*** mesuximide – ***F*** mésuximide – ***S*** mesuximida

Lit.: ASP ▪ Beilstein E V **21/11**, 209 f. ▪ Hager (5.) **8**, 896 ff. ▪ Martindale (31.), S. 376. – *[HS 2925 19; CAS 77-41-8]*

Mesyl... Nach IUPAC-Regeln C-641.7 u. R-9.1.30 zulässige Kurzbez. für unsubstituiertes *Methansulfonyl...; Abk.: Ms. – ***E*** mesyl... – ***F*** mésyl... – ***I***=***S*** mesil...

Mesylate. Trivialname (in Freinamen: Mesilate) für Salze u. Ester der *Methansulfonsäure.

Mesylchlorid s. Methansulfonylchlorid.

Met. 1. Kurzz. für die Aminosäure *Methionin.
2. Ein weinähnliches Getränk (Honigwein), das bereits in frühgeschichtlicher Zeit getrunken wurde u. noch heute bei den Eingeborenen Südafrikas verbreitet ist. ***Herst.:*** M. wird aus einer mit Gewürzen (Anis, Ingwer, Zimt) u. karamelisiertem Honig versetzten Honig-Wasser-Mischung (Verhältnis 2:1) hergestellt, die unter Zusatz von Hopfen vor der Gärung kurz aufgekocht wird. Die Stoffe, die zur Herst. von M. erlaubt sind, sind *Lit.*[1] zu entnehmen. M. ist ein „weinähnliches Getränk" (Verkehrsbez.) im Sinne des Weingesetzes[2], wobei dieses Gesetz nur noch auf wein- u. schaumweinähnliche Getränke anzuwenden ist. Mindestalkohol-Gehalt: 8% vol. – ***E*** 2. met, honey wine, hydromel – ***F*** 2. hydromel – ***I*** 2. idromele – ***S*** 2. hidromiel
Lit.: [1] VO zur Ausführung des Weingesetzes vom 16. 7. 1932 in der Fassung vom 22. 12. 1981 (BGBl. I, S. 1625, 1675) Artikel 7 G Nr. 23–26. [2] Weingesetz vom 27. 7. 1930 in der Fassung vom 2. 3. 1974 (BGBl. I, S. 469, 631).
allg.: Belitz-Grosch (4.), S. 803, 837 f. ▪ Schanderl, Fruchtweine (7.), S. 57 f., Stuttgart: Ulmer 1981 ▪ Würdig u. Woller, Chemie des Weines, S. 768, Stuttgart: Ulmer 1989 ▪ Zipfel, C 400. – *[HS 2206 00]*

Met(a)... Von griech.: met(a)... = mit..., zwischen..., nach..., neben..., hinein..., (hin)über..., (her)um..., ver... abgeleiteter vieldeutiger Vorsatz in chem. Namen u. allg. Bez. (in Frei- u. Handelsnamen steht Met... jedoch meist für Methyl...):
1. Bez. für Polysäuren ungewisser linearer od. cycl. Struktur, die durch Entzug eines Mol. Wasser je Mol. Ortho-Säure entstehen (IUPAC-Regel D-5.65); *Beisp.:* Metaborsäure = $(HBO_2)_x$, Metakieselsäure = $(H_2SiO_3)_x$, Metaphosphorsäure = $(HPO_3)_x$.
2. Bez. für eine eng verwandte Verb.; *Beisp.:* *Metaldehyd, *Methämoglobin.
3. *meta-* bedeutet 1,3-Substitution am Benzol-Ring („zwischen" *Ortho... u. *Para...), Kurzz.: *m-*; *Beisp.:* *m-**Xylol. Das kursive *m-* wird beim alphabet. Sortieren ignoriert.
4. Vorsatz von allg. Bez., die eine Nebenform od. Umwandlung bezeichnen; *Beisp.:* metastabil, Metamerie, Metamorphose.
5. Bez. für Begleiter od. Nebenformen von Mineralien; *Beisp.:* Metacinnabarit [schwarze Modif. des *Quecksilber(II)-sulfids (HgS)] ist Begleiter von Cinnabarit (= Zinnober, rote Modif.). – ***E*** = ***I*** = ***S*** met(a)... – ***F*** mét(a)...

Metabolie s. Metamorphose.

Metabolisierung. Allg. Bez. für chem. Veränderungen, die Substanzen im *Stoffwechsel (Metabolismus) erfahren. – ***E*** metabolization – ***F*** métabolisation – ***I*** metabolizzazione – ***S*** metabolización

Metabolismus s. Stoffwechsel.

Metaboliten. Nicht eindeutig definierter Begriff, mit dem man entweder die *aus* dem *Stoffwechsel (Metabolismus) resultierenden od. die *im* Stoffwechsel umgesetzten Produkte meint. Manchen M. wirken spezif. *Antimetaboliten entgegen. *Endogene M.* werden durch den Organismus selbst synthetisiert (z. B. Hormone) u. z. B. im Falle von Mikroorganismen auch industriell genutzt (s. Biotechnologie). *Exogene M.* werden durch den einen Organismus erzeugt u. durch einen anderen aus der Umwelt aufgenommen (z. B. Vitamine). Tier., pflanzliche od. mikrobielle Stoffwechsel-Produkte, die nicht unmittelbar dem Lebensunterhalt des betreffenden Lebewesens dienen, wie z. B. Wachse, Harze, Gerbstoffe, Farbstoffe, ether. Öle, Antibiotika, Alkaloide, werden oft als *sek. M.*[1] bezeichnet. Arzneimittel, Gifte u. dgl. (*Xenobiotika) werden meist zu *Konjugaten metabolisiert u. ausgeschieden. M. sind aufgrund ihrer biolog. Herkunft der *enzymatischen Analyse zugänglich, was u. a. in der klin. Chemie u. der Lebensmittel-Untersuchung wichtige Anw. findet. – ***E*** metabolites – ***F*** métabolites – ***I*** metaboliti – ***S*** metabolitos
Lit.: [1] Davies, Secondary Metabolites. Their Function and Evolution, Chichester: Wiley 1992.

Metabolitentest s. Katabolitentest.

Metaborate s. Borate.

Metachromasie. Bez. für die Erscheinung, daß ein reiner *Farbstoff einen Gewebeschnitt nicht mit dem Farbton färbt, der den Farbstoff charakterisiert, sondern mit einem offensichtlich anderen. So färbt z. B. eine (blaue) *Toluidinblau O-Lsg. zwar den Zellkern blau, eine bestimmte Gruppe von basophilen Plasmakomponenten dagegen rot. Hier ist der Farbton Blau die *orthochromat.*, der Farbton Rot dagegen die *metachromat.* Farbe des Toluidinblaus. Farbstoffe, die M. zeigen, werden *chromotrope Farbstoffe* genannt. Die M. ist nicht auf histolog. Präp. begrenzt; sie findet sich auch bei *Solen, *Gelen usw., wird aber bei Lsm. als *Solvatochromie bezeichnet. – ***E*** metachromasia, metachromatism – ***F*** métachromasie – ***I*** metacromasia – ***S*** metacromasia, metacromatismo
Lit.: Scheuner u. Hutschenreiter, Das Auftreten von Metachromasie, Doppelbrechung u. Dichroismus durch Toluidinblau-Reaktion, Stuttgart: Fischer 1975.

Metachromatische Leukodystrophie s. Sulfatide.

Metachrom-Farbstoffe. Gruppe von *Beizen-(Chromier-)Farbstoffen für Wolle u. Seide. Anw. nach dem sog. Metachrom-Verf. im Färbebad, das neben dem Einbad-Chromierfarbstoff noch Ammoniumsulfat, Kaliumchromat u. Glaubersalz enthält. – ***E*** metachrome dyes – ***F*** colorants métachromes – ***I*** coloranti metacromo – ***S*** colorantes metacromaticì
Lit.: Ullmann (5.) **A 3**, 271; **A 26**, 424 ▪ Winnacker-Küchler (3.) **4**, 313–384.

Metacinnabarit s. Zinnober, Quecksilbersulfid u. vgl. Met(a)....

Metaclazepam (Rp).

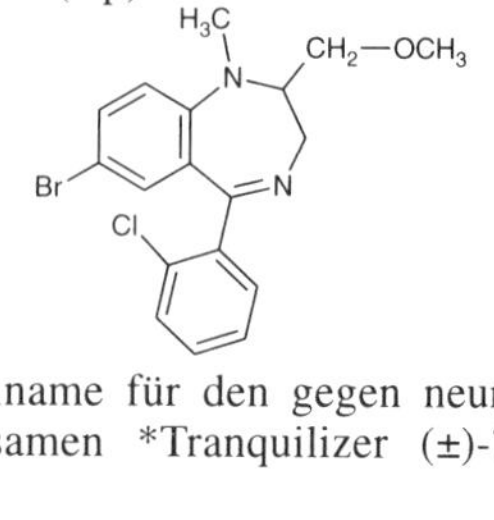

Internat. Freiname für den gegen neurot. Angstzustände wirksamen *Tranquilizer (±)-7-Brom-5-(2-

chlorphenyl)-2,3-dihydro-2-(methoxymethyl)-1-methyl-1*H*-1,4-benzodiazepin, $C_{18}H_{18}BrClN_2O$, M_R 393,71. Verwendet wird das Hydrochlorid, Schmp. 193–196 °C, λ_{max} (0,1 M methanol. HCl) 255, 464 nm ($A^{1\%}_{1cm}$ 561, 151), LD_{50} (Maus oral) 1578 mg/kg. M. wurde 1973 u. 1978 von Kali Chemie patentiert u. ist von Organon (Talis®) im Handel. – ***E*** = ***I*** = ***S*** metaclazepam – ***F*** métaclazépam

Lit.: ASP ▪ Beilstein E V **23/12**, 387 ▪ Hager (5.) **8**, 898 f. ▪ Martindale (31.), S. 720. – *[HS 2933 90; CAS 84031-17-4 (M.); 61802-93-5 (M.-Hydrochlorid)]*

Metacyclin (Rp).

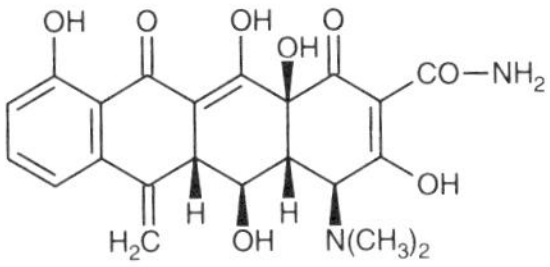

Internat. Freiname für ein auch *Methacyclin* genanntes halbsynthet. *Tetracyclin-Derivat, $C_{22}H_{22}N_2O_8$, M_R 442,42, Schmp. 205 °C (Zers.). Verwendet wird das Hydrochlorid, Zers. bei 205 °C, λ_{max} (0,1 M methanol. HCl) 253, 345 nm ($A^{1\%}_{1cm}$ 490, 323), LD_{50} (Maus i.p.) 288 mg/kg. M. wurde 1961 von Pfizer patentiert. – ***E*** metacycline – ***F*** métacycline – ***I*** = ***S*** metaciclina

Lit.: Hager (5.) **8**, 899 f. ▪ Martindale (31.), S. 248. – *[HS 2941 30; CAS 914-00-1 (M.); 3963-95-9 (M.-Hydrochlorid)]*

Metacyclophane. Gruppenname für *Cyclophane mit Brückenbindungen in 1,3-(Meta-)Stellung. [5]Metacyclophan als kleinstes M. zeigt wegen des in eine Halbsessel-*Konformation gezwungenen Benzol-Ringes nur geringe *Aromatizität u. eignet sich deswegen auch als Reaktionskomponente in *Diels-Alder-Reaktionen. Nahe mit den M. verwandt sind die *Calixarene*. Dabei handelt es sich um [1_n]M. mit n C_1-Brücken,

[5]Metacyclophan

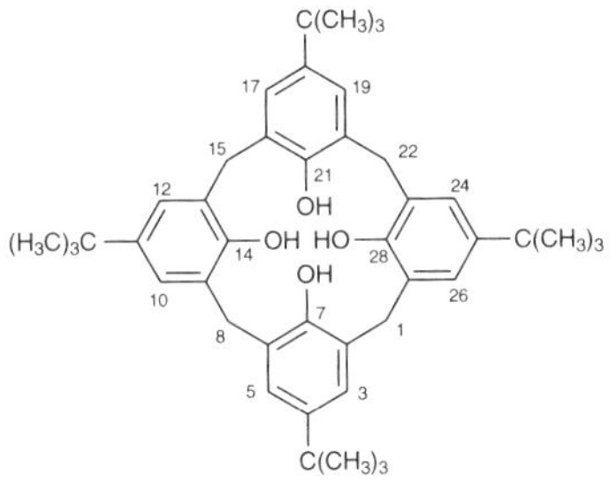

ein [1_4]M. = Calix[4]aren

deren Name aufgrund ihrer Mol.-Gestalt von latein.: calix = Kelch, Schüssel abgeleitet ist; *Beisp.:* 4,11,18,25-Tetra-*tert*-butyl-[1_4]metacyclophan-7,14,21,28-tetrol, s. Abbildung. Die nicht von der IUPAC sanktionierte Nomenklatur der Calixarene gibt die Anzahl der Monomeren in eckigen Klammern an u. beginnt mit der Bezifferung an der phenol. OH-Gruppe. Sie haben Eigenschaften von *Clathraten u. sind auf Grund ihrer hydrophilen u. lipophilen Mol.-Bestandteile in der Lage, sowohl unpolare als auch polare Stoffe einzuschließen. – ***E*** metacyclophanes – ***F*** métacyclophanes – ***I*** metaciclofani – ***S*** metaciclofanos

Lit.: Acc. Chem. Res. **16**, 161 f. (1983) ▪ Aldrichimica Acta **28**, 3 (1995) ▪ Angew. Chem. **94**, 485–496 (1982); **107**, 785 (1995) ▪ Chem. Unserer Zeit **25**, 195 (1991) ▪ Gutsche, Calixarenes, London: Royal Society of Chemistry 1989 ▪ Jansen Chimica Acta **10**, 3 (1992) ▪ Synthesis **1997**, 643 ▪ Top. Curr. Chem. **123**, 147 (1984) ▪ Vicens u. Böhmer, Calixarenes a Versatile Class of Macrocyclic Compounds, Dordrecht: Elsevier 1990.

Metaformaldehyd s. Formaldehyd u. 1,3,5-Trioxan.

Metahalloysit s. Halloysit.

Metakieselsäure. Aus Orthokieselsäure [$Si(OH)_4$] durch Kondensation entstehende cycl. od. kettenförmige *Kieselsäuren der Zusammensetzung $(H_2SiO_3)_n$. – ***E*** metasilicic acid – ***F*** acide métasilicique – ***I*** acido metasilicico – ***S*** ácido metasilícico

Metalaxyl.

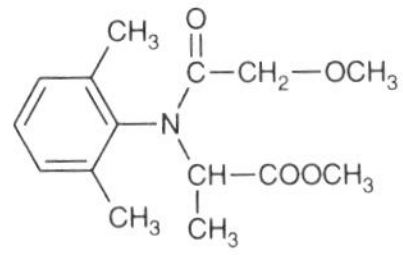

Common name für Methyl-*N*-methoxyacetyl-*N*-(2,6-xylyl)-DL-alaninat, $C_{15}H_{21}NO_4$, M_R 279,33, Schmp. 72 °C, LD_{50} (Ratte oral) 669 mg/kg, von Ciba-Geigy 1977 eingeführtes system. *Fungizid mit protektiver u. kurativer Wirkung gegen durch Oomyceten (z.B. Falschen Mehltau, Kartoffelfäule) verursachte Pflanzenkrankheiten in zahlreichen Kulturen. Um der Resistenzbildung vorzubeugen, wird M. vorwiegend in Kombination mit protektiv wirksamen *Fungiziden angewendet. – ***E*** = ***I*** metalaxyl – ***F*** métalaxyl – ***S*** matalaxil

Lit.: Farm. ▪ Perkow ▪ Pesticide Manual. – *[CAS 57837-19-1]*

Metalcaptase® (Rp). Tabl. mit D-*Penicillamin gegen Polyarthritis, Schwermetall-Vergiftungen, chron. Hepatitis, Cystinurie usw. ***B.:*** Heyl.

Metaldehyd (2,4,6,8-Tetramethyl-1,3,5,7-tetroxocan).

Xn 

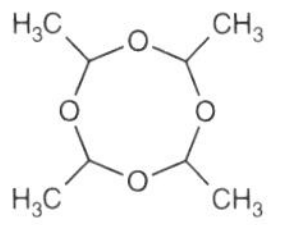

$C_8H_{16}O_4$, M_R 176,21. M. ist das cycl. Tetramere des *Acetaldehyds (das Cyclotrimere ist der *Paraldehyd). Überwiegend *all-cis*-Isomer, farblose bis weiße Krist., krist. Pulver od. Tabl., Schmp. 246 °C (in der Kapillare), subl. bei 112 °C, nahezu unlösl. in Wasser, lösl. in Benzol u. Chloroform, wenig lösl. in Alkohol u. Ether. Staub u. Dämpfe führen zu Reizung der Augen, der Atemwege, der Lunge sowie der Haut. Kontakt mit dem festen Stoff bewirkt starke Reizung der Augen u. der Haut. M. greift am Zentralnervensyst. sowie dem Nervensyst. an u. verursacht Leber- u. Nierenschäden; die tödliche Dosis für den Erwachsenen liegt bei etwa 4 g, für Kinder kann bereits die Hälfte lebensgefährlich werden; LD_{50} (Ratte oral) 630 mg/kg.

Herst.: Durch Polymerisierung von Acetaldehyd in Ggw. von HBr u. Erdalkalimetallbromiden (z. B. $CaBr_2$) bei Temp. unterhalb 0 °C.

Verw.: Als Trockenbrennstoff u. Molluskizid. M. darf beim Herstellen od. Behandeln von kosmet. Mitteln nicht verwendet werden (Kosmetik-VO vom 19.06.1985, zuletzt geändert 23.12.1996, Anlage 1, Nr. 223). – ***E*** metaldehyde – ***F*** métaldéhyde – ***I*** metaldeide – ***S*** metaldehído

Lit.: Beilstein E III **1**, 2640; E V **19/11**, 335 ▪ Hager (5.) **3**, 778 ▪ Hommel, Nr. 869 ▪ Moeschlin, Klinik u. Therapie der Vergiftungen, S. 334, 335, Stuttgart: Thieme 1986 ▪ Ullmann (5.) **A 1**, 41–44. – *[HS 2912 50; CAS 108-62-3 (tetramer); 9002-91-9 (polymer); G 4.1]*

Metalepsie s. Substitution.

Metalla... Präfix in *Austauschnamen u. *Hantzsch-Widman-System, das bei *Metall-organischen Verbindungen den Ersatz von C-Atomen durch Metall-Atome anzeigt (nach IUPAC-Regel I-11.4.3.3 auch für Metall-Heteroatome in Bor-Clustern). – ***E*** = ***I*** metalla... – ***F*** métala... – ***S*** metala...

Metallaborane. In Analogie zu *Carbaborane* (s. Carborane) gebildete Bez. für *Borane, in denen Bor-Atome teilw. durch Metall-Atome ersetzt sind (veraltete Bez. *Metalloborane*), z. B. das sich von B_4H_{10} ableitende $[(C_6H_5)_3P]_2CuB_3H_8$. *Metallacarborane* enthalten dagegen zusätzlich C-Atome, z. B. (η-C_5H_5)$CoC_2B_9H_{11}$, in dem Co(C_5H_5) an die Stelle einer BH-Gruppe des 1,2-$C_2B_{10}H_{12}$ getreten ist (vgl. Carborane). – ***E*** metallaboranes – ***F*** métallaboranes – ***I*** metallaborani – ***S*** metalaboranos

Lit.: Acc. Chem. Res. **16**, 22–26 (1983) ▪ Housecroft, Boranes and Metalloboranes, Chichester: Horwood 1990.

Metallacarbide s. Carbide u. vgl. Hartmetalle.

Metallacarborane s. Metallaborane.

Metallacetylacetonate (Metall-2,4-pentandionate). Metall-*Chelate mit dem *Enolat-Anion von 2,4-Pentandion (*Acetylaceton) als Ligand; allg. Formel $M^n(C_5H_7O_2)_n$, nach IUPAC auch $M^n(acac)_n$. Zahlreiche Metalle (insbes. Übergangsmetalle) bilden M., die zur Abtrennung dieser Metalle nützlich sind. Die M. wurden gegen Ende des letzten Jh. von A. Combes entdeckt. Heute kennt man von fast allen Metallen die entsprechenden Metallacetylacetonate. Eine Übersicht über die Eigenschaften einiger M. gibt die Tabelle.
Verw.: In organ. Synth. an Stelle von Acetylaceton, als Additive für Treibstoffe u. Schmieröle, als UV-Stabilisatoren für Polyolefine, als Grundstoffe für Schädlingsbekämpfungsmittel u. als Katalysatoren. – ***E*** metal acetylacetonates – ***F*** acétylacétonates métalliques – ***I*** acetilacetonati metallici – ***S*** acetilacetonatos metálicos

Lit.: [1] Ullmann (4.) **14**, 215.
allg.: Acc. Chem. Res. **14**, 109–116 (1981) ▪ Angew. Chem. **77**, 154–161 (1965); **83**, 239–249 (1971) ▪ Pure Appl. Chem. **54**, 2557–2592 (1982) ▪ Ullmann (5.) **A 15**, 90.

Metallätzen s. Ätzen.

Metallalkoholate, -alkoxide s. Alkoholate.

Metallalkyle. Bez. für die meist sehr reaktiven, häufig an der Luft selbstentzündlichen, mit Wasser oft explosionsartig reagierenden Verb. mit einem Alkyl- u. Metall-Rest u. einer Metall-Kohlenstoff-Bindung. M. finden in der organ. Synth. vielfache Verw., z. B. als starke Basen, Nucleophile od. als Metallierungsreagenzien. An hervorragender Stelle stehen die *Lithium- u. *Magnesium-organischen Verbindungen (*Grignard-Verbindungen); s. a. Metall-organische Verbindungen. – ***E*** metal alkyls – ***F*** alkyles métalliques – ***I*** alchili metallici – ***S*** alquilos metálicos

Lit.: Trost-Fleming **1**, 1 ff., 49 ff. ▪ s. a. Metall-organische Verbindungen.

Metallamide. Bez. für Derivate des Ammoniaks bzw. für prim. od. sek. Amine, bei denen ein Wasserstoff- durch ein Metall-Atom ersetzt ist (MNH_2, MNHR bzw. MNR_2). In der Regel handelt es sich um ein Alkalimetall wie Lithium od. Natrium. Die M. spielen als starke Basen, die ggf. durch sperrige Alkyl-Reste nichtnucleophil gemacht werden können, eine wichtige Rolle in *Eliminierungs- u. *Kondensations-Reaktionen. Als Beisp. seien *Lithiumamid, *Natriumamid u. *Lithiumdiisopropylamid (LDA) genannt; weitere Lithiumamide s. bei Lithium-organische Verbindungen. Sind zwei Wasserstoff-Atome durch Metall-Reste ersetzt, so spricht man von *Metallimiden*, beim Ersatz aller drei Wasserstoff-Atome im Ammoniak von *Nitriden. – ***E*** metal amides – ***F*** amides métalliques – ***I*** ammidi metallici – ***S*** amidas metálicas

Lit.: s. Amide.

Metallatome s. Metalle.

Metallazide s. Azide.

Metallbäder s. Heizbäder.

Metallbearbeitung. Sammelbez. für *Fertigungsverfahren [1], die in einer Vielzahl techn. Bereiche zur Herst. von Fertigprodukten aus metall. Werkstücken mit Hilfe von Werkzeugen angewendet werden. Man unterscheidet hierbei die Hauptgruppen *Umformen* (bildsames Ändern der Form eines festen Körpers), *Trennen* (Formänderung eines festen Körpers, bei der der Zusammenhalt örtlich aufgehoben wird), *Fügen* (Zusammenbringen von Werkstücken mit Hilfe eines formlosen Stoffes), *Beschichten* (Aufbringen einer fest

Tab.: Eigenschaften einiger Metallacetylacetonate (nach *Lit.* [1]).

	M_R	Aussehen	Schmp. [°C]	Löslichkeit* in Benzol	Alkohol	Wasser	Eigenschaften
Al(III)-	324,31	farblose Krist.	194	36,5	4,3	0,3	Sdp. 315 °C (1013 hPa), beständig an Luft u. gegen Ammoniak, S. bei ca. 120 °C (13,3 hPa)
Cr(III)-	349,34	metall., glänzende rotviolette Krist.	212 Z.	30,85	2,2	0,1	an Luft stabil, S. bei ca. 125 °C (13,3 hPa), Sdp. 340 °C (1010 hPa)
Ni(II)-	256,93	hellgrünes Pulver	ab 180 Z. (218)	9,0 (76,5)	0,75	0,5	hygroskop., S. bei ca. 165 °C (13,3 hPa), Sdp. ca. 230 °C (13,3 hPa), ab 350 °C Z.

Die in Klammern angegebenen Werte beziehen sich auf wasserfreie Produkte.
* Löslichkeit bei 20 °C in g/100 g, Z. = Zers., S. = Sublimation.

haftenden Schicht aus formlosem Stoff) u. *Stoffeigenschaftsändern* (Umlagern, Aussondern od. Einbringen von Stoffteilchen in einem bzw. einen festen Körper). Verf. der M. haben sowohl für die Neufertigung als auch für die Instandsetzung[2] von Fertigprodukten entscheidende Bedeutung. Durch die Verf. der M. können die Eigenschaften der verarbeiteten Werkstoffe entscheidend verändert werden, beispielsweise in Form einer Minderung der Zähigkeit u. der Korrosionsbeständigkeit. Dieser Einfluß ist bei der Auslegung u. Anw. der Fertigprodukte zu berücksichtigen. Hilfsstoffe, die bei der M. verwendet werden, sind Kühl- u. *Schmierstoffe. – ***E*** metal working – ***F*** usinage des métaux, travail des métaux – ***I*** lavorazione del metallo – ***S*** mecanizado, trabajo de los metales

Lit.: [1] DIN 8580: 1974-06. [2] Kunzmann (Hrsg.), Einzelteilinstandsetzung, Berlin: VEB Verl. Technik 1989.
allg.: Yankee, Manufacturing Processes, Englewood Cliffs, N. J.: Prentice-Hall 1979 ▪ Young u. Shane (Hrsg.), Materials and Processes, Bd. II, Processes, New York: Dekker 1985.

Metallcarbonyle. Gruppenbez. für ein- od. mehrkernige Koordinationsverb. (s. Koordinationslehre), in denen Kohlenmonoxid-Mol. (s. Kohlenoxid) koordinativ an (formal nullwertige) Metallatome gebunden sind; *Beisp.:* *Eisencarbonyle, ferner $Cr(CO)_6$, $Co_2(CO)_8$, $Ni(CO)_4$, $FeMnRe(CO)_{14}$ u. andere M. der *Übergangsmetalle. Systemat. folgt die Benennung der M. den IUPAC-Regeln I-10.4, I-10.8 u. D-2.37; *Beisp.: triangulo*-Dodecacarbonyltriruthenium $[Ru_3(CO)_{12}]$, Dinatriumtetracarbonylferrat {*Collmans Reagenz, $Na_2[Fe(CO)_4]$}, *octahedro*-Tetra-μ_3-carbonyldodecacarbonylhexarhodium $[Rh_6(CO)_{16}]$, Tri-μ-carbonylhexacarbonyldieisen (*Fe–Fe*) (veraltet: Enneacarbonyldieisen) $[Fe_2(CO)_9]$. Die M., von denen die präparativ wichtigsten mit ihren Eigenschaften u. Verw. bei Kurmeier[1] zusammengestellt, manche auch in eigenen Stichwörtern od. bei den Element-organ. Verb. behandelt sind, eignen sich zu mannigfaltigen Austausch- u. Substitutionsreaktionen, wodurch *Carbonylkomplexe u. *Cluster-Verbindungen zugänglich werden. Dies macht ihre Eignung als Katalysator (für die homogene *Katalyse, für die *Oxo-Synthese u. andere *Carbonylierungen) erklärlich.

Herst.: Durch Einwirkung von CO auf feinverteilte Metalle, Red. von Metallsalzen in Ggw. von CO, (vorteilhaft elektrochem.) u. durch Oxid. von Carbonyl-Komplexen. Spuren von $Ni(CO)_4$ finden sich im Zigarettenrauch, $Fe(CO)_5$ entsteht in geringen Mengen beim Abbrennen von Wunderkerzen.

Verw.: Zur Herst. reinster Metalle, Herst. von Katalysatoren für *Fischer-Tropsch-Synthese, *Hydroformylierung, Alkenmetathese u. andere Prozesse. Das Gebiet der M. wurde bes. intensiv von L. *Mond (*Nickeltetracarbonyl, 1890) u. *Hieber studiert. – ***E*** metal carbonyls – ***F*** carbonyles métalliques – ***I*** carbonili metallici – ***S*** carbonilos metálicos

Lit.: [1] Kontakte (Merck) **1978**, Nr. 1, 3–9; Nr. 2, 3–7.
allg.: Braun-Dönhardt, S. 94 ▪ Chem. Rev. **81**, 109–148 (1981) ▪ Cornils u. Herrmann, Applied Homogeneous Catalysis with Organometallic Compounds, Weinheim: VCH Verlagsges. 1996 ▪ Kirk-Othmer (3.) **4**, 794–814 ▪ Ullmann (4.) **16**, 594 ff. ▪ Wilkinson-Stone-Abel (2.) ▪ s. a. Carbonylierung, Metall-organische Verbindungen.

Metallcarborane s. Metallaborane.

Metall-Carboxypeptidasen s. Carboxypeptidasen.

Metallchelate s. Chelate u. Metall-organische Verbindungen.

Metall-Chemie-Handelsgesellschaft. 20204 Hamburg, 1949 gegr.; die M.-C.-H. vertreibt Metall- u. Stahlprodukte, Fein- u. Schwerchemikalien, Pharmazwischenprodukte u. Textilhilfsmittel, industrielle Anlagen u. Maschinen.

Metall-Cluster s. Cluster-Verbindungen.

Metalldampffieber s. Gießfieber.

Metalldampflampen s. Gasentladung u. Lampen.

Metalle. *Chemische Elemente, die sich im Gegensatz zu den *Nichtmetallen im *Periodensystem links der diagonalen Trennungslinie beginnend mit dem Element Beryllium (2. Gruppe) bis hin zum Polonium (16. Gruppe) befinden, sowie deren *Legierungen u. *intermetallische Verbindungen mit charakterist. metall. Eigenschaften. Die Grenze zwischen den M. u. Nichtmetallen ist fließend; z. B. besitzen die Elemente Ce, Sn, As u. Sb sowohl metall. als auch nichtmetall. *Modifikationen. Der Zusammenhalt im *Metallgitter* (*Kristallgitter) ist Folge der Metallbindung (s. chemische Bindung). Die Ladung der Metall-Ionen ist dabei durch die Zahl der abgegebenen (bzw. gemeinsam genutzten) Valenzelektronen bedingt. Bei der Metallbindung liegen – wie bei der Ionenbindung – keine gerichteten Kräfte vor. Die Wechselwirkung zwischen den Elektronen u. Metall-Ionen beschränkt sich daher nicht auf wenige Atome. Vielmehr sind die Metall-Ionen im Metallgitter in ein „Elektronengas" eingebettet, das sich prakt. frei bewegen kann. Die Elektronen können dabei sog. *Energiebändern zugeordnet werden. Die leichte Beweglichkeit des Elektronengases charakterisiert den metall. Charakter beispielsweise in Form der elektr. Leitfähigkeit (Elektronenleiter, s. elektrische Leiter) mit neg. Temp.-Koeffizienten. Bei sehr tiefen Temp. besitzen zahlreiche M. die Fähigkeit, den elektr. Strom widerstandsfrei zu leiten (*Supraleitung). Manche M. höherer *Elektronegativität besitzen *Halbleiter-Eigenschaften. Eng verbunden mit der elektr. Leitfähigkeit sind zwei andere charakterist. Eigenschaften der M.: Sehr gute Wärmeleitfähigkeit u. hohes Absorptions- u. Reflexionsvermögen für sichtbares Licht, mit dem der typ. Metallglanz zusammenhängt. Für M. gilt bei gewöhnlicher Temp. die *Dulong-Petitsche Regel, wonach die *Molwärme 26,8 J/K ~ 6,4 cal/K beträgt.

Mit Ausnahme von Hg u. wenigen *Schmelzlegierungen sind alle M. bei Raumtemp. fest; die Schmp. liegen zwischen etwa –40 °C (Quecksilber) u. 3400 °C (Wolfram), die Sdp. zwischen 357 °C (Quecksilber) u. rund 6000 °C (Wolfram), die Dichten zwischen 0,534 g/cm^3 (Lithium) u. 22,48 g/cm^3 (Osmium), die Mohs-Härten (*Härte) zwischen 0,5 (Natrium) u. 9 (Chrom, Iridium).

M. sind lichtundurchlässig u. lassen sich im allg. durch Walzen, Ziehen, Pressen, Schmieden od. andere Meth. der *Metallbearbeitung gut verformen. Hierfür verantwortlich ist die mechan. induzierte Bewegung von

Gitterbaufehlern (*Versetzung) entlang bes. Gleitrichtungen in bevorzugten Gleitebenen des Metallgitters. Einige M. (Eisen, Cobalt, Nickel, schwere Seltenerdmetalle) u. Leg. weisen ferromagnet. Eigenschaften auf (s. magnetische Werkstoffe). Weitere Kennzeichen der M. sind zum einen ihre Unlöslichkeit in allen anorgan. (Ausnahme ggf. NH_3) u. organ. indifferenten Lsm. außer in flüssigen M., mit denen sie im allg. intermetall. Verb. bilden, sowie zum anderen ihre Fähigkeit zur Salzbildung mit Säuren u. ihre überwiegende Einatomigkeit im Dampfzustand. Die Oxide der niederen Wertigkeitsstufen der M. haben in wäss. Syst. bas. Charakter, die der höheren Wertigkeitsstufen sauren. Einige M.-Oxide reagieren amphoter.

Innerhalb des Periodensyst. unterscheidet man aufgrund des Atombaus zwischen Hauptgruppen- u. Nebengruppen- bzw. *Übergangsmetallen. Nach physikal. Gesichtspunkten stellt man den echten M. die *Halb-M.* u. *Nicht-M.* gegenüber; die Elemente Be, Zn, Cd, Hg, In, Tl u. Pb werden wegen ihrer speziellen Leitfähigkeits- u. Schmelzeigenschaften gelegentlich als *Meta-M.* bezeichnet. Die M.-Bindung bewirkt, daß der Atomabstand im M.-Gitter bes. klein u. die *Packungsdichte entsprechend hoch ist. Flüssigkeiten u. Gase lassen sich durch Anw. sehr hoher Drücke in einen M.-ähnlichen Zustand versetzen.

Submikroskop. betrachtet sind M. im Normalzustand aus *Kristallen aufgebaut, d.h. sie weisen eine in allen Dimensionen period. Anordnung der Atome auf. Erreicht wird dies durch beliebig häufige Translation einer Elementarzelle in allen drei Raumrichtungen jeweils um den Betrag der Zellenabmessung. Am häufigsten findet sich die kub. Elementarzelle (z. B. Li, Na, Cu, Ag, Au, Al, Ta, Pb, V, Cr, W, Mn, Fe, Co, Ni); tetragonal kristallisiert Sn, hexagonal kristallisieren Mg, Zn, Cd, Be u. rhomboedr. Sb u. Hg. Verschiedene M. kristallisieren in Abhängigkeit von der Temp. in unterschiedlichen Syst. (*Polymorphie). Durch extrem rasche Abkühlung aus der Schmelze läßt sich bei geeigneten Leg. der amorphe Zustand der Schmelze einfrieren (*amorphe Metalle). Die Mikrostruktur von M. wird als *Gefüge bezeichnet.

Gefügeuntersuchungen erfolgen im Rahmen der *Metallographie. Die *Fraktographie befaßt sich dagegen mit der Untersuchung von Bruchflächen.

Viele M. (z. B. K u. Na, die *Seltenerdmetalle, die *Platin-Metalle) zeigen untereinander weitaus größere Ähnlichkeiten, als man sie unter den Nicht-M. antrifft. Nach der Affinität zum Sauerstoff bzw. der Oxid.-Neigung unterscheidet man zwischen **Edelmetallen* (Ag, Pd, Pt, Ir, usw.), *Halbedel-M.* (Sn, Ni, Cu usw.) u. *Unedel-M.* (Fe, Mn, Zn, Mg, Al, Na usw.). Nach der Dichte teilt man die M. in **Leichtmetalle* u. **Schwermetalle* ein; die Grenze wird häufig bei einer Dichte von 4,5 g/cm^3 angesetzt. Von den bisher bekannten chem. Elementen zählen etwa 80% zu den M. u. von diesen haben etwa zwanzig techn. Bedeutung. In M.-Ind. u. -Handel unterscheidet man aus Zweckmäßigkeitsgründen **Eisen* u. **Stahl* einerseits u. die **Nichteisenmetalle* andererseits; innerhalb der letzteren lassen sich noch (mit Überschneidungen u. z.T. willkürlich) die Gruppen der **Buntmetalle, Seltenen Metalle, Stahlveredler u. Reaktiven Metalle* abgrenzen.

Die Festkörperphysik der M. wird als *Metallphysik bezeichnet, mit den techn.-wissenschaftlichen Zusammenhängen befaßt sich die *Metallkunde, mit der M.-Gewinnung u. -Verarbeitung die *Metallurgie. Produktions- u. Nutzungsdaten für M. findet man in der *Metallstatistik.

Physiologie: Manchen M. bzw. ihren Salzen schreibt man einen typ. M.-Geschmack zu. Im Organismus üben M. einerseits vielfältige wichtige Funktionen aus: Na u. K sind an der Nervenleitung beteiligt; Ca hat außer im Knochengerüst auch Funktionen im Stoffwechsel u. bei der Muskelbewegung; Mg, Zn, Fe, Cu, Mn u. Mo sind als *Metallproteine in prosthet. Gruppen an vielen enzymat. Prozessen beteiligt; selbst potentiell tox. M. wie Se, As od. Cr sind in Spuren essentiell. Andererseits können manche M. bei empfindlichen Personen *Allergien auslösen; giftige M. können infolge der Inkorporation in pflanzlichen od. tier. Organismen in schädlichen Mengen in die Nahrungskette gelangen u. zu neg. Auswirkungen führen; andere M. od. ihre Oxide werden staubförmig als Folge von Verbrennungsvorgängen emittiert u. werden über die Atemwege von Menschen u. Tieren aufgenommen. Eine Reihe von M. steht schließlich im Verdacht, als *Carcinogene u./od. *Mutagene zu wirken.

Nachw.: Dafür sind spezielle *Trennungsgänge entwickelt worden; zur quant. M.-Bestimmung – bes. zur *Spurenanalyse in Lebensmitteln, im Wasser u. im Rahmen des Umweltschutzes – bedient man sich vornehmlich der modernen spektroskop. u. anderer physikal. Methoden.

Vork.: Entsprechend der hohen Bildungsenergie ihrer Verb. liegen die M. in der Natur überwiegend als *Erze (Oxide, Sulfide, Carbonate, Sulfate, Silicate usw.) vor u. nur selten in reiner Form, s. Rohstoffe u. Lagerstätten. In Form von Kationen kommen M. teils in größeren Konz., teils nur als *Spurenelemente in Wässern, Böden u. Organismen vor. Die Kumulation bestimmter Schwer-M. in manchen Pflanzen bildet die Voraussetzung für die biogeochem. Prospektion.

Herst.: Die Herst. der M. (*Metallurgie, auch *Hüttenkunde) umfaßt alle Schritte von der Anreicherung od. Auslaugung M.-führender Erze (*Aufbereitung) bis hin zur Reinigung der Roh-M. (*Raffination). Die M.-Gewinnung selbst setzt die Spaltung der M.-Verb. voraus, beispielsweise durch Red. der Oxide bzw. der zu Oxiden abgerösteten (s. Rösten) Sulfide auf therm.-chem. Wege, z.B. mit Wasserstoff, Kohlenstoff (z.B. Eisen), Aluminium (*Aluminothermie) od. der Halogenide mit Calcium, Natrium od. Kalium. Zur Reinherst. der M. wird vielfach von der elektrolyt. Abscheidung aus wäss. Salzlsg. Gebrauch gemacht; stark elektropos. M. werden durch Schmelzflußelektrolyse der Halogenide od. Oxide im Gemisch mit Flußmitteln hergestellt. In hochreiner Form gewinnt man M. z.B. durch therm. Zers. geeigneter Verb. (*Mond-Prozeß) od. *elektrolytische Raffination.

Verw.: Die große techn. Bedeutung der M. ergibt sich aus der z.T. extrem beeinflußbaren Bandbreite ihrer physikal. u. chem. Eigenschaften u. Eigenschaftskombinationen u., in unmittelbarem Zusammenhang hiermit, auch aus ihren Verarbeitungsmöglichkeiten. Ein weiteres wichtiges Kennzeichen der M. ist ihre hohe

Recyclingrate. Die Mehrzahl der techn. eingesetzten M. u. ihrer Leg. wird als Schmelze erhalten u. in der *Gießerei, je nach Eigenschaften u. Verw.-Zweck, in Blöcke, Brammen, Barren od. Masseln gegossen, die zu Platten, Blechen, Bändern, Stangen, Profilen, Drähten, Folien u. anderem *Halbzeug verarbeitet werden. Durch die verschiedenen Meth. der *Metallbearbeitung erhält man daraus das Fertigprodukt, das ggf. noch einer *Wärmebehandlung u./od. einer Oberflächenveredlung unterzogen wird. In diesem klass. Bereich wird erfolgreich versucht, durch endabmessungsnahes Gießen den Umfang von Umformungsprozessen beispielsweise auf dem Wege zum Blech signifikant zu beschränken. Weitere wesentliche Fortschritte wurden über die Pulvermetallurgie erzielt. Hierbei werden metall. Pulver od. Pulvermischungen verpreßt u. gesintert. Je nach den Verarbeitungsbedingungen kann vom porösen Körper (offen- od. geschlossenporig) bis hin zum porenfreien Körper jeder Zustand erreicht werden.
Zunehmende Bedeutung kommt den Verbundsyst. zu, bei denen M. mind. einen der Partner repräsentieren. Beisp. sind neben M.-M.-Verbunden *Hartmetalle, *Cermets u. mit Fasern verstärkte Metalle. Ebenso werden metall. Fasern zur Verstärkung nichtmetall. Matrizes verwendet. In M.-Verbundsyst. werden die unterschiedlichen Eigenschaften verschiedener M. genutzt. Die Herst. des Verbundes kann durch Spritzen, Walzen, Sprengen, Kleben od. Abscheiden erfolgen.
In der Chemie benutzt man feinverteilte M. als Katalysatoren bei Synth.; *Metallatome* (atomare M.) setzt man aber auch zur Herst. *Metall-organischer Verbindungen ein. Bei Hart-M. u. Cermets stehen meist andere als die typ. M.-Eigenschaften im Vordergrund des Interesses. – ***E*** metals – ***F*** métaux – ***I*** metalli – ***S*** metales

Metalleffekt-Pigmente. *Glanzpigmente mit blättchen- od. schuppenförmigen Metallteilchen; *Beisp.:* Goldbronze (s. Bronzepigmente), *Aluminiumbronze, vgl. a. Perlglanzpigmente. – ***E*** metal effect pigments – ***F*** pigments d'effet métallique – ***I*** pigmenti di effetto metallico – ***S*** pigmentos de efecto metálico

Lit.: Buxbaum, Industrial Inorganic Pigments, S. 207 ff., Weinheim: VCH Verlagsges. 1993.

Metalle mit Gedächtnis s. Festkörper.

Metallentfettung. Verf. der *Metallreinigung zur Entfernung organ.-chem. Verunreinigungen, das entweder als letzter Fertigungsschritt im Rahmen des Herstellungsablaufs techn. Produkte od. als Teilschritt der Vorbereitung von Teilen für eine anschließende Oberflächenveredelung durchgeführt wird. Grundsätzlich unterscheidet man zwischen der M. mit organ. Lsm., der M. mit heißen alkal. Reinigern, dem Emulsions- u. Zweiphasenentfetten, dem elektrolyt. Entfetten u. dem Entfetten mit Ultraschall. Die M. wird der Untergruppe Reinigen in der Hauptgruppe Trennen der Systematik der *Fertigungsverfahren[1] zugeordnet. – ***E*** metal degreasing – ***F*** dégraissage de métaux – ***I*** sgrassaggio metallico – ***S*** desengrase de metales

Lit.: [1] DIN 8580: 1974-06.
allg.: Kirk-Othmer (4.) **16**, 432 ff. ▪ Ullmann (4.) **12**, 166 ff.

Metallenzyme s. Metallproteine.

Metallfadenlampen s. Glühlampen.

Metallfärbung s. Brünieren.

Metallfasern. (Kurzz. MTF nach DIN 60001-4: 1991-08). *Chemiefasern aus Metallen (Gold, Silber, Kupfer, Bronze, Aluminium, austenit. Chromnickelstahl u. dgl.), die man verspinnen u. verweben kann. Die durch Ziehen od. andere Technologien herstellbaren M. zeichnen sich bes. durch ihre elektr. Eigenschaften, Wärmeleitfähigkeit, Korrosionsbeständigkeit u. Stoßfestigkeit aus.
Verw.: Zur Herst. von faserverstärkten Kunststoffen u. *Whiskers, Heißgasfiltern, antistat. Textilien u. Teppichen, Raumanzügen, beheizbarer Kleidung, zur Abschirmung elektr. Anlagen, zur Mikrowellen-Detektion in Kreditkarten, Pässen u. anderen Wertsachen, zur Lärmabsorption bei Düsentriebwerken, zur Wärmeisolierung. Metalleffektfäden findet man in Künstlerroben, kostbaren Dekorations- u. Gardinenstoffen, Brokat (*Leonische Fäden). – ***E*** metal fibers, metal threads – ***F*** fibres métalliques – ***I*** fibre metalliche – ***S*** fibras metálicas

Lit.: Kirk-Othmer (3.) **15**, 220–240 ▪ Ullmann (4.) **11**, 386 ff.; (5.) **A 11**, 37–42.

Metall-Fluoreszenzindikatoren s. Indikatoren.

Metallgesellschaft. Kurzbez. für das 1881 gegr. Unternehmen Metallgesellschaft AG, 60323 Frankfurt am Main, an dem direkt od. indirekt Versicherungen, Banken u. die Kuwait Investment Authority (ca. 20%) beteiligt sind.
Der Konzern fungiert als strateg. Holding für die selbständig operierenden Tochtergesellschaften. Zu den *Tochter-* u. *Beteiligungsges.* gehören u. a. im Chemie-Bereich: Dynamit Nobel AG (100%), Dynamit Nobel GmbH (100%), Ceram Tec AG (100%), CHEMETALL GmbH (100%), Sachtleben Chemie GmbH (100%); in der Bautechnik: MG Bautechnik GmbH (100%), Rheinzink GmbH (66,7%), Ruhr-Zink GmbH (100%), Weideplan GmbH (100%), Bobach-Lentjes GmbH & Co. KG (50%), MG Facility Management GmbH (100%); im Anlagenbau: Lurgi AG (100%), Lentjes AG (100%), Zimmer AG (100%), Lurgi Öl Gas Chemie GmbH (100%), Lurgi Metallurgie GmbH (100%); im Handel: Metallgesellschaft Handel & Beteiligungen AG (100%).
Daten (1995/96): ca. 23258 Beschäftigte, ca. 15,8 Mrd. DM Umsatz. *Produktion:* Erze, Mineralien, NE-Metalle, metall. u. chem. Produkte. Planung u. Bau industrieller Anlagen, Kessel- u. Maschinenbau, Spezialchemie, Finanzdienstleistung, Handel.

Metallgitter. Strukturordnung des metall. Festkörpers. Aufgrund der Bindungskräfte in *Metallen streben die Atome größte *Packungsdichte an. Realisiert wird dies durch Krist. in dichtest gepackten Gittertypen. Als Gitter wird eine in allen Raumrichtungen period. Atomanordnung bezeichnet, erreicht durch Translation der Elementarzelle in allen Gitterhauptrichtungen um den jeweiligen Betrag der Zellenabmessung (*Gitterparameter*). Jeder Gitterpunkt hat damit auch in größeren Bereichen eine ident. Umgebung (*Fernordnung*). Das Gitter unterscheidet sich damit vom amorphen Zustand, bei dem allenfalls eine *Nahordnung*, d. h. Identität nur in unmittelbarer Nachbarschaft, vorliegt (vgl. amorphe Metalle). Die überwiegende Anzahl der Metalle krist. kub., s. Metalle. Viele Eigenschaften hängen von der Richtung im Gitter ab, d. h. sind anisotrop. Man beschreibt daher Geometrien im Gitter durch ein geeignetes Syst., s. Millersche Indizes. Gitter entstehen aus thermodynam. Gründen ausgehend von *Keimen* bei einer *Unterkühlung der Schmelze. Bei den meisten Metallen bleibt der dabei gebildete Gittertyp bis zu tiefen Temp. hin stabil. Einzelne Metalle zeigen dagegen *polymorphes Verhalten*, d. h. es kommt in Abhängigkeit von der Temp., thermodynam. bedingt, zur Umstrukturierung. Diese erfolgt zumeist als Umklappvorgang mit nur geringen Umlagerungswegen der beteiligten Atome, s. a. Perlit, Martensit u. Stahl. Ein weitgehend ideales, d. h. fehlerfreies Gitter liegt bei Metallen nur in Ausnahmefällen vor, beispielsweise bei einkristall. Haarkrist. (Whisker). Derartige *Einkrist.* weisen als Folge der extrem geringen Fehlerdichte sehr hohe Festigkeitskennwerte auf.

Techn. eingesetzte Metalle sind dagegen durch eine hohe Anzahl unterschiedlicher *Gitterbaufehler* gekennzeichnet, durch die die Eigenschaften des Festkörpers wesentlich beeinflußt werden. Zur Gruppe der *nulldimensionalen* Fehler (*Punktfehler*) zählen Leerstellen u. Zwischengitteratome; eine Kombination aus beiden wird als *Frenkel-Defekt* bezeichnet. Punktfehler stehen im thermodynam. Gleichgew. mit dem Gitter. *Eindimensionale* Fehler (*Linienfehler*) bestimmen maßgeblich das mechan. Verhalten; zu ihnen zählen die Versetzungen (Schrauben-Versetzungen u. Stufen-Versetzungen). Beisp. für *zweidimensionale* Fehler (*Flächenfehler*) sind *Stapelfehler, Phasengrenzen, Antiphasengrenzen, *Zwillings- u. Korngrenzen (Grenzflächen zwischen zwei benachbarten, unterschiedlich orientierten Krist. im vielkrist. Festkörper). Unter *dreidimensionalen* Fehlern schließlich versteht man makroskop. Fehler wie Trennungen u. Risse. Die feste Lsg. einer anderen Atomart in einem M. wird als *Mischkristall bezeichnet; die hierdurch zwangsläufig bewirkten *Gitterverzerrungen* beeinflussen ebenfalls die mechan. Eigenschaften. – ***E*** metal lattice – ***F*** réseau métallique – ***I*** reticolo metallico – ***S*** retículo metálico

Metallgläser s. amorphe Metalle.

Metallhydride. Sammelbez. für Verb. von *Metallen mit Wasserstoff; die Verb. der *Halbmetalle mit Wasserstoff bleiben hier unberücksichtigt. Es gibt *stöchiometr. M.* (*Beisp.:* *Hydride der Alkali- u. Erdalkalimetalle), *polymere M.* (*Beisp.:* Hydride von Al, Be u. Mg), die sog. *komplexen M.* (*Beisp.:* *Alanate, *Boranate) u. die hier interessierenden *nichtstöchiometr. M.*, die im Gegensatz zu den vorerwähnten salzartigen u. *Hydridionen-haltigen M. metallartig sind u. den Leg. ähneln.

Die M., die bes. von *Übergangsmetallen u. *intermetallischen Verbindungen gebildet werden, sind spröde, im allg. luft- u. wasserbeständige Massen. Sie stellen feste Lsg. von Wasserstoff in Metallen dar, in denen H-Atome Zwischengitterplätze besetzen, wodurch das Kristallgitter stark aufgeweitet wird. Ein m^3 Eisen kann z. B. 19, ein m^3 Gold 46, ein m^3 Platin 50 u. ein m^3 Palladium gar 500–900 m^3 Wasserstoff-Gas Leg.-artig aufnehmen, was die bes. Eignung des Palladiumhydrids als *Hydrierungs-Katalysator verständlich macht. Bei der H-Einlagerung werden zunächst die an der Metalloberfläche adsorbierten H_2-Mol. in H-Atome gespalten u. diese dann in das Gitter aufgenommen.

Herst.: Im allg. durch direkte Einwirkung von H_2 auf – möglichst fein verteiltes – Metall unter Druck bei erhöhter Temperatur. Die H_2-Aufnahme ist weitgehend reversibel, d. h. durch Druckverminderung bei gegebener Temp. (od. Temp.-Erhöhung bei gegebenem Druck) wird der Wasserstoff wieder abgegeben; die Be- u. Entladung sollte beliebig oft wiederholt werden können. Einige Leg., wie z. B. $LaNi_5$ od. $CaNi_5$, reagieren schon bei Raumtemp. mit H_2, ebenso FeTi mit 5% Mn, während reine FeTi-Leg. zuvor aktiviert werden müssen.

Die M. stellen somit *Wasserstoff-Speicher* dar, die z. B. in *Brennstoffzellen od. in H_2-betriebenen Kraftfahrzeugen eingesetzt werden können u. in Spraydosen zur Erzeugung des Zerstäubungsdrucks durch Wasserstoff (statt FCKW) geeignet erscheinen. Größeres Interesse beanspruchen außerdem ihre außergewöhnlichen magnet. u. Supraleitungs-Eigenschaften. Andererseits kann die Reaktion mit H_2 auch durchaus unerwünscht sein, da mit ihr eine *Versprödung des metall. Werkstoffs verbunden sein kann; so kleidet man Autoklaven für die Synth. von NH_3 nach dem *Haber-Bosch-Verfahren mit Weicheisen-Blech aus u. versieht den druckfesten Stahlmantel mit Bohrlöchern, um dieser *Wasserstoff-Versprödung* vorzubeugen. – ***E*** metal hydrides – ***F*** hydrures des métaux – ***I*** idruri metallici – ***S*** hidruros metálicos

Lit. *(auch zur H_2-Versprödung von Metallen):* Angew. Chem. **97**, 253–264 (1985); **102**, 239–250 (1990) ▪ Annu. Rev. Mat. Sci. **12**, 271–294 (1982) ▪ Ann. Chim. (Paris) **13**, 549–562 (1988) ▪ Bau, Transition Metal Hydrides, Washington: ACS 1978 ▪ Kirk-Othmer (4.) **13**, 606–629 ▪ Slocum u. Moser, Catalytic Transition Metal Hydrides, New York: N. Y. Acad. Sci. 1983 ▪ Ullmann (5.) **A 13**, 199–226 ▪ VDI-Ber. (Ver. Dtsch. Ing.) **602**, 79–99 (1987) ▪ Z. Phys. Chem. (München) **164**, 1381–1390, 1463–1474 (1988) ▪ s. a. Hydride. – *[HS 2850 00]*

Metallhydroperoxide s. Peroxide.

Metallic-Lacke. Bez. für *Effektlacke* mit Zusätzen metall. *Pigmente, meist Al-Pulver, vielfach verwendet für Automobil-Lackierungen. – ***E*** metallic paint, metallic lacquer – ***F*** peinture métallisée – ***I*** vernici metallizzate – ***S*** pintura metalizada

Lit.: Gatz (Hrsg.), Lexikon der Anstrichtechnik, Bd. 2, 6. Aufl., München: Callwey 1996 ▪ Kirk-Othmer (4.) **19**, 35 ▪ Ullmann (4.) **18**, 629 ff.; (5.) **A 18**, 458.

Metallierung. Bez. für verschiedene Meth. zur Herst. von Metall-organ. Verb.; Näheres s. Metall-organische Reaktionen. In der Textilfärberei versteht man unter M. die Nachbehandlung von gefärbten Geweben mit Metall-Salzen zur Erzielung eines Farblacks; s. Beizenfarbstoffe. Von der M. ist die *Metallisierung zu unterscheiden. – ***E*** metalation – ***F*** métallisation – ***I*** metallazione – ***S*** metalación

Lit.: s. Metall-organische Reaktionen.

Metallimide s. Metallamide.

Metall-Indikatoren s. Indikatoren.

Metallische Bindung s. chemische Bindung, S. 677.

Metallische Gläser s. amorphe Metalle.

Metallisch leitfähige Polymere. Bez. für *elektrisch leitfähige Polymere, die hinsichtlich ihrer elektr. Leitfähigkeit mit guten metall. Leitern vergleichbar sind. – *E* metallic conductive polymers – *F* polymères conducteurs métalliques – *I* metallopolimeri conduttori – *S* polímeros conductores metálicos

Lit.: Adv. Polym. Sci. **90**, 1 (1989); **119**, 1 (1995) ▪ Chem. Unserer Zeit **20**, 1–10, 30–43 (1986) ▪ s. a. elektrisch leitfähige Polymere.

Metallisieren (Metallisierung). 1. Allg. Bez. für das Aufbringen von Metallschichten auf einen Trägerwerkstoff aus techn. (Abrieb, Oberflächenhärte) od. ästhet. Gründen (Glanz, Farbe), unabhängig von der Art der aufgebrachten Metalle, der Anzahl der Schichten, des Herst.-Verf. u. der Art des Trägerwerkstoffes. Das M. kann durch Tauchen, Spritzen, *Aufdampfen, *Flammspritzen (*Metallspritzverfahren), *Plattieren, galvan. Abscheidung (s. Galvanotechnik) od. auf chem. Wege erfolgen; die beiden letztgenannten Meth. eignen sich auch zur *Entmetallisierung, d. h. zur Ablösung von Metallüberzügen.
2. Im engeren Sinne wird der Begriff M. gebraucht für das Aufbringen einer metall. Schicht auf nichtmetall. Trägerwerkstoffe, v. a. auf Kunststoff-Oberflächen. Dieses M. kann durch verschiedene Verf. erfolgen. Fast alle Kunststoffe können durch Bedampfen im Vak. mit Metallschichten von bis zu ca. 1 µm Dicke versehen werden. Nachteilig ist hier allerdings die geringe Haftfestigkeit insbes. dickerer Schichten, vorteilhaft deren hoher Glanz. Die Haftung zwischen Kunststoff u. Metall kann verbessert werden, wenn der Kunststoff zunächst mit einem Cadmium-, Zink- od. Bleioxid-haltigen Anstrich versehen wird, der anschließend zu einer fest haftenden, elektr. leitfähigen Metallschicht reduziert wird. Abschließend erfolgt die Vakuumaufdampfung von z. B. Silber. Noch bessere Haftfestigkeit erzielt man durch Galvanisieren, wozu sich v. a. *ABS-Polymere eignen. Hier wird zunächst die Kunststoff-Oberfläche gebeizt, wodurch v. a. die oberflächlichen Elastomer-Domänen oxidativ abgetragen werden. In die entstehenden Hohlräume hinein wird anschließend Silber abgeschieden, das wiederum den Haftgrund für durch chem. Red. abgeschiedenes Kupfer bildet. Die so erhaltene Oberfläche kann nun galvan. auf bis zu ca. 10 µm Dicke verstärkt werden. Metallschichten größerer Dicke sind dagegen schwierig herstellbar, weil die unterschiedlichen therm. Ausdehnungskoeff. von Kunststoff u. Metall leicht zu Spannungen u. damit zu Blasen od. Rissen führen. – *E* metallization, metallizing – *I* metallizzare – *S* metalizar

Lit.: Elias (5.) **2**, 402 ▪ Kirk-Othmer (4.) **16**, 258 ff. ▪ Winnacker-Küchler (4.) **4**, 667 ▪ Ullmann (5.) **B 1**, 8 ff.

Metallkeramik s. Pulvermetallurgie u. Cermets.

Metallketyle s. Ketyle.

Metallkleben. Verklebungen Metall/Metall od. Metall/Holz, Glas, Kunststoff u. dgl. mit Hilfe von speziellen Klebstoffen. Vorteile: Gew.-Minderung gegenüber Nieten, Schweißen, Löten (wichtig im Flugzeugbau), verzugfreier Verbund auch ungleichartiger Werkstoffe, glatte Oberflächen, Verbilligung. Typen von Klebstoffen: 1. *Kaltklebstoffe* aus Bindemittel u. Härter, die unmittelbar vor dem Kleben vermischt werden. 2. *Warmklebstoffe* (Aushärtungstemp. 120–180 °C). Beisp. mit Reaktionsbedingungen findet man in der Tab. bei Klebstoffe. In manchen Fällen erweist sich die Verw. von *Klebfolien als günstig. – *E* metal bonding – *F* collage des métaux – *I* incollamento di metalli – *S* pegado de metales

Lit.: Ullmann (5.) **A 1**, 221 ff., 256 ▪ s. a. Klebstoffe.

Metallkomplexe s. Komplexe, Koordinationslehre, Metallocene u. Metall-organische Verbindungen.

Metallkomplex-Farbstoffe. Bez. für diejenigen natürlichen u. synthet. *Farbstoffe, die ein Metall-Atom komplex gebunden enthalten. Es handelt sich durchweg um Metall-*Chelate, in denen das Metall-Atom mit zwei- u. mehrzähnigen Liganden einen od. mehrere Ringe bildet. Als *Donoratome* fungieren Sauerstoff u. Stickstoff, z. B. bei komplexbildenden *Azofarbstoffen, *Porphyrinen u. *Phthalocyaninen, als *Zentralionen* im allg. Cu^{2+}, Cr^{3+}, Co^{3+}, Ni^{2+}. Man unterscheidet 1:1- u. 1:2-M.-F., je nachdem, ob ein Metall-Ion ein od. zwei Farbstoff-Mol. bindet. In den Metall-Farbstoffkomplex wird möglicherweise auch das Substrat (z. B. Wolle) über dessen funktionelle Gruppen einbezogen. Die M.-F. sind sehr gut geeignet zum Färben von Wolle, Seide u. Polyamid u. werden auch bei der Sofortbild-Farbphotographie eingesetzt. – *E* metal complex dyes – *F* colorants à base de composés métalliques complexes – *I* coloranti di complesso metallico – *S* colorantes a base de complejos metálicos, colorantes complejometálicos

Lit.: Ullmann (5.) **A 3**, 258, 263, 272, 288, 320; **A 16**, 299, 305 ▪ Venkataraman, The Chemistry of Synthetic Dyes, Bd. 3, New York: Academic Press 1970 ▪ Winnacker-Küchler (3.) **4**, 314–317, 333–336, 382 ff. ▪ Zollinger, Color Chemistry, 2. Aufl., S. 149 ff., Weinheim: VCH Verlagsges. 1991.

Metallkristall s. Kristalle.

Metallkunde. Eine die *Metallphysik, die *Metallurgie u. die Werkstoffkunde verbindende Wissenschaft von den Wechselwirkungen zwischen Zusammensetzung, Aufbau u. der Verarbeitung von *Metallen u. ihren Eigenschaften. Grundlagen u. Erkenntnisse der Metallphysik werden zur Deutung von Eigenschaften u. ihren Veränderungen (*allg. M.*) u. im weiteren Sinne auch zur Interpretation u. Vorausbestimmung des techn. Verhaltens bei der prakt. Anw. (*angewandte M.*) hinzugezogen. Im Hinblick auf das Verhalten metall. Werkstoffe in Abhängigkeit von Verarbeitungs- u. Beanspruchungsbedingungen kommt der *Thermodynamik als interpretierender Wissenschaft eine Schlüsselrolle zu. – *E* metallurgy, metals science – *F* science des métaux, métallurgie – *I* metallurgia – *S* metalurgia, ciencia de los metales

Lit.: Gräfen (Hrsg.), Lexikon Werkstofftechnik, S. 665 ff., Düsseldorf: VDI-Verl. 1993 ▪ Granet, Modern Materials Science, Virginia: Reston 1980 ▪ 1991 ▪ Ruoff, Materials Science, New Jersey: Prentice-Hall 1973 ▪ Ullmann (4.) **16**, 569.

Metalloborane s. Metallaborane.

Metallocene (von: Metall u. *...ocen). Nach IUPAC-Regeln I-10.9.3 u. D-2.5 Gruppenname für **Bis(η^5-cyclopentadienyl)-Metall-Komplexe* (früher Dicyclopentadienyl...). Zwar sind neben *Ferrocen auch Namen wie Nickelocen, Osmocen etc. als Trivialnamen zulässig, doch sollten für einzelne Verb. systemat. Namen unter Verw. der Liganden-Bez. von *Cyclopentadienyl... vorgezogen werden. M. sind fest u. meist stark gefärbt. Charakterist. ist ihre sog. *Sandwich-Struktur* (vgl. Abb. u. Sandwich-Verbindungen).

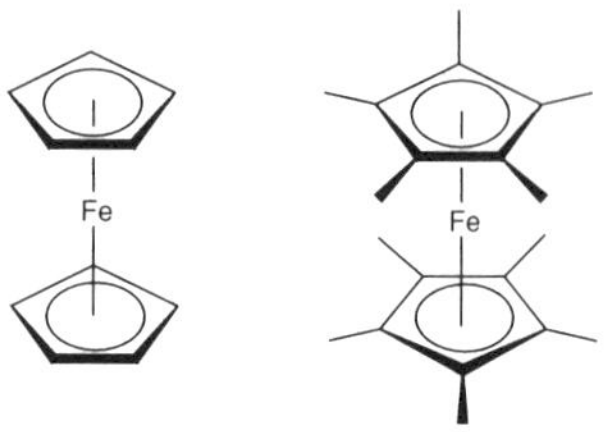

Abb.: Ferrocen $[(C_5H_5)_2Fe]$ u. Decamethylferrocen $[(C_5Me_5)_2Fe$ mit Me = $CH_3]$.

Als erste Verb. dieser Art wurde 1951 Ferrocen [Bis(η^5-cyclopentadienyl)eisen] entdeckt, das v.a. durch seine große therm. u. chem. Stabilität auffiel. Die eklipt. Konformation wurde bei Ferrocen unterhalb von –163 °C beobachtet, Decamethylferrocen zeigt eine gestaffelte Anordnung der beiden Fünfringe (s. Abb.). In den zu den π-Komplexen, insbes. den *Aromaten-Übergangsmetall-Komplexen, zu rechnenden M. liegt keine direkte Metall-Kohlenstoff-Bindung (σ-Bindung) vor, sondern eine koordinative Bindung des Metall-Kations über die π-Elektronen des Cyclopentadienyl-Anions $C_5H_5^-$, das aromat. Charakter besitzt. Dies geschieht in der Weise, daß die besetzten π-Orbitale beider C_5H_5-Ringe mit leeren Metall-Orbitalen passender Symmetrie u. Energie ($3d_{xz}$, $3d_{yz}$, 4s, $4p_x$, $4p_y$, $4p_z$) überlappen, woraus ein Energiegewinn resultiert. Die besetzten Metallorbitale d_{xy} u. $d_{x^2-y^2}$ werden durch Überlappung mit leeren π^*-Orbitalen der Fünfringe ebenfalls energet. abgesenkt. Obgleich das besetzte d_{z^2}-Orbital des Fe^{2+}-Ions in seiner Energie leicht angehoben wird, überwiegt der Energiegewinn bei weitem. Indem sich beide Fünfringe als sechs-Elektronen-Donor betätigen, erlangt das Fe^{2+}-Ion mit sechs d-Elektronen eine 18 Valenzelektronen-Schale, welche der Edelgasschale des Kryptons entspricht. Dadurch werden die hohe Stabilität u. der Diamagnetismus des Ferrocens verständlich. M. sind von zahlreichen *Übergangsmetallen bekannt (Fe, Ni, Co, Ru, Os, Rh, Ir, Mn) sowie von Hauptgruppenelementen u. Sm, Eu, Yb, wobei in Einzelfällen die Bindungsverhältnisse komplizierter als im Fall des Ferrocens sein können. Sandwichartige M.-Strukturen liegen auch in Verb. wie Titanocendichlorid u. a. substituierten Komplexen vom Typ $(Cp)_2MX_2$ vor. Dagegen gehören Di-2,4-cyclopentadienyl-Verb. von Elementen wie Hg u. Zn sowie Cyclopentadienyl-Metallverb. mit Carbonyl-Liganden etc. (vgl. Carbonylkomplexe u. Koordinationslehre) nicht zu den Metallocenen. Die aus Cyclopentadienyl-Na u. den Metallhalogeniden in organ. Lsm. zugänglichen M. werden z. T. als Katalysatoren, Stabilisatoren, Kunststoff- u. Treibstoffadditive, Lichtschutzmittel, Radikalfänger etc. benutzt. Für bahnbrechende Studien an M. u. a. Cyclopentadienyl-Verb. teilten sich E. O. *Fischer u. G. *Wilkinson 1973 den Chemie-Nobelpreis. – ***E*** metallocenes – ***F*** métallocènes – ***I*** metalloceni – ***S*** metalocenos

Lit.: Beilstein E IV **16**, 1768–1835 ▪ Comments Inorg. Chem. **17**, 41–77 (1995) ▪ Kirk-Othmer (3.) **16**, 592–617 ▪ Wilkinson-Stone-Abel (2.) ▪ s. a. Ferrocen u. Sandwich-Verbindungen.

Metallochrom-Indikatoren s. Indikatoren.

Metallogenese. Begriff aus der *Mineralogie, unter dem man die Entstehung der *Lagerstätten von *Erzen versteht u. bei dem man zwischen syngenet. (gleichzeitiger) u. epigenet. (nachträglicher) Bildung unterscheiden kann. – ***E*** metallogenesis – ***F*** métallogenèse – ***I*** metallogenesi – ***S*** metalogénesis

Lit.: Metallogenic Map of Europe (9 Blätter), Paris: BRGM-UNESCO 1971–1982 ▪ Pohl, Lagerstättenlehre (4.), S. 98–109, Stuttgart: Schweizerbart 1992.

Metallographie. Teilgebiet der *Metallkunde, das sich mit der metallograph. Untersuchung aufgrund der licht- u. elektronenopt. Darst. u. Auswertung der *Gefüge von *Metallen befaßt. Bei makroskop. Untersuchungen werden bes. Fehler wie Lunker, Poren od. Trennungen untersucht, daneben auch Abweichungen von der Gefügehomogenität wie Seigerungen, opt. erkennbare Ab- od. Aufleg. sowie Einschlüsse. Der lichtmikroskop. Bereich untersucht dagegen mit bis etwa 1000facher Vergrößerung z. B. Korngrößen u. -geometrien, Umfang, Form u. Verteilung von Phasen, Oberflächenbelägen u. Rißcharakteristika.

Im elektronenmikroskop. Bereich stehen bes. Fragen zu submikroskop. Kennzeichen wie Baufehlern im *Kristallgitter im Vordergrund (z. B. Versetzungen, Zwillinge, Gleitlinien, Korngrenzen, Feinstausscheidungen). Durch die Anw. der elektronenopt. Untersuchungs-Meth. Transmissions-Elektronenmikroskopie u. Elektronenstrahl-Mikroanalyse, die die Möglichkeit zu Aussagen über Struktur u. Zusammensetzung von Gefügebestandteilen bieten, überschneidet sich die M. teilweise mit Aufgabenstellungen der Metallanalytik. Eine wesentliche Erweiterung erfuhr die M. durch die Anw. des Rasterelektronenmikroskops mit seiner extremen Tiefenschärfe auch bei hohen Vergrößerungen, die eine Untersuchung von Flächen mit erheblichen örtlichen Höhenunterschieden ermöglicht, z. B. Bruchflächen. Die M. ist somit in der Metall- u. Legierungsforschung, in der Qualitätssicherung u. in der Schadensanalyse das wichtigste Verf. zur Charakterisierung metall. Gefüge u. zur Erklärung von Wechselwirkungen zwischen Gefüge u. techn. Verhalten. Es beruht auf der Herst. u. Interpretation von Metall-Schliffen. Hierbei handelt es sich um ebene, prakt. riefenfrei polierte Flächen, die durch chem. od. elektrochem. Behandlung (Ätzen) mit geeigneten Elektrolyten (Ätzmittel) aufgrund des bevorzugten Angriffs an Korngrenzen (Auflösung von Kornflächen bzw. Belagbildung auf Kornflächen) interpretierbar gemacht werden. – ***E*** metallography – ***F*** métallographie – ***I*** metallografia – ***S*** metalografía

Lit.: Henry u. Horstmann, De Ferri Metallographia, V. Fraktographie u. Mikrofraktographie, Düsseldorf: Stahleisen 1979 ▪ McCall u. French, Metallography as a Quality Control Tool, New York: Plenum Press 1980 ▪ Metals Handbook, Vol. 9, Metallography and Microstructures (9.), Metals Park: Am. Soc. for Metals 1985 ▪ Schumann, Metallographie (13.), Leipzig: VEB Verl. für Grundstoffind. 1991 ▪ Vander Voort, Metallography, New York: McGraw-Hill 1984.

Metalloide. Veraltete Bez. für *Halbmetalle.

Metallometallierung s. Metall-organische Reaktionen.

Metallon®. *Polyester-Klebstoff, der sich bes. als Spachtelmasse für die Herst. des Schienenisolierstoßes eignet. ***B.:*** Henkel.

Metallophyten (Schwermetallpflanzen). Pflanzen, die ungewöhnlich hohe Schwermetall-Gehalte in Böden tolerieren (*fakultative M.*) od. sogar zum Keimen, Wachsen od. Fruchten benötigen (*obligate M.*) u. natürlicherweise meist nur auf Schwermetall-reichen Böden vorkommen. Die Schwermetalle können nach ihrer Bedeutung für die Pflanze in essentielle (benötigte) u. nicht-essentielle sowie tox. u. schadlos tolerierbare Schwermetalle unterteilt werden. Zu den essentiellen *Spurenelementen (Mikronährstoffe) vieler Pflanzen zählen Cobalt, Eisen, Kupfer, Mangan, Molybdän, Nickel u. Zink. Da manche essentielle Schwermetalle an dieselben Rezeptoren gebunden od. über dieselben Transportsyst. aufgenommen werden, kann bei Anwesenheit zweier *Antagonisten ein Mangel an einem der beiden auftreten, z.B. bei Kupfer/Zink, Cobalt/Nickel od. Eisen/Mangan. Als *Hyperakkumulatoren* werden M. bezeichnet, die mehr als 1 mg Schwermetall pro kg Trockenmasse anreichern. Viele M. tolerieren mehrere, für andere Pflanzen in hohen Konz. tox. Schwermetalle, z.B. *Haumaniastrum robertii*, *Aeolanthus rosulifolius* u. *Lindernia perennis*, die in Zaire vorkommen, Cobalt u. Kupfer. *Multiple Toleranz* liegt vor, wenn verschiedene *Adaptationen Resistenz gegen mehrere Metalle bewirken, beispielsweise beim einheim. Straußgras *Agrostis tenuis* gegenüber Blei u. Kupfer. *Cotoleranz* geht auf eine einzige Adaptation zurück, die vor den tox. Auswirkungen mehrerer Metalle schützt, so bei einer Zink- u. Nickel-toleranten Rasse von *A. tenuis*. Biochem. u. physiolog. Anpassungen von M. sind in *Lit.*[1,2] beschrieben. Nach den wichtigsten Schwermetallen im Boden werden *Cobaltophyten, *Cuprophyten, *Galmeipflanzen, *Serpentin-Pflanzen u. viele mehr unterschieden. Als *Chalkophyten* bezeichnete man früher manchmal alle M., bisweilen auch nur die M. Zink- u./od. Kupfer-reicher Böden. Die Vork. der M. können auf natürlicherweise anstehendes Gestein als auch auf die Aktivität des Menschen (Halden, Schmelzöfen, Verschleppung) zurückgehen[3]. Manche M. werden als *Bioindikatoren zur *Prospektion von Schwermetall-Mineralien genutzt. – ***E*** metallophytes – ***F*** métallophytes – ***I*** metallofite – ***S*** metalofitas

Lit.: [1]Schlee (2.), S. 187–208. [2]Environ. Exp. Bot. **30**, 251–264 (1990). [3]Endeavour **13**, 129–134 (1989).
allg.: Annu. Rev. Plant Physiol. Plant Mol. Biol. **41**, 553–575 (1990) ▪ Brooks et al., The Heavy Metal-Tolerant Flora of South Central Africa, Rotterdam: Balkema 1985 ▪ Bull. Soc. R. Bot. Belg. **96**, 93–231 (1963) ▪ Chem. Unserer Zeit **23**, 179 (1989) ▪ Ellenberg, Zeigerwert der Gefäßpflanzen Mitteleuropas, Göttingen: Goltze 1973 ▪ Endeavour **6**, 72–77 (1982) ▪ Ernst, Schwermetallvegetation der Erde, Stuttgart: Fischer 1974 ▪ Oikos **33**, 472–478 (1979).

Metall(o)porphyrine s. Porphyrine u. Häm.

Metall-organische Chemie. Als Bindeglied zwischen Anorgan. u. Organ. Chemie befindet sich die M.-o. C. in einer Periode stürm. Wachstums. Dies mag darin begründet sein, daß neue Verb. mit überraschenden Eigenschaften, neue Reaktionen mit hoher Effizienz u. Selektivität, wie sie von der modernen Synth. angestrebt werden, ausgefeilte Mechanismen u. breite Anw. auch in der industriellen Synth. explosionsartig hervorgebracht werden. Aus Gründen der Übersichtlichkeit wird deshalb in diesem Werk das Gebiet auf drei Stichwörter verteilt: Neben dem einführenden Stichwort M.-o. C. sind bei *Metall-organischen Reaktionen die wesentlichsten *Reaktionstypen* zur Herst. u. Anw. in der *organ. Synth.* u. unter *Metall-organischen Verbindungen *Struktur, Eigenschaften* u. *Verw.* abgehandelt.

Geschichte[1–4]: Eine der ersten synthetisierten Metall-organ. Verb. war das 1849 von *Frankland hergestellte *Diethylzink* [$(H_5C_2)_2Zn$], eine flüssige u. pyrophore Verb., deren Synth. unter den damaligen Verhältnissen als bewundernswert eingestuft werden muß. Frankland prägte auch den Begriff *Metall-organisch.* Ein weiterer Meilenstein in der Geschichte der M.-o. C. stellt das bereits 1827 hergestellte *Zeise-Salz* {$Na[PtCl_3(H_2C{=}CH_2)]$} dar, das allerdings erst 1953 als *erster* Olefin-Komplex eines Übergangsmetalls erkannt wurde. Die Wiege der M.-o. C. steht allerdings in einer französ. Militärapotheke, wo Cadet 1760 an Geheimtinten arbeitete u. bei seinen Versuchen die sog. *Cadet'sche Flüssigkeit* fand, die *Kakodyloxid $(H_3C)_2As{-}O{-}As(CH_3)_2$ enthielt, das damit die erste Metall-organ. Verb. darstellt u. 1842 von Bunsen zusammen mit weiteren Kakodyl-Verb. untersucht wurde (s. Arsine). Weitere Anstöße erhielt die M.-o. C. u.a. durch Arbeiten von Friedel u. Crafts (*Organosilane*, s. Silicium-organische Verbindungen), Mond [Synth. des ersten *binären *Metallcarbonyls*, Nickeltetracarbonyl, $Ni(CO)_4$; **Mond-Prozeß* zur Herst. reinsten Nickels], Grignard (**Magnesium-organische Verbindungen*), Schlenk (*Lithiumalkyle*, s. Lithium-organische Verbindungen), Hieber (**Metallcarbonyle*), Gilman (*Lithiumalkyle*), Wittig (**Wittig-Reaktion*), E. O. Fischer [*Bis(benzol)chrom, Carben-, Carbin-Komplexe*], Ziegler u. Natta (*Metall-organ. Verb. als Katalysatoren für die Niederdruckpolymerisation von Ethylen u. Propylen*), Criegee (*Stabilisierung des antiaromat. Cyclobutadiens* in der Ligandensphäre eines Übergangsmetalls nach einer Vorhersage von Longuet-Higgins u. Orgel), Hawthorne (**Carborane*), Wilkinson (*Entwicklung eines Katalysators für die homogene katalyt. *Hydrierung*), Lipscomb (**Borane*), Brown (**Hydroborierung*). Unter den Chemie-Nobelpreisträgern der letzten 20 Jahre beschäftigten sich allein 8 mit Metall-organ. Themen.

Eine Vorstellung von der Bedeutung dieses Zweiges der Chemie mag die Tatsache vermitteln, daß mehr als 40% der Beiträge, die in der Zeitschrift *Angewandte Chemie* erscheinen, Metall-organ. Themen behandeln, u. daß der jährlich in der Zeitschrift *Nachrichten aus Chemie, Technik u. Laboratorium* erscheinende Jahresrückblick für 1996 feststellt, daß „Metall-organ. Synth. u. Übergangsmetallkatalyse Schwerpunkte der organ. Chemie bleiben“[5]. Ausgezeichnete Übersichten über Entwicklungen in der M.-o. C. findet man beispielsweise in den Zeitschriften *Coordination Chemistry Reviews*[6] u. der seit 1994 erscheinenden *Contemporary Organic Synthesis*[7], sowie seit 1972 in den Specialist Periodical Reports *Organometallic Chemistry* der Royal Chemical Society. – ***E*** organometallic chemistry – ***F*** chimie organo-métallique – ***I*** chimica metallo-organica – ***S*** química organometálica

Lit.: [1] Jehn, Chronologische Übersicht zur Entwicklung der metallorganischen Chemie (3 Tl.), Jena: Universitätsbibliothek 1980–1982. [2] Naturwissenschaften **62**, 772 (1975). [3] Adv. Organomet. Chem. **13**, 1 (1975). [4] Organometallics **6**, 687 (1987). [5] Nachr. Chem. Tech. Lab. **45**, 148 (1997). [6] Coord. Chem. Rev. **147**, 443 (1996); **161**, 129 (1997). [7] Contemp. Org. Synth. **1**, 77, 125, 339 (1994); **2**, 43 (1995); **3**, 1, 201, 277 (1996); **4**, 136 (1997).

allg.: Zeitschriften u. Serien (die Abk. ist mit **Fettdruck** gekennzeichnet u. erstes Erscheinungsjahr u. Verl. stehen in Klammern): **Acc**ounts of **Chem**ical **Res**earch (1968, ACS) ▪ **Adv**ances in **Inorg**anic **Chem**istry and **Radiochem**istry (1959, Academic Press) ▪ **Adv**ances in **Organomet**allic **Chem**istry (1964, Academic Press) ▪ **Angew**andte **Chem**ie (1888, Wiley-VCH) ▪ **Chem**ical **Rev**iew (1924, ACS) ▪ **Chem**ische **Be**richte/**Receuil** (1868, Wiley-VCH) ▪ **Comments** on **Inorg**anic **Chem**istry (1978, OPA) ▪ **Coord**ination **Chem**istry **Re**views (1966, Elsevier) ▪ **Heteroatom Chem**istry (1990, Wiley) ▪ **Inorg**anic **Synth**esis (1939, Wiley) ▪ **J**ournal of **Organomet**allic **Chem**istry (1963, Elsevier) ▪ **J**ournal of the **Amer**ican **Chem**ical **Soc**iety (1879, ACS) ▪ **Main Group Met**al **Chem**istry (1997, Freund Publishing House) ▪ **Organometallics** (1981, ACS) ▪ **Phosphorus, Sulfur and Silicon** and Related Elements (1971, Gordon & Breach) ▪ **Polyhedron** (1981, Pergamon) ▪ **Prog**ress in **Inorg**anic **Chem**istry (1959, Wiley) ▪ **Synth**esis and **React**ivity in **Inorg**anic and **Met**al-**Org**anic **Chem**istry (1974, Dekker) ▪ **Topics** in **Organomet**allic **Chem**istry (1997, Springer). – *Übersichten u. Handbücher:* Barton-Ollis **3** ▪ Brauer ▪ Buckingham, Dictionary of Organometallic Chemistry, Bd. 1 ff., London: Chapman & Hall seit 1984 ▪ Gmelin ▪ Herrmann u. Brauer, Synthetic Methods of Organometallic Chemistry, Bd. 1–8, Stuttgart: Thieme ab 1996 ▪ Houben-Weyl **12/1–2**, **13/1–9**, **E 1**, **E 2**, **E 18** ▪ Patai, The Chemistry of Metal-carbon Bond, Bd. 1–4, Chichester: Wiley 1982, 1985, 1986 ▪ Ullmann (5.) **A 1**, 543 ▪ Wilkinson, Gillard u. McCleverty, Comprehensive Coordination Chemistry, Bd. 1–7, Oxford: Pergamon Press 1987 ▪ Wilkinson-Stone-Abel **1–9**, II **1–...**. – *Monographien u. Lehrbücher (ab 1987):* Bernal, Stereochemistry of Organometallic and Inorganic Compounds, Bd. 1–3, Amsterdam: Elsevier 1990 ▪ Bochmann, Metallorganische Chemie der Übergangsmetalle (*Basistexte Chemie, Bd. 13/14*), Weinheim: Wiley-VCH 1997 ▪ Brandsma, Preparative Polar Organometallic Chemistry, Bd. 1 u. 2, Berlin: Springer 1987 u. 1990 ▪ Brandsma, Vasilevsky u. Verkruijsse, Application of Transition Metal Catalyst in Organic Synthesis, Berlin: Springer 1997 ▪ Collman et al., Principles and Applications of Organotransition Metal Chemistry (2.), Mill Valley: University Science Books 1987 ▪ Constable, Metals and Ligand Reactivity: An Introduction to the Organic Chemistry of Metal Complexes, Weinheim: Wiley-VCH 1997 ▪ Crompton, Comprehensive Organometallic Analysis, New York: Plenum Press 1987 ▪ Elschenbroich u. Salzer, Organometallchemie, 3. Aufl., Stuttgart: Teubner 1993 ▪ Elschenbroich u. Salzer, Organometallics – A Concise Introduction, 2. Aufl., Weinheim: VCH Verlagsges. 1992 ▪ Gibson, Transition Metals in Organic Synthesis, Oxford: University Press 1997 ▪ Hegedus, Organische Synthesen mit Übergangsmetallen, Weinheim: VCH Verlagsges. 1995 ▪ Henderson, The Mechanism of Reactions at Transition Metal Sites, Oxford: University Press 1994 ▪ Jenkins, Organometallic Reagents in Synthesis, Oxford: University Press 1992 ▪ Jenkins, Metallorganische Reagentien in der Organischen Chemie (*Basistexte Chemie, Bd. 7*), Weinheim: VCH Verlagsges. 1995 ▪ Jordan, Mechanismen anorganischer u. metallorganischer Reaktionen, Stuttgart: Teubner 1994 ▪ Krause, Metallorganische Chemie, Heidelberg: Spektrum 1996 ▪ Mathey u. Sevin, Molecular Chemistry of the Transition Elements, Chichester: Wiley 1996 ▪ Powell, Principles of Organometallic Chemistry (2.), London: Methuen 1987 ▪ Schlosser, Organometallics in Synthesis, Chichester: Wiley 1996 ▪ Thayer, Organometallic Chemistry, New York: VCH Publishers 1988 ▪ West u. Stone, Multiple Bonded Main Group Metals and Metalloids, Orlando: Academic Press 1996.

Metall-organische Polymere (organ./anorgan. Hybridpolymere). Sammelbez. für Kohlenstoff-haltige *Polymere, die Metall-Atome enthalten. Diese Metall-Atome können entweder selbst Bestandteil der Polymer-Hauptkette sein, d. h. sie halten über (s. Abb. a,b) kovalente bzw. (c) koordinative Bindungen (s. Koordinationspolymere) das Polymer-Rückgrat zusammen, od. aber sind seitenständig an diese (d) unmittelbar bzw. (e) über Abstandshalter (Spacer) angeheftet.

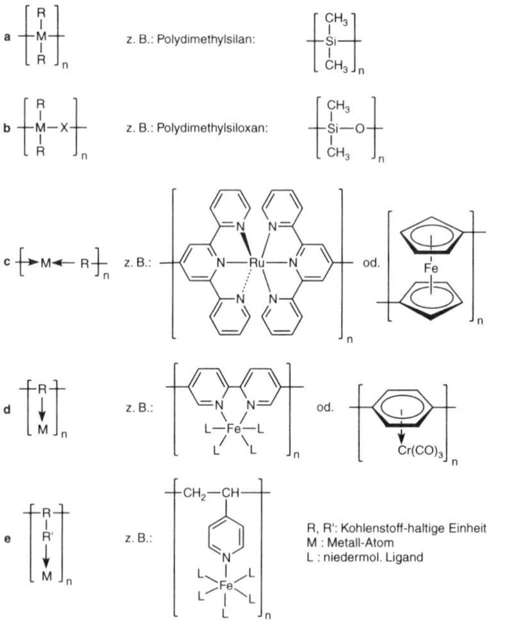

Abb.: Einbindungsmöglichkeiten für die Metall-Atome in Metall-organische Polymere.

Die Einbindung der Metall-Atome in die m.-o. P. erfolgt dabei meist durch σ- od. π-Koordination mit Kohlenstoff-Atomen (z. B. Allyl-Gruppen, Aromaten), seltener mit anderen Atomen (z. B. Sauerstoff, Stickstoff, Schwefel u. Phosphor), od. über andere zur Koordination eines Metalls fähige Atomgruppen (z. B. Chelat-Liganden). Die Bindungsverhältnisse der m.-o. P. sind also mit denen in niedermol. *Metall-organischen Verbindungen vergleichbar. M.-o. P. können aus niedermol. (monomeren) Metall-organ. Verb. durch übliche Polymerisationsreaktionen, z. B. durch *Polyaddition, *Polykondensation, koordinative od. *Ringöffnungspolymerisation, synthetisiert werden. Sie lassen sich aber auch durch Reaktion vorgefertigter Polymere (s. komplexbildende Polymere) mit Metall-Derivaten herstellen. Weitere Beisp. für M.-o. P. sind *Phthalocyanin-Polymere, *Polyphosphazene, *Polymetallocene, *Polyferrocene, Polymetallphosphinate u.

*Polysilane. Zu vielfältigen u. sehr unterschiedlichen Einsatzmöglichkeiten von M.-o. P. s. einzelne Metallorgan. Polymere; zu den Möglichkeiten der Oberflächenveredelung von Kunststoffen durch M.-o. P. s. Lit.[1]. – *E* organometallic polymers – *F* polymères organo-métalliques – *I* polimeri organometallici – *S* polímeros organometálicos

Lit.: [1] Gummi, Asbest + Kunststoffe **50**, 102 (1997).
allg.: Ciardelli, Tsuchida u. Wöhrle, Macromolecule-Metal Complexes, Berlin: Springer 1996 ▪ Mark, Allcock u. West, Inorganic Polymers, Englewood Cliffs, NJ: Prentice Hall 1992 ▪ Sheats, Carraher u. Pittmann, Metal-containing Polymer Systems, New York: Plenum Publishing Corp. 1996.

Metall-organische Reaktionen. Reaktionen *Metallorganischer Verbindungen sind wertvolle Werkzeuge in der modernen präparativen Anorgan. u. Organ. Chemie. Standen zunächst stöchiometr. Reaktionen im Mittelpunkt des Interesses, so stehen in neuerer Zeit katalyt. Anw. im Vordergrund. Um die gewünschten Metall-organ. Verb. herzustellen, existieren eine Reihe von Methoden. Genügend acide C,H-Bindungen beispielsweise von Alkinen, Alkenen u. Aromaten können direkt *metalliert* werden [1–3] (s. Abb. 1 a). Als Reagenzien kommen Metall-organ. Verb. selbst, z. B. *Butyllithium, od. Metalle, bes. Lithium u. Natrium in flüssigem Ammoniak, in Frage [4]. Die Metallierung kann auch über den sog. *Halogen-Metall-Austausch* erfolgen, wobei die Halogen-Verb. direkt mit Metallen, z. B. bei der Herst. von *Grignard-Verbindungen, od. vorzugsweise mit *Lithium-organischen Verbindungen (s. Abb. 1 b) umgesetzt wird. Letztere Reaktion gelingt nur mit Arylbromiden u. -iodiden in zufriedenstellenden Ausbeuten. Die Herst. von Metall-organ. Verb. der Übergangsmetalle geschieht am besten über die *Transmetallierung* (Ummetallierung). Man versteht darunter die Übertragung eines Kohlenstoff-Restes von einem Metall auf ein anderes, z. B. von Zinn auf Palladium (*Stille-Reaktion*). Die Transmetallierung kann direkt mit einem elektropositiveren Metall als das auszutauschende (s. Abb. 1 c), mit Metallhalogeniden od. anderen Metall-organ. Verb. erfolgen [5]. Additionsreaktionen an Alkene u. Alkine (*Hydrometallierung, Carbometallierung, Metallometallierung*) [6,7] – bekannte Reaktionen sind die *Hydroborierung u. die Hydrozirconierung (*Schwartz Reagenz*) – sind ebenfalls geeignet, Metall-organ. Verb. herzustellen (s. Abb. 1d). Daneben existieren spezielle Meth., auf die nicht weiter eingegangen werden kann.

Metall-organ. Verb. zeigen eine vielfältige Reaktivität, die gezielt in der organ. Synth. ausgenutzt werden kann. *Ligandensubstitution, oxidative Addition/reduktive Eliminierung, Insertion* von Liganden in die Metall-Kohlenstoff-Bindung, *Addition* an ungesätt. Liganden sind an herausragender Stelle zu nennen (s. Abb. 2).

a $[M]-L^1 + L^2 \rightleftharpoons [M]-L^2 + L^1$

z. B.: $Cr(CO)_6 + P(C_6H_5)_3 \xrightarrow{\text{Dekalin, 100°C}} Cr(CO)_5P(C_6H_5)_3 + CO$

Ligandensubstitution

b $[M^n] + A-B \underset{\text{reduktive Eliminierung}}{\overset{\text{oxidative Addition}}{\rightleftharpoons}} A-[M^{n+2}]-B$

z. B.: $Pd^0 + R-Br \xrightarrow{\text{oxidative Addition}} R-Pd-Br$

$R^1-CH_2-CH(R^2)-Pd-Br \xrightarrow{\text{reduktive Eliminierung}} R^1-CH=CH-R^2 + HBr + Pd^0$

oxidative Addition / reduktive Eliminierung als Teilschritte bei der *Heck-Reaktion

c $R-[M](CO) \rightleftharpoons [M]-C(=O)R \xrightarrow[-L]{+L} L-[M]-C(=O)R$

z. B.: $(CO)_3Co-CH_2-CH_2-R \rightarrow (CO)_3Co-C(=O)-CH_2-CH_2-R$

CO-Insertion als Teilschritt der *Oxo-Synthese

d $[M]-C\equiv O + Nu^- \rightarrow [M]-C(Nu)=O \leftrightarrow [M]=C(Nu)-O^-$

z. B.: $(CO)_5W-C\equiv O + H_5C_6-Li \rightarrow (CO)_5W=C(C_6H_5)(OLi)$

$\xrightarrow[-(H_3C)_2O-LiBF_4]{+(H_3C)_3O^+BF_4^-} (CO)_5W=C(C_6H_5)(OCH_3)$

*Addition an ungesätt. Liganden; Herst. der Fischer-*Carben-Komplexe

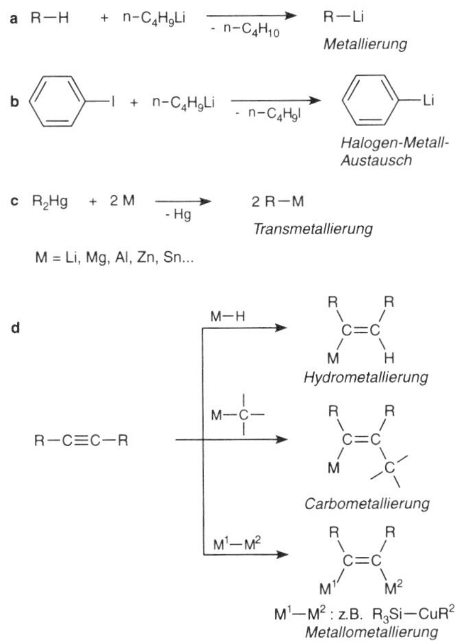

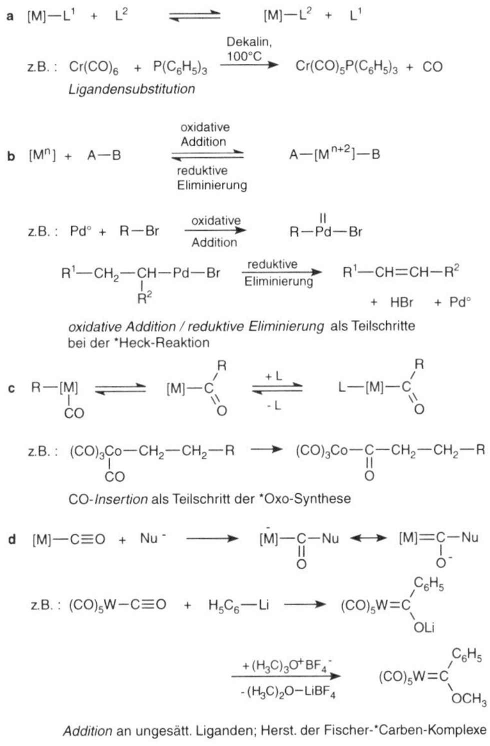

Abb. 2: Typ. Reaktionen Metall-organ. Verbindungen.

a $R-H + n-C_4H_9Li \xrightarrow{-n-C_4H_{10}} R-Li$
Metallierung

b $C_6H_5-I + n-C_4H_9Li \xrightarrow{-n-C_4H_9I} C_6H_5-Li$
Halogen-Metall-Austausch

c $R_2Hg + 2M \xrightarrow{-Hg} 2R-M$
Transmetallierung
M = Li, Mg, Al, Zn, Sn...

d $R-C\equiv C-R \xrightarrow{M-H} \begin{array}{c} RR \\ C=C \\ MH \end{array}$
Hydrometallierung

$\xrightarrow{M-C} \begin{array}{c} RR \\ C=C \\ MC \end{array}$
Carbometallierung

$\xrightarrow{M^1-M^2} \begin{array}{c} RR \\ C=C \\ M^1M^2 \end{array}$
M^1-M^2: z. B. $R_3Si-CuR^2$
Metallometallierung

Abb. 1: Meth. zur Herst. Metall-organ. Verbindungen.

Im folgenden werden wichtige M.-o. R., die Anw. in der Synth. gefunden haben, kurz erwähnt. Teilw. sind sie mit *Namensreaktionen verknüpft u. in Einzelstichwörtern beschrieben. Metallhydride der Übergangsmetalle spielen eine große Rolle bei der homogenen *Hydrierung, *Hydroformylierung u. Hydrometallierung. Für die Hydrierung hat sich $RhCl[P(C_6H_5)_3]_3$ (*Wilkinson-Katalysator) bewährt, das mit chiralen Phosphan-Liganden, z. B. DIPAMP, *DIOP, CHIRAPHOS, auch zur enantioselektiven Hydrierung verwendet werden kann. Die Hydrozirconierung von Alkenen od. Alkinen (*Schwarz-Neghishi-Reaktion) führt letztlich zur Herst. von Alkoholen, Alkylhalogeniden od. Aldehyden in Abhängigkeit von den Reaktionsbedingungen. Die C,C-Verknüpfung über die *Transmetallierung* von Zinn zu Palladium gefolgt von *reduktiver* Palladium-*Eliminierung* wird als *Heck-Stille-Reaktion* (s. Heck-Reaktion) bezeichnet. Sie stellt eine der effektivsten M.-o. R. dar. Die Reaktionssequenz *oxidative Addition* gefolgt von der *Insertion* eines Alkens u. *reduktiver Eliminierung* ist als *Heck-Reaktion bekannt. Übergangsmetall-*Carben-Komplexe des Fischer- bzw. des Schrock-Typs finden Verw. in der *Dötz-Reaktion bzw. in den *Tebbe-Grubbs-Reagenzien (vgl. Alkylidenierung). Übergangsmetall-Carbenoide (s. Carbene) spielen eine wichtige Rolle in der Metall-katalysierten Zers. von *Diazoverbindungen. Weiter zu erwähnende M.-o. R. sind die *Birch-Pearson-, die *Pauson-Khand- u. die *Tsuji-Trost-Reaktion. Palladium-katalysiert verläuft die [3+2]-Cycloaddition von Trimethylenmethan-Komplexen an elektronenarme Alkene, wobei funktionalisierte Methylencyclopentane zugänglich werden (s. Abb. 3).

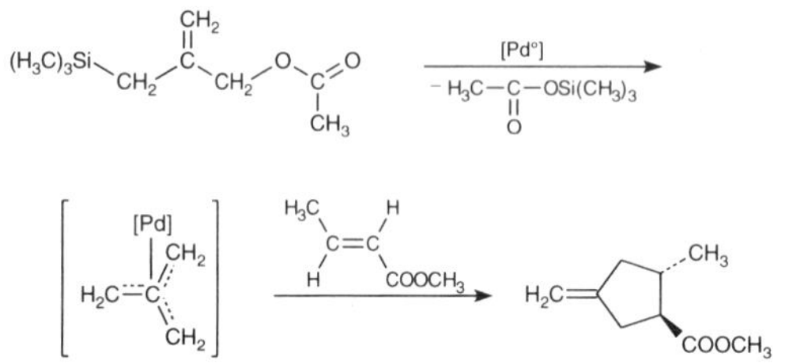

Abb. 3: [3+2]-Cycloaddition von Trimethylenmethan-Pd-Komplexen mit elektronenarmen Alkenen.

Ein Überblick über neuere Entwicklungen findet sich in *Lit.*[8] u. bei Krause u. Hegedus (s. *Lit.*). – ***E*** organometallic reactions – ***F*** réactions organo-métalliques – ***I*** reazioni metallo-organiche – ***S*** reacciones organometálicas

Lit.: [1]Brandsma et al., Preparative Polar Organometallic Chemistry, Bd. 1 u. 2, Berlin: Springer 1987 u. 1990. [2]Schlosser, Organometallic Synthesis, Chichester: Wiley 1996. [3]Zuckerman, Inorganic Reactions and Methods, Bd. 11, S. 11 ff., New York: VCH Publishers 1988. [4]Brandsma, Preparative Acetylenic Chemistry (2.), Amsterdam: Elsevier 1988. [5]March (4.), S. 620. [6]Adv. Metal.-Org. Chem. **1**, 177 (1989). [7]Contemp. Org. Syn. **2**, 19 (1995). [8]Waldmann, Organic Synthesis Highlights II, S. 59 ff., Weinheim: VCH Verlagsges. 1995.
allg.: Atwood, Inorganic and Organometallic Reaction Mechanisms, 2. Aufl., Chichester: Wiley-VCH 1997 ▪ Hegedus, Organische Synthesen mit Übergangsmetallen, Weinheim: VCH Verlagsges. 1995 ▪ Krause, Metallorganische Chemie, Heidelberg: Spektrum 1996 ▪ s. Metall-organische Chemie.

Metall-organische Verbindungen (Organometall-Verb., Metallorganyle). Bez. für Element-organ. Verb. mit einer direkten Metall-Kohlenstoff-Bindung, die entweder durch σ- od. durch π-Koordination zustandekommt. Koordinations-Verb., die Donor-Bindungen von anderen Elementen als Kohlenstoff besitzen, wie z. B. Metallkomplexe von Aminen od. Phosphanen werden nicht zu den M.-o. V. gerechnet. Andererseits sind viele M.-o. V. auch Koordinations-Verb., da sie neben Kohlenstoff auch andere Liganden enthalten. Nicht zu den M.-o. V. rechnet man auch die Metallsalze organ. Säuren, Alkoholate, Kronen- u. andere Einschlußverb., während häufig – was eigentlich vermieden werden soll – auch *Metallacetylacetonate u. andere *Chelate, in denen keine direkte Metall-Kohlenstoff-Bindung vorliegt, sowie Metallcarbonyle, Carbonylkomplexe u. Cluster-Verb., in denen die Kohlenstoff-Atome nicht Bestandteil einer organ. Gruppe sind, ebenfalls zu den M.-o. V. gerechnet werden. Die große Zahl der M.-o. V. kann am zweckmäßigsten nach dem Metall-Kohlenstoff-Bindungstyp eingeteilt werden:

Ionogene Bindungen bilden vorwiegend die Metalle der 1. Gruppe des *Periodensystems (*Alkalimetalle* außer Lithium), *kovalente Mehrzentrenbindungen* finden sich bei Metallen der 1., 2. u. 13. Gruppe, bes. bei den Elementen Lithium, Beryllium, Magnesium, Bor u. Aluminium, *kovalente Element-Kohlenstoff-σ-Bindungen* bei den Elementen der 12. – 16. Gruppe (außer Bor u. Aluminium), z. B. bei Silicium u. Phosphor – man spricht hier auch gerne von *Element-organ. Verb.* –, *kovalente Metall-Kohlenstoff-σ-Bindungen* od. *π-Koordination* bei den Elementen der 3. – 11. Gruppe, die die Gruppe der Übergangsmetalle repräsentieren. Im allg. bestimmt bei den M.-o. V. der Gruppen 1, 2, 12 – 16 die Natur des Metalls die Eigenschaften, während bei den Gruppen 3 – 11 die Natur der *Liganden das Reaktionsverhalten der M.-o. V. beherrscht.

Nomenklatur: Für komplexe M.-o. V. existieren seit längerer Zeit Nomenklaturregeln (s. Koordinationslehre) u. es sind in der Sektion D der IUPAC-Regeln auch Vorschläge für die Benennung von Bor-, Phosphor-, Arsen- u. Silicium-organ. Verb. enthalten, die jedoch noch immer einen vorläufigen Charakter besitzen. Für Metalle als Heteroatome ist das Präfix *Metalla* vorgeschlagen worden. Weitere Nomenklaturregeln für kettenförmige M.-o. V. od. für M.-o. V. mit ungewöhnlichen Wertigkeiten sind in *Lit.*[1–3] zu finden. Einige Beisp. sollen die Nomenklaturmöglichkeiten in Abb. 1 verdeutlichen.

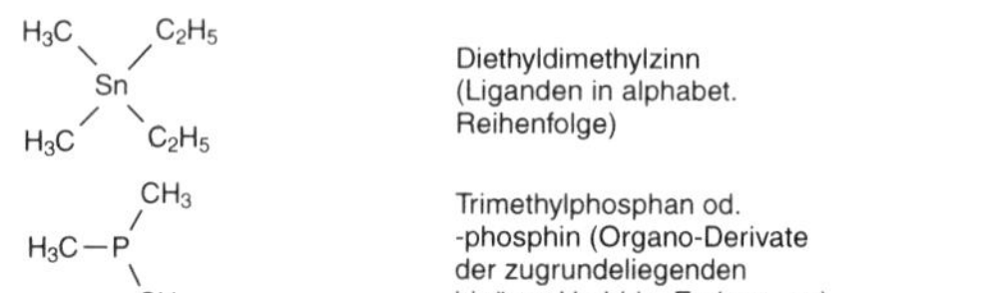

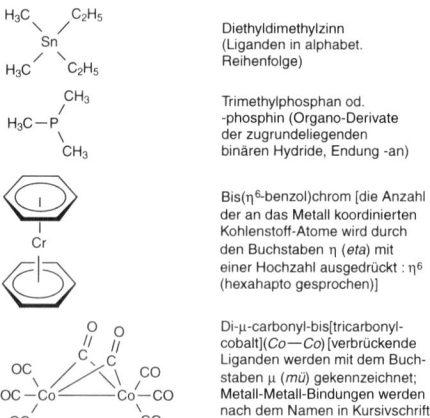

Abb. 1: Nomenklaturmöglichkeiten für Metall-organ. Verbindungen.

Im Chemie-Lexikon werden die M.-o. V. (wenn nicht pauschal unter den jeweiligen *Element*-organ. Stichwörtern) unter den Präfixen, d. h. unter den jeweiligen Substituenten am Metall-Atom abgehandelt (*Beisp.:*

*Phenyllithium, *Butyllithium, *Tetramethylsilan), sofern nicht z. B. histor. Gründe dem entgegenstehen (*Bleitetraethyl). Selbstverständlich sind die hier erwähnten Begriffe, Verbindungsklassen u. Bindungsarten größtenteils in eigenen Stichwörtern abgehandelt.

Eigenschaften: Die Metall-Kohlenstoff-Bindung ist eine mehr od. weniger polarisierte Bindung mit pos. polarisiertem Metall- u. neg. polarisiertem Kohlenstoff-Atom. Sie ist im Vgl. zu anderen Metall-Element-Bindungen als schwach anzusehen, worauf im allg. ihre Nützlichkeit in der organ. Synth. beruht (z. B. Al–C: 274 kJ mol^{-1}, Al–O: 500 kJ mol^{-1}). Der Austausch von Kohlenstoff- gegen Sauerstoff-Atome ist also thermodynam. begünstigt. Die M.-o. V. mit kovalenten Bindungen sind flüchtig u. gut lösl. in organ. Lösemitteln. Ionogene Bindungen werden bei bes. elektrophilen Metallen u. stabilisierten Anionen, z. B. beim Natriumacetylid (NaC≡CH), beobachtet; diese Verb. sind in der Regel sehr reaktiv gegenüber prot. Nucleophilen, wie Wasser od. Säuren. Aufgrund ihrer thermodynam. Instabilität lassen sich alle M.-o. V. mehr od. weniger leicht oxidieren; Unterschiede ergeben sich nur dadurch, daß vielfach eine kinet. Stabilisierung für die relative Inertheit verantwortlich ist. Manche M.-o. V. sind äußerst giftig, insbes. die Schwer-M.-o. V. wie Blei- u. Quecksilberalkyle. Andererseits gibt es im Organismus M.-o. V. mit echter Metall-Kohlenstoff-Bindung, so z. B. das Adenosyl-Cobalamin, ein vom Vitamin B_{12} abgeleitetes Coenzym.

Die Variationsmöglichkeiten für Metall-organ. Verbindungstypen sind im Bereich der Gruppen 3–11 (*Übergangsmetalle*) im Vgl. zu denen der Gruppen 1, 2 u. 12–16 bedeutend größer. Dies resultiert aus der Tatsache, daß größere Möglichkeiten zur Ausbildung von Metall-Kohlenstoff-Bindungen bestehen, die auf der Erweiterung des Valenzorbitalsatzes bei diesen beruhen, daß Metall-Metall-Mehrfachbindungen möglich sind u. daß die Metalle in verschiedenen Oxid.-Stufen u. Koordinationszahlen auftreten können[4]. Die Struktur u. Bindungsverhältnisse von M.-o. V. der Übergangsmetalle können z. B. mit dem Konzept der *18-(Valenz-)Elektronen-Regel* beschrieben werden. Diese besagt, daß in mononuklearen, diamagnet. Komplexen die Gesamtzahl der Elektronen in der Valenzschale (= Summe der d-Elektronen des Metalls + der Elektronen der Liganden) 18 nicht übersteigt. Komplexe mit weniger als 18 Elektronen sind koordinativ ungesätt. u. im allg. sehr reaktiv; s. a. Koordinationslehre.

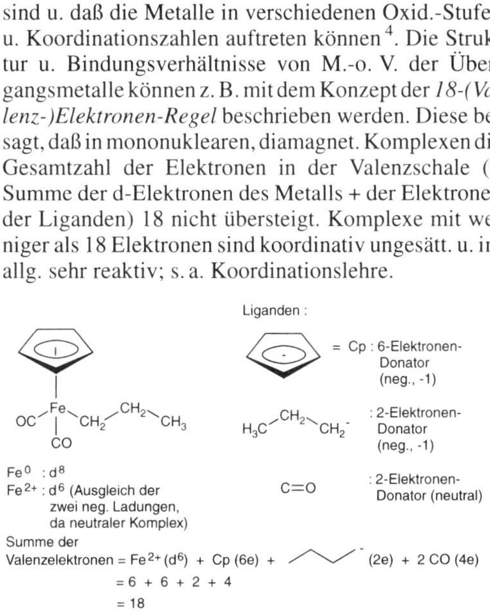

Abb. 2: Ableitung der 18-(Valenz-)Elektronen-Regel.

Die große Klasse der Übergangsmetall-Komplexe mit π-Liganden beinhaltet sowohl π-Donator-, als auch π-Acceptor-Liganden mit fließenden Übergängen bezüglich mehr od. weniger stark ausgeprägten σ-Donator-Eigenschaften; sie werden u. a. durch *Olefin-*, *Alkin-Komplexe*, *Allyl-* u. *Enyl-Komplexe*, **Carben-*, *Carbin-* u. **Aromaten-Übergangsmetall-Komplexe* (vgl. *Metallocene* u. Sandwich-Verbindungen) repräsentiert (s. Abb. 3).

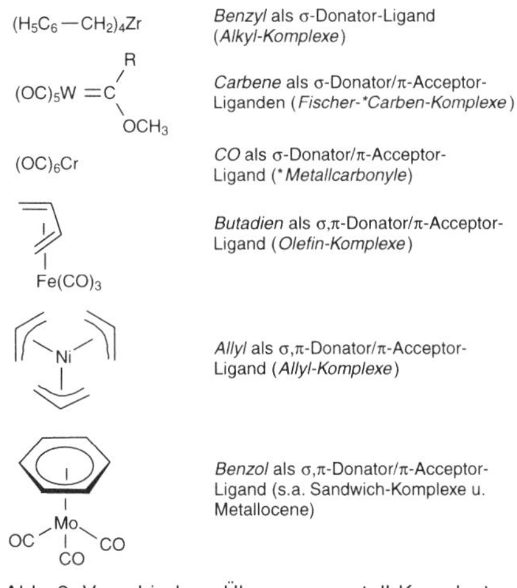

Abb. 3: Verschiedene Übergangsmetall-Komplextypen.

Verw.: Die M.-o. V. sind wichtige synthet. Hilfsmittel. Neben ihrem Einsatz in der synthet. Chemie (s. Metall-organische Reaktionen) stehen der Einsatz als Antiklopfmittel u. andere Kraftstoffzusätze, als Cytostatika (z. B. Platin-Komplexe), als Katalysatoren in techn. Prozessen, z. B. bei der *Oxo-Synthese, dem *Wackerverfahren, der Niederdruckpolymerisation (Ziegler-Natta-Katalysatoren), der stereospezif. Polymerisation von Propen[5] u. der katalyt. *Hydrierung (Wilkinson-Katalysator). Weitere Verw. finden M.-o. V. in der Affinitätschromatographie zur Reinigung von Interferonen, Serumproteinen, Lectinen u. Nucleotiden, als Bestandteile von Brennstoffzellen u. möglicherweise in der Stickstoff-Fixierung[6] u. als Bestandteile von Polymeren mit ungewöhnlichen Eigenschaften[7]. – ***E*** organometallic compounds – ***F*** composés organométalliques – ***I*** composti metallo-organici, composti organometallici – ***S*** compuestos organometálicos

Lit.: [1] IUPAC, Nomenklatur der Organischen Chemie, S. 95 f., Weinheim: VCH Verlagsges. 1997. [2] Pure Appl. Chem. **54**, 217 (1982). [3] Pure Appl. Chem. **57**, 149 (1985). [4] Angew. Chem. **106**, 1640 (1994). [5] Chem. Unserer Zeit **28**, 197 (1994). [6] Kirk-Othmer (3.) **15**, 184. [7] Kirk-Othmer (4.) **17**, 172 ff.
allg.: s. Metall-organische Chemie.

Metallorganyle s. Metall-organische Verbindungen.

Metallosen. Erkrankungen, die durch allg. od. lokale Einwirkung von Metallen (als Fremdkörper od. Staub) hervorgerufen werden, z. B. Graufärbung des Gewebes durch Abrieb von Quecksilber-haltigen Zahnfüllungen od. von implantiertem Titan-haltigem Stützmaterial bei Knochenbrüchen. – ***E*** metalloses – ***F*** métalloses – ***I*** metallosi

Lit.: J. Bone Jt. Surg., Am. Vol. **72**, 126 (1990).

Metallothermie. Verf. der *Hochtemperaturchemie, bei dem in exothermer Reaktion (2000–2500 °C) Metalloxide, -sulfide u. -halogenide mittels unedlerer Metalle (z. B. Al, Ca, Mg) zum Element reduziert werden. Am bekanntesten ist die **Aluminothermie*, die z. B. zur Gewinnung von V, Nb od. *Ferro-Legierungen angewandt wird. Durch die – im allg. unter *Schutzgas-Atmosphäre ausgeführte – *Calciothermie* lassen sich U, Th u. Seltenerdmetalle (aus Fluoriden od. Oxiden) gewinnen, während die *Magnesiothermie* (Kroll-Verf.) bes. für die Herst. von Ti, Hf u. Zr, aber auch von Be u. U eingesetzt wird; geringere Bedeutung haben Na u. Si in M.-Prozessen. – ***E*** metallo-thermic process – ***F*** métallothermie – ***I*** metallotermia – ***S*** metalotermia

Lit.: Ullmann (5.) **A 1**, 447–457; **A 27**, 254 ▪ Winnacker-Küchler (4.) **4**, 24.

Metallothionein. Von Kägi u. Vallee 1960 geprägte Bez. für ein Schwefel-reiches Protein aus Pferdenieren, das bei Untersuchungen zur biolog. Rolle des *Cadmiums gefunden wurde. Dieses Protein (M_R 6500–6900) hat eine Polypeptid-Kette aus 61 Aminosäure-Resten. Es ist charakterisiert durch hohen Metall-Gehalt (6–11%; max. 7 zweiwertige Ionen/Mol.), hohen L-Cystein-Gehalt (30–35%; 20 Reste) u. das Fehlen von aromat. Aminosäuren u. L-Histidin sowie von freien SH-Gruppen. Der Schwefel ist als Metallthiolat-Komplex gebunden, u. die Cystein-Reste sind in der Aminosäure-Kette in zwei Clustern (s. Cluster-Verbindungen) zu 9 u. 11 verteilt. Die meisten Säugetiere enthalten drei Isoformen, von denen zwei aus Leber u. Nieren, aber auch aus anderen Geweben isoliert werden können. Die dritte kommt nur im Gehirn vor[1]. Allen M. ist der Gehalt an Calcium u. Zink gemeinsam; sie vermögen aber auch Cadmium, Kupfer, Silber, Quecksilber, Zinn u. Bismut zu binden. Entfernt man aus dem *Metallprotein M. den metall. Bestandteil, so bleibt ein *Apothionein* genanntes, stark oxidationsempfindliches Protein (M_R ca. 6200; 61 Aminosäure-Reste) zurück. Die Biosynth. der M. wird durch Schwermetall-Ionen, Glucocorticoide (s. Corticosteroide) u. *Interferone induziert. Man schreibt den M. eine Funktion bei Transport, Stoffwechsel u. Entgiftung des Körpers von Schwermetallen u. bei der Inaktivierung von Radikalen zu, aber ihre tatsächliche physiolog. Rolle ist noch nicht geklärt. – ***E*** metallothionein – ***F*** métallothionéine – ***I*** metallotioneina – ***S*** metalotioneína

Lit.: [1]FASEB J. **10**, 1129–1136 (1996).
allg.: Biochim. Biophys. Acta **1205**, 151–161 (1994) ▪ Clarke et al., Structure and Bonding, Bd. 88 ff., Berlin: Springer 1997 u. 1998 ▪ Drug Metab. Rev. **29**, 261–307 (1997) ▪ Suzuki et al., Metallothionein. III: Biological Roles and Medical Implications, Basel: Birkhäuser 1993.

Metalloxide s. Oxide.

Metall-2,4-pentandionate s. Metallacetylacetonate.

Metall-Peptidasen s. Metall-Proteasen.

Metallphthalein {*o*-Kresolphthalexon, *o*-Kresolphthalein-Komplexon, Phthaleinpurpur, 5′,5″-Bis[*N,N*-bis(carboxymethyl)aminomethyl]-kresolphthalein}. $C_{32}H_{32}N_2O_{12}$, M_R 636,61. Hydrat, mattbräunliches Pulver, unlösl. in Wasser, lösl. in Ggw. von Ammoniak od. Natriumacetat-Lösung.

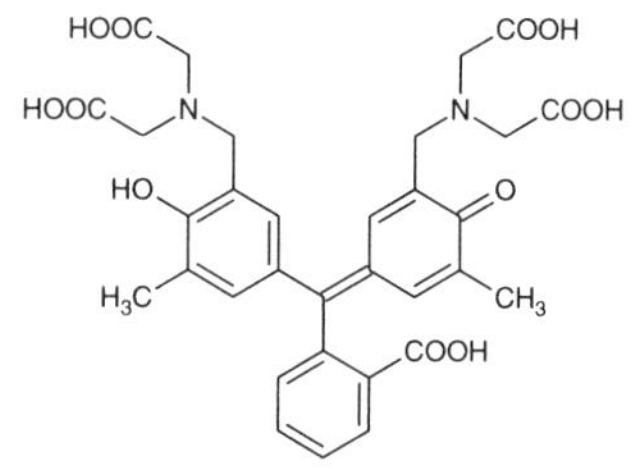

Verw.: Indikator bei der Titration (komplexometr. Bestimmung von Ba, Ca, Cd, Mg, Sr, photometr. Bestimmung von Ba, Ca, Mg, Mo). – ***E*** *o*-cresolphthalein complexon, metalphthalein – ***F*** complexone de *o*-crésolphtaléine – ***I*** ftaleina metallica – ***S*** complexona de *o*-cresolftaleína

Lit.: Anal. Chim. Acta **95**, 107 (1977) ▪ Beilstein E III/IV **18**, 8141 f. ▪ Pure Appl. Chem. **55**, 1158 ff. (1983) ▪ Ullmann (5.) **A 14**, 140–145. – *[HS 2932 29; CAS 2411-89-4]*

Metallphysik. Der sich mit *Metallen befassende Zweig der Festkörperphysik. Die M. erklärt Zusammenhänge zwischen strukturellen Gegebenheiten von Metallen u. ihren charakterist. Eigenschaften. Die M. weist Schnittstellen auf mit der *Metallkunde u. *Metallurgie u. stellt teilweise die Grundlagen für diese Arbeitsgebiete bereit. – ***E*** metal physics – ***F*** physique des métaux – ***I*** fisica dei metalli – ***S*** física de los metales

Lit.: Schulze, Metallphysik, Wien: Springer 1974.

Metall-Proteasen (Metall-Peptidasen). Gruppe von *Proteasen (Peptidasen), an deren katalyt. Mechanismus Metall-Ionen (häufig Zink-Ionen[1]) beteiligt sind. Man unterscheidet Metall-Endopeptidasen (Metall-Proteinasen, EC 3.4.24, z. B. die *Astacin-Familie u. die *Matrix-Metall-Proteinasen) u. -Exopeptidasen [z. B. *Leucin-Aminopeptidase u. die Metall-Carboxypeptidasen (EC 3.4.17)]. In Schlangengiften vorhandene Metall-Proteinasen der *Disintegrin-Familie sind für die nach Vergiftungen auftretenden Gefäßblutungen (Hämorrhagien) verantwortlich[2]. – ***E*** metalloproteases – ***F*** métalloprotéases – ***I*** metalloproteasi – ***S*** metaloproteasas

Lit.: [1]FEBS Lett. **354**, 1–6 (1994). [2]Toxicon **34**, 627–642 (1996).

Metallproteine (veraltet: Metallproteide). Proteine, die Metall-Ionen od. Metall-haltige *prosthetische Gruppen eingebaut bzw. adsorbiert enthalten. Zu den M. gehören sowohl zahlreiche *Metallenzyme* (ca. $^1/_3$ aller bekannten Enzyme sind M.) als auch *Transport- u. Speicherproteine* wie z. B. *Ferritin. Nicht wenige der M. sind farbig (*Chromoproteine). Bekannte M. sind: *Caeruloplasmin u. andere *Kupfer-Proteine, *Cytochrome, Ferritin, *Transferrin, *Hämoglobin u. andere *Eisen-Proteine, *Metall-Proteasen u. *Carboanhydrase (Zink), *Concanavalin A (Mangan, Calcium), *Ferredoxin, *Rubredoxin u. andere Eisen-Schwefel-Proteine, *Nitrogenasen u. *Xanthin-Oxidase (Molybdän, Eisen). Bei den Metallenzymen besteht die Aufgabe der Metalle oft in der Aktivierung katalyt. Prozesse, insbes. bei der Elektronenübertragung in *Oxidoreduktasen, z. B. bei der *Atmungskette, *Stickstoff-Fixierung u. *Photosynthese, im Sauerstoff-Transport, bei bestimmten *Proteasen. In manchen Fällen spielt die Komplexierung von Metall-

Ionen jedoch auch eine Struktur-stabilisierende Rolle, so z. B. bei einem Teil des an *Alkohol-Dehydrogenase gebundenen Zinks. Auch beim *Transkriptionsfaktor IIIA dient das gebundene Zink dazu, eine bestimmte Raumstruktur („Zinkfinger") zu fixieren. In *Calmodulin wiederum dient die vorübergehende Bindung von Calcium der Weitergabe eines regulator. Signals (Ca^{2+} als *second messenger). – ***E*** metalloproteins – ***F*** métalloprotéines – ***I*** metalloproteini – ***S*** metaloproteínas

Lit.: Hill et al., Metal Sites in Proteins and Models, 3 Bd., Berlin: Springer 1997 ▪ Lowe, ENDOR and EPR of Metalloproteins, Berlin: Springer 1995 ▪ Riordan u. Vallee, Metallobiochemistry, Part C u. D, San Diego: Academic Press 1993.

Metallpulver s. Pulvermetallurgie.

Metallreinigung. Verf., mit denen unerwünschte Verunreinigungen von Metalloberflächen entfernt u. diese dadurch in einen reproduzierbar sauberen Zustand versetzt werden. Sie werden eingesetzt, um als letzter Schritt der Fertigungsprozesse das techn. Produkt in einen funktionell spezifizierten od. erwünschten Zustand zu versetzen od. um das Produkt für die Durchführung eines Verf. der Oberflächenveredelung vorzubereiten. Verf. der M. zählen zur Gruppe Trennen in der Systematik der *Fertigungsverfahren [1]. Hinsichtlich der Verunreinigungen unterscheidet man zwischen solchen organ.-chem. Art u. solchen oxid. Art. Erstere haben Belagscharakter, letztere sind dagegen Reaktionsprodukte des Metalls mit seiner Umgebung. Die Verf. der M. werden durch die Art der Verunreinigung bestimmt.

Organ.-chem. Verunreinigungen (s. a. Metallentfettung): Man unterscheidet lösende u./od. emulgierende u./od. dispergierende Verfahren. Die verwendeten *Reinigungsmittel sind flüssige, pastöse od. feste Präp., die Metalle reinigen u. oft temporär gegen *Korrosion schützen; sie sind in der Regel aus mehreren Komponenten zusammengesetzt. In der *Galvanotechnik wendet man auch die *elektrolytische Entfettung an, bei der während der Anw. des alkal. Reinigers das Metall als Anode od. Kathode geschaltet wird; durch die Gasentwicklung an der Metalloberfläche wird die reinigende Wirkung der alkal. Lsg. verstärkt. Bei schwer entfernbaren Verschmutzungen kann zusätzlich Ultraschall eingesetzt werden. Die M.-Mittel können enthalten:

- organ. Lsm.;
- anorgan., fettemulgierende Stoffe;
- anionaktive u. (wegen der Umweltproblematik mit abnehmender Tendenz) nichtion. Tenside, Emulgatoren u. Dispergiermittel;
- Stoffe mit hohem Benetzungsvermögen z. B. zur Unterwanderung lockerer Rostschichten;
- Korrosionsschutzmittel;
- Stoffe, die Verunreinigungen absorbieren;
- scheuernd wirkende Stoffe;
- Verdickungsmittel.

Oxid. Verunreinigungen: Hinsichtlich der angewendeten Verf. unterscheidet man: Mechan. Verf., wie Hämmern, Bürsten u. Schleifen; Strahlverf. mit den Strahlmitteln Hartgußkies, Stahlschrot, Korund, Schlacken u. Glasperlen; Flammstrahlen mit der Acetylen-Sauerstoff-Flamme; Beizverf. mit metallabhängigen Beizmittelkombinationen; chem. Red. durch Tauchen in NaOH-Schmelze od. Glühen in reduzierender Atmosphäre. – ***E*** metal cleaning – ***F*** nettoyage des métaux – ***I*** purificazione dei metalli – ***S*** limpieza de los metales

Lit.: [1] DIN 8580: 1974-06.

allg.: Kirk-Othmer (4.) **16**, 432 ff. ▪ Ullmann (4.) **12**, 160 ff., 332 ff. ▪ Winnacker-Küchler (4.) **4**, 658 ff.

Metallsalze s. Salze.

Metallschutz. Zusammenfassende Bez. für alle Maßnahmen zur Oberflächenbehandlung von *Metallen zum Zweck des *Korrosionsschutzes. M. kann man vornehmen durch *Beschichtung des zu schützenden Metalls u./od. durch Anw. von *Korrosionsschutzmitteln; Näheres s. bei Korrosionsschutz u. Korrosionsschutzmittel. – ***E*** metal protection – ***F*** protection des métaux – ***I*** protezione del metallo – ***S*** protección de los metales

Metallseifen. Bez. für die Salze der Metalle Al, Ba, Ca, Cd, Co, Cr, Cu, Fe, Li, Mg, Mn, Ni, Pb, Sn, Sr, Zn (nicht Na u. K, s. Seifen) mit höheren Fett-, Harz- u. Naphthensäuren (Stearate, Palmitate, Oleate, Linoleate, Resinate, Laurate, Octanoate, Ricinoleate, 12-Hydroxystearate, Naphthenate, Tallate u. dgl.). Die M. schmelzen zwischen 15 u. 200 °C u. zeigen meist kolloides Verhalten u. Grenzflächenaktivität. Ihre Löslichkeit in Wasser ist gering, dagegen lösen sie sich z. T. gut in Fetten u. fetten Ölen; bei Einwirkung von Wasser erfolgt meist zunächst Quellung zu einem Gel.

Verw.: Als Trockenstoffe (Cobaltnaphthenat, -resinat, -octoat), Schmiermittelzusätze (Ca-, Li-, Sr-, Ba-, Pb-, Mn-, Mg-Seifen in Anteilen von 0,25–50%), Bestandteil von Farbbindemitteln, Lacken, Korrosionsschutzmitteln, Druckfarben, Hydrophobierungs-Präp., Kunststoffen, Pudern, als Aktivatoren bei der Kautschuk-Vulkanisation (Zn-Stearat u. -Laurat), als Gleit- u. Trennmittel, gegen Hautschäden (Zinkundecylenat), zur Textilkonservierung (Cu-Naphthenat), als Brandbombenzusatz (s. Napalm), Flotationsmittelzusatz, als PVC-Stabilisatoren, zu Schnellschleiflacken (Zn-Stearat), als Rieselhilfen für pulverförmige Sprengstoffe u. für Soda in Feuerlöschgeräten, zu Spachtelmassen (Zn-Stearat), Knetmassen (Zn-Oleat), als Zementzusatz (Ca-Stearat erhöht Beständigkeit der Straßen gegen Salzwasser), zur Suspendierung von Pigmenten in phosphoreszierenden Farben (Zn-Palmitat), zum Härten von Wachskerzen (Ca-Stearat), als Emulgator für kosmet. W/O-Emulsionen, als Zusatz zu Bohnermassen u. Schuhcremes. – ***E*** metallic soaps – ***F*** savons métalliques, savons de métal – ***I*** saponi metallici – ***S*** jabones metálicos

Lit.: Encycl. Polym. Sci. Technol. **5**, 126–139 ▪ Kirk-Othmer (4.) **8**, 432–445 ▪ Ullmann (4.) **21**, 224 f.; (5.) **A 16**, 361–374.

Metallspritzverfahren. *Fertigungsverfahren zum Beschichten techn. Produkte mit Metallen. Beim M. wird ein Festkörper (Grundwerkstoff) mit einem schmelzflüssigen, metall. Werkstoff (Zusatzwerkstoff, Spritzzusatz) beschichtet. Der Spritzzusatz (Pulver, Draht, Stab, Schnur, Schmelzbad) wird dabei innerhalb od. außerhalb des Spritzwerkzeugs (Spritzpistole) mit Hilfe eines Energieträgers an-, auf- od. abgeschmolzen u. auf vorbereitete Oberflächen gestrahlt. Die Oberflächen werden während des Spritzprozesses nicht aufgeschmolzen. Beim Spritzen tritt keine metallurg. Vermischung von Grund- u. Zusatzwerkstoff ein; die Haftung ist daher bevorzugt auf physikal. Wechselwirkungen zurückzuführen. Andererseits können mit dem M. auch solche Werkstoffe verspritzt werden, die mit dem Grundwerkstoff nicht mischbar sind u./od. spröde, intermetall. Verb. bilden. Durch Reaktion mit Sauerstoff aus der Umgebung kann es auf den schmelzflüssigen Spritzteilchen während ihres Fluges zur Oxidbildung kommen; diese macht Spritzschichten porös u. beeinträchtigt die Haftung sowie die Beständigkeit der Beschichtung. Spritzschichten werden bis zu mehreren mm Dicke aufgetragen. Im Anschluß an den Spritzvorgang ist eine Nachbehandlung des erzeugten *Verbundsystems zur Erzielung bestimmter Eigenschaften möglich.

Die Systematik der M. ergibt sich aus der Art der Energieträger. Je nach der Art des Spritzwerkstoffs werden Pulver- u. Drahtspritzverf. unterschieden. Beim *Schmelzbadspritzen* wird der Spritzzusatz in einem elektr. beheizten Tiegel aufgeschmolzen u. mit vorgewärmtem Zerstäubergas auf die Trägeroberfläche verdüst. Beim *Flammspritzen* (Temp. bis 3000 °C) dient als Energieträger eine Brenngas(Acetylen, Wasserstoff)-Sauerstoff-Flamme. Wenn die Verbrennung in einer Brennkammer erfolgt, verleiht der resultierende Druck dem Spritzpulver eine sehr hohe Geschw. (*Hochgeschwindigkeitsflammspritzen*). Beim *Detonationsspritzen* (Flammschockspritzen) wird die Verbrennung in einem Rohrkörper vorgenommen, u. zwar durch intermittierendes Eingeben der Gase u. anschließende Zündung. Auch hierbei werden sehr hohe Spritzgeschw. erreicht. Beim *Lichtbogenspritzen* (Temp. bis 4000 °C) wird der Zusatzwerkstoff als Draht in einem Lichtbogen aufgeschmolzen u. mit einem Trägergas auf die Oberfläche geschleudert. Beim *Plasmaspritzverf.* ist der Energieträger ein durch einen Lichtbogen erzeugtes Gasplasma (Ar, He, H_2, N_2) mit T>10 000 °C. Das Pulver wird über ein Trägergas in das Plasma eingegeben. Der Spritzvorgang kann an Luft erfolgen od. in einer Schutzgaskammer. Beim *Laserspritzen* ist ein Laserstrahl der Energieträger zum Aufschmelzen des Zusatzes.

Anw.: Mit den M. werden Verbundsyst. aus Trägermaterial u. Spritzwerkstoff hergestellt. Funktionsspezif. nimmt die Spritzschicht dabei bestimmte Beanspruchungen auf, die das Trägermaterial überfordern würden, beispielsweise Verschleißbeanspruchungen, chem. aggressive Umgebungen od. hohe Temperaturen. Die M. werden sowohl zur Herst. neuer als auch zur Instandhaltung bereits in Gebrauch befindlicher Bauteile v. a. in der Luftfahrtechnik, der Stahl- u. Papier-Ind., der Chemietechnik u. im Kfz-Bau eingesetzt. – ***E*** metal spraying – ***F*** procédé de métallisation au pistolet – ***I*** metallizzazione a spruzzo – ***S*** proyección metálica

Lit.: DIN EN 657: 1994-06 ▪ Gräfen (Hrsg.), Lexikon Werkstofftechnik, S. 963 ff., Düsseldorf: VDI-Verl. 1993 ▪ Kirk-Othmer (4.) **16**, 272 ff. ▪ Ullmann (5.) **A 16**, 429 ff.; **B 1**, 8 ff. ▪ Winnacker-Küchler (4.) **4**, 684 ff.

Metallstatistik. Jährlich erscheinende Publikation der *Metallgesellschaft mit Statistiken über Förderung von Erzen sowie Produktion u. Verbrauch von Metallen.

Metallurgie. Das Wissen um die Gewinnung (Aufbereitung, Verhüttung) u. die Verarbeitung (Schmelzen, Legieren, Urformen, Umformen, Wärmebehandeln) von *Metallen. M. wird auch interpretiert als die Umsetzung der Erkenntnisse der *Metallkunde über den Einfluß von *Fertigungsverfahren auf die Eigenschaften von Metallen [1]. Die physikal. M.[2] kann als Schnittmenge aus Metallkunde u. M. interpretiert werden. In die Praxis der Metallerzeugung umgesetztes Wissen der M. findet sich in der Hütten- u. Gießereikunde. Wichtige Teilbereiche der M. sind die *Elektrometallurgie u. die *Pulvermetallurgie. – ***E*** metallurgy – ***F*** métallurgie – ***I*** metallurgia – ***S*** metalurgia

Lit.: [1] Gräfen (Hrsg.), Lexikon Werkstofftechnik, S. 667 ff., Düsseldorf: VDI-Verl. 1993. [2] Caan u. Haasen, Physical Metallurgy, Amsterdam: North Holland 1983.

Metalode®. Elektroden zur Verw. bei elektrochem. Prozessen. ***B.:*** Heraeus Elektrochemie GmbH.

Metal-Organic Chemical Vapour Deposition s. MOCVD.

Metal-Oxide-Semiconductor Field-Effect-Transistor s. MOS-FET.

Metamerie. 1. Bez. für die Erscheinung, daß der Farbeindruck zweier Körper je nach Spektrum der Lichtquelle (z. B. Tageslicht, Kunstlicht) gleich od. ungleich ist; vgl. Reflexionsspektroskopie. – 2. Veraltete Bez. für *Konstitutionsisomerie innerhalb einer Verbindungsklasse; *Beisp.:* Dipropylamin, Butylethylamin. – ***E*** metamerism – ***F*** métamérie – ***I*** metameria – ***S*** metamería

Metametalle s. Metalle.

Metamfepramon (Rp).

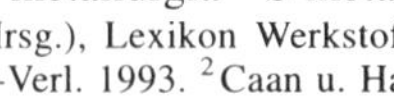

Von der WHO vorgeschlagener Freiname für den analept. wirkenden *Appetitzügler (±)-2-(Dimethylamino)-propiophenon, $C_{11}H_{15}NO$, M_R 177,24, Sdp. 126 °C (1,733 kPa). Verwendet wird das Hydrochlorid, Schmp. 202–204 °C. M. ist in Kombination mit *Dipyridamol u. *Acetylsalicylsäure in dem Grippemittel Tempil® (Temmler Pharma) enthalten. – ***E*** = ***I*** metamfepramone – ***F*** métamfépramone – ***S*** metanfepramona

Lit.: ASP ▪ Beilstein E IV **14**, 144 ▪ Martindale (31.), S. 1573. – *[HS 2922 30; CAS 15351-09-4]*

Metamitron.

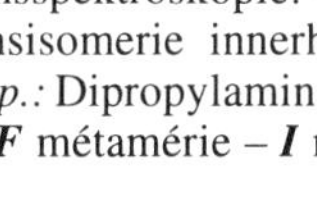

Common name für 4-Amino-3-methyl-6-phenyl-1,2,4-triazin-5(4*H*)-on, $C_{10}H_{10}N_4O$, M_R 202,21, Schmp. 167 °C, LD_{50} (Ratte oral) ca. 2000 mg/kg, von Bayer 1975 eingeführtes selektives *Herbizid gegen Unkräuter u. Ungräser im Zucker- u. Futterrüben-, Mangold-, Rote Beete- u. Erdbeeranbau. – ***E*** metamitron – ***F*** métamitrone – ***I*** metamitrone – ***S*** metamitrona

Lit.: Beilstein E V **26/4**, 395 ▪ Farm. ▪ Perkow ▪ Pesticide Manual. – *[HS 2933 69; CAS 41394-05-2]*

Metamizol-Natrium (Rp. außer zur Anw. bei Tieren).

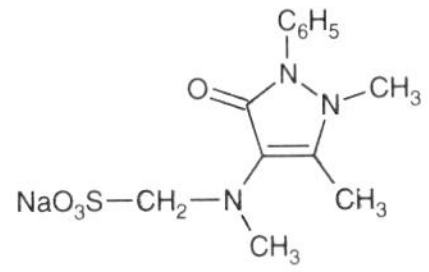

Von der WHO vorgeschlagener internat. Freiname für das auch als *Methampyron* od. *Dipyron* bezeichnete Natrium-Salz der [(1,5-Dimethyl-3-oxo-2-phenyl-2,3-dihydro-1*H*-pyrazol-4-yl)-methyl-amino]-methansulfonsäure, $C_{13}H_{16}N_3NaO_4S$, M_R 333,33, λ_{max} (C_2H_5OH) 236, 265 nm ($A^{1\%}_{1cm}$ 265, 230). M. wurde 1911 als *Analgetikum u. *Antipyretikum von Hoechst (Novalgin®) patentiert u. ist als Generikum im Handel. – ***E*** metamizol sodium – ***F*** métamizole sodium – ***I*** metamizolo di sodio – ***S*** metamizol de sodio

Lit.: ASP ▪ Beilstein E V **25/14**, 117 f. ▪ DAB **1997** u. Komm. ▪ Hager (5.) **8**, 901–906 ▪ Martindale (31.), S. 39 f. – *[CAS 50567-35-6 (M.); 5907-38-0 (Na-Salz-Monohydrat); 68-89-3 (Na-Salz, wasserfrei)]*

Metam-Natrium.

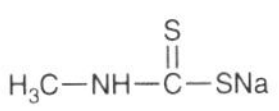

Xn 

Common name für Natrium-*N*-methyldithiocarbamat, $C_2H_4NNaS_2$, M_R 129,17, zersetzt sich ohne zu schmelzen, LD_{50} (Ratte oral) 820 mg/kg, von Stauffer Chemical Company 1955 eingeführtes Bodenentseuchungsmittel gegen Bodenpilze, Nematoden, Unkrautsamen u. Bodeninsekten. Der eigentliche Wirkstoff ist das durch Zersetzung gebildete Methylisothiocyanat. – ***E*** met(h)am sodium – ***F*** metam sodium – ***I*** metam sodio – ***S*** metam sódico

Lit.: Farm. ▪ Perkow ▪ Pesticide Manual. – *[HS 2930 20; CAS 137-42-8]*

Metamolybdate s. Molybdate.

Metamorphe Gesteine (Metamorphite). Bez. für *Gesteine, die durch die verschiedenen Arten der *Metamorphose aus allen Gesteinsarten unter Bedingungen entstehen, die von denen ihrer ursprünglichen Bildung verschieden sind u. Veränderungen bei Mineralbestand u. *Gefüge der Ausgangsgesteine zur Folge haben. Die durch Regionalmetamorphose geprägten Gesteine besitzen häufig eine bereits für das bloße Auge sichtbare Kristallinität u. eine Schieferung („*krist. *Schiefer*").

Benennung der m. G.: Sie erfolgt nach vier Kriterien (s. Yardley, *Lit.*): Art des Ausgangsmaterials (Protolith), metamorpher Mineralbestand, Gefüge des m. G. u. geeignete Spezialnamen. Einige wichtige m. G. u. Gesteinsgruppen sind: *Quarzite, *Quarz-Feldspat-Schiefer od. -*Gneise, Metapelite (*Phyllite, Glimmerschiefer u. Gneise; entstanden aus tonigen *Sedimentgesteinen), Metacarbonat-Gesteine (z. B. *Marmor), *Kalksilicatgesteine, Hornfelse (*Felse) u. metabas. Gesteine [Metabasite, z. B. Grünsteine, Amphibolite (*Amphibole), *Granulit; entstanden aus dunklen, bas. *Vulkaniten (z. B. *Basalte) od. *pyroklastischen Gesteinen]. *Spezialnamen* sind z. B. *Eklogit, Blauschiefer (Glaukophanschiefer, *Amphibole), *Grünschiefer u. Serpentinit (*Serpentin). Die Vorsilbe *Ortho-* (z. B. Orthogneis) bedeutet ein m. G., das aus *magmatischen Gesteinen entstanden ist; *Para-*Gesteine (z. B. Paragneis) sind aus *Sedimentgesteinen hervorgegangen; *Meta-* bedeutet ein metamorph überprägtes Gestein. – ***E*** metamorphic rocks – ***F*** roches métamorphiques – ***I*** rocce metamorfiche – ***S*** rocas metamórficas

Lit.: Bucher u. Frey, Petrogenesis of Metamorphic Rocks (6.), Berlin: Springer 1994 ▪ Dietrich u. Skinner, Die Gesteine u. ihre Mineralien, Thun: Ott 1984 ▪ Wimmenauer, Petrographie der magmatischen u. metamorphen Gesteine, Stuttgart: Enke 1985 ▪ Yardley, An Introduction to Metamorphic Petrology, Harlow (England): Longman Scientific & Technical 1989 ▪ Yardley, MacKenzie u. Guilford, Atlas metamorpher Gesteine u. ihrer Gefüge in Dünnschliffen, Stuttgart: Enke 1992.

Metamorphite s. metamorphe Gesteine.

Metamorphose (von griech.: metamorphosis = Umgestaltung, Verwandlung). 1. In der *Botanik* versteht man unter M. die im Laufe der Stammesgeschichte erfolgte Umbildung eines (Grund-) Organs in ein anderes, das dem ersteren morpholog. gleichwertig ist, aber ein anderes Aussehen u. eine andere Funktion hat. *Beisp.:* Zu Dornen, Ranken, Schuppen od. Fangblasen umgewandelte Blätter.

2. In der *Zoologie* versteht man bei Tieren, deren Jugendstadien in Gestalt u. Lebensweise vom Adultzustand abweichen (z. B. bei *Seeigeln, *Krebsen, *Insekten u. Amphibien) unter M. (= Metabolie) die Umwandlung der Larvenform zum erwachsenen, geschlechtsreifen Tier (Adultstadium). Bei der M. werden Larvalorgane eingeschmolzen od. abgestoßen u. die Anlagen der Adultorgane zur Funktionsfähigkeit entwickelt. Die zahlreichen M.-Vorgänge werden in der Regel hormonell ausgelöst u. koordiniert. Bei der Insekten-M. unterscheidet man zwei Haupttypen: a) Die *Hemimetabolie* od. unvollkommene M. ist ein schrittweiser Gestaltwechsel der Larve mit jedem Häutungsstadium bis hin zur Adultform (Imago); sie ist, als ursprünglicher M.-Typ angesehen, auf niedere Insekten beschränkt; b) die *Holometabolie* od. vollkommene M. als abgeleiteter M.-Typ zeigt eine morpholog. stark ausgeprägte Umgestaltung von der Larve zum Adulttier, wobei der Übergang über das Puppenstadium (ohne Nahrungsaufnahme, in der Regel keine Fortbewegung) erfolgt (z. B. bei Schmetterlingen).

3. In der *Petrologie* (*Petrographie) Bez. für die Umwandlung eines Gesteins unter sich ändernden physikal. u. chem. Bedingungen. Wichtige M.-Faktoren sind: *Temp.* T, *Druck* p, Anwesenheit *fluider Phasen* (H_2O, CO_2, O_2, H_2, CH_4 u. S) im Gestein u. die *chem. Gesamtzusammensetzung* der betroffenen Gesteine. Der durch überlagernde Gesteinsmassen ausgeübte (lithostat.) Druck ist im allg. *hydrostat.*, d. h. in allen Richtungen gleich; es treten jedoch auch gerichtete Drücke (*Stress*) auf. Bes. in aktiven Gebirgsgürteln tritt eine zusätzliche, fachsprachlich als *deviator. Stress* bezeichnete Druck-Komponente (Maß für den Betrag, in dem der Druck nicht in allen Richtungen gleich ist) hinzu; sie bewirkt in metamorphen Gesteinen die Bildung orientierter *Gefüge (z. B. Faltung, Schieferung, Bänderung). Die *fluiden Phasen* (*Lit.*[1,2]) bestimmen u. a. die Mineralgleichgew. in metamorphen Gesteinen u. können Wärme- u. Stofftransport bewirken.

Die Anpassung von Mineral-Inhalt u. Gefüge vollzieht sich durch Umkrist. mit od. ohne Verformung des Ge-

steinsgefüges u. unter wesentlicher Beibehaltung des festen Zustandes. Der chem. Bestand der Ausgangsgesteine bleib meist weitgehend unverändert (*isochem. M.*); bei Veränderungen des Stoffbestandes spricht man von allochem. M. od. *Metasomatose. Bei hochgradiger M. kann es zu einer teilw. Aufschmelzung des Gesteins (sog. *Anatexis*) u. zur Bildung von *Migmatiten kommen.
Nicht zur M. rechnen die Vorgänge der *Verwitterung u. Diagenese (*Sedimentgesteine).
Arten der M.: **Kontaktmetamorphose*, **Hochdruckmetamorphose*, *Schock-M.* (*Impact), *Dynamo-M.* (*kataklast. M.*, s. kataklastische Gesteine, Auftreten lokal als Reaktion auf intensive Verformung, z. B. in Scherzonen); *hydrothermale M.*, z. B. als *Ozeanboden-M.* (Ocean-floor-M.) an aktiven ozean. Rücken (*Erde); *regionale M. in Orogen-Zonen* (therm.-kinet. Umkrist.-M.) v. a. in Gebirgsgürteln (Orogenen) der Kontinente (z. B. Alpen, Schwarzwald, Bayer. Wald, Schottland, Norwegen) u. in Inselbögen (z. B. Japan), für die Durchbewegung, Druck- u. Temp.-Erhöhung u. daraus resultierende Gesteins-M. für größere, regional ausgedehnte Bereiche kennzeichnend sind.
Für eine Ordnung der vielfältigen Gesteinsentwicklungen bei der M. wurden *Zonengliederungen* u. das *Prinzip der metamorphen *Fazies* sowie *Dreiecksdiagramme* (ACF-, A'KF- u. AFM-Diagramme) entwickelt, aus denen für bestimmte Variationsbereiche der Gesteinszusammensetzung die jeweils stabilen Mineralkombinationen abzulesen sind; Näheres dazu s. Matthes (*Lit.*) u. Spear (*Lit.*), zu den *metamorphen* Faziesserien s. a. Miyashiro (*Lit.*).
Heute wird für eine Gliederung der M. u. der metamorphen Gesteine der *M.-Grad* benutzt, der die max. Temp. (od. den max. Druck) eines M.-Ereignisses angibt. Es werden ein *sehr niedriger*, *niedriger*, *mittlerer u. hoher* M.-Grad unterschieden. Das Forschungsgebiet der *Thermobarometrie* (mit *Geothermometrie* u. *Geobarometrie*) leitet aus der Ermittlung der Druck-Temp.-Bedingungen, die ein Gestein während der metamorphen Ereignisse durchlaufen hat, metamorphe Druck-Temp.-Pfade (*P-T-Pfade*) ab, bzw. bei Berücksichtigung der Zeit t u. der Deformation D als weiterer Variable *P-T-t-D-Pfade*; Näheres dazu s. *Lit.*[5] u. Spear (*Lit.*). – ***E*** 1.+2. metamorphosis, 3. metamorphism – ***F*** 1.+2. métamorphose, 3. métamorphisme – ***I*** 1.+2. metamorfosi, 3. metamorfismo – ***S*** 1.+2. metamorfosis, 3. metamorfismo

Lit. *(zu 3)*: [1]Contrib. Mineral. Petrol. **95**, 384–392 (1987). [2]Eur. J. Mineral. **1**, 731–737 (1989). [3]Walther u. Wood (Hrsg.), Fluid-Rock-Interactions during Metamorphism, Berlin: Springer 1986. [4]J. Geophys. Res. **99** 15487-15498 (1994). [5]Am. Mineral. **79**, 120–133 (1994).
allg. *(zu 1):* Nultsch, Allgemeine Botanik, 10. Aufl., Stuttgart: Thieme 1996 ▪ Strasburger, Lehrbuch der Botanik, 33. Aufl., Stuttgart: Fischer 1991. – *(zu 2):* Jacobs u. Renner, Biologie u. Ökologie der Insekten, 2. Aufl., Stuttgart: Fischer 1988 ▪ Siewing, Lehrbuch der vergleichenden Entwicklungsgeschichte der Tiere, Hamburg: Parey 1969 ▪ Siewing, Lehrbuch der Zoologie, Bd. 1 + 2, 3. Aufl., Stuttgart: Fischer 1980 + 1985. – *(zu 3):* Matthes, Mineralogie (5.), S. 345–430, Berlin: Springer 1996 ▪ Miyashiro, Metamorphic Petrology, London: UCL Press 1994 ▪ Spear, Metamorphic Phase Equilibria and Pressure-Temperature-Time-Paths, Washington (D. C.): Mineralogical Society of America 1993.

Metanatrolith s. Natrolith.

Metandienon (Rp).

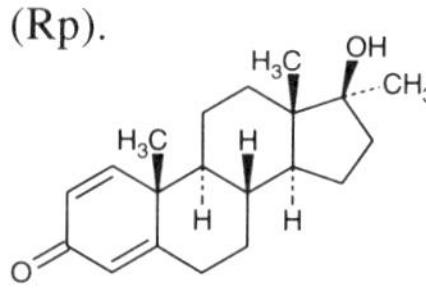

Internat. Freiname für das anabole *Androgen Methandrostenolon, 17*β*-Hydroxy-17*α*-methyl-1,4-androstadien-3-on, $C_{20}H_{28}O_2$, M_R 300,44, Schmp. 163–164 °C; $[\alpha]_D^{26}$ 0° (c 1,15/$CHCl_3$); λ_{max}245 nm ($A_{1cm}^{1\%}$ 519); in Wasser unlösl., in Chloroform u. Ethanol lösl.; Lagerung: Vor Licht u. Luft geschützt. M. wurde 1959 von Ciba patentiert. – ***E*** = ***I*** metandienone – ***F*** métandiénone – ***S*** metandienona

Lit.: Beilstein E IV **8**, 1119 ▪ Merck-Index (12.), Nr. 6018 ▪ Martindale (31.), S. 1497. – *[HS 2937 99; CAS 72-63-9]*

Metanilgelb s. Tropäolin.

Metanilsäure s. Aminobenzolsulfonsäuren.

Metaperiodate s. Periodate.

Metaphase s. Mitose.

Metaphosphate.

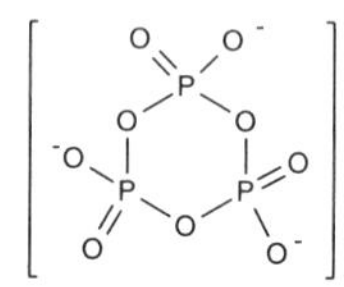

Trimetaphosphat

Ursprünglich allg. Bez. für *kondensierte Phosphate der Zusammensetzung $M_n[P_nO_{3n}]$ (M = einwertiges Metall), heute (z. B. *Lit.*[1]) meist eingegrenzt auf Salze mit ringförmigen Cyclo(poly)phosphat-Anionen, vgl. Meta... u. *Metaphosphorsäure; bei n = 3, 4, 5 usw. spricht man von Tri- (vgl. Abb.), Tetra-, Penta-M. usw. Nach der systemat. Nomenklatur der Isopolyanionen wird z. B. das Anion mit n = 3 als *cyclo*-Triphosphat bezeichnet.
M. erhält man als Begleitstoffe des – fälschlicherweise als Natriumhexametaphosphat bezeichneten – *Grahamschen Salzes durch Schmelzen von NaH_2PO_4 auf Temp. über 620 °C, wobei intermediär auch sog. *Maddrellsches Salz* entsteht. Dieses u. *Kurrolsches Salz* sind lineare *Polyphosphate, die man heute meist nicht zu den M. zählt. Die gegenseitigen Umwandlungen der kondensierten Phosphate sind in *Lit.*[2] dargestellt. – ***E*** metaphosphates – ***F*** métaphosphates – ***I*** metafosfati – ***S*** metafosfatos

Lit.: [1]Angew. Chem. **77**, 1056–1066 (1965). [2]Winnacker-Küchler (4.) **2**, 238–247.
allg.: Brauer (3.) **1**, 536 ff. ▪ Corbridge, Phosphorus – an Outline of its Chemistry, Biochemistry and Technology (4.), S. 230 ff., Amsterdam: Elsevier 1990 ▪ Kirk-Othmer (4.) **18**, 701–707 ▪ Ullmann (5.) **A 19**, 485–503 ▪ s. a. kondensierte Phosphate. – *[HS 2835 39]*

Metaphosphorsäure. Eine in freier Form nicht bekannte Säure der allg. Formel $(HPO_3)_n$ mit n = 3 od. 4, vgl. die Abb. des Trianions bei Metaphosphate; monomere M. (n = 1, „Phosphensäure") ist weder in freier noch in Salz- od. Ester-Form bekannt. Demnach ist M. eine Cyclotri- od. -tetraphosphorsäure. Die Salze u.

Ester dieser M. heißen *Metaphosphate. Ungeachtet dessen versteht man in der Technik unter „M." heute immer noch lineare *Polyphosphorsäuren. Diese „M." ist eine harte, glasige, farblose Masse, die bei längerem Erhitzen von *Phosphorsäure unter Abspaltung von 1 Mol H_2O entsteht. Sie bildet sich auch beim therm. Zerfall der als *Flammschutzmittel verwendeten *Ammoniumphosphate. Sie ist in Wasser unter Knistern lösl., die Lsg. fällt Eiweiß aus wäss. Lsg. u. gibt mit Silbernitrat-Lsg. einen weißen Niederschlag. Die „M." wird in der chem. Analyse (z. B. bei der Vitamin C-Bestimmung) verwendet. – ***E*** metaphosphoric acid – ***F*** acide métaphosphorique – ***I*** acido metafosforico – ***S*** ácido metafosfórico

Lit.: s. Metaphosphate. – *[HS 2809 20; CAS 10343-62-1 („HPO₃"); 37267-86-0 (Poly-„M.")]*

Metaraminol (Rp).

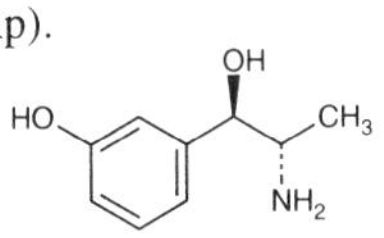

Internat. Freiname für das adrenerge *Sympath(ik)omimetikum (–)-(1*R*,2*S*)-2-Amino-1-(3-hydroxyphenyl)-1-propanol (*m*-Hydroxy-norephedrin), $C_9H_{13}NO_2$, M_R 167,20. Verwendet wird meist das (*R*,*R*)-Hydrogentartrat, $C_{13}H_{19}NO_8$, M_R 317,30, Schmp. 176–177 °C. M. wurde 1930 von IG Farben patentiert. – ***E*** = ***S*** metaraminol – ***F*** métaraminol – ***I*** metaraminolo

Lit.: Beilstein E IV **13**, 2682 ▪ Hager (4.) **5**, 805 f. ▪ Martindale (31.), S. 1581 – *[HS 2922 50; CAS 54-49-9 (M.); 33402-03-8 (Hydrogentartrat)]*

Metasal®. ABC-Löschpulver auf der Basis von Monoammoniumphosphat u. Ammoniumsulfat. ***B.:*** Grünau.

Metasilicate s. Silicate.

Metasomatose (allochem. Metamorphose). Bez. für einen Vorgang, bei dem ein vorhandener Gesteinskörper – meist bei hoher Temp. – im festen Zustand durch hydrothermale Lsg. od. überkrit. Gase (fluide Phasen), die von außen kommen (z. B. von einer Magmenkammer im Bereich einer *Kontaktmetamorphose: *Kontakt-M.*) ganz od. teilw. umgewandelt wird. Die ursprünglichen Bestandteile werden durch die zugeführten Substanzen ersetzt od. wenigstens stark verändert, eine entsprechende Menge an Material wird wegtransportiert.
Durch M. können *metasomat. Gesteine* (Metasomatite; *Beisp.* s. Wimmenauer, *Lit.*) u. wichtige Erzlagerstätten (*Verdrängungs-* od. *metasomat. Lagerstätten*, z. B. viele *Magnesit- u. *Siderit-Lagerstätten der Alpen) entstehen; in *Kalken können *Skarne gebildet werden. Bereits bei einer mittelgradigen Metamorphose kann aus Gesteinen geeigneter Ausgangszusammensetzung durch M. *Granit entstehen. Hierbei spielt die Vorstellung einer *frontartigen Ausbreitung* der M., etwa nach Art eines chromatograph. Modells (*Lit.*[1]), die sich in einer entsprechenden Anordnung der neugebildeten Minerale niederschlägt, eine wesentliche Rolle. Gegenstand aktueller Forschung sind M.-Vorgänge im oberen Erdmantel, s. dazu *Lit.*[2,3] u. die Diskussion verschiedener Modellvorstellungen in *Lit.*[4]. – ***E*** metasomatism – ***F*** métasomatose – ***I*** metasomatosi – ***S*** metasomatosis

Lit.: [1] Eur. J. Mineral. **5**, 317–339 (1993). [2] Menzies u. Hawkesworth (Hrsg.), Mantle Metasomatism, London: Academic Press 1987. [3] Am. Mineral. **78**, 1117–1134 (1993). [4] Am. Mineral. **81**, 754–759, 760–765 (1996).
allg.: Helgeson (Hrsg.), Chemical Transport in Metasomatic Processes (NATO ASI Series C, Vol. 218), Dordrecht: Reidel 1987 ▪ Lapis **2**, Nr. 10, Beilage „Lapis-Lexikon" (1977) ▪ Matthes, Mineralogie (5.), S. 380–386, Berlin: Springer 1996 ▪ Wimmenauer, Petrographie der magmatischen u. metamorphen Gesteine, S. 330–357, Stuttgart: Enke 1985.

Metastabile Ionen s. Massenspektrometrie.

Metastabile Kerne s. Kernisomerie.

Metastabile Zustände. 1. Bez. für *Pseudogleichgew.-*Syst., d. h. Syst., die sich nur scheinbar in einem thermodynam. Gleichgew.-Zustand befinden, weil unter den gegebenen Bedingungen die Einstellungsgeschw. des *Gleichgewichts (d. h. der Übergang in den thermodynam. stabilen, energieärmeren Zustand) zu gering ist. Wilhelm *Ostwald bezeichnete solche Stoffe als *metastabil*, die in einem bestimmten Temp.-Bereich, in dem sie thermodynam. instabil sind, nicht zerfallen (*Beisp.:* Kaliumchlorat bei gewöhnlichen Temp.) od. solche, die sich in einem Zustand der Überhitzung od. *Unterkühlung (monokliner Schwefel, *β*-Zinn unterhalb des Umwandlungspunktes von 13 °C) bzw. *Übersättigung (Lsg. von Feststoffen, Blasen-, Nebel-, Wilson-Kammer) befinden. Die m. Z. sind demnach solche *Zustände, die nur durch Beseitigung einer Hemmung in stabile Zustände übergehen. Dies wird z. B. erreicht durch (mechan.) Erschütterungen (Rühren usw.), Zusatz von *Keimen od. Kernen der neuen *Phase, von Katalysatoren (bei *chemischen Gleichgewichten) usw.
2. In der Atom-, Mol.- u. Kernphysik werden als m. Z. solche *Anregungs-Zustände* bezeichnet, deren mittlere *Lebensdauer verhältnismäßig groß ist, da ihre Übergänge zum Grundzustand in gewissen Näherungsstufen verboten sind. *Beisp.:* He-Atom im ersten angeregten Zustand (2^3S; s. a. Ortho-Helium); der Übergang zum Grundzustand ist hier Spin-verboten. M. Z. bei Kernen nennt man auch *Kernisomere. – ***E*** metastable states – ***F*** états métastables – ***I*** stati metastabili – ***S*** estados metastables

Metastasen s. Krebs.

Metasystox®. Insektizid mit system. Wirkung auf der Basis von *Oxydemeton-methyl (M. R) zur Verw. als Spritzmittel gegen Blattläuse u. a. saugende Schädlinge in zahlreichen Kulturen. ***B.:*** Bayer.

Metathese. Von griech.: metáthesis = Umstellung, Versetzung abgeleiteter Begriff für die *Disproportionierung (od. *Dismutation*) von Alkenen in Ggw. von Katalysatoren. Die M. gehört zu den bedeutendsten Entdeckungen auf dem Gebiet der Metall-organ. *Katalyse; sie wurde ab 1965 systemat. untersucht u. zur industriellen Reife gebracht. Formal läßt sich die M. als ein Austausch (s. Austauschreaktion) von Alkyliden-Gruppen zwischen zwei Alkenen auffassen. Diese Reaktionen laufen in Ggw. von *Ziegler-Natta-Katalysatoren, z. B. $WCl_6/Sn(CH_3)_4$ (*homogene Katalyse*), od. von Übergangsmetalloxiden od. -sulfiden auf Trägermaterialien, z. B. Methyltrioxorhenium $(CH_3ReO_3)/Al_2O_3/SiO_2$ [1] (*heterogene Katalyse*), bereits bei –50 °C ab. Als Alkene kommen Monoolefine u. nichtkonjugierte Polyene in Frage. Konjugierte Diene, Alkine u. Allene bilden mit den Katalysatoren stabile Komplexe u. reagieren schlecht od. nicht im Sinne der Metathese. Die Umwandlung von Propen in Ethylen u. 2-Buten bzw. die Rückreaktion wird seit 1966 großtechn. betrieben (s. Abb. 1). Die Reaktion dient letztlich zur Herst. von Polyethylen u. Polybutadien bzw. Polypropylen.

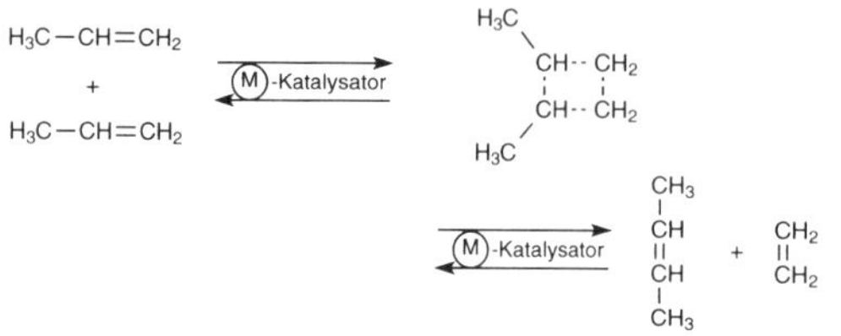

Abb. 1: Metathese von Propen.

Von großer techn. Bedeutung ist auch die sog. *Ring-Opening-Metathesis-Polymerization* (ROMP, s. Abb. 2 a, s. Metathesepolymerisation)[2]. Das Gegenstück zu ROMP ist die *Ringschluß-Olefin-Metathesis* (s. Abb. 2 b), die in der organ. Synth. Bedeutung erlangt hat.[3,4]

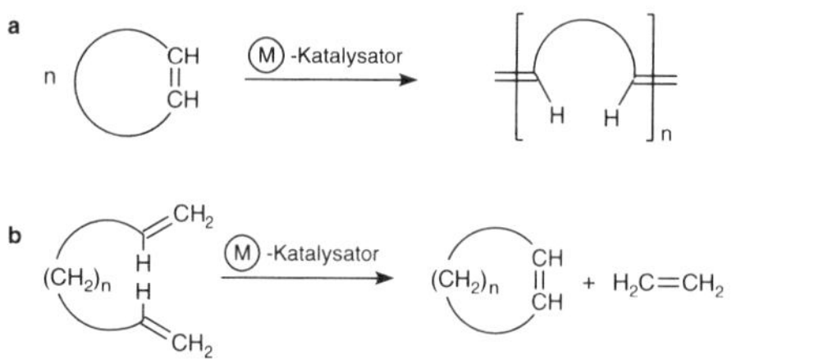

Abb. 2: Ring-Opening-Metathesis-Polymerization (a) u. Ringschluß-Olefin-Metathesis (b).

Wegen der Reversibilität der M. kann man sie auch zum Abbau von Vulkanisaten verwenden. In mechanist. Hinsicht gilt für die *homogene Katalyse* der Carben-Kettenmechanismus als gesichert. Übergangsmetall-*Carben-Komplexe (*Alkyliden-Komplexe*) u. Metall-Cyclobutane-Komplexe sind die plausibelsten Zwischenstufen[5–7]. – ***E*** metathesis – ***F*** méthathèse – ***I*** metatesi – ***S*** metátesis

Lit.: [1] GIT Fachz. Lab. **1992**, 142. [2] Science **251**, 887 (1991). [3] J. Am. Chem. Soc. **114**, 5426 (1992). [4] Nachr. Chem. Techn. Lab. **43**, 809 (1995). [5] Acc. Chem. Res. **23**, 158 (1990). [6] Dötz et al., Transition Metal Carbene Complexes, S. 237 ff., Weinheim: Verl. Chemie 1983. [7] Collmann et al., Principles and Applications of Organotransition Metal Chemistry, S. 475 ff., Mill Valley: University Science Books 1987.

allg.: Acc. Chem. Res. **28**, 446, 480 (1995) ▪ Angew. Chem. **107**, 1981 (1995); **109**, 2115 (1997) ▪ Chem. Unserer Zeit **11**, 22 (1977) ▪ Dragutan, Balaban u. Dimonie, Olefin Metathesis and Ring-Opening Polymerisation of Cyclo-Olefins (2.), New York: Wiley 1985 ▪ Houben-Weyl **E18**, 1163 ff. ▪ Ivin u. Mol, Olefin Metathesis and Metathesis Polymerization, Orlando: Academic Press 1997 ▪ Kirk-Othmer (3.) **8**, 597 ▪ Patai, The Chemistry of Double-bonded Functional Groups, S. 913 ff., Chichester: Wiley 1977 ▪ Synthesis **1997**, 792 ▪ Trost-Fleming **5**, 1115 ff. ▪ Ullmann (5.) **A 5**, 334; **A 13**, 246, 253; **A 16**, 683; **A 18**, 235 ▪ Weissermel-Arpe (4.), S. 94 f. ▪ Wilkinson-Stone-Abel II **8**, 499 ff. ▪ Winnacker-Küchler (4.) **5**, 208 ff.

Metathesepolymerisation. M. ist ursprünglich die Bez. für die nach dem Mechanismus der *Metathese verlaufende *Ringöffnungspolymerisation* (*E* ring-opening metathesis polymerization, ROMP) von cycl. Olefinen (Cycloalkenen) zu Poly(1-alkenylenen), gelegentlich auch Polyalkenomere genannt. Die M. verläuft im Falle des Norbornens gemäß (I, Abb. 1), für Cyclopenten nach (II, Abb. 1), für Cyclooctatetraen nach (III, Abb. 1) u. durch M. nach (IV, Abb. 1) kann nach abschließender Retro-*Diels-Alder-Reaktion hochreines Poly-*cis*-acetylen erhalten werden.

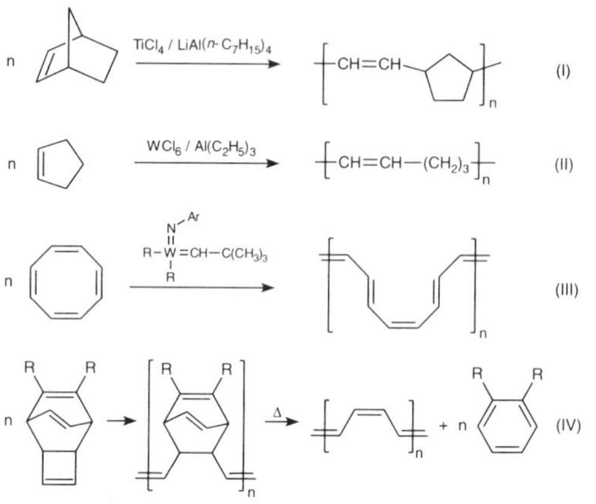

Abb. 1: Beisp. für Metathesepolymerisationen von reinen Kohlenwasserstoffen.

Es resultieren damit aus der ROMP stets ungesätt. Polymere; im Gegensatz zur Polymerisation z. B. von Vinyl-Verb. bleibt bei der M. die Anzahl der C,C-Doppelbindungen im Polymerisations-Syst. konstant. Als Katalysatoren der M. dienen Chloride u. Oxide z. B. der Übergangsmetalle Ti, W, Mo, Re, Ru, Os u. Ir. Z. T. werden Cokatalysatoren wie z. B. $(H_5C_2)_2AlCl$ od. $Sn(CH_3)_4$ eingesetzt. Triebkraft des Kettenwachstums ist in der Regel der Verlust an Ringspannung, weshalb sich in der Regel der Ring mit der größten Spannung öffnet. Der Mechanismus des Kettenwachstums wird im allg. über Metall-Carben-Komplexe formuliert. Diese reagieren mit dem monomeren cycl. Olefin über einen viergliedrigen Übergangszustand unter Verlängerung der offenen Polymerkette:

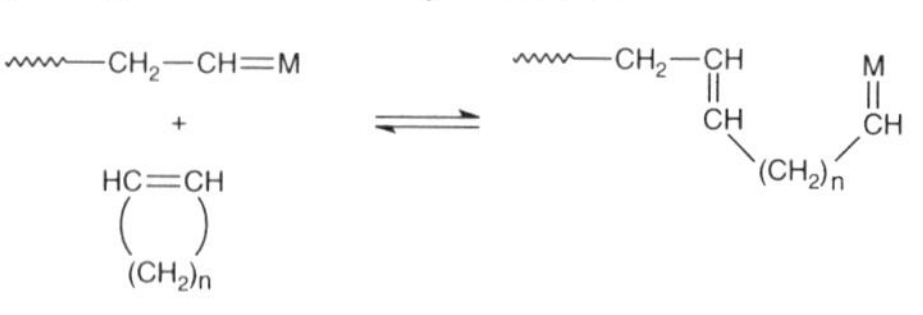

Abb. 2: Mechanismus des Kettenwachstums.

Der M. zugänglich sind die nur aus Kohlenstoff- u. Wasserstoff-Atomen aufgebauten Mono-, Di- u. Polycycloalkene, aber auch deren Derivate, die Heteroatome als Bestandteile der Ringe od. Heteroatomhaltige Gruppierungen als Substituenten aufweisen. So verläuft die M. von Bis(methoxymethylen)-7-oxanorbornen gemäß (V, Abb. 3) unter der Katalyse von $RuCl_3$ bereits in Ggw. von Wasser schnell u. vollständig.

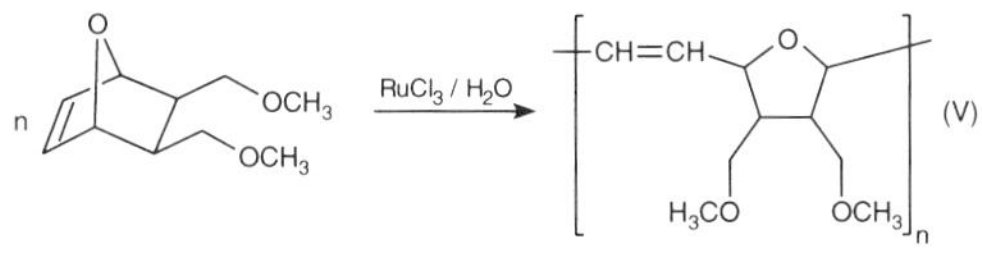

Abb. 3: Metathesepolymerisation einer Heteroatom-haltigen Verbindung.

Als M. wird auch die Polymerisation von substituierten Acetylenen unter Einsatz Metall-organ. Katalysatoren bezeichnet, die über intermediär entstehende cycl. Metall-Carbin-Komplexe verläuft. Die drei möglichen Reaktionen, die substituierte Acetylene in Ggw. typ. M.-Katalysatoren eingehen können, zeigt Abb. 4.

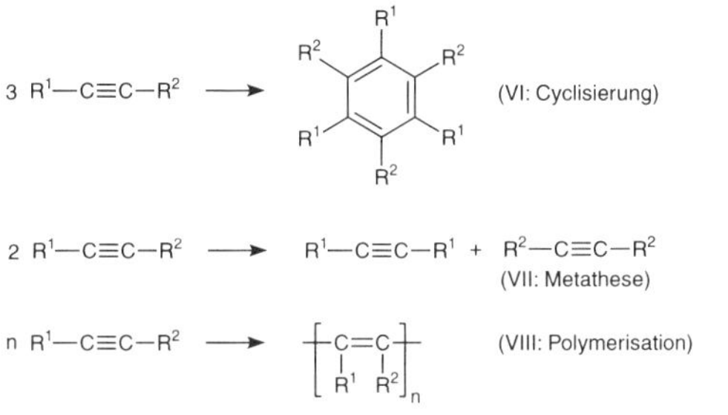

Abb. 4: Reaktionsmöglichkeiten substituierter Acetylene in Ggw. von Metathesepolymerisations-Katalysatoren.

Es können jedoch nicht nur monomere Acetylene einem Austausch ihrer Substituenten R^1 u. R^2 durch eine Metathese-Reaktion (VII) unterliegen: Auf analoge Weise kann dieser Prozeß auch an in fertigen Polymeren vorhandenen C,C-Mehrfachbindungen erfolgen. Hierdurch werden in Mischungen chem. verschiedener ungesätt. Polymerer (*Blends) ganze Kettensegmente zwischen einzelnen Makromol. ausgetauscht. Auf diesem Wege entwickelt sich mit der Zeit aus z. B. zunächst zwei unterschiedlichen Homopolymeren schließlich ein *Copolymeres. Man bezeichnet diesen Prozeß als *Kreuz-M.* (*E* cross-metathesis).
Eine sehr neue Variante der M. ist die sog. *acycl. Dien-M.* (ADMET), s. Abb. 5.

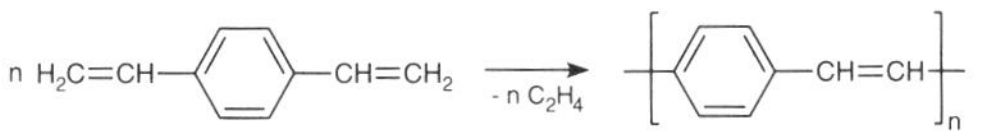

Abb. 5: Acycl. Dien-Metathesepolymerisation.

Durch Austreiben des im Gleichgew. entstehenden Ethylens kann die Reaktion weit auf die Seite der Polymeren getrieben werden. Dies ist hier erforderlich, da bei diesem Polymerisations-Prozeß keine Ringspannung als treibende Kraft vorhanden ist. – ***E*** metathesis polymerization – ***F*** polymérisation métathétique – ***I*** polimerizzazione metatetica – ***S*** polimerización metatética

Lit.: Adv. Polym. Sci. **102**, 45 (1992) ▪ Compr. Polym. Sci. **4**, 109–142 ▪ Encycl. Polym. Sci. Eng. **9**, 634–660 ▪ Houben-Weyl **E 20/2**, 916–961.

Metazachlor.

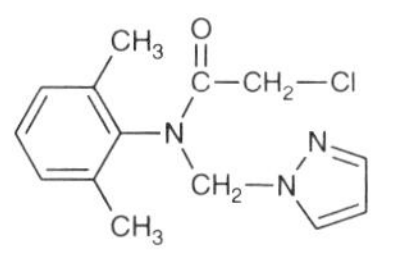

Common name für 2-Chlor-2′,6′-dimethyl-*N*-(1*H*-pyrazol-1-ylmethyl)acetanilid, $C_{14}H_{16}ClN_3O$, M_R 277,75, Schmp. 85 °C, LD_{50} (Ratte oral) 2150 mg/kg, von BASF 1976 eingeführtes selektives *Herbizid gegen Ungräser u. Unkräuter im Kartoffel-, Raps-, Sojabohnen- u. Tabakanbau. – ***E*** metazachlor – ***F*** métazachlore – ***I*** = ***S*** metazacloro

Lit.: Beilstein E V **23/4**, 126 ▪ Farm. ▪ Perkow ▪ Pesticide Manual. – *[CAS 67129-08-2]*

Metconazol. Common name für 5-(4-Chlorbenzyl)-2,2-dimethyl-1-(1*H*-1,2,4-triazol-1-ylmethyl)cyclopentanol.

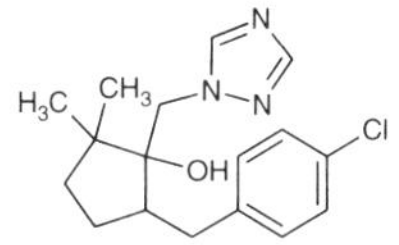

$C_{17}H_{22}ClN_3O$, M_R 319,83, Schmp. 110–113 °C, Sdp. 285 °C, LD_{50} (Ratte oral) 1459 mg/kg, von American Cyanamid Co. (jetzt American Home Products) u. Kureha entwickeltes *Fungizid gegen eine Vielzahl von Pilzerkrankungen in Getreide u. anderen Kulturen. – ***E*** = ***F*** metconazole – ***I*** metconazolo – ***S*** metconazol

Lit.: Perkow ▪ Pesticide Manual. – *[CAS 125116-23-6]*

Metenolon (Rp).

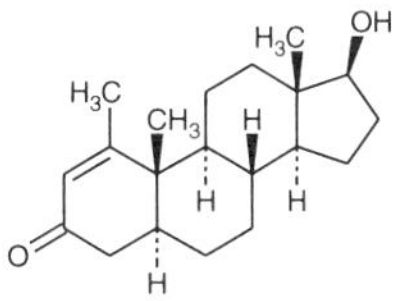

Internat. Freiname für das *Anabolikum 17β-Hydroxy-1-methyl-5α-androst-1-en-3-on, $C_{20}H_{30}O_2$, M_R 302,45, Schmp. 149,5–152 °C, $[\alpha]_D^{20}$ +58,9°. Verwendet werden auch das 17-Acetat, $C_{22}H_{32}O_3$, M_R 344,49, Schmp. 138–139 °C, λ_{max} (CH_3OH) 240 nm ($A_{1cm}^{1\%}$ 386) u. das 17-Enantat, $C_{27}H_{42}O_3$, M_R 414,63. M. u. seine Derivate wurden 1958 von Schering (Primobolan®) patentiert. – ***E*** = ***I*** metenolone – ***F*** méténolone – ***S*** metenolona

Lit.: Hager (5.) **8**, 907 ff. ▪ Martindale (31.), S. 1497. – *[HS 2937 99; CAS 153-00-4 (M.); 434-05-9 (17-Acetat); 303-42-4 (17-Enantat)]*

Meteore. Kurzdauernde Leuchterscheinungen, allg. als *Sternschnuppen* bezeichnet, die auftreten, wenn extraterrestr. Partikel – kleinere werden *Meteoroide* u. größere *Meteorite* genannt – in die Erdatmosphäre eintreten u. in ~100 km Höhe verbrennen. Hierbei ionisieren sie die Luft u. bilden einen elektr. leitenden Zylinder, an dem elektr. Wellen gestreut werden. Somit ist es möglich, die Bahn u. die Häufigkeit von Meteoroiden auszumessen, auch wenn die Sternschnuppe selbst unterhalb der visuellen Nachweisgrenze liegt. – ***E*** meteors – ***F*** météore – ***I*** meteore – ***S*** meteoros

Lit.: Unsöld u. Baschek, Der neue Kosmos (5.), Berlin: Springer 1991.

Meteorismus s. Flatulenz.

Meteoriten (von griech.: meteoros = in der Luft schwebend). Kosm. Körper, wobei man unterscheidet zwischen *Meteoroiden*, die in die Erdatmosphäre eindringen u. dort entweder als Folge der Abbremsung unter Aufleuchten als *Sternschnuppen* (*Meteore), *Feuerkugeln* od. *Boliden* (bes. helle Feuerbälle) verglühen, u. *M.*, die mit durchschnittlichen Geschw. von 20–25 km/s auf die Erdoberfläche auftreffen. Ungleichmäßiges Abschmelzen der Oberfläche der M. ergibt charakterist. flache näpfchenförmige Vertiefungen, sog. *Regmaglypten*. Schnelle M. können explosionsartig zerplatzen u. als 2 od. mehr M. od. als *M.-Schauer* die Erdoberfläche erreichen. Beim Einschlag (*Impact) eines M. auf der Erde können Einschlagskrater bis zu vielen km Durchmesser [z.B. Canyon Diablo (Meteor Crater) in Arizona/USA u. Nördlinger Ries in Bayern] entstehen; s. dazu u. zur damit verbundenen Stoßwellen-*Metamorphose (*Schockmetamorphose*) *Lit.*[1]. Auf der Erde sind bisher mehr als 120 M.-Krater[1] gefunden worden; die meisten davon haben Alter von 1000 a bis zu 200 Mio. a. Man unterscheidet bei den M. zwischen beobachteten *Fällen* u. ohne Fallbeobachtung gemachten *Funden*. Bes. viele M. wurden seit 1957/58 in der *Antarktis* (über 10000), in Australien u. seit 1989 in der *Sahara* (471 bis 1993; *Lit.*[2]) gefunden.

Mit wenigen Ausnahmen sind die M. Bruchstücke von den bis etwa 1000 km großen, vor ca. 4,5 Mrd. Jahren entstandenen, in die Oberklassen primitiv, metamorph u. aufgeschmolzen unterteilten Kleinplaneten des *Asteroiden-Gürtels*[3] zwischen den Planeten Mars u. Jupiter.

Klassifikation u. Mineralbestand (s. dazu *Lit.*[4]): Die M. werden nach der stofflichen Zusammensetzung unterteilt in *Eisen-M., Steineisen-M.* u. *Stein-M.* (mit Chondriten u. Achondriten; über 90% aller M.). Nach genet. Gesichtspunkten unterteilt man heute in *undifferenzierte* (*primitive*, nicht durch Schmelzprozesse veränderte) u. *differenzierte* (aus in Kern, Mantel u. Kruste differenzierte Kleinplaneten stammende) M.; die Benennung erfolgt nach den jeweiligen Fundorten. Auch undifferenzierte M. können durch Erwärmung in ihrem Mutterkörper in ihrer Struktur u. dem Mineralbestand verändert werden. Der Grad der Erwärmung wird durch den sog. *petrolog. Typ* angegeben. Dieser variiert von 3 (kaum Erwärmung) bis 7 (Beginn der Entstehung von Schmelzen). Die petrolog. Typen 1 u. 2 zeigen Anzeichen zunehmender Reaktion mit Wasser (meist bereits auf den Mutterkörpern).

Undifferenzierte (primitive) M.: Zu diesem Typ gehören die *Chondrite* u. die *primitiven Achondrite*. Chondrite bestehen bis zu 80% aus *Chondren*, das sind meist mikroskop. kleine bis erbsengroße, durch rasches Erhitzen u. Schmelzen von Staubaggregaten im solaren Nebel entstandene[5–7] silicat. Kügelchen (Klassifizierung s. *Lit.*[5,6]) mit den Hauptkomponenten *Olivin, *Pyroxene, Plagioklas (*Feldspäte); weitere Bestandteile (auch in der feinkörnigen Matrix der Chondrite) sind *Spinell, *Chromit, metall. Fe–Ni, *Troilit, Phosphate, *Ilmenit u. z.T. auch Glas. Die Chondrite enthalten ferner Chondrenbruchstücke, Mineralfragmente sowie Metall- u. Sulfid-Teilchen. Die weitere Unterteilung erfolgt in *kohlige Chondrite* (C-Chondrite), *gewöhnliche Chondrite* [*H-Chondrite* (hohes Gesamteisen; umfaßt metall. Fe u. in Olivin u. Pyroxenen wie Enstatit u. Bronzit gebundenes FeO), *L-Chondrite* (niedriges Gesamteisen), *LL-Chondrite* (Amphoterite; niedriges Gesamteisen u. niedriger Metall-Gehalt)], *R-Chondrite*[8] (Rumurutite), *Enstatit-Chondrite* (hoch reduziert, kein Eisen in den Silicaten, alles Eisen zu Metall reduziert; *EH-Chondrite*, mit hohem Gesamteisen, u. *EL-Chondrite*, mit niedrigerem Gesamteisen). Zu den *primitiven Achondriten* gehören die wahrscheinlich von einem gemeinsamen Mutterkörper stammenden[9] *Acapulcoite*[10] u. *Lodranite* sowie die *Winonaite*.

Kohlige Chondrite (C-Chondrite): Für die *Kosmochemie bes. interessante M.-Gruppe (bis 50% Chondren; ca. 3% der M.; petrolog. Typen 1–3, selten 4, 5, 6), die neben *Serpentin, *Gips, *Epsomit u. Carbonaten wie *Magnesit bis zu 10% Kohlenstoff-Verb. enthalten, darunter polymere organ. Verb., Paraffine, Aromaten, Olefine, Heterocyclen, Carbonsäuren u. mehr als 70 Aminosäuren (s. Kerridge u. Matthews, *Lit.*); Analysen s. *Lit.*[11]; im C3V-Chondriten Allende (Mexiko) wurden Fullerene (C_{60} u. C_{70}), Fullerane u. polycycl. aromat. Kohlenwasserstoffe gefunden[12]. Die C-Chondrite sind die „primitivsten" M. überhaupt; jede stärkere Erhitzung hätte bei ihnen zur Entwässerung u.a. der Sulfate geführt. Sie werden in mehrere Gruppen eingeteilt[4]: *CI* (nach dem C1-Chondriten *I*vuna), *CM* (nach den C2-Chondriten *M*urchison u. *M*ighei), *CR* (*R*enazzo-Typ[13]), *CO* (nach dem C3-Chondriten *O*rnans), *CV* (nach dem C3-Chondriten *V*igarano), *CK* (nach dem C5-Chondriten *K*aroonda[14]) u. *CH* (*H*igh Iron; kontrovers diskutiert). Helle Calcium/Aluminium-reiche Einschlüsse[15] (Abk.: CAIs; mit Spinell, *Melilith, *Korund, Hibonit $CaAl_{12}O_{19}$, Grossit $CaAl_4O_7$, Calciumoxid CaO u. *Perowskit) in C3-Chondriten (z.B. Allende/Mexiko, Leoville) stellen das älteste zeitlich datierte Material des Sonnensyst. (4,566 Mrd. a) dar; Abweichungen in den Isotopenverhältnissen bestimmter Elemente in den CAIs geben ebenso wie Edelgas-Einschlüsse mit anomaler Isotopen-Zusammensetzung in interstellaren Körnern von *Diamant[16,17], SiC (*Moissanit)[16,17] u. *Graphit[17] in C1- bis C3-Chondriten u. gewöhnlichen Chondriten Aufschluß über Vorgänge vor der Entstehung des Sonnensyst. u. im frühen Sonnensystem.

Differenzierte M.: Hierher gehören die ird. *magmatischen Gesteinen ähnlichen sog. *asteroidalen Achondrite*[4] [HED-M., Angrite, Aubrite (Enstatit-Achondrite), Ureilite u. Brachinite], die 12 *Mars-M.*, die 13 *Mond-M.* (Mare-*Basalte u. Impact-Breccien; s. Mondgestein), die seltenen *Steineisen-M.* [*Pallasite* (Metall + Olivin; aus der Kern-Mantel-Übergangszone differenzierter Kleinplaneten) u. *Mesosiderite* (etwa gleiche Anteile Metall + Silicate)] u. die *Eisen-Meteorite*.

Die *Achondrite* enthalten keine Chondren. Sie bestehen im wesentlichen aus Pyroxenen, Feldspäten u. Olivin. Wegen ihrer Sauerstoff-Armut enthalten sie ferner ausgefallene Mineralien wie Oldhamit CaS, Osbornit TiN u. Heideit $(Fe,Cr)_{1+x}(Ti,Fe)_2S_4$. Die *HED-M.*

(Eukrite, Diogenite u. Howardite) haben basalt. bis orthopyroxenit. (*Peridotite) Zusammensetzungen; als ihr gemeinsamer Mutterkörper wird der Asteroid Vesta angesehen[18]. Die *Ureilite*[19] (mit Ca- u. Cr-haltigem Olivin u. Ca-armem Klinopyroxen, meist *Pigeonit als Hauptmineralen) enthalten in ihrer Matrix die C-Modif. Graphit, Diamant, Lonsdaleit u. (in den Ureiliten Novo Urei u. Haverö) auch Chaoit, ferner geringe Anteile von *Steinsalz, *Sylvin u. Glas. Die 12 *Mars-M.* (*SNC-M.*, *Lit.*[20]) umfassen 7 *S*hergottite (nach Shergotty/Indien; 4 Basalte, 3 Peridotite), 3 *N*akhlite (nach Nakhla/Ägypten), 1 Dunit (*C*hassigny) u. den in der Antarktis gefundenen Orthopyroxenit (Peridotite) Allan Hills 84001. Röhrenförmige, ~100 nm lange, mit Carbonat-Kugeln vergesellschaftete *Magnetit- u. Eisensulfid-Objekte in ALH 84001 wurden als mögliche Mikro-*Fossilien u. somit fossile Lebensspuren vom Mars gedeutet[21].

Die *Eisen-M.* (Siderite, Siderolithe; ca. 7% der M.) bestehen überwiegend aus Nickeleisen: *Kamacit* (Balkeneisen, α-Fe; 4–7% Ni), *Taenit* (Bandeisen, γ-Fe; 20–50% Ni), *Tetrataenit* (50% Ni, tetragonal, selten) u. *Plessit* (feines „Fülleisen" aus viel Kamacit u. wenig Taenit). Nach ihrer Kristallstruktur u. ihrem Gefüge unterscheidet man *Oktaedrite* [Unterteilung s. Heide (*Lit.*) u. *Lit.*[22]], *Hexaedrite* (<5,5% Ni) u. *Ataxite* (>16% Ni). Der größte bekannte M. auf dem Gelände der Farm Hoba in Namibia ist ein 60–80 t schwerer Ataxit. Heute wird zunehmend eine *chem. Klassifikation* der Eisen-M. aufgrund der Gehalte an Ni u. den Spurenelementen Gallium, Germanium u. Indium[22] verwendet; hier werden aus Schmelzen gebildete *„magmat." Eisen-M.* (z. B. IC, IIAB, IIC, IID, IIIAB, IVA, IVB) u. *nichtmagmat. Gruppen* [IAB/IIICD (mit Silicat-Einschlüssen mit Olivin, Pyroxenen u. Plagioklas); IIE] unterschieden. Beim Ätzen polierter Schnittflächen von Oktaedriten werden die sog. *Widmannstätten(schen) Figuren* sichtbar, s. die Abbildung. In den Eisen-M. findet man ferner Troilit FeS, Cohenit Fe_3C, Graphit, Diamant u. Lonsdaleit, Carlsbergit CrN, Schreibersit $(Fe,Ni,Co)_3P$, Lawrencit $(Fe,Ni)Cl_2$, Daubréelit $FeCr_2S_4$ u. Kosmochlor.

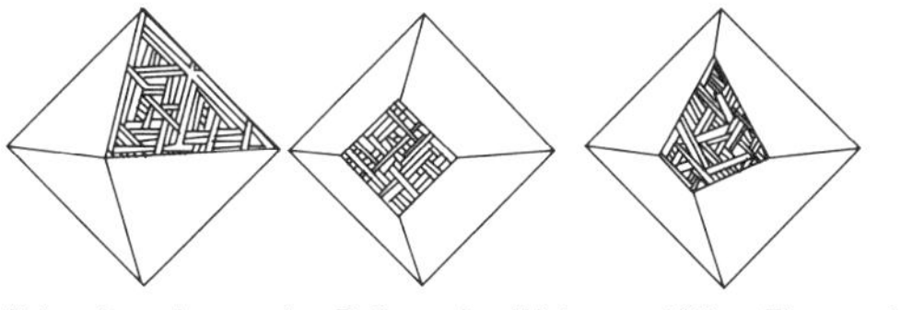

Abb.: Anordnung der Balken der Widmannstätten-Figuren in Abhängigkeit von der Schnittlage; nach Heide, S. 115, *Lit.*

Eine Anzahl von Mineralien in M. sind durch Schock-Metamorphose (Impact) gebildet worden, z. B. *Martensit* α_2-Fe,Ni aus Taenit, die C-Modif. Diamant, Lonsdaleit u. Chaoit aus Graphit, *Coesit u. Stichovit aus *Quarz, ferner *Ringwoodit* γ-$(Mg,Fe)_2[SiO_4]$ (mit Spinell-Struktur, s. Olivin), *Majorit* [$(Mg,Fe)SiO_3$ mit *Granat-Struktur] u. *Maskelynit* (in Glas umgewandelter Feldspat). Impact-Ereignisse haben in den Spätstadien der Planeten-Entstehung (z. B. Entstehung u. Kraterbildungen des Mondes, s. Mondgestein) eine wesentliche Rolle gespielt. Durch einen Impact ist wahrscheinlich auch das Massenaussterbe-Ereignis vor 65 Mio. a an der Kreide/Tertiär-Grenze (K/T-Grenze) auf der Erde verursacht worden; als Einschlagstelle des (etwa 10 km großen) Asteroiden od. eines Kometen wird der Chicxulub-Krater (geschätzter Durchmesser zwischen 180 u. 300 km) auf bzw. unter der Halbinsel Yucatan/Mexiko angenommen[23,24]; in ihm wurde Iridium gefunden[25]. Die kleineren Körper im Sonnensyst. u. die M. selbst sind Kollisionsbruchstücke aus oft wesentlich größeren Mutterkörpern. Durch die mit Impacten verbundene Schockmetamorphose werden häufig die für die Altersbestimmung (*Geochronologie) benutzten radiometr. „Uhren" zurückgestellt; zu den *Impact-Altern* von M. s. *Lit.*[26]; zu den *kosm. Bestrahlungsaltern* (ca. 10 Mio. bis 1 Mrd. a für Eisen-M. u. 1–100 Mio. a für Stein-M.) u. zu den *Fallaltern* von M. s. *Lit.*[22]; zur Schock-Metamorphose von M. u. ihren Mineralien s. *Lit.*[27]. Die Chance, daß im kommenden Jh. ein großer (~2 km Durchmesser) M. od. ein Komet mit der Erde kollidiert, ist 1 zu 10 000 (zu diesem Risiko s. *Lit.*[27]). Der größte Teil des täglich in einer geschätzten Menge von etwa 10 000 t auf die Erde niederfallenden extraterrestr. Materials ist kosm. Staub. Zu den M. rechnet man häufig auch die glasartigen **Tektite*. Zur chem. Untersuchung der M. dienen u. a. Meth. der zerstörungsfreien Werkstoffprüfung, z. B. mit Mikrosonden, u. die Spektralanalyse sowie die *Neutronenaktivierungsanalyse; zu chem. Analysen von M. s. *Lit.*[28]. – ***E*** meteorites – ***F*** météorites – ***I*** meteoriti – ***S*** meteoritos

Lit.: [1] Spektrum Wiss. **1990**, Nr. 6, 108–116. [2] Meteoritics **30**, 113–122 (1995). [3] Spektrum Wiss. **1991**, Nr. 12, 111–117. [4] Meteoritics & Planet. Sci. **32**, 231–247 (1997). [5] Nature (London) **357** (6375), 207–210 (1992); EPSL (Earth Plant. Sci. Lett.) **131**, 27–39 (1995). [6] Geochim. Cosmochim. Acta **58**, 1203–1209 (1994). [7] Meteoritics **28**, 14–28 (1993). [8] Meteoritics **29**, 275–286 (1994). [9] Geochim. Cosmochim. Acta **61**, 639–650 (1997). [10] Geochim. Cosmochim. Acta **59**, 3607–3627 (1995); **60**, 2681–2708 (1996). [11] Top. Curr. Chem. **139**, 83–117 (1987). [12] Meteoritics & Planet. Sci. **32**, 479–487 (1997). [13] Geochim. Cosmochim. Acta **57**, 1567–1586 (1993). [14] Geochim. Cosmochim. Acta **55**, 881–892 (1991). [15] Science **272**, 1316 ff. (1996). [16] Nature (London) **347** (6289), 159–162 (1990). [17] Geochim. Cosmochim. Acta **59**, 115–160 (1995). [18] Science **260**, 186–191 (1993). [19] Meteoritics **27**, 327–352 (1992). [20] Meteoritics **29**, 757–779 (1994). [21] Science **273** (5277), 864 ff., 924–930 (1996); Spektrum Wiss. **1998**, Nr. 2, 70–77. [22] Aufschluß **39**, 1–25 (1988). [23] Geology **19**, 867–871 (1991). [24] Nature (London) **359** (6398), 819 ff. (1992). [25] Science **271** (5255), 1573–1576 (1996). [26] Eur. J. Mineral. **4**, 707–755 (1992). [27] Nature (London) **367** (6458), 33–40 (1994); Spektrum Wiss. **1996**, Nr. 11, 92. [28] Meteoritics **25**, 323–337 (1990).

allg.: Buchwald, Handbook of Iron Meteorites (3 Bd.), Berkeley: University of California Press 1975 ▪ Bühler, Meteorite, Urmaterie aus dem interplanetaren Raum, Basel: Birkhäuser 1988 ▪ Graham, Bevan u. Hutchison, Catalogue of Meteorites (4.), London: British Museum (Natural History) 1985 ▪ Heide, Kleine Meteoritenkunde (3.), Berlin: Springer 1988 ▪ Kerridge u. Matthews (Hrsg.), Meteorites and the Early Solar System, Tucson (Arizona): University of Arizona Press 1988 ▪ Reedy, Meteorites, Cosmic Ray Record, Encyclopedia of Physical Science and Technology, Vol. 10, S. 1–30, New York: Academic Press 1992 ▪ Schlüter, Steine des Himmels – Meteorite, Hamburg: Ellert u. Richter 1996 ▪ Von Rétyi u. Aumann, Meteorite – Boten aus dem Weltall, Coburg: Naturkunde-Museum Coburg 1996 ▪ Wasson, Meteorites, Their Record of Early Solar System History, New York: Freeman 1985.

Meteoroide s. Meteore.

Meteorologie s. Luft.

Meteosan®. Kapseln mit *Dimeticon gegen Meteorismus. ***B.:*** Novartis.

Meteozym®. Tabl. mit *Pankreatin aus Schweinepankreas u. *Simethicon gegen Meteorismus u. Flatulenz. ***B.:*** Novartis.

Meter (*das* od. *der* M.; Kurzz.: m). Bez. für die *Grundeinheit der Länge, die seit 1983 definiert ist als die Strecke, die Licht im Vak. während des Zeitintervalls von 1/299792458 s durchläuft. Somit wird die Längenmessung durch eine Zeitmessung ersetzt. Heute werden die Frequenzen von stabilisierten *Lasern, beginnend im opt. Spektralgebiet, über Frequenzketten bis zur Cäsium-Uhr gekoppelt u. ausgemessen. Über die Gleichung $c = \lambda \cdot \nu$ (c = Lichtgeschw., λ = Wellenlänge, ν = Frequenz) wird so die Wellenlänge bestimmt.
Früher war 1 m definiert als „das 1 650 763,73fache der Wellenlänge der von Atomen des Nuklids ^{86}Kr (Krypton) beim Übergang vom Zustand $5d_5$ zum Zustand $2p_{10}$ ausgesandten, sich im Vak. ausbreitenden Strahlung" der Wellenlänge 605,78 nm.
Am 7. April 1795 definierte die französ. Nationalversammlung das M. als den 10^7. Teil des Meridians durch die Pariser Sternwarte von Dünkirchen bis Monjuich bei Barcelona[1]; von 1889–1960 war der M. festgelegt durch den Abstand zweier Striche auf einem aus Pt-Ir-Leg. bestehenden Stab mit x-förmigem Querschnitt (*Urmeter*), von dem jeder Staat eine Kopie besaß. – ***E*** meter (USA), metre (GB) – ***F*** mètre – ***I = S*** metro

Lit.: [1] Phys. Bl. **51**, 536 (1995).
allg.: IUPAC, Größen, Einheiten u. Symbole in der Physikalischen Chemie, Weinheim: VCH Verlagsges. 1996.

Metergolin (Rp).

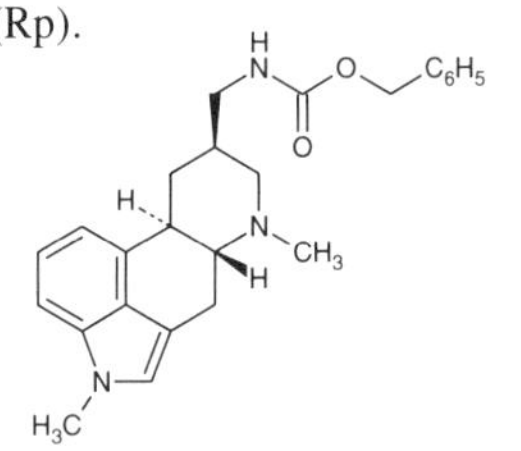

Internat. Freiname für den *Prolactin-Hemmer Benzyl-*N*-(1,6-dimethyl-8β-ergolinylmethyl)carbamat, $C_{25}H_{29}N_3O_2$, M_R 403,52, Schmp. 146–149 °C; $[\alpha]_D^{28}$ −7°±2°; λ_{max} 291 nm ($A_{1cm}^{1\%}$ 165); LD_{50} (Maus oral) 430 mg/kg. M. wurde 1966 von Farmitalia patentiert u. ist von Wyeth Pharma (Liserdol®) im Handel. – ***E*** metergoline – ***F*** métergoline – ***I = S*** metergolina

Lit.: Beilstein E V **25/11**, 289 ▪ Martindale (31.), S. 1165. – *[CAS 17692-51-2]*

Meter Wassersäule (mWS). Veraltete Druckeinheit, z. B. für *Luftdruck: 1 mWS=9,80665 kPa.

Metformin (Rp).

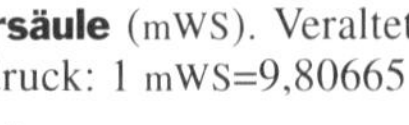

Von der WHO vorgeschlagener Freiname für das orale *Antidiabetikum 1,1-Dimethylbiguanid, $C_4H_{11}N_5$, M_R 129,16; zu den Eigenschaften s. Biguanide. Verwendet wird das Hydrochlorid, Schmp. 232 °C, auch 218–220 °C angegeben; LD_{50} (Ratte oral) 1000 mg/kg, (Ratte s.c.) 300 mg/kg. M. wurde 1965 von J. M. D. Aron-Samuel patentiert u. ist als Generikum im Handel. – ***E*** metformin – ***F*** metformine – ***I = S*** metformina

Lit.: ASP ▪ Beilstein E IV **4**, 227 f. ▪ Hager (5.) **8**, 909 ff. ▪ Krans, Diabetes and Metformin, Oxford: University Press 1985 ▪ Martindale (31.), S. 357 ▪ Mehnert u. Standl, Metformintherapie 1980, Stuttgart: Schattauer 1980 ▪ Ph. Eur. **1997** u. Komm. – *[HS 2925 20; CAS 657-24-9 (M.); 1115-70-4 (Hydrochlorid)]*

Metglas s. amorphe Metalle.

Methabenzthiazuron.

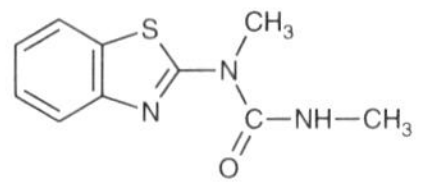

Common name für 1-Benzothiazol-2-yl-1,3-dimethylharnstoff, $C_{10}H_{11}N_3OS$, M_R 221,27. Schmp. 119–120 °C, LD_{50} (Ratte oral) >2500 mg/kg, von Bayer 1968 eingeführtes selektives *Herbizid gegen Ungräser u. Unkräuter im Getreide-, Erbsen-, Ackerbohnen-, Grassamen-, Knoblauch-, Porree- u. Zwiebelanbau. – ***E = F*** methabenzthiazuron – ***I*** metabenztiazurone – ***S*** metabenztiazurona

Lit.: Beilstein E V **27/18**, 136 ▪ Farm. ▪ Perkow ▪ Pesticide Manual. – *[HS 2934 20; CAS 18691-97-9]*

Methacrifos. Common name für Methyl-(*E*)-3-(dimethoxyphosphorothioyl)-2-methylacrylat.

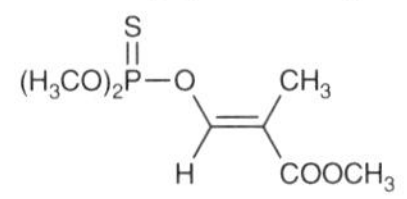

$C_7H_{13}O_5PS$, M_R 240,21, Sdp. 90 °C (1,3 Pa), LD_{50} (Ratte oral) 678 mg/kg, von Ciba-Geigy (jetzt Novartis) in den achtziger Jahren entwickeltes *Insektizid u. *Akarizid mit Kontakt-, Atem- u. Fraßgiftwirkung. Einsatz v. a. zur Bodenbehandlung u. in der Lagerhaltung. – ***E = I*** methacrifos – ***F*** méthacrifos – ***S*** metacrifos

Lit.: Pesticide Manual. – *[CAS 62610-77-9 ((E)-Isomer); 30864-28-9 (E/Z)]*

Methacrylate s. Methacrylsäureester.

Methacrylatharze. Bez. (nach DIN 16945: 1989-03) für *Reaktionsharze, die aus einem polymerisierbaren Gemisch monomerer u. polymerer Methacrylsäureester bestehen (s. a. Acrylharze u. Polymethacrylate). – ***E*** methacrylate resins – ***F*** résines méthacryliques – ***I*** resine di metacrilato – ***S*** resinas de metacrilato, resinas metacrílicas

Lit.: s. Acrylharze.

Methacrylsäure (2-Methylpropensäure, α-Methylacrylsäure, Isobutensäure). C 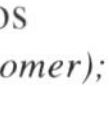

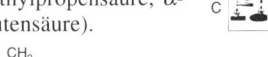

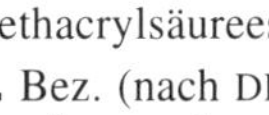

$C_4H_6O_2$, M_R 86,09. Farblose Flüssigkeit von säureartigem, abstoßendem Geruch, D. 1,015, Schmp. 15 °C, Sdp. 161 °C, mit Alkohol u. Ether mischbar, wasserlöslich. M. neigt zur Polymerisation, Handelsprodukte werden daher meist in stabilisiertem Zustand mit 0,1% Hydrochinon transportiert. Die Dämpfe reizen stark die Augen u. die Atmungsorgane, Lungenödem mög-

lich. Kontakt mit der Flüssigkeit führt zu Verätzungen der Augen u. der Haut, die Flüssigkeit wird auch über die Haut aufgenommen; Leber u. Nierenschäden möglich; LD_{50} (Maus oral) 1332 mg/kg; WGK 2 (Selbsteinst.).
Vork.: Im *Kamillenöl.
Herst.: Aceton wird durch Blausäure-Anlagerung in *2-Hydroxy-2-methylpropionitril umgewandelt, das über Methacrylsäureamidsulfat in M. übergeführt wird; zu neueren Verf., die von Isobuten u. Isobutyraldehyd ausgehen s. *Lit.*[1].
Verw.: M. hat zur Herst. von Homo- u. Copolymeren für die Anw. als Schlichte-, Appretur- u. Verdickungsmittel eine begrenzte Eigenbedeutung; das bevorzugt verwendete Derivat ist der Methylester. M. ist auch ein Bestandteil der Wehrsekrete von Laufkäfern. – *E* methacrylic acid – *F* acide méthacrylique – *I* acido metacrilico – *S* ácido metacrílico
Lit.: [1] Weissermel-Arpe (4.), S. 305–310.
allg.: Beilstein E IV **2**, 1518 f. ▪ Gesundheitsschädliche Arbeitsstoffe: toxikologisch-arbeitsmedizinische Begründung von MAK-Werten, Weinheim: Wiley-VCH 1972–1997 ▪ Hommel, Nr. 287 ▪ IARC Monogr. **19**, 187–211 (1979) ▪ Houben-Weyl **E 20** ▪ Merck-Index (12.), Nr. 6005 ▪ Ullmann (4.) **16**, 609–614; (5.) **A 16**, 441 ff. – *[HS 2916 13; CAS 79-41-4; G 8]*

Methacrylsäureester (Methacrylate). Ester der *Methacrylsäure mit der Zusammensetzung $H_2C=C(CH_3)–COOR$ (R = Alkyl- od. Aryl-Gruppe). Die einfachen M. sind wasserhelle, unangenehm riechende Flüssigkeiten, sie können durch Veresterung der Methacrylsäure mit den entsprechenden Alkoholen hergestellt werden.
Bes. techn. Bedeutung hat der *Methacrylsäuremethylester* (Methylmethacrylat, MMA, R = CH_3), $C_5H_8O_2$, M_R 100,12; farblose, stechend riechende Flüssigkeit, D. 0,944, Schmp. –48 °C, Sdp. 100–101 °C, FP. 8 °C c.c. Die Dämpfe reizen die Augen sowie die Atemwege, Lungenödem möglich. Bei hohen Dampfkonz. bzw. Einatmung über einige Zeit ist eine lähmende Wirkung auf das Zentralnervensyst. zu erwarten. Kontakt mit der Flüssigkeit führt zu Reizung der Augen u. der Haut, WGK 1, MAK 50 ppm bzw. 210 mg/m³ (MAK-Werte-Liste 1996); Gefahr der Sensibilisierung; LD_{50} (Ratte oral) 7872 mg/kg.
Herst.: Durch Reaktion von *2-Hydroxy-2-methylpropionitril mit Schwefelsäure zu Methacrylsäureamidsulfat u. anschließende Umsetzung mit Methanol (weitere Synth. s. Weissermel-Arpe). Außer dem Methyl- sind auch noch die Ethyl-, Butyl-, Isobutyl- u. 2-Hydroxyethyl-methacrylate von techn. Bedeutung.
Verw.: Die M. stellen die Ausgangsprodukte für die techn. wichtigen *Polymethylmethacrylate (PMMA) u. a. *Polymethacrylate dar. Das Methylmethacrylat wird im wesentlichen zur Herst. von Plexiglas®, einem glasklaren Kunststoff mit großer Härte, Bruchsicherheit u. chem. Beständigkeit, verarbeitet. Weiterhin wird es in Copolymerisaten mit vielfältiger Anw., wie z. B. als Textilhilfsmittel od. in licht- u. wetterbeständigen Anstrichmitteln, eingesetzt. Die weltweite Herstellkapazität für Methylmethacrylat betrug 1991 etwa 1,84 Mio. t. – *E* methacrylates – *F* méthacrylates – *I* metacrilati – *S* metacrilatos
Lit.: Beilstein E IV **2**, 1519–1536 ▪ Gesundheitsschädliche Arbeitsstoffe: toxikologisch-arbeitsmedizinische Begründung von MAK-Werten, Weinheim: Wiley-VCH 1972–1997 ▪ Hommel, Nr. 588, 598, 614 ▪ Ullmann (4.) **16**, 610 f.; (5.) **A 9**, 567 ▪ Weissermel-Arpe (4.), S. 305–310. – *[HS 2916 14; CAS 80-62-6 (Methylmethacrylat); G 3]*

Methadon (BtMVV, Anlage III A).

$$H_3C–CH_2–CO–\underset{\underset{C_6H_5}{|}}{\overset{\overset{C_6H_5}{|}}{C}}–CH_2–\overset{\overset{N(CH_3)_2}{|}}{\underset{\underset{H}{|}}{C}}–CH_3$$

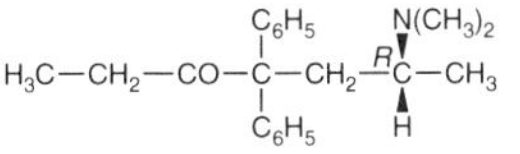

(–)-(*R*)-Form : *Levomethadon
Racemat : Methadon

Von der WHO vorgeschlagener Freiname für das starke *Analgetikum (±)-6-Dimethylamino-4,4-diphenyl-3-heptanon, $C_{21}H_{27}NO$, M_R 309,45. Farblose Krist., Schmp. 78 °C. Verwendet wird das Hydrochlorid, Schmp. 232–236 °C; λ_{max} (C_2H_5OH) 254, 259, 265, 293 nm ($A^{1\%}_{1cm}$ 8,44; 7,13; 7,52; 7,36), in Wasser u. Alkoholen mäßig löslich. Das 1945 von *Ehrhart synthetisierte M. übertrifft Morphin in seiner Eigenschaft als Schmerzmittel u. hat ebenfalls ein *Sucht erzeugendes Potential. In speziellen Drogenbekämpfungs-Programmen in der BRD wird es bei der Entwöhnung von *Heroin-Abhängigkeit eingesetzt. Seit 1994 darf auch das racem. M. verwendet werden, das aber z. Z. nur als Rezeptursubstanz in der BRD im Handel ist. Das (*R*)-Enantiomer (*Levomethadon) besitzt eine höhere Wirksamkeit als das (*S*)-Enantiomer, so daß das Racemat doppelt so hoch dosiert werden muß wie (*R*)-M., was aber aufgrund der viel geringeren Herst.-Kosten in Kauf genommen wird. – *E* methadone – *F* méthadone – *I* metadone – *S* metadona
Lit.: Beilstein E IV **14**, 300 f. ▪ Florey **3**, 365–439; **9**, 601–615 ▪ Hager (5.) **8**, 911 ff. ▪ Martindale (31.), S. 60 ff. ▪ Pharm. Ztg. **139**, 3319–3328, 3576–3586 (1994) ▪ Ph. Eur. **1997** u. Komm. – *[HS 2922 30; CAS 76-99-3 (M.); 1095-90-5 (Hydrochlorid)]*

Methämoglobin (Hämiglobin, Ferrihämoglobin, MetHb). Oxid.-Produkt des *Hämoglobins, von dem es sich durch die 3-Wertigkeit des Eisens u. die Unfähigkeit, Sauerstoff zu binden, unterscheidet. MetHb entsteht als Folge von Vergiftungen z. B. unter der Einwirkung von Nitrobenzol, Anilin (bei Neugeborenen auch von dessen Arzneimittelderivaten wie Acetanilid, Sulfonamiden u. Phenacetin), Phenylhydrazin u. -hydroxylamin, Nitriten, Chloraten u. anderen *Blutgiften*. Im *Erythrocyten wird MetHb durch Glutathion reduziert, u. normalerweise liegen nur etwa 0,5–2 % des menschlichen Hämoglobins als MetHb vor; klin. Symptome treten ab 20 % MetHb-Anteil auf (*Cyanose; ein Antidot ist *Methylenblau), Todesgefahr besteht ab 70 % MetHb-Anteil. – *E* meth(a)emoglobin – *F* méthémoglobine – *I* met(a)emoglobina – *S* methemoglobina

Methallylchlorid s. 3-Chlor-2-methyl-1-propen.

Methamidophos.

$$H_3CO–\underset{\underset{SCH_3}{|}}{\overset{\overset{O}{\|}}{P}}–NH_2$$

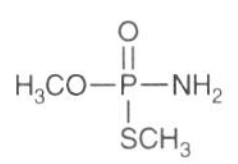

Common name für *O,S*-Dimethyl-thiophosphoramidat, $C_2H_8NO_2PS$, M_R 141,12, Schmp. 46 °C, LD_{50} (Ratte oral) 7,5 mg/kg (GefStoffV), von Bayer u. Chevron Chemical Company 1969 eingeführtes system. *Insektizid u. *Akarizid mit Fraßgift-, Berührungsgift- u. system. Wirkung gegen saugende u. beißende Insekten in zahlreichen Kulturen. – ***E*** methamidophos – ***F*** méthamidophos – ***I*** = ***S*** metamidofos

Lit.: Farm. ▪ Perkow ▪ Pesticide Manual. – *[HS 2930 90; CAS 10265-92-6]*

Methamphetamin (BtMVV, Anlage III A).

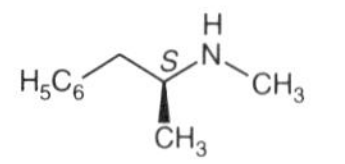

Internat. Freiname für das *Sympath(ik)omimetikum u. *Analeptikum (*S*)-*N*-Methyl-1-phenyl-2-propanamin (Desoxyephedrin), $C_{10}H_{15}N$, M_R 149,23. In Wasser schwer lösl.; Lagerung: Vor Luft geschützt. Eingesetzt wird das Hydrochlorid, Schmp. 170–175 °C; $[\alpha]_D^{20}$ +14° bis +20°; LD_{50} (Maus i.p.) 70 mg/kg. – ***E*** methamphetamine – ***F*** méthamfétamine – ***I*** = ***S*** metamfetamina

Lit.: ASP ▪ Beilstein E IV **12**, 2589 ▪ DAB **1996** u. Komm. ▪ Martindale (31.), S. 1553 ▪ s. a. Amphetamin. – *[HS 2939 90; CAS 537-46-2 (M.); 51-57-0 (Hydrochlorid)]*

Methampyron s. Metamizol-Natrium.

Methan. CH_4, M_R 16,03. Farbloses, geruchloses, mit bläulicher Flamme brennendes Gas, D. 0,72 g/L (0 °C; 0,558-fache Luftdichte), Schmp. –182 °C, Sdp. –161 °C, krit. Druck 4,596 MPa, krit. Temp. –82,1 °C, krit. D. 0,162; in Wasser wenig lösl., gut lösl. in organ. Lsm. wie Alkohol u. Ether. M. ist eine sehr stabile Verb.; es stellt das Anfangsglied der homologen Reihe der *Alkane dar. CH_4 entzündet sich bei 600 °C, Heizwert 36 MJ/m^3. M.-Luft-Gemische mit 5,0–15 Vol.-% M. sind explosiv, u. derartige Mischungen (zusammen mit Kohlenstaub) verursachen in Steinkohlebergwerken, wo häufig CH_4 (Grubengas) auftritt, die gefürchteten *Schlagwetter. Deshalb muß in diesen Bergwerken der M.-Gehalt der Luft ständig überwacht werden (s. hierzu Gasanalyse). M. wirkt sehr schwach betäubend. Wenn M. in hohen Konz. die Luft verdrängt, besteht Erstickungsgefahr.

F+ 

Vork.: M. findet sich im Kokereigas u. im *Erdgas, das zugleich die wichtigste Quelle darstellt; so besteht z. B. das Naturgas der Erdölquellen von Baku, Rumänien u. Ohio zu 80–90% aus CH_4 (das ewige Feuer von Baku ist eine M.-Flamme). M.-Quellen sind fossile Brennstoffe sowie der Cellulose-Abbau (M.-Gärung) durch anaerobe Bakterien, insbes. die methanogenen Archaebakterien. M. entsteht weiterhin in Kläranlagen in den Faulbehältern (*Biogas), in Sümpfen (Sumpfgas), in den Darmgasen bes. von Wiederkäuern, aber auch des Menschen, in Reisfeldern u. marinen Sedimenten. Beträchtliche Mengen M. werden durch *Termiten erzeugt. Der M.-Gehalt der Atmosphäre beträgt ca. 1,72 ppm. M. gehört neben Kohlendioxid, *FCKW u. Lachgas zu den wichtigsten Treibhausgasen, s. Treibhauseffekt. M. ist der Hauptbestandteil in den Atmosphären der Planeten Jupiter, Saturn, Uranus u. Neptun u. ist auch außerhalb unseres Sonnensyst. anzutreffen; es war Bestandteil der Uratmosphäre der Erde u. wird im Erdinneren vermutet. Im Laboratorium erhält man M. durch starkes Erhitzen eines feinpulverigen, stöchiometr. Gemenges aus Ätznatron u. Natriumacetat

$$H_3C\text{–}COONa + NaOH \rightarrow Na_2CO_3 + CH_4$$

od. durch Zers. von Aluminiumcarbid mit Wasser

$$Al_4C_3 + 12\,H_2O \rightarrow 4\,Al(OH)_3 + 3\,CH_4.$$

Techn. gewinnt man M. als *Reichgas od. SNG [*E* substitute (synthetic) natural gas] durch *Kohlevergasung u. *Methanisierung. Verf. zur M.-Gewinnung aus Ind.-Abwässern, aus Algen, Kuhdung usw. erlangen zunehmende Bedeutung.

Verw.: M. dient als Ausgangsstoff bei einer Reihe wichtiger techn. Synth., z. B. von Methylchlorid u. Methylenchlorid, von Methanol u. Formaldehyd sowie von Acetylen, Blausäure u. Schwefelkohlenstoff, ebenso zur Herst. von Ruß; zur Bedeutung von M. als Kohlenstoff-Quelle für methanotrophe Organismen s. *Lit.*[1]. Es wird jedoch nur eine kleine Menge des gewonnenen M. in der chem. Ind. eingesetzt, der größte Teil findet als Brennstoff (*Heizgas, *Stadtgas) od. Treibstoff Anwendung. Für letzteren Zweck kommt es u. a. in Metallflaschen unter ca. 150 bar Druck in den Handel. Als Flüssiggas wird M. in Tankschiffen bei Temp. unter –161 °C transportiert.

Geschichte: Brennbare Gase von Kohlenlagerstätten werden schon von Plinius beschrieben. Die Entdeckung des Sumpfgases erfolgte 1667 durch Shirley, u. Priestley beobachtete es 1772 bei Fäulnisvorgängen; Volta gab 1776 die erste eudiometr. Analyse des Methans. Name aus *Methyl... u. *...an (Endung der gesätt. Kohlenwasserstoffe) gebildet. – ***E*** methane – ***F*** méthane – ***I*** = ***S*** metano

Lit.: [1] Römpp Lexikon Biotechnologie, S. 497.

allg.: Beilstein E IV **1**, 3–17 ▪ Emissionen der Treibhausgase Distickstoffoxid u. Methan in Deutschland, Forschungsbericht 10402682: Umweltbundesamt 1993 ▪ Hommel, Nr. 399 ▪ McGeer u. Durbin, Methane, Fuel for the Future, New York: Plenum 1982 ▪ Merck-Index (12.), Nr. 6019 ▪ Römpp Lexikon Umwelt, S. 462 ▪ Russ. Chem. Rev. **65**, 197–224 (1996) ▪ Ullmann (4.) **16**, 615–620; (5.) **A 16**, 452 ff. ▪ Weissermel-Arpe (4.), S. 16 ff. – *[HS 2711 11, 2711 21, 2711 29; CAS 74-82-8; G 2]*

Methanal. Systemat. Name für *Formaldehyd.

Methandiyl... s. Methylen...

Methandriol (Rp).

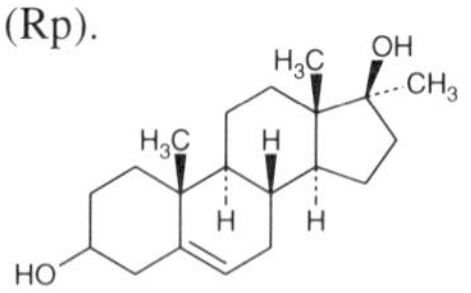

Internat. Freiname für das anabole *Androgen 17α-Methyl-5-androsten-3β,17β-diol, $C_{20}H_{32}O_2$, M_R 304,47; Schmp. 205,5–206,5 °C, $[\alpha]_D^{20}$ –73° (C_2H_5OH). – ***E*** methandriol – ***F*** méthandriol – ***I*** metandriolo – ***S*** metandriol

Lit.: Beilstein E IV **6**, 6414 ▪ Hager (5.) **8**, 913 f. ▪ Martindale (29.), S. 1404. – *[HS 2937 99; CAS 521-10-8]*

Methandrostenolon s. Metandienon.

Methanisierung. Bez. für die Herst. von *Methan durch die heterogen katalysierte Umsetzung von Kohlenmonoxid u. Wasserstoff nach der Umsatzgleichung:

$$CO + 3\,H_2 \rightleftharpoons CH_4 + H_2O, \; \Delta_R h^o_{400} = -210{,}8\ kJ/mol.$$

Als Katalysatoren werden meist Katalysatoren auf Nickel-Basis verwendet. Die M. findet Anw. bei der Herst. von Wasserstoff (zur Beseitigung von Spuren von Kohlenmonoxid, z. B. bei der Herst. von Synthesegas für die Ammoniak-Synth. nach dem *Haber-Bosch-Verfahren), bei der Herst. von synthet. Erdgas (SNG) aus Gasen mit hohem Kohlenmonoxid-Gehalt. Das Reaktionssyst. läßt sich auch zum Energie-Transport nutzen. In einem Hochtemperatur-Rohrreaktor wird Methan mit Wasserdampf gespalten. Dieses Gasgemisch aus CO u. H_2 kann dann wieder bei dezentralen Verbrauchern in Methan u. Wasser unter Energie-Freisetzung umgesetzt werden, wobei das gebildete Methan zum Hochtemperatur-Reaktor zurückgeführt wird. Kohlendioxid kann ebenfalls entsprechend der Umsatzgleichung:

$$CO_2 + 4\,H_2 \rightleftharpoons CH_4 + 2\,H_2O,\ \Delta_R h^o_{400} = -170{,}1\ kJ/mol$$

in Methan umgewandelt werden, so daß die M. bei vielen Prozessen, bei denen CO u./od. CO_2 aus Synthesegasen entfernt werden muß, angewendet wird. – ***E*** methanation – ***F*** méthanisation – ***I*** metanizzazione – ***S*** metanización

Lit.: Ullmann (5.) **A 12**, 243 ▪ Weissermel-Arpe (3.) (engl.), S. 14 ▪ Winnacker-Küchler (4.) **5**, 559–568.

Methanium s. Carbonium-Ionen.

Methankohlenwasserstoffe s. Kohlenwasserstoffe.

Methano... Präfix für die als *Brücke über ein *kondensiertes Ringsystem gespannte *Methylen-Gruppe $-CH_2-$ (IUPAC-Regel A-34.1 u. R-9.2.1.1); *Beisp.:* s. Aldrin, Dicyclopentadien. – ***E*** methano... – ***F*** méthano... – ***I*** = ***S*** metano...

Methanofuran {N^5-[4-(5-Aminomethyl-3-furylmethoxy)phenethyl]-N^2-[N^2-(4,5,7-tricarboxyheptanoyl)-γ-L-glutamyl]-L-glutamin, Abk.: MFR}.

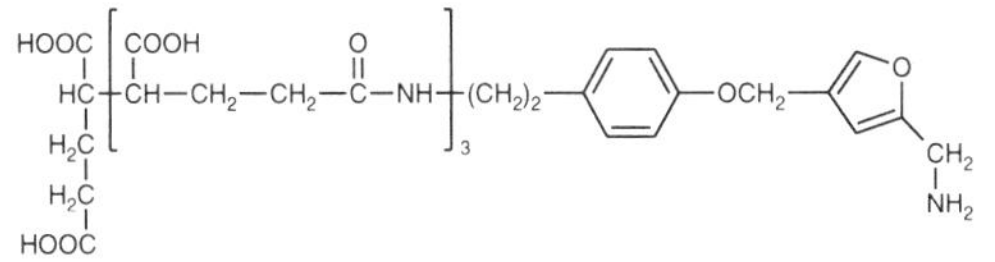

$C_{34}H_{44}N_4O_{15}$, M_R 748,74. Aus *Methanobacterium thermoautotrophicum* isoliertes *Coenzym der *Methanogenese (Red. von Kohlendioxid zu Methan). Dabei wird Kohlendioxid unter Red. als Formyl-Gruppe an der endständigen Amino-Gruppe des Coenzyms MFR fixiert u. anschließend durch eine Transferase (EC 2.3.1.101) auf die 5-Position von 5,6,7,8-*Tetrahydromethanopterin übertragen. – ***E*** methanofuran – ***F*** méthanofurane – ***I*** = ***S*** metanofurano

Lit.: J. Biol. Chem. **267**, 17574–17580 (1992). – *[CAS 89873-36-9]*

Methanogen. Bez. für Methan-bildende, *obligat anaerobe Bakterien, die zur Energiegewinnung als Wasserstoff-Donator H_2 (in einigen Fällen aber auch Acetat, Methanol, Formiat od. Methylamine) verwerten u. keine Katalase u. Superoxid-Dismutase enthalten (s. a. Methanogenese). Sie sind Sauerstoff-empfindlich, deshalb müssen für die Kultivierung im Labor spezielle Techniken angewendet werden. Methan-Bildung kommt in Sumpfgebieten (Sumpf-Gas), Tundren, Sedimenten von Gewässern (Hypolimnion), Pansen von Wiederkäuern (bis 900 L Gas mit 27% Methan pro Rind u. Tag) u. Faultürmen bei der anaeroben Abwasserreinigung vor. Methanbakterien spielen beim anaeroben Abbau von organ. Substanz eine große Rolle, 1,5% des durch die Mineralisierung wieder in die Atmosphäre übergehenden Kohlenstoffs wird als Methan freigesetzt u. durch Hydroxyl-Radikale über CO in CO_2 überführt. Dabei bilden Methanbakterien mit ihrem Stoffwechsel das letzte Glied des anaeroben Katabolismus, bei dem Proteine, Fette u. Polysaccharide zuerst durch Gärung zu Propionat, Succinat, Butyrat, Alkoholen, Wasserstoff, Kohlendioxid u. Acetat, u. die prim. Gärprodukte weiter durch acetogene Bakterien zu Wasserstoff, Kohlendioxid, Acetat u. Formiat vergoren werden. Diese Produkte sind die Substrate der Methanbakterien (*Methanobrevibacter, Methanococcus, Methanosarcina, Methanospirillum*), sie unterscheiden sich u. a. in der 16S-rRNA deutlich von den Eubakterien u. werden daher innerhalb der Prokaryoten zu den *Archaea gerechnet. – ***E*** methanogen(ic) – ***F*** méthanogène – ***I*** metanogeno – ***S*** metanógeno

Lit.: Adv. Biochem. Eng./Biotechnol. **29**, 83 (1984) ▪ Schlegel (7.), S. 341–347.

Methanogenese. Anaerobe Bildung von Methan durch bestimmte *Archaea (**methanogene Bakterien*) unter Energiegewinn. Die M. ist der letzte Schritt des anaeroben Abbaus von Biomasse u. damit Teil anaerober *Nahrungsketten. Die meisten anaeroben Bakterien können den durch gärende od. acetogene (Essigsäure-bildende) Bakterien gebildeten mol. Wasserstoff u. Ameisensäure, manche auch Essigsäure, Methanol, Methylamine od. Kohlenmonoxid umsetzen. Die M. aus Kohlendioxid u. Wasserstoff

$$CO_2 + 4\,H_2 \rightarrow CH_4 + 2\,H_2O$$

wird als *Carbonat-Atmung bezeichnet. Die M. aus Methanol läuft formal nach

$$4\,H_3C\text{–}OH \rightarrow 3\,CH_4 + CO_2 + 2\,H_2O,$$

aus Essigsäure nach

$$H_3C\text{–}COOH \rightarrow CH_4 + CO_2.$$

Die Bakterien benutzen bei der schrittweisen Umsetzung einige in anderen Bereichen unbekannte Coenzyme wie *Methanofuran, 5,6,7,8-*Tetrahydromethanopterin, *Coenzym M, *Coenzym F_{420}, *Coenzym F_{430} u. *N*-(7-Mercaptoheptanoyl)-*O*-phosphono-L-threonin.

Da methanogene Bakterien die organ. Zell-Substanz aus Kohlendioxid über Acetyl-CoA u. Pyruvat synthetisieren (Methyl-Gruppe aus der M.), sind sie mit mol. Wasserstoff od. Kohlenmonoxid als Elektronen-Donator u. Kohlendioxid als Elektronen-Akzeptor chemolithoautotroph (s. Chemolithotrophie).

Anw.: Zum anaeroben Abbau organ. Substanzen von Abwässern (*biologische Abwasserbehandlung, *Klärschlammaufbereitung) u. zur Gewinnung von *Biogas. Durch M. werden ca. 1% des photosynthet. fixierten Kohlenstoffs als Methan an die Atmosphäre abgegeben (ca. 10^{12} kg/a). Dadurch entsteht durch M. wahrscheinlich weit mehr als 80% des atmosphär. Methans, das seinerseits (bei einem Konz.-Anstieg von derzeit jährlich 1–2%) zum *Treibhauseffekt beiträgt. – ***E*** methanogenesis – ***F*** méthanogénèse – ***I*** metanogenesi – ***S*** metanogénesis

Lit.: Crit. Rev. Biochem. Mol. Biol. **27**, 473–503 (1992) ▪ Ferry, Methanogenesis: Ecology, Physiology, Biochemistry and Genetics, London: Chapman & Hall 1993 ▪ Schlegel (7.), S. 341–347 ▪ Science **278**, 1413 f. (1997) ▪ Sowers et al., Methanogens, Cold Spring Harbor: CSH Laboratory Press 1995.

Methanol (Methylalkohol). CH_3OH, CH_4O, F T M_R 32,04. Farblose, leichtbewegliche, brennfähige, brennend schmeckende Flüssigkeit, D. 0,7869 (25 °C), Schmp. –98 °C, Sdp. 64,5 °C, FP. 10 °C c.c., zündfähiges Gemisch 6,0–36,5 Vol.-%, Zündtemp. 455 °C, Dampfdruck 128 hPa bei 20 °C. M. ist mit Wasser, Ethanol u. Ether beliebig mischbar u. löst viele Mineralsalze (Silbernitrat etwa 4%, Calciumchlorid 22%, Kupfersulfat 13%, Ammoniumchlorid 3,2%, Ammoniumnitrat 14%, Kochsalz 1,4%, Natriumiodid 43%) u. Nitrocellulosen, weniger dagegen Fette u. Öle. M. verbrennt leicht mit bläulicher Flamme zu Kohlendioxid u. Wasserdampf, der Heizwert beträgt 19 MJ/kg. M. läßt sich bei tieferen Temp. katalyt. zu Formaldehyd, Ameisensäure, Kohlensäure u. Kohlendioxid oxidieren; zur Reinigung von M. als Lsm. s. *Lit.*[1].

Physiologie: Flüssigkeit u. Dämpfe verursachen Schädigung des Zentralnervensyst., insbes. der Sehnerven, nachfolgende Erblindung. Die Flüssigkeit kann auch über die Haut aufgenommen werden. Nieren, Leber, Herz u. andere Organe werden geschädigt, die Folgen treten mit Verzögerung auf. Die Gefährdung durch Einatmen der Dämpfe ist geringer als bei Aufnahme durch den Mund. Vergiftungssymptome: Rausch, Bauchkrämpfe, Schwindel, Kopfschmerzen, Übelkeit u. Erbrechen, Schwächeanfälle, nur leichte Narkose, später Sehstörungen, Bewußtlosigkeit, Atemstillstand; LD_{50} (Ratte oral) 5628 mg/kg, LD_{50} (Mensch oral) 428 mg/kg; MAK 200 ppm bzw. 260 mg/m^3 (MAK-Werte-Liste 1996); BAT-Wert 30 mg/L (Untersuchungsmaterial: Harn); WGK 1, Emissionsklasse III (TA Luft 3.1.7). Die hohe Toxizität ist durch Oxid. von M. zu Formaldehyd u. Ameisensäure im Organismus bedingt. Letztere führt wegen ihrer schlechten Ausscheidbarkeit zu einer schweren Azidose.

Vork.: In der Natur kommt freies M. in *Heracleum*-Früchten, Baumwollpflanzen u. verschiedenen Gräsern, ferner in einigen ether. Ölen spurenweise vor; häufiger findet man dort seine Ester (Methylester) u. Ether (Methylether in Alkaloiden, Farbstoffen). Bei der Zers. von Pektinen u. Lignin können kleine Mengen von M. entstehen, die sich gelegentlich in Fruchtsäften, Branntwein, Wein u. dgl. nachweisen lassen; zum M.-Gehalt von Obstbranntweinen s. *Lit.*[2]. In winzigen Mengen ist M., das aus enzymat. Prozessen stammt, auch in der Atemluft enthalten. Extraterrestr. Vork. sind ebenfalls bekannt.

Herst.: M. wurde zuerst durch trockene Dest. des Holzes gewonnen (das M. stammt aus den Methoxy-Gruppen der Hemicellulosen u. des Lignins). Heute wird M. großtechn. ausschließlich aus Rohstoffen wie CO_2/H_2 od. CO/H_2 hergestellt, die ihrerseits der Kohlevergasung entstammen od. aus Erdgas u. schweren Rückstandsölen gewonnen werden. Die zu M. führenden Reaktionen

$$CO + 2\,H_2 \rightleftharpoons CH_3OH; \quad CO_2 + 3\,H_2 \rightleftharpoons CH_3OH + H_2O$$

werden bei verschiedenen Temp., Drücken u. mit Katalysatoren durchgeführt, u. zwar als Hochdruckverf. (300–350 bar, 320–380 °C, ZnO/Cr_2O_3-Katalyse), Mitteldruckverf. (z. B. 100–150 bar, 230–260 °C, $CuO–ZnO–Cr_2O_3$-Katalyse) u. Niederdruckverf. (50–100 bar, 240–260 °C, $CuO-ZnO-Al_2O_3$-Katalyse); Näheres zur Technik s. Kirk-Othmer, Ullmann u. Weissermel-Arpe (*Lit.*). In der BRD lag die Produktion 1992 bei 1,29 Mio. t.

Verw.: M. ist einer der größten u. wirtschaftlichsten Syntheserohstoffe, von dem weltweit etwa 90% in der Chem. Industrie u. die übrigen 10% als Energierohstoff genutzt werden. Nach Einsatzgebieten schlüsselt sich der M.-Verbrauch wie in der Tab. dargestellt auf.

M. ist in kosmet. Mitteln mit Einschränkungen zugelassen (Kosmetik-VO vom 19. 06. 1985, zuletzt geändert 23. 12. 1996, Anlage 2, Nr. 52; zugelassen als Extraktionslösemittel). Mögliche zukünftige od. im Ausbau befindliche Einsatzgebiete für M. sind: 1. Kraftstoff od. Mischkomponente für Benzin, 2. Energieträger, 3. Synth.-Rohstoff, 4. Kohlenstoff-Quelle für Petroprotein; eine ausführliche Darst. über heutige u. künftige Nutzung von M. gibt Weissermel-Arpe (*Lit.*).

Geschichte: M. wurde von Boyle bei der Holzdest. 1661 erstmals beobachtet, aber erst von Liebig, Dumas u. Pictet aufgeklärt. Der Alkohol wurde früher Holzgeist, Holzalkohol, Holzin, später bevorzugt Carbinol genannt; der heutige Name leitet sich von *Methyl... ab. – ***E*** methanol – ***F*** méthanol – ***I*** metanolo – ***S*** metanol

Tab.: Methanol-Verwendung [%]; nach *Lit.*[3].

Produkt	Welt		USA			Westeuropa			Japan		
	1988	1991	1982	1988	1990	1982	1988	1990	1982	1988	1992
Formaldehyd	39	37	30	27	26	50	44	45	47	43	40
Essigsäure	6	8	12	14	12	5	7	7	10	8	8
Methylhalogenide	7	7	9	6	6	6	7	6	3	5	7
tert-Butylmethylether	12	15	8	24	27	5	10	15	–	5	5
Dimethylterephthalat	3	3	4	4	3	4	3	3	1	1	1
Methylamine	4	4	4	3	3	4	5	4	2	4	4
Methylmethacrylat	3	3	4	4	4	3	4	4	6	8	8
Lösemittel	9	7	10	7	7	6	1	1	6	4	3
Sonstiges	17	16	19	11	12	17	19	15	25	22	24
Gesamtverbrauch [10^6 t]	17,3	19,5	3,2	5,0	5,2	3,3	4,5	5,0	1,1	1,6	1,7

Lit.: [1] Pure Appl. Chem. **57**, 855–864 (1985). [2] Römpp Lexikon Lebensmittelchemie, S. 536. [3] Weissermel-Arpe (4.), S. 34.
allg.: Asinger, Methanol – Chemie u. Energierohstoff. Die Mobilisation der Kohle. Berlin: Springer 1986 ▪ Beilstein E IV **1**, 1227–1245 ▪ Hager (5.) **3**, 787; **8**, 914 ▪ Hommel, Nr. 123 ▪ Kirk-Othmer (4.) **16**, 537 ▪ Merck-Index (12.), Nr. 6024 ▪ Rippen ▪ Ullmann (4.) **16**, 621–634; (5.) **A 7**, 216 f.; **A 16**, 465 ▪ Weissermel-Arpe (4.), S. 31–39. – *[HS 2905 11; CAS 67-56-1; G 3]*

Methanolate s. Methoxide.

Methanolyse. Bez. für eine *Solvolyse mit *Methanol als Solvens, vgl. Alkoholyse.

Methanotrophe Organismen. Bez. für Methan-verwertende *Mikroorganismen, die streng auf die Oxid. von C_1-Verb. spezialisiert sind, z. B. *Methylococcus capsulatus*. Sie werden mit solchen *Bakterien (u. *Hefen), die Methanol, methylierte Amine, Dimethylether, Formaldehyd u. Formiat verwerten, zur Gruppe der methylotrophen Organismen zusammengefaßt. Die Gram-neg. Methan-verwertenden Bakterien leben obligat aerob, sind jedoch sensitiv gegenüber dem normalen Sauerstoff-Partialdruck der Luft. Das Zellinnere weist komplexe, oberflächenreiche Anordnungen gepaarter Membranen auf, die ihnen trotz der geringen Wasserlöslichkeit von Methan einen hohen Substratumsatz erlauben. Der Energiegewinn erfolgt durch Oxid. von Methan über Methanol, Formaldehyd u. Formiat zu Kohlendioxid. Ein Teil des Formaldehyds wird zur Zellsubstanz-Biosynth. genutzt.
Vork.: Im Boden u. Wasser, bevorzugt an Oberflächen z. B. von Sedimenten, wo starke *Methanogenese stattfindet. – ***E*** methanotrophic organisms – ***F*** organismes méthanotrophes – ***I*** organismi metanotrofi – ***S*** organismos metanotróficos
Lit.: Präve et al. (4.), S. 124 f. ▪ Schlegel (7.), S. 459 ff.

Methanotrophie s. Methylotrophie.

Methanperoxosäure s. Peroxyameisensäure.

Methansulfinyl... Bez. für die Atomgruppierung $-SO-CH_3$ in *radikofunktionellen Namen (IUPAC-Regel C-641.7); in *Substitutionsnamen wurde Methylsulfinyl... bevorzugt (Regel 631.1), s. aber neue IUPAC-Regeln R-5.7.7 + 8. – ***E*** methanesulfinyl... – ***F*** méthanesulfinyl... – ***I*** metanosolfinil... – ***S*** metanosulfinil...

Methansulfonate s. Methansulfonsäure.

Methansulfonsäure.

C 

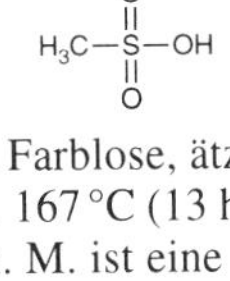

CH_4O_3S, M_R 96,10. Farblose, ätzende Masse, D. 1,48, Schmp. 20 °C, Sdp. 167 °C (13 hPa), in Wasser, Alkohol u. Ether löslich. M. ist eine starke Säure, die korrodierend, aber nicht oxidierend wirkt u. durch siedendes Wasser u. heiße wäss. Alkalien nicht hydrolysiert wird; LD_{50} (Ratte oral) 200 mg/kg; WGK 1 (Selbsteinst.).
Herst.: U. a. durch Oxid. von *Methanthiol mit Salpetersäure od. aus Schwefeltrioxid u. Methan.
Verw.: Lsm., Katalysator bei Alkylierungen, Veresterungen, Polymerisationen u. dgl. M. eignet sich auch zur Abtrennung von *Tryptophan aus Proteinen. Die Salze u. Ester der M. (Methansulfonate od. Mesylate, INN: Mesilate) u. die funktionellen Derivate haben teilweise pharmazeut. Bedeutung. Der *M.-allylester* ($C_4H_8O_3S$, M_R 136,17), der *M.-ethylester* [$C_3H_8O_3S$, M_R 124,15, Sdp. 85–86 °C (13 hPa)] sowie der *M.-methylester* ($C_2H_6O_3S$, M_R 110,13, Sdp. 203 °C) gelten als krebsverdächtig (Roth, *Lit.*). Die Mesyl-Gruppe (*Methansulfonyl..) läßt sich ggf. leicht abspalten. – ***E*** methanesulfonic acid – ***F*** acide méthanesulfonique – ***I*** acido metansolfonico – ***S*** ácido metanosulfónico
Lit.: Beilstein E IV **4**, 10 f. ▪ IARC Monogr. **7**, 245–260 (1974) ▪ Merck-Index (12.), Nr. 6021 ▪ Paquette **5**, 3302 ▪ Roth, Krebserzeugende Stoffe, S. 56, Stuttgart: Wissenschaftl. Verlagsges. 1988 ▪ Synthesis **1976**, 126 f.; **1983**, 451 ▪ Ullmann (4.) **7**, 199 f.; **A 25**, 503. – *[HS 2904 10; CAS 75-75-2; G 8]*

Methansulfonyl... Bez. für die Atomgruppierung $-SO_2-CH_3$ in *radikofunktionellen Namen (IUPAC-Regel C-641.7); in *Substitutionsnamen wurde Methylsulfonyl... bevorzugt (Regel 631.1), s. aber neue IUPAC-Regeln R-5.7.7 + 8. Die Kurzbez. *Mesyl... ist nur für den unsubstituierten Rest empfohlen. – ***E*** methanesulfonyl... – ***F*** méthansulfonyl... – ***I*** metanosolfonil... – ***S*** metanosulfonil...

Methansulfonylchlorid (Mesylchlorid). H_3C-SO_2-Cl, CH_3ClO_2S, M_R 114,55. Hellgelbe, ätzende Flüssigkeit, D. 1,480, Sdp. 161 °C, in Wasser unlösl. (langsame Hydrolyse), lösl. in Alkohol u. Ether; WGK 1 (Selbsteinst.). M. wird aus Methansulfonsäure u. Thionylchlorid hergestellt.
Verw.: Reagenz zur Herst. von Mesylaten, Allylchloriden u. Säureanhydriden; Einsatz in der Pheromon-Synthese. – ***E*** methanesulfonyl chloride – ***F*** chlorure de méthanesulfonyle – ***I*** cloruro di metansolfonile – ***S*** cloruro de metanosulfonilo
Lit.: Beilstein E IV **4**, 27 f. ▪ J. Org. Chem. **48**, 657 (1983) ▪ Merck-Index (12.), Nr. 6022 ▪ Paquette **5**, 3307. – *[HS 2904 90; CAS 124-63-0; G 8]*

Methantheliniumbromid (Rp).

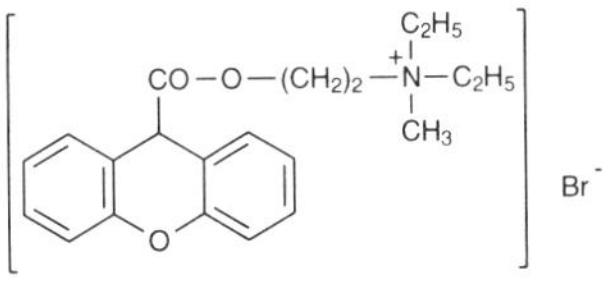

Von der WHO vorgeschlagener Freiname für das *Parasympath(ik)omimetikum 9*H*-Xanthen-9-carbonsäure-2-(diethylamino)ethylester-methobromid, $C_{21}H_{26}BrNO_3$, M_R 420,34, Schmp. 171–177 °C; λ_{max} (C_2H_5OH) 246, 282 nm ($A^{1\%}_{1cm}$ 135,69); LD_{50} (Maus i.p.) 76 mg/kg. M. wurde 1952 von Searle patentiert u. ist von Palmitol (Vagantin®) im Handel. – ***E*** methantheliniumbromide – ***F*** bromure de méthanthélinium – ***I*** metantelinio bromuro – ***S*** bromuro de metantelinio
Lit.: ASP ▪ Beilstein E V **18/6**, 590 ▪ Martindale (31.), S. 502. – *[HS 2932 99; CAS 53-46-3]*

Methanthiol (veraltet: Methylmercaptan). CH_3SH, CH_4S, M_R 48,10. Übelriechendes, giftiges, brennfähiges Gas, 0,896-fache Luftdichte (bei 0 °C), Schmp. –121 °C, Sdp. 6 °C, FP. –17,8 °C, unlösl. in Wasser, lösl. in Alkohol

F+ 
Xn 

u. Ether. M. reizt die Augen u. die Atemwege. Es bewirkt in hohen Konz. eine vorübergehende Erregung des Zentralnervensyst., die in Lähmung übergehen kann. Da die gefährlichen Konz. jedoch um ein Vielfaches höher liegen als der Beginn der Wahrnehmbarkeit durch Geruch (Geruchsschwelle ca. 0,002 ppm) u. das Gas einen sehr unangenehmen fauligen u. stechenden Geruch verbreitet, ist die Vergiftungsgefahr in der Praxis gering, MAK-Wert 0,5 ppm bzw. 1 mg/m^3 (MAK-Werte-Liste 1996), WGK 3; Emissionsklasse I (TA Luft 3.1.7). M. entsteht bei der bakteriellen Zers. von Eiweiß, verursacht z.T. den Geruch von gekochtem Kohl, wurde in der Kruste von Backwaren, in Käse, Milch, Kaffee, Austern u. selbst in der Atemluft nachgewiesen u. ist im flüchtigen Öl des Rettichs sowie in der Zwiebel nachweisbar [1].

Herst.: Techn. wird M. aus Methanol u. Schwefelwasserstoff bei etwa 400 °C am Wolfram-aktivierten Al_2O_3-Kontakt hergestellt.

Verw.: Nützliches Reagenz in der organ. Chemie, dient als Ausgangsstoff zur Herst. der Aminosäure *Methionin, von Pflanzenschutzmitteln, Kunststoffen usw.; es kommt als Flüssiggas in den Handel. – ***E*** methanethiol – ***F*** méthanethiol – ***I*** metantiolo – ***S*** metanotiol

Lit.: [1] J. Agric. Food Chem. **19**, 984–991 (1971).
allg.: Beilstein E IV **1**, 1273 ff. ▪ Hager (5.) **3**, 789 ▪ Hommel, Nr. 394 ▪ Merck-Index (12.), Nr. 6023 ▪ Paquette **5**, 3312 ▪ Ullmann (4.) **23**, 180 f., 205 f.; (5.) **A 13**, 479 ▪ s.a. Thiole. – *[HS 2930 90; CAS 74-93-1; G 2]*

Methantriyl... s. Methin.

Methanylyliden... s. Methin.

Methaqualon (BtMVV, Anlage III A).

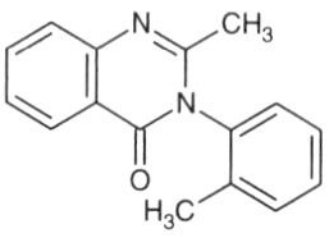

Internat. Freiname für das Hypnotikum 2-Methyl-3-*o*-tolyl-4(3*H*)-chinazolinon, $C_{16}H_{14}N_2O$, M_R 250,29, Schmp. 120 °C, auch 114–116 °C angegeben; λ_{max} (C_2H_5OH) 225, 263, 304, 316 nm; LD_{50} (Maus oral) 255 mg/kg. Weißliches, geruchloses, krist. Pulver, in Wasser kaum, in Chloroform (1:1) u. Alkohol (1:12) löslich. Lagerung vor Licht u. Luft geschützt. Verwendet wird meist das Hydrochlorid, Schmp. 255–256 °C. M. wurde 1960 von Lab. Toraude patentiert. – ***E*** = ***I*** metaqualone – ***F*** méthaqualone – ***S*** metacualona

Lit.: ASP ▪ Beilstein E V **24/3**, 132 ▪ Eur. J. Med. Chem. **19**, 381–383 (1984) (Racemattrennung) ▪ Florey **4**, 245–267, 520 ▪ Martindale (31.), S. 720 ▪ Ph. Eur. **1997** u. Komm. – *[HS 2933 59; CAS 72-44-6 (M.); 340-56-7 (Hydrochlorid)]*

Methazol.

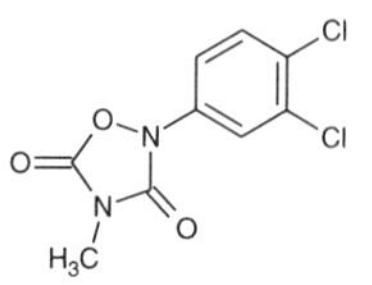

Common name für 2-(3,4-Dichlorphenyl)-4-methyl-1,2,4-oxadiazolidin-3,5-dion, $C_9H_6Cl_2N_2O_3$, M_R 261,06, Schmp. 123–124°C, LD_{50} (Ratte oral) 1350 mg/kg (WHO), von Velsicol Chemical Corporation 1968 eingeführtes selektives *Herbizid gegen Unkräuter im Baumwoll-, Citrus-, Tee-, Kartoffel-, Obst- u. Weinanbau. – ***E*** methazole – ***F*** méthazole – ***I*** metazolo – ***S*** metazol

Lit.: Farm. ▪ Perkow ▪ Pesticide Manual. – *[HS 2934 90; CAS 20354-26-1]*

MetHb. Abk. für *Methämoglobin.

Methenamin. Internat. Freiname für *Hexamethylentetramin.

Lit.: DAB **1997** u. Komm. ▪ Martindale (31.), S. 238 f.

Metheno... s. Methin.

Methergin® (Rp). Tropflsg., Ampullen u. Dragées mit *Methylergometrin-hydrogenmaleat gegen gynäkolog. Blutungen. ***B.:*** Novartis.

Methfuroxam.

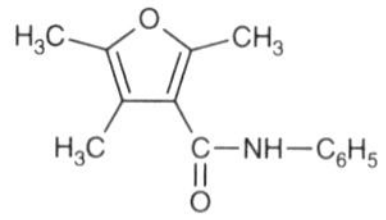

Common name für 2,4,5-Trimethyl-*N*-phenyl-3-furancarboxamid, $C_{14}H_{15}NO_2$, M_R 229,27; LD_{50} (Ratte oral weiblich) 1470 mg/kg, (männlich) 4300 mg/kg, von Uniroyal eingeführtes system. *Fungizid zur Anw. als Getreidebeize zusammen mit anderen Wirkstoffen gegen Stein-, Hart- u. Flugbrände, Roggenstengelbrand u. Schneeschimmel. – ***E*** = ***I*** methfuroxam – ***F*** methfuroxan – ***S*** metfuroxán

Lit.: Beilstein E V **18/6**, 246 ▪ Perkow. – *[CAS 28730-17-8]*

Methidathion. T 

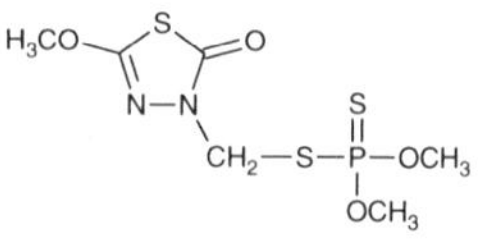

Common name für *S*-(5-Methoxy-2-oxo-1,3,4-thiadiazol-3(2*H*)-ylmethyl)-*O*,*O*-dimethyl-dithiophosphat, $C_6H_{11}N_2O_4PS_3$, M_R 302,31, Schmp. 39–40 °C, LD_{50} (Ratte oral) 25–54 mg/kg, von Geigy 1966 eingeführtes nicht-system. *Insektizid u. *Akarizid mit Kontaktgift- u. Fraßgiftwirkung gegen saugende u. beißende Insekten in zahlreichen Kulturen. – ***E*** methidathion – ***F*** méthidathion – ***I*** metidatione – ***S*** metidatión

Lit.: Beilstein E V **27/32**, 14 ▪ Farm. ▪ Perkow ▪ Pesticide Manual. – *[HS 2934 90; CAS 950-37-8]*

Methimazol. In manchen nationalen Pharmakopöen verwendete Kurzbez. für das Thyreostatikum *Thiamazol.

Methin. Die Atomgruppierung –CH= (*Methanylyliden*) od. >CH– (*Methantriyl*) wird in allg. Bez. *Methin-Gruppe* genannt, (IUPAC-Regel A-4.1); *Beisp.:* In *Porphin u. *Biliverdin sind Pyrrol-Ringe über M.-Brücken verknüpft; *Polymethin-Farbstoffe enthalten Poly-M.-Ketten. M.-Brücken über *kondensierten Ringsystemen heißen *Metheno...* (IUPAC-Regel R-9.2.2), die Gruppe ≡CH *Methylidin* (Regel A-4.1), das freie Radikal CH aber bevorzugt *Carbin (Regel RC-

81.1.3.1)[1]. Alkylidin-Metallkomplexe ($L_nM\equiv CR$) nennt man oft allg. *Carbin-Komplexe. – *E* methine – *F* méthine – *I* = *S* metino

Lit.: [1] Pure Appl. Chem. **65**, 1357–1455 (1993).

Methin-Farbstoffe s. Polymethin-Farbstoffe.

Methiocarb (Mercaptodimethur). T ☠

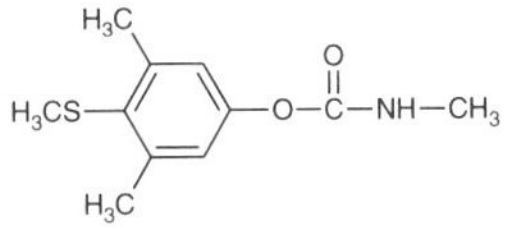

Common name für [3,5-Dimethyl-4-(methylthio)-phenyl]-methylcarbamat, $C_{11}H_{15}NO_2S$, M_R 225,30, Schmp. 119 °C, LD_{50} (Ratte oral) ca. 20 mg/kg, von Bayer 1962 eingeführtes nicht-system. *Insektizid u. *Akarizid mit breitem Wirkungsspektrum in zahlreichen Kulturen, Molluskizid u. Saatgutbehandlungsmittel gegen Vogelfraß. – *E* methiocarb – *I* = *S* metiocarb

Lit.: Farm. ▪ Perkow ▪ Pesticide Manual. – *[HS 2930 90; CAS 2032-65-7]*

Methional (3-Methylthiopropanal).
$H_3C-S-CH_2-CH_2-CHO$, C_4H_8OS, M_R 104,17. M. ist ein aromaaktiver *Strecker-Aldehyd, der für den lichtinduzierten Aromafehler (off-flavour) der Milch („Sonnenlichtgeschmack") verantwortlich ist. Er kann über einen lichtinduzierten Strecker-Abbau von *Methionin durch reduzierende Zucker gebildet werden, wobei *Riboflavin als Sensibilisator wirkt. Auch Kupfer wirkt katalytisch. M. wurde in Kartoffelchips als Aromastoff mit dem höchsten Aromawert identifiziert[1]. Des weiteren kommt M. in Rindfleischbrühe sowie gebratenem Rindfleisch, Weißbrotkruste u. -krume[2,3,4] sowie in Honig vor. Der Geruchsschwellenwert von M. in Wasser ist mit 0,2 µg/L angegeben (in Luft: 0,1–0,2 ng/L)[5]. – *E* methional – *F* méthional – *I* metionale – *S* metional

Lit.: [1] Chem. Unserer Zeit **24**, 82–89 (1990). [2] Z. Lebensm. Unters. Forsch. **192**, 130–135 (1991). [3] Lebensmittelchem. **44**, 57 (1990). [4] Lebensmittelchem. **44**, 58 (1990). [5] Z. Lebensm. Unters. Forsch. **196**, 417–422 (1993).
allg.: Baltes, Lebensmittelchemie (4.), Berlin: Springer 1995 ▪ Beilstein E IV **1**, 3974 ▪ Belitz-Grosch (4.), S. 321, 344. – *[HS 2930 90; CAS 3268-49-3]*

Methionin [2-Amino-4-(methylthio)-buttersäure, Kurzz. der L-Form ist Met od. M].

$H_3CS-CH_2-CH_2-CH(NH_2)-COOH$

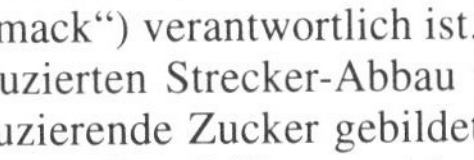

$C_5H_{11}NO_2S$, M_R 149,20. Opt. aktive, natürlicherweise in der L-Form vorkommende *essentielle *Aminosäure. Farblose Krist., D. 1,34, Schmp. 280–281 °C (Zers., geschlossene Kapillare), lösl. in Wasser u. verd. Alkohol, unlösl. in Aceton, Benzol u. Ether. Die Bestimmung kann iodometr. in KH_2PO_4/K_2HPO_4-Lsg. erfolgen. Bei der *Sequenzanalyse von Proteinen kann mit Hilfe von Bromcyan spezif. eine Spaltung der Polypeptid-Kette an der Carboxy-Seite von Met durchgeführt werden.
Physiologie: Neben L-*Cystein ist Met die Hauptquelle des Schwefel-Gehalts von Eiweißkörpern. Met-Mangel führt bei Jungtieren zu Stoffwechselstörungen, die sich u. a. in vermindertem Wachstum, Leberverfettung, Nieren- u. Hodendegeneration, Anämie, Blutungen, Haut- u. Haarwuchsschäden usw. äußern. Der tägliche Met-Bedarf des Menschen (2,4–3,0 g/d) wird durch die Nahrung gedeckt. Bei jüngeren Menschen kann diese Mindestmenge zu 80–90% durch L-*Cystin ersetzt werden. In pflanzlichen Proteinen ist Met im allg. nur zu 1–2% enthalten, in Sesamöl allerdings wesentlich mehr. Zur Produktion von Met durch Mikroorganismen s. *Lit.*[1]. Met ist eine Initiator-Aminosäure der Protein-Biosynth., nimmt als Protein-Baustein eine Schlüsselstellung im Stoffwechsel ein u. übt als *S-Adenosylmethionin die Funktion eines Methylgruppen-Überträgers aus, wobei es durch *Transmethylierung* über S-Adenosyl-L-homocystein in L-*Homocystein übergeht. Auf letzteres kann in einer *Methylcobalamin-abhängigen Enzymreaktion unter Einwirkung von *Methionin-Synthase* (EC 2.1.1.13)[2] eine Methyl-Gruppe von (6S)-5-Methyl-5,6,7,8-*Tetrahydrofolsäure übertragen u. Met regeneriert werden. Außerdem kann aus L-Homocystein u. L-Serin durch *Transsulfurierung* über L-Cystathionin L-Cystein gebildet werden (dies zugleich Abbauweg für Met). Daneben gibt es einen Met-Abbau durch *Transaminierung* (ohne vorausgehende Transmethylierung). Darmbakterien können aus Met übelriechende Zers.-Produkte bilden, die in die Atemluft übergehen können. In Äpfeln ist Met Ausgangssubstanz für das Reifungshormon *Ethylen. Das in *Escherichia coli* gebildete L-*Ethionin* {[(*S*)-2-Amino-4-(ethylthio)-buttersäure], $C_6H_{13}NO_2S$, M_R 163,24, Schmp. (Racemat) 257–260 °C (Zers.)}, ist im Unterschied zu Met wahrscheinlich carcinogen. Das *Selen-Analogon des Met heißt *Seleno-L-methionin* ($C_5H_{11}NO_2Se$, M_R 196,11) u. wird derzeit in der Krebsprävention erprobt[3].

Herst.: Met wird synthet. aus Acrolein u. Methanthiol über 3-(Methylthio)-propionaldehyd erhalten, der mit Blausäure, Ammoniak u. Kohlendioxid über ein Hydantoin in D,L-Met übergeführt wird. Die *Racemattrennung kann enzymat. erfolgen. Bei Einwirkung von elektr. Entladungen auf ein Gemisch von Methan, Stickstoff, Schwefelwasserstoff, Wasser u. Ammoniak bildet sich etwas Met, was die Entstehung in der Uratmosphäre erklären könnte.

Verw.: Met ist auch für Haustiere eine essentielle Aminosäure. Da viele *Futtermittel, z. B. *Hefen u. Sojaprotein, ein Met-Defizit aufweisen, wird D,L-Met – als Racemat, da D-Met im Organismus durch Transaminierung in die L-Form umgewandelt wird – als *Futtermittelzusatzstoff bei Küken, Schweinen, Schafen etc. empfohlen. *N-Hydroxymethyl-Met* ist eine für Wiederkäuer bes. geeignete Applikationsform, da Met erst im Labmagen freigesetzt wird (Mepron® der Degussa). Pharmazeut. Verw. findet Met v. a. als Leberschutzpräparat. Zur diätet. Supplementierung dienen sowohl Met als auch dessen Acetylierungsprodukt *N-Acetylmethionin* ($C_7H_{13}NO_3S$, M_R 191,25). Met wird auch als Antidot bei *Paracetamol-Überdosierung eingesetzt.

Geschichte: Met wurde 1923 von J. H. Müller bei der Hydrolyse von Casein entdeckt u. 1929 von *Barger

u. Coyne erstmals synthetisiert. – *E* methionine – *F* méthionine – *I* = *S* metionina

Lit.: [1] Folia Microbiol. **41**, 465–472 (1996). [2] Methods Enzymol. **281**, 189–213 (1997). [3] Carcinogenesis **18**, 1195–1202 (1997).
allg.: Beilstein, EIV **4**, 3189 ▪ Stryer 1996, S. 59, 114, 672, 674, 677, 755–760, 940. – *[HS 293040; CAS 63-68-3]*

Methionin-Synthase s. Homocystein, Methionin.

Methocarbamol (Rp).

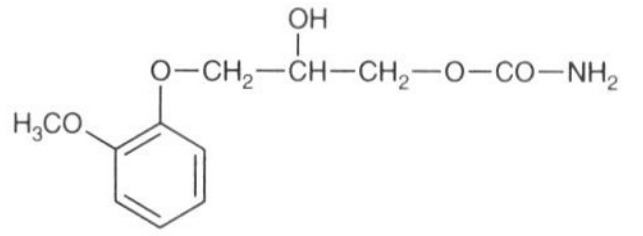

Internat. Freiname für das *Muskelrelaxans u. *Spasmolytikum (±)-3-(2-Methoxyphenoxy)-1,2-propandiol-1-carbamat, $C_{11}H_{15}NO_5$, M_R 241,24. Weißes Pulver, Schmp. 92–94 °C; λ_{max} (CH_3OH) 275 nm ($A^{1\%}_{1cm}$ 101); lösl. in Wasser (1:40). M. wurde 1956 von A. H. Robins patentiert u. ist von Bastian-Werk (Ortoton®) im Handel. – *E* methocarbamol – *F* méthocarbamol – *I* metocarbamolo – *S* metocarbamol

Lit.: Beilstein EIV **6**, 5577 ▪ Florey **23**, 371–398 ▪ Hager (5.) **8**, 924f. ▪ Martindale (31), S. 1522. – *[HS 292429; CAS 532-03-6]*

Methocel®. *Methylcellulose u. gemischte *Celluloseether (Hydroxypropyl-, Hydroxybutylmethylcellulose) zur Verw. als Emulgatoren, Filmbildner, Schutzkolloide, Stabilisatoren, Verdickungsmittel usw. in der Nahrungsmittel-, Kunststoff-, Tabak-, Papier-Ind. usw. *B.:* Dow.

Methocel® Dispersa. Augentropfen mit Methylhydroxypropylcellulose zum Hornhautschutz bei Kontaktglasuntersuchungen. *B.:* CIBA Vision.

Methoden nach § 35 LMBG. Nach § 35 *LMBG veröffentlicht das Bundesinst. für gesundheitlichen Verbraucherschutz u. Veterinärmedizin (BGVV) als Nachfolgeinst. des Bundesgesundheitsamtes (BGA) eine amtliche Sammlung von Verf. zur Probenahme u. Untersuchung von Lebensmitteln, Tabakerzeugnissen, kosmet. Mitteln u. Bedarfsgegenständen. Die Verf. werden unter Mitwirkung von Sachkennern aus den Bereichen Überwachung, Wissenschaft u. Wirtschaft festgelegt. Die Sammlung wird laufend auf dem neuesten Stand gehalten u. stellt eine gutachterliche Äußerung über den jeweiligen Stand der Lebensmittelanalytik dar. Ziel der Sammlung ist die Vereinheitlichung von Untersuchungsverf., von der u. a. die Effektivität der Lebensmittelüberwachung abhängt. Vor der Veröffentlichung einer M. n. § 35 LMBG werden zur statist. Absicherung Ringversuche durchgeführt. Die Sammlung ist in vier Teilbereiche für Lebensmittel, Tabakerzeugnisse, kosmet. Mittel u. Bedarfsgegenstände gegliedert. Jede Meth. enthält die Warencode-Nummer der betreffenden Erzeugnisgruppe. – *E* methods according to § 35 of LMBG – *F* méthodes selon § 35 de LMBG – *I* metodi secondo il § 35 LMBG – *S* métodos según § 35 de LMBG

Lit.: Bundesinst. für gesundheitlichen Verbraucherschutz u. Veterinärmedizin (BGVV) ehem. BGA (Hrsg.), Amtliche Sammlung von Untersuchungsverfahren nach § 35 LMBG, Berlin: Beuth (Loseblattsammlung seit 1980) ▪ Zipfel, C 100.

Methohexital-Natrium (Rp).

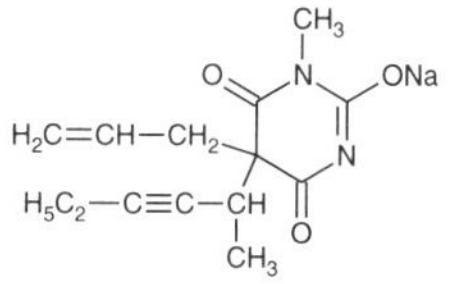

Internat. Freiname für das *Injektionsnarkotikum u. Hypnotikum (±)-5-Allyl-1-methyl-5-(1-methyl-2-pentinyl)-barbitursäure-Natriumsalz, $C_{14}H_{17}N_2NaO_3$, M_R 284,29, Schmp. 60–64 °C. Weißliches, geruchloses, hygroskop. Pulver, lösl. in Wasser. M.-N. wurde 1959 von Lilly (Brevimytal Natrium®) patentiert. – *E* methohexital sodium – *F* méthohexital sodium – *I* metoesitale di sodio – *S* metohexital de sodio

Lit.: ASP ▪ Beilstein EV **24/9**, 270 ▪ Hager (5.) **8**, 926ff. ▪ Martindale (31.), S. 1259f. – *[HS 293351; CAS 309-36-4 (M.-N.); 22151-68-4 ((±)-M.-N.); 151-83-7 (Methohexital)]*

Methomyl. T

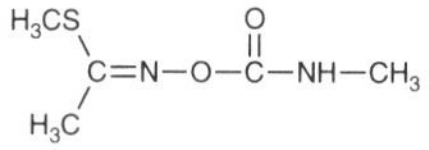

Common name für *S*-Methyl-*N*-(methylcarbamoyloxy)thioacetimidat, $C_5H_{10}N_2O_2S$, M_R 162,20, Schmp. 78–79 °C, LD_{50} (Ratte oral) 17–24 mg/kg, von Du-Pont 1966 eingeführtes system. u. Kontakt-*Insektizid mit akarizider Nebenwirkung mit breitem Wirkungsspektrum gegen beißende u. saugende Insekten in zahlreichen Kulturen. – *E* methomyl – *F* méthomyl – *I* metomile – *S* metomil

Lit.: Farm. ▪ Perkow ▪ Pesticide Manual. – *[HS 293090; CAS 16752-77-5]*

Methonium s. Carbonium-Ionen.

Methopren.

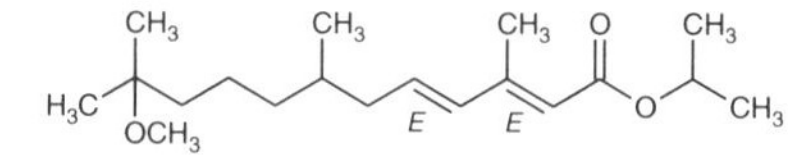

Common name für (±)-(*E,E*)-11-Methoxy-3,7,11-trimethyl-2,4-dodecadiensäure-isopropylester, $C_{19}H_{34}O_3$, M_R 310,47, Sdp. 100 °C (6,67 Pa), LD_{50} (Ratte oral) >34000 mg/kg (WHO), von Zoecon Corp. 1974 eingeführtes *Juvenilhormon mit breitem Wirkungsspektrum gegen Pflanzen-, Hygiene- u. Vorratsschädlinge. M. verhindert die *Metamorphose vom Larven- zum Erwachsenen-Stadium. – *E* methoprene – *F* méthoprène – *I* metoprene – *S* metopreno

Lit.: Farm. ▪ Perkow ▪ Pesticide Manual. – *[CAS 40596-69-8]*

Methotrexat (Rp).

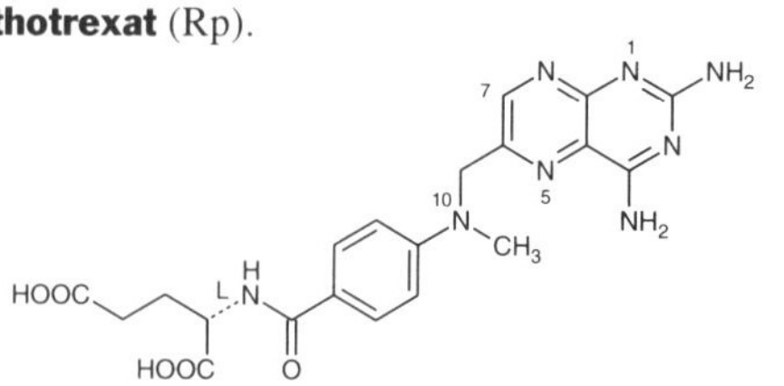

Internat. Freiname für das als *Folsäure-Antagonist gegen *Leukämie u. a. maligne Erkrankungen wirksame, gelegentlich auch bei rheumatoider Polyarthritis eingesetzte *Cytostatikum 4-Amino-4-desoxy-N^{10}-methyl-folsäure, $C_{20}H_{22}N_8O_5$, M_R 454,46. Gelbes bis

orange-braunes, krist. Pulver, Schmp. 182–189 °C; $[\alpha]_D^{21}$ +20,4° ±0,6°; λ_{max} (0,1 M NaOH) 258, 303 nm ($A^{1\%}_{1cm}$ 503, 498); LD_{50} (Ratte i.v.) 14 mg/kg; in Wasser prakt. unlösl., in anorgan. Säuren sowie in verd. Lsg. von Alkalihydroxiden u. -carbonaten löslich. Lagerung: Vor Licht u. Luft geschützt. M. wird in der *CMF-Therapie* des Mammacarcinoms zusammen mit *Cyclophosphamid u. *Fluorouracil eingesetzt. M. wurde 1950 von Am. Cyanamid patentiert u. ist als Generikum im Handel. – ***E*** methotrexate – ***F*** méthotrexate – ***I*** metotrexato, metotressato – ***S*** metotrexato

Lit.: ASP ▪ Beilstein E V **26/17**, 439 f. ▪ Florey **5**, 284–306 ▪ Hager (5.) **8**, 928–931 ▪ Jürgens, Hochdosierte Methotrexat-behandlung, München: Urban & Schwarzenberg 1983 ▪ Martindale (31.), S. 584–588 ▪ Ph. Eur. **1997** u. Komm. ▪ Wilke, Methotrexate-Therapy in Rheumatic Disease, New York: Dekker 1989. – *[HS 2933 59; CAS 59-05-2]*

Methoxatin s. Pyrrolochinolinchinon.

Methoxide. Nach IUPAC-Regel C-206 u. R-5.5.3 neben *Methanolate* zulässige Bez. für *Alkoholate, die sich von Methanol ableiten. Die Bez. *Methylate* ist veraltet. – ***E*** methoxides – ***F*** méthoxydes – ***I*** metossidi – ***S*** metóxidos

Methoxsalen. Kurzbez. für die unter *Xanthotoxin beschriebene Verbindung. M. ist als Photosensibilisator von Basotherm (Meladinine®) gegen Psoriasis im Handel; s.a. Furocumarine. – ***E*** methoxsalen – ***F*** methoxsalène – ***I*** metossalene – ***S*** metoxaleno

Lit.: Beilstein E V **19/6**, 15 f. ▪ Hager (5.) **8**, 933 ff. ▪ Martindale (31.), S. 1090 f. – *[HS 2933 90; CAS 298-81-7]*

Methoxy... Bez. für die Atomgruppierung $-O-CH_3$ in Namen für organ. Verb. (IUPAC-Regel C-205.1); als Bez. des Liganden CH_3O^- neben Methanolato... u. Methoxo... zulässig (Regel I-10.4.5.4). Naturstoffe enthalten oft Methoxy-Gruppen, z. B. als aliphat. od. aromat. *Methylether* (Nachw.: *Zeisel-Methode) od. *Methylester*. Herst.: O-*Methylierung mit *Diazomethan od. auch Reagenzien. – ***E*** methoxy... – ***F*** méthoxy... – ***I*** metossi... – ***S*** metoxi...

***p*-Methoxyacetophenon** [1-(4-Methoxyphenyl)-ethanon, 4-Acet(yl)anisol].

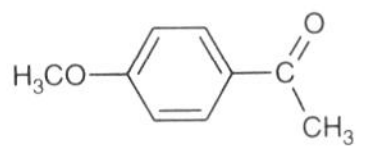

$C_9H_{10}O_2$, M_R 150,17. Farblose, angenehm riechende Tafeln, D. 1,082, Schmp. 38 °C, Sdp. 263 °C, lösl. im 50fachen Vol. 70%igen Alkohols, riecht Weißdorn- bzw. Anisaldehyd-ähnlich; LD_{50} (Ratte oral) 1720 mg/kg, WGK 2 (Selbsteinst.). M. kann durch Friedel-Crafts Acylierung von Anisol hergestellt werden u. findet als Duftstoff Verwendung. – ***E*** *p*-methoxyacetophenone – ***F*** *p*-méthoxyacétophénone – ***I*** *p*-metossiacetofenone – ***S*** *p*-metoxiacetofenona

Lit.: Beilstein E IV **8**, 340 f. ▪ Ullmann (5.) **A 11**, 201. – *[HS 2914 50; CAS 100-06-1]*

β-Methoxyacrylate. Häufig verwendeter Name für eine neue *Fungizid-Klasse, die sich von den *Strobilurinen (I) ableitet. β-M. wirken gegen eine Vielzahl von Pilzerkrankungen in den verschiedensten Kulturen. Die biolog. Wirkung ist mit der (*E*)-3-Methoxyacrylsäureester-Einheit verknüpft. Daher leitet sich der Name ab.

In den synthet. Analoga wurde die photolabile, zentrale Dien-Einheit durch Phenyl-, Naphthyl-Ringe od. Heterocyclen ersetzt. Diese Analoga sind deutlich photostabiler. Die hervorragende fungizide Wirkung konnte dadurch ebenfalls noch weiter gesteigert werden. Das von Zeneca entwickelte *Azoxystrobin (II) wird 1996/97 in den Markt eingeführt.

An dem Toxophor, der β-M.-Einheit, sind ebenfalls Variationen in gewissem Rahmen möglich. Das von der BASF 1996/97 in den Markt eingeführte *Kresoxim (III) enthält anstelle des Vinylethers einen Oximether. Daher ist der gebräuchliche Name β-M. im engeren Sinn nicht ganz korrekt. Gelegentlich spricht man auch von Strobilurin-Analogen.

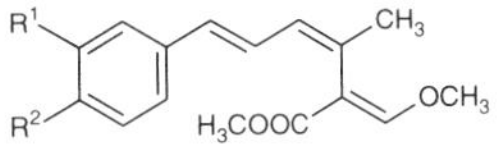

I

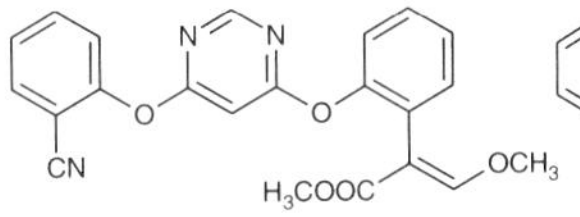

II

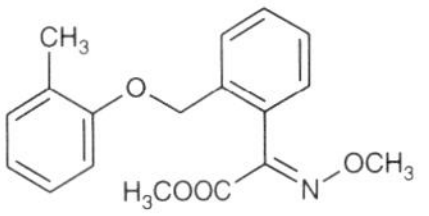

III

β-M. wirken als Ubihydrochinon-Cytochrom-c-Reduktase-Inhibitoren u. hemmen so den Elektronentransport im bc_1-Komplex. Dadurch wird die Atmungskette in den Pilzzell-Mitochondrien blockiert. – ***E*** methoxyacrylates – ***I*** metossiacrilati – ***S*** metoxiacrilatos

Lit.: Anke u. Steglich, β-Methoxyacrylate Antibiotics: From Biological Activity to Synthetic Analogs, in Schlunegger (Hrsg.): Biological Active Molecules, Berlin: Springer 1989 ▪ Brighton Crop Protection Conference – Pest and Diseases 1992, S. 403–410 u. 435–442, The British Crop Protection Council, Farnham, Großbritannien, 1992 ▪ Pesticide Sci. **31**, 499–521 (1991).

Methoxyaniline s. Anisidine.

4-Methoxybenzaldehyd s. *p*-Anisaldehyd.

4-Methoxybenzoesäure (*p*-Anissäure).

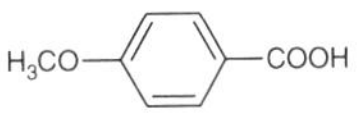

$C_8H_8O_3$, M_R 152,14. Sublimierende, farblose Nadeln, D. 1,385, Schmp. 184 °C, Sdp. 275–280 °C, schwer lösl. in kaltem, besser lösl. in heißem Wasser, lösl. in Alkohol, Ether, Chloroform, früher als Lokalanästhetikum u. Antirheumatikum verwendet. – ***E*** 4-methoxybenzoic acid – ***F*** acide 4-méthoxybenzoïque – ***I*** acido 4-metossibenzoico – ***S*** ácido 4-metoxibenzoico

Lit.: Beilstein E IV **10**, 346 f. ▪ Karrer, Nr. 890 ▪ Merck-Index (12.), Nr. 704. – *[HS 2918 90; CAS 100-09-4]*

Methoxybenzol s. Anisol.

4-Methoxybenzylalkohol s. *p*-Anisalkohol.

***N*-(4-Methoxybenzyliden)-4-butylanilin** [korrekte Bez.: 4-Butyl-*N*-(4-methoxybenzyliden)anilin, Abk. MBBA].

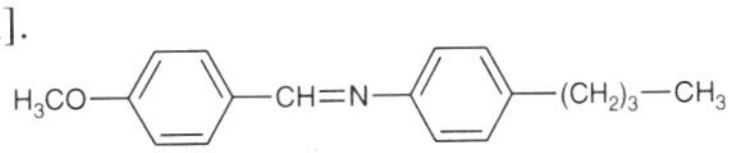

$C_{18}H_{21}NO$, M_R 267,37. MBBA wurde 1969 als erste bei Raumtemp. nemat.-flüssigkrist. Verb. synthetisiert[1], es schmilzt bei 20 °C zu einer leichtbeweglichen, trüben, schwach gelblichen Flüssigkeit, die bei 47 °C klar durchsichtig wird (Klärpunkt, s. flüssige Kristalle). MBBA findet als Standardsubstanz für Untersuchungen der nemat. Phase z. B. in der Elektrooptik bzw. als flüssigkrist. Lsm. in der IR-, UV-, NMR- u. Fluoreszenzspektroskopie Verwendung. – ***E*** *N*-(4-methoxybenzylidene)-4-butylaniline – ***F*** *N*-(4-méthoxy-benzylidène)-4-butylaniline – ***I*** *N*-(4-metossibenziliden)-4-butilanilina – ***S*** *N*-(4-metoxibenciliden)-4-butilanilina

Lit.: [1] Ullmann (4.) **11**, 657 f.
allg.: Angew. Chem. **81**, 903 f. (1969) ▪ Kontakte (Merck) **1973**, Nr. 1, 33–40 ▪ Ullmann (5.) **A 15**, 361. – *[HS 2931 00; CAS 26227-73-6 (allg.); 97402-82-9 ((E)-Form)]*

Methoxycarbonyl... (veraltete Bez.: *Carbomethoxy...*; Abk. Moc). Bez. für die Atomgruppierung $-CO-O-CH_3$ in organ. Verb. (IUPAC-Regel C-463.3, R-5.7.4.2); oft *Schutzgruppe für Amino- od. Hydroxy-Funktionen. – ***E*** methoxycarbonyl... – ***F*** méthoxycarbonyl... – ***I*** metossicarbonil... – ***S*** metoxicarbonil...

7α-Methoxycephalosporine s. Cephalosporine.

Methoxychlor (DMDT, Methoxy-DDT). Xn

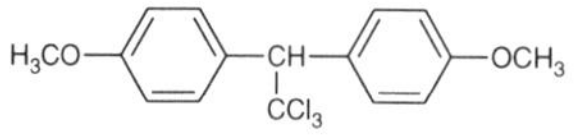

Common name für 1,1,1-Trichlor-2,2-bis(4-methoxyphenyl)ethan, $C_{16}H_{15}Cl_3O_2$, M_R 345,65, Schmp. 89 °C, LD_{50} (Ratte oral) 6000 mg/kg, MAK 15 mg/m^3, von Geigy 1944 eingeführtes *Insektizid mit breitem Wirkungsspektrum in zahlreichen Kulturen. – ***E*** methoxychlor – ***F*** méthoxychlore – ***I*** metossicloro – ***S*** metoxicloro

Lit.: Beilstein EIV **6**, 6691 ▪ Farm. ▪ Perkow ▪ Pesticide Manual. – *[HS 2909 30; CAS 72-43-5]*

Methoxy-DDT s. Methoxychlor.

Methoxyethanol s. Ethylenglykol (Tab. Me-Glykol).

(2-Methoxyethyl)quecksilberchlorid. T
$H_3CO-CH_2-CH_2-Hg-Cl$, C_3H_7ClHgO, M_R 295,13, Schmp. 65 °C.
Herst.: Durch Umsetzung von Quecksilber(II)-acetat mit Ethylen in Methanol zum (2-Methoxyethyl)quecksilberacetat u. Fällung des Chlorids mit Kochsalz (frühere Handelsprodukte Ceresan, Agallol). M. wirkt fungizid, Wirkstoff in Flüssig- bzw. Feucht-Beizmitteln. In Kanada u. USA seit 1971 verboten. Nach der Pflanzenschutz-Anwendungs-VO[1] gilt für Quecksilber-Verb. in der BRD ein vollständiges Anw.-Verbot. – ***E*** (2-methoxyethyl)mercuric chloride – ***F*** chlorure de (2-méthoxyéthyl)mercure – ***I*** cloruro di (2-metossietil)mercurio – ***S*** cloruro de (2-metoxietil)mercurio

Lit.: [1] Pflanzenschutz-Anwendungs-VO vom 10. November 1992 (BGBl. I, S. 1887).
allg.: Craig, Organometallic Compounds in the Environment, S. 70, 74, 83, Harlow: Longman 1986 ▪ Ullmann (4.) **12**, 4 ▪ Wilkinson, Comprehensive Organometallic Chemistry, Bd. 2, S. 884, 985, Kronberg: Pergamon Press 1982 ▪ s. a. Quecksilber-organische Verbindungen. – *[HS 2931 00; CAS 123-88-6]*

Methoxyfluran (Rp). Internat. Freiname für das *Inhalationsnarkotikum 2,2-Dichlor-1,1-difluor-1-methoxyethan, $H_3C-O-CF_2-CHCl_2$, $C_3H_4Cl_2F_2O$, M_R 164,97, Sdp. 105 °C, Schmp. –35 °C; n_D^{20} 1,3861; d_D^{20} 1,4262, auch 1,4226 angegeben. Klare, fast farblose Flüssigkeit mit einem charakterist. Geruch, in Wasser lösl. (1:500), mischbar mit Aceton, Alkohol, Chloroform, Ether u. fetten Ölen. Lagerung: Vor Licht u. Luft geschützt. – ***E*** methoxyflurane – ***F*** méthoxyflurane – ***I*** metossiflurano – ***S*** metoxiflurano

Lit.: ASP ▪ Beilstein EIV **2**, 503 ▪ Hager (4.) **5**, 823 f. ▪ Martindale (31.), S. 1260. – *[HS 2909 19; CAS 76-38-0]*

Methoxyhydrastin s. (–)-α-Narcotin.

Methoxyl. Bez. für das freie Radikal $CH_3O^{\bullet}$; vgl. Methoxy... – ***E*** methoxyl – ***F*** méthoxyle – ***I*** metossile – ***S*** metoxilo

2-Methoxynaphthalin s. Methyl(2-naphthyl)ether.

2-Methoxyphenol s. Guajakol.

4-Methoxyphenol (Hydrochinon-monomethylether, Mequinol).

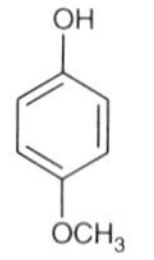

$C_7H_8O_2$, M_R 124,13, farblose Blättchen, Schmp. 53 °C, Sdp. 243 °C; lösl. in Aceton, schwer lösl. in Wasser. *Pheromon des Schmetterlings *Ascia monustephileta*, der im Südosten der USA vorkommt; ist auch in Blättern von *Pyrola secunda* enthalten. M. reduziert Fehlingsche Lsg., hemmt die Oxid. von Seifen durch Luftsauerstoff. Die Synth. von M. erfolgt durch Methylierung von *Hydrochinon. – ***E*** 4-methoxyphenol – ***F*** 4-méthoxyphénol – ***I*** 4-metossifenolo – ***S*** 4-metoxifenol

Lit.: Beilstein EIV **6**, 5717 f. ▪ Naturwissenschaften **77**, 33 (1990) ▪ Turner **2**, 10 ▪ Ullmann (5.) **A 8**, 500 f. – *[HS 2909 50; CAS 150-76-5]*

3-(2-Methoxyphenoxy)-1,2-propandiol s. Guajakolglycerinether.

3-Methoxypropylamin. $H_3CO-(CH_2)_3-NH_2$, $C_4H_{11}NO$, M_R 89,14. Farblose Flüssigkeit, D. 0,86, Sdp. 116 °C, mit Wasser, Alkohol, Toluol, Tetrachlormethan u. Hexan mischbar; WGK 1 (Selbsteinst.). M. wird in organ. Synth. z. B. zur Herst. von Pharmazeutika u. Farbstoffen verwendet. – ***E*** 3-methoxypropylamine – ***F*** 3-méthoxypropylamine – ***I*** 3-metossipropilammina – ***S*** 3-metoxipropilamina

Lit.: Beilstein EIV **4**, 1623 ▪ Ullmann (5.) **A 2**, 8, 9; **A 10**, 16, 20. – *[HS 2922 19; CAS 5332-73-0]*

5-Methoxypsoralen s. Bergapten.

8-Methoxypsoralen s. Xanthotoxin.

α-Methoxy-α-(trifluormethyl)-phenylessigsäure s. MTPA.

Methyl... a) Bez. für die Atomgruppierung $-CH_3$ (IUPAC-Regel A-1.2, R-2.5). Ester des Methanols (*Methylester*) sind meist bei der Säurekomponente zu finden; *Beisp.:* *Essigsäuremethylester. Zur Einführung von *C*-, *N*-, *O*-, *S*- u. a. -Methyl-Gruppen s. Methylierung.
Nachw.: Je nach Bindungsart spezif. chem. Meth. zum Nachw. od. Abspalten von M.-Gruppen, z. B. die

*Kuhn-Roth- u. *Zeisel-Methoden, od. zu ihrer Oxid., z. B. die *Etard-Reaktion, sind heute durch *IR- u. *NMR-Spektroskopie verdrängt.

Eigenschaften: M.-Gruppen haben sehr niedrige Rotationsbarrieren [1] (s. Rotation) u. zeigen *induktive Effekte (*Hyperkonjugation).

Biochemie: s. Methylotrophie.

Geschichte: *Dumas u. Péligot prägten 1834 „Methylen" (von griech.: méthy = alkohol. Getränk u. hýlē = Holz) als Bez. für „CH_2", dessen Hydrat der „Holzalkohol" (*Methanol) formal ist. Davon wurde ca. 1840 die Bez. „Methyl" für „CH_3" abgeleitet.

b) „Methyl" heißt das *freie Radikal $^{\cdot}CH_3$ (IUPAC-Regel RC-81.1.1) [2], das durch Photolyse von Aceton od. Azomethan erzeugt werden kann u. von *Paneth erstmals beobachtet wurde. – ***E*** methyl... (a), methyl (b) – ***F*** méthyl... (a), méthyle (b) – ***I*** metil... (a), metile (b) – ***S*** metil... (a), metilo (b)

Lit.: [1] Angew. Chem. **93**, 553–566 (1981). [2] Pure Appl. Chem. **65**, 1357–1455 (1993).

N-Methylacetamid. $H_3C–CO–NH–CH_3$, C_3H_7NO, M_R 73,10. Farblose, hygroskop. Krist., D. 0,957, Schmp. 28 °C, Sdp. 208 °C, lösl. in Wasser, Alkohol, Ether, Chloroform, Benzol; LD_{50} (Ratte oral) 5000 mg/kg. M. wird als hochsiedendes Lsm. u. polares Reaktionsmedium verwendet; zur Reinigung von M. s. *Lit.* [1]. – ***E*** *N*-methylacetamide – ***F*** *N*-méthylacétamide – ***I*** *N*-metilacetammide – ***S*** *N*-metilacetamida

Lit.: [1] Pure Appl. Chem. **27**, 281–289 (1971).
allg.: Beilstein EIV **4**, 176–179. – *[HS 2924 10; CAS 79-16-3]*

N-Methylacetanilid.

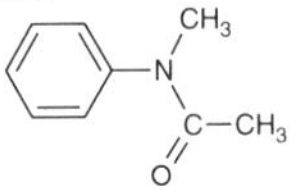

$C_9H_{11}NO$, M_R 149,19. Farblose Rhomben od. Plättchen, Schmp. 100–101 °C, Sdp. 253 °C (950 hPa), gut lösl. in Wasser, Alkohol, Ether, Chloroform. Die Herst. erfolgt durch Einwirken von Essigsäureanhydrid auf *N*-Methylanilin. M. dient in der Celluloid-Ind. als Campher-Ersatz, wurde medizin. früher als Analgetikum verwendet. – ***E*** *N*-methylacetanilide – ***F*** *N*-méthylacétanilide – ***I*** *N*-metilacetanilide – ***S*** *N*-metilacetanilida

Lit.: Beilstein EIV **12**, 378. – *[HS 2924 29; CAS 579-10-2]*

Methylacetat s. Essigsäuremethylester.

p-Methylacetophenon (1-*p*-Tolylethanon; veraltet: 4-Acetyltoluol, Methyl-*p*-tolylketon).

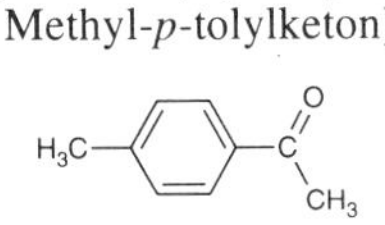

$C_9H_{10}O$, M_R 134,17. Farblose Nadeln od. blaßgelbe Flüssigkeit, D. 1,005, Schmp. –19 °C, Sdp. 226 °C, unlösl. in Wasser, lösl. im 18fachen Vol. 50%igen Alkohols; LD_{50} (Ratte oral) 1400 mg/kg; WGK 2 (Selbsteinst.). M. kommt in brasilian. Rosenholz-Öl u. in Pfeffer vor.

Herst.: Aus Toluol u. Essigsäureanhydrid od. Acetylchlorid durch Friedel-Crafts-Reaktion. M. wird in der Parfümerie (hauptsächlich zum Parfümieren von Seifen) als Duftstoff verwendet; Geruch nach Mimosen u. Weißdorn. – ***E*** *p*-methylacetophenone – ***F*** *p*-méthylacétophénone – ***I*** *p*-metilacetofenone – ***S*** *p*-metilacetofenona

Lit.: Beilstein EIV **7**, 701 f. ▪ Ullmann (5.) **A 11**, 189. – *[HS 2914 30; CAS 122-00-9]*

Methylacetylen s. Propin.

Methylacrylat (Acrylsäuremethylester).

$H_2C{=}CH–COOCH_3$, $C_4H_6O_2$, M_R 86,09. Farblose, stechend riechende Flüssigkeit, D. 0,954, Schmp. ca. –75 °C, Sdp. 80 °C. Die Dämpfe reizen stark die Augen, die Atemwege sowie die Lunge (bis hin zu Lungenödem) u. die Haut. Kontakt mit der Flüssigkeit reizt ebenfalls stark die Augen (Hornhautschäden!) u. die Haut unter Blasenbildung. Die Flüssigkeit kann auch über die Haut aufgenommen werden u. verursacht auch auf diesem Wege Schädigung des Zentralnervensyst. u. möglicherweise (mit Verzögerung) der Leber sowie der Nieren; WGK 2, MAK-Wert 18 mg/m^3 bzw. 5 ppm (MAK-Werte-Liste 1996), Gefahr der Sensibilisierung; LD_{50} (Ratte oral) 277 mg/kg; Emissionsklasse I (TA Luft 3.1.7). M. ist in Wasser kaum, in organ. Lsm. gut löslich. M. polymerisiert schnell, wenn es nicht durch Hemmstoffe (z. B. *4-Methoxyphenol) stabilisiert ist.

Herst.: Durch Propen-Oxid. u. anschließende Veresterung der Acrylsäure mit Methanol.

Verw.: Für organ. Synth. u. zur Herst. von Homo- u. Copolymerisaten mit bevorzugtem Einsatz für Oberflächenveredlung u. Oberflächenschutz. – ***E*** methyl acrylate – ***F*** acrylate de méthyle – ***I*** acrilato di metile – ***S*** acrilato de metilo

Lit.: Beilstein EIV **2**, 1457–1460 ▪ Hager (5.) **3**, 805 ▪ Hommel, Nr. 122 ▪ Merck-Index (12.), Nr. 6092 ▪ Paquette **5**, 3410 ▪ Ullmann (5.) **A 9**, 576 f.; **A 1**, 163 ▪ Weissermel-Arpe (4.), S. 313–318 ▪ s. a. Acrylsäureester. – *[HS 2916 12; CAS 96-33-3; G 3]*

Methyl-akzeptierende Chemotaxis-Proteine s. periplasmatische Bindungsproteine.

Methylal (Dimethoxymethan, Formaldehyddimethylacetal). $H_3CO–CH_2–OCH_3$, $C_3H_8O_2$, M_R 76,10. Farblose, flüchtige, leicht entzündliche, Chloroform-artig riechende Flüssigkeit, D. 0,86, Schmp. –105 °C, Sdp. 43 °C, FP. <–28 °C, zündfähiges Gemisch: 2,2–3,18 Vol.-%, Zündtemp. 235 °C, lösl. in Wasser, Alkohol, Ether u. Kohlenwasserstoffen. Die Dämpfe wirken betäubend und reizen die Augen sowie die Atemwege. In hohen Konz. können die Dämpfe die Luft verdrängen, so daß Erstickungsgefahr droht. Kontakt mit der Flüssigkeit reizt die Augen sowie die Haut u. wirkt entfettend auf die Haut. Allerg. Reaktionen der Haut werden beobachtet. Leber u. Nierenschäden möglich, MAK-Wert 1000 ppm bzw. 3100 mg/m^3 (MAK-Werte-Liste 1996); WGK 2 (Selbsteinst.).

Verw.: Lsm., zu organ. Synth., Riechstoffextraktion, Reaktionsmedium für Grignard- u. Reppe-Reaktionen, zum Entparaffinieren von Mineral- u. Schmieröl, Vor- u. Hilfsprodukt bei der Herst. von Kunstharzen, Klebstoffen u. dgl. – ***E*** methylal – ***F*** méthylal – ***I*** metilale – ***S*** metilal

Lit.: Beilstein EIV **1**, 3026 f. ▪ Hommel, Nr. 458 ▪ Merck-Index (12.), Nr. 6093 ▪ Ullmann (4.) **7**, 137, 139; (5.) **A 1**, 345. – *[HS 2911 00; CAS 109-87-5; G 3]*

Methylalkohol s. Methanol.

Methylalumoxan (MAO). Bez. für eine durch partielle Hydrolyse von Trimethylaluminium (I) gewonnene Verb., die als Cokatalysator bei der *Metallocen-katalysierten Olefin-Polymerisation (s. Koordinationspolymerisation) große Bedeutung erlangt hat. Sie erhöht die Effizienz der Metallocen-Katalysatoren um mehrere Größenordnungen u. ermöglicht die Bildung sehr hochmol. Polyolefine. Trotz dieser großen Bedeutung ist bisher die Struktur u. die exakte Funktionsweise des M. noch nicht völlig aufgeklärt. Üblicherweise formuliert man die Reaktion von (I) mit Wasser wie folgt:

$$3\ Al(CH_3)_3 + 5\ H_2O \longrightarrow \left[\begin{array}{c}CH_3\\|\\Al-O\end{array}\right]_5 + 10\ RH$$

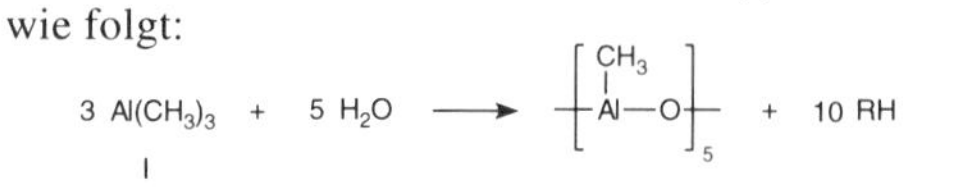

Tatsächlich entsteht jedoch eine komplexe Mischung aus verschiedenen Aluminium-Spezies, die nach wie vor einen beträchtlichen Teil an unreagiertem (I) enthält. Spektroskop. Studien legen nahe, daß M. eine dynam. Mischung aus sich ineinander umwandelnden, käfigartigen Oligomeren darstellt, in der sowohl dreifach als auch vierfach koordiniertes Aluminium zugegen ist.

Die Wirkungsweise des M. bei der nachfolgenden Aktivierung der Katalysatoren zur homogenen Olefin-Polymerisation unterteilt man in mind. zwei Teilfunktionen. Zum einen bewirkt das M. die Alkylierung der üblicherweise als Vorstufen der katalyt. aktiven Metallocen-Spezies eingesetzten Metallocen-Dichloride (II). Hierbei entstehen Spezies wie z. B. Cp$_2$M(CH$_3$)Cl (III) u. Cp$_2$M(CH$_3$)$_2$ (IV) (Cp = C$_5$H$_5$, M z. B. Zr):

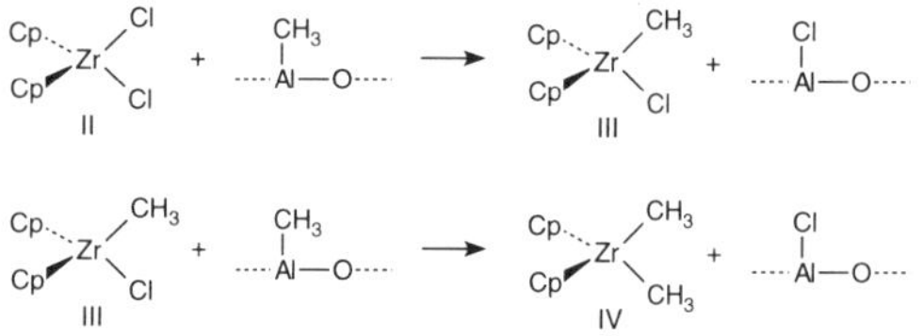

Die zweite u. noch wichtigere Funktion des M. ist es, danach durch Abstraktion eines anion. Methyl- od. Chlorid-Liganden aus (III) od. (IV) kation. Metallocen-Spezies wie z. B. (V) od. (VI) zu generieren u. zu stabilisieren:

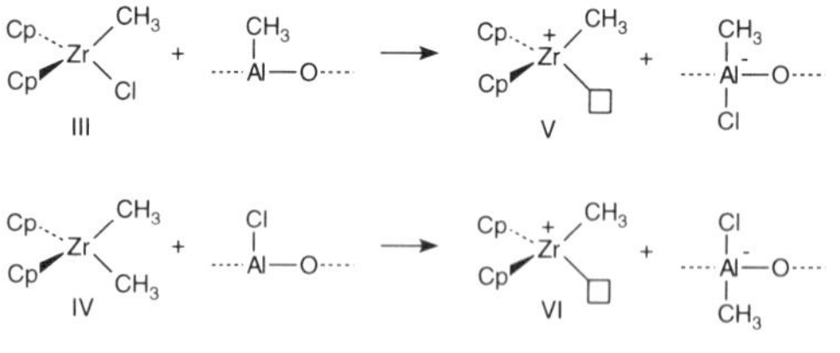

☐ = freie Koordinationsstelle, Cp = C$_5$H$_5$

Beim Abstraktionsschritt wird das Lewis-saure Aluminium-Zentrum in ein vierfach koordiniertes Aluminium-Zentrum umgewandelt, das als Teil einer größeren Käfigstruktur fähig ist, die neg. Ladung zu delokalisieren u. so als schwach koordinierendes Anion zu wirken. Die Existenz kation. Metallocenium-Ionen (V) od. (VI) in Ggw. von M. konnte durch ^{13}C- u. ^{91}Zr-NMR-Spektroskopie nachgewiesen werden. – *E* methylaluminoxanes – *F* méthylalumoxan – *I* metilalluminoxani – *S* metilaluminoxanos

Lit.: Odian (3.), S. 653 ■ Tieke, Makromolekulare Chemie, S. 140, Weinheim: Wiley-VCH 1997.

Methylamin (Aminomethan). H$_3$C–NH$_2$, CH$_5$N, M$_R$ 31,06. Farbloses, brennbares, Ammoniak-ähnlich, in verd. Form fischartig riechendes Gas, bei 0 °C 1,07-fache Luftdichte, Schmp. –93,5 °C, Sdp. –6 °C, FP. –18 °C c.c., zündfähiges Gemisch, Vol.-% 4,9–20,7, Zündtemp. 430 °C. Das Gas reizt stark die Augen, die Atemwege u. die Haut, Lungenödem möglich. Anhaltende Einwirkung kann starke Verätzungen hervorrufen, MAK-Wert 10 ppm bzw. 12 mg/m^3 (MAK-Werte-Liste 1996); Emissionsklasse I (TA Luft 3.1.7), WGK 2. M. ist in Wasser u. Alkohol leicht lösl., reagiert in Wasser ziemlich stark bas. (pK$_b$ = 3,3) u. bildet mit Säuren gut krist., wasserlösl. Salze. M. kommt in *Mercurialis*-Arten (Bingelkraut), im ether. Öl der Blätter von *Mentha aquatica*, in einigen Algen, Heringslake, Knochenöl u. Holzdestillat vor u. entsteht auch bei der Zers. von Alkaloiden. M. ist ein *biogenes Amin u. kommt bei Mensch u. Tier in kleinen Mengen im Urin vor.

Herst.: Aus Methanol u. Ammoniak in Ggw. von Katalysatoren wobei auch Di- u. Trimethylamin anfallen. *Verw.:* Zur Einführung der Methylamino-Gruppe, als organ. Neutralisationsmittel, in der Gerberei, zur Herst. von *1,3-Dimethylharnstoff, *N*-Methylpyrrolidon sowie von Methyltaurin, das zur CO$_2$-Wäsche od. als Waschmittelrohstoff eingesetzt wird. – *E* methylamine – *F* méthylamine – *I* metilammina – *S* metilamina

Lit.: Beilstein E IV **4**, 118–128 ■ Gesundheitsschädliche Arbeitsstoffe: toxikologisch-arbeitsmedizinische Begründung von MAK-Werten, Weinheim: Wiley-VCH 1972–1997 ■ Hommel, Nr. 124 ■ Merck-Index (12.), Nr. 6095 ■ Ullmann **12**, 421–429; (4.) **16**, 671–674; (5.) **A1**, 211; **A2**, 29 ■ Weissermel-Arpe (4.), S. 53 f. – *[HS 292111; CAS 74-89-5; G 2]*

Methylamino... Bez. für die Atomgruppierung –NH–CH$_3$ in organ. Verb. (IUPAC-Regel C-811.4). – *E* methylamino... – *F* méthylamino... – *I* metilammino... – *S* metilamino...

3-(Methylamino)-L-alanin s. Guam.

Methylaminoessigsäure s. Sarkosin.

4-(Methylamino)phenol-sulfat (Metol®, Elon®, Photo-Rex®).

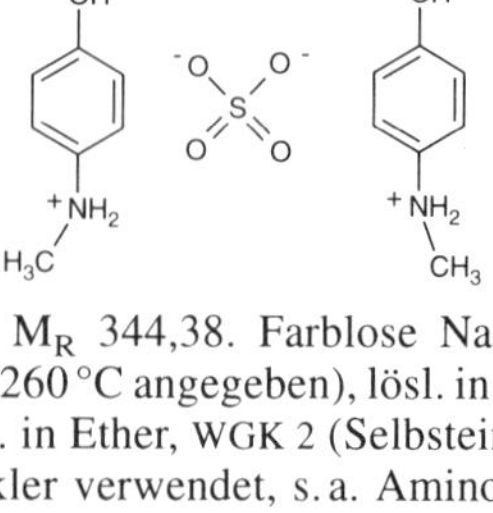

C$_{14}$H$_{20}$N$_2$O$_6$S, M$_R$ 344,38. Farblose Nadeln, Schmp. 230 °C (auch 260 °C angegeben), lösl. in Wasser u. Alkohol, unlösl. in Ether, WGK 2 (Selbsteinst.); wird als Photoentwickler verwendet, s. a. Aminophenole. – *E* 4-(methylamino)phenol sulfate – *F* sulfate de 4-(méthylamino)phénol – *I* solfato di 4-(metilammino)fenolo – *S* sulfato de 4-(metilamino)fenol

Lit.: Beilstein E III **13**, 1007 ▪ Merck-Index (12.), Nr. 6097 ▪ Ullmann (5.) **A 2**, 109 f. – *[HS 2922 29; CAS 55-55-0]*

N-Methylanilin. H_5C_6–NH–CH_3, C_7H_9N, M_R 107,16. Farblose bis schwach gelbe, ölige Flüssigkeit, Anilin-ähnlicher, süßlicher Geruch, D. 0,99, Schmp. –57 °C, Sdp. 195 °C, in Alkohol u. Ether löslich. Dämpfe u. Flüssigkeit sind giftig u. werden auch über die Haut aufgenommen. M. ist ein starkes Blutgift. Es verändert den Blutfarbstoff (*Methämoglobin-Bildung) u. zerstört die roten Blutkörperchen. Nachfolgend Nieren- u. Leberschäden. Anfängliches Wohlbefinden („Anilinpips") verleitet zur Verharmlosung der Situation (Alkohol lebensgefährlich); MAK-Wert 0,5 ppm bzw. 2 mg/m^3 (MAK-Werte-Liste 1996); WGK 2 (Selbsteinst.). Die Reaktion mit nitrosierenden Agentien kann zur Bildung des carcinogenen *N*-Nitroso-*N*-methylanilins führen, entsprechende Vorsicht beim Arbeiten mit M. ist daher geboten.

N 

T 

Herst.: Aus Anilin u. Methanol unter Druck in Ggw. saurer Kondensationsmittel. M. wird zu organ. Synth. verwendet. – ***E*** *N*-methylaniline – ***F*** *N*-méthylaniline – ***I*** = ***S*** *N*-metilanilina

Lit.: Beilstein E IV **12**, 241 ff. ▪ Gesundheitsschädliche Arbeitsstoffe: toxikologisch-arbeitsmedizinische Begründung von MAK-Werten, Weinheim: Wiley-VCH 1972 – 1997 ▪ Hommel, Nr. 1067 ▪ Merck-Index (12.), Nr. 6098 ▪ Ullmann (4.) **7**, 572; (5.) **A 2**, 52, 309. – *[HS 2921 42; CAS 100-61-8; G 6.1]*

***ar*-Methylaniline** s. Toluidine.

2-Methylanthrachinon (*β*-Methylanthrachinon).

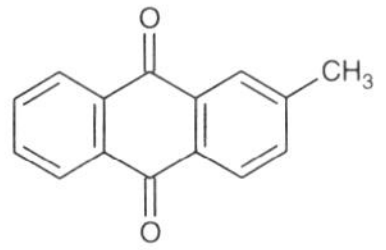

$C_{15}H_{10}O_2$, M_R 222,24. Hellgelbe Nadeln, Schmp. 177 °C (subl.), leichtlösl. in Benzol, Toluol, Xylol, lösl. in Alkohol, Ether, Eisessig, konz. H_2SO_4, unlösl. in Wasser.

Herst.: Aus Toluol u. Phthalsäureanhydrid. M. dient als Zwischenprodukt bei Farbstoff-Synthesen. – ***E*** 2-methylanthraquinone – ***F*** 2-méthylanthraquinone – ***I*** 2-metilantrachinone – ***S*** 2-metilantraquinona

Lit.: Beilstein E IV **7**, 2574 f. ▪ Merck-Index (12.), Nr. 6100 ▪ Ullmann (4.) **7**, 588; (5.) **A 2**, 345. – *[HS 2914 69; CAS 84-54-8]*

Methylanthranilat s. Aminobenzoesäureester.

Methylasen s. Methyltransferasen.

N-Methyl-D-aspartat (Abk.: NMDA).

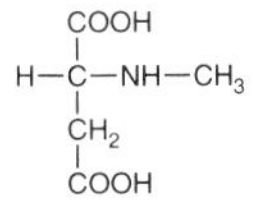

Als freie *N*-Methyl-D-asparaginsäure wie abgebildet: $C_5H_9NO_4$, M_R 147,13, Schmp. des Racemats [1] 184 °C. Analogon des L-Glutamats, das als Agonist an den NMDA-Rezeptoren, einer Unterklasse von *Glutamat-Rezeptoren im Zentralnervensyst., bindet., – ***E*** *N*-methyl-D-aspartate – ***F*** *N*-méthyl-D-aspartate – ***I*** = ***S*** *N*-metil-D-aspartato

Lit.: [1] Beilstein E IV **4**, 3010. – *[CAS 6384-92-5]*

Methylate. Veraltete Bez. für die von Methanol abgeleiteten *Alkoholate, die besser *Methanolate* od. *Methoxide* genannt werden (IUPAC-Regel C-206 u. R-5.5.3). – ***E*** methylates – ***F*** méthylates – ***I*** metilati – ***S*** metilatos

Methylazoxymethanol s. Cycasin.

Methylbenzaldehyde s. Tolualdehyde.

Methylbenzethoniumchlorid.

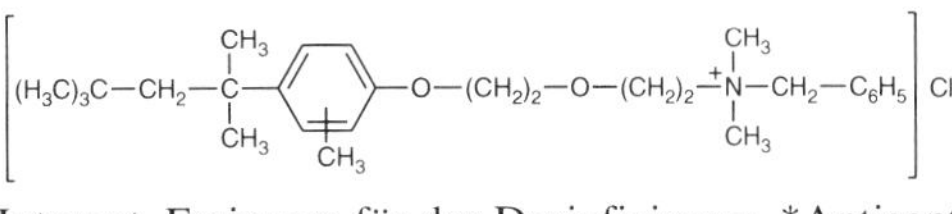

Internat. Freiname für das Desinfiziens u. *Antiseptikum Benzyl-dimethyl-(2-{2-[2- od. 3-methyl-4-(1,1,3,3-tetramethylbutyl)phenoxy]ethoxy}ethyl)-ammoniumchlorid, $C_{28}H_{44}ClNO_2$, M_R 462,12, Schmp. 161 – 163 °C, leicht lösl. in Wasser u. Ethanol. – ***E*** methylbenzethonium chloride – ***F*** chlorure de méthylbenzéthonium – ***I*** metilbenzetonio cloruro – ***S*** cloruro de metilbencetonio

Lit.: Hager (5.) **8**, 941 ▪ Martindale (31.), S. 1138. – *[HS 2923 90; CAS 25155-18-4]*

Methylbenzoat s. Benzoesäuremethylester.

Methylbenzoesäuren s. Toluylsäuren.

Methylbenzol s. Toluol.

***ar*-Methylbenzoldiamin** s. Methylphenylendiamine.

Methylbenzonitril s. Tolunitrile.

3-Methyl-2(3*H*)-benzothiazolon-hydrazon s. MBTH.

Methylbenzyl... Nach IUPAC-Regel A-13.3 u. R-9.1.19-b-2 Bez. der Atomgruppierung:

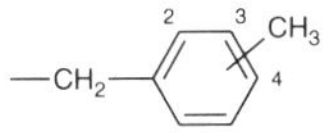

2-, 3- od. 4-M.

$C_{10}H_{16}$, M_R 136,23. Chemical-Abstracts-Bez.: [(Methylphenyl)methyl]...; veraltete Bez.: *α-o-*, *α-m-* u. *α-p-*Xylyl...; s. aber Xylyl...; die Bez. „*α*-M." für –CH(CH_3)–C_6H_5 ist durch (1-Phenylethyl)... zu ersetzen. – ***E*** methylbenzyl... – ***F*** méthylbenzyl... – ***I*** metilbenzil... – ***S*** metilbencil...

***α*-Methylbenzylalkohol** s. Phenylethanole.

***α*-Methylbenzylamin** s. Phenylethylamine.

N-Methylbis(trifluoracetamid) (MBTFA) (falsch gebildete Bez. für 2,2,2,2′,2′,2′-Hexafluor-*N*-methyldiacetamid).

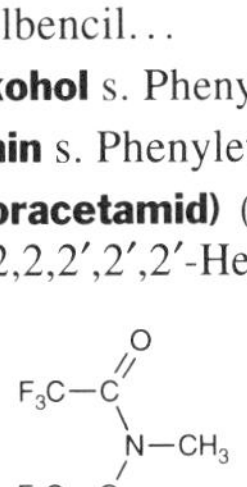

$C_5H_3F_6NO_2$, M_R 223,06. Farblose Flüssigkeit, Sdp. 123 – 124 °C, dient zur Überführung von prim. u. sek. Aminen, Alkoholen u. Thiolen in die entsprechenden Trifluoracetyl-Derivate. – ***E*** *N*-methylbis(trifluoroacetamide) – ***F*** *N*-méthylbis(trifluoroacétamide) – ***I*** *N*-metilbis(trifluoroacetammide) – ***S*** *N*-metilbis(trifluoroacetamida)

Lit.: J. Chromatogr. **78**, 273 – 279 (1973). – *[CAS 685-27-8]*

Methylblau (Baumwollblau, C.I. Acid Blue 93, C.I. 42780). Dinatriumsalz des 4,4′,4″-Tris(*ar*-sulfoanilino)tritylium-Zwitterions, $C_{37}H_{27}N_3Na_2O_9S_3$, M_R 799,80; zur Struktur s. Triarylmethan-Farbstoffe. Wenig lichtechtes, dunkelblaues Pulver, lösl. in Wasser. M. wird zum Färben von Baumwolle u. Seide, in der Mikroskopie zur Nervenfärbung (Färbung der Negrischen Körperchen) verwendet. – ***E*** methyl blue – ***F*** bleu de méthyle – ***I*** blu di metile – ***S*** azul de metilo

Lit.: s. Triarylmethan-Farbstoffe. – *[CAS 28983-56-4]*

4-Methylbrenzcatechin (Homobrenzcatechin).

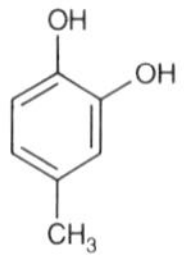

$C_7H_8O_2$, M_R 124,13. Farblose, hautreizende Krist., D. 1,129, Schmp. 65 °C, Sdp. 252 °C, lösl. in Wasser u. Alkohol.

Verw.: Zu organ. Synth. künstlicher Gerbstoffe, Entwickler u. dgl. Der 2-Methylether (Methylguajakol, Kreosol), $C_8H_{10}O_2$, M_R 138,17, Schmp. 6 °C, Sdp. 221 °C, ist Bestandteil des Ylang-Ylang-Öls u. des Holzteers. – ***E*** 4-methylpyrocatechol – ***F*** 4-méthylpyrocatéchol – ***I*** 4-metilpirocatechina – ***S*** 4-metilpirocatecol

Lit.: Beilstein E IV **6**, 5878 ▪ Merck-Index (12.), Nr. 2573. – *[HS 2907 29; CAS 452-86-8]*

Methylbromid (Brommethan). CH_3Br, M_R 94,94. Farbloses, Chloroform-artig riechendes (in reiner Form geruchloses) Gas, D. 1,730 kg/L (bei 0 °C), Schmp. –94 °C, Sdp. 4 °C, zündfähiges Gemisch, Vol.-% 8,6–20, in den üblichen Lsm. löslich. Die Dämpfe reizen stark die Augen, die Atemwege, die Lunge (bis hin zu Lungenödem) sowie die Haut. Die Flüssigkeit wird auch über die Haut aufgenommen u. bewirkt starke Reizung der Augen u. der Haut. Es kommt zu Schädigungen des Zentralnervensystems. Die Schäden können mit einer Verzögerung von bis zu 48 h, oft bis zu mehreren Tagen u. länger, auftreten, WGK 3. M. gilt als Stoff mit begründetem Verdacht auf krebserzeugendes Potential, Abschnitt III B der MAK-Liste (MAK-Werte-Liste 1996). LD_{50} (Ratte oral) 214 mg/kg.

Herst.: Aus Methanol u. HBr.

Verw.: Zu organ. Synth., z. B. für Grignard-Reaktionen, zur Synth. von Pharmazeutika, als Lsm., in Gartenbau u. Vorratswirtschaft als Fungizid, Nematizid u. Insektizid (s. Fumigantien); eingeschränktes Anwendungsverbot gemäß Pflanzenschutz-Anwendungsverordnung (10. November 1992, BGBl. I, S. 1887). Höchstmenge, die in Aprikosen, Feigen, Hülsenfrüchten, Schalenfrüchten, Ölsaaten, Pfirsichen, Pflaumen u. Trauben nicht überschritten werden darf[1]: 0,1 mg/kg. – ***E*** methyl bromide – ***F*** bromure de méthyle – ***I*** bromuro di metile – ***S*** bromuro de metilo

Lit.: [1] Pflanzenschutzmittel-Höchstmengenverordnung vom 1. September 1994 (geändert durch 2. ÄndV vom 7. 3. 1996).

allg.: Beilstein E IV **1**, 68–72 ▪ Gesundheitsschädliche Arbeitsstoffe: toxikologisch-arbeitsmedizinische Begründung von MAK-Werten, Weinheim: Wiley-VCH 1972–1997 ▪ Hommel, Nr. 127 ▪ Merck-Index (12.), Nr. 6108 ▪ TRGS 512, Ausgabe Oktober 1989 ▪ Ullmann (5.) **A 4**, 412. – *[HS 2903 30; CAS 74-83-9; G 2]*

2-Methyl-1,3-butadien s. Isopren.

2-Methylbutan (Isopentan). $(H_3C)_2CH–CH_2–CH_3$, C_5H_{12}, M_R 75,15. Farblose, bewegliche, leicht entzündliche Flüssigkeit, Schmp. –160 °C, Sdp. 29 °C, FP. <–20 °C c.c., lösl. in Kohlenwasserstoffen, Ölen, Ether, unlösl. in Wasser. Das Einatmen der Dämpfe in hohen Konz. wirkt betäubend u. kann Herzrhythmusstörungen auslösen. Kontakt mit der Flüssigkeit führt zu Reizung der Augen u. der Haut, MAK 1000 ppm bzw. 2950 mg/m³ (MAK-Werte-Liste 1996); WGK 1. M. kommt im Leichtbenzin vor u. kann daraus durch Superfraktionierung gewonnen werden.

Verw.: Lsm., zur Herst. von Chlorkohlenwasserstoffen, als Mischkomponente zur Herst. von klopffestem Benzin (hohe *Octan-Zahl). – ***E*** 2-methylbutane – ***F*** 2-méthylbutane – ***I = S*** 2-metilbutano

Lit.: Beilstein E IV **1**, 320–323 ▪ Hommel, Nr. 343 ▪ Ullmann (4.) **14**, 655 ff.; **A 13**, 230. – *[HS 2901 10; CAS 78-78-4; G 3]*

3-Methylbutanal s. 3-Methylbutyraldehyd.

Methylbutanole. Systemat. Sammelname für die vier verzweigten Pentanole, $C_5H_{12}O$, M_R 88,15. Die M. sind klare, farblose Flüssigkeiten von unangenehmem scharfen Geruch; Dämpfe u. Flüssigkeiten reizen Augen, Atemwege u. Haut. 3-Methyl-2-butanol (b) u. 2-Methyl-1-butanol (d) besitzen chirale Zentren u. folglich 2 enantiomere Formen.

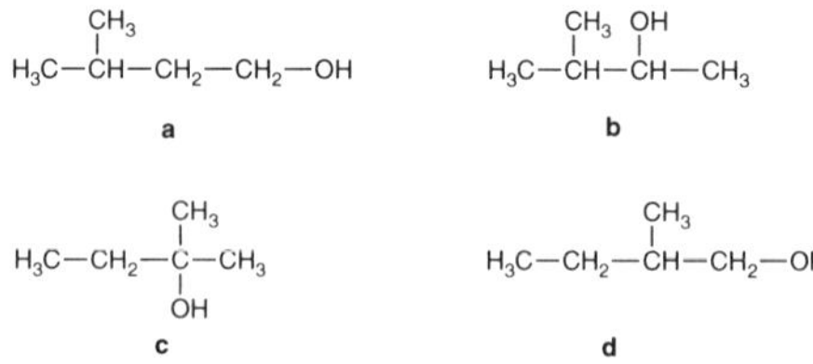

(a) *3-Methyl-1-butanol* (Isoamylalkohol, Isopentylalkohol): Schmp. –117 °C, Sdp. 131 °C; MAK 100 ppm (MAK-Werte-Liste 1996); LD_{50} (Ratte oral) 1300 mg/kg; WGK 1.

(b) *3-Methyl-2-butanol* (*sec*-Isoamylalkohol, Siamylalkohol): Sdp. 112 °C; WGK 2 (Selbsteinst.).

(c) 2-Methyl-2-butanol (*tert*-Pentylalkohol, *tert*-Amylalkohol, Amylenhydrat): Schmp. –8 °C, Sdp. 102 °C, WGK 1; LD_{50} (Ratte oral): 1000 mg/kg.

(d) *2-Methyl-1-butanol*: Schmp. <–70 °C, Sdp. 128 °C; LD_{50} (Ratte oral): 1000 mg/kg; WGK 1 (Selbsteinst.). Der sog. *Gärungsamylalkohol* besteht aus den beiden Isomeren (a) u. (d). Diese treten als Nebenprodukte der alkohol. Gärung im Fuselöl auf u. wirken stark gesundheitsschädigend. Die M. werden in unterschiedlichem Umfang als Lsm. u. Extraktionsmittel u. für organ. Synth. eingesetzt. – ***E*** methylbutanols – ***F*** méthylbutanols – ***I*** metilbutanoli – ***S*** metilbutanoles

Lit.: Beilstein E IV **1**, 1666–1681 ▪ Hager (5.) **3**, 807 ff. ▪ Hommel, Nr. 579, 580, 581 ▪ Kirk-Othmer (4.) **2**, 710 ff. ▪ Merck-Index (12.) Nr. 6109, 6110, 7282 ▪ Ullmann (4.) **7**, 531–539; (5.) **A 1**, 280. – *[HS 2905 15; CAS 123-51-3 (a); 598-75-4 (b); 75-85-4 (c); 137-32-6 (d); G 3]*

3-Methyl-2-butanon (veraltet: Methylisopropylketon, MIPK). $H_3C\text{–}CO\text{–}CH(CH_3)_2$, $C_5H_{10}O$, M_R 86,13. Klare, farblose Flüssigkeit mit fruchtigem Geruch, D. 0,80, Schmp. –92 °C, Sdp. 90–99 °C, wenig lösl. in Wasser, lösl. in Alkohol. Die Dämpfe reizen stark die Augen u. die Atemwege. Kontakt mit der Flüssigkeit führt zu starker Reizung der Augen u. zu Reizung der Haut, wird auch über die Haut aufgenommen; Leber- u. Nierenschäden möglich, MAK 200 ppm (US-Wert); LD_{50} (Ratte oral) 148 mg/kg. *Herst.:* Z. B. aus 2-Butanon u. Formaldehyd u. anschließender selektiver Hydrierung; weitere Synth. s. Ullmann (5.).
Verw.: Lsm., Zwischenprodukt zur Herst. von Pharmazeutika, Herbiziden u. indigoiden Farbstoffen, zur Synth. von Photochemikalien u. Kautschukhilfsmitteln, kann zur selektiven Extraktion der Salze Seltener Erden benutzt werden. – ***E*** 3-methyl-2-butanone – ***F*** 3-méthyl-2-butanone – ***I*** 3-metil-2-butanone – ***S*** 3-metil-2-butanona
Lit.: Beilstein E IV **1**, 3287 ▪ Hommel, Nr. 431 ▪ Merck-Index (12.), Nr. 6164 ▪ Ullmann (4.) **14**, 197–198; (5.) **A 15**, 78 ff. – *[HS 2914 19; CAS 563-80-4; G 3]*

Methylbutendisäuren s. Methylfumarsäure u. Methylmaleinsäure.

Methylbutene (Isopentene).

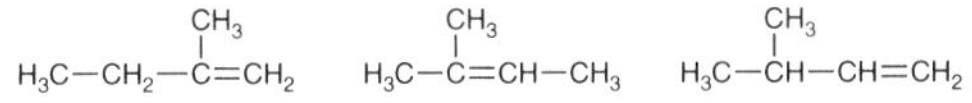

a b c

C_5H_{10}, M_R 70,13. Es existieren drei isomere Isopentene: (a) *2-Methyl-1-buten* (γ-Isoamylen): D. 0,65, Schmp. –137 °C, Sdp. 31 °C. – (b) *2-Methyl-2-buten* (β-Isoamylen): Farblose Flüssigkeit, D. 0,66 (15 °C), Schmp. –123 °C, Sdp. 38 °C, mischbar mit Alkohol u. Ether. – (c) *3-Methyl-1-buten* (α-Isoamylen): Farblose Flüssigkeit, D. 0,627, Schmp. –169 °C, Sdp. 20 °C. Die M. haben einen unangenehmen Geruch u. reizen leicht die Augen u. die Atemwege, hohe Konz. der Dämpfe wirken durch die Verdrängung der Luft erstickend. Die M. dienen z. T. als Edukte für Isopren. – ***E*** methylbutenes – ***F*** méthylbutènes – ***I*** metilbutene – ***S*** metilbutenos
Lit.: Beilstein E IV **1**, 818 f., 820 ff., 825 f. ▪ Hommel, Nr. 708, 709, 1065 ▪ Merck-Index (12.), Nr. 649 ▪ Ullmann (5.) **A 13**, 239; **A 14**, 631 ▪ Winnacker-Küchler (4.) **5**, 241–244. – *[HS 2901 29; CAS 563-46-2 (a); 513-35-9 (b); 563-45-1 (c); G 3]*

Methylbutenole (Isopentenole).

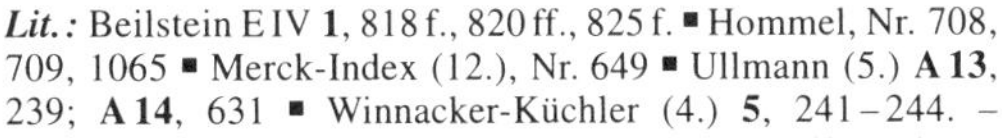

a b c

$C_5H_{10}O$, M_R 86,13, verzweigtisomere Pentenole. – (a) *2-Methyl-3-buten-2-ol* (1,1-Dimethylallylalkohol): Schmp. –43 °C, Sdp. 97 °C, WGK 1 (Selbsteinst.); kommt in Hopfenblüten, schwarzen Johannisbeeren, Orangen u. Trauben vor, dient als Ausgangsstoff für Pharmazeutika, Vitamine A u. E, Riechstoffe usw. Dieses M. fungiert bei Hornissen als Alarmpheromon u. ist auch neben Ipsdienol u. Verbenol im Aggregations-Pheromon von Borkenkäfern enthalten, die man mit dieser Duftmischung in Fallen locken kann. – (b) *3-Methyl-2-buten-1-ol* (Phenol): Sdp. 140 °C, WGK 2 (Selbsteinst.) – (c) *3-Methyl-3-buten-1-ol* (3-Isopentenylalkohol): Sdp. 128–130 °C, WGK 1 (Selbsteinst.). Diese drei Isomere stellen die Bausteine bei der Biogenese der Isoprenoide dar. – ***E*** methylbutenols – ***F*** méthylbuténols – ***I*** metilbutenoli – ***S*** metilbutenoles
Lit.: Beilstein E III **1**, 1921; E IV **1**, 2127–2132 ▪ Naturwissenschaften **71**, 328 f. (1984) ▪ Spektrum Wiss. **1984**, Nr. 8, 73 ff. – *[HS 2905 29; CAS 115-18-4 (a); 556-82-1 (b); 763-32-6 (c)]*

Methyl-2-butensäuren (Methylcrotonsäuren).

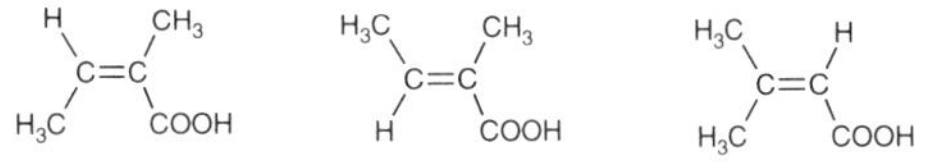

a b c

$C_5H_8O_2$, M_R 100,11. (a) *Angelicasäure* [(*Z*)-2-Methyl-2-butensäure, D. 0,983, Schmp. 45 °C, Sdp. 185 °C] läßt sich beim Kochen, durch Säuren od. Laugen od. durch Belichten in Ggw. von Br_2-Spuren in (b) *Tiglinsäure* [(*E*)-2-Methyl-2-butensäure, D. 0,964, Schmp. 64 °C, Sdp. 198 °C, LD_{50} (Ratte oral) >5 g/kg, WGK 2 (Selbsteinst.)] überführen. – (c) *Seneciosäure* [3-Methyl-2-butensäure, veraltet: 3,3-Dimethylacrylsäure, D. 1,0, Schmp. 70 °C, Sdp. 195 °C, LD_{50} (Ratte oral) 3560 mg/kg, WGK 2 (Selbsteinst.)] wird zur Herst. von Copolymerisaten, Arzneimitteln u. Insektiziden verwendet. Die M. bilden farblose Krist., die in heißem Wasser u. Alkohol lösl. sind. In veresterter Form finden sie sich in vielen Pflanzenbestandteilen, freie Tiglinsäure auch im Abwehrsekret einiger Laufkäfer. – ***E*** methyl-2-butenoic acids – ***F*** acides méthyl-2-buténoïques – ***I*** acidi metil-2-butenoici – ***S*** ácidos metil-2-butenoicos
Lit.: Angew. Chem. **75**, 769 (1963) ▪ Beilstein E IV **2**, 1551 ff., 1555 f. ▪ Merck-Index (12.), Nr. 9573. – *[HS 2916 19; CAS 565-63-9 (a); 80-59-1 (b); 541-47-9 (c)]*

2-Methyl-3-butin-2-ol.

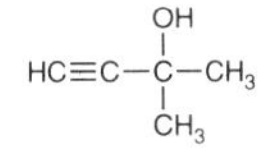

C_5H_8O, M_R 84,11. Farblose, tränenreizende Flüssigkeit, D. 0,8672, Schmp. 3 °C, Sdp. 104–105 °C, FP. 20 °C, mischbar mit Wasser, Aceton, Benzol u. Tetrachlormethan. M. dient als Acetylen-Äquivalent in Palladium-katalysierten Kupplungsreaktionen mit Halogeniden; zur Herst. der Vitamine A u. E, Riechstoffe, Pharmazeutika usw. – ***E*** 2-methyl-3-butyn-2-ol – ***F*** 2-méthyl-3-butin-2-ol – ***I*** 2-metil-3-butin-2-olo – ***S*** 2-metil-3-butin-2-ol
Lit.: Beilstein E IV **1**, 2229 ff. ▪ J. Org. Chem. **48**, 5135 (1983) ▪ Merck-Index (12.), Nr. 6113 ▪ Paquette **5**, 3454 ▪ Ullmann (5.) **A 1**, 297. – *[HS 2905 29; CAS 115-19-5]*

3-Methylbuttersäure (Isovaleriansäure, Delphinsäure). $(H_3C)_2CH\text{–}CH_2\text{–}COOH$, $C_5H_{10}O_2$, M_R 102,13. Ölige, farblose Flüssigkeit mit unangenehmem Geruch, D. 0,93, Schmp. –29 °C, Sdp. 177 °C, lösl. in Alkohol, Chloroform u. Ether, schwer lösl. in Wasser (ca. 2,5%). Die Dämpfe reizen bes. bei Erhitzung sehr stark die Augen u. die Atemwege bis hin zu Glottis- evtl. auch Lungenödem. Kontakt mit der Flüssigkeit führt

zu sehr starker Reizung u. Verätzung der Augen sowie der Haut. M. findet sich in freiem Zustand u. verestert in den Wurzeln von Baldrian u. in der Angelikawurzel, im Delphintran u. in den Beeren des Schneeballs sowie im Analdrüsensekret von Mardern u. a. Musteliden.
Herst.: Durch Oxid. von 3-Methylbutyraldehyd (Isovaleraldehyd).
Verw.: Zur Herst. von Aromen u. Parfüms, Beruhigungsmitteln, Fungiziden; s. a. Baldrianöl. – ***E*** 3-methylbutyric acid – ***F*** acide 3-méthylbutyrique – ***I*** acido 3-metilbutirrico – ***S*** ácido 3-metilbutírico
Lit.: Beilstein E IV **2**, 895 ff. ▪ Hommel, Nr. 539 ▪ Merck-Index (12.), Nr. 5251 ▪ Ullmann (5.) **A 5**, 236–243. – *[HS 2915 60; CAS 503-74-2; G 8]*

3-Methylbuttersäureester (Isovalerate). In verschiedenen Pflanzen vorkommende Aromastoffe, die in der Medizin sowie zur Herst. von Parfüms Verw. finden (genutzt werden u. a. Ethyl-, Benzyl-, Geranyl-, Isobutyl-, Isopentyl-, Menthyl-, Pentyl- u. Phenethylester). – ***E*** 3-methylbutyrates – ***F*** 3-méthylbutyrates – ***I*** 3-metilbutirrati – ***S*** 3-metilbutiratos
Lit.: Beilstein E IV **2**, 897–900 (aliphat. Ester); E III **6**, 145 (Menthylester); E IV **6**, 2266, 3074 (Benzyl-, Phenethylester). – *[HS 2915 60; CAS 659-70-1]*

3-Methylbutyl... s. Isopentyl...

Methyl-*tert*-butylether s. *tert*-Butylmethylether.

Methylbutylketon s. 2-Hexanon.

3-Methylbutylnitrit (Isopentylnitrit, Isoamylnitrit, oft irreführend: Amylnitrit). $(H_3C)_2CH–CH_2–CH_2–ONO$, $C_5H_{11}NO_2$, M_R 117,15. Klare, gelbliche, fruchtartig riechende, brennend würzig schmeckende Flüssigkeit, D. 0,88, Sdp. 98–99 °C, in Wasser fast unlösl., mit Alkohol u. Ether mischbar; bildet mit Luft od. Sauerstoff eine explosive Mischung.
Herst.: Durch Nitrosierung von 3-Methyl-1-butanol.
Verw.: M. hat coronar-vasodilator. u. spasmolyt. Wirkung; wurde früher als Mittel zur Behebung akuter Angina-pectoris-Attacken eingesetzt; dient als schnell wirkendes Antidot bei Cyanid-Vergiftungen. M. dient auch zur Herst. von *Diazonium-Verbindungen usw. – ***E*** 3-methylbutyl nitrite – ***F*** nitrite de 3-méthylbutyle – ***I*** nitrito di 3-metilbutile – ***S*** nitrito de 3-metilbutilo
Lit.: Beilstein E IV **1**, 1683 ▪ Bretherick, Handbook of Reactive Chemical Hazards, London: Butterworths 1995 ▪ Hager (5.) **8**, 597, 612. – *[HS 2920 90; CAS 110-46-3]*

3-Methylbutyraldehyd (3-Methylbutanal, Isovaleraldehyd). $(H_3C)_2CH–CH_2–CHO$, $C_5H_{10}O$, M_R 86,13. Farblose, apfelartig riechende Flüssigkeit, D. 0,785, Schmp. –51 °C, Sdp. 92–93 °C, wenig lösl. in Wasser, lösl. in Alkohol u. Ether, kommt in Orangen-, Pfefferminz-, Eucalyptus- u. a. Ölen vor; LD_{50} (Ratte oral) 5600 mg/kg; WGK 1.
Herst.: Durch Oxid. von 3-Methyl-1-butanol od. durch Hydroformylierung von Isobuten.
Verw.: Zu Aromen, Parfüms, Arzneimitteln, Vulkanisationsbeschleunigern usw. – ***E*** 3-methylbutyraldehyde – ***F*** 3-méthylbutyraldéhyde – ***I*** 3-metilbutirraldeide – ***S*** 3-metilbutiraldehído
Lit.: Beilstein E IV **1**, 3291 ▪ Merck-Index (12.), Nr. 5249 ▪ Ullmann (5.) **A 1**, 323, 328. – *[HS 2912 19; CAS 590-86-3]*

Methylbutyrat s. Buttersäureester.

***N*-Methyl-ε-caprolactam** (NMC, 1-Methyl-2-azepanon).

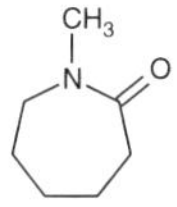

$C_7H_{13}NO$, M_R 127,18. Farblose Flüssigkeit, D. 0,99–1,01, Schmp. 6,5 °C, Sdp. 106–108 °C (8 hPa), mit Wasser u. organ. Lsm. mischbar.
Herst.: Durch Gasphasen-Methylierung von ε-Caprolactam mit Methanol an einem Al_2O_3-Katalysator bei etwa 350 °C unter Normaldruck. M. eignet sich als Extraktionsmittel für Aromaten (BTX) aus Pyrolysebenzin (*Arex-Verfahren). – ***E*** *N*-methyl-ε-caprolactam – ***F*** *N*-méthyl-ε-caprolactame – ***I*** *N*-metil-ε-caprolattame – ***S*** *N*-metil-ε-caprolactama
Lit.: Beilstein E V **21/6**, 449 f. ▪ Weissermel-Arpe (4.), S. 282 f., 347 f. – *[HS 2933 79; CAS 2556-73-2]*

Methylcellulose. Als M. (Cellulosemethylether, Kurzz. MC; Strukturformel s. Cellulose-Derivate: R = H, CH_3) werden Methylether der *Cellulose bezeichnet, die bei Einwirkung von Methylierungsmitteln wie Dimethylsulfat, Methylchlorid od. Methyliodid auf Cellulose in Ggw. alkal. reagierender Verb. anfallen. Die techn. Herst. von M. erfolgt ausschließlich durch Umsetzung von *Alkalicellulosen mit Methylchlorid in Ggw. od. Abwesenheit von organ. Lsm. bei erhöhter Temp. unter Druck. Der dabei anfallende *Celluloseether enthält als Nebenprodukte Methanol, Dimethylether u. größere Mengen Kochsalz. Das Rohprodukt wird nach Abtrennen des ggf. im Überschuß eingesetzten Methylchlorids u. der flüchtigen Nebenprodukte durch Waschen mit heißem Wasser, in dem handelsübliche M. (*DS ca. 1,5–2 Methyl-Gruppen je Glucose-Rest) unlösl. sind, gereinigt u. anschließend getrocknet u. gemahlen.
Als M. werden im allg. auch Cellulosemischether bezeichnet, die neben einem dominierenden Gehalt an Methyl- zusätzlich 2-Hydroxyethyl-, 2-Hydroxypropyl- od. 2-Hydroxybutyl-Gruppen enthalten, die über die entsprechenden Epoxide (Ethylen-, Propylen- od. Butylenoxid) meist im Verlauf des Methylierungsprozesses durch Mischveretherung eingeführt werden. Die 2-Hydroxyalkyl-Gruppen vermitteln den M. verbesserte Eigenschaften z. B. hinsichtlich höherer Transparenz, therm. Beständigkeit u. geringerer Elektrolyt-Empfindlichkeit ihrer wäss. Lsg., Filmbildung u. Vernetzbarkeit.
M. werden als weiße bis gelbliche Pulver od. Granulate in breit variierenden Lsg.-Viskositäten angeboten, die über die Wahl der Ausgangscellulosen, über die Reaktionsbedingungen bei der Alkalisierung (*Reifen* der Alkalicellulosen durch Oxid., z. B. mit Luftsauerstoff) u. bei der Veretherung sowie über die Einstellung unterschiedlicher Polymerisationsgrade des Cellulose-Derivats regulierbar sind.
Eigenschaften: M. sind bei techn. üblicher Herst. in heterogenen Reaktionsgemischen bei einem durchschnittlichen Substitutionsgrad von DS ca. 0,7–1,4 in wäss. Alkalien, bei Substitutionsgraden von DS ca. 1,4–2,3 in kaltem Wasser od. in wäss. organ. Lsm.

(z. B. Alkohole) u. solchen von DS ca. 2,3 bis zu dem max. erreichbaren DS = 3 in organ. Lsm. löslich. Aus wäss. Lsg. flocken die M. beim Erwärmen aus. Die Temp., bei der diese Flockung auftritt, die sog. Flockungs- od. Gel-Temp., ist prim. abhängig vom Methylierungsgrad der M. u. wird durch den Gehalt an 2-Hydroxyalkyl-Gruppen u. den Polymerisationsgrad beeinflußt. M. sind oberflächenaktiv. Ihre wäss. Lsg. sind in einem weiten pH-Bereich (ca. 3–12) beständig, anfällig jedoch gegen mikrobiellen Befall, gegen den sie durch Zusatz von Konservierungsmitteln geschützt werden können. M. sind toxikolog. unbedenklich u. thermoplast. verarbeitbar.
Verw.: Als Verdickungs-, Binde-, Klebe-, Dispergier-, Suspendier-, Emulgier-, Sedimentations-, Filterhilfs-, Flockungs-, Quell-, Gleit- u. Wasserrückhaltemittel sowie als Schutzkolloid u. Filmbildner. M. werden verwendet zur Herst. von Bau-, Anstrich- u. Klebstoffen, kosmet. u. pharmazeut. Präp. (z. B. von Zahnpasten), Nahrungs- u. Genußmitteln, in der Waschmittel-, Textil-, Leder-, Keramik-, Tabak- u. Bleistift-Ind., als Hilfsmittel für Polymerisationsprozesse usw. – ***E*** methylcellulose – ***F*** méthycellulose – ***I*** metilcellulosa – ***S*** metilcelulosa
Lit.: Encycl. Polym. Sci. Eng. **3**, 250–254 ▪ Houben-Weyl **E 20/3**, 2061–2065 ▪ Ullmann (5.) **A 5**, 468–473. – *[HS 3912 39; CAS 9004-67-5]*

Methylchavicol s. Estragol.

Methylchinoline.

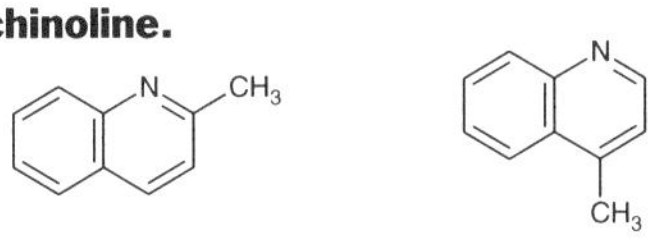

a b

Gruppe von Methyl-Derivaten des Chinolins, $C_{10}H_9N$, M_R 143,18. Von den sieben bekannten M. sind am wichtigsten: (a) *2-Methylchinolin* (Chinaldin): Farblose Flüssigkeit, D. 1,0585, Schmp. –2 °C, Sdp. 248 °C, unlösl. in Wasser, lösl. in Alkohol, Ether, Chloroform; LD_{50} (Ratte oral) 1230 mg/kg; WGK 2. 2-M. wird zur Synth. verschiedener Farbstoffe (*Cyanin-Farbstoffe) verwendet. – (b) *4-Methylchinolin* (Lepidin): Farblose Flüssigkeit, D. 1,08, Schmp. 9–10 °C, Sdp. 264 °C, lösl. in Alkohol, wenig lösl. in Wasser, hygroskop., stechend riechend, dient ebenfalls zur Farbstoff-Herstellung. – ***E*** methylquinolines – ***F*** méthylquinoléines – ***I*** metilchinoline – ***S*** metilquinolinas, metilquinoleínas
Lit.: Beilstein E V **20/7**, 375–406 ▪ Merck-Index (12.), Nr. 8228, 5464 ▪ Ullmann (4.) **9**, 311; (5.) **A 22**, 466. – *[HS 2933 40; CAS 91-63-4 (a); 491-35-0 (b)]*

Methylchlorid s. Chlormethane.

Methylchlorsilane. Techn. Bez. für eine systemat. als *Chlormethylsilane* zu benennende Gruppe von Chlor-haltigen Silicium-organ. Verbindungen. – (a) *Trichlormethylsilan*, $H_3C\text{-}SiCl_3$, CH_3Cl_3Si, M_R 149,48, D. 1,273, Schmp. –90 °C, Sdp. 66 °C, WGK 1. – (b) *Dichlordimethylsilan* $(H_3C)_2SiCl_2$, $C_2H_6Cl_2Si$, M_R 129,06, D. 1,067, Sdp. 70 °C, WGK 1. – (c) *Chlortrimethylsilan*, $(H_3C)_3SiCl$, C_3H_9ClSi, M_R 108,64, D. 0,854, Sdp. 57 °C, WGK 1. Die M. sind farblose, stechend riechende, an der Luft infolge HCl-Abspaltung stark rauchende Flüssigkeiten, die mit Wasser hydrolysieren u. anschließend Kondensationsprodukte bilden.
Herst.: Durch Einwirkung von Methylchlorid in der Dampfphase bei 350 °C auf gepulvertes Silicium in Ggw. von Kupfer als Katalysator (Müller-Rochow-Synth.).
Verw.: Die M. dienen zur Hydrophobierung von Glas, Keramiken, Füllstoffen u. Pigmenten, in der organ. Chemie sind sie nützliche Reagenzien z. B. zum Einführen der Trimethylsilyl- u. der Dimethylsilylen-Gruppe. Haupteinsatzgebiet ist jedoch die Herst. von *Siliconen. – ***E*** methylchlorosilanes – ***F*** méthylchlorosilanes – ***I*** metilclorosilani – ***S*** metilclorosilanos
Lit.: Beilstein E IV **4**, 4212 f. (a), 4111 f. (b), 4007 f. (c) ▪ Hommel, Nr. 676, 677 ▪ Org. Synth. **65**, 1, 52 (1987) ▪ Paquette **3**, 1706; **5**, 3614; **2**, 1234 ▪ Synthesis **1985**, 817; **1987**, 418, 489 ▪ Synthetica **2**, 99–102 ▪ Ullmann (4.) **21**, 485; (5.) **A 24**, 25 ff. ▪ s. a. Silicone. – *[HS 2931 00; CAS 75-79-6 (a); 75-78-5 (b); 75-77-4 (c)]*

Methylcinnamat s. Zimtsäureester.

Methylcobalamin (Mecobalamin).

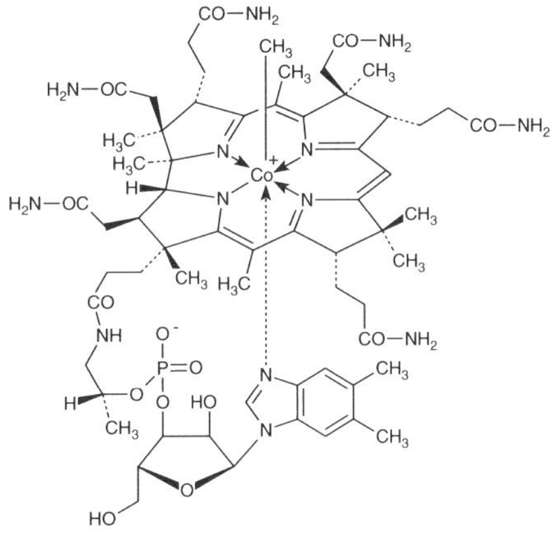

$C_{63}H_{91}CoN_{13}O_{14}P$, M_R 1345,40. Vom *Vitamin B_{12} abgeleitetes *Coenzym der Methionin-Synthase (s. Methionin), das bei Bakterien u. Tieren die Methyl-Gruppen-Übertragung von (6*S*)-5-Methyl-5,6,7,8-tetrahydrofolsäure auf L-*Homocystein vermittelt, wobei L-Methionin u. *Tetrahydrofolsäure gebildet werden. Eine wichtige Rolle spielt dabei die Reaktivität der Cobalt-Kohlenstoff-Bindung. Zur räumlichen Struktur des Enzym/Coenzym-Komplexes s. *Lit.*[1]. Bei der *Methanogenese (z. B. *Methanosarcina barkeri* auf Methanol od. Acetat) überträgt M. seine Methyl-Gruppe auf *Coenzym M[2]. – ***E*** methylcobalamin – ***F*** méthylcobalamine – ***I*** = ***S*** metilcobalamina
Lit.: [1] Science **266**, 1663 f., 1669–1674 (1994). [2] Arch. Microbiol. **159**, 530–536 (1993).
allg.: Beilstein E V **26/15**, 340 f. – *[CAS 13422-55-4]*

***N*-Methylconiin** s. Conium-Alkaloide.

2-Methylcrotonsäure s. Methyl-2-butensäuren.

6-Methylcumarin (Tonkarin).

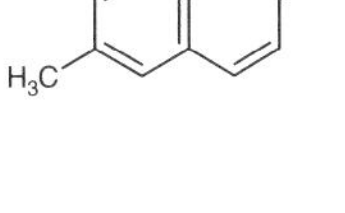

$C_{10}H_8O_2$, M_R 160,18. Farblose Blättchen, Schmp. 76–77 °C, Sdp. 174 °C (19 hPa), lösl. in Alkohol. Synthet. Riechstoff der Kokos- u. Waldmeister-ähnlich riecht, kann photoallerg. Reaktionen verursachen. M. ist als Aromastoff für bestimmte Lebensmittel (z.B. Cremespeisen, Pudding, Kunstspeiseeis usw.) zugelassen. In kosmet. Mitteln (Mundpflegemitteln) darf M. mit Einschränkungen verwendet werden (Kosmetik-VO vom 19.06.1985, zuletzt geändert am 23.12. 1996, Anl. 2, Nr. 46). – ***E*** 6-methylcoumarin – ***F*** 6-méthylcoumarine – ***I*** = ***S*** 6-metilcumarina

Lit.: Beilstein EV **17/10**, 168 ▪ Zipfel, A381. – *[HS 2932 21; CAS 92-48-8; G 6.1]*

Methylcyanid s. Acetonitril.

Methylcyclohexan (Hexahydrotoluol). F
$H_3C–C_6H_{11}$, C_7H_{14}, M_R 98,19. Farblose, benzinartig riechende Flüssigkeit, D. 0,7694, Schmp. –126 °C, Sdp. 100 °C, FP. –4 °C, unlösl. in Wasser, lösl. in Alkohol u. Ether. Die Dämpfe reizen die Augen u. die Atemwege. Sie wirken in hohen Konz. narkot. Kontakt mit der Flüssigkeit bewirkt Reizung der Augen u. leichte Reizung der Haut. Bei Einatmung hoher Konz. Lungenödem möglich, MAK 500 ppm bzw. 2000 mg/m³ (MAK-Werte-Liste 1996); WGK 2 (Selbsteinst.).

Verw.: Lsm. für Celluloseether, Badflüssigkeit für Kryostaten. Das in Erdölen verbreitete M. wird in Reformierprozessen in Toluol überführt. – ***E*** methylcyclohexane – ***F*** méthylcyclohexane – ***I*** metilcicloesano – ***S*** metilciclohexano

Lit.: Beilstein EIV **5**, 94 ff. ▪ Hommel, Nr. 523 ▪ Ullmann (5.) **A 8**, 210, 215. – *[HS 2902 19; CAS 108-87-2; G 3]*

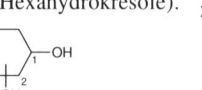

Methylcyclohexanole (Hexahydrokresole). Xn

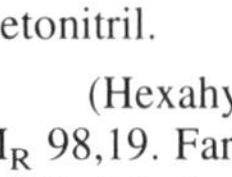

$C_7H_{14}O$, M_R 114,18. M. ist gewöhnlich erhältlich als eine Mischung der *cis*- u. *trans*-Isomeren von 2-, 3- u. 4-Methylcyclohexanol. – (a) (±)-*cis-2-M.*: Schmp. 7 °C, Sdp. 165,2 °C; – (b) (±)-*trans-2-M.*: Schmp. –4 °C, Sdp. 166,5 °C; – (c) (±)-*cis-3-M.*: Schmp. –4,7 °C, Sdp. 174 °C; – (d) (±)-*trans-3-M.*: Schmp. –1 °C, Sdp. 175 °C; – (e) *cis-4-M.*: Schmp. –9,2 °C, Sdp. 174 °C; – (f) *trans-4-M.*: Sdp. 173 °C; – (g) *1-M.*: Schmp. 26 °C, Sdp. 168 °C, erhältlich durch 1-Methylierung von Cyclohexanon, hat keine techn. Bedeutung. Die M. sind farblose Flüssigkeiten, mischbar mit Alkohol u. Ether. Die Dämpfe reizen die Augen u. die Atemwege sowie die Haut. Kontakt mit der Flüssigkeit ruft Reizung der Augen u. der Haut hervor; die Flüssigkeit wird auch über die Haut aufgenommen, MAK 50 ppm bzw. 235 mg/m³ (für alle Isomere, MAK-Werte-Liste 1996); WGK 1 (Selbsteinst.).

Verw.: Lsm. für Harze, Öle u. Wachse, als Antioxidationsmittel in Schmiermitteln, Zwischenprodukte in organ. Synthesen. – ***E*** methylcyclohexanols – ***F*** méthylcyclohexanols – ***I*** metilcicloesanoli – ***S*** metilciclohexanoles

Lit.: Beilstein EIV **6**, 95, 100 f., 102 f., 105 ▪ Hommel, Nr. 768 ▪ Ullmann (5.) **A 8**, 223. – *[HS 2906 12; CAS 25639-42-3 (Isomerengemisch); 7443-70-1 (a); 7443-52-9 (b); 5454-79-5 (c); 7443-55-2 (d); 7731-28-4 (e); 7731-29-5 (f); 590-67-0 (g); G 3]*

Methylcyclohexanone. Xn

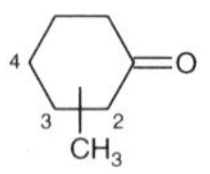

$C_7H_{12}O$, M_R 112,17. Cyclohexanon mit Methyl-Gruppen in 2-, 3- od. 4-Stellung: – (a) (±)-*2-M.*: Schmp. –13,9 °C, Sdp. 165,1 °C; – (b) (±)-*3-M.*: Schmp. –73,5 °C, Sdp. 170 °C; – (c) *4-M.*: Schmp. –40,6 °C, Sdp. 171,3 °C. Die M. sind farblose bis hellgelbe Flüssigkeiten mit Aceton-ähnlichem Geruch. Die Dämpfe reizen die Augen u. die Atemwege, Kontakt mit der Flüssigkeit führt zu Reizung der Augen u. der Haut. Die Flüssigkeit wird auch über die Haut aufgenommen; lähmende (narkot.) Wirkung auf das Zentralnervensyst.; Schäden an Herz, Leber u. Nieren treten erst nach mehreren Stunden auf. MAK des 2-M. 50 ppm bzw. 230 mg/m³ (MAK-Werte-Liste 1996), WGK 1.

Verw.: Als Zwischenprodukte in organ. Synth., als Lösemittel. – ***E*** methylcyclohexanones – ***F*** méthylcyclohexanones – ***I*** metilcicloesanoni – ***S*** metilciclohexanonas

Lit.: Beilstein EIV **7**, 41 f., 43 f., 44 ▪ Hommel, Nr. 524 ▪ Ullmann (5.) **A 8**, 223, 224. – *[HS 2914 22; CAS 1331-22-2 (Isomerengemisch); 583-60-8 (a); 591-24-2 (b); 589-92-4 (c); G 3]*

N*-Methylcyclohexylamin** (Cyclohexyl-methylamin). $H_{11}C_6–NH–CH_3$, $C_7H_{15}N$, M_R 113,20. Wasserklare Flüssigkeit, D. 0,86, Sdp. 146–151 °C, lösl. in Alkohol, Ether u. Wasser; LD_{50} (Ratte oral) 400 mg/kg; WGK 1 (Selbsteinst.). Herst. erfolgt durch Hydrierung von Methylanilin. M. wird als Lsm., in Vulkanisationsbeschleunigern, in organ. Synth. verwendet. – ***E *N*-methylcyclohexylamine – ***F*** *N*-méthylcyclohexylamine – ***I*** *N*-metilcicloesilammina – ***S*** *N*-metilciclohexilamina

Lit.: Beilstein EIV **12**, 17 ▪ Ullmann (5.) **A 2**, 11. – *[HS 2921 30; CAS 100-60-7]*

(Methylcyclopentadienyl)mangantricarbonyl (MMT). T

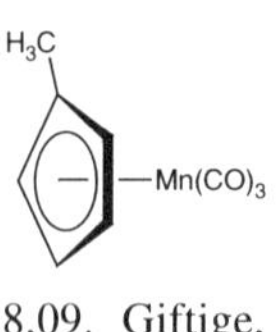

$C_9H_7MnO_3$, M_R 218,09. Giftige, nach den IUPAC-Regeln als *Tricarbonyl(η^5-methylcyclopentadienyl)-mangan* zu bezeichnende Flüssigkeit, die eine zeitlang als *Antiklopfmittel u. Verbrennungsförderer für Heizöle diente; Näheres s. bei Carbonylkomplexe. – ***E*** (methylcyclopentadienyl)manganese tricarbonyl – ***F*** (methylcyclopentadiényl)manganèse tricarbonyle – ***I*** tricarbonile di (metilciclopentadienil)manganese – ***S*** (metilciclopentadienil)manganeso tricarbonilo

Lit.: Beilstein EIV **16**, 1778 ▪ s. Carbonylkomplexe u. Mangan-organische Verbindungen. – *[HS 2913 00; CAS 12108-13-3]*

Methylcyclopentan.

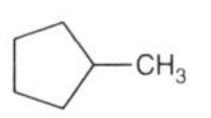

C_6H_{12}, M_R 84,16. Farblose, leicht brennende Flüssigkeit mit mildem aromat. Geruch, D. 0,75, Schmp. –143 °C, Sdp. 72 °C, mischbar mit Alkohol, Ether, Aceton u. Benzol, wirkt reizend auf Haut u. Schleimhäute, hohe Dampfkonz. wirken narkotisch. M. ist ein Erdölbestandteil, unter Reformierbedingungen isomerisiert es zu Cyclohexan u. wird dann aromatisiert; es findet als Lsm. u. in organ. Synth. Verwendung. – ***E*** methylcyclopentane – ***F*** méthylcyclopentane – ***I=S*** metilciclopentano

Lit.: Beilstein E IV **5**, 84 ff. ▪ Hommel, Nr. 525 ▪ Ullmann (5.) **A 8**, 210, 215. – *[HS 2902 19; CAS 96-37-7; G 3]*

***N*-Methylcytisin** s. Cytisin.

5-Methylcytosin (4-Amino-5-methyl-1*H*-pyrimidin-2-on; tautomere Form: 4-Amino-5-methylpyrimidin-2-ol; Abk. mCyt).

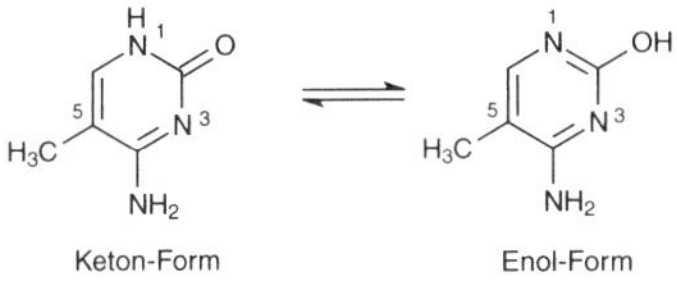

$C_5H_7N_3O$, M_R 125,13. Farblose Krist., Schmp. 270 °C, wenig lösl. in Wasser. 5-M. ist ein überwiegend in der Keton-Form vorliegendes Pyrimidin-Derivat, das in *Desoxyribonucleinsäuren (DNA) vieler Organismen vorkommt. Die Methyl-Gruppe wird durch spezielle *Methyltransferasen (EC 2.1.1.37) auf in den DNA gebundene Cytosin-Reste übertragen. Dabei werden bei Eukaryonten nur solche Cytosin-Reste in der Sequenz CG methyliert, in deren komplementärer Sequenz der Cytosin-Rest bereits methyliert ist (mCG). Dadurch vererbt sich das Methylierungs-Muster. Die Cytosin-Methylierung hemmt die *Transkription u. Nuclease-Verdauung. – ***E*** 5-methylcytosine – ***F*** 5-méthyl-cytosine – ***I=S*** 5-metilcitosina

Lit.: Alberts et al., Molekularbiologie der Zelle, 3. Aufl., S. 529 f., Weinheim: VCH Verlagsges. 1995 ▪ Beilstein E III/IV **25**, 3727 ▪ FEBS Lett. **329**, 233–237 (1993) ▪ Stryer 1996, S. 1045. – *[HS 2933 59; CAS 554-01-8]*

***N*-Methyldiethanolamin** s. *N*-Methyl-2,2′-iminodiethanol.

Methyldiglykol s. Diethylenglykol.

Methyldigoxin s. Metildigoxin.

2-Methyl-4,6-dinitrophenol s. DNOC.

4-Methyl-1,3-dioxolan-2-on (Propylencarbonat).

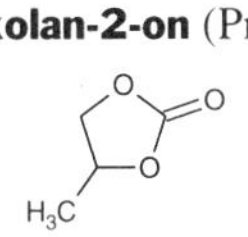

$C_4H_6O_3$, M_R 102,08. Wasserhelle, leichtbewegliche Flüssigkeit, D. 1,2057, Schmp. –49 °C (auch –70 °C angegeben), Sdp. 242 °C. M. wird aus Propylenoxid u. CO_2 bei 200 °C u. 80 bar hergestellt. Es findet als Speziallösemittel in der Faser- u. Textil-Ind. sowie zur Entfernung saurer Verunreinigungen aus Erdgas od. Synthesegas Verwendung. – ***E*** 4-methyl-1,3-dioxolan-2-one – ***F*** 4-méthyl-1,3-dioxolan-2-one – ***I*** 4-metil-1,3-diossolan-2-one – ***S*** 4-metil-1,3-dioxolan-2-ona

Lit.: Beilstein E V **19/4**, 21 ff. ▪ Ullmann (5.) **A 5**, 197 ▪ Weissermel-Arpe (4.), S. 299. – *[HS 2920 90; CAS 108-32-7]*

Methyldopa (Rp).

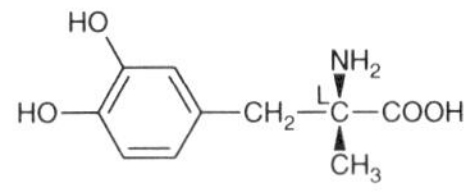

Internat. Freiname für das *Antihypertonikum 3,4-Dihydroxy-α-methyl-L-phenylalanin, $C_{10}H_{13}NO_4$, M_R 211,21. Farblose Krist., Schmp. 306–307 °C (Zers.), $[\alpha]_D^{20}$ –25° bis –28°; λ_{max} 280 nm ($A_{1cm}^{1\%}$ 122 bis 137); in Wasser wenig, in organ. Lsm. prakt. nicht löslich. Lagerung: Vor Licht u. Luft geschützt. Pharmakolog. wirksam ist allein die L-Form; M. wurde 1959 von Merck & Co patentiert u. ist als Generikum im Handel. – ***E*** methyldopa – ***F*** méthyldopa – ***I=S*** metildopa

Lit.: ASP ▪ Hager (5.) **8**, 943–946 ▪ Kaufmann u. Kroneberg, Alpha-Methyldopa, Stuttgart: Thieme 1981 ▪ Martindale (31.), S. 904 ff. ▪ Ph. Eur. **1997** u. Komm. – *[HS 2922 50; CAS 555-30-6 (M. wasserfrei); 41372-08-1 (Sesquihydrat)]*

Methylen... Vieldeutige Bez. für CH_2 (Herkunft s. Methyl...): a) Doppeltgebundener Substituent $=CH_2$ (IUPAC-Regel A-4.1; die Bez. *Methyliden...* nach Regel R-9.1.19-b-1 ist unüblich). – b) Zweibindige Gruppe $-CH_2-$ (IUPAC-Regel C-72.1; vgl. auch Methylendioxy...; nach Regel R-2.5 auch: *Methandiyl...*), auch als Ketten- od. Ringglied (Regel A-4.2; z. B. *Hexamethylen...). Die über *kondensierte Ringsysteme gespannte CH_2-Brücke wird *Methano... genannt. „Aktivierte“ M.-Gruppen sind an Gruppen gebunden, welche die C–H-Bindung schwächen u. ihre Acidität erhöhen, z. B. Carbonyl, Aryl, Vinyl; vgl. Malonester-Synthese, Michael-Addition, En-Synthese, Wohl-Ziegler-Reaktion. – c) Das reaktive Mol. CH_2 wird Methylen od. *Carben genannt (IUPAC-Regel C-81.1, RC-81.1.3.1, R-5.8.1.2). – ***E*** methylene... – ***F*** méthylène... – ***I*** metilen... (a, b), metilene (c) – ***S*** metilen... (a, b), metileno (c)

Methylenbernsteinsäure s. Itaconsäure.

***N,N′*-Methylenbis(acrylamid)** (BIS, MBA).

$$H_2C{=}CH{-}\overset{O}{\overset{\|}{C}}{-}NH{-}CH_2{-}NH{-}\overset{O}{\overset{\|}{C}}{-}CH{=}CH_2$$

$C_7H_{10}N_2O_2$, M_R 154,17. Farblose Krist., D. 1,235, Schmp. 185 °C, Polymerisation, Zers. >300 °C, lösl. in Methanol, Ethanol, Wasser.

Verw.: Als Copolymerisat in der Gel-Elektrophorese, zum Vernetzen von Polymeren (durch Reaktion der Vinyl- u./od. Amid-Gruppen) z. B. bei der Herst. von Überzugsmaterialien, Textil-Finishes, Gießereihilfsmitteln u. Ionenaustauscher-Kunstharzen. – ***E*** *N,N′*-methylenebis(acrylamide) – ***F*** *N,N′*-méthylènebis(acrilamide) – ***I*** *N,N′*-metilenbis(acrilammide) – ***S*** *N,N′*-metilenbis(acrilamida)

Lit.: Beilstein E IV **2**, 1472 ▪ J. Appl. Polym. Sci. **32**, 4939 (1986) ▪ J. Virol. Methods **15**, 41 (1987) ▪ Ullmann (5.) **A 9**, 378, 386 f.; **A 21**, 144, 160. – *[CAS 110-26-9]*

***p,p′*-Methylenbis(*o*-chloranilin)** s. MOCA.

4,4′-Methylenbis(*N,N′*-dimethylanilin) {MBDA, Tetra-*N*-methyl-4,4′-diaminodiphenylmethan, Bis[4-

(dimethylamino)phenyl]methan, Arnolds Base, Tetra-Base}.
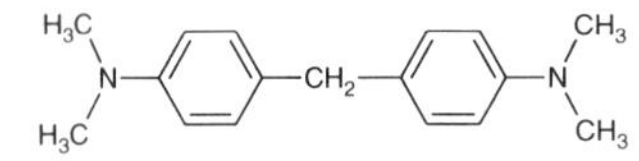

$C_{17}H_{22}N_2$, M_R 254,37. Weiße bis bläulichweiße, glänzende Blättchen, Schmp. 91 °C, Sdp. 390 °C, sublimiert, unlösl. in Wasser, lösl. in Benzol, Ether, Schwefelkohlenstoff, Säuren, heißem Alkohol. M. gilt als Stoff, der sich im Tierversuch eindeutig als krebserzeugend erwiesen hat, Gruppe III A 2 (MAK-Werte-Liste 1996), WGK 3 (Selbsteinst.). M. wird in Form des Hydrochlorids zum Blei-Nachw. u. zur Herst. von Auramin-Farbstoffen verwendet. – ***E*** 4,4′-methylenebis(*N,N*-dimethylaniline) – ***F*** 4,4′-méthylènebis(*N,N*-diméthylaniline) – ***I*** = ***S*** 4,4′-metilenbis(*N,N*-dimetilanilina)

Lit.: Beilstein E IV **13**, 390 ▪ Gesundheitsschädliche Arbeitsstoffe: toxikologisch-arbeitsmedizinische Begründung von MAK-Werten, Weinheim: Wiley-VCH 1972–1997 ▪ Merck-Index (12.), Nr. 6264. – *[HS 2921 59; CAS 101-61-1]*

3,3′-Methylenbis(4-hydroxycoumarin) s. Dicumarol.

4,4′-Methylenbis(phenylisocyanat) s. 4,4′-Methylendi(phenylisocyanat).

Methylenblau [3,7-Bis(dimethylamino)-phenothiazinyliumchlorid, *N,N,N′,N′*-Tetramethylthioniniumchlorid, Methylthioniniumchlorid, C.I. Basic Blue 9, C.I. 52015].

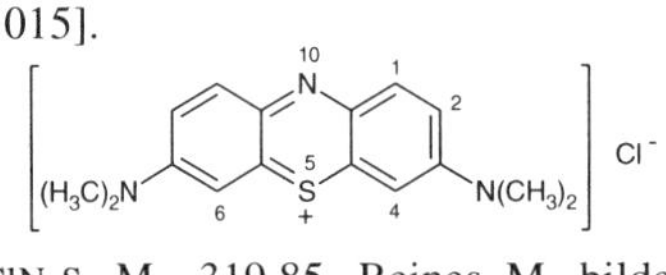

$C_{16}H_{18}ClN_3S$, M_R 319,85. Reines M. bildet dunkelgrüne, glänzende Krist. od. ein dunkelgrünes Pulver, Schmp. 100–110 °C (Zers.), in Wasser, Alkohol u. Chloroform lösl., unlösl. in Ether; WGK 2 (Selbsteinst.); wahrscheinlich ein Photoallergen. Das meist gehandelte Zinkchlorid-Doppelsalz des M. ist ein braunes, metallglänzendes Kristallpulver. Das von *Caro 1876 erstmals hergestellte M. ist der wichtigste Vertreter der kation. *Phenothiazin-Farbstoffe (Thiazin-Farbstoffe); das Methylgruppen-freie Derivat ist das *Thionin. M. ist ein Redoxindikator (s. Redoxsystem), der sich leicht als Wasserstoff-Akzeptor betätigt: Schüttelt man z. B. alkohol. M.-Lsg. in einem Sauerstoff-freien Behälter mit feinverteiltem Platin, so wird M. unter Aufnahme von Wasserstoff in die farblose Leukoform umgewandelt, während der Alkohol in Acetaldehyd übergeht; ähnlich kann M. auch als Wasserstoff-Akzeptor bei enzymat. Dehydrierungen wirken. Einen einfach auszuführenden Versuch mit Glucose als Red.- u. Luft als Oxid.-Mittel beschreibt Roesky [1]. M. sensibilisiert den photochem. Abbau von *Azofarbstoffen durch *Singulett-Sauerstoff [2].

Herst.: Aus *N,N*-Dimethyl-*p*-phenylendiamin durch Oxid. mit Dichromat in Ggw. von Natriumthiosulfat (Bildung einer Thiosulfonsäure), Addition von *N,N*-Dimethylanilin, Oxid. zum *Indamin u. Cyclisierung zu M. durch Kochen in Ggw. von Kupfersulfat.

Verw.: M. färbt die mit Tannin gebeizte Baumwolle ziemlich echt blau. Überraschend hohe Lichtechtheit zeigen mit M. gefärbte Polyacrylnitril-Fasern, weshalb es bis in neuere Zeit zum Färben u. Drucken, auch von Papieren, kosmet. Artikeln, als Lackfarbstoff sowie in der Medizin u. Mikroskopie verwendet wird. P. *Ehrlich [3] führte M. in die Histologie ein als sog. Vitalfarbstoff, d. h. es färbt bestimmte Teile des lebenden Organismus sehr stark (bes. periphere Nerven), während andere ungefärbt bleiben. Man verwendet z. B. eine alkalisierte M.-Lsg. nach Löffler zur Anfärbung von Blutparasiten im Blutausstrich; die ethanol. gesätt. M.-Stammlsg. wird vor der Färbung mit Kalilauge versetzt u. mit Wasser verdünnt. Auch Gemische von M. mit seinen Oxid.-Produkten (*Giemsa-, *Pappenheim- od. May-Grünwald-, Leishman-Färbung) finden in der Mikroskopie Verwendung. M. wird in Form speziell gefertigter Pillen zur Funktionsprobe des Magens verwendet sowie (intravenös in 1%iger Lsg.) bei Vergiftungen mit Kohlenoxid, Cyan-Verb., Nitrit u. a. *Methämoglobin-Bildnern, in der Tiermedizin äußerlich u. innerlich bei Wunden, Ekzemen, Furunkeln, Magen- u. Darmkatarrh, Coccidiose, Geflügelcholera u. dgl., in der Teichwirtschaft gegen Pilze u. Parasiten. Im Gemisch mit *Methylrot dient M. als Mischindikator (*Tashiro-Indikator). Eine interessante Verw. findet M. in der Bestimmung von *Aniontensiden als sog. „M.-aktive Substanz“ (*MBAS) nach der *Longwell-Manience-Methode u. bei der *Epton-Titration. – ***E*** methylene blue – ***F*** bleu de méthylène – ***I*** blu di metilene – ***S*** azul de metileno

Lit.: [1] Kontakte (Merck) **1984**, Nr. 2, 44 f. [2] Zollinger, Color Chemistry, 2. Aufl., Weinheim: VCH Verlagsges. 1991. [3] Naturwiss. Rundsch. **34**, 361–379 (1981).

allg.: Beilstein E V **27/19**, 259–264 ▪ Kirk-Othmer (4.) **18**, 166 ▪ Martindale (31.), S. 985 ▪ Ph. Eur. **1997** (Methylthioniniumchlorid) ▪ Snell-Hilton **6**, 386 ▪ Ullmann (5.) **A 3**, 229; **A 5**, 370; **A 18**, 143; **A 19**, 396; **A 24**, 571 ▪ Winnacker-Küchler (4.) **7**, 48. – *[HS 2934 30; CAS 61-73-4]*

Methylenblau-aktive Substanzen s. MBAS.

Methylenbromid (Dibrommethan). CH_2Br_2, M_R 173,83. Farblose, leicht flüchtige Flüssigkeit, D. 2,497, Schmp. –52 °C, Sdp. 97 °C, wenig lösl. in Wasser, mischbar mit Alkohol, Ether, Aceton. Kontakt mit den Dämpfen u. der Flüssigkeit ruft Reizung der Augen, der Atemwege u. der Haut hervor. Die Flüssigkeit wird auch über die Haut aufgenommen, Nieren- u. Leberschäden möglich; LD_{50} (Ratte oral) 108 mg/kg; WGK 3 (Selbsteinst.). M. wird als Lsm. u. als Ausgangsstoff bei organ. Synth. verwendet. – ***E*** methylene bromide – ***F*** bromure de méthylène – ***I*** bromuro di metilene – ***S*** bromuro de metileno

Xn

Lit.: Beilstein E IV **1**, 78 f. ▪ Hommel, Nr. 670 ▪ Merck-Index (12.), Nr. 6138 ▪ Paquette **3**, 1561 ▪ Ullmann (5.) **A 4**, 406. – *[HS 2903 30; CAS 74-95-3]*

Methylenchlorid s. Chlormethane.

4,4′-Methylendianilin s. 4,4′-Diaminodiphenylmethan.

Methylendioxy... Bez. für die Atomgruppierung $–O–CH_2–O–$ als Bindeglied zwischen zwei ident. organ. Mol. (IUPAC-Regeln C-72.2, C-205.2, C-212.3, R-5.5.2) od. als cycl. Acetal (Regel C-331.2; s. Dioxole, Piperonal, Safrol). Chem. Abstr.: [Methylenbis(oxy)]... – ***E*** methylenedioxy... – ***F*** méthylènedioxy... – ***I*** metilendiossi... – ***S*** metilendioxi...

3,4-(Methylendioxy)benzaldehyd s. Piperonal.

4,4′-Methylendi(phenylisocyanat) [MDI, 4,4′-Methylenbis(phenylisocyanat), Diphenylmethan-4,4′-diisocyanat]. Xn

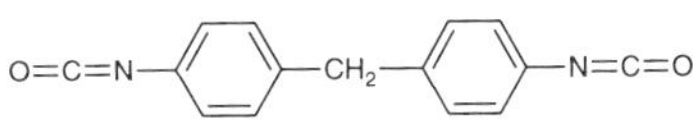

$C_{15}H_{10}N_2O_2$, M_R 250,25. Farblose bis gelbliche Masse, D. 1,19 (50 °C), Schmp. 38 °C, Sdp. 230 °C (Zers.). Staub/Luftgemische u. Dampf/Luftgemische reizen u. schädigen die Augen, die Atemwege, die Lunge sowie die Haut. Erst Stunden nach Einatmen kommt es zu asthmaähnlichen Zuständen. Kontakt mit dem festen Stoff od. der Flüssigkeit führt zu starker Reizung der Augen u. der Haut; M. wirkt häufig allergisierend. MAK 0,005 ppm, gilt als Stoff mit begründetem Verdacht auf krebserzeugendes Potential, Gruppe III B (MAK-Werte-Liste 1996); WGK 1. M. gehört zu den *Diisocyanaten u. ist damit ein wichtiges Vorprodukt zur Polyurethan-Herstellung. Die M.-Produktion betrug 1991 in Westeuropa 570 000 t, in den USA 455 000 t, in der BRD 168 000 t u. in Japan 170 000 t. – ***E*** 4,4′-methylenedi(phenyl isocyanate) – ***F*** 4,4′-méthylènedi(isocyanatobenzène) – ***I*** 4,4′-metilendi(isocianatobenzene) – ***S*** 4,4′-metilendi(isocianatobenceno)

Lit.: Beilstein E IV **13**, 396 ▪ Hommel, Nr. 874 ▪ Ullmann (5.) **A 2**, 307; **A 14**, 611–625 ▪ Weissermel-Arpe (4.), S. 408–413. – *[HS 2929 10; CAS 101-68-8; G 6.1]*

Methylenfluorid s. Fluorkohlenwasserstoffe (R 32).

Methylenierung. Bez. für die Einführung von Methylen-Gruppen in organ. Verb. unter Bildung von Alkenen; s. a. Alkylidenierung. Mit Hilfe von Molybdän- u. Wolfram-organ. Verb., z. B. aus $WOCl_3$ u. Methyllithium intermediär erzeugte μ-Methylenwolfram-Komplexe, lassen sich auch leicht enolisierbare u. basenempfindliche Ketone mit überraschend großer Regioselektivität in Alkene umwandeln [1].

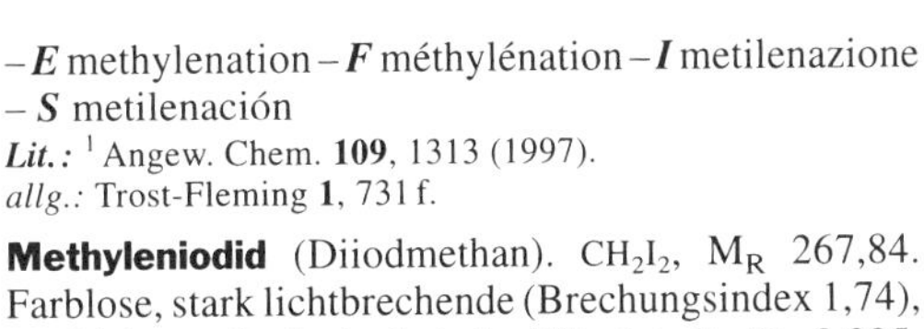

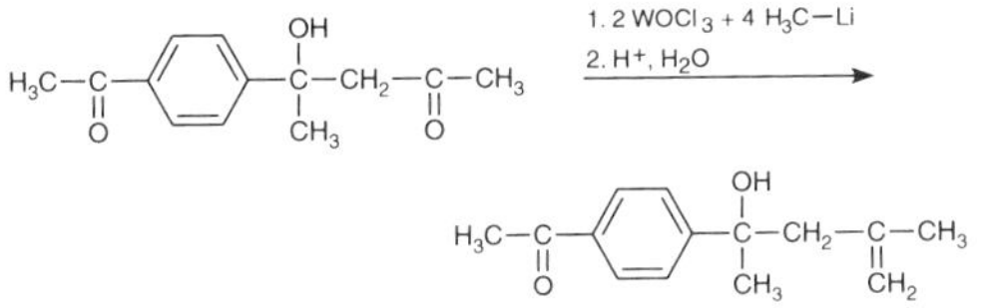

Abb.: Regioselektive Methylenierung von Ketonen mit Wolfram-organ. Methylen-Komplexen.

– ***E*** methylenation – ***F*** méthylénation – ***I*** metilenazione – ***S*** metilenación

Lit.: [1] Angew. Chem. **109**, 1313 (1997).
allg.: Trost-Fleming **1**, 731 f.

Methyleniodid (Diiodmethan). CH_2I_2, M_R 267,84. Farblose, stark lichtbrechende (Brechungsindex 1,74), an Licht u. Luft dunkelnde Flüssigkeit, D. 3,325, Schmp. 6 °C, Sdp. 181 °C (Zers.), wenig lösl. in Wasser, gut in Alkohol u. Ether. Die Herst. erfolgt aus *Iodoform u. alkal. Natriumarsenit-Lösung.
Verw.: M. wird zu organ. Synth. (z. B. zur Herst. von Cyclopropanen aus ungesätt. Verb.), zur Bestimmung der Lichtbrechung von Mineralien u. für die Dichte-Bestimmung unbekannter Schwermineralien verwendet (vgl. Schwerflüssigkeiten). – ***E*** methylene iodide – ***F*** iodure de méthylène – ***I*** ioduro di metilene – ***S*** yoduro de metileno

Lit.: Beilstein E IV **1**, 97 f. ▪ Merck-Index (12.), Nr. 6143 ▪ Org. React. **20**, 1–131 (1973) ▪ Paquette **3**, 1899 ▪ Ullmann (5.) **A 14**, 389. – *[HS 2903 30; CAS 75-11-6]*

Methylenomycine.

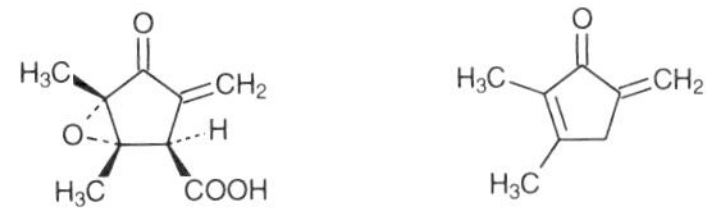

M.A M.B

Cyclopentenoid-Antibiotika aus *Streptomyces violaceoruber*, die das Wachstum von Gram-pos. u. Gram-neg. Bakterien sowie von KB-Tumorzellen hemmen. *M. A:* $C_9H_{10}O_4$, M_R 182,17, Krist., Schmp. 115 °C, $[\alpha]_D$ –42,3° ($CHCl_3$), wirkt zusätzlich gegen *Proteus vulgaris* u. gegen Lungentumore in der Maus. *M. B:* $C_8H_{10}O$, M_R 122,16, zersetzliches Öl. M. A. wird auch von *Steptomyces coelicolor* A3(2) (Actinorhodin-Bildner), dem Modell-Stamm für die Streptomyceten-Genetik, gebildet. Für M. A konnte erstmals eine Plasmid-codierte Biosynth. bewiesen werden. – ***E*** methylenomycins – ***F*** méthylénomycine – ***I*** metilenomicine – ***S*** metilenomicinas

Lit.: Beilstein EV **18/8**, 171 f. ▪ J. Antibiot. **38**, 1061–1067 (1985). – *Biosynth.:* Hopwood, Chater u. Bibb, in: Vining u. Stuttard (Hrsg.), Genetics and Biochemistry of Antibiotic Production, S. 65–102, Boston: Butterworth-Heinemann 1995 ▪ J. Gen. Microbiol. **98**, 239–252 (1979). – *Synth.:* J. Org. Chem. **54**, 46–51 (1989); **56**, 1217–1223 (1991); **59**, 5292, 5305 (1994) ▪ Mathew, in: Lukacs (Hrsg.), Recent Progress in the Chemical Synthesis of Antibiotics and Related Microbial Products, Vol. 2, S. 435–474, Heidelberg: Springer 1993 ▪ Synlett **1993**, 237 ▪ Tetrahedron Lett. **33**, 2265–2268 (1992). – *[HS 2941 90; CAS 52775-76-5 (M. A); 52775-77-6 (M. B)]*

4-Methylen-Δ^2-oxazolin-5-one (4-Methylen-5(4*H*)-oxazolone, methylenierte Azlactone). Kondensationsprodukte aus 5(4*H*)-*Oxazolonen als *Methylen- u. Aldehyden als Carbonyl-Komponenten, die zu Oxo- (s. Oxocarbonsäuren) od. Aminocarbonsäuren (*Erlenmeyer-Synthese) umgewandelt werden können (vgl. Knoevenagel-Kondensation). Entsprechende Reaktionen können auch mit *Rhodanin durchgeführt werden.

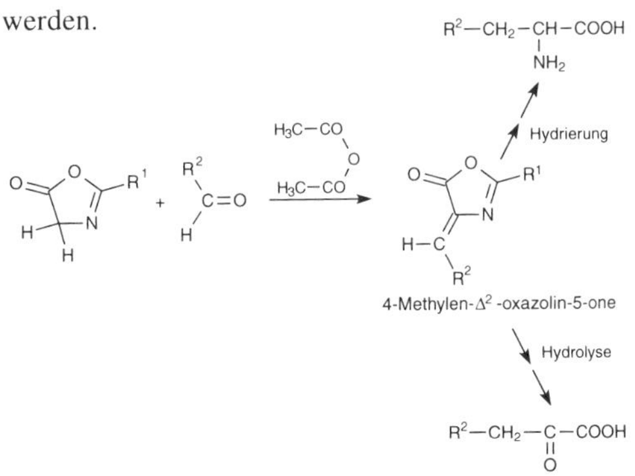

– ***E*** 4-methylene-Δ^2-oxazolin-5-ones – ***F*** 4-méthylène-Δ^2-oxazolin-5-ones – ***I*** 4-metilen-Δ^2-ossazolin-5-oni – ***S*** 4-metilen-oxazolin-5-onas

Lit.: Krauch u. Kunz, Reaktionen der organischen Chemie, 6. Aufl., S. 146, Heidelberg: Hüthig 1997.

Methylentriphenylphosphoran s. Ylide.

Methylen-Verbindungen (Methylen-Komponenten). Bez. für Verb. mit aktivierten CH_2-Gruppen, die aufgrund der relativen Acidität der Methylen-Wasserstoff-Atome als CH-acide Komponenten in Kondensationsreaktionen eingesetzt werden. Die Aktivierung wird durch Elektronen-ziehende Gruppen (Akzeptorreste), z. B. Carbonyl-, Ester-, Cyano-, Nitro- od. Sulfon-Gruppen, erreicht, wobei naturgemäß M.-V. mit zwei Akzeptorresten eine höhere Reaktionsbereitschaft als Monoakzeptor-substituierte M.-V. zeigen. M.-V. treten in vielen Namensreaktionen als Ausgangsverbindungen auf, so z. B. bei der *Aldol-Addition, der *Knoevenagel-Kondensation, der *Malonester-Synthese u. der *Michael-Addition, s. a. Methylen... – ***E*** methylene components – ***F*** composés méthyléniques – ***I*** composti metilenico – ***S*** compuestos metilénicos

Methylergometrin (Rp).

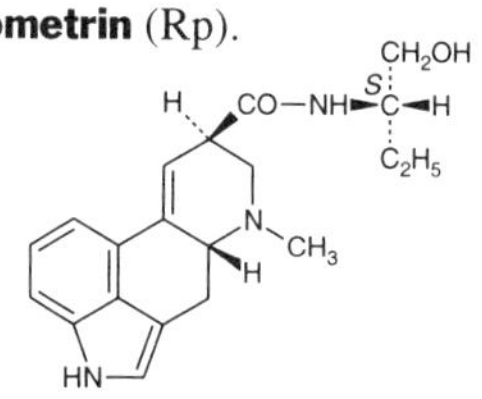

Internat. Freiname für das wehenfördernde u. blutungsstillende Uterus-Tonikum *N*-[(*S*)-1-(Hydroxymethyl)-propyl]-lysergamid, $C_{20}H_{25}N_3O_2$, M_R 339,43, Schmp. 172 °C (Zers.); $[\alpha]_D^{20}$ –45° (c 0,4/Pyridin); in Wasser wenig löslich. Verwendet wird meist das M.-hydrogenmaleat, $C_{24}H_{29}N_3O_6$, M_R 455,51, weißes bis rosafarbenes, geruchloses, mikrokrist. Pulver, Schmp. 185–195 °C (Zers.), lösl. in Wasser (1:100). Lagerung: Vor Licht u. Luft geschützt (in Nitrat-Atmosphäre); nicht über 8 °C; vgl. a. Ergot-Alkaloide. M. wurde 1941 von Sandoz (Methergin®) patentiert u. ist als Generikum im Handel. – ***E*** methylergometrine – ***F*** méthylergométrine – ***I = S*** metilergometrina

Lit.: Beilstein E V **25/5**, 134 ▪ Hager (5.) **8**, 948 f. ▪ Martindale (31.), S. 1727. – *[HS 2939 90; CAS 113-42-8 (M.); 57432-61-8 (Hydrogenmaleat)]*

Methylester vgl. Methoxy... u. Methyl...

N-Methylethanolamin [2-(Methylamino)-ethanol]. $H_3C–NH–CH_2–CH_2–OH$, C_3H_9NO, M_R 75,11. Farblose Flüssigkeit mit Ammoniak-ähnlichem Geruch, D. 0,937, Schmp. -3 °C, Sdp. 158 °C, mischbar mit Wasser, Alkohol u. Ether. Die Dämpfe u. die Flüssigkeit reizen stark bis hin zur Verätzung die Augen, die Atmungsorgane u. die Haut, Lungenödem sowie Leber- u. Nierenschäden möglich; LD_{50} (Ratte oral) 2340 mg/kg. Die Herst. erfolgt aus Ethylenoxid u. Methylamin.

C 

Verw.: Lsm., Zwischenprodukt bei der Herst. z. B. von Textilhilfs- u. Reinigungsmitteln, Kunstharzen, Lacken, Riechstoffen, Kosmetika, Pharmazeutika. M. ist auch ein Abbindebeschleuniger in Kalk- u. Zementmörtel. – ***E*** *N*-methylethanolamine – ***F*** *N*-méthyléthanolamine – ***I*** *N*-metiletanolammina – ***S*** *N*-metiletanolamina

Lit.: Beilstein E IV **4**, 1422 ▪ Hommel, Nr. 414 ▪ Merck-Index (12.), Nr. 6096 ▪ Ullmann (5.) **A 10**, 7–10. – *[HS 2922 19; CAS 109-83-1; G 8]*

Methylether s. Dimethylether u. Methoxy...

Methylethylketon s. 2-Butanon.

Methylethylketonperoxid s. 2-Butanon-peroxid.

Methylfluorosulfat s. Fluoroschwefelsäuremethylester.

N-Methylformamid. $H_3C–NH–CHO$, C_2H_5NO, M_R 59,07. Farblose, viskose Flüssigkeit, D. 1,011, Schmp. –3 °C, Sdp. 180–185 °C, mit Wasser, Ethanol, Ether mischbar; LD_{50} (Ratte oral) 4000 mg/kg; WGK 0.
Verw.: Lsm., Zwischenprodukt für organ. Synth., zur Herst. von Insektiziden, als Extraktionsmittel für aromat. Kohlenwasserstoffe im *Mofex-Verfahren. – ***E*** *N*-methylformamide – ***F*** *N*-méthylformamide – ***I*** *N*-metilformammide – ***S*** *N*-metilformamida

Lit.: Beilstein E IV **4**, 170 f. ▪ Ullmann (4.) **11**, 708; (5.) **A 12**, 9 ▪ Weissermel-Arpe (4.) S. 48, 347. – *[HS 2924 10; CAS 123-39-7]*

Methylformiat s. Ameisensäuremethylester.

Methylfuchsin s. Fuchsin.

Methylfumarsäure (Mesaconsäure).

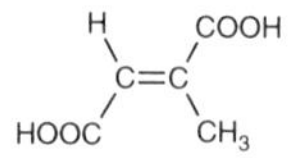

$C_5H_6O_4$, M_R 130,10. Farblose Nadeln od. Blättchen, D. 1,466, Schmp. 205 °C, subl., Sdp. 250 °C (Zers.). M. wurde erstmals 1881 von Anschütz bei der Dest. von Citronensäure isoliert. M. ist stereoisomer mit der *Methylmaleinsäure (Citraconsäure). – ***E*** methylfumaric acid – ***F*** acide methylfumarique – ***I*** acido metilfumarico – ***S*** ácido metilfumárico

Lit.: Beilstein E IV **2**, 2231 ▪ Merck-Index (12.), Nr. 5963 ▪ Ullmann (4.) **16**, 412; (5.) **A 8**, 534. – *[HS 2917 17; CAS 498-24-8]*

Methylgallat s. Gallussäureester.

N-Methyl-D-glucamin [1-(Methylamino)-1-desoxy-D-glucit); internat. Freiname: *Meglumin].

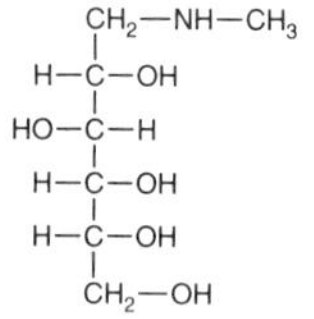

$C_7H_{17}NO_5$, M_R 195,21. Farblose Krist., Schmp. 129 °C, $[\alpha]_D^{20}$ –23°; in Wasser gut, in Alkohol mäßig löslich. M. dient zur Synth. von Detergenzien, Farbstoffen, als Salzbildner für Arznei- u. Röntgenkontrastmittel; zur Racematspaltung. – ***E*** *N*-methyl-D-glucamine – ***F*** *N*-méthyl-D-glucamine – ***I = S*** *N*-metil-D-glucamina

Lit.: Beilstein E IV **4**, 1914 ▪ Hager (5.) **8**, 851 ▪ Merck-Index (12.), Nr. 6154 ▪ Ullmann (4.) **10**, 88. – *[HS 2922 19; CAS 6284-40-8]*

α-Methylglucosid (Methyl-α-D-glucopyranosid).

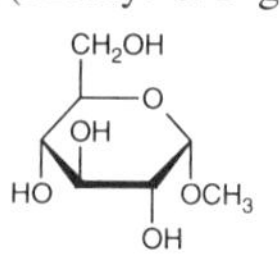

$C_7H_{14}O_6$, M_R 194,18. Feines, farbloses, wasserlösl. Kristallpulver, D. 1,46, Schmp. 168 °C, Sdp. 200 °C (0,3 hPa), leicht lösl. in Wasser, wenig in Alkohol, unlösl. in Ether; $[\alpha]_D^{20}$ +158° ±2° (c 10/H_2O).
Herst.: Durch Einwirkung von Methanol auf Glucose in Ggw. von HCl od. einem Kationenaustauscher. Daneben entsteht noch β-Methylglucosid (Schmp. 107 °C), das auf anderem Wege [1] leichter herstellbar ist.
Verw.: Zur Herst. von Anstrichmitteln (nach Veresterung mit Leinölfettsäuren), zur Produktion von Polyurethan-Schäumen. – ***E*** α-methylglucoside – ***F*** α-méthylglucoside – ***I*** α-metilglucoside – ***S*** α-metilglucósido
Lit.: [1] Synthesis **1975**, 804.
allg.: Beilstein E V **17/7**, 10–13 ▪ Merck-Index (12.), Nr. 6156 ▪ Ullmann **8**, 240; (5.) **A 4**, 102. – *[HS 2922 19; CAS 97-30-3]*

***N*-Methylglycin** s. Sarkosin.

Methylglykol. Fachsprachlich üblicher Trivialname für 2-Methoxyethanol, s. Ethylenglykol.

Methylglykolacetat s. Ethylenglykol.

Methylglyoxal. Trivialname für 2-Oxopropanal (2-Oxopropionaldehyd, Brenztraubenaldehyd, Pyruvaldehyd), $H_3C–CO–CHO$, $C_3H_4O_2$, M_R 72,06. Gelbe, stechend riechende Flüssigkeit, D. 1,04, Sdp. 72 °C, lösl. in Wasser, Alkohol, Ether u. Benzol. Die Dämpfe reizen die Augen sowie die Atemwege u. haben narkot. Wirkung. Kontakt mit der Flüssigkeit führt zu sehr starker Reizung der Augen u. zu geringer Reizung der Haut; LD_{50} (Ratte oral) 1165 mg/kg; WGK 2 (Selbsteinst.).
Herst.: Durch Oxid. von Aceton mit Wasserstoffperoxid od. mit Selendioxid od. durch Nitrosierung von Aceton u. Hydrolyse des entstandenen 2-Oxopropanaloxims (Isonitrosoaceton), einfacher jedoch durch Gasphasenoxid. von Glycerin [1]. M. polymerisiert leicht; unter dem Einfluß von Alkalien od. Enzymen geht M. durch intramol. Disproportionierung in *Milchsäure über (Spezialfall der *Cannizzaro-Reaktion).
Verw.: Zur Synth. von Insektiziden, Pharmazeutika, Farbstoffen (im allg. in Form des Dimethylacetals, 1,1-Dimethoxyaceton), als Formaldehyd-Ersatz zur Red. von Silbersalzen u. zur Härtung künstlicher Wursthüllen aus Eiweißstoffen. – ***E*** methylglyoxal – ***F*** méthylglyoxal – ***I*** metilgliossale – ***S*** metilglioxal
Lit.: [1] Angew. Chem. **94**, 544 f. (1982).
allg.: Beilstein E IV **1**, 3631 ▪ Hommel, Nr. 565 ▪ Merck-Index (12.), Nr. 8203. – *[HS 2914 40; CAS 78-98-8]*

Methylgrün [4,4′-Bis(dimethylamino)-4″-(ethyldimethylammonio)tritylium-bromid-chlorid, C.I. 42590]. $C_{27}H_{35}BrClN_3$, M_R 516,95. Grünes Pulver, lösl. in Wasser (blaugrün). M. gehört zur Gruppe der Triarylmethan-Farbstoffe (Formel s. dort) u. findet Verw. zur Färbung von Bakterien, zum Spermatozoen-Nachw., Kernfarbstoff für die *Pappenheim-Färbung in der Mikroskopie. – ***E*** methyl green – ***F*** vert de méthyle – ***I*** verde di metile – ***S*** verde de metilo
Lit.: Beilstein E IV **13**, 2286 ▪ Ullmann (5.) **A 3**, 231. – *[CAS 14855-76-6]*

Methylgujakol s. 4-Methylbrenzcatechin.

Methyl-*trans*-2-hexenoat.

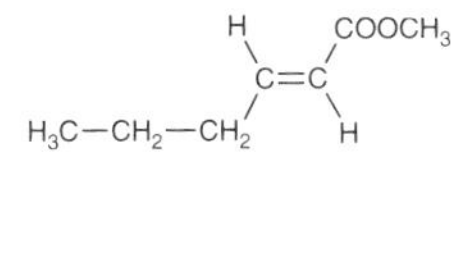

$C_7H_{12}O_2$, M_R 127,17, Sdp. 58 °C (2,39 kPa), herstellbar durch Veresterung der *trans*-2-Hexensäure, findet in organ. Synth. u. als Riechstoff Verwendung. – ***E*** methyl-*trans*-2-hexenoate – ***F*** *trans*-2-hexénoate de méthyle – ***I*** *trans*-2-esenoato di metile – ***S*** *trans*-2-hexenoato de metilo
Lit.: Beilstein E IV **2**, 1564 ▪ Chem. Ber. **119**, 508–513 (1986). – *[HS 2915 90; CAS 13894-63-8]*

Methyliden... Unübliche Bez. für die Gruppe $=CH_2$; s. Methylen...

Methylidin... s. Methin.

Methylierung. Bez. für einen Spezialfall der *Alkylierung, also der Einführung von Methyl-Gruppen (s. a. Methyl...) in organ. Verbindungen. Die M. kann entweder nucleophil od. elektrophil erfolgen. Im ersten Falle besitzt das Methylierungs-Reagenz Carbanionen- im zweiten Falle Carbenium-Ionen-Charakter. Nucleophile M. werden mit *Metallalkylen, z. B. Methyllithium, Methylmagnesiumhalogeniden od. Lithiumalkylcupraten (s. Kupfer-organische Verbindungen) durchgeführt. Als Substrate kommen Alkylhalogenide, Aldehyde, Ketone, Ester u. andere elektrophile Reagenzien in Frage.

nucleophile Methylierung:

$$H_3C–Li + R–X \xrightarrow[-LiX]{} H_3C–R$$

elektrophile Methylierung:

$$H_2C=N_2 + H_5C_6–OH \xrightarrow[-N_2]{} H_5C_6–O–CH_3$$

Reagenzien für elektrophile Methylierungen:

$H_3C–I$	Methyliodid
$H_3C–O–SO_2–O–CH_3$	Dimethylsulfat
$H_3C–O–SO_2–F$	mag. Methyl
$(H_3C)_3O^+BF_4^-$	Trimethyloxoniumtetrafluoroborat
$H_2C=N_2$	Diazomethan

Bedeutender sind die elektrophilen M., für die eine ganze Reihe reaktiver M.-Reagenzien zur Verfügung stehen; zu nennen sind Methylhalogenide (z. B. *Methyliodid), Schwefel- od. Sulfonsäuremethylester (z. B. *Dimethylsulfat), *Fluoroschwefelsäuremethylester („*mag. Methyl*"), *Onium-Verbindungen (z. B. Trimethyloxoniumtetrafluoroborat, **Meerwein-Salze*) u. *Diazomethan, das bes. zur M. von OH- u. NH-Gruppen eingesetzt wird (s. oben).
Eine spezielle Amin-M. kann mit der *Leuckart-(Wallach-)Reaktion erreicht werden. Zur Konstitutionaufklärung von Stickstoff-haltigen Verb., insbes. Alkaloiden, wurde früher die *erschöpfende M.* nach Hofmann angewandt, die in der Überführung der Stickstoff-Base mit Methyliodid in ein quartäres Ammonium-Salz bestand, das anschließend der Hofmann-Eliminierung unterworfen wurde, Abb. s. dort.
Auch in Biosyst. werden M. beobachtet; so überträgt *S*-*Adenosylmethionin als Coenzym im Zusammenwirken mit *Transferasen C^1-Einheiten (sog. *aktives Methyl*) auf biolog. Substrate. Alkylierende u. speziell methylierende Reagenzien üben andererseits einen schädigenden Einfluß auf den lebenden Organismus aus, da sie wirksame *Carcinogene u./od. *Mutagene bzw. *Teratogene sind. Sie methylieren nämlich die reaktionsfähigen OH- u. NH-Gruppen der Nucleinsäuren-Basen u. der Phosphodiester-Gruppen [1–5]. In diesem Sinn geht von *Diazomethan* u. seiner Vorstufe *N*-Me-

thyl-*N*-nitroso-harnstoff, von *Dimethylsulfat* u. *Methyliodid* ein bes. Gefährdungspotential aus, so daß M. mit diesen Substanzen nur unter bes. Vorsichtsmaßnahmen durchgeführt werden dürfen; s.a. Carcinogene, Gefahrstoffverordnung. – ***E*** methylation – ***F*** méthylation – ***I*** metilazione – ***S*** metilación

Lit.: [1] Angew. Chem. **96**, 917–929 (1984). [2] Razin et al., DNA Methylation, Berlin: Springer 1984. [3] Taylor, DNA Methylation and Cellular Differentiation, Wien: Springer 1983. [4] Curr. Top. Microbiol. Immunol **1984**, 108. [5] Philos. Trans. R. Soc., London, Ser. B **326**, 179–187, 207–215, 231–240, 267–275, 329–338 (1990).
allg.: s. Alkylierung u.a. Textstichwörter.

4-Methylimidazol.

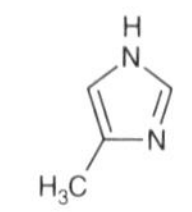

$C_4H_6N_2$, M_R 82,10. Ein tox. Stoff, der in den Zuckercouleurklassen III AC u. IV SAC neben 2-Acetyl-4-(1,2,3,4-tetrahydroxybutyl)-imidazol (Antipyridoxin-Faktor) Herst.-bedingt vorkommen kann [1,2]. Die *Zusatzstoff-Verkehrs-VO legt für *Zuckercouleur (E 150) einen Maximalgehalt von 200 mg/kg M. fest [3].

Toxikologie: Die *FAO/WHO gibt für beide Zuckercouleurklassen einen *ADI-Wert von 0–200 mg/kg Körpergew. an (1985). M. ist als blutbildverändernd u. krampfauslösend beschrieben. Studien zur chron. Toxizität weisen erhöhte Sterblichkeitsraten bei Ratten aus. Hinweise auf eine carcinogene Wirkung liegen nicht vor. Die Befunde zur Mutagenität sind widersprüchlich [4].

Analytik: M. kann als Leitsubstanz zum Nachw. von Zuckercouleuren der Klassen III AC u. IV SAC in Lebensmitteln herangezogen werden. Als Meth. steht ein *Dünnschichtchromatographie-Verfahren [5,6] zur Verfügung. Eine weitere Absicherung ist allerdings notwendig [1], da M.-freie Zuckercouleure beschrieben sind u. die M.-Bildung in Lebensmitteln unter Röstbedingungen aus Glucose u. *Histidin [7] kontrovers diskutiert wird. Zum Nachw. von Zuckercouleur in Wein existiert eine gaschromatograph. Meth., die M. als Leitsubstanz verwendet [8]. Die Bildung von M. bei der Herst. von Zuckercouleur ist von verschiedenen Parametern (Zucker- u. Ammoniumkonz., Temp. u.a.) abhängig [9]. – ***E*** 4-methylimidazole – ***F*** 4-méthylimidazole – ***I*** 4-metilimidazolo – ***S*** 4-metilimidazol

Lit.: [1] Z. Lebensm. Unters. Forsch. **185**, 275–280 (1987). [2] Lebensm.-Ind. **33**, 261–266 (1986). [3] Zusatzstoff-Verkehrs-VO vom 10.7.1984 in der Fassung vom 13.6.1990 (BGBl. I, S. 1062). [4] Bertram, Farbstoffe in Lebensmitteln u. Arzneimitteln, S. 82, Stuttgart: Wissenschaftliche Verlagsges. 1989. [5] Lebensmittelchem. Gerichtl. Chem. **41**, 9f. (1987). [6] Getreide Mehl Brot **42**, 142–148 (1988). [7] Lebensmittelchemie **44**, 20f. (1990). [8] Würdig u. Woller, Chemie des Weines, S. 837f., Stuttgart: Ulmer 1989. [9] Agric. Food Chem. **39**, 1422–1425 (1991).
allg.: Beilstein E V **23/5**, 89ff. ▪ Classen et al., Toxikologisch-hygienische Beurteilung von Lebensmittelinhalts u. -zusatzstoffen sowie bedenklicher Verunreinigungen, S. 154f., Berlin: Parey 1987. – *[HS 2933 29; CAS 822-36-6]*

***N*-Methyl-2,2′-iminodiethanol** (*N*-Methyldiethanolamin). $H_3C–N(CH_2–CH_2–OH)_2$, $C_5H_{13}NO_2$, M_R 119,16. Xi Farblose Flüssigkeit, D. 1,04, Schmp. –21 °C, Sdp. 246–249 °C; in Wasser u. Benzol löslich. Die Dämpfe reizen die Augen, die Atemwege u. die Haut, insbes. bei Erhitzung der Substanz. Kontakt mit der Flüssigkeit bewirkt starke Reizung der Augen u. leichte Reizung der Haut. M. kann allerg. Erscheinungen auslösen; LD_{50} (Ratte oral) 4780 mg/kg; WGK 1 (Selbsteinst.).

Verw.: Zur Herst. von Textilhilfsmitteln, Farbstoffen, Insektiziden, Pharmaka, Emulgatoren, als Katalysator für die Polyurethan-Synth., zur Extraktion von CO_2 u. H_2S aus Gasen. – ***E*** *N*-methyl-2,2′-iminodiethanol – ***F*** *N*-méthyl-2,2′-iminodiéthanol – ***I*** *N*-metil-2,2′-imminodietanolo – ***S*** *N*-metil-2,2′-iminodietanol

Lit.: Beilstein E IV **4**, 1517 ▪ Hommel, Nr. 530 ▪ Ullmann (5.) **A 10**, 8f. – *[HS 2922 19; CAS 105-59-9]*

2-Methylindol.

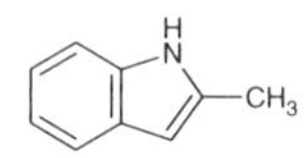

C_9H_9N, M_R 131,17. Weiße Blättchen, D. 1,07, Schmp. 61 °C, Sdp. 271 °C, wenig lösl. in siedendem Wasser, besser in Ether u. Alkohol. Das mit *Skatol (3-M.) isomere 2-M. zeigt Triboluminiszenz; es wird aus Steinkohlenteer gewonnen u. zur Herst. von Azofarbstoffen u. Duftstoffen verwendet. – ***E*** 2-methylindole – ***F*** 2-méthylindol – ***I*** 2-metilindolo – ***S*** 2-metilindol

Lit.: Beilstein E V **20/7**, 59. – *[HS 2933 90; CAS 95-20-5]*

Methyliodid (Iodmethan). CH_3I, M_R 141,95. T Farblose Flüssigkeit, die sich bei Einwirkung von Licht braun verfärbt, D. 2,28, Schmp. –66 °C, Sdp. 42,5 °C, wenig lösl. in Wasser, mischbar mit Alkohol u. Ether. Die Dämpfe führen zu starker Reizung der Augen, der Atemwege, der Lunge sowie der Haut. M. greift am Zentralnervensyst. an u. hat eine stark betäubende Wirkung, Nieren- u. Leberschäden möglich. Kontakt mit der Flüssigkeit bewirkt starke Reizung der Augen u. der Haut; M. kann auch über die Haut aufgenommen werden. M. hat sich im Tierversuch als krebserzeugend erwiesen (Gruppe III A 2, MAK-Werte-Liste 1996; TRK: 0,3 ppm); WGK 2 (Selbsteinst.).

Herst.: Aus Methanol, Iod u. rotem Phosphor.

Verw.: In der Mikroskopie, in der Medizin, in der organ. Chemie z.B. für Methylierungen, zum Pyridin-Nachw. usw. Über das Vorkommen von M. in der Antarktis s. *Lit.* [1] – ***E*** methyl iodide – ***F*** iodure de méthyle – ***I*** ioduro di metile – ***S*** yoduro de metilo

Lit.: [1] Nachr. Chem. Tech. Lab. **38**, 1050 (1990).
allg.: Beilstein E IV **1**, 87–92 ▪ Merck-Index (12.), Nr. 6161 ▪ Paquette **4**, 2828 ▪ Ullmann (5.) **A 14**, 389. – *[HS 2903 30; CAS 74-88-4; G 6.1]*

Methylisoamylalkohol s. Methylpentanole.

Methylisobutylcarbinol. Veralteter Name für 4-Methyl-2-pentanol, s. Methylpentanole.

Methylisobutylketon(peroxid) s. Methylpentanon(peroxid).

Methylisocyanat (MIC). $H_3C–N{=}C{=}O$, F+ C_2H_3NO, M_R 57,05. Farblose Flüssigkeit mit stechendem Geruch, tränenreizend, D. 0,96, T Schmp. –45 °C, Sdp. 38 °C, FP. –6 °C, lösl. in aromat. Kohlenwasserstoffen, mit Wasser, Alkoholen, Aminen, Säuren, Oxid.-Mitteln u. Metallen z.T. heftig reagierend. M. ist äußerst giftig u. ruft Haut- u. Schleimhautverätzungen, Augenschädigungen u. Lungenödem hervor, MAK 0,01 ppm bzw. 0,025 mg/m^3 (MAK-Werte-Liste 1996), LD_{50} (Ratte oral) 71 mg/kg, Gefahr der Sensibilisierung. In der ind. Stadt Bhopal war am 3. Dezember 1984 M. aus einem Lagertank entwichen; Näheres s. Bhopal. Das aus Phosgen u. Methylamin zugängliche M. dient zur Herst. von Carbamat-Pflanzenschutzmitteln, zur Herst. von *α*-Aryl-*β*-methylharnstoffen, Semicarbaziden, zur Umwandlung von Aldoximen in Nitrile usw. – ***E*** methyl isocyanate – ***F*** isocyanate de méthyle – ***I*** isocianato di metile – ***S*** isocianato de metilo

Lit.: Beilstein E IV **4**, 247 ▪ Hager (5.) **3**, 813 f. ▪ Hommel, Nr. 582 ▪ Houben-Weyl **8**, 125 f. ▪ Nachr. Chem. Techn. Lab. **33**, 590 (1985) ▪ Paquette **5**, 3517 ▪ Rippen ▪ Ullmann (5.) **A 14**, 611–624 ▪ s. a. Isocyanate. – *[HS 2929 10; CAS 624-83-9; G 3]*

O-Methylisoharnstoff s. Isoharnstoffe.

Methylisopropylketon s. 3-Methyl-2-butanon.

Methylisothiazolone. Eine Verb.-Klasse mit hoher microbizider Aktivität, die hauptsächlich zur *Konservierung von techn. Produkten u. inzwischen weniger von kosmet. Mitteln verwendet wird. Sie leitet sich vom Heteroaromaten *Isothiazol (1,2-Thiazol) durch Einführen einer Oxo-Funktion an C-3 ab.
Die allg. Formel lautet:

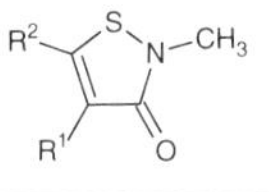

	R^1	R^2	Summenformel	M_R	CAS
I	H	H	C_4H_5NOS	115,15	2682-20-4
II	H	Cl	C_4H_4ClNOS	149,60	26172-55-4

Herst.: M. lassen sich durch Chlor-induzierte Cyclisierung der entsprechenden 3,3′-Dithiobisacrylamide darstellen [1–3]. Nebenprodukte aus dieser Reaktion sind beschrieben [4]. Hauptbestandteile der bioziden Aktivität sind das 2-Methyl-3(2*H*)-isothiazolon (I) u. das 5-Chlor-2-methyl-3(2*H*)-isothiazolon (II). Als Formulierungen werden im Kosmetiksektor hauptsächlich *Kathon CG® (höherkonz., wäss.) u. Euxyl K 100® (niedrigkonz., Benzylalkohol-haltig) eingesetzt. Die Aktivgehalte an Gesamt-Isothiazol in diesen Formulierungen betragen 1,5 bzw. 0,7%. Zur Stabilisierung werden Magnesiumnitrat u. -chlorid zugesetzt. Zur Konservierung von Ind.-Chemikalien (v. a. Elektrolyt-empfindliche Latex-Dispersionen) steht unter dem Namen Acticid LG® (Isothiazol-Gehalt 1,6–1,8%) auch eine rein wäss. Nitrat-freie Formulierung zur Verfügung. Durch den Verzicht auf Nitrat ist die Gefahr einer potentiellen *Nitrosamin-Bildung deutlich verringert. Für den gleichen Anwendungsbereich existiert unter dem Handelsnamen Acticid 14® auch eine hochkonz. Isothiazolon-Formulierung (Aktivgehalt 14%).
Zulassung: In der Kosmetik-VO wird die zulässige Höchstkonz. eines Gemischs von (I) u. (II) im Verhältnis 1:3 mit 0,0015% (15 ppm) angegeben [5].
Verw.: Als Konservierungsstoffe für kosmet. Mittel, Flüssigwaschmittel, Haushaltsreiniger, Dispersionsfarben, Druckfarben, Kühlschmiermittel [3] u. Befeuchtungswasser in raumlufttechn. Anlagen [6]. In der Papier- und Klebstoffherst. werden M. ebenfalls angewendet. Reaktionen der M. mit Amin-haltigen Kosmetikinhaltsstoffen, die zu einem Wirkungsverlust [7] führen, sind beschrieben.
Toxikologie: Techn. M. sind im Ames-Test am Stamm TA 100 nach metabol. Aktivierung mutagen wirksam [8,9] u. zeigen hautsensibilisierende u. allergisierende Eigenschaften [6,10,11]. Hinweise auf eine carcinogene od. teratogene Wirkung liegen nicht vor [6]. Als tolerierbare Konz. für Raumluft werden 1–5 µg/m^3 vorgeschlagen [6].
Analytik: Standardmeth. ist ein *HPLC-Verf. ohne Derivatisierung mit UV-Detektion [12]. Meth. der Wahl bezüglich Empfindlichkeit ist die pre-column-Derivatisierung mit Hydrogensulfit zum *Bunte-Salz mit anschließender ionenchromatograph. Trennung [13]. Des weiteren kommen *HPTLC [4,14], HPLC mit Dioden-Array-Detektion [15] u. GC/MS [4,16] zur Anwendung. Eine Übersicht zur Aufarbeitung u. Analytik in kosmet. Mitteln gibt *Lit.* [4,17]. Zur Bestimmung in Raumluft s. *Lit.* [6,18]. – ***E*** methylisothiazolones – ***F*** méthylisothiazolones – ***I*** metilisotiazolone – ***S*** metilisotiazolonas

Lit.: [1] J. Heterocycl. Chem. **8**, 571 (1971). [2] J. Heterocycl. Chem. **8**, 591 (1971). [3] J. Heterocycl. Chem. **8**, 657 (1971). [4] Z. Lebensm. Unters. Forsch. **183**, 273–289 (1986). [5] VO über kosmet. Mittel vom 19. 5. 1985 in der Fassung vom 21. 3. 1990 (BGBl. I, S. 589), Anlage 6 Teil A Nr. 39. [6] Bundesgesundheitsblatt **33**, 117–121 (1990). [7] J. Appl. Cosmetol. **6**, 149–156 (1988). [8] Mutat. Res. **118**, 129 (1983). [9] Food. Chem. Tox. **21**, 695 ff. (1983). [10] Contact Dermatitis **14**, 85–90 (1986). [11] Contact Dermatitis **15**, 211–214, 218–222 (1986). [12] Ziolkowsky, Konservierung kosmet. Mittel, S. 309, Augsburg: Verl. Chem. Ind. 1987. [13] Lebensmittelchem. Gerichtl. Chem. **42**, 111 f. (1988). [14] Z. Anal. Chem. **319**, 520–523 (1984). [15] Fresenius Z. Anal. Chem. **322**, 465–469 (1985). [16] J. Pharm. Biochem. Anal. **3**, 581 (1985). [17] Mitt. Geb. Lebensmittelunters. Hyg. **83**, 492–508 (1992). [18] Lebensmittelchemie **44**, 66 f. (1990).
allg.: Wallhäuser, Praxis der Sterilisation, Desinfektion – Konservierung (5.), S. 570 ff., Stuttgart: Thieme 1995.

Methylisothiocyanat (MITC, veraltete Bez.: Methylsenföl). T $H_3C–N=C=S$, C_2H_3NS, M_R 73,11. Farbloses krist. Pulver mit stechendem, meerrettichartigem Geruch, D. 1,07 (37 °C), Schmp. 35 °C, Sdp. 119 °C, in Wasser wenig, in organ. Lsm. gut löslich. Staub u. Dämpfe führen zu sehr starker Reizung der Augen u. stärkstem Tränenreiz sowie zu starker Reizung der Atemwege, der Lunge sowie der Haut. Lungenentzündung, auch Stimmritzenkrampf u. Lungenödem möglich (ein Lungenödem kann mit einer Verzögerung von bis zu 2 d auftreten). Kontakt mit dem festen Stoff od. der Flüssigkeit führt zu sehr starker Reizung sowie Schädigung der Augen u. der Haut, Nierenschäden u. Hautsensibilisierung möglich, WGK 3; LD_{50} (Ratte oral) 175 mg/kg. M. entsteht aus dem in *Kapern vorkommenden Glucocapparin (s. Glucosinolate) beim metabol. Abbau.
Herst.: Aus CS_2 u. Methylamin.
Verw.: Als Bodenbegasungsmittel gegen Nematoden, Insekten, Pilze etc. (zu Anwendungsbeschränkungen s. Pflanzenschutz-Anwendungs-Verordnung vom 10. November 1992 u. Rückstands-Höchstmengen-Verordnung vom 1. September 1994, zuletzt geändert 7. 3. 1996). Als Zwischenprodukt zur Herst. von Schädlingsbekämpfungsmitteln u. Pharmazeutika. – ***E*** methyl isothiocyanate – ***F*** isothiocyanate de méthyle – ***I*** isotiocianato di metile – ***S*** isotiocianato de metilo

Lit.: Beilstein E IV **4**, 248 ▪ Hommel, Nr. 947 ▪ Merck-Index (12.), Nr. 6165 ▪ Paquette **5**, 3520 ▪ Ullmann (4.) **17**, 235; **23**, 154–158; (5.) **A 26**, 755. – *[HS 2930 90; CAS 556-61-6; G 6.1]*

Methyljasmonat s. Jasminabsolue.

Methyljonone.

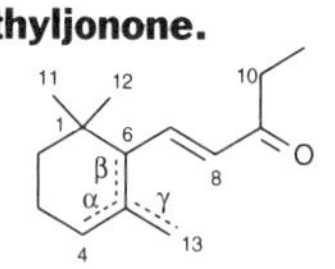

n-Methyljonone
α-, β-, γ-

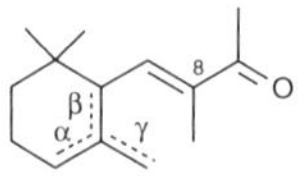

iso-Methyljonone
α-, β-, γ-

$C_{14}H_{22}O$, M_R 206,32. Methyl-Substitutionsprodukte des *Jonons, bei denen die Seitenkette Methyl-substituiert ist. Die M. bilden α-, β- od. γ-Isomere mit 4,5-, 5,6- bzw. 6,13-Doppelbindung, die wiederum in *cis-trans-* u. bei den α-Isomeren darüber hinaus in opt. aktiven Formen vorliegen können. Man unterscheidet die sog. *n-M.* mit CH_3-Gruppe in 10-Stellung (α-M., β-M., γ-M.) von den *Iso-M.* mit CH_3 an C8 (α-, β-, γ-Isomere); auch im Duft sind die Isomeren, die nach Veilchen bzw. Zedernholz riechen, unterschiedlich. M. sind wichtige Riechstoffe für Blumen- u. Phantasiedüfte. Die *Irone sind zwar ebenfalls M. (2-Methyljonone), werden aber nicht unter dieser Bez. gehandelt. – *E* methylionones – *F* méthylionones – *I* metiliononi – *S* metiliononas
Lit.: Beilstein E IV **7**, 374 f. ▪ Ohloff, Riechstoffe u. Geruchssinn, S. 118 f., Berlin: Springer 1990 ▪ Surburg, Bauer u. Garbe, Common Fragrance and Flavor Materials (2.), S. 53 f., Weinheim: VCH Verlagsges 1990 ▪ Ullmann (5.) **A 4**, 476; **A 11**, 173 f. – *[HS 291423; CAS 1335-46-2]*

Methylkautschuk. Bez. für den aus 2,3-Dimethyl-1,3-butadien hauptsächlich während des 1. Weltkrieges in Deutschland hergestellten *Synthesekautschuk Poly-(2,3-dimethylbutadien).

$$\text{---}[CH_2\text{---}C(CH_3)\text{=}C(CH_3)\text{---}CH_2]_n\text{---}$$

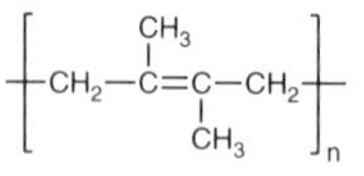

Die verschiedenen Typen des M. wurden entweder durch mehrmonatiges Bestrahlen mit Sonnenlicht bei ca. 40 °C, durch mehrmonatiges Erhitzen auf ca. 80 °C unter Druck od. durch 2–3-wöchige Polymerisation mit Natrium als Initiator in Ggw. von Kohlendioxid erhalten. Wegen seines hohen Preises u. der unzureichenden Eigenschaften hat M. später nie wieder größere techn. Bedeutung erlangt. – *E* methyl rubber – *F* caoutchouc méthylique – *I* caucciù metilico – *S* caucho metílico
Lit.: Blackley, Synthetic Rubbers: Their Chemistry and Technology, London: Applied Science Publishers 1983 ▪ Elias (5.) **2**, 145. – *[HS 400299; CAS 25034-65-5]*

Methyllactat s. Milchsäureester.

N-Methyllolin s. Loline.

Methylmagnesiumiodid (Magnesiummethyliodid). H_3C–MgI, CH_3IMg, M_R 166,24. In *Grignard-Reaktionen viel verwendete Magnesium-organ. Verb., die aus Methyliodid u. Magnesium zugänglich ist u. die auch zur Zerewitinoff-Bestimmung (s. aktiver Wasserstoff) eingesetzt wird. – *E* methylmagnesium iodide – *F* iodure de méthylmagnésium – *I* ioduro di metilmagnesio – *S* ioduro de metilmagnesio
Lit.: Beilstein E IV **4**, 4415 ▪ Houben-Weyl **13/2 a**, 54 ff. ▪ Paquette **5**, 3532 ▪ s. a. Grignard-Verbindungen. – *[CAS 917-64-6]*

Methylmaleinsäure (Citraconsäure).

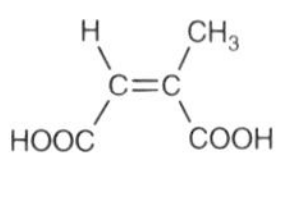

$C_5H_6O_4$, M_R 130,10. Farblose trikline Prismen, D. 1,617, Schmp. 93–94 °C, in Wasser leicht, in Ether wenig, in Benzol nicht löslich. M. wurde erstmals von R. *Anschütz 1881 bei der Dest. der Citronensäure erhalten; sie wird außer in organ. Synth. als Antioxidans in Ölen u. Fetten verwandt. – *E* methylmaleic acid – *F* acide méthylmaléique – *I* acido metilmaleico – *S* ácido metilmaleico
Lit.: Beilstein E IV **2**, 2230 f. ▪ Merck-Index (12.), Nr. 2382 ▪ Ullmann (5.) **A 8**, 534; **A 16**, 59. – *[HS 291719; CAS 498-23-7]*

Methylmaleinsäureanhydrid (Citraconsäureanhydrid, 3-Methyl-2,5-furandion).

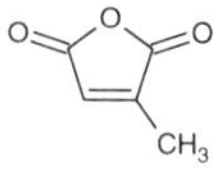

$C_5H_4O_3$, M_R 112,08. Farblose Flüssigkeit, D. 1,247, Schmp. 9–10 °C, Sdp. 214 °C, in Alkohol u. Ether löslich. M. wird durch Erhitzen von Citronen- od. Itaconsäure hergestellt u. in der Biochemie[1] u. zu organ. Synth. z. B. von *Ambra-Riechstoffen verwendet. – *E* methylmaleic anhydride – *F* anhydride méthylmaléique – *I* anidride metilmaleico – *S* anhídrido metilmaleico
Lit.: [1] Biochem. J. **191**, 269 (1980).
allg.: Beilstein E V **17/11**, 65 ▪ Ullmann (4.) **16**, 412; **A 16**, 59. – *[HS 291719; CAS 616-02-4]*

Methylmalonyl-Coenzym-A-Mutase s. Coenzym B_{12}.

Methylmanganpentacarbonyl s. Mangan-organische Verbindungen.

Methylmercaptan s. Methanthiol.

Methylmercapto... s. Methylthio...

Methylmethacrylat s. Methacrylsäureester.

S-Methyl-L-methioninsulfoniumchlorid [MMSC, Cabagin, Vitamin U, ((S)-3-Amino-3-carboxypropyl)-dimethylsulfoniumchlorid, *S*-Methyl-L-methioniniumchlorid].

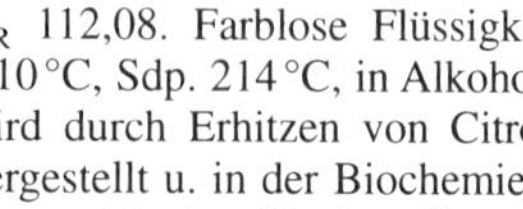

$C_6H_{14}ClNO_2S$, M_R 199,71, hygroskop., feine Krist., Schmp. 139 °C (Zers.), sehr gut wasserlösl., pH-Wert einer 10%igen Lsg. ca. 4,5.
Vork.: M. kommt verbreitet in Kohl, Lattich, Sellerie, Tomaten, Bananen, Karotten, Spargel u. Hefe vor.
Synth.: L-*Methionin wird mit Methylchlorid erhitzt.
Verw.: M. hat einen schützenden Effekt auf die Schleimhäute des Verdauungstraktes u. der Leber, weshalb es auch als *Ulcus-Schutzfaktor (früher Vitamin U) bezeichnet wird. Das Iodid ($C_6H_{14}INO_2S$, M_R 291,10, Schmp. 156 °C) wird zur Therapie rheumat. Erkrankungen genutzt. – *E* S-methyl-L-methionine sulfonium chloride – *F* chlorure de *S*-méthylméthioninesulfonium – *I* cloruro di *S*-metilmetioninsolfonio – *S* cloruro de *S*-metilmetioninasulfonio
Lit.: Arzneim.-Forsch. **28**, 1711 ff. (1978) ▪ Beilstein E IV **4**, 3193 ▪ Karrer, Nr. 2419 ▪ Tetrahedron Lett. **28**, 3605 (1987) (Synth.) ▪ Ullmann (5.) **A 2**, 60, 87. – *[HS 293090; CAS 3493-12-7; 1115-84-0 (MMSC); 3493-11-6 (Iodid)]*

4-Methylmorpholin (*N*-Methylmorpholin, NMM).

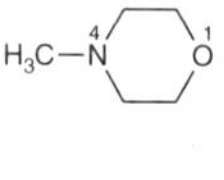

$C_5H_{11}NO$, M_R 101,14. Farblose, brennfähige Flüssigkeit mit Ammoniak-ähnlichem Geruch, D. 0,92, Schmp. –65 °C, Sdp. 114 °C, FP. 12 °C, mit Wasser, Alkohol, Ether u. a. organ. Lsm. mischbar. Die Dämpfe reizen stark die Augen, die Atemwege u. die Lunge bis hin zum Kehlkopf- u. Lungenödem sowie der Haut. Kontakt mit der Flüssigkeit ruft sehr starke Reizung u. Verätzung der Augen u. der Haut hervor, wird auch über die Haut aufgenommen, Leber- u. Nierenschäden möglich; LD_{50} (Ratte oral) 1960 mg/kg; WGK 1 (KBwS).
Herst.: Aus Morpholin u. Formaldehyd od. aus Morpholin u. Methanol.
Verw.: Zwischenprodukt für Synth., zur Herst. von Pharmazeutika, Pestiziden, Textilhilfsmitteln, Emulgatoren, Selbstglanzwachsen, Korrosionsschutzmitteln, als Katalysator für die Produktion von Polyurethan-Schäumen, als Lsm. u. Extraktionsmittel. – ***E*** 4-methylmorpholine – ***F*** 4-méthylmorpholine – ***I*** = ***S*** 4-metilmorfolina
Lit.: Beilstein E V **27/1**, 380 ff. ▪ Hommel, Nr. 689 ▪ Ullmann (5.) **A 2**, 15; **A 10**, 7 ▪ s. a. Morpholin. – *[HS 2934 90; CAS 109-02-4; G 3, 8 (für techn. Prod. mit VP. >21 °C)]*

Methylmyristat s. Myristinsäureester.

2-Methyl-1,4-naphthalindiol s. Menadiol.

Methylnaphthaline.

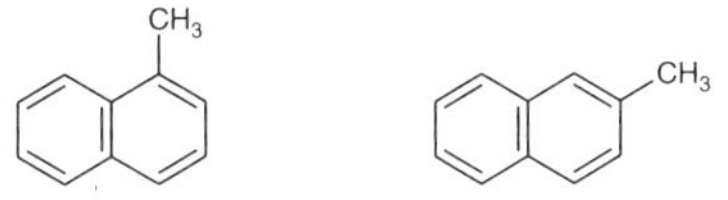

a b

$C_{11}H_{10}$, M_R 142,20. (a) *1-M. (α-M.):* Farblose, blau fluoreszierende Flüssigkeit, leicht lösl. in Benzol, Alkohol u. Ether, prakt. unlösl. in Wasser, D. 1,020, Schmp. –30,5 °C, Sdp. 245 °C; LD_{50} (Ratte oral) 1840 mg/kg; WGK 2 (Selbsteinst.). Im Steinkohlen-Hochtemp.-Teer ist 1-M. zu 0,5% enthalten.
Verw.: Zur Synth. von *1-Naphthalinessigsäure, als Färbereihilfsmittel, Lsm., Dielektrikum, Wärmeübertragungsöl sowie als Testsubstanz zur Bestimmung der Cetan-Zahl von Dieselkraftstoffen.
(b) *2-M. (β-M.):* Farblose Krist., D. 1,005, Schmp. 35 °C, Sdp. 241 °C, leicht lösl. in Benzol, Ethanol u. Schwefelkohlenstoff, prakt. unlösl. in Wasser; LD_{50} (Ratte oral) 1630 mg/kg; WGK 2 (Selbsteinst.). Im Steinkohlen-Hochtemp.-Teer ist 2-M. zu 1,5% enthalten.
Verw.: Ausgangsmaterial zur Herst. von *2-Methyl-1,4-naphthochinon (Menadion, Vitamin K_3), im Gemisch mit 1-M. als Wärmeübertragungsöl u. Dielektrikum. – ***E*** methylnaphthalenes – ***F*** méthylnaphtalènes – ***I*** metilnaftaline – ***S*** metilnaftalenos, metilnaftalinas
Lit.: Beilstein E IV **5**, 1687–1691, 1693–1696 ▪ Rippen ▪ Ullmann (4.) **17**, 79–81; **A 17**, 5 f. – *[HS 2902 90; CAS 90-12-0 (a); 91-57-6 (b)]*

2-Methyl-1,4-naphthochinone (Menachinone). Sammelbez. für Verb. mit *Vitamin-K-Aktivität, die sich von 2-Methyl-1,4-naphthochinon (*Menadion, Menaphthon, Vitamin K_3*, $C_{11}H_8O_2$, M_R 172,20, Schmp. 105–107 °C) ableiten. Dieses bildet ein hellgelbes, krist. Pulver von schwachem, charakterist. Geruch, reizt Haut u. Atmungsorgane, ist unlösl. in Wasser, wenig lösl. in Methanol u. Ethanol, lösl. in Ether, Chloroform u. Aceton. An der Luft ist M. stabil, es wird photochem. dimerisiert u. durch Alkalien u. Red.-Mittel angegriffen. Wasserlösl. ist das *Hydrogensulfit-Addukt.
Die in der Natur vorkommenden Vitamine (im folgenden: Vit.) K_1 u. K_2 tragen in 3-Stellung eine *isoprenoide Seitenkette mit 20 Kohlenstoff-Atomen (*Phytyl-Rest) bzw. 35 Kohlenstoff-Atomen. Die Kettenlängen werden, auch zur Unterscheidung synthet. Analoga, durch eingeklammerte Indizes charakterisiert. Daneben gibt es noch weitere K-Vit., s. unten.

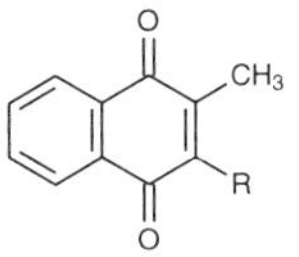

Vitamin K_3 : R = H
Phthiokol : R = OH

Vitamin $K_{1(20)}$: R =

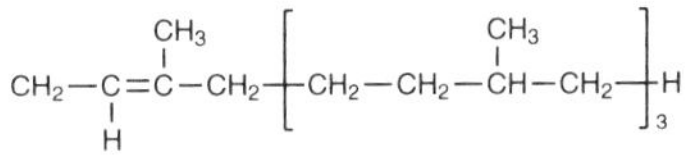

Vitamin $K_{2(35)}$: R =

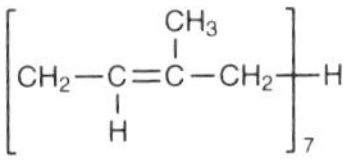

Vit. $K_{1(20)}$ (2-Methyl-3-phytyl-1,4-naphthochinon, *Phyllochinon, Phytomenadion*), $C_{31}H_{46}O_2$, M_R 450,71. Gelbes, viskoses Öl, D. 0,967, Schmp. –20 °C, >100–120 °C Zers., Sdp. 140–145 °C (0,1 Pa), unlösl. in Wasser, wenig lösl. in Alkohol, lösl. in Aceton, Benzol, Ether, Chloroform u. sonstigen Fett-Lsm. sowie in Pflanzenölen. Vit. K_1 ist stabil gegen Luft u. Feuchtigkeit, wird durch Licht u. Erhitzen über 100 °C bei Normaldruck zersetzt, es ist beständig gegen verd. Säuren, nicht jedoch gegen Alkalien u. Red.-Mittel. Die benzol. Lsg. des Vit. K_1 ist schwach linksdrehend, die alkohol. Alkali-Lsg. nimmt über eine blau-violette allmählich eine tiefrote Färbung an. Diese Reaktion, bei der kleine Mengen *Phthiokol (s. Abb.) entstehen, kann auch zur kolorimetr. Bestimmung des Vit. K_1 dienen.
Vork.: In grünen Pflanzen wie Luzerne, Brennesseln, Früchten, tier. Leberfetten. Techn. wird Vit. K_1 durch Synth. aus Phytol u. Menadiol nach einem von *Fieser 1939 entwickelten u. von Isler 1954 verbesserten Verf. hergestellt.
Vit. $K_{2(35)}$ (3-*all-trans*-Farnesylgeranylgeranyl-2-methyl-1,4-naphthochinon, *Menachinon-7*), $C_{46}H_{64}O_2$, M_R 649,01. Die Seitenkette besteht aus 7 Isopren-Resten (s. Formelbild) – jahrzehntelang hielt man das natürliche Vit. K_2 für eine Verb. mit 41 C-Atomen, die also eine Farnesylfarnesyl-Seitenkette enthielte (*Farnochinon*, Vit. $K_{2(30)}$, *Menachinon-6*). Erst Untersuchungen von Isler schafften hier Klarheit. Vit. $K_{2(35)}$ (gelbe Krist., Schmp. 54 °C) hat ähnliche Eigenschaften wie Vit. K_1.
Vork.: Als Stoffwechselprodukt bestimmter Darmbakterien, in faulendem Fischmehl. Im Organismus werden K-Vit. normalerweise nicht gespeichert; bei Verabreichung hoher Dosen finden sie sich in Leber u. Milz angereichert.
Herst.: Analog Vit. K_1 unter Verw. der entsprechenden Terpen-Verb. als Seitenkette.
Nachw.: Oxidimetr., durch Messung der UV-Absorption; biolog. wird im Küken-Test die Normalisierung der

Gerinnungszeit des Blutes bestimmt, mit Kaninchen od. Ratten auch in Ggw. von *Dicumarol.

Physiologie: Vit. K_1 ist in Pflanzen u. *Cyanobakterien am Photosyst. I beteiligt. Die K-Vit. pflanzlichen od. bakteriellen Ursprungs – möglicherweise auch Vit. K_3 – werden im Organismus unter Mitwirkung der Darmbakterien in das für den Tierkörper spezif. u. eigentlich aktive Vit. $K_{2(20)}$ umgewandelt u. durch die Lymphe abtransportiert. Sie spielen eine wichtige Rolle bei der Biosynth. des *Prothrombins u. a. Gerinnungsfaktoren (vgl. Blutgerinnung), wo sie notwendig für die 4-Carboxylierung von L-*Glutaminsäure-Resten u. somit für die Calcium-Bindungsfähigkeit der Faktoren sind [1]. Deshalb werden sie *antihämorrhag. Vitamine* (vgl. a. Vitamin K) genannt u. zur Behebung von Blutungen (Hämorrhagien) eingesetzt. Auch *Osteocalcin, ein für die Knochenentwicklung wichtiges Calcium-Ionen-bindendes Protein, enthält 4-Carboxy-L-glutamat-Reste. *Warfarin, *Dicumarol u. a. *Cumarin-Derivate, von denen verschiedene als *Rodentizide verwendet werden, sind Antagonisten für Vit. K u. daher *Antikoagulantien. Höhere Vit.-K-Gaben dienen als Antidote bei Vergiftungen mit solchen Mitteln. Allerdings ist diese Wirkung an das Vorhandensein der Seitenkette an Position 3 gebunden; Menadion, das zwar ausgeprägte antihämorrhag. Eigenschaften hat, ist gegen Cumarin-Derivate unwirksam.

Obwohl heute die Bez. *Vitamine K* den beiden natürlichen Vit. $K_{1(20)}$ u. Vit. $K_{2(35)}$ reserviert ist, sind noch einige abgeleitete Namen für Artefakte in Gebrauch: Vit. K_3 für *Menadion*, s. S. 2655, Vit. K_4 für 2-Methyl-1,4-naphthalindiol bzw. dessen Diacetat (s. Menadiol), Vit. K_5 für 4-Amino-2-methyl-1-naphthol, Vit. K_6 für 2-Methyl-1,4-naphthalindiamin, Vit. K_7 für 4-Amino-3-methyl-1-naphthol; zu den K-Vit. gehören auch die Methyl-substituierten *Hydroxy-1,4-naphthochinon-Verb. *Phthiokol u. Plumbagin, bei welchen allerdings andere Wirkungen im Vordergrund stehen. – ***E*** 2-methyl-1,4-naphthoquinones – ***F*** 2-méthyl-1,4-naphtoquinones – ***I*** 2-metil-1,4-naftochinoni – ***S*** 2-metil-1,4-naftoquinonas

Lit.: [1] FASEB J. 7, 445–452 (1993).
allg.: Beilstein E IV 7, 2430, 2496 f., 2681 ▪ Stryer 1996, S. 267 f. – *[HS 2914 69; CAS 58-27-5]*

Methyl(2-naphthyl)ether (2-Methoxynaphthalin, β-Naphthol-methylether, Yara-Yara, Yara-Nerolin).

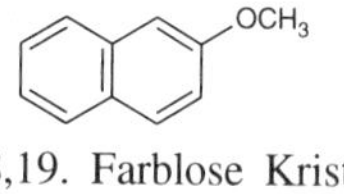

$C_{11}H_{10}O$, M_R 158,19. Farblose Krist. mit intensivem, süßem Orangenblütengeruch, Schmp. 71–73 °C, Sdp. 274 °C, prakt. unlösl. in Wasser, kaum lösl. in Alkohol, lösl. in Ether, Schwefelkohlenstoff u. Benzol. M. findet Verw. in der Parfümerie insbes. zur Seifenparfümierung. – ***E*** methyl 2-naphthyl ether – ***F*** éther méthyl 2-naphthylique – ***I*** etere metil-2-naftilico – ***S*** éter metil-2-naftílico, metil-2-naftiléter

Lit.: Beilstein E IV **6**, 4257 ▪ Ullmann (4.) **20**, 241; (5.) **A 11**, 196. – *[HS 2909 30; CAS 93-04-9]*

Methyl(2-naphthyl)keton [2-Acetylnaphthalin; systemat. Namen: 2-Acetonaphthon, 1-(2-Naphthyl)ethanon].

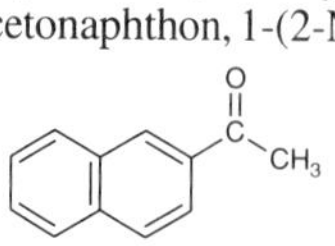

$C_{12}H_{10}O$, M_R 170,21. Farblose, Orangenblüten-artig riechende Krist., Schmp. 56 °C, Sdp. 303 °C, wenig lösl. in Alkohol. M. findet Verw. in der Parfümerie, in Seifenparfüms u. Detergenzien. – ***E*** methyl 2-naphthyl ketone – ***F*** méthyl(2-naphthyl)cétone – ***I*** metil(2-naftil)chetone – ***S*** metil(2-naftil)cetona

Lit.: Beilstein E IV **7**, 1294 ▪ Ullmann (5.) **A 11**, 189. – *[HS 2914 39; CAS 93-08-3]*

Methylnitrat s. Salpetersäureester.

4-Methyl-2-nitroanilin (*o*-Nitro-*p*-toluidin).

T 

N 

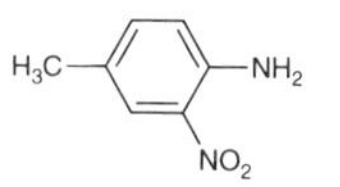

$C_7H_8N_2O_2$, M_R 152,15. Gelbrotes Pulver, D. 1,164 (121 °C), Schmp. 117 °C, unlösl. in Wasser, lösl. in Eisessig, Alkohol, verd. Salzsäure; *Methämoglobin-Bildner, krebsverdächtig; Zwischenprodukt bei Farbstoff-Synthesen. – ***E*** 4-methyl-2-nitroaniline – ***F*** 4-méthyle-2-nitroaniline – ***I*** 4-metil-2-nitroanilina – ***S*** 4-metil-2-nitroanalina

Lit.: Beilstein E IV **12**, 2000 ▪ Giftliste ▪ Ullmann (4.) **17**, 398 ff.; **A 17**, 438. – *[HS 2921 43; CAS 89-62-3]*

Methylnitrosoharnstoff s. Nitrosamine.

***N*-Methyl-*N*-nitroso-*p*-toluolsulfonamid** (Diazald®).

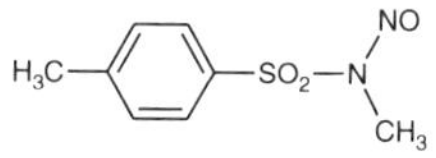

$C_8H_{10}N_2O_3S$, M_R 214,23. Grünlichgelbe, hautreizende Krist., Schmp. 62 °C, unlösl. in Wasser, lösl. in Ether, Benzol, Chloroform u. Tetrachlormethan. Die Herst. erfolgt aus *N*-Methyl-*p*-toluolsulfonamid u. salpetriger Säure. M. wird zur Herst. von *Diazomethan verwendet. – ***E*** *N*-methyl-*N*-nitroso-*p*-toluenesulfonamide – ***F*** *N*-méthyl-*N*-nitroso-*p*-toluène-sulfonamide – ***I*** *N*-metil-*N*-nitroso-*p*-toluensolfonammide – ***S*** *N*-metil-*N*-nitroso-*p*-toluenosulfonamida

Lit.: Beilstein E IV **11**, 478 ▪ J. Org. Chem. **45**, 5377 (1980) ▪ Paquette **5**, 3555 ▪ Synthetica **1**, 299–302. – *[HS 2935 00; CAS 80-11-5]*

Methylnonylacetaldehyd s. 2-Methylundecanal.

Methylnonylketon s. 2-Undecanon.

Methylol... Veraltete Bez. für *Hydroxymethyl...

Methylorange {4-[4-(Dimethylamino)-phenylazo]benzolsulfonsäure-Natriumsalz, Helianthin, C.I. Acid Orange 52, C.I. 13025}.

T 

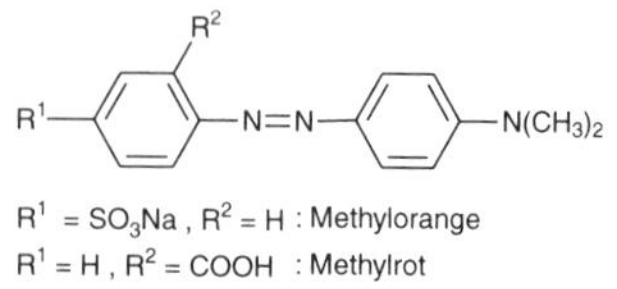

$C_{14}H_{14}N_3NaO_3S$, M_R 327,33, ein zur Gruppe der *Azofarbstoffe gehörender Farbstoff. Orangegelbes Pulver, in Wasser mäßig lösl., unlösl. in Alkohol, gut lichtecht, aber äußerst säureempfindlich: M. schlägt schon in sehr starken Verdünnungen in einem pH-Bereich von 3,0–4,4 von Rot nach Gelborange um u. eignet sich daher als *Indikator zur acidimetr. Bestimmung von Mineralsäuren.

WGK 2 (Selbsteinst.). – *E* methyl orange – *F* méthylorange – *I* arancione di metile – *S* anaranjado de metilo

Lit.: Beilstein E IV **16**, 510 ▪ Ullmann (5.) **A 14**, 129 f. ▪ s. a. Azofarbstoffe. – *[HS 2927 00; CAS 547-58-0]*

Methylotrophie. Als *methylotroph* werden Mikroorganismen bezeichnet, die C_1-*Verb.* od. an Heteroatome gebundene Methyl-Gruppen als Kohlenstoff- u. Energiequelle ausnutzen können; bei *Methan-Verwertern spricht man von *Methanotrophie.* Zur Übertragung von Methyl-, Hydroxymethyl- u. Formyl-Gruppen (*C_1-Gruppen*) dienen in biochem. Systemen diverse *Coenzyme, z. B. *S-Adenosylmethionin, *Folinsäure u. *Tetrahydrofolsäure. – *E* methylotrophy – *F* méthylotrophie – *I* = *S* metilotrofia

Lit.: Bioprocess Technol. **22**, 195–239 (1995) ▪ FEMS Microbiol. Rev. **8**, 233–248 (1992) ▪ Microbiol. Rev. **60**, 439–471 (1996) ▪ Yeast **11**, 1331–1344 (1995).

Methyloxiran s. Propylenoxid.

Methylparaben s. 4-Hydroxybenzoesäureester.

3-Methylparafuchsin s. Fuchsin.

Methylparathion s. Parathion-methyl.

(±)-2-Methyl-2,4-pentandiol („Hexylenglykol", 2,4-Isohexylenglykol).

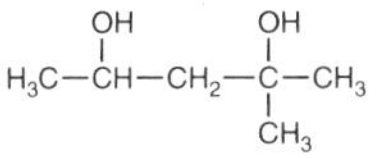

$C_6H_{14}O_2$, M_R 118,17. Farblose Flüssigkeit, D. 0,922, Schmp. –50 °C, Sdp. 196 °C, lösl. in Wasser, Alkohol, Ketonen, aliphat. u. aromat. Kohlenwasserstoffen, Tetrachlormethan. Die Dämpfe reizen in hohen Konz. die Augen u. die Atemwege. Kontakt mit der Flüssigkeit reizt stark die Augen, weniger ausgeprägt die Haut; LD_{50} (Ratte oral) 3700 mg/kg; WGK 1 (Selbsteinst.).

Verw.: In Bremsflüssigkeiten, Bohrölen, Metallreinigungsmitteln, als Glycerin-Ersatz (in Textil-Ind.), als Lsg.-Vermittler bei sonst unmischbaren Flüssigkeiten, zur Feuchthaltung, als Zusatz zu Zement (verhindert Klumpenbildung), Lacken, Farben, Tuschen usw. – *E* (±)-2-methyl-2,4-pentanediol – *F* (±)-2-méthyl-2,4-pentanediol – *I* (±)-2-metil-2,4-pentandiolo – *S* (±)-2-metil-2,4-pentanodiol

Lit.: Beilstein E IV **1**, 2565 f. ▪ Hommel, Nr. 110 ▪ Janistyn **1**, 469 ▪ Merck-Index (12.), Nr. 4748. – *[HS 2905 39; CAS 107-41-5]*

Methylpentane.

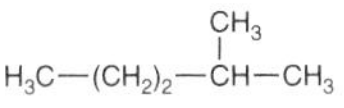

a

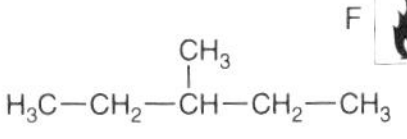

b

C_6H_{14}, M_R 86,17. Isomere des Hexans, klare, farblose, feuergefährliche Flüssigkeiten. Die Dämpfe reizen die Augen, die Atemwege u. die Haut. Das Einatmen der Dämpfe in hohen Konz. wirkt narkot.; Kontakt mit der Flüssigkeit bewirkt Reizung der Augen u. der Haut; MAK 200 ppm (MAK-Werte-Liste 1996). – (a) *2-M.:* D. 0,653, Schmp. –154 °C, Sdp. 60 °C, fast unlösl. in Wasser, leicht lösl. in Chloroform, Alkohol, Ether. – (b) *3-M.:* D. 0,664, Sdp. 63 °C, Schmp. –118 °C.

Verw.: Lsm., Vergleichssubstanz für Gaschromatographie, spektroskop. Analysenverfahren. – *E* methylpentanes – *F* méthylpentanes – *I* metilpentani – *S* metilpentanos

Lit.: Beilstein E IV **1**, 358 ff., 363 f. ▪ Hommel, Nr. 108, Nr. 753 ▪ Ullmann (5.) **A 13**, 230–238. – *[CAS 43133-95-5 (a); 107-83-5; 96-14-0 (b); G 3]*

Methylpentanole. $C_6H_{14}O$, M_R 102,17. Gruppe von acht verschiedenen Alkoholen, unter denen bes. das *4-Methyl-2-pentanol* (Methylisobutylcarbinol, α-Methylisoamylalkohol) techn. Bedeutung erlangt hat:

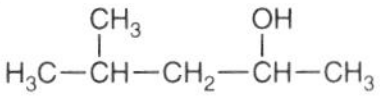

Farblose Flüssigkeit, D. 0,808, Schmp. –60 °C, Sdp. 128–131 °C, in Wasser wenig löslich. Die Dämpfe wirken betäubend u. reizen die Augen u. die Atemwege. Kontakt mit der Flüssigkeit verursacht Reizung der Haut u. der Augen, MAK 25 ppm bzw. 100 mg/m^3 (MAK-Werte-Liste 1996); WGK 1 (Selbsteinst.). Gefahr der Hautresorption. M. entsteht als Nebenprodukt bei der Herst. von 4-Methyl-2-pentanon (Methylisobutylketon).

Verw.: Lsm. für Nitrocellulose-Lacke, Ethylcellulose, Harnstoffharze, Bestandteil von Flotationsmitteln, Bremsflüssigkeiten, zur Herst. von Estern usw. – *E* methylpentanols – *F* méthylpentanols – *I* metilpentanoli – *S* metilpentanoles

Lit.: Beilstein E IV **1**, 1713–1724 ▪ Hommel, Nr. 126 ▪ Ullmann (5.) **A 1**, 287. – *[HS 2905 19; CAS 108-11-2 (4-Methyl-2-pentanol); G 3]*

Methylpentanone. $C_6H_{12}O$, M_R 100,16. Von den drei Isomeren ist techn. am bedeutendsten das *4-Methyl-2-pentanon* (Veraltet: Methylisobutylketon, MIBK, Hexon, Isopropylaceton):

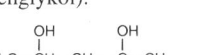

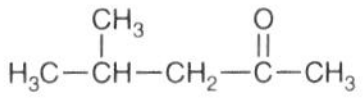

Farblose Flüssigkeit von angenehmem Geruch, D. 0,8008, Schmp. –84 °C, Sdp. 116 °C, mit Wasser nur beschränkt, mit organ. Lsm. unbegrenzt mischbar. Die Dämpfe reizen die Augen u. die Atemwege. Kontakt mit der Flüssigkeit verursacht leichte Reizung der Haut u. der Augen, betäubende Wirkung möglich, MAK 20 ppm, BAT-Wert: 3,5 mg/L, Untersuchungsmaterial Harn (MAK-Werte-Liste 1996); LD_{50} (Ratte oral) 2080 mg/kg; Emissionsklasse III (TA Luft 3.1.7); WGK 1.

Herst.: Aus Aceton über Mesityloxid (Näheres s. Weissermel, Ullmann, *Lit.*).

Verw.: Als Lsm. in der Lack-Ind., als Extraktionsmittel sowohl zur Entparaffinierung von Schmierölen als auch in der pharmazeut., techn. u. analyt. Chemie. 4-Methyl-2-pentanon dient ferner als Rohstoff für die Herst. von Oximen, Peroxiden usw. – *E* methylpentanones – *F* méthylpentanones – *I* metilpentanoni – *S* metilpentanonas

Lit.: Beilstein E IV **1**, 3304 (2-M.-3-p.), 3305 ff. (4-M.-2-p.), 3309 f. (3-M.-2-p.) ▪ Hager (5.) **3**, 669 ▪ Hommel, Nr. 132 ▪ Kirk-Othmer (4.) **14**, 1004 ▪ Rippen ▪ Ullmann (4.) **14**, 198–202, 217; **A 15**, 79 ff. ▪ Weissermel-Arpe (4.), S. 303 ff. – *[HS 2914 13, 2914 19; CAS 108-10-1 (4-M.-2-p.); G 3]*

Methylpentanonperoxid. Ketonperoxid, das aus Wasserstoffperoxid u. 4-Methyl-2-pentanon (s. Methylpentanone) hergestellt wird. Farblose bis schwach gelbliche Lsg., ein Peroxid-Gemisch in Alkylbenzol od. 60%ig in Phlegmatisierungsmitteln od. Weichmachern, lösl. in den gebräuchlichen organ. Lsm., unlösl. in Wasser.

Verw.: Polymerisationskatalysator, bes. zur Aushärtung ungesätt. Polyesterharze. – ***E*** methylpentanone peroxide – ***F*** peroxyde de méthylpentanone – ***I*** perossido di metilpentanone – ***S*** peróxido de metilpentanona

Lit.: Ullmann (5.) **A 15**, 79 f. ▪ s. a. Peroxide. – *[HS 2909 60; G 5.2]*

4-Methyl-3-penten-2-on s. Mesityloxid.

3-Methyl-1-pentin-3-ol s. Methylpentynol.

Methylpentynol (Meparfynol, Rp).

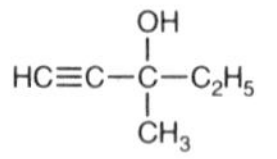

Internat. Freiname für das *Sedativum (±)-3-Methyl-1-pentin-3-ol, $C_6H_{10}O$, M_R 98,14. Farblose, brennbare, brennend schmeckende Flüssigkeit, D. 0,869, Schmp. –31 °C, Sdp. 121 – 122 °C, in Wasser lösl., mischbar mit Alkohol u. organ. Lösemitteln. M. wurde 1913 von Bayer patentiert. – ***E*** meparfynol – ***I*** metilpentinolo – ***S*** meparfinol

Lit.: Beilstein E IV **1**, 2242 f. ▪ Hager (4.) **2**, 232, 355; **5**, 842 f. ▪ Martindale (31.), S. 721. – *[HS 2905 29; CAS 77-75-8]*

Methylphenidat (BtMVV, Anlage III A).

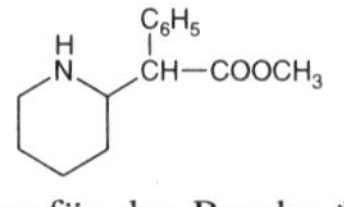

Internat. Freiname für das Psycho-*Analeptikum (±)-Phenyl(2-piperidyl)essigsäure-methylester, $C_{14}H_{19}NO_2$, M_R 233,31, Sdp. 135 – 137 °C (79,8 Pa). Verwendet wird meist das M.-hydrochlorid, M_R 269,77, Schmp. 224 – 226 °C; LD_{50} (Maus oral) 190 mg/kg. Weißes, geruchloses, krist. Pulver, in Wasser u. Methanol leicht löslich. M. wurde 1950 von Ciba (Ritalin®) patentiert. – ***E*** methylphenidate – ***F*** méthylphénidate – ***I*** = ***S*** metilfenidato

Lit.: ASP ▪ Beilstein E V **22/2**, 505 ▪ Florey **10**, 473 – 497 ▪ Martindale (31.), S. 1553 f. – *[HS 2933 39; CAS 113-45-1 (M.); 298-59-9 (Hydrochlorid)]*

Methylphenobarbital (BtMVV, Anlage III C).

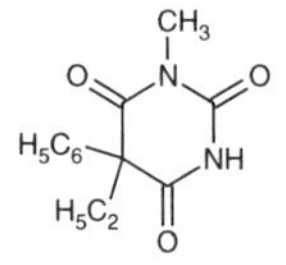

Internat. Freiname für das Sedativum u. Antikonvulsivum (±)-5-Ethyl-1-methyl-5-phenylbarbitursäure, $C_{13}H_{14}N_2O_3$, M_R 246,26. Farblose, geruchlose Krist. od. weißes, krist. Pulver, Schmp. 176 – 181 °; λ_{max} (0,21 N NaOH) 245 nm ($A^{1\%}_{1cm}$ 343), prakt. unlösl. in Wasser. M. wurde 1929 von I. G. Farben patentiert. – ***E*** methylphenobarbital, mephobarbital – ***F*** méthylphénobarbital – ***I*** metilfenobarbitale – ***S*** metilfenobarbital

Lit.: Beilstein E V **24/9**, 294 ff. ▪ Hager (5.) **8**, 953 ff. ▪ Martindale (31.), S. 376 ▪ Ph. Eur. **1997** u. Komm. – *[HS 2933 51; CAS 115-38-8]*

Methylphenole s. Kresole.

Methylphenyl... s. Tolyl...

(Methylphenylamino)triphenylphosphoniumiodid (Murahashi's Reagenz). $C_{25}H_{23}INP$, M_R 495,36, Schmp. 237 – 242 °C, lösl. in DMF u. Essigsäureethylester. Herst. aus Phenyliminotriphenylphosphoran u. Iodmethan. M. überführt prim. Alkohole glatt in sek. od. tert. Amine (s. Abb. 2 a). Weitere Anw. sind die Synth. von unsymmetr. Sulfiden (s. Abb. 2 b) u. Alkenen aus Allylalkoholen unter *Allyl-Umlagerung (s. Abb. 2 c); s. a. Mitsunobu-Reaktion.

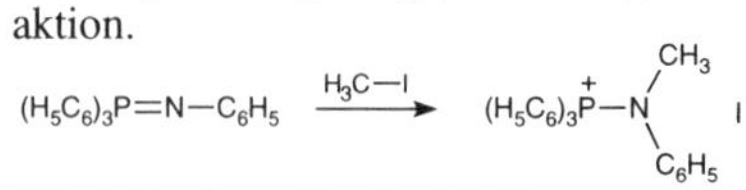

Abb. 1: Herst. von Murahashi's Reagenz.

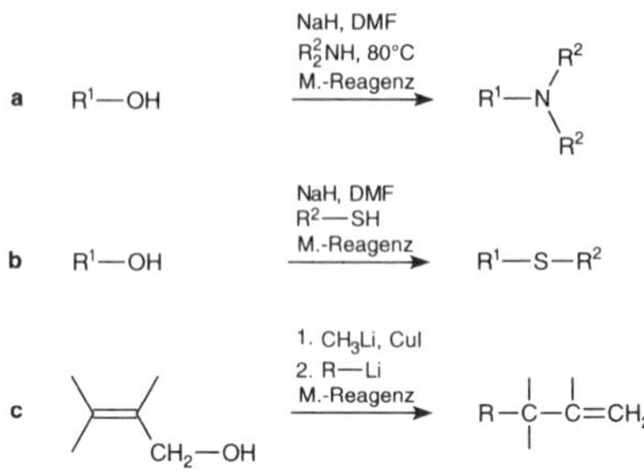

Abb. 2: Synth. mit Hilfe von Murahashi's Reagenz.

– ***E*** (methylphenylamino) triphenylphosphonium iodide – ***F*** iodure de (méthylphénylamino)triphénylphosphonium – ***I*** ioduro di (metilfenilammino) trifenilfosfonio – ***S*** ioduro de (metilfenilamino) trifenilfosfonio

Lit.: Paquette **5**, 3560. – *[CAS 34257-63-1]*

Methylphenylcarbinol s. Phenylethanole.

5-Methyl-2-phenyl-1,2-dihydro-3*H*-pyrazol-3-on.

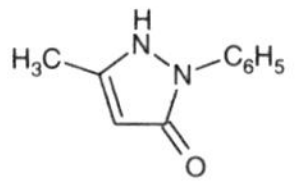

$C_{10}H_{10}N_2O$, M_R 174,20, Schmp. 127 – 128 °C; wirkt reizend auf Haut, Augen u. Schleimhäute u. dient als Reagenz auf Vitamin B_{12} u. Cyanide, als Photoentwickler, zur Farbstoffsynth., zur Synth. von Pharmaka. – ***E*** 5-methyl-2-phenyl-1,2-dihydro-3*H*-pyrazol-3-one – ***F*** 5-méthyl-2-phényl-1,2-dihydro-3*H*-pyrazol-3-one – ***I*** 5-metil-2-fenil-1,2-diidro-3*H*-pirazol-3-one – ***S*** 5-metil-2-fenil-1,2-dihidro-3*H*-pirazol-3-ona

Lit.: Beilstein E V **24/1**, 317 f. ▪ Ullmann (5.) **A 22**, 389, 394. – *[CAS 89-25-8]*

***ar*-Methylphenylendiamine** (*ar,ar*-Diaminotoluole, *ar*-Methylbenzoldiamine, Toluoldiamine, Toluylendiamine).

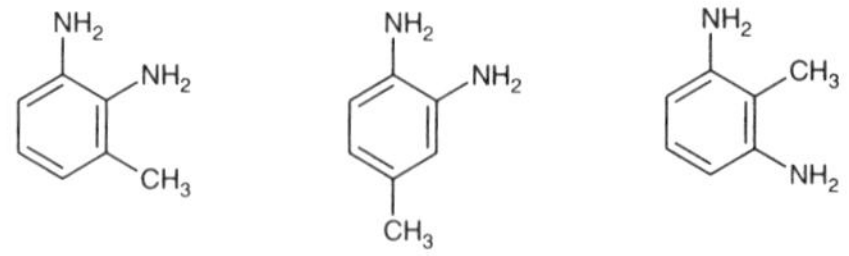

a b c

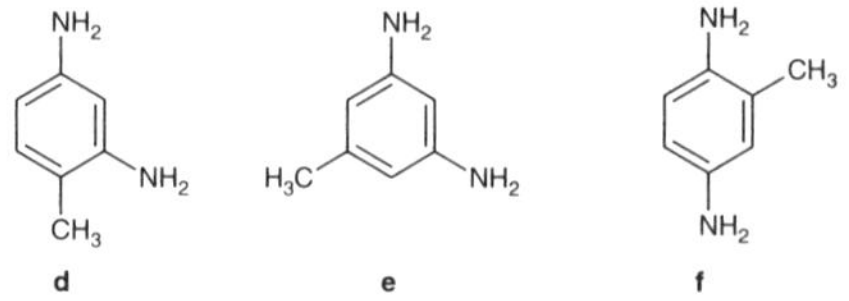

d e f

$C_7H_{10}N_2$, M_R 122,16. Die physikal. Eigenschaften sind in nachfolgender Tab. zusammengestellt; die meisten M. sind in Ether od. Ethanol leicht löslich. 4-Methyl-*m*-phenylendiamin (d) hat sich im Tierversuch eindeutig als

Tab.: Daten von Methylphenylendiaminen.

Methylphenylendiamine (Diaminotoluole)	Schmp. [°C]	Sdp. [°C]	CAS	WGK	Gefahrsymbol
(a) 3-Methyl-*o*-phenylendiamin (2,3-Diaminotoluol)	63–64	255	2687-25-4		
(b) 4-Methyl-*o*-phenylendiamin (3,4-Diaminotoluol)	89–90	265	496-72-0	2 (Selbsteinst.)	
(c) 2-Methyl-*m*-phenylendiamin (2,6-Diaminotoluol)	106	255	823-40-5	3 (Selbsteinst.)	Xn  N 
(d) 4-Methyl-*m*-phenylendiamin (2,4-Diaminotoluol)	99	292	95-80-7	3	T  N 
(e) 5-Methyl-*m*-phenylendiamin (3,5-Diaminotoluol)	<0	284	108-71-4		
(f) 2-Methyl-*p*-phenylendiamin (2,5-Diaminotoluol)	64	274	95-70-5	3 (Selbsteinst.)	T  N 

krebserzeugend erwiesen, Gruppe III A2 MAK-Werte-Liste 1996; TRK-Wert 0,1 mg/m^3. Zur Synth. der M. werden hauptsächlich die entsprechenden Nitro-Verb. katalyt. hydriert. Die M. finden Verw. als Zwischenprodukte bei der Farbstoff-Herst., bei der Polyurethan-Herst., bei der Herst. von Antioxidantien. Die Verw. von 4-Methyl-*m*-phenylendiamin (u. seiner Salze) in kosmet. Mitteln ist verboten (Kosmetik-VO Anlage 1, Nr. 364); die Verw. von 2-Methyl-*m*-phenylendiamin (c) u. 4-Methyl-*o*-phenylendiamin (b) in kosmet. Mitteln ist mit Einschränkungen erlaubt (Kosmetik-VO Anlage 2A, Nr. 9); sie werden als Oxidations-Haarfärbemittel verwendet (Gefahr der Allergisierung). – ***E*** *ar*-methylphenylenediamines – ***F*** *ar*-méthylphenylène-diamines – ***I*** *ar*-metilfenilendiammine – ***S*** *ar*-metilfenilendiaminas

Lit.: Beilstein EIV **13**, 235, 246, 260 ▪ Diaminotoluenes, Environ. Health Crit. **74**, Geneva: WHO 1987 ▪ Hommel, Nr. 647 ▪ Kirk-Othmer (4.) **2**, 442 ff.

Methylphenylendiisocyanate s. Toluoldiisocyanate.

α-Methylphenylethanol s. Phenylpropanole.

Methylphenylether s. Anisol.

Methylphenylketon s. Acetophenon.

Methyl-phenyl-phosphat s. ICC.

Methylpikrylnitramin s. Tetryl.

2-Methylpiperidin (α-Pipecolin).

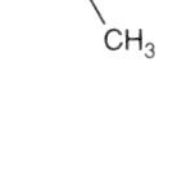

$C_6H_{13}N$, M_R 99,17. Farblose, brennfähige Flüssigkeit, D. 0,844, Sdp. 119 °C, FP. 3 °C, mit Wasser u. organ. Lsm. mischbar. M. wird zur Synth. von Pestiziden, Pharmazeutika, Photochemikalien, Vulkanisationshilfsmitteln, Invertseifen, als Katalysator bei der PUR-Herst. verwendet. – ***E*** 2-methylpiperidine – ***F*** 2-méthylpipéridine – ***I = S*** 2-metilpiperidina

Lit.: Beilstein E V **20/4**, 71 f. ▪ Ullmann (5.) **A 22**, 412. – *[HS 2933 39; CAS 109-05-7]*

1-Methyl-4-piperidinon (*N*-Methyl-4-piperidon).

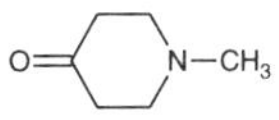

$C_6H_{11}NO$, M_R 113,15. Farblose, unangenehm riechende, viskose Flüssigkeit, D. 0,97, Sdp. 60–62 °C (19 hPa). Zwischenprodukt bei organ. Synthesen. – ***E*** 1-methyl-4-piperidinone – ***F*** 1-méthyl-4-pipéridinone – ***I*** 1-metil-4-piperidinone – ***S*** 1-metil-4-piperidinona

Lit.: Beilstein E V **21/6**, 419 f. – *[HS 2933 39; CAS 1445-73-4]*

Methylpolyglykol s. Polyethylenglykole.

Methylprednisolon (Rp).

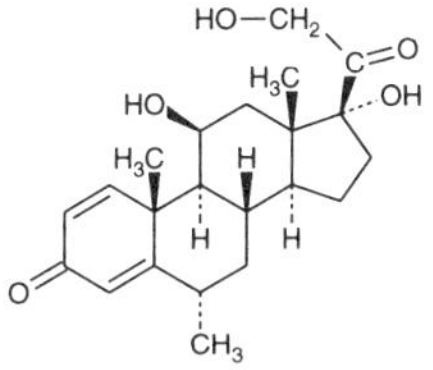

Internat. Freiname für das antiallerg. u. antiphlogist. wirksame Glucocorticoid 11β,17α,21-Trihydroxy-6α-methyl-1,4-pregnadien-3,20-dion, $C_{22}H_{30}O_5$, M_R 374,47, Schmp. 243 °C (Zers.), auch 228–237 °C angegeben; $[\alpha]_D^{20}$ +83°; λ_{max} (C_2H_5OH) 243 nm ($A_{1cm}^{1\%}$ 397). Weißliches, krist. Pulver, prakt. unlösl. in Wasser, lösl. in Alkohol (1:100). Lagerung: vor Licht u. Luft geschützt. Verwendet wird auch das *21-Acetat*, $C_{24}H_{32}O_6$, M_R 416,51, Schmp. 205–208 °C; $[\alpha]_D^{20}$ +101°; λ_{max} (H_2O) 274 nm ($A_{1cm}^{1\%}$ 360) u. das *21-Hydrogensuccinat, Natriumsalz*, $C_{26}H_{33}NaO_8$, M_R 496,53; λ_{max} (H_2O) 248 nm ($A_{1cm}^{1\%}$ 291). M. wurde 1959 von Upjohn (Medrate®) u. 1962 von Schering (Advantan®) patentiert u. ist generikafähig. – ***E*** methylprednisolone – ***F*** méthylprednisolone – ***I*** metilprednisolone – ***S*** metilprednisolona

Lit.: ASP ▪ Beilstein E IV **8**, 3498 ▪ Hager (5.) **8**, 955–959 ▪ Martindale (31.), S. 1052 ff. ▪ Ph. Eur. **1997** u. Komm. – *[HS 2937 29; CAS 83-43-2 (M.); 53-36-1 (21-Acetat), 2375-03-3 (21-Hydrogensuccinat, Natriumsalz)]*

2-Methylpropan (Isobutan) s. Butan.

Methylpropanole s. Butanole.

2-Methylpropen (Isobuten) s. Buten.

Methylpropensäure s. Methacrylsäure.

2-Methylpropionsäure (Isobuttersäure) s. Buttersäure.

Methylpropyl... C. A.-Bez. für *sec*-*Butyl... (1-M.) u. *Isobutyl... (2-M.).

Methylpropylketon s. Pentanone.

2-Methyl-4-propyl-1,3-oxathian. $C_8H_{16}OS$, M_R 160,27; 1976 als typ. Aromastoff der gelben Passionsfrucht (*Passiflora edulis*) entdeckt u. synthetisiert[1]. Racem. *cis-/trans*-Gemisch 1:10, Öl mit exot. Fruchtnote, Sdp.

85–86 °C (1,6 kPa). Synth. u. sensor. Evaluierung der vier Stereoisomeren[2] weist die (+)-(2*S*,4*R*)-Form als

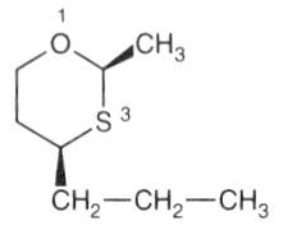

(-)-(2*R*,4*S*)-Form

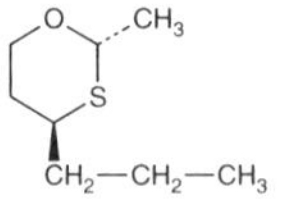

(-)-(2*S*,4*S*)-Form

Verb. mit der typ. Passionsfruchtnote aus, Geruchsschwelle in Wasser 2 ppb, $[\alpha]_D^{20}$ +56,1° (CCl_4). Laut chiraler Analyse[3] ist aber in der Passionsfrucht das (4*S*)-Epimerenpaar mit untyp. schweflig, krautig-grünem bzw. blumigen Geruch enthalten: (–)-(2*R*,4*S*), $[\alpha]_D^{20}$ –56,1° u. (–)-(2*S*,4*S*), $[\alpha]_D^{20}$ –117,6°. Zur Biosynth. s. *Lit.*[4]. – ***E*** 2-methyl-4-propyl-1,3-oxathiane – ***F*** 2-méthyl-4-propyl-1,3-oxathiane – ***I*** 2-metil-4-propil-1,3-ossatiano – ***S*** 2-metil-4-propil-1,3-oxatiano

Lit.: [1]Beilstein E V **19/1**, 117; Helv. Chim. Acta **59**, 1613 ff. (1976). [2]Tetrahedron Lett. **25**, 507 (1984); Helv. Chim. Acta **67**, 947 ff. (1984); Justus Liebigs Ann. Chem. **1985**, 1185 ff. [3]J. Agric. Food Chem. **43**, 2438 ff. (1995). [4]Parliment u. Croteau (Hrsg.), Biogeneration of Aromas, S. 124 f., ACS Symp. Ser. No. 137, Washington: ACS 1986. – *[CAS 67715-80-4 (racem. cis-/trans-Gemisch); 90243-47-3 ((+)-(2S,4R)-M.); 90243-46-2 ((–)-(2R,4S)-M.); 90243-45-1 ((–)-(2S,4S)-M.)]*

O-Methylpsychotrin s. Ipecacuanha.

Methylpyridin s. Picoline.

5-Methyl-2,4-pyrimidindiol s. Thymin.

5-Methyl-2,4(1*H*,3*H*)-pyrimidindion s. Thymin.

N-Methyl-2-pyrrolidon (1-Methyl-2-pyrrolidinon, Abk. NMP). Xi 

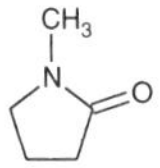

C_5H_9NO, M_R 99,13. Farblose, leicht bewegliche, hygroskop., haut- u. augenreizende Flüssigkeit, D. 1,028, Schmp. –24 °C, Sdp. 206 °C, mit Wasser, Alkohol, Aceton, Ether, aromat. Kohlenwasserstoffen mischbar; MAK (Dampf) 20 ppm (MAK-Werte-Liste 1996); LD_{50} (Ratte oral) 3914 mg/kg; WGK 1, Emissionsklasse I (TA Luft 3.1.7).
Herst.: Aus γ-Butyrolacton u. Methylamin.
Verw.: NMP ist wegen seiner leichten Flüchtigkeit, therm. Stabilität, hohen Polarität u. aprot. Eigenschaften ein wichtiges Lösemittel. Wegen seiner günstigen toxikolog. u. ökolog. Eigenschaften ersetzt es andere Lsm. wie chlorierte Kohlenwasserstoffe. Techn. Bedeutung hat NMP v. a. für die Trennung von Kohlenwasserstoffen, z. B. für die Abtrennung von Acetylen aus Spaltgas, von Butadien aus C_4-Schnitten od. für die Extraktion von Aromaten. Bei der Gaswäsche wird es zur Absorption saurer Bestandteile verwendet. Es eignet sich als Lsm. für Polymere sowie als Lsm. für zahlreiche organ. Synth., wie Alkylierungen, Ethinylierungen, Herst. von Carbonsäuren u. ihren Derivaten. – ***E*** *N*-methyl-2-pyrrolidone – ***F*** *N*-méthyl-2-pyrrolidone – ***I*** *N*-metil-2-pirrolidone – ***S*** *N*-metil-2-pirrolidona

Lit.: Beilstein E V **21/6**, 321–325 ▪ Paquette **5**, 3580 ▪ Ullmann (4.) **19**, 641; (5.) **A 22**, 458 ▪ Weissermel-Arpe (4.), S. 22, 112, 118 f. – *[HS 2933 79; CAS 872-50-4]*

Methylquecksilber s. Quecksilber-organische Verbindungen.

Methyl-Radikal s. Methyl...

Methylresorcin s. Orcinol.

Methylrosaniliniumchlorid. Internat. Freiname für die hier unter *Kristallviolett behandelte Verbindung.

Methylrot {2-[4-(Dimethylamino)phenylazo]-benzoesäure, C.I. Acid Red 2, C.I. 13020}. $C_{15}H_{15}N_3O_2$, M_R 269,30, Schmp. 183 °C (Formel s. Methylorange). Violette Nadeln, fast unlösl. in Wasser, lösl. in Alkohol u. Essigsäure; das Natrium-Salz ist wasserlöslich. Der *Azofarbstoff M. eignet sich als *Indikator bei der alkalimetr. Titration von schwachen Basen (Farbumschlag rot – gelb bei pH 4,4–6,2) sowie zusammen mit *Methylenblau als Mischindikator (*Tashiro-Indikator). – ***E*** methyl red – ***F*** méthylrouge – ***I*** rosso di metile – ***S*** rojo de metilo

Lit.: Beilstein E IV **16**, 504 ▪ Ullmann (5.) **A 14**, 129 f. ▪ s. a. Azofarbstoffe. – *[HS 2927 00; CAS 493-52-7]*

Methylsalicylat s. Salicylsäureester u. Wintergrünöl.

4-Methylsalinomycin s. Narasin.

Methylsenföl s. Methylisothiocyanat.

Methylsilane s. Silicium-organische Verbindungen.

Methylsiloxane s. Silicone.

α-Methylstyrol (2-Phenylpropen). Alte Bez. für Isopropenylbenzol. Xi 

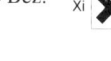

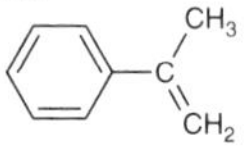

C_9H_{10}, M_R 118,17. Farblose Flüssigkeit mit unangenehmem Geruch, D. 0,908, Schmp. –23 °C, Sdp. 165 °C, in Wasser unlösl., mischbar mit Aceton, Tetrachlormethan, Benzol u. Ethanol. Die Dämpfe reizen die Augen u. die Atemwege sowie die Haut. Kontakt mit der Flüssigkeit ruft Reizung der Augen u. der Haut hervor. Bei langer Einatmung hoher Konz. Leber- u. Nierenschäden möglich, MAK 100 ppm bzw. 480 mg/m³ (MAK-Werte-Liste 1996); LD_{50} (Ratte oral) 4900 mg/kg; Emissionsklasse II (TA Luft 3.1.7); WGK 2 (Selbsteinst.). M. hat gegenüber Styrol u. Vinyltoluol therm. eine entschieden geringere Polymerisationsneigung.
Herst.: Durch Dehydrierung von *Cumol.
Verw.: Zur Herst. modifizierter Polyester- u. Alkydharze u. von Copolymeren mit Methylmethacrylat. Niedermol. Polymere von M. stellen viskose Flüssigkeiten dar, die als *Weichmacher in Kunststoffen, Farben, Wachsen usw. verwendet werden. – ***E*** α-methylstyrene – ***F*** α-méthylstyrène – ***I*** α-metilstirene – ***S*** α-metilestireno

Lit.: Beilstein E IV **5**, 1364 f. ▪ Hommel, Nr. 615 ▪ Ullmann (4.) 307, 308; (5.) **A 25**, 341. – *[HS 2902 90; CAS 98-83-9; G 3]*

Methylsulfanyl... s. Methylthio...

Methylsulfat s. Dimethylsulfat u. Schwefelsäureester.

Methylsulfonyl... s. Methansulfonyl...

N-Methyltaurin [2-(Methylamino)ethansulfonsäure]. $H_3C–NH–CH_2–CH_2–SO_3H$, $C_3H_9NO_3S$, M_R 139,17. Farblose Prismen, Schmp. 241 °C, lösl. in Wasser, unlösl. in Alkohol, Ether. M. wird zur CO_2-Wäsche u. als Waschmittelrohstoff (Na-Salz) eingesetzt. – ***E*** *N*-methyltaurine – ***F*** *N*-méthyltaurine – ***I*** = ***S*** *N*-metiltaurina

Lit.: Beilstein E III **4**, 1699 ▪ Ullmann (5.) **A 8**, 513; **A 25**, 504. – *[HS 2921 19; CAS 107-68-6]*

Methyltestosteron (Rp).

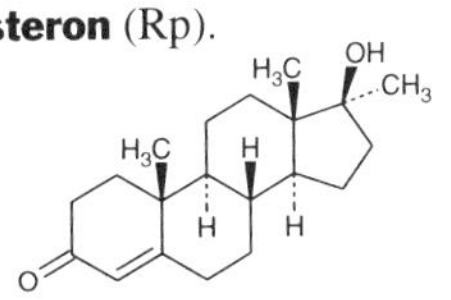

Internat. Freiname für das oral wirksame *Androgen 17β-Hydroxy-17α-methyl-4-androsten-3-on, $C_{20}H_{30}O_2$, M_R 302,45. Weißes bis gelblich-weißes, geruchloses krist., etwas hygroskop. Pulver, Schmp. 161–166 °C; $[\alpha]_D^{20}$ +69° bis +75° (Dioxan); λ_{max} (CH_3OH) 240 nm ($A_{1cm}^{1\%}$ 533); prakt. unlösl. in Wasser, lösl. in Alkohol (1:5), Aceton (1:10) u. Erdnußöl (1:160). Lagerung: vor Licht u. Luft geschützt. M. wurde 1939 von Ciba patentiert. – *E* methyltestosterone – *F* méthyltestostérone – *I* metiltestosterone – *S* metiltestosterona

Lit.: ASP ▪ Beilstein E IV **8**, 1010 f. ▪ Hager (5.) **8**, 963–966 ▪ Martindale (31.), S. 1497 f. ▪ Ph. Eur. **1997** u. Komm. – *[HS 2937 99; CAS 58-18-4]*

5-Methyltetrahydrofolsäure s. Tetrahydrofolsäure.

Methylthio... Bez. für die Atomgruppierung $-S-CH_3$ in organ. Verb. (IUPAC-Regel C-514.1); andere zulässige Bez.: *Methylsulfanyl...* (IUPAC-Regel R-5.5.2; Beilstein's Handbuch). – *E* methylthio... – *F* méthylthio... – *I* = *S* metiltio...

Methylthioniniumchlorid. Internat. Freiname für *Methylenblau.

Methylthiouracil (Rp).

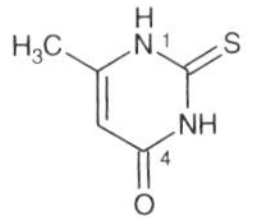

Internat. Freiname für das *Thyreostatikum 2,3-Dihydro-6-methyl-2-thioxo-4(1*H*)-pyrimidinon (vgl. 2-Thiouracil zur tautomeren Schreibweise von 6-Methyl-2-thiouracil), $C_5H_6N_2OS$, M_R 142,17. Weißes, geruchloses, krist., schwach bitter schmeckendes Pulver, Schmp. 326–331 ° (Zers.), subl.; λ_{max} 225, 260 nm; unlösl. in Benzol, Ether, Chloroform, schwer lösl. in Wasser u. Alkohol; unter Salzbildung lösl. in verd. Alkalilaugen u. Ammoniakwasser. Lagerung: vor Licht geschützt. – *E* methylthiouracil – *F* méthylthiouracile – *I* metiltiouracile – *S* metiltiouracilo

Lit.: ASP ▪ Beilstein E V **24/7**, 49 ▪ DAB **7** u. Komm. ▪ Hager (5.) **8**, 966 f. ▪ IARC Monogr. **7**, 53–65 (1974) ▪ Martindale (31.), S. 1603. – *[HS 2933 90; CAS 56-04-2]*

Methylthymolblau. Tetranatrium-Salz des 3,3′-Bis[*N*,*N*-bis-(carboxymethyl)-aminomethyl]-thymolsulfonphthaleins, $C_{37}H_{44}N_2O_{13}S$, M_R 756,82 (freie Säure, Formel s. bei Bromphenolblau). Dunkles, wasserlösl. Pulver, Indikator (0,1%ige wäss. Lsg.) für komplexometr. Titrationen; dient zusammen mit *Ethylendiamintetraessigsäure zur komplexometr. Bestimmung von Ba, Bi, Ca, Cd, Co, Cu^{II}, Fe^{II}, Hg^{II}, In^{III}, Mg, Sr, Sn, Pb^{II}, Mn^{II}, Sc^{III}, Zr^{IV}. – *E* methylthymol blue – *F* bleu de méthylthymol – *I* blu di metiltimolo – *S* azul de metiltimol

Lit.: Beilstein E V **19/8**, 619 ▪ Pure Appl. Chem. **55**, 1160–1167 (1983). – *[CAS 1945-77-3]*

Methyltransferasen (Transmethylasen, Methylasen, EC 2.1.1). Zu den *Transferasen gehörende Gruppe von Enzymen, die Methyl-Gruppen von einem Donor auf einen Akzeptor übertragen (Transmethylierung). Als Methyl-Gruppen-Donor fungiert meist **S*-Adenosylmethionin od. 5-Methyl-*Tetrahydrofolsäure. Zur Methylierung der Desoxyribonucleinsäuren durch M. s. 5-Methylcytosin u. *Lit.*[1]. – *E* methyltransferases – *F* méthyl-transférases – *I* metiltransferasi – *S* metil-transferasas

Lit.: [1] Annu. Rev. Biophys. Biomol. Struct. **24**, 293–318 (1995).

6-Methyl-1,3,5-triazin-2,4-diamin s. 2,4-Diamino-6-methyl-1,3,5-triazin.

Methyltrichlorsilan s. Methylchlorsilane.

Methyltriglykol. Trivialname für Triethylenglykol-monomethylether s. Triethylenglykol.

***N*-Methyl-*N*-(trimethylsilyl)-2,2,2-trifluoracetamid** s. Silicium-organische Verbindungen.

N^{α}-Methyl-L-tryptophan s. Abrin.

4-Methylumbelliferon (7-Hydroxy-4-methylcumarin) s. Hymecromon.

2-Methylundecanal (veraltete Bez.: Methylnonylacetaldehyd, Abk. MNA, Aldehyd C-12). $H_3C-(CH_2)_8-CH(CH_3)-CHO$, $C_{12}H_{24}O$, M_R 184,33. Farblose Flüssigkeit, D. 0,838–0,842, Sdp. 246 °C, lösl. in der doppelten Menge 80%igem Alkohol. M. riecht nach Weihrauch u. Nadelhölzern u. ist gegen Luft, Wärme u. Eisen-Verb. empfindlich, leicht oxidier- u. polymerisierbar, etwas stabiler als *Dodecanal. M. ist ein wichtiger Duftstoff in der Parfüm-Industrie. – *E* 2-methylundecanal – *F* 2-méthylundécanal – *I* 2-metilundecanale – *S* 2-metilundecanal

Lit.: Beilstein E IV **1**, 3383 ▪ Ullmann (5.) **A 1**, 331; **A 11**, 150. – *[HS 2912 19; CAS 110-41-8]*

5-Methyluracil s. Thymin.

Methylvinylether s. Vinylether.

Methylviolett. Die zahlreichen Handelssorten dieses 1861 von Lauth erstmals hergestellten *kationischen *Triarylmethan-Farbstoffes sind im wesentlichen ein Gemisch der salzsauren Salze von Tetra-, Penta- u. Hexamethylparafuchsin (= *Gentianaviolett, Methylviolett 6 B*): Metall. grünschillernde Stücke od. Pulver, die sich in Wasser mit intensiv violetter Farbe lösen; auch lösl. in Alkohol, Glycerin u. Chloroform. Mit Salzsäure verfärbt sich die Lsg. nach Gelbbraun. WGK 2 (Selbsteinst.). Über Herst. u. Struktur von M. s. Triarylmethan-Farbstoffe. M. wird in der Praxis häufig mit *Gentianaviolett gleichgesetzt (gleiche C. I.-Nummer 42 535, C. I. Basic Violet 1) u. findet gleiche Verw., sogar als Stempelfarbe für Lebensmittel. Demgegenüber darf das – oftmals ebenfalls mit Gentiana-/Methylviolett gleichgesetzte – *Kristallviolett (*Methylviolett 10 B*, C. I. 42 555) nur für äußerlich angewandte Kosmetika eingesetzt werden. – *E* methyl violet – *F* violet de méthyle – *I* violetto di metile – *S* violeta de metilo

Lit.: Beilstein E IV **13**, 2283 ▪ Hager (5.) **8**, 967 ▪ Winnacker-Küchler (3.) **4**, 241 f. ▪ s. a. Triarylmethan-Farbstoffe. – *[CAS 8004-87-3]*

Methylviologen s. Paraquat-dichlorid.

Methylxanthine s. Coffein, Theophyllin, Theobromin.

Methyprylon (BtMVV, Anlage IIIC).

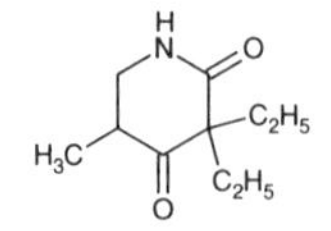

Internat. Freiname für das *Sedativum u. Hypnotikum (±)-3,3-Diethyl-5-methyl-2,4-piperidindion, $C_{10}H_{17}NO_2$, M_R 183,25. Weißliches, krist. Pulver, Schmp. 74–77,5 °C; $[\alpha]_D^{20}$ +124°; λ_{max} (C_2H_5OH) 295 nm ($A_{1cm}^{1\%}$ 2,0); lösl. in Chloroform, Alkohol, Ether u. Wasser. Lagerung: vor Licht u. Luft geschützt. M. wurde 1954 von Hoffmann-La Roche patentiert. – ***E*** methyprylon – ***F*** méthyprylone – ***I*** metiprilone – ***S*** metiprilona

Lit.: ASP ▪ Beilstein E V **21/9**, 615 ▪ Florey **2**, 363–382 ▪ Hager (5.) **8**, 968 f. ▪ Martindale (31.), S. 721. – *[HS 2933 79; CAS 125-64-4]*

Methysergid (Rp).

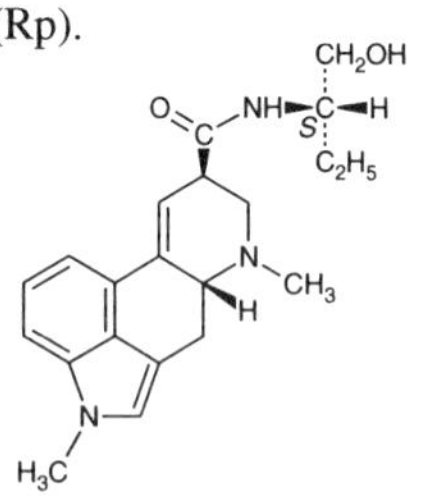

Internat. Freiname für den gegen Migräne wirksamen *Serotonin-Antagonisten *N*-[(*S*)-1-(Hydroxymethyl)-propyl]-1-methyl-lysergamid, $C_{21}H_{27}N_3O_2$, M_R 353,46, Schmp. 194–196 °C; $[\alpha]_D^{20}$ –45° (c 0,5/Pyridin). Verwendet wird meist M.-hydrogenmaleat, $C_{25}H_{31}N_3O_6$, M_R 469,54, Schmp. 187–188 °C; weißes bis gelblich- od. rötlich-weißes, krist. Pulver, in Wasser etwas lösl. (1:200). Lagerung: vor Licht u. Luft geschützt, bei Temp. von 2–8 °C. M. wurde 1960 u. 1965 von Sandoz (Deseril®) patentiert. – ***E*** methysergide – ***F*** méthysergide – ***I*** metisergide – ***S*** metisergida

Lit.: Beilstein E V **25/5**, 143 ▪ Hager (5.) **8**, 970 ff. ▪ Martindale (31.), S. 483 f. ▪ s. a. Ergot-Alkaloide. – *[HS 2939 90; CAS 361-37-5 (M.); 129-49-7 (Hydrogenmaleat)]*

Meticillin s. Penicilline.

Metildigoxin (Rp). Internat. Freiname für das *Herzglykosid *β-Methyldigoxin* od. 4‴-*O*-Methyldigoxin (Formel s. Digitalis-Glykoside mit CH_3 statt Glykosyl, S. 973), $C_{42}H_{66}O_{14}$, M_R 794,98, Schmp. 227–231 °C; λ_{max} (CH_3OH) 221 nm ($A_{1cm}^{1\%}$ 179); LD_{50} (Maus i.v.) 4,9, (Maus i.p.) 4,8, (Maus oral) 7,8 mg/kg; in Wasser sehr schwer löslich. M. wurde 1969 u. 1970 von Boehringer Mannheim (Lanitop®) patentiert. – ***E*** metildigoxin – ***F*** métildigoxine – ***I*** metildigossina – ***S*** metildigoxina

Lit.: ASP ▪ Beilstein E V **18/4**, 382 ▪ Hager (5.) **8**, 976 ff. ▪ Martindale (31), S. 902 ▪ s. a. Digitalis- u. Herzglykoside. – *[HS 2938 90; CAS 30685-43-9]*

Metipranolol (Rp).

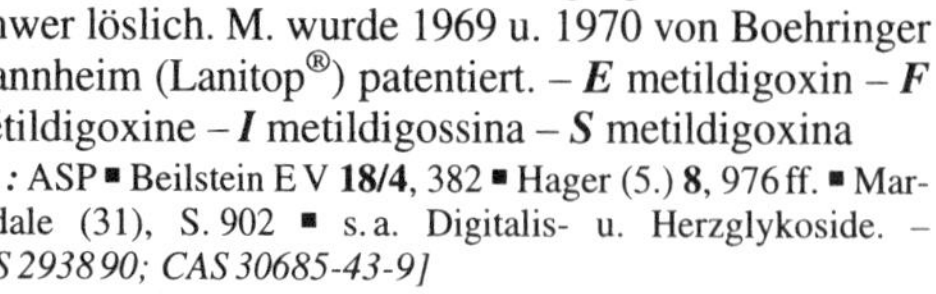

Internat. Freiname für den adrenergen *β*-Rezeptorenblocker (±)-1-(4-Acetoxy-2,3,5-trimethylphenoxy)-3-(isopropylamino)-2-propanol, $C_{17}H_{27}NO_4$, M_R 309,40, Schmp. 105–107 °C; λ_{max} (CH_3OH) 274, 279 nm ($A_{1cm}^{1\%}$ 50,5, 53), pK_a 9,3; LD_{50} (Maus i.v.) 31 mg/kg; in Wasser prakt. unlösl., in Ethanol löslich. M. ist von Mann (Betamann® Augentropfen) gegen Weitwinkel-Glaukom u. erhöhten Augeninnendruck im Handel. – ***E*** = ***S*** metipranolol – ***F*** métipranolol – ***I*** metipranolo

Lit.: ASP ▪ Hager (5.) **8**, 978 ff. ▪ Martindale (31.), S. 906 f. – *[HS 2922 50; CAS 22664-55-7]*

Metiram.

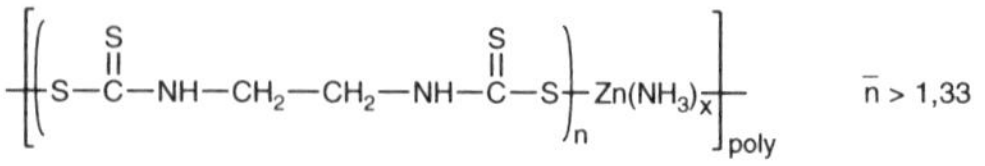

Common name für Gemische von polymerem Ethylenbis(dithiocarbamat)zinkammoniakat u. Poly(ethylenthiuramdisulfid), zersetzt sich bei ca. 140 °C, LD_{50} (Ratte oral) >10 000 mg/kg, von BASF 1958 eingeführtes nichtsystem. protektives Blatt-*Fungizid mit breitem Wirkungsspektrum in zahlreichen Kulturen; vgl. Zineb. – ***E*** = ***I*** = ***S*** metiram – ***F*** metirame zinc

Lit.: Farm. ▪ Perkow ▪ Pesticide Manual. – *[CAS 9006-42-2]*

Metisazon.

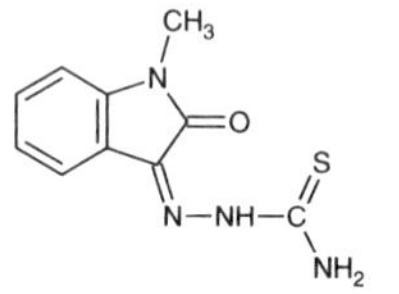

Internat. Freiname für das *Virostatikum 1-Methyl-1*H*-indol-2,3-dion-3-thiosemicarbazon, $C_{10}H_{10}N_4OS$, M_R 234,27. Orange-gelbes Pulver, Schmp. ~248 °C (Zers.); λ_{max} (CH_3OH) 244, 273, 326 nm ($A_{1cm}^{1\%}$ 580, 620, 980), prakt. unlösl. in Wasser u. verd. anorgan. Säuren, lösl. in warmen, verd. Alkalihydroxid-Lsg. u. heißem Eisessig. Lagerung: vor Licht geschützt. – ***E*** = ***I*** metisazone – ***F*** métisazone – ***S*** metisazona

Lit.: Beilstein E V **21/10**, 241 ▪ Hager (5.) **8**, 980 f. ▪ Martindale (31.), S. 659. – *[HS 2933 79; CAS 1910-68-5]*

Metixen.

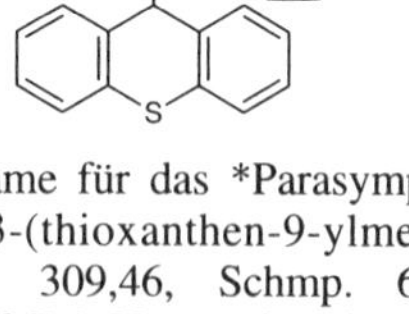

Internat. Freiname für das *Parasympath(ik)olytikum (±)-1-Methyl-3-(thioxanthen-9-ylmethyl)-piperidin, $C_{20}H_{23}NS$, M_R 309,46, Schmp. 66–75 °C, Sdp. 171–175 °C (9,3 Pa). Verwendet wird meist das Hydrochlorid, Schmp. 215–217 °C; λ_{max} (CH_3OH) 269 nm ($A_{1cm}^{1\%}$ 326). M. wurde 1959 von Wander (Tremarit®) patentiert. – ***E*** = ***I*** metixene – ***F*** métixène – ***S*** metixeno

Lit.: Beilstein E V **27/7**, 158 f. ▪ Florey **22**, 317–357 ▪ Hager (5.) **8**, 980 f. ▪ Martindale (31.), S. 502 f. – *[HS 2934 90; CAS 4969-02-2 (M.); 1553-34-0 (Hydrochlorid)]*

MetMb s. Myoglobin.

Metmyoglobin s. Myoglobin.

Metobenzuron. Common name für 1-Methoxy-3-[4-(2-methoxy-2,4,4-trimethylchroman-7-yloxy)phenyl]-1-methylharnstoff.

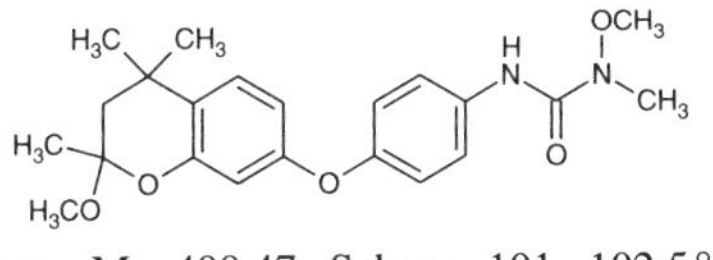

$C_{22}H_{28}N_2O_5$, M_R 400,47, Schmp. 101–102,5 °C, LD_{50} (Ratte oral) >10000 mg/kg, von Mitsui Petrochemicals entwickeltes *Herbizid gegen Unkräuter u. Ungräser in Mais. – ***E*** metobenzuron – ***F*** métobenzuron – ***I*** metobenzurone – ***S*** metobenzurón

Lit.: Perkow ▪ Pesticide Manual. – *[CAS 111578-32-6]*

Metobromuron.

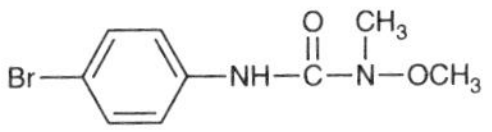

Common name für 3-(4-Bromphenyl)-1-methoxy-1-methylharnstoff, $C_9H_{11}BrN_2O_2$, M_R 259,10, Schmp. 95–96 °C, LD_{50} (Ratte oral männlich) 2000 mg/kg, (weiblich) 3000 mg/kg, von Ciba 1963 eingeführtes selektives Vorauflauf-*Herbizid gegen Unkräuter u. einjährige Ungräser im Kartoffel-, Tabak-, Buschbohnen-, Feldsalat-, Sojabohnen u. Sonnenblumenanbau. – ***E*** metobromuron – ***F*** métobromuron – ***I*** metobromurone – ***S*** metobromurón

Lit.: Farm. ▪ Perkow ▪ Pesticide Manual. – *[HS 2928 00; CAS 3060-89-7]*

Metoclopramid (Rp).

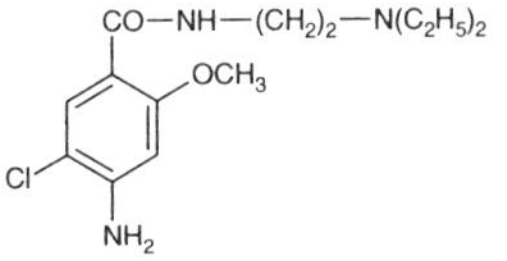

Internat. Freiname für das *Antiemetikum 4-Amino-5-chlor-*N*-[2-(diethylamino)ethyl]-2-methoxybenzamid, $C_{14}H_{22}ClN_3O_2$, M_R 299,80, Schmp. 146,5–148 °C; λ_{max} (H_2O) 275 nm. Verwendet wird meist M.-Monohydrochlorid-Monohydrat, Schmp. 182,5–184 °C; λ_{max} (0,1 M HCl) 273, 309 nm ($A^{1\%}_{1cm}$ 345, 315); weißliches, krist. Pulver, lösl. in Wasser (1:0,7) u. Alkohol (1:3) u. das M.-Dihydrochlorid-Monohydrat, Schmp. 145 °C (Zers.); λ_{max} 315, 360 nm. Lagerung: vor Licht u. Luft geschützt. M. wurde von Kali-Chemie (Paspertin®, heute von Solvay Arzneimittel) in der BRD eingeführt u. ist von vielen Firmen als Generikum im Handel. – ***E*** = ***I*** = ***S*** metoclopramide – ***F*** métoclopramide

Lit.: ASP ▪ Florey **16**, 327–361 ▪ Hager (5.) **8**, 982–985 ▪ Martindale (31.), S. 1228 ff. ▪ Ph. Eur. **1997** u. Komm. – *[HS 2924 29; CAS 364-62-5 (M.); 54143-57-6 (Hydrochlorid-Monohydrat); 54143-57-6 (Dihydrochlorid-Monohydrat)]*

Metohexal® (Rp). Tabl. mit dem Betarezeptorenblocker (s. Adrenozeptoren) *Metoprolol-tartrat gegen arterielle Hypertonie u. Angina pectoris. *M. Comp.* zusätzlich mit dem *Diuretikum *Hydrochlorothiazid. ***B.:*** Hexal.

Metol® s. 4-(Methylamino)phenol-sulfat.

Metolachlor.

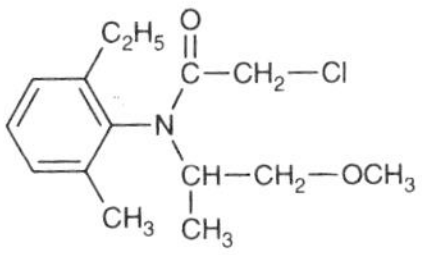

Common name für (±)-2-Chlor-2′-ethyl-*N*-(2-methoxy-1-methylethyl)-6′-methylacetanilid, $C_{15}H_{22}ClNO_2$, M_R 283,79, Sdp. 100 °C, LD_{50} (Ratte oral) 2780 mg/kg, von Ciba-Geigy 1974 eingeführtes selektives Boden-*Herbizid gegen Ungräser im Mais-, Sojabohnen-, Erdnuß-, Futter- u. Zuckerrüben-, Baumwoll- u. Sonnenblumenanbau. – ***E*** metolachlor – ***F*** métolachlore – ***I*** = ***S*** metolacloro

Lit.: Farm. ▪ Perkow ▪ Pesticide Manual. – *[HS 2924 29; CAS 51218-45-2]*

Metolazon (Rp).

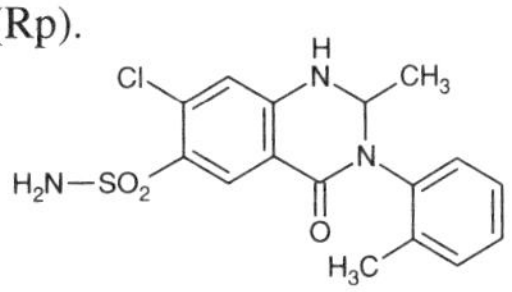

Internat. Freiname für das *Saluretikum u. *Antihypertonikum 7-Chlor-1,2,3,4-tetrahydro-2-methyl-4-oxo-3-*o*-tolyl-6-chinazolinsulfonamid, $C_{16}H_{16}ClN_3O_3S$, M_R 365,83, Schmp. 252–254 °C (polymorphe Form); λ_{max} (CH_3OH) 236, 271, 343 nm ($A^{1\%}_{1cm}$ 1530, 317, 89); LD_{50} (Maus oral) >5 g/kg, (Maus i.p.) >1,5 g/kg; in Wasser wenig, in alkal. u. organ. Lsm. besser löslich. M. wurde 1967 von Wallace & Tiernan patentiert u. ist von Heumann (Zaroxolyn®) im Handel. – ***E*** = ***I*** metolazone – ***F*** métolazone – ***S*** metolazona

Lit.: Beilstein E V **25/9**, 212 ▪ Hager (5.) **8**, 986 ff. ▪ Martindale (31.), S. 907 f. – *[HS 2935 00; CAS 17560-51-9]*

Metomegachrom. Einbadig chromierbare Farbstoffe zum Färben von Wolle, Seide u. Polyamidfasern.

Metoprolol (Rp).

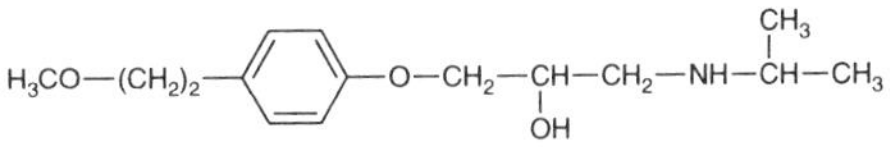

Internat. Freiname für den gegen Bluthochdruck u. Herzrhythmusstörungen wirksamen adrenergen β-Rezeptorenblocker (±)-1-(Isopropylamino)-3-[4-(2-methoxyethyl)phenoxy]-2-propanol, $C_{15}H_{25}NO_3$, M_R 267,36. Verwendet wird meist das M.-tartrat, Schmp. 120–123 °C; $[\alpha]_D^{20}$ +6,5° bis +10,5° (c 2/Wasser); λ_{max} (0,1 M HCl) 222, 274 nm ($A^{1\%}_{1cm}$ 278, 40,9); LD_{50} (Maus i.v.) 118, (Maus oral) 2090 mg/kg; ein weißes, krist. Pulver, das in Wasser sehr gut u. in Alkohol, Chloroform u. Dichlormethan gut lösl. ist. Lagerung: vor Licht u. Luft geschützt. M. wurde 1971 u. 1975 von AB Hässle patentiert, von Astra (Beloc®) u. Ciba (Lopresor®) in der BRD in den Handel gebracht u. ist generikafähig. – ***E*** = ***S*** metoprolol – ***F*** métoprolol – ***I*** metoprololo

Lit.: ASP ▪ Florey **12**, 325–356 ▪ Hager (5.) **8**, 989 ff. ▪ Martindale (31.), S. 908 f. ▪ Ph. Eur. **1997** u. Komm. – *[HS 2922 50; CAS 37350-58-6 (M.); 56392-17-7 (Tartrat)]*

Metosulam. Common name für 2′,6′-Dichlor-5,7-dimethoxy-3′-methyl[1,2,4]triazolo[1,5-*a*]pyrimidin-2-sulfonanilid.

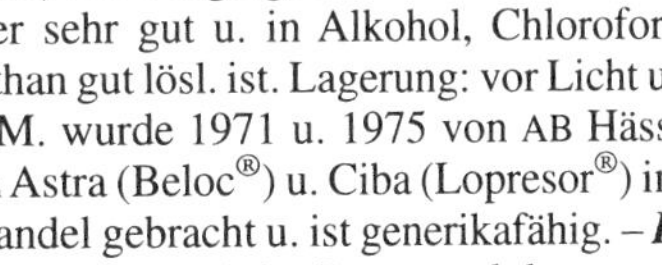

$C_{15}H_{14}Cl_2N_4O_4S$, M_R 417,26, Schmp. 210–211,5 °C, LD_{50} (Ratte oral) >5000 mg/kg, von DowElanco 1994 eingeführtes *Herbizid gegen Unkräuter in Getreide u. Mais. – ***E*** = ***S*** metosulam – ***F*** métosulame – ***I*** metosulame

Lit.: Perkow ▪ Pesticide Manual. – *[CAS 139528-85-1]*

Meto-Tablinen® (Rp). Tabl. mit dem Betarezeptorenblocker (s. Adrenozeptoren) *Metoprolol-tartrat gegen arterielle Hypertonie u. Angina pectoris. ***B.:*** Sanorania.

Metoxuron.

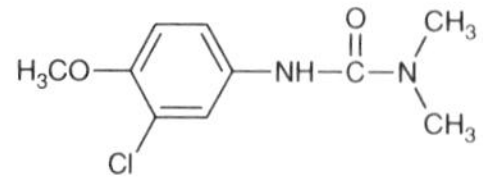

Common name für 3-(3-Chlor-4-methoxyphenyl)-1,1-dimethylharnstoff, $C_{10}H_{13}ClN_2O_2$, M_R 228,67, Schmp. 126–127 °C, LD_{50} (Ratte oral) >3200 mg/kg (WHO), von Sandoz 1968 eingeführtes selektives *Herbizid gegen Unkräuter u. einige Ungräser im Wintergetreide-, Möhren- u. Karottenanbau. – ***E*** metoxuron – ***F*** métoxuron – ***I*** metossurone – ***S*** metoxurón

Lit.: Beilstein E IV **13**, 1272 ▪ Farm. ▪ Perkow ▪ Pesticide Manual. – *[HS 2924 21; CAS 19937-59-8]*

Metribuzin.

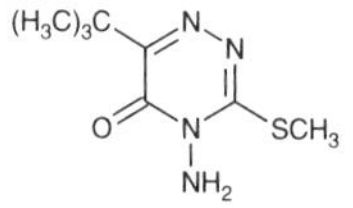

Common name für 4-Amino-6-*tert*-butyl-3-(methylthio)-1,2,4-triazin-5(4*H*)-on, $C_8H_{14}N_4OS$, M_R 214,28, Schmp. 125,5–126,5 °C, LD_{50} (Ratte oral) ca. 2000 mg/kg, von Bayer 1971 eingeführtes selektives *Herbizid gegen Unkräuter u. Ungräser im Sojabohnen-, Kartoffel-, Tomaten-, Zuckerrohr-, Luzerne- u. Spargelanbau. – ***E*** metribuzin – ***F*** métribuzine – ***I*** = ***S*** metribuzina

Lit.: Beilstein E V **26/6**, 432 f. ▪ Farm. ▪ Perkow ▪ Pesticide Manual. – *[HS 2933 69; CAS 21087-64-9]*

Metrizamid (Rp).

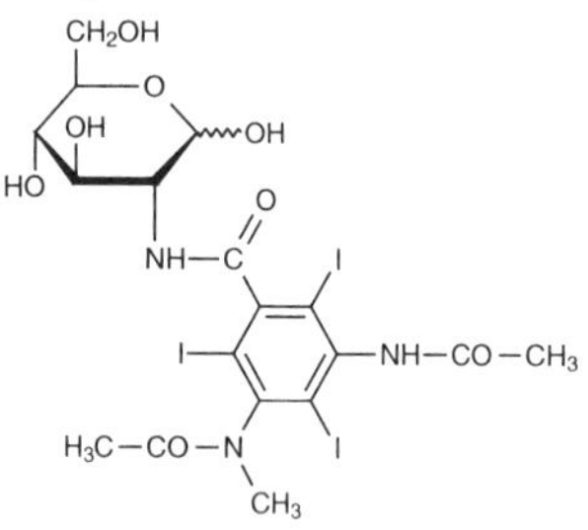

Internat. Freiname für 2-[3-Acetamido-2,4,6-triiod-5-(*N*-methylacetamido)-benzamido]-2-desoxy-D-glucose, $C_{18}H_{22}I_3N_3O_8$, M_R 789,10, Schmp. 222–224 °C (Zers.); $[\alpha]_D^{20}$ +18° (c 10/0,1 N HCl); LD_{50} (Maus i.v.) 15 g/kg. Das wasserlösl. M. dient als Röntgenkontrastmittel u. zur Herst. von Dichtegradienten beim Ultrazentrifugieren. M. wurde 1971 u. 1972 von Nyegaard patentiert. – ***E*** = ***I*** metrizamide – ***F*** métrizamide – ***S*** metrizamida

Lit.: Martindale (31.), S. 1015. – *[HS 2932 90; CAS 31112-62-6]*

Metrohm. Abk. für die 1943 gegr. Firma Metrohm AG, Oberdorfstr. 68, CH-9101 Herlsau (Schweiz). *Produktion:* pH-/Ionenmeter, Analysenautomaten, Probenwechslersyst., Wasserbestimmungsgeräte, CSB- u. AOX-Automaten, Ionenchromatographen, Integratoren, Polarographen, Potentiostaten/Galvanostaten, PC-Programme, Aufschlußgeräte, Prozeßtitratoren für die Industrie u. Wasser/Abwasseranalysen von Chlorid, Nitrat, Phosphat sowie spezielle Anwendungen. *Vertretung in der BRD:* Deutsche Metrohm GmbH & Co., D-70772 Filderstadt.

METROHM-Elektroden. Umfangreiches Sortiment von pH-Glaselektroden, Metall- u. Carbonelektroden, ionenselektiven Elektroden, Referenzelektroden u. Leitfähigkeitsmeßzellen. ***B.:*** Metrohm AG.

Metronidazol (Rp).

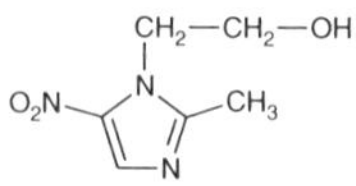

Internat. Freiname für das gegen *Trichomonaden u. *Amöben wirksame 2-Methyl-5-nitro-1*H*-imidazol-1-ethanol, $C_6H_9N_3O_3$, M_R 171,15, s.a. Nitroimidazole. Weißes bis blaß-gelbes krist. Pulver, das sich unter Lichteinfluß dunkel verfärbt, Schmp. 158–163 °C; λ_{max} (0,1 M HCl) 277 nm ($A^{1\%}_{1cm}$ 377), pK_S 2,5. Lagerung: vor Licht geschützt. Verwendet werden auch das Hydrochlorid, der Phosphat-Ester u. der Benzoat-Ester $C_{13}H_{13}N_3O_4$, M_R 275,26, Schmp. 99–102 °C; λ_{max} (c 0,001/1 M HCl) 232 nm (($A^{1\%}_{1cm}$ 525–575). M.-Einnahme führt – ähnlich wie die von Disulfiram (s. Tetraethylthiuramdisulfid) – zu Alkohol-Unverträglichkeit. Außerdem ist M. ein Sensibilisator für ionisierende Strahlung. M. wurde 1960 von Rhône Poulenc (Flagyl®) patentiert u. ist als Generikum im Handel. – ***E*** metronidazole – ***F*** métronidazole – ***I*** metronidazolo – ***S*** metronidazol

Lit.: ASP ▪ Beilstein E V **23/5**, 63 f. ▪ DAB **1996** u. Komm. ▪ Finegold, Metronidazole, Amsterdam: Elsevier 1978 ▪ Florey **5**, 327–344 ▪ Hager (5.) **8**, 993–997 ▪ Martindale (31.), S. 621–625 ▪ Ph. Eur. **1997** u. Komm. ▪ Phillips u. Collier, Metronidazole, London: Academic Press 1980. – *[HS 2933 29; CAS 443-48-1 (M.); 69198-10-3 (Hydrochlorid); 73334-05-1 (Phosphat-Ester); 13182-89-3 (Benzoat-Ester)]*

Metsulfuron-methyl.

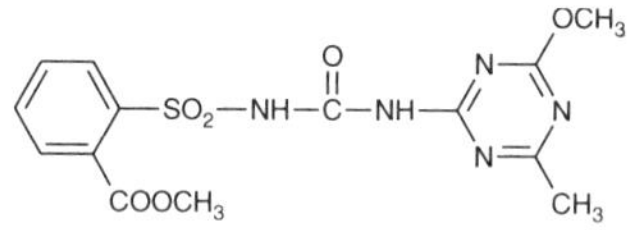

Common name für 2-[3-(4-Methoxy-6-methyl-1,3,5-triazin-2-yl)ureidosulfonyl]benzoesäure-methylester, $C_{14}H_{15}N_5O_6S$, M_R 381,36, Schmp. 158 °C, LD_{50} (Ratte oral) >5000 mg/kg, von DuPont 1982 eingeführtes selektives *Herbizid gegen Unkräuter u. einige Ungräser im Getreide- u. Reisanbau. – ***E*** = ***F*** metsulfuron-methyl – ***I*** metsolfuron-metile – ***S*** metsulfurón-metil

Lit.: Beilstein E V **26/9**, 406 ▪ Farm. ▪ Perkow ▪ Pesticide Manual. – *[CAS 74223-64-6]*

Mettler-Toledo. Kurzbez. für die 1945 gegr. Fa. Mettler-Toledo AG, CH-8606 Greifensee (Schweiz), seit 1996 zur AEA Investors Inc., New York gehörend. Mettler übernahm 1989 die amerikan. Toledo Scale Corp., Worthington, Ohio, Herstellerin von Industriewaagen. *Daten* (1996): 849 Mio. $ Umsatz. *Produktion:* Elektron. Waagen u. Wägesysteme für Labor, Ind. u. Handel sowie Analysenautomaten u. Prozess-Systeme. *Ges. in der BRD:* Mettler-Toledo GmbH, 35396 Gießen.

Metylan®. Verschiedene Tapetenkleister für alle Tapeten, auch zur Verarbeitung im Tapeziergerät u. in Instantqualitäten auf der Basis von *Methylcellulose. ***B.:*** Henkel.

Metyrapon (Rp).

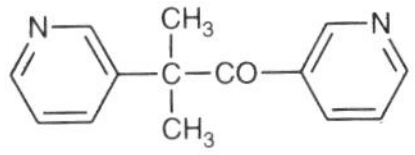

Internat. Freiname für das *Diuretikum 2-Methyl-1,2-di(3-pyridyl)-1-propanon, $C_{14}H_{14}N_2O$, M_R 226,27. Weißes bis leicht amberfarbiges, feines, krist. Pulver mit charakterist. Geruch, Schmp. 50–53 °C; λ_{max} (wäss. Säure) 260 nm (($A^{1\%}_{1cm}$ 500). Die Substanz verfärbt sich unter Lichteinfluß dunkel. Lösl. in Alkohol (1:3), Chloroform, Wasser (1:100), Methanol u. in verd. anorgan. Säuren unter Bildung wasserlösl. Salze. Lagerung: kühl sowie vor Licht u. Luft geschützt. M. wirkt als *Aldosteron-Antagonist u. dient als Diagnostikum zur *Hypophysen-Funktionsprüfung. Es wurde 1960 von Ciba patentiert. – ***E*** metyrapone – ***F*** métyrapone – ***I*** metirapone – ***S*** metirapona

Lit.: Beilstein E V **24/4**, 48 ▪ Hager (5.) **8**, 997 f. ▪ Martindale (31.), S. 1105. – *[HS 2933 39; CAS 54-36-4]*

Metzeler GmbH. Kurzbez. für die aus der Metzeler AG hervorgegangene Metzeler Reifen GmbH, 80992 München, die 1863 gegr. wurde und seit 1986 zur PIRELLI-Gruppe gehört. *Daten* (1996): ca. 638 Beschäftigte, 7,6 Mio. DM Umsatz. *Produktion:* Kautschukerzeugnisse u. -formteile, gummierte Gewebe, Zweiradbereifung, Formsohlen, Schläuche, Kunststoff-Formteile.

Metzinkine s. Astacin.

Metzner, Helmut (geb. 1925), Prof. für Pflanzenphysiologie, Univ. Tübingen. *Arbeitsgebiete:* Biochemie der Pflanzen, Primärprozesse der pflanzlichen Photosynth. u. deren Nachahmung im Modellversuch.

Lit.: Kürschner (16.), S. 2401 ▪ Wer ist wer? (35.), S. 967.

ter Meulen, Volker (geb. 1933), Prof. für Virologie u. Immunologie, Univ. Würzburg, Vorstand am Inst. für Virologie u. Immunbiologie der Univ. Würzburg. *Arbeitsgebiete:* Molekularbiolog., virolog. u. immunolog. Untersuchungen bei persistierenden Virusinfektionen des Zentralnervensystems.

Lit.: Kürschner (16.), S. 2402.

Mevacor s. Lovastatin.

Mevalolacton [D-Mevalonolacton, (*R*)-3,5-Dihydroxy-3-methylpentansäure-5-lacton].

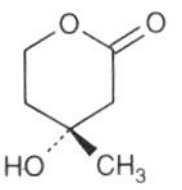

$C_6H_{10}O_3$, M_R 130,14, Krist., Schmp. 28 °C, Sdp. 110 °C (0,1 mbar), $[\alpha]^{20}_D$–23° (c 6/C_2H_5OH), leicht lösl. in Wasser u. polaren Lösemitteln. M. ist das δ-Lacton der biosynthet. wichtigen *Mevalonsäure u. kommt glykosid. gebunden in vielen Pflanzen vor. – ***E*** mevalolactone – ***F*** mévalolactone – ***I*** mevalolattone – ***S*** mevalolactona

Lit.: Beilstein E V **18/1**, 18 f. ▪ J. Org. Chem. **56**, 885, 4238 (1991); **60**, 6148 (1995) ▪ Synlett **1994**, 754 ▪ s. a. Mevalonsäure. – *[HS 2939 29; CAS 19115-49-2]*

Mevalonsäure [MVA, (*R*)-3,5-Dihydroxy-3-methylpentansäure, Hiochisäure].

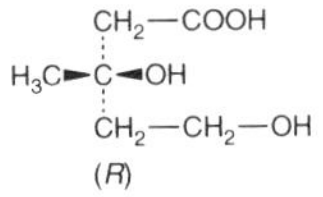

$C_6H_{12}O_4$, M_R 148,15, Öl, natürliche (–)-(*R*)-Form, sehr gut lösl. in Wasser u. polaren organ. Lösemitteln. M. steht im Gleichgew. mit seinem δ-Lacton, *Mevalolacton.

Biosynth.: Die Bildung von M. erfolgt durch Ester-Kondensation zweier Mol. Acetyl-CoA u. anschließende Aldol-Addition eines weiteren Mol. Acetyl-CoA zu Hydroxymethylglutaryl-CoA (HMG-CoA). In einer zweistufigen Red. geht HMG-CoA in M. über. Alle Schritte verlaufen stereospezifisch. Phosphorylierung von MVA u. Decarboxylierung führt schließlich zur Bildung von Isopentenylpyrophosphat (IPP), dem sog. „aktiven *Isopren"; vgl. das Formelschema. Zum weiteren Aufbau der Terpenoide s. Isopren-Regel.

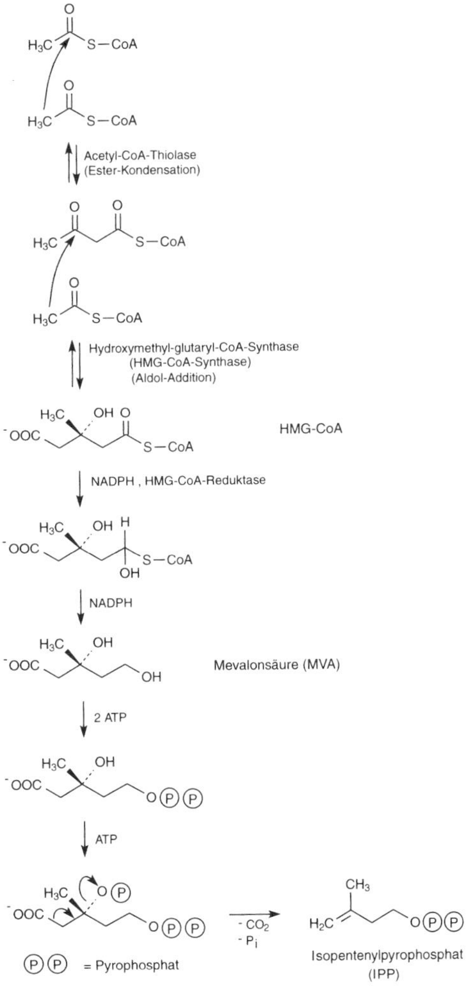

Abb.: Biosynth. von Mevalonsäure u. Monoterpen-Vorstufen.

Synth.: Die erste stereoselektive Synth. von M. wurde durch Verseifung von 3-Hydroxy-3-methylglutarsäurediethylester mit Hilfe von Schweineleber-Esterase u. anschließende gezielte Red. der Säure- od. Ester-Gruppe durchgeführt.
Pharmakologie: Die Bedeutung von M. als Vorläufer der Steroide bietet Therapiemöglichkeiten bei Cholesterin-Stoffwechselstörungen. *Hypercholesterinämie kann durch HMGCoA-Reduktase-Hemmer günstig beeinflußt werden, s. Compactin, Lovastatin, Pravastatin. Im Pflanzenschutz finden Hemmer der Terpen-Biosynth. ebenfalls Anw.: z. B. kann das Längenwachstum von Pflanzen durch Störung der *Gibberellin-Biosynth. reduziert werden (Wachstumshemmer).
Geschichte: M. wurde bei der Formulierung der *Isopren-Regel durch Ruzicka 1953 als Vorstufe der C_5-Einheit in der Terpen-Biosynth. postuliert. 1956 wurde sie dann von Folkers in der Brauhefe entdeckt. Im gleichen Jahr zeigte Tavormina, daß Mevalonolacton in der Rattenleber vollständig unter Verlust von Kohlendioxid in *Cholesterin überführt wird. 1960 wurde die Struktur durch Synth. von Tschesche et al. bewiesen u. die abs. Konfiguration bestimmt. Die Entdeckung von M. u. die Aufklärung der Terpen-Biosynth. ist auch mit Forschern wie Bloch, Lynen, Cornforth, Popják u. a. verbunden. – ***E*** mevalonic acid – ***F*** acide mévalonique – ***I*** acido mevalonico – ***S*** ácido mevalónico

Lit.: Beilstein E IV **3**, 1068 ▪ Merck-Index (12.), Nr. 6250 ▪ Nuhn (3.), Naturstoffchemie, Stuttgart: Wiss. Verlagsges. 1997 ▪ Karrer, Nr. 1130 ▪ Sabine, 3-Hydroxy-3-methylglutaryl-CoA-Reductase, Boca Raton: CRC Press 1983. – *Reviews:* Nature (London) **343**, 425–430 (1990) ▪ Plant Physiol. Biochem. (Paris) **25**, 163–178 (1987). – *Synth.:* J. Org. Chem. **51**, 1077 (1986); **61**, 3923 (1996) ▪ Phosphorus Sulfur **24**, 453–475 (1985) ▪ Tetrahedron **46**, 3463 (1990); **48**, 9427 (1992) ▪ s. a. Isoprenoide. – *[CAS 541-07-1; 150-97-0 (rac.); 17817-88-8 (R-Form)]*

Mevastatin s. Compactin.

Mevinacor® (Rp). Tabl. mit *Lovastatin zur Senkung des *Cholesterin-Spiegels. ***B.:*** MSD.

Mevinolin s. Lovastatin.

Mevinphos.

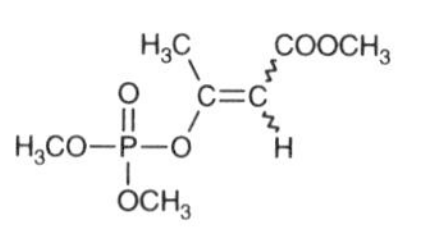

Common name für ein Gemisch von (*E*)- u. (*Z*)-3-(Dimethoxyphosphoryloxy)-2-butensäure-methylester, $C_7H_{13}O_6P$, M_R 224,15, Schmp. *cis:* 21 °C, *trans:* 6,9 °C, LD_{50} (Ratte oral) 3–12 mg/kg, MAK 0,01 ppm bzw. 0,1 mg/m^3, von Shell 1953 eingeführtes system. *Insektizid u. *Akarizid mit Fraß-, Berührungs- u. Atemgiftwirkung gegen beißende u. saugende Insekten in zahlreichen Kulturen. – ***E*** mevinphos – ***F*** mévinphos – ***I*** = ***S*** mevinfos

Lit.: Beilstein E IV **3**, 986 ▪ Farm. ▪ Perkow ▪ Pesticide Manual. – *[HS 2919 00; CAS 7786-34-7 (M.); 298-01-1 ((E)-M.)]*

Mexikanisches Skammoniaharz s. Ipomoea-Harz.

Mexiletin (Rp).

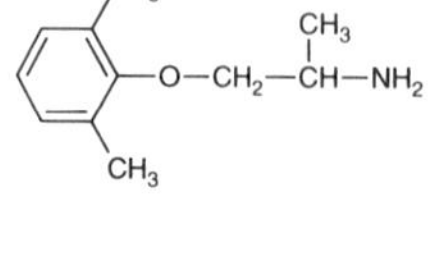

Internat. Freiname für das als Antiarrhythmikum wirksame (±)-1-(2,6-Dimethylphenoxy)-2-propanamin, $C_{11}H_{17}NO$, M_R 179,26. Verwendet wird meist das M.-hydrochlorid, M_R 215,7, Schmp. 203–205 °C; λ_{max} (CH_3OH) 264 nm ($A^{1\%}_{1cm}$ 11,1); LD_{50} (Maus oral) 310–400, (Maus i.v.) 43–50 mg/kg; ein weißliches, geruchloses, krist. Pulver, das in Wasser u. Methanol gut lösl ist. Lagerung: vor Luft geschützt. M. wurde 1968, 1970 u. 1972 von Boehringer Ingelheim (Mexitil®) patentiert. – ***E*** mexiletine – ***F*** mexilétine – ***I*** = ***S*** mexiletina

Lit.: ASP ▪ Hager (5.) **8**, 999–1002 ▪ Martindale (31.), S. 909 f. ▪ Ph. Eur. **1997** u. Komm. – *[HS 2922 19; CAS 31828-71-4 (M.); 5370-01-4 (Hydrochlorid)]*

Mexitil® (Rp). Kapseln u. Ampullen mit *Mexiletin-hydrochlorid gegen Herzrhythmusstörungen. ***B.:*** Boehringer-Ingelheim.

Meyer. Kurzbez. für die 1923 gegr. Lucas Meyer GmbH & Co., 20506 Hamburg. *Daten* (1995/96): 215 Beschäftigte, 200 Mio. DM Umsatz. *Produktion:* Natürliche Ingredienten (Lecithin) für Nahrungsmittel-, Futtermittel-, pharmazeut. u. techn. Industrie.

Meyer, Gerd (geb. 1949), Prof. für Anorgan. Chemie, Univ. Köln. *Arbeitsgebiete:* Anorgan. Festkörper u. Koordinationschemie: Synth., Reaktivität, Strukturanalyse, Thermoanalyse, Magnetismus, Spektroskopie; insbes. Halogenide mit Übergangsmetallen u. Lanthaniden sowie Reaktionen von Metallen u. intermetall. Phasen mit Ammoniumhalogeniden. Carl-Duisberg-Gedächtnispreis der GDCh (1987) u. Preis der Justus-Liebig-Universität Gießen. Zusammen mit H. R. *Christen Autor des Lehrbuchs „Allgemeine und Anorganische Chemie".

Lit.: Nachr. Chem. Tech. Lab. **35**, 1072, 1126 (1987).

Meyer, Julius Lothar (1830–1895), Prof. für Chemie, Breslau, Karlsruhe u. Tübingen. *Arbeitsgebiete:* Bestätigung des Massenwirkungsgesetzes. Stellte 1869 gleichzeitig mit, aber unabhängig von D. J. *Mendelejew ein Periodensyst. der Elemente auf u. fand einen Zusammenhang zwischen Atomvol. u. Atomgewicht.

Lit.: Krafft, S. 243 f. ▪ Lexikon der Naturwissenschaftler, S. 292 ▪ Nachmansohn, S. 117 ▪ Neufeldt, S. 61, 333 ▪ Pötsch, S. 299 ▪ Strube **2**, 58 ff. ▪ Strube et al., S. 91, 98 f.

Meyer, Kurt O. Heinrich (1883–1952), Prof. für Organ. Chemie, Univ. Genf (1930–1952); Dir. BASF (1921–1932). *Arbeitsgebiete:* Hochpolymere, Stärke, Amylasen, Keto-Enol-Tautomerie, Cellulose, Kautschuk-Elastizität, Permeabilität von Membranen.

Lit.: Nachmansohn, S. 212, 232 ▪ Neufeldt, S. 166 ▪ Pötsch, S. 300.

Meyer, Richard Joseph (1865–1939), Prof. für Anorgan. Chemie, Univ. Berlin. *Arbeitsgebiete:* Seltene Erden, Mitglied der Atomgewichts- u. der Nomenklaturkommission der IUPAC, Hrsg. der 8. Aufl. von Gmelins Hdb. der anorg. Chemie (bis 1935).

Lit.: s. Gmelin Handbook of Inorganic and Organometallic Chemistry u. Gmelin-Institut.

Meyer, Victor (1848–1897), Prof. für Chemie, Stuttgart, Zürich, Göttingen u. Heidelberg. *Arbeitsgebiete:* Verbesserung der Dumasschen Meth. zur Bestimmung der Dampfdichte, Thiophene, Oxime, Iodoso- u. Iodonium-Verb.; er prägte die Begriffe „Stereochemie", „Desmotropie" sowie „sterische Hinderung".

Lit.: Lexikon der Naturwissenschaftler, S. 292 ▪ Pötsch, S. 300 ▪ Strube **2**, 55 ▪ Strube et al., S. 135, 137, 152, 164.

Meyer, Wilfried Erwin (geb. 1938), Prof. für Physik. Chemie, Univ. Mainz u. Kaiserslautern. *Arbeitsgebiete:* Quantenchemie: Eigenschaften kleiner Mol., Energietransfer in Mol.-Stößen.
Lit.: Kürschner (16.), S. 2413.

Meyerhof, Otto Fritz (1884–1951), Prof. für Physiolog. Chemie, Kiel, Dir. KWI Physiolog. Chemie Heidelberg, Philadelphia. *Arbeitsgebiete:* Chem. Vorgänge im arbeitenden Muskel, Glykolyse, Mechanismus biolog. Oxid.-Vorgänge an Kohlenhydraten, Gewebsatmung, ATP; 1922 Nobelpreis für Medizin zusammen mit A. V. *Hill. 1936 wurde er gezwungen, seine Professur u. die Leitung des KWI niederzulegen, worauf er nach Paris emigrierte u. von dort 1940 in die USA floh.
Lit.: Lexikon der Naturwissenschaftler, S. 292 ▪ Nachmansohn, S. 264ff., 295ff. ▪ Neufeldt, S. 182, 372 ▪ Pötsch, S. 301.

Meyer-Ronge-Katalysator. Eine Kontaktmasse (Cu auf Kieselgur) zur Entfernung von Sauerstoff-Spuren aus Edelgasen, N_2, CO, NH_3 durch Bildung von CuO; Betriebstemp. 180–220 °C; Regenerierung mit H_2 bei 200 °C. – ***E*** Meyer-Ronge catalyst – ***F*** catalyseur Meyer-Ronge – ***I*** catalizzatore Meyer-Ronge – ***S*** catalizador Meyer-Ronge

Meyer-Schuster-Umlagerung. Propargylalkohole (Prop-2-inylalkohole) lagern unter Säurekatalyse in α,β-ungesätt. Carbonyl-Verb. um. Die Umlagerung kann unter formaler 1,2- (*Rupe-Umlagerung*, s. Abb. a) od. 1,3-Verschiebung (*M.-S.-U.*, s. Abb. b) des Hydroxy-Sauerstoffs erfolgen. Oft beobachtet man beide Varianten nebeneinander. Der Mechanismus der M.-S.-U., die bevorzugt bei Aryl-substituierten *tert*-Propargylalkoholen beobachtet wird, sieht die Bildung eines *tert*-*Carbenium-Ions vor, das nach Wasseraddition u. Bildung eines Allenols in das Endprodukt übergeht (vgl. Allyl-Umlagerung). Die M.-S.-U. hat eine gewisse techn. Bedeutung bei der Synth. von Vitamin A erlangt.

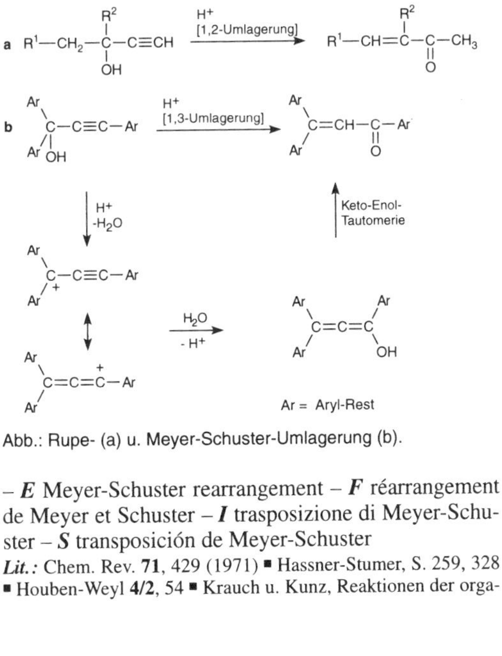

Abb.: Rupe- (a) u. Meyer-Schuster-Umlagerung (b).

– ***E*** Meyer-Schuster rearrangement – ***F*** réarrangement de Meyer et Schuster – ***I*** trasposizione di Meyer-Schuster – ***S*** transposición de Meyer-Schuster
Lit.: Chem. Rev. **71**, 429 (1971) ▪ Hassner-Stumer, S. 259, 328 ▪ Houben-Weyl **4/2**, 54 ▪ Krauch u. Kunz, Reaktionen der organischen Chemie, 6. Aufl., S. 323, Heidelberg: Hüthig 1997 ▪ March (4.), S. 330 ▪ Trost-Fleming **6**, 836 ▪ s. a. Allyl-Umlagerung.

Meyers-Reaktion (Meyers-Reagenz). Von A. I. Meyers entwickelte *enantioselektive Synthese für Carbonsäuren, Aldehyde u. Ketone über ein chirales *Oxazol-Derivat. Meyers-Reagenz (2-Alkyl-4,5-dihydro-4-methoxymethyl-5-phenyl-1,3-oxazol), aus dem chiralen (1*S*,2*S*)-1-Phenyl-2-amino-propandiol u. Orthoestern leicht zugänglich, repräsentiert damit ein d[1]-*Synthon für Carbonsäuren, die so in α-Position alkyliert werden können (s. a. Umpolung u. Retrosynthese).

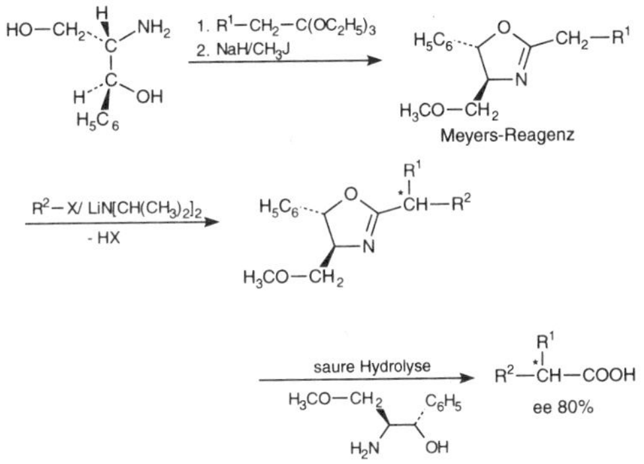

Abb.: Meyers-Reaktion.

– ***E*** Meyers reaction – ***F*** réaction de Meyers – ***I*** reazione di Meyers – ***S*** reacción de Meyers
Lit.: Angew. Chem. **88**, 321 (1976) ▪ Hassner-Stumer, S. 258 ▪ March (4.), S. 479 ▪ s. a. Oxazole, enantioselektive u. stereoselektive Synthese.

Mezerein.

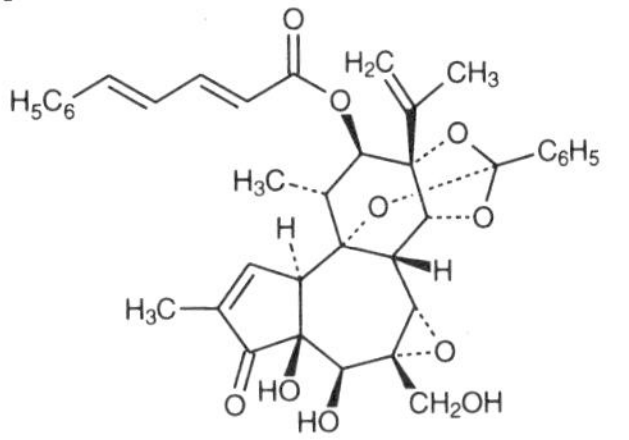

$C_{38}H_{38}O_{10}$, M_R 654,71, Krist., Schmp. 265–269 °C (Zers.), $[\alpha]_D^{25}$ +117,5° ($CHCl_3$). Ester des mit *4β-Phorbol verwandten 12β-Hydroxydaphnetoxins aus Seidelbast (*Daphne mezereum*) mit *cocarcinogener Wirkung, akute Wirkung: Rötung, Blasenbildung u. geschwüriger Zerfall der Haut. – ***E*** mezerein – ***F*** mézéréine – ***I*** mezereina – ***S*** mezereína
Lit.: Angew. Chem. **93**, 170f. (1981) ▪ Beilstein E V **19/12**, 120 ▪ Hager (5.) **3**, 829f. ▪ Sax (8.), Nr. MDJ 250 ▪ Science **187**, 652 (1975). – *[CAS 34807-41-5]*

Mezlocillin (Rp).

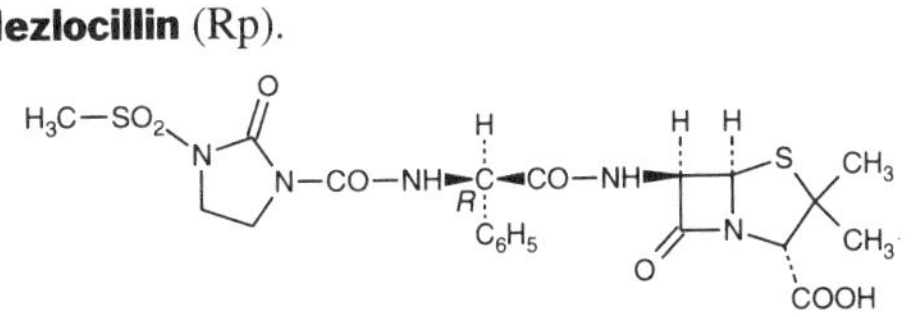

Internat. Freiname für das halbsynth. *Penicillin-Antibiotikum [(*R*)-α-(3-Methansulfonyl-2-oxo-1-imidazolidincarboxamido)-benzyl]-penicillin, $C_{21}H_{25}N_5O_8S_2$, M_R 539,57. Verwendet wird das Natriumsalz-Monohydrat, $C_{21}H_{26}N_5NaO_9S_2$, M_R 579,58; schwach gelbe Krist.; $[\alpha]_D^{20}$ +175° bis +195° (c 1/H_2O); λ_{max} (0,1 M HCl) 259 nm ($A_{1cm}^{1\%}$ 4,7). M. wurde 1974 von Bayer (Baypen®) patentiert. – ***E*** mezlocillin – ***F*** mezlocilline – ***I*** mezlocillina – ***S*** mezlocilina

Lit.: ASP ▪ Beilstein E V **27/21**, 377 ▪ Hager (5.) **8**, 1002–1006 ▪ Martindale (31.), S. 249 ▪ Wiedemann et al., Securopen®, Baypen®, Stuttgart: Schattauer 1985. – *[HS 2941 10; CAS 51481-65-3 (M.); 59798-30-0 (Natriumsalz-Monohydrat)]*

Mezym®. Filmtabl. mit *Pankreatin vom Schwein gegen Störungen der exokrinen Pankreasfunktion. ***B.:*** Berlin-Chemie.

Mf. Chem. Symbol für das Element Meitnerium, s. Periodensystem.

MF. Kurzz. (nach DIN 7728-1: 1988-01) für *Melamin-Formaldehyd-Harze.

MFD. Abk. für Magnetofluidodynamik, s. Magnetohydrodynamik.

MFI. Abk. für engl.: melt flow index; s. Schmelzindex.

MFK. Kurzz. (nach DIN 7728-2: 1988-03) für Metallfaser-verstärkte Kunststoffe (s. Metallfasern).

MF-Millipore. Membranfilter aus einem Gemisch von Celluloseacetat u. -nitrat, zwölf Porengrößen von 8,0 bis 0,025 µm für die Sterilfiltration, Mikroanalyse u. a. ***B.:*** Millipore.

MFO. Abk. für mischfunktionelle Oxygenasen; s. Monooxygenasen.

MFQ s. MQ.

MFR. Abk. für *Methanofuran.

mg. Abk. für Milligramm (=1/1000 g, vgl. Milli...). Die Abk. „mg-%“ für mg je 100 mL Flüssigkeit od. 100 g Gewebe, früher in der physiolog. Chemie in der BRD üblich, ist unzulässig.

Mg. Chem. Symbol für das Element *Magnesium.

MGD. Abk. für Magnetogasdynamik, s. Magnetohydrodynamik.

MH. Abk. für *Maleinsäurehydrazid.

MHC s. Histokompatibilitäts-Antigene.

MHC- bzw. MHD-Verfahren. Von Mitsubishi entwickelte Verf. (*M*itsubishi *H*ydro*c*racking bzw. *-d*ealkylation) zur Gewinnung von Benzol u. a. Aromaten aus hydriertem Spaltbenzin bzw. Alkylaromaten durch *Hydrodesalkylierung. – ***E*** MHC process, MHD process – ***F*** procédé MHC, procédé MHD – ***I*** processo MHC risp. MHD – ***S*** procedimiento MHC, procedimiento MHD

Lit.: Ullmann (5.) **A 3**, 485, 487; **A 27**, 150 ▪ Weissermel-Arpe (4.), S. 357 f. ▪ Winnacker-Küchler (4.) **5**, 213 ▪ s. a. Hydrodesalkylierung.

MHD. Abk. 1. für *Mindesthaltbarkeitsdatum. – 2. für *Magnetohydrodynamik. – 3. s. MHC- bzw. MHD-Verfahren.

MHN. Kurzz. für *Mannit(ol)hexanitrat.

mho s. Siemens, vgl. Ohm.

Mia. Abk. für *Milliarde.

Mianserin (Rp).

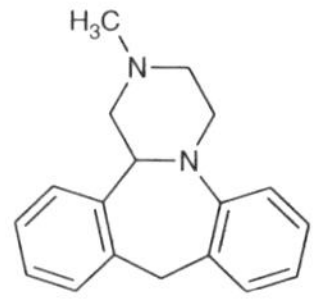

Von der WHO vorgeschlagener Freiname für das *Antihistaminikum u. *Antidepressivum (±)-1,2,3,4,10,14b-Hexahydro-2-methyl-dibenzo[*c,f*]pyrazino[1,2-*a*]azepin, $C_{18}H_{20}N_2$, M_R 264,37. Verwendet wird meist M.-hydrochlorid, M_R 300,83. Weißliche Krist., Schmp. 282–284 °C; LD_{50} (Maus oral) 365, (Maus i.v.) 31 mg/kg; lösl. in Chloroform (1:20), Wasser (1:50) u. Alkohol (1:100). Lagerung: vor Licht u. Luft geschützt. M. wurde 1967 u. 1970 von Organon (Tolvin®) patentiert u. ist als Generikum im Handel. – ***E*** mianserin – ***F*** miansérine – ***I*** = ***S*** mianserina

Lit.: Beilstein E V **23/9**, 107 ▪ Martindale (31.), S. 324 f. ▪ Ph. Eur. **1997** u. Komm. – *[HS 2933 29; CAS 24219-97-4 (M.); 21535-47-7 (Hydrochlorid)]*

Miargyrit (Silberantimonglanz). $AgSbS_2$, zu den Sulfosalzen gehörendes, metall. glänzendes, stahl- od. bleigraues bis schwarzes monoklines Mineral, Kristallklasse m-C_2; Struktur s. *Lit.*[1]. Kleine spießige bis dicktafelige Krist. od. *derb; H. 2–2,5, D. 5,25; Strichfarbe bräunlichrot bis kirschrot. Zusammensetzung nach der Formel: 36,97% Ag, 41,45% Sb, 21,83% S.

Vork.: In Gold-Silber-Lagerstätten, z. B. in Siebenbürgen/Rumänien u. Mexiko. Auf Silbererz-Gängen, z. B. im Sächs. Erzgebirge u. in Přibram/Böhmen. – ***E*** = ***F*** miargyrite – ***I*** miargirite – ***S*** miargirita

Lit.: [1] Acta Crystallogr. **17**, 847–851 (1964).

allg.: Anthony et al., Handbook of Mineralogy, Vol. I, S. 330, Tucson (Arizona): Mineral Data Publishing 1990 ▪ Lapis **14**, Nr. 7–8, 9 ff. (1989) („Steckbrief“) ▪ Ramdohr, Die Erzmineralien u. ihre Verwachsungen, S. 711 ff., Berlin: Akademie-Verl. 1975. – *[HS 2616 10; CAS 15122-51-7]*

Miarolen. Kleine unregelmäßige Hohlräume in Gesteinen, in die die angrenzenden Gesteinsmineralien (u. a. bes. Mineralien) *Drusen-artig hineinragen (z. B. in *Graniten). – ***E*** miaroles – ***F*** druses miarolitiques – ***I*** miaroli – ***S*** miarolas

Mibefradil (Rp).

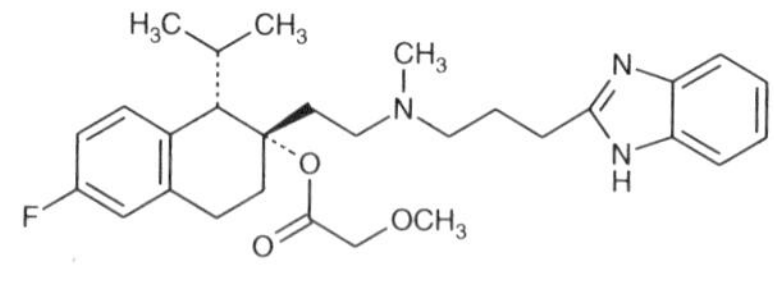

Internat. Freiname für das *Antihypertonikum (*Calcium-Antagonist) [(1*S*,2*S*)-2-(2-{*N*-[3-(1*H*-Benzimidazol-2-yl)propyl-(methylamino}-ethyl)-6-fluor-1,2,3,4-tetrahydro-1-isopropyl-2-naphthyl]-methoxyacetat, $C_{29}H_{38}FN_3O_3$, M_R 495,63, Schmp. 140–150 °C (Zers.). Verwendet wird das Dihydrochlorid, Schmp. 128 °C; LD_{50} (Maus oral) >800 mg/kg. M. wurde 1988 von Hoffmann-La Roche (Posicor®) patentiert u. ist 1997 für Europa zugelassen worden. – ***E*** = ***I*** = ***S*** mibefradil – ***F*** mibéfradil

Lit.: Dtsch. Apoth. Ztg. **137**, 2845 ff. (1997) ▪ Hypertension **27**, 426–432 (1996) ▪ Merck-Index (12.), Nr. 6261 ▪ Pharm. Ztg. **141**, 2670 f. (1996); **142**, 1118, 2479 (1997). – *[CAS 116644-53-2 (M.); 116666-63-8 (Dihydrochlorid)]*

Mibiron®. Perlglanz-Pigmente für Kosmetika. ***B.:*** Merck.

MIBK. Abk. für Methylisobutylketon, s. Methylpentanone.

MIC. Abk. für a) *Methylisocyanat, s.a. Bhopal. – b) maximum immission concentration, s. MIK. – c) minimum inhibitory concentration minimale hemmende Konz. eines *Hemmstoffs od. *Inhibitors.

Micellare elektrokinetische Chromatographie s. Kapillarelektrophorese.

Micellen (Mizellen, von latein.: mica = Körnchen). Im weitesten Sinne versteht man unter M. durch *Assoziation gebildete Aggregate von gelösten Mol.; in bestimmten Zusammenhängen benutzt man auch die Bez. *Domänen u./od. *cybotaktische Strukturen. Bei Textilfasern bezeichnet man die kleinste Zellorganisation von kristallgitterartig geordneten Bereichen der Faserstruktur als M.; analog werden auch die krist. Bereiche makromol. Stoffe M. genannt. Im engeren, heute hauptsächlich verwendeten Sinn bezeichnet man als M. diejenigen Aggregate, die sich aus Tensid-Mol. in wäss. *Lösungen oberhalb einer bestimmten Temp. (*Krafft-Punkt) u. einer charakterist. Konz. bilden. Diese Konz. nennt man die *krit. Micell-Bildungskonz.* (*KMK*; *E*: critical micellization concentration, cmc); zur Nomenklatur s. *Lit.*[1]. KMK-Werte für verschiedene Tenside u. mittlere Monomerenzahlen findet man in der Tabelle.

Das Erreichen der KMK gibt sich durch sprunghafte Änderungen spezieller physikal. Eigenschaften zu erkennen; hierzu gehören die *Oberflächenspannung, der osmot. Druck (s. Osmose), die Äquivalentleitfähigkeit (s. elektrische Leitfähigkeit), die *Grenzflächenspannung gegenüber Ölen od. hydrophoben Lsm. od. die Dichte. Die Variationen dieser Größen mit der Konz. sind schemat. in Abb. 1 dargestellt.

Tab.: Krit. Micellbildungskonz. KMK u. mittlere Monomerenzahl n verschiedener Tenside[a].

Tensid	Typ	KMK mmol/L	n
$H_3C-(CH_2)_{11}-\overset{+}{N}(CH_3)_3Br^-$	kation.	14,4	50
$H_3C-(CH_2)_{11}-COO^-K^+$	anion.	12,5	50
$H_3C-(CH_2)_{11}-(O-CH_2-CH_2)_6-OH$	nichtion.	0,1	400

[a] In Wasser bei 20 °C; nach *Lit.*[2].

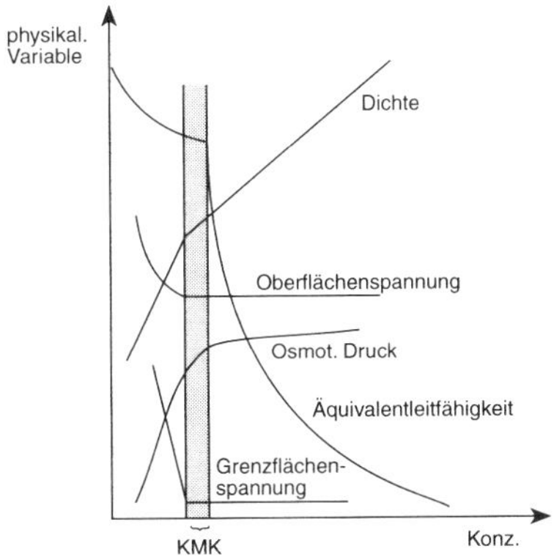

Abb. 1: Schemat. Darst. der Konz.-Abhängigkeit verschiedener physikal. Größen bei der Micell-Bildung.

Beim Überschreiten der KMK bleibt die Monomerenkonz. prakt. konstant u. die überschüssigen Tensid-Mol. bilden Micellen. Diese können in verschiedener Gestalt (Kugeln, Stäbchen, Scheibchen) auftreten, abhängig von der chem. Konstitution des Tensids sowie von Temp., Konz. od. Ionenstärke der Lösung. Die M. haben charakterist. Aggregationszahlen mit einer meist nur geringen Verteilungsbreite.

Für kugelförmige M. kann man zur Beschreibung ein Tröpfchenbild (s. Abb. 2) verwenden.

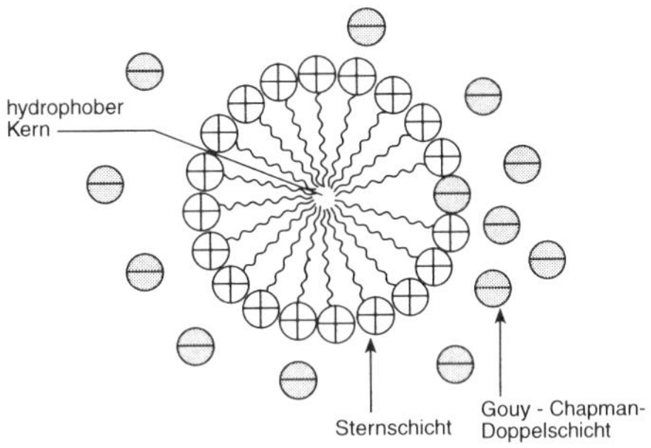

Abb. 2: Schnitt durch eine idealisierte kugelförmige kation. Micelle mit neg. geladenen Gegenionen.

Die *hydrophoben Gruppen der M.-bildenden Tensid-Mol. sind zu einem Öl-ähnlichen Tröpfchen mit einem Radius von 1 – 3 nm verschmolzen; dies ist deutlich kleiner als die Länge des hydrophoben Anteils eines Tensidmonomeren. Auf der Oberfläche des Kerns befinden sich die *hydrophilen Gruppen, die bei anion., kation. u. *amphoteren Tensiden geladen sind. Diese Endgruppen bilden die *Sternschicht,* die auch einen Teil der Gegenionen enthält u. eine Schichtdicke von ca. 0,3 bis 0,6 nm aufweist. Den äußeren Bereich der M. bildet die *Gouy-Chapman-Doppelschicht,* die sich aus den hydratisierten Gegenionen zusammensetzt u. eine Dicke von 10 – 100 nm hat.

Bei den M. handelt es sich um thermodynam. stabile *Assoziationskolloide* (s. Kolloidchemie) *grenzflächenaktiver Stoffe, bei denen die *hydrophoben Reste der Monomeren im Inneren der Aggregate liegen u. durch hydrophobe Wechselwirkung (*van-der-Waals-Kräfte) zusammengehalten werden; die *hydrophilen Gruppen sind dem Wasser zugewandt u. vermitteln durch *Solvatation die Löslichkeit des Kolloids.

Da die Bildungsenthalpie (s. Bildungswärme) von M. im allg. pos. ist (ca. $1-2\ kJ\,mol^{-1}$), wird die thermodynam. Stabilität durch Entropievermehrung (ca. $140\ JK^{-1}mol^{-1}$ bei Zimmertemp.) infolge des Zusammenbruchs der geordneten Wasserstruktur um den hydrophoben Rest des Monomeren bei der Aggregation bedingt. Die M.-Bildung ist somit eine Entropie-getriebene Reaktion.

Die M.-Bildung erfolgt über den sog. *Micellkeim,* der das Oligomere darstellt, das von allen möglichen Aggregaten in der geringsten Konz. vorliegt. Es findet laufend ein schneller Austausch der Monomeren innerhalb u. außerhalb der M. statt; die Verweilzeit eines Monomeren in der M. hängt hauptsächlich von der Größe des hydrophoben Restes ab u. beträgt für ein C_{16}-Tensid ca. 1 ms, während sie für C_8-Tenside bei ungefähr 0,1 µs liegt. Die Lebensdauer einer M. ist dagegen wesentlich

länger. *Inverse M.* entstehen durch Lsg. von Tensiden in unpolaren Lsm.; hier sind die hydrophilen Gruppen zusammen mit Wasser im Inneren der M.; die Löslichkeit vermitteln die dem Lsm. zugewandten hydrophoben Reste.
Die – beabsichtigte od. unbeabsichtigte – Bildung von M. ist in viele techn. Vorgänge involviert; *Beisp.:* Anw. von Seifen u. anderen Detergentien, manchen Farbstoffen, amphiphilen Lipiden, bei der Mikroverkapselung, Polymerisation in Emulsion, Solubilisation durch Lösungsvermittler, Phasentransferkatalyse, Lumineszenz-Spektroskopie (*Lit.*[3]), Isolierung von Membranproteinen usw. M. können auch katalyt. Wirkung ausüben; man redet dann von micellarer *Katalyse. M. dienen auch als Modelle für Untersuchungen zur Selbstorganisation biolog. Systeme. – ***E*** = ***F*** micelles – ***I*** micelle – ***S*** micelas

Lit.: [1] Pure Appl. Chem. **51**, 1083–1989 (1979). [2] Fuhrhop, Bioorganische Chemie, Stuttgart: Thieme 1982. [3] Angew. Chem. **92**, 712–734 (1980).
allg.: Evans u. Wennerström, The Colloidal Domain where Physics, Chemistry, Biology and Technology meet, Weinheim: VCH-Verlagsges. 1994 ▪ Israelachvili, Intermolecular and Surface Forces, 2. Aufl., London: Academic Press 1991 ▪ Lauglin, The Aqueous Phase Behavior of Surfactants, New York: Academic Press 1994 ▪ Tanford, The Hydrophobic Effect: Formation, Micelles and Biological Membranes, 2. Aufl., New York: Wiley 1980.

Micellkolloide s. Kolloidchemie, Micellen.

Michael-Addition (Michael-Reaktion). Von dem amerikan. Chemiker Arthur Michael (1853–1942) 1887 erstmals beschriebene Reaktion, bei der eine aktivierte *Methylen-Verb. (vgl. Knoevenagel-Kondensation) in Ggw. einer Base an Alkene mit Elektronenakzeptor-Resten addiert wird (s. Abb. a). Es handelt sich also um eine nucleophile konjugate (*vinyloge*) Addition (*1,4-Addition*) eines Carbanions – aus der Methylen-Verb. mit Hilfe der Base erzeugt – an ein aktiviertes Alken. Als Methylen-Komponenten werden Malonester, Cyanessigester, Acetessigester u. andere Verb. mit aktivierenden Resten, z. B. Sulfonyl- od. Nitro-Resten, eingesetzt; auch Indene u. Fluorene können erfolgreich umgesetzt werden. Im Falle von α,β-ungesätt. Aldehyden als Alken-Komponente werden selten Michael-Addukte erhalten, da hier die Addition an die Carbonylfunktion (*1,2-Addition*) bevorzugt ist. Anstelle von aktivierten Methylen-Verb. können auch Silyl-[1] od. Stannylenolether[2] eingesetzt werden. Es ist auch möglich *diastereoselektive* u. *enantioselektive* M.-A. durchzuführen[3,4].

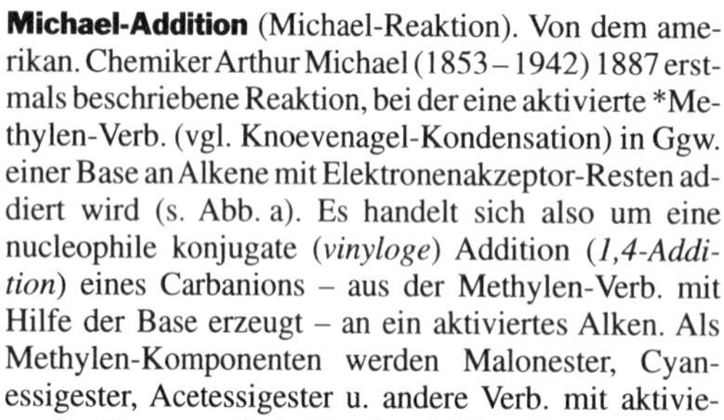

Abb.: Prinzip der Michael-Addition (a) mit Beisp. (b).

Ähnlich wie bei anderen Reaktionen von Carbonyl-Verb. sind die entstehenden Additionsprodukte zu weiteren Umwandlungen fähig. So schließt sich der M.-A. oft eine intramol. *Aldol-Addition od. *Claisen-Kondensation an (s. z. B. Robinson-Anellierung). – ***E*** Michael addition – ***F*** addition de Michael – ***I*** addizione di Michael – ***S*** adición de Michael

Lit.: [1] Bull Chem. Soc. Jpn. **48**, 779 (1976). [2] Org. React. **46**, 1 ff. (1995). [3] Chem. Ber. **116**, 3086 (1983). [4] Tetrahedron: Asymmetric **3**, 459 (1992).
allg.: Angew. Chem. **92**, 1046, 1051 (1980); **93**, 803 (1981) ▪ Hassner-Stumer, S. 260 ▪ Isr. J. Chem. **37**, 81 (1997) ▪ Kontakte (Merck) **1977**, Heft 1, 3-10; **1987**, Heft 1, 20–34, Heft 2, 37–56 ▪ Krauch u. Kunz, Reaktionen der organischen Chemie, 6. Aufl., S. 36, Heidelberg: Hüthig 1997 ▪ Laue-Plagens, S. 223 ▪ March (4.), S. 795 ▪ Org. Prep. Proced. Int. **21**, 705–749 (1989) ▪ Org. React. **10**, 179–560 (1959); **47**, 315 (1995) ▪ Top. Stereochem. **19**, 227–407 (1989) ▪ Trost-Fleming **4**, 1 ff.

Michaelis, Leonor (1875–1949), Rockefeller Inst. Med. Res., New York. *Arbeitsgebiete:* Wasserstoff-Ionenkonz., Pufferwirkung, Permeabilität, Bestimmung des isoelektr. Punkts bei Eiweiß-Körpern, Enzymkinetik, Semichinone.

Lit.: Lexikon der Naturwissenschaftler, S. 292 ▪ Nachmansohn, S. 118, 169, 257, 280, 286 ▪ Pötsch, S. 302 ▪ Strube et al., S. 137, 170.

Michaelis-Arbusov-Reaktion. Wichtige Reaktion zur Herst. Phosphor-organ. Verbindungen. Dazu werden Alkylester (R^3 = Alkyl) dreiwertiger Phosphor-Verb. mit Alkylierungsmitteln, z. B. Alkylhalogeniden, Dialkylsulfaten, meist bei erhöhter Temp. umgesetzt, wobei Derivate des fünfwertigen Phosphors entstehen. Die Reaktion ist im wesentlichen von *stereoelektron.* Effekten am Phosphor abhängig[1].

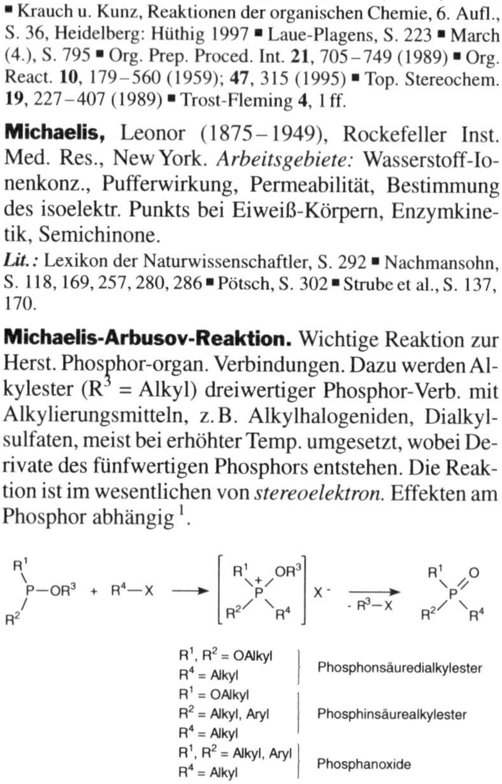

Abb.: Michaelis-Arbusov-Reaktionen u. Beisp. für entstehende Produkte.

Die M.-A.-R. kann auch mit Acylierungsmitteln, z. B. Säurechloriden, durchgeführt werden. Bei dieser Variante, die allerdings auf die Umsetzung mit Phosphorigsäureestern beschränkt ist, bilden sich Acylphosphonsäuredialkylester. Chirale Phosphinsäureester, Phosphanoxide u. Phosphane, die beispielsweise bei der asymmetr. katalyt. *Hydrierung in homogener Phase als chirale Liganden in den Übergangsmetall-Katalysatoren benötigt werden, lassen sich mit Hilfe der M.-A.-R. aufbauen[2]. Die *Michaelis-Becker-Reaktion*[3] u. die *Perkow-Reaktion sind eng mit der M.-A.-R. verwandt bzw. stehen in Konkurrenz zu dieser. – ***E*** Michaelis-Arbuzov reaction – ***F*** réaction de Michaelis et Arbouzoff – ***I*** reazione di Michaelis-Arbusov – ***S*** reacción de Michaelis-Arbusov

Lit.: [1] Tetrahedron **40**, 3215–3222 (1984). [2] Tetrahedron Lett. **30**, 2783–2786 (1989). [3] Hassner-Stumer, S. 261.

allg.: Chem. Rev. **81**, 415–430 (1981); **84**, 577 (1984) ▪ Hassner-Stumer, S. 5 ▪ Houben-Weyl **12/1**, 150ff., 251, 433–463; **E 2**, 19–23, 198–204, 366–381 ▪ Krauch u. Kunz, Reaktionen der organischen Chemie, 6. Aufl., S. 632, Heidelberg: Hüthig 1997 ▪ Laue-Plagens, S. 15 ▪ Russ. Chem. Rev. **52**, 1030 (1983); **53**, 98 (1985) ▪ Top. Phosphorus Chem. **1**, 57–111 (1964) ▪ Z. Chem. **7**, 169–176 (1967); **14**, 41 (1974).

Michaelis-Konstante s. Enzyme.

Michaelis-Menten-Gleichung s. Enzyme.

Michaelis-Puffer s. Puffer.

Michael-Reaktion s. Michael-Addition.

Michel, Hartmut (geb. 1948), Prof. für Biochemie, Univ. Frankfurt. Dir. der Abteilung Mol. Membranchemie am MPI für Biophysik, Frankfurt. *Arbeitsgebiete:* Struktur-Funktionsbeziehungen von Membran-Proteinen, bes. photosynthet. Reaktionszentren, Lichtsammler-Proteine, Rezeptoren u. Kanal-Proteine. Methodik: Überexpression von Membran-Proteinen, Krist. u. Röntgenstrukturanalyse. 1988 Nobelpreis für Chemie für die Bestimmung der drei-dimensionalen Struktur eines photosynthet. Reaktionszentrums (zusammen mit J. *Deisenhofer u. R. *Huber). Er entschlüsselte 1995 zusammen mit seiner Arbeitsgruppe die Struktur der Cytochrom-c-Oxidase.

Lit.: Kürschner (16.), S. 2423 ▪ Lexikon der Naturwissenschaftler, S. 292 ▪ Nachr. Chem. Tech. Lab. **42**, Nr. 2, 117 (1994); **43**, Nr. 10, 1109 (1995).

Michelson-Interferometer. Dieses 1881 von Michelson entwickelte *Interferometer wurde zunächst eingesetzt, um die Existenz des *lichtführenden Äthers* zu testen, wobei dessen Existenz widerlegt wurde (Michelson-Morley-Experiment). Es wurde dagegen beobachtet, daß die Lichtgeschw. eine vom Ort u. von der Relativgeschw. zwischen Lichtquelle u. Beobachter unabhängige, konstante Größe ist.

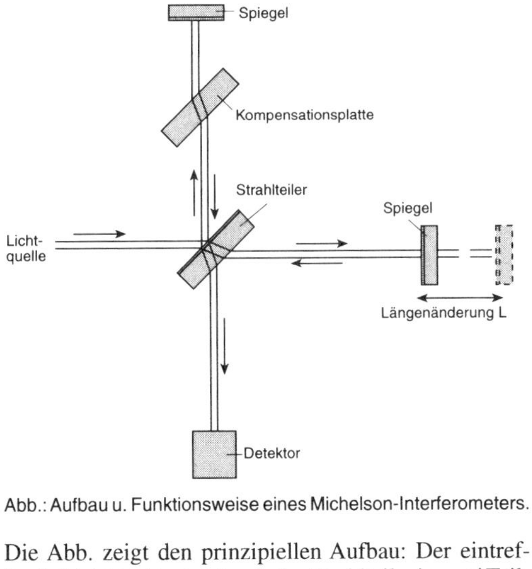

Abb.: Aufbau u. Funktionsweise eines Michelson-Interferometers.

Die Abb. zeigt den prinzipiellen Aufbau: Der eintreffende Lichtstrahl wird durch den Strahlteiler in zwei Teilstrahlen aufgespalten, die, nachdem sie an den beiden Spiegeln reflektiert wurden, am Strahlteiler wieder überlagert u. auf den Detektor abgebildet werden. Ist die Differenz Δs des opt. Weges in beiden Zweigen exakt gleich od. ein vielfaches der Lichtwellenlänge λ ($\Delta s = n \cdot \lambda$ mit $n = 0,1,2\ldots$), so überlagern sich die Teilstrahlen pos. (pos. *Interferenz ≙ große Intensität). Im Falle von $\Delta s = (2n+1) \cdot \lambda/2$ löschen sich die Teilstrahlen aus (neg. Interferenz). Die Interferenz zeigt also empfindlich an, wenn die Länge eines Seitenarmes um $\lambda/4$ geändert wird. Wird einer der Spiegel um eine bekannte Strecke L bewegt, so kann man aufgrund der gezählten Interferenzmaxima die Wellenlänge des eingestrahlten Lichtes bestimmen (Fourier-Transformationsspektroskopie, Wellenlängen-Meßgerät für cw-Laser, sog. Lambda-Meter). Auf der anderen Seite kann die Längenänderung hochpräzise ausgemessen werden, wenn die Wellenlänge λ (meist von einem Laser) bekannt ist. Durch Mehrfachreflexion in den einzelnen Armen kann die Meßgenauigkeit gesteigert werden (s. Gravitationswellen). – ***E*** Michelson interferometer – ***F*** interféromètre de Michelson – ***I*** interferometro di Michelson – ***S*** interferómetro de Michelson

Lit.: Hecht, Optik, New York: McGraw-Hill 1987 ▪ Lerner u. Trigg (Hrsg.), Encyclopedia of Physics, Weinheim: VCH Verlagsges. 1991.

Michlers Keton [4,4′-Bis(dimethylamino)-benzophenon].

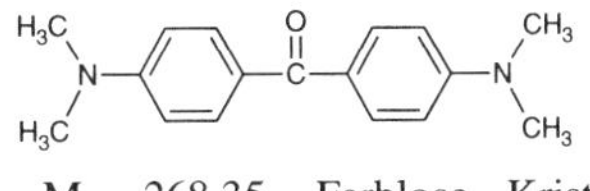

$C_{17}H_{20}N_2O$, M_R 268,35. Farblose Krist.-Plättchen, Schmp. 172 °C, lösl. in Alkohol, unlösl. in Wasser. M. K. gilt als Stoff mit begründetem Verdacht auf krebserzeugendes Potential, Abschnitt III B der MAK-Liste (MAK-Werte-Liste 1996); WGK 2 (Selbsteinst.). Die Herst. erfolgt aus Phosgen u. *N,N*-Dimethylanilin. M. K. wird als wichtiges Zwischenprodukt bei Farbstoff-Synth. verwendet. – ***E*** Michler's ketone – ***F*** cétone de Michler – ***I*** chetone di Michler – ***S*** cetona de Michler

Lit.: Beilstein E IV **14**, 255 f. ▪ Merck-Index (12.), Nr. 6265 ▪ Ullmann (4.) **14**, 224, 225; **A 27**, 187, 220. – *[HS 2922 30; CAS 90-94-8]*

Micko-Destillation. Kurzbez. für eine fraktionierte *Destillation nach Micko, die zur sensor. Beurteilung von *Spirituosen durchgeführt wird. Nach einer ersten Dest. der zu untersuchenden Flüssigkeit wird das erhaltene Destillat durch abermalige Dest. in 6 Fraktionen zu je 25 mL geteilt. Dabei ist für jede Fraktion eine Dest.-Zeit von 15 min einzuhalten. Im ersten Teildestillat treten die flüchtigen Aromastoffe auf. In den Destillaten 2–4 sind die typ. Weininhaltsstoffe zu finden, während unangenehme Geschmacksbeeinflussungen in den Fraktionen 5 u. 6 enthalten sind. Als Gründe kommen Schimmelbefall der *Maische, faulige Hefen od. unreine Gärung in Frage. Die Verkostung u. Beurteilung der verd. Destillate erfolgt nach einem festen Schema, das Positiv- u. Negativ-Merkmale betreffend Aussehen, Geruch u. Geschmack berücksichtigt. Anschließend kann mit den Destillaten 2–4 eine Ausgiebigkeitsprüfung nach Wüstenfeld durchgeführt werden (s. Koch, *Lit.*). – ***E*** Micko distillation – ***F*** distillation selon Micko – ***I*** distillazione Micko – ***S*** destilación según Micko

Lit.: Koch (Hrsg.), Getränkebeurteilung, S. 216–220, 246, Stuttgart: Ulmer 1986 ▪ Würdig u. Woller, Chemie des Weines, S. 858, Stuttgart: Ulmer 1989.

Miconazol (Rp, außer zum äußeren Gebrauch).

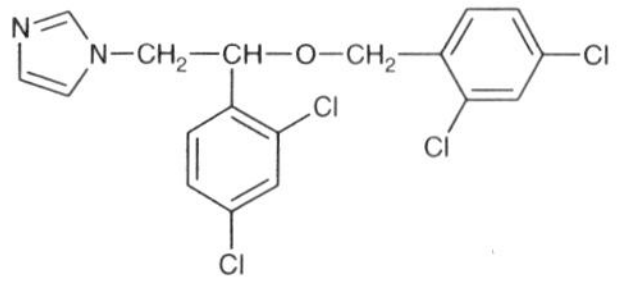

Internat. Freiname für das *Antimykotikum (±)-1-[2-(2,4-Dichlorbenzyloxy)-2-(2,4-dichlorphenyl)-ethyl]-1*H*-imidazol, $C_{18}H_{14}Cl_4N_2O$, M_R 416,12, Schmp. 83–87 °C. Lagerung: vor Licht geschützt. Verwendet wird meist das Nitrat, $C_{18}H_{15}Cl_4N_3O_4$, M_R 479,15, Schmp. 178–184 °C; $[\alpha]_D^{20}$ +59° (+)-Form, –58°, (–)-Form (CH_3OH); λ_{max} 272, 280 nm ($A_{1cm}^{1\%}$ 13,3, 10,9). M. wurde 1970 u. 1973 von Janssen (Daktar®) patentiert u. ist als Generikum im Handel. – ***E* = *F*** miconazole – ***I*** miconazolo – ***S*** miconazol

Lit.: ASP ▪ Beilstein E V **23/4**, 320 ▪ Hager (5.) **8**, 1006 ff. ▪ Martindale (31.), S. 412 f. ▪ Ph. Eur. **1997** u. Komm. ▪ Towse, The Role of Intravenous Miconazole in the Treatment of Systemic Mycoses, London: Academic Press 1981. – *[HS 2933 29; CAS 22916-47-8 (M.); 22832-87-7 (Nitrat)]*

Micotar® (Rp). Creme u. Mundgel mit dem *Antimykotikum *Miconazol-nitrat. ***B.:*** Dermapharm.

Micristin®. Tabl. mit dem *Thrombocyten-Aggregationhemmer *Acetylsalicylsäure (mikroverkapselt). ***B.:*** OPW.

Micro... s. a. Mikro...

Microbodies (Cytosomen). Aus dem Engl. übernommener, von Rhodin geprägter Oberbegriff für ca. 0,5–1 µm große, der Funktion nach heterogene Zellorganellen in *Eukaryonten, die sich als Enzymspeicher verstehen lassen; die Enzyme erscheinen oft als Krist. im Elektronenmikroskop. Näher untersucht wurden bisher die in Leber u. Nieren bes. zahlreichen *Peroxisomen, die *Peroxidasen zusammen mit *Katalase enthalten. Mit ähnlicher Struktur u. Enzymausstattung finden sich M. auch in Pflanzen (*Glyoxysomen*), diese enthalten zusätzlich Enzyme der *Gluconeogenese u. spielen eine wichtige Rolle in ölhaltigen Samen. Wieder andere M. wurden in Mikroorganismen gefunden: *Trichomonaden besitzen *Hydrogenase-haltige M. (*Hydrogenosomen*), die Angriffspunkte der gegen diese Protozoen entwickelten *Nitroimidazole sind, u. beim Erreger der *Chagas-Krankheit u. ä. Blutparasiten findet man *Glykosomen* als mit den Enzymen der *Glykolyse gefüllte Microbodies. Die M. sollten nicht mit den *Mikrosomen verwechselt werden. – ***E* = *I*** microbodies – ***F*** „microbodies“, corpuscules – ***S*** microcuerpos

Micro-bore Säulen s. Mikrosäulen-Flüssigkeitschromatographie.

Microcomputer s. Mikroprozessor.

Microcystine (Cyanoginosine). Cycl. Heptapeptide, die u. a. von *Microcystis aeruginosa* gebildet werden, einer Blaualge, die in frischem u. brackigem Wasser zu finden ist. M. wirken häufig als Lebertoxine u. sind damit für den Tod von Vieh verantwortlich. Sie inhibieren die Protein-Phosphatase 1 u. 2 A. Für die tox. Wirksamkeit ist wahrscheinlich ein bestimmter Baustein, die 3-Amino-9-methoxy-2,6,8-trimethyl-10-phenyl-4,6-decadiensäure (*Adda*), verantwortlich. Es gibt verschiedene M. (s. Formel). Das Haupttoxin ist M. RR {$C_{49}H_{75}N_{13}O_{12}$, M_R 1038,21, $[\alpha]_D$ –100° (CH_3OH), LD_{50} (Maus i.p.) 0,5 mg/kg}.

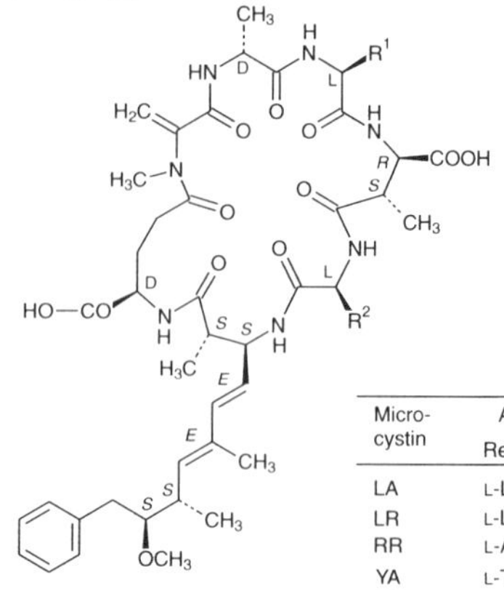

Microcystin	Aminosäure mit Rest R[1]	Aminosäure mit Rest R[2]
LA	L-Leu	L-Ala
LR	L-Leu	L-Arg
RR	L-Arg	L-Arg
YA	L-Tyr	L-Ala
YM	L-Tyr	L-Met
YR	L-Tyr	L-Arg

– ***E*** microcystins – ***F*** microcystine – ***I*** microcistine – ***S*** microcistinas

Lit.: Chem. Eng. News (26. 10) **1992**, 26–32 ▪ J. Am. Chem. Soc. **110**, 8557 (1988) ▪ J. Org. Chem. **55**, 6135 (1990); **57**, 866 (1992) ▪ Tetrahedron Lett. **29**, 11 (1988); **30**, 4245 (1989). – *[CAS 77238-39-2 (M.); 111755-37-4 (M. RR)]*

Microgynon® (Rp). Antikonzeptionsmittel (niedrig dosiertes Kombinationspräp.) mit Levonorgestrel (s. Norgestrel) u. *Ethinylestradiol. ***B.:*** Schering.

Microklist®. Rektallsg. mit Natriumcitrat, Dodecyl-sulfoacetat-Natriumsalz u. Sorbit gegen Obstipation (s. a. Abführmittel). ***B.:*** Pharmacia-Arzneimittel.

Micronal® Dispersionen. Wäss. Mikrokapsel-Dispersionen, zur Herst. von Geberseiten für Reaktionsdurchschreibepapiere. ***B.:*** BASF.

MICRONOX®. Natürliches, feinmikronisiertes Eisenoxidrot zur Verw. in Metall-, Holz- u. Betonanstrich-Systemen. ***B.:*** Langer & Co.

Micropaque®. Flüssigkeit, Suspension u. Pulver bzw. Paste (*Microtrast*) mit Bariumsulfat als *Röntgenkontrastmittel für den Verdauungstrakt. ***B.:*** Guerbet.

Microperl®. Vollglaskugeln (20–40 µm Durchmesser) als Füllstoff für Kunststoff-Compounds. ***B.:*** Krahn.

Microquant®. Fertigtests mit Drehscheiben-Farbkomparator für die Wasser-Analytik. ***B.:*** Merck.

Microtrast s. Micropaque.

Mictonorm® (Rp). Dragées mit dem *Anticholinergikum u. *Spasmolytikum *Propiverin-Hydrochlorid gegen Reizblase. ***B.:*** Apogepha.

Midazolam (BtMVV, Anlage III C).

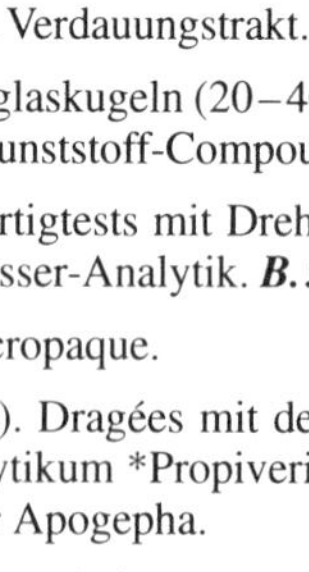

Internat. Freiname für das zur Narkose-Einleitung verwendete kurzwirksame Hypnotikum 8-Chlor-6-(2-fluorphenyl)-1-methyl-4*H*-imidazo[1,5*a*][1,4]benzodiazepin, $C_{18}H_{13}ClFN_3$, M_R 325,77, Schmp. 158–160 °C; λ_{max} 220 nm ($A^{1\%}_{1cm}$ 923). Verwendet werden auch das Monohydrochlorid, M_R 362,23 u. das Maleat, $C_{22}H_{17}ClFN_3O_4$, M_R 441,85, Schmp. 114–117 °C; LD_{50} (Maus oral) 760, (Maus i.v.) 86 mg/kg. M. wurde 1976 von Hoffmann-La Roche (Dormicum®) patentiert. – ***E*** = ***F*** = ***I*** = ***S*** midazolam

Lit.: ASP ▪ Beilstein E V **26/2**, 592 ▪ Hager (5.) **8**, 1008 ff. ▪ Martindale (31.), S. 721 ff. – *[HS 2933 90; CAS 59467-70-8 (M.); 59467-96-8 (Hydrochlorid); 59467-94-6 (Maleat)]*

Midkin. Während der Embryonalentwicklung produziertes, *Heparin u. *Proteoglykane bindendes Protein (M_R 13 000), das ähnliche Wirkungen wie die *Fibroblasten-Wachstumsfaktoren zeigt (Zellwachstum u. -Differenzierung, Gefäß- u. Nervenbildung), mit diesen jedoch keine Sequenzähnlichkeit aufweist. Verwandtschaft besteht dagegen zu Pleiotrophin. M. ist durch Retinsäure induzierbar. Es wird angenommen, daß die fälschliche Produktion von M. als Wachstums- u. Gefäßbildender Faktor im Erwachsenen-Alter in einer Reihe von Krebserkrankungen eine Rolle spielt. – ***E*** = ***F*** midkine – ***I*** midchina – ***S*** midquina

Lit.: Cancer Res. **57**, 1814–1819 (1997) ▪ Crit. Rev. Oncogen. **6**, 151–177 (1995). – INTERNET-Adresse: http://www.rndsystems.com/cyt_cat/ptnmk.html

Midodrin.

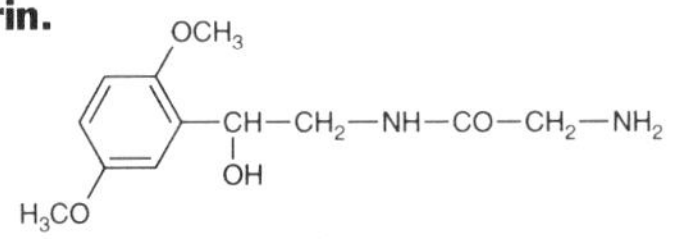

Internat. Freiname für das als *Vasokonstriktor, α-*adrenerg (blutdrucksteigernd) wirkende *Sympath(ik)omimetikum (±)-2-Amino-*N*-[2-(2,5-dimethoxyphenyl)-2-hydroxyethyl]-acetamid, $C_{12}H_{18}N_2O_4$, M_R 254,28, Schmp. 102–104 °C; verwendet wird meist das Hydrochlorid, Schmp. 192–193 °C. M. wurde 1965 u. 1967 von Oesterreichische Stickstoffwerke patentiert u. ist von Nycomed (Gutron®) im Handel. – ***E*** = ***F*** midodrine – ***I*** = ***S*** midodrina

Lit.: Hager (5.) **8**, 1010 ff. ▪ Martindale (31.), S. 1582. – *[HS 2924 29; CAS 42794-76-3 (M.); 3092-17-9 (Hydrochlorid)]*

Miescher, Johann Friedrich (1844–1895), Prof. für Pathologie, Basel; entdeckte die Nucleinsäuren 1869 in Fischspermien, Eiterzellen u. a. biolog. Systemen.

Lit.: Lexikon der Naturwissenschaftler, S. 293 ▪ Nachmansohn, S. 167.

Mie-Streuung. *Lichtstreuung an Partikeln, z. B. Aerosole in der Atmosphäre, deren typ. Dimension größer ist als die Wellenlänge des Lichtes. Im Gegensatz zur Rayleigh-Streuung (s. Lichtstreuung) ist die M.-S. unabhängig von der Wellenlänge u. besitzt eine Bevorzugung der Vorwärts- u. Rückwärtsstreuung, wobei mit wachsendem Durchmesser der Partikel die Vorwärtsstreuung stärker zunimmt als die Rückwärtsstreuung. Der Physiker Gustav Mie (1868–1957) veröffentlichte 1908 eine rigorose Lösung des Streuproblems an homogenen, kugelförmigen Teilchen beliebiger Größe. Auch wenn diese Lösung sehr kompliziert ist (*Lit.*[1]), hat sie großen prakt. Wert bei der Untersuchung von Kolloiden (s. Kolloidchemie), Metallen in Suspensionen, *interstellaren Molekülen, sowie Nebeln u. Wolken, u. der Sonnen-Corona. – ***E*** Mie scattering – ***F*** dispersion (de) Mie – ***I*** diffusione di Mie, dispersione di Mie – ***S*** dispersión (de) Mie

Lit.: [1] Völz, Industrial Color Testing, Weinheim: VCH Verlagsges. 1995.

Mietzsch, Fritz (1896–1958), Prof. für Organ. Chemie, Univ. Bonn. Leiter der Pharma-Forschung Bayer-Elberfeld. *Arbeitsgebiete:* Chemotherapeut. Grundlagenforschung, Synth. von Atebrin, Prontosil u. a. Sulfonamiden, Entwicklung moderner Tuberkulosemittel (Thiosemicarbazone).

Lit.: Krafft, S. 105 ▪ Nachr. Chem. Tech. **4**, 138–139 (1956) ▪ Neufeldt, S. 171, 189, 220 ▪ Pötsch, S. 303.

MIF s. 1. Melanotropin u. 2. Makrophagenwanderungs-Hemmfaktor.

Mifarmonab Fab-DTPA (Rp). Bez. für das Konjugat eines murinen monoklonalen Antikörpers (Fab) mit *Diethylentriaminpentaessigsäure (DTPA), synonym Antimyosin (Maus) FAB-DTPA. Die Substanz wird als Diagnostikum für Herzmuskelnekrosen verwendet u. wird als Injektionslösung von Byk Gulden (Myoszint®) hergestellt. – ***E*** = ***I*** mifarmonab

Lit.: Eur. J. Nucl. Med. **21**, 666–674 (1995).

Mifepriston (RU 486, Rp).

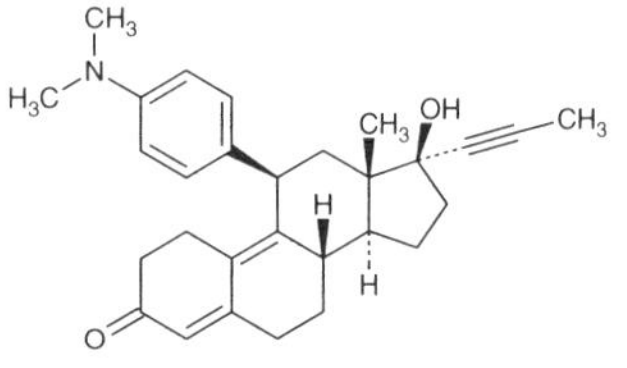

Internat. Freiname für das Abortivum 11β-[4-(Dimethylamino)phenyl]-17β-hydroxy-17α-(1-propynyl)-4,9-estradien-3-on, $C_{29}H_{35}NO_2$, M_R 429,60, Schmp. 150 °C; $[\alpha]^{20}_D$ +138,5° (c 0,5/$CHCl_3$). M. wurde 1983 von Roussel Uclaf patentiert. – ***E*** mifepristone – ***F*** mifépriston – ***I*** mifepristone, RU 486 – ***S*** mifepristona

Lit.: Drugs **45**, 384–409 (1993); **46**, 268 (1994) ▪ Hager (5.) **8**, 1012 f. ▪ Martindale (31.), S. 1727 f. ▪ Pharm. Ztg. **138**, 2314–2321 (1993). – *[HS 2922 50; CAS 84371-65-3]*

Miglitol [1,5-Didesoxy-1,5-(2-hydroxyethylimino)-D-glucitol, *N*-(2-Hydroxyethyl)-1-desoxynojirimycin].

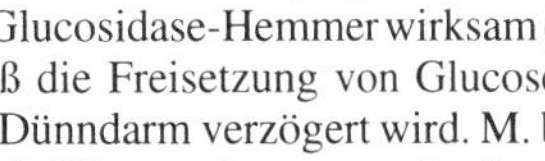

$C_8H_{17}NO_5$, M_R 207,22, Krist., Schmp. 114 °C. Hydroxyethyl-Derivat von *1-Desoxynojirimycin u. wie dieses als oraler α-Glucosidase-Hemmer wirksam (vgl. a. Acarbose), so daß die Freisetzung von Glucose aus Disacchariden im Dünndarm verzögert wird. M. befindet sich in der Markteinführung als neues orales Antidiabetikum. – ***E*** = ***F*** = ***S*** miglitol – ***I*** miglitolo

Lit.: *Pharmakologie:* Adv. Exp. Med. Biol. **246**, 287–293 (1988) ▪ Clin. Chim. Acta **182**, 41–52 (1989) ▪ Eur. J. Clin. Pharmacol. **31**, 723 f. (1987) ▪ J. Nutr. (USA) **119**, 2023–2029 (1989) ▪ Metab. Clin. Exp. **35**, 472–477 (1986); **37**, 1163–1170 (1988). – *[CAS 72432-03-2]*

Migmatite („Mischgesteine"). Bez. für eine Gruppe *megaskopisch sehr heterogener Gesteine, die ein Bindeglied zwischen den *magmatischen Gesteinen u. *metamorphen Gesteinen darstellen. Sie bestehen im allg. aus hellen, schon magmat. (*Leukosom*) u. dunklen, noch metamorphen (*Melanosom*) Anteilen; das Leukosom kann im M. lagenförmig, aderförmig, schlierig od. nebelartig verteilt sein. Die bes. Gefüge der M. entstehen durch eine teilw. Aufschmelzung (*Anatexis*) hochgradig metamorpher *Gneise; im Extremfall können granit. Schmelzen entstehen, die in höhere Bereiche der Erdkruste (*Erde) aufsteigen u. dort zu S-Typ-*Graniten erstarren können („*Granitisation*"; vgl. *Lit.*[1]).
Vork.: Im tieferen Grundgebirge der alten Schilde (z. B. Skandinavien, Kanada); in Mitteleuropa z. B. in den alten Gebirgsrümpfen im Bayerischen Wald u. im Schwarzwald; ferner im Odenwald.
Verw.: Als Schotter für den Straßen- u. Eisenbahnbau; opt. attraktive M. als Werksteine für Platten u. Denkmäler. – ***E*** = ***F*** migmatites – ***I*** migmatiti – ***S*** migmatitas

Lit.: [1] Fortschr. Mineral. **65**, 285–306 (1987).
allg.: Ashworth (Hrsg.), Migmatites, Glasgow: Blackie 1985 ▪ Atherton u. Gribble (Hrsg.), Migmatites, Melting and Metamorphism, Nantwich: Shiva 1983 ▪ J. Metamorph. Geol. **6**, Nr. 4 (1988) ▪ Wimmenauer, Petrographie der magmatischen u. metamorphen Gesteine, S. 321–329, Stuttgart: Enke 1985.

Migraeflux® N (Rp). Kombipackung mit orangen Filmtabl. mit *Dimenhydrinat u. *Paracetamol 500 mg u. grüne Filmtabl. mit *Paracetamol u. *Codein-phosphat gegen Migräne. ***B.:*** Hennig.

Migräne (französ.: migraine, von griech.: hemicrania = Schmerz einer Kopfhälfte). Anfallsartig, oft einseitig auftretende heftige Kopfschmerzen, die mit vegetativen Erscheinungen wie Übelkeit u. Erbrechen sowie Licht- u. Lärmscheu einhergehen. Bei bestimmten Formen der M. treten als Aura vor dem Beginn der Kopfschmerzen Funktionsstörungen der Großhirnrinde auf, am häufigsten Sehstörungen in Form eines Flimmerskotoms, seltener auch Gefühlsstörungen od. Lähmungen der Gliedmaßen. Die Ursachen u. Mechanismen der Entstehung von M.-Anfällen sind nicht vollständig geklärt. Auf dem Boden einer genet. Disposition können interindividuell sehr unterschiedliche Auslöser wie klimat. Faktoren, starke psych. od. körperliche Belastung, Menstruation u. Tyramin-haltige Nahrungsmittel zu M.-Anfällen führen. Im Anfall scheint es zum einen zu einer Störung der Durchblutungsregulation im Schädelinneren, zum anderen zu sterilen Entzündungsvorgängen an den Hirnhäuten zu kommen, die die Schmerzen hervorrufen. Im Zwischenspiel zwischen nerven- u. gefäßbedingten Faktoren spielt das *Serotonin eine bes. Rolle. An M. leiden ca. 20–30% der Bevölkerung, Frauen häufiger als Männer. Die Behandlung eines akuten Anfalls geschieht mit *Schmerzmitteln u. *Antiemetika od. mit Serotonin-Agonisten wie Ergotamin-Präp. (s. Ergot-Alkaloide) od. *Sumatriptan. Zur Vorbeugung werden u. a. Beta-Rezeptoren-Blocker (s. Adrenozeptoren) u. *Calcium-Antagonisten angewandt. – ***E*** = ***F*** migraine – ***I*** emicrania – ***S*** jaqueca, hemicránea

Lit.: Mumenthaler u. Regli, Der Kopfschmerz, Stuttgart: Thieme 1990 ▪ Ensink u. Soyka, Migräne, Heidelberg: Springer 1994.

Migräne-Kranit® mono. Migränetabl. u. Suppositorien mit dem *Analgetikum *Phenazon. *M. N.* (Rp): Tabl. enthält *Propyphenazon, *Paracetamol u. *Codeinphosphat, die Suppositorien enthalten statt Codeinphosphat *Ethaverin-Hydrochlorid. ***B.:*** Krewel Meuselbach.

Migränerton® (Rp). Kapseln mit *Paracetamol, *Metoclopramid-Hydrochlorid gegen Migräne. ***B.:*** Dolorgiet.

Migrätan® S (Rp). Suppositorien mit Ergotamintartrat (s. Ergot-Alkaloide) u. *Propyphenazon gegen Migräne. ***B.:*** Berlin-Chemie.

Migration. Von latein.: migrare = wandern abgeleitete Bez. für Substanzverlagerungen in verschiedene Ind.-Produkte, *Beisp.:* Pigment- u. Weichmacher-M. in Kunststoffen, M.-Vorgänge beim Trocknen nach Färbe- u. Tränkungsprozessen in der Textil-Ind. Weitere Teilaspekte werden mit den Begriffen *Ausblühen, *Durchschlagen u. *Ausbluten erfaßt. Bes. Bedeutung hat die M. aus *Verpackungsmitteln in Arzneimittel u. aus *Lebensmittelumhüllungen in Lebensmittel. Die Gesamtmenge (*Globalmigration*) bzw. die Konz. von Einzelstoffen (Restmonomere, Stabilisatoren u. a. Additive sowie Weichmacher bei Kunststoff-Folien) sind durch Verordnungen od. Empfehlungen des Bundesgesundheitsamts begrenzt. Die Bestimmung erfolgt meist analog *ASTM F 34–68.
In der *Geologie* bezeichnet man mit M. die Wanderung des Erdöls vom Entstehungsraum zum heutigen Fundgebiet.
In der *Ökochemie* versteht man unter M. die Bewegung von Stoffen durch Boden od. Gesteine. Die migrierenden Stoffe können gasf., flüssig, gelöst od. als Feststoff an Carrier gebunden wandern. Die M. führt zur Dispersion der Stoffe. Am Ausgangsort kommt es zur Konzentrationsverminderung, in benachbarten Bereichen zur *Kontamination. – ***E*** = ***F*** migration – ***I*** migrazione – ***S*** migración

Lit.: s. Kunststoffe.

MIG-Verfahren s. Schweißverfahren.

MIH s. Melanotropin.

MIK. Abk. für *M*aximale *I*mmissions-*K*onzentration. MIK-Werte für bestimmte Luftverunreinigungen wurden von der *VDI-Kommission „Reinhaltung der Luft" erarbeitet. Es wurden jeweils Werte für kurzfristige (MIK_K: 30 min) u. dauernde Einwirkungen (MIK_D) festgelegt, die keine nachteiligen Wirkungen für Menschen, Tiere u. Pflanzen haben. Die MIK-Werte haben keine rechtliche Verbindlichkeit wie die *Immissionsgrenzwerte der *TA Luft u. der 22. BImSchV (s. Bundes-Immissionsschutzgesetz) u. sind in der Praxis bedeutungslos. – ***E*** maximum immission concentration (MIC) – ***F*** concentration d'immission maximum – ***I*** concentrazione massima di immissione – ***S*** concentración de inmisión máxima

Lit.: VDI 2309 Bl. 1, Ermittlung von Maximalen Immissions-Werten (3/83); VDI 2310, Maximale Immissions-Werte 9/74, Bl. 1, Zielsetzung u. Bedeutung der Richtlinie Maximale Immissions-Werte (10/88).

Mikanit s. Glimmer.

Mikrit s. Kalke.

Mikro... (von griech.: mikrós = klein). a) Vorsatz vor physikal. Einheiten zur Bez. des millionsten Teils; Symbol: μ; *Beisp.:* Mikrogramm (1 μg = 10^{-6} g, veraltet: Gamma = γ), Mikrometer (1 μm = 10^{-6} m, veraltet: Mikron = μ), Mikroliter (1 μL = 10^{-6} L = 1 mm^3). – b) Vorsatz in allg. Begriffen mit der Bedeutung „(sehr) klein", vgl. die folgenden Stichwörter. – ***E*** = ***F*** = ***I*** = ***S*** micro...

Mikroalgen s. Chlorella u. Scenedesmus.

Mikroanalyse. Im weiteren Sinne Sammelbez. für alle qual. u. quant. analyt. Verf., die mit kleinen Substanzmengen durchgeführt werden. Ursprünglich verstand man unter M. pauschal alle Verf., bei denen eine *Mikrowaage* (s. Waagen) verwendet werden mußte, u. auch heute ordnet man der M. meist den Probenbereich mit Substanzmengen zwischen 0,1 u. 10 mg zu. Ihr Anw.-Bereich liegt somit zwischen den Bereichen der *Halb-* od. *Semimikroanalyse* (10–250 mg, *Centigramm-Meth.*) u. der *Submikroanalyse* (10^{-6} bis 10^{-9} g, *Nanogramm-Meth.*). So verstanden umfaßt die M. auch die *Ultramikroanalyse* (10^{-5} bis 10^{-6} g, *Mikrogramm-* od. *Mikroliter-Meth.*). Die IUPAC setzt im Zusammenhang mit der *Spurenanalyse andere Bereichsgrenzen[1]: >0,1 g: Makro-, 10^{-1} bis 10^{-2} g: Meso- (od. Semimikro-), 10^{-2} bis 10^{-3} g: Mikro-, 10^{-3} bis 10^{-4} g: Submikro- u. <10^{-4} g: Ultramikroprobe. Zu den schon „klass." Meth. der M. zählen neben der *Lötrohranalyse u. der *Salzperlen-Untersuchung die *Tüpfelanalyse[2], die durch die *Weisz-Ringofen-Technik noch verbessert wurde, u. die mikroskop. Untersuchung der charakterist. Kristallformen, die sich bei Fällungsreaktionen in einem Tropfen ausbilden[3]. Bes. Bedeutung als mikroanalyt. Verf. haben *HPLC (v. a. mit Mikrosäulen), gas- u. dünnschichtchromatograph. *Trennverfahren, dann die physikal.-chem. u. physikal. (insbes. elektro-chem., licht- u. massenspektrometr.) Bestimmungs-Meth., die Isotopen-Verdünnungsanalyse sowie in geeigneten Fällen auch instrumentelle Direktverf. wie ESMA, LEED, Aktivierungsanalysen etc., Verf. der sog. „in-situ-Mikroanalyse"[4].

Mikroanalyt. Verf. stellen hohe Reinheitsanforderungen an die verwendeten Reagenzien sowie an Geräte u. Hilfsmittel, die ihnen zudem dimensionsmäßig mit großer Präzision angepaßt sein müssen. Außer einer Verringerung des Substanzverbrauches bieten viele Verf. der M. den Vorteil erheblicher Zeitersparnis (z. B. Abkürzung von Filtration u. Dest.).

Mikroanalyt. Meth. werden v. a. bei Stoffen angewendet, die in sehr geringen Mengen zur Verfügung stehen od. sehr kostbar sind, so z. B. bei Vitaminen, Hormonen, kulturhistor. Funden (*Fossilien, *Kunstwerkprüfung), seltenen Mineralien (*Meteoriten, *Mondgestein), in der *forensischen Chemie u. in der Rückstandsanalyse. Verständlicherweise ist gerade bei diesen Anw. die M. begrifflich u. method. weder von der *Elementaranalyse zu trennen noch von der *Spurenanalyse, bei der Mikromengen einer Substanz in Makromengen von anderem Material nachzuweisen sind. Beide Verf. werden v. a. in der angelsächs. Lit. terminolog. oft nicht unterschieden u. als M. bezeichnet. Große Verdienste um die Ausgestaltung der M. haben sich Emich, Lieb, *Pregl (Nobelpreis 1923) u. *Feigl erworben. – ***E*** microanalysis – ***F*** microanalyse – ***I*** microanalisi – ***S*** microanálisis

Lit.: [1] Pure Appl. Chem. **51**, 43–47 (1979). [2] Spektrum Wiss. **1981**, Nr. 4, 131–137. [3] Chem. Labor Betr. **26**, 47–53, 98–102, 144–146, 190–194, 233–235 (1975). [4] Pure Appl. Chem. **55**, 2023–2027 (1983).
allg.: Analyt.-Taschenb. ▪ Angew. Chem. **93**, 1059–1068 (1981) ▪ Kirk-Othmer (3.) **13**, 424–435 ▪ Fresenius J. Anal. Chem. **337**, 817–823, 824–829 (1990) ▪ s. a. Elektronenmikroskop, Elektronenstrahl-Mikroanalyse, Elementaranalyse, Halbmikroanalyse u. Spurenanalyse.

Mikrobielle Bodendekontaminierung (Bodensanierung). Bez. für Verf., bei denen durch Aktivierung der Bodenmikroflora od. Einsatz speziell gezüchteter Mikroorganismen organ. Bodenverunreinigungen abgebaut werden. Der Abbau erfolgt unter aeroben Bedingungen od. durch Nitrat-Atmung (s. Denitrifikation), wobei die abbauenden Mikroorganismen die Schadstoffe als Kohlenstoff- u. Energiequelle nutzen u. zu CO_2 veratmen.

Bei den Bodenverunreinigungen, die vorwiegend durch *Altlasten stillgelegter *Deponien od. Produktionsanlagen (Gaswerke, Kokereien, Ölraffinerien) sowie durch Transportunfälle u. schadhafte Rohrleitungen entstanden sind, handelt es sich überwiegend um aliphat. u. aromat. Kohlenwasserstoffe (KW), polycycl. Aromaten (*PAK), chlorierte Kohlenwasserstoffe (CKW) u. a. Organika, wie Alkohole, Aldehyde, Ester u. Ketone.

Die meisten dieser Stoffe können von der Bodenmikroflora, die sich aus über 100 Arten verschiedener Bakterien, Pilze u. Hefen zusammensetzen kann, abgebaut werden, sofern eine ausreichende Sauerstoff-Versorgung erfolgt.

Verf. zur m. B. beruhen deshalb meistens auf einer verbesserten Sauerstoff-Versorgung des Bodens durch Belüftung od. Einsatz chem. Sauerstoff-Spender. Man unterscheidet zwischen *onsite*-Verf., bei denen der kontaminierte Boden ausgehoben u. in Mieten od. speziellen Bioreaktoren (Drehtrommelsysteme) behandelt wird u. *in situ*-Verf., bei denen kein Bodenaushub erfolgt, sondern die zum Abbau notwendigen Komponenten – Sauerstoff, Nährstoffe u. Tenside – unmittelbar in den Boden eingebracht werden. – ***E*** microbial soil decontamination – ***F*** décontamination microbienne du sol – ***I*** decontaminazione microbica del suolo – ***S*** descontaminación microbiana del suelo

Lit.: Römpp Lexikon Biotechnologie, S. 507 f.

Mikrobielle Laugung (s. a. Bioleaching). Bez. von Verf., bei denen mit Hilfe von säureliebenden, Eisen- u. Schwefel-oxidierenden Mikroorganismen Metalle aus Erzen u. Abraum gewonnen werden. Heute gibt es mit Ausnahme von Zinn für alle bekannten Metalle Meth., die das Auslaugen aus Metall-Sulfiden od. anderen Erzen erlauben. Die Metalle werden aus dem Gestein mit Hilfe biochem. Oxid.-Schritte in wasserlösl. Metallsulfate überführt.

Ein Problem ist die unkontrollierte m. L. in unsachgemäß abgesicherten Halden. Vorfluter u. Grundwasser werden durch hohen Metall-Anteil u. extrem niedrige pH-Werte (pH 3) geschädigt.

Bei der m. L. wird der Kohlenstoff für den Primärstoffwechsel durch CO_2-Fixierung gewonnen, die Energie durch Oxid. von Fe^{2+} zu Fe^{3+} od. von Schwefel u. red. Schwefel-Verb. zu Sulfat:

(1) $4\,FeSO_4 + 2\,H_2SO_4 + O_2 \rightarrow 2\,Fe_2(SO_4)_3 + 2\,H_2O$

(2) $2\,S^\circ + 3\,O_2 + 2\,H_2O \rightarrow 2\,H_2SO_4$

(3) $2\,FeS_2 + 7\,O_2 + 2\,H_2O \rightarrow 2\,FeSO_4 + 2\,H_2SO_4$

Nach Gleichung (3) wird durch *direkte m. L.* Eisen gelöst. Neben dieser nur durch Mikroorganismen ausgeführten Laugung gibt es die *indirekte, bakterielle begünstigte Laugung*, die auch unter Ausschluß von Zellen langsam abläuft.

$$(4)\ FeS_2 + Fe_2(SO_4)_3 \rightarrow 3\,FeSO_4 + 2\,S^{\circ}.$$

Der durch Laugung entstehende Schwefel wird nach der Formel (2) reoxidiert.

Man unterscheidet in der Praxis drei Meth.:

Haldenlaugung: Die möglichst fein verteilten Erze werden zur Halde aufgeschüttet (bis 100000 t Erz) u. mit *Thiobacillus*-haltigem Wasser ständig berieselt. Das Sickerwasser wird am Grund gesammelt u. nach Metallextraktion u. evtl. Regeneration der Bakterien im Oxid.-Becken wieder auf die Halde gepumpt.

Hanglaugung: Hierbei wird das Erz an einem Berghang abgekippt u. ebenso wie bei der Haldenlaugung behandelt.

In-situ-Laugung: Das Erz verbleibt im Berg. Über Bohrungen wird *Thiobacillus*-haltiges Wasser in den Berg gepumpt. Es sickert durch das Gestein u. sammelt sich im tiefstgelegenen Stollen.

Kupfer-Laugung (5% der Weltproduktion) erfolgt in den USA, Kanada, Mexiko, Süd-Afrika u. Australien. Chalcocit, Chalcopyrit od. Covellin lassen sich zur Produktion von Kupfer einsetzen.

Die *Uran-Gewinnung* durch m. L. ist von der Menge her das zweitgrößte, von der Bedeutung aber das wichtigste Verfahren. Unlösl. vierwertiges Uran wird bei der m. L. durch heiße H_2SO_4/Fe^{3+}-Lsg. zum sechswertigen lösl. Uransulfat oxidiert (indirekte Laugung). Das gelöste Uran wird mit organ. Lsm. wie Tributylphosphat extrahiert u. anschließend aus der organ. Phase gefällt. – ***E*** microbial leaching – ***F*** lessivage microbien – ***I*** lisciviazione microbica – ***S*** lixiviación microbiana

Lit.: Biotechnol. Prog. **2**, 1 (1986) ▪ Präve et al. ▪ Ehrlich u. Brierley (Hrsg.), Microbial Mineral Recovery, New York: McGraw-Hill Publ. Comp. 1990.

Mikrobielle Materialzerstörung s. Biodeterioration.

Mikrobielles Wachstum. Unter m. W. versteht man die Zunahme der lebenden Substanz, in der Regel der Zahl der Zellen u. der Masse der Zellen (vgl. allg. Wachstum). Nachdem die Bakterienzelle ihr Vol. u. ihre Masse nahezu verdoppelt hat, teilt sie sich in zwei Tochterzellen (Zellteilung). Das Zeitintervall für die Verdoppelung der *Zellzahl bezeichnet man als *Generationszeit g. Die Zeit der Verdoppelung der Zellmasse bezeichnet man als Verdopplungszeit t_d. Bei der Betrachtung von Wachstumsphasen, in denen die Zunahme der Zellzahl u. der Zellmasse gleich ist, braucht zwischen beiden Größen nicht unterschieden zu werden. Man spricht dann von „gleichmäßigem Wachstum" u. von „Standardzellen". Als charakterist. Größe für die Zunahme der Zellmasse bzw. Zelldichte in der Zeiteinheit dient die spezif. *Wachstumsrate μ. – ***E*** microbial growth – ***F*** croissance microbienne – ***I*** crescita microbica – ***S*** crecimiento microbiano

Lit.: Römpp Lexikon Biotechnologie, S. 512f. ▪ Schlegel (7.), S. 206–220.

Mikrobiologie. Bez. für die naturwissenschaftliche Disziplin, die sich mit der Biologie der *Mikroorganismen (Mikroben, Einzeller: Bakterien, Pilze, Protozoen u. Mikroalgen) befaßt. Man unterteilt die M. in *allg. M.* (Morphologie, Physiologie, Biochemie, Genetik, Taxonomie, Ökologie), *angewandte M.* (industrielle M., techn. M., *Biotechnologie, Nutzung von Mikroorganismen zur Produktherst. u. zu Service-Leistungen), *medizin. M.* (Untersuchung u. Bekämpfung von Krankheitserregern), *Lebensmittel-M.* (Herst. u. Konservierung von Lebensmitteln), *Umwelt-M.* (Mikroorganismen in Boden, Wasser, Luft, Abwasser). Die Unterteilung kann auch nach den Organismen erfolgen, die zur M. gehören: *Virologie* (Viren, Bakteriophagen, Viroide), *Bakteriologie* (Bakterien, *Actinomyceten), *Mykologie* (Pilze, Hefen), *Algologie* od. *Phycologie* (Algen), *Protozoologie* (Protozoen). Protozoen u. Algen werden auch im Rahmen der Zoologie bzw. der Botanik bearbeitet.

Im allg. sind Mikroorganismen klein (mikroskop. od. submikroskop.: Viren ca. 10–1000 nm, Bakterien ca. 1–3 µm, Pilzhyphen ca. 10 µm im Durchmesser), zeigen eine geringe morpholog. Differenzierung u. erfordern wegen der Kleinheit bestimmte Arbeitstechniken. Die **Viren* u. **Phagen* (Bakteriophagen) nehmen innerhalb der aufgezählten Gruppen eine Sonderstellung ein: Sie stehen als nichtzelluläre Teilchen ohne Stoffwechsel, Wachstum u. Eigenvermehrung allen Organismen gegenüber u. sind vom folgenden weitgehend auszunehmen.

Bakterien sind meist einzellige *Prokaryonten ohne einen durch eine Membran abgegrenzten Zellkern. Es fehlen Mitochondrien u. Chloroplasten, die Vermehrung erfolgt fast immer durch *Querteilung*. Neben dem Chromosom enthalten viele Bakterien mit den *Plasmiden extrachromosomales Material, das zwischen unterschiedlichen Spezies ausgetauscht werden kann u. die Erbinformation für Fertilität, Resistenz, Resistenztransfer usw. trägt. Je nach Zellwand-Aufbau werden *Gram-pos.* u. *Gram-neg.* Bakterien (s. Gram-Färbung) unterschieden. Eine Reihe industriell wichtiger Bakterien bildet mehrzelliges *Mycel (z.B. *Actinomyceten).

Die Systematik unterteilt die Bakterien nach der Gestalt (Kugeln, Stäbchen, Spirillen), Gram-Färbbarkeit, Stoffwechsel (Autotrophe, Heterotrophe, Phototrophe, Organotrophe etc.) u. dem Verhältnis zum Sauerstoff (s. Aerobier u. Anaerobier). Eine Gruppe von Bakterien, die unter extremen Bedingungen leben (Methan-bildende Bakterien, extrem Halophile u. thermophile Schwefel-Stoffwechsler) werden zum Reich der *Archaea zusammengefaßt u. neben die normalen Eubakterien gestellt.

Die **Pilze* gehören ebenso wie die *Algen u. Protozoen zu den *Eukaryonten mit Zellkern u. Zellkernmembran. Mit Ausnahme der meisten Hefen bilden Pilze im allg. Zellfäden (Hyphen), die Querwände (Septen) besitzen od. nicht septiert sind. Die Vermehrung erfolgt ungeschlechtlich durch *Sporen od. geschlechtlich. Die Klassifizierung der Pilze ist vorwiegend nach prakt. Gesichtspunkten ausgerichtet, phylogenet. Beziehungen können heute erst teilw. herangezogen werden.

Vork. von Mikroorganismen: In Luft, Wasser u. Boden weit verbreitet (Luft 100–1000 Keime/m^3, Trinkwasser bis 100 Keime/mL, Abwasser 10^8–10^{10} Keime/mL, Boden 10^5/g). Sie vermehren sich auch unter extremen Bedingungen, z.B. in heißen Quellen u. Solfataren (Thermophile, 45 °C–max. 110 °C), in Salzwasser (Halophile, Osmophile), in arkt. Gebieten (Psychrophile). Mikroor-

ganismen, die bei mittleren Temperaturen wachsen, werden als mesophil bezeichnet.
Bedeutung der Mikroorganismen: Wichtige Rolle im Kreislauf der Elemente. Durch ihre Vielseitigkeit in den Stoffwechselleistungen u. das schnelle Wachstum (Verdopplungszeit innerhalb 20 min bis einigen h) sind Mikroorganismen entscheidend am Auf-, Um- u. Abbau (Mineralisierung) der organ. Substanzen beteiligt. Durch den mikrobiolog. Abbau von pflanzlichem Material wird z. B. das durch die Photosynth. fixierte CO_2 in den Kohlenstoff-Kreislauf zurückgeführt. Ähnliche Kreisläufe existieren auch für die Elemente Stickstoff, Schwefel u. Phosphor. Weiterhin lösen Mikroorganismen Metalle in der Natur aus Erzen wie Uran od. Kupfer (*Bioleaching), vermögen aber auch Eisen, Mangan od. Chrom in den Zellen anzureichern, so daß die Metalle aus verunreinigten Gewässern isoliert werden können. Die Abwasserreinigung in natürlichen Gewässern od. in Kläranlagen ist eine mikrobielle Umsetzung von organ. Substanz in CO_2 u. Biomasse.
Ernährungsweise von Mikroorganismen: Entweder autotroph od. heterotroph (*Autotrophie, *Heterotrophie), in seltenen Fällen auch mixotroph. Je nach Stoff- u./od. Energiequelle für den Metabolismus unterscheidet man zwischen *Organo-, *Litho-, *Chemo- u. *Phototrophie sowie den Kombinationen dieser Ernährungsweisen (Photolitho-, Chemolitho-, Chemoorgano-, Chemolithoheterotrophie usw.), beim Sauerstoff-Bedarf sind *Aerobier, *Anaerobier u. fakultative Anaerobier zu unterscheiden, die sowohl mit als auch ohne Sauerstoff leben können. Der höchste Grad der Anpassung liegt vor, wenn Mikroorganismen als Symbionten od. als *Parasiten vorkommen. Algen u. Pilze leben in Symbiose in Form der *Flechten, Insekten sind teilw. mit Pilzorganen (Myctome) ausgestattet, Bakterien spielen bei der *Stickstoff-Fixierung in den Wurzelknöllchen der Leguminosen ebenso eine symbiont. Rolle wie beim Cellulose-Abbau im Pansen der Wiederkäuer od. als Bestandteil der normalen Darmflora.
Als fakultative od. obligate Parasiten bedrohen viele Mikroorganismen Gesundheit u. Leben von Pflanzen, Tieren u. Menschen. Verursachen Mikroorganismen Schäden im Organismus, bezeichnet man sie als **pathogen*, sie vermehren sich im Organismus u. bilden *Toxine, die das Gewebe zerstören. Die Übertragung der pathogenen Mikroorganismen kann durch verunreinigte Nahrungsmittel od. Getränke, durch Aerosole od. durch direkten Kontakt erfolgen. Hieraus resultieren die Arbeitsgebiete der Antibiotika- u. Chemotherapie, der Desinfektion, Hygiene, Sterilisation u. Konservierung. Die bei diesen Maßnahmen eingesetzten *antimikrobiellen Wirkstoffe bezeichnet man nach Organismengruppe (mit -statika od. -zid); dabei hindern z. B. Bakteriostatika die Vermehrung von Bakterien, während bakterizide Präp. die Kulturen abtöten (s. a. Mikrobizide).
Verw. von Mikroorganismen: Neben der Biomasse aus Mikroorganismen als Nahrungsmittel (Trockenhefe, *Single Cell Protein, Speisepilze) verwendet man Mikroorganismen bzw. Enzyme daraus zur Produktion von Substanzen. Dabei nutzt man die Substratspezifität, Regiospezifität, Stereospezifität u. spezif. Reaktionsbedingungen, um Oxid., Red., Hydrolysen, Kondensationen, Isomerisierung, die Bildung von C–C-Bindungen od. die Einführung von Heterofunktionen durchzuführen (s. Biotransformation). Im Rahmen der *Biotechnologie werden mit Hilfe der Mikroorganismen z. B. organ. Säuren (Citronensäure, Milchsäure), Aminosäuren (Glutaminsäure, Tryptophan), techn. Enzyme (Proteasen, Amylasen), Vitamine, *Antibiotika (Penicilline, Streptomycin), Alkohole (Ethanol, Butanol) sowie Nahrungs- u. Genußmittel (Käse, Joghurt, Wein, Sauerkraut; Fermentation von Kaffee u. Tabak) hergestellt. Die Meth. der *Genetik erlauben in der M. die Züchtung von Hochleistungsstämmen zur Ausbeutesteigerung, zur Biosynth. neuer Metabolite u. zur Verbilligung der techn. Prozesse. Mit Hilfe der *Gentechnologie können Mikroorganismen konstruiert werden, die z. B. menschliches Insulin od. Wachstumshormon produzieren. Xenobiotika, d. h. Chemikalien od. synthet. Materialien, die die Umwelt belasten, sind Substrate für genmanipulierte Mikroorganismen, v. a. Pseudomonaden. Die große biochem. Vielfalt, die Möglichkeit zu einer schnellen, labormäßigen Aufzucht auf definierten Nährböden, die schnelle Generationsfolge u. a. Vorteile haben Mikroorganismen zu bevorzugten Untersuchungsobjekten auch außerhalb der eigentlichen M. werden lassen. Viele allg. gültige Ergebnisse der biolog.-biochem. Forschungsdisziplinen aus den letzten Jahrzehnten wurden an Mikroorganismen gewonnen, bes. in der *Molekularbiologie u. *Genetik, aber auch in der Pharmakologie u. Toxikologie, insbes. der *Carcinogenese-, *Mutagenese- u. *Teratogenese-Forschung. Z. Z. werden Anstrengungen unternommen, Tierversuche teilw. durch mikrobielle Tests zu ersetzen.
In der BRD sind zum Patent anmeldbar: Mikrobielle Verf., Stoffe aus Mikroorganismen u. auch die Stämme selbst, sofern sie am Tag der Anmeldung bei einer anerkannten Stamm-Hinterlegungsstelle (z. B. *DSM) deponiert u. verfügbar sind. – ***E*** microbiology – ***F*** microbiologie – ***I*** microbiologia – ***S*** microbiología

Lit.: Arch. Pathol. Lab. Med. **120**, 206 (1996) ▪ Crit. Rev. Microbiol. **21**, 31 (1995) ▪ Crueger-Crueger ▪ Ehrlich u. Brierley, Microbial Mineral Recovery, New York: McGraw-Hill Publ. Corp. 1990 ▪ J. Hosp. Infect. **34**, 247 (1996) ▪ Kayser et al., Medizinische Mikrobiologie, Stuttgart: Thieme 1998 ▪ Präve et al. ▪ Rehm-Reed ▪ Schlegel (7.)

Mikrobizide. Stoffe unterschiedlicher chem. Zusammensetzung, die Mikroorganismen abtöten od. deren Wachstum u. Vermehrung hemmen (s. Bakteriostatika). Nach ihrer Anw. unterscheidet man z. B. Chemotherapeutika (s. Chemotherapie) einschließlich der *Antibiotika, *Konservierungsmittel od. *Desinfektionsmittel, nach ihrer spezif. Wirkung gegen verschiedene Mikroorganismengruppen *Algizide, *Bakterizide, *Fungizide od. *Viruzide. – ***E*** = ***F*** microbicides – ***I*** microbicidi – ***S*** microbicidas

Mikro-Brownsche Bewegungen (intramol. Bewegung von Makromol.). Bez. für therm. ausgelöste Bewegungen von Kettensegmenten von *Makromolekülen. Die Temp., bei der die m.-B.B. einsetzen od. aufhören (einfrieren), wird als *Glasübergangstemperatur (Kurzz.: T_g) der auf diesen Makromol. basierenden *Polymeren bezeichnet; vgl. Makro-Brownsche Bewegungen. – ***E*** micro-Brownian movements – ***F*** mouvements micro-Browniens – ***I*** movimenti micro-Browniani – ***S*** movimientos micro-Brownianos

Lit.: Elias, Makromoleküle, 5. Aufl., Basel: Hüthig u. Wepf 1990.

Mikrobruch. Bez. für z. B. bei mechan. Belastung teilkrist. od. amorpher *Thermoplaste entstehende Strukturen. Während spröde, rein energieelast. Materialien wie Silicatgläser bei genügend hoher Belastung ausgehend von vorgeformten Rissen schlagartig brechen, zeigen die meisten *Polymere ein komplexeres Bruchverhalten. Werden diese zunehmend mechan. belastet, so wächst auch hier zunächst die Spannung an den Spitzen vorgeformter Risse. Gelangt diese Spannung zu einem krit. Wert, so erreicht das Polymere seine obere Fließgrenze. Von diesem Punkt ab führt die kooperative Bewegung von Kettensegmenten zu einer großräumigen Änderung der *Makrokonformation der Polymermoleküle. Diese äußert sich makroskop. im Nachgeben des Materials (Spannungsweichmachung). Gleichzeitig bilden sich senkrecht zur Spannungsrichtung sog. Pseudobrüche (*E* *Crazes) aus, die bis zu 100 μm lang u. bis zu 10 μm breit werden können. Diese Pseudobrüche sind im Inneren mit amorphen Fibrillen von ca. 0,6–30 nm Durchmesser gefüllt, die mit ihrer Längsachse parallel zur Spannungsrichtung angeordnet, in der restlichen Probe verankert u. insbes. bei glasklaren Polymeren an einer Trübung zu erkennen sind. Die Bildung dieser Pseudobrüche ist der entscheidende Mechanismus zur Dissipierung der Spannungsenergie, der z. B. auch bei der Schlagzäh-Modifizierung spröder Thermoplaste durch Elastomerzusatz ausgenutzt wird. Bei weiter steigender Beanspruchung des Materials entwickeln sich aus den Pseudobrüchen zunehmend M., die im Gegensatz zu den Pseudobrüchen nun nicht mehr mit Material gefüllt sind. Die Probe bricht schließlich, wenn der mittlere Abstand zweier solcher M. etwa das Dreifache von deren Durchmesser beträgt. – ***E*** microfracture – ***I*** microfenditura, microfessura – ***S*** microfractura, microrotura

Lit.: Elias (5.) **1**, 974.

Mikrobüretten s. Büretten.

Mikrocarrier. Kugelförmiges Trägermaterial zur Anheftung tier. od. humaner Zellen für die *Zellkultur. Mit M. können auch solche Zellen in Suspensionskultur gezüchtet werden, die eine feste Unterlage benötigen. Mit M. lassen sich folgende Vorteile erzielen: höhere Zelldichten von bis zu einigen Mio. Zellen pro mL, höhere *Produktivitäten der Zellkultur, vereinfachte Abtrennung der Zellen vom Medium. Mit M. läßt sich auch eine höhere Homogenität der Zellkultur erreichen, indem nach Absetzen der M. tote Zellen u. Zelltrümmer aus dem Überstand entfernt werden.
Als M. geeignet sind Materialien wie quervernetzte *Dextrane u. *Polyacrylamide, die mit einer Polylysin- od. Collagen-Schicht überzogen werden können. Glas ist bei Anw. im *Festbett-Reaktor, nicht aber in Suspensionskultur als Träger gut geeignet. Eingesetzt werden im allg. etwa 3–5 mg M./mL mit einer nutzbaren Oberfläche von 18–30 cm^2/mL. Die meisten für Suspensionskulturen geeigneten Geräte können auch zur Züchtung von M.-Kulturen genutzt werden. M. kommen auch im Produktionsmaßstab zum Einsatz, beispielsweise zur Herst. von *β*-*Interferon od. *Vaccinen. – ***E*** microcarrier – ***F*** gabarit ouvert d'observation, microsupport – ***I*** microcarrier, microportatore – ***S*** microportador

Lit.: Hartmeier, Immobilisierte Biokatalysatoren, Heidelberg: Springer 1986 ▪ Präve et al. (4.), S. 179–206.

Mikrochemie. Nicht eindeutig abgegrenzter Begriff, der etwa um die Jahrhundertwende aufkam u. zunächst für solche *analyt.* Verf. verwendet wurde, die mit kleinen Substanzmengen durchgeführt wurden, insbes. für die *Lötrohranalyse u. für die Identifizierung von Krist. mit dem Mikroskop. Heute rechnet man zur M. nicht nur die *Mikroanalyse, sondern auch solche *präparativen* Prozesse, die mit kleinen Substanzmengen (höchstens 50 mg) u. in entsprechend dimensionierten Gefäßen u. Geräten (z. B. im *Kugelrohr) durchgeführt werden. Anw. finden mikrochem. Arbeitsmeth. v. a. in der Kernchemie, Naturstoff- u. medizin. Chemie. – ***E*** microchemistry – ***F*** microchimie – ***I*** microchimica – ***S*** microquímica

Lit.: Anal. Chem. **60**, 23A–31A (1988) ▪ Kirk-Othmer (3.) **13**, 424–435 ▪ Oesterr. Chem. Z. **91**, 389 f. (1990) ▪ Prax. Naturwiss. Chem. **40**, 2–5 (1991) ▪ s. a. Mikroanalyse.

Mikrocluster s. Kondensation.

Mikroelemente s. Mineralstoffe.

Mikroemulsionen. Bez. für makroskop. homogene, opt. transparente, niedrigviskose, thermodynam. stabile Mischungen aus zwei miteinander nicht mischbaren Flüssigkeiten u. mind. einem nichtion. od. einem ion. *Tensid, das zwei hydrophobe Reste enthält. Wird den beiden ineinander unlösl. Komponenten, in der Regel Wasser u. einem unpolaren Kohlenwasserstoff(gemisch), ein ion. *Tensid mit nur einem hydrophoben Rest zugesetzt, benötigt man zur Ausbildung der M. noch ein Cotensid, meist einen kurzkettigen aliphatischen Alkohol. Das temperaturabhängige Phasenverhalten einer solchen ternären Mischung (Tensid/Cotensid-Gemisch gilt als eine Komponente) läßt sich in einem sog. Phasenprisma darstellen[1]. Schnitte durch dieses Phasenprisma charakterisieren das Phasenverhalten z. B. bei konstantem Wasser/Öl-Verhältnis in Abhängigkeit vom Tensid-Gehalt od. bei konstantem Tensid-Gehalt abhängig vom Wasser/Öl-Verhältnis. Diese Abhängigkeiten können anhand der mittleren Temp. T des Dreiphasengebiets (3*ϕ*) beschrieben werden. Die sog. Phaseninversionstemp. (PIT), neben T gebräuchlich, kennzeichnet den Übergang in der Tensid-Löslichkeit von Wasser zu Öl. Im Phasengleichgew. stehen zwei Zweiphasengebiete, Ölphase u. O/W-M. (Typ 1 nach Winsor) sowie Wasserphase u. W/O-M. (Typ 2) mit dem Dreiphasengebiet aus Wasser-, Ölphase u. M. im Zustand der Phaseninversion (Typ 3) u. der sog. Mittelphase, der einphasigen eigentlichen M. (Typ 4), im Gleichgewicht. Mit dem Transmissionselektronenmikroskop läßt sich zeigen, daß M. in submikroskop., stark fluktuierende, bikontinuierliche Öl- u. Wasser-Domänen strukturiert sind, wobei die Größe der Domänen zwischen 3 u. 100 nm durch die Grenzflächenspannung von 10^{-2} bis 10^{-5} $mN\,m^{-1}$ zwischen der wasserreichen u. der ölreichen Phase in Ggw. der gesätt. monomol. Tensid-Schicht beständig ist.
Anw.: M. bieten durch ihr Solubilisierungsvermögen sowohl für polare als auch unpolare Stoffe u. durch ihre pro Volumeneinheit extrem großen Grenzflächen ein ideales „Lösemittel" für im Vgl. zur *Phasentransferkatalyse stark beschleunigte chem. Reaktionen. Techn. Ein-

satz haben M. bisher v. a. in der tertiären Erdölförderung gefunden (*Lit.*[2,3]). Auch viele pharmazeut. u. kosmet. Zubereitungen stellen M. dar. Potentielle Einsatzgebiete sind Flüssig-flüssig-Extraktionen, Wasch- u. Reinigungsprozesse (*Lit.*[3]), Textilveredlung u. Formulierungen von Schmiermitteln u. Schneidölen sowie die Herst. von monodispersen Nanopartikeln (*Lit.*[3]), z. B. durch Fällprozesse in Mikroemulsionen.
Zu M. für die *Emulsionspolymerisation s. a. Mikroemulsionspolymerisation u. Makroemulsion. – ***E*** microemulsions – ***F*** microémulsions – ***I*** microemulsioni – ***S*** microemulsiones

Lit.: [1] Angew. Chem. **97**, 655–669 (1985). [2] Morrow, Interfacial Phenomena in Petroleum Recovery, New York: Dekker 1990. [3] Solans et al., Industrial Applications of Microemulsions, New York: Dekker 1997.
allg.: Bourrel u. Schecter, Microemulsion and Related Systems: Formulations, Solvency, and Physical Properties, New York: Dekker 1988 ▪ Rosano u. Clausse, Microemulsion Systems, New York: Dekker 1987 ▪ Tenside Surf. Det. **31**, 218–228 (1994) ▪ Ullmann (5.) **A 9**, 297 ff.

Mikroemulsionspolymerisation. Bei der M. handelt es sich um einen Spezialfall der *Emulsionspolymerisation. Für die M. wird zunächst ein wasserunlösl. Monomeres in Wasser bzw. ein „ölunlösl." *Monomeres in einer geeigneten „Öl"-Phase (s. inverse Emulsionspolymerisation) in Ggw. von oberflächenaktiven Verb. auf eine Weise zu Öl-in-Wasser- (O/W) bzw. Wasser-in-Öl (W/O) Emulsionen emulgiert, daß sehr kleine Monomertröpfchen mit Durchmessern von 0,005–0,1 μm entstehen. Anschließend erfolgt die radikal. *Polymerisation dieser aufgrund der extrem geringen Tröpfchengröße transparenten *Mikroemulsionen. Die M. hat gegenüber der normalen (inversen) *Emulsionspolymerisation den Vorteil, daß sie zu Syst. mit erhöhter thermodynam. Stabilität führt. Bes. interessant ist die M. daher für die *Polymerisation von hydrophilen Monomeren, z. B. Acrylamid, in einer geeigneten „Öl"-Phase, wird aber auch als O/W-Mikroemulsionen von z. B. Styrol in Wasser durchgeführt. – ***E*** microemulsion polymerization – ***F*** polymérisation en microémulsion – ***I*** polimerizzazione in microemulsione – ***S*** polimerización en microemulsión

Lit.: Compr. Polym. Sci. **4**, 219–229 ▪ Encycl. Polym. Sci. Eng. **9**, 718–724.

Mikrofarbstoffe s. Mikroskopie.

Mikrofasern. Die Stärke von Fasern wird vielfach nicht über ihren mittleren Durchmesser angegeben, sondern durch ihre längenbezogene Masse u. damit als „mittlere Feinheit" od. „Titer" (Titer = Masse/Länge = Dichte · Querschnittsfläche; Einheit: dtex = 1 g/10000 m). Je nach Titer teilt man textile Fasern ein in grobe Fasern (>7 dtex), mittelfeine Fasern (2,4–7 dtex), Feinfasern (1–2,4 dtex), Feinstfasern (0,1–1 dtex), M. (0,1–0,3 dtex) u. superfeine Fasern (<0,1 dtex). M. entstehen beim Verspinnen aus Spinndüsen mit vielen Bohrungen, wenn der Spinndüsenspitze heiße Luft mit hoher Geschw. entgegengeblasen wird, die die Filamente in kurze Fasern zerreißt. Die so entstehenden M. aus z. B. *Polyestern, *Polyamiden od. *Polytetrafluorethylen werden zu einem sog. M.-Gewirr verarbeitet, dessen Porenweite ca. 3000mal kleiner als der Durchmesser z. B. eines Regentropfens ist. Diese können daher nicht in das Gewebe eindringen, während umgekehrt Wasserdampf austreten kann. Es entstehen atmungsaktive u. gleichzeitig wasserdichte Gewebe.
Bei Verstärkungsfasern für Kunststoffe wird der Ausdruck „Mikrofaser" weiterhin für verhältnismäßig kurze Fasern von 0,15–0,30 mm Länge mit Durchmessern von 3–5 μm verwendet. Derartige M. weisen Feinheiten wie die textilen Feinfasern auf. Schließlich wird auch eine synthet. Mineralfaser, die sog. Franklin-Faser, als M. bezeichnet. Sie besteht aus Calciumsulfat-Hemihydrat u. weist Durchmesser von ca. 3 μm u. Längen von 150–300 μm auf. – ***E*** microfibres – ***I*** microfibre – ***S*** microfibras

Lit.: Elias (5.) **2**, 349, 506, 526.

Mikrofibrillen. Unspezif. Begriff für mikroskop. u. submikroskop. kleine Fasern (Fibrillen) der *extrazellulären Matrix (Tiere) od. Zellwand (Pflanzen), die meist aus *Skleroproteinen wie *Collagenen, *Fibrillen, *Keratinen, aber auch aus *Kohlenhydraten wie *Cellulose u. *Tunicin bestehen können. – ***E*** microfibrills – ***F*** microfibrilles – ***I*** microfibrille – ***S*** microfibrillas

Mikrofilamente (Actin-Filamente der Nicht-Muskelzellen). Neben *Mikrotubuli u. *intermediären Filamenten eine Klasse von Filamenten (Fasern) des *Cytoskeletts, die aus Actin bestehen (s. a. dort). Die M. sind 7 nm stark u. durchziehen die gesamte Zelle. Über das Protein *Spectrin sind die M. an das Membranskelett gebunden. Als dynam. Strukturen lösen sich manche M. durch Depolymerisation am einen Ende auf u. bilden sich durch Polymerisation am anderen Ende wieder neu. Zahlreiche Actin-bindende Proteine beeinflussen die Polymerisations- u. Depolymerisationsvorgänge u. somit die Länge der Mikrofilamente. Die makrocycl. *Cytochalasine hemmen die Polymerisation, worauf sich die M. auflösen. Das Pilzgift *Phalloidin bindet an die M. u. verhindert die Depolymerisation; mit Fluoreszenzmarkiertem Phalloidin od. mit *Immunfluoreszenz-Meth. lassen sich die M. im Mikroskop darstellen. Die M. dienen der Formgebung z. B. der *Mikrovilli u. der Stereocilien der Haarzellen des Gehörorgans sowie im Zusammenwirken mit *Myosin der Beweglichkeit von wandernden Zellen (vgl. Streß-Fasern). – ***E*** = ***F*** microfilaments – ***I*** microfilamenti – ***S*** microfilamentos

Lit.: Alberts et al., Molekularbiologie der Zelle, 3. Aufl., S. 970–984, Weinheim: VCH Verlagsges. 1995 ▪ J. Cell. Biol. **126**, 821–825 (1994).

Mikrofiltration. Prozeß zur Abtrennung kolloidaler od. suspendierter Mikroteilchen (Korngröße 0,1 bis 10 μm) mit Hilfe eines *Membranfilters. Die treibende Kraft für den Stofftransport durch die *Membran ist eine hydrostat. Druckdifferenz im Bereich von 50 bis 500 kPa. Die Abtrennung erfolgt durch einen Siebeffekt. M. ist die Separation von Partikeln aus einem Lsm. während unter *Ultrafiltration die Abtrennung von Mol. (bes. Makromol.) verstanden wird, die im Größenbereich von 0,005 bis 0,5 μm liegen. – ***E*** = ***F*** microfiltration – ***I*** microfiltrazione – ***S*** microfiltración

Lit.: Kula, Schügerl, Wandrey (Hrsg.), Technische Membranen in der Biotechnologie, Weinheim: Verl. Chemie 1986 ▪ Lorch, Handbook of Water Purification, John Wiley & Sons 1987.

Mikrogele. Hochmol. Polymer-Netzwerke sind unlösl. in allen Lsm., nehmen aber bei nicht zu hohen Netzwerkdichten große Mengen eines geeigneten Lsm. auf u. quellen dabei stark. Haben solche Gele statt makroskop. Dimensionen lediglich kolloidale Ausmaße, d. h. beträgt die Größe der einzelnen Gelpartikel nur ca. 10–10 000 nm, so werden diese als M. bezeichnet. M. bestehen somit aus einzelnen aufgequollenen, intramol. vernetzten Polymer-Molekülen. Ein M. wird dabei je nach seiner Mol.- bzw. Teilchengröße entweder als noch mol. lösl. od. bereits als nur noch dispergierbar bezeichnet. Der Übergang hierzwischen ist allerdings fließend. – ***E*** = ***F*** = ***I*** microgel – ***S*** microgeles

Lit.: Elias (5.) **1**, 49, 681.

Mikroglia-Zellen s. Makrophagen.

Mikroglobuline. Im allg. versteht man unter M. *Globuline mit niedriger Molmasse. α_1-*Mikroglobulin* ist ein Plasma-Glykoprotein (ca. 30 µg/mL) unbekannter Funktion mit 184 Aminosäure-Resten bekannter Sequenz (M_R 31 000, Mensch), das an andere Proteine bindet, wie z. B. an *Immunglobulin A u. *Serumalbumin, u. das auch Wirkungen auf das *Immunsystem besitzt. Aufgrund der Aminosäure-Sequenz konnten Beziehungen zum *Retinol-bindenden Protein u. β-*Lactoglobulin festgestellt werden (*Lipocalin-Familie). Ein Chromophor unbekannter Struktur verleiht dem α_1-M. eine braune Farbe. Seine Biosynth. erfolgt durch Spaltung eines Proproteins unter gleichzeitiger Entstehung eines anderen Glykoproteins (HI-30, Teil eines Trypsin-Inhibitors). β_2-*Mikroglobulin* ist das kleinste bekannte Plasma-Protein (2–4 µg/mL; M_R 11 600, Mensch, 99 Aminosäure-Reste bekannter Sequenz), dessen erhöhtes Auftreten im Urin (normal: ca. 100 µg/Tag) auf Nierenschäden schließen läßt. Es ist mit den *Immunglobulinen verwandt u. zeigt auch Struktur-Ähnlichkeit mit *Uteroglobin. β_2-M. findet sich mit dem Lymphocyten-Antigen CD1 assoziiert u. ist eine Komponente der Immunglobulin-Fc-Rezeptoren des Darmepithels von Neugeborenen. Da es darüber hinaus ein funktionell notwendiger Bestandteil der *Histokompatibilitäts-Antigene der Klasse I ist, die auf der Oberfläche prakt. jeder menschlichen Zelle vorhanden sind, spielt es eine wichtige Rolle im *Immunsystem. – ***E*** microglobulins – ***F*** microglobulines – ***I*** microglobuline – ***S*** microglobulinas

Mikrogramm... s. Mikro...

Mikrogramm-Methode s. Mikroanalyse.

Mikrogravitation s. Gravitation.

Mikrohärte s. Härteprüfung.

Mikrohydrierung s. Hydrierung.

Mikroinjektion. Gezieltes Einschleusen von Substanzen wie *DNA, *RNA od. *Proteinen in einzelne *Zellen mit Hilfe spezieller Instrumente. Mit feinen *Glaskapillaren* (Spitzendurchmesser <1 µm), die mit den zu übertragenden Substanzen gefüllt sind, können z. B. unter mikroskop. Kontrolle durch Einstechen u. Injektion mittels Luftdruck Mol. in das *Cytoplasma od. den Zellkern eingebracht werden. Bei der sog. *Mikropartikel*-M. werden viele Zellen (bis zu 10 Mio.) gleichzeitig mit Mikropartikeln beschossen, die in der Zellmembran kurzzeitig Löcher induzieren, durch die die zu übertragenden Substanzen dann in die Zellen eindiffundieren können. – ***E*** microinjection – ***F*** microinjection – ***I*** microiniezione – ***S*** microinyección

Lit.: Stryer 1996, S. 143 f.

Mikrokapseln s. Mikroverkapselung.

Mikroklin. Trikliner Kalifeldspat (*Feldspäte), Tieftemp.-Form von $K[AlSi_3O_8]$, Struktur s. Feldspäte. Im *Dünnschliff unter dem Mikroskop ist M. oft an einem auffällig gitterartigen Aufbau der Individuen zu erkennen; häufig zeigt er Entmischungen von Albit (*M.-Perthit*). Im Unterschied zum ähnlichen *Orthoklas weicht der Spaltwinkel um bis zu 30′ von 90° ab (griech.: mikron = wenig, klinein = neigen). Prismat., gestreckte, bis 50 m große u. 13 500 t schwere Krist., spaltbare Massen, körnig, *derb. Weiß, blaß cremegelb, rötlich, bläulich, grün. Schön grün bis blaugrün gefärbte M. werden *Amazonit* genannt (nach *Lit.*[1] mit $[Pb\text{–}Pb]^{3+}$-Paaren; Vork. in Brasilien, Norwegen u. Ural/Rußland) u. als Schmucksteine verwendet. Verbreitet sind Verwachsungen von german. Runen ähnlichen Quarzkörnern u. M., die als *Schriftgranit* bezeichnet werden.

Vork., Verw.: Weltweit in *magmatischen Gesteinen, *Gneisen u. *Sedimentgesteinen. Als Hauptmineral in *Pegmatiten, z. B. Oberpfalz, Bayer. Wald; in diesen wird M. z. B. in Skandinavien, den USA, Rußland, Indien, Brasilien u. China zur Verw.[2] in der keram. Ind. (z. B. für Porzellan, Porzellanglasuren, Fliesen, Hochspannungsisolatoren), in der Glas-Ind. (u. a. für Fernsehbildschirme) u. als Füllstoff in Farben, Gummi, Kunststoffen usw. abgebaut; vgl. Feldspäte. – ***E*** = ***F*** microcline – ***I*** microclino – ***S*** microclina

Lit.: [1] Am. Mineral. **78**, 500–510 (1993). [2] Ind. Miner. (London) **1995**, Nr. 332, 25–45.
allg.: Anthony et al., Handbook of Mineralogy, Vol. II, Tl. 2, S. 539, Tucson (Arizona): Mineral Data Publishing 1995 ▪ Matthes, Mineralogie (5.), S. 162 f., Berlin: Springer 1996 ▪ s. a. Feldspäte. – *[HS 2519 10; CAS 12251-43-3]*

Mikrokonformation s. Makrokonformation.

Mikrokristalline Cellulose. M. C. ist die Bez. für Produkte, die bei partieller Hydrolyse von *Cellulosen unter Bedingungen anfallen, bei denen nur die amorphen Bereiche dieser teilkrist. *Polysaccharide angegriffen u. vollständig aufgelöst werden. Diese schonende Hydrolyse verläuft auch im alkal., wird aber bevorzugt im sauren Milieu durchgeführt, z. B. durch Einwirkung von verd. wäss. Salz- od. Schwefelsäure. In Ausbeuten, die nahezu den krist. Anteilen (~70%) der Cellulosen entsprechen, resultieren zunächst *mikrofeine Cellulosen*, die in wäss. Suspension unter mechan. Krafteinwirkung in m. C. desaggregiert werden. Der *Polymerisationsgrad (*LODP, von *E* leveling-off degree of polymerization) der m. C. korreliert eng mit der Kristallitgröße der Ausgangscellulosen u. liegt im Bereich von ca. 30–400. M. C. bilden mit Wasser schon in niedrigen Konz. (z. B. 0,5 Gew.-%) stabile Gele. Aus konz. Suspensionen hergestellte Formkörper von Elfenbein-ähnlichem Aussehen zeichnen sich durch hohe Härte u. Schwerentflammbarkeit aus. M. C. werden als weiße Pulver vermarktet.

Verw.: Als Hilfsmittel für die Herst. von Tabl., Stabilisatoren für Suspensionen od. wärmestabile O/W-Emulsionen. Gegen den Einsatz der m. C. im Nahrungsmittelsektor, z. B. zur Herst. von Soßen od. kalorienarmen

Zubereitungen bestehen Vorbehalte, da die Darmwände für m. C. permeabel sind. – ***E*** microcrystalline cellulose – ***F*** cellulose microcristalline – ***I*** cellulosa microcristallina – ***S*** celulosa microcristalina

Lit.: Fiedler, Lexikon der Hilfsstoffe, Aulendorf: Editio Cantor 1996 ▪ Nevell u. Zeonian, Cellulose Chemistry and its Applications, S. 218, New York: Ellis Horwood Ltd. 1985.

Mikrokristalline Polymere. Bez. für polymere Abbauprodukte teilkrist. natürlicher u. synthet. *Polymere, die z. B. bei der vollständigen Hydrolyse ausschließlich der amorphen Bereiche hydrolysierbarer Polymere anfallen. Ausgangsprodukte für die Herst. von m. P. sind u. a. *Cellulosen (s. mikrokristalline Cellulose), *Collagene, *Amylosen, *Polyamide, *Polyester od. *Polyolefine. Hydrolysierbare Polymere werden unter schonender Hydrolyse, bei der die krist. Segmente nicht angegriffen werden, zu Produkten abgebaut, die sich durch eine sehr enge *Molmassenverteilung auszeichnen. Die Molmassen selbst korrelieren weitgehend mit den Kristallitgrößen der einzelnen Polymeren u. dem *LODP-Wert. Bei der Hydrolyse resultieren häufig zunächst als mikrofeine Polymere bezeichnete Krist.-Aggregate, die anschließend unter Anw. mechan. Kräfte desaggregiert werden. – ***E*** microcrystalline polymers – ***F*** polymères microcristallins – ***I*** polimeri microcristallini – ***S*** polímeros microcristalinos

Lit.: Battista, Microcristalline Polymer Science, New York: McGraw-Hill Book Comp. 1975 ▪ s. a. mikrokristalline Cellulose.

Mikroliter-Methode s. Mikroanalyse.

Mikrolith s. Pyrochlor.

Mikrolithotypen s. Macerale.

Mikrometer... s. Mikro...

Mikron s. Mikronen, Mikro... u. μ.

Mikronährstoffe s. Spurenelemente.

Mikronen. Bez. für nur mit dem Mikroskop wahrnehmbare *Teilchen, die etwa 1 µm (10^{-3} mm) groß sind. *Submikronen* od. *Ultramikronen* sind Teilchen von kolloider Größenordnung (zwischen 0,01 u. 1 µm, s. Kolloidchemie); sie sind nur noch im Ultramikroskop, die noch kleineren *Amikronen* (<10 nm) erst im Elektronenmikroskop nachweisbar. – ***E*** microns – ***F*** microparticules – ***I*** microni – ***S*** micronas, micropartículas

Mikronisieren. Gelegentlich u. synonym zu *Atomisierung verwendete Bez. für das *Zerkleinern von Substanzen bis zu Partikelgrößen um 1 µm (*Mikronen), z. B. bei Pigmenten u. für Sprays u. Dosieraerosole. – ***E*** micronizing – ***F*** micronisation – ***I*** micronizzazione – ***S*** micronizado

Mikroorganismen (von griech.: mikros = klein, gering). Sammelbez. für gewöhnlich mikroskop. kleine, überwiegend einzellige Organismen mit, im Gegensatz zu Tieren u. Pflanzen, relativ einfacher biolog. Differenzierung. Man unterscheidet die prokaryont. M. (s. Prokaryonten), wie *Bakterien, *Cyanobakterien, von den eukaryont. M. (s. Eukaryonten), wie Protozoen (Einzeller), *Pilzen, niederen *Algen od. auch einigen wenigen mehrzelligen Organismen. Die eukaryont. M. lassen sich häufig nur schwer von Pflanzen bzw. Tieren abgrenzen. Die Pilze, die bei oft mikroskop. kleinem Mycel sehr große Fruchtkörper bilden können, wurden inzwischen zu einem eigenen Reich zusammengefaßt. Als M. werden Pilze im allg. dann bezeichnet, wenn sie in Mycelkulturen auf *Nährmedien gehalten werden u. wachsen. Weitere Angaben s. Mikrobiologie. – ***E*** microorganisms – ***F*** microorganismes – ***I*** microorganismi – ***S*** microorganismos

Lit.: Brock, Biology of Microorganisms (8.), New Jersey: Prentice-Hall 1997 ▪ Schlegel (7.).

Mikroperlen. Mit Treibmittel gefüllte Mikrokapseln von 10–20 µm Durchmesser aus thermoplast. Kunststoff, die sich bei 120–140 °C auf das 75fache Vol. ausdehnen u. in Druckfarben u. Kunststoffen Verw. finden. – ***E*** micropearls – ***F*** microperles – ***I*** microperle – ***S*** microperlas

Mikrophasentrennung (Mikrophasenseparation). Verschiedene *Polymere sind in der Regel unverträglich. Die Folge davon ist, daß sie sich nach einer physikal. Vermischung (z. B. durch Rühren, Coextrusion) mehr od. weniger schnell wieder entmischen. Es entsteht ein heterogenes Material mit zum Teil sehr großen Bereichen aus nur dem einen od. nur dem anderen Polymer. Die Unverträglichkeit verschiedener Polymerer bleibt auch erhalten, wenn die konstitutiv unterschiedlichen Polymere als Blöcke in z. B. Di-, Tri-, Stern- od. Multiblock-*Copolymeren chem. miteinander verknüpft sind. Aufgrund der chem. Bindungen zwischen den unverträglichen Blöcken kann die Entmischung u. damit das Größenwachstum der sich trennenden Phasen nun aber nicht mehr beliebig weit voranschreiten. Vielmehr lagern sich hier nur noch mehrere gleichartige Blöcke zu sog. Domänen zusammen, deren Ausmaße von ähnlicher Größenordnung sind wie die ungestörter Polymer-Knäuel. Je nach Mengenverhältnis der Blockkomponenten werden z. B. Kugel-, Zylinder- u. lamellare Domänen gebildet, teilweise aber auch sehr viel komplexere Morphologien.

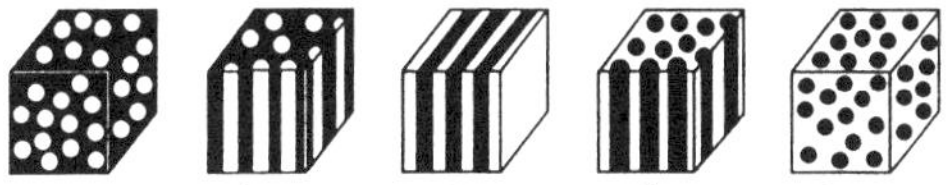

Abb.: Schemat. Darst. der Morphologie von Polymer-Mischungen od. von zweiphasigen Pfropf- bzw. Blockcopolymeren bei verschiedenen Verhältnissen X_A:X_B der Komponenten A (weiß) u. B (schwarz) nach Mikrophasentrennung; a: $X_A \ll X_B$: Polymer A als Kugeln in einer Matrix von Polymer B; b: $X_A < X_B$: Polymer A als Zylinder in einer Matrix von Polymer B; c: $X_A \approx X_B$: Polymer A u. Polymer B als Lamellen; d: $X_A > X_B$: Polymer B als Zylinder in einer Matrix von Polymer A; e: $X_A \gg X_B$: Polymer B als Kugeln in einer Matrix von Polymer A.

Da diese Phasenseparation bei Größenskalen, die der Abmessung mol. Syst. entspricht, stehenbleibt, bezeichnet man dieses Phänomen als Mikrophasenseparation. Die M. spielt eine große Rolle z. B. bei den sog. *thermoplastischen Elastomeren sowie bei der Schlagzäh-Modifizierung von Kunststoffen. – ***E*** microphase separation – ***F*** séparation en microphases – ***I*** separazione dei microfasi – ***S*** separación de microfases

Lit.: Elias (5.) **1**, 792; **2**, 63.

Mikropipette s. Pipetten.

Mikroprobe s. Mikroanalyse.

Mikroprozessor. In einem digitalen Mikrorechner bildet der M. die zentrale Prozess-Einheit (*E* central processing unit, CPU) bestehend aus einer arithmet. Logikeinheit (*E* arithmetic logic unit, ALU) u. einer Steuer- od. Kontrolleinheit (s. Abb. 1).

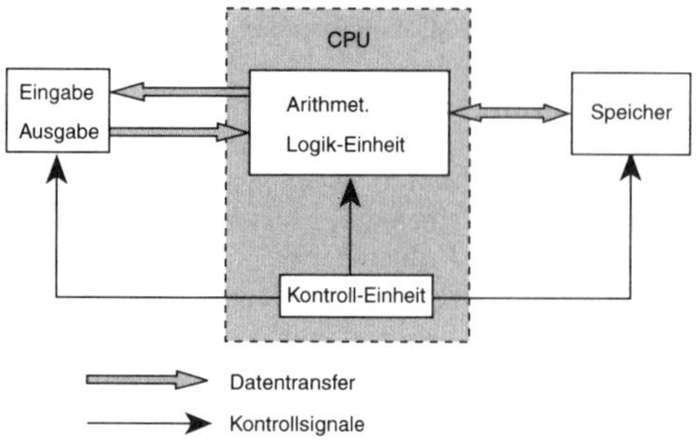

Abb. 1: Schemat. Aufbau eines digitalen Mikrorechners.

Neuere M. sind in Form eines einzigen Halbleiterbausteins (*E* single chip) realisiert, wobei ihre Leistungsfähigkeit sowie die von dynam. Speicherelementen (RAM) in den letzten Jahren jeweils innerhalb von 18 Monaten eine Verdopplung erfuhr [1].

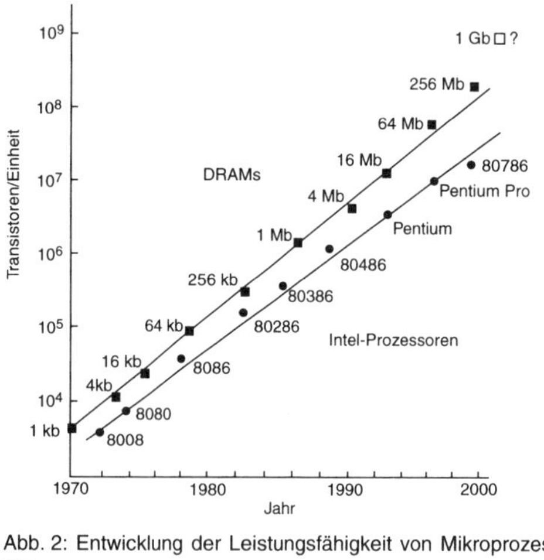

Abb. 2: Entwicklung der Leistungsfähigkeit von Mikroprozessoren.

Die Angabe „bit" steht für *E* binary digit (Binärziffer). Sie ist die kleinste digitale Informationseinheit (0 od. 1). Je größer die bit-Zahl eines M. ist, um so größer sind die digitalen Zahlen, die er arithmet. verarbeitet, d. h. seine Rechengenauigkeit ist höher. 1970 wurde von der Firma Intel ein 4-bit single chip M. (Name: 4004, 4040) eingeführt, der in den Jahren 1974–1977 auf 8 bit (8008, 8080, 8085; s. Abb. 2) erweitert wurde. Während dieser Zeit entwickelten auch andere Firmen 8-bit M. mit unterschiedlicher Architektur u. anderem Aufbau: Motorola (MC 6800), Zilog (Z-80), Mostek (6502) u. National Semiconductor (IMP 8). Ab 1979 waren 16-bit M. wie 8086, 8088, MC 68000 LSI 11 (Digital) u. TI 9900 verfügbar. Heutige 32-bit bzw. 64-bit M. bieten Rechenleistungen eines Minicomputers, wobei der gesamte Rechner nur die Größe eines Tischgerätes besitzt; *Beisp.:* AT&T (WE 32100), Intel (80386 bzw. Pentium), Motorola (6802C), National Semiconductor (NS 32332), Zilog (Z 80000) u. Advanced Micro Divices (AM 29325). Diese M. werden als CISC (*E* Complex Instruction Set Computer) bezeichnet; sie beherrschen ~250 Befehle, wobei pro ausgeführtem Befehl mehrere Takte verstreichen. Der momentane Trend (Stand: Juli 1997) in der Entwicklung geht zu RISC (*E* Reduced Instruction Set Computer)-Prozessoren, die nur bis zu 50 Befehle beherrschen; weil sie pro Takt nur einen Befehl ausführen, sind sie wesentlich schneller (*Beisp.:* Apple od. M. Alpha von DEC). Eine weitere Entwicklung geht dahin, M. zu Multiprozessor-Syst. ähnlich einem Vektor- od. Parallel-Rechner zusammenzuschalten. – ***E*** microprocessor – ***F*** microprocesseur – ***I*** microprocessore – ***S*** microprocesador

Lit.: [1] Phys. Unserer Zeit **28**, 266 (1997).
allg.: Encyclopedia of Physical Science and Technology, Vol. 10, S. 99–110, 111–122, 179–192, New York: Academic Press 1992 ▪ Rafiguzzaman, Microcomputer Theory and Applications, New York: Wiley 1982.

Mikrosäulen-Flüssigkeitschromatographie. Chromatograph. Trennverf. mit Mikrosäulen, deren Definition in der Lit. nicht einheitlich gehandhabt wird. Unter den sog. „micro-bore"-Säulen versteht man in diesem Zusammenhang Säulen mit etwa 1 mm Innendurchmesser. Die eigentlichen Mikrosäulen haben dagegen Innendurchmesser zwischen 200 u. 300 µm bei einer Länge von 1 m u. mehr. Sie sind gepackt mit den üblichen HPLC-Phasen mit 5 µm Partikeln; als Säulenmaterial verwendet man mit Vorteil das von der Kapillar-GC bekannte *Fused Silica. Derartige Säulen bieten eine hohe Trenneffizienz, erhöhtes Nachw.-Vermögen u. Vorteile durch die drastisch verringerte Flußrate (µL/min anstelle von mL/min), die als weiteren Vorteil eine Kopplung mit der Massenspektrometrie, FT-IR-Spektrometrie u. Gaschromatographie erlaubt. Herkömmliche HPLC-Anlagen können daher nicht mit Mikrosäulen benutzt werden. Sie müssen durch Miniaturisierung bezüglich Pumpe, Probenschleife u. Detektor angepaßt werden. – ***E*** microcolumn liquid-chromatography – ***F*** chromatographie liquide sur microcolonne – ***I*** cromatografia liquida su microcolonna – ***S*** cromatografía líquida en microcolumna

Lit.: Anal. Chem. **60** 500 A–510 A (1988) ▪ Ishii (Hrsg.), Introduction to Microscale High-Performance Liquid Chromatography, New York: VCH Publ. 1988 ▪ Townshend, Encyclopedia of Analytical Science, Bd. 5, S. 2607–2614, New York: Academic Press 1995.

Mikroskope. Geräte, um Gegenstände vergrößert zu beobachten od. darzustellen. Als Vergrößerungsfaktor V ist definiert: $V = \tan\varphi/\tan\varphi_0$, wobei φ der Winkel ist, unter dem das Objekt durch das M. gesehen wird u. φ_0 der entsprechende Winkel ohne M. im Abstand der deutlichen Sehweite (25 cm).

Die einfachste Version eines *opt. M.* ist das heute in Labors viel verwendete *Stereo-Auflicht-Mikroskop.* Das räumliche Bild entsteht, indem das Objekt durch zwei Okulare unter zwei verschiedenen Winkeln, typ. Differenz 10–15°, betrachtet wird. Übliche Vergrößerungsfaktoren sind 5–60. Stärkere Vergrößerungen werden mit *Tuben-M.* (*E* compound microscope) erreicht, deren Strahlengang schemat. in Abb. 1 gezeigt ist. Der Teil des Lichtes, den das Objekt innerhalb des Winkels Θ_m abstrahlt, wird von dem Objektiv gesammelt u. zu einem vergrößerten, reellen Zwischenbild vereinigt.

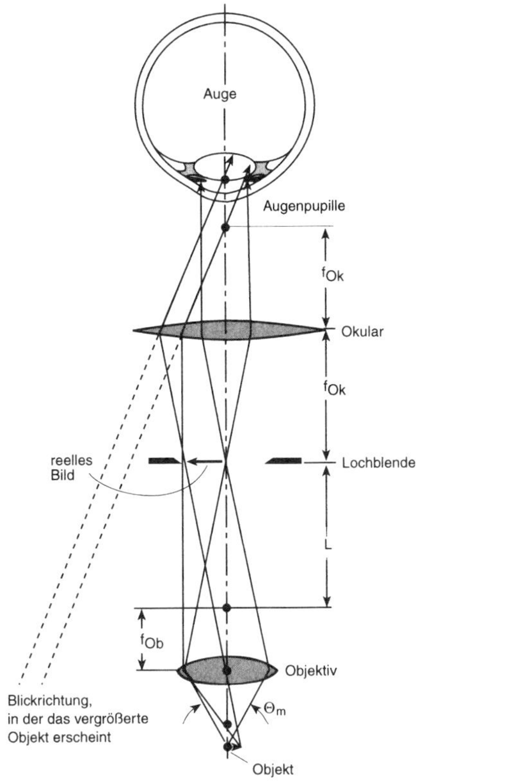

Abb. 1: Strahlengang in einem opt. Mikroskop: f_{Ok} = Brennweite des Okulars, f_{Ob} = Brennweite des Objektivs.

Dieses Zwischenbild wird durch das Okular, ähnlich wie bei einer Lupe, mit dem Auge vergrößert beobachtet. Die Gesamtvergrößerung ergibt sich als Produkt der Vergrößerung des Objektivs u. der des Okulars, wobei eine hohe Vergrößerung allein nicht entscheidend für ein gutes M. ist. Viel wichtiger ist die *Auflösungsgrenze* od. das *Auflösungsvermögen* A des M., mit der der Abstand zwischen zwei Linien angegeben wird, die noch als getrennt beobachtet werden. Die von *Ernst Abbe* formulierte *Mikroskoptheorie* besagt, daß mind. das erste Maximum der Lichtbeugung (*Beugung) an dem Objekt von dem Objektiv erfaßt werden muß, um Bildinformation über das Objekt zu vermitteln. Dies führt zur Definition der *numer. Appertur* N. A. mit $\text{N.A.} = n \cdot \sin(\Theta_m/2)$, wobei n der Brechungsindex des Mediums zwischen Objekt u. Objektiv ist. Das Auflösungsvermögen (s. *Lit.*[1]) A ist gegeben durch $A = 0{,}61 \cdot \lambda/\text{N. A.}$ (λ = Wellenlänge des verwendeten Lichtes). Um möglichst kleine Objekte auflösen zu können, sollte

a) die Wellenlänge sehr klein, d. h. blaues Licht (od. UV) ist besser als rotes Licht, u. die N. A. möglichst groß sein; dafür sollte
b) der Winkel Θ_m recht groß sein (dies erhöht auch die Lichthelligkeit u. den Kontrast des M., allerdings sind hierbei techn. Grenzen gesetzt) u.
c) der Brechungsindex n größer als der von Luft gewählt werden, z. B. durch ein Immersionsöl.

Als Anhaltspunkt gilt: Die höchste sinnvolle Vergrößerung ist rund 1000mal die N. A., d. h. ein Objektiv 95×1,3 ($\triangleq$ V=95, N. A.=1,3 $\rightarrow$ V_{max}=1300) zeigt mit einem (25×)-Okular ($\rightarrow$ V=2375) nicht mehr Details als mit einem (15×)-Okular ($\rightarrow$ V=1425). Typ. N. A.-Werte sind bei Luftspalten ≤0,8 u. bei Ölimmersion ~1,3. Prinzipiell ist das Auflösungsvermögen auf die Wellenlänge λ beschränkt. Diese Aussage gilt nicht für Nahfeldmikroskope, mit denen eine wesentlich höhere Auflösung erreicht wird; ferner kann beim Laser-Raster-Tunnelmikroskop auch $\lambda/20$ erreicht werden u. beim opt. Raster-M. 50 nm, *Lit.*[2]. Die oben beschriebene Auflösung kann allerdings nur erreicht werden, wenn keine Linsenfehler, sphär. od. chromat. Aberation, Astigmatismus od. Kissen- bzw. Tonnenverzeichnung vorliegen. Deshalb werden für Objektiv u. Okular nicht Einzellinsen sondern Linsenkombinationen verwendet[3], wobei bes. die Qualität des Objektivs entscheidend ist.

Das *Laser-Raster-M.* (*E* laser scanning microscope) ist ähnlich aufgebaut wie ein Tuben-M. Zusätzlich wird über einen Strahlteiler ein Laserstrahl eingekoppelt u. durch das Objektiv auf die Oberfläche des Objektes fokussiert. Zur Beobachtung wird der Laserfokus mittels einer x-y-Ablenkeinheit (s. Abb. 2) über die Objektoberfläche gerastert u. dabei das rückgestreute Licht gemessen.

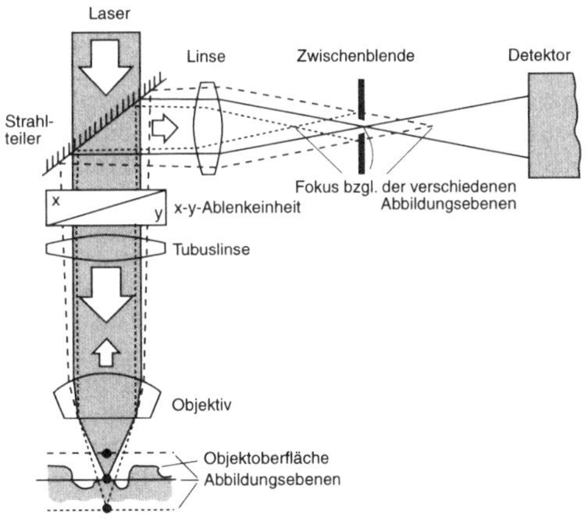

Abb. 2: Schemat. Aufbau eines Laser-Raster-Mikroskops.

Durch Einsatz einer Zwischenblende, auf die das gestreute Licht fokussiert wird, bevor es zum Detektor gelangt, wird ein hoher Tiefenkontrast erreicht; d. h. nur Licht, das aus einer bestimmten Ebene stammt, tritt mit hoher Transmission durch die Blende, während Licht von höher od. tiefer liegenden Ebenen weitgehend abgeblockt wird. Man kann so opt. Höhenschnitte der Objektoberfläche darstellen[4].

Aufgrund der kürzeren Wellenlänge von Teilchenwellen (s. Materiewellen) haben *Teilchenmikroskope* eine bessere Auflösung; Details s. Elektronen-, Ionenmikroskop u. Elektronenmikrosonde (s. Elektronenstrahl-Mikroanalyse).

Beim *Raster-Tunnelmikroskop wird eine dünne Spitze über der Probe langgeführt u. der Abstand zur Probenoberfläche durch den Tunnelstrom mit Hilfe eines Regelkreises konstant gehalten. Dieses Regelsignal, in Abhängigkeit von der Position auf der Probe dargestellt, ergibt ein Bild der Probenoberfläche mit einer Auflösung besser als ein Atom-Durchmesser. In ähnlicher Weise kann man auch die Kraft zwischen Prüfspitze u. Oberfläche zur Realisierung eines M. nutzen (s. AFM von *E* atomic force microscope). – ***E*=*F*** microscope – ***I*** microscopi – ***S*** microscopio

Lit.: [1] Born, Optik, S. 182, Berlin: Springer 1972. [2] Phys. Unserer Zeit **20**, 10 (1989); Science **241**, 25 (1988). [3] Hecht u. Zajac, Optics, Reading (Massachusetts): Addison-Wesley 1987. [4] Optik **76**, 164 (1987); Eur. J. Cell Biol. **48**, 35 (1988); LSM, Firma Zeiss, Oberkochen 1989.
allg.: Evans, Microscopy (Chemistry), Encyclopedia of Physical Science and Technology, Vol. 10, S. 193, New York: Academic Press 1992 ▪ Kirk-Othmer (4.) **16**, 651–672.

Mikroskopie. Von *Mikro... u. *...skop abgeleitete Sammelbez. für die mikroskop. Beobachtung u. die mit dieser verbundenen Hilfs- u. Ergänzungstechniken. Der Einsatz eines opt. *Mikroskopes kann durch verschiedene Techniken wie Polarisations-M., Phasenkontrast-M., Fluoreszenz-M., Interferenz-(Kontrast)M. realisiert werden. Hinzu kommen die verschiedenen Beleuchtungsarten mit Auflicht- u. Durchlichtbeleuchtung des Objekts, Dunkelfeldtechnik, Stereo-M. u. Zusatzeinrichtungen wie Mikromanipulatoren, mit denen man unter Benutzung feinster Glasfäden, -schleifen od. -kanülen bzw. in jüngster Zeit durch *optische Pinzetten Bakterien isolieren od. Zellkerne u. Chromosomen aus Zellen entfernen kann, photograph., photometr. od. mit Video-Kameras ausgerüstete Geräte, Spezialausführungen als mon- od. binokulares Mikroskop, als sog. Ultramikroskop für die *Kolloidchemie (s. a. Nephelometrie), als Heiztischmikroskop, als Präparier-, Operations- u. Metallmikroskop usw. Viele Objekte können nicht direkt betrachtet werden, sondern müssen z. B. wegen ihrer Dicke od. opt. Kontrastarmut in geeigneter Weise bearbeitet werden. Für physikal. Materialien kommen hier z. B. *Dünnschliffe u. Oberflächenätzungen in Frage. Von biolog. Objekten werden oft dünne Schnitte auf Mikrotomen (eine Art Mikrohobel) mit Schnittdicken bis zu 1 μm herab angefertigt u. mit geeigneten Farbstoffen (*Mikrofarbstoffe*) einheitlich od. differentiell gefärbt. Bei der Färbung kann man z. B. den zu färbenden Schnitt nacheinander in verschiedene Farbstoff-Lsg. tauchen (*Sukzedanfärbung*) od. einfacher u. sicherer in ein Gemisch aus mehreren Farbstoffen bringen (*Simultanfärbung*), vgl. a. Histochemie, Metachromasie u. Einzelstichwörter wie z. B. Papanicolaous Farblösung od. Pappenheim-, Feulgen-, Gram-, Giemsa-, Vitalfärbung. In bes. Fällen ist die Anw. von *Aufhellungsmitteln für Mikroskopie hilfreich, u. auch eine *Markierung mit fluoreszierenden Antikörpern u. Fluorochromen ist möglich. Die *Präparation* ähnelt der bei Elektronenmikroskopie beschriebenen, als *Einbettungsmittel wird jedoch meist Paraffin verwendet, auch Polyesterwachse u. Kanadabalsam sind geeignet.
Es gibt heute kaum einen Bereich der reinen od. angewandten Naturwissenschaft u. der Medizin, in dem nicht das eine od. andere M.-Verf. angewendet wird, z. B. in der *Mikrochemie, *Mikroanalyse, *Mikrobiologie, *Pharmakognosie, *Kunstwerkprüfung, *Forensischen Chemie, *Metallographie (Untersuchung zu *Bruchverhalten u. *Versprödung), *Textilprüfung. Neben den Lichtmikroskopen gibt es, speziell für die *Werkstoffprüfung eine Reihe anderer Mikroskope wie *Ultraschall-, Kraft- (s. AFM), *Tunnel- u. *Elektronen-Mikroskope (s. a. Kendroskopie).
Geschichte: Wahrscheinlich wurde das erste Mikroskop vor ca. 380 Jahren von holländ. Brillenschleifern gebaut. Wesentliche Verbesserungen stammen von Leeuwenhoek (1632–1723) u. insbes. von *Abbe u. Carl Zeiss (1816–1888) sowie von Siedentopf u. *Zsigmondy (Ultramikroskop). – ***E*** microscopy – ***F*** microscopie – ***I*** microscopia – ***S*** microscopía

Lit. (nur soweit von Bedeutung für Chemie u. Technik): Amelinckx, Handbook of Microscopy, Weinheim: VCH Verlagsges. 1996 ▪ Cohen u. Lightbody, Atomic Force Microscopy/Scanning Tunneling Microscopy 2, Plenum 1997 ▪ Echlin, Low-temperature Microscopy and Analysis, New York: Plenum 1992 ▪ Evans, Microscopy (Chemistry) Encyclopedia of Physical Science and Technology, Vol. 10, S. 193, New York: Academic Press 1992 ▪ Hemsley, The Light Microscopy of Synthetic Polymers, Oxford: Univ. Press 1984 ▪ Inoué u. Spring, Video Microscopy, New York: Plenum 1997 ▪ Krug u. Fritsch, Quantitative Mikroskopie, Jena: Fischer 1982 ▪ Lerner u. Trigg (Hrsg.), Encyclopedia of Physics, S. 727, Weinheim: VCH Verlagsges. 1991 ▪ Locquin u. Langeron, The Microscopy Handbook, London: Butterworth 1982 ▪ Mason, Handbook of Chemical Microscopy (2 Bd.), New York: Wiley 1983, 1984 ▪ Spektrum Wiss. **1996**, Nr. 12, 86 ▪ Svehla, Chemical Microscopy. Thermomicroscopy of Organic Compounds (Wilson-Wilson 16), Amsterdam: Elsevier 1982 ▪ Williams u. Carter, Transition Electron Microscopy, New York: Plenum 1996. – *Zeitschrift:* Journal of Computer-Assisted Microscopy, New York: Plenum (seit 1989).

Mikroskopische Reversibilität s. Reaktionen.

Mikrosmaten s. Geruch.

Mikrosomen. Von *Mikro... u. griech. soma=Körper abgeleitete Bez. für ca. 50–200 nm große (*nicht* mit *Microbodies zu verwechselnde) Bläschen, die sich beim Homogenisieren von *Leber- u. a. Zellen aus zerrissenem *endoplasmatischem Retikulum formen u. die zu dessen Untersuchung als Modellsyst. dienen. Unter den *mikrosomalen Enzymen* finden sich vermehrt *Oxidasen u. *Oxygenasen, wie *Cytochrom P-450 (mikrosomale Monooxygenase, EC 1.14.14.1), aber auch Hydrolasen wie z. B. mikrosomale Aminopeptidase (EC 3.4.11.2), u. Enzyme zur Synth. von langkettigen Fettsäuren. – ***E*** = ***F*** microsomes – ***I*** microsomi – ***S*** microsomas

Mikrosonde s. Laser-Mikrosonde.

Mikrotome s. Mikroskopie.

Mikrotron s. Teilchenbeschleuniger.

Mikrotubuli. Von *Mikro... u. latein.: tubulus = kleine Röhre abgeleitete Bez. für schlauchförmige Organellen mit einem äußeren Durchmesser von ca. 25 nm (Innendurchmesser ca. 15 nm), die in allen zellkernhaltigen pflanzlichen u. tierischen Zellen (s. die Abb. dort) vorhanden sind. Ein einzelner Mikrotubulus besteht aus 13 Protofilamenten, die zusammen die Röhrenstruktur bilden. Das Wandmaterial der M. besteht aus Dimeren von α- u. β-**Tubulin* (Sphäroprotein vom M_R 55 000), die sich bei Anwesenheit von Calcium zusammenlagern. Durch Bindung von *Nocodazol od. *Colchicin an Tubulin wird der Zusammentritt der Untereinheiten verhindert, was – da M. auch die „Spindeln" der *Mitose aufbauen – die Wirkung des Colchicins etc. als *Mitosehemmer erklären kann. Auch *Taxol, ein Alkaloid aus

*Eiben, beeinflußt die M. des Spindelapparats u. hemmt dadurch die Zellteilung. M. spielen nicht nur eine wesentliche Rolle bei der Beweglichkeit von Zellen (sie finden sich bes. reichlich in Geißeln u. Flimmerhaaren), sondern auch im Transport innerhalb der Zellen, denn sie wirken in sekretor. u. Nerven-Zellen als Gleitschienen für Bläschen, die mit Hormonen, Pigmenten u. dgl. gefüllt sind. M. zeigen eine dynam. Instabilität, d.h. sie können durch Assoziation von Tubulinmol. wachsen od. sich durch deren Dissoziation verkürzen (s.a. Mikrotubulus-assoziierte Proteine). Vielfältige Aufgaben nehmen M. wahr bei der *Konzeption u. den nachfolgenden Prozessen. Die im *Gehirn lokalisierten M. (*Neurotubuli*) sind bes. empfindlich gegen die Einwirkung von Bleialkylen, insbes. von Triethylblei. – ***E*** = ***F*** microtubules – ***I*** microtubu(o)li – ***S*** microtúbulos

Lit.: Nultsch, Allgemeine Botanik, 10. Aufl., Stuttgart: Thieme 1996 ▪ Strasburger, Lehrbuch der Botanik, 33. Aufl., Stuttgart: Fischer 1991.

Mikrotubulus-assoziierte Proteine (MAP). Proteine, die neben den *Tubulinen Bestandteile von *Mikrotubuli sind bzw. selektiv an diese binden. Man unterscheidet u.a. hochmol. Proteine (MAP 1 A, MAP 1 B, MAP 1 C, MAP 2 u. MAP 4, M_R >200000) u. die *Tau-Proteine* [1] (M_R 35000–65000), die bei der *Alzheimerschen Krankheit in Gehirn-Zellen abnorme Geflechte ausbilden [2]. Tau u. MAP 2 zeigen trotz ihrer unterschiedlichen Größe Sequenz-Übereinstimmungen. Die MAP erfüllen, soweit bekannt, z.T. strukturelle Funktionen, besitzen aber z.T. auch die Eigenschaft *molekularer Motoren, z.B. *Dynamin, *Dynein (cytoplasmat. Dynein ist MAP 1 C), *Kinesin. MAP 2 soll den Dynein-abhängigen Transport hemmen. – ***E*** microtubule-associated proteins – ***F*** protéines associées au microtubule – ***I*** proteine associate ai microtubuli – ***S*** proteínas asociadas al microtúbulo

Lit.: [1] Biochem. J. **323**, 577–591 (1997). [2] Int. Rev. Cytol. **171**, 167–224 (1997); Trends Biochem. Sci. **18**, 480–483 (1993).
allg.: Alberts et al., Molekularbiologie der Zelle, 3. Aufl., S. 959–963, Weinheim: VCH Verlagsges. 1995 ▪ Curr. Opin. Cell Biol. **7**, 72–81 (1995).

Mikroverkapselung. Bez. für die Einkapselung feindisperser flüssiger od. fester Phasen durch Umhüllung mit filmbildenden Polymeren, die sich nach Emulgierung u. *Koazervation (vgl. a. Kolloidchemie) od. Grenzflächenpolymerisation auf dem einzuhüllenden Material niederschlagen. Die mikroskop. kleinen *Kapseln (*Mikrokapseln*, manchmal spricht man sogar von *Nanoverkapselung* zu *Nanokapseln*) lassen sich wie Pulver trocknen. Auf diese Weise können z.B. Benzin, Wasser, Alkohol, Pharmazeutika, Lsm., Vitamine, Enzyme, flüssige Krist., Lebensmittelaromen u. Parfüms in eine Trockenmasse umgewandelt werden, die nicht eintrocknen kann u. deren Inhalt bei Bedarf durch therm., mechan., chem. od. enzymat. Einwirkung wieder frei (flüssig) wird. Näheres zu Herst. u. Eigenschaften von Mikrokapseln s. *Lit.* [1].

Verw.: Z.B. für Farbträger in der Beschichtung von *Durchschreibepapieren, für Parfümpulver, die erst beim Verreiben auf der Haut ihren Duft verströmen, für Arzneimittelpulver mit verderblichen Drogen od. für *Depot-Präparate, für Klebstoffpulver, die unter Druck klebwirksam werden, für Düngemittel, Insektizide, Herbizide u.a. Pestizide, die als Mikrokapseln in der Handhabung bequemer, weniger giftig u. länger wirksam sind. – ***E*** = ***F*** microencapsulation – ***I*** microincapsulamento, microincapsulazione – ***S*** microencapsulación

Lit.: [1] Ullmann (4.) **16**, 675–682; (5.) **A 16**, 575–588.
allg.: Encycl. Polym. Sci. Eng. **9**, 724–745 ▪ Kirk-Othmer (4.) **16**, 628–651 ▪ s.a. Depot-Präparate u. Kapseln.

Mikrovilli (Mikrozotten; von griech.: mikros = klein u. latein.: villus = Zotte). Ausstülpungen der Zellmembran (s. die Abb. bei Zellen) von etwa 0,1 µm Durchmesser, die der Vergrößerung der Zell-Oberfläche u. dadurch der Resorption dienen, z.B. in den *Nieren-Tubuli u. im *Darm-Epithel (50 Mio. M./cm^2; Oberflächen-Vergrößerung ca. 50fach), wo sie den *Bürstensaum* (*E* brush border) bilden. Die Form der M. wird durch *Mikrofilamente stabilisiert. – ***E*** = ***F*** = ***I*** = ***S*** microvilli

Lit.: Alberts et al., Molekularbiologie der Zelle, 3. Aufl., S. 994 f., Weinheim VCH Verlagsges. 1995 ▪ Curr. Biol. **5**, 591 ff. (1995) ▪ Lentze et al., Mammalian Brush Border Membrane Proteins II, Stuttgart: Thieme 1994.

Mikrowachs (Microwachs). Wachsprodukt aus dem in Rohöl-Lagertanks u. in Ölleitungen sich absetzenden, in Schmieröl-Dest. u. in Dest.-Rückständen schwerer Erdöle enthaltenen Mineralwachs, welches entölt u. durch Behandlung mit Schwefelsäure, Aluminiumchlorid od. Bleicherde aufgehellt wird. Im Gegensatz zu grobkrist. Handelsparaffin weist M. eine sehr feine Kristallstruktur auf; es wird daher gelegentlich auch als mikrokrist. *Paraffin (*Mikroparaffin*), *Ceresin, Hartpetrolatum bezeichnet u. ist in seinen Eigenschaften dem *Ozokerit ähnlich. Die Farbe variiert von Schwarzbraun über Gelb bis Weiß, die Konsistenz von klebrig, weichplast. bis hart, der Schmp. liegt zwischen 60 u. 90 °C.

Verw.: In Mischung mit gewöhnlichem Paraffin, Wachsen u. dgl. zur wasserabweisenden Imprägnierung von Papier, Pappe, Textilwaren, Leder, Holz-, Korkplatten, in Bautenschutzmitteln, Schuhcremes, Bohnermassen, Kerzen usw. – ***E*** microcrystalline wax, microwax – ***F*** cire microcristalline – ***I*** cera microcristallina, microcera – ***S*** cera microcristalina

Lit.: Encycl. Polym. Sci. Eng. **17**, 788 ▪ Kirk-Othmer (3.) **24**, 473–476 ▪ Ullmann (4.) **24**, 30–34; (5.) **A 28**, 138–143. – *[HS 2712 90]*

Mikrowellen. Sammelbegriff für elektromagnet. Strahlung im Frequenzbereich 300 MHz–300 GHz; sie liegen zwischen dem Hochfrequenzbereich (30 kHz–300 MHz) u. der *Infrarotstrahlung u. werden wie folgt unterteilt.

Tab.: Unterteilung der Mikrowellen nach dem Wellenlängen- u. Frequenzbereich.

	Wellenlänge	Frequenz
Dezimeterwellen	1 m–10 cm	300 MHz– 3 GHz
Centimeterwellen	10 cm–1 cm	3 GHz– 30 GHz
Millimeterwellen	1 cm–1 mm	30 GHz–300 GHz

Die Intensität natürlicher M.-Strahlung rührt von natürlichen Entladungen (Gewitter) u. von der Wärmestrahlung her. Das Maximum der Wärmestrahlung von Körpern liegt bei Zimmertemp. im IR-Bereich (s. Wien-Gesetz); da die gesamte abgestrahlte Leistung proportional zu T^4 (T = abs. Temp., s. Stefan-Boltzmann-Gesetz) ist, werden auch im M.-Bereich merkliche Leistungen abgestrahlt. Typ. Intensitäten sind im Bereich einiger 100 nW/cm². Bei den techn. Strahlungsquellen unterscheidet man zwischen offenen u. geschlossenen Strahlern.

a) *Offene Strahlungsquellen:* Hierzu zählen Rundfunksender (UKW-Bereich: 80–100 MHz), die bei Sendeleistungen von 100 kW in 100 m Entfernung noch Intensitäten von 1,5 mW/cm² erzeugen, sowie Fernsehsender (50–800 MHz), deren Intensität bei 1000 kW in 100 m noch rund 0,8 mW/cm² beträgt. Ferner werden Sender für Postrichtfunk (~30 μW/cm²) u. Satellitenfunk (0,8 mW/cm²) eingesetzt. Ist man an den auf Menschen einwirkenden Feldern interessiert, so sind private Handfunkgeräte (CB-Funk) weit gravierender. Bei einer Sendeleistung von 4 W wurden am Kopf Intensitäten von 250 mW/cm² gemessen. Bei Verw. eines (illegalen) Nachverstärkers (100 W) sind Intensitäten von über 600 mW/cm² möglich. Beim Verkehrsradar, dessen Frequenzbereich von 9 bis 35 GHz reicht, werden an der Antennenoberfläche 0,17 bis 0,4 mW/cm² erreicht. Die Strahlung hat aber nur eine Reichweite von 40 m, so daß bei 5 m Abstand nur noch Intensitäten von 1,6–7,2 μW/cm² existieren. Flugsicherungsradar arbeitet im Impulsbetrieb (100 kW Pulse, Pulsdauer: 0,1–50 μs, Wiederholfrequenz 0,1–4 kHz). Da ferner der Sender rotiert, werden in 10 m Entfernung trotz hoher Spitzenintensitäten von ≥10 W/cm², räumlich u. zeitlich gemittelte Werte von 10 μW/cm² ermittelt. Die leistungsstärksten Radaranlagen, die in der Weltraumforschung für Satellitenleitsyst. eingesetzt werden, können bei Sendeleistungen von 3000 GW in 1 km Entfernung noch Intensitäten von ≥30 mW/cm² erzeugen. Schiffradar für Hochseeschiffe hat recht hohe Intensitäten, während bei der Binnenschiffahrt vor der Antenne ~10 mW/cm² erreicht wird. Die Werte für militär. Anlagen können sehr hoch sein. Auch von Hochspannungsleitungen werden durch Funkenentladung (Coronaentladung) M. abgestrahlt. Bei einer 400 kV Wechselspannungsleitung werden bei einer Frequenz von 500 kHz in 20 m Enfernung elektr. Feldstärken von 1 mV/m gemessen, was einer Strahlungsintensität von ~$3 \cdot 10^{-16}$ W/cm² entspricht. Diese bei Regen gemessene Feldstärke kann bei schönem Wetter um einen Faktor 60 niedriger sein.

M. werden in der Medizin zur Wärmeanw. eingesetzt; die Frequenzen betragen hier 27,12 MHz (Kurzwelle) u. 2,45 GHz (M.). Die typ. Intensitäten sind einige 100 mW/cm², aber auch in 50 cm Entfernung zu den Kabeln können noch Feldstärken bis zu 300 V/m auftreten (≙25 mW/cm²).

b) *Geschlossene Strahlungsquellen* werden in der Metallverarbeitung zum Oberflächentiefenhärten, Sintern keram. Werkstoffe [1], Schweißen, Schmelzen, Löten, Tempern u. Aufschrumpfen eingesetzt. Obwohl die M.-Strahlung vorrangig in einem umschlossenen Raum erzeugt wird, werden außen Intensitäten von 100 mW/cm² oft überschritten. Beim Hochfrequenz-Schweißen (27,12 MHz) wurden in 30 cm Entfernung 30 mW/cm² gemessen.

M. werden ferner zur Erwärmung von Speisen u. Lebensmitteln im privaten u. gastronom. Bereich eingesetzt (s. Mikrowellenerhitzung), sowie in der Lebensmittel-Ind. zum Trocknen z. B. von Kartoffelchips u. Nudeln, zum Konditionieren von Mehl, zum Rösten von Nüssen u. zum Pasteurisieren. Die Kunststoff-Ind. verwendet sie beim Strangpreßverf., zum Schweißen von Folien u. Aushärten von Epoxidharzen, ferner die holzverarbeitende Ind. zum Trocknen von Hölzern u. Erwärmen von Leimfugen, sowie die Landwirtschaft zum Trocknen von Getreide. Die Leistung von Ind.-Öfen reicht oft bis 150 kW, die von M.-Herden von 300 bis 1300 W. Die Grenzwerte für die Abstrahlung sind auf 5 mW/cm² in 5 cm Entfernung festgelegt. Während neuere Geräte diese Grenzwerte fast immer unterschreiten, kann bei älteren Geräten (die Lebensdauer des strahlungserzeugenden Magnetrons beträgt bis zu 30 Jahren) der Türkontakt abnutzen (bei 11% einer Testreihe wurden 17 mW/cm² gemessen). Bes. hoch ist die Leckrate, wenn es möglich ist, die Tür einen Spalt zu öffnen, ohne den Türkontakt zu unterbrechen (bis zu 75 mW/cm²).

Bei der Erwärmung von Gewebe ist die *spezif. Absorptionsrate* (SAR) zu berücksichtigen; sie wird durch die Wellenlänge der Strahlung u. den Wassergehalt des Gewebes bestimmt. Entsprechend unterschiedlich ist auch die Eindringtiefe in Gewebe, z. B. bei 2,45 GHz (M.-Herd) ~7 mm in Muskelgewebe u. ~40 mm in Fett. Die Gefahren durch M. für die menschliche Gesundheit sind überwiegend im Aufheizen von Gewebe begründet, wobei zu beachten ist, daß die körpereigene Temp.-Regelung auf die Art der Erwärmung nicht richtig reagieren kann. Bei konventioneller Erwärmung besteht ein Temp.-Gefälle zwischen Körperoberfläche u. Innerem. Nach Erwärmung der Haut, was Rezeptoren bemerken, wird die Wärme durch Wärmeleitung in das Körperinnere geleitet, wobei genügend Zeit bleibt, damit die Temp.-Regelung reagiert. Bei M.-Erwärmung wird das Körpergewebe direkt erwärmt, die wasserarme Haut aber wesentlich geringer, weshalb das körpereigene Vorwarnsyst. nicht reagieren kann. Bes. gefährdet sind die Augenlinsen (da sie aufgrund der geringen Durchblutung nur schlecht gekühlt werden können), die männlichen Keimzellen u. das Kreislaufsystem. Außerdem kann es zu Störungen von Herzschrittmachern kommen. Bereits ein Aufenthalt von wenigen Minuten bei einer Ganzkörperbestrahlung von mehreren 100 mW/cm² führt zu einer starken Erhöhung des Risikos von Arteriosklerose u. Infarkten. Somit gelten in vielen Ländern Grenz- bzw. Richtwerte; in der Bundesrepublik 0,2 mW/cm² für die Allgemeinbevölkerung u. 1 mW/cm² für beruflich exponierte Personen (in Rußland lauten die entsprechenden Werte: 1 μW/cm² u. 10 μW/cm²). M. werden durch Laufzeitröhren, *Klystrons, *Maser u. Gunn-Dioden erzeugt. – ***E*** micro waves – ***F*** micro-ondes – ***I*** microonde – ***S*** microondas

Lit.: [1] Phys. Unserer Zeit **26**, 117 (1995).

allg.: Berger, Microwave Communications, Encyclopedia of Physical Science and Technology, Vol. 10, S. 205–230, New York: Academic Press 1992 ▪ Effects of Microwave Radiation on the Lens of the Eye, Washington: Nat. Acad. Press 1981 ▪ Grandolfo et al., Biological Effects and Dosimetry of Nonionizing Radiation, New York: Plenum 1982 ▪ Int. Lab. **13**, Nr. 8, 36–46 (1983) ▪ Kirk-Othmer (4.) **16**, 672–700 ▪ Leitgeb, Strahlen, Wellen, Felder: Ursachen und Auswirkungen auf Umwelt und Gesundheit, Stuttgart: Thieme 1990 ▪ Lerner u. Trigg (Hrsg.), Encyclopedia of Physics, S. 731, Weinheim: VCH Verlagsges. 1991 ▪ Shen, High-Temperature Superconducting Microwave Circuits, London: Artech 1994 ▪ Sodha u. Srivastava, Microwave Propagation in Ferrimagnetics, New York: Plenum 1981 ▪ Thurey, Les micro-ondes et leurs effets sur la matière, Paris: Techn. & Doc. 1983 ▪ Thuery, Microwaves, Industrial, Scientific and Medical Application, London: Artech 1992 ▪ Umschau **82**, 590–594 (1982). – *Zeitschriften u. Serien:* Infrared and Millimeter Waves, New York: Academic Press (seit 1979) ▪ International Journal of Infrared and Millimeter Waves, New York: Plenum (seit 1980) ▪ Reviews of Infrared and Millimeter Waves, New York: Plenum (seit 1983) ▪ s. a. Mikrowellen-Spektroskopie, Strahlung.

Mikrowellenerhitzung. Der Einsatz von Mikrowellen in der Lebensmittelbe- u. -verarbeitung, v. a. im Haushaltsbereich, nimmt stetig zu. Hauptanw. der M. im Haushaltsbereich ist die Erhitzung von Lebensmitteln, während im industriellen Bereich das Auftauen, Trocknen, *Pasteurisieren u. Schmelzen im Vordergrund steht[1,2]. In der Analytik wird das Trocknen u. Aufschließen von Probematerialien immer wichtiger.
Die Wärmeerzeugung durch Mikrowellen in Lebensmitteln ist auf eine Anregung von Mol. mit polarer Struktur (*Dipole) zurückzuführen. Die Erhitzung des Garguts bis ins Innere beruht auf Wärmeleitung, da die Mikrowellen nur bis zu einer bestimmten Tiefe in das Lebensmittel eindringen. Problemat. ist häufig die ungleiche Wärmeerzeugung im Gargut (*E* hot spots), die sowohl auf der Inhomogenität des Mikrowellenfeldes als auch auf der inhomogenen chem. Zusammensetzung des Lebensmittels beruhen kann. Dies ist insbes. bei der Zubereitung von Säuglingsnahrung zu beachten. Die M. hat nach heutiger Erkenntnis keine neg. Auswirkungen, die den Konsumenten in irgendeiner Weise schädigen[3]. Dies betrifft auch die von Mikrowellenöfen ausgehende Leckstrahlung, sofern die Höchstwerte nach DIN (s. Mikrowelle) nicht überschritten werden. Berichte, wonach es durch M. zu einer Isomerisierung von Aminosäuren (Prolin, Hydroxyprolin) kommen solle, haben sich als nicht zutreffend erwiesen[4–6].
Tier. Lebensmittel werden durch M. genauso verändert wie durch konventionelle Erhitzungsverfahren. Die sensor. Eigenschaften sind allerdings weniger überzeugend[6]. Spezif. Nachteile, die bei der M. pflanzlicher Lebensmittel auftreten[1], können bei sachgemäßer Anw. minimiert werden, so daß die Vorteile der M. hinsichtlich Nährwertveränderungen voll zum Tragen kommen[2]. Krit. muß die M. im Zusammenhang mit mikrobiolog. Veränderungen betrachtet werden, da die Keimabtötungsraten geringer als bei konventionellen Erhitzungsverf. sind[7–9]. Einen Ausweg bieten Kombinationsgeräte, bei denen Heißluft zugeschaltet werden kann. Dies hat auch pos. Effekte auf die sensor. Akzeptanz des Garguts. Insbes. der Gehalt an Kochsalz hat einen Einfluß auf die Mikrobiologie von mikrowellenerhitzten Produkten[10–12].
Die M. hat keine bedeutenden Einflüsse auf die Migrationsraten aus Koch- u. Bratfolien (Polyterephthalsäureester), so daß diese als mikrowellentauglich einzustufen sind[13]. Zur Sicherheit von Kunststoffverpackungen, die dazu bestimmt sind, mit dem abgepackten Lebensmittel im Mikrowellenofen erhitzt zu werden s. *Lit.*[14]. Die Bildungsraten flüchtiger *Nitrosamine (z. B. *NDMA) während der M. von gepökeltem Schinkenspeck (engl.: bacon) sind im Vgl. zur konventionellen Erhitzung niedriger[15]. Den Einfluß von Mikrowellen auf die Keimbelastung von Gewürzen beschreibt *Lit.*[16]. – ***E*** microwave heating – ***F*** caléfaction par microondes – ***I*** riscaldamento a microonde – ***S*** calentamiento por microondas

Lit.: [1] Int. Z. Lebensm. Technol. Verfahrenstechnik **37**, 12–19 (1986). [2] Int. Z. Lebensm. Technol. Verfahrenstechnik **37**, 392–399 (1986). [3] Food Chem. Toxicol. **33**, 245–256 (1995). [4] J. Agric. Food Chem. **39**, 1857–1859 (1991). [5] Bundesgesundheitsblatt. **35**, 463 f. (1992). [6] Ernährungsumsch. **38**, 275–278 (1991). [7] Bundesgesundheitsblatt **28**, 39–50 (1985). [8] J. Agric. Food Chem. **36**, 360–362 (1988). [9] Bundesgesundheitsblatt **32**, 47–53 (1989). [10] Bundesgesundheitsblatt **34**, 361–363 (1991). [11] J. Food Protect. **57**, 1025–1037 (1994). [12] Mitt. Geb. Lebensmittelunters. Hyg. **86**, 128–139 u. 140–156 (1995). [13] Dtsch. Lebensm. Rundsch. **85**, 213–216 (1989). [14] Food Technol. **43**, 110–118 (1989). [15] Food Chem. Toxicol. **27**, 295–299 (1989). [16] Fleischwirtschaft **65**, 713–718 (1985).
allg.: Decareau, Engineering microwave processing, Weinheim: Verl. Chemie 1986 ▪ Food Technol. **43**, 117–126 (1989); **46**, 118–123 (9) u. 50–57 (12) (1992) ▪ Potter, Food Science (4.), Westport: AVI Publishing Company, Inc. 1986 ▪ Ullmann (4.) **2**, 390; (5.) **A 4**, 376 f.

Mikrowellenspektren. Spektren von Mol., die im Mikrowellenbereich aufgenommen werden u. im allg. durch Rotationsübergänge verursacht werden; Näheres s. Mikrowellen-Spektroskopie. – ***E*** microwave spectra – ***F*** spectres en microondes – ***I*** spettri di microonde – ***S*** espectros de microondas

Mikrowellen-Spektroskopie (Hochfrequenzspektroskopie). Der Bereich der Mikrowellen schließt sich im Spektrum der elektromagnet. Strahlung an das FIR-Gebiet (s. IR-Spektroskopie) an (vgl. Abb. 1 bei Spektroskopie). Die Absorption von *Mikrowellen führt zur Anregung von *Rotationen. Bei der M.-S. wird die Strahlung im Normalfall von der Strahlungsquelle bis zum Empfänger (meist ein Kristallgleichrichter) in metall. Hohlleitern geführt; als Absorptionszelle dient ein durch Glimmerfenster vakuumdicht abgeschlossener Hohlleiterabschnitt. Gegenstand von Untersuchungen durch die M.-S. bilden u. a. die **Hyperfeinstruktur* u. die *Feinstruktur* von Atomen, die Verschiebung von atomaren Energieniveaus durch äußere magnet. u. elektr. Felder (*Zeeman- u. *Stark-Effekt), vgl. a. EPR-Spektroskopie. Ihre breiteste Anw. findet die M.-S. in der *Molekülstruktur*-Untersuchung durch Bestimmung kleinster Energiedifferenzen von Mol. u. Kristallgittern. Bei Substanzen, deren Mol. ein permanentes *Dipolmoment besitzen, lassen sich aus den in Absorption aufgenommenen *Rotationsspektren (deren Frequenzen in den typ. Mikrowellenbereich fallen) die Energiestufen bestimmen, die durch die verschiedenen Rotationsmöglichkeiten der Gesamtmol. um eine ihrer Achsen zustande kommen, s. Molekülspektren u. *Lit.*[1]. Weiter lassen sich die Komponenten der permanenten elektr. Dipolmomente bezüglich der Hauptträgheitsachsen aus dem *Stark-Effekt mit der Genauigkeit von fast 10^{-3} Debye ermitteln u. auch Kernquadrupolkopplungskonstanten lassen sich aus Mikrowellenspektren bestimmen[1]. Für den Einsatz in der Lebensmittel-Ind. (Kontrolle von Mehrwegflaschen) wurde ein spezieller Ammoniak-Detektor mit einer Nachweisempfindlichkeit im ppm-Bereich entwickelt[2]. Die Analyse der an verd. Gasen bei Drücken unter 1 mbar erhaltenen Spektren (z. B. von interstellaren Mol.) liefert die Trägheitsmomente der Mol., aus denen sich mit den bekannten Isotopenmassen Atomabstände (s. Kernabstand) u. Bindungswinkel (mit extremer Genauigkeit, Fehlergrenze bis 10^{-9}) berechnen lassen. Zur Auswertung der Spektren läßt sich die *Fourier-Transformation heranziehen. Weitere Anw.-Möglichkeiten für die M.-S. ergeben sich in der dielektr. Spektroskopie, Zyclotronresonanz, Debye-Relaxation u. Phononen-Absorption. Zur Geschichte der 1934 von Cleeton u. Williams entdeckten u. 1946 unabhängig von den Engländern Bleaney u. Penrose u. den Amerikanern Good u. *Townes entwickelten M.-S., s. *Lit.*[1]. – ***E*** microwave spectroscopy – ***F*** spectroscopie aux microondes – ***I*** spettroscopia delle microonde – ***S*** espectroscopia de microondas

Lit.: [1] Encyclopedia of Physical Science and Technology, Vol. 8, S. 496, New York: Academic Press 1987. [2] Phys. Unserer Zeit **27**, 275 (1996).
allg.: Annu. Rev. Phys. Chem. **29**, 537 ff. (1978); **34**, 275–301 (1983) ▪ Christen u. Oberhammer, Determination of Molecular Structure by Microwave Spectroscopy and Electron Diffraction, Amsterdam: Elsevier 1983 ▪ Gordy u. Cook, in Weissberger, Microwave Molecular Spectra, (Techn. Chem. 18), New York: Wiley Interscience 1984 ▪ Landolt-Börnstein NS 2/4, 6, 14a, 14b ▪ Lerner u. Trigg (Hrsg.), Encyclopedia of Physics, S. 729, Weinheim: VCH Verlagsges. 1991 ▪ Pure Appl. Chem. **50**, 1239–1250 (1978) ▪ Top. Current Chem. **120**, 85–113 (1984) ▪ Townes u. Schawlow, Microwave Spectroscopy, New York: Dover 1975 ▪ Ullmann (4.) **5**, 373–380.

Mikrozotten s. Mikrovilli.

Miktion s. Harn.

Milarit. $(K,Na)Ca_2[(Be_2Al)Si_{12}O_{30}] \cdot x\,H_2O$ (x ≈ 0,75); nach *Lit.*[1] zu den Gerüst-*Silicaten gehörendes hexagonales Mineral, Kristallklasse 6/mmm-D_{6h}; Struktur[1–4] mit Doppelsechsringen $[Si_{12}O_{30}]^{12-}$ aus $[SiO_4]$-Tetraedern (daher auch zu den Cyclo-Silicaten gerechnet) u. Al u. Be ebenfalls in tetraedr. Koordination; die M.-Struktur ist Prototyp für eine Anzahl von Mineralien (vgl. *Lit.*[1]), z. B. *Osumilith u. der erst seit kurzem auf dem Markt befindliche violette Schmuckstein *Sugilith*, $Na_2K(Fe^{3+},Mn^{3+},Al)_2Li_3[Si_{12}O_{30}]$ (Hauptvork.: Südafrika; Struktur s. *Lit.*[5]; Farbursachen s. *Lit.*[6]). M. bildet meist kleine, farblose, blaßgelbe od. blaßgrüne hexagonale prismat. bis nadelige Krist. sowie radialfaserige Aggregate; H. 5,5–6, D. 2,5–2,6. M. kann Yttrium u. Seltenerdelemente (SEE) enthalten [über die Substitution (Y,SEE) + Be ↔ Ca + Al].

Vork.: Bei niedrigen Temp. (<300 °C) u. Drücken aus alkal. Lsg. hydrothermal gebildet; z. B. in *Graniten (u. a. Kasachstan, New Hampshire/USA), in *Pegmatiten (z. B. Tittling/Bayer. Wald, Strzegom/Polen) u. auf alpinen Klüften (z. B. Schweiz, Österreich, Südtirol). – ***E = F = I*** milarite – ***S*** milarita

Lit.: [1] Am. Mineral. **76**, 1836–1856 (1991). [2] Can. Mineral. **18**, 41–57 (1980). [3] Eur. J. Mineral. **1**, 353–362 (1989). [4] Neues Jahrb. Mineral., Monatsh. **1996**, Nr. 12, 564–576. [5] Am. Mineral. **73**, 595–600 (1988). [6] Mineral. Mag. **58**, 681–685 (1994).
allg.: Anthony et al., Handbook of Mineralogy, Vol. II, Tl. 2, S. 541, Tucson (Arizona): Mineral Data Publ. 1995 ▪ Lapis **4**, Nr. 9, 8 f. (1979) („Steckbrief") ▪ s. a. Osumilith. – *[CAS 12251-59-1]*

Milbemectin. Common name für ein 7:2-Gemisch von Milbemycin A_3 u. A_4. *M. A_3:* $C_{31}H_{44}O_7$, M_R 528,7; *M. A_4:* $C_{32}H_{46}O_7$, M_R 542,7; von Sankyo entwickeltes *Akarizid gegen Spinnmilben im Obstbau. – ***E*** milbemectin – ***F*** milbémectine – ***I*** milbemectina – ***S*** milbemectín

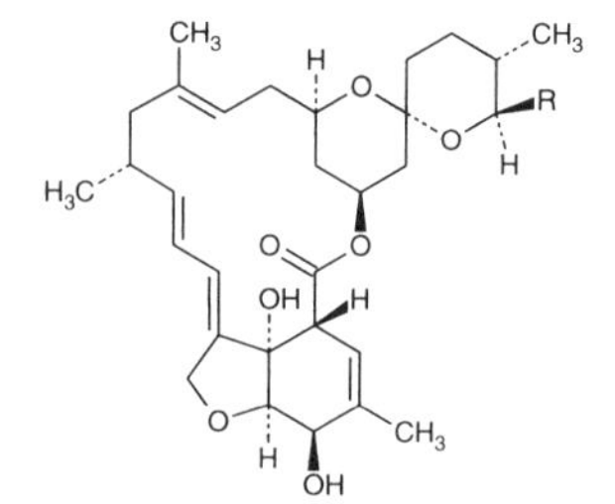

R = CH_3 : Milbemycin A_3
R = C_2H_5 : Milbemycin A_4

Lit.: Pesticide Manual. – *[CAS 51596-10-2 (A_3); 51596-11-3 (A_4)]*

Milbemycine.

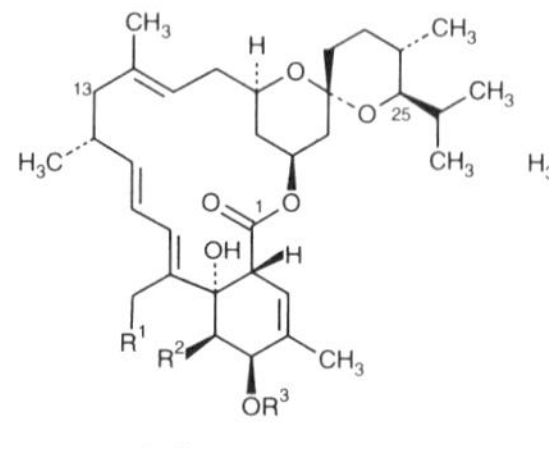

M. D : R^1, R^2 = —O—, R^3 = H
M. E : R^1 = OH, R^2 = H, R^3 = CH_3

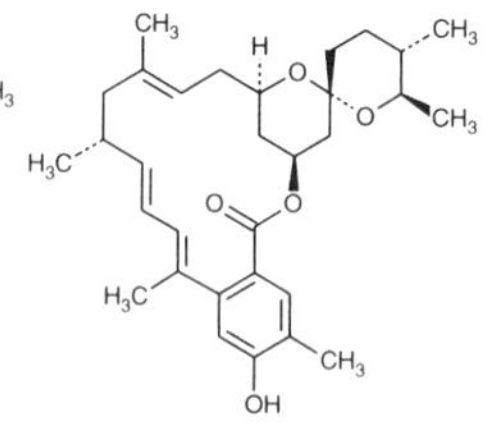

M. β_3

Gruppe von *Makrolid-Antibiotika aus *Streptomyces hygroscopicus* var. *aureolacrimosus* mit antiparasitärer, insektizider u. akarizider Wirkung. Gemeinsame Strukturmerkmale sind ein unterschiedlich substituierter sechzehngliedriger Lacton-Ring sowie eine Spiroketal-Einheit. Die M. sind strukturell u. hinsichtlich ihrer Wirkung eng verwandt mit den *Avermectinen, die am *C*-Atom 13 eine zusätzliche α-L-Oleandrosyl-α-L-oleandrosyloxy-Gruppierung tragen. Beispielhaft für diese Substanzklasse sind *M. D* ($C_{33}H_{48}O_7$, M_R 556,74, Nadeln, Schmp. 186–188 °C), *M. E* ($C_{34}H_{52}O_7$, M_R 572,78, amorph) u. *M. β_3*[1] ($C_{31}H_{42}O_5$, M_R 494,67). – ***E*** milbemycins – ***F*** milbémycines – ***I*** milbemicine – ***S*** milbemicinas

Lit.: [1] Synform **4**, 1–25, 26–33 (1986); J. Org. Chem. **51**, 4840 (1986).
allg.: Nat. Prod. Rep. **3**, 87–121 (1986) ▪ Sax (8.), S. 2424 ▪ Stud. Nat. Prod. Chem. **1**, 435–496 (1988). – *Biosnth./Biokonversion:* J. Antibiot. **48**, 831–837 (1995). – *Isolierung:* J. Antibiot. (Tokio) **36**, 438, 502, 509, 980, 991 (1983); **49**, 272 (1996). – *Synth.:* ACS Symp. Ser. **355**, 251–259 (1987); **443** (Synth. Chem. Agrochem. II), 436–447 (1991); **504** (Synth. Chem. Agrochem. III), 226–238 (1992) ▪ J. Am. Chem. Soc. **118**, 7513–7528 (1996) ((+)-M.) ▪ J. Chem. Soc., Chem. Commun. **1995**, 2519 ▪ Nachr. Chem. Tech. Lab. **34**, 444–449 (1986) ▪ Reissig, Milbemycin β_3, in Org. Synth. Highlights, Weinheim: VCH Verlagsges. 1991 ▪ Spec. Publ. – Royal Soc. Chem. Ser. **79**, 69–89, 99–124 (1990) ▪ Synform **7**, 49–96 (1989); **8**, 276–284 (1990) ▪ Tetrahedron **45**, 7161–7194 (1989). – *[HS 2941 90; CAS 77855-81-3 (M. D); 83204-48-2 (M. E); 56198-39-1 (M. β_3)]*

Milben. Sehr kleine (0,1–7 mm) Spinnentiere (Ordnung Acari; über 30 000 Arten), die auf Pflanzen, Geflügel, Bienen, Menschen u. Säugetieren als *Parasiten leben u. z. B. die Ursache der *Krätze* (scabies) beim Menschen bzw. der *Räude* bei Tieren sind. Es kommt dabei zu starkem *Juckreiz u. Hautausschlag, hervorgerufen durch die in die Haut eingegrabenen M. bzw. deren Ausscheidungsprodukte. Die Hausstaub-M. verursachen bei entsprechend sensibilisierten Personen *Allergien, bes. *Asthma. Ebenfalls zu den M. zählen *Zecken* (Holzbock), die in manchen Gegenden Überträger einer gefährlichen Gehirnhautentzündung sind. Diese, wie auch andere Weibchen blutsaugender Arten, können im vollgesogenen Zustand 1 cm u. mehr erreichen. Ein bekannter Pflanzenschädling im Obst-, Wein- u. Hopfenbau ist die *Spinnmilbe*. Der M.-Bekämpfung dienen *Akarizide (auch *Mitizide* genannt), der Behandlung der Krätze die *Antiscabiosa. Fossile M. sind bereits aus dem Devon bekannt. Unter den Spinnentieren sind die M. die einzige Gruppe, die in Morphologie, Lebensweise u. Verhalten eine immense Mannigfaltigkeit entwickelt hat. So sind viele Gruppen von der charakterist. räuber. Ernährung weg zu Pflanzenfressern, Detritusfressern, Tier- u. Pflanzenparasiten geworden. M. sind die einzige Spinnengruppe, aus der sekundär wieder wasserlebende Vertreter im großen Stil hervorgegangen sind. – ***E*** = ***F*** mites – ***I*** acari – ***S*** ácaros

Lit.: Foelix, Biologie der Spinnen, 2. Aufl., Stuttgart: Thieme 1992 ▪ Jones, Der Kosmos-Spinnenführer (4.), Stuttgart: Franckh 1990 ▪ Stern u. Kullmann, Leben am seidenen Faden, Stuttgart: Franckh-Kosmos 1996.

Milch. Weiße, undurchsichtige Flüssigkeit, die unter bestimmten Voraussetzungen aus den Milchdrüsen der weiblichen Säugetiere sezerniert wird u. die zur Aufzucht der Jungen dient. Die M.-Produktion (Laktation) wird hormonell gesteuert u. beginnt, wenn nach der Geburt das *Prolactin, unterstützt vom sekretionsfördernden *Oxytocin, wirksam wird. In den ersten Tagen nach der Geburt wird statt der „reifen" M. eine milchähnliche, aber in der Zusammensetzung erheblich abweichende Flüssigkeit (Kolostrum) abgeschieden. Beim Menschen enthält das Kolostrum im Vgl. zu *Humanmilch *Orotsäure u. etwa die doppelte Protein-Menge (bes. *Immunglobuline), gleicht sich aber in wenigen Tagen deren Zusammensetzung an. Als M. bezeichnet man ferner wegen ihres Aussehens sowohl die Samenflüssigkeit männlicher Fische als auch bestimmte Pflanzenexsudate; *Beisp.:* *Latex von Gummibäumen od. Wolfsmilchgewächsen.

Physikal. ist M. als *Emulsion, d. h. als wäss. Phase zu charakterisieren, in der alle anderen Bestandteile kolloidal emulgiert od. echt gelöst vorkommen, D. 1,028–1,034 (Messung mit Galaktometern, s. Aräometer), pH 6,4–6,7, Nährwert ca. 3100 kJ/L (750 kcal/L) (Humanmilch) bzw. 2900 kJ/L (700 kcal/L) (Kuhmilch).

Zusammensetzung: Die Zusammensetzung (s. Tab. 1) der M. hängt in bestimmten Schwankungsbreiten von endogenen (Rasse, Alter) u. exogenen Faktoren (Fütterungs- u. Haltungsbedingungen, Jahreszeit) ab.

Tab. 1: Zusammensetzung [%] der Muttermilch u. der Milch verschiedener Tierarten.

Art	Protein	Casein	Molkenprotein	Zucker	Fett	Asche	Wasser
Mensch	0,9[a]	0,4	0,5	7,1	4,5	0,2	82,4
Rentier	10,1	8,6	1,5	2,8	18,0	1,5	66,9
Kuh	3,2	2,6	0,6	4,6	3,9	0,7	87,3
Ziege	3,2	2,6	0,6	4,3	4,5	0,8	86,8
Schaf	4,6	3,9	0,7	4,8	7,2	0,9	80,7

[a] Während der Stillperiode ab dem 15. Tag Anstieg auf 1,6% Protein.

Proteine: Die Hauptproteine der M. sind die bei der Labung ausfallenden, micellar vorliegenden *Caseine (ca. 80% der Protein-Fraktion), während die Molkenproteine (ca. 20%) in der *Molke verbleiben.

Fett: M. enthält 3,6 bis 6,2% Fett, das als Fett-Tröpfchen in grob disperser Form vorliegt. Die Tröpfchen sind von einer Doppelmembran umhüllt (*haptogene Membran), deren dünnere Innenschicht aus Lipoprotein mit Glykoproteid-Anteilen u. deren mehrfach dickere, emulsionsstabilisierende Außenschicht aus Phospholipiden besteht.

Kohlenhydrate: M. enthält 4,6 bis 5% *Lactose u. Intermediate des Kohlenhydrat-Stoffwechsels (z. B. *Citronensäure). Reaktionsprodukte der *Lactose mit M.-Inhaltsstoffen spielen unter ernährungsphysiolog. u. sensor. Aspekten eine große Rolle.

Mineralstoffe: Die Hauptmineralstoffe der M. sind *Kalium, *Calcium u. *Phosphor (s. Tab. 2).

Tab. 2: Mittlerer Gehalt an Mineralstoffen in Kuhmilch bei normaler Sekretion [mg/kg].

K	1140	Zn	4,5	F	0,3
Ca	1180	Br	4,0	Ni	0,065
Cl	1100	Al	3,5	Mo	0,060
P	930	Si	0,82	Mn	0,055
Na	500	B	0,6	Se	0,025
S	333	Fe	0,57	Cr	0,014
Mg	130	I	0,35	Co	0,0013
		Cu	0,32	V	Spuren

Tab. 3: Mittlerer Gehalt der Kuhmilch an Vitaminen.

fettlösl. Vitamine:		*wasserlösl. Vitamine:*	
Vitamin A	0,25–0,34 mg/L	Thiamin	0,37 mg/L
Carotin	0,15–0,21 mg/L	Riboflavin	1,8 mg/L
Vitamin D	1,4 µg/L	Nicotinamid	0,9 mg/L
Vitamin E	0,9 mg/L	Vitamin B_6	0,46 mg/L
Vitamin K	0,170 mg/L	Pantothensäure	3,0 mg/L
		Folsäure gesamt	0,320 mg/L
		Vitamin B_{12}	4,2 µg/L
		Vitamin C	17,0 mg/L

Vitamine: M. ist bis auf Vitamin D u. E reich an Vitaminen (s. Tab. 3). *Riboflavin wird als Sensibilisator bei der Entstehung des *Sonnenlichtgeschmacks der M. diskutiert.

Eine zusammenfassende Darst. von Inhaltsstoffen u. Nährwerten der M. ist *Lit.*[1–3] zu entnehmen.

Ernährungsphysiologie: M. ist eine wichtige *Vitamin-Quelle (B_1, B_2, B_{12}, A, Folsäure, Pantothensäure). Während der Lagerung von UHT-M. (UHT = *u*ltra *h*igh *t*emperature; ultrahocherhitzte M., s. später) u. unter Lichteinfluß findet ein Vitamin-Abbau (v. a. von Vitamin A) statt. M. ist auf Grund des hohen Gehaltes an Calcium u. dessen Bioverfügbarkeit (leichte Resorption des Calciumlactats) eine gute Quelle für diesen essentiellen *Mineralstoff. Ein *Neuraminsäure-haltiges Kohlenhydrat ist als Wachstumsfaktor (Bifidusfaktor) für *Lactobacillus acidophilus* für die Entwicklung der frühkindlichen Darmflora von großer Bedeutung u. kommt in Muttermilch in größeren Mengen als in Kuhmilch vor. Reaktionen der *Lactose mit ε-Amino-Gruppen des *Lysins führen zu Maillard-Produkten (s. Maillard-Reaktion), die den ernährungsphysiolog. Wert der M. ver-

mindern u. bei weiterer Hitzeeinwirkung zu braun gefärbten Pigmenten (*Melanoide) reagieren. Milchfett ist auf Grund seiner *Triglycerid-Struktur [hoher Anteil an kurzen (in α-Stellung) u. mittelkettigen *Fettsäuren] u. seiner feinen Verteilung leicht resorbierbar.
M. ist als *Cholesterin-Quelle von untergeordneter Bedeutung. Der Tagesbedarf eines Erwachsenen an *Aminosäuren kann bis auf *Methionin u. *Phenylalanin durch einen halben Liter M. gedeckt werden. Die biolog. Wertigkeit der M.-Proteine ist mit 88 angegeben (Molkenprotein >100). Aus *Lactose (M.-Zucker), die für den schwach süßen Geschmack der M. verantwortlich ist, kann bei längerer Lagerung *Lactulose entstehen, die nicht resorbierbar ist u. Gärungserscheinungen im Darm begünstigt. Lactulose ist als wachstumsfördernd für Bifidusbakterien beschrieben[4]. Intoleranzreaktionen gegen M.-Proteine u. Lactose sind als Folge eines Mangels an β-*Galactosidase, die für den Metabolismus von Lactose essentiell ist, häufig. Als Ursachen für diesen Mangel kommen genet. Defekte (viele Ostasiaten vertragen keine M.) od. Erkrankungen der Dickdarmmucosa (z. B. Colitis ulcerosa, Morbus Crohn) in Frage. Bei Säuglingen u. Kleinkindern werden diese Unverträglichkeitsreaktionen gegen M. ebenfalls häufig beobachtet[5,6].
Mikrobiologie: In der M. sind Milchsäurebakterien der Gattungen *Streptococcus*, *Leuconostoc* u. *Lactobacillus* (Familie: Streptococcaceae) zu finden. *Streptokokken gelangen über das Melkgeschirr in die M., *Enterokokken stammen meist aus ungenügend gereinigtem Melkgeschirr od. sind Indikatororganismen für fäkale Verunreinigungen. Sie können *biogene Amine bilden. *Leuconostoc*-Arten sind heterofermentativ u. an der Bildung von Aromastoffen der M. (*2,3-Butandion, *Acetoin) beteiligt. Lactobacillen, die heterofermentativ (+)- u. (−)-*Milchsäure bilden, spielen v. a. für Sauermilch-Erzeugnisse eine wichtige Rolle. Clostridien sind als Verursacher unerwünschter Prozesse in der M.-Technologie (z. B. Spätblähung von Hartkäse) beschrieben. Bei längerem Stehen der M. findet eine starke Vermehrung der Milchsäurebakterien statt (am raschesten bei 37 °C); diese bauen Lactose zu Milchsäure ab, u. diese verursacht die Gerinnung des *Caseins. „Ansauere" M., die einen „Stich" hat, aber noch nicht geronnen ist, ruft bei Menschen u. Haustieren Verdauungsstörungen hervor. Zum Chemismus der M.-Gerinnung s. Casein, Lab, Käse, Sauermilch u. Sauermilch-Erzeugnisse.
Rechtliche Beurteilung: Nach Artikel 3 der gemeinsamen Marktorganisation für M. u. M.-Erzeugnisse [VO (EWG) Nr. 1411/71][7] ist M. das Gemelk ein od. mehrerer Kühe. Artikel 3 Absatz 1 Buchstabe b definiert alle Milchsorten, die dazu bestimmt sind, an den Verbraucher abgegeben zu werden als *Konsummilch*. Darunter fallen folgende Erzeugnisse:
– *Rohmilch:* M. die nicht erhitzt u. keiner Behandlung unterworfen wurde. Sie darf nur mit Genehmigung direkt ab Hof od. als *Vorzugsmilch* über den Handel in Verkehr gebracht werden.
– *Vollmilch:* M. die in einem M.-Bearbeitungsbetrieb mind. einer Wärmebehandlung unterzogen worden ist u. entweder auf einen Mindestfettgehalt von 3,5% eingestellt wurde (*standardisierte Vollmilch*) od. unverändert mind. 3% Fett enthält (*nicht standardisierte Vollmilch*).
– *teilentrahmte (fettarme) M.:* M., die wie Vollmilch einer Wärmebehandlung unterzogen wurde u. einen Fettgehalt von 1,5 bis 1,8% hat.
– *entrahmte M.:* Wie Vollmilch, nur Fettgehalt höchstens 0,3%.
Nach § 8 der Milch-VO[8] darf M. homogenisiert werden, wobei das Fett durch mechan. Einwirkung so fein verteilt wird, daß in der Zeit bis zum angegebenen *Mindesthaltbarkeitsdatum keine deutlich sichtbare Aufrahmung stattfindet. Dies wird dadurch erreicht, daß die M. unter hohem Druck durch feine Düsen gepreßt wird. Zur Wärmebehandlung von M. sind nach Anlage 6 Nr. 2 der Milch-VO[8] folgende Verf. zugelassen:
– **Pasteurisieren:* a) Dauererhitzen, 62–65 °C, 30–32 min, Phosphatase-Nachw. neg.,
b) Kurzzeiterhitzen, 72–75 °C, 15–30 s, Phosphatase-Nachw. neg.,
c) Hocherhitzen, mind. 85 °C, mind. 4 s, Peroxidase-Nachw. negativ.
– *Ultrahocherhitzen (UHT):* 135–150 °C, 1 s u. Abfüllen unter asept. Bedingungen in lichtgeschützte Packungen (Begründung s. Methional). Die M. muß eine 15-tägige Lagerung bei 30 °C ohne feststellbare Veränderung überstehen.
– *Sterilisieren:* Die M. wird in verschlossenen Behältnissen sterilisiert.
– *Kochen:* Erhitzen der M. bis zum wiederholten Aufkochen. Ablagerungen, die während dem Pasteurisieren in milchtechn. Anlagen entstehen u. meist Calcium-Verb. beinhalten, werden als *Milchstein* bezeichnet.
Die *Kennzeichnung* von wärmebehandelter *Konsum-M.* erfolgt nach § 2 u. 3 der Konsummilch-Kennzeichnungs-VO[9] u. dem § 9 Absatz 1 Nr. 2 des Milch-Gesetzes[10]. Danach sind die Milchsorte, das Verf. der Wärmebehandlung, das *Mindesthaltbarkeitsdatum, bei pasteurisierter M. zusätzlich mit der Angabe „bei +10 °C", sowie Name u. Anschrift des Herstellers anzugeben. Als bes. Elemente der Kennzeichnung (§ 3 Konsummilch-Kennzeichnungs-VO[9]) sind der Fettgehalt u. die Homogenisierung kenntlich zu machen. Für M. in Fertigpackungen gilt die Lebensmittel-Kennzeichnungs-VO[11]. Kunstprodukte, wie die sog. „filled milk", die aus Magermilchpulver u. Speisefetten (s. Fette u. Öle) pflanzlichen Ursprungs hergestellt wird, sind in der BRD nicht zugelassen. Um solche Imitate von „echter" M. unterscheiden zu können, plant die EG-Kommission die Einführung eines Echtheitslogos für Milch. Das Färben, Konservieren (außer den oben genannten physikal. Verf.) sowie der Zusatz von *Zusatzstoffen im Sinne des § 2 *LMBG[12] u. der *Zusatzstoff-Zulassungs-VO[13] ist nicht erlaubt. Die Höchstmengen an *polychlorierten Biphenylen (PCB) in M. sind der Anlage zu § 1 der Schadstoffhöchstmengen-VO[14] zu entnehmen u. schwanken je nach Isomerengruppe zwischen 0,04 u. 0,05 mg/kg. Nach Anlage 2 Nr. 1 der VO über pharmakolog. wirksame Stoffe[15] beträgt die zulässige Höchstmenge an *Chloramphenicol in M. 0,001 mg/kg. Nach der Zurücknahme von mit *Dibenzodioxinen u. -furanen hoch belasteten Milchtüten, von denen ein Übergang der Dioxine in die M. nachgewiesen werden konnte, ist die Dioxin-Belastung der M. zurückgegangen[16], obwohl die M. noch immer einen größeren Beitrag zur Dioxin-Belastung des Menschen liefert[17].

Analytik: Zur Analyse von M. stehen die *Methoden nach § 35 LMBG L 01.00–1 bis L 01.00–34 sowie die Meth. L 01.01–1/2 u. L 01.02–1/2 zur Verfügung. Dies sind Meth., die sich mit der mikrobiolog. Beschaffenheit, den qualitätsbestimmenden Parametern (*Lactose, *Lactulose, *Galactose, *Milchsäure, Fett, *Trockensubstanz) u. toxikolog. relevanten Verunreinigungen (*Aflatoxin M_1) befassen. Nach der Aflatoxin-VO [18] soll der zulässige Gehalt an *Aflatoxin M_1 in M. auf 50 ng/L festgesetzt werden. Mit den oben genannten Meth. zur Bestimmung der Aktivität der alkal. *Phosphatase u. der *Peroxidase läßt sich die ordnungsgemäße Durchführung der Kurz- bzw. Hochtemp.-Erhitzung überprüfen, da diese Enzyme in entsprechenden Temp.-Bereichen desaktiviert werden. Einem Überblick [19] zufolge, der die *Mineralstoff- u. *Schwermetall-Gehalte von M. u. Muttermilch vergleicht, weist Humanmilch bedeutend geringere Gehalte an Mineralstoffen (2 g/L) als Kuhmilch (7,3 g/L) auf. Zur Bewertung der Schadstoffbelastung in M. hat das *Bundesgesundheitsamt Richtwerte für *Blei (0,03 mg/L), *Cadmium (0,005 mg/L) u. *Quecksilber (0,01 mg/L) veröffentlicht [20]. Die Belastung von M. mit Radionukliden (I-131, Sr-90, Cs-137) ist *Lit.* [21] zu entnehmen. Nach VO (EWG) 3955/87 [22] darf die Aktivität von Cs-134 u. -137 in M. 370 Bq/kg nicht überschreiten. Die Belastung mit Tierarzneimitteln, z. B. mit *Tetracyclin-Antibiotika, *Chloramphenicol od. *Nitrofuranen sowie mit Herbiziden (z. B. *Triazinen) geben nur in Ausnahmefällen Anlaß zu Bedenken. Zum Nachw. von gentechnolog. erzeugtem *Somatotropin (recombinant bovine somatotropin, r-bST), das die Milchleistung von Kühen bis zu 20% steigern kann [23], steht eine ELISA-Meth. (s. Enzymimmunoassay) zur Verfügung [24]. Nach Vorschlägen der EG sollen keine gentechnol. erzeugten *Hormone in *Fleisch u. M. gelangen, was zu handelspolit. Kontroversen mit den USA geführt hat [25]; dort ist die Gabe des Polypeptidhormons Somatotropin erlaubt. Einen Überblick über neuere Aspekte in der Analytik von M. gibt *Lit.* [26]. Die Erhitzung von M. kann neben den Aktivitätsbestimmungen verschiedener *Enzyme anhand des Auftretens verschiedener Maillard-Produkte (s. Maillard-Reaktion) [27,28] [z. B. 4-*β*-D-Galactopyranosyloxy-2-hydroxy-2-methyl-2*H*-pyran-3(6*H*)-on] nachgewiesen werden. Als weitere Indikatorsubstanzen sind Furosin, *Pyridosin u. ihre Vorstufe Fructoselysin sowie *5-(Hydroxymethyl)-furfural, N^{ε}-(Carboxymethyl)-L-lysin u. *Lysinoalanin nachgewiesen [29].

Aromastoffe: In der M. wurden über 400 flüchtige Verb. identifiziert (1–100 mg/kg). Für kurzzeiterhitzte M. scheinen Dimethylsulfid, *2,3-Butandion, 2-Methyl-1-butanol, (*Z*)-4-Heptenal u. (*E*)-2-Nonenal einen entscheidenden Beitrag zum Aroma zu leisten. Der typ. Kochgeschmack hocherhitzter M. ist v. a. auf Methylketone, Lactone u. Schwefel-Verb. zurückzuführen. Das Aroma von UHT-M. wird weitgehend von 2-Alkanonen, Decano- u. Dodecanolactonen sowie Schwefel-Verb. geprägt. Für den Sterilisationsgeschmack sind Maillard-Produkte wie *Maltol, *Isomaltol u. Methylpyrazine verantwortlich. Neben dem *Sonnenlichtgeschmack der M. ist ein weiterer Aromafehler („stale"-*off-flavour) der M. beschrieben, der beim Erhitzen auftritt u. von einem Benzothiazol verursacht wird.

Milcherzeugnisse: Die in Anlage 1 der Milcherzeugnis-VO [30] genannten Produkte sind M.-Erzeugnisse im Sinne des Gesetzgebers. Dies sind *Sauermilch-, *Joghurt-, *Kefir-, Buttermilch-, *Sahne-, Kondensmilch-, Trockenmilch-, *Molken-, Milchzucker-, Milcheiweiß-, Milchmisch-, *Milchhalbfett-, Milchfett- u. Molkenmisch-Erzeugnisse. Angaben zur Bez., Herst. u. zum Fettgehalt dieser Erzeugnisse sind oben genannter (s. *Lit.* [30]) Anlage zu entnehmen.

Muttermilch: Protein- u. Mineralstoff-ärmer, aber Lactose-reicher als Kuhmilch. Die Fettgehalte sind ähnlich, wobei Muttermilch einen geringeren Anteil an kurzkettigen u. einen höheren Anteil an ungesätt. Fettsäuren aufweist (s. Humanmilch). – ***E*** milk – ***F*** lait – ***I*** latte – ***S*** leche

Lit.: [1] Belitz-Grosch (4.), S. 451–471. [2] Kielwein, Leitfaden durch die Milchkunde u. Milchhygiene (2.), Berlin: Parey 1985. [3] Renner (Hrsg.), Nährwerttabellen für Milch u. Milchprodukte, Gießen: Renner, Loseblatt-Sammlung ab 1986, Stand 1989. [4] Fed. Int. Lait.-Int. Dairy Fed. Bull. **212**, 69 (1987). [5] Aktuel. Ernähr. **14**, 27–31 (1989). [6] Aktuel. Ernähr. **14**, 49–56 (1989). [7] VO (EWG) Nr. 1411/71 vom 29.06.1971 in der Fassung vom 22.01.1993 (ABl der EG Nr. L 14/29). [8] Milch-VO vom 24.04.1995 (BGBl. I, S. 144). [9] Konsummilch-Kennzeichnungs-VO vom 19.06.1974 in der Fassung vom 24.04.1995 (BGBl. I S. 544, 1147). [10] Milch- u. Margarinegesetz vom 25.07.1990 in der Fassung vom 25.11.1994 (BGBl. I, S. 3548). [11] Lebensmittel-Kennzeichnungs-VO vom 06.09.1984 in der Fassung vom 08.03.1996 (BGBl. I, S. 460). [12] Lebensmittel- u. Bedarfsgegenständegesetz vom 08.07.1993 in der Fassung vom 25.11.1994 (BGBl. I, S. 3538). [13] Zusatzstoff-Zulassungs-VO vom 22.12.1981 in der Fassung vom 13.06.1990 (BGBl. I, S. 1053). [14] Schadstoff-Höchstmengen-VO (SHmV) vom 23.03.1988 (BGBl. I S. 422). [15] VO über Stoffe mit pharmakologischer Wirkung vom 25.9.1984 in der Fassung vom 27.03.1996 (BGBl. I S. 552). [16] Bundesgesundheitsblatt **32**, 222 (1989). [17] Bundesgesundheitsblatt **33**, 99–104 (1990). [18] Aflatoxin-VO vom 30.11.1976 in der Fassung vom 06.11.1990 (BGBl. I, S. 2443) [19] Dtsch. Lebensm. Rundsch. **85**, 108–111 (1989). [20] Bundesgesundheitsblatt **33**, 224f. (1990). [21] J. Dairy Sci. **72**, 284–287 (1989). [22] VO (EWG) Nr. 3955/87 vom 22.12.1987 (Amtsblatt der EG Nr. L 371/14). [23] Fülgraff, Lebensmitteltoxikologie, S. 150, Stuttgart: Ulmer 1989. [24] J. Agric. Food Chem. **38**, 1358–1362 (1990). [25] Chem. Rundsch. **42**, Nr. 27, Nr. 38 (1989). [26] Lebensmittelchem. Gerichtl. Chem. **40**, 106 (1986). [27] Z. Lebensm. Unters. Forsch. **182**, 19–24 (1986). [28] Angew. Chem. **102**, 597–626 (1990). [29] Lebensmittelchem. Gerichtl. Chem. **42**, 141 f. (1988). [30] Milcherzeugnis-VO vom 15.07.1970 in der Fassung vom 03.12.1987 (BGBl. I S. 2443).

allg.: AID, Auswertungs- u. Informationsdienst für Ernährung, Landwirtschaft u. Forsten (Hrsg.), Milch u. Milcherzeugnisse, Nr. 1008, Bonn: AID 1988 ▪ Baltes, Lebensmittelchemie (4.), Berlin: Springer 1995 ▪ Barth (Hrsg.), Milk Proteins, Darmstadt: Steinkopff 1988 ▪ Belitz-Grosch (4.), S. 451–471 ▪ Bundesanstalt für Milchforschung (Hrsg.), Jahresberichte, Kiel: Bundesanstalt für Milchforschung ▪ Fox (Hrsg.), Developments in Dairy Chemistry 4, Essex: Elsevier 1989 ▪ Hetzner (Hrsg.), Handbuch Milch, Hamburg: Behrs 1992 ▪ Kielwein, Leitfaden der Milchkunde u. Milchhygiene (2.), Berlin: Parey 1985 ▪ König, Die Milcheiweißallergie, Bd. 15, Schriftreihe Milchwissenschaft, Gießen: Verl. B. Renner 1993 ▪ Nienhaus (Hrsg.), Milcheiweiß für Lebensmittel, Hamburg: Behrs 1987 ▪ Nienhaus, Handbuch Milch (2.), Hamburg: Behrs 1985 ▪ Reimerdes, Methoden und Standards für Milch und Milchprodukte, Hamburg: Behrs 1988 ▪ Schulz u. Schlimme, Fragen u. Antworten zur milchwirtschaftlichen Chemie, München: Volkswirtschaftlicher Verl. 1990 ▪ Rosenthal, Milk and Dairy Products, Weinheim: VCH Verlagsges. 1991 ▪ Ullmann (5.) **A 6**, 164; **A 11**, 550 ▪ Vollmer et al., Lebensmittelführer, Bd. 2, Stuttgart: Thieme 1995 ▪ Zipfel, C 272, C 273. – *Forschungsinst.:* Bundesanstalt für Milchforschung,

24145 Kiel ▪ Milchwissenschaftliches Inst. der TU München u. Süddeutsche Versuchs- u. Forschungsanstalt für Milchwirtschaft, 85354 Freising-Weihenstephan ▪ Staatliche Milchwirtschaftliche Lehr- u. Forschungsanstalt, 88239 Wangen. – *Organisationen:* Association de l'Industrie Laitière de la Communauté Européenne, 140, Boulevard Haussmann, F-75008 Paris ▪ Dairy Society International, 1145, Nineteenth Street N. W., Wahington, D. C. ▪ Fédération Internationale de Laiterie, 41, Square Vergote, B-1040 Bruxelles ▪ Milchind.-Verband, Verband der dtsch. Milchwirtschaft, Arbeitsgemeinschaft der milchwirtschaftlichen Landesvereinigungen, alle 53179 Bonn. – *[HS 0401, 0402, 0403]*

Milcherzeugnisse s. Milch.

Milchglas s. Glas.

Milchhalbfetterzeugnisse. Streichfähige Erzeugnisse mit einem Fettgehalt von 39–41% u. einem maximalen Milcheiweiß-Anteil von 6,5% (*Lit.*[1]). Der Zusatz von *Citronensäure, *β-Carotin (E 160 a), Speisesalz u. Speisegelatine ist möglich. M. müssen mit dem Hinweis „zum Braten u. Backen nicht geeignet" versehen sein. Der Wassergehalt muß gekennzeichnet sein. – ***E*** medium-fat-dairy products – ***F*** produits laitiers demi-gras – ***I*** latticini semigrassi – ***S*** productos lácteos semigrasos

Lit.: [1] VO über Milcherzeugnisse vom 15. 7. 1970 in der Fassung vom 23. 6. 1989 (BGBl. I S. 1140, 1145), Anlage 1 Nr. 15.
allg.: Kallweit et al., Qualität tier. Nahrungsmittel, S. 239, Stuttgart: Ulmer 1988 ▪ Vollmer et al., Lebensmittelführer, Bd. 2, Stuttgart: Thieme 1995 ▪ Zipfel, C 273.

Milchpulver. Ein *Trockenmilch-Erzeugnis, das durch weitgehenden Entzug von Wasser aus Milch gewonnen wird u. unterschiedliche Fettgehalte aufweist[1] (M. mit hohem Fettgehalt, M., teilentrahmtes M., Mager-M.). Es darf höchstens 5% Wasser enthalten. Das Trocknungsverf. (häufig Sprüh- od. Walzentrocknung) u. eine Empfehlung zur Dosierung beim Auflösen ist anzugeben. Bei der Herst. von M. reagiert wegen der Hitzebehandlung die Aminosäure *Lysin mit *Lactose zu den Produkten Furosin u. *Pyridosin (s. Maillard-Reaktion). Die ernährungsphysiolog. Wertigkeit des Lysins wird dadurch entscheidend herabgesetzt. Daneben ist die Bildung von Fructoselysin[2] in M. nachgewiesen. Die therm. Belastung von M. kann über den Anteil an β-Lactoglobulin[3] erkannt werden. Allg. Hygienevorschriften für M. wurden von der Internat. Dairy Federation herausgegeben[4]. Zum Nachw. von *Aflatoxin M_1 in M. s. *Lit.*[5]. Jahresproduktion (BRD, 1994) Vollm.: 81 000 Tonnen, Magerm.: 421 000 Tonnen; s. a. Trockenmilch. – ***E*** milk powder – ***F*** lait en poudre – ***I*** latte in polvere – ***S*** leche en polvo

Lit.: [1] VO über Milcherzeugnisse vom 15.07.1970 in der Fassung vom 23.06.1989 (BGBl. I S. 1140, 1145), Anlage 1 Nr. 9. [2] GIT Fachz. Lab. Suppl. **2**, 25–30 (1989). [3] Lebensmittelchem. Gerichtl. Chem. **39**, 18 f. (1985). [4] International Dairy Federation IDF (Hrsg.), Allg. Hygienevorschriften für die Milch-Ind. u. empfohlene mikrobiologische Kriterien für Milchpulver, Gelsenkirchen: Mann 1984. [5] J. Assoc. Anal. Chem. **68**, 952 ff. (1985).
allg.: Baltes, Lebensmittelchemie (4.), Berlin: Springer 1995 ▪ Belitz-Grosch (4.), S. 247 ▪ Kielwein, Leitfaden der Milchkunde u. Milchhygiene (2.), S. 130, 140, Berlin: Parey 1985 ▪ Ullmann (4.) **12**, 57 ▪ Zipfel, C 273. – *[HS 0402 21, 0402 29]*

Milchquarz s. Quarz.

Milchsäure (2-Hydroxypropionsäure).
$H_3C–CH(OH)–COOH$, $C_3H_6O_3$, M_R 90,08.
Reine Enantiomere: farblose Kristalle, Schmp. 53 °C; Racemat: Farbloses, viskoses, sauer schmeckendes Öl, Schmp. 17 °C, Sdp. 122 °C (19–20 hPa), lösl. in Wasser u. Ethanol, Aceton, wenig lösl. in Ether, unlösl. in Chloroform. Auf Haut u. Schleimhäute wirkt M. ätzend, in starker Verdünnung als Moskito-Lockstoff. Die Salze der M. heißen *Lactate*. M. wurde von Scheele 1780 in saurer Milch entdeckt. M. ist ein Stoffwechselprodukt im tier. u. pflanzlichen Organismus sowie bei *Mikroorganismen.

Abhängig von Stamm u. Kulturbedingungen können Mikroorganismen D-, L- u. DL-M. bilden. Vorwiegend D(–)-Milchsäure entsteht bei der Vergärung von Glucose durch *Lactobacillus leichmannii, L. bulgaris* od. *L. lactis.* Vorwiegend L(+)-Milchsäure wird von *Streptococcus lactis* od. *S. thermophilus* gebildet. L(+)-M. wird wegen ihres Vork. im Blut, im Muskelserum, der Galle, den Nieren u. a. Organen von Säugetieren auch *Fleisch-M.* genannt. Der Gehalt an L(+)-M. im Muskelgewebe steigt nach starker Muskelaktivität an. Ein unphysiolog. hoher Gehalt im Blut ist mit der *Lactatacidose* (s. Alkalose) verbunden. Der menschliche Organismus kann D(–)-M., die ausschließlich von Bakterien gebildet wird, nur begrenzt verwerten; sie muß zunächst durch eine *Racemase in die L(+)-Form übergeführt werden. Daher sollten nach FAO/WHO-Empfehlung nicht mehr als 100 mg D(–)-M./kg Körpermasse u. Tag aufgenommen werden; Kleinkindernahrung sollte frei von D(–)-M. sein.

DL(±)-M. findet sich z. B. in Sauerkraut, sauren Gurken, Oliven u. a. Sauergemüsen sowie in Sauermilchprodukten, Käse, Butter, Sauerteig, Wein u. Silage. Der Prozeß der *M.-Gärung* wird dabei zur Haltbarmachung der Lebensmittel genutzt. Sie entsteht durch teilw. Vergärung des enthaltenen Zuckers. Überläßt man unsterile, neben Zuckern auch komplexe Stickstoff-Quellen u. Suppline (verschiedene Wachstumsfaktoren) enthaltende Lsg. unter Luftabschluß sich selbst, setzen sich innerhalb kurzer Zeit M.-Bakterien durch. Sie erniedrigen den pH-Wert des Mediums auf Werte unter fünf u. hemmen dadurch das Wachstum von anaeroben Bakterien.

Man unterscheidet bei der M.-Gärung: – a) Die homofermentative M.-Gärung, die zur Bildung von (fast) reiner M. führt. Glucose wird über den Fructose-bisphosphat-Weg abgebaut. Die beteiligten M.-Bakterien verfügen über die notwendigen Enzyme u. übertragen den während der Dehydrogenierung von Glycerinaldehyd-3-phosphat anfallenden Wasserstoff auf Pyruvat (s. Brenztraubensäure):

$$C_6H_{12}O_6 \rightarrow 2\,H_3C–CH(OH)–COOH$$

– b) Den heterofermentativen M.-Bakterien fehlen die Hauptenzyme des Fructose-bisphosphat-Weges. Der Glucose-Abbau erfolgt über den Pentosephosphat-Weg, so daß M., Ethanol u. Kohlendioxid entstehen:

$$C_6H_{12}O_6 \rightarrow H_3C–CH(OH)–COOH + C_2H_5OH + CO_2$$

Ein weiteres heterofermentatives Bakterium, *Bifidobacterium bifidum*, herrscht in der Darmflora brusternährter Säuglinge vor. Es setzt Glucose in Milchsäure u. Ethanol um.

Herst.: Techn. erfolgt die Herst. von M. durch M.-Gärung in bis zu 100 m³ großen *Bioreaktoren. Bes. reine M., wie sie für industrielle Zwecke u. als Nahrungsmittelzusatz benötigt wird, erhält man durch Vergärung von Milch od. Molke mit *Lactobacillus casei* u. *L. bulgaricus*. Zur Vergärung von Glucose u. Maltose

aus Melassen u. Malz werden *L. delbrückii, L. leichmannii* od. *Sporolactobacillus inulinus* eingesetzt. Heute werden weltweit ca. 30000 t/a M. hergestellt, ca. 70% davon mittels biotechnolog. Verf., der Rest chem.-synthet. als Racemat aus 2-*Hydroxypropionitril.
Verw.: M. findet als sog. Genußsäure in der Nahrungs- u. Genußmittel-Ind. Anw. (Fabrikation von Sirup u. Brauselimonaden, zum Ansäuern, zur Konservierung, als Zusatzstoff zum Backpulver, zur Unterstützung der Sauerteighefen u. zum Unwirksammachen von unerwünschten Buttersäure u. Essigsäure-Bildnern; verschiedene Ester werden als Geschmacks- u. Würzstoffe verwendet), in der Textil-Ind. zum Avivieren („glänzend machen", s. Avivage) von Seide u. als Hilfsmittel in der Druck- u. Färbereitechnik, zum Entkalken u. Schwellen von Häuten in der Gerberei, als chem. Zwischenprodukt zur Herst. von Lactaten, in der Medizin als Säuerungsmittel, Schleimhautantiseptikum u. verdauungsförderndes Mittel bei Kleinkindern. – ***E*** lactic acid – ***F*** acide lactique – ***I*** acido lattico – ***S*** ácido láctico
Lit.: Beilstein EIV **3**, 633 ▪ Belitz-Grosch (4.), S. 472 ff. ▪ Kunz, Grundriß der Lebensmittel-Mikrobiologie, S. 168–176, 251–257, 302–307, Hamburg: Behr's Verl. 1988 ▪ Präve et al. (4.), S. 479–540, 599 f. ▪ Rehm-Reed (2.) **1**, 325 ff.; **3**, 306 ff.; **6**, 293 ff. – *[HS 2918 11]*

Milchsäure-Dehydrogenase s. Lactat-Dehydrogenase.

Milchsäureester. Die häufig als Lactate der jeweiligen Alkohol-Komponente benannten Ester der allg. Formel

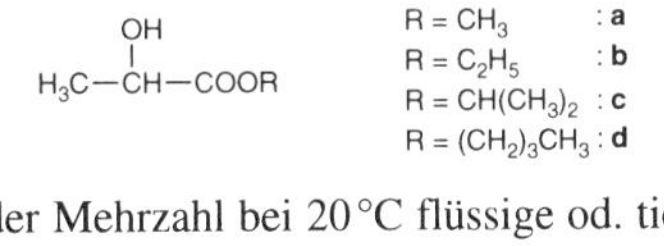

sind in der Mehrzahl bei 20 °C flüssige od. tiefschmelzende Produkte, die in Wasser, mit Ausnahme der niederen Alkylester, wenig, in Alkohol u. Ether gut lösl. sind. Einige von ihnen sind gute Lsm. für Cellulosenitrate, -acetate, -ether, Chlorkautschuk, Polyvinyl-Verb. u. dgl. u. werden als Weichmacher für Cellulose- u. Vinylharze u. als Lacklsm. verwendet.
(a) *Milchsäuremethylester* (Methyllactat), $C_4H_8O_3$, M_R 104,10, Sdp. 145 °C, leicht Ester-artiger Geruch; – (b) *Milchsäureethylester* (Ethyllactat), $C_5H_{10}O_3$, M_R 118,13, riecht schwach Ester-artig, D. 1,03, Sdp. 154 °C. Zugelassen als Lebensmittelzusatzstoff[1]; – (c) *Milchsäureisopropylester* (Isopropyllactat), $C_6H_{12}O_3$, M_R 132,15, D. 0,9980, Sdp. 167 °C; – (d) *Milchsäurebutylester* (Butyllactat), $C_7H_{14}O_3$, M_R 146,18, D. 0,9803, Sdp. 187 °C. Die opt. aktiven Formen der M. sind in der organ. Synth. wichtige chirale Hilfsmittel u. Bausteine. – ***E*** lactic acid esters, lactates – ***F*** esters de l'acide lactique, lactates – ***I*** lattati, esteri dell'acido lattico – ***S*** ésteres del ácido láctico, lactatos
Lit.: [1] Liste der zugelassenen Lebensmittelzusatzstoffe (Fundstellenliste) vom 10. Juni 1992.
allg.: Beilstein EIII **3**, 469–493; EIV **3**, 640–669 ▪ Hommel, Nr. 762 ▪ Paquette **4**, 2476 ff. ▪ Ullmann (4.) **16**, 302; **17**, 6; (5.) **A 15**, 103 f. – *[HS 2918 11; CAS 547-64-8 (a); 97-64-3 (b); 617-51-6 (c); 138-22-7 (d)]*

Milchsäurenitril s. Hydroxypropionitrile.

Milchstein s. Milch.

Milchzucker s. Lactose.

Milde Alkalien s. Alkalien.

Mildiomycin (TF-138, Antibiotikum B 98891).

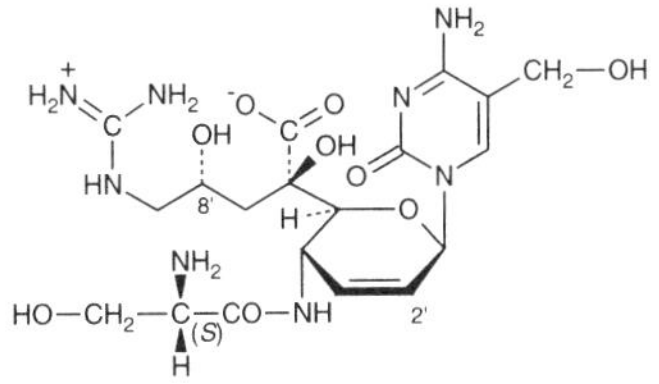

$C_{19}H_{30}N_8O_9$, M_R 514,49, hygroskop., Krist., Schmp. >300 °C (Monohydrat, Zers., $[\alpha]_D^{20}$ +100°). Nucleosid-Antibiotikum aus *Streptoverticillium rimofaciens* geringer Toxizität mit Wirkung gegen echten Mehltau, andere phytopath. Pilze, Gram-pos. u. Gram-neg. Bakterien. – ***E*** mildiomycin – ***F*** mildiomycine – ***I*** = ***S*** mildiomicina
Lit.: Agric. Biol. Chem. **48**, 881 (1984) ▪ Beilstein E V **25/16**, 172 f. ▪ J. Am. Chem. Soc. **100**, 4895 ff. (1978) ▪ J. Antibiot. (Tokio) **31**, 511–524 (1978); **38**, 415 (1985) ▪ Sax (8.), MQU 000 ▪ Tetrahedron **37**, 1317–1327 (1981). – *[HS 2941 90; CAS 67527-71-3]*

milgamma®. Dragées u. Kapseln mit *Benfotiamin u. *Pyridoxin-Hydrochlorid gegen Neuropathien. *m. N.:* Ampullen enthalten *Thiamin-, Pyridoxin-Hydrochlorid, *Cyanocobalamin u. *Lidocain-Hydrochlorid. ***B.:*** Wörwag.

Militärchemie (Wehrchemie). Sammelbez. für die Wechselbeziehungen zwischen Chemie u. Militärwesen, deren Teilaspekte z. B. in Begriffen wie chemische u. biologische Waffen, Entlaubungsmittel, Tränenreizstoffe, Kernwaffen, Kampfstoffe, Dekontamination, Entgiftung, Brandwaffen, Leuchtsätze, Sprengstoffe, Explosivstoffe, Nebelwaffen, Raketentreibstoffe, Pyrotechnik behandelt sind. – ***E*** military chemistry – ***F*** chimie militaire – ***I*** chimica militare – ***S*** química militar
Lit.: Beckett, Weapons of Tomorrow, New York: Plenum 1983 ▪ Kirk-Othmer (4.) **5**, 795–816 ▪ Klimmek et al., Chemische Gifte u. Kampfstoffe, Stuttgart: Hippokrates 1983 ▪ Militärtoxikologie u. Militärradiologie, Berlin: Militärverl. 1984 ▪ zahlreiche einschlägige, von dem Stockholmer Internat. Friedensforschungsinstitut (SIPRI) herausgegebene Publikationen erscheinen bei Taylor & Francis (London).

Miller, Stanley, Lloyd (geb. 1930), Prof. für Biochemie, Univ. California, San Diego (USA). *Arbeitsgebiete:* Gashydrate, Thermodynamik; chem. Evolutionen: 1953 wies er nach, daß Aminosäuren durch stille elektr. Entladungen in einer künstlichen Uratmosphäre, bestehend aus Methan, Ammoniak, Wasser u. Wasserstoff, synthetisiert werden können.
Lit.: Lexikon der Naturwissenschaftler, S. 294 ▪ Neufeldt, S. 237 ▪ The International Who's Who (16.), S. 1059.

Miller-Bravais-Indizes s. Millersche Indizes.

Millerit (Haarkies). NiS, messinggelb metallglänzendes od. grünlichgrau mattes, gern bunt anlaufendes, sprödes trigonales Mineral, Kristallklasse $\bar{3}m$-C_{3v}, s. *Lit.*[1]. Krist. mit extremer Längsentwicklung, z.T. gedreht, häufig haarförmig; büschelige, radialstrahlige od. filzartige Aggregate in Hohlräumen. Strich grünlichschwarz, H. 3–3,5, D. 5,3–5,6. Lösl. in Salpetersäure u. Königswasser unter Grünfärbung. Nach der Formel 64,67% Ni; M. entsteht bei niedrigen Temperaturen.
Vork.: Auf Erzgängen (oft neben *Siderit); in *Kalken u. *Dolomiten; in kleinen Mengen in der Gangart (s. Erz)

von Kohleflözen, z. B. im Ruhrgebiet; als große spaltbare Massen in Temagami u. Sudbury/Kanada. *Name* (Haidinger 1845) zu Ehren des engl. Mineralogen W. H. Miller. – ***E*** = ***I*** millerite – ***F*** millérite – ***S*** millerita

Lit.: [1] Can. Mineral. **12**, 248–257 (1974).
allg.: Anthony et al., Handbook of Mineralogy, Vol. I, S. 333, Tucson (Arizona): Mineral Data Publishing 1990 ▪ Lapis **8**, Nr. 11, 5 ff. (1983) („Steckbrief") ▪ Ramdohr, Die Erzmineralien u. ihre Verwachsungen, S. 673–677, Berlin: Akademie-Verl. 1975. – *[HS 2530 90; CAS 1314-04-1]*

Millersche Indizes. Indexkombination zur eindeutigen Lagebeschreibung von *Netzebenen (Gitterebenen). Eine geeignete Grundlage dafür liefert die analyt. Geometrie unter Ansatz eines kristallograph. Koordinatensyst. (s. Kristallsysteme). Eine Ebene, die im Koordinatensyst. xyz die Koordinatenachsen in den Abständen m, n, p vom Ursprung schneidet, wird durch die Achsenabschnittsgleichung

$$\frac{x}{m}+\frac{y}{n}+\frac{z}{p}=1$$

beschrieben. Maßeinheit für m, n, p sind dabei die jeweiligen Abmessungen der Elementarzelle, die Gitterparameter a, b, c. Die Einführung der zugeordneten reziproken Achsenabschnitte hkl mit $h=1/m$, $k=1/n$ u. $l=1/p$ liefert die modifizierte Gleichung $h\cdot x+k\cdot y+l\cdot z=1$. Die Indizes hkl werden als M. I. bezeichnet. Als Indizes werden jeweils Kombinationen der kleinsten ganzen Zahlen gewählt. Neg. reziproke Achsenabschnitte werden durch einen horizontalen Strich über dem entsprechenden Index gekennzeichnet. Jedes Indextripel beschreibt eine unendliche Schar paralleler Ebenen mit der gleichen Flächennormalen u. einem charakterist. Abstand d(hkl) (s. Kristallstrukturanalyse).

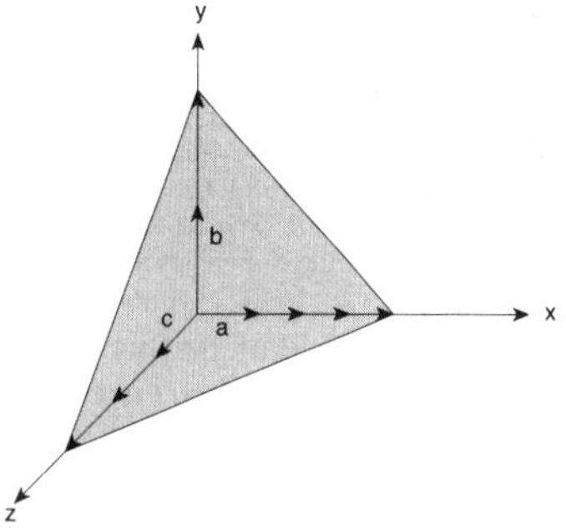

Abb.: Gitterebene in einem Kristall.

Die in der Abb. dargestellte Ebene weist die Achsenabschnitte 4 a, 2 b u. 3 c auf. Die reziproken Achsenabschnitte sind 1/4 a, 1/2 b, 1/3 c. Multiplikation der Zahlenwerte mit dem Kleinsten gemeinsamen Nenner (12) ergibt die M. I. 364 (sprich: „drei-sechs-vier"). (364) ist das Flächensymbol für die dargestellte Ebene.
Kristallflächen werden mit runden Klammern ( ), die Gesamtheit aller symmetrieäquivalenten Ebenen (eine Form) wird mit geschweiften Klammern { } dargestellt. Beispielsweise umfaßt {100} alle 6 Flächen eines Würfels im kub. Kristallsystem. Beim hexagonalen Kristallsyst. finden häufig vier Indizes Anwendung. Die Indizes hkil werden als *Miller-Bravais-Indizes* bezeichnet, wobei der Zusammenhang mit den M. I. durch $i=-(h+k)$ gegeben ist. Gittergeraden, etwa die Schnittkante zweier Flächen, werden durch [uvw] dargestellt (s. a. die Abb. bei Kristallgeometrie). Flächenscharen, deren Flächennormalen in einer Ebene liegen, die also parallele Schnittkanten (eine gemeinsame *Zonenachse*) aufweisen, nennt man *tautozonal*. – ***E*** Miller indices – ***F*** indices de Miller – ***I*** indici di Miller – ***S*** índices de Miller

Lit.: Barrett u. Massalski, Structure of Metals, Oxford: Pergamon 1980 ▪ Ramdohr-Strunz, S. 21 ▪ s. a. Kristallographie.

Milli... (von latein.: mille = tausend). Vorsatz vor physikal. Einheiten zur Bez. des tausendsten Teils; Symbol: m; *Beisp.:* Millimeter (1 mm = 10^{-3} m), Milligramm (1 mg = 10^{-3} g), Milliliter (1 mL = 10^{-3} L = 1 cm^3); veraltet: Millibar (1 mbar = 10^{-3} bar, seit 1. 1. 1984 durch Hektopascal, hPa, ersetzt). – ***E*** = ***F*** = ***I*** milli... – ***S*** mili...

Milliarde (Abk.: Mrd., Md., Mia.). Zahlwort für 1 000 000 000 = 10^9 (*Giga...). Zwei Syst. gleicher Zahlwörter für ungleiche Potenzreihen (Tab.) konkurrieren seit dem 17./18. Jh.; s. a. ppb. Das *SI empfiehlt daher Zehnerpotenzen u. die Präfixe des *Dezimalsystems.

Tab.: Zahlwortsysteme für Tausenderpotenzen.

Zehnerpotenz	deutsch-französ.: x	$1\,000\,000^x$	amerikan.-engl.: y	1000×1000^y
10^6	1	Million	1	Million
10^9	1,5	Milliarde	2	Billion
10^{12}	2	Billion	3	Trillion
10^{15}	2,5	Billiarde	4	Quadrillion
10^{18}	3	Trillion	5	Quintillion
10^{21}	3,5	Trilliarde	6	Sextillion
10^{24}	4	Quadrillion	7	Septillion
⋮	⋮	⋮	⋮	⋮

– ***E*** billion (*US, GB*), thousand millions, milliard (*GB vor 1970*) – ***F*** milliard (*vor 1950 auch:* billion) – ***I*** mille milioni – ***S*** mil millones, billón

Milligramm s. Milli... u. mg.

Milligrammprozent (Symbol: mg-%) s. mg.

Milligravitation s. Gravitation.

Millikan, Robert Andrews (1868–1953), Prof. für Physik, Chicago u. Caltech. *Arbeitsgebiete:* Bestimmung der Ladung des Elektrons durch den Öltröpfchenversuch, Bestimmung der *Avogadro-Konstante mit Hilfe der elektr. Elementarladung, lichtelektr. Effekt, UV-, Röntgen- u. kosm. Höhenstrahlung. Nobelpreis für Physik 1923.

Lit.: Krafft, S. 355 ▪ Lexikon der Naturwissenschaftler, S. 294 ▪ Neufeldt, S. 121, 357 ▪ Strube **2**, 77 f., 132 ▪ Strube et al., S. 120, 152.

Milliliter (Symbol: mL od. ml). Tausendster Teil der Vol.-Einheit *Liter: 1 mL = 10^{-3} L = 1 cm^3 (seit 1969 gültig). – ***E*** millilitre (*GB*), milliliter (*US*) – ***F*** millilitre – ***I*** millilitro – ***S*** mililitro

Millimeter Quecksilber-Säule s. mmHg.

Millimeterwellen s. Mikrowellen.

Millipore. Kurzbez. für die 1954 gegr. amerikan. Firma Millipore Corporation, Bedford, Massachusetts, 01730-227, die weltweit marktführend in Seperationstechniken ist. *Daten* (1996): ca. 3200 Beschäftigte, 619 Mio. $ Umsatz. *Produktion:* Analytical Division (Filtrations- u.

Membrantechnologie für Mikrobiologie, Biochemie u. Molekularbiologie); BioProcess Division (Prozeßfiltration in der Pharma-, Chemie-, Lebensmittel- u. Getränke-Ind., Mikrofiltrationsmodule); Laboratory Water Division (Laborwasseraufbereitung, Umkehrosmose, Reinstwasser, Elektroionisierungsanlagen); MicroElectronics Division (Filter- u. Separationsprodukte für die Kontrolle u. Fertigung in der Halbleiter-Industrie). *Vertretung* in der BRD: Millipore GmbH, 65760 Eschborn.

Millon-Reagenz s. Millonsche Reaktion.

Millonsche Base. Von Millon (1812–1867) erstmals beschriebenes, schwerlösl., blaßgelbes Pulver, das beim Schütteln von HgO mit Ammoniak-Wasser entsteht; Formel: $(Hg_2N)OH \cdot 2H_2O$. Die M. B. bildet Salze der allg. Formel $(Hg_2N)^+X^-$; bekannt ist das Iodid, welches als Präzipitat des Ammoniak-Nachw. mit *Neßlers Reagenz entsteht. – ***E*** Millon's base – ***F*** = ***S*** base de Millon – ***I*** base di Millon

T+ 

Lit.: Chem. Unserer Zeit **16**, 23–31 (1982). – *[CAS 12529-66-7]*

Millonsche Reaktion. Wenig spezif., nicht mehr gebräuchliche Nachweisreaktion für Tyrosin-haltige Eiweißstoffe mit *Millons-Reagenz* (Lsg. von Quecksilbernitrat mit Salpetriger Säure), die nach dem französ. Chemiker Millon (1812–1867) benannt wurde. – ***E*** Millon's reaction – ***F*** réaction de Millon – ***I*** reazione di Millon – ***S*** reacción de Millon

Lit.: Acta Chim. Acad. Sci. Hung. **68**, 133–148 (1971) ▪ Hager **1**, 736, 757 ▪ IUPAC Inform. Bull. Techn. Rep. **7**, 5 (1973).

Milnacipran (Rp).

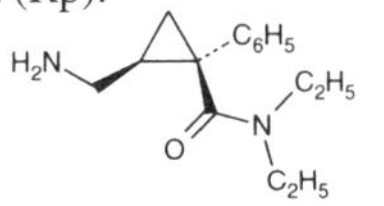

(Racemat)

Internat. Freiname für das *Antidepressivum, (*NMDA-Rezeptor-Antagonist) (±)-*cis*-2-(Aminomethyl)-*N*,*N*-diethyl-1-phenylcyclopropancarboxamid, $C_{15}H_{22}N_2O$, M_R 246,35. Verwendet wird meist das Hydrochlorid, Schmp. 179–181 °C; LD_{50} (Maus oral) 237 mg/kg. M. soll wirksamer sein als selektive Serotonin-Wiederaufnahme-Hemmer (SSRI) u. besser verträglich als tricycl. Antidepressiva. M. wurde 1983 u. 1984 von Pierre Fabre (Ixel®) patentiert u. soll demnächst zugelassen werden. – ***E*** = ***F*** = ***I*** milnacipran – ***S*** milnaciprán

Lit.: Int. Clin. Psychopharmacol. **11** (Suppl. 4), 9–51 (1996) ▪ J. Med. Chem. **38**, 2964–2968 (1995); **39**, 4844–4852 (1996) ▪ Merck-Index (12.), Nr. 6281 ▪ Tetrahedron Lett. **37**, 641–644 (1996). – *[HS 2924 29; CAS 92623-85-3 (M.); 101152-94-7 (Hydrochlorid)]*

Milokorn s. Sorghum.

Miloriblau (C. I. Pigment Blue 27). Hellere Sorte von *Berliner Blau, die bei heißer Fällung u. langem Kochen von Eisensulfat u. Kaliumferrocyanid (gelbes *Blutlaugensalz) bei Kaliumchlorat-Zusatz entsteht. – ***E*** Milori blue – ***F*** bleu de Milori – ***I*** blu di Milori – ***S*** azul de Milori

Lit.: Buxbaum, Industrial Inorganic Pigments, S. 132, Weinheim: VCH Verlagsges. 1993 ▪ Ullmann (4.), **18**, 623. – *[HS 3206 43; CAS 12240-15-2 (M.)]*

Milorigrün s. Chrom-Pigmente.

Milraz®. Fungizid auf der Basis von Probineb u. *Cymoxanil. ***B.:*** Bayer.

Milrinon (Rp).

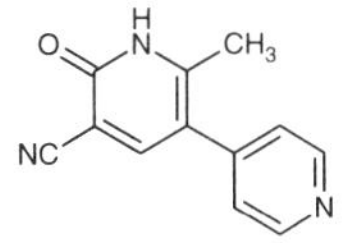

Internat. Freiname für den als Cardiotonikum verwendeten Phosphordiesterase-Hemmer 1,6-Dihydro-2-methyl-6-oxo-[3,4′-bipyridin]-5-carbonitril, $C_{12}H_9N_3O$, M_R 211,22, Schmp. >300 °C. M. ist eine pos. inotrope Substanz u. wird zur akuten Behandlung schwerer Herzinsuffizienz eingesetzt. Eine orale Langzeitbehandlung ist wegen der erhöhten Arrhythmie-Gefahr, die eine ständige Kontrolle der Therapie erfordert, z. Z. nicht möglich. M. wurde 1981, 1982 u. 1983 von Sterling patentiert u. ist von Sanofi Winthrop (Corotrop®) im Handel. – ***E*** = ***I*** milrinone – ***F*** milrinon – ***S*** milrinona

Lit.: ASP ▪ Hager (5.) **8**, 1015 ff. ▪ Martindale (31.), S. 910 ▪ Pharm. Ztg. **139**, 1020–1026 (1994). – *[HS 2933 39; CAS 78415-72-2]*

Milstein, César (geb. 1927), Prof. für Biochemie, Cambridge (England). *Arbeitsgebiete:* Molekularbiologie, Immunologie, monoklonale Antikörper; hierfür Nobelpreis für Physiologie od. Medizin 1984, zusammen mit N. K. *Jerne u. G. J. F. Köhler.

Lit.: Lexikon der Naturwissenschaftler, S. 295 ▪ Neufeldt, S. 303, 378 ▪ The International Who's Who (16.), S. 1061.

Miltefosin (Rp).

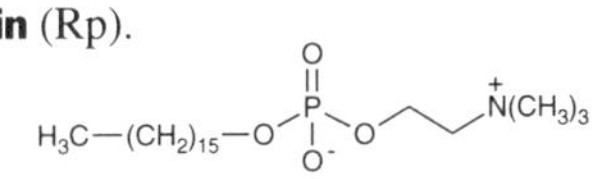

Von der WHO vorgeschlagener internat. Freiname für das *Cytostatikum Hexadecyl-[2-(trimethylammonio)ethyl]-phosphat, $C_{21}H_{46}NO_4P$, M_R 407,57, Schmp. 232–234 °C (Zers.), auch 244–253 °C angegeben; LD_{50} (Ratte oral) 246 mg/kg. M. wird zur Behandlung bösartiger Hautveränderungen bei Brustkrebs in Tropfenform lokal aufgetragen. Es wurde 1987 u. 1989 von der Max Planck Ges. Wissenschaft patentiert u. ist von Asta (Miltex®) im Handel. – ***E*** miltefosine – ***F*** miltéfosine – ***I*** = ***S*** miltefosina

Lit.: ASP ▪ Hager (5.) **8**, 1017 f. ▪ Martindale (31.), S. 588 ▪ Pharm. Ztg. **140**, 121–126 (1995). – *[CAS 58066-85-6]*

Miltex® (Rp). Tropfen zum Auftragen mit dem *Cytostatikum u. Metastasenhemmer *Miltefosin gegen bösartige Hautveränderungen bei Brustkrebs. ***B.:*** Asta Medica.

Miltopan®. Anion. Walk- u. Waschmittel für die Textil-Ind., bes. für den Einsatz bei fett- u. ölverschmutzten Waren. ***B.:*** Henkel.

Milz (latein. = lien, griech. = splen). Größtes lymphat. Organ des *retikulo-endothelialen Systems. Beim erwachsenen Menschen ist die M. ein ca. faustgroßes, 150–200 g schweres Organ in der linken Oberbauchgegend, das als eine Art biolog. Filter in den Blutkreislauf eingeschaltet ist u. Blutverunreinigungen (z. B. Bakterien, Zelltrümmer, Stoffwechselprodukte, Pigmente) sowie alte Erythrocyten abbaut. Das bei letzterem Vorgang – der sog. Blutmauserung – gewonnene Hämoglobin-

Eisen wird, an das Transportprotein *Transferrin gebunden, der neuen Blutbildung (*Hämato-* bzw. *Erythropoese*) zugeführt, u. ein Teil der Blutfarbstoffe trägt als *Bilirubin zur Bildung der *Gallenfarbstoffe bei. Eine weitere Funktion der M. ist die Ausbildung immunolog. kompetenter Zellen wie *Monocyten, Plasmazellen u. *Lymphocyten, vgl. Leukocyten. – ***E*** spleen – ***F*** rate – ***I*** milza – ***S*** bazo

Mimese. Bez. für die Tarnung von Tieren durch täuschende Nachahmung von nicht-tier. Strukturen, Farben, Gerüchen od. Bewegungen der Umgebung od. der Pflanzenwelt, z. B. von Steinen, Blättern, Vogelkot, Blüten, Ästen usw. Bes. bekannt sind die wie Äste aussehenden Raupen aus der heim. Schmetterlings-Familie Geometridae (Spanner), od. die zu den Gespenstschrecken (Familie Phasmida) gehörenden Stabheuschrecken u. Wandelnden Blätter (Gattung *Phyllium*, Ostindien: Körper u. Teile der Beine abgeflacht, verbreitert, ganzes Tier nach Gestalt u. Färbung blattähnlich). Die Täuschungssignale (z. B. gegenüber Freßfeind, Beute od. Geschlechtspartner) können den Gesichts-, Hör-, Geruchs- od. auch Tastsinn des Signalempfängers ansprechen. *Beisp.*: Aasgeruch mancher Pflanzen lockt Fliegen an, die dann die Bestäubung der Blüte vollziehen u., etwa bei den trop. Kannenpflanzen, durch Fang u. Auflösung zusätzlich einen ergänzenden Beitrag zur Ernährung der Pflanze liefern. Die tarnende Anpassung an eine gewechselte Umgebung kann in Abhängigkeit von Helligkeit, Temp. u. Feuchte auch durch eine kurzfristige Farbänderung erfolgen, z. B. bei der in Indien beheimateten u. vielfach in Terrarien bzw. Zuchten gehaltenen Stab(heu)schrecke *Carausius morosus*: Sog. physiolog. Farbwechsel durch Verschiebung von Pterin-, Ommochrom- u. Carotinoid-Granula der Epidermiszellen. Auch bei mitteleurop. Krabbenspinnen (Familie Thomisidae) ist Farbwechsel u. -anpassung zur Tarnung beim Lauern auf blütenbesuchende Fluginsekten als Beute bekannt.
Die Begriffe M. u. *Mimikry werden oft verwechselt od. nicht scharf getrennt. Gemeinsam ist beiden die oft sehr exakte Nachahmung von Dingen aus der außerartlichen Umwelt. Im Falle der M. geschieht dies jedoch um verborgen zu bleiben, bei der Mimikry dagegen um aufzufallen. – ***E*** mimesis – ***F*** mimésie – ***I*** mimesi – ***S*** mimesis

Lit.: Jacobs u. Renner, Biologie u. Ökologie der Insekten, 2. Aufl., Stuttgart: Fischer 1988 ▪ Wickler, Mimikry – Nachahmung u. Täuschung der Natur, München: Kindler 1968.

Mimetesit. $Pb_5[Cl/(AsO_4)_3]$, honig- od. wachsgelbes, orangerotes, auch grünliches, graues od. farbloses, sprödes, hexagonales Mineral, Kristallklasse 6/m-C_{6h}, Struktur s. *Lit.*[1,2]; der seltene monokline Klino-M.[3] (Kristallklasse 2/m-C_{2h}; s. *Lit.*[2]) wandelt sich zwischen 98 u. 120 °C umkehrbar in hexagonalen M. um. M. bildet kurz- u. langsäulige, spitz bipyramidale, nadelige od. tafelige, durchscheinende Krist., Kristallrasen, nierig-traubige Krusten u. erdige Massen. Bruch muschelig, H. 3,5–4, D. 7,1, Diamant- od. Fettglanz.
Vork.: In *Oxidationszonen von As-haltigen Buntmetall-Lagerstätten, z. B. Tsumeb/Namibia, Durango u. Chihuahua/Mexiko, Cornwall/England; Klino-M. in Johanngeorgenstadt/Sachsen u. Utah/USA. – ***E*** mimetesite, mimetite – ***F*** mimétésite – ***I*** mimetesite – ***S*** mimetesita

Lit.: [1]Z. Kristallogr. **191**, 125–129 (1990). [2]Can. Mineral. **29**, 369–376 (1991). [3]Mineral. Rec. **24**, 307 ff. (1993).
allg.: Lapis **12**, Nr. 12, 6–9 (1987) („Steckbrief") ▪ Schröcke-Weiner, S. 630 f. – *[CAS 1303-42-0]*

Mimikry. M. bedeutet eine Signalfälschung bzw. täuschende Signalnachahmung. Hierbei erzielen Tiere durch Nachahmung von Tieren od. von Teilen eines Tieres einen biolog. Vorteil. Im Falle der Bateschen M. (als falsche Warntracht) wird eine durch Wehrhaftigkeit, schlechten Geschmack od. nur unter großem Energieaufwand zu erbeutende Tierart durch eine ungeschützte Tierart nachgeahmt. Das bekannteste Beisp. ist die Wespen-M., bei sich z. B. die völlig harmlosen Hornissen-Schwärmer (Insekten-Ordnung der Schmetterlinge) od. viele Arten aus der Familie der Schwebfliegen (Syrphidae) durch Vortäuschung von Wehrhaftigkeit od. schlechtem Geschmack schützen.
Bei der Peckhamschen M. (als Angriffs-M.) ahmen umgekehrt räuber. Arten die Nahrungstiere ihrer Beute nach (z. B. durch wurmförmige Körperfortsätze) u. locken sie dadurch zum Fang in ihre Nähe (*Beisp.*: Anglerfische). Die meisten Fälle von M. beziehen sich auf gestaltliche u. farbliche Merkmale. Es gibt aber auch Nachahmungen im Verhaltensbereich (Verhaltens-M.). So ahmen z. B. kleine Raubfische die auffällige Schwimmweise von Putzerfischen nach, um sich deren „Kunden" zu nähern, denen sie dann allerdings nicht Parasiten von der Haut ablesen, sondern kleine Stücke aus den Flossen herausbeißen; vgl. a. Mimese. – ***E*** mimicry, behavioural mimicry – ***F*** mimique comportementale – ***I*** = ***S*** mimetismo

Lit.: Jacobs u. Renner, Biologie u. Ökologie der Insekten, 2. Aufl., Stuttgart: Fischer 1988 ▪ Krebs u. Davies, Einführung in die Verhaltensökologie, 3. Aufl., Berlin: Blackwell 1996 ▪ Wickler, Mimikry – Nachahmung u. Täuschung in der Natur, München: Kindler 1968.

Mimosa s. Mimosen.

Mimosarinde s. Mimosen.

Mimosen. Von der trop.-subtrop. Familie der Mimosaceae (Fabales, Fabaceae) ist die *Mimosa pudica* (Sinnpflanze) bekannt wegen ihrer *Nastien, mit denen sie auf die verschiedensten Reize reagiert. Die Blattbewegungen werden durch zu der Gruppe der **Turgorine* gehörende sog. *Leaf Movement Factors ausgelöst, die von der Pflanze auf den Reiz hin freigesetzt u. in einer Art von *Mechanorezeptoren aufgenommen werden. Die Bewegungen kommen durch Turgoränderungen an entsprechenden Gelenkzellen zustande. Sie können ausgelöst werden durch Erschütterung, Verletzung, Erhitzung od. elektr. Reizung. Die Erregungsleitung kann bis zu 30 mm/s betragen. Zur gleichen Pflanzenfamilie gehören auch die Akazien-Arten, von denen einige durch bes. hohen Gerbstoffgehalt der Rinde charakterisiert sind, wie z. B. die austral. *Acacia mearnsii* u. a. Arten; diese *Wattle-* od. *Mimosarinde*, die einen Tannin-Gehalt von 37–40% hat, wird in der Gerberei verwendet. *Catechu stammt aus dem Kernholz der Gerberakazie, andere Akazien-Arten liefern *Gummi arabicum u. wieder andere (Tamarinden) *Mimosin. Den Blüten mancher Akazien entzieht man durch *Enfleurage ihre *etherischen Öle, die als *Mimosablütenöl* parfümist. genutzt werden; *Beisp.:* das Öl von französ. Akazien (*Acacia dealbata* LK), Geruch bienenwachsähnlich mit Veilchenbeinote, enthält Acetate, Aldehyd C_{16}, Anisaldehyd, Anissäure, Önanthate, 4′-Methylacetophenon etc. – ***E*** = ***F*** = ***S*** mimosas – ***I*** mimose

Lit.: Franke, Nutzpflanzenkunde, 6. Aufl., Stuttgart: Thieme 1997.

Mimosin [Leucenol, Leucenin, 3-(3-Hydroxy-4-oxo-1(4*H*)-pyridyl)-L-alanin].

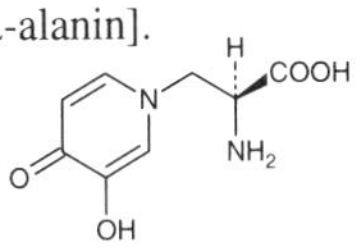

$C_8H_{10}N_2O_4$, M_R 198,17, Krist., Schmp. 225 °C, $[\alpha]_D^{20}$ –20° (H_2O), Racemat: Schmp. 235–236 °C, in Wasser wenig, in organ. Lsm. kaum, in verd. Säuren u. Alkalien leicht löslich. Die Aminosäure M. wurde aus Mimosen isoliert. Blätter von *Leucaena glauca* enthalten 2–5% M. bezogen auf das Trockengewicht. M. bewirkt Haarausfall bei Säugetieren (wirkt nur auf wachsendes Haar) u. wurde als Enthaarungsmittel verwendet. M. wurde fälschlicherweise für die Reizsubstanz der Mimosen gehalten, vgl. Leaf Movement Factors u. Turgorine.

Biosynth.: Der Pyridon-Ring stammt aus Lys u. die Ala-Seitenkette aus Ser. – ***E*** = ***F*** mimosine – ***I*** = ***S*** mimosina

Lit.: Beilstein E V **21/12**, 107 ▪ Chem. Unserer Zeit **12**, 63 (1978) ▪ Karrer, Nr. 2411 ▪ Merck-Index (12.), Nr. 6286 ▪ Toxicon **13**, 339–342 (1975) ▪ Zechmeister **28**, 137. – *[CAS 500-44-7]*

min. Symbol für die Zeiteinheit Minute (1 min = 60 s), die Vol.-Einheit *Minim u., als Index an Größensymbolen, für Minimum od. minimal.

Minamata-Krankheit s. Quecksilber.

Mindergiftig. Frühere Bez. für *gesundheitsschädlich.

Mindergiftige Stoffe s. gesundheitsschädlich. Bis zur 4. Novelle der GefahrstoffVO wurde die Bez. „mindergiftig“ benutzt; neuer Begriff: „gesundheitsschädlich“.

Mindesthaltbarkeitsdatum (Abk. MHD). Fertigpackungen im Sinne des Eich-Gesetzes[1] dürfen gewerbsmäßig nur in Verkehr gebracht werden, wenn das M. angegeben ist. Nach § 7 der Lebensmittel-Kennzeichnungs-VO[2] ist das M. unverschlüsselt mit den Worten „mindestens haltbar bis. . .“ unter der Angabe von Tag, Monat u. Jahr anzugeben. Bei Mindesthaltbarkeiten unter 3 Monaten kann das Jahr entfallen, bei Mindesthaltbarkeiten über 3 Monaten der Tag u. über 18 Monaten der Tag u. der Monat („mindestens haltbar bis Ende. . .“). Sonderregelungen betreffend Temp.-Angaben bei der Lagerung, sowie Ausnahmen für bestimmte Lebensmittel (frisches Obst, Zucker, Getränke mit einem Alkohol-Gehalt über 10% vol) sind ebenfalls *Lit.*[2] zu entnehmen (§ 7 Absätze 5 u. 6). Seit 1. 1. 1989 ist auch für *Bier die Angabe des M. zwingend vorgeschrieben (*Lit.*[2], § 7 Absatz 4). Die Angabe des M. auf kosmet. Mitteln regelt die Kosmetik-VO (*Lit.*[3]). – ***E*** date of minimum durability, „sell by date“ – ***F*** date limite de conservation, date de durabilité minimale – ***I*** data minima di conservazione – ***S*** fecha mínima de conservabilidad, fecha de vencimiento

Lit.: [1] Eichgesetz vom 22. 2. 1985 (BGBl. I S. 410) in der Fassung vom 26. 11. 1986 (BGBl. I S. 2089) § 14. [2] LMKV vom 9. 6. 1984 u. Änderungs-VO vom 9. 12. 1988 (BGBl. I S. 2231). [3] Kosmetik-VO vom 19. 5. 1985 in der Fassung vom 21. 3. 1990 (BGBl. I S. 589).
allg.: Zipfel, C 4, C 100.

Mindest(metall)gehalt s. Erz.

MINDO. Abk. für *M*odified *I*ntermediate *N*eglect of *D*ifferential *O*verlap. Nur noch wenig verwendetes semiempir. Verf. der *Quantenchemie, das von M. J. S. *Dewar u. Mitarbeitern entwickelt wurde.

Lit.: Clark, A Handbook of Computational Chemistry, New York: Wiley 1985.

Mineralbister s. Manganbraun.

Mineralblau s. Kupfer(II)-carbonat.

Mineralchemie. Teilgebiet von *Geochemie u. *Mineralogie, das sich mit der chem. Zusammensetzung der *Mineralien u. den Veränderungen der Mineralzusammensetzung des Erdkörpers befaßt. – ***E*** mineral chemistry – ***F*** chimie des minéraux – ***I*** chimica minerale – ***S*** química de los minerales

Mineralcortico(stero)ide s. Corticosteroide.

Minerale s. Mineralien.

Mineralfarben. 1. Mal- u. Anstrichfarben mit Kali-Wasserglas als Bindemittel (sog. *Wasserglasfarben). – 2. Veraltetes Synonym für Mineralpigmente (anorgan. *Pigmente). – ***E*** mineral colo(u)rs – ***F*** pigments minéraux – ***I*** colori minerali – ***S*** pigmentos minerales

Mineralfasern. Sammelbez. für *Fasern aus anorgan. Rohstoffen. Man teilt die M. ein in Naturfasern wie *Asbest u. in industriell hergestellte wie *Glasfasern, Gesteinsfasern (z. B. *Basaltfasern) u. Schlackenfasern (s. Hochofenschlacke). In neuerer Zeit gewinnen Keramikfasern – einschließlich solcher aus *Oxidkeramik[1] – u. Fasern aus anderen refraktären Materialien (Siliciumnitrid, Siliciumcarbid, Bor; s. a. Whiskers) zunehmend an Bedeutung, insbes. zur Anw. in Hochtemp.-Bereichen. Die M. können zu Filzen, Matten, Platten, Tüchern usw. verarbeitet, für Verbundwerkstoffe in Kunstharze od. Metalle eingebettet, od. in Form von *Mineralwolle* (z. B. Schlacken-, Hütten-, Stein-, Basaltwolle) lose zum Ausstopfen, Umwickeln etc. verwendet werden, u. zwar als *Schall-, Kälte- u. *Wärmedämmstoffe. Heute ist der carcinogene Asbest durch synthet. M. ersetzt worden; allerdings sollen von manchen dieser M. – v. a. im Feinstaubbereich <1 µm Durchmesser – auch gewisse Gefahren ausgehen, s. MAK-Liste, Gruppe IV. *Nicht* zu den M. rechnet man die *Kohlenstoff- u. die *Metallfasern, meist auch nicht die *Glasfasern. – ***E*** mineral fibers – ***F*** fibres minérales – ***I*** fibre minerali – ***S*** fibras minerales

Lit.: [1] Ind. Miner. (London) **1986**, Sept., 20–43.
allg.: Kirk-Othmer (3.) **13**, 595; **20**, 65–77; (4.) **21**, 117–128 ▪ Ullmann (4.) **11**, 359–374, 380–386; (5.) **A 11**, 1–11, 27–37 ▪ Winnacker-Küchler (4.) **3**, 151–155. – *Organisation:* Bundesverband Glasind. u. Mineralfaserind. e. V., 40210 Düsseldorf.

Mineralfette s. Mineralöle u. Paraffin.

Mineralfutter. Nach § 1 Absatz 1 Nr. 4 der Futtermittel-VO[1] handelt es sich bei M. um ein Ergänzungsfuttermittel, das überwiegend aus mineral. Einzelfuttermitteln zusammengesetzt ist u. mind. 40% Rohasche enthält. Die Gehalte an Zusatzstoffen wie Vitamin D od. Leistungsförderern (s. Masthilfsmittel) regelt § 17 Absatz 3 oben genannter Verordnung. Die Hauptinhaltsstoffe sind Calciumphosphate, Natrium-, Magnesium- u. Spurenelement-Verb. (Fe, Zn, Cu, Mn, Co, I, Mo, Se). Man setzt die M. unter Handelsbez. wie Futterkalk od. Futterphosphat den *Futtermitteln für Nutztiere zur Mineralstoff-*Supplementierung* zu, um eine normale Skelettmineralisierung u. rasches Wachstum zu gewährleisten, den Mineralverlust durch die Milchabgabe zu ersetzen u. Dauerschäden durch Mineral-Unterversorgung zu verhindern. Ähnliche Mischungen kann man auch als *Teichdüngung* in Fischteichen benutzen. Die M. gelten als Futtermittelzusätze. – ***E*** mineral feed – ***F*** aliment minéral – ***I*** concime minerale, foraggio minerale – ***S*** nutriente mineral

Lit.: [1] Futtermittel-VO vom 8.4.1981 in der Fassung vom 15.6.1989 (BGBl. I S. 1096).
allg.: s. Futtermittel. – *[HS 2309]*

Mineralgänge s. Gänge.

Mineralgelb s. Veroneser Gelb.

Mineralgerbung. *Gerberei mit mineral. *Gerbstoffen, z. B. *Chromgerbung u. Weißgerberei (s. Gerberei).
Lit.: s. Gerberei.

Mineralien (Minerale; von latein.: mina = Schacht). Bez. für stofflich einheitliche, natürliche (als Ergebnis geolog. Vorgänge entstandene [1]) Bestandteile der *Erde u. a. Himmelskörper (z. B. *Mond, *Meteoriten, erdähnliche Planeten unseres Sonnensyst.). M. sind chem. Verb. unterschiedlichster Zusammensetzung, seltener auch chem. Elemente (z. B. Gold, Silber). Von wenigen Ausnahmen abgesehen sind M. *fest* (Ausnahme: Quecksilber), *kristallisiert* u. *anorgan.* (Ausnahme z. B. Fichtelit $C_{19}H_{34}$). Kristallisiert bedeutet, daß die kleinsten Bausteine der M. (Atome, Ionen, Mol.) ungeachtet zahlreicher *Kristallbaufehler u. Unregelmäßigkeiten dreidimensional period. geordnet sind (*Kristallstrukturen). Nicht krist. M. sind entweder *amorph* (nie krist. gewesen; es werden keine Röntgen- od. Elektronenbeugungsdiagramme erhalten; *Beisp.:* *Opal-A) od. *metamikt* (waren krist., ihre *Kristallgitter sind aber durch ionisierende Strahlung zerstört worden; *Beisp.:* Manche *Zirkone). Alles, was der Mensch herstellt, vom Silicium-Krist. bis zum *Diamanten, ist kein Mineral; ein künstlich im Labor hergestellter *Quarz wird als *synthet.* Quarz bezeichnet; zur Anw. von Mineralnamen für synthet. Substanzen s. *Lit.*[2]. Ebenfalls nicht zu den M. gehören Harze wie *Bernstein (stark schwankende chem. Zusammensetzung) u. Wasser.

M. können auftreten als: *Kristalle mit wohlausgebildeten Flächen; als krist. Aggregat mit unterschiedlicher Ausbildung u. Korngröße, mit freiem Auge, Lupe od. Mikroskop auflösbar, u. als nur mit dem Elektronenmikroskop auflösbares kryptokrist. Aggregat.

Alle M.-Individuen mit übereinstimmender chem. Zusammensetzung gehören zu einer *Mineralart.* Dabei sind geringe Unterschiede im Chemismus, z. B. der Einbau seltener Elemente als Spurenelemente anstelle „gewöhnlicher" Elemente, sowie in den physikal. Eigenschaften od. in der Morphologie zulässig; sie führen bei einer gegebenen Mineralart, z. B. Quarz, in den meisten Fällen zur Unterscheidung von *Mineral-Varietäten,* z. B. *Amethyst, Rosenquarz. Die Forderung nach einer bestimmten chem. Zusammensetzung schließt die Möglichkeit der Bildung von **Mischkristallen* nicht aus.

Systematik: Die M. werden nach ihrer chem. Zusammensetzung u. ihrer Struktur nach Strunz (*Lit.*) in 9 Klassen eingeteilt; die Tab. berücksichtigt die aktualisierte

Tab.: Systematik der Mineralien, vereinfacht nach Strunz (*Lit.*) u. *Lit.*[3].

Klasse	Name	Beisp.
I	Elemente	Kupfer, Gold, Diamant
II	Sulfide	Bleiglanz, Kupferkies, Zinkblende, Fahlerze
III	Halogenide	Fluorit, Steinsalz
IV	Oxide (Hydroxide, usw.)	Quarz, Spinelle, Hämatit, Ilmenit, Goethit
V	Carbonate, Nitrate	Calcit, Malachit, Kalisalpeter
VI	Borate	Colemanit, Kernit
VII	Sulfate, Chromate, Molybdate, Wolframate	Baryt, Gips, Krokoit, Scheelit
VIII	Phosphate, Arsenate, Vanadate (KZ 4)	Apatit, Monazit, Erythrin, Vanadinit
IX	Silicate	Olivin, Epidot, Beryll, Pyroxene, Amphibole, Glimmer, Feldspäte
X	organ. Mineralien	Whewellit

Systematik nach *Lit.*[3], in der die *Borate (Klassifikation s. *Lit.*[4]) eine eigene Klasse (VI) bilden u. in der Klasse II (Sulfide etc.) die Sulfosalze stärker untergliedert werden. Zu weiteren M.-Klassifizierungen s. *Lit.*[5–7] u. *Lit.*[3]. Zur Zeit sind fast 4000 verschiedene M. bekannt; alphabet. M.-Verzeichnisse s. *Lit.*[8,9]; zur LAPIS-Datenbank für M. s. *Lit.*[10]. Von den bekannten M. bauen weniger als 40 den größten Teil der Erdkruste auf. Diese sind die Hauptbestandteile der *Gesteine u. werden daher *gesteinsbildende M.* genannt; es sind v. a. Silicate. Eine Reihe an sich seltener Mineralarten – v. a. Oxide u. Sulfide – sind örtlich in *Lagerstätten konzentriert u. können daher für industrielle Zwecke gewonnen werden. Dabei unterscheidet man zwischen **Erz-M.* u. *Ind.-M.* (*Lit.*[11,12]); unter letzteren werden geolog. Materialien (auch Gesteine) verstanden, die durch Bergbau (im weitesten Sinne) gewonnen werden u. nicht den Metallen od. den Brennstoffen zuzurechnende Rohstoffe von kommerziellem Wert darstellen (z. B. Quarz, Feldspäte, *Fluorit, *Tone, *Sand).

Die *Benennung* der M. erfolgt oft durch latein. od. griech. Namen, die häufig auf -it od. -lit(h) (von griech.: lithos = Stein) enden; die Namensgebung unterliegt keiner bes. Systematik.

Eigenschaften: *Spaltbarkeit, Bruch, Härte (*Härte fester Körper), Dichte (Bestimmungsmeth. s. *Lit.*[13]), Farbe[14,15] (z. T. in zonarer Verteilung; zum Zonarbau von M. s. *Lit.*[16]), Glanz u. Strichfarbe („Strich") auf einer unglasierten Porzellantafel. Aufgrund der D. werden die M. in *Schwer-M.* (D. >2,89) u. *Leicht-M.* (D. <2,89) eingeteilt. Eine Übersicht über verschiedene Bestimmungsmeth. (z. B. Prüfung auf Schmelzbarkeit, Fluoreszenz, Radioaktivität, Löslichkeit, Salzperlen- u. Flammenfärbung, Lötrohr- u. Tüpfelanalyse) gibt *Lit.*[17]; eine Arbeitsanleitung für den Sammler von Kleinststufen (Micromounts) bietet *Lit.*[18]. Farbig bebilderte Mineralienführer geben z. B. die Verlage BLV Verl.-Ges., München, Gräfe u. Unzer, München u. Kosmos-Franckh, Stuttgart heraus. Zur Verw. von M. für Heilzwecke s. z. B: *Lit.*[19]. Vgl. auch Mineralogie u. die Kristall...-Stichwörter. – *E* minerals – *F* minéraux – *I* minerali – *S* minerales

Lit.: [1] Eur. J. Mineral. **7**, 1213 ff. (1995). [2] Eur. J. Mineral. **8**, 46 ff. (1996). [3] Neues Jahrb. Mineral., Monatsh. **1996**, 435–455. [4] Eur. J. Mineral. **9**, 225–232 (1997). [5] Hölzel, Systematics of Minerals, Mainz 1989 (keine Verl.-Angabe). [6] Liebau, Structural Chemistry of Silicates, Berlin: Springer 1985. [7] Lapis **20**, Nr. 2, 27–34 (1995), Nr. 3, 27–34 (1995). [8] Fleischer u. Mandarino, Glossary of Mineral Species 1995, Tucson (Arizona): The Mineralogical Record 1995. [9] Weiß, Hochleitner u. Wilke, Lapis-Mineralienverzeichnis (2.), München: C. Weise 1994. [10] Lapis **9**, Nr. 5, 41–45 (1994). [11] Harben u. Bates, Industrial Minerals, Geology and World Deposits, London: Industrial Minerals Division of Metal Bulletin Plc 1990. [12] Manning, Industrial Minerals, London: Chapman u. Hall 1995. [13] Aufschluß **39**, 375–378 (1988). [14] Fortschr. Mineral. **56**, 172–252 (1978). [15] Aufschluß **48**, 193–199 (1997). [16] Can. Mineral. **34**, 1109–1232 (1996). [17] Lapis **3**, Nr. 11, 6–24 (1978). [18] Vollstädt, Voigt u. Vogel, Micromounts, Arbeitsbuch für Mineraliensammler, Berlin: Springer 1987. [19] Gienger, Die Steinheilkunde, Saarbrücken: Verl. Neue Erde 1995.
allg.: Anthony et al., Handbook of Mineralogy, Vol. I (Elements, Sulfides, Sulphosalts), Vol. II (Silicates, 2 Bde.), Tucson (Arizona): Mineral Data Publishing 1990, 1995 ▪ Deer (2.) ▪ Dietrich u. Skinner, Die Gesteine u. ihre Mineralien, Thun: Ott 1984 ▪ Hochleitner, Philipsborn u. Weiner, Minerale bestimmen nach äußeren Kennzeichen (3.), Stuttgart: Schweizerbart 1996 ▪ Lieber, Der Mineraliensammler (6.), Thun: Ott 1987 ▪ Lüschen, Die Namen der Steine (2.), Thun: Ott 1979 ▪ Strübel u. Zimmer, Lexikon der Minerale (2.), Stuttgart: Enke 1991 ▪ Strunz, Mineralogische Tabellen (7.), Leipzig: Akademische Verlagsges. 1978 (Reprint 1982).

Mineralisation (Mineralisierung). 1. In *Ökologie, Pedologie (Bodenkunde) u. bei der Abwasserbehandlung versteht man unter *Mineralisierung* den Abbau organ. Stoffe bis zur anorgan. bzw. mineral. Stufe, z. B. durch die Einwirkung von als Destruenten wirkenden Mikroorganismen (insbes. saprotrophe Bakterien u. Pilzen) wie bei der *Humus-Bildung, im weiteren Verlauf auch durch Druck u. Temp. etc. wie bei der *Erdöl- u. Kohle-Entstehung (vgl. Inkohlung).
2. Als *Biomineralisation* bezeichnet man die Einlagerung von – im allg. als *Mineralstoffe aufgenommenen u. metabolisierten – Stoffen (Kalksalzen, bes. Hydroxylapatit, s. Apatit) meist in eine organ. Matrix (*extrazelluläre Matrix), z. B. bei der Bildung der *Knochen, *Zähne, Muschel- od. Eierschalen. Krankhafte M. sind die Bildung von Harn- u. Gallensteinen. Die *Calcifikation* der Knochen od. *Ossifikation* (von latein.: os = Knochen) wird durch das Hormon *Calcitonin u. dessen Gegenspieler *Parathyrin gesteuert; überwiegt letzteres, kommt es zur *Demineralisation der Knochen. Auch die Einlagerung von anorgan.-mineral. Substanzen in die Cellulose-haltigen Wände mancher Pflanzen-Zellen wird als M. bezeichnet; so findet sich amorphe Kieselsäure in den äußeren Zellwänden von Gräsern u. Schachtelhalmen (die dadurch hart bzw. scharfkantig wirken) sowie bei Kieselalgen. Bestimmte fossile Rotalgen erfuhren eine derart intensive Calciumcarbonat-M., daß sie gesteinsbildend wirkten, z. B. in den Alpen. Ähnliche Prozesse laufen in *Korallen ab, u. auch Schwefel-Lagerstätten u. Sedimentgesteine sind zum großen Teil biogenen Ursprungs. Bei der *Fossilisation* kann man Verkalkung, Verkieselung u. Verkiesung unterscheiden (vgl. Fossilien). Interessante M.-Produkte sind z. B. Aragonit-Krist. im Gleichgew.-Organ mancher Haie u. die als Kompaß wirkenden Magnetit-Krist. bei Bienen u. wohl auch Tauben sowie in den *Magnetosomen* magnetotakt. Bakterien (s. Magnetotaxis).
3. Unter *Mineralisierung* versteht man in der Textilkunde die Abscheidung von Calcium- u. Magnesium-Salzen auf Waschwaren, die in hartem Wasser gewaschen werden.
4. In der **Mineralogie* Bez. für nicht zur Bildung eines *Gesteins führende Ausscheidungen von *Mineralien in Spalten, Klüften, Poren, Gasblasen u. sonstigen, z. T. durch Lösung entstandenen Hohlräumen in Gesteinen. Als M. wird auch der Mineralinhalt von *Gängen (Mineralgänge u. Erzgänge), Klüften (z. B. alpine Klüfte, s. *Lit.*[1]), Imprägnationszonen usw. bezeichnet. – *E* mineralization – *F* minéralisation – *I* mineralizzazione – *S* mineralización

Lit.: [1] Weise (Hrsg.), Kristall Alpin (extra Lapis No. 5), München: C. Weise 1993.
allg.: Acc. Chem. Res. **30**, 17–27 (1997). – *(zu 2.):* Glimcher u. Lian, The Chemistry and Biology of Mineralized Tissues, New York: Gordon and Breach 1989 ▪ Hukins, Calcified Tissue, London: Macmillan 1990 ▪ Mann et al., Biomineralization, Chemical and Biochemical Perspectives, Weinheim: VCH Verlagsges. 1989. – *(zu 4.):* Lapis, **2**, Nr. 6, 18–21 (1977).

Mineralisatoren s. Kristallisation.

Mineralisches Chamäleon s. Kaliumpermanganat u. Manganate.

Mineralkautschuk s. Elaterit.

Mineralöladditive (Öladditive). Bez. für in geringen Mengen den Mineralöl-Produkten zugesetzte Stoffe zur Verbesserung ihrer Eigenschaften. Man unterscheidet M. für *Kraftstoffe, *Heizöle u. *Schmierstoffe. – *E* oil additives – *F* additifs pour huiles minérales – *I* additivi per oli minerali – *S* aditivos para aceites minerales

Lit.: Falbe u. Hasserodt (Hrsg.), Katalysatoren, Tenside u. Mineralöladditive, S. 219 ff., Stuttgart: Thieme 1978 ▪ s. a. Additive. – *[HS 3811 11, 3811 19, 3811 21, 3811 29, 3811 90]*

Mineralöle. Sammelbez. für die aus mineral. Rohstoffen (Erdöl, Braun- u. Steinkohlen, Holz, Torf) gewonnenen flüssigen Dest.-Produkte, die im wesentlichen aus Gemischen von gesätt. Kohlenwasserstoffen bestehen. Analog bezeichnet man mitunter die festen u. halbfesten Gemische höherer Kohlenwasserstoffe als *Mineralfette*; *Beisp.:* Ceresin, Vaseline, Paraffin. Im Gegensatz zu den unverseifbaren M. bestehen die in lebenden Organismen verbreiteten *Fette u. Öle aus gemischten Glycerinestern von Fettsäuren. Die Analyse von Gemischen fetter u. mineral. Öle läßt sich IR-spektroskop. od. durch Bestimmung des *Unverseifbaren durchführen; zum Schnellnachw. z. B. im Boden sind Testpapiere im Handel. Zu den M. bzw. M.-Produkten gehören z. B. Benzin, Dieselöle, Heizöle, Schmieröle, Leuchtpetroleum, Isolieröle, viele Lsm., Bitumen usw., die zusammen ca. 85% der *Erdöl-Produktion für sich beanspruchen. Manchmal versteht man unter M. lediglich die *Motorenöle. Zum *Recycling der *Altöle s. Altölentsorgung u. *Lit.*[1]. In der BRD wurden 1996 insgesamt 128,4 Mio. t M.-Produkte abgesetzt, davon 45,4 Mio. t Heizöle, 30,0 Mio. t Ottokraftstoffe, 26,0 Mio. t Diesekraftstoffe, 13,4 Mio. t Rohbenzin u. 13,6 Mio. t sonstige M.-Produkte[2]. – *E* petroleum mineral oils – *F* huiles minérales – *I* oli minerali – *S* aceites minerales

Lit.: [1] Kirk-Othmer (3.) **19**, 979–985; (4.) **21**, 1–10. [2] Erdöl Erdgas Kohle **113**, Heft 4, S. 154 (1997).

allg.: Hommel, Nr. 155, 155a ▪ Kirk-Othmer (3.) **17**, 110–271; (4.) **18**, 342–479 ▪ Mineralöle u. Brennstoffe (DIN Taschenbuch 20, 32, 57, 58, 228), Berlin: Beuth jährlich ▪ s.a. Erdöl, Motorenöle, Schmierstoffe. – *[HS 2707, 2710, 2901, 2902]*

Mineralogie. Ursprünglich Bez. für die Lehre von den *Mineralien. Heute umfaßt die M. als Oberbegriff die folgenden Teilgebiete: M. im engeren Sinne, bestehend aus *Allg. M.* (Grundlagen für das Verständnis der Struktur der Mineralien, ihrer chem. u. physikal. Eigenschaften u. ihrer Bildungsbedingungen) u. *Spezieller M.* (Systematik u. Einzelbeschreibung der Mineralien) sowie Teilgebieten der **Kristallographie*, ferner Gesteinskunde (**Petrographie* mit *Petrologie*), **Geochemie*, *Lagerstättenkunde* (*Lagerstätten), *Angewandte u. Techn. M.* u. *Tonmineralogie* (*Tone). In *fächerübergreifenden* Arbeitsgebieten werden ebenfalls Meth. der M. angewendet, z.B. bei der biomineral. Forschung [mineral. Bildungen der Lebewesen, z.B. Knochen, Zähne, patholog. Produkte (z.B. *Harnsteine)], beim *Bioleaching u. in der Bodenkunde (*Boden).

Die Forschungsschwerpunkte haben sich in den letzten 3 Jahrzehnten von der rein systemat. Beschreibung von Strukturen u. Zusammensetzungen von Mineralien u. Mineralgruppen in Richtung auf das Verständnis des Verhaltens der Mineralien innerhalb der *Erde u. auf ihre strukturellen u. chem. Reaktionen auf Veränderungen in der physikal. u. chem. Umgebung im Verlauf geolog. Prozesse verlagert. Zunehmende Bedeutung gewinnen Aspekte der Umwelt, z.B. in der Ton-M. (z.B. Bindung von Schadstoffen, Abdichtung von Deponien). Zu aktuellen Schwerpunkten im Bereich der Angewandten M. (z.B. M. u. Anw. natürlicher *Zeolithe; Eigenschaften natürlicher u. synthet. Rohmaterialien für die techn. *Keramik) s. *Lit.*[1]. Zum *Berufsbild* des Mineralogen s. *Lit.*[2]; er sollte heute auch mit Aspekten der Kristallographie, der Festkörperchemie u. der Festkörperphysik vertraut sein.

Die M. ist heute eine *Materialwissenschaft*, die sich zur Lösung ihrer Aufgaben insbes. chem. u. physikal. Verf. bedient; sie hat darüber hinaus aber auch eigene spezif. Meth. entwickelt, z.B. in der Tonmineralogie. Neben den traditionellen Meth. der Polarisationsmikroskopie mit ihren vielfältigen Anw. im Durchlicht u. Auflicht u. den Verf. der Röntgenbeugung zur Bestimmung von Kristallstrukturen (*Kristallstrukturanalyse) u. zur Mineral- u. Gesteinsanalyse werden heute z.T. routinemäßig in der M. eingesetzt: *Elektronen- u. *Neutronen-Beugung, Raster- u. Transmissions-*Elektronenmikroskop, *IR-Spektroskopie, NMR-*Spektroskopie, *Raman-Spektroskopie, *Massenspektrometrie, opt. Spektroskopie (Farbursachen von Mineralien), *Atomabsorptionsspektroskopie, *Röntgenspektroskopie (mit *EXAFS u. XANES) *Röntgenfluoreszenzspektroskopie, *Elektronenstrahl-Mikroanalyse (ESMA, mit der Mikrosonde) u. *Mößbauer-Spektroskopie. Weitere aktuelle Forschungsgebiete der M. sind z.B.: Phasenübergänge in Mineralien bei hohen Drücken im Zusammenhang mit der Erforschung von Zusammensetzung u. Struktur des unteren Erdmantels, Ordnungs-/Unordnungs-Zustände in Mineralien[3], Ermittlung thermodynam. Daten für Minerale u. Mineralreaktionen u. die Untersuchung von Mineraloberflächen[4]. Zur Geschichte der M. s. *Lit.*[5,6]. – ***E*** mineralogy – ***F*** minéralogie – ***I*** mineralogia – ***S*** mineralogía

Lit.: [1] Eur. J. Mineral. **3**, Nr. 3 (1991). [2] Kommission für Technische Mineralogie der Deutschen Mineralogischen Gesellschaft (Hrsg.), Das Berufsfeld des Industriemineralogen (2.), Stuttgart: Schweizerbart 1989. [3] Am. Mineral. **81**, 1021–1035 (1996). [4] Vaughan u. Pattrick (Hrsg.), Mineral Surfaces, London: Chapman & Hall 1995. [5] Aufschluß **39**, 37f. (1988). [6] Lieber, Menschen, Minen, Mineralien, Mineralogie seit 10 Jahrtausenden, München: C. Weise 1978.

allg.: Hintze (ab 1960 Hintze-Chudoba), Handbuch der Mineralogie (2 Bd. mit mehreren Teilbd. u. 4 Erg.-Bd.), Leipzig: Veit & Comp. seit 1904, Berlin: de Gruyter & Co. ab 1930 ▪ Jones, Methoden der Mineralogie, Stuttgart: Enke 1997 ▪ Klein, Mineralogy CD-ROM, New York: Wiley 1995 ▪ Klein u. Hurlbut, Manual of Mineralogy (21.), New York: Wiley 1993 ▪ Matthes, Mineralogie (5.), Berlin: Springer 1996 ▪ Nickel, Grundwissen in Mineralogie, Teil 1 (4.), Thun: Ott 1992 ▪ Putnis, Introduction to Mineral Sciences, Cambridge (U. K.): Cambridge University Press 1992 ▪ Ramdohr-Strunz ▪ Rath, Mineralogische Phasenlehre, Stuttgart: Enke 1990 ▪ Rösler, Lehrbuch der Mineralogie (4.), Leipzig: Verl. für Grundstoffind. 1988 ▪ Schröcke-Weiner. – *Zeitschriften u. Serien* (Auswahl): Contributions to Mineralogy and Petrology, Berlin: Springer (seit 1977) ▪ Der Aufschluß, Heidelberg: Vereinigung der Freunde der Mineralogie u. Geologie (VFMG) e. V. (seit 1950) ▪ European Journal of Mineralogy, Stuttgart: Schweizerbart (seit 1989) ▪ extraLapis, München: C. Weise (seit 1991) ▪ Fortschritte der Mineralogie, Stuttgart: Schweizerbart (bis 1988) ▪ Industrial Minerals, London-New York: Metal Bulletin Journals Ltd. (seit 1968) ▪ Lapis, München: C. Weise (seit 1976) ▪ Mineralien-Welt, Haltern: Bode Verl. (seit 1990) ▪ Mineralogical Magazine, London: The Mineralogical Society of Great Britain ▪ Mineralogy and Petrology, Wien: Springer [seit 1987; vorher Tschermaks Mineralogische u. Petrographische Mitteilungen (TMPM); begründet 1872] ▪ Neues Jahrbuch für Mineralogie, Monatshefte u. Abhandlungen, Stuttgart: Schweizerbart (begründet 1807) ▪ Physics and Chemistry of Minerals, Berlin: Springer (seit 1977) ▪ Schweizerische Mineralogische u. Petrographische Mitteilungen, Zürich: Stäubli (seit 1921) ▪ The American Mineralogist, Washington (D. C.): Mineralogical Society of America (seit 1916) ▪ The Mineralogical Record, Tucson (Arizona): The Mineralogical Record Inc. (seit 1970). – *Institutionen:* s. Lagerstätten.

Mineralphosphore s. Leuchtstoffe.

Mineralpigmente s. Pigmente.

Mineral Rubber. Spezialbitumen für die Gummi-Industrie.

Mineralsäuren. Sammelbez. für Salz-, Schwefel- u. Salpetersäure; in der angelsächs. Lit. wird häufig auch die Phosphorsäure dazugerechnet. M. wurden ursprünglich alle Säuren genannt, die in Form ihrer Salze in *Mineralien auftreten, also auch die Kohlensäure. Unzweckmäßig ist es – wie manchmal üblich – den Terminus M. als Sammelbez. für alle anorgan. Säuren zu verwenden. – ***E*** mineral acids – ***F*** acides minéraux – ***I*** acidi minerali – ***S*** ácidos minerales

Mineralschwarz s. Schieferschwarz.

Mineralstoffe. Sammelbez. für die mineral. Bestandteile der pflanzlichen u. tier. Organismen (beim *Menschen ca. 3,5 kg). Man unterscheidet sog. *Mikroelemente* mit *Spurenelement-Charakter, die hauptsächlich katalyt. Funktionen ausüben (F, Br, I, Fe, Cu, Mn, Co, Zn, Mo, V, Se), u. die mengenmäßig weit überwiegenden *Makroelemente*, die als Baustoffe (bei Tieren v.a. für das Skelett) unentbehrlich sind (Ca, Na, K, P, S, Mg, Cl). Außerdem unterscheidet man *essentielle* M. mit bekannter biolog. Funktion, *akzidentelle* M. mit (vorläufig noch) unbekannter Funktion u. *tox.* M., die aus der Umwelt in die Organismen gelangen. Bisher wurden 24 chem. Elemente als *essentielle (lebensnotwendige) *Wirkstoffe* für den menschlichen Organismus erkannt. Die M. werden mit den Nährstoffen in den Organismus aufgenommen. Sie werden zu einem großen Teil durch die natürlichen Ausscheidungen (Kot, Harn, Schweiß) od. bei vielen Pflanzen durch den herbstlichen Blattfall u. Welkeprozeß wieder abgegeben u. müssen daher ergänzt werden; auf diese Weise entsteht ein ausgeprägter M.-Kreislauf (*Mineralstoffwechsel*). Auf der Annahme, daß Krankheiten die Folge eines gestörten Mineralstoffwechsels seien, beruhte ein von dem oldenburg. Arzt Schüßler (1821–1898) begründetes Heilverf. (*Biochemie nach Schüßler*), bei dem 11 anorgan. Verb. (CaF_2, KCl, K_2SO_4, NaCl, Na_2SO_4, Ca-, Mg-, K-, Na- u. Fe-Phosphat, Kieselsäure) in homöopath. Verreibung mit Lactose, meist in der 6. Potenz, zur Anw. kamen. Den Ausgleich des *Mineralhaushalts* bei mehr od. weniger künstlichen Ernährungsbedingungen muß der Mensch durch entsprechende Eßgewohnheiten, ggf. auch *diätetische Lebensmittel, *Elektrolyt- u. M.-Infusionen u. a. M.-Zusätze erreichen. In der Haustierhaltung kennt man entsprechende *Mineralfutter, u. im Anbau von Kulturpflanzen ist die *Düngung mit mineral. *Düngemitteln seit Liebig geläufig. Für die *Kultur von Mikroorganismen u. die *Gewebezüchtung sind M. in der Nährlsg. ebenso essentiell wie für Pflanzen in der *Hydrokultur u. *Plastoponik. – ***E*** mineral nutrients – ***F*** substances minérales – ***I*** sostanze minerali, sostanze nutritive – ***S*** substancias minerales

Lit.: Biesalsky u. Classen, Elektrolyte, Vitamine, Spurenelemente, Stuttgart: Thieme 1995 ▪ Kinzel, Pflanzenökologie u. Mineralstoffwechsel, Stuttgart: Ulmer 1982 ▪ Zumkley u. Kisters, Spurenelemente, Darmstadt: Wiss. Buchges. 1990.

Mineralviolett s. Manganviolett.

Mineralwachs s. Ceresin.

Mineralwasser. *Natürliches M.* ist nach der Mineral- u. Tafelwasser-VO [1] (§ 2) ein Wasser, das bes. Anforderungen zu genügen hat. Es muß seinen Ursprung in einem unterird., vor Verunreinigungen geschützten Wasservork. haben u. wird aus einer Quelle gewonnen. M. ist von ursprünglicher Reinheit u. besitzt aufgrund seines Gehalts an *Mineralstoffen ernährungsphysiolog. Wirkung. Die in *Lit.*[1] (Anlage 1) angegebenen Höchstwerte für *Schwermetalle u. *Borat dürfen nicht überschritten werden. Die Zusammensetzung eines M. muß im wesentlichen konstant bleiben. Natürliche M. dürfen gewerbsmäßig nur in Verkehr gebracht werden, wenn sie amtlich anerkannt sind u. eine Registriernummer erhalten haben (*Lit.*[1], § 3). Dies setzt eine eingehende Prüfung voraus. Ist ein natürliches M. amtlich anerkannt, wird dies im Amtsblatt der Europäischen Gemeinschaft veröffentlicht[2]. Darüber hinaus erfolgt für dtsch. M. eine Veröffentlichung der amtlichen Anerkennung im Bundesanzeiger (Gesamtliste s. *Lit.*[3]).

Die Anforderungen an die mikrobiolog. Beschaffenheit von M. sind ebenfalls *Lit.*[1] (§ 4 u. Anlage 3) zu entnehmen. Sollten diese nicht mehr erfüllt werden, muß der Abfüller unverzüglich jede Gewinnung von M. einstellen u. für Abhilfe sorgen.

Zur Herst. von M. sind nur bestimmte Verf. (Abtrennung von Eisen- u. Schwefel-Verb., vollständiger od. teilw. Entzug der freien *Kohlensäure, Versetzen mit Kohlendioxid) erlaubt, wobei diese die Zusammensetzung des M. nicht wesentlich beeinflussen dürfen. Die Enteisenung ist dann unerläßlich, wenn in Ggw. von Luft-Sauerstoff Trübungen eintreten. Die Abfüllung, die nur am Quellort durchgeführt werden darf (gilt auch für Quellwasser, nicht aber für Tafelwasser), erfolgt in Fertigpackungen (*Lit.*[4], § 14), die mit einem Verschluß versehen sind, der die Authentizität der Verpackung garantiert. Anforderungen für weitere Kennzeichnungen, die über die Verkehrsbez. natürliches M. hinausgehen (*Kohlensäure-haltig, mit eigener Quell-Kohlensäure versetzt*, u. a.), sind auch der Mineral.- u. Tafelwasser-VO (§ 8 Absatz 1–4) zu entnehmen.

*Säuerlinge sind natürliche M., deren Gehalt an natürlichem Kohlendioxid 250 mg/L überschreitet u. die keine willkürliche Veränderung erfahren haben. Säuerlinge, die unter natürlichem Kohlensäure-Druck aus einer Quelle hervorsprudeln, dürfen auch als *Sprudel* bezeichnet werden. Dies gilt auch für natürliche M., die unter Kohlendioxid-Zusatz abgefüllt werden. Der allg. Sprachgebrauch bezeichnet als Sprudel häufig die Produktgruppen, die der Gesetzgeber als natürliches M., Quellwasser u. Tafelwasser sowie als Kohlensäure-haltige Erfrischungsgetränke definiert hat.

Als *Fluorid-haltig* darf ein natürliches M. ab einem Fluorid-Gehalt von 1,0 mg/L bezeichnet werden. Bei Fluorid-Gehalten über 5 mg/L ist das Etikett mit einem Warnhinweis zu versehen, aus dem hervorgeht, daß nur begrenzte Mengen dieses M. verzehrt werden dürfen. Neben den nach § 3 der Lebensmittel-Kennzeichnungs-VO [5] geforderten Elementen der Kennzeichnung (Ausnahme *Mindesthaltbarkeitsdatum), muß bei natürlichen M. der Ort der Quellnutzung, der Name der Quelle sowie das Ergebnis der amtlich anerkannten Analyse angegeben werden. Die Analyse sollte nicht älter als drei Jahre sein. Ein natürliches M., das aus ein u. derselben Quellnutzung stammt, darf nicht unter mehreren Quellnamen in Verkehr gebracht werden.

Wird bei natürlichem M. auf eine bes. Eignung hingewiesen, sind folgende, der Anlage 4 der Mineral.- u. Tafelwasser-VO (*Lit.*[1]) entsprechende Anforderungen einzuhalten (s. Tab. auf S. 2702).

Da die Aufnahme größerer Mengen Natrium einer der Hauptrisikofaktoren für die Entstehung der *Hypertonie (Bluthochdruck) ist, galten Natrium-haltige M. lange Zeit als kontraindiziert bei Hypertonie. Diverse Publikationen[6–8] weisen allerdings darauf hin, daß dies nur bedingt zutrifft, da das Natrium im M. größtenteils als Natriumhydrogencarbonat vorliegt, das nicht blutdrucksteigernd wirken sollte. Natrium, das als Natriumchlorid vorliegt, scheint dagegen einen Blutdruckanstieg zu bewirken. Die Anforderungen des Codex Alimentarius an M. sind Ullmann (5.) (s. *Lit.*) zu entnehmen.

Von natürlichem M. zu unterscheiden sind *Quell-* u. *Tafelwasser* (Verkehrsbez.), deren Beurteilung ebenfalls nach der Mineral- u. Tafelwasser-VO (*Lit.*[1]) zu erfolgen hat. Danach ist *Quellwasser* ein Wasser, das seinen Ursprung in einem natürlichen Wasservork. hat u. aus einer Quelle gewonnen wird (§ 10 Absatz 1). *Tafelwasser* ist Wasser, bei dessen Herst. neben *Trinkwasser u. natürlichem M. die in § 11 Absatz 1 u. 2 aufgeführten Zusatzstoffe verwendet werden dürfen (Natursole, an-

Tab.: Klassifizierung von Mineralwasser.

Angaben	Anforderungen
mit geringem Gehalt an Mineralien	Der als fester Rückstand berechnete Mineralstoffgehalt beträgt nicht mehr als 500 mg/L.
mit sehr geringem Gehalt an Mineralien	Der als fester Rückstand berechnete Mineralstoffgehalt beträgt nicht mehr als 50 mg/L.
mit hohem Gehalt an Mineralien	Der als fester Rückstand berechnete Mineralstoffgehalt beträgt mehr als 1500 mg/L.
Bicarbonat-haltig	Der Hydrogencarbonat-Gehalt beträgt mehr als 600 mg/L.
Sulfat-haltig	Der Sulfat-Gehalt beträgt mehr als 200 mg/L.
Chlorid-haltig	Der Chlorid-Gehalt beträgt mehr als 200 mg/L.
Calcium-haltig	Der Calcium-Gehalt beträgt mehr als 150 mg/L.
Magnesium-haltig	Der Magnesium-Gehalt beträgt mehr als 50 mg/L.
Fluorid-haltig	Der Fluorid-Gehalt beträgt mehr als 1 mg/L.
Eisen-haltig	Der Gehalt an zweiwertigem Eisen beträgt mehr als 1 mg/L.
Natrium-haltig	Der Natrium-Gehalt beträgt mehr als 200 mg/L.
geeignet für die Zubereitung von Säuglingsnahrung	Der Gehalt an Natrium darf 20 mg/L, an Nitrat 10 mg/L, an Nitrit 0,02 mg/L und an Fluorid 1,5 mg/L nicht überschreiten. Die in § 4 Abs. 1 Satz 3 genannten Grenzwerte müssen auch bei der Abgabe an den Verbraucher eingehalten werden.
geeignet für Natrium-arme Ernährung	Der Natrium-Gehalt beträgt weniger als 20 mg/L.

gereichertes natürliches M., *Meerwasser, *Natriumchlorid u. a.). Vor Inkrafttreten der Mineral- u. Tafelwasser-VO wurden derartige Wässer als „künstliche Mineralwässer" bezeichnet. Mineral- u. Tafelwasser darf nur in Verkehr gebracht werden, wenn die für Schwermetalle, *Halogenkohlenwasserstoffe, *PAH u. bestimmte Anionen festgelegten Grenzwerte nicht überschritten sind (*Lit.*[1], § 11 Absatz 3 u. Anlage 5). Tafelwasser, das mind. 570 mg/L *Natriumhydrogencarbonat sowie Kohlensäure enthält, kann als *Sodawasser* bezeichnet werden. Die früher übliche Bez. „*Selters*" für Sodawasser war als Verkehrsbez. im Sinne einer Gattungsbez. nur noch bis 31. 12. 1992 zulässig. Ab diesem Zeitpunkt darf „*Selters*" nur noch als Herkunftsbez. verwendet werden u. muß aus Selters an der Lahn stammen. Wird bei der Herst. von Tafelwasser Meerwasser zugesetzt, ist dies durch die Angabe „mit . . .% Meerwasser" zu kennzeichnen. Die Begriffe **Sole* (Natursole, s. § 11 Absatz 1 der Mineral- u. Tafelwasser-VO[1]), *alkal. Wässer, Bitterwasser, Thermen (Thermalwasser)* u. *Heilwasser* sind in *Lit.*[9] definiert. Danach sind *Sole* natürliche Salz-reiche Wässer, deren Salz-Gehalt 14 g/L (5,5 g Natrium- u. 8,5 g Chlorid-Ionen) beträgt. *Alkal. Wässer* enthalten v. a. Salze der *Alkalimetalle, insbes. Natriumhydrogencarbonat u. wirken häufig laxierend. Nach dem bitteren Geschmack werden Wässer, die mehr als 1000 mg gelöste Salze, vorwiegend Magnesiumsulfat, enthalten, als Bitterwasser bezeichnet. *Thermen* (s. Thermalwässer) sind Heilwässer, deren Temp. von Natur aus über 20 °C liegt (z. B. Wiesbadener Kochbrunnen, Karlsbader Quellen). *Natürliche Heilwässer* stammen nach den Begriffsbestimmungen für Kurorte, Erholungsorte u. Heilbrunnen vom 3. 6. 1979 aus Quellen u. sind aufgrund ihrer chem. Zusammensetzung, ihrer physikal. Eigenschaften od. balneolog. Erfahrungen geeignet, Heilzwecken zu dienen. Heilwasser unterliegt nach § 1 nicht der Mineral.- u. Tafelwasser-VO, sondern dem Arzneimittelgesetz (AMG)[10]. Der Zusatz od. Entzug von Bestandteilen ist verboten, so daß Heilwasser nicht aufbereitet werden darf. Heilwässer in Flaschen unterliegen einer Zulassung durch das Bundesamt für den gesundheitlichen Verbraucherschutz (§ 21, *Lit.*[10]) u. sind (nach § 44, *Lit.*[10]) bis auf Ausnahmen (Überschreitung des Arsen-Gehalts von 0,08 mg/L u. eines Höchstgehalts an Radon) nicht apothekenpflichtig, so daß sie quant. uneingeschränkt genossen werden können. Die Zuordnung eines Heilwassers erfolgt nach seinen bes. wirksamen Bestandteilen:

- Eisen-haltige Wässer mind. 20 mg/L Eisen
- Iod-haltige Wässer 1 mg/L Iod
- Schwefel-haltige Wässer 1 mg/L Sulfidschwefel
- Radon-haltige Wässer 18 nCi/L
- Fluorid-haltige Wässer 1 mg/L Fluorid.

Die chem. Zusammensetzung u. die physikal. Eigenschaften sind durch Heilwasseranalysen (alle 10 Jahre) nachzuweisen.

Im folgenden seien einige histor. begründete Bez. für Heil- u./od. Mineralwässer erwähnt: In Klammern sind die hauptsächlichen Mineralstoffe aufgeführt:

Alkal. Wässer ($NaHCO_3$), alkal.-muriat. Wässer ($NaHCO_3$, NaCl), alkal.-salin. od. Glaubersalz-Wässer (Na_2SO_4, $NaHCO_3$,NaCl), *Bitterwässer ($MgSO_4$), Kochsalz-Quellen (NaCl), Eisen- od. Stahl-Wässer [$NaHCO_3$, $FeH(CO_3)_2$, vgl. a. Eisen-Säuerlinge], Vitriol-Quellen ($FeSO_4$), Schwefel-Wässer (H_2S, Hydrogensulfide), Erdige Wässer [$CaSO_4$, $Ca(HCO_3)_2$, $Mg(HCO_3)_2$].

Analytik: Eine Meth. zur Abschätzung der mikrobiolog. Qualität von natürlichem M., die über die Anforderungen der Mineral.- u. Tafelwasser-VO hinausgeht, ist *Lit.*[11] zu entnehmen. Die Charakterisierung von M. via *HPLC anhand des Spektrums an nichtflüchtigen Verb. (z. B. *Huminsäuren) ist möglich[12]. Zur Analyse von natürlichem M., Quellwasser u. Tafelwasser stehen die *Methoden nach § 35 LMBG L 59.11-1 bis L 59.11-26 zur Verfügung. Die Bestimmung von Stoffen, für die keine Meth. nach § 35 LMBG existiert, sollte nach den Dtsch. Einheitsverf.[13] erfolgen. – ***E*** mineral water – ***F*** eau minérale – ***I*** acqua minerale – ***S*** agua mineral

Lit.: [1] VO über natürliches Mineralwasser, Quellwasser u. Tafelwasser vom 1.8.1984 (BGBl. I, S. 1036). [2] Richtlinie 80/777/EWG des Rates vom 15.7.1980 zur Angleichung der Rechtsvorschriften der Mitgliedsstaaten über die Gewinnung von u. den Handel mit natürlichen Mineralwässern (Mineralwasser-Richtlinie der EG). [3] Bundesanzeiger **41**, Nr. 176, 4397 (1989); **42**, 48, S. 1154 (1990), abgedruckt in Z. Lebensm. Unters. Forsch. **190**, G 48 (1990). [4] Bekanntmachung der Neufassung des Eichgesetzes vom 23.03.1992 in der Fassung vom 21.12.1992 (BGBl. I, S. 2133). [5] LMKV vom 6.9.1984 in der Fassung vom 08.03.1996 (BGBl. I, S. 460). [6] Clin. Sci. **74**, 577–585 (1988). [7] Münch. Med. Wochenschr. **127**, 1109 ff. (1985). [8] Dtsch. Med.

Wochenschr. **112**, 1391–1394 (1987). [9]Höll, Wasser (7.), S. 328–336, Berlin: de Gruyter 1986. [10]Gesetz über den Verkehr mit Arzneimitteln (AMG) vom 19.10.1994 in der Fassung vom 20.12.1996 (BGBl. I, S. 2084). [11]J. Appl. Bacteriol. **64**, 273–278 (1988). [12]J. Chromatogr. **360**, 225–230 (1986). [13]Fachgruppe Wasserchemie der GdCh (Hrsg.), Deutsche Einheitsverfahren zur Wasser-, Abwasser- u. Schlammuntersuchung (3.), Weinheim: VCH Verlagsges. (Loseblattsammlung ab 1981).
allg.: Baltes, Lebensmittelchemie (4.), Berlin: Springer 1995 ▪ Koch (Hrsg.), Getränkebeurteilung, S. 404–407, Stuttgart: Ulmer 1986 ▪ Siegel et al., Handlexikon der Getränke, Linz: Tauner 1988 ▪ Ullmann (5.) **A 4**, 38–42 ▪ Zipfel, C 100, C 435, C 520. – *[HS 2201 10]*

Mineralwolle s. Mineralfasern.

Minette. 1. Zu den *Lamprophyren gehörendes Gestein, das im wesentlichen aus Biotit (*Glimmer) u. Kalifeldspat (*Feldspäte) besteht.
2. Französ. Bergmannsname (minette = kleine Mine) für braune, grünlichgraue od. rötliche Phosphor-haltige *marin-oolith.* (*Oolithe) *Eisensteine*, die im Lias (*Erdzeitalter) im heutigen Lothringen u. Luxemburg als geschichtete Sande aus Limonit-Ooiden (s. Brauneisenerz), *Quarz u. Muschelschill in flachen Meeresbecken von 30–60 km Durchmesser abgesetzt worden sind. Haupterzminerale der M. sind *Goethit, Chamosit (*Chlorite) u. *Siderit. Die Gesamtvorräte im Lothringer Revier betragen 8 Mrd. t Erz mit 30–38% Fe, 4–5% Al_2O_3, 0,6–0,8% P u. um 0,2% V. M. steht heute nur noch in einzelnen Gruben im Abbau. – ***E*** = ***F*** = ***I*** minette – ***S*** 1. socavón en estéril, 2. minet(t)a, hierro oolítico

Lit. *(zu 1.):* s. Lamprophyre. – *(zu 2.):* Füchtbauer (Hrsg.), Sedimente u. Sedimentgesteine (Sediment-Petrologie Tl. II), (4.), S. 598 ff., Stuttgart: Schweizerbart 1988 ▪ Pohl, Lagerstättenlehre (4.), S. 76 ff., Stuttgart: Schweizerbart 1992 ▪ s.a. Erz, Lagerstätten. – *[HS 2601 11]*

Minhorst. Kurzbez. für die 1956 gegr. Firma Minhorst GmbH & Co., 56414 Meudt. *Produktion:* Einkrist. aus Lithiumsulfathydrat für Ultraschall-Anw., Ultraschall-CW-Doppler-Sonden u. Ultraschallgeräte für medizin. Diagnostik (z.B. OSTEOSON®, ein hochfrequentes Ultraschall-Hautmeßsyst.).

Minichromosomen. Gentechn. konstruierte lineare Klonierungsvektoren (s. Vektoren, Klonieren), die alle essentiellen Bestandteile eines kleinen *Chromosoms enthalten. Die für die Klonierung in Hefe verwendeten M. werden auch als *yeast artificial chromosomes* (YAC) bezeichnet. Sie haben bei der Analyse des humanen Genoms zur Herst. von DNA-Banken als Referenz-Bibliotheken erhebliche prakt. Bedeutung erhalten[1]. – ***E*** = ***F*** minichromosomes – ***I*** minicromosomi – ***S*** minicromosomas

Lit.: [1]Primrose, Genomanalyse, S. 77 ff., Heidelberg: Spektrum Akadem. Verl. 1996.
allg.: Hennig, Genetik, S. 69 f., 135–139, Berlin: Springer 1995 ▪ Strachan u. Read, Molekulare Humangenetik, S. 33–36, 285–324, 703 ff., Heidelberg: Spektrum Akadem. Verl. 1996.

Miniemulsion s. Makroemulsion.

Miniglucagon s. Glucagon.

Minim (Kurzz.: min). Anglo-amerikan. Volumeneinheit: 1 min = 1/480 fl oz (fluid *ounce). – a) Brit. Syst.: 1 min = 0,059 193 88 mL. – b) US-Syst.: 1 min = 0,061 611 52 mL. – ***E*** = ***F*** = ***I*** = ***S*** minim

Minimalmedium. Ein Nährmedium, das nur die unbedingt zum Wachstum von bestimmten Mikroorganismen od. Zellen erforderlichen Nährstoffe enthält. M. für die Kultivierung von *Bakterien u. *Hefen enthalten z.B. Kohlenstoff- u. Stickstoff-Quellen, Mineralsalze u. Spurenelemente. Mit dem Zusatz von wachstumsfördernden *Aminosäuren od. *Vitaminen werden sie zum Vollmedium. Das Wachstum tier. Zellen auf M. erfordert eine Kohlenstoff-Quelle, 13 essentielle Aminosäuren, Cholin, Inosit u. anorgan. Salze. – ***E*** minimal medium – ***F*** milieu minimal (minimum) – ***I*** terreno di coltura minimo – ***S*** medio de cultivo mínimo

Lit.: Schlegel (7.), S. 194 ▪ Morgan u. Darling, Kultur tierischer Zellen, S. 50 ff., Heidelberg: Spektrum Akadem. Verl. 1994.

Minimumleiter s. elektrische Leiter.

miniPerm®. Einfach zu handhabende Minifermenter zur Kultivierung von Zellen in hohen Dichten u. zur Produktion von Zellprodukten in hohen Konzentrationen. ***B.:*** Heraeus Instruments GmbH.

Minipille s. Antikonzeptionsmittel.

Minipress® (Rp). Tabl. u. Kapseln mit *Prazosin gegen Bluthochdruck. ***B.:*** Pfizer.

Minirin® (Rp). Ampullen, Dosierspray, Lsg., Tabl. mit *Desmopressin-diacetat gegen Diabetes insipidus u.a. Polyurien, zur Bestimmung der Nierenkonz.-Fähigkeit. ***B.:*** Ferring.

Minisiston® (Rp). Dragées gegen Cyclusstörungen u. zur Antikonzeption mit *Ethinylestradiol u. *Levonorgestrel. ***B.:*** Jenapharm.

Minit®. Atom- u. Mol.-Modelle für die Anorgan. u. Organ. Chemie, die Biochemie sowie für Krist.-Gitter. ***B.:*** VCH-Verlagsgesellschaft.

Mini-Titin s. Twitchin.

MinitranS® (Rp). Pflaster gegen Angina pectoris mit Glyceroltrinitrat. ***B.:*** 3M Medica.

Minium s. Bleioxide.

Minizellen. Kleine sphär. Bakterienzellen (s. Bakterien), die keine chromosomale *DNA mehr besitzen, aber *Plasmide enthalten. Sie entstehen durch Abschnürung, also untyp. Zellteilung, u. können in der Gentechnik zur Untersuchung der biolog. Eigenschaften von Plasmiden od. zur Herst. von Plasmid-codierten *Proteinen genutzt werden. – ***E*** minicells – ***F*** minicellules – ***I*** minocellule – ***S*** minicélulas

Lit.: Lehninger et al., Prinzipien der Biochemie (2.), S. 1135 f., Heidelberg: Spektrum Akadem. Verl. 1994.

Minlon®. Sortiment von *Polyamiden mit durch Mineral- u. Glasfaserverstärkung hoher Steifigkeit, Dimensionsstabilität u. geringem Verzug. ***B.:*** DuPont Dow Elastomere.

Minnesota Mining and Manufacturing Company s. 3M.

Minocyclin (Rp).

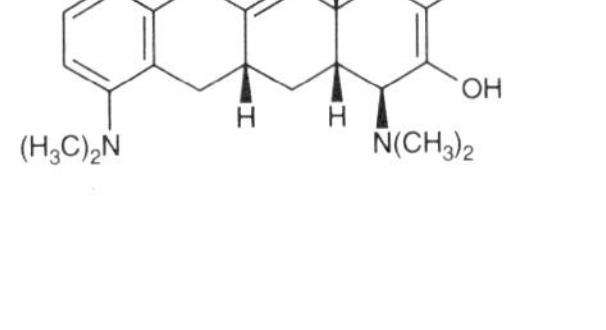

Internat. Freiname für das halbsynthet. *Tetracyclin-Derivat 7-Dimethylamino-6-demethyl-6-desoxytetracylin, $C_{23}H_{27}N_3O_7$, M_R 457,48; $[\alpha]_D^{25}$ −166° (c 0,524/0,1 M HCl); λ_{max} (0,1 M HCl) 236, 352 nm ($A_{1cm}^{1\%}$ 371, 315). Verwendet wird meist das M.-Hydrochlorid, M_R 493,94. Gelbes, krist. Pulver, Schmp. >175 °C (Zers.); λ_{max} (0,1 M HCl) 267, 353 nm ($A_{1cm}^{1\%}$ 392, 309); lösl. in Wasser u. Lsg. von Alkalihydroxiden u. -carbonaten. Lagerung: vor Licht u. Luft geschützt. M. wurde 1964 u. 1965 von Am. Cyanamid patentiert u. ist als Generikum im Handel. – ***E*** = ***F*** minocycline – ***I*** = ***S*** minociclina

Lit.: Florey **6**, 323–339 ▪ Hager (5.) **8**, 1018 ff. ▪ Lauschner u. Stüttgen, Minocyclin, Stuttgart: Thieme 1972 ▪ Martindale (31.), S. 259 f. ▪ Ph. Eur. **1997** u. Komm. – *[HS 2941 30; CAS 10118-90-8 (M.); 13614-98-7 (Hydrochlorid)]*

Minol. *Explosivstoff aus Trinitrotoluol, Ammoniumnitrat u. Al-Pulver (40/40/20); D. 1,7; Detonationsgeschw. 6000 m/s.

Lit.: Köhler u. Meyer, Explosivstoffe, 8. Aufl., Weinheim: Verl. Chemie 1995.

Minoxidil (Rp).

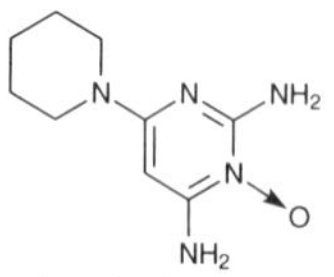

Internat. Freiname für das blutdrucksenkende 6-Piperidino-2,4-pyrimidindiamin-3-oxid, $C_9H_{15}N_5O$, M_R 209,25. Weißliches, krist. Pulver, Schmp. 248 °C, 259–261 °C (Zers.); λ_{max} (CH_3OH) 230, 261, 286 nm ($A_{1cm}^{1\%}$ 1687, 561, 609); LD_{50} (Maus i.v.) 51 mg/kg; lösl. in Alkohol, wenig lösl. in Wasser. M. wurde 1967 u. 1968 von Upjohn (Lonolox®) patentiert. Wegen seiner Haarwachstum-stimulierenden Nebenwirkungen wird M. auch lokal in Haarwässern angewendet. Die L'Oreal-Forschung hat durch Molekülvariationen von M. die blutdrucksenkende Wirkung abzutrennen versucht u. so den 1997 von Vichy (Dercap®) eingeführten antifibrot. u. Haarwuchs-fördernden Wirkstoff Aminexil (Diaminopyrimidinoxid) entwickelt. – ***E*** = ***F*** = ***I*** = ***S*** minoxidil

Lit.: Beilstein E V **25/12**, 317 ▪ Florey **17**, 185–219 ▪ Hager (5.) **8**, 1021 ff. ▪ Martindale (31.), S. 910 f. ▪ Ph. Eur. **1997** u. Komm. – *[HS 2933 59; CAS 38304-91-5]*

Minprog® Päd. (Rp). Infusionslsg. mit *Alprostadil zum zeitweiligen Offenhalten des Ductus arteriosus Botalli bei Neugeborenen mit Herzfehlern. ***B.:*** Pharmacia & Upjohn.

Minprostin® (Rp). Vaginaltabl. u. Lsg. von *Dinoproston (*M. E_2*) bzw. von *Dinoprost-Trometamol-Salz (*M. F_2a*) zur Geburts- od. Abort-Einleitung. ***B.:*** Pharmacia & Upjohn.

Mintlacton.

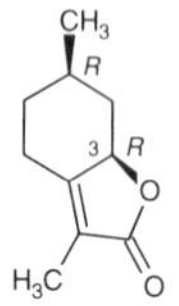

$C_{10}H_{14}O_2$, M_R 166,22, Öl, $[\alpha]_D^{25}$ −51,8° (C_2H_5OH). Bestandteil u. Aromakomponente des *Pfefferminzöls aus *Mentha piperita*. – ***E*** mintlactone – ***I*** mintlattone – ***S*** mintlactona

Lit.: Beilstein E V **17/9**, 491 f. ▪ Phytochemistry **30**, 485 (1991) (Biosynth.) ▪ Tetrahedron **48**, 9789 (1992); **49**, 6429, 6433 (1992); **51**, 5831 (1995) (Synth.) ▪ Tetrahedron Lett. **31**, 6789 (1990); **32**, 5191 (1991); **33**, 4589, 4605 (1992). – *[CAS 38049-04-6]*

Minulet® (Rp). Antikonzeptions-Dragées mit *Gestoden u. *Ethinylestradiol. ***B.:*** Wyeth.

Minze s. Pfefferminz(öle) u. Poleiöle.

Mio. Abk. für Million(en) = 10^6.

Miotika. Von griech.: meíōsis = Verkleinerung abgeleitete Bez. für pupillenverengende Medikamente, die z. B. *Pilocarpin, *Physostigmin, *Diisopropylfluorophosphat als Wirkstoffe enthalten können. M. werden v. a. zur Behandlung des Glaukoms (Grüner Star) verwendet. – ***E*** miotics – ***F*** miotiques – ***I*** miotici – ***S*** mióticos

Lit.: s. Ophthalmika.

Miozän s. Erdzeitalter.

MIPK. Abk. für Methylisopropylketon, s. 3-Methyl-2-butanon.

MIR. Abk. für Mittleres Infrafrot.

Mirabilit s. Natriumsulfat.

Mirbanöl s. Nitrobenzol.

Mirestrol (Miröstrol).

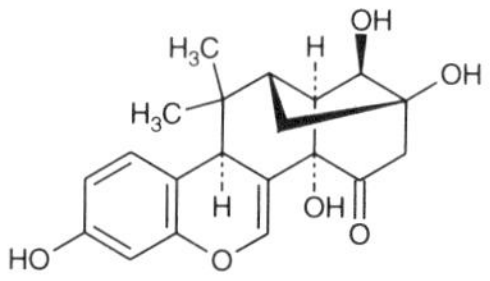

$C_{20}H_{22}O_6$, M_R 358,39, rechteckige Blättchen, Schmp. 268–270 °C, $[\alpha]_D^{17}$ +301° (C_2H_5OH), aus der ostasiat. Leguminose *Pueraria mirifica* isoliertes Estrogen-wirksames Phenol (sog. *Phytoestrogen*). – ***E*** = ***F*** miroestrol – ***I*** mirestrolo – ***S*** mirestrol

Lit.: Beilstein E V **18/5**, 239 ▪ Can. J. Chem. **58**, 1427–1434 (1980) ▪ J. Am. Chem. Soc. **115**, 9327 (1993) (Synth.). – *[CAS 2618-41-9]*

Mirfulan®. Salbe zur Wundbehandlung mit *Lebertran u. *Zinkoxid. *M.-Spray* zusätzlich mit *Levomenol. ***B.:*** Merckle.

Miroton®. Dragées u. Tropfen mit den *Herzglykosiden aus *Meerzwiebel, Oleander, *Maiglöckchen u. *Adonisröschen gegen Herzleistungsschwäche. ***B.:*** Knoll.

Mirtazapin (Rp).

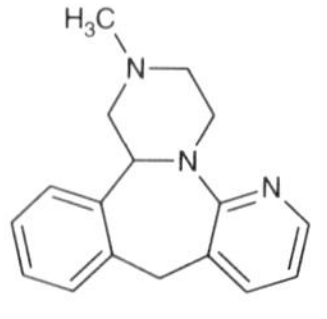

Internat. Freiname für das tetracycl. *Antidepressivum 6-Azamianserin, (±)-1,2,3,4,10,14b-Hexahydro-2-methylpyrazino[2,1-*a*]pyrido[2,3-*c*][2]benzazepin, $C_{17}H_{19}N_3$, M_R 265,35, Schmp. 114–116 °C; LD_{50} (Maus oral) 810 mg/kg. M. wurde 1976 u. 1977 von AKZO patentiert u. ist von Organon (Remergil®) im Handel. – ***E*** = ***F*** mirtazapine – ***I*** = ***S*** mirtazapina

Lit.: Beilstein E V **26/2**, 415 ▪ Martindale (31.), S. 325 ▪ Pharmacotherapy **17**, 10–21 (1997). – *[CAS 61337-67-5]*

Miscellaneous-Richtlinie. Jargonbez. für die „Richtlinie Nr. 95/2/EG des Europ. Parlaments u. des Rates vom 20.02.1995 über andere Lebensmittelzusatzstoffe als Farbstoffe u. Süßungsmittel“ [1]. Im Zuge der Harmonisierung von nat. Recht in Richtung eines EU-einheitlichen „Standards“ regelt die M.-R. die Anw.-Gebiete u. zulässigen Höchstkonz. aller Zusatzstoffklassen außer Farbstoffen u. Süßungsmitteln (z.B: Emulgatoren, Verdickungsmittel, Säuerungsmittel, Konservierungsstoffe). Der Inhalt der M.-R. findet sich in seiner Umsetzung in nat. Recht z. B. in der Zusatzstoff-Zulassungs-Verordnung (s. Zusatzstoffe).
Lit.: [1] ABl. der EG L61 **38**, 2–41, 18.03.1995.

Mischbarkeit. Bez. für die Fähigkeit von Stoffen, miteinander in jedem Verhältnis homogene *Gemische zu bilden, s.a. Mischen. Entstehen hierbei *Lösungen, so spricht man statt von M. von *Löslichkeit*, doch kann hier bei bestimmten Konz.-Verhältnissen Trennung in 2 *Phasen eintreten: „A in B lösl.“ bedeutet nicht „A mit B mischbar“, allenfalls „A in den Grenzen von 100% bis x% u. y% bis 0% mit B mischbar“ (*Mischungslücke*). Nach Godfrey lassen sich alle organ. Lsm. in 31 Klassen einteilen, denen man sog. *Mischungsnummern* zuteilt, wobei die hydrophilsten (s. hydrophil) Lsm. die niedrigsten, die lipophilsten (s. lipophil) die höchsten Nummern erhalten. Die M. zweier Lsm. läßt sich dann aus der numer. Differenz ablesen [1]. – ***E*** miscibility – ***F*** miscibilité – ***I*** miscibilità, mescolabilità – ***S*** miscibilidad
Lit.: [1] Chem. Labor Betr. **35**, 385 (1984).

Mischbettaustauscher s. Ionenaustauscher.

Mischdünger s. Düngemittel.

Mischen. Beim M. werden Stoffe od. Stoffströme so vereinigt, daß eine möglichst gleichmäßige Zusammensetzung (Homogenität) erreicht wird. Es dient der Herst. von Lsg., Gemischen od. Gemengen, Dispersionen, Suspensionen u. Emulsionen od. dem Wärmetransport. Beim M. treten nicht selten Temp.-Änderungen im Syst. ein, bes. beim M. von Flüssigkeiten, ohne daß chem. Reaktionen stattfinden, z.B. beim M. von Methanol u. Wasser (*Mischungswärme*, vgl. *Lösungswärme* bei *Lösungen). Außerdem kann es zu Vol.-Kontraktionen bzw. -Zunahmen kommen. Die Konz. der Komponenten für flüssige Mischungen lassen sich mit Hilfe der *Mischungsregel berechnen, wenn die Konz. der Ausgangslsg. bekannt sind.
Das M. erfolgt durch Rühren, Mengen, Walzen, Kneten, Emulgieren, Suspendieren, Lösen, Ultraschall-Einwirkung usw. in Abhängigkeit vom Aggregatzustand u. den Eigenschaften der zu mischenden Komponenten als Trocken-, Feucht- u. Naßmischen. Bei den Mischgeräten (*Mischern*) kann man prinzipiell zwischen *stat.* u. *dynam.* Mischern unterscheiden. Während erstere durch Turbulenz wirken, die an speziell geformten Konstruktionen in Flüssigkeiten od. Gasen beim Durchströmen entsteht, wird diese bei den dynam. Mischern aktiv erzeugt. Mischertypen sind u.a. Propeller-, Turbo-, Schaufel-, Mulden-, Planeten-, Reib-, Schnecken-, Walzen-, Schleuder-, Gegenstrom-, Strahl-, Trommel-, Konus-, Taumel-, Kreisel-, Kühl-, Vakuum-, Durchfluß-, Schwerkraft-, Fluid- u. pneumat. Mischer. Die Umkehrung des M. ist das *Trennen. – ***E*** mixing, blending – ***F*** mélanger – ***I*** miscelazione, mescolamento – ***S*** mezclar
Lit.: Kirk-Othmer (3.) **15**, 604 ff. ▪ Ullmann (5.) **B4**, 561 ff. ▪ Winnacker-Küchler (4.) **1**, 105 ff.

Mischfunktionelle Oxidasen, Oxygenasen s. Monooxygenasen.

Mischgas. Unzweckmäßige, weil allg. Bez. für Gasgemische aus zwei od. mehreren Gasen, z.B. für Stickstoff-haltiges *Wassergas u. *Stadtgas.

Mischgerbstoffe s. Gerbstoffe.

Mischindikatoren s. Indikatoren.

Mischkalk. Weißer, gemahlener Kalkdünger mit 60–65% CaO (Gemische aus gemahlenem Branntkalk u. gemahlenem $CaCO_3$).

Mischkatalysatoren s. Katalyse.

Mischkristalle. Bez. für homogene feste Lsg., deren Plätze im *Kristallgitter durch die Atome od. Ionen von zwei verschiedenen Komponenten (Elemente od. Verb.) besetzt sind (*Isomorphie). M. zählen zu den *nichtstöchiometrischen Verbindungen (*Berthollide*). Manche Komponenten können miteinander eine *lückenlose* M.-Reihe bilden (*vollständige* M.-Bildung), d.h. sie bilden M. in jeder beliebigen Zusammensetzung ohne Änderung des Gittertyps. *Beschränkte* od. *unvollständige* M.-Bildung liegt dann vor, wenn M. nur in einem bestimmten Zusammensetzungsbereich entstehen können (M. mit Mischungslücke, s.a. Phasen). Wenn Schmelzen derartiger Syst. erstarren, liegt im festen Zustand eine homogene feste Lsg. nur im Gebiet außerhalb der Mischungslücke, im Bereich der sog. *Randlöslichkeit*, vor. Im Gebiet der Mischungslücke ist ein heterogenes Gemenge von M. vorhanden, deren Zusammensetzung durch die Randlöslichkeiten gegeben ist. Bes. techn. Bedeutung haben M. in metall. Mehrstoffsystemen. Grundsätzlich liegt dabei eine Mischung im atomaren Bereich vor, bei der die Gastatome u. die Atome des Wirtsgitters eine mehr od. weniger statist. Verteilung aufweisen.
Austausch- od. *Substitutions-M.* werden gebildet, wenn die Gastatome reguläre Plätze des Wirtsgitters einnehmen. Uneingeschränkte Löslichkeit setzt dabei für metall. Leg. in der Regel eine Radiendifferenz der beteiligten Atomsorten von max. 8% voraus sowie gleichen Gittertyp u. vergleichbare Gitterabmessungen. **Cluster-Verbindungen* sind Bereiche, in denen Schwärme von Atomen eines Typs unter Abweichung von der sonst vorhandenen weitgehend statist. Verteilung konz. sind. Unter bes. Voraussetzungen, z.B. bei bestimmten Mengenverhältnissen der beteiligten Atome, können sich *Ordnungsphasen* od. *intermetall. Phasen* mit Übergitter einstellen. *Einlagerungs-* od. *interstitielle M.* werden gebildet, wenn sich Gastatome mit kleinem Radius – in der Regel Nichtmetalle (nm) – auf *Zwischengitterplätzen des metall. Wirtgitters (m) einlagern. Die Löslichkeit ist aufgrund der damit verbundenen Verzerrung des Kristallgitters begrenzt. Als Voraussetzung für die Entstehung von Einlagerungs-M. gilt bei metall. Leg. das empir. Radienverhältnis $r_{nm}/r_m<0{,}6$. Auch bei Einlagerungs-M. kann es – bes. bei höheren Gehalten der Gastatome – zur Bildung von *Ordnungsphasen* kommen. Wenn die Atomradien u. die chem. Eigenschaften zweier Elemente weitgehend übereinstimmen, spricht man von *Tarnung* od. **Maskierung*. Eine Trennung ist dann nur sehr schwer durchzuführen; *Beisp.:* Trennung Hafnium

von Zirconium, Gallium von Aluminium u. Thorium von Cer. Zur M.-Bildung von Verb. muß zusätzlich deren chem. Formel dem gleichen allg. Typ angehören; dabei brauchen allerdings weder die Wertigkeit noch das sonstige chem. Verhalten der bas. u. sauren Bestandteile übereinzustimmen. Derartige Ähnlichkeiten sind im übrigen auch die Voraussetzung für die *Mitfällung von Stoffen gemäß der *Hahnschen (Fällungs-)Regel. Liegt lediglich *Isotypie vor (gleicher allg. Verbindungstyp u. gleicher Gittertyp), so findet M.-Bildung allenfalls mit Mischungslücke statt. Die Bedeutung der Atomabstände (s. Gleichgewichtsgeometrie) u. der *Atomradien bei der M.-Bildung insbes. von *intermetallischen Verbindungen wird detailliert in der *Lit.* behandelt. Dort werden auch Beisp. für die Zusammenhänge zwischen Atomabstand u. Zusammensetzung von M. (*Vegardsche Regel*) diskutiert. M.-Bildung findet man häufig auch bei Mineralien (Olivine, Pyroxene, Plagioklase usw.) u. Leg., u. auch *Racemate können aus M. (der opt. Antipoden, sog. Pseudoracemate) bestehen. – ***E*** solid solution, mixed crystals – ***F*** cristaux mixtes, solution solide – ***I*** cristalli misti, soluzione solida – ***S*** cristales mixtos, solución sólida

Lit.: Barrett u. Massalski, Structure of Metals, Oxford: Pergamon 1980 (Metalle) ▪ Kitaigorodsky, Mixed Crystals, Berlin: Springer 1984.

Mischkultur. 1. In der Landwirtschaft Anbau mehrerer Arten von Nutzpflanzen (Kulturpflanzen) auf der gleichen Fläche, wobei solche Pflanzen ausgewählt werden, die sich gegenseitig im Wachstum fördern.

2. In der *Mikrobiologie wird darunter eine Mikroorganismen-Gemeinschaft verstanden, in der zwischen den Arten verschiedene Wechselbeziehungen bestehen. Eine natürliche Population besteht aus einem Gemisch verschiedener Organismen, wobei wechselseitig sowohl synergist. als auch antagonist. Effekte auftreten können. Techn. Anw. finden M. zur Produktion von Essig, Buttersäure, Joghurt, Sauerkraut u. Käse od. in der aeroben u. anaeroben Abwassertechnik. Durch Mischen von Reinkulturen können die gegenseitigen Abhängigkeiten erforscht werden. Im medizin. Bereich werden viele Infektionen durch M. hervorgerufen. – ***E*** mixed culture – ***F*** culture mixte – ***I*** coltura mista – ***S*** cultivo mezclado, cultivo mixto

Lit.: Schlegel (7.).

Mischmetall s. Cer-Mischmetall u. Seltenerdmetalle.

Mischphasen. Bez. für aus mehreren Stoffen bestehende homogene *Phasen. Gasf. M. werden auch als Gasgemische, flüssige M. auch als *Lösungen, feste M. auch als *Mischkristalle od. *feste Lösungen bezeichnet [DIN 1310: 1982-08 (Entwurf)]. M.-Pigmente sind also Mischkristall-Pigmente; zur Beschreibung der Zusammensetzung von M. s. Konzentration u. *Lit.*[1]. – ***E*** mixed phases – ***F*** phases mixtes – ***I*** fase miste – ***S*** fases mixtas

Lit.: [1] Chem. Labor. Betr. **31**, 132–136 (1980).
allg.: Thermodynamik der Mischphasen (2 Bd.), Leipzig: Grundstoffind. 1981.

Misch-Polykondensation. Veraltete, mißverständliche Bez. für *Copolykondensation.

Mischpolymere. Veraltete, mißverständliche Bez. für *Copolymere.

Mischpolymerisation. Veraltete, mißverständliche Bez. für *Copolymerisation.

Mischprobe. Nach § 2 Abwasserverordnung[1] (s. a. Rahmen-Abwasserverwaltungsvorschrift) eine *Probe, die in einem bestimmten Zeitraum einem *Abwasser kontinuierlich entnommen wird, od. eine Probe aus mehreren Proben, die in einem bestimmten Zeitraum kontinuierlich od. diskontinuierlich entnommen u. gemischt werden. – ***E*** composite sample – ***I*** campione misto – ***S*** prueba compuesta

Lit.: [1] VO über Anforderungen an das Einleiten von Abwasser in Gewässer (Abwasserverordnung, AbwV) vom 21. 3. 97 (BGBl. I, S. 566).

Mischschmelzpunkt s. Schmelzpunkt.

Mischungen s. Gemische, Mischen u. Eutektikum.

Mischungskreuz s. Mischungsregeln.

Mischungslücke s. Mischkristalle, Phasen, Destillation u. Lösungen.

Mischungsnummern s. Mischbarkeit.

Mischungsregeln. Rechenschemata zur Ermittlung der Konz. in Lsg., die man durch *Verdünnen konz. Lsg. mit Lsm. od. durch *Mischen von Lsg. bekannter Konz. erhält. Die sog. *Mischungsgleichung* ermöglicht die Berechnung der Konz. c einer Lsg., die man erhält, wenn man x Tl. der Lsg. einer Substanz des Massenanteils (Massengehalt, in Gew.-%) bzw. Volumenanteil (Volumengehalt, in Vol.-%) a u. y Tl. der Lsg. einer Substanz des Massenanteils bzw. Volumenanteils b mischt. Tl. bedeuten hier Gew.-Tl. (Masseneinheiten) bzw. Raum-Tl. (Vol.-Einheiten). Es gilt

$$\frac{y}{x} = \frac{a-c}{c-b}.$$

Will man z. B. aus einer 14%igen u. einer 26%igen Schwefelsäure eine 18%ige herstellen, so gilt: a = 14, b = 26 u. c = 18. u. die Gleichung muß dann lauten:

$$\frac{y}{x} = \frac{14-18}{18-26} = \frac{1}{2}.$$

Das bedeutet, daß man von der 14%igen Lsg. doppelt soviel bezogen auf die Masse nehmen muß wie von der 26%igen. Schneller findet man das Ergebnis mit dem Schema, das man allg. als *Mischungskreuz* (Andreaskreuz) bezeichnet (Abb. a):

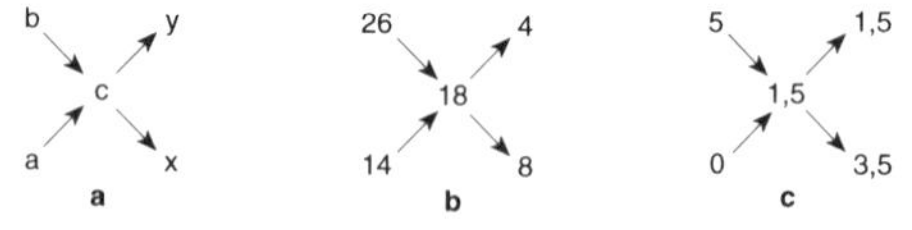

Abb.: Mischungskreuz mit Beispielen.

In die linken Ecken des Mischungskreuzes schreibt man die Massenanteile der zu mischenden Lsg., in die Mitte den angestrebten Massenanteil der herzustellenden Lösung. Durch Differenzbildung in diagonaler Richtung lassen sich die Tl. des entsprechenden Gehalts berechnen, die gemischt werden müssen. Man erhält also die gewünschte 18%ige Lsg., wenn von der 26%igen Schwefelsäure 4 u. von der 14%igen 8 Tl., d. h. doppelt so viel wie von der 26%igen, genommen werden (Abb. b). Mit diesem Schema läßt sich auch angeben, welche Mengen an Lsm. (a = 0%) zugesetzt werden müssen, um eine Lsg. auf eine bestimmte Konz. zu verdünnen, z. B.

wenn man 27 g 5%ige Schwefelsäure in eine 1,5%ige Lsg. überführen will: Nach Abb. c sind 1,5 Tl. der Lsg. (≙27 g) mit 3,5 Tl. Wasser zu verdünnen; so muß man also 27 g der Säure zu 3,5/1,5 · 27 g=63 g Wasser gießen. – *E* mixing rules – *F* règles des mélanges – *I* regole di miscelazione – *S* reglas de las mezclas

Mischungswärme s. Mischen.

Mischvalenz, Mischwertigkeit s. Wertigkeit.

Mischzylinder s. Meßzylinder.

Miserotoxin (3-Nitropropyl-β-D-glucopyranosid).

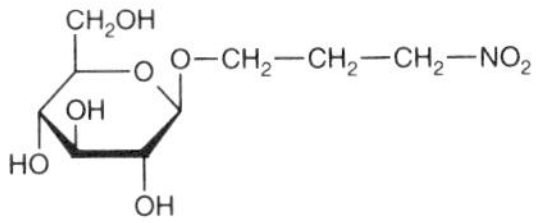

$C_9H_{17}NO_8$, M_R 267,24, Öl od. cremefarbenes Pulver, $[\alpha]_D^{25}$ –22° (c 2/H_2O). Stark giftiges Glykosid aus *Astragalus*-Arten (Tragant, Fabaceae). M. wird im Rindermagen schnell zu 3-Nitropropanol hydrolysiert, das durch Alkohol-Dehydrogenase in *Acrolein überführt wird. Neben M. finden sich *Gentitoxin*, das 6-*O*-β-D-Glucopyranosyl-β-D-glucopyranosid von 3-Nitro-1-propanol

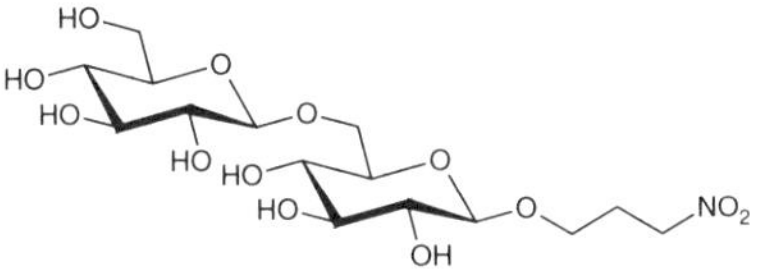

Gentitoxin

($C_{15}H_{27}NO_{13}$, M_R 439,37) u. weitere Glykoside im Tragant. – *E* miserotoxin – *F* misérotoxine – *I* miserotossina – *S* miserotoxina

Lit.: Beilstein E V **17/7**, 33 ▪ J. Agric. Food Chem. **31**, 650 ff. (1983) ▪ J. Nat. Prod. **51**, 985–988 (1988) ▪ J. Org. Chem. **43**, 3101 (1978) ▪ Phytochemistry **16**, 1438 f. (1977) ▪ Synthesis **1986**, 535 ▪ Toxicol. Lett. **19**, 171–178 (1983); **20**, 137–141 (1984); **23**, 9–15 (1984); **47**, 165–172 (1989). – *[HS 2938 90; CAS 24502-76-9]*

MIS-FET s. MOS-FET.

Mislow, Kurt Martin (geb. 1923), Prof. für Chemie, Princeton. *Arbeitsgebiete:* Stereochemie, abs. Konfiguration, Rotationsdispersion, Reaktionsmechanismen, Phosphor-organ. u. Schwefel-organ. Verbindungen.

Lit.: Who's Who in America (50.), S. 2973.

Mislow-Umlagerung. Zu den *Allyl-Umlagerungen gehörende reversible, sigmatrope [2,3]-Umlagerung von Sulfensäureallylestern in Allylsulfoxide, die weiter in Allylalkohole umgewandelt werden können.

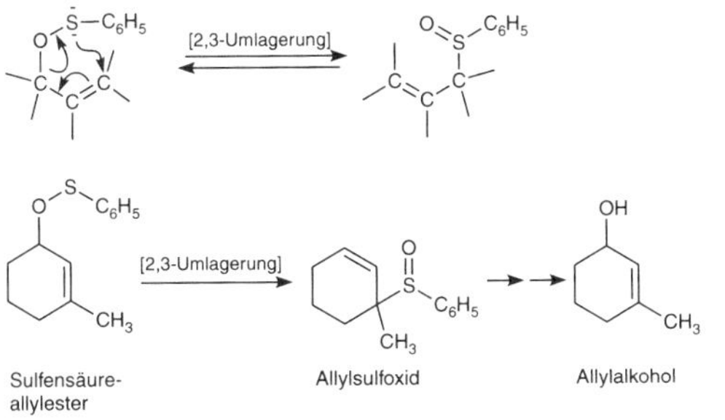

– *E* Mislow rearrangement – *I* trasposizione di Mislow – *S* transposición de Mislow

Lit.: Hassner-Stumer, S. 266 ▪ Patai, The Chemistry of Sulfones and Sulfoxides, S. 665 f., Chichester: Wiley 1988 ▪ Trost-Fleming **6**, 834.

Misoprostol (Rp).

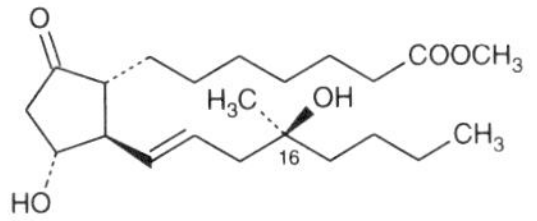

Wirksame (16*S*)-Form

Internat. Freiname für das *Prostaglandin-E_1-Derivat (13*E*,16*RS*)-11α,16-Dihydroxy-16-methyl-9-oxo-13-prosten-1-säure-methylester, $C_{22}H_{38}O_5$, M_R 382,54, ein Gemisch aus etwa gleichen Mengen der (16*R*)- u. (16*S*)-Form, das als Ulcus-Therapeutikum dient. Die wirksame Form ist die (16*S*)-Form. M. ist ein gelbliches Öl, LD_{50} (Maus i.p.) 70–160, (Maus oral) 27–138 mg/kg. M. wurde 1975 u. 1976 von Searle patentiert u. ist von Heumann (Cytotec® 200) im Handel. – *E*=*F*=*S* misoprostol – *I* misoprostolo

Lit.: Hager (5.) **8**, 1023 ff. ▪ Martindale (31.), S. 1460 f. – *[HS 2918 90; CAS 59122-46-2]*

Missense-Mutation s. Punktmutation.

Mißpickel s. Arsenopyrit.

Mist (Festmist, Stallmist). Nicht pumpfähiges Gemisch aus Tierkot, gebundenem Harn, Einstreu u. Futterresten. M. wird wie *Gülle, *Jauche u. *Kompost als *Wirtschaftsdünger* bezeichnet. Die landwirtschaftliche Verwertung von M. unterliegt dem Düngemittelgesetz[1] u. der Dünge-VO[2]; zur Problematik der Überdüngung landwirtschaftlicher Nutzflächen durch Überschußmengen von Tierexkrementen s. Gülle. – *E* manure, dung – *F* fumier – *I* letame, concime – *S* estiércol, bosta

Lit.: [1] Düngemittelgesetz vom 15. 11. 1977 (BGBl. I, S. 2134), geändert durch Gesetz vom 12. 7. 1989 (BGBl. I, S. 1435). [2] Dünge-VO vom 26. 1. 1996 (BGBl. I, S. 118).

Mistabronco® (Rp). Lsg. zur Anw. als Aerosol u. Instillat mit dem *Mucolytikum *Mesna. ***B.:*** UCB.

Mistel (*Viscum album* L.). Einheim. Vertreter der etwa 1100 Arten umfassenden, meist in den Tropen vorkommenden M.-Gewächse (Loranthaceae), der als immergrüner Halbschmarotzer auf verschiedenen Bäumen vorkommt (z. B. Linde, Pappel, Tanne, Kiefer, Apfel, Eiche) u. dort – bes. in winterlich entlaubten Bäumen – als ca. 25–>100 cm großes, mehr od. weniger kugeliges Gewächs auffällt. M. enthalten neben *Viscotoxin (ca. 0,01–0,02%) Acetylcholin, Cholin u. Lektine, Flavonoide, Lignane, Inosit, Saponine u. Phenylpropan-Derivate. Die M. ist als Arznei- u. Zaubermittel schon seit altersher in Gebrauch. M.-Extrakte u. Herba Visci in Teemischungen werden auch heute noch als blutdrucksenkende, Cholin-ähnlich wirkende Mittel sowie v. a. bei Arthrosen u. rheumat. Erkrankungen verwendet. Die (umstrittene) Wirkung von M.-Extrakten als Krebsheilmittel wird auf Protein-Fraktionen, die Lektine (Glykoproteine) enthalten, zurückgeführt. Dabei ist auch zu beachten, daß die postulierte Wirkung nur injizierten Extrakten, nicht jedoch M.-Tee zukommen könnte, da die Lektine u. Viscotoxine im Magen abgebaut werden. – *E* mistletoe – *F* gui – *I* vischio – *S* muérdago

Lit.: Bundesanzeiger 228/05. 12. 84, 128/14.07.93, 119/29.06.94 ▪ DAB **1997** u. Komm. ▪ Hager (5.) **6**, 1160–1183 – *[HS 1211 90]*

Mistkäfer. M. ist der Name der weltweit v. a. von tier. Exkrementen lebenden Käfer-Familie Geotrupidae (M., Roßkäfer), aber auch im engeren Sinne der Name der in Mitteleuropa vorkommenden Gattung *Geotrupes*. Neben den beiden Arten *Geotrupes vernalis* (Frühlings-M.) u. *G. silvaticus* (Wald-M.) ist die häufigste Art *G. stercorarius*. Hauptnahrung sind Mist (Pferdemist), Menschen- u. Tierkot, Insektenleichen u. Pilze. Das Auffinden des Mistes erfolgt geruchlich über die Riechgruben auf den Fühlern durch Flug gegen den mit Mistduft beladenen Wind (Anemotaxis, pos. Reaktion auf stark duftende Eiweiß-Abbauprodukte wie Skatol u. Indol). Der M. läßt sich bei schwächer werdendem Duft fallen, also dicht hinter dem Exkrement, u. findet es dann durch Nahfeld-Orientierung zu Fuß. In der Nähe des von *G. stercorarius* bevorzugten Pferdemistes werden bis zu einem halben Meter tiefe Gänge in den Erdboden gegraben u. in Seitengängen mit ca. 10 cm langen Dung-Würsten gefüllt. Aus dem jeweils einen darin abgelegten Ei schlüpft eine engerlingsähnliche Larve u. entwickelt sich durch Fressen des Dunges (Brutfürsorge). – ***E*** dung-beetle – ***F*** bousier – ***I*** scarabeo stercorario – ***S*** geotrupo

Lit.: Gewecke, Physiologie der Insekten, Stuttgart: Fischer 1995 ▪ Jacobs u. Renner, Biologie u. Ökologie der Insekten, 2. Aufl., Stuttgart: Fischer 1988.

MIT. Abk. für das 1861 gegr. Massachusetts Institute of Technology, eine der bedeutendsten Forschungsanstalten der Welt mit Sitz in 77 Massachusetts Avenue, Cambridge, Mass. 02139 (USA). Die mehr als 900 Professoren u. ca. 12000 Studierenden des in 21 Departments (1997) gegliederten MIT beschäftigen sich mit Lehre, Forschung u. Entwicklung auf allen Gebieten der reinen u. angewandten Naturwissenschaften (Chemie, Physik, Geowissenschaften, Ingenieurwissenschaften), Mathematik, Biologie, Medizin, Wirtschafts- u. Sozialwissenschaften, Architektur etc. Publikationsorgane: MIT Bulletin u. Technology Review.
INTERNET-Adresse: http://web.mit.edu

MITC. Abk. für *Methylisothiocyanat.

Mitchell, Peter Dennis (1920–1992), Biochemiker u. Forschungsleiter des von ihm gegründeten Glynn Research Inst. Bodmin (Cornwall), England. *Arbeitsgebiete:* Biolog. Energieübertragung, chemiosmot. Theorie der Phosphorylierung, Membranen von Mitochondrien u. Chloroplasten; Nobelpreis für Chemie 1978.

Lit.: Lexikon der Naturwissenschaftler, S. 295 ▪ Naturwiss. Rundsch. **31**, 527 f. (1978) ▪ Neufeldt, S. 266, 370 ▪ Pötsch, S. 305.

Mitesser. Komedonen, s. Akne.

Mitex®. Membranfilter aus *Polytetrafluorethylen (PTFE), unlaminiert, hydrophob; Porenweite 5–10 µm, Dicke 125 µm, Porosität 68%, max. Temp. 260 °C, breite chem. Beständigkeit. ***B.:*** Millipore.

Mitfällung. Unter M. od. *Kopräzipitation* versteht man die Vermengung des *Niederschlags einer Substanz mit Stoffen, die im Lsm. enthalten waren u. die beim *Ausfällen in den Niederschlag eingebaut werden – entsprechend der *Hahnschen Regel ggf. unter *Mischkristall-Bildung. Die *Okklusion als *Kontamination eines Niederschlags kann auch erwünscht sein; *Beisp.:* Entfernung von Metallspuren aus wäss. Lsg. durch *Flockung infolge *induzierter M.* an Eisenhydroxid. – ***E*** coprecipitation – ***F*** coprécipitation – ***I*** coprecipitazione – ***S*** coprecipitación

Mithramycin. Synomym für Plicamycin.

Mithridatismus. Bez. für die Immunisierung gegen ein *Gift durch Einverleibung geringer, allmählich gesteigerter Dosen desselben (z. B. *Arsen). Die Bez. geht auf Mithridates VI., König von Pontus (132–63 v. Chr.) zurück, der aus Angst vor Vergiftung häufig kleine Mengen Gift einnahm u. dadurch angeblich immun wurde. – ***E*** mithridatism – ***F*** mithridatisme – ***I*** = ***S*** mitridatismo

Mitisgrün s. Schweinfurter Grün.

MITI-Test s. biologische Abbaubarkeit.

Mitizide s. Akarizide.

Mitochinone s. Ubichinone.

Mitochondriale DNA (mtDNA). In *Mitochondrien lokalisierte, meist ringförmige doppelsträngige DNA mit einer Größe von 16–19 *Kilobasen in Tieren u. bis zu 2500 Kilobasen in Pflanzen. Mit der mtDNA verfügen die Mitochondrien über ein eigenes Genom u. eigene *Replikations- u. Translationssyst. zur Herst. einer kleinen Anzahl von Proteinen. Die mtDNA wird unabhängig von der Kern-DNA vererbt (s. extrachromosomale Vererbung). Der mtDNA fehlen wie den *Bakterien die zur Verpackung eukaryont. Chromosomen typ. *Histone. Auch die *Ribosomen der Mitochondrien ähneln mehr denen der Bakterien (70S-Ribosom). Außerdem hat man beispielsweise beim Menschen einen veränderten *genetischen Code gefunden. – ***E*** mitochondrial DNA – ***F*** ADN mitochondrial – ***I*** DNA microcondriale – ***S*** ADN mitocondrial

Lit.: Hennig, Genetik, S. 348 ff., Berlin: Springer 1995 ▪ Lehninger et al., Prinzipien der Biochemie (2.), S. 905, 1028, Heidelberg: Spektrum 1994 ▪ Stryer 1996, S. 115, 1036.

Mitochondrien (von griech.: mitos = Faden u. chondros = Korn). Die früher *Chondriosomen* genannten M. sind formvariable, ca. 0,5–1 µm breite u. 1–5 µm lange, im Mikroskop direkt od. nach Färbung gerade noch sichtbare Einschlüsse im *Cytoplasma der Zellen (s. die Abb. dort) von *eukaryontischen Einzellern, Pflanzen u. Tieren. Die Zahl der M. variiert von wenigen Einzelexemplaren bis zu mehreren 100000 pro Zelle, je nach Art der Zelle u. des Organismus. Bei den M. handelt es sich um Zellorganellen, deren Hülle von 2 *Membranen gebildet wird, von denen die innere mit Lamellen, seltener auch Röhrchen in den Innenraum (*Matrix* od. *inneres Chondrioplasma* genannt) vorspringt. Diese Einstülpungen (*Cristae*) entsprechen in Funktion u. Bau in etwa den Thylakoiden der *Chloroplasten (u. a. *Plastiden). Zwischen den Membranen liegt der *Intermembranraum* od. das *äußere Chondrioplasma*.
Die äußere Membran enthält *Cholesterin u. *Monoamin-Oxidase. Das ebenfalls in ihr vertretene *Porin, ein Membran-durchspannendes Protein, das Poren ausbildet, sorgt für eine gute allg. Durchlässigkeit dieser Membran. Die innere Membran dagegen ist im allg. undurchlässig, besitzt jedoch viele spezif. Transportsyst.; *Beisp.:* L-*Carnitin/Translocase-Syst. u. die Translocase für Adenosin-5′-di- u. -triphosphat (ADP/ATP-Carrier, ein *ABC-Transporter-Protein). Weitere Bestandteile der

inneren Membran sind Cardiolipin (ein nur bei M. u. Bakterien vorkommendes *Phospholipid), *Ubichinon („Mitochinon"), die Enzyme der *Atmungskette mit *Cytochromen u. Cytochrom-Oxidase sowie der oxidativen *Phosphorylierung (*ATP-Synthase). Für den *chemiosmotischen Mechanismus dieser Reaktion (*Mitchell, 1979, Chemie-Nobelpreis) ist die innere M.-Membran von ganz entscheidender Bedeutung. Die in der Atmungskette gewonnene Energie wird zum Transport von Wasserstoff-Ionen (Protonen) von der Matrix in den Intermembranraum verwendet; beim „Zurückfließen" treibt die *protonenmotor. Kraft* die ATP-Synthase an. Die M. sind somit die Orte der energieliefernden Zell-*Atmung; man hat sie daher auch die „Kraftwerke der Zelle" genannt.
In der Matrix der M. sind die Enzyme des *Citronensäure-Cyclus, der oxidativen *Decarboxylierung (Pyruvat-Dehydrogenase-Komplex) u. Phosphorylierung u. der β-Oxid. der Fettsäuren locker an die Innenmembran gebunden. Die M. verfügen über ein selbständiges genet. Syst. aus *Desoxyribonucleinsäuren (mtDNA) u. *Ribonucleinsäuren u. können daher manche Proteine selbst synthetisieren. Die meisten mitochondrialen Proteine werden jedoch aus dem Cytoplasma importiert[1]; für den Durchtritt durch die innere Membran müssen sie bestimmte aminoterminale Präsequenzen (*Signalpeptide) besitzen, die in der Matrix abgespalten werden. Bei der Protein-Synth. benutzen die M. einen etwas abgewandelten *genetischen Code u. *Ribosomen, die denen der Bakterien gleichen. Dementsprechend sind M. empfindlich gegenüber Antibiotika, die die bakterielle Protein-Synth. hemmen. Nach einer weithin anerkannten Theorie sind die M. entwicklungsgeschichtlich (wie übrigens auch die Plastiden) aus degenerierten symbiont. Bakterien (*Endosymbionten*) entstanden[2].
Pathologie: Defekte mitochondrialer Gene für Proteine der Atmungskette verursachen Myopathien, u. auch bei der *zystischen Fibrose ist die Funktion der M. gestört. Einen Überblick über mitochondriale Gendefekte gibt *Lit.*[3].
Geschichte: M. waren bereits in der 1. Hälfte des 19. Jh. bekannt, wurden 1890 von Altmann wiederentdeckt u. durch Benda (1897) endgültig benannt. – ***E*** mitochondria – ***F*** mitochondries – ***I*** mitocondri – ***S*** mitocondrios

Lit.: [1] Annu. Rev. Biochem. **66**, 863–917 (1997); Biospektrum **1**, 28–32 (1995); J. Biol. Chem. **271**, 31763–31766 (1996); Trends Biochem. Sci. **22**, 110–113 (1997). [2] Biosystems **28**, 91–108 (1992). [3] Ann. Med. **29**, 235–246 (1997); Annu. Rev. Genet. **29**, 151–178 (1995); Spektrum Wiss. **1997**, Nr. 10, 70–80.
allg.: Alberts et al., Molekularbiologie der Zelle, 3. Aufl., S. 773–792, Weinheim: VCH Verlagsges. 1995 ▪ Attardi u. Chomyn, Mitochondrial Biogenesis and Genetics, Tl. A, San Diego: Academic Press 1995 ▪ Trends Biochem. Sci. **22**, 37f. (1997) ▪ Tyler, The Mitochondrion in Health and Disease, Weinheim: VCH Verlagsges. 1992.

Mitogen-aktivierte Protein-Kinasen (MAP-Kinasen, MAPK, EC 2.7.1.–). Bei Pflanzen[1] u. Tieren vorkommende Familie bestimmter Serin/Threonin-spezif. *Protein-Kinasen (PK), die an der Übertragung von Signalen (*Signaltransduktion) von *Wachstumsfaktoren (Mitogenen) von der Zelloberfläche zum Zellkern beteiligt sind. Bis jetzt sind drei Untergruppen gefunden worden, die als extrazellulär-regulierte Kinasen (*ERK*), c-Jun-*N*-terminale Kinasen (*JNK*) bzw. *p38* bezeichnet werden. Um aktiviert zu werden, werden die MAPK durch eine MAP-Kinase-Kinase (MAPKK) an einem Threonin- u. einem Tyrosin-Rest phosphoryliert. Die MAPKK wiederum erlangt ihre Aktivität, indem sie von einer MAP-Kinase-Kinase-Kinase (MAPKKK) durch *Phosphorylierung instruiert wird. Eine MAPKKK ist z. B. das Protein Raf, das durch Bindung an aktiviertes *Ras-Protein angeregt wird, die Phosphorylierungskaskade auszulösen. Raf od. eine andere MAPKKK können auch durch Phosphat-Gruppen-Übertragung durch *Protein-Kinase C (PKC) angeschaltet werden.
MAPK können folglich an verschiedenen Signalwegen beteiligt sein, z. B. dem Rezeptor-Tyrosin-Kinase/Ras-Weg od. dem G-Protein/PKC-Weg.
Einmal aktiviert, phosphorylieren die MAPK *Transkriptionsfaktoren (TF), z. B. Jun (s. Fos) od. Elk-1. Elk-1 bindet daraufhin zusammen mit einem weiteren TF, dem *Serumresponse-Faktor*, an eine kurze *Desoxyribonucleinsäure-Sequenz, das Serum-Responsiv-Element, u. stimuliert die *Transkription spezif. *Gene, z. B. der *Immediate-Early-Gene* (u. a. *fos*). Auch weitere PK od. noch andere Proteine können durch MAPK phosphoryliert werden, die daher eine zentrale Stelle im intrazellulären Signalwesen einnehmen. – ***E*** mitogen-activated protein kinases – ***F*** protéine kinases activées par un mitogène – ***I*** proteina chinasi attivate da mitogeno – ***S*** proteína quinasas (cinasas) activadas por mitógeno

Lit.: [1] Trends Plant Sci. **2**, 11–15 (1997).
allg.: Adv. Pharmacol. **36**, 121–137 (1996) ▪ Alberts et al., Molekularbiologie der Zelle, 3. Aufl., S. 884, 903ff., 1554, Weinheim: VCH Verlagsges. 1995 ▪ Cancer Surv. **27**, 101–125 (1996) ▪ Curr. Opin. Cell Biol. **9**, 180–186 (1997) ▪ J. Mol. Med. **74**, 589–607 (1996).

Mitogene s. Mitose.

Mitomycine.

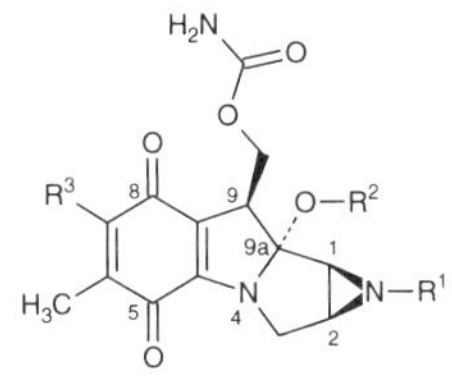

	R^1	R^2	R^3
M. A	H	CH_3	OCH_3
M. B	CH_3	H	OCH_3 9α-Epimer
M. C	H	CH_3	NH_2
M. M-83	H	CH_3	$HN-C_6H_4-OH$

Sammelbez. für Antitumor-Antibiotika mit *Benzochinon- u. *Aziridin-Struktur, die von *Streptomyces caespitosus* u. *S. verticillatus* gebildet werden. Die M. zeigen bakterizide Wirkung gegen Gram-pos. u. Gram-neg. Bakterien, Mykobakterien, Viren u. Rickettsien, sind jedoch stark cytotox. (LD_{50}, Maus i. v. 5 mg/kg). Die antibakteriellen, antiviralen u. cytotox. Eigenschaften der M. beruhen auf einer Hemmung der DNA-Replikation durch Alkylierung u. Quervernetzung der DNA-Doppelhelix. Der Aziridin-Ring wird durch die Elminierung von Methanol (C-9/C-9a) für einen nucleophilen Angriff an C-1 (z. B. durch Guanin) aktiviert. Als Wirkmechanismus wird auch die Bildung freier Radikale diskutiert, die zur DNA-Strangspaltung führen.

Anw.: V.a. M.C ($C_{15}H_{18}N_4O_5$; M_R 334,33; Schmp. >360 °C; blauviolette, wasser- u. alkohollösl. Krist.), das 1958[1] isoliert wurde, hat ausgezeichnete Antitumor-Wirkung. M.C wird in Kombinationspräparaten zur Behandlung lymphat. Leukämie u. des Pankreascarcinoms klin. eingesetzt, hat aber erhebliche Nebenwirkungen. Zahlreiche Derivate zur Verbesserung der Eigenschaften wurden hergestellt u. befinden sich in der klin. Prüfung. – ***E*** mitomycins – ***F*** mitomycines – ***I*** mitomicine – ***S*** mitomicinas

Lit.: [1] Antibiot. Chemother. (Basel) **8**, 228 (1958).
allg.: Ann. Surg. Oncol. **2**, 488 (1995) ▪ Anticancer Res. **9**, 1095 (1989) ▪ Chem. Biol. **2**, 575–579 (1995) ▪ Curr. Opin. Oncol. **3**, 1037 (1991) ▪ Foye (Hrsg.), Cancer Chemotherapeutic Agents, S. 584–592, Washington: Am. Chem. Soc. 1995. – *[HS 2941 90; CAS 1404-00-8 (M. allg.); 50-07-7 (M. C)]*

Mitopodozid (Rp).

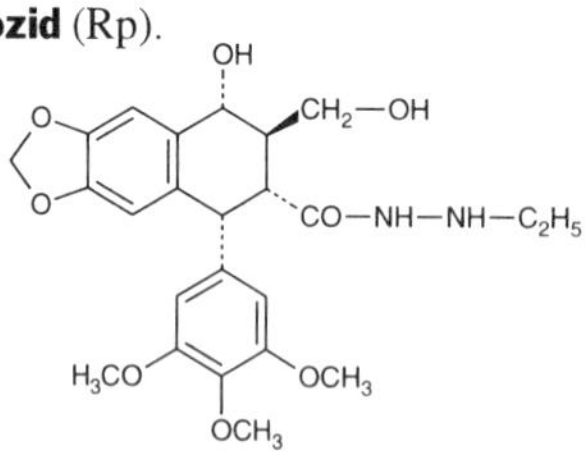

Internat. Freiname für das 2-Ethylhydrazid der Podophyllinsäure ($C_{24}H_{30}N_2O_8$, M_R 474,51), das als *Cytostatikum Verw. fand, wegen des hohen Risikos von Nebenwirkungen aber durch andere *Podophyllotoxin-Derivate (*Etoposid, *Teniposid) ersetzt worden ist. – ***E*** = ***I*** mitopodozide – ***F*** mitopodocide – ***S*** mitopodozida

Lit.: Rimpler et al., Biogene Arzneistoffe, S. 202–205, Stuttgart: Thieme 1990. – *[HS 2922 50; CAS 1508-45-8]*

Mitorubrin.

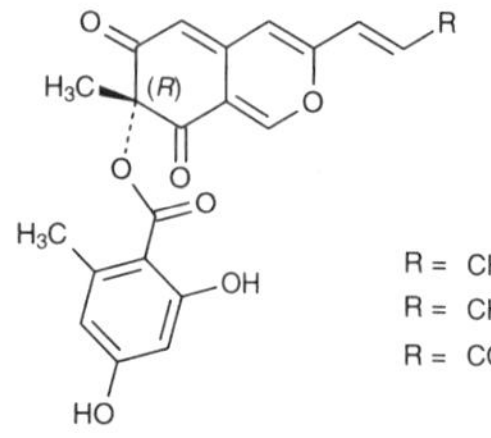

R = CH_3 : Mitorubrin (**1**)
R = CH_2—OH : Mitorubrinol (**2**)
R = COOH : Mitorubrinsäure (**3**)

$C_{21}H_{18}O_7$, M_R 382,37, orangegelbe Prismen, Schmp. 218 °C, $[\alpha]_D$ –405° (Dioxan) (*R*-Form), Schmp. 220–225 °C (Racemat), lösl. in Dioxan. Azaphilon-Pigment aus *Penicillium rubrum* u. *P. funiculosum*, wo es neben den sehr ähnlichen Pigmenten *Mitorubrinol* ($C_{21}H_{18}O_8$, M_R 398,37) u. *Mitorubrinsäure* ($C_{21}H_{16}O_9$, M_R 412,35) vorkommt. In *P. wortmannii* kommt neben M. auch das 6-*O*-acetylierte, 4′-*O*-methylierte 1,3,4,5,6,O^6-Hexahydro-Derivat *Wortmin* vor. – ***E*** mitorubrin – ***F*** mitorubrine – ***I*** mitorubrina – ***S*** mitorrubrina

Lit.: Agric. Biol. Chem. **49**, 2517 (1985) ▪ Beilstein EV **18/3**, 440 ▪ Coll. Czech. Chem. Comm. **57**, 408 (1992) ▪ Phytochemistry **39**, 719 (1995) ▪ Turner **1**, 138 f.; **2**, 112 f. ▪ Zechmeister **51**, 120 f. – *[CAS 3403-71-2 (1); 3215-47-2 (2); 58958-07-9 (3)]*

Mitorubrinol, Mitorubrinsäure s. Mitorubrin.

Mitose (von griech.: mítos = Faden). Von W. Flemming (1882) geprägte Bez. für eine bestimmte Art der *Kernteilung* (*Karyokinese*) in eukaryot., diploiden *Zellen, die zur Ausbildung von 2 Tochterkernen mit ident. Zahl von *Chromosomen u. daher auch ident. Erbmaterial (*Genen) führt. Da im allg. auf eine M. die Zellteilung (*Cytokinese*) der betreffenden Zelle unmittelbar od. auch zeitlich verschoben folgt, kann man in der M. einen Grundprozeß der Zellvermehrung sehen, der in den *Geweben ein geordnetes somat. Wachstum reguliert. Im kontinuierlichen Ablauf der M. (Dauer 0,5–4 h) sind verschiedene charakterist. Phasen mikroskop. zu beobachten.

1. *Prophase:* Die Chromosomen werden in der für die betreffende Zelle typ. Zahl (4 bis über 100, beim Menschen 46) als fädige Strukturen (Name!) sichtbar; sie sind jeweils in 2 ident. Längshälften *(Chromatiden)* geteilt, was zu erkennen ist, wenn sie sich durch Spiralisation kontrahieren. Die Kernmembran löst sich auf, u. aus *Mikrotubuli wird ein cytoplasmat. Spindelapparat gebildet, dessen Fasern sich mit den Chromosomen verbinden.

2. *Metaphase:* Die Chromosomen sind max. kontrahiert (kondensiert) u. haben sich in der Äquatorialebene der Zelle zur Metaphasenplatte gruppiert.

3. *Anaphase:* Die Chromatiden jedes Chromosoms trennen sich u. wandern unter dem Einfluß des Spindelapparates jeweils zu einem der beiden Zellpole.

4. *Telophase:* Die Chromatiden bilden unter Rekonstitution der Kernmembran 2 neue, untereinander ident. Kerne. Typischerweise schließt sich hier eine Zellteilung an, so daß 2 neue ident. Tochterzellen entstehen, die bis zum Beginn einer neuen M. als in der *Interphase* befindlich betrachtet werden.

Die DNA-*Replikation findet in der S-Phase der Interphase (s. Wachstum) statt. Die Interphase besteht aus einer G_1-, einer S- (Synth.) u. einer G_2-Phase (G_1, G_2 = gap). Der Eintritt aus der G_2-Phase in die M.-Phase wird durch eine Proteinkinase (cdc2-Kinase, cell division cycle) u. deren Aktivator, das *Cyclin B, ausgelöst. Diese assoziieren während der S-Phase zu einem reifungsfördernden Faktor (MPF = maturation-promoting factor), der durch Phosphorylierung zahlreicher Proteine die M. einleitet. Bei vielen Mikroorganismen (Algen, Pilze, Protozoen) weicht die M. von der hier geschilderten Verlaufsform ab.

Anders als bei der somat. Zellvermehrung durch M. verlaufen die Kernteilungsvorgänge bei der Ausbildung von Geschlechtszellen (*Gameten*). Hier findet in der *Meiose* (von griech.: meiosis = Verkleinerung) eine Neukombination von väterlichen u. mütterlichen Erbanlagen statt sowie eine Verminderung des Chromosomensatzes auf die Hälfte (haploider Satz, *Reduktionsteilung*). Die Meiose (Dauer bei Pflanzen 1–5 d, bei Säugetieren bis 6 Monate) beginnt mit einem diploiden Interphase-Kern. Es kommt zu zwei aufeinanderfolgenden Teilungen (*erste* u. *zweite meiot. Teilung*), die von einer Chromosomenpaarung der entsprechenden, jeweils von beiden Eltern stammenden (homologen) Chromosomen eingeleitet wird. Durch *Crossover findet ein Austausch von Chromosomen-Abschnitten statt, was zur Neukombination (*Rekombination) der Gene führt. Anschließend erfolgt eine Aufteilung der Chromosomen auf zwei Tochterkerne, gefolgt von einem M.-Schritt. Es entstehen 4 erbungleiche Vorläufer der Keimzellen (*Gonen*) mit der reduzierten (haploiden) Chromosomenzahl, die sich zu den Gameten weiterentwickeln. Aus deren Vereinigung zum befruchteten Ei (s. Konzeption) entsteht wieder eine Zelle mit komplettem (diploidem) Chromosomensatz, die unter mitot. Teilung heranwächst. Ebenso wie die M. durch verschiedene physiolog. u. externe Faktoren (z.B. Temp.) beeinflußt werden kann, ist auch eine chem. Beeinflussung bekannt u. zwar durch die sog. **Mitosehemmer*. Diese interferieren z.T. spezif. mit bestimmten Phasen der M. (z.B. *Colchicin durch Unterdrückung des Spindelapparates) od. schädigen die Chromosomenstruktur bzw. wirken allg. als Zellgift. Andererseits gibt es auch Stoffe (*Mitogene*), die die M. induzieren; *Beisp.:* *Lektine, Tiloron u.a. die *Interferon-Bildung stimulierende Agenzien. – ***E*** = ***S*** mitosis – ***F*** mitose – ***I*** mitosi

Lit.: Gottschalk, Allgemeine Genetik (4.), Stuttgart: Thieme 1994 ▪ Stryer 1996, S. 1033 ff. ▪ Dev. Biol. **153**, 1 (1992) ▪ s.a. Chromosomen.

Mitosegifte. Bez. für *Gifte, deren Wirkungsweise in einer Hemmung der *Mitose besteht; Näheres s. Mitosehemmer.

Mitosehemmer (Mitosegifte). Fachsprachliche Bez. für *Noxen, die in irgendeiner Weise den Ablauf der *Mitose u./od. der *Meiose bei pflanzlichen bzw. tier. *Zellen beeinträchtigen. Zu den M., die kein einheitliches chem. Bauprinzip erkennen lassen, gehören u.a. die *Chalone, *Colchicin, *(–)-α-Narcotin, *Quecksilberorganische Verbindungen, *Chinone, Blastokoline, *Urethane, *Cortison, L-*Adrenalin u.a. Hormone, *Lost, *Deuteriumoxid, *Actinomycin u. viele andere Antibiotika, Trypaflavin, viele *Herbizide, *Podophyllotoxin u.a. Cytostatika (z.B. *Vinca-Alkaloide). Die M. („Antimitotika") lassen sich wie folgt einteilen:

1. *Spindel-Gifte* [1]: Diese beeinträchtigen den Spindelapparat z.B. in der Weise, daß die Chromosomen in der Metaphase nicht getrennt werden, weshalb Zellen mit nicht nur verdoppeltem, sondern 4-, 8-, 16-fachem Chromosomensatz entstehen können (*Polyploidisierung* z.B. durch Colchicin, *Nocodazol, Podophyllotoxin etc.). Der Spindelapparat besteht aus *Mikrotubuli u. enthält viel Protein u. wenig Ribonucleinsäure, sein Gewichtsanteil beträgt ca. 2% vom Eiweißgew. der ganzen Zelle bei Teilungsbeginn. Der intakte Spindelapparat enthält Disulfid-Brücken (–S–S–). Metall-organ. Verb. vom Typ R–Hg–X od. entsprechende Verb. von Blei, Bismut, Zinn, Arsen u. Antimon wirken als M., weil sie wahrscheinlich die bei Zellteilungen mitwirkenden Mercapto-Gruppen (–SH, s. Thiole) inaktivieren. Durch Zugabe von Cystein u.a. Thiol-Gruppen-reichen Verb. soll man die M.-Wirkungen der Metall-organ. Verb. wieder aufheben können. In jüngerer Zeit haben bes. die nachteiligen Einwirkungen des Triethylblei-Kations auf *Neurotubuli* Interesse erregt (vgl. Mikrotubuli). Ebenfalls auf die Mikrotubuli des Spindelapparates, nämlich durch ihre Stabilisierung, wirkt das *Taxol, ein Alkaloid der *Eibe; zur Hemmung der Mitose durch Antikörper gegen das mitot. Calcium-Transport-Syst. s. *Lit.* [2].

2. *Chromosomen-Gifte:* Diese führen zu Chromosomenschäden wie Verklebungen, Verklumpungen, Brüchen (ggf. mit irregulärer Rekombination der Fragmente), die vielfach als Mutationen manifest werden, so daß einige dieser M. als *Mutagene wirken; *Beisp.:* Lost, Urethan, 2-Aminopurin, ionisierende Strahlen. Gelegentlich bezeichnet man Stoffe wie Benzol, die Chromosomenbrüche bewirken, als *Klastogene* (von griech.: klásis = Zerbrechen).

3. *Zellteilungs-Gifte:* Diese verhindern gegen Ende der Telophase die Ausbildung einer neuen Zellmembran, so daß keine Zellteilung erfolgen kann u. 2-kernige Zellen entstehen. *Beisp.:* *p*-Dichlorbenzol, Theobromin. Die (ebenfalls) die Cytokinese blockierenden *Cytochalasine werden nicht den M. im engeren Sinne zugerechnet.

4. *Interphase-Gifte:* In diesem Stadium werden viele Schäden gesetzt, die in der späteren Mitose in Erscheinung treten, bes. bei den Chromosomenschäden, wenn z.B. Hormone u. Basenanaloge wie Bromuracil in die Nucleinsäure-Synth. eingreifen.

Verw.: Wegen ihrer Fähigkeit, die Zellteilung zu verhindern, werden M. als *Cytostatika genutzt (z.B. die Spindel-Gifte Vinblastin u. Vincristin, s. Vinca-Alkaloide, u. *Mitomycin C). Ebenfalls bedeutende Anw. haben die M. in der Polyploidie-Züchtung (s. Colchicin), in der Mutagen-Forschung u. in bestimmten *Herbiziden u. *Keimhemmungsmitteln gefunden. – ***E*** mitotic inhibitors – ***F*** inhibiteurs mitotiques – ***I*** inibitori mitotici, inibitori della mitosi – ***S*** inhibidores mitóticos

Lit.: [1] Eur. J. Clin. Invest. **23**, 621 (1993). [2] Nature (London) **330**, 264 ff. (1987).
allg.: Pharmacol. Ther. **62**, 247 (1994) ▪ Virus Res. **40**, 185 (1996) ▪ s.a. Mitose.

Mitoxantron (Rp).

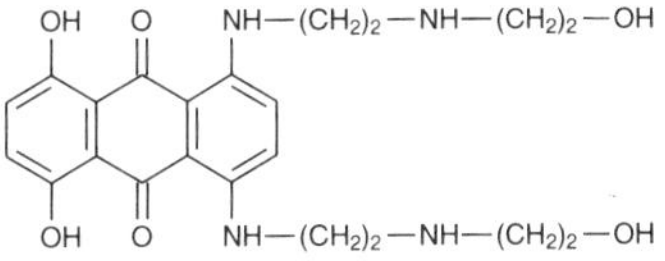

Internat. Freiname für das *Cytostatikum 1,4-Dihydroxy-5,8-bis[2-(2-hydroxyethylamino)ethylamino]-anthrachinon, $C_{22}H_{28}N_4O_6$, M_R 444,48; Schmp. 160–162 °C; λ_{max} (C_2H_5OH) 244, 279, 525, 620, 660 nm ($A^{1\%}_{1cm}$ 982, 459, 113, 527, 540). Verwendet wird meist das Dihydrochlorid, Schmp. 203–205 °C; λ_{max} (H_2O) 241, 273, 608, 658 nm ($A^{1\%}_{1cm}$ 792, 230, 371, 404). M. wurde 1979 u. 1980 von Am. Cyanamid patentiert u. ist von Lederle (Novantron®) u. AWD (Mitoxantron AWD) im Handel. – ***E*** mitoxantrone, mitozantrone – ***F*** = ***I*** mitoxantrone – ***S*** mitoxantrona

Lit.: ASP ▪ Florey **17**, 221–258 ▪ Martindale (31.), S. 591. – *[HS 2922 50; CAS 65271-80-9 (M.); 70476-82-3 (Dihydrochlorid)]*

Mitscherlich, Eilhard (1794–1863), Prof. für Chemie, Berlin. *Arbeitsgebiete:* Entdeckung der Isomorphie der Krist., Polymorphie, Schwefel-Modif., Phosphor-Nachw., Herst. von Benzol aus Calciumbenzoat, Strukturaufklärung von Manganaten, Permanganaten, Selensäure, Iodoform, Naphthalin, Konstruktion des ersten Polarisationsapparates.

Lit.: Krafft, S. 246 ▪ Lexikon der Naturwissenschaftler, S. 296 ▪ Neufeldt, S. 14, 16, 379 ▪ Pötsch, S. 306 ▪ Strube **2**, 40, 65, 170 ▪ Strube et al., S. 84, 130.

Mitscherlichs Wirkungsgesetz s. Düngung.

Mitscherlich-Test s. Phosphor.

Mitsubishi (von japan.: mitsu = drei u. bishi = Diamant). Kurzbez. für die 1934 gegr. u. zum 1884 gegr. Mitsubishi-Konzern gehörende Firma Mitsubishi Kasai Corporation, Mitsubishi Building, 6-3 Marunouchi, 2-chome, Chiyoda-ku, Tokyo 100–86. *Daten* (1996): ca. 13000 Beschäftigte, ca. 166,3 Mrd. $ Umsatz. *Produktion*: Informationssyst. u. Service (Computer u. -anw., Tele- u. Satellitenkommunikation, optoelektron. Medien, Medizintechnik); Metalle (Stahl, NE-Metalle, Edelmetalle, Nukleartechnik); Chemie (Agrarprodukte, Kunststoffe, Düngemittel, anorgan. Chemikalien, Fein- u. Spezialchemikalien); Nahrungsmittel (Süßstoff, Öle u. Fette, Lebensmittel, Futtermittel); Petrochemie (Kohle u. Ruß, Rohöl, u. a.); Handel (Textilien u. Textilhilfsmittel, Papier, Holz, Kabel); Maschinen- u. maschinelle Ausrüstung (Energierzeugung, Öl, Gas, Chemie, Stahl, Zement; Transportsyst., Autos). *Vertretung* in der BRD: Mitsubishi International GmbH, 40476 Düsseldorf.

Mitsui. Kurzbez. für den 1876 gegr. japan. Konzern Mitsui & Co., Ltd., 2–1 Ohtemachi, 1-chome, Chiyodaku, Tokyo 100; die 842 Tochterges. operieren selbständig. *Daten* (1994, Konzern): 12000 Beschäftige, 171 Mrd. $ Umsatz. *Produktion*: Chemie (NE-Metalle u. Metallprodukte, Rohöl, Benzin, Schweröl, Schmieröl, Gas, Eisen u. Stahl, organ. u. anorgan. Chemikalien, Kunststoffe, Feinchemikalien, pharmazeut. Produkte, Papierchemikalien, Salze, Soda, Agrarchemikalien); Maschinen- u. Anlagenbau; Energietechnik; Textilien; Nahrungsmittel; elektron. Geräte; Kommunikationstechnik. *Tochter- u. Beteiligungsgesellschaften*: Mitsui Maschinen GmbH; Subar Deutschland GmbH; Mitalco Inc., USA; Mitsui Comtek Corp., USA; Novus International Inc. USA. *Vertretung* in der BRD: Mitsui & Co. Deutschland GmbH, 40215 Düsseldorf.

Mitsui Toatsu. Kurzbez. für die 1933 gegr. Mitsui Toatsu Chemicals Inc., 3-2-5, Kaumigaseki Chiyoda-ku, Tokyo 100, Japan. Die Mitsui-Tochter vertritt im Konzern die Chemie-Sparte. *Daten* (1996): 5000 Beschäftigte, 393 Mrd. Yen Umsatz. *Produktion:* Kunststoffe, Aminosäuren u. Derivate, Spezialchemikalien, spezielle Polymere, Ind.-Chemikalien, Papierchemikalien, Chemikalien für die Elektro-Ind., Herbizide, Insektizide, Fungizide. *Vertretung* in der BRD: Mitsui Toatsu Chemicals GmbH, 40212 Düsseldorf.

Mitsunobu-Reaktion. Die Kondensation von R–XH (z. B. Alkoholen, X = O) mit Carbonsäuren od. ähnlichen Reagenzien mit Hilfe von *Diazendicarbonsäure-diethylester u. Triphenylphosphan unter Bildung von Estern, Peptiden usw. wird als M.-R. bezeichnet (s. Abb. a).

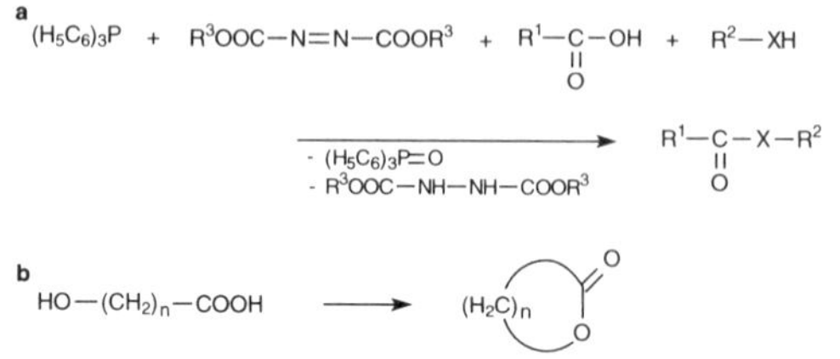

Abb.: Mitsunobu-Reaktion.

Aus ω-Hydroxy-carbonsäuren erhält man so in guten Ausbeuten *Lactone (s. Abb. b); diese *Redox-Kondensation* ist auch zur Synth. von *Alkaloiden[1] u. *Makroliden gut geeigmet. Chirale Alkohole können mit Hilfe der M.-R. in ihr Enantiomeres umgewandelt werden (*E* inversion esterification = *Inversions-Veresterung*). – ***E*** Mitsunobu reaction – ***F*** réaction de Mitsunobu – ***I*** reazione di Mitsunobu – ***S*** reacción de Mitsunobu

Lit.: [1] J. Heterocycl. Chem. **34**, 349 (1997).
allg.: Hassner-Stumer, S. 267 ▪ Krauch u. Kunz, Reaktionen der organischen Chemie, 6. Aufl., S. 258, Heidelberg: Hüthig 1997 ▪ Laue-Plagens, S. 227 ▪ Org. Prep. Proc. **28**, 127 (1996) ▪ Org. React. **29**, 1 (1983); **42**, 335 (1992) ▪ Synthesis **1981**, 1 ▪ Trost-Fleming **6**, 333.

Mittasch, Alwin (1869–1953), Chemiker der BASF in Oppau. *Arbeitsgebiete:* Mehrstoffkatalysatoren für die Ammoniak-Synth. u. -Oxid., Entwicklung einer Methanol-Synth., Katalyse.

Lit.: Lexikon der Naturwissenschaftler, S. 296 ▪ Neufeldt, S. 145, 155, 341 ▪ Pötsch, S. 307 ▪ Strube **2**, 73, 151 ff. ▪ Strube et al., S. 150, 184 ▪ Z. Elektrochem. **1950**, 1 ff.

Mitteilungspflicht s. Chemikaliengesetz.

Mittelbenzin s. Benzin, S. 392.

Mitteldrucksynthese s. Fischer-Tropsch-Synthese.

Mittelkettige Triglyceride s. MCT.

Mittelöl s. Heizöle (M).

Mittlere freie Weglänge s. Diffusion, Gasgesetze u. Vakuum.

Mittlere Lebensdauer s. Lebensdauer u. Radionuklide.

Mittlerer Fadenendabstand. Eine in verd. Lsg. vorliegende Polymer-Kette läßt sich als Knäuel beschreiben, das Gestalt u. eingenommenes Vol. kontinuierlich ändert. Wegen der nahezu unendlichen Zahl möglicher *Makrokonformationen haben somit zwei gleich große Polymer-Ketten niemals gleiche Form u. gleiches Volumen. Es ist deshalb auch nicht möglich, gesicherte Aussagen über die Dimension einer speziellen Kette zu erhalten. Hinzu kommt, daß nahezu jede Polymer-Probe aus einer Vielzahl unterschiedlich langer Ketten besteht. Die Bestimmung der Kettendimensionen von Makromol. kann daher nur durch geeignete Mittelung erfolgen. Zwei solche Mittelwerte sind der *m. F.* u. der *Trägheitsradius*. Der m. F. ist definiert als die Wurzel des quadrierten Abstandes der Kettenenden $\langle \bar{r}^2 \rangle^{1/2}$, wohingegen der Trägheitsradius $\langle \bar{s}^2 \rangle^{1/2}$ ein Maß für den mittleren Abstand der Kettenglieder vom Schwerpunkt des Polymer-Knäuels ist. Die spitzen Klammern deuten die Mittelung über die verschiedenen Kettenlängen der Makromol. in der Probe an, der Querstrich die Mittelung über die vielen Kettenkonformationen, die Ketten gleicher Molmasse einnehmen können.
Die einfachste theoret. Beschreibung des m. F. behandelt ein Makromol. als ein kettenförmiges Ensemble aus *n* Elementen, die durch Bindungen der Länge l miteinander verknüpft sind. Können die Bindungen an ihren Verknüpfungsstellen frei rotieren (beliebiger Winkel θ), so gilt gemäß dem Cosinus-Satz bei nur zwei Bindungen

$$r_f^2 = 2\,l^2 - 2\,l^2 \cos\theta.$$

Ist die Zahl der Bindungen dagegen groß, u. variiert θ über alle möglichen Werte, so vereinfacht sich diese Gleichung wegen $\cos\theta = -\cos(\theta + \pi)$ zu

$$r_f^2 = n\,l^2.$$

Berücksichtigt man nun, daß die Valenzwinkel θ in einer realen Kette festgelegt sind, so erhält man für homoatomare Ketten

$$\langle \bar{r}^2 \rangle_{of} = n\, l^2 (1-\cos\theta)/(1+\cos\theta).$$

Für reine Kohlenstoff-Ketten (z.B. *Polyethylen) gilt $\theta \approx 109°$ u. $\cos\theta = -1/3$. Damit folgt

$$\langle \bar{r}^2 \rangle_{of} = 2\, n\, l^2,$$

d.h. bei Berücksichtigung des fixen Valenzwinkels ist eine Polyethylen-Kette doppelt so stark gestreckt wie sie es im Falle freier Valenzwinkel θ wäre. Darüber hinaus schränken auch ster. Wechselwirkungen benachbarter Gruppen die Rotation um Einfachbindungen auf bestimmte Torsionswinkel φ ein. Berücksichtigt man auch dies, so erhält man

$$\langle \bar{r}^2 \rangle_{o} = n\, l^2 \cdot [(1-\cos\theta)/(1+\cos\theta)] \cdot [(1-\langle\cos\varphi\rangle)/(1+\langle\cos\varphi\rangle].$$

Der Parameter $\langle \bar{r}^2 \rangle_o$ beschreibt das Quadrat der durchschnittlichen ungestörten Dimensionen, ist eine charakterist. Größe von Polymer-Ketten u. kann durch Messungen an verd. Polymer-Lsg. bestimmt werden. Die Ergebnisse solcher Messungen werden oft in Form des sog. charakterist. Verhältnisses $[\langle \bar{r}^2 \rangle_o / n\, l^2]$ angegeben, das ein Maß für die Steifigkeit der Kette in verd. Lsg. ist. – ***E*** root mean square end-to-end distance – ***I*** distanza testa a testa – ***S*** distancia media entre las extremidades de una cadena

Lit.: Cowie, Chemie u. Physik der synthetischen Polymeren, S. 241, Braunschweig-Wiesbaden: F. Vieweg Verlagsges. 1997.

Mittlere Ringe. Jargonhafte Bez. für 8- bis 12-gliedrige *Ringsysteme, die im Gegensatz zu 5- bis 7-gliedrigen Verb. relativ schwierig herzustellen sind u. z.T. auch – bedingt durch ihre *Konformation – ein anderes chem. Verhalten, z.B. *transannulare Reaktionen, zeigen. Eine Meth. zur Herst. von m. R. bietet die durch Übergangsmetalle katalysierte *Cyclooligomerisation von Alkenen u. Alkinen bzw. die Ringschluß-*Metathese-Reaktion. Weitere Möglichkeiten sind die Homologisierung (s. Homologe) von Cycloalkanonen mit Diazomethan, die *Tiffeneau-Umlagerung od. die *McMurry-Reaktion. – ***E*** medium-sized rings – ***F*** anneaux médians – ***I*** anelli medi – ***S*** anillos medianos

Lit.: s. alicyclische u. cyclische Verbindungen, Ringsysteme.

Mittlers Grün s. Chrom-Pigmente.

Mivacuriumchlorid (Rp). Internat. Freiname für (1*R*,1'*R*,2*RS*,2'*RS*)-2,2'-[(*E*)-4-Octendioylbis(oxy-3,1-propandiyl)]bis[1,2,3,4-tetrahydro-6,7-dimethoxy-2-methyl-1-(3,4,5-trimethoxybenzyl)-isochinolinium]-dichlorid, $C_{58}H_{80}Cl_2N_2O_{14}$, M_R 1100,18; $[\alpha]_D^{20}$ –62,7° (c 1,9/H_2O). M. wurde 1986 u. 1988 von Burroughs Wellcome patentiert u. 1996 von Glaxo Wellcome/Zeneca (Mivacron®) ausgeboten. M. ist das erste kurzwirkende stabilisierende *Muskelrelaxans, das sich auch aufgrund seiner raschen enzymat. Inaktivierung (die Plasmahalbwertszeit beträgt ca. 2 min) zur kontinuierlichen Gabe als Infusion eignet. – ***E*** mivacurium chloride – ***F*** chlorure de mivacurium – ***I*** mivacuriocloruro – ***S*** cloruro de mivacurio

Lit.: Drugs **45**, 1066–1089 (1993) ▪ Martindale (31.), S. 1523f. – *[CAS 106861-44-3]*

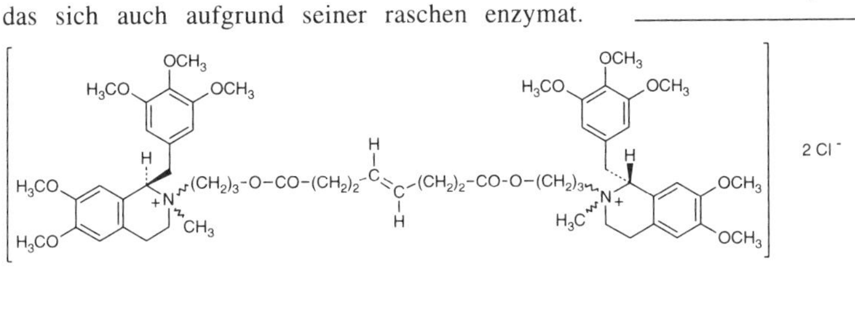

Mixed Layer-Minerale s. Wechsellagerungs-Minerale.

Mixotrophie. Bez. für die Ernährungslage von Organismen, die ihren Energiebedarf aus einer gemischt autotroph-heterotrophen Ernährungsweise decken. So sind z.B. viele pflanzliche Planktonorganismen u. Algen zwar durch *Photosynthese weitgehend autotroph in ihrer Ernährung, müssen jedoch zur Komplettierung ihres Bedarfs wie heterotrophe Organismen organ. Substanz aus ihrer Umgebung aufnehmen (vgl. Autotrophie u. Heterotrophie). Als M. kann man auch die Wechselwirkung zwischen Heterotrophie u. *Lithotrophie ansehen, z.B. die Chemolithoheterotrophie. – ***E*** mixotrophy – ***F*** mixotrophie – ***I*** mixotrofia – ***S*** mixotrofía

Mixtion (Anlegeöl). Präp. zum Befestigen von echtem Blattgold auf dem Untergrund. Ursprünglich dicker Leinölfirnis, mit Bleiglätte, Kopal od. Ocker gekocht. – ***E*** gold size – ***F*** préparatio pour l'enfeuillage d'or – ***I*** legatore di oro in foglio – ***S*** cola para oro

Lit.: Gatz, Lexikon der Anstrichtechnik, Bd. 1 (10. Aufl.), München: Callwey 1994.

Mixturen (Mixturae; Singular: Mixtura). Arzneilich gebrauchte Mischungen aus mehreren Flüssigkeiten od. Lösungen. In den sog. *Schüttel-M.* sind ungelöste Arzneistoffe enthalten, die vor Gebrauch durch Umschütteln suspendiert werden müssen. – ***E*** = ***F*** mixtures – ***I*** misture – ***S*** mixturas, mezclas

Mizellen s. Micellen.

Mizolastin (Rp).

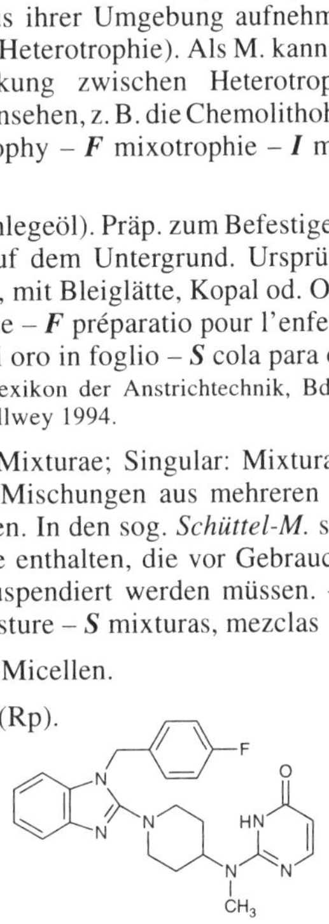

Internat. Freiname für das *Antihistaminikum 2-(*N*-{1-[1-(4-Fluorbenzyl)-1*H*-benzimidazol-2-yl]-4-piperidinyl}methylamino)-4(3*H*)-pyrimidinon, $C_{24}H_{25}FN_6O$, M_R 432,50. M. wurde 1987 von Synthelabo patentiert. – ***E*** = ***F*** mizolastine – ***I*** = ***S*** mizolastina

Lit.: Ann. Allergy **69**, 135–139 (1992) ▪ Martindale (31.), S. 448 ▪ Rhinology **34**, 101–104 (1996). – *[CAS 108612-45-9]*

Mizzonit s. Skapolith.

MK-933 s. Ivermectin.

m-kp-s-System s. MKS-System.

MKSA-System s. MKS-System.

MKS-System. Ein 1948 eingeführtes, 1970 in der BRD vom *SI abgelöstes Einheiten-Syst., das auf drei *Grundeinheiten für Länge (*M*eter), Masse (*K*ilogramm) u. Zeit (*S*ekunde) aufbaute. Im *MKSA-* od. *Giorgi-Syst.* trat die Einheit der Stromstärke (*A*mpere) hinzu; zu diesem Syst. gehörten folgende abgeleitete kohärente, im SI bestätigte Einheiten mit bes. Namen: *Newton, *Joule, *Watt, *Coulomb, *Volt, *Ohm, *Siemens, *Farad, *Henry, *Weber, *Tesla. Das techn. *m-kp-s-Syst.* basierte auf der Grundeinheit *Kilopond statt Kilogramm. – ***E*** MKS system – ***F*** système MKS – ***I*** = ***S*** sistema MKS
Lit.: s. Einheiten u. SI.

MKT s. MCT.

mL (ml). Symbol der Einheit *Milliliter, s. a. Liter.

MLO (mycoplasma-like organisms). Den *Mykoplasmen ähnliche Bakterien, die im *Phloem von Pflanzen u. in den Speicheldrüsen von pflanzenfressenden Insekten, die als *Vektoren wirken, gefunden werden. MLO sind wahrscheinlich Erreger von mehreren hundert Pflanzenkrankheiten, z. B. der Weißblättrigkeit des Zuckerrohrs, der Vergilbung bei Astern, dem Verfall an Birnen u. der Triebsucht beim Apfel. MLO sind obligat biotroph u. daher nicht auf künstlichen Medien kultivierbar. Sie sind polymorph, oft fadenförmig u. verzweigt, zwischen 0,2 bis 0,8 µm im Durchmesser. Als zellwandlose Bakterien sind sie empfindlich z. B. gegen *Tetracyclin, aber nicht gegen *Penicillin u. seine Derivate. – ***E*** mycoplasma-like organisms – ***F*** organismes para-mycoplasmiques – ***I*** microrganismi simili a micoplasmi – ***S*** micoplasmas como organismos
Lit.: Holt, Bergey's Manual of Systematic Bacteriology, S. 792 f., Baltimore: Williams & Wilkins 1984 ▪ Schlösser, Allgemeine Phytopathologie (2.), S. 46–49, Stuttgart: Thieme 1997.

µm. Symbol der Einheit Mikrometer, s. Mikro...

mµ. Symbol der veralteten Einheit Millimikron (= *nm), s. μ.

MM. Abk. für Molekül-Mechanik, s. Kraftfeld.

MMA. Abk. für Methylmethacrylat, s. Methacrylsäureester.

3M Medica. Zweigniederlassung der 3M Deutschland GmbH, Neuss mit Sitz in 46325 Borken. *Daten* (1995): ca. 560 Beschäftigte, ca. 250 Mio. DM Umsatz. *Produktion u. Vertrieb:* Medikamente, Medical- u. Dental-Produkte.

mmHg. Symbol der veralteten Einheit des Drucks, bes. des *Luftdrucks, *Millimeter Quecksilber-Säule:* 1 mmHg = 1 Torr (0 °C) = 133,322 Pa = 1,33322 mbar. Als *Blutdruck-Einheit ist laut WHO-Beschluß weiter mmHg statt kPa zulässig u. üblich.
Lit.: Dtsch. Ärztebl. **78**, 1530 (1981).

MMP Abk. für *Matrix-Metall-Proteinasen.

MMSC. Abk. für **S*-Methyl-L-methioninsulfoniumchlorid.

MMT. Abk. für *(Methylcyclopentadienyl)-mangantricarbonyl, s. a. Mangan-organische Verbindungen.

Mn. Chem. Symbol für das Element *Mangan.

MNA. 1. Abk. für Methylnonylacetat s. 2-Methylundecanal. – 2. s. Nitrosamine.

MNDO-(Verfahren). Abk. für *M*odified *N*eglect of (Diatomic) *D*ifferential *O*verlap. Von M. J. S. *Dewar u. W. Thiel (*Lit.*[1]) eingeführtes semiempir. Verf. der *Quantenchemie, das alle Valenzelektronen berücksichtigt u. derzeit zu den populärsten Rechenverf. zählt. – ***E*** MNDO method – ***F*** procédé MNDO – ***I*** metodo MNDO – ***S*** método MNDO
Lit.: [1] J. Am. Chem. Soc. **99**, 4899 (1977).
allg.: Clark, A Handbook of Computational Chemistry, New York: Wiley 1985.

Mo. Chem. Symbol für das Element *Molybdän.

MO. Abk. für Molekülorbital; Näheres s. dort u. bei MO-Theorie.

Mobec® (Rp). Tabl. mit dem *Antirheumatikum *Meloxicam. ***B.:*** Thomae.

Mobiforton® (Rp). Tabl. mit dem *Muskelrelaxans *Tetrazepam. ***B.:*** Sanofi Winthrop.

Mobil. Kurzbez. für die Mobil Corporation, Fairfax, VA 22037-0001 (USA), die aus der 1866 gegr. Vacuum Oil Comp. u. der 1882 gegr. Standard Oil Comp. of New York (1931 Zusammenschluß zur Socony Vacuum) hervorgegangen ist. 1996 ging Mobil ein joint venture mit British Petroleum (BP) ein. *Daten* (1995): ca. 50 400 Beschäftigte, 75,4 Mrd. $ Umsatz. *Produktion:* Erdöl u. Erdgas, Phosphate, Mineralöle, Motorkraftstoffe, Mineralfette, Schmiermittel (Mobil®), Petrochemikalien, Kunststoffe, Packmaterialien, Lacke u. a. Beschichtungsmaterialien etc. *Vertretung* in der BRD: Mobil Oil AG, 20031 Hamburg (1898 als Vacuum Oil Comp. gegr.), die z. B. an der Aral AG zu 28% beteiligt ist.

Mobilat®. Schmerztabl. mit *Ibuprofen; Salbe od. Gel mit Nebennierenextrakt, Mucopolysaccharidpolyschwefelsäureester (s. Glykosaminoglykane) u. *Salicylsäure gegen entzündliche Gelenkerkrankungen, Arthrosen, Prellungen, Muskelrheumatismus usw. ***B.:*** Luitpold.

Mobile Phase. Sammelbez. für die in den verschiedenen Ausführungsformen der *Chromatographie unter Bez. wie **Fließ-*, *Lauf-*, *Trenn-*, *Lösungs-* u. *Elutionsmittel* verwendeten Gase u. Flüssigkeiten, die aus einer od. mehreren Komponenten bestehen, sich in der stationären Phase aufgrund kapillarer Kräfte ausbreiten u. dabei neben der Funktion eines Lsm. auch die des Tranportes erfüllen, vgl. Dünnschichtchromatographie. – ***E*** mobile phase – ***F*** phase mobile – ***I*** fase mobile – ***S*** fase móvil

Mobile Phase Ion Chromatography s. Ionenpaarchromatographie.

Mobilität s. Permeabilität.

Moc. Abk. für *Methoxycarbonyl...

MOCA.

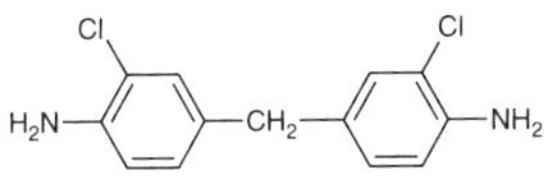

Abk. für *p,p′*-Methylenbis(*o*-chloranilin), $C_{13}H_{12}Cl_2N_2$, M_R 267,15, ein Diamin, das neben niedermol. Diolen, *4,4′-Diaminodiphenylmethan u. Ethylendiamin zur nachträglichen Kettenverlängerung von Polyurethanen mit Isocyanat-Endgruppen verwendet wird. – *E* MOCA – *I* = *S* metilenbisortocloroanilina

Lit.: Elias (5.), **2**, 229. – *[CAS 101-14-4]*

Mochaleder. Glacégegerbtes Zickel- od. Lamm-Leder, das durch Schleifen auf der Narbenseite tuchartig matt gemacht wurde; hauptsächliche Verw. als Handschuhleder. – *E* mocha leather – *F* cuir mocha – *I* cuoio mocha – *S* cuero mocha

Lit.: Lange, Qualitätsbeurteilung von Leder, Bibliothek des Leders, Bd. 10, S. 280, Frankfurt: Umschau 1982. – *[HS 4106 20]*

Moclobemid (Rp).

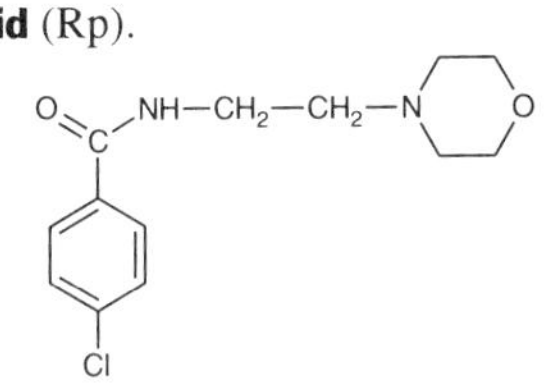

Internat. Freiname für das *Antidepressivum, ein *MAO-Hemmer, 4-Chlor-*N*-(2-morpholinoethyl)-benzamid, $C_{13}H_{17}ClN_2O_2$, M_R 268,74, Schmp. 137 °C; LD_{50} (Ratte oral) 707 mg/kg. M. wurde 1977 u. 1980 von Hoffmann-La Roche (Aurorix®) patentiert. – *E* moclobemide – *F* moclobémide – *I* = *S* moclobemida

Lit.: Beilstein E V **27/1**, 466 ▪ Drugs **43**, 561–569 (1992) ▪ Martindale (31.), S. 325 f. ▪ Pharm. Ztg. **138**, 26–29 (1993). – *[HS 2934 90; CAS 71320-77-9]*

MOCVD (Abk. für *E* *m*etal-*o*rganic *c*hemical *v*apour *d*eposition, auch MOVPE von *E* *m*etal-*o*rganic *v*apour *p*hase *e*pitaxy). Moderne Verf. zur Herst. dünner Schichten eines Materials auf einem Substrat, die seit einigen Jahren bes. zur Herst. von epitakt. Halbleiterschichten (s. Epitaxie) eingesetzt werden. Dazu werden Metall-organ. Verb. u. Hydride als Gase in ein Reaktionsgefäß geleitet [z. B. $Ga(CH_3)_3$ u. AsH_3 od. $Zn(C_2H_5)_2$ u. $Te(C_3H_7)_2$] u. auf einem geheizten Substrat zersetzt, so daß sich dort das Halbleitermaterial abscheidet (z. B. GaAs od. ZnTe). Durch abrupte Änderungen der Zusammensetzung können auch Heterostrukturen od. *Quantentrog-Strukturen hergestellt werden. Erfolgt die Zers. der Materialien zusätzlich unter dem Einfluß von (UV-)Licht, so spricht man von Photo-MOCVD. MOMBE ist eine Kombination aus MOCVD u. *Molekularstrahl-Epitaxie. – *E* metal-organic chemical vapour deposition, MOCVD – *I* deposizione metallorganica chimica sotto vuoto per vaporizzazione, metallizzazione per vaporazione, MOCVD – *S* deposición química del vapor de compuestos metaloorgánicos

Lit.: Stringfellow (Hrsg.), Organometallic Vapor Phase Epitaxy: Theory and Practice, New York: Academic Press 1989.

Modacrylfasern (Kurzz. MAC nach DIN 60 001-4: 1991-08). Sammelname für Chemiefasern aus Hochpolymeren, die durch geradkettige Copolymerisation von Acrylnitril mit Vinyl- u./od. Vinylidenchlorid entstanden sind u. zwischen 50 u. 85 Gew.-% an Acrylnitril enthalten; s. a. Chemiefasern. – *E* modacrylic fibers – *F* fibres modacryliques – *I* fibre modacriliche – *S* fibras modacrílicas

Lit.: Encycl. Polym. Sci. Eng. **1**, 334–388 ▪ Kirk-Othmer (3.) **1**, 376–386; (4.) **10**, 560 ff. ▪ Ullmann (5.) **A 10**, 639 ▪ Winnacker-Küchler (4.) **6**, 704 f.

Modafinil (Rp).

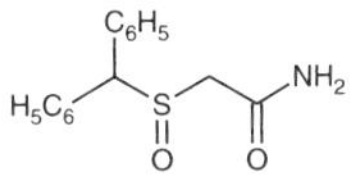

Internat. Freiname für das *Sympath(ik)omimetikum, (ZNS-Stimulans) (±)-2-(Benzhydrylsulfinyl)acetamid, $C_{15}H_{15}NO_2S$, M_R 273,34, Schmp. 164–166 °C; LD_{50} (Maus oral) >1000 mg/kg, (Maus i.v.) >800 mg/kg. M. wurde 1978 u. 1979 von Lab. Lafon patentiert. – *E* = *F* = *I* = *S* modafinil

Lit.: Martindale (31.), S. 1554 ▪ Sleep **17**, S107–S112 (1994). – *[CAS 68693-11-8]*

Modalfasern (Kurzz. CMD nach DIN 60001-4: 1991-08). Sammelbez. für modifizierte *Viskosefasern (vgl. Kunstseiden) aus regenerierter Cellulose. Man unterscheidet zwischen *Polynosic®-Typen (mit geringer Dehnbarkeit, hoher Alkali-Beständigkeit u. *Naßmodul-Werten von 12–18 cN/dtex) u. den *Hochmodulfasern (HWM-Fasern mit höherer Dehnbarkeit, geringerer Alkali-Beständigkeit u. Naßmodul-Werten von 10–12 cN/dtex). – *E* modal fibers – *F* fibres modales – *I* fibre modali – *S* fibras modales

Lit.: Kirk-Othmer (3.) **19**, 865; (4.) **10**, 700 ▪ Ullmann (5.) **A 5**, 407 f. ▪ Winnacker-Küchler (4.) **6**, 720.

MODAREZ®. UV-Absorber für Kunststoffe u. Textilien. ***B.:*** PROTEX-EXTROSA.

Modellgips. Schwach gebrannter, weißer, fein gemahlener *Gips zum Formen u. Gießen.

Lit.: Ullmann (4.) **10**, 17, 19; **12**, 309; (5.) **A 8**, 290–293. – *[HS 2520 20]*

Modelliermassen s. Abgußmassen u. Knetmassen.

Modell-Polymere. Bez. für *maßgeschneiderte* *Polymere mit sehr einheitlicher Struktur u. oft sehr enger Molmassenverteilung, die insbes. benötigt werden als Kalibrierungs-Substanzen bei der Untersuchung von Struktur/Eigenschafts-Beziehungen von *makromolekularen Stoffen, z. B. von linearen *Homo- u. *Copolymeren, *Makromonomeren, verzweigten *Kamm- od. *Sternpolymeren, Block- u. *Pfropfcopolymeren od. *polymeren Netzwerken.

Die in Labor u. Technik allg. üblichen Polymerisationsverf. liefern oft hinsichtlich Mol.-Größe, -Struktur u. -Zusammensetzung uneinheitliche Produkte. M.-P. sind daher nur über spezielle Meth. (*E* macromolecular engineering) zugänglich, die eine exakte Kontrolle des Wachstumsprozesses der Polymeren ermöglichen. Eine dieser Meth. ist die anion. initiierte lebende Polymerisation. Eine andere Möglichkeit zur Herst. von M.-P. besteht in der Fraktionierung von Polymer-Präp.

geringerer Einheitlichkeit. – *E* model polymers, tailormade polymers – *F* polymères sur mesure – *I* polimeri di modello – *S* polímeros a medida
Lit.: Encycl. Polym. Sci. Eng. Suppl., S. 493–506.

Moden-gekoppelte Laser s. Farbstoff-Laser.

Modenkopplung. Bei *Lasern eingesetzte Technik, um kurze Lichtpulse mit einer Dauer von einigen Picosekunden (1 ps = 10^{-12} s, *Pikosekunden-Spektroskopie) zu erzeugen; durch weiter verfeinerte Techniken sind Pulszeiten von wenigen Femtosekunden (1 fs = 10^{-15} s) erreicht worden.
Vorgehensweise: Je nach Frequenzbreite des Verstärkungsprofiles können in einem Laser Strahlungsfelder mit unterschiedlichen Wellenlängen λ_m anschwingen u. verstärkt werden. Für einen linearen Resonator (s. Laserresonator) sind hierzu die Bedingungen $m \cdot (\lambda_m/2) = d$ zu erfüllen, wobei d der Spiegelabstand u. m eine ganze Zahl sind. Die durch λ_m bzw. m charakterisierten Strahlungsfelder werden Moden genannt [es sind genau genommen die longitudinalen Moden, denn senkrecht zur Laserrichtung sind ähnliche Resonatorbedingungen zu erfüllen, die zu transversalen Moden führen, wodurch eine Mode durch ein Zahlentripel (m_1, m_2, m_3) beschrieben ist].
Die von dem Laser emittierte Strahlung ist eine Überlagerung aller verschiedener Moden, die im allg. statist. fluktuieren u. sich zeitlich verändern; d. h. die Ausgangsleistung variiert unkontrolliert. Erst wenn die einzelnen Moden zu einem konstanten Frequenzabstand u. einer festen Phasenbeziehung gezwungen werden, d. h. wenn die Moden aneinander gekoppelt werden, variiert die Ausgangsleistung in genau kontrollierter Weise. Die Kopplung der Moden kann durch aktive u. passive Verf. erfolgen. Bei der *aktiven M.* wird durch ein extern angetriebenes, resonatorinternes Modulationselement (z. B. elektroopt. Modulator, s. *Pockelseffekt* bei elektrooptischer Effekt), ein zeitabhängiger Resonatorverlust erzeugt. Die in dem Laser anschwingenden Moden – man kann sie sich als hin- u. herlaufende Wellenpakete vorstellen – können den Modulator nur dann passieren, wenn dieser einen geringen Verlust besitzt, also transparent ist. Somit müssen alle Wellenpakete zu einem bestimmten Zeitpunkt an der gleichen Stelle sein. Neben der Verlustmodulation, kann auch eine Verstärkungs- od. Phasenmodulation durchgeführt werden. Bei der passiven M. werden in den Laserresonator sättigbare Absorber gesetzt. Dies sind absorbierende Materialien, die bei höherer Lichtintensität ausbleichen, also transparent werden. Im allg. werden hierzu Küvetten mit *Laserfarbstoffen verwendet, die dicht vor einen Resonatorspiegel platziert werden.
Bei hinreichend intensiver Modulation ist die Zeitdauer Δt der Lichtpulse in der Größenordnung des Reziproken der Frequenzbreite $\Delta\nu$ des Verstärkungsprofils, d. h. für den Ar^+-Laser (*Edelgas-Ionen-Laser) mit $\Delta\nu = 8$ GHz erreicht man $\Delta t = 125$ ps. Um kürzere Pulse zu erhalten, muß man Laser mit größerer Verstärkungsbreite, wie z. B. den *Farbstoff-Laser, verwenden. Durch Pumpen eines Farbstoff-Lasers mit einem modengekoppelten Ar^+-Laser, sowie dem Aufbau von entgegenlaufenden Pulsen, die sich in einem sättigbaren Absorber treffen (kollidierende Pulskompression, *E* colliding pulse mode locking, cpm), erzeugt man Pulse von 27 fs Länge. Durch weitere Pulskompression wurde diese Länge auf 6 fs reduziert. – *E* mode locking – *F* couplage de modes – *I* accoppiamento di moda – *S* acoplamiento de modos, sincronización
Lit.: Demtröder, Laser Spectroscopy, Berlin: Springer 1996 ▪ Koechner, Solid-State Laser Engineering (4. Aufl.), Berlin: Springer 1996 ▪ Smith u. Weiner, Mode Locking of Lasers, Encyclopedia of Physical Science and Technology, Vol. 10, S. 361, New York: Academic Press 1992.

Modenol® (Rp). Dragées mit *Butizid u. *Reserpin gegen überhöhten Blutdruck. ***B.:*** Boehringer Mannheim/Galenus Mannheim.

Moderator (Neutronenbremse, Bremssubstanz). Nach DIN 25401-2: 1986-09 Bez. für ein zur *Moderierung* von *Neutronen (d. h. zur Verminderung ihrer kinet. Energie durch Streustöße ohne merkliche Absorptionsverluste) geeignetes Material. M. haben in therm. *Reaktoren die Aufgabe, die Geschw. der bei der Kernspaltung (s. Kernreaktionen) freigesetzten Neutronen herabzusetzen, damit der Wirkungsquerschnitt für neue Spaltvorgänge vergrößert wird u. eine Kettenreaktion eintreten kann. Als M. wird in der Kerntechnik v. a. Wasser verwendet, früher auch Deuteriumoxid (Schweres Wasser) u. Graphit, für nichttechn. Anw. mehrkernige aromat. Kohlenwasserstoffe (Bi-, Ter-, Quaterphenyle) sowie Beryllium. – *E* moderator – *F* modérateur – *I* moderatore – *S* moderador
Lit.: Keinert, Temperature Dependence of Thermal Neutron Scattering Cross Sections for Hydrogen Bound in Moderators (Phys. Data 23-1), Karlsruhe: FIZ Energie-Physik-Mathematik 1983 ▪ Musiol et al., Kern- u. Elementarteilchenphysik, Weinheim: VCH Verlagsges. 1988.

Modhephen.

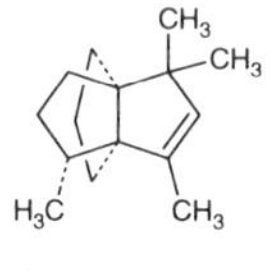

$C_{15}H_{24}$, M_R 204,36, Öl, Sdp. 65–70 °C (33,3 Pa); $[\alpha]_D$ –15,8° ($CHCl_3$). Natürlicher Triquinan-Kohlenwasserstoff mit [3.3.3]*Propellan-Struktur aus dem Korbblütler *Isocoma wrightii* u. aus südafrikan. *Berkhaya*-Arten. M. war aufgrund seiner ungewöhnlichen Struktur Ziel zahlreicher Arbeiten. – *E* modhephene – *F* modhephène – *I* modefene – *S* modhefeno
Lit.: Chem. Pharm. Bull. **36**, 542 (1988). – *Isolierung:* J. Org. Chem. **42**, 96 (1979) ▪ Phytochemistry **24**, 505 (1985); **25**, 1133 (1986). – *Synth.:* Angew. Chem. **103**, 1534 (1991) ▪ J. Am. Chem. Soc. **104**, 5805 (1982); **112**, 5601 (1990) ▪ Tetrahedron **45**, 4945 (1989); **49**, 755–770 (1993); **51**, 8835–8852 (1995). – *[CAS 68269-87-4]*

Modified Neglect of (Diatomic) Differential Overlap s. MNDO(-Verfahren).

Modifier s. Haarbehandlung.

Modifikation. 1. Bez. für Zustandsformen von Elementen u. Verb., die sich in der chem. Zusammensetzung – zumindest der ihrer einfachsten Baueinheit – nicht unterscheiden, jedoch in den physikal. Eigen-

schaften; *Beisp.:* Die M. des Schwefels (*Lit.*[1]), die M. von Eis, Siliciumdioxid, Mangan, Helium, Kohlenstoff, die metall. M. von Indiumantimonid u.a. Halbleitern. Auch bei organ. Verb. können M. auftreten wie z.B. bei Kakaobutter od. manchen Arzneistoffen (*Lit.*[2]).
Das Auftreten eines Elementes in verschiedenen M. nennt man *Allotropie* – genau genommen müßte man *Allomorphie* sagen; bei Verb. spricht man von *Di-, Trimorphie* bzw. **Polymorphie* (vgl. dagegen Isomorphie). Allotrope bzw. polymorphe M. unterscheiden sich in ihren Kristallgittern (außer bei *Paramorphosen), u. ihre (thermodynam.) Stabilität zeigt andere Druck- u. Temp.-Abhängigkeiten. Bei den verschiedenen *Umwandlungen, die nicht selten der *Ostwaldschen Stufenregel gehorchen, kann man weiter differenzieren: Bei *Enantiotropie* können die M. unmittelbar, z.B. durch Überschreiten eines *Umwandlungspunktes, reversibel ineinander übergeführt werden. Anders bei der *Monotropie,* bei der nur eine feste M. eines Elementes bzw. eine bestimmte Kristallform (im strengen Sinne unter allen untersuchten Bedingungen) stabil ist. Die Umwandlung von anderen metastabilen M. (s. metastabile Zustände) in diese ist somit *irreversibel; für diese Übergänge existiert offensichtlich kein (reversibler) Umwandlungspunkt. *Beisp.* für Monotropie sind der weiße u. der rote Phosphor, die sich in den (bis 550 °C) thermodynam. allein stabilen schwarzen Phosphor (*Hochdruck-M.*, vgl. a. die Beisp. bei Hochdruckchemie) irreversibel umwandeln lassen; als Beisp. aus der Mineralogie sind die monotropen Umwandlungen Markasit → Pyrit u. Aragonit → Calcit zu erwähnen. Tatsächlich kann man jedoch unter geeigneten Bedingungen viele Stoffe in metastabile M. überführen; derart energiereiche Formen stellen z.B. die *Aktivstoffe dar. Von Monotropie spricht man deshalb üblicherweise nur dann, wenn metastabile Formen auftreten, die unter bestimmten Bedingungen irreversibel in die stabilen übergehen.
2. Bei Bakterien Teil eines Schutzmechanismus gegen Fremd-DNA (*Lit.*[3]), wobei bestimmte Basen der DNA im fertigen Doppelstrang durch M.-Enzyme, v.a. durch Methylierung, in den Bereichen verändert werden, die sonst durch die zelleigenen *Restriktionsendonucleasen angegriffen werden. Auf diese Weise wird die Nucleinsäure als eigene DNA erkannt u. vor dem Abbau geschützt. Das M.-Muster ist für den jeweiligen Bakterienstamm charakteristisch. Die DNA-Replikation wird durch die M. nicht behindert. Es entstehen zwei DNA-Doppelstränge aus jeweils einem modifizierten Elternstrang u. einem nicht-modifizierten Tochterstrang, der durch die M. des Elternstrangs vor der Aktivität der Restriktionsenzyme geschützt ist u. vor der nächsten DNA-Replikation selbst modifiziert wird.
3. Bei der *Regulation wird die Aktivität einiger Enzyme durch M.[4], wie Glykosylierung, Phosphorylierung od. Adenylierung, gesteuert.
4. In der *Genetik Bez. für eine durch Umwelteinflüsse hervorgerufene Änderung des *Phänotyps, die jedoch nicht vererbt wird. – ***E*** = ***F*** modification – ***I*** modificazione – ***S*** modificación

Lit.: [1] Chem. Unserer Zeit **7**, 10 – 17 (1973); **14**, 73 – 81 (1980). [2] Pharm. Unserer Zeit **4**, 131 – 137 (1975); **11**, 177 – 189 (1982). [3] Microbiol. Rev. **57**, 434 (1993). [4] Int. J. Biochem. **24**, 405 (1992).

Modip® (Rp). Retardtabl. mit dem *Calcium-Antagonisten *Felodipin gegen Bluthochdruck. ***B.:*** Astra, Promed.

Modul [*der* M., Plural: Moduln; von latein.: modulus = Maß(stab)]. In Physik u. Technik Bez. für eine *Verhältniszahl* (*Beisp.:* Hydraul. M., s. Zement) od. für eine *Stoffkonstante*, die ein Maß für die Änderung einer Materialeigenschaft als Funktion einer bestimmten Einwirkung darstellt (*Beisp.:* Elastizitäts-, Naß-, Kompressions-, Schub-Modul). Von M. spricht man auch in der Nomenklatur u. bei Notationen. – ***E*** modulus – ***F*** module – ***I*** modulo – ***S*** módulo

Modulationsspektroskopie. Verf. in der *Spektroskopie, bei denen die Probe od. deren Anregung moduliert wird, um das zu beobachtende Spektrum gegenüber anderen Effekten hervorzuheben. So würde z.B. in einem hell-leuchtenden Gas die Laser-induzierte Fluoreszenz gegenüber dem Hintergrundleuchten ggf. nicht beobachtbar sein. Wird der Laserstrahl durch eine Lochscheibe (*E* chopper) period. unterbrochen, diese Unterbrecherfrequenz als Referenz u. die beobachtete Lichtintensität als Meßsignal in einen *Lock-In-Verstärker gegeben, so kann das gewünschte Signal um einen Faktor 10^6 mehr verstärkt werden als das Hintergrundsignal[1]. Angenommen, die Wellenlänge λ eines Lasers wird über eine Resonanzlinie durchgestimmt u. die Unterbrechungsfrequenz ν, mit der das Meßsignal $S(\lambda)$ moduliert ist, wird zur Steuerung des Lock-In-Verstärkers verwendet, so erhält man das ursprüngliche Signalprofil $S(\lambda)$; wird die doppelte Frequenz, 2ν, für den Lock-In-Verstärker verwendet, erhält man die erste Ableitung $dS/d\lambda$ u. mit 3ν die zweite Ableitung $d^2S/d\lambda^2$ jeweils mit verbessertem Signal-zu-Rausch-Verhältnis. Der Vorteil dieser als *Ableitungsspektroskopie* bezeichneten Technik liegt in der wesentlich schmaleren Breite u. den steileren Flanken der Ableitungsprofile; sie läßt sich z.B. sehr vorteilhaft zur Stabilisierung der Laserwellenlänge auf einen atomaren od. mol. Übergang einsetzen.
Ein weiteres Beisp. für die Modulation des Absorptionsvermögens einer Probe ist die Geschw.-Modulationstechnik, die u.a. zur Spektroskopie von Mol.-Ionen sehr erfolgreich eingesetzt wird. Durch ein elektr. Wechselfeld werden die geladenen Ionen period. beschleunigt, während die Geschw. der Neutralteilchen weitgehend unbeeinflußt bleibt. Somit sind nur die Spektren der Mol.-Ionen period. Doppler-verschoben, was wieder mit einem *Lock-In-Verstärker detektiert wird[2]. – ***E*** modulation spectroscopy – ***F*** spectroscopie de modulation – ***I*** spettroscopia a modulazione – ***S*** espectroscopia de modulación

Lit.: [1] Demtröder, Laser Spectroscopy (2. Aufl.), Berlin: Springer 1996; Hollas, High Resolution Spectroscopy, S. 527, London: Butterworths 1982. [2] Maier (Hrsg.), Ion and Cluster Ion Spectroscopy and Structure, S. 131 ff., Amsterdam: Elsevier 1989; Phys. Rev. Lett. **65**, 2535 (1990).

Modulatoren s. Rezeptoren.

Modulatorkristalle s. elektrooptische Effekte u. Refraktion.

Moduretik® (Rp). Tabl. mit *Hydrochlorothiazid u. *Amilorid-hydrochlorid gegen Hypertonie u. Ödeme. *B.:* Du Pont.

Möbelpolituren s. Polituren.

Möbius-Moleküle. Unter *Möbius-Bänder* versteht man nach dem dtsch. Mathematiker A. F. Möbius (1790–1868) benannte Flächenanordnungen, die sich veranschaulichen lassen durch ein um 180° verdrilltes u. dann zu einem Ring zusammengeklebtes Papierband (s. Abb.).

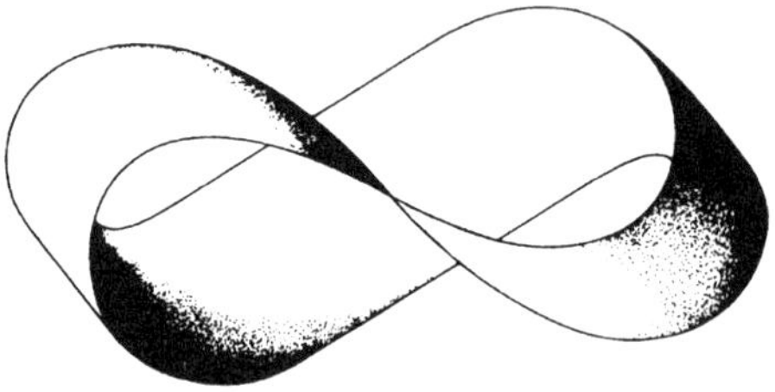

Abb.: Möbiusband.

Sie stellen eine einseitige Fläche dar, d. h. ohne Überschreitung des Randes kann man von der einen Seite auf die Gegenseite gelangen. In der Chemie bezeichnet man als M.-M.(-Ringe, -Konfiguration) ähnlich den Möbius-Bändern gebaute Mol.-Anordnungen, wie sie z. B. bei bestimmten doppelsträngigen DNA od. auch bei *Käfigverbindungen u. anderen *exot. Mol.* auftreten können. Mit gewissen Einschränkungen kann man die von H. E. *Zimmerman geprägte Bez. *Möbius-Aromatizität* als ein Synonym für *Antiaromatizität ansehen. – ***E*** Möbius molecules – ***F*** molécules de Möbius – ***I*** molecole di Möbius – ***S*** moléculas de Möbius

Lit.: Chem. Unserer Zeit **18**, 130–137 (1984) ▪ J. Am. Chem. Soc. **104**, 3219 (1982) ▪ Pure Appl. Chem. **55**, 1336f. (1983) ▪ Zimmerman, in: Marchard u. Lehr, Pericyclic Reactions, Bd. 1, S. 53–107, New York: Academic Press 1976.

Möbius-Verfahren s. Silber.

Möhren (Mohrrüben, Gelbe Rüben, Karotten). Fleischige, lange, kegelförmige od. kugelige, meist gelbe od. gelbrötliche, süßlich schmeckende Wurzeln von *Daucus carota* ssp. *sativus* (Familie Umbelliferae, Doldenblütler; ca. 60 überwiegend im Mittelmeergebiet verbreitete Arten). Je 100 g eßbare Anteile enthalten durchschnittlich 88,2 g Wasser, 1,0 g Eiweiß, 0,2 g Fett, 5,16 g Kohlenhydrate (Zucker u. Pektine), außerdem 282 mg K, geringe Mengen Na, Mg u. Fe, 12,0 mg Carotin, Vitamin C u. E, Fruchtsäuren, Inosit, Cholin sowie kleine Mengen von fungiziden Verb. wie z. B. *Benzoesäure, *p*-*Hydroxybenzoe- u. *Chlorogensäuren. An geruchsbestimmenden Stoffen wurden verschiedene Aldehyde u. Terpene nachgewiesen. M. enthalten geringe Mengen extraktiv gewinnbaren ether. Öls u. fettes Öl *[Karotten(wurzel)öl]*, das kosmet. Zwecken dient. Dies ist nicht zu verwechseln mit dem *Möhrensamenöl*, das je nach Herkunft größere Anteile an Carotol, Geranylacetat u. ggf. *Asaron enthält u. als Diuretikum wirkt; es findet Verw. zur Lebensmittelaromatisierung u. in der Parfümerie. Die M. selbst nutzt man als Nahrungs- u. Futtermittel, Diätetikum (Möhrensaft), zur Carotin-Gewinnung, gelegentlich auch als Anthelmintikum, Diuretikum u. gegen Ernährungsstörungen, bes. bei Säuglingen. – ***E*** carrots – ***F*** carottes – ***I*** carote – ***S*** zanahorias

Lit.: Franke, Nutzpflanzenkunde, 6. Aufl., Stuttgart: Thieme 1997. – *[HS 0706 10]*

Möhrensamenöl s. Möhren.

Möhwald, Helmuth (geb. 1946), Prof. für Physikal. Chemie, Physik-Department, TU München u. Univ. Mainz. *Arbeitsgebiete:* Ultradünne organ. Schichten, Modellmembranen, Strukturaufklärung, opt. Eigenschaften, Membran-Protein-Wechselwirkung.

Lit.: Kürschner (16.), S. 2446.

Mölling, Karin (geb. 1943), Prof. für Medizin, FU Berlin, MPI für Mol. Genetik, Berlin. *Arbeitsgebiete:* Onkogene u. Retroviren in der Krebs- u. Aids-Forschung, Struktur- u. Funktion von Genregulatoren u. Proteinkinasen in normalen- u. Tumorzellen, Tumormarker, Replikation von Retroviren, Enzymologie, reverse Transkriptase, RNase H.

Lit.: Kürschner (16.), S. 2451.

Moellon s. Degras.

Mönchspfeffer (Keuschlamm). Im Mittelmeergebiet u. Zentralasien heim. Eisenkrautgewächs [*Vitex agnus-castus* L. (Extr.), Verbenaceae], dessen getrocknete Früchte Iridoid-Glykoside (*Aucubin, Agnusid), Alkaloide, Bitterstoffe u. ether. Öle enthalten. Sie werden wegen ihrer angeblich die *Progesteron-Bildung anregenden Wirkung bei Menstruationsstörungen u. zur Steigerung der Milchproduktion als alkohol. Auszüge verwendet; die Wirkungen sind nicht belegt. – ***E*** chaste-lamb tree – ***F*** arbreau poivre – ***I*** agnocasto – ***S*** sauzgatillo

Lit.: Bundesanzeiger 226/02.12.92 ▪ Hager (5.) **6**, 1183–1196 ▪ Steinegger u. Hänsel, Pharmakognosie (4.), S. 705f., Berlin: Springer 1992. – *[HS 1211 90]*

Mörser s. Reibschalen.

Mörtel. Sammelbez. für *Bindebaustoffe* (*Bindemittel, Mauerspeis), insbes. für *Calciumhydroxid (*Kalkmörtel*), *Calciumsulfat (*Gipsmörtel*) u. *Zement (*Zementmörtel*). – ***E*** mortar – ***F*** mortier – ***I*** malta – ***S*** mortero – *[HS 3816 00]*

Moesin s. Talin.

Mößbauer, Rudolf Ludwig (geb. 1929), Prof. für Experimentalphysik, TU München, Caltech, Pasadena (USA) u. Inst. Laue–Langevin, Grenoble (Frankreich). *Arbeitsgebiete:* Niederenerget. Kernphysik, Festkörperphysik, Resonanzspektroskopie mit Gammastrahlen, bes. in Seltenen Erden, Strukturprobleme im Hochschulwesen; Nobelpreis für Physik 1961 (zusammen mit *Hofstadter, vgl. folgendes Stichwort).

Lit.: Kürschner (16.), S. 2455 ▪ Lexikon der Naturwissenschaftler, S. 301 ▪ Nachr. Chem. Tech. **9**, 374 (1961) ▪ Neufeldt, S. 257, 360.

Mößbauer-Spektroskopie (Gammastrahlen-Resonanzspektroskopie). Bez. für eine in Absorption (MAS)

u. Emission (MES) ausführbare Meth. der *Spektroskopie mit *Gammastrahlen. Die M.-S. nutzt das 1957 von *Mößbauer entdeckte u. nur an *Radionukliden beobachtbare Phänomen der rückstoßfreien Kernresonanzabsorption von γ-Strahlen (*Mößbauer-Effekt*, M.-Effekt). Zu dessen Erklärung muß man davon ausgehen, daß nach dem Impulssatz der Mechanik jeder angeregte, ein γ-Quant emittierende Atomkern einen Rückstoß erfährt, wodurch ein Teil der Energie $E_0 = h \cdot \nu$ (h = Planck'sches Wirkungsquantum, ν = Frequenz) des γ-Überganges in kinet. Rückstoßenergie des emittierenden Kernes umgewandelt wird.
Für die Summe der Impulse u. der Energien von γ-Quant u. Atomkern gelten hierbei die Erhaltungssätze der *Mechanik; d.h. der Impuls p des γ-Quants mit $p = h \cdot \nu/c$ (c = Lichtgeschw.) wird durch eine Geschw.-Änderung $\Delta v = p/m$ (m = Masse des Atomkernes) kompensiert. Die von dem Atomkern aufgenommene Rückstoßenergie beträgt

$$R = \frac{E_0^2}{2m \cdot c^2}$$

u. somit die Energie des γ-Quants nur noch $E = E_0 - R$. Bei dem entgegengesetzten Prozeß, der Absorption, wird ein Impuls auf den Atomkern übertragen, weshalb ein γ-Quant, das absorbiert werden soll, die Energie $E = E_0 + R$ besitzen muß (s. Teil a in Abb. 1).

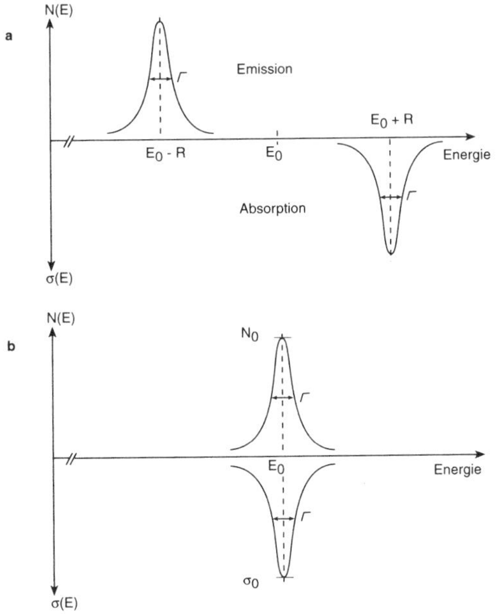

Abb. 1: Energieverteilung der emittierten [N(E)] u. absorbierten [σ(E)] γ-Quanten für einen freien Atomkern (Teil a) u. einen fest eingebundenen Kern (Teil b). $\Gamma = h \cdot \Delta\nu$ gibt die volle Halbwertsbreite an.

Ist das Atom nicht frei beweglich, sondern in einem festen Kristallverband eingebunden, so ist in den Ausdruck für die Rückstoßenergie anstelle der Kernmasse m die gesamte Kristallmasse M einzusetzen; die Linienverschiebung wird nun vernachlässigbar klein (s. Teil b in Abb. 1). – Bildhafter Vgl.: Schiffskanonen, mit denen man ein Ziel, z.B. auf dem Land, treffen will, müssen auf eine größere Entfernung eingestellt werden als entsprechende Landkanonen, denn beim Abfeuern erhält das Schiff einen Rückstoß. Ist das Gewässer aber eingefroren u. das Schiff fest mit dem Eis verbunden, so wird der Rückstoß von der Masse der gesamten Eisschicht aufgenommen. Die Schiffskanonen sind nun wie Landkanonen einzustellen. – Wird der Krist. auf wenige Kelvin abgekühlt, so ist die Dopplerbreite (s. Doppler-Effekt) zusätzlich stark eingeengt u. man erhält sehr schmale Emissions- bzw. Absorptionslinien, deren Breite $\Delta\nu$ nur durch die *natürliche Linienbreite gegeben ist. Es wird $\Delta\nu/\nu = 10^{-12}$ bis 10^{-14} erreicht.
Um diese schmalbandige Strahlungsquelle für die *Spektroskopie zu nutzen, wird sie relativ zum Absorber bewegt (Abb. 2): Die Relativgeschw. v ergibt eine Frequenzverschiebung $\Delta\nu = \nu(v/c)$, genannt Dopplerverschiebung (s. Doppler-Effekt). Es genügen Geschw. von wenigen cm/s, um z.B. die *Hyperfeinstruktur von ^{57}Fe aufzulösen (Abb. 3). Die relative Genauigkeit, mit der im Energiebereich von 14,4 keV Liniendifferenzen ausgemessen werden, beträgt $\Delta E/E \approx 10^{-15}$. Diese relative Genauigkeit wird, im Energiebereich von einigen eV, heute durch *Laser ebenfalls erreicht. Mit Lasern ist angestrebt, auch eine abs. Genauigkeit von 10^{-14} bis 10^{-15} zu realisieren.

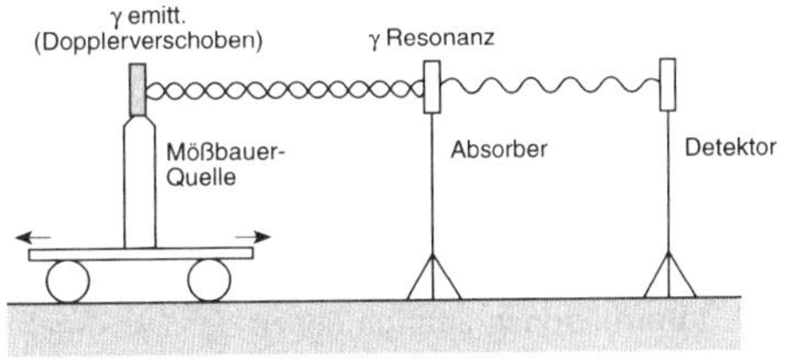

Abb. 2: Meßmethodik zum Nachw. des Mößbauer-Effekts (γ emitt. ≙ emittierte Gammastrahlung).

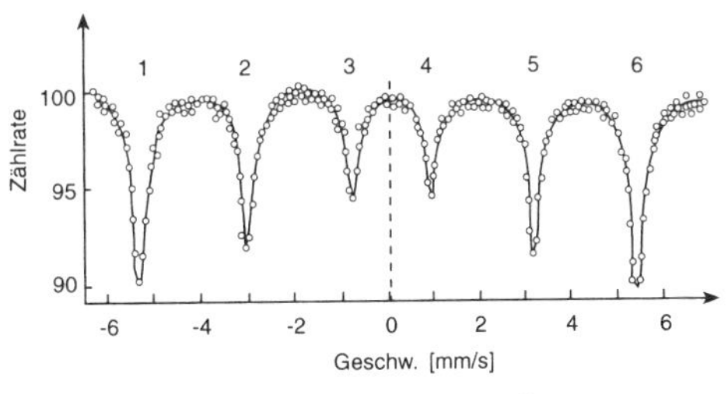

Abb. 3: Mößbauer-Spektrum von metall. Eisen.

Bei der M.-S. wird die Absorption der Probe in Abhängigkeit von der Relativgeschw. aufgezeichnet. Mit dem *Lamb-Mößbauer-Faktor* (Kurzz. LMF) wird der Bruchteil der Linie (in Emission od. Absorption) bezeichnet, der die natürliche Linienbreite besitzt. Der LMF wird bei niedrigen Temp. am größten; bleibt aber immer kleiner als 1. Je mehr Bewegung in einem Festkörper herrscht od. je größer Verunreinigungen sind, um so kleiner ist der LMF. Es wurde herausgefunden, daß die Bewegung der Verunreinigungsatome an lokale Schwingungsmoden des Gitters koppelt. Auf diese Weise kann Strukturdynamik von Festkörpern u. von glasartigen Substanzen, neuerdings auch von Polymeren, bis nahe an den Schmp. untersucht werden. Die klass. Anw. der M.-S. bezieht sich auf die Diffusion von Verunreinigungen in Metallen bei hohen Temperaturen. Hierbei zeigt sich ein elementarer Sprung (Platzwechsel) eines Verunreinigungsatomes als Verbreiterung des Mößbauer-Signals (Reduzierung des LMF).

Die M.-S. ist für den Chemiker ein sehr leistungsfähiges Werkzeug bei der Untersuchung der Feinstruktur von Verb. u. der Natur der chem. Bindung, des Oxid.-Zustandes, der Kovalenzeffekte, Elektronegativitäten von Liganden, Mol.-Symmetrien u. des magnet. Verhaltens (bes. aus Dipol- u. Quadrupol-Wechselwirkungen), von Spinzuständen, Lebensdauern angeregter Kerne, Kompressibilitäten, Supraleitungs-Temp. usw. Wichtige chem. Informationen konnten bisher mit der M.-S. bei den Elementen Fe, Ni, Ge, Kr, Ru, Sn, Sb, Te, I, Xe, Cs, Eu, Gd, Dy, Yb, Hf, Ta, W, Os, Ir, Pt, Au, Np erhalten werden. Bei 20 weiteren Elementen wurde der M.-Effekt zwar beobachtet, aber noch nicht chem. angewendet, für 9 Elemente zwar vorausgesagt, aber noch nicht beobachtet u. für die anderen Elemente (insbes. die leichten H–Ar) nicht erwartet. Bes. intensiv untersucht u. als Strahlenquellen genutzt werden ^{57}Fe (entsteht aus ^{57}Co), ^{99}Ru, ^{119}Sn (entsteht aus ^{119m}Sn), ^{121}Sb, ^{125}Te, ^{127}I, ^{129}I, ^{129}Xe, ^{133}Cs, ^{151}Eu, ^{181}Ta, ^{182}W, ^{195}Pt. Heute hat sich die M.-S. ihren festen Platz in der Festkörperphysik u. -chemie geschaffen, insbes. auf dem Gebiet der Katalyse, Archäologie, Strukturchemie, Biochemie, Erzprospektion etc., d.h. in der Analyse von Mineralien, Mondgestein, keram. Materialien, Gläsern, Leg., Metall-organ. Verb. u. Metallproteiden, aber auch von Makromolekülen. Allg. ergibt M.-S. bei Biomol. Informationen ähnlich denen der ESR-Spektroskopie (s. EPR-Spektroskopie). Zur Vereinheitlichung der Terminologie u. der Spektrendarst. hat die IUPAC Empfehlungen erlassen [1]. – ***E*** Mössbauer spectroscopy – ***F*** spectroscopie Mössbauer – ***I*** spettroscopia Mössbauer – ***S*** espectroscopia Mössbauer

Lit.: [1] IUPAC, Größen, Einheiten u. Symbole in der Physikalischen Chemie, Weinheim: VCH Verlagsges. 1996.
allg.: Coufal et al., in: Rare Gas Solids, Berlin: Springer 1984 ▪ Cranshaw et al., Mössbauer Spectroscopy and its Applications, Cambridge: University Press 1985 ▪ Herber, Chemical Mössbauer Spectroscopy, New York: Plenum 1985 ▪ Hoy, Mössbauer Spectroscopy, Encyclopedia of Physical Science and Technology, Vol. 10, S. 469, New York: Academic Press 1992 ▪ Kolk u. Yamada, Dynamical Properties of Solids, Bd. 5, Amsterdam: Elsevier 1984 ▪ Lerner u. Trigg (Hrsg.), Encyclopedia of Physics, S. 774, Weinheim: VCH Verlagsges. 1991 ▪ Long, Mössbauer Spectroscopy Applied to Inorganic Chemistry, New York: Plenum 1984 ▪ Phys. Unserer Zeit **25**, 75 (1994). – *Referateorgan:* Mössbauer Spectroscopy Abstracts, London: PRM Sci. Techn. Agency (seit 1978). – *Dokumentation:* Stevens, Mössbauer Effect Data Center, Asheville (N. C.): University of North Carolina.

Moexipril (Rp).

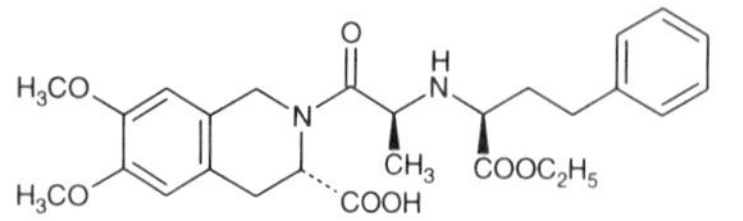

Internat. Freiname für das *Antihypertonikum (ACE-Hemmer) (3*S*)-2-{*N*-[(*S*)-1-(Ethoxycarbonyl)-3-phenylpropyl]-L-alanyl}-1,2,3,4-tetrahydro-6,7-dimethoxy-3-isochinolincarbonsäure, $C_{27}H_{34}N_2O_7$, M_R 498,57, Schmp. 155–160 °C; LD_{50} (Maus oral) 2360 mg/kg, (Maus i.v.) 900 mg/kg. Verwendet wird meist das Hydrochlorid. M. wurde 1980 von Warner Lambert patentiert u. ist von Isis Pharma (Fempres®) im Handel. – ***E*** = ***F*** = ***I*** = ***S*** moexipril

Lit.: Dtsch. Apoth. Ztg. **137**, 310 f. ▪ Eur. J. Clin. Pharmacol. **50**, 259–264 (1996) ▪ Martindale (31.), S. 912. – *[CAS 103775-10-6 (M.); 82586-52-5 (Hydrochlorid)]*

Mofebutazon (Rp).

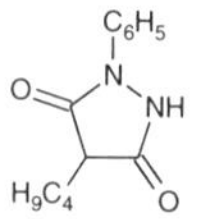

Internat. Freiname für das *Antirheumatikum, 4-Butyl-1-phenyl-3,5-pyrazolidindion, ein Phenylbutazon-Derivat, $C_{13}H_{16}N_2O_2$, M_R 232,28, Schmp. 102–103 °C; λ_{max} (C_2H_5OH) 240, 275 nm ($A^{1\%}_{1cm}$ 443, 245); LD_{50} (Maus i.v.) 600 mg/kg. M. wurde 1960 von Comm. Farm. Milanese patentiert u. ist von Medice (Mofesal®) u. Diadin (Diadin M®) im Handel. – ***E*** = ***I*** mofebutazone – ***F*** mofébutazone – ***S*** mofebutazona

Lit.: ASP ▪ Beilstein E V **24/5**, 400 ▪ Hager (5.) **8**, 1025 ff. ▪ Martindale (31.), S. 63. – *[HS 2933 11; CAS 2210-63-1]*

MoFe-Protein s. Nitrogenase.

Mofex-Verfahren. Ein von Leuna entwickeltes Verf. zur extraktiven Trennung von Aromaten u. Nichtaromaten im Erdöl unter Verw. von wäss. *N*-Methylformamid als Extraktionsmittel. – ***E*** Mofex process – ***F*** procédé Mofex – ***I*** processo Mofex – ***S*** procedimiento Mofex

Lit.: Ullmann (5.) **A 27**, 150.

Moffatt-Pfitzner-Oxidation. Bez. für eine Meth., um *gezielt* prim. Alkohole zu Aldehyden zu oxidieren. Alkoxy-*Sulfonium-Verbindungen u. Sulfonium-*Ylide sind plausible Zwischenstufen dieser Reaktion. Als Reagenzien werden Dimethylsulfoxid, Dicyclohexylcarbodiimid u. ggf. ein saurer Katalysator wie z. B. wasserfreie Phosphorsäure verwendet. Die Stelle des Carbodiimids können auch andere wasserbindende Verb., z. B. Oxalylchlorid (*Swern-Oxid.*), einnehmen.

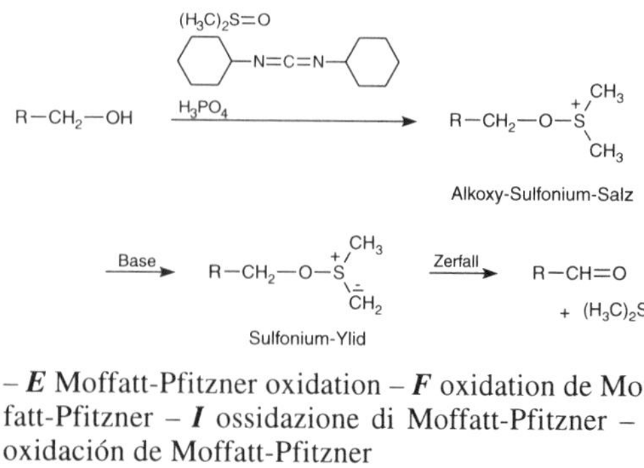

– ***E*** Moffatt-Pfitzner oxidation – ***F*** oxidation de Moffatt-Pfitzner – ***I*** ossidazione di Moffatt-Pfitzner – ***S*** oxidación de Moffatt-Pfitzner

Lit.: Hassner-Stumer, S. 298 ▪ March (4.), S. 1193 ▪ Org. React. **39** (1990).

Mogadan® Roche (Rp). Tabl. u. Tropfen mit *Nitrazepam gegen Schlafstörungen. ***B.:*** Hoffmann-La Roche.

Moganit. SiO_2, 1976 entdeckte, 1984 (*Lit.*[1]) als M. benannte (Name noch nicht internat. anerkannt, s. *Lit.*[2]), mikrokrist. faserige Modif. von SiO_2. Struktur[1,3,4] mit Stapelung alternierender Lamellen von Links- u. Rechts-*Quarz; Untersuchung von M. mit *NMR-Spektroskopie s. *Lit.*[5], mit *Raman-Spektroskopie s. *Lit.*[6]. M. ist gegenüber Quarz thermodynam. metastabil[7]. Dichte, durchscheinende, graue od. bräunliche Massen, oft mit einer weißen Rinde ähnlich wie bei *Feuerstein. Unter dem Polarisationsmikroskop unregelmäßig od. büschelig angeordnete Fasern, die sich unter dem Raster-Elektronenmikroskop als Aggregate dünner Plättchen erweisen. H. wie *Chalcedon; M. enthält 2–3 Gew.-% Wasser u. 0,1–1 Gew.-% CO_2 + CO.
Vork.: In *Ignimbriten der Mogán-Formation (Name!) auf Gran Canaria; in Chalcedon, Chert (*Kieselgesteine) u. Feuersteinen. – ***E*** = ***F*** = ***I*** moganite – ***S*** moganita

Lit.: [1] Phys. Chem. Miner. **10**, 197 ff. (1984). [2] Am. Mineral. **81**, 1517 (1996). [3] Z. Kristallogr. **182**, 183 f. (1988). [4] Eur. J. Mineral. **4**, 693–706 (1992). [5] Eur. J. Mineral. **6**, 459–464 (1994). [6] Am. Mineral. **79**, 269–273 (1994). [7] Phys. Chem. Miner. **23**, 119–126 (1996).
allg.: Heaney, Prewitt u. Gibbs (Hrsg.), Silica (Reviews in Mineralogy, Vol. 29), S. 13 f., 214–219, 324, Washington (D. C.): Mineralogical Society of America 1994 ▪ Rykart, Quarz-Monographie (2.), S. 355 ff., Thun: Ott 1995 ▪ Science **255**, 441 f. (1992).

Mogensen Sizer s. Sieben.

Mohair (Kurzz. WM nach DIN 60001-4: 1991-08). Nach DIN 60001-1: 1990-10 Bez. für tier. Fasern aus den Haaren der Angora*ziege* (*Capra hircus angorensis*), während die des Angora*kaninchens* Angorawolle heißen; vgl. a. Wolle. Aus M. werden in Mischung mit Schafwolle *Kammgarne hergestellt, die z. T. ebenfalls unter der Bez. „M." bes. in der Oberbekleidungsind. verarbeitet werden. – ***E*** = ***F*** = ***I*** = ***S*** mohair – *[HS 5102 10]*

Mohn. Die Familie der M.-Gewächse (Papaveraceae) umfaßt neben einigen Zierpflanzen wie Tränendes Herz, Lerchensporn-Arten (s. Corydalis-Alkaloide) od. Gold-M. u. Stauden-M. v. a. den als Ackerunkraut bekannten Klatsch-M. (*Papaver rhoeas*), dessen leuchtend rote Blütenblätter den Anthocyan-Farbstoff *Mecocyanin* (Cyanidin-3-gentiobiosid), als wasserlösl. Chlorid, $C_{27}H_{31}ClO_{16} \cdot 3\,H_2O$, M_R 646,99 enthalten,

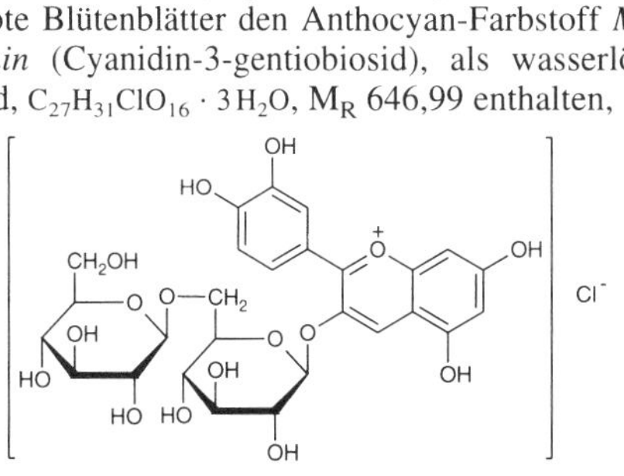

sowie als einzige Nutzpflanze den Schlaf-M. (*Papaver somniferum*), der seit dem Altertum zur Gewinnung des Milchsafts u. der Samen angebaut u. heute weltweit kultiviert wird. Der Samen wird zur Erzeugung des *Mohnöls sowie in Back- u. Konditoreiwaren verwendet. Der seit altersher genutzte Milchsaft enthält eine Reihe beruhigend, schmerzstillend sowie spasmolyt. wirkender, meist an *Mekonsäure gebundener *M.-Alkaloide* (*Opiumalkaloide, bes. *Morphin u. *Papaverin). Der eingetrocknete Milchsaft der unreifen Samenkapseln des M., das *Opium, ist das Ausgangsmaterial zur Herst. von *Heroin. – ***E*** poppy – ***F*** pavot – ***I*** papavero – ***S*** adormidera

Lit.: Frohne u. Jensen, Systematik des Pflanzenreiches, S. 118 ff., Stuttgart: Fischer 1992 ▪ Hager (4.) **6 a**, 404–451. – *[HS 1211 90; CAS 4453-78-5 (Mecocyanin)]*

Mohnöl. In den luftgetrockneten Samen der Pflanzenart *Papaver somniferum* zu 40–50% vorkommendes hellgelbes, klares, angenehm schmeckendes, fettes Öl (D. 0,920–0,927, Schmp. –17 °C bis –19 °C, Sdp. 250 °C, VZ 189–198, IZ 133–143). Nach kalter Pressung eignet es sich als Speiseöl (Ausbeuten 12–18%).
Zusammensetzung: Linolsäure (70–75%), Ölsäure (16%) u. Stearinsäure (10%); Weiteres zu Sterin-Gehalten u. -Zusammensetzung s. *Lit.*[1]. Durch Pressung bei 60–70 °C erhält man ein hellrotes Öl mit kratzendem, firnisartigem Geschmack. M. gehört zu den *trocknenden Ölen, trocknet jedoch langsamer als *Leinöl.
Verw.: M. dient als Speiseöl. Außerdem wird es zur Herst. von Emulsionen u. Salben, in der Malerei zur Herst. von *Ölfarben verwendet. Es ist wegen der langsamen Trocknung u. der hervorragenden Mischbarkeit mit weißen *Pigmenten (Bleiweiß, Kremserweiß) beliebt. Ölfarben auf der Basis von M. zeigen nur geringe Vergilbungstendenz. In der Medizin wurde iodiertes Mohnöl als Kontrastmittel für die Myelographie eingesetzt. Weltjahresproduktion (1994): 27 600 t. – ***E*** poppy-seed oil – ***F*** huile de pavot – ***I*** olio di papavero – ***S*** aceite de adormidera

Lit.: [1] Fat Sci. Technol. **91**, 23–27 (1989).
allg.: Ullmann (5.) **A 9**, 61; **A 10**, 229. – *[HS 1515 90]*

Mohnsäure s. Mekonsäure.

Moho(rovicic)-Diskontinuität s. Erde.

Mohr, Karl Friedrich (1806–1879), Apotheker u. Prof. für Pharmazie u. Chemie, Bonn. *Arbeitsgebiete:* Maßanalyse, Entwicklung eines Laboratoriumrührwerks, der Quetschhahnbürette, des Korkbohrers, der *Mohrschen Waage, des Liebigkühlers als Rückflußkühler u. weiterer Apparaturen.

Lit.: Dtsch. Apoth. Ztg. **1959**, 644 ff. ▪ Lexikon der Naturwissenschaftler, S. 297 ▪ Neufeldt, S. 23 ▪ Pötsch, S. 307 f. ▪ Strube **2**, 98 ff., 128, 174 ▪ Strube et al., S. 77 f., 101.

Mohrenköpfe s. Turmalin.

Mohrenpfeffer s. Pfeffer.

Mohrrüben s. Möhren.

Mohrscher Liter s. Liter.

Mohrsches Salz s. Ammoniumeisen(II)-sulfat.

Mohrsche Waage (Mohr-Westphalsche Waage, hydrostat. Waage). Von *Mohr entwickeltes Gerät, mit dem man die *Dichte von Flüssigkeiten bestimmen kann, indem man den *Auftrieb* mißt, den die Untersuchungsflüssigkeit einem eingetauchten Glaskörper verleiht (*Archimed. Prinzip*). – ***E*** Mohr's balance – ***F*** balance de Mohr – ***I*** bilancia di Mohr – ***S*** balanza de Mohr

Mohs, Friedrich (1773–1839), Prof. für Mineralogie, Graz, Freiberg u. Wien. *Arbeitsgebiete:* Klassifizierung der Minerale nach ihren äußeren Kennzeichen, Aufstellung einer Härteskala, Einführung schiefwinkliger Koordinatensyst., die zur Aufstellung der in der Kristallographie noch heute gebräuchlichen sieben Achsensyst. führte.

Lit.: Lexikon der Naturwissenschaflter, S. 297 ▪ Pötsch, S. 308.

Mohs-Härte s. Härte fester Körper.

Mohssche Härteskala s. Härte fester Körper.

Moissan, Henri (1852–1907), Prof. für Chemie, Paris. *Arbeitsgebiete:* Darst. elementaren Fluors u. vieler Fluor-Verb., Einführung des elektr. Ofens mit Temp. bis zu 3500 °C, Versuche zur Diamant-Synth., Calciumcarbid-Herst. aus Kalk u. Kohle, Synth. anderer Carbide, Hydride, Silicide, Boride im elektr. Ofen. M. erhielt 1906 den Nobelpreis für Chemie für die Einführung des Elektroofens u. die Isolierung von Fluor.

Lit.: Lexikon der Naturwissenschaftler, S. 297 ▪ Neufeldt, S. 79, 90, 364 ▪ Pötsch, S. 308 f. ▪ Strube **2**, 107, 130, 193 f. ▪ Strube et al., S. 117, 132, 140 f., 146.

Moissanit. SiC, hexagonale (Kristallklasse 6mm-C_{6v}), farblose, grünlichgelbe, grüne od. grünlich- od. bläulich-schwarze, metall. glänzende, tafelige bis blättrige, um 1 mm große Kriställchen von *Siliciumcarbid. H. 9,5–9,7 (ritzt *Rubin). D. 3,2. M. in *Kimberliten aus Yakutien/Rußland enthält elementares Silicium, Fe-Ti-Silicide u. Sinoit Si_2N_2O als Einschlüsse [1]. M. wurde ferner in Körnern interstellarer Materie in C2- u. C3-Chondriten (*Meteorite) gefunden [2-4], desweiteren in *Mondgesteinen, *Vulkaniten, *Sedimenten (z. B. in bituminösen Gesteinen in Bulgarien) u. *metamorphen Gesteinen. Die kub. Tieftemp.-Modif. von M. wurde in Wyoming/USA gefunden. – ***E*** = ***F*** = ***I*** moissanite – ***S*** moissanita

Lit.: [1] Geochim. Cosmochim. Acta **59**, 781–791 (1995). [2] Geochim. Cosmochim. Acta **58**, 459–470 (1994); **59**, 115–160 (1995). [3] Nature (London) **347**, 159–162 (1990). [4] Meteoritics **28**, 490–514 (1993).
allg.: Nature (London) **330**, 728 ff. (1987) ▪ Roberts, Campbell u. Rapp, Encyclopedia of Minerals (2.), S. 568, New York: Van Nostrand Reinhold 1990 ▪ Ullmann (5.) **A 23**, 749 f. ▪ s. a. Siliciumcarbid. – *[CAS 12125-94-9]*

mol s. Mol.

Mol (Symbol: mol). Das *SI definiert die *Grundeinheit* Mol (s. a. Einheiten) als „die Stoffmenge eines Syst., die aus ebenso vielen Elementarindividuen besteht, wie 0,012 kg des *Nuklids Kohlenstoff-12 Atome enthält. Wird das Mol verwendet, so müssen die Elementarindividuen bezeichnet werden. Diese können Atome, Mol., Ionen, Elektronen od. andere Teilchen od. definierte Gruppen solcher Teilchen sein" [1], z. B. auch Photonen. Die Zahl der Teilchen in der Stoffmenge $n = 1$ mol ist $6{,}0221367 \cdot 10^{23} \pm 36 \cdot 10^{16}$ (*Avogadro-Konstante). Die alte Bez. „Molzahl" für Stoffmenge ist abzulehnen; man nennt ja die Masse *m* auch nicht „Kilogrammzahl". Von der Stoffmenge *n* abgeleitete Größen sind z. B. die molare Masse $M = m/n$ (Einheit: g/mol) u. deren Zahlenwert, die relative mol(ekul)are Masse $M_R = M/M_0$ [$M_0 = M(^{12}C)/12 = 1$ g/mol], Stoffmengen-*Konzentration (*Molarität) $c = n/V$ (Einheit: mol/L), Stoffmengenanteil („*Molenbruch") $x = n/\Sigma n_i$ u. *Reaktionsgeschwindigkeiten. Der Begriff *Stoffportion* (definiert in DIN 32625, 32629: 1980-07) bedeutet einen abgemessenen Teil od. Anteil eines Materials, Rohstoffs etc., z. B. ein Haufen Messing-Späne, ein Stück Butter, u. wird in der Chemie z. B. als *Einwaage* od. *Probe* bezeichnet; die Einheit Mol ist hierfür oft nicht anwendbar. Die vom alten Mol-Begriff (Wilhelm *Ostwald: Mol = Abk. für „in Gramm abgewogenes Molekulargewicht") abgeleiteten Größen-Bez. *Atomgewicht, *Molmasse u. *Äquivalentgewicht, Gramm-Atom, -Äquivalent, -Mol. u. -Ion, Molzahl, Molarität, Normalität, Val etc. u. ihre Definitionen sind nicht SI-konform. – ***E*** = ***F*** = ***I*** mole – ***S*** mol

Lit.: [1] IUPAC, Größen, Einheiten u. Symbole in der Physikalischen Chemie, § 3.2, Weinheim: VCH Verlagsges. 1996; engl. Original, Oxford: Blackwell 1993.

Molalität. Eine früher gelegentlich auch Gew.- od. Kilogramm-*Molarität genannte Angabe für die Zusammensetzung von Mischphasen; s. a. Konzentration. Nach DIN 32625: 1989-12 bzw. 1310: 1984-02 versteht man unter der M. b_i den Quotienten aus der Stoffmenge n_i der gelösten Stoffportion i (s. Mol) u. der Masse m_k der Lsm.-Portion *k* ($b_i = n_i/m_k$), gemessen in mol/kg; *Beisp.:* Eine 1-*molale* Lsg. von Saccharose enthält 1 Mol = 342,30 g Saccharose in 1 kg Wasser gelöst; sie ist ca. 25,5%ig. Als Standard-M. ist m* = 1 mol/kg (*Lit.* [1]) akzeptiert. – ***E*** molality – ***F*** molalité – ***I*** molalità – ***S*** molalidad

Lit.: [1] IUPAC, Größen, Einheiten u. Symbole in der Physikalischen Chemie, S. 57, Weinheim: VCH Verlagsges. 1996.

Molanteil s. Molenbruch.

Molare Drehung s. optische Aktivität.

Molare Grenzleitfähigkeit s. Kohlrauschsches Quadratwurzelgesetz.

Molare Leitfähigkeit s. Kohlrauschsches Quadratwurzelgesetz.

Molare Masse s. Molmasse.

Molarer Absorptions- bzw. **Extinktionskoeffizient** s. Lambert-Beersches Gesetz.

Molare Wärmekapazität s. Molwärme.

Molarität. Eine selten auch Vol.- od. Liter-M. genannte *Konzentrations-Angabe für den Quotienten aus der Stoffmenge n_i der gelösten Stoffportion i u. dem Vol. der Lsg. ($c_i = n_i/V$; nicht: Lsm., vgl. Molalität), Einheit: mol/L, auch mmol/L; *Beisp.:* 1 Liter einer 1-*molaren* Lsg. von Saccharose enthält 1 Mol = 342,30 g Saccharose in 1 L Saccharose-Lsg. (Saccharose zunächst in ca. 700–800 mL Wasser lösen u. dann auf 1 L auffüllen); die Lsg. ist ca. 34,2%ig. Als Symbol für M. wird im dtsch. Sprachgebrauch oft das Zeichen „m", im engl. Sprachgebrauch dagegen „M" benutzt, also 1 m H_2SO_4 bzw. 1 M H_2SO_4 für 1-molare Schwefelsäure (= 2-normale Schwefelsäure, vgl. Normalität). Nach IUPAC u. DIN 32625: 1989-12 bzw. 1310: 1984-02 ist „M.“ als Begriff überflüssig u. durch *Stoffmengenkonz.* mit dem Symbol c u. der Einheit mol/m^3 zu ersetzen. In der chem. Kinetik benutzt man den Begriff *effektive M.* (mit der Dimension einer *Konzentration) für das Verhältnis der Geschwindigkeitskonstante erster Ordnung einer *intramolekularen Reaktion zwischen zwei funktionellen Gruppen zu derjenigen zweiter Ordnung einer analogen *intermolekularen Reaktion. – ***E*** molarity – ***F*** molarité – ***I*** molarità – ***S*** molaridad

Lit.: IUPAC, Größen, Einheiten u. Symbole in der Physikalischen Chemie, S. 45, Weinheim: VCH Verlagsges. 1996.

Molasse s. Konglomerate.

Moldabaster®. Alabastergips für Dentalzwecke. ***B.:*** Bayer.

Moldano®. Hartgips (blau) für Dentalzwecke. ***B.:*** Bayer.

Moldaroc®. Super-Hartgips (gelb) für die zahnärztliche Kronen- u. Brückentechnik. ***B.:*** Bayer.

Moldastone®. Natürlicher Superhartgips (Kl. IV) mit thixotropen Eigenschaften u. ausgezeichneter Dimensionsgenauigkeit. Zur Herst. von Sägeschnitt- u. Stumpfmodellen für die hochwertige Kronen-, Brücken- u. Inlaytechnik. ***B.:*** Heraeus Kulzer GmbH.

Moldasynt®. Synthet. Superhartgips (Kl. IV) mit bes. guten physikal. Eigenschaften u. geringer Expansion für hochwertige Kronen- u. Brückenarbeiten. ***B.:*** Heraeus Kulzer GmbH.

Moldavite s. Tektite.

Molecular Modelling. Sammelbez. für computerunterstütztes Modellieren von Struktur, Wechselwirkung u. Dynamik von Molekülen. Das interaktive Bearbeiten räumlicher Strukturen größerer Mol., z. B. von *Biomolekülen, erfordert den Einsatz leistungsfähiger Computergraphik. Das erste Graphik-Syst. zum Modellieren von Mol. wurde am *MIT entwickelt (*Lit.*[1]). Inzwischen existiert leistungsfähige Software für dreidimensionales Modellieren, z. B. von *Proteinen (*Lit.*[2]); zu den Grundlagen interaktiver Computergraphik s. *Lit.*[3]. Wichtige Strukturdaten können den Datenbanken von Cambridge (Cambridge Crystallographic Data File) u. Brookhaven (Brookhaven Protein Data Bank) entnommen werden. Eine der ersten Anw. des M. M. betraf die *Konformations-Analyse (s. *Lit.*[4]). Hierbei wird im allg. von analyt. *Kraftfeldern ausgegangen, deren Parameter durch Anpassung an experimentelle Daten erhalten wurden. Bei größeren Mol. wird die Konformationssuche, d. h. das Ausloten eines Konformationsraumes mit dem Ziel, die Konformation niedrigster Energie zu finden, mit Meth. der *Computersimulation durchgeführt, insbes. Molekulardynamik od. Monte-Carlo-Methoden; Näheres s. dort.

Ein wichtiges Anw.-Gebiet des M. M. betrifft die Einpassung von Substraten in Rezeptoren (sog. „Docking“), z. B. eines *Inhibitors in ein *Protein. Die Entwicklung von Rezeptormodellen unter Verw. empir. quant. Struktur-Wirkungs-Beziehungen („Receptor Modelling“) u. das *Protein Engineering erfordern ebenfalls umfangreiches Molecular Modelling. In Anbetracht der raschen Entwicklung von Computer-Hardware u. -Software stellt das M. M. ein äußerst zukunftsträchtiges Gebiet dar. – ***E*** molecular modelling – ***I*** modellazione molecolare – ***S*** modelado de moléculas, diseño de modelos moleculares

Lit.: [1] Sci. Am. **214**, 42 (1966). [2] Angew. Chem. **99**, 413–428 (1987). [3] Newman u. Sproul, Principles of Interactive Computer Graphics, New York: McGraw-Hill 1979. [4] Tetrahedron **37**, 1711 (1981).

allg.: Grant u. Richards, Computational Chemistry, Oxford: Oxford Science Publ. 1995 ■ Howeler (Hrsg.), Moby-Molecular Modelling on the PC, Version 1.6, Berlin: Springer 1996 ■ Leach, Molecular Modelling: Principles and Applications, Singapore: Longman 1996 ■ Lipkowitz u. Boyd (Hrsg.), Reviews in Computational Chemistry, Bd. 9, Weinheim: VCH Verlagsges. 1996 ■ Van de Waterbeemd (Hrsg.), Advanced Computer-Assisted Techniques in Drug Discovery, Weinheim: VCH Verlagsges. 1995.

Molekeln s. Moleküle.

Molekülasymmetrie s. asymmetrische Atome, Atropisomerie u. Chiralität.

Molekülbasen s. Säure-Base-Begriff.

Molekülbindung. Chem. Bindung zwischen Mol.; s. chemische Bindung (Nebenvalenzbindung, S. 677 f.) u. zwischenmolekulare Kräfte.

Moleküldesign. Gezielte Synth. von Mol., insbes. solchen, die als Arznei- od. Pflanzenschutzmittel eingesetzt werden können. In jüngerer Zeit nimmt das computerunterstützte M. (Abk. CAMD für *E* *C*omputer-*A*ided *M*olecular *D*esign) stark an Bedeutung zu. Mit der Vergabe des Chemie-Nobelpreises 1990 an E. J. *Corey wurden dessen grundlegende Arbeiten auf dem Gebiet des M. gewürdigt. – ***E*** molecular design – ***I*** disegno molecolare

Lit.: Angew. Chem. **99**, 413–428 (1987) ■ Richards, Computer-Aided Molecular Design, London: IBC Technical Services 1989 ■ s. a. Molecular Modelling.

Moleküldynamik s. Molekulardynamik.

Moleküle (Molekeln; Singular: das Molekül, die Molekel). Von neulatein.: molecula als Diminutiv von moles = Masse abgeleitete Bez. für mehr od. weniger stabile, durch *chemische Bindungen zusammengehaltene Teilchen von zwei od. mehr gleichartigen od. ungleichartigen *Atomen.

M. sind (nach allg. Verständnis) chem. abgesätt. u. elektr. neutral, obwohl natürlich auch *Radikale u. elektr. geladene *Ionen (M.-Ionen) den obigen Beschreibungen genügen. M. aus gleichen Atomen liegen in den sog. „elementaren Gasen“, z. B. Wasserstoff (H_2), Sauerstoff (O_2) od. Chlor (Cl_2) vor, ebenso z. B. in den Dämpfen von Phosphor (P_4) od. Schwefel (S_2, S_6, S_8). Diese M. werden auch als *homonukleare* M. bezeichnet; aus verschiedenen Atomen aufgebaute M. sind *heteronuklear.*

Die Zusammensetzung eines M. (die **Konstitution* einer *chemischen Verbindung im engeren Sinne) gibt die chem. *Formel (s. a. Bruttoformel u. chemische Zeichensprache) direkt an. So besteht z. B. das M. des Wassers mit der Formel H_2O aus 2 Atomen Wasserstoff

u. einem Atom Sauerstoff, das M. der Glucose (Traubenzucker) mit der Formel $C_6H_{12}O_6$ aus 6 Atomen Kohlenstoff, 12 Atomen Wasserstoff u. 6 Atomen Sauerstoff. Die Bindung der Atome im M. ist stets stärker als die Kräfte zwischen den M. (s. zwischenmolekulare Kräfte). Freie M. liegen v. a. im Gaszustand vor; in flüssiger Phase u. in Lsg. tritt ggf. *Assoziation bzw. *Solvatation ein. Im festen Zustand bilden M. meistens *Molekülgitter, in denen sie ihre Eigenschaften weitgehend beibehalten.
Die Anzahl der Atome in einem M. beträgt bei den meisten chem. Verb. zwischen 2 u. etwa 100; bei den sog. *Makromolekülen liegt sie zwischen mind. 1000 u. vielen Millionen. Die Masse eines M. beträgt zwischen 10^{-24} u. 10^{-20} g, die eines Makromol. bis etwa 10^{-18} g; sie ist gleich der Summe der Massen seiner Atome (vgl. Atomgewicht).
Die Größe der M. ist abhängig von der Anzahl der sie aufbauenden Atome u. deren Anordnung (d. h. der M.-Gestalt); sie liegt bei gewöhnlichen M. zwischen 10^{-8} u. 10^{-7} cm od. 10^{-5} u. 10^{-4} cm). Etwas größere M. lassen sich mit speziellen Meth. der Elektronenmikroskopie (s. Elektronenmikroskop) sichtbar machen.
Die geometr. Struktur kleinerer M. läßt sich mit Meth. der hochauflösenden *Spektroskopie (v. a. *Mikrowellen-Spektroskopie u. *IR-Spektroskopie) bestimmen. Allerdings sind hierbei im allg. Untersuchungen an mehreren Isotopen-substituierten Spezies erforderlich. Je nach vorliegender Informationsmenge lassen sich aus den *Rotationskonstanten unterschiedliche Strukturen bestimmen (z. B. r_0-Struktur, Substitutionsstruktur od. Gleichgewichtsstruktur, s. Gleichgewichtsgeometrie). Weitere wichtige Techniken zur Strukturbestimmung von M. (auch von großen M.) sind die *Elektronenbeugung (*Lit.*[1,2]) u. die *Röntgenstrukturanalyse (s. a. Kristallstrukturanalyse). Letztere wird in festem Zustand angewandt u. erlaubt z. B. die Strukturbestimmung von M. in M.-Kristallen. Von zunehmender Bedeutung sind quantenchem. Rechnungen (s. Quantenchemie) unter Verw. von *ab initio- od. semi-empir. Verfahren. Bei nicht allzu großen M. sind erstere experimentellen Meth. teilweise bereits überlegen. Sehr genaue Gleichgew.-Strukturen, die Energieminima auf einer Potentialhyperfläche entsprechen, lassen sich durch Kombination von ab inito-Rechnungen u. experimentellen Daten erhalten. Bei größeren M., v. a. auch biolog. interessanten, erweisen sich *Kraftfeld-Rechnungen als sehr nützlich.
Eine Veranschaulichung der M.-Form ist mit Hilfe von Raummodellen (s. Atommodelle u. Molekülmodelle) u. dreidimensionaler Computergraphik möglich; damit lassen sich ggf. die beschränkten Bewegungsmöglichkeiten innerhalb der M. simulieren. Es handelt sich dabei im wesentlichen um gehinderte *Rotationen u. Durchschwingvorgänge, z. B. bei Ammoniak, Aminen etc. (s. a. Inversionsschwingung).
Geometr. u. elektron. Struktur von M. hängen eng miteinander zusammen; letztere kann auf theoret. Wege mit Meth. der *Quantenchemie untersucht werden, indirekt experimentell mittels spektroskop. Meth. od. Röntgenbeugung (s. Röntgenstrukturanalyse). Die theoret. Beschreibung erfolgt meistens mit Hilfe von *Molekülorbitalen (Abk.: MO). Die *Orthogonalität der MO u. das *Pauli-Prinzip sind die maßgeblichen Prinzipien, die die elektron. Struktur von M. regeln. Zwischen der Reaktivität von M. u. ihrer elektron. Struktur besteht ein enger Zusammenhang.
Der Zusammenhalt der M. wird durch die *chemische Bindung, insbes. die kovalente Bindung bewerkstelligt. Als Maß für die Stärke der Bindung zwischen den Atomen kann die auf thermochem. od. spektroskop. Wege (aus M.-Spektren) ermittelte *Dissoziationsenergie betrachtet werden, die nötig ist, um die Bindung zwischen 2 Atomen (im M.) zu sprengen. Sie liegt im allg. zwischen 200 u. 700 kJ/mol.
Die Wechselwirkung zwischen M. hängt bei größeren Abständen v. a. von den elektr. Momenten, insbes. dem *Dipolmoment (falls von Null verschieden), sowie der *Polarisierbarkeit ab; Näheres s. zwischenmolekulare Kräfte.
M. kommen auch in interstellaren Wolken vor, v. a. in den sog. dichten Dunkelwolken; Näheres s. interstellare Materie u. interstellare Moleküle.
Geschichte: Der Terminus „M." wurde 1618 von Sennert geprägt, doch wurde dabei keine begriffliche Unterscheidung zwischen Atom u. M. postuliert. Zwar wurde der Begriff „M." 1805 von J. *Dalton auf die kleinsten Teilchen von Verb. eingeschränkt, doch wurde erst durch *Avogadro (1811) die Basis geschaffen, die zur Annahme der Existenz von M. berechtigte (*Lit.*[3]); vgl. a. die folgenden Stichwörter. – ***E*** molecules – ***F*** molécules – ***I*** molecole – ***S*** moléculas

Lit.: [1] Z. Chem. **20**, 248–256 (1980). [2] Hargittai u. Orville-Thomas, Diffraction Studies on Non-Cristalline Substances, Amsterdam: Elsevier 1981. [3] Morselli, Amadeo Avogadro, Dordrecht: Reidel 1984.
allg.: Coulson u. McWeeny, The Shape and Structure of Molecules, Oxford: University Press 1982 ▪ Försterling u. Kuhn, Moleküle u. Molekülanhäufungen, Berlin: Springer 1983 ▪ Hensen, Molekülbau u. Spektren, Darmstadt: Steinkopff 1983 ▪ Klessinger, Elektronenstruktur organischer Moleküle, Weinheim: Verl. Chemie 1982 ▪ Kober, Symmetrie der Moleküle, Frankfurt: Diesterweg 1983 ▪ Landolt-Börnstein NS 2/1 – 14 ▪ Schmidt u. Weil, Atom- u. Molekülbau, Stuttgart: Thieme 1982.

Molekülformel s. Bruttoformel.

Molekülgitter (Molekülkrist.). Aus Mol. aufgebaute Kristallgitter (s. Kristallstrukturen), in denen die Mol. den freien Mol. stark ähneln, da sie nur durch relativ schwache *zwischenmolekulare Kräfte zusammengehalten werden. *Beisp.:* Stickstoff (N_2) u. viele organ. Mol. im festen Zustand, Eis, Hg_2Cl_2, As_4S_4, As_4O_6. – ***E*** molecular lattice – ***F*** réseau moléculaire – ***I*** reticolo molecolatre – ***S*** retículo (bzw. red) molecular

Molekülionen s. Massenspektrometrie.

Molekülkomplexe s. Molekülverbindungen.

Molekülkristalle s. Molekülgitter.

Molekülmasse s. Molmasse.

Molekül-Mechanik s. Kraftfeld.

Molekülmodelle. Im gleichen Sinn wie *Atommodelle gebrauchte Bez. für einzelne Bauelemente aus Metall, Kunststoff, Holz, Pappe, die einzelne Atome od. Atomgruppierungen darstellen sollen u. die aufgrund sinnreicher Verbindungsmechaniken miteinander zu größeren Einheiten zusammengesteckt, -geschraubt, -geknüpft etc. werden können. Mit Hilfe derartiger M. lassen sich nicht nur die *Konstitution von *Molekülen, sondern auch *Konfiguration, *Konformation, Raumerfüllung durch sperrige Gruppen (*sterische Hinderung), *Rotation, die mögliche Bildung von *Wasserstoffbrücken-Bindungen, die Bildung von *Komplexen etc. anschaulich machen. Mit geeigneten Vorrichtungen lassen sich die Atomabstände u. Bindungswinkel direkt ablesen, insbes. bei den die chem. Bindungen durch Stäbchen u. Röhrchen verkörpernden u. ggf. in Einzelstichwörtern charakterisierten Kendrew-, Darling-, Dreiding- (s. Abb. dort) u. Fieser-Dreiding-Stereomodellen, die geometr. getreue Ebenbilder der Mol. sind, während die raumerfüllenden *Kalottenmodelle wie die CPK- u. Stuart-Briegleb-Modelle die Einflußsphäre der einzelnen Atome im Mol. besser erkennen lassen. Für MO-theoret. Betrachtungen gibt es spezielle *Orbitalmodelle*. Von zunehmender Bedeutung bei der Konstruktion von M. ist die elektron. Datenverarbeitung; Näheres s. Molecular Modelling. – ***E*** molecular (framework) models – ***F*** modèles moléculaires

Lit.: Albright, A Holiday Coloring Book of Fragment Molecular Orbitals, Ithaca: Cornell Univ. Press 1977 ▪ Benjamin u. Maruzen, HGS Molecular Structure Models, Menlo Park: Benjamin-Cummings 1980 ▪ Beyermann, Molekülmodelle, Weinheim: Verl. Chemie 1979 ▪ Chem. Unserer Zeit **12**, 23–26 (1978) ▪ Endeavour NS **7**, 2 ff. (1983) ▪ J. Chem. Inform Computer Sci. **18**, 207–210 (1978) ▪ Nachr. Chem. Tech. **22**, 219–222 (1974) ▪ Nachr. Chem. Tech. **38**, 1086 ff. (1990) ▪ Walton, Molecular and Crystal Structure Models, Chichester: Horwood 1978.

Molekülorbitale (Abk.: MO). Mol. Einelektronenwellenfunktionen, d. h. von den Ortskoordinaten eines Elektrons abhängige Funktionen (*Orbitale). MO werden heutzutage im allg. über das *Hartree-Fock-Verfahren berechnet, wobei *ab initio- od. *semiempirische Verfahren eingesetzt werden. Die MO werden meistens als Linearkombination von *Atomorbitalen

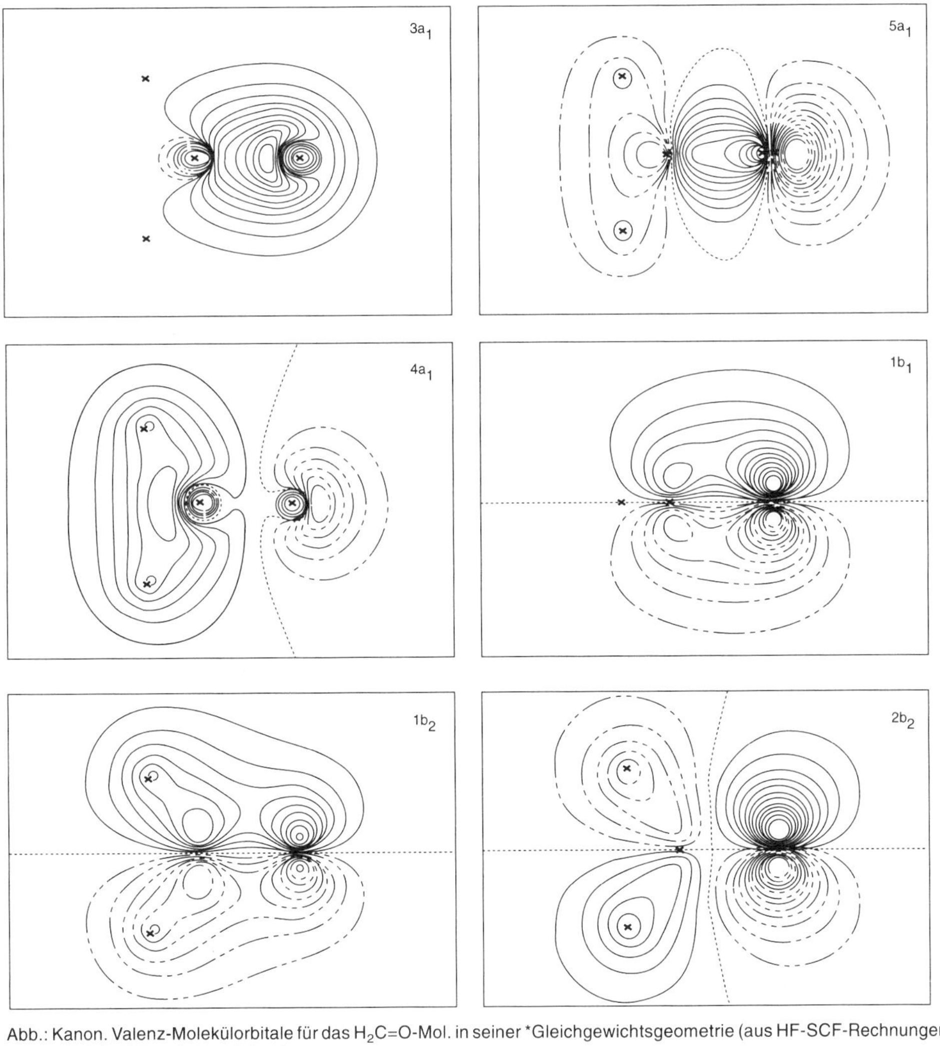

Abb.: Kanon. Valenz-Molekülorbitale für das $H_2C{=}O$-Mol. in seiner *Gleichgewichtsgeometrie (aus HF-SCF-Rechnungen). Die Atomkerne sind durch × gekennzeichnet.

(AO) approximiert [s. LCAO-(MO)-Methode]. Der Aufbau von MO aus AO ist für einige Beisp. (zweiatomige Mol., H_3^+, CH_4) bei chemische Bindung ausführlicher beschrieben.
Die als Eigenfunktionen des *Fock-Operators erhaltenen MO, die man auch als *kanon.* MO bezeichnet, sind im allg. *delokalisiert* u. erstrecken sich über mehr als 2 Atomkerne. Da der Fock-Operator mit den Symmetrieoperationen des Kerngerüsts vertauscht, kann man die kanon. MO gruppentheoret. klassifizieren gemäß den irreduziblen Darst. (s. Gruppentheorie) der mol. Punktgruppe. *Beisp.:* Formaldehyd ($H_2C{=}O$) zählt zur Punktgruppe C_{2v} (Charaktertafel s. Tab. 2 bei Gruppentheorie, S. 1618). Von den 8 doppelt besetzten kanon. MO gehören 5 zur totalsymmetr. Darst. a_1 u. bleiben daher bei Anw. aller Symmetrieoperationen (Drehung um 180° um die CO-Verbindungslinie, Spiegelung an der Mol.-Ebene u. Spiegelung an der hierzu senkrechten Ebene, die den C- u. O-Kern enthält) unverändert. Zwei MO gehören zur Darst. b_2; sie ändern ihr Vorzeichen bei Spiegelung an der letztgenannten Spiegelebene. Das noch verbleibende doppelt besetzte MO verhält sich antisymmetr. (Vorzeichenwechsel) bei Spiegelung an der Mol.-Ebene; es gehört zur Darst. b_1.
Die *Elektronen-Konfiguration von $H_2C{=}O$, die die MO u. ihre Besetzung in energet. aufsteigender Reihenfolge angibt, lautet: $(1a_1)^2$ $(2a_1)^2$ $(3a_1)^2$ $(4a_1)^2$ $(1b_2)^2$ $(5a_1)^2$ $(1b_1)^2$ $(2b_2)^2$. Die 6 Valenz-MO sind in Abb. 1 in Form von Höhenlinienbildern dargestellt. Mit Ausnahme des MO $1b_1$, das als Schnitt senkrecht zur Mol.-Ebene dargestellt ist, beziehen sich alle Höhenlinienbilder auf die Mol.-Ebene. Durchgezogene Höhenlinien entsprechen pos. Werten des jeweiligen MO, lang gestrichelte neg. Werten u. kurzgestichelte Höhenlinien symbolisieren Knotenlinien, auf denen das MO den Wert Null hat.
Wie bei *chemische Bindung (S. 676 f.) beschrieben, können anstelle der delokalisierten kanon. MO in gleichwertiger Weise auch *lokalisierte* MO zur Beschreibung der *Elektronenstruktur eines Mol. herangezogen werden (sofern die Lokalisierung gelingt; s. a. Lokalisierungskriterien); s. a. MO-Theorie. – ***E*** molecular orbitals – ***F*** orbitales moléculaires – ***I*** orbitali molecolari – ***S*** orbitales moleculares

Lit.: s. chemische Bindung, MO-Theorie.

Molekülorbital-Theorie s. MO-Theorie.

Molekülphysik. Teilgebiet der *Physik, das sich mit den Gesetzmäßigkeiten von Mol. beschäftigt. Neben den statist. Eigenschaften wie Energieniveaus, Bindungs-Energien, -Winkel u. -Längen werden auch dynam. Eigenschaften wie der Ablauf von Reaktions- od. Dissoziationsprozessen untersucht. Letzteres weist eine große Überschneidung mit der Chemie auf (*Kinetik). Erkenntnisse werden vorrangig durch *Molekülspektroskopie u. Streuexperimente mit *Molekularstrahlen erhalten. – ***E*** molecular physics – ***F*** physique moléculaire – ***I*** fisica molecolare – ***S*** física molecular

Molekülsäuren s. Säure-Base-Begriff.

Molekülsiebe s. Zeolithe.

Molekülspektren. Absorptions- u. Emissionsspektren von Molekülen. Sie sind aufgrund der größeren Anzahl von Freiheitsgraden erheblich komplizierter u. detailreicher als Spektren von Atomen; denn neben den unterschiedlichen Energiezuständen der Elektronen existieren noch Energiezustände für die Bewegung des Kerngerüstes. Bei der *Born-Oppenheimer-Näherung* nimmt man an, daß sich die Elektronen schnell auf das durch Schwingung u./od. Rotation der Kerne verändernde Kernpotential einstellen. Als Konsequenz spaltet die Gesamtenergie E auf in $E = T_e + T_N$, mit T_e = elektron. Energie, T_N = Energie der Kernbewegung, die z. B. beim starren Rotator als Summe $T_N = T_{vib} + T_{rot}$ der Vibrationsenergie T_{vib} u. der Rotationsenergie T_{rot} geschrieben wird.
Bei *zweiatomigen Mol.* werden die elektron. Energieniveaus T_e mit großen Buchstaben gekennzeichnet: „X" für den Grundzustand, alle weiteren gemäß ihrer Bindungsenergie A, B, C, D ... in alphabet. Folge. Abweichungen hiervon können histor. bedingt auftreten, wenn einige Energieniveaus vorher nicht gefunden waren. Diese Einteilung ist ähnlich zu der Hauptquantenzahl n bei Atomen; während bei Atomen eine weitere Unterteilung bezüglich des Bahndrehimpulses $\vec{L}$ der Elektronen in S-, P-, D-, F...-Niveaus vorgenommen wird (s. Atombau), ist aufgrund der Zylindersymmetrie bei Mol. nur die Projektion Λ des Bahndrehimpulses auf die Kernverbindungsachse eine sinnvolle Größe. Die Unterteilung erfolgt mit griech. Buchstaben: Σ, Π, Δ, Φ... gemäß $\Lambda = 0 \triangleq \Sigma$, $\Lambda = 1 \triangleq \Pi$, $\Lambda = 2 \triangleq \Delta$ usw. Die Projektion (jeweils auf die Kernverbindungsachse) des Elektronenspins Σ wird in Form der Multiplizität $2\Sigma + 1$ als Hochzahl angegeben u. die Projektion des Gesamtdrehimpuls $\Omega = |\Lambda + \Sigma|$ als Postskript, z. B. $^3\Pi_0$, $^3\Pi_1$, $^3\Pi_2$.
Die Zylindersymmetrie bedingt, daß die Wellenfunktion φ bei Spiegelung an einer Ebene, die die Kernverbindungsachse enthält, wieder reproduziert wird, wobei das Vorzeichen erhalten bleibt ($\varphi \rightarrow \varphi$, gekennzeichnet durch „+") od. sich das Vorzeichen ändert ($\varphi \rightarrow -\varphi$, gekennzeichnet durch „–"). Bei homonuklearen Mol. ist φ ferner symmetr. bei einer Spiegelung an der Ebene, die die Kernverbindungsachse senkrecht in der Mitte schneidet; $\varphi \rightarrow \varphi$ ergibt den Buchstaben „g" für „gerade" u. $\varphi \rightarrow -\varphi$ den Buchstaben „u" für „ungerade". Die vollständige Klassifizierung z. B. des elektron. Grundzustandes eines homonuklearen Mol. ist in den meisten Fällen $X^1\Sigma_g^+$ bzw. $X^1\Sigma_g^-$ (Ausnahme: Sauerstoff hat den Grundzustand $X^3\Sigma_g^+$ bzw. $X^3\Sigma_g^-$).
Die Kopplung der Drehimpulse Λ u. Σ zu Ω, muß noch um den Drehimpuls des Kerngerüstes $\vec{N}$ erweitert werden (u., falls man auch die *Hyperfeinstruktur beschreiben möchte, um die Kernspins $\vec{I}$). Je nachdem, wie stark die Kopplung zwischen den einzelnen Drehimpulsen ist, unterscheidet man die *Hundschen Kopplungsfälle* a bis d (s. *Lit.*[1]).
Die Energie des Kerngerüstes T_N wird bei der Näherung eines starren Rotators (d. h. auch bei starker Rotation ändert sich die Bindungslänge nicht) als Summe $T_N = T_{vib} + T_{rot}$ aufgespalten. Die *Vibrationsenergie* T_{vib} hat quantisierte Energieterme gemäß

$$T_{vib}(v) = \omega_e(v + ½) - \omega_e x_e (v + ½)^2 + \omega_e y_e (v + ½)^3 + \ldots$$

v ist die Vibrationsquantenzahl u. ω_e, $\omega_e x_e$, $\omega_e y_e$ sind die Mol.-spezif. Vibrationskonstanten, für die gilt $\omega_e \gg x_e \gg \omega_e y_e \gg \ldots$.
Die *Rotationsenergie* T_{rot} ist gegeben durch

$$T_{rot}(N) = B \cdot N(N+1) - D \cdot N^2(N+1)^2 + H \cdot N^3(N+1)^3 + \ldots$$

hierbei ist N die Rotationsquantenzahl des Kerngerüstes, B, D u. H sind die Rotationskonstanten. B ist durch das Trägheitsmoment Θ des Mol. bestimmt: $B = \hbar^2/2\Theta$ wobei $\Theta = \mu \cdot R^2$ (μ = reduzierte Masse, R = Bindungsabstand, $\hbar = h/2\pi$, h = Plancksches Wirkungsquantum).
Im allg. sind die Rotationskonstanten B, D, H usw. vom Schwingungszustand v abhängig (bei höherer Schwingung vergrößert sich R), ebenso sind die Schwingungskonstanten ω_e, $\omega_e x_e$, $\omega_e y_e$ usw. vom Rotationszustand N abhängig, so daß die Energieausdrücke in einer sog. Dunham-Entwicklung zusammengefaßt werden:

$$T_N(v,N) = \sum_{i=0} \sum_{k=0} Y_{ik}(v + ½)^i [N(N+1)]^k$$

Die Größen Y_{ik} werden die *Dunham-Koeff.* genannt.
Im Fall *mehratomiger Mol.* wird die Beschreibung ähnlich gestaltet wie bei zweiatomigen; die elektron. Energie, ebenso die Vibrations- u. Rotationsenergie sowie das Symmetrieverhalten sind nun wesentlich komplizierter zu berechnen. Ein Mol. aus n Atomen hat $3 \cdot n$ Freiheitsgrade; hiervon werden je drei zur Beschreibung der Translation u. Rotation verwendet, d. h. es verbleiben 3n–6 Freiheitsgrade für die Vibration. Somit hat ein dreiatomiges Mol. 9–6=3 Vibrationsmoden u. z. B. ein 12atomiges Mol. (Benzol) bereits $3 \cdot 12 - 6 = 30$ Freiheitsgrade.
Bei der Rotation müssen die im allg. unterschiedlichen Trägheitsmomente Θ_a, Θ_b u. Θ_c um die drei Mol.-Achsen a, b u. c beachtet werden. Man ordnet sie nach ihrer Größe $\Theta_c \geq \Theta_b \geq \Theta_a$. Als Sonderfälle hat man ein kugelförmiges Mol. (*E* spherical rotor) mit $\Theta_c = \Theta_b = \Theta_a$, dessen Beschreibung nun ähnlich einfach wie beim zweiatomigen Mol. ist, u. ein zylindersymmetr. Mol. (*E* symmetric rotor), bei dem zwei Trägheitsmomente gleich sind: $\Theta_c = \Theta_b > \Theta_a$ wird als *prolater Kreisel* bezeichnet (Beisp.: Methyliodid u. alle linearen Mol., allg. Mol. in der Form eines Rugby-Balls) u. $\Theta_c > \Theta_b = \Theta_a$ als *oblater Kreisel* (Beisp.: Benzol u. alle Mol. in Diskusform).
Bei der Berechnung der Rotationsenergie von nicht zylindersymmetr. Mol. bemüht man sich, diese als Näherung eines symmetr. Mol. zu beschreiben u. Abweichungen in Form einer Potenzreihe von N zu berücksichtigen. Für die arithmet. Energieausdrücke u. die Berechnung der Symmetrien wird auf die Lit. verwiesen; bezüglich neuer Meth. der hochauflösenden Molekülspektroskopie s. a. *Lit.*[2]. Die Intensität einer Linie in M. ergibt sich aus der Besetzung des Ausgangsniveaus φ_i u. dem Betragsquadrat des Übergangsmomentes R in das Endniveau φ_f. Für elektromagnet. Strahlung (Dipol-Strahlung) ist das Übergangsmoment gegeben durch

$$R = \int \varphi_i^* \, \mu \, \varphi_f \, d\tau,$$

wobei μ der elektr. Dipoloperator ist.
Ist gemäß der Born-Oppenheimer-Näherung eine Separation der Wellenfunktionen f in einen elektron. Teil φ(e) u. einen Teil der Kernbewegung φ(N) möglich, so schreibt sich R als Produkt

$$R = \int \varphi_i^*(e) \, \mu_e \, \varphi_f(e) \, d\tau_e \int \varphi_i^*(N) \, \varphi_f(N) \, dr.$$

Wenn ferner die Kernwellenfunktion φ(N) in einen Rotations- u. einen Vibrationsteil, φ(rot) bzw. φ(vib), aufgespalten werden kann, so ist auch das zweite Integral als Produkt zu schreiben

$$\int \varphi_i^*(N) \, \varphi_f(N) \, dr = \int \varphi_i^*(rot) \, \varphi_f(rot) \, dr' \int \varphi_i^*(vib) \, \varphi_f(vib) \, dr.$$

In diesem Ausdruck wird der erste Teil als *Hönl-London-Faktor* u. der zweite Teil als *Fanck-Condon-Faktor* bezeichnet. Beide Terme sind Überlapp-Integrale, d. h. ihr Wert ist um so größer, je besser die räumliche Verteilung der beiden Wellenfunktionen φ_i u. φ_f miteinander übereinstimmen. Dies wird auch als Franck-Condon-Prinzip bezeichnet. – ***E*** molecular spectra – ***F*** spectres moléculaires – ***I*** spettri molecolari – ***S*** espectros moleculares

Lit.: [1] Herzberg, Molecular Spectra and Molecular Structure, Bd. I–III, New York: van Nostrand Reinhold 1950. [2] Phys. Bl. **51**, 683 (1995).
allg.: Bunker, Molecular Symmetry and Spectroscopy, New York: Academic Press 1979 ▪ Cook, Molecular Microwave Spectroscopy, S. 231, u. Dunn, Molecular Optical Spectroscopy, S. 435, Vol. 10, Encyclopedia of Physical Science and Technology, New York: Academic Press 1992 ▪ Hollas, High Resolution Spectroscopy, London: Butterworths 1982 ▪ Huber u. Herzberg, Molecular Spectra and Molecular Structure IV, Constants of Diatomic Molecules, New York: van Nostrand Reinhold 1979 ▪ Lefebvre-Brion u. Field, Pertubations in the Spectra of Diatomic Molecules, New York: Academic Press 1986 ▪ Lerner u. Trigg (Hrsg.), Encyclopedia of Physics, S. 737–753, Weinheim: VCH Verlagsges. 1991.

Molekülspektroskopie. Summar. Bez. für alle Meth. der *Spektroskopie, die auf der Anregung von Rotations-, Schwingungs- u. Elektronenzuständen in *Molekülen beruhen u. statt eines *Linienspektrums* (wie bei der *Atomspektroskopie) ein *Bandenspektrum* erzeugen (s. Molekülspektren). – ***E*** molecular spectroscopy – ***F*** spectroscopie moléculaire – ***I*** spettroscopia molecolare – ***S*** espectroscopia molecular

Molekülverbindungen. Nach *Briegleb Bez. für stöchiometr. weitgehend definierte, jedoch ziemlich labile *chem. Verb. höherer Ordnung*, die im Einzelfall auch Anlagerungs- od. Additionsverb., Addukte, Assoziate, Molekülkomplexe, Excimere genannt werden u. Zusammenlagerungen von meist zwei verschiedenen Mol. im gasf., flüssigen od. festen Zustand darstellen. Die *Assoziationen, bei deren Entstehung Hauptvalenzen weder gelöst noch neu gebildet werden müssen u. zu deren Spaltung meist weniger als 50 kJ/mol aufzuwenden sind, werden durch *Nebenvalenzkräfte* (s. chemische Bindung u. zwischenmolekulare Kräfte), v. a. Van-der-Waals-Kräfte (*Molekülbindung*), Dipolorientierung, Wasserstoff-Brückenbindung u. dgl. bewirkt. *Beisp.* für M. sind Charge-transfer-Komplexe, die Chinhydrone, eine Reihe von Elektronen-Donator-Akzeptor-Komplexen, Solubilisaten, Hydraten, Kronenverb. u. Kryptaten, die echten Racemate, Clathrate u. Einschlußverbindungen. M. spielen seit langem auch in der Pharmazie eine Rolle. – ***E*** molecular complexes – ***F*** complexes moléculaires – ***I*** composti molecolari – ***S*** complejos moleculares

Lit.: Angew. Chem. **88**, 704–716 (1976) ▪ Foster, Molecular Complexes (2 Bd.), London: Elek 1973, 1974 ▪ Foster, Molecular Association (2 Bd.), London: Academic Press 1975, 1979 ▪ Yarwood, Spectroscopy and Structure of Molecular Complexes, New York: Plenum 1973.

Molekularbewegung s. Brownsche Molekularbewegung.

Molekularbiologie. Teildisziplin der Biologie, die die Lebenserscheinungen im Molekülbereich untersucht u. deren Ziel nach *Monod „die Interpretation der wesentlichen Eigenschaften der Organismen aufgrund ihrer mol. Struktur" ist. Ihren Ausgang nahm die M. als *Molekulargenetik*, einem Teilgebiet der *Genetik, das sich vorwiegend mit Struktur u. Wirkungsweise von informationstragenden Makromol., wie DNA, RNA od. Proteine, beschäftigt. Einen starken Aufschwung nahm die M. seit 1958, als es gelang, den Replikationsmechanismus der DNA zu beweisen. Weitere Höhepunkte waren die Aufklärung der Proteinbiosynth. u. des *genetischen Codes als mol. Grundlage der *Genexpression sowie in jüngerer Zeit Arbeiten der *Gentechnologie. Nach Selbstverständnis der European Molecular Biology Organization gehören zu den bevorzugten *Forschungsthemen* der M.: Aufbau, Funktion, Biosynth. u. ggf. Chemosynth. von biolog. Makromol. wie der Eiweißstoffe (bes. Enzyme) u. Nucleinsäuren, mol. Grundlagen der Immunreaktionen, Viren, die Funktion des Nervensyst., Zellen, Membranen, biolog. Regelmechanismen (Regulation), die M. des Alterns u. der Erbkrankheiten, Zelldifferenzierung, Carcinogenese, Mutagenese u. Teratogenese, Photobiologie u. Photosynth., die Einwirkung von Xenobiotika u. Strahlung auf lebende Organismen usw. Bevorzugte Studienobjekte sind die der Mikrobiologie wie Bakterien, Phagen, Viren, Pilze u. Algen, aber auch – ggf. durch *Klonen gewonnene – höhere Organismen u. Pflanzen. Inhaltlich u. method. ist die M. damit eine betont interdisziplinäre Forschungsrichtung im Grenzbereich von Biologie, Medizin, Chemie, Physik u. Physikal. Chemie, eine Abgrenzung zur Biochemie od. Biophysik ist kaum möglich. – ***E*** molecular biology – ***F*** biologie moléculaire – ***I*** biologia molecolare – ***S*** biología molecular

Lit.: Alberts et al., Molekularbiologie der Zelle (3.), Weinheim: VCH Verlagsges. 1995 ▪ Glick u. Pasternak, Molekulare Biotechnologie, S. 61–90, Heidelberg: Spektrum 1995.

Molekulardestillation s. Destillation.

Molekulardispers. Synonym für „gelöst" (s. Lösungen) bzw. „gasförmig".

Molekulardynamik (Moleküldynamik, Abk.: MD). *Computersimulation der Dynamik mol. Syst., wobei im allg. die klass. Bewegungsgleichungen von G. I. Newton für alle wesentlichen atomaren *Freiheitsgrade gelöst werden; in speziellen Fällen werden auch quantenmechan. Korrekturen angebracht. Pioniere der MD-Simulation waren Alder u. Wainwright, die bereits 1957 das Problem der harten zweidimensionalen Scheiben (*Lit.*[1]) behandelten. Entscheidende Impulse gingen von A. Rahman aus, der 1964 flüssiges Argon (*Lit.*[2]), 1971 flüssiges Wasser (*Lit.*[3]) u. 1978 superion. Leiter (*Lit.*[4]) simulierte u. viel für die Verbreitung der MD-Technik tat; Näheres zur Geschichte der MD-Simulation dynam. Prozesse in Chemie u. Physik findet man in *Lit.*[5,6].

MD-Rechnungen gehen meistens von empir. analyt. Energiefunktionen (s. a. Kraftfeld) aus, die häufig folgende Form haben:

$$E\,(r_1, r_2, \ldots, r_N) = \tfrac{1}{2} \sum_{\text{Bindung}} K_b [b - b_o]^2 + \tfrac{1}{2} \sum_{\text{Winkel}} K_\Theta [\Theta - \Theta_o]^2 + \tfrac{1}{2} \sum_{\text{Torsion}} K_\tau [1 + \cos(n\tau - \delta)] + \sum_{\text{Paare(ij)}} \left[\frac{A_{ij}}{r_{ij}^{12}} - \frac{B_{ij}}{r_{ij}^{6}} + \frac{q_i\, q_j}{4\pi\, \varepsilon_o\, \varepsilon_r\, r_{ij}} \right]$$

Hierbei sind r_i die kartes. Ortsvektoren der Atome, K_b, K_θ u. K_τ *Kraftkonstanten für intramol. Streck-, Winkel- u. Torsionschwingungen; b_o, Θ_o u. δ sind Gleichgewichtsgeometrieparameter. Die Doppelsumme erstreckt sich über nicht-gebundene Atompaare; diese effektive nichtbindende Wechselwirkung setzt sich aus einem van-der-Waals-Anteil (s. Lennard-Jones-Potential) u. den Coulomb-Wechselwirkungen zwischen den Atomen i u. j mit den Partialladungen q_i u. q_j zusammen. Eine von 1 verschiedene relative Dielektrizitätskonstante ε_r trägt pauschal dem Einfluß des Lsm. Rechnung.

Ist die Energiefunktion der Mol. od. des Ensembles von Mol. aufgestellt, dann wird sie nach Atomanordnungen (Konfigurationen) niedriger Energie abgesucht; Minima der Energiefunktion entsprechen *Konformationen. Bei der MD-Simulation wird hierbei eine Trajektorie des Mol.-Syst. (Konfigurationen als Funktion der Zeit) erzeugt, indem die Newtonschen Bewegungsgleichungen aller N Atome des Syst. [Gleichung (2) u. (3)] gleichzeitig integriert werden:

$$d^2 r_i(t)/dt^2 = F_i/m_i \quad (2)$$

$$F_i = -\text{grad}_i E(r_1, \ldots r_N). \quad (3)$$

Hierbei ist F_i die auf das Atom i wirkende Kraft, die sich als neg. Gradient der Energiefunktion berechnet u. m_i ist seine Masse; die Zeit ist mit t bezeichnet. Die Integration von Gleichung (2) erfolgt in kleinen Zeitintervallen, typischerweise 1–10 fs; dies entspricht etwa der Zeitskala von Mol.-Schwingungen. Mit modernen Computern können MD-Simulationen bis in den Bereich weniger ns durchgeführt werden. Wesentlich langsamere Prozesse, z. B. die Faltung eines Proteins, lassen sich z. Zt. noch nicht mit Meth. der M. beschreiben.

Zunehmende Bedeutung erlangt die direkte Berechnung von Potentialwerten E u. Kräften F_i mit Hilfe der *Dichtefunktionaltheorie (sog. Car-Parinello-Meth. s. *Lit.* [6]). Bei der Auswertung von MD-Simulationen spielen Mittelwerte u. Korrelationen, sowohl zeitliche als auch räumliche, eine große Rolle. Die Darst. erfolgt mit Hilfe von Korrelationsfunktionen (*Lit.*[7,8]). Zeitliche Korrelationsfunktionen erlauben die Unterscheidung zwischen period. u. nichtperiod. Bewegungstypen u. ermöglichen die Beschreibung von Kopplungen zwischen verschiedenen Teilen eines größeren Moleküls. Bei den zeitunabhängigen Korrelationen werden zeitliche Mittelwerte betrachtet; hiermit lassen sich bevorzugte lokale od. globale Konformationen

identifizieren (z. B. Analyse der Struktur von Solvathüllen, um Aufschluß für Hydrophilie od. Hydrophobie zu erhalten). Äquivalente Informationen über stat. Eigenschaften lassen sich mit der *Monte-Carlo-Methode erhalten.
MD-Rechnungen haben allgemein zum Ziel, makroskop. Verhalten aus mikroskop. Wechselwirkungen zu erklären od. vorherzusagen. Sie werden v. a. zum Studium in fluid-ähnlichen Zuständen herangezogen, wie sie bei *Flüssigkeiten, *Makromolekülen, *Lösungen od. amorphen Festkörpern auftreten. Meistens werden z. Zt. Gleichgewichtszustände untersucht. Durch Änderung der Bewegungsgleichungen u. der Randbedingungen sind auch Nichtgleichgewichtssituationen zugänglich; dies ermöglicht die Berechnung von Transportgrößen (z. B. *Viskosität, *Wärmeleitfähigkeit od. Beweglichkeit). – ***E*** molecular dynamics – ***F*** dynamique moléculaire – ***I*** dinamica molecolare – ***S*** dinámica molecular

Lit.: [1] J. Chem. Phys. **27**, 1208 (1957); **31**, 459 (1959). [2] Phys. Rev. **136**, A405 (1964). [3] J. Chem. Phys. **55**, 3336 (1971). [4] J. Chem. Phys. **69**, 4117 (1978). [5] McCammon u. Harvey, Dynamics of Proteins and Nucleic Acids, London: Cambridge University Press 1987. [6] Phys. Rev. Lett. **55**, 2471 (1985). [7] Allen u. Tildesley, Computer Simulation of Liquids, Oxford: Clarendon 1987. [8] Vesely, Computerexperimente an Flüssigkeitsmodellen, Weinheim: Physik Verl. 1978.
allg.: Angew. Chem. **102**, 1020–1055 (1990) ▪ Frenkel u. Smit, Understanding Molecular Simulation; From Algorithms to Applications, San Diego: Academic Press 1996 ▪ Haile, Molecular Dynamics Simulation. Elementary Methods, New York: Wiley 1992 ▪ Hoffmann u. Schreiber, Computational Physics: Selected Methods, Simple Exercises, Serious Applications, Berlin: Springer 1996 ▪ Van Gunsteren et al., Computer Simulation of Biomolecular Systems, Leiden: ESCOM 1989 ▪ s. a. Molecular Modelling.

Molekulare Anstandsdamen s. Chaperone.

Molekulare Drähte s. molekulare Elektronik.

Molekulare Elektronik. *Molekulare Funktionseinheiten, die mit Elektronen arbeiten, sind ein mögliches Grundelement für die Umwandlung von *molekularer Erkennung in ein elektr. Signal. So können Redoxeigenschaften durch eine Bindung strukturabhängig beeinflußt werden. Ein Beisp. hierfür ist die Komplexierung von Hexacyanometallaten durch Polyammonium-Makrocyclen, bei der die Verschiebung des Redoxpotentials von der Bindungskonstante abhängt, wodurch die mol. Erkennung elektrochem. nachweisbar wird. Insgesamt wird der m. E. u. damit der Entwicklung von auf mol. Ebene arbeitender elektron. *molekularer Funktionseinheiten eine immer größere Aufmerksamkeit entgegengebracht. Als auch aus anwendungstechn. Sicht lohnende Ziele erscheinen mol. Gleichrichter, Transistoren u. Photodioden. Fundamentale Voraussetzung für die erweitere Entwicklung der m. E. ist die Verfügbarkeit sog. *mol. Drähte.* Diese bilden die Verbindungs- u. Anschlußstücke, die den Elektronenfluß zwischen verschiedenen Teilen des Syst. gewährleisten. Einen Zugang zu solchen mol. Drähten bieten die *Caroviologene.* Sie stellen vinyloge Derivate von Methylviologen dar, die Eigenschaften der Carotinoide u. Viologene in sich vereinigen u. über alle Merkmale verfügen, die für einen mol. Draht erforderlich sind: Sie weisen (a) eine konjugierte Polyenkette für die Elektronenleitung auf, (b) endständige, elektroaktive u. darüber hinaus wasserlösl. Pyridinium-Gruppen für den reversiblen Elektronenaustausch u. (c) eine hinreichende Länge, um typ. mol. Stützelemente wie Mono- od. Doppelschicht-Membranen zu durchspannen. So konnten Caroviologene bereits in einer Weise in Vesikel aus Natriumhexadecylphosphat eingebaut werden, daß Kontrollmessungen Ergebnisse ergaben, die ein Strukturmodell nahelegen, nach dem die Caroviologene die Doppelschicht-Membranen wie in der Abb. gezeigt durchspannen, während die Pyridinium-Enden in die äußere bzw. innere Oberfläche der Vesikel eingebettet sind. Bestätigt es sich, daß Syst. wie das Carviologen in dieser u. in anderen funktionalisierten Membranen als durch die Membran reichende Elektronenkanäle fungieren u. somit einen echten mol. Draht darstellen,

Abb.: Membrandurchspannende Einlagerung eines Caroviologens in Vesikel aus Natriumhexadecylphosphat.

könnten beispielsweise durch zusätzliche Ankopplung photoaktiver Gruppen an die Membran-Oberflächen durch Licht schaltbare Elektronenkanäle entstehen od. Funktionseinheiten zur Ladungstrennung u. Signalübertragung konstruiert werden. Weiterhin könnte es in Kombination mit größeren Aggregaten wie z. B. polymeren Schichten, mesomorphen Phasen od. anderen mol. Komponenten möglich werden, Stromkreise u. komplexere elektron. Syst. im Nanometerbereich zu bauen. – ***E*** molecular electronics – ***F*** électronique moléculaire – ***I*** elettronica molecolare – ***S*** electrónica molecular

Lit.: Angew. Chem. **100**, 91 (1988); **102**, 1347 (1990) ▪ Lehn, Supramolcular Chemistry, Weinheim, VCH Verlagsges. 1995.

Molekulare Erkennung. Jede selektive Bindung eines Substrates an einen Rezeptor unter Bildung einer sog. supramol. Struktur beginnt mit dem Prozeß der mol. Erkennung. Dieser wird durch „Informationen" ermöglicht, die in den miteinander in Wechselwirkung tretenden Mol. od. Ionen immanent gespeichert sind. Bei dieser „Speicherung" kann es sich z. B. um komplementäre ster. od. elektron. Eigenschaften von Rezeptor u. Substrat in Kombination mit dem richtigen Maß an Flexibilität bzw. Steifigkeit der Mol.-Gerüste beider Bindungspartner handeln. Derartige Überlegungen zu den strukturellen u. dynam. Voraussetzungen von Rezeptoren standen beispielsweise auch am Anfang der Entwicklung von *Kryptanden. Bisher konzentrieren sich die meisten Untersuchungen zur m. E. auf sog. *Endorezeptoren*, deren Bindungsstellen (Zentren der Information) im Inneren des Mol. liegen. Neben diesen Rezeptoren mit *konkaven* Bindungsstellen werden zunehmend auch *Exorezeptoren* mit nach außen gerichteten, *konvexen* Bindungsstellen entwickelt. Diese zeichnen sich durch eine „informationstragende" Oberfläche aus, an der die m. E. stattfinden kann.

In Verb. mit speziellen Substrat-Transformations- u. Translokationsprozessen u. unter Ausnutzen des bei der mol. Endo- od. Exoerkennung dreidimensional möglichen Lesens u. Speicherns von Informationen werden bereits heute Komponenten für *molekulare Funktionseinheiten entworfen, die Informationen u. Signale auf mol. u. supramol. Niveau verarbeiten sollen. Die m. E. stellt damit die Basis einer zukünftigen Informationsverarbeitung auf (supra)mol. Ebene dar, da sie gezielte Veränderungen der elektron., ion. od. opt. Eigenschaften sowie der Konformation der miteinander in Wechselwirkung tretenden Mol. bewirken u. so eine modulierte Systemantwort (Signal) bewirken kann. – ***E*** molecular recognition – ***F*** identification moléculaire – ***I*** riconoscimento molecolare – ***S*** reconocimiento molecular

Lit.: Angew. Chem. **100**, 91 (1988); **102**, 1347 (1990) ▪ Lehn, Supramolecular Chemistry, Weinheim: VCH Verlagsges. 1995.

Molekulare Funktionseinheiten. Sammelbegriff für strukturell geordnete, supramol. Syst., die aus verschiedenen Einzelmol. zusammengesetzt sind u. unter dem Einfluß von z. B. Licht, Wärme, pH-Veränderungen od. Redox-Reaktionen eine definierte u. prinzipiell reversible Änderung ihrer Architektur zeigen können. Weitere wichtige m. F. werden im Zusammenhang mit der *molekularen Photonik, der *molekularen Elektronik u. der *molekularen Ionik bearbeitet. Schließlich ist die Konstruktion sog. mechan. mol. Maschinen von großem aktuellen Interesse. Hierbei kann die relative Position der einzelnen Komponenten durch externe Stimulation gezielt verändert werden. Ein Beisp. für die Wirkungsweise einer solchen sehr einfachen m. F. ist der Selbstorganisations-Prozeß von Pseudo-Rotaxanen (**3** in der Abb.), d. h. von „Übermol.", die aus wenigsten einem Makrocyclus (**2**) bestehen, in den eine acycl. Komponente (**1**) eingefädelt ist. Das in der Abb. gezeigte Syst. arbeitet über einen chem. induzierten, cycl. Ausfädelungs- u. Rückeinfädelungs-Prozeß.

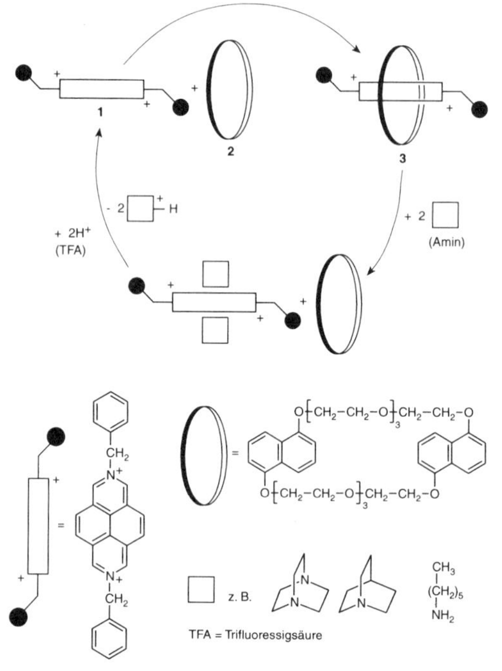

Abb.: Cyclus des chem. gesteuerten Ausfädelns u. Rückeinfädelns des Pseudorotaxans (**3**).

Die zentrale Zielsetzung der heute sehr intensiv betriebenen Erforschung m. F. ist die Verkleinerung makroskop. „Geräte" (*E* devices) auf mol. Dimensionen. Neben rein akadem. Interesse könnte diesem Teilgebiet der supramol. Chemie bei der Entwicklung der Nanotechnologie große Bedeutung zukommen. M. F. könnten zukünftig beispielsweise in der Biomedizin, der Computer-Technologie u. der Sensorik eine zentrale Stellung einnehmen. – ***E*** molecular devices – ***F*** unités de fonction moléculaire – ***I*** dispositivi molecolari – ***S*** unidades funcionales moleculares

Lit.: Angew. Chem. **100**, 91 (1988); **102**, 1347 (1990) ▪ Lehn, Supramolecular Chemistry, Weinheim: VCH Verlagsges 1995.

Molekulare Ionik. Die zahlreichen heute bekannten Rezeptoren, Reagenzien u. Carrier für anorgan. u. organ. Ionen sind potentielle Bestandteile mol. u. supramol. ion. Funktionseinheiten für regelbare, hochselektive Erkennungs-, Reaktions- u. Transportvorgänge, die unter dem Begriff der m.I. zusammengefaßt werden. In der m.I. sind es im Gegensatz zu der *molekularen Elektronik ion. Spezies, die für Speicherung, Verarbeitung u. Übertragung von Signalen u. Informationen verantwortlich sind. Dabei kann insbes. die gewaltige Datenmenge, die sich durch die Kombination aus der selektiven Bindung von Ionen an die Vielzahl heute bekannter Liganden u. dem selektiven Ionentransport durch geeignete Carrier ergibt, als zentrale Motivation für den Entwurf *molekularer Funktionseinheiten auf Ionenbasis gelten. Außer durch mobile Carrier ist Ionentransport auch über selektive Ionenkanäle möglich. Allerdings liegen über solche Membran-durchspannende Kanäle bisher kaum Untersuchungen vor. Dies ist etwas überraschend, da der Ionentransport in biolog. Syst. hauptsächlich von Ionenkanälen übernommen wird. Erste orientierende Untersuchungen in Richtung synthet. Ionenkanäle u. ionensensitiver Membranen galten z.B. tubulären Mesophasen aus Stapeln von Makrocyclen. Diese bilden feste Rohre, durch die nur bestimmte Ionen fließen können

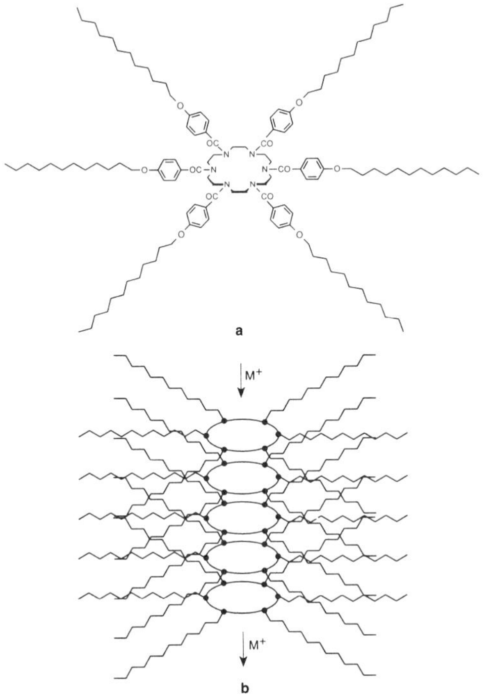

Abb.: Makrocycl. Baustein (a) u. schemat. Darst. eines Ausschnittes einer daraus aufgebauten, tubulären Mesophase (b). Durch das so gebildete mol. Rohr können Ionen fließen.

Selektive Ionen-Rezeptoren sind die Grundkomponenten für z.B. ion. Transmitter u. Detektoren. Selektive Ionen-Carrier eignen sich als ion. Wandler. Diese Einheiten könnten zusätzlich mit *molekularen Schaltern ausgerüstet werden, so daß sie auf äußere physikal. (Licht, Strom, Wärme, Druck) od. chem. (bindende Spezies) Reize ansprechen.

Angesichts der Größe u. Masse von Ionen ist zu erwarten, daß ion. Funktionseinheiten langsamer arbeiten als elektronische. Dafür haben aber die Ionen aufgrund ihrer vielfältigen atomaren, mol. (Ladung, Größe, Form bzw. Struktur) u. supramol. (Bindungsgeometrie, Bindungsstärke u. Selektivität) Merkmale einen wesentlich höheren Informationsgehalt. Die m.I. ist daher ein bes. vielversprechendes Forschungsgebiet, das darüber hinaus bereits auf das reichhaltige Wissen über Ionenvorgänge v.a. in biolog. Syst. zurückgreifen kann. – ***E*** molecular ionics – ***F*** ionique moléculaire – ***I*** ionica molecolare – ***S*** iónica molecular

Lit.: Angew. Chem. **100**, 91 (1988); **102**, 1347 (1990) ▪ Lehn, Supramolecular Chemistry, Weinheim: VCH Verlagsges. 1995.

Molekulare Motoren. In allen Lebewesen vorkommende biolog. Makromol., meist *Proteine (*Motor-Proteine*), mit der Fähigkeit, chem. in mechan. Energie umzuwandeln (*mechanochem. Enzyme*). Als chem. Energiequelle dient meist ATP (*Adenosin-5′-triphosphat) od. GTP (Guanosin-5′-triphosphat, s. Guanosinphosphate). Bei Hydrolyse dieser an die m. M. gebundenen Triphosphate kommt es zu im allg. noch nicht näher charakterisierten Konformationsänderungen (interne Dreh- od. Hebelbewegungen) der Makromol., die durch konzentriertes Zusammenwirken gleichartiger m. M. mit Proteinen des *Cytoskeletts (*Actin, *Tubulin) in Bewegung von Makromol., *Chromosomen, Vesikeln, Organellen, Flagellen, Zellen, Kontraktion von Muskelfasern usw. umgesetzt werden können.

Tab. 1: Zusammenstellung von Motor-ATPasen u. -GTPasen.

Name	Energiequelle	Funktion
*Dynamin	GTP	Vesikel-Abschnürung bei Endocytose
*Dynein	ATP	eukaryont. Flagellen- u. Zilien-Bewegung; Transport von Vesikeln u. Organellen entlang *Mikrotubuli (+ → –); Separation von *Centrosomen u. von Chromosomen [1]
*Kinesin	ATP	axonaler Auswärts-Transport von Organellen entlang Mikrotubuli (– → +)
Kinesin-ähnliche Proteine	ATP	Mikrotubulus-gestützter Transport, z.B. von *Chromosomen bei Kernteilung (vgl. Kinetochore) [2]
*Myosin	ATP	Muskelarbeit; Zell-Fortbewegung; Organellentransport; Zellteilung
bakterieller Flagellenmotor	Ionenfluß	Rotation der Bakterien-Flagellen mit Hilfe eines an der Basis angebrachten Protein-Komplexes (Rotor), der sich in einem ebenfalls aus Proteinen gebildeten Drehlager der Bakterienzellwand (Stator) bewegt [3]

Zu m. M. in Pflanzen s. *Lit.*[4], bei Hefe s. *Lit.*[5]. – ***E*** molecular motors – ***F*** moteurs moléculaires – ***I*** motori molecolari – ***S*** motores moleculares

Lit.: [1] Proc. Natl. Acad. Sci. USA **93**, 1735–1742 (1996). [2] Cell **85**, 943–946 (1996). [3] Alberts et al., Molekularbiologie der

Zelle, 3. Aufl., S. 913f., Weinheim: VCH Verlagsges. 1995. [4]Trends Plant Sci. **2**, 29–37 (1997). [5]Folia Microbiol. **40**, 571–582 (1995).
allg.: Annu. Rev. Physiol. **58**, 731–792 (1996) ▪ Cell Struct. Funct. **21**, 369–373 (1996) ▪ J. Cell Biol. **137**, 113–129 (1997) ▪ Nature (London) **386**, 217ff. (1997); **389**, 561–567 (1997) ▪ Semin. Cell Develop. Biol. **7**, 335–355 (1996) ▪ Stryer 1996, S. 411–437.

Molekulare Photonik. Supramol. Syst. mit photoaktiven Komponenten können im Vgl. zu den Einzelkomponenten, aus denen sie aufgebaut sind, völlig andersgeartete Eigenschaften aufweisen. Moduliert durch die Anordnung der Bausteine, die durch einen ordnenden Rezeptor festgelegt werden kann, können in diesen photochem. arbeitenden *molekularen Funktionseinheiten sehr verschiedenartige Prozesse ablaufen, wie z. B. photoinduzierter Energietransport, Ladungstrennung durch Elektronen- od. Protonentransfer, Störung opt. Übergänge u. der Polarisierbarkeiten, Veränderung von Redoxpotentialen in Grund- u. angeregten Zuständen, Photoregulierung von Bindungseigenschaften od. selektive photochem. Reaktionen. Diese können darüber hinaus den Schritt einer *molekularen Erkennung beinhalten. In solchen Fällen werden die obigen Prozesse z. B. erst nach selektiver Bindung der beiden komplementären aktiven Komponenten aneinander möglich (Beisp. s. Abb.).

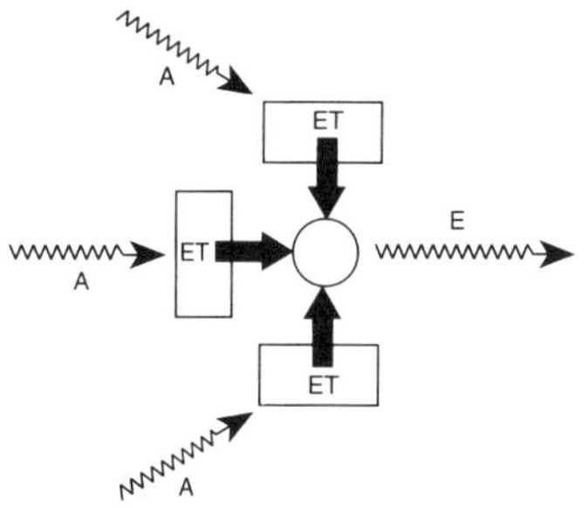

Abb.: Photochem. mol. Funktionseinheit zur Lichtumwandlung, bestehend aus zwei Komponenten, dem Lichtkollektor (auch Antenne genannt; als Rechteck dargestellt) u. dem Lichtemitter (dargestellt als Kreis). Der Prozeß selbst läuft in drei Stufen ab: Absorption (A), Energietransfer (ET) u. Emission (E).

Solche Syst. bilden die Basis einer supramol. Photochemie, die es zusätzlich erlaubt, durch Änderung der Anordnung der einzelnen Bausteine die gesamte Systemantwort zu modulieren. Daher erfordert die m. P. prinzipiell eine komplexe Anordnung u. Anpassung der Komponenten in Raum, Energie u. Zeit, wenn von opt. od. durch Elektronen, Protonen od. Ionen stimulierte Photosignale erzeugt werden sollen. – ***E*** molecular photonics – ***F*** photonique moléculaire – ***I*** fotonica molecolare – ***S*** fotónica molecular

Lit.: Angew. Chem. **100**, 91 (1988); **102**, 1347 (1990) ▪ Lehn, Supramolecular Chemistry, Weinheim: VCH Verlagsges. 1995

Molekulare Schalter. Eines der Hauptziele auf dem Gebiet der *molekularen Elektronik ist die Synth. von (supra)mol. Syst., die auf einen spezif. Reiz hin schnell u. reversibel zwischen zwei od. mehreren Zuständen hin- u. herschalten. Ziel bei der gegenwärtigen Entwicklung solcher m. S. ist es v. a., diese so auszustatten, daß sie auf eine möglichst große Bandbreite an Reizen reagieren. Eine Strategie zur Realisierung dieser Vorstellungen besteht im Anheften funktioneller Gruppen. Eines der ersten Beisp. für solch einen m. S. basiert auf Oligopeptiden, die zwischen zwei helicalen Konformationen, einer α-Helix u. einer 3_{10}-Helix, umgeschaltet werden können (s. Abb. 1).

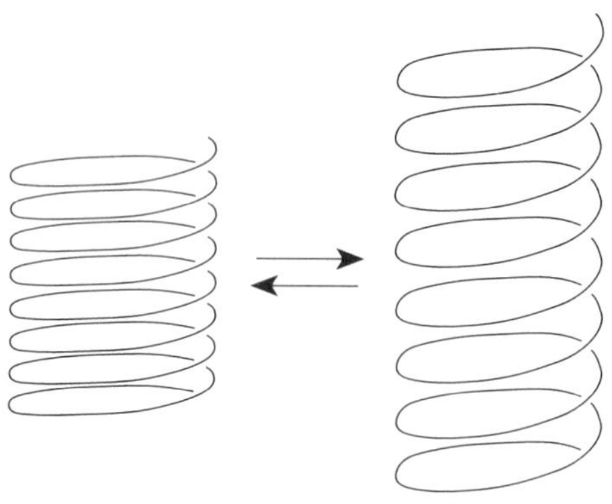

Abb. 1: Schemat. Darst. eines mol. Schalters auf der Basis einer Umschaltung zwischen α-Helix u. 3_{10}-Helix.

Die dabei eingestellten, verschiedenen geometr. Zustände können z. B. opt. detektiert werden, indem man das Ausmaß des intramol. Elektronentransfers über die Fluoreszenzlöschung interner Marker verfolgt. Ein anderer m. S. basiert auf Rotaxanen, die chem. u. elektrochem. zu schalten sind (s. Abb. 2, S. 2733).
Darüber hinaus werden gegenwärtig immer neue m. S. beschrieben, die z. B. auf Pseudorotaxanen od. Catenanen basieren u. photochem. od. elektrochem. zu schalten sind. Über die Aufgabe hinaus, die mol. Eigenschaften solcher m. S. weiter zu verbessern, besteht eine weitere u. ganz wesentliche Herausforderung an den supramol. Chemiker darin, Mittel u. Wege zu finden, diese mol. Syst. effektiv an unsere makroskop. Welt anzukoppeln. – ***E*** molecular switches

Lit.: Angew. Chem. **100**, 91 (1988); **102**, 1347 (1990) ▪ Lehn, Supramolecular Chemistry, Weinheim: VCH Verlagsges. 1995.

Molekularformel s. Bruttoformel.

Molekulargenetik s. Molekularbiologie.

Molekulargewicht s. Molmasse.

Molekulargewichtsbestimmung s. Molmassenbestimmung.

Molekulargewichtsverteilung s. Molmassenverteilung.

Molekularität (Reaktionsmolekularität). Begriff aus der chem. *Kinetik, der aussagt, wie viele Teilchen (Mol., Radikale, Ionen) an einer *Elementarreaktion (auch im *Übergangszustand) beteiligt sind. Bei *intramolekularen Reaktionen spricht man manchmal von einer *effektiven Molekularität.* – ***E*** molecularity – ***F*** molécularité – ***I*** molecolarità – ***S*** molecularidad

Lit.: Atkins, Physikalische Chemie, S. 833, Weinheim: VCH Verlagsges. 1996 ▪ Laidler, Kinetics (Chemistry), Encyclopedia of Physical Science and Technology, Vol. 8, S. 379–402, New York: Academic Press 1992.

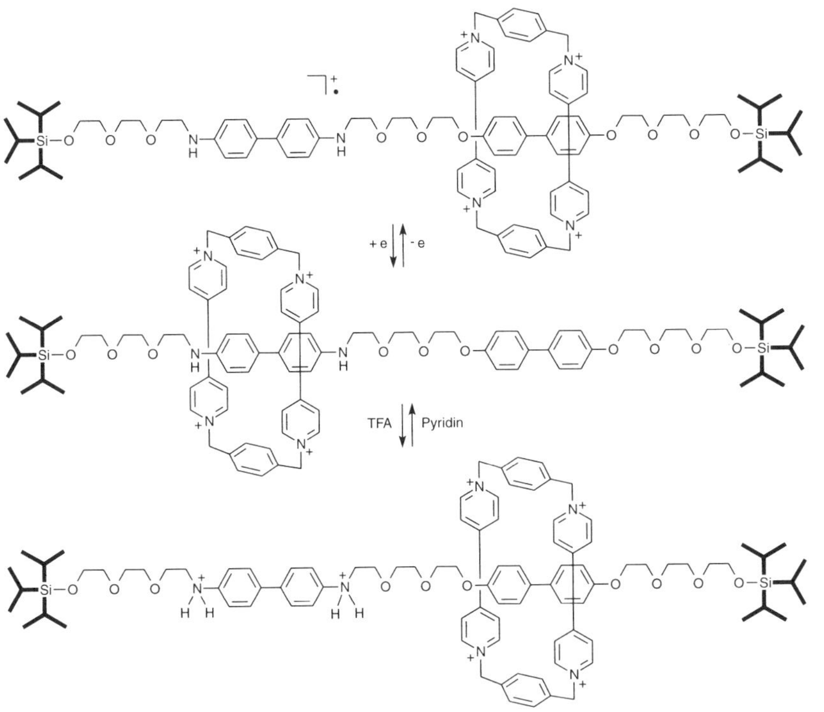

Abb. 2: Darst. des Schaltprozesses eines mol. Schalters auf Rotaxan-Basis (TFA = Trifluoressigsäure).

Molekularpumpe s. Turbomolekularpumpe.

Molekularsiebe (Molekülsiebe). Bez. für Feststoffe (Zeolithe, Kohlenstoff-M., Silicoalumophosphate u. a.) mit starkem Adsorptionsvermögen für Gase, Dämpfe u. gelöste Stoffe. Die M. haben einheitliche Porendurchmesser, die in der Größenordnung der Durchmesser von Mol. liegen, u. große innere Oberflächen (600–700 m^2/g), wodurch eine Trennung von Mol. nach ihrer Größe od. Form möglich ist. M. werden auch als Katalysatoren verwendet; Näheres s. Zeolithe. – ***E*** molecular sieves – ***F*** tamis moléculaire – ***I*** setaccio molecolare – ***S*** tamices moleculares

Molekularstrahlen. In Analogie zu *Atomstrahlen geprägte Bez. für Gasstrahlen, bei denen sich Mol. im Hochvak. mit annähernd paralleler Flugrichtung bewegen. Zur Erzeugung läßt man gasf. Stoffe aus einem Hochdruckbehälter durch eine kleine Öffnung (s. Laval-Düse; Durchmesser mm bis wenige µm groß, je nach Saugleistung der Vakuumpumpen) in eine Hochvak.-Apparatur expandieren. Für Substanzen mit hoher Schmelztemp. wurde in den letzten Jahren eine Laserverdampfung entwickelt (s. Abb.). Hierbei wird ein kalter Edelgasstrahl über einen Metallstab geblasen, aus dem durch einen hochenerget. Laserpuls (meist ein Nd:YAG-Laser, s. Neodym-Laser) Material verdampft wird, das dann durch den Edelgasstrahl mitgerissen wird.

Durch Stöße, die während der Expansion des M. stattfinden, werden die Translationsimpulse der Teilchen ausgerichtet, d. h. die *Maxwell-Boltzmannsche Geschwindigkeitsverteilung wird eingeengt u. um die Flußgeschw. verschoben (s. Abb. bei adiabatische Ab-

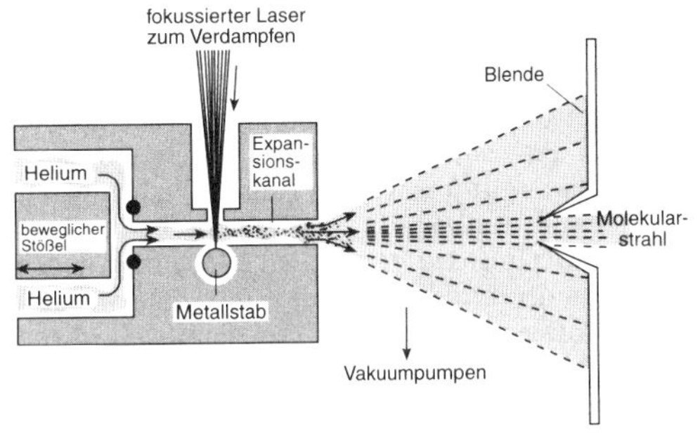

Abb.: Erzeugung eines Molekularstrahles mittels Laserverdampfung.

kühlung). Mittels Geschw.-ändernder Stöße wird die innere Energie – Vibrations- u. Rotationsenergie – in Translationsenergie umgewandelt, somit werden indirekt auch die inneren Freiheitsgrade der Mol. abgekühlt. Mit einem reinen M. können Vibrationstemp. von ~150 K u. Rotationstemp. bis ~50 K erreicht werden. Um tiefere Temp. zu erhalten, hat sich die Technik des Treibgasstrahles herausgebildet (*E* seeded beam). Das Meßgas wird mit einer Konz. von wenigen %, daher die Bez. Saat (*E* seed), einem Treibgas – meist ein Edelgas – beigemischt. Die Abkühlung des Strahls wird durch das Treibgas bestimmt, das sich frei von inneren Freiheitsgraden bis auf wenige Kelvin abkühlt; das beigemischte Meßgas gleicht sich diesem Kältebad an u. wird genauso tief abgekühlt.

Diese tiefen Temp. sind für die *Molekülspektroskopie vorteilhaft, denn die sonst sehr unübersichtlichen Spektren mehratomiger Mol. vereinfachen sich. In der

*Molekülphysik werden kalte M. ebenfalls eingesetzt, um reaktive Streuung von Mol. in niedrigen Vibrations- u. Rotationsniveaus zu untersuchen. Ein weiterer Vorteil kalter M. liegt darin, *Cluster-Verbindungen, Van-der-Waals-Mol. u. andere schwachgebundene Syst. zu erzeugen, die in einer Zelle bei Zimmertemp. nicht zu bilden wären od. sofort dissoziieren würden. Da mit wachsendem Abstand von der Düse nicht nur der Partialdruck, sondern noch viel stärker der Dampfdruck abnimmt, kommt es, abhängig von den Startbedingungen, ab einem bestimmten Abstand zu einem übersätt. Dampf, in dem Kondensation, also Cluster-Bildung, stattfindet. Aufgrund der niedrigen Temp. u. der Tatsache, daß stromabwärts keine Stöße mehr stattfinden, werden so auch Syst. mit sehr niedrigen Bindungsenergien konserviert u. können untersucht werden.
Bereits eine Reihe elementarer chem. Reaktionen wurde durch gekreuzte Atomstrahlen u./od. M. untersucht, bes. Reaktionen des Typs $M + RX \rightarrow MX + R$ (M = Mol., X = Halogen, R = H, CH_3, C_2H_5 u. a.). Bei einigen Reaktanden, z. B. Methyliodid, ist es gelungen, durch Laserstrahlung die Mol. vor dem reaktiven Stoß auszurichten u. so Reaktionsquerschnitte zu bestimmen, die die Orientierung der Reaktionspartner berücksichtigt; bezüglich des Einsatzes von M. zur Erzeugung *dünner Schichten s. Molekularstrahl-Epitaxie. – ***E*** molecular beams – ***F*** rayons moléculaires – ***I*** fasci molecolari, raggi molecolari – ***S*** rayos moleculares

Lit.: Haberland, Clusters of Atoms and Molecules I u. II, Berlin: Springer 1994 ▪ Scoles (Hrsg.), Atomic and Molecular Beam Methods, Vol. 1, Oxford: University Press 1988.

Molekularstrahl-Epitaxie. Seit 1970 entwickeltes Verf., um gut kontrolliert *dünne Schichten (Dicke: 2 nm bis einige µm) von extrem hoher Qualität herzustellen. M.-E. wird bes. in der Halbleiterherst. eingesetzt, um Heterostrukturen aus III-V-Materialien, d. h. Elementen der dritten u. fünften Gruppe, aufwachsen zu lassen. Der prinzipielle Aufbau einer M.-E.-Apparatur (s. Abb.) besteht aus einer *UHV-Apparatur (Ultrahochvak., s. Vakuum; $p<10^{-10}$ mbar), in der sich mehrere Atom- u. Molekularstrahl-Quellen befinden, die bei stabilem Teilchenfluß einen chem. ultrareinen Strahl liefern. Gängig sind hierfür effusive Strahlquellen, sog. Knudsen-Zellen, bei denen durch Erhitzen der notwendige Dampfdruck des Aufdampfmaterials (z. B., wie in der Abb. dargestellt, Ga, As, Al sowie p- u. n-Dotierungsmaterial) erzeugt u. durch kollimierende Blenden ein Strahl geformt wird. In jüngster Zeit werden auch Elektronenstrahlverdampfer eingesetzt; hierbei wird ein Hochleistungs-Elektronenstrahl auf eine Festkörperprobe des Aufdampfmaterials gerichtet. Dieses Verf. hat den Vorteil, auch hochschmelzende Materialien aufdampfen zu können. Weitere Strahlquellen sind Dissoziationsquellen, Gasquellen u. elektrochem. Zellen.
Die Dicke u. die Zusammensetzung der aufwachsenden Schicht wird durch mechan. bewegte Blenden, mit denen der Molekularstrahl abgeblockt werden kann, gesteuert; die Kristallinität wird über Elektronenbeugung (*LEED bzw. RHEED) kontrolliert. Eine chem. Kontrolle der Schicht wird oft durch Photolumineszenz u. ggf. *Auger-Spektroskopie vorgenommen, eine Oberflächenpräparation durch niederenerget. Argon-Ionen. – ***E*** molecular beam epitaxy, MBE – ***F*** épitaxie par faisceau moléculaire – ***I*** epitassia a fascio moleculare – ***S*** epitaxia por haz molecular

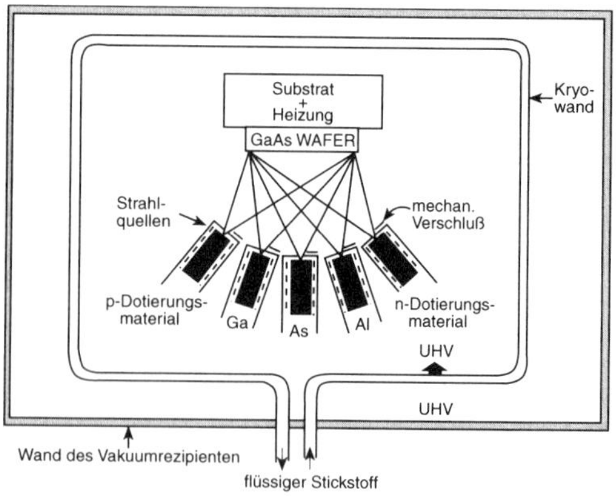

Abb.: Prinzipieller Aufbau einer Molekularstrahl-Epitaxie-Apparatur.

Lit.: Bean u. Kasper (Hrsg.), Silicon Molecular Beam Epitaxy, Boca Raton: Chemical Rubber Press 1988 ▪ Gibson, Molecular Beam Epitaxy, Semiconductor, Encyclopedia of Physical Science and Technology, Vol. 10, S. 403, New York: Academic Press 1992 ▪ Herman u. Sitter, Molecular Beam Epitaxy, Berlin: Springer 1996 ▪ Panish u. Temkin, Gas Source Molecular Beam Epitaxy, Berlin: Springer 1993 ▪ Razeghi, The MOCVD Challenge, Bristol (Phil.): Adam Hilger 1989 ▪ Spektrum Wiss. **1996**, Nr. 4, 96.

Molenbruch. Nach DIN 1310 veraltete, aber dennoch nicht nur in diesem Werk noch viel benutzte Gehalts-Angabe bei Mischphasen. Für M. wird heute der Begriff *Stoffmengenanteil* verwendet. Der Stoffmengenanteil x_i der Stoffportion (Komponente) i einer Mischung ist definiert als der Quotient aus der Stoffmenge („Molzahl", vgl. Mol) n_i dieser Komponente u. der Gesamtstoffmenge (Summe der Molzahlen aller Komponenten) der Mischung: $x_i = n_i/(n_1 + n_2 \ldots)$. Die Summe der M. aller Komponenten einer Mischung ist 1. – ***E*** mole fraction – ***F*** fraction molaire – ***I*** frazione di molo – ***S*** fracción molar

Lit.: Chem. Labor Betr. **31**, 132–136, 501–512 (1980) ▪ s. a. Mol.

Moler(erde). Eine *Puzzolanerde geringer Dichte aus Dänemark, die aus Ton-haltigen Diatomeenschalen (vgl. Kieselgur) u. vulkan. *Tuff besteht u. zu *Molersteinen* – bis 900 °C einsetzbaren Isoliersteinen – verarbeitet wird. In M. (Moler-Ton) wurden geringe Mengen *Bernstein gefunden. – ***E*** moler (earth) – ***F*** molasse – ***S*** tierra de moler – *[HS 2512 00]*

Molersteine s. Moler(erde).

Moleschott, Jacob (1822–1893), Prof. für Physiologie, Zürich, Turin u. Rom. *Arbeitsgebiete:* Physiologie, Nahrungsmittel, Stoffwechsel, chem.-physiolog. Begründung des wissenschaftlichen Materialismus, der die Stoff- u. Energieerhaltungssätze miteinander verknüpft.

Lit.: Krafft, S. 336 ▪ Lexikon der Naturwissenschaftler, S. 298.

Molette-Wasserzeichen s. Papier.

Molevac®. Suspension u. Dragées mit Pyrviniumembonat (s. Pyrviniumchlorid) gegen Madenwürmer-Befall. ***B.:*** Parke-Davis.

Molex®-Verfahren. Marke der UOP für ein kontinuierlich arbeitendes *Molekularsieb-Verf. zur Abtrennung von hochreinen Normal-Paraffinen (bis zu C_{20}) aus Kohlenwasserstoff-Gemischen wie z. B. Benzin, Kerosin u. a. Schnitten der Erdölfraktionierung. In Verb. mit dem *Penex-Verf. läßt sich das M.-V. auch zur Produktion von Treibstoffen mit hoher Octan-Zahl einsetzen. – ***E*** molex® process – ***F*** procédé Molex® – ***I*** processo molex – ***S*** procedimiento Molex®

Molgewicht s. Molmasse.

Molgramostim (Rp). Bez. für den humanen Granulocyten-Makrophagen-Kolonien-stimulierenden Faktor, ein nichtglykosyliertes Peptid mit 127 Aminosäuren, das von rekombinanten *Escherichia coli*-Stämmen produziert wird. Die Substanz wird zur Stimulation der *Hämatopoese bei Patienten eingesetzt, die mit Knochenmark-schädigenden *Chemotherapeutika behandelt werden, u. ist von Sandoz/Essex Pharma (Leucomax®) im Handel. – ***E*** = ***F*** = ***I*** = ***S*** molgramostim

Lit.: Eur. J. Haematolog. **55**, 348–356 (1995) ▪ Martindale (31.), S. 758 f. ▪ Merck-Index (12.), Nr. 4559 ▪ Pharm. Ztg. **138**, 4004–4008 (1993). – *[CAS 99283-10-0]*

Molina, Mario José (geb. 1943), Prof. für Erd-, Atmosphäre- u. Planetenwissenschaften, MIT, Cambridge. Er wies 1974 zusammen mit F. S. Rowland auf die Bedrohung der Ozon-Schicht in der Stratosphäre durch Fluorkohlenwasserstoffe hin. Er zeigte auf, daß die chem. sehr stabilen FCKW allmählich in die atmosphär. Ozon-Schicht gelangen u. unter Einwirkung der sehr intensiven solaren UV-Strahlung zersetzt werden, wobei freie Chlor-Atome entstehen, die den Ozon-Abbau beschleunigen. Hierfür erhielt er 1995 den Nobelpreis für Chemie zusammen mit P. J. *Crutzen u. F. S. *Rowland.

Lit.: Lexikon der Naturwissenschafler, S. 298.

Molinat.

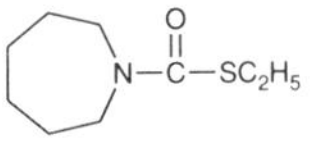

Common name für *S*-Ethyl-1-azepancarbothioat, $C_9H_{17}NOS$, M_R 187,30, Sdp. 202 °C (1,3 kPa), LD_{50} (Ratte oral) 370–450 mg/kg, von Stauffer 1964 eingeführtes selektives *Herbizid gegen Ungräser im Reisanbau. – ***E*** = ***F*** molinate – ***I*** = ***S*** molinato

Lit.: Beilstein E V **20/4**, 34 ▪ Farm ▪ Perkow ▪ Pesticide Manual. – *[HS 2933 90; CAS 2212-67-1]*

Molinon®. Backemulgator bzw. Bindemittel auf der Basis von Zuckeraustauschstoffen für Süßwaren. ***B.:*** Merck.

Molke. Die in erheblichen Mengen bei der *Käse- u. *Casein-Herst. anfallende trübe Flüssigkeit, die nach der vollständigen od. teilw. Abscheidung des Caseins u. des Fettes der Milch zurückbleibt. Die Beurteilung von M. ist nach der Milcherzeugnis-VO [1] durchzuführen. Darin (Anlage I Nr. X) sind die Herst.-Weisen u. bes. Merkmale aller M.-Erzeugnisse aufgeführt. Lactase darf z. B. zur Herst. aller M.-Erzeugnisse verwendet werden. *Süß.-M.* wird überwiegend durch *Lab-, *Sauer-M.* überwiegend durch *Milchsäure-Einwirkung hergestellt. *Süß-* od. *Sauer-M.-Pulver* (durch Entzug von Wasser aus Süß- od. Sauer-M. hergestellt) sind Erzeugnisse mit höchstens 5 bzw. 6% Wasser u. 70 bzw. 60% Milchzucker. Die entsprechenden *teilentzuckerten Süß-* od. *Sauer-M.-Pulver* sind durch einen geringeren Gehalt an Milchzucker gekennzeichnet. *Entsalztes M.-Pulver* ist durch Entsalzen aus Süß- od. Sauer-M. hergestellt u. enthält höchstens 2,5% Asche u. 6% Wasser. *Eiweiß-angereicherte M.* muß mind. 22% Eiweiß enthalten. *M.-Sahne (-Rahm)* erhält man durch Entrahmen von M. v. a. aus der Käseherstellung. Sie darf nach der Butter-VO [2] (§ 1) zur Herst. von Butter (nur dtsch. Molkereibutter, nicht dtsch. Markenbutter) verwendet werden. Den verbleibenden fettarmen Rest nennt man *Schotte*.

Zusammensetzung (s. Tab.):

Tab.: Zusammensetzung von Molke [g/100 g].

	Süßmolke	Sauermolke
Fett	0,8	0,05
Eiweiß	0,9	0,9
Lactose	0,4	3,8
Milchsäure	Spuren	0,8
Asche	0,6	0,75
Trockenmasse u. Vitamine	6,8	6,3

*Riboflavin wurde erstmals aus M. isoliert. Der *Nährwert ist mit 110 kJ/100 g angegeben. Genauere Angaben zur Zusammensetzung von M. sind *Lit.* [3–5] zu entnehmen. M.-Proteine (Zieger) sind diejenigen Proteine der *Milch, die durch Säuerung od. Lab-Zusatz ausgefällt werden können. Unterschieden werden die M.-Proteine nach ihrem Bildungsort. β-*Lactoglobulin, das in mehreren genet. Varianten nur in der Milch von Wiederkäuern vorkommt, u. α-*Lactalbumin werden in den Milchdrüsen gebildet, Serumalbumin u. *Immunglobuline treten dagegen aus dem Blut in die Milch über. Die M.-Proteine sind hitzelabil [6] u. können durch Denaturierung über einen Thiol-Disulfid-Austausch mit κ-Casein reagieren. Diese Reaktion schützt κ-Casein vor einem Angriff durch Chymosin (*Lab), so daß die Lab-Gerinnung erhitzter Milch verzögert ist.

Herst.: M.-Pulver wird entweder durch Voreindicken in Fallstromverdampferanlagen od. durch *umgekehrte Osmose auf 21–25% Trockenmasse eingestellt u. anschließend sprühgetrocknet. Entsalztes M.-Pulver erhält man durch Behandlung der M. mit *Ionenaustauschern od. *Elektrodialyse mit anschließender Trocknung. Die bei der Käseherst. anfallenden stark M.-belasteten Abwässer stellen aufgrund ihres hohen biolog. Sauerstoff-Bedarfs ein ökolog. Problem dar. Auswege aus dieser Situation zeigt *Lit.* [7] auf. M. kann auch ohne Konzentrierung für bestimmte Zeiträume mit *Kaliumsorbat [8] haltbar gemacht werden.

Verw.: Aus M. werden die oben genannten M.-Erzeugnisse hergestellt. Darüber hinaus können aus M. durch Ultrafiltration *Lactose [9], M.-Protein, M.-Permeat u. durch Fermentation *Milchsäure od. *Ethanol hergestellt werden. M. ist ein guter Ausgangsstoff zur Herst. von Viehfutter. In Notzeiten wurde M. zu einem

bierähnlichen Getränk (M.-Bier) vergoren. Die in der Milcherzeugnis-VO[1] (Anlage 1) genannten M.-Mischerzeugnisse (z. B. Mischung von M. mit Fruchtsaft) gewinnen zunehmend an Bedeutung. Sauer-M. findet als diätet. Lebensmittel Verwendung.
Ernährungsphysiolog. Bedeutung: M.-Proteine (v. a. α-Lactalbumin u. β-Lactoglobulin) können bei entsprechender Disposition bei Kindern zu Unverträglichkeitsreaktionen führen u. als *Allergene (s. a. Allergie) wirken. Die Antigenität kann durch techn. Maßnahmen[10–12] (enzymat. Hydrolyse mit *Trypsin, Hitzedenaturierung) deutlich verringert werden. M.-Protein ist als ernährungsphysiolog. hochwertig einzustufen u. wird deshalb in zunehmendem Maße zur Protein-Anreicherung anderen Lebensmitteln zugesetzt[13].
Analytik: M.-Protein kann in anderen Lebensmitteln immunolog.[14] nachgewiesen werden. Als „Leitsubstanz" zum Nachw. von M. eignet sich das durch Lab-Einwirkung aus κ-Casein entstehende Glykomakropeptid[15]. Zur Bestimmung der *Phosphatase-Aktivität in M. existiert eine *Methode nach § 35 LMBG (L 02.06–7 EG); zum Nachw. von *Vitamin C in M. s. *Lit.*[16]. – ***E*** whey – ***F*** (lacto) sérum, petit-lait – ***I*** siero del latte – ***S*** suero (lácteo)

Lit.: [1] VO über Milcherzeugnisse vom 15. 7. 1970 in der Fassung vom 23. 6. 1989 (BGBl. I, S. 1140, 1145). [2] Butter-VO vom 16. 12. 1988 in der Fassung vom 23. 6. 1989 (BGBl. I, S. 1140, 1146). [3] Souci, Fachmann u. Kraut, Die Zusammensetzung der Lebensmittel, Nährwerttabellen 5., Stuttgart: Wissenschaftliche Verlagsges. 1994. [4] J. Dairy Sci. **70**, 892–895 (1987). [5] Neth. Milk Dairy J. **41**, 485–498 (1988). [6] J. Food Sci. **52**, 1522 ff. (1987). [7] Int. J. Food Sci. Technol. **23**, 323–336 (1988). [8] J. Food Sci. **50**, 1629–1632 (1985). [9] Milchwissenschaft **42**, 782–786 (1987). [10] Food Technol. **41**, 118–121 (1987). [11] Br. J. Nutr. **51**, 29–36 (1984). [12] J. Food Sci. **53**, 1208–1211 (1988). [13] Getreide Mehl Brot **44**, 183–186 (1990). [14] Fleischwirtschaft **67**, 611–615 (1987). [15] Lebensmittelchem. Gerichtl. Chem. **40**, 15 f. (1986). [16] Z. Lebensm. Unters. Forsch. **181**, 107–110 (1985).
allg.: Belitz-Grosch (4.), S. 455, 458 f., 478, 486 f. ▪ Kallweit, Qualität tierischer Lebensmittel, S. 207 ff., 256, Stuttgart: Ulmer 1988 ▪ Kielwein, Leitfaden der Milchkunde u. Milchhygiene (3.), Berlin: Parey 1994 ▪ Wirths, Lebensmittel in ernährungsphysiologischer Bedeutung (3.), S. 133–137, Paderborn: Schöningh 1985 ▪ Ullmann (5.) **A 6**, 169; **A 8**, 240; **A 9**, 418 ff. ▪ Zadow (Hrsg.), Whey and Lactose Processing, Amsterdam: Elsevier 1992 ▪ Zipfel, C 273, C 276. – *[HS 0404 10]*

Molkensäure s. Orotsäure.

Mollicutes s. Mykoplasmen.

Mollusken (Mollusca = Weichtiere). Über italien.: mollusco = Weichtier von latein.: mollis = weich abgeleitete Bez. für eine große Gruppe der *Invertebraten, zu der die Schnecken, Muscheln u. Tintenfische gehören. Die meisten M. haben ein äußeres Skelett in Form von Stacheln od. Schalen, dessen Grundmasse aus *Conchagenen besteht; bei Tintenfischen befindet sich dieses im Inneren (sog. *Schulp*, s. Sepia-Schalen). Die Schalen abgestorbener M. können ganze geolog. Formationen bilden (*Muschelkalk*), s. die Tab. bei Erdzeitalter. Die *Perlen bestimmter Seemuscheln stammen von der Schalensubstanz. Verschiedene M. orientieren sich magnetotakt. mit Hilfe von *Magnetit-Krist. in ihrem Körper, die quasi als Kompaß wirken. Einige Meeresschnecken (z. B. Kegelschnecken) produzieren ein hochgiftiges Toxin (**Conotoxin*, ein Peptid aus 13 Aminosäuren, M_R ca. 1000), das in seiner Wirkung dem *Tetrodotoxin vergleichbar ist; ähnlich giftig ist das *Saxitoxin von Muscheln. Meeresschnecken der Aplysia-Familie (Seehasen) scheiden neben Halogen-haltigen Diterpenen, die wahrscheinlich aus der Algennahrung dieser M. stammen, physiolog. sehr unterschiedlich wirksame Stoffe aus (vgl. Aplysi...). Weinbergschnecken sezernieren ein *Lektin. Andererseits können M. Schadstoffe aus der Umwelt anreichern wie z. B. Arsen, Cadmium od. Kohlenwasserstoffe aus Erdöl-Verschmutzungen des Meeres. Landbewohnende Schnecken können oft erhebliche Fraßschäden an Pflanzen u. Früchten verursachen, während wasserbewohnende Arten nicht selten Zwischenwirte für infektiöse Parasiten bei Mensch u. Tier sind, z. B. bei der *Schistosomiasis od. Bilharziose. Zur Bekämpfung der Schadschnecken dienen *Molluskizide. Einige M., z. B. Austern u. Weinbergschnecken, sind gefragte Delikatessen, ebenso Miesmuscheln u. Tintenfische. – ***E*** molluscs – ***F*** mollusques – ***I*** molluschi – ***S*** moluscos

Lit.: Bogon, Landschnecken, Augsburg: Natur-Verl. 1990 ▪ Dönges, Parasitologie, 2. Aufl., Stuttgart: Thieme 1988 ▪ Teuscher u. Lindequist, Biogene Gifte, 2. Aufl., Stuttgart: Fischer 1994.

Molluskizide (von *Mollusken u. *...zid). Bez. für chem. Mittel zur Bekämpfung von Schnecken. Als Fraßschädlinge spielen Schnecken gegenüber anderen tier. Schädlingen nur eine untergeordnete Rolle. Sie können jedoch gelegentlich in großer Zahl auftreten u. erhebliche Schäden verursachen. Eine Weinbergschnecke kann z. B. in einer Nacht bis zu 200 cm^2 Kopfsalat verzehren. Zur Bekämpfung sind z. B. Ködermittel mit Wirkstoffen wie *Metaldehyd, *Methiocarb (Mercaptodimethur) od. Trimethacarb geeignet. Darüber hinaus dienen Schnecken einer Reihe von human- u. tierparasitären Würmern als Zwischenwirt. Ein bekanntes Beisp. sind die für die Bilharziose verantwortlichen Pärchenegel. Die von ihnen als Zwischenwirt benutzten Süßwasserschnecken können z. B. durch Bayluscid® [Wirkstoff: Clonitralid (s. Niclosamid)] bekämpft werden. – ***E*** = ***F*** molluscicides – ***I*** molluschicidi – ***S*** molusquicidas

Lit.: Farm ▪ Ullmann (5.) **A 16**, 649–653 ▪ Kirk-Othmer (3.) **18**, 302 ff.

Molmasse (molare Masse). Die (absolute) M. ist definiert als *Masse pro Stoffmenge (in *Mol); Symbol: M = m/n; Einheit: g/mol. Die Bez. „Molgew." (jargonmäßig: „Formelgew.") wird oft statt M. benutzt, ist aber im SI Gravitationskraft pro Stoffmenge, also M. multipliziert z. B. mit *Erdbeschleunigung g = 9,80665 m/s² (M · g; Einheit: kg m mol^{-1} s^{-2} = N/mol). Noch größere Begriffsverwirrung herrscht um die dimensionslose Größe *relative Mol(ekül)-, molare* od. *mol. Masse*; Symbole:

$M_R = M_r = M/M^0 = m_{Molekül}/m_u$

mit: $M^0 = M(^{12}C)/12 = 1$ g/mol = M. von 1/12 mol ^{12}C;

$m_u = m_a(^{12}C)/12 = 1{,}66054 \cdot 10^{-24}$ g = 1 Da = 1 u = *atomare Masseneinheit*, amu, m von 1/12 ^{12}C-Atom;

$M/m_{Molekül} = M^0/m_u = N_A$ = *Avogadro-Konstante

Die Größe M_R wird oft verkürzt als M. od. Mol.-Masse od. noch unkorrekter als Mol(ekül)-, Molekular-Gew. (MG), „Formelgew." u. dgl. benannt. Sogar die IUPAC wählt für ihr Standard-Tabellenwerk [1] die daher auch in diesem Werk bevorzugte Bez.*Atomgewichte (statt *relative Atommassen*=relative Atom-M.). Die (relative) M. entspricht der Summe der (relativen) M. der in der Mol.-Formel angegebenen Atome. Für Mol.-Gemische, z. B. *Fette und Öle, *makromolekulare Stoffe u. *Polymere, gibt man mittlere M. an (*Durchschnitts-M.;* Symbol: $\overline{M}$; vgl. Polymerisationsgrad); die mathemat.-physikal. Meth. der Mittelwertbestimmung muß angegeben werden, da die Meßwerte je nach Meth. etwas variieren. – ***E*** molar mass – ***F*** massa molaire – ***I*** masse molare – ***S*** masa molar

Lit.: [1] Pure Appl. Chem. **68**, 2339–2359 (1996).
allg.: s. Mol u. Molmassenbestimmung.

Molmassenbestimmung. Zur Bestimmung von *Molmassen M von *Molekülen existieren verschiedene Meth., die von Parametern abhängen wie Mol.-Größe, Aggregatzustand u. Löslichkeit. Dabei muß grundsätzlich zwischen Molmassen von niedermol. Verb. u. verschieden definierten Mittelwerten von höhermol. Verb. mit einer Massenstreuung unterschieden werden. Man bezeichnet in diesem Fall eine Molmasse als einheitlich, wenn der arithmet. Mittelwert der Molekülzahlverteilung gleich ist dem arithmet. Mittelwert der Molmasse. Je mehr beide Werte differieren, um so uneinheitlicher ist die Molmasse. Mit geeigneten Meth. u. Geräten lassen sich Molmassen bis ca. 10^6 *Dalton ausreichend genau bestimmen. „Klass." Meth. der M. beruhen bei Wahl geeigneter Bedingungen auf den Gesetzen für ideale Gase (s. Gasgesetz) u. ideale *Lösungen. In verd. Lsg. können anhand von 4 Eigenschaften, die sich mit der Konz. ändern, Molmassen bestimmt werden; dies sind osmot. Druck, Dampfdruck, Gefrierpunkt u. Siedepunkt. Diese Größen werden grundsätzlich von der Zahl der Teilchen (*kolligative Eigenschaften) u. nicht von ihrer Struktur bestimmt. Im folgenden werden die erwähnten klass. M.-Verf. beschrieben.

1. *Gas- u. Dampfdichte-Bestimmung:* Das sog. Litergew. (s. Liter) eines *Gases* bestimmt man im einfachsten Fall durch Differenzwägung eines evakuierten u. dann mit dem Meßgas gefüllten Gefäßes genau bekannten Volumens. Über den Zusammenhang der *Gasdichte (andere Bestimmungs-Meth. s. bei Gasdichte) u. der Molmasse durch Anw. der *Gasgesetze erhält man die Molmasse. Bei leicht u. *unzersetzt verdampfbaren flüssigen od. festen Stoffen* kann die von Victor *Meyer (1878) ausgearbeitete Dampfdichtebestimmungs-Meth. angewendet werden, die auf eine 1826 von *Dumas entwickelte M.-Meth. zurückgeht. Man wiegt etwa 0,5 g der Substanz genau ab, bringt sie (in der Regel in einer dünnwandigen, beim Herabfallen zerspringenden Ampulle eingeschlossen, s. Abb. 1 a) über die Auslösevorrichtung in das Verdampfungsrohr, erhitzt die Heizflüssigkeit zum Sieden (der Sdp. der Heizflüssigkeit muß etwas höher liegen als derjenige der Substanz), bis keine Gasblasen mehr durch das unter Wasser endende Ableitungsrohr entweichen, stülpt dann das ganz mit Wasser gefüllte Vol.-Meßrohr über die Mündung des Ableitungsrohrs u. läßt die Substanz durch Lösen der Auslösevorrichtung in das Verdampfungsrohr fallen, wo die Ampulle zerspringt u. die Substanz sofort verdampft. Die Dämpfe (die schwerer als Luft sein müssen) verdrängen ein gleich großes Luftvol. im Vol.-Meßrohr. Über die auf Normalbedingungen korrigierte Dampfdichte ergibt sich wiederum aus den Gasgesetzen die Molmasse. Weitere Dampfdichtebestimmungs-Meth. wurden von Regnault, Gay-Lussac, von Hofmann, Bunsen, Nernst, Stock u. Bodenstein ausgearbeitet u. wesentlich verbessert. Man kann heute in Spezialapparaturen schwerflüchtige Substanzen bei Temp. von bis zu 2000 °C verdampfen, hat die Empfindlichkeit bis auf 0,02% gesteigert u. kann in Ultramikroverf. schon an 1 µg Substanz die Dampfdichte ermitteln.

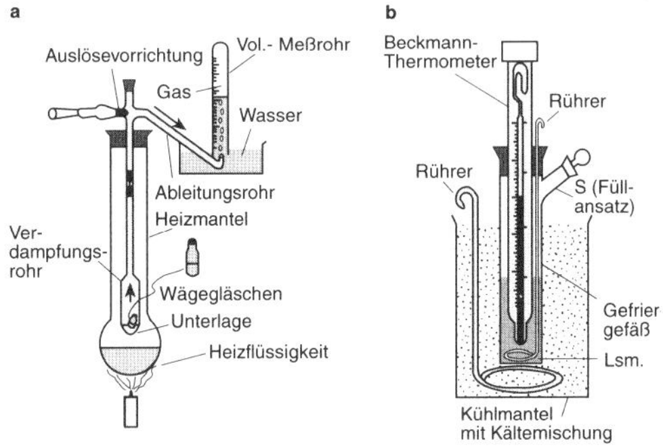

Abb. 1: Molmassenbestimmung mittels a) Gas- u. Dampfdichte-Bestimmung u. b) Kryoskopie.

2. *Kryoskopie* (von *Kryo... u. *...skop): Die Kryoskopie beruht auf der Messung der *Gefrierpunktserniedrigung* einer Lsg., die durch die Dampfdruckerniedrigung gegenüber dem reinen Lsm. verursacht wird. Dieser kolligative Effekt hängt nur von der Zahl der gelösten Teilchen ab. Für sehr verd. Lsg. gilt folgender Zusammenhang: $M_n = K \cdot c/1000\ \Delta Tg$ mit M_n = Zahlenmittel der Molmasse, c = Konz. in g pro kg Lsm., ΔTg = Gefrierpunktserniedrigung, K = kryoskop. Konstante. Die kryoskop. Konstanten (Einheit: $K\ kg^{-1}\ mol^{-1}$): auch *molare Gefrierpunktserniedrigung*, molale Depression) sind für viele Lsm. bekannt u. z. B. aus *Lit.* [1] zu entnehmen; einige Beisp. (in $K\ kg^{-1}\ mol^{-1}$): Wasser 1,86; Eisessig 3,9; Dimethylsulfoxid 4,07; Dioxan 4,63; Benzol 5,07; Naphthalin 6,90; Phenol 7,40; Cyclohexan 14,8; Campher 40,0.

Zur genauen Bestimmung der *Erstarrungspunkte benutzte man früher das sog. *Beckmann-Thermometer, das zwar nur 5–6° umfaßt, aber auf 0,001° genau abgelesen werden kann. Heute wird es durch die wesentlich empfindlicheren Thermistoren mehr u. mehr verdrängt. Das Beckmann-Thermometer taucht mit einem Rührer in ein Gefriergefäß (s. Abb. 1 b), das zunächst so viel reines Lsm. enthält, daß der untere, schwarz gezeichnete Quecksilber-Behälter des Thermometers ganz von ihm umgeben ist. Die Temp. der äußeren Kältemischung soll etwa 3° unter dem Gefrierpunkt des reinen Lsm. liegen. Man setzt nun den Rührer in Bewegung u. notiert, bei welcher Temp. die Kristallausscheidung erfolgt. Nachdem man das Lsm.

wieder hat auftauen lassen, führt man die genau gewogene Untersuchungssubstanz durch das seitliche Rohr S ein, löst sie auf u. bestimmt den neuen Gefrierpunkt, wobei man zweckmäßigerweise die Flüssigkeit 0,5 – 1° unter ihren Gefrierpunkt abkühlen u. erstarren läßt. Bei Salzen, Säuren u. Basen (Elektrolyten) ist die gefundene Gefrierpunktserniedrigung infolge der *elektrolytischen Dissoziation höher als die molare Konz. erwarten läßt. Bei der M.-Meth. nach Rast kann man mit Campher als Lsm. einfache u. schnelle M. (Fehlergrenze 5%) schon mit einem gewöhnlichen Thermometer in 15 – 20 min durchführen [2].

3. *Ebullioskopie* (von latein.: ebullire = hervorsprudeln u. *...skop). Diese nutzt den kolligativen Effekt der sog. *Siedepunktserhöhung* ΔT_s aus, d. h. die Tatsache, daß der Sdp. einer Lsg. durch gelöste Substanzen, deren *Dampfdruck gegenüber demjenigen des Lsm. vernachlässigt werden kann, erhöht ist. Die *molale Siedepunktserhöhung* (ebullioskop. Konstante in K kg^{-1} mol^{-1}) beträgt für Wasser 0,51 K kg^{-1} mol^{-1} (bei 1013 hPa) u. liegt bei organ. Lsm. höher; *Beisp.* (in K kg^{-1} mol^{-1}): Ethanol 1,19; Ether 2,10; Benzol 2,54; Ethylacetat 2,68; Toluol 3,33; Chlorbenzol 4,06; Tetrachlormethan 5,02. Allerdings sind diese Werte nicht ganz unabhängig vom M_R des gelösten Stoffes. Die Siedepunktserhöhung wird in ähnlichen Geräten wie die Gefrierpunktserniedrigung ermittelt, sie enthalten zusätzlich seitlich einen Rückflußkühler. Die Berechnung erfolgt nach der unter 2. (Kryoskopie) gegebenen Beziehung.

4. *Osmometr. Meth.:* a) *Membranosmometrie:* Das Prinzip der Membranosmometrie wird in Abb. 2 gezeigt.

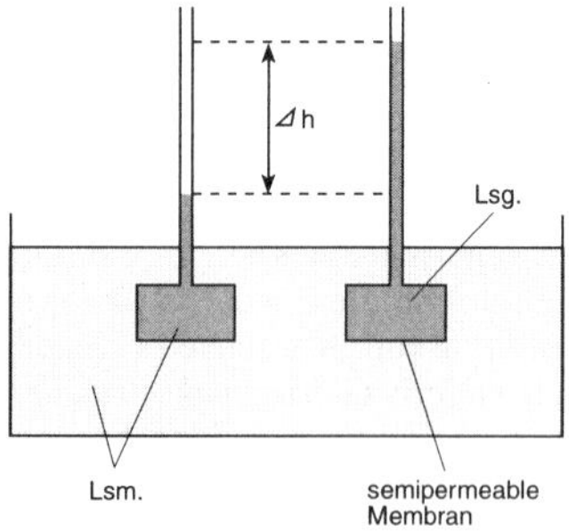

Abb. 2: Molmassenbestimmung mittels Membranosmometrie.

Die chem. Potentialdifferenz zwischen Lsg. u. Lsm. vergrößert das Vol. der Lsg. so lange, bis *hydrostat. Druck* Δh u. *osmot. Druck* gleich sind. Der Zusammenhang der mittleren Molmasse M_n u. des osmot. Druckes p wird durch die Beziehung $M_n = R \cdot T \cdot c/p$ mit R = allg. Gaskonstante, T = Temp., c = Konz. gegeben. Dieses sog. van't Hoffsche Gesetz gilt strenggenommen jedoch nur für unendlich verd. Lösungen. Um die Abweichungen in realen Lsg. zu berücksichtigen, entwickelt man den reduzierten osmot. Druck p/c in einer Potenzreihe

$$\frac{p}{c} = \frac{RT}{M_n} + A_2\,c + A_3\,c^2 + \ldots,$$

die den zweiten u. dritten Virialkoeff. A_2 u. A_3 enthält. In vielen Fällen können für die Auswertung das 3. u. alle höheren Glieder der Reihenentwicklung vernachlässigt werden. Durch Auftragung der bei verschiedenen Konz. c gemessenen reduzierten osmot. Drücke p/c gegen die Konz. c wird dann eine Gerade erhalten. Extrapolation dieser Geraden auf c = 0 ergibt einen y-Achsenabschnitt von RT/M_n, während die Steigung der Geraden den 2. Virialkoeff. des osmot. Druckes A_2 liefert. Gerade bei sehr hochmol. Stoffen in guten Lsm. ist allerdings vielfach zumindest das 3. Glied obiger Potenzreihenentwicklung nicht mehr zu vernachlässigen. Dies gibt sich durch eine Krümmung der Kurve p/c gegen c zu erkennen. In diesen Fällen führt die lineare Extrapolation von p/c auf c = 0 zu ungenauen od. völlig fehlerhaften Werten für M_n.

Für die M. stehen Geräte zur Verfügung, die vollautomat. das Meßergebnis innerhalb 2 min auf Knopfdruck digital anzeigen. Die Meßzelle ist durch eine semipermeable Membran in zwei Hälften geteilt. Die Druckdifferenz wird über eine Metallmembran elektron. bestimmt; dieses kapazitive Drucksyst. erfaßt Vol.-Änderungen von 1 nL. Ein elektron. geregelter Thermostat erlaubt die Bestimmung von Substanzen, die im Bereich von 5 – 130 °C lösl. sind. Die Membranosmometrie ist eine schnelle u. einfache Meth. für M_R von $10^4 - 10^6$ Dalton.

b) *Dampfdruck-Osmometrie:* Sie nutzt den *Dampfdruckunterschied* zwischen einer Lsg. u. dem reinen Lsm. zur M.; das Meßprinzip ist in Abb. 3 dargestellt.

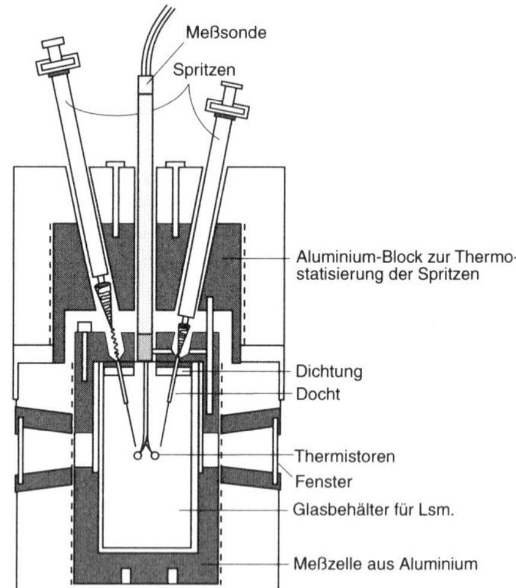

Abb. 3: Molmassenbestimmung mittels eines Dampfdruckosmometers.

In einer thermostatisierten mit Lsm.-Dampf gesätt. Meßzelle werden an zwei gepaarte Thermistoren Lsm.-Tropfen angebracht. Bei reinem Lsm. ist die Temp.-Differenz gleich Null. Wird ein Tropfen durch Lsg. ersetzt, so kondensiert infolge des niedrigeren Dampfdruckes an dessen Oberfläche so lange Lsm., bis der Dampfdruck des Tropfens mit dem des reinen Lsm. in der Zelle im Gleichgew. steht. Infolge der freiwerdenden Kondensationsenthalpie stellt sich eine Temp.-Differenz zwischen den beiden Thermistoren ein, die zur M. herangezogen wird. Dazu wird die experimentell für verschiedene Konz. c an Gelöstem bestimmte Temperaturdifferenz ΔT von Lsm.- u. Lösungstropfen durch die Konz. c u. eine zuvor an Eichsubstanzen bestimmte Geräte- u. Systemkonstante K dividiert. Die so erhaltenen Werte $\Delta T/Kc$ werden als Funktion der Konz. c in einem Diagramm aufgetragen. Die Gleichung für die erhaltene Gerade lautet

$$\frac{\Delta T}{Kc} = \frac{1}{M_n} + A_2\,c,$$

so daß der y-Achsenabschnitt der auf c=0 extrapolierten Geraden unmittelbar den Kehrwert der Molmasse angibt, während die Steigung der Geraden den 2. Virialkoeff. A_2 liefert.

5. *Weitere Meth.:* Zur M. können grundsätzlich alle Eigenschaften herangezogen werden, die von der Molmasse abhängen. Es wurden eine Reihe von Meth. entwickelt, die teilw. in Einzelstichwörtern beschrieben sind u. hier nur erwähnt werden sollen. Genaueste M. bei geringstem Substanzbedarf erlaubt die *Massenspektrometrie. Hochauflösende doppelfokussierende Sektorfeldgeräte gestatten dabei zusätzlich die Ermittlung der elementaren Zusammensetzung u. damit der *Bruttoformel. Erlaubte hierbei die sog. Elektronenstoßionisation bisher nur die Untersuchung niedermol. organ. Mol., so erschließen neue Ionisierungsverf. diese Meth. auch für biolog. Makromol. mit M_R von etlichen Hunderttausend. Die *Viskosimetrie erlaubt neben der M. Aussagen über Mol.-Form u. andere Eigenschaften von Polymeren. Durchschnittsmolmassen u. Molmassenverteilung bei Polymeren werden durch Ultrazentrifugierung u. Gelpermeation (s. Gelchromatographie) bestimmt. Weiterhin seien erwähnt die isotherme Dest. (Meth. der *isopiestischen Lösungen), Meth. der *Lichtstreuung, der Röntgen- u. Laserkleinwinkelstreuung usw. Die M. von Kolloiden kann u.a. über die barometr. Höhenformel (s. Sedimentation) erfolgen. – ***E*** molar mass determination – ***F*** détermination des masses molaires – ***I*** determinazione della masse molare – ***S*** determinación de masas molares

Lit.: [1] Handbook **56**, D 75. [2] J. Chem. Educ. **35**, 355 ff. (1958). *allg.:* Chem. Labor Betr. **31**, 232–236 (1980) ▪ Endeavour NS **8**, 17–20 (1984) ▪ Geckeler u. Eckstein, Analytische u. Präparative Labormethoden, S. 407–428, Braunschweig, Vieweg 1987 ▪ Helv. Chim. Acta **67**, 1972–1988 (1984) ▪ Houben-Weyl **3/1**, 327–448 ▪ Kirk-Othmer **13**, 210 ff. ▪ Winnacker-Küchler (3.) **5**, 7–9.

Molmassenverteilung (Molekulargewichtsverteilung). Die meisten, auch die chem. einheitlichen *Polymere sind aus *Makromolekülen aufgebaut, deren *Polymerisationsgrade u. damit auch Molmassen über einen mehr od. weniger breiten Bereich verteilt sind. Art u. Breite dieser M., d.h. die *Polydispersität*, sind u.a. abhängig von Faktoren wie Polymerisationsbedingungen u. -verf. sowie den bei der Isolierung u. Reinigung der Polymeren angewandten Methoden; zu den einzelnen Typen der M. wie Gauß-, Normal-, Schulz/Zimm-, Schulz/Flory- od. Poisson-Verteilung, die die Polymer-Eigenschaften mitbestimmen, s. Elias (*Lit.*). Ausnahmen bilden nur wenige bei Biosynth. anfallende natürliche Polymere (Enzyme, Nucleinsäuren) u. solche, die durch schrittweisen Polymer-Aufbau (s. Merrifield-Technik) dargestellt werden. In diesen Fällen weisen alle Makromol. einer Probe exakt die gleiche Molmasse auf, weshalb sie als *monodispers* bezeichnet werden. Polymere mit einer äußerst engen M. können darüber hinaus nach speziellen Polymerisationsverf. (s. lebende Polymere) gewonnen werden. Auch diese werden bisweilen als monodispers bezeichnet, was allerdings nicht ganz korrekt ist.

Die Bestimmung der M. kann nach Verf. erfolgen, die Molmassen-abhängige Eigenschaften der Makromol. ausnutzen, wie differierende Löslichkeiten (Lösungs-, Fällungsfraktionierungen), unterschiedliche Sedimentationsgeschw. im Schwerefeld (Sedimentationsanalysen, Ultrazentrifuge) od. Affinitäten zu unterschiedlichen Oberflächen (Affinitätschromatographie). Weitere Möglichkeiten zur Bestimmung der M. sind die Größenausschluß- od. Gelpermeations-Chromatographie (GPC) u. die Dünnschichtchromatographie. – ***E*** molar mass distribution – ***F*** distribution des masses molaires – ***I*** distribuzione delle masse molari – ***S*** distribución de las masas molares

Lit.: Compr. Polym. Sci. **3**, 239–244; **5**, 47–62 ▪ Elias (5.) **1**, 56–125.

Molotowcocktail. Erstmals im 2. Weltkrieg von sowjet. Einheiten benutzte primitive *Brandwaffe, welche aus einer mit Benzin u. Phosphor gefüllten gläsernen Flasche bestand, die beim Aufprall z.B. auf gepanzerten Fahrzeugen u. Bauwerken zerbarst u. diese in Brand setzte. Als einfacherer Zündmechanismus kann auch eine brennende Lunte dienen. – ***E*** Molotov cocktail – ***F*** coktail Molotov – ***I*** bottiglia molotov – ***S*** cóctel Molotof

Moloxide. Veraltete Bez. für Produkte, die nach Aufnahme von 1 Mol Sauerstoff durch eine organ. Verb. primär isoliert werden u. oft unbekannter Konstitution sind. Meist handelt es sich um *Hydroperoxide od. deren Umlagerungsprodukte, die bei der *Autoxidation entstehen; s.a. Peroxide. – ***E*** moloxides – ***F*** moloxydes – ***I*** molossidi – ***S*** molóxidos

Molozonide s. Ozonisierung.

MOLPRO. Weltweit verwendetes Programmsyst. für genaue quantenchem. Berechnungen von Mol.-Eigenschaften. In der aktuellen Version MOLPRO97 sind u.a. folgende Meth. implementiert: *Hartree-Fock-Verfahren, *Dichtefunktionaltheorie, *Pseudopotentiale, *MCSCF-Verfahren u. *CASSCF, *Störungstheorie, *Coupled-Cluster, *Configuration Interaction, lokale Korrelations-Meth., *MR-CI u. analyt. Energiegradienten. MOLPRO97 erlaubt die automat. Optimierung von Gleichgew.-Geometrien u. Übergangszuständen, die Berechnung von Schwingungsfrequenzen u. Intensitäten, thermodynam. Eigenschaften, elektron. angeregten Zuständen, elektron. Übergangsmomenten, nichtadiabat. Wechselwirkung u. Spin-Bahn-Wechselwirkung.

Molrefraktion s. Refraktion.

Molrotation (molare opt. Rotation, molares opt. Drehvermögen). Kurzbez. für das Produkt aus spezif. Drehung $[\alpha]$ einer Substanz (SI-Einheit: rad · m^2 · kg^{-1}; s.

optische Aktivität) u. ihrer Molmasse M: $[\Phi] = [\alpha] \cdot M$. Nach IUPAC ist der Ausdruck „molecular rotation" ebenso inkorrekt wie das Symbol [M], an dessen Stelle $[\Phi]$ od. α_m verwendet werden soll. Die SI-Einheit von $[\Phi]$ ist rad · m^2 · mol^{-1}. In der chem. Lit. wird jedoch traditionell das Symbol [M] u. die (fast nie angegebene) SI-widrige Einheit Grad · L · mol^{-1} · m^{-1} verwendet, so wie für $[\alpha]$ bei fehlender Angabe die alte Einheit Grad · cm^3 · g^{-1} · dm^{-1} vorauszusetzen ist. Die Beziehung zwischen M. u. spezif. Drehung lautet daher im alten Syst. $[M] = [\alpha] \cdot M \cdot 0{,}01$. Die Temp. T u. die Wellenlänge λ des zur Messung verwendeten Lichts werden als Indizes angegeben: $[\phi]^T_\lambda$ bzw. $[M]^T_\lambda$. Die M. erleichtert den Vgl. der spezif. Rotation von organ. Verb., da sie von der *Anzahl* der Mol. aufgrund der molaren Basis unabhängig ist. – ***E*** molar rotation, molar optical rotatory power – ***F*** rotation molaire – ***I*** rotazione molare – ***S*** rotación molar

Lit.: s. optische Aktivität, Steroide.

Molsidomin (Rp).

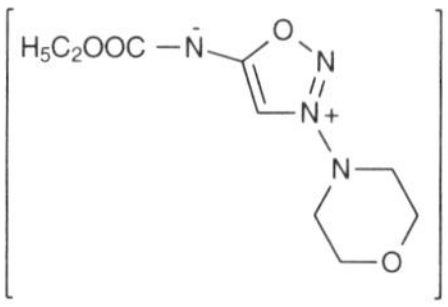

Internat. Freiname für den koronaren *Vasodilatator *N*-(Ethoxycarbonyl)-3-morpholinosydnonimin, $C_9H_{14}N_4O_4$, M_R 242,23; Schmp. 140–141 °C; λ_{max} (CH_3OH) 228, 316 nm ($A^{1\%}_{1cm}$ 580, 580); LD_{50} (Maus i.p., s.c., i.v., oral) 700, 750, 800, 830 mg/kg. M. wurde 1970 u. 1973 von Takeda patentiert u. ist als Generikum im Handel. – ***E*** = ***F*** molsidomine – ***I*** = ***S*** molsidomina

Lit.: Beilstein E V **27/33**, 260 ▪ Hager (5.) **8**, 1027 ff. ▪ Martindale (31.), S. 912 ▪ Molsidomin (2. Bd.), München: Urban & Schwarzenberg 1979, 1983. – *[HS 2934 90; CAS 25717-80-0]*

Molsuszeptibilität s. Magnetochemie.

Moltopren®. Anfang der 40er Jahre bei Bayer entwickelter leichter (Rohdichte 12–120 kg/m^3) Polyurethan-Schaumstoff, der durch Polyaddition von *Desmophen® (höhermol., bifunktionelle Alkohole) an *Desmodur® (Toluylendiisocyanat TDI) unter Zusatz von *Desmorapid® (Aktivator) u. a. Hilfsstoffen (z. B. Farbpasten) entsteht; Näheres s. bei Polyurethane. Je nach Kombination der Grundstoffe kann weiches bis halbhartes u. hartes M. mit unterschiedlichen Dichten, Farben, Porengrößen u. a. mechan. Eigenschaften erzeugt werden.

Verw.: Als Polster-, Verpackungs- u. Isoliermaterial in der Möbel-, Textil- u. Verpackungs-Ind., im Fahrzeug- u. Flugzeugbau, für Haushalts- u. techn. Artikel usw. M.-Abfälle werden in Form von Flocken als Füllmaterial verwendet od. zu Verbundmaterial für Matten u. dgl. verarbeitet. ***B.*** *(für M.-Rohstoffe):* Bayer.

Molvenin®. Schlichtmittel (M. 848) u. Schlichtmittel-Compounds (M.-ANS-Serie) auf der Basis von Galactomannanen für die Webereivorbereitung. ***B.:*** Grünau.

Molvolumen. Bez. für das Vol., das 1 *Mol eines *Gases bei 0 °C u. 1013 mbar Druck einnimmt. Bei *idealen Gasen* nimmt man das M. zu 22,4136 L an, doch liegen die gemessenen M. meist niedriger, z. B. für NH_3 (22,094 L), Ethylen (22,246 L), Cl_2 (22,063 L), O_2 (22,392 L), H_2 (22,432 L). Im Vgl. zum M. bezieht sich das *Atomvolumen auf den bei 0 K eingenommenen Raum eines Elements u. hat völlig andere numer. Werte; s. a. Nullpunktsvolumen. – ***E*** molar volume – ***F*** volume mol(écul)aire – ***I*** volume molecolare – ***S*** volumen molar

Molwärme. Bez. für die *molare Wärmekapazität* C (in J K^{-1} mol^{-1}), d. h. diejenige Wärmemenge, die einem *Mol irgendeines Stoffes zugeführt werden muß, damit seine Temp. um 1° steigt. Analog zur *Atomwärme erhält man die Molwärme durch Multiplikation der *spezifischen Wärmekapazität c mit der *Molmasse. Die z. B. durch *Kalorimetrie bestimmbare M. ist Temp.-abhängig u. besitzt außerdem bei konstantem Druck [als $C_p = (\partial H/\partial T)_p$] einen höheren Wert als bei konstantem Vol. [als $C_v = (\partial U/\partial T)_v$]; eine Ausnahme stellt z. B. flüssiges Wasser zwischen 0 u. 4 °C dar. Außerdem bestehen folgende Beziehungen: Bei *idealen *Gasen* sind $C_p - C_v = R$ (R = *Gaskonstante) u. der Quotient $c_p/c_v = C_p/C_v = \gamma$ (früher κ) bei einatomigen Gasen ca. 1,67, bei zweiatomigen ca. 1,40 u. bei mehratomigen ca. 1,33. Dieses charakterist. Verhältnis läßt sich nach Nicolas Clément-Desormes (1779–1842) durch adiabat. Kompression der Gase nach Entspannung bestimmen.

Aus der kinet. Gastheorie ergibt sich ein Anhaltspunkt für die Größe der M. idealer Gase; die mittlere kinet. Energie je *Freiheitsgrad* (Bewegungsmöglichkeiten der Teilchen im Raum) beträgt 1/2 R · T · mol^{-1} für die Translations- u. Rotationsbewegung u. R · T · mol^{-1} für die Schwingung. Zusammen mit der obigen Beziehung zwischen innerer Energie U u. C_v ergeben sich folgende Werte für 1-atomige Gase (3 *Translations-Freiheitsgrade) $C_v = 3/2\,R$ (≈ 12,47 J K^{-1} mol^{-1}), für 2-atomige od. mehratomige, aber gestreckte (nicht gewinkelte) Gasmol. (3 Translations- u. 2 *Rotations-Freiheitsgrade) $C_v = 5/2\,R$ (≈ 20,78 J K^{-1} mol^{-1}), für mehr als 2-atomige Gasmol. mit nichtgestrecktem, also gewinkeltem Mol.-Bau (3 Translations- u. 3 Rotations-Freiheitsgrade) $C_v = 3\,R$ (≈ 24,94 J K^{-1} mol^{-1}). Abweichungen von diesen Gesetzmäßigkeiten ergeben sich nicht nur bei *realen Gasen*, sondern bei höheren Temp. auch bei idealen wegen des Hinzutretens von *Schwingungs-Freiheitsgraden. Bei *Festkörpern* sind nur noch Schwingungen in den 3 Raumkoordinaten möglich, u. daher findet man hier bei den Elementen $C_v = 3\,R$ in guter Übereinstimmung mit der 1819 aufgestellten *Dulong-Petitschen Regel* (vgl. Atomwärme), die den etwas höheren C_p-Wert liefert. Nach einer von F. E. *Neumann (1831) u. Kopp (1864) erkannten Gesetzmäßigkeit *(Neumann-Koppsche Regel)* setzen sich die M. fester Verb. aus den Atomwärmen der Komponenten additiv zusammen; *Beisp.:* PbO (C_p ≈ 47,50 J K^{-1} mol^{-1}), CuS (C_p ≈ 49,80 J k^{-1} mol^{-1}). Demgegenüber konnten bei Flüssigkeiten keine ähnlich übersichtlichen Beziehungen formuliert werden. – ***E*** molar heat capacity – ***F*** chaleur mol(écul)aire – ***I*** capacità termica molare – ***S*** calor molar

Lit.: s. Thermodynamik.

Molybdän (von griech.: mólybdos = Blei). Metall. Element, chem. Symbol Mo, Ordnungszahl 42, Atomgew. 95,94. Natürliche Isotope (Häufigkeit in Klammern): 92 (15,86%), 94 (9,12%), 95 (15,70%), 96 (16,50%), 97 (9,45%), 98 (23,75%), 100 (9,62%); Mo bildet ferner 13 künstliche Isotope mit HWZ zwischen 40 s u. mehr als 100 a, von denen ^{99}Mo (HWZ ca. 67 h) bzw. das hieraus entstehende ^{99m}Tc (HWZ 6 h) als γ-Strahler in der Medizin Verw. findet. Mo tritt in den Oxid.-Stufen –4, –2, –1, 0, +1, +2, +3, +4, +5 u. +6 auf, wobei die Mo(VI)-Verb. in Übereinstimmung mit der Stellung im *Periodensystem (6. Gruppe zwischen *Chrom u. *Wolfram) am beständigsten sind; die formal neg. Oxid.-Stufen werden bei den hochreduzierten Carbonylkomplexen $[Mo(CO)_4]^{4-}$, $[Mo(CO)_5]^{2-}$ u. $[Mo_2(CO)_{10}]^{2-}$ gefunden [1]. Die Verb. sind meist farbig, was die Ähnlichkeit mit dem verwandten Chrom betont. Anders als dieses, aber ähnlich wie Wolfram, neigt Mo zur Bildung von *Hetero- u. *Isopolysäuren. Mo ist hart, spröde u. zinnweiß, kristallisiert kub. raumzentriert (α-W-Typ), D. 10,28, Schmp. 2620 °C, Sdp. 4685 °C (Angaben von 1980 schwanken von 3700 °C bis 5560 °C), H. 5,5, Zugfestigkeit je nach Vorbehandlung 700–1800 MPa. Beim Erhitzen an der Luft bilden sich an der Mo-Oberfläche blaue, festhaftende u. schützende Oxid-Schichten, über 600 °C bildet sich schnell *Molybdäntrioxid. Mo löst sich in Salpetersäure, konz. Schwefelsäure u. Königswasser, nicht aber in Salzsäure, verd. Schwefelsäure, Flußsäure, Kalilauge usw.; von Halogenen u. Alkalihydroxid-Schmelzen in Ggw. von Oxid.-Mitteln (z.B. Nitrat) wird es angegriffen. Mit Al, W, Pb, Fe, Ni, Mn, Cr u. vielen anderen Metallen ist es leicht legierbar. Reines Mo hat große Festigkeit auch bei hohen Temp.; es ist etwas weicher als Stahl u. hämmerbar, die Wärmeleitfähigkeit ist etwa doppelt so groß wie bei Stahl. Man kann Mo zu Blechen, Drähten, Stäben, Röhren usw. verarbeiten. Das Mo(VI)-oxid subl. oberhalb 800 °C; um Mo auch oberhalb dieser Temp. techn. verwendbar zu machen, kann man es mit einer Al-Cr-Si-Schicht überziehen od. durch Legieren mit Si (durch katalyt. Red. von $SiCl_4$ mit H_2 oberflächliche Bildung von $MoSi_2$) gegen Oxid. bis 1800 °C schützen.

Physiologie: Mo ist ein *essentielles Spurenelement. Es ist als schwerstes der von Pflanzen benötigten Elemente Bestandteil der Enzyme *Nitrogenase u. *Nitrat-Reduktase, die bei der *Stickstoff-Fixierung durch Blaualgen u. *Knöllchenbakterien u. bei der Nitrat-Assimilation u. -Dissimilation in grünen Pflanzen u. Bakterien beteiligt sind. Daher ruft das Fehlen von Mo bei verschiedenen Höheren Pflanzen Mangelkrankheiten hervor. Mo-Düngung bewirkte in einigen Ländern beträchtliche Ertragssteigerungen. In tier. Organismen wirken organ. Mo-Verb. als Atmungskatalysatoren, z.B. in Xanthin-Oxidase (katalysiert den Purin-Abbau), Leber-Aldehydoxidase, Sulfit-Oxidase u. Formiat-Dehydrogenase. Der menschliche Körper enthält ca. 8–10 mg Mo; von der WHO wird eine tägliche Zufuhr von 2 µg Mo pro kg Körpergew. als ausreichend angesehen. Die Aufnahme größerer Mo-Mengen führt bei Tieren zu Durchfall u. Wachstumshemmungen; Cu kann die Mo-Wirkung verhindern. Mo begünstigt die Fluorid-Einlagerung im Zahnschmelz u. trägt somit zum Schutz vor *Karies bei. In der BRD werden Mo-Verb. MAK-Werte von 5 mg/m³ (lösl. Verb.) bzw. 15 mg/m³ (unlösl. Verb.) zugeordnet.

Nachw.: Zur Spurenanalyse von Mo in tier. u. pflanzlichem Gewebe s. Abbasi (*Lit.*[2]). In anderen Syst. eignen sich zum Nachw. des Mo die *Molybdänblau-Reaktion u. die Bildung von gelben Kalium- bzw. Ammoniummolybdatophosphaten, $M_3[PO_4(Mo_3O_9)_4]$, od. Bleimolybdat sowie die Reaktion mit *Karminsäure, *8-Chinolinol, *Phenylfluoron, α-Benzoinoxim (s. Cupron); elektrochem. u. spektroskop. Bestimmungs-Meth. s. *Lit.*[3–5].

Vork.: Mo gehört zu den selteneren Elementen; sein Anteil an der obersten, 16 km dicken Erdrinde wird auf nur 1–1,5 ppm geschätzt. Damit steht es in der Häufigkeitsliste der Elemente an 38. Stelle; ähnliche Häufigkeit haben Blei, Gallium u. Thorium. In den mitteldtsch. Böden liegt der Gehalt an Oxalsäure-lösl. Mo zwischen 0,06 u. 1,40 ppm. Die wichtigsten Mo-Mineralien sind *Molybdänit* od. *Molybdänglanz* (MoS_2, s. Molybdändisulfid), als Neubildung daraus *Powellit ($CaMoO_4$) u. *Wulfenit ($PbMoO_4$). Ein manchmal neben Molybdänit vorkommendes Mineral ist *Ferrimolybdit* [$Fe_2(MoO_4)_3 \cdot 8\,H_2O$]. Reiche, abbauwürdige Mo-Vork. sind ziemlich selten; die meisten der heute abgebauten Erze enthalten nur etwa 0,25–0,5% Mo-Sulfid. Das größte Mo-Lager befindet sich in Colorado (Climaxgrube in präkambr. Graniten, Vorrat etwa 85 Mio. t Erze; nach anderen Schätzungen 300 Mio. t). Europas größtes Mo-Lager besitzt Norwegen (Knabendistrikt bei Stavanger); kleinere dtsch. Mo-Lager gibt es in Oberbayern. Die Weltreserven, berechnet als Mo-Metall, wurden 1989 auf 6,0 Mio. t geschätzt. Davon entfielen auf die USA 45,4%, Chile 20,8%, Kanada 7,7%, Peru 1,9%, Mexiko 1,9% (*Lit.*[6]).

Herst.: Der stark mit Gangart verunreinigte Molybdänglanz wird durch Flotation auf etwa 80–90% angereichert u. durch Abrösten in *Molybdäntrioxid übergeführt; dieses kann mit H_2 od. NH_3 zum Metall reduziert werden; Näheres s. bei Kirk-Othmer, Ullmann u. Winnacker-Küchler (*Lit.*). Für die Stahlveredlung wird meist das leichter zugängliche *Ferromolybdän hergestellt; zur labormäßigen Mo-Herst. s. *Lit.*[7].

Verw.: Der Mo-Bedarf der westlichen Welt lag in der Mitte der 90er Jahre bei knapp unter 90000 t pro Jahr. Davon wurden 15% für Chemikalien (Mo-Verb.), 6% für Gußeisen, 33% für Baustahl, 31% für Edelstahl, 7% für Werkzeugstahl u. 8% für Superleg. od. als reines Mo verwendet. Ein Zusatz von 0,3% Mo erhöht bei Gußeisen Festigkeit u. Zähigkeit, bei vielen Stahlsorten die Korrosionsbeständigkeit. Ein rostfreier *Molybdän-Stahl* kann z.B. aus 0,4–3,5% Mo, 0,25–0,6% Cu, 0,15–0,5% Mn, 0,3% Si u. 0,05–0,6% Cr (Rest Eisen) bestehen; in Schnelldrehstählen kann der Mo-Gehalt bis 14,5% betragen. Mo dient zur Herst. hochwarmfester *Superlegierungen. Mo-reiche Leg. widerstehen konz. HCl. Bei vielen organ.-chem. Prozessen ist MoO_3 als Katalysator verwendbar, so z.B. beim Reforming-Verf., bei der Herst. von Phthalsäureanhydrid aus Naphthalin, von Maleinsäureanhydrid aus Benzol, von Anthrachinon aus Anthracen. MoS_2 ist als Katalysator für Hydrodesulfurierung u. Hydrodenitrogenierung in Gebrauch. Mo-Verb. werden z.B. als Pigmente, Rea-

genzien, Schmierstoffe, Katalysatoren, Korrosionsinhibitoren, keram. Hilfsmittel, Flammschutzmittel für Polyolefine, Spurenelementdünger u. dgl. eingesetzt. Mo-Boride, -Carbide u. -Silicide haben Gleichrichter-Eigenschaften; Peroxomolybdate sind starke, explosive Oxid.-Mittel, Mo-Heteropolysäuren wie Molybdatophosphorsäure wirken fällend auf Eiweißstoffe u. organ. Basen. Die techn. wichtigsten Mo-Verb. sind Molybdäntrioxid, Natriummolybdat (Na_2MoO_4), Ammoniummolybdat u. Molybdändisulfid. Die Weltproduktion an Mo ist stark vom Stahlmarkt abhängig; sie betrug 1993 110000 t. Davon entfielen 37000 t auf die USA, 16000 t auf China, 15000 t auf Chile, 10000 t auf Kanada, 5000 t auf Rußland u. 2700 t auf Peru.
Geschichte: Die griech. Bez. molýbdaina (latein.: molybdaena) wurde schon von Plinius u. Dioskurides auf allerlei Blei-ähnlich abfärbende Stoffe (Bleiglanz, Blei, später auch auf Graphit u. Molybdänglanz) angewendet. Scheele entdeckte 1778, daß man aus Molybdänglanz („Wasserblei") im Gegensatz zum ähnlichen, oft damit verwechselten Graphit mit Hilfe von Salpetersäure ein weißes Oxid (Molybdäntrioxid) abscheiden könne; aus diesem Oxid stellte Hjelm 1781 erstmals elementares Mo her. – ***E*** molybdenum – ***F*** molybdène – ***I*** = ***S*** molibdeno

Lit.: [1] Adv. Organomet. Chem. **31**, 1–51 (1990). [2] Int. J. Environ. Anal. Chem. **10**, 305–308 (1981). [3] Fries-Getrost, S. 239–250. [4] Pure Appl. Chem. **54**, 787–806 (1982). [5] Townshend, Encyclopedia of Analytical Science, S. 3286–3294, Oxford: Academic Press 1995. [6] Mineral Commodity Summaries 1990, Washington D. C.: US Bureau of Mines 1990. [7] Brauer (3.) **3**, 1530.
allg.: Coughlan, Molybdenum-Containing Enzymes, Oxford: Pergamon 1980 ▪ Gmelin, Syst.-Nr. 53, Mo, 1935, Erg.-Bd. 1975–1990 ▪ Kirk-Othmer (4.) **16**, 925–962 ▪ Mitchell u. Sykes, Chemistry and Uses of Molybdenum, Oxford: Pergamon 1986 ▪ Parker, Analytical Chemistry of Molybdenum, Berlin: Springer 1983 ▪ Ullmann (5.) **A 16**, 655–698. – *Dokumentation u. Lit.-Dienst:* Cyprus Climax Metals GmbH, 40212 Düsseldorf. – *[HS 8102 10, 8102 91, 8102 92, 8102 93, 8102 99; CAS 7439-98-7]*

Molybdänblau. Tiefblaue, kolloidale Lsg., die bei der Red. angesäuerter *Molybdat-Lsg. mit Sn(II)-Salzen, Zn, H_2S, SO_2, Hydrazin od. anderen Red.-Mitteln entstehen (empfindliches Nachw.-Verf. für Mo). Die Färbung ist auf die gleichzeitige Anwesenheit von Mo(IV) u. Mo(VI) in M. $[(MoO_{3-x}(OH)_x]$ zurückzuführen (gemischtvalente Verb.); die genaue Zusammensetzung ist nicht bekannt. Man geht jedoch von einem Gemisch von Mehrkernkomplexen aus; einige relevante Vertreter, z. B. ein wasserlösl., reifenförmiges Polyanion mit 154 Mo-Atomen von blauschwarzer Farbe [1], sind bekannt. – ***E*** molybdenum blue – ***F*** bleu de molybdène – ***I*** blu molibdeno – ***S*** azul de molibdeno

Lit.: [1] Angew. Chem. **107**, 2293 ff. (1995).
allg.: Kirk-Othmer (4.) **16**, 942 f. ▪ Ullmann (5.) **A 16**, 678. – *[HS 282570]*

Molybdäncarbonyl s. Molybdänhexacarbonyl.

Molybdänchloride. (a) *Molybdänpentachlorid*, $MoCl_5$, M_R 273,21; tief dunkelgrüne, fast schwarze Krist., D. 2,928, Schmp. 194 °C, Sdp. 268 °C, MAK 5 mg/m³. $MoCl_5$ leitet den Strom in geschmolzenem Zustand nicht, ist in festem Zustand dimer, zersetzt sich mit Wasser lebhaft zum Oxidchlorid $MoOCl_3$ u. katalysiert die Chlorierung von aromat. Verbindungen. Aryl- u. Alkyl-Grignard-Verb. lassen sich mit $MoCl_5$ in die entsprechenden Diaryl- bzw. Dialkyl-Verb. überführen.
(b) *Molybdäntetrachlorid* $MoCl_4$, M_R 237,75; braunrotes, leicht flüchtiges Pulver, Oxid.- u. Hydrolyse-empfindlich, kann bei höheren Temp. sublimiert werden.
(c) *Molybdäntrichlorid*, $MoCl_3$, M_R 202,30; dunkelrotes, krist. Pulver, trimer, D. 3,578, in Wasser u. Salzsäure unlösl., MAK 15 mg/m³.
(d) *Molybdändichlorid* $MoCl_2$, M_R 166,85; gelbes, in Wasser unlösl., in Alkohol u. Ether lösl. Pulver, D. 3,714, liegt als hexamerer Komplex $[Mo_6Cl_8]Cl_4$ vor, MAK 15 mg/m³. – ***E*** molybdenum chlorides – ***F*** chlorures de molybdène – ***I*** cloruri di molibdeno – ***S*** cloruros de molibdeno

Lit.: Brauer (3.) **3**, 1530–1536 ▪ Gmelin, Syst.-Nr. 53, Mo, 1935, 153–155 ▪ Kirk-Othmer (4.) **16**, 944 ff. ▪ Synthesis **1976**, 808–811 ▪ Ullmann (5.) **A 16**, 680. – *[HS 2827 39; CAS 10241-05-1 (a); 13320-71-3 (b); 13478-18-7 (c); 13478-17-6 (d)]*

Molybdändisulfid [Molybdänit, Molybdänglanz, Molybdän(IV)-sulfid], MoS_2 M_R 160,06, häufigstes Molybdän-Mineral u. wichtigstes Molybdän-Erz. Metallglänzende, bleigraue, violettstichige hexagonale Krist. od. derbe, krummblättrige, schuppige Aggregate. Mehrere Modif., darunter der hexagonale *M.-2H*, Kristallklasse der hexagonalen Modif. 6/mmm-D_{6h} u. der trigonale *M.-3R*. M. besitzt ein typ. *Schichtengitter*, in dem jedes Mo-Atom 6 S-Atome in trigonal-prismat. Anordnung u. jedes S-Atom 3 Mo-Atome als nächste Nachbarn hat. Zwischen den Schichtpaketen bestehen größere Abstände mit schwacher van-der-Waals-Bindung als innerhalb der Schichten, ähnlich wie bei *Graphit; dadurch vollkommene Spaltbarkeit in dünnste biegsame Blättchen. Strich dunkelgrau, H. 1–1,5, D. 4,7–4,8, hydrophob (fühlt sich fettig an); bis über 1900 °C unzersetzt stabil, an Luft jedoch ab 315 °C oxidierbar. Flammenfärbung zeisiggrün; MAK 15 mg/m³. MoS_2 ist vor dem Lötrohr unschmelzbar u. geht beim Abrösten im offenen Glasrohr in Schwefeldioxid u. weißes Molybdäntrioxid über. M. ist unlösl. in Wasser, in üblichen Lsm. u. in organ. u. verd. Mineralsäuren, doch konz. Schwefel- u. Salpetersäure sowie Königswasser lösen es in der Hitze u. Fluor, Chlor u. Brom greifen es an. M. ist diamagnet., zeigt Halbleitereigenschaften u. einen inneren Photoeffekt u. besitzt die höchste bekannte *Doppelbrechung. Es ist im ultraroten Bereich des Spektrums durchsichtig; zur elektron. Struktur von M-2H s. *Lit.* [1]. Chem. Zusammensetzung nach der Formel 59,94% Mo, 40,06% S, in Molybdänit oft mit bis zu 0,2% (selten auch mehr) Rhenium. Eine amorphe Form des M. ist *Jordisit*, der leicht zu *Ilsemannit* (blaues Molybdänoxid, ein Hydrogel) verwittert u. mit Molybdänit zusammen vorkommt.
Vork.: Vielerorts im Gefolge von *Graniten, u. a. in hydrothermalen *Quarz-*Gängen, z. B. in Knaben/Norwegen u. im Erzgebirge. In *Pegmatiten; in bituminösen *Schiefern u. *Ton-reichen *Sedimenten mit viel organ. Substanz. In abbauwürdiger Menge in *porphyr. Molybdän-Lagerstätten*, z. B. Climax (stillgelegt), Urad-Henderson u. Mount Emmons-Redwell in Colorado/USA, Endako/British Columbia/Kanada (mit 0,16% MoS_2), Questa/New Mexico/USA. Als gewinn-

bares Nebenprodukt in porphyry copper-Lagerstätten (*Kupferkies; mit 0,01 – 0,05% Mo), z. B. in Chile, Mexiko u. Arizona/USA. In *Skarnen, z. B. in Kalifornien. In der VR China auch in Schwarzschiefern.

Verw.: Zur Herst. von Molybdän u. Molybdän-Verb.; wegen seiner durch das Schichtengitter bedingten, dem Graphit ähnlichen Gleiteigenschaften als Trockenschmierstoff u. in zusammengesetzten Schmierstoffen; Anw.-Bereich −185 °C bis ca. +350 °C. – ***E*** molybdenum disulfide, molybdenite – ***F*** disulfure de molybdène, molybdénite – ***I*** disolfuro di molibdeno, molibdenite – ***S*** disulfuro de molibdeno, molybdenita

Lit.: [1] Phys. Chem. Miner. **22**, 123 – 128 (1996).
allg.: Anthony et al., Handbook of Mineralogy, Vol. I, S. 336, Tucson (Arizona): Mineral Data Publishing 1990 ▪ Brauer (3.) **3**, 1550 f. ▪ Gmelin, Syst.-Nr. 53, Mo, 1935, S. 14 – 16, 182 – 186 ▪ Kirk-Othmer (4.) **15**, 498 f.; **16**, 945 f. ▪ Pohl, Lagerstättenlehre (4.), S. 140 – 143, Stuttgart: Schweizerbart 1992 ▪ Ramdohr, Die Erzmineralien u. ihre Verwachsungen, S. 932 – 939, Berlin: Akademie-Verl. 1975 ▪ Sawkins, Metal Deposits in Relation to Plate Tectonics (2.), S. 18 – 30, 110 – 117, Berlin: Springer 1990 ▪ Schröcke-Weiner, S. 272 – 276 ▪ Ullmann (5.) **A 16**, 657 – 661, 678 f.; **A 23**, 200. – *Zeitschrift:* Molysulfide Newsletter, Greenwich: Climax. – *Dokumentation:* Cyprus Climax Metals GmbH, 40212 Düsseldorf. – *[HS 2613 10, 2613 90, 2930 90; CAS 1309-56-4; 1317-33-5]*

Molybdän-Enzyme. Enzyme, die als *Cofaktor Molybdän od. dessen Verb. enthalten. Alle bisher bekannten M.-E. sind *Oxidoreduktasen, u. das Molybdän ist am Katalyse-Prozeß beteiligt. *Beisp.:* Aldehyd-Oxidase (EC 1.2.3.1), *Nitrat-Reduktase (EC 1.6.6.3, 1.7.99.4), *Nitrogenase, Sulfit-Oxidase (EC 1.8.3.1), *Xanthin-Oxidase, DMSO-Reduktase [1] u. Formiat-Dehydrogenase H. Einige M.-E. enthalten zusätzlich *Flavinnucleotide (Molybdän-Flavoenzyme). Außer bei der Nitrogenase, die ein Cluster (s. Cluster-Verbindungen) aus Molybdän-, Eisen- u. Sulfid-Ionen besitzt, handelt es sich bei den Molybdän-Cofaktoren um einen Pterin-haltigen Komplex (*Molybdopterin*). – ***E*** = ***F*** molybdoenzymes – ***I*** molibdoenzimi – ***S*** molibdoenzimas

Lit.: [1] Science **272**, 1599 f., 1615 – 1621 (1996).
allg.: Annu. Rev. Biochem. **66**, 233 – 267 (1997) ▪ Histol. Histopathol. **12**, 513 – 524 (1997) ▪ J. Biol. Inorg. Chem. **1**, 397 – 404 (1996).

Molybdänglanz s. Molybdändisulfid.

Molybdänhexacarbonyl (Hexacarbonylmolybdän). $Mo(CO)_6$, M_R 264,00. Farblose, stark lichtbrechende, leichtflüchtige, sehr giftige Krist., D. 1,96, Zers. oberhalb 150 °C. M. entsteht, wenn man CO unter hohem Druck auf fein verteiltes Mo od. auf $MoCl_5$ u. Zn einwirken läßt.

T+

Verw.: Zwischenprodukt bei der Herst. von Molybdän-organ. Verb., zum Aufbringen von Molybdän-Schichten auf Metalle, keram. Materialien od. Graphit, zur Katalyse. – ***E*** molybdenum hexacarbonyl – ***F*** hexacarbonyle de molybdène – ***I*** esacarbonile di molibdeno – ***S*** molibdeno hexacarbonilo

Lit.: Brauer (3.) **3**, 1821 f. ▪ Gmelin, Syst.-Nr. 53, Mo, 1935, S. 196 f. ▪ Kirk-Othmer (4.) **16**, 949. – *[HS 2931 00; CAS 13939-06-5; G 6.1]*

Molybdänit s. Molybdändisulfid.

Molybdän(IV)-sulfid s. Molybdändisulfid.

Molybdänorange s. Molybdatrot.

Molybdän-organische Verbindungen. Im engeren Sinne Sammelbez. für organ. Verb., die Mo–C-Bindungen enthalten, z. B. $H_2C{=}MoCl_3$, das zur *Methylenierung (s. a. Alkylidenierung) von Ketonen (Bildung von Alkenen) eingesetzt werden kann.[1] Von Interesse sind auch die *Übergangsmetall-Komplexe des Molybdäns, z. B. die aus *Molybdänhexacarbonyl leicht zugänglichen *Carbonylkomplexe. Einige komplexe M.-o. V. besitzen als Katalysatoren für die homogene Katalyse Bedeutung. Im weitesten Sinne kann man auch Koordinationsverb. des Mo mit O-, N- u. S-Liganden zu den M.-o. V. rechnen. – ***E*** organomolybdenum compounds – ***F*** composés d'organomolybdène – ***I*** composti organomolibdici – ***S*** compuestos de organomolibdeno

Lit.: [1] Angew. Chem. **95**, 237 f. (1983); **109**, 1312 (1997).
allg.: Dötz et al., Transition Metal Carbene Complexes, Weinheim: Verl. Chemie 1983 ▪ Houben-Weyl **13/7**, 429 – 484 ▪ Wilkinson-Stone-Abel **3**, 1079 f.; II **5**, 155 ff.

Molybdänrot s. Molybdatrot.

Molybdänsäureanhydrid s. Molybdäntrioxid.

Molybdäntrioxid [Molybdänsäureanhydrid, Molybdän(VI)-oxid]. MoO_3, M_R 143,94. Feines, weißes, sehr giftiges u. hautreizendes (MAK 5 mg/m³) Pulver, D. 4,696, Schmp. 795 °C, Sdp. 1155 °C, färbt sich beim Erhitzen gelb u. subl. ab ca. 700 °C. Das geglühte Oxid (z. B. aus erhitztem *Ammoniummolybdat od. Mo erhalten) ist in Wasser u. den meisten Säuren unlösl., lösl. dagegen in Alkalilaugen, Ammoniak- u. Carbonat-Lsg. unter Bildung von Molybdaten. In starken Säuren (v. a. konz. Schwefelsäure) bildet sich das Molybdänyl-Kation $(MoO_2)^{2+}$, mit Säuren wie Phosphor- u. Kieselsäure entstehen komplexe Heteropolysäuren. Die Herst. von M. erfolgt durch Rösten des *Molybdändisulfids als Zwischenprodukt der Mo-Herst. (s. Molybdän).

T+

Verw.: Aus M. werden die meisten Molybdän-Verb. direkt od. indirekt hergestellt. MoO_3-Pulver auf Aluminiumoxid wird als Katalysator in der Petrochemie bei Hydroformier-, Reformier-, Alkylierungs-, Krack- u. Entschwefelungs-Verf., für die Oxid. von Propen zu Acrolein, die Ammonoxid. von Propen zu Acrylnitril usw. verwendet. Ferner dient es zur Herst. von Mo-Draht u. Mo-Leg., als Emailzusatz usw. – ***E*** molybdenum trioxide – ***F*** trioxyde de molybdène – ***I*** triossido di molibdeno – ***S*** trióxido de molibdeno

Lit.: Acc. Chem. Res. **16**, 101 ff. (1983) ▪ Brauer (3.) **3**, 1544 ▪ Kirk-Othmer (4.) **16**, 940 f., 957 ▪ Nature (London) **288**, 469 (1981) ▪ Ullmann (5.) **A 16**, 677. – *[HS 2825 70; CAS 1313-27-5]*

Molybdate. Einfache od. Orthomolybdate(VI) – wichtige Beisp.: *Ammonium- u. *Natriummolybdat sowie Erze wie *Powellit u. *Wulfenit. Sie besitzen in alkal. u. neutraler Lsg. die allg. Zusammensetzung $M^I_2MoO_4$ bzw. $M^{II}MoO_4$ (M^I, M^{II} = ein- bzw. zweiwertiges Metall) u. gehen beim Ansäuern in die *Isopolymolybdate*, insbes. *Metamolybdate* {$[Mo_8O_{26}]^{4-}$, Octamolybdate} u. *Paramolybdate* {$[Mo_7O_{24}]^{6-}$, Heptamolybdate} über, die auch hydratisiert sein können. Weiteres Ansäuern führt über höhere M. zum *Molybdänoxidhydrat* u.

schließlich zu *Oxo-Salzen* der Zusammensetzung MoO_2X_2 (X = Säurerest). Die M. bilden aber nicht nur *Isopolysäuren, sondern mit einer Reihe von anderen Elementen auch *Heteropolysäuren, z.B. *Phosphormolybdänsäure* (*12-Molybdatophosphorsäure). Wegen ihrer geringen Toxizität (MAK 15 mg/m³) werden M. für den Korrosionsschutz, in Anstrichmitteln u. als flammhemmende Zusätze in Kunststoffen verwendet. Red. der M. läßt *Molybdänblau entstehen. – ***E*** = ***F*** molybdates – ***I*** molibdati – ***S*** molibdatos

Lit.: Gmelin, Syst.-Nr. 53, Mo, Erg.-Bd. B1 (1975) u. B2 (1976) ▪ Kirk-Othmer (3.) **15**, 686–689, 694f. ▪ Ullmann (4.) **17**, 43–46. – *[HS 2825 70, 2841 70]*

12-Molybdatophosphorsäure [Phosphormolybdänsäure, Sonnenscheins Reagenz, Trihydrogen-hexatriacontaoxo(tetraoxophosphato)-dodecamolybdat(3–)]. C $H_3[P(Mo_{12}O_{40})]$, M_R 1825,25. Die zu den *Heteropolysäuren gehörende 12-M., die nach IUPAC-Regel I-9.7.4 auch *Trihydrogen-phosphododecamolybdat* genannte Verb. bildet orangegelbe, glänzende, ätzende Krist., Schmp. 78–90 °C, leicht lösl. in Wasser (saure Reaktion) u. Alkohol.

Verw.: Zum Nachw. u. zur Bestimmung von K, Tl, Ti, SO_2, zum Nachw. von Cs, Ce, Sn, Rb, Sb, V, Pd, als Reagenz für Alkaloide, Harnsäure, Coffein, Xanthin, Proteine, Kreatinin, Ascorbinsäure, Carotinoide u.a.; in der Mikroskopie zur Nervenfärbung (kombiniert mit Hämatoxylin), zur Herst. von Farblacken u. zur Synth. von Katalysatoren. – ***E*** molybd(at)ophosphoric acid – ***F*** acide molybd(at)ophosphorique – ***I*** acido 12-molibdatofosforico – ***S*** ácido molibd(at)ofosfórico

Lit.: Anal. Biochem. **100**, 201 (1979) ▪ Brauer (3.) **3**, 1782f. ▪ Gmelin, Syst.-Nr. 53, Mo, 1935, S. 353–361 ▪ Top. Curr. Chem. **76**, 1–64 (1979) ▪ Ullmann (5.) **A16**, 682. – *[CAS 51429-74-4]*

Molybdatorange s. Molybdatrot.

Molybdatrot (Molybdänrot, C. I. Pigment Red 104). Mischkristallpigment aus $PbCrO_4$ – $PbSO_4$ – $PbMoO_4$, dessen Farbe sich in Abhängigkeit vom $PbMoO_4$-Gehalt von orange (5% $PbMoO_4$, Molybdän-, *Molybdatorange*) nach blaurot (20% $PbMoO_4$, *M.*) ändert. Ein typ. M. hat die Zusammensetzung 10% $PbSO_4$, 14% $PbMoO_4$, 76% $PbCrO_4$. Das *Chrom-Pigment M. färbt sich in Salzsäure grün, in NaOH gelb, ist gegen SO_2 beständig, ersetzt Cadmiumrot u. wird in Farben, Druckerfarben u. Kunststoffen verwendet; Bedenken wegen des Pb-Gehaltes lassen jedoch die Nachfrage sinken. – ***E*** molybdate red – ***F*** rouge de molybdate – ***I*** rosso molibdato – ***S*** rojo de molibdato

Lit.: Buxbaum, Industrial Inorganic Pigments, S. 120f., Weinheim: VCH Verlagsges. 1993 ▪ Kirk-Othmer (4.) **16**, 958 ▪ Winnacker-Küchler (4.) **3**, 382f. – *[HS 3206 20; CAS 12656-85-8]*

Molybdoferredoxin s. Nitrogenase.

Molybdopterin s. Molybdän-Enzyme.

Molyvan®. Öllösl. Molybdän-Additiv, das Schwefel u. Phosphor enthält. Einsatz insbes. in der Schmiermittel-Ind. als Verschleißschutz- u. Hochdruckzusatz sowie Reibungsverminderer. ***B.:*** Vanderbilt.

Molzahl (Symbol n). Veraltete Bez. für *Stoffmenge.

MOMBE s. MOCVD.

Mometason (Rp).

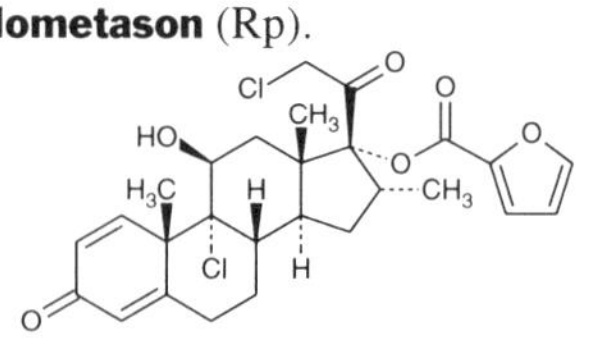

Mometason-furoat

Internat. Freiname für das top. verwendete, antiphlogist. Glucocorticoid (s. Corticosteroide) 9,21-Dichlor-11β,17-dihydroxy-16α-methyl-1,4-pregnadien-3,20-dion, $C_{22}H_{28}Cl_2O_4$, M_R 427,37; eingesetzt wird das 17-(2-Furoat), $C_{27}H_{30}Cl_2O_6$, M_R 521,43, Schmp. 218–220 °C; $[\alpha]_D^{20}$ +58,3°; λ_{max} (CH_3OH), 247 nm ($A_{1\,cm}^{1\%}$ 504). M. wurde 1982 u. 1984 von Schering patentiert u. ist von Essex Pharma (Ecural®) im Handel. – ***E*** = ***I*** mometasone (furoate) – ***F*** mométasone – ***S*** mometasona

Lit.: ASP ▪ Martindale (31.), S. 1054 ▪ Pharm. Ztg. **139**, 1996–1999 (1994) ▪ Steroids **60**, 612ff. (1995). – *[CAS 105102-22-5 (M.); 83919-23-7 (Furoat)]*

Mompain s. Hydroxy-1,4-naphthochinone.

Mon... s. Mono...

MON. Engl. Abk. für Motor-*Octan-Zahl.

Monacetin s. Glycerinacetate.

Monactin s. Nonactin.

Monagum®. Carboxymethylstärke als Verdickungsmittel für die Textil-Industrie. ***B.:*** Diamalt.

Monalazon-Dinatrium.

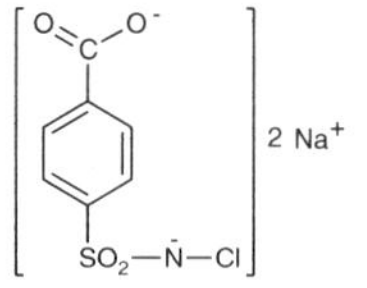

Internat. Freiname für das Haut- u. Schleimhaut-Desinfiziens 4-(Chlorsulfamoyl)benzoesäure-Dinatriumsalz, $C_7H_4ClNNa_2O_4S$, M_R 279,6. – ***E*** monalazone disodium – ***F*** monalazone disodique – ***I*** monalazone disodio – ***S*** monalazona disódica

Lit.: Beilstein E II **11**, 220 ▪ Hager (5.) **8**, 1029f. ▪ Martindale (31.), S. 1139. – *[HS 2935 00; CAS 61477-95-0]*

Monardin s. Pelargonin.

Monascus purpureus (*Monascus ruber*). Dunkelrot gefärbter *Ascomycet, der in Ostasien auf Reis kultiviert wird. Nach etwa 3 Wochen bei 25–30 °C sind die Körner tief purpurn, u. werden getrocknet u. gemahlen als Lebensmittelfarbe unter den Bez. Ang-k(h)ak, Beni-koji, Aga-koji u.a. gehandelt. *Monascorubrin* ($C_{23}H_{26}O_5$, M_R 382,46, Schmp. 142–143 °C, $[\alpha]_D^{25}$ –3320°) u. *Rubropunctatin* ($C_{21}H_{22}O_5$, M_R 354,40, Schmp. 156–157 °C, $[\alpha]_D^{25}$ –3670°) werden mit *Hefeextrakt od. *Nitrat als Stickstoff-Quelle optimal gebildet (s. Abb.).

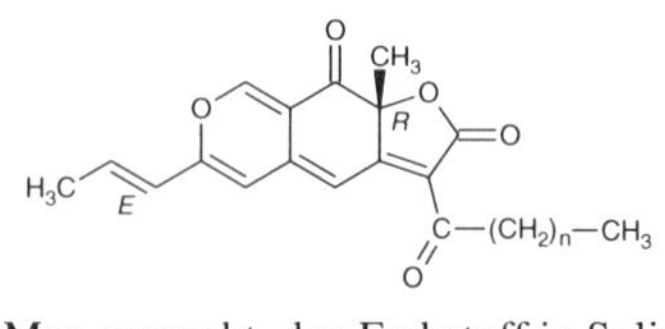

n = 4 : Rubropunctatin
n = 6 : Monascorubrin

Man versucht, den Farbstoff in Solid-State-Fermentation zu gewinnen [1]. Der Pilz braucht zum Wachstum nur eine sehr geringe Wasseraktivität der Matrix (bis zu einem a_w-Wert von 0,61). Da er auch ziemlich säureunempfindlich ist (Mindest-pH 3,2), spielt er als Verderber von Trockenobst eine gewisse Rolle. Er verträgt bis zu 3,2% Milchsäure. *M. p.*-Extrakte wurden u. werden immer wieder als partieller Nitrit-/Nitrat-Ersatz für Fleischwaren propagiert (sollen den Effekt der Nitrit-induzierten Umrötung „imitieren")[2]. Eine derartige Verw. ist in der BRD jedoch nicht zulässig[3]. – ***E*** = ***F*** = ***I*** = ***S*** Monascus purpureus

Lit.: [1] Kunz, Grundriß der Lebensmittel-Mikrobiologie, S. 427, Hamburg: Behr 1988. [2] J. Food Sci. **59**, 862–865 (1994). [3] AID Verbraucherdienst **41**, Nr. 4, 86 (1996).
allg.: Beilstein EV **19/5**, 384f. (Monascorubrin) ▪ Beuchat (Hrsg.), Food and Beverage Mycology (2.), New York: Van Nostrand Reinhold 1987 ▪ Domsch, Gams u. Anderson, Compendium of Soil Fungi, Bd. 1, S. 425, London: Academic Press 1980 ▪ J. Agric. Food Chem. **45**, 3980–3984 (1997). – *[CAS 13283-90-4 (Monascorubrin); 514-67-0 (Rubropunctatin)]*

Monazit. (Ce,La,Nd,Th)[PO_4], mit Ce > La + Nd in *Monazit-(Ce)* (Original-M.), La > Ce + Nd in *Monazit-(La)* u. Nd > La + Ce in *Monazit-(Nd)*. Häufigstes Seltenerd-Mineral mit bevorzugtem Einbau der leichten *Seltenerdmetalle (La–Gd). Ein- od. aufgewachsene, tafelige od. prismat., hellgelbe bis dunkelbraune, auch fast weiße, harz- bis glasartig glänzende monokline Krist., Körner od. Rollstücke; Kristallklasse 2/m-C_{2h}; Struktur s. *Lit.*[1]. Bruch muschelig, spröde, H. 5–5,5, D. 4,6–5,4. Als bedeutendster Vertreter der *Ceriterden enthält M. 21,1–34,0% Ce_2O_3, 1,15–4,66% Y_2O_3, 27,9–41,8% $(La,Nd)_2O_3$ sowie weitere Lanthanoiden-Metalle wie Eu, Gd u. Pr, ferner 0,1–1,5% Fe_2O_3, 5,65–12,0% ThO_2, bis ca. 15% UO_2 sowie 24,9–29,7% P_2O_5. Zu Thorium-reichen M. s. *Lit.*[2]; die Abart *Cheralith* (SE,Th,Ca,U)[(P,Si)O_4] (SE = Seltenerdmetalle) enthält rund 30 Mol.-% ThO_2. M. bildet *Mischkristalle mit dem isostrukturellen *Huttonit* Th[SiO_4] (*Lit.*[3]) über die Substitution $Th^{4+} + Si^{4+} \leftrightarrow SE^{3+} + P^{5+}$; bei hydrothermaler Alteration von M. findet zusätzlich die gekoppelte Substitution $2\,SE^{3+} \leftrightarrow Th^{4+} + 2\,Ca^{2+}$ statt[4].
Vork.: Als akzessor. Gemengteil in *Graniten u. *Rhyolithen u. in *metamorphen Gesteinen (z. B. Nordost-Bayern). In *Pegmatiten, z. B. Iveland/Norwegen, Madagaskar. In *Karbonatiten, z. B. Brasilien, Halbinsel Kola/Rußland. Auf alpinen Klüften, z. B. Schweiz. Oft als angereichertes Schwermineral auf sek. Lagerstätte in *Seifen, Ufer- u. Flußsanden (*M.-Sand*). *Abbauwürdig* sind bes. M.-führende Küstensande in Australien (Hauptförderland), Indien, Malaysia, VR China, Florida/USA u. Brasilien.
Verw.: Zur Gewinnung von Seltenerdmetallen (Näheres s. dort) u. von *Cer-Mischmetall. Zur radiometr. *Altersbestimmung von Gesteinen (u. a. U-Pb- u. Th-Pb-*Geochronologie) u. zur Rekonstruktion des Ablaufs von Ereignissen der Gesteins-*Metamorphose[5]. – ***E*** = ***F*** monazite – ***I*** manazite, criptolite – ***S*** monazita

Lit.: [1] Am. Mineral. **80**, 21–26 (1995); Eur. J. Mineral. **8**, 1097–1118 (1996). [2] Mineral. Mag. **59**, 735–743 (1995). [3] Mineral. Mag. **60**, 751–758 (1996). [4] Earth Planet. Sci. Lett. **145**, 79–96 (1996). [5] Earth Planet Sci. Lett. **120**, 207–220 (1993).
allg.: Deer et al., S. 670f. ▪ Harben and Bates, Industrial Minerals, Geology and World Occurrence, S. 224–228, London: Industrial Minerals Division of Metal Bulletin Plc 1990 ▪ Lipin u. McKay (Hrsg.), Geochemistry and Mineralogy of Rare Earth Elements (Reviews in Mineralogy, Vol. 21), S. 274ff., 315ff., Washington (D. C.): Mineralogical Society of America 1989 ▪ Nriagu u. Moore (Hrsg.), Phosphate Minerals, S. 76f., 233–237, Berlin: Springer 1984 ▪ Schröcke-Weiner, S. 614f. – *[HS 2805 30; CAS 1306-41-8]*

Monchiquit s. Lamprophyre.

Mond. 1. Allg.: Begleiter eines Planeten.
2. Speziell: Einziger, natürlicher Begleiter der *Erde. Aufgrund neuerer Untersuchungen mit Hilfe der Hafnium-Wolfram-Zeitbestimmung (^{182}Hf–^{182}W, Halbwertszeit: 9 Mio. a) wurde das Alter des M. auf $4{,}50–4{,}52 \cdot 10^9$ a festgelegt; alles bisher untersuchte Material des M. deutet darauf hin, daß es aus der Erde herausgeworfen wurde[1]. Die wichtigsten astronom. Daten des M. sind:

Durchmesser: 3476 km (≙27% des Erddurchmessers)
Masse: $7{,}53 \cdot 10^{22}$ kg (≙1,2% der Erdmasse)
mittlere Dichte: 3,341 g/cm^3 (≙60% der Erddichte)
Rotationsdauer: 27 d 7 h 43 min 11,5 s
Dauer eines Umlaufes um die Erde = Rotationsdauer
mittlere Entfernung zur Erde: 384403 km.

Aus einer Vielzahl von Beobachtungen schließt man, daß der M. radial unterteilt u. schichtweise aufgebaut ist: Die Oberfläche ist mit einer extrem trockenen, hoch heterogenen, etwa 20 km dicken Schicht bedeckt; danach folgen eine Kruste u. ein Mantel.

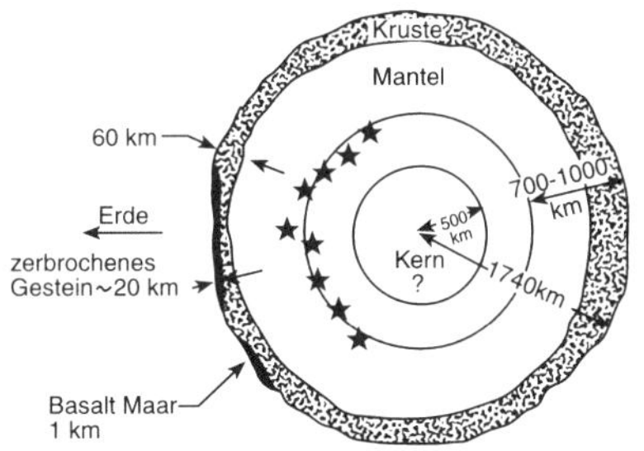

Abb.: Schemat. Aufbau des Mondes (* – Orte, an denen Mondbeben stattfinden können).

Aufgrund des Trägheitsmomentes u. der mittleren Dichte des M. kann die Existenz eines kleinen (Radius kleiner als 500 km) Eisen-haltigen Kerns nicht ausgeschlossen werden. Messungen des Profils der elektr. Leitfähigkeit des M.-Inneren deuten auf eine dort herrschende Temp. von 1300–1500 °C hin. Energiegewinn durch Kernspaltung (wie z. B. im Kern der Erde) findet im Mondkern nicht statt. Als Ursprungsort von Mondbeben wurde eine Tiefe von 700–1000 km bestimmt. Der schemat. Aufbau u. die typ. Dimensionen zeigt die Abb. (*Lit.*[2]).
Der M. hat z. Z. ein sehr schwaches Magnetfeld. Es ist 50–500mal schwächer als das der Erde, aber 20–200mal stärker als die Feldstärke, die durch Sonnenwind erzeugt wird. Mondgestein enthält eine natürliche Remanenz; das bedeutet, daß früher ein stärkeres Magnetfeld geherrscht haben muß. Auf dem Mond gibt es weder eine Atmosphäre noch Wasser; zur chem. Zusammensetzung s. Mondgestein. – ***E*** moon – ***F*** lune – ***I*** = ***S*** luna

Lit.: [1] Science **278**, 1098 (1997). [2] Albee, Lunar Rocks, in Encyclopedia of Physical Science and Technology, Vol. 9, S. 181, New York: Academic Press 1992.

allg.: Buratti, Moon (Astronomy), in Encyclopedia of Physical Science and Technology, Vol. 10, S. 457, New York: Academic Press 1992 ▪ Unsöld u. Baschek, Der neue Kosmos (5. Aufl.), Berlin: Springer 1991.

Mond, Ludwig (1839–1909), dtsch.-engl. Erfinder u. Großindustrieller. *Arbeitsgebiete:* Aufbau der engl. Soda-Ind. nach Solvay, Erfindung mehrerer nach ihm benannter Prozesse, Mitbegründer der Firma Brunner Mond Ltd. (s. ICI).
Lit.: Lexikon der Naturwissenschaftler, S. 298 ▪ Neufeldt, S. 87 ▪ Pötsch, S. 309.

Mondbohnen s. Rangoonbohnen.

Mond-Gas. Nach L. *Mond benanntes Gasgemisch aus etwa 15% CO_2, 10% CO, 23% H_2, 49% N_2 u. 3% Kohlenwasserstoffen, das durch die Vergasung fester Brennstoffe gewonnen u. in England zur Herst. von Ammoniak benutzt wurde. – ***E*** Mond gas – ***F*** gaz de Mond – ***I*** gas di Mond – ***S*** gas de Mond

Mondgestein. Der *Mond weist aufgrund geophysikal. Daten einen *Schalenbau* aus Kruste (60–65 km dick), Mantel u. Kern (max. 1–2% der Masse des Mondes) auf. Die chem. Zusammensetzung des gesamten Mondes ergibt sich aus verschiedenen Berechnungen (s. Ringwood, *Lit.*) zu: 44,8% SiO_2, 0,3% TiO_2, 4,2% Al_2O_3, 0,4% Cr_2O_3, 13,9% FeO, 32,7% MgO, 3,7% CaO u. 0,5% Na_2O; zur Zusammensetzung des silicat. Mondes s. *Lit.*[1].
Geolog. Baueinheiten der oberen Kruste des Mondes sind die dunkleren, geolog. jüngeren *Mare-Gebiete*, die höher gelegenen, helleren, sehr dicht mit Kratern verschiedener Größe bedeckten u. geolog. älteren *Terra-Gebiete* (Hochländer) u. einige große, von dunklem Mare-Material erfüllte u. meist von Ringgebirgen umgebene *kreisförmige Becken*. Diese Becken u. fast alle Krater bis hinunter zu solchen von mikroskop. kleinen Dimensionen wurden – bes. während einer auch als Mond-Kataklysmus bezeichneten Phase zwischen 3,8 u. 4 Mrd. a – durch Einschläge (*Impact) von Massen aus dem Planetenraum u. Teilchen des Sonnenwindes erzeugt, die die Gesteine des festen Untergrundes zerkleinerten u. die Schuttmassen des Mondbodens, den bis zu 10 km mächtigen *Regolith*, erzeugten. Dieser besteht überwiegend aus Teilchen unter 2 mm Größe („*Mondstaub*“); er enthält neben Mineral-Bruchstücken u. Schmelzkugeln aus Impact-Gläsern[2] jedoch auch Gesteinsbruchstücke von bis zu mehreren m^3 Größe, darunter Impact-Breccien („*Mondbreccie*“) u. *Impact-Schmelzgesteine*. Es wird heute angenommen, daß die frühe Geschichte des Mondes von einem kurz nach seiner Bildung vor 4,47±0,04 Mrd. a[3] entstandenen, ca. 800 km tiefen *Magma-Ozean beherrscht wird[4,5], dessen Krist. zu einem geschichteten Aufbau des oberen Teils des Mondes führte. Unter einer 60–65 km dicken, die Hochländer bildenden Kruste aus bis 4,45 Mrd. a alten Ferro-Anorthositen[6] (*Gabbros), Anorthositen u. einer „Magnesium-Suite“ aus Noriten (Gabbros), Troktolithen (Gabbros) u. Duniten (*Peridotite) folgt im Mond-Mantel ein ca. 700 km dicker Stapel aus durch Absinken u. Anhäufung (Kumulation) spezif. schwerer Minerale entstandenen Kumulat-Gesteinen[7] aus *Olivin ± Calcium-armen *Pyroxenen. Die zuletzt krist., an *Ilmenit, U, Th u. Seltenerd-Elementen (*E* rare earth elements, Abk. REE) reichen Schmelzreste waren der Bildungsort für Schmelzen, aus denen vor ca. 4,1 Mrd. a die sog. *KREEP-Basalte* erstarrten; ihre Bestandteile sind u. a. Kalium-reiches Glas u. Mineralien von Titan u. Seltenerd-Elementen. KREEP ist ein amerikan. Kunstwort bestehend aus K = Kalium, REE u. P = Phosphor. Zu Bau u. Entwicklung der Mond-Kruste s. *Lit.*[8,9]. Im Bereich der Maria besteht die Mond-Kruste aus 3,1–3,9 Mrd. a alten Basalten[10,11] (*Mare-Basalte*), die gegenüber ird. Basalten z. T. sehr Titanreich[12] (*High-Ti-Basalte*, >9 bis 16,4 Gew.-% TiO_2) sind, sowie aus Gesteinsgläsern von *Pikrit-Zusammensetzung[13]. Zur Entstehung der Mare-Basalte s. *Lit.*[14,15]. In den Mondmineralien fehlen Wasser, OH-Gruppen u. a. flüchtige Bestandteile; alkalireiche Mineralien kommen fast gar nicht vor. Sehr häufig sind Klino-Pyroxene (u. a. *Pigeonit), Ca-reiche Plagioklas-*Feldspäte, Olivin, *Spinelle u. Ilmenit; auch *Troilit FeS kommt vor. Einige Mineralien wurden zum ersten Mal auf dem Mond gefunden: Der *Pyroxenoid *Pyroxferroit* $(Ca,Fe)_7[Si_7O_{21}]$, *Tranquilityit* $(Zr,Fe)_2Fe_8^{2+}Ti_3[O/SiO_4]_3$ u. *Armalcolit* [zu Ehren der Apollo 11-Astronauten *Arm*strong, *Al*drin u. *Col*lins benanntes $(Fe,Mg)Ti_2O_5$]. Seit 1981 sind auf der Erde 12 *Meteoriten vom Mond (11 in der Antarktis, 1 in Australien; Mare-Basalte u. Impact-Breccien) gefunden worden (vgl. *Lit.*[16]); der 13. (eine Anorthosit-Breccie) wurde im April 1997 in der libyschen Sahara gefunden[17].
Für die Entstehung des Mondes wird heute aufgrund der geochem. Ähnlichkeiten zwischen Mond u. Erdmantel eine Abspaltung aus dem Erdmantel infolge des Einschlages eines Asteroiden-ähnlichen Körpers (Meteoriten) von etwas mehr als Mars-Größe auf die bereits in Eisen-Kern u. silicat. Mantel differenzierte *Erde angenommen, s. *Lit.*[1,18]. Zur frühen Entwicklung des Mondes s. *Lit.*[3], zum Alter der M., v. a. der *Vulkanite, s. *Lit.*[19]. – ***E*** lunar rock – ***F*** roche lunaire – ***I*** roccia lunare – ***S*** roca lunar

Lit.: [1] Geochim. Cosmochim. Acta **55**, 1135–1157 (1991). [2] Am. Mineral. **82**, 630–634 (1997). [3] Earth Planet. Sci. Lett. (EPSL) **90**, 119–130 (1988); **142**, 75–89 (1996). [4] Annu. Rev. Earth Planet. Sci. **13**, 201–240 (1985). [5] Am. Mineral. **75**, 46–58 (1990). [6] J. Geophys. Res. **98**, 5445–5455, 9089–9105 (1993). [7] Am. Mineral. **81**, 525–544 (1996). [8] Am. Mineral. **81**, 1166–1175 (1996). [9] Geochim. Cosmochim. Acta **61**, 2343–2350 (1997). [10] Geochim. Cosmochim. Acta **56**, 2177–2211 (1992). [11] Meteoritics & Planet. Sci. **31**, 50–59 (1996). [12] Meteoritics & Planet. Sci. **31**, 328–334 (1996). [13] Geochim. Cosmochim. Acta **61**, 1315–1327 (1997). [14] Geochim. Cosmochim. Acta **56**, 2235–2251, 3809–3823 (1992). [15] Earth Planet. Sci. Lett. (EPSL) **134**, 501–514 (1995). [16] Geochim. Cosmochim. Acta **57**, 4687–4702 (1993). [17] Eur. J. Mineral. **9**, Beih. 1, 395 (1997). [18] Nature (London) **338** (6210), 29–34 (1989). [19] Geochim. Cosmochim. Acta **56**, 2213–2234 (1992).
allg.: Ahrens (Hrsg.), Chemistry of the Moon, Oxford: Pergamon 1981 ▪ Aufschluß **45**, 111–123 (1994) ▪ Hartmann, Phillips u. Taylor (Hrsg.), Origin of the Moon, Houston (Texas): NASA 1986 ▪ Heiken, Vaniman u. French (Hrsg.), Lunar Sourcebook, A User's Guide to the Moon, Cambridge: Cambridge University Press 1991 ▪ Ringwood, Origin of the Earth and Moon, Berlin: Springer 1979.

Mond-Metall. Korrosionsbeständige Leg. aus 70% Ni, 4% Mn u. 26% Cu der Firma Mond Nickel Company.

Anw. findet M.-M. für Turbinenblätter u. Pumpen- sowie Armaturenteile, s. a. Nickel-Legierungen. – ***E*** Mond metal – ***F*** métal Mond – ***I*** metallo Mond – ***S*** metal Mond

Mond-Nickel. Aus *Nickeltetracarbonyl hergestelltes, auch als *Kugelnickel* bezeichnetes, hochreines *Nickel mit 99,8–99,9% Ni, s. Mond-Prozeß. – ***E*** Mond's nickel – ***F*** nickel de Mond – ***I*** nichelio Mond – ***S*** níquel (de) Mond

Lit.: Ullmann (5.) **A 22**, 703. – *[HS 7502 10]*

Mond-Prozeß. Verf. nach L. *Mond zur Herst. von reinem *Nickel (Mond-Nickel). Dabei wird Nickel-Schwamm in einem Kohlenmonoxid-haltigen Gasstrom bei 40–80 °C in gasf. *Nickeltetracarbonyl umgewandelt, das man anschließend bei ca. 150–300 °C zu 99,8–99,9%igem Ni u. CO zersetzt. – ***E*** Mond process – ***F*** procédé Mond – ***I*** processo Mond – ***S*** procedimiento Mond

Lit.: Ullmann (5.) **A 17**, 191.

Mondstein. Bez. für verschiedene *Feldspäte, die bei geeigneter Beleuchtung u. bes. bei gewölbtem Schliff (sog. Cabochon-Schliff) weiß, weißblau u. blau wie fahles Mondlicht schillern. Dieser als *Adularisieren* (nach dem Kalifeldspat Adular) bezeichnete Effekt beruht auf der submikroskop. (sog. perthit.) Entmischung von überwiegend Natriumfeldspat in Kalifeldspat (Adular, auch Mikroklin u. Orthoklas), seltener auch von Kalifeldspat in Plagioklas-Feldspäten (z. B. Albit, *Labradorit). Der Körper der M. ist meist wasserklar bis farblos trüb; in Sri Lanka wurden M. mit rauchschwarzem Körper gefunden [1].

Vork.: Sri Lanka (Ceylon; Hauptförderland) [1], Myanmar (Burma), Indien (hier auch braune, grüne u. graue M.), Brasilien, USA u. Madagaskar. M. ist ein begehrter Schmuckstein. – ***E*** moonstone – ***F*** pierre de lune – ***I*** pietra di luna – ***S*** adularia, piedra de la luna

Lit.: [1] Z. Dtsch. Gemmol. Ges. **41**, 69–84 (1992).
allg.: Eppler, Praktische Gemmologie (5.), S. 333–344, Stuttgart: Rühle-Diebener 1994 ▪ s. a. Edelsteine u. Schmucksteine, Feldspäte. – *[HS 2529 10]*

Monel®. Sortiment von hochkorrosionsbeständigen Nickel-Kupfer-Leg., die in den USA ursprünglich (seit 1905) direkt aus Kupfer-haltigen sulfid. Nickelerzen erschmolzen wurden. Die trotz ihrer Härte gut verarbeitbaren M.-Leg. sind beständig gegen feuchte Luft, Meerwasser, Alkalien u. Säuren, Cl_2, Br_2, F_2, HF, $MgCl_2$, $CaCl_2$, $AlCl_3$, $ZnCl_2$, Schwefelchloride, warme 100%ige H_2SO_4 usw. Einzelne Typen enthalten bis zu 67% Ni (einschließlich Co) u. bis zu 33% Cu, als Nebenbestandteile ggf. Fe, Mn u. Al sowie Spuren von Si, C, Ti u. S.

Verw.: Ventile u. Pumpen, Pumpen- u. Propellerwellen, Schiffsbeschläge, Anlagen für chem. Verf., Benzin- u. Trinkwassertanks, Warmwasserboiler, Hohlleiter, Keramik/Metalldichtungen, Transistorkps., Großleistungsröhren, Drahtwiderstände, Bimetallkontakte usw. ***B.:*** Inco.

Monellin. Das süßschmeckende Prinzip der westafrikan. Frucht *Dioscoreophyllum cumminsii* Diels, Menispermaceae („Serendipity-Beeren"). Aus 1 kg dieser Beeren lassen sich ca. 15 g M. isolieren. M., das erst 1967 entdeckt wurde, besteht aus zwei *Polypeptid-Ketten, die nicht kovalent miteinander verknüpft sind, die aber beide essentiell für den süßen Geschmack sind. Sie bestehen aus 44 bzw. 50 *Aminosäuren [1] u. besitzen zusammen eine M_R von 11 500. M., das wasserlösl. ist u. eine 2000–2500fach höhere Süßkraft als *Saccharose besitzt, ist in der BRD nicht als *Süßstoff zugelassen. Der süße Geschmack von M. ist noch bis zu einer Verdünnung von 10^{-8} mol/L wahrnehmbar. Die Intensität des Süßgeschmacks ist in *Lit.* [2] beschrieben. Den Namen erhielt M. nach dem Inst. [3], an dem es erstmals charakterisiert wurde (Monell Chemical Senses Center, Univ. of Pennsylvania). M. war das erste bekannte Protein, das für den Menschen süß schmeckt; zur kristallograph. Analyse von M. s. *Lit.* [4,5]. Für einen prakt. Einsatz in Lebensmitteln reicht die Stabilität des M. nicht aus, da rasch eintretende *Hydrolyse u. Änderung der *Konformation den Süßgeschmack aufheben. Gentechn. verändertes u. in Hefen exprimiertes M. zeigt dagegen eine weit höhere Hitzestabilität als herkömmliches Monellin [6,7]. Trotz stark unterschiedlicher Aminosäure-Sequenz reagieren *Antikörper gegen M. auch mit *Thaumatin u. umgekehrt [8] (immunolog. Kreuzreaktion). – ***E*** monellins – ***F*** monélline – ***I*** monellina – ***S*** monelina

Lit.: [1] Z. Physiol. Chem. **357**, 585 (1976). [2] Nabors (Hrsg.), Alternativ Sweeteners, S. 310, New York: Dekker 1986. [3] J. Biol. Chem. **248**, 534 (1973); Science **181**, 32 (1973). [4] J. Biol. Chem. **256**, 12 476 (1981). [5] Trends Biochem. **13**, 13 (1988). [6] Nature Biotech. **15**, 453–458 (1997). [7] Bio Technol. **10**, 561 ff. (1992). [8] Chem. Unserer Zeit **22**, 33 f. (1988).
allg.: Belitz-Grosch (4.), S. 391 ff. ▪ Dobbing, Sweetness, Berlin: Springer 1987 ▪ Hudson (Hrsg.), Developments in Food Proteins (4.) S. 219–245, London: Elsevier 1986 ▪ Nutrition **12**, 206 (1988) ▪ Ullmann (4.) **22**, 364 ▪ Walters et al. (Hrsg.), Sweeteners, American Chemical Society Symposium Series Nr. 450, S. 28, Washington: ACS 1991. – *[CAS 9062-83-3, 121337-41-5]*

Monensin.

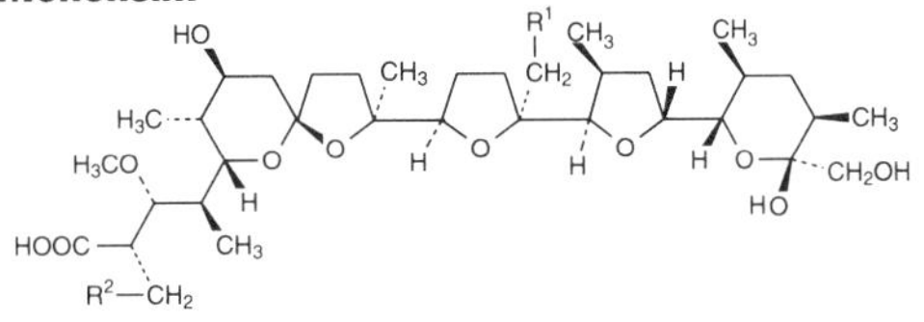

Tab.: Struktur u. Daten von Monensinen.

	R^1	R^2	Summenformel	M_R	CAS
M. A	CH_3	H	$C_{36}H_{62}O_{11}$	670,90	17090-79-8
M. B	H	H	$C_{35}H_{60}O_{11}$	656,85	30485-16-6
M. C	CH_3	CH_3	$C_{37}H_{64}O_{11}$	684,91	31980-87-7

*Polyether-Antibiotikum, das in Kulturen von *Streptomyces cinnamonensis* aus fünf Einheiten Acetat, sieben Propionat u. einem Butyrat an einem Multienzymkomplex synthetisiert wird. Neben M. = M. A (Schmp. 103–105 °C), weiße krist. Substanz, kaum lösl. in Wasser u. Kohlenwasserstoffen, gut lösl. in anderen organ. Lsm. u. stabil im alkal. Bereich bei pH 11, werden auch kleinere Mengen M. B u. M. C produziert. Wegen seiner Fähigkeit, ein- u. teilw. zweiwertige Kationen durch biolog. u. künstliche Membranen zu transportieren, wird M. zu den *Ionophoren gerechnet.

Anw.: M. ist aktiv gegen Protozoen (Kokzidien, *Plasmodium falciparum*), Gram-pos. Bakterien, Mykobakterien, Viren (HIV) u. Pilze u. wird seit 1971 in der Geflügelzucht als *Futtermittelzusatzstoff (ca. 100 ppm) zur Verminderung der Kokzidiose (s. Kokzidiostatika) eingesetzt. Es reizt Haut u. Augen u. ist kardiotoxisch; LD_{50} (Ratte oral) 100 mg/kg. – ***E*** monensin – ***F*** monensine – ***I*** = ***S*** monensina

Lit.: Antimicrob. Agents Chemother. **36**, 492 ff. (1992); **40**, 602–608 (1996) (Wirkung) ▪ Beilstein E V **19/12**, 197 ▪ J. Am. Chem. Soc. **115**, 7152 (1993) ▪ J. Vet. Diagn. Invest. **8**, 140 (1996) ▪ Monatsh. Veterinärmed. **41**, 851 (1986) ▪ Trends Biochem. Sci. **9**, 313 (1984). – *[HS 2941 90]*

Monergole s. Raketentreibstoffe.

Monetit s. Calciumphosphate (b).

Moniereisen. Alte Bez. für *Bewehrungsstahl* (früher auch *Armierungsstahl*) in Betonkonstruktionen. Der für Bauten aller Art verwendete Beton kann zwar hohe Druckspannungen aufnehmen, neigt jedoch bei Vorliegen von Zugspannungen aufgrund seiner Sprödigkeit zum Versagen. Daher wird Beton in tragenden Konstruktionen im Verbund mit Einlagen aus *Bewehrungsstählen* verwendet (*Stahlbeton). Für niedrige Belastungen werden Stäbe od. Matten aus *Betonstählen* [1] ohne Vorspannung in Beton eingegossen. Zur besseren Kraftübertragung sind deren Oberflächen profiliert, bei glatten Stäben erfolgt eine Endverankerung durch Biegen. Die Zugfestigkeit der Betonstähle liegt zwischen 340 u. 550 N/mm^2. Sie nehmen aufgrund ihres gegenüber Beton deutlich höheren Elastizitätsmoduls Zugspannungen bis zu einer gewissen Grenze auf. Dagegen wird Stahlbetonleichtbau hochbeanspruchter Konstruktionen durch Einbetten der Bewehrungen unter Vorspannung erreicht. Nach Festwerden des Betons liegt dann eine unter Druckvorspannung stehende Konstruktion vor, die entsprechend hohe Zugbeanspruchungen aufnehmen kann (*Spannbeton). Die hierfür eingesetzten *Spannstähle* [2] weisen Zugfestigkeiten zwischen 800 u. 2000 N/mm^2 auf. Aufgrund ihrer Bedeutung für die Tragfähigkeit der Konstruktion muß die Bewehrung vor *Korrosion geschützt werden. In der Regel ist dies durch hinreichend hohe Alkalinität – bedingt durch das Vorhandensein von $Ca(OH)_2$ – gewährleistet. Wenn diese jedoch durch Zerstörung des Betons u. Eindringen aggressiver Umgebungsstoffe nicht mehr flächendeckend aufrechterhalten werden kann, kommt es zur Korrosion u. damit zur entscheidenden Schwächung der Konstruktion. – ***E*** concrete reinforcing iron – ***F*** fer à béton (armé) – ***I*** acciaio speciale per cemento armato – ***S*** hierro para hormigón armado

Lit.: [1] DIN 488-1: 1984-09. [2] DIN EN 10138-1: 1992-02. *allg.:* Ullmann (4.) **8**, 332 ff.

Monigel®. Aktivierter Calcium-*Bentonit, der aufgrund seines hohen *Montmorillonit-Gehaltes u. des spezif. Aktivierungsverf. ein gutes Quell- u. Wasserbindevermögen zeigt. ***B.:*** Süd-Chemie.

Moniliformin (Hydroxycyclobutendion-Kaliumsalz, Kaliumsalz der Semiquadratsäure).

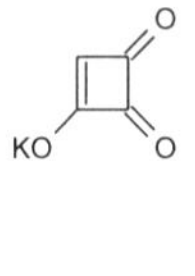

C_4HKO_3, M_R 136,14, leuchtend gelbe Kristalle. *Mykotoxin aus *Fusarium moniliforme* u. *F. fusarioides* (Obst- u. Maisschimmelarten). M. ist giftig [LD_{50} (Küken p.o.) 4 mg/kg] u. wirkt phytotox. sowie wachstumsregulierend in verschiedenen Pflanzensystemen. Schon bei sehr geringen Konz. (<5 µg/mL) werden Pyruvat- u. α-Ketoglutarat-Oxidase in den Mitochondrien um 50% gehemmt. – ***E*** moniliformin – ***F*** moniliformine – ***I*** = ***S*** moniliformina

Lit.: Angew. Chem. **96**, 999 (1984) (Biosynth.) ▪ Cole u. Cox, Handbook of Toxic Fungal Metabolites, S. 893–897, New York: Academic Press 1981 ▪ J. Org. Chem. **59**, 1149 (1994) ▪ Oxocarbons **1980**, 101–119, 169–184 ▪ Sax (8.), MRE 250 ▪ Zentralbl. Mikrobiol. **144**, 3–12 (1989). – *Synth.:* Synthesis **1990**, 237, 583; **1995**, 571. – *[CAS 52591-22-7 (M.); 31876-38-7 (freie Säure)]*

Moniz-Egas, Antonio Caetano de Abren Freire Egas (1874–1955), Prof. für Neurologie, Univ. Cámbra, Lissabon. Führte 1935 die erste Leukotomie durch u. eröffnete damit den Medien das Gebiet der Psychochirurgie. 1949 erhielt er zusammen mit W. R. *Heß den Nobelpreis für Physiologie od. Medizin. 1918 war er als Außenminister Portugals tätig.

Lit.: Lexikon der Naturwissenschaftler, S. 299.

Mono... a) Von griech.: mónos = allein, einzig, einzeln abgeleiteter Bestandteil von Fremdwörtern, chem. Trivialnamen, Freinamen u. Stoffklassen-Bez.; vor Vokal oft *Mon...* abgekürzt. – b) In systemat. Namen benutzt man das Zahlenpräfix Mono... als Bez. für „einfach" nur noch bei Derivat-, Salz- u. Addukt-Bez. (IUPAC-Regeln R-0.1.4.4, R-5.6.4) u. einfachen anorgan. Verb. (IUPAC-Regel I-5.5.1; *Mon...* nur bei ...monoxid), wenn der Name so eindeutiger ist; *Beisp.:* Monoperoxyphthalsäure, Oxalsäure-monoethylester, Aceton-diethylmonothioketal, Benzil-monooxim, Cytidin-5′-diphosphat-monokaliumsalz, Hydrazin-monohydrochlorid, Kaliumoxalat-monohydrat, Stickstoffmonoxid, Thalliummonoacetat. – ***E*** = ***F*** = ***I*** = ***S*** mono...

Monoacetin s. Glycerinacetate.

Monoamine s. Monoamin-Oxidase.

Monoamin-Oxidase [Tyraminase, Amin-Oxidase (Flavin-haltig), EC 1.4.3.4, Abk. MAO]. In den *Mitochondrien von Nervenzellen, extrazellulär in Gehirn, Leber, Niere u. Verdauungstrakt lokalisiertes *Flavoenzym*, M_R 59000 (Mensch), welches in zwei Formen (MAO A u. B) auftritt, prim. Amine (sowie gewöhnlich auch sek. u. tert. Amine mit kleinen Substituenten; „*Monoamine*") zunächst zu Iminen dehydriert, den freiwerdenden Wasserstoff unter Bildung von Wasserstoffperoxid auf mol. Sauerstoff überträgt u. die Hydrolyse der C=N-Bindung der Imine zu Aldehyd u. Ammoniak katalysiert:

$$R{-}CH_2{-}NH_2 + O_2 + H_2O \xrightarrow{MAO} R{-}CHO + NH_3 + H_2O_2.$$

Diese Reaktion ist für die ständige Regulation der Amin-Konz. maßgebend u. damit für verschiedene physiolog. Prozesse wichtig, an denen Amine teilnehmen, z.B. für den Blutdruck u. die Funktion des Nervensyst. aufgrund von *Neurotransmittern wie *Catecholaminen u.a. Substanzen, vgl. Neurochemie. Hier war auch die zunächst rein experimentell interessante

Entdeckung von MAO-Hemmstoffen (*MAO-Hemmern*, z. B. Cyanid, Hydroxylamin, Semicarbazid, Harmalin, Tranylcypromin etc.) von Bedeutung, von denen einige später als *Psychopharmaka* [*Thym(o)eretika*, s. Thymoleptika] u. bei *Parkinsonismus eingesetzt wurden. Diese führen durch Blockierung der MAO zu einer vorwiegend zentralnervösen Anreicherung von Neurotransmittern, was allmählich eine allg. Aktivierung bei bestimmten Depressionstypen zur Folge hat [1]. Bei der Therapie mit MAO-A-Hemmern ist zu beachten, daß der Genuß Amin-reicher Nahrungsmittel sich störend auswirken kann (Käse-Effekt). Als relativ nebenwirkungsfrei ist heute hauptsächlich der MAO-B-Inhibitor *Selegilin (L-Deprenyl) in Gebrauch. – ***E*** monoamine oxidase – ***F*** monoamine-oxydase – ***I*** monoamminoossidasi – ***S*** monoamino-oxidasa

Lit.: [1] Neuropsychopharmacol. **12**, 185–219 (1995).
allg.: FASEB J. **9**, 605–610 (1995). – *[HS 3507 90; CAS 9001-66-5]*

Monobactame s. *β*-Lactam-Antibiotika.

Monobenzon.

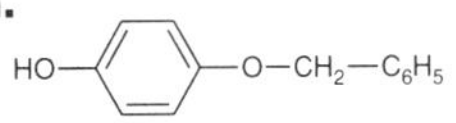

Internat. Freiname für den Hydrochinon-monobenzylether (4-Benzyloxyphenol), $C_{13}H_{12}O_2$, M_R 200,24. Farbloses krist. Pulver, Schmp. 123 °C; λ_{max} (1 M methanol. KOH) 242 nm ($A^{1\%}_{1cm}$ 450); lösl. in Methanol, Alkohol, Ether, Chloroform u. Benzol, prakt. unlösl. in kaltem Wasser. H. hemmt die Melanin-Bildung in der Haut, indem es inhibierend auf die Phenol-Oxidase wirkt, die die Oxid. von Tyrosin zu Dopa katalysiert (vgl. Hautbräunung).

Verw.: Gegen Hyperpigmentierungen der Haut (Sommersprossen, Leberflecke, usw.), Nebenwirkung: Photosensibilisierung; als Stabilisator, Antioxidans, Polymerisationsinhibitor u. zu organ. Synthesen. – ***E*** = ***F*** = ***I*** monobenzone – ***S*** monobenzona

Lit.: Beilstein E IV **6**, 5728 ▪ Hager (5.) **8**, 1032 f. ▪ Martindale (31.), S. 1091 f. – *[HS 2909 50; CAS 103-16-2]*

Monobrombiphenyle s. PBB.

Monochlorbiphenyle s. PCB.

Monochromatische Strahlung. Strahlung einer Farbe, d. h. innerhalb eines schmalen Wellenlängenbereiches von λ bis $\lambda+\Delta\lambda$. Über $c = \lambda \cdot \nu$ (c = Lichtgeschw.) ist somit auch die Frequenz ν auf einen schmalen Bereich $\Delta\nu$ eingeengt u. nach $E = h \cdot \nu$ (h = Planck'sches Wirkungsquantum) auch die Energie E. Aus einem Strahlungskontinuum („weißes" Licht) kann man m. S. durch Interferenzfilter, durch einen *Monochromator od. ein *Interferometer selektieren. Sofern *Laser nicht auf mehreren Übergängen gleichzeitig emittieren, erhält man von ihnen sehr streng m. S., die durch aktive Stabilisierung auf Werte bis $\Delta\lambda/\lambda \approx 10^{-15}$ eingeengt werden kann. Bei der Röntgenstrahlung kann man annähernd m. S. erzielen, indem man das von der Anode der Kernladungszahl Z emittierte Röntgenlicht durch eine Folie des Metalls mit Z–1 filtriert. Die endgültige Monochromatisierung erfolgt durch Ge- od. Si-Monochromatoren. – ***E*** monochromatic radiation – ***F*** radiation monochromatique – ***I*** radiazione monocromatica – ***S*** radiación monocromática

Monochromator. Anordnung mit einem wellenlängendispersiven Element, so daß der Wellenlängenbereich $\Delta\lambda$ einer Strahlung eingeengt wird (s. monochromatische Strahlung). Bei einem Gitter-M. (s. Abb. 1) wird das Licht, nachdem es den Eintrittsspalt passiert hat, durch einen Hohlspiegel parallel auf das Gitter (z. B. mit 400–1200 Strichen pro cm) geleitet.

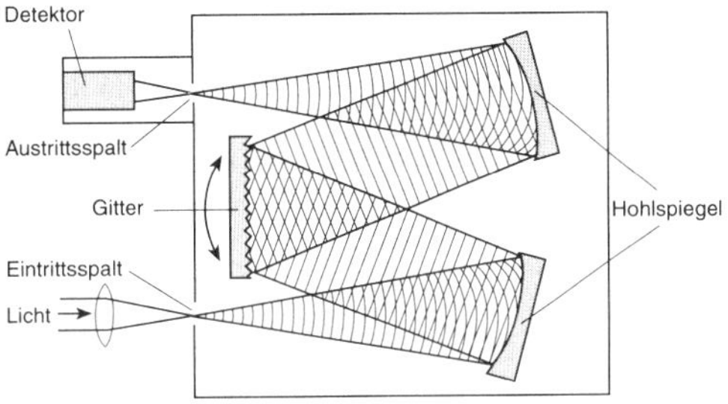

Abb. 1: Strahlengang in einem Gitter-Monochromator.

Durch *Interferenz ist gegeben, welche Wellenlänge unter einem bestimmten Abstrahlwinkel max. Intensität erhält. Durch einen zweiten Hohlspiegel wird die Strahlung auf die Ebene des Austrittsspaltes fokussiert. Durch Drehen des Gitters (um eine Achse senkrecht zur Zeichenebene) wird die Wellenlänge der Strahlung bestimmt, die durch den Austrittsspalt hindurchtritt u. über den Detektor, meist ein Photomultiplier, gemessen wird. Anstelle des Austrittsspaltes u. des Photomultipliers wird heute oft ein positionsempfindlicher Detektor (Diodenarray od. *CCD-Zeile) verwendet. Auf diese Weise kann ein bestimmter Wellenlängenbereich gleichzeitig beobachtet werden (ohne Drehung des Gitters), was eine signifikante Zeitersparnis erbringt. Ein so erweiterter M. müßte *Polychromator* heißen, eingebürgert haben sich Namen wie *opt. Vielkanalanalysator* (optical multichanal analyzer, OMA) od. *opt. Spektral-Analysator* (OSA). Die Auflösung $\lambda/\Delta\lambda$ eines Gitter M. berechnet sich zu

$$\lambda/\Delta\lambda = n \cdot m$$

mit n = beobachtete Ordnung, m = Anzahl der beleuchteten Gitterstriche.

Bei einem Prismen-M. wird die Wellenlängenabhängigkeit des Brechungsindexes n ausgenutzt (Abb. 2). Die erreichbare Auflösung ist hier gegeben durch

$$\frac{\lambda}{\Delta\lambda} = b \cdot \frac{dn}{d\lambda}$$

mit b = Basislänge des ausgeleuchteten Prismas.

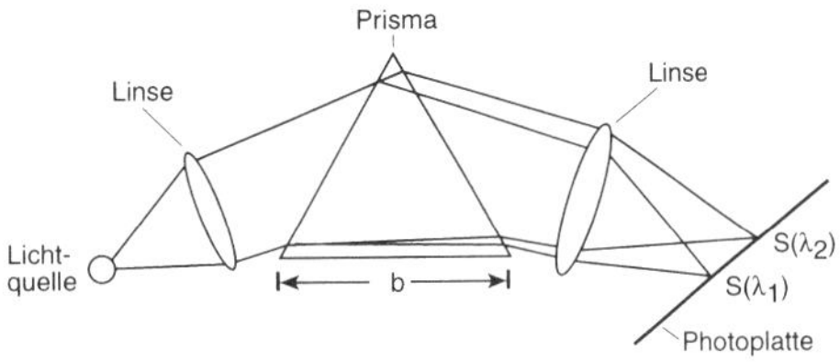

Abb. 2: Strahlengang in einem Prismen-Monochromator (S ≙ Schwärzung der Auftreffpunkte auf der Photoplatte).

Mit Gitter- od. Prismen-M. sind Auflösungen bis 10^5-10^6 möglich; höhere Auflösungen erreicht man durch *Interferometer (*Fabry-Perot-, *Mach-Zener- od. *Michelson-Interferometer) od. indem das Licht eines schmalbandigen Lasers verwendet wird. – ***E*** monochromator, spectrometer – ***F*** monochromateur – ***I*** monocromatore – ***S*** monocromador

Lit.: Demtröder, Laser Spectroscopy (2. Aufl.), Berlin: Springer 1995 ▪ Hollas, High Resolution Spectroscopy, London: Butterworths 1982.

Monoclair® (Rp). Tabl. u. Retardkapseln zur Langzeitbehandlung koronarer Herzkrankheit mit *Isosorbidmononitrat. ***B.:*** Hennig.

Monocotyledonen s. Monokotyledonen.

Monocrotalin.

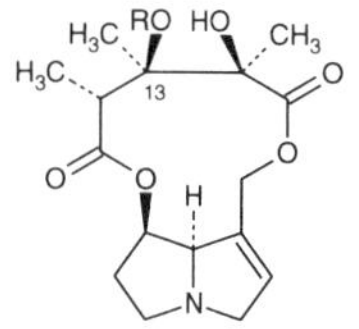

R = H : Monocrotalin
R = CO—CH(CH_3)—C_2H_5 : Grahamin (*R*)

$C_{16}H_{23}NO_6$, M_R 325,36, Prismen, Schmp. 197–198 °C (Zers.), $[\alpha]_D^{26}$ −55° ($CHCl_3$). *Pyrrolizidin-Alkaloid aus *Crotalaria*-Arten (Leguminosen), die in Asien zur Fasergewinnung kultiviert werden (Sunn Hanf). Das hepatotox. u. carcinogene M. [LD_{50} (Ratte p.o.) 71 mg/kg] wirkt sterilisierend auf männliche Insekten. Der *(R)*-2-Methylbuttersäureester der OH-Gruppe am C-Atom 13 wird *Grahamin* {$C_{21}H_{31}NO_7$, M_R 409,48, Schmp. 163 °C, $[\alpha]_D^{20}$ +100° (C_2H_5OH)} genannt. Er kommt in den Samen von *C. grahamiana* vor [1]. – ***E*** = ***F*** monocrotaline – ***I*** = ***S*** monocrotalina

Lit.: [1] Aust. J. Chem. **92**, 1773 (1969).
allg.: Beilstein EV **27/26**, 83 f. ▪ Manske **1**, 116; **12**, 245–331 ▪ Merck-Index (12.), Nr. 6333 ▪ Zechmeister **41**, 115–203. – *Pharmakologie:* IARC Monogr. **10**, 291–302, 333–342 (1976) – *Synth.:* J. Org. Chem. **52**, 3937 (1987) ▪ Tetrahedron **48**, 10531 (1992). – *Toxikologie:* Mattocks, Chemistry and Toxicology of Pyrrolizidine Alkaloids, London: Academic Press 1986 ▪ Sax (8.), MRH 000 ▪ s. a. Pyrrolizidin-Alkaloide. – *[HS 2939 90; CAS 315-22-0 (M.); 24583-56-0 (Grahamin)]*

Monocrotophos.

T 

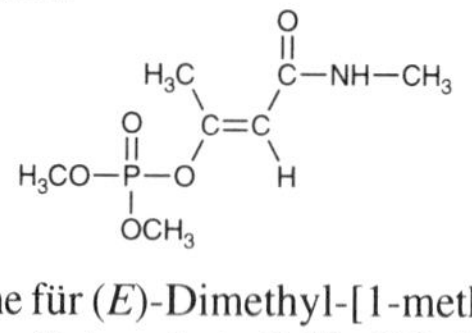

Common name für (*E*)-Dimethyl-[1-methyl-2-(methylcarbamoyl)vinyl]phosphat, $C_7H_{14}NO_5P$, M_R 223,16, Schmp. 54–55 °C, LD_{50} (Ratte oral) 17–21 mg/kg, von Ciba 1965 eingeführtes *Insektizid u. *Akarizid mit system. Kontakt- u. Fraßgiftwirkung gegen saugende u. beißende Insekten in zahlreichen Kulturen. – ***E*** = ***F*** monocrotophos – ***I*** = ***S*** monocrotofos

Lit.: Farm. ▪ Perkow ▪ Pesticide Manual. – *[HS 2924 10; CAS 6923-22-4]*

Monocyclische Verbindungen. Bez. für *cyclische Verbindungen, die nur einen Ring enthalten. Gegensatz: *Bicyclische, tricyclische, ..., *polycyclische Verbindungen. – ***E*** monocyclic compounds – ***F*** composés monocycliques – ***I*** composti monociclici – ***S*** compuestos monocíclicos

Monocyten. Chemotakt. reagierender u. amöboid beweglicher Typ weißer Blutkörperchen (*Leukocyten). M. wandeln sich nach ca. 24 h in die *Makrophagen* (Näheres s. dort) um, mit denen sie als *mononukleäre Phagocyten* zusammengefaßt werden. – ***E*** = ***F*** monocytes – ***I*** monociti – ***S*** monocitos

Monod, Jacques (1910–1976), Prof. für Biochemie, Inst. Pasteur, Paris. *Arbeitsgebiete:* Stoffwechselchemie, Molekularbiologie, Wachstumskinetik von Bakterien, Biosynth.-Mechanismen von Enzymen, Allosterie, Regulation; Nobelpreis 1965 für Medizin od. Physiologie zusammen mit *Jacob u. *Lwoff.

Lit.: Lexikon der Naturwissenschaftler, S. 299 ▪ Lwoff u. Ullmann, Selected Papers in Molecular Biology by Jacques Monod, New York: Academic Press 1978 ▪ Lwoff u. Ullmann, Origins of Molecular Biology. A Tribut to Jacques Monod, New York: Academic Press 1979 ▪ Nachmansohn, S. 282 ▪ Neufeldt, S. 263, 376 ▪ Pötsch, S. 309 f.

Monodentat s. Koordinationslehre.

Monodispers s. Kolloidchemie, S. 2209 u. 2211.

Monodisperse Polymere. Bez. für *Polymere, deren chem. ident. *Makromoleküle alle den exakt gleichen *Polymerisationsgrad u. damit die gleiche *Molmasse besitzen (Gegensatz: polydisperse = polymol. Polymere). Als echte m. P. liegen allerdings nur einige natürliche Polymere (z. B. Enzyme u. Nucleinsäuren) sowie die wenigen synthet. Polymere vor, die durch schrittweisen Aufbau (s. Merrifield-Technik) dargestellt werden. In der Praxis werden zu den m. P. vielfach – wenn auch nicht ganz korrekt – auch solche Polymere gezählt, die aus Makromol. mit nur annähernd ident. Molmasse bestehen, d. h. eine *Uneinheitlichkeit von nur wenig mehr als Null aufweisen. Diese „m. P." fallen an z. B. bei der lebenden *anionischen Polymerisation von Styrol u. Alkylstyrolen, Methacrylaten, Acrylnitril, 1,3-Butadien od. *Isopren unter Einsatz von Metall-organ. Verb. (Butyllithium, Naphthalinnatrium) als Initiatoren. – ***E*** monodisperse polymers – ***F*** polymères monodispersés – ***I*** polimeri monodispersi – ***S*** polímeros monodispersos

Lit.: Encycl. Polym. Sci. Eng. **10**, 19 ff. ▪ s. a. anionische Polymerisation u. lebende Polymere.

Monod-Kinetik. 1949 von J. *Monod empir. aufgestelltes Geschwindigkeitsmodell zur Beschreibung der Abhängigkeit der spezif. Wachstumsrate von Mikroorganismen von der Substratkonz. eines limitierenden Substrates. Das Modell beschreibt eine hyperbol. Funktion mit Sättigungscharakter.

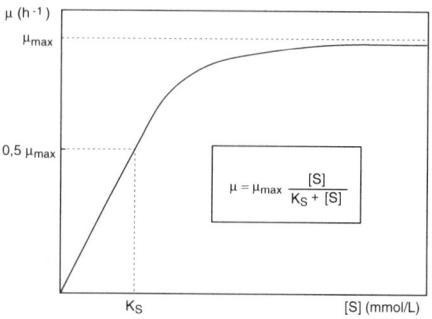

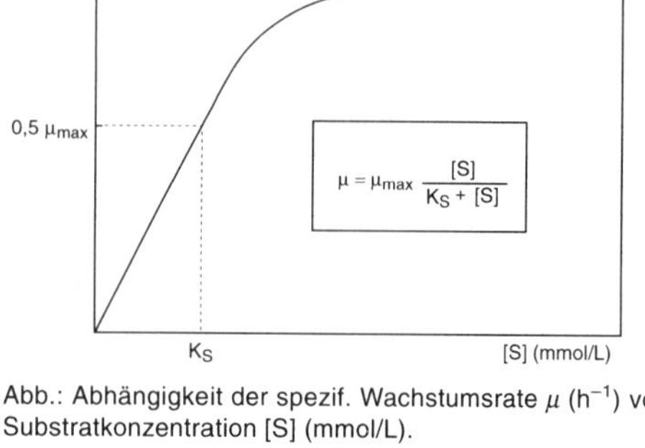

Abb.: Abhängigkeit der spezif. Wachstumsrate μ (h^{-1}) von der Substratkonzentration [S] (mmol/L).

Die beiden für den jeweiligen Organismus spezif. Kennzahlen sind μ_{max} (max. spezif. Wachstumsrate) u. K_S (Sättigungskonstante od. Halbsättigungskonz.). Die M.-K. ist in ihrer Anwendbarkeit auf einfache Syst. begrenzt, da sie keine Wechselwirkungen zwischen den Substraten u. Nährstoffen berücksichtigt. – ***E*** Monod kinetics – ***F*** cinétique de Monod – ***I*** cinetica di Monod – ***S*** cinética de Monod

Lit.: Schlegel (7.), S. 216 ff.

Mono-Embolex® NM (Rp). Ampullen, Fertigspritzen u. Durchstechflaschen mit Certoparin-Natrium, ein *Heparin niedriger Molmasse als Antikoagulans nach Operationen. ***B.:*** Novartis.

Monoethanolamin. In der Technik immer noch benutzter Name für 2-Aminoethanol (s. Aminoethanole).

Monofil, Monofilament. Einfädige, prakt. endlose *Chemiefaser; *Multifile* bestehen aus einer Vielzahl gebündelter od. verzwirnter derartiger *Filamente. M. in Stärken von ca. 0,1–3 mm Durchmesser (*Draht*) finden Verw. für Angelleinen, Tennissaiten, Musiksaiten, Siebgewebe, Reißverschlüsse u. in Form von zugeschnittenen *Borsten* für Besen, Bürsten u. Pinsel. Multifilgarne werden zu Seilen u. Tauen verarbeitet. – ***E*** monofil(ament) – ***F*** monofilament – ***I*** monofilo, monofilamento – ***S*** monofilamento

Lit.: DIN 60001-2: 1990-10 ▪ Ullmann (5.) **A 10**, 562 ▪ Winnacker-Küchler (4.) **6**, 642 f.

Monoflam® (Rp). Tabl., Kapseln, Ampullen u. Suppositorien mit dem *Antirheumatikum *Diclofenac-Natrium. ***B.:*** Lichtenstein.

Monogalactosyldiacylglycerine s. Glykolipide.

Monoglyceride. Partialester des Glycerins (*Glyceride) mit höhermol. Fettsäuren. Handelsübliche M. bestehen aus Mischungen von Mono- u. Diestern (*Diglyceriden) mit geringen Anteilen an *Triglyceriden u. werden durch Umesterung von Triglyceriden mit Glycerin od. durch Umsetzung von Glycerin mit Fettsäuren erhalten. Hochreine M. (>90% M.-Gehalt) werden aus techn. Gemischen durch Molekulardest. gewonnen u. sind entsprechend teuer. Die fachsprachlich meist Monoolein, Monopalmitin, Monostearin usw. genannten, hier jedoch als *Glycerinmonooleat, Glycerinmonopalmitat usw. behandelten M. zeigen emulgierende, stabilisierende, plastifizierende u. verdickende Eigenschaften. Obschon M. in der Regel W/O-Emulgatoren sind, können sie durch den Zusatz von Seifen, Polyethylenglykolen od. Alkylsulfaten auch zu O/W-Emulgatoren werden.

Verw.: Die M. höherer Fettsäuren (z. B. *Glycerinmonostearat) dienen als Gleitmittel bei der Kunststoffverarbeitung. Hochreine M. werden als Emulgatoren in der Nahrungsmittel-Ind. (Teig-, Süß- u. Backhilfsmittel, Margarine, Speiseeis) verwendet (Kennzeichnung für M. u. Diglyceride von Fettsäuren: E 471). Durch Umsetzung von M. mit Essigsäure erhält man acetylierte, flüssige bis wachsartige M. (Acetoglyceride), die aufgrund ihrer guten Verträglichkeit mit pharmazeut. Wirkstoffen u. ihrer physiolog. Unbedenklichkeit in Lebensmitteln (Schutzfilme), Kosmetika u. Pharmaprodukten eingesetzt werden. Die M. der Essigsäure (Monoacetin) werden zusammen mit den Di- u. Triestern bei den *Glycerinacetaten behandelt. – ***E*** monoglycerides – ***F*** monoglycérides – ***I*** monogliceridi – ***S*** monoglicéridos

Lit.: Fette Seifen Anstrichm. **83**, 507 (1981) ▪ J. Am. Oil Chem. Soc. **62**, 1575 (1985); **64**, 1001 (1987) ▪ Ullmann (5.) **A 11**, 561.

Monoglyceridsulfate. Anion. Tenside, erhältlich durch Umsetzung von *Monoglyceriden mit Schwefelsäure, Oleum, Chlorsulfonsäure od. Schwefeltrioxid. Aus Kostengründen gehen übliche Verf. von *Triglyceriden, insbes. *Kokosöl aus, die mit Glycerin u. Schwefelsäure in einem Schritt zu M. umgeestert u. sulfatiert werden, wobei vorwiegend die prim. Hydroxy-Funktion mit dem Sulfatierungsmittel abreagiert. M. weisen ein starkes Schaum- u. gutes Reinigungsvermögen sowie ein günstiges Ökoprofil auf u. können als Alternative zu Ethersulfaten in manuellen Geschirrspülmitteln, Haarshampoos od. Duschbädern eingesetzt werden. – ***E*** monoglyceridesulfates – ***I*** solfati di monogliceride – ***S*** sulfatos de monoglicéridos, monogliceridosulfatos

Lit.: Behler u. Hensen, Proc. 4th. World Surf. Congr., Bd. 1, S. 238–249, Barcelona 1996 ▪ Lipidos **26**, 19 (1966).

Monographie. Ausführliche Beschreibung eines eng begrenzten Spezialgebiets als Buch, Sammelband od. Fortschrittsbericht, s. chemische Literatur (6., 2.), od. kurzer Artikel in Pharmakopöen u. a. Nachschlagewerken. – ***E*** monograph – ***F*** monographie – ***I*** monografia – ***S*** monografía

Monokine. Bez. für *Cytokine, die von *mononukleären Phagocyten (*Makrophagen, *Monocyten) ausgeschieden werden, z. B. *Interleukin 1, *Tumornekrose-Faktor α u. die *inflammator. Makrophagen-Proteine* (MIP), die als Entzündungs-Mediatoren Granulocyten chemotakt. anlocken u. aktivieren. – ***E*** = ***F*** monokines – ***I*** monochine – ***S*** monocinas, monoquinas

Monoklin s. Kristallsysteme.

Monoklonale Antikörper. Bez. für *Antikörper (*Immunglobuline), die nur von einem einzelnen *Klon von Plasmazellen, d. h. von den erbgleichen Nachkommen eines einzelnen B-*Lymphocyten (B-Zelle) produziert werden. Im Gegensatz dazu werden bei der humoralen *Immunantwort eines tier. Organismus auf ein bestimmtes *Antigen meist eine ganze Reihe verschiedener B-Zellen aktiviert, da ihre Antigen-Rezeptoren verschiedene, zum Teil aber auch sich überschneidende Determinanten der Antigene erkennen, u. es entsteht eine heterogene Population von Plasmazellen, die Antikörper mit unterschiedlicher Affinität u. Spezifität für die einzelnen Antigen-Determinanten sezernieren (*polyklonale Antikörper*). Da diese für die meisten analyt. Anw. nicht genügend einheitlich od. charakterisierbar waren, wurden 1975 von *Köhler u. *Milstein[1] Meth. für die Herst. von m. A. ausgearbeitet (dafür 1984 Nobelpreis für Physiologie od. Medizin). Bei dieser *Hybridom-Technik* werden kurzlebige Plasmazellen (z. B. aus der Milz immunisierter Mäuse) mit unsterblichen Myelom-Zellen – meist mit Hilfe von *Polyethylenglykol – verschmolzen (hybridisiert) u. in Kultur genommen. Diese nunmehr ebenfalls unsterblichen Hybrid-Zellen werden isoliert u. wiederholten

Ausleseverfahren unterworfen, bis man zur Isolierung homogener Zellpopulationen gelangt, die Antikörper einheitlicher Struktur, Affinität u. Selektivität ausscheiden. Deren Vermehrung kann in Aszites (Bauchwasser) od. Zellkultur vorgenommen werden. Zur Herst. m. A. in transgenen Pflanzen s. *Lit.*[1]. Die m. A. sind aufgrund ihrer selektiven Bindung an ein bestimmtes Antigen nützliche analyt. Werkzeuge in der Serodiagnostik, Immunologie, Biochemie, Zellbiologie, Transplantationsmedizin, Histologie, Tumorlokalisation usw. Insbes. ist an die Anw. in *Immunoassays, *Immunfluoreszenz, *Affinitätschromatographie usw. zu denken. Auch für eine Anw. zur Tumortherapie setzt man Hoffnungen auf die m. A., u. zwar teilweise in Form von *Immunkonjugaten (*Immuntoxinen). Zur weiteren Optimierung der Eigenschaften von m. A. greift man zum *Antikörper-Engineering* durch gentechn. od. enzymat. Methoden[2]. So wurden für therapeut. Zwecke (z. B. *Immunisierung, *Immuntherapie) m. A. mit konstantem Anteil (Fc-Teil), der dem des Menschen entspricht (*humanisierte Antikörper*), entwickelt, um allerg. Reaktionen des Patienten gegen die m. A. zu verhindern. Humane variable Antikörper-Fragmente, die allerdings im allg. nicht monoklonal sind, können zusammen mit ihrer zugehörigen *Desoxyribonucleinsäure in *Phagen verpackt, aus einem großen Repertoire selektiert u. in **Escherichia coli* produziert werden[3]. *Bispezif.* od. *bifunktionale Antikörper*[4] sind Konstrukte, die zwei verschiedene Antigen-Determinanten pro Mol. binden können – therapeut. möglicherweise anwendbar, um Tumor- mit Effektorzellen (Killerzellen) od. Toxinen zu verbinden, sie sozusagen „in Handschellen ihrem Richter vorzuführen". Zu therapeut. Anw. von m. A. s. a. *Lit.*[5]. – ***E*** monoclonal antibodies – ***F*** anticorps monoclonaux – ***I*** anticorpi monoclonali – ***S*** anticuerpos monoclonales

Lit.: [1] Spektrum Wiss. **1996**, Nr. 4, 20 ff.; Trends Plant Sci. **1**, 268–272 (1996). [2] Curr. Opin. Immunol. **9**, 201–212 (1997); Dübel u. Breitling, Rekombinante Antikörper, Heidelberg: Spektrum 1997. [3] Biospektrum **2**, Nr. 3, 26–29 (1996); Nachr. Chem. Tech. Lab. **44**, 508 (1996). [4] Fanger, Bispecific Antibodies, Berlin: Springer 1995. [5] Naturwissenschaften **84**, 189–198 (1997).
allg.: Cambrosio u. Keating, Exquisite Specificity: The Monoclonal Antibody Revolution, Oxford: Oxford University Press 1995 ▪ Goding, Monoclonal Antibodies: Principles and Practice, 3. Aufl., San Diego: Academic Press 1996.

Monokotyle(done)n. Von griech.: kotyledon = Hülse, Fassung abgeleitete Bez. für einkeimblättrige *Pflanzen; *Beisp.:* *Gräser; s. a. Keimung. – ***E*** monocot(yledon)s – ***F*** monocotylédones – ***I*** monocotiledoni – ***S*** monocotiledóneas

Monolayer s. monomolekulare Schichten.

Monolinuron.

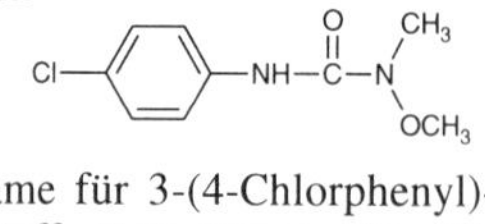

Common name für 3-(4-Chlorphenyl)-1-methoxy-1-methylharnstoff, $C_9H_{11}ClN_2O_2$, M_R 214,65, Schmp. 80–83 °C, LD_{50} (Ratte oral weiblich) 1430 mg/kg, (männlich) 1660 mg/kg, von Hoechst 1958 eingeführtes selektives Vorauflauf-*Herbizid gegen einjährige, flachkeimende Unkräuter u. einige Ungräser im Kartoffel-, Buschbohnen-, Spargel-, Wintergetreide-, Zierpflanzen- u. Ziergehölzanbau. – ***E*** = ***F*** monolinuron – ***I*** monolinurone – ***S*** monolinurón

Lit.: Farm. ▪ Perkow ▪ Pesticide Manual. – *[HS 2928 00; CAS 1746-81-2]*

Monolupin s. Anagyrin.

Monomere. Von *Mono... u. *Mer abgeleitete Bez. für Verb., deren Mol. bei *Polymerisationen eine od. mehrere konstitutionelle Einheiten bilden können, deren (vielfache) Wiederholung als konstitutionelle Repetiereinheiten ein *Polymer ergibt.
Konstitutionelle Einheiten der bei der *Polymerisation des monomeren 1,3-Butadien (I) resultierenden Polymeren sind die Strukturelemente II (2-Buten-1,4-diyl) u. III (3-Buten-1,2-diyl):

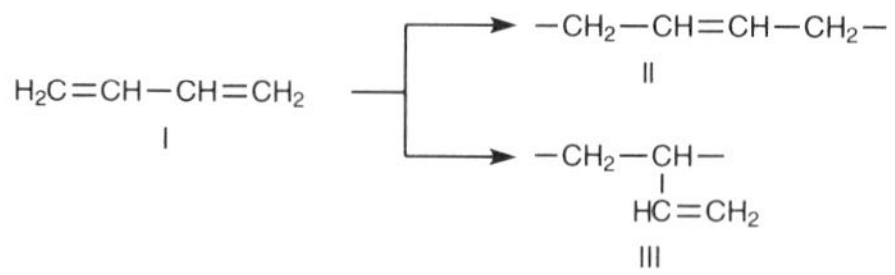

M. sind prinzipiell alle Verb., aus denen über *Polyreaktionen Polymere aufgebaut werden können. Diese Polyreaktionen können sowohl nach Mechanismen der *Ketten- als auch nach denen der *Stufenreaktionen (*Polyaddition, *Polykondensation) verlaufen. Sie setzen das Vorhandensein einer od. mehrerer funktioneller Gruppen im M.-Mol. voraus. In Sonderfällen (s. oxidative Polymerisation) können aber auch scheinbar nicht funktionalisierte Verb. Polymere bilden.
M. gehören zu chem. sehr unterschiedlichen Verb.-Klassen. Zu ihnen zählen u. a. Verb. mit Kohlenstoff-Kohlenstoff-Mehrfachbindungen [Olefine, Alkine, Vinyl-, (Meth)acryl-Verb.], cycl. Ether, Ester od. Amide (Oxirane, Lactone, Lactame), ungesätt. cycl. Kohlenwasserstoffe sowie solche mit Isocyanat- od. H-aciden Amino-, Hydroxy- od. Carboxy-Gruppen.
M. sind im allg. niedermol. Stoffe. M.-Funktionen können aber auch *Oligomere od. *Makromonomere, d. h. höhermol. Verb., übernehmen.
M. können bei Polymerisationsprozessen als Einzelsubstanzen (s. Homopolymere) od. als Substanzgemische (s. Copolymere) eingesetzt werden. Mit wenigen Ausnahmen, z. B. bei kinet. Untersuchungen, wird bei Polymerisationsreaktionen eine möglichst vollständige Umsetzung der M. angestrebt. Im Reaktionsgemisch bzw. im gebildeten Polymeren selbst zurückbleibende M. werden als *Restmonomere* bezeichnet. Diese sind in vielen Fällen nur sehr schwer abtrennbar u. können die Polymer-Eigenschaften gravierend neg. beeinflussen. Eine umfassende tabellar. Auflistung von M. mit ihren physikal. Daten enthält *Lit.*[1]. Zur Toxikologie techn. wichtiger M. s. *Lit.*[2]. – ***E*** monomers – ***F*** monomères – ***I*** monomeri – ***S*** monómeros

Lit.: [1] Brandrup u. Immergut, Polymer Handbook, New York: John Wiley u. Sons, 1989. [2] Houben-Weyl **E 20/3**, 2317–2324.
allg.: s. einzelne M., Makromolekulare Chemie u. Polymere.

Monomere G-Proteine s. kleine GTP-bindende Proteine.

Monomerinsertion s. Koordinationspolymerisation.

Monomethyldichlordiphenylmethan, Monomethyltetrachlordiphenylmethan s. Ugilec.

Monomode-Faser s. Faseroptik.

Monomolekulare Reaktionen s. unimolekulare Reaktionen u. vgl. Kinetik.

Monomolekulare Schichten. Monomol. Filme, die aus einer einzigen Mol.- od. Atom-Lage der betreffenden Substanz auf einem Träger od. Substrat bestehen („*Monolayer*"). *Beisp.:* *Membranen, Tenside auf der Oberfläche von Flüssigkeiten od. an der *Grenzfläche zwischen zwei unmischbaren Flüssigkeiten, Adsorption od. Benetzung auf den Oberflächen (unter Einschluß der Poren) von geeigneten Festkörpern. Unter der *Kapazität* einer m. S. versteht man die Menge Substanz, die bei der Sorption nötig ist, um alle Adsorptionszentren zu bedecken; die *Bedeckungszeit* ist diejenige Zeitdauer, die zum Aufbau einer m. S. auf einer gasfreien Oberfläche nötig ist; sie kann zur Charakterisierung von Ultrahoch-*Vakua dienen. Ist mehr als nur 1 Schicht sorbiert, spricht man von *bimol. Schichten* (*Bilayer*), *Multilayer* bis hin zu **dünnen Schichten* u. **Filmen*. M. S. spielen bei Korrosion, Passivität, Adsorptions-, Desorptions-, Membran- u. vielen Grenzflächenerscheinungen u. in der *Oberflächenchemie eine wichtige Rolle. Zur Herst. von m. S. u. multimol. Schichten nach der sog. *Langmuir-Blodgett-Technik* s. Langmuir-Blodgett-Filme; zur Analyse dienen Neutronenbeugung, INS, ISS, ISMA u. opt. Methoden [1]. – ***E*** monomolecular layers, monolayers – ***F*** couches monomoléculaires – ***I*** strati monomolecolari, monostrati – ***S*** capas monomoleculares

Lit.: [1] Mingotand, Mingotand u. Patterson, Handbook of Monolayers, New York: Academic Press 1993; Gibson, Monolayers of Lipids and Polymers, Encyclopedia of Physical Science and Technology, Yearbook 1989, S. 403, New York: Academic Press 1989. *allg.:* Annu. Rev. Phys. Chem. **31**, 463–490 (1980) ▪ Dash u. Ruvalds, Phase Transitions in Surface Films, New York: Plenum 1980 ▪ Pure Appl. Chem. **54**, 2189–2200 (1982) ▪ Top. Stereochem. **13**, 195–262 (1982).

Monomorine.

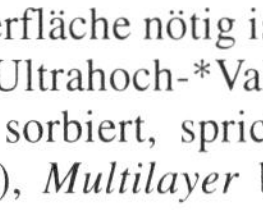

Tab.: Daten zu ausgewählten Monomorinen.

R^1	R^2	Summenformel	M_R
n-C_4H_9	$(CH_2)_3$–$CH=CH_2$	$C_{13}H_{25}N$	195,34
n-C_4H_9	n-C_7H_{15}	$C_{15}H_{31}N$	225,41
n-C_6H_{13}	n-C_5H_{11}	$C_{15}H_{31}N$	225,41
$(CH_2)_3$–$CH=CH_2$	$(CH_2)_4$–$CH=CH_2$	$C_{15}H_{27}N$	221,37

M. sind eine Gruppe von 2,5-Dialkylpyrrolidin-Alkaloiden, die in Ameisen der Gattung *Monomorium*, aber auch in einigen Arten von *Solenopsis* (Feuerameisen) vorkommen. Die Ringsubstituenten sind vorwiegend *trans*-konfiguriert, häufig liegen entständige Doppelbindungen vor. Im *Monomorin I* {(3*R*,5*S*,8a*S*)-3-Butyl-5-methyloctahydroindolizin, $C_{13}H_{25}N$, M_R 195,34, Öl, $[\alpha]_D^{25}$ + 35° (Hexan)}, einem Pheromon der Pharaoameise (*M. pharaonis*), ist der zweite Alkyl-Substituent zum Indolizidin-Ringsystem geschlossen (vgl. Abb.).

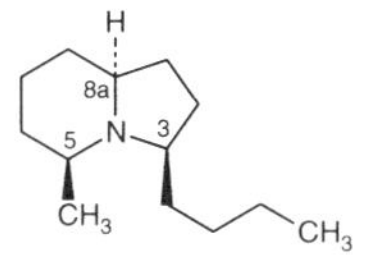

Monomorin I

In vielen Ameisenarten dienen M. als Abwehrstoffe, aber auch als Lähmungsgifte zum Beutefang. Im Gift der südafrikan. Art *M. delagoense* sind 2,6-Dialkylpiperidine enthalten [1]. – ***E*** = ***F*** monomorines – ***I*** monomorine – ***S*** monomorinas

Lit.: [1] J. Nat. Prod. **53**, 429–435 (1990).
allg.: ACS Symp. Ser. **380**, 438–449 (1988) ▪ J. Nat. Prod. **52**, 779–784 (1989); **53**, 375–381 (1990) ▪ Manske **31**, 193–315 ▪ Stud. Nat. Prod. Chem. **6**, 421–466 (1990). – *Synth.:* ApSimon **4**, 107 ▪ Chem. Pharm. Bull. **38**, 2072 ff. (1990) ▪ Helv. Chim. Acta **72**, 1749–1752 (1989); **74**, 438 (1991) ▪ Heterocycles **30**, 561–566 (1990); **36**, 2777 (1993) ▪ J. Am. Chem. Soc. **111**, 1396–1408 (1989); **113**, 3513 (1991); **117**, 5399 (1995) ▪ J. Org. Chem. **54**, 4088–4097 (1989) ▪ Tetrahedron Lett. **27**, 5513 f.; **29**, 5767 f. (1988); **32**, 3365 (1991). – *[CAS 53447-44-2 (M. I)]*

Monomuls®. Fettsäurepartialglyceride mit einem Monoglycerid-Gehalt von 60–95% zur Verw. in der Lebensmittel-, pharmazeut. u. kosmet. Industrie. ***B.:*** Grünau; Henkel.

Monomycin A s. Paromomycin.

Mononukleäre Phagocyten. Überbegriff für *Makrophagen u. *Monocyten, so genannt, da sie im Unterschied zu den polymorphkernigen Granulocyten einen zusammenhängenden Zellkern aufweisen u. da sie die Fähigkeit zur *Phagocytose besitzen. – ***E*** mononuclear phagocytes – ***F*** phagocytes mononucléaires – ***I*** fagociti mononucleari – ***S*** fagocitos mononucleares

Mononukleäres phagocytäres System s. retikuloendotheliales System.

Monoolein s. Glycerinmonooleat u. Monoglyceride.

Monooxygenasen (*m*isch*f*unktionelle *O*xygenasen, *m*isch*f*unktionelle *O*xidasen, MFO). Zu den *Oxygenasen gehörende Enzyme, die 1 Atom eines Sauerstoff-Mol. auf ein Substrat-Mol. übertragen. Bei den *internen M.* (EC 1.13.12) verbindet sich das verbleibende Sauerstoff-Atom mit aus demselben Substrat stammenden Wasserstoff-Atomen zu Wasser. Bei anderen M., die meist auch als *Hydroxylasen bezeichnet werden, liefern reduzierte Coenzyme wie *Nicotinamid-Adenin-Dinucleotid(-Phosphat) (bei EC 1.14.13) od. Flavinnucleotide (bei EC 1.14.14) [1], reduzierte Eisen-Schwefel-Proteine wie Ferredoxine (bei EC 1.14.15), reduzierte Pterine wie Tetrahydrobiopterin (bei EC 1.14.16), L-Ascorbinsäure (bei EC 1.14.17) od. a. Verb. (EC 1.14.18) die Red.-Äquivalente für dieses zweite Sauerstoff-Atom. *Beisp.:* *Cytochrom P-450, *Luciferasen. – ***E*** monooxygenases – ***F*** monooxygénases – ***I*** monoossigenasi, monossigenasi – ***S*** monooxigenasas

Lit.: [1] Arch Biochem. Biophys. **308**, 254–257 (1994).

Monopalmitin s. Monoglyceride.

Monoplex®. Monomerweichmacher für verschiedene Anw. auf der Basis von Adipat, Azelat, Glutarat, Phosphat, Sebazat u. Trimellitat. ***B.:*** Krahn.

Monopole. Isolierte elektr. Elementarladungen (pos. od. neg.) od. isolierte magnet. Nord- od. Südpole. Während elektr. M. seit langer Zeit bekannt sind, konnte die Existenz magnet. M. experimentell noch nicht bestätigt werden; Details s. *Lit.* – ***E*** monopoles – ***F*** monopôles – ***I*** monopoli – ***S*** monopolos

Lit.: Brockhaus, Naturwissenschaften u. Technik, Wiesbaden: Brockhaus 1983 ▪ Lerner u. Trigg (Hrsg.), Encyclopedia of Physics, S. 674, Weinheim: VCH Verlagsges. 1991 ▪ Nature (London) **344**, 706 (1990) ▪ Phys. Unserer Zeit **15**, 173 (1984); **21**, 142 (1990).

Monoricinolein s. Glycerinmonoricinoleat.

Monosaccharide. M. sind lineare Polyhydroxy-aldehyde (*Aldosen) bzw. -ketone (*Ketosen). Sie verfügen meistens über eine Kettenlänge von fünf (Pentosen) bzw. sechs (Hexosen) Kohlenstoff (C)-Atomen. M. mit mehr (Heptosen, Octosen etc.) od. weniger (Tetrosen) C-Atomen sind relativ selten. Die wichtigsten u. am weitesten verbreiteten M. sind: D-*Glucose, D-*Galactose, D-*Mannose, D-*Fructose, L-*Arabinose, D-*Xylose, D-*Ribose u. *2-Desoxy-D-ribose.
Stereochemie: M. verfügen teilweise über eine große Zahl asymmetr. C-Atome. Für eine Hexose mit vier asymmetr. C-Atomen ergibt sich daraus eine Zahl von 2^4 Stereoisomeren. Die Orientierung der OH-Gruppe am höchstnummerierten asymmetr. C-Atom in der Fischer-Projektion (s. Konfiguration) teilt die M. in D- u. L-konfigurierte Reihen ein. Bei den natürlich vorkommenden M. ist die D-Konfiguration weitaus häufiger. Die große Zahl asymmetr. C-Atome macht M. zu einer idealen Quelle für Synth.-Bausteine in der asymmetr. Synthese. M. bilden, sofern es möglich ist, intramol. Hemiacetale, so daß sich ringförmige Strukturen vom Pyran-(Pyranosen) u. Furan-Typ (Furanosen) ergeben. Kleinere Ringe sind instabil, größere Ringe nur in wäss. Lsg. beständig. Durch die Cyclisierung entsteht ein weiteres asymmetr. C-Atom (das sog. anomere C-Atom), das die Zahl der möglichen Stereoisomere nochmals verdoppelt. Dies wird durch die Präfixe *α*- u. *β*- ausgedrückt. Die Bildung der Halbacetale ist ein dynam. Prozeß, der von verschiedenen Faktoren wie Temp., Lsm., pH-Wert usw. abhängt. Meistens liegen Gemische beider anomeren Formen vor, teilw. auch als Gemische der Furanose- u. Pyranose-Formen. Nicht alle M. haben die allg. Formel $C_n(H_2O)_n$ od. das typ. unverzweigte Kohlenstoff-Skelett (vgl. z. B. Apiose, KDO od. Muraminsäure). Wenn eine Hydroxy-Gruppe durch ein H-Atom od. eine Amino-Gruppe ersetzt wird, kommt man zu den *Desoxyzuckern bzw. Aminodesoxyzuckern. Beisp. hierfür sind *N*-Acetylglucosamin, der monomere Baustein von *Chitin u. *Fucose sowie Desoxyribose. M. sind in Wasser leicht lösl., meist mit süßem Geschmack (Zucker). Beim Erhitzen tritt meist Bräunung, dann Zers. u. Verkohlung ein, vgl. a. Kohlenhydrate, Zucker u. Desoxyzucker. – ***E*** = ***F*** monosaccharides – ***I*** monosaccaridi – ***S*** monosacáridos

Lit.: Adv. Carbohydr. Chem. Biochem. **41**, 27–66 (1983) ▪ Adv. Carbohydr. Chem. **40**, 1–131 (1982) ▪ Collins u. Ferrier, Monosaccharides, Chichester: Wiley 1995 ▪ Carbohydr. Chem. **19**, 1–303 (1987); **20**, 1–274 (1988) ▪ El Khadem, Carbohydrate Chemistry. Monosaccharides and their Oligomers, San Diego: Academic Press 1988 ▪ Lehmann u. Redlich, Kohlenhydrate, 2. Aufl., Stuttgart: Thieme 1996 ▪ Nuhn, Naturstoffchemie (3.), Stuttgart: Wiss. Verlagsges. 1997 ▪ Shallenberger, Advanced Sugar Chemistry, Westport: Avi 1983 ▪ Ullmann (5.) **A 5**, 80–82. – *Synth.:* Angew. Chem. **99**, 15–23 (1987) ▪ Tetrahedron **46**, 245–264 (1990).

Monoschichten-Polymerisation. Schichten aus einer od. wenigen mol. Lagen eines *Monomeren lassen sich beispielsweise an Gas-Flüssigkeits-, Flüssigkeits-Feststoff- u. Gas-Feststoff-Grenzflächen erzeugen u. polymerisieren. Für die Durchführung einer solchen sog. M.-P. tropft man beispielsweise die Lsg. eines oberflächenaktiven Monomers, z. B. Vinylstearat, Octadecylmethacrylat od. Fettsäuren mit konjugierten Diin-Gruppen in der Alkyl-Kette, zunächst vorsichtig auf eine unbewegte Wasseroberfläche u. läßt das organ. Lsm. verdampfen. Der zurückbleibende Monomer-Film wird dann mittels einer beweglichen Barriere bis zu einem bestimmten Oberflächendruck komprimiert. Dabei ordnen sich die Monomer-Mol. auf der Wasseroberfläche in einer mehr od. minder perfekten Monoschicht an. Die so erhaltenen *Langmuir-Blodgett-Filme können anschließend durch z. B. Bestrahlung mit UV-Licht polymerisiert werden.

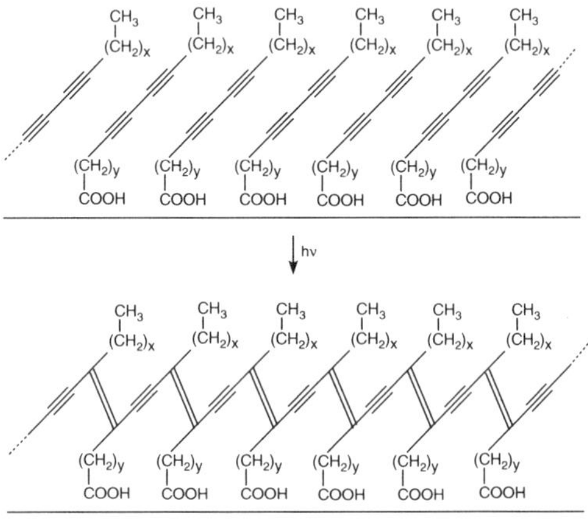

Abb.: Monoschichten-Polymerisation.

Andererseits können diese Monomer-Filme auch durch ein- od. vielfaches Eintauchen eines festen Trägers in Form von Mono- bzw. Multischichten kontrollierter Dicke u. Molekülorientierung auf z. B. einen Si-Wafer übertragen u. dort polymerisiert werden. Im Fall von Multischichten wachsen dabei die Polymerketten nur innerhalb der einzelnen Schichten. Schließlich ist heute eine schnell steigende Anzahl an Monomeren bekannt, die sich direkt aus ihrer Lsg. heraus auf einem festen Substrat in Form monomol. Schichten abscheiden. Als ein Beisp. seien langkettige, ungesätt. aliphat. Thiole genannt, die z. B. auf Gold-Oberflächen hochgeordnete Filme ausbilden, in denen sie dann polymerisiert werden können. – ***E*** monolayer polymerization – ***F*** polymérisation monocouche – ***I*** polimerizzazione a monostrato – ***S*** polimerización de monocapa

Lit.: Elias (5.) **1**, 507 ▪ Tieke, Makromolekulare Chemie, S. 175, Weinheim: Wiley-VCH 1997.

Monospher®. Stationäre Phasen für die *HPLC; monodisperse, unporöse, sphär. Teilchen. ***B.:*** Merck.

Monostearin s. Glycerinmonostearat u. Monoglyceride.

Monostenase® (Rp). Tabl. u. Retardkapseln mit dem Koronarmittel *Isosorbidmononitrat. ***B.:*** Azupharma.

Monotaktische Polymere s. Taktizität.

Monotaktizität s. Taktizität.

Monoterpene s. Terpene.

Monothioethylenglykol s. 2-Mercaptoethanol.

Monotropie s. Modifikation.

Monotropitosid s. Wintergrünöl.

Monovalent s. univalent.

Monovinylacetylen s. 1-Buten-3-in.

Monoxerutin s. Rutin.

Monsanto. Kurzbez. für die 1901 gegr. Firma Monsanto Company, St. Louis, MO 63167 (USA). *Beteiligungs- u. Tochtergesellschaften*: Nutrasweet Kelco Comp., USA; Nutra Sweet AG, Schweiz; G. D. Searle & Co., USA; Solaris Group, USA; Calgene Inc., USA. *Daten* (1996): 28000 Beschäftigte, ca. 9,3 Mrd. $ Umsatz. *Produktion:* Chemie: Acryl- u. Nylonfasern, Phosphate, Lebensmittelzusatzstoffe, Polymere, Chemikalien für die Wasserbehandlung, Gummichemikalien, Kunststoffe für Sicherheitsglas, industrielle Vorprodukte, Hydraulikflüssigkeiten, Spezialharze. Agrarchemikalien: Biotechnolog. Produkte, Herbizide, Pharmazeutika; Lebensmittelzusatzstoffe für kalorienreduzierte Nahrung. *Vertretung* in der BRD: Monsanto (Deutschland) GmbH, 40029 Düsseldorf.

Monsels Salz. Bas. Eisen(III)-sulfat der ungefähren Zusammensetzung $Fe_4(OH)_2(SO_4)_5$, wird als wäss. Lsg. (Monsels Lsg.) zur Textilbeize u. als Blutstillungsmittel verwendet. – ***E*** Monsel's salt – ***F*** sel de Monsel – ***I*** sale di Monsel – ***S*** sal de Monsel

Montageklebstoffe s. Strukturklebstoffe.

Montanesterwachse. Wachse zur Herst. von Pflegemitteln, Wachsemulsionen, Beschichtungen u. für zahlreiche andere Anwendungen. ***B.:*** BASF.

Montanharz s. Montanwachs.

Montanharz BASF. Aus Braunkohle gewonnenes Harz, Füllstoff für Bitumen-Formulierungen. ***B.:*** BASF.

Montanox®. Ethoxylierte Sorbitanester zur Verw. als Lsg.-Vermittler. ***B.:*** Lehmann & Voss.

Montansäure. $H_3C–(CH_2)_{26}–COOH$, $C_{28}H_{56}O_2$, M_R 424,75, Schmp. 78 °C. Techn. M. liegt stets als Gemisch gesätt. *Fettsäuren mit 24 bis 32 Kohlenstoff-Atomen vor. In Form ihrer *Glyceride findet M. Anw. als Schmiermittel. – ***E*** montanic acid – ***F*** acide montanique – ***I*** acido montano – ***S*** ácido montánico

Lit.: Ullmann (5.) **A 28**, 103–163.

Montansäurewachse. Wachse zur Herst. von Pflegemitteln, Wachsemulsionen u. für zahlreiche andere Anwendungen. ***B.:*** BASF.

Montansalpeter s. Ammonsulfatsalpeter.

Montanwachs (Bergwachs). *Bitumen der *Braunkohle. Harter, spröder, muschelig brechender, braunschwarzer Stoff, D. 1,02–1,03, Schmp. 80–84 °C, VZ 62–70, Unverseifbares 25–35%, SZ 28–32, Asche 0,3–0,4%. M., welches ein echtes *Wachs darstellt u. aus Harzen, Wachsen u. Fetten tert. Pflanzen entstanden ist, besteht aus ca. 53% Estern von C_{22}- bis C_{34}-Fettsäuren (hauptsächlich Hexacosan-, Octacosan- u. Triacontansäure) mit C_{24}-, C_{26}- u. C_{28}-Wachsalkoholen. Weitere Bestandteile sind freie Fettsäuren (17%) u. freie Wachsalkohole (1–2%), sowie Montanharze (15–25%), Ketone u. asphaltartiges Material. Beim Erhitzen unter Luftabschluß entstehen neben kohligen Massen Öle, Paraffine u. Gase. In kaltem Zustand ist M. geruchfrei, erwärmt riecht es weihrauchartig.
Herst.: Man extrahiert M. aus zerkleinerter Braunkohle mit Toluol. Das braunschwarze Roh-M. kann – sofern es nicht direkt (hauptsächlich zu Kohlepapier) verwendet wird – mit Chromsäure oxidativ zu einem farblosen bis gelben Produkt gereinigt werden.
Verw.: Zur Betonversiegelung, zu Pflege- u. Reinigungsmitteln, Synthesewachsen, Gleitmitteln u. Schmierfetten, Papierleimungsmitteln, Kohlepapierbeschichtungen, Kabelwachsen, elektr. Isoliermassen usw., wird ggf. auch anstelle von Bienenwachs (Kerzen) u. *Carnaubawachs verwendet. – ***E*** montan wax – ***F*** cire de lignite, montanwachs – ***I*** cera montana – ***S*** cera montana, cera de lignito, cera bituminosa

Lit.: Kirk-Othmer (3.) **14**, 340; **24**, 471 f.; (4.) **15**, 316 ▪ Ullmann (4.) **24**, 16–21; (5.) **A 28**, 122–126 ▪ Winnacker-Küchler (4.) **5**, 413–419. – *[HS 2712 90; CAS 8002-53-7]*

Montaplast. *M.-B:* Dichtfolie auf der Basis von PVC-Polypropylen mit rißüberbrückenden Eigenschaften, Wasser- u. Bitumen-beständig, elast. bis –25 °C. *M.-S:* 2-Komponentenkleber für senkrechte Flächen; *M.-W:* 2-Komponentenkleber für waagerechte Flächen, auf der Basis von Bitumen u. zur Anw. auf trockenen bis leicht feuchten Untergründen. ***B.:*** Deitermann.

Mont-Cenis-Verfahren. Ältere Variante des *Haber-Bosch-Verfahrens.

Monte-Carlo-Methode. Leistungsfähiges numer. Verf. zur Simulation komplexer Syst. durch Zufallsprozesse. Die Grundidee der M.-C.-M. ist es, zur Berechnung nur zufällig ausgewählte repräsentative Stichproben heranzuziehen. Von bes. Bedeutung ist hierbei der Metropolis-Algorithmus zur Erzeugung von Zufallszahlen mit definierter Wahrscheinlichkeitsverteilung. Anw. findet die M.-C.-M. v. a. auf Probleme mit vielen Variablen, Syst. mit vielen Freiheitsgraden, wie z. B. thermodynam. Gleichgewichtsverteilungen, Diffusionsprobleme, Grundzustandseigenschaften quantenmechan. Vielteilchensyst. (Atomkerne, Mol., Festkörper), Probleme der Quantenfeldtheorie, Transporttheorie, Polymerchemie, biolog. Altern sowie allg. Optimierungsprobleme. – ***E*** Monte Carlo method – ***F*** méthode Monte Carlo – ***I*** metodo Monte-Carlo – ***S*** método de Monte-Carlo

Lit.: Hammersley u. Handscomb, The Monte Carlo Method, London: Methuen 1964 ▪ Kalos u. Whitlock, The Basis of Monte Carlo Methods, New York: J. Wiley 1986 ▪ Lerner u. Trigg (Hrsg.), Encyclopedia of Physics, S. 771, Weinheim: VCH Verlagsges. 1991 ▪ Phys. Bl. **49**, 627 (1993) ▪ Phys. Unserer Zeit **27**, 175 (1996) ▪ Spektrum Wiss. **1996**, Nr. 4, 62.

Montecatini-Edison s. Montedison.

Montedison. Kurzbez. für den italien. Chemiekonzern Montedison SpA mit Sitz in I-20121 Milano, Foro Buonaparte 31. Zur Feruzzi Finanziaria, die als Holding fungiert, gehören folgende Gruppen als *Tochter- u. Beteiligungsgesellschaften*: Calcestruzzi (Zement), Messaggero (Zeitung), Fondiaria (Versicherung), Montedison (Industrie Holding), Eridania Beghin-Say (Agrarindustrie), Edison (Energie), Ausimont (Fluorchemie, Spezialchemie), Antibioticos (Pharmagrundstoffe), Tecnimont (Anlagenbau). *Produktion*: Polyolefine, Fluorchemie, PTFE, Wasserstoffperoxid, Industrie-Katalysatoren, EPS, Treibgas- u. Kältemittel, Lackrohstoffe, Duroplaste, Chemiefasern, Waschrohstoffe, PP-Folien, Fluorelastomere. *Vertretung* in der BRD: Montedison Deutschland GmbH, 65760 Eschborn u. Ausimont Deutschland GmbH, 65760 Eschborn.

Montelukast (Rp).

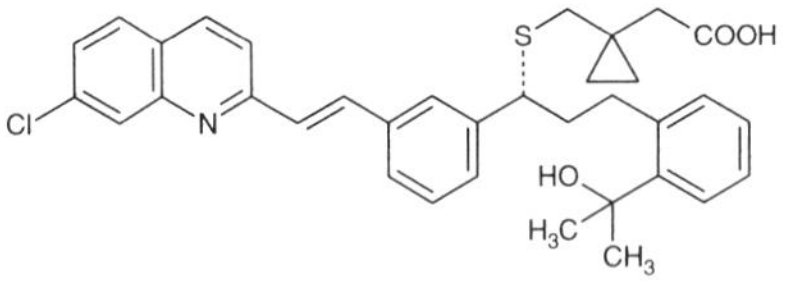

Von der WHO vorgeschlagener internat. Freiname für 1-((*R*)-1-{3-[*E*)-2-(7-Chlor-2-chinolinyl)vinyl]-phenyl}-3-[2-(α-hydroxyisopropyl)phenyl]propylthiomethyl)cyclopropanessigsäure, $C_{35}H_{36}ClNO_3S$, M_R 586,18. Verwendet wird meist das Mononatriumsalz. M. ist ein neues Antiasthmatikum, ein spezif. Leukotrien-D_4-Rezeptorantagonist. M. wurde 1992 von Merck patentiert. – ***E*** = ***I*** = ***S*** montelukast – ***F*** montélukast

Lit.: Dtsch. Apoth. Ztg. **137**, 1538 (1997) ▪ Pharm. Res. **13**, 445–448 (1997) ▪ Thorax **52**, 45–48 (1997). – *[CAS 158966-92-8 (M.); 151767-02-1 (Natriumsalz)]*

Monteponit s. Cadmiumoxid.

Monticellit. $Ca(Mg,Fe)[SiO_4]$, seltenes rhomb. Mineral, Kristallklasse mmm-D_{2h}, strukturell mit *Olivin verwandt, s. *Lit.*[1]; Struktur bei hohen Drücken s. *Lit.*[2]. Farblose, weiße od. gelblichweiße kleine Krist., H. 5, D. 3,2. M. kann 1–2% MnO enthalten.
Vork.: In kieseligen *Kalken u. *Dolomiten, die durch *Kontaktmetamorphose überprägt worden sind, z. B. Monte Somma/Vesuv u. Monzoni-Bergstock/Italien u. Crestmore/Californien; in *Skarnen; in *Kimberliten. – ***E*** = ***F*** = ***I*** monticellite – ***S*** monticellita

Lit.: [1] Naturwissenschaften **51**, 334 (1964); Tschermaks Mineral. Petrogr. Mitt. **10**, 33–44 (1965). [2] Am. Mineral. **72**, 748–755 (1987).
allg.: Anthony et al., Handbook of Mineralogy, Vol. II, Tl. 2, S. 550, Tucson (Arizona): Mineral Data Publishing 1995 ▪ Deer et al (2.), S. 14f. ▪ Deer, Howie u. Zussman, Rock-Forming Minerals (2.), Vol. 1 A, Orthosilicates, S. 352–375, London: Longman 1982. – *[CAS 14567-83-0]*

Montmorillonite. $Al_2[(OH)_2/Si_4O_{10}] \cdot n\,H_2O$ bzw. $Al_2O_3 \cdot 4\,SiO_2 \cdot H_2O \cdot n\,H_2O$, zu den dioktaedr. (*Glimmer) *Smektiten gehörendes *Tonmineral, krist. monoklin-pseudohexagonal. Überwiegend weiße, grauweiße bis gelbliche, völlig amorph erscheinende, leicht zerreibliche, im Wasser quellende, aber nicht plast. werdende Massen; unter dem Elektronenmikroskop erkennt man pseudohexagonale Tafeln, gestreckte Lamellen, gestreckte hexagonale od. unregelmäßig umrissene Blättchen sowie lamellenförmige, moosartige od. kugelförmige Aggregate. H. 1–2, D. 1,7–2,7. Zur Löslichkeit u. therm. Stabilität von M. s. *Lit.*[1].

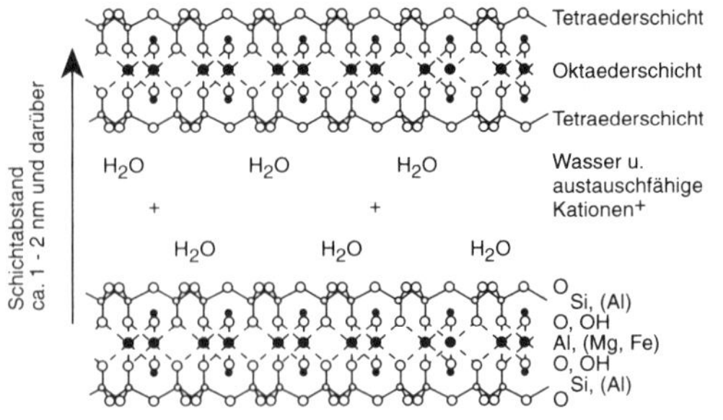

Abb.: Montmorillonit-Schichtgitter in idealisierter Darst.; nach Hofmann, *Lit.*[2].

Struktur, Substitutionen: Die Schichtpakete in der Dreischicht-Struktur der M. (s. die Abb.) können durch reversible Einlagerung von Wasser (in der 2–7fachen Menge) u. a. Substanzen wie z. B. Alkoholen, Glykolen, Pyridin, α-Picolin, Ammonium-Verb., Hydroxy-Aluminosilicat-Ionen (s. *Lit.*[3]) usw. aufquellen; durch ihre dadurch ermöglichte Wasserbindungsfähigkeit, Bereitstellung pflanzenphysiolog. nützlicher Einschlußverb. u. Kationen tragen M. wesentlich zur Bodenfruchtbarkeit bei.
Die oben angegebene *chem. Formel* ist nur angenähert; da M. ein großes Ionenaustausch-Vermögen besitzt, kann Al gegen Mg, Fe^{2+}, Fe^{3+}, Zn, Pb (z. B. aus Schadstoffen in Abwässern[4]) Cr, auch Cu u. a. ausgetauscht werden. Die daraus resultierende *neg. Ladung* der Oktaeder-Schichten wird durch Kationen, bes. Na^+ (*Natrium-M.*) u. Ca^{2+} (*Calcium-M.*; nur sehr wenig quellfähig) in Zwischenschicht-Positionen ausgeglichen; Formelbeisp. nach Newman (*Lit.*): $(Al_{3,15}Mg_{0,85})Si_{8,00}O_{20}(OH)_4X_{0,85} \cdot n\,H_2O$; X bedeutet ein Zwischenschicht-Kation. Zur Unterscheidung der M. vom ebenfalls dioktaedr. *Beidellit*, bei dem die neg. Ladung überwiegend als Folge eines Einbaus von Al auf Si-Position in der Tetraeder-Schicht entsteht, s. *Lit.*[5]. Untersuchungen mit ^{57}Fe-*Mößbauer-Spektroskopie (s. *Lit.*[6]) ergaben, daß der Großteil von Fe^{2+} u. Fe^{3+} in M. in der Oktaeder-Schicht eingebaut wird. Zur Wasseraufnahme u. Entwässerung von M. bei erhöhten Drücken u. Temp. s. *Lit.*[7]; Untersuchung der Hydration u. des Quellverhaltens von Na-M. mit der *Monte-Carlo-Methode (im Hinblick auf Erdöl-Bohrungen mit wäss. Bohrflüssigkeiten in tonigen Gesteinen) s. *Lit.*[8].
Vork.: Als Tonbestandteil v. a. in trop. Böden häufig; auch in Tiefsee-Böden. Der quellfähige Na-M. ist Hauptbestandteil der v. a. in Wyoming/USA vorkommenden *Natrium*-*Bentonite (sog. Typ Wyoming); Ca-M. ist Haupttonmineral der nichtquellenden *Calcium-Bentonite* (Cheto-Typ; in Großbritannien als **Fuller-Erden* bezeichnet), z. B. im Gebiet von Moosburg, Mainburg u. Landshut in Bayern, Mississippi u. Texas/USA. M. entstehen auch durch hydrothermale Zers. *magmatischer Gesteine. Aus der *Verwitterung bas. magmat. Gesteine (z. B. *Basalte) kann sich M. bis zu bauwürdigen Lagerstätten anreichern.

Verw. (s.a. Bentonite): Durch *Organophilierung* von M. bzw. Bentoniten (Austausch der Zwischenschicht-Kationen gegen quartäre Alkylammonium-Ionen) entstehen Produkte, die bevorzugt zur Dispergierung in organ. Lsm. u. Ölen, Fetten, Salben, Farben, Lacken u. in Waschmitteln eingesetzt werden. Eine neue Gruppe selektiver Katalysatoren stellen „Pillared Clays" bzw. *Pillared M.* (Na^+-M.) dar, bei denen durch Säulen aus Polyoxo-Kationen (z.B. Polyoxoaluminium-Ionen) die Silicat-Schichten auf 7–10 Å auseinandergehalten werden; es bilden sich interlamellare Poren, so daß wie bei den *Zeolithen katalyt. Reaktionen auch in den Hohlräumen zwischen den Schichten ablaufen können; vgl. *Lit.*[9]; s.a. Bleicherden. – ***E*** = ***F*** montmorillonites – ***I*** montmorilloniti – ***S*** montmorillonitas

Lit.: [1] Geochim. Cosmochim. Acta **50**, 1667–1677 (1986). [2] Angew. Chem. **80**, 736–747 (1968). [3] Nature (London) **335**, 625 ff. (1988). [4] Appl. Clay Science **9**, 385–395 (1995). [5] Clays Clay Miner. **35**, 232–236 (1987). [6] Clays Clay Miner. **35**, 170–176 (1987). [7] Am. Mineral. **79**, 683–691 (1994). [8] Science **271** (5252), 1102–1107 (1996). [9] Clays Clay Miner. **36**, 363 ff. (1990).
allg.: Clarke (Hrsg.), Industrial Clays, A Special Review, S. 6f., 55–75, 80–84, London: Industrial Minerals Division of Metal Bulletin Plc 1989 ▪ Heim, Tone u. Tonminerale, S. 66–74, 128, 150, Stuttgart: Enke 1989 ▪ Jasmund u. Lagaly (Hrsg.), Tonminerale u. Tone, Darmstadt: Steinkopff 1993 ▪ Newman (Hrsg.), Chemistry of Clays and Clay Minerals (Mineralogical Society Monograph No. 6), S. 49–53, London: Longman Scientific & Technical 1987. – *[CAS 1318-93-0]*

Monuril® (Rp). Granulat mit dem *Chemotherapeutikum *Fosfomycin-Trometamol. ***B.:*** Madaus.

Monzonit. Zu den Plutoniten gehörendes intermediäres *magmatisches Gestein, in dem sich Alkali-*Feldspäte u. Plagioklas (vorwiegend *Labradorit) mengenmäßig etwa die Waage halten; *Quarz zwischen 0 u. 5% der hellen Gemengteile; zur Nomenklatur s. *Lit.*[1]. Die M. sind meist mittel- bis grobkörnige Gesteine von mäßig heller, oft grauer Gesamtfarbe. Durch die dunklen Mineralien – meist *Pyroxene od./u. *Amphibole – wirken sie häufig hell-dunkel gefleckt. Mit M. in Verbindung steht ein Teil der porphyry copper-Lagerstätten (*Kupferkies) der westlichen USA u. Chiles.
Vork.: Monte Monzoni/Südtirol (Name); u.a. in den Randzonen von *Granit- u. Granodiorit-Stöcken. – ***E*** = ***F*** = ***I*** monzonite – ***S*** monzonita

Lit.: [1] Earth Sci. Rev. **12**, 1–33 (1976).
allg.: MacKenzie, Donaldson u. Guilford, Atlas der magmatischen Gesteine in Dünnschliffen, S. 106, Stuttgart: Enke 1989 ▪ Wimmenauer, Petrographie der magmatischen u. metamorphen Gesteine, S. 117–122, Stuttgart: Enke 1985 ▪ s.a. magmatische Gesteine.

Mooney-Viskosität s. Plastizität.

Moor s. Peloide u. Torf.

Moorbeeren, Moosbeeren s. Preiselbeeren.

Moore, Stanford (1913–1982), Prof. für Biochemie, Rockefeller Inst. Med. Res., New York. *Arbeitsgebiete:* Kohlenhydrate, Proteine, Aminosäuren-Sequenzanalyse, Ribonuclease, Entwicklung eines automat. Aminosäure-Analysators (zusammen mit *Stein), 1972 Nobelpreis für Chemie zusammen mit W. H. *Stein u. *Anfinsen für die Strukturaufklärung des Enzyms Ribonuclease.

Lit.: Lexikon der Naturwissenschaftler, S. 299f. ▪ Neufeldt, S. 288, 369 ▪ Pötsch, S. 310 ▪ Strube et al., S. 191.

Moore-Stein-Analyse. Von *Moore u. *Stein (Nobelpreis für Chemie 1972 zusammen mit *Anfinsen) ausgearbeitete, inzwischen weitgehend automatisierte Meth. zur Bestimmung der Aminosäure-Zusammensetzung von Proteinen u. Peptiden durch Ionenaustausch-chromatograph. Trennung an sulfoniertem Polystyrol, s.a. Sequenzanalyse. Der quant. Nachw. der Aminosäuren erfolgt mit *Ninhydrin. – ***E*** Moore-Stein analysis – ***F*** analyse de Moore et Stein – ***I*** analisi di Moore-Stein – ***S*** análisis de Moore-Stein

Moosachat (Moosjaspis). Ziemlich durchsichtige bis milchig trübe, nicht gebänderte Abart von *Chalcedon bzw. *Achat mit schlauchartigen bis fadenförmigen Einlagerungen von grünem *Chlorit od. auch braunen bis rötlichen Eisenoxiden u. -hydroxiden, die an eingeschlossenes Moos (Name!) erinnern. Zur Entstehung der Einlagerungen s. *Lit.*[1]. Hauptvork. in Indien u. den USA; auch in Idar-Oberstein. – ***E*** moss agate – ***F*** agate mousseuse – ***I*** agata muschiata – ***S*** ágata musgosa

Lit.: [1] Lapis **13**, Nr. 9, 11–28 (1988).
allg.: Eppler, Praktische Gemmologie (5.), S. 278, Stuttgart: Rühle-Diebener 1994 ▪ Rykart, Quarz-Monographie (2.), S. 371, 401, Thun: Ott 1995 ▪ s.a. Edelsteine u. Schmucksteine. – *[HS 7103 10, 7103 99]*

Moose. Eine etwa 25 000 Arten umfassende Abteilung der *Sporen-Pflanzen, bei deren geschlechtlicher Vermehrung *Gamone eine Rolle spielen u. sich in die beiden Klassen *Leber-* (Hepaticae, ca. 10 000 Arten) u. *Laubmoose* (Musci, ca. 15 000 Arten) untergliedern läßt. Die M. stehen etwa zwischen *Algen u. *Farnen u. sind grüne, thallophyt. Landpflanzen, die in der Regel kein Stütz- u. Leitgewebe ausbilden. Das Fehlen eines regulierbaren Wasserhaushalts bindet sie überwiegend an feuchte Standorte. Wenige Arten sind austrocknungsfähig, andere sind sek. wieder zum Wasserleben übergegangen. Die große ökolog. Bedeutung liegt bei den M. in ihrer Wasserspeicher-Kapazität. Sie können z.T. das 6–7fache ihres Gew. an Wasser festhalten u. allmählich an den Boden abgeben. Viele Arten sind gute Standortanzeiger (Bodenzeiger), u.a. für Feuchtigkeit u. Säuregrad der Böden. Einige Formen können auch als Erstbesiedler (Pionierpflanzen) auf nackten Böden u. Gesteinen gedeihen. Eine bes. Bedeutung haben die Torfmoose (*Sphagnum*) als Moor- u. Torfbildner. Gegen unerwünschte Bemoosung können *Algizide helfen od. Eisen(II)-sulfat. Traditionsgemäß werden in Chemie, Pharmazie u. Kosmetik verschiedene Pflanzen als M. bezeichnet, die systemat. zu anderen Pflanzenabteilungen gehören; so sind z.B. das sog. *Eichenmoos u. das *Isländische Moos zu den *Flechten zu rechnen u. das sog. Irländische Moos (*Carrageen) zu den Rotalgen. – ***E*** mosses – ***F*** mousses – ***I*** muschi – ***S*** musgos

Lit.: Frahm u. Frey, Moosflora, 3. Aufl., Stuttgart: Ulmer 1992 ▪ Probst, Biologie der Moos- u. Farnpflanzen, Heidelberg: Quelle u. Meyer 1987.

Moosgrün s. Chrom-Pigmente u. Schweinfurter Grün.

Moosgummi. *Schaumstoff mit geschlossenen Mikrozellen auf der Basis von *Natur- od. *Synthesekautschuk.

Lit.: Elias (5.) **2**, 657 ▪ Winnacker-Küchler (4.) **5**, 597.

Moosstärke s. Lichenin.

8-MOP s. Xanthotoxin.

MOPAC. Weit verbreitetes Paket von Computerprogrammen für semiempir. Rechnungen, z. B. nach der *AM1-, *MNDO- od. *PM3-Meth.; erhältlich über den Quantum Chemistry Programme Exchange (*QCPE No. 455).

Mopöle. Staubbindende Öle aus Mineralölen, Wachsen, Testbenzin u. geruchsverbessernden Mitteln zur Verw. in der Fußboden- u. Möbelpflege.

MOPS.

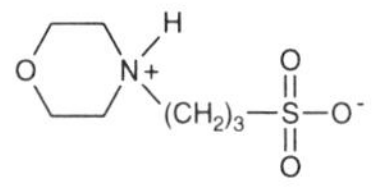

Abk. für die 3-Morpholino-1-propansulfonsäure, $C_7H_{15}NO_4S$ (M_R 209,26, Schmp. 277–280 °C), die als Puffer im Bereich pH 6,5–7,9 verwendet wird.

Lit.: Beilstein E V **27/3**, 116 ▪ s. Puffer. – *[HS 2934 90; CAS 1132-61-2]*

MOPSO. 2-Hydroxy-3-morpholino-1-propansulfonsäure; biolog. Puffer, pK_a 6,9 (25 °C), pH-Bereich 6,2–7,6. ***B.:*** Serva.

Moranolin s. 1-Desoxynojirimycin.

Morazon (Rp).

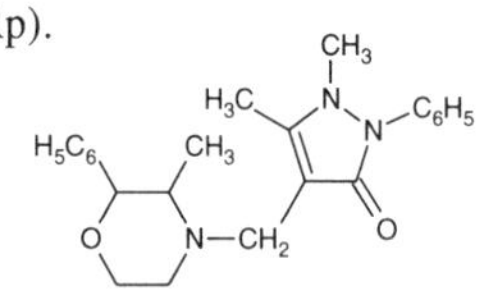

Internat. Freiname für das analget. u. antiphlogist. wirkende (±)-1,2-Dihydro-1,5-dimethyl-4-[(3-methyl-2-phenylmorpholino)methyl]-2-phenyl-3*H*-pyrazol-3-on, $C_{23}H_{27}N_3O_2$, M_R 377,48, vgl. a. Phenazon; Schmp. 149–150 °C, auch 131–134 °C angegeben; λ_{max} (C_2H_5OH) 285 nm ($A^{1\%}_{1cm}$ 304). – ***E*** = ***F*** = ***I*** morazone – ***S*** morazona

Lit.: ASP ▪ Beilstein E V **27/5**, 276 ▪ Hager (5.) **8**, 1036 f. ▪ Martindale (31.), S. 63. – *[HS 2934 90; CAS 6536-18-1]*

MORB s. Erde, S. 1192.

Morcheln. Zur Klasse der Schlauchpilze (Ascomyceten, Ordnung: Pezizales) gehörende Pilzfamilie, deren Vertreter z. T. als gute *Speisepilze gelten [1] (*Morchella esculenta*, *M. conica* u. *M. elata*). Vom Konsum größerer Mengen wird jedoch abgeraten. Die mikroskop. Analyse der M. erfolgt nach *Lit.*[2]. Pilzkonserven, die M. enthalten, müssen bezüglich Kennzeichnung u. Inhalt den Leitsätzen für Pilze u. Pilzerzeugnisse [1] genügen; zum Harnstoff-Gehalt von M. s. *Lit.*[3]. – ***E*** morel – ***F*** morille – ***I*** morchele – ***S*** colmenilla, morilla

Lit.: [1] Leitsätze für Pilze u. Pilzerzeugnisse, abgedruckt in Zipfel, C 325. [2] Gassner, Mikroskopische Untersuchung pflanzlicher Lebensmittel (5.), S. 372 ff., Stuttgart: Fischer 1989. [3] Dtsch. Lebensm. Rundsch. **84**, 248–251 (1988).
allg.: Zipfel, C 325.

MORD. Abk. für *M*agneto-*o*pt. *R*otations-*D*ispersion, eine aufgrund des *Faraday-Effekts auch in nicht opt. aktiven Stoffen, wenn diese der Einwirkung eines Magnetfeldes ausgesetzt sind, beobachtbare *Rotationsdispersion, deren Messung Einblicke in die *Konfiguration u. elektron. Struktur von Mol. gestattet. – ***E*** MORD – ***S*** rotación-dispersión magnetoóptica

Lit.: s. Magnetochemie u. Rotationsdispersion.

Mordants. Wenig gebräuchliche französ. Bez. für Textilbeizen, vgl. Beizenfarbstoffe.

Mordenit (Ptilolith). $Na_3KCa_2[Al_8Si_{40}O_{96}] \cdot 28\,H_2O$, zu den *Zeolithen gehörendes rhomb. Mineral, Kristallklasse mm2-C_{2v}. Baueinheiten der Kristallstruktur [s. *Lit.*[1] u. Gottardi-Galli (*Lit.*)] sind Vierer-, Fünfer- u. Zwölferringe von $[(Si,Al)O_4]$-Tetraedern. Kristallchemie u. chem. Analysen von M. s. *Lit.*[2]. Winzige prismat., nadelige od. feinfaserige weiße bis farblose Krist., oft als baumwollartige Aggregate, u. derbe porzellanartige Massen. H. 4–5, D. 2,12–2,15.

Vork.: In Adern, Spalten u. Blasenräumen in *magmatischen Gesteinen, z. B. in Nordirland, Italien, Indien u. Japan. In umgewandelten vulkan. Aschen u. *Tuffen, z. B. in den westlichen USA, Japan u. auf der Insel Ponza/Italien (*Lit.*[3], mit chem. Analyse). In *Traß-Ablagerungen in der Umgebung des Laacher Sees.

Verw.: Natürliche, chem. veränderte od. synthet. hergestellte M. finden Verw. als *Molekularsiebe (vgl. Zeolithe), als Adsorptionsmittel u. Katalysatoren. – ***E*** = ***I*** mordenite – ***F*** mordénite – ***S*** mordenita

Lit.: [1] Z. Kristallogr. **175**, 249–256 (1986). [2] Contrib. Mineral. Petrol. **50**, 65–77 (1975). [3] Eur. J. Mineral. **7**, 429–438 (1995).
allg.: Anthony et al., Handbook of Mineralogy, Vol. II, Tl. 2, S. 552, Tucson (Arizona): Mineral Data Publishing 1995 ▪ Dyer, An Introduction to Zeolite Molecular Sieves, New York: Wiley 1988 (zahlreiche Zitate des Stichworts) ▪ Gottardi-Galli, Natural Zeolites, S. 223–233, Berlin: Springer 1985 ▪ Pure Appl. Chem. **51**, 1091–1100 (1979) ▪ s. a. Molekularsiebe, Zeolithe. – *[CAS 12173-98-7]*

Morestan®. Fungizid auf der Basis von *Chinomethionat zur Bekämpfung von Echtem Mehltau sowie als Akarizid gegen Spinn- u. a. Milben im Obst-, Wein-, Gemüse- u. Zierpflanzenbau. ***B.:*** Bayer.

Moretan s. Hopane.

Morfax®. Vulkanisationsbeschleuniger aus *Sulfenamiden. ***B.:*** Vanderbilt.

Morganit s. Beryll.

Morillol®. *1-Octen-3-ol; Riech- u. Aromastoff; Geruch: Erdig-krautig, pilzartig, Lavendel. ***B.:*** BASF.

Morin [2′,3,4′,5,7-Pentahydroxyflavon, 2-(2,4-Dihydroxyphenyl)-3,5,7-trihydroxy-4*H*-1-benzopyran-4-on, C. I. Natural Yellow 8, C. I. 75660]. Formel s. Flavone. $C_{15}H_{10}O_7$, M_R 302,24, farblose glänzende, diuret. wirkende, schwach bitter schmeckende Nadeln, Schmp. 286 °C, nach anderen Angaben 304 °C, wenig lösl. in siedendem Wasser, Ether u. Essigsäure, lösl. in Alkohol. M. ist ein Hauptbestandteil des *Gelbholzextraktes*, der aus dem gelben Stammholz des bis zu 60 m hohen, in Süd- u. Mittelamerika, Westindien u. im südlichen Nordamerika verbreiteten Färbermaulbeerbaums (*Morus tinctoria*) gewonnen wird. Neben dem M. enthält der Gelbholzextrakt noch *Maclurin* (Moringerbsäure, 2,3′,4,4′,6-Pentahydroxybenzophenon, C. I. Natural Yellow 11, C. I. 75240, $C_{13}H_{10}O_6$, M_R 262,22), das in gelben Säulen kristallisiert, die wasserfrei bei 200 °C schmelzen u. in heißem Wasser, Alkohol, Ether u. Alkalien lösl. sind. Mit Gelbholzextrakten färbte man früher Wolle (Metallbeizen), Baumwolle, Seide u. Leder. M. u. Maclurin sind auch in den Wurzeln des Osaga-Orangenbaums (*Maclura pomifera*, Maulbeergewächs) enthalten; sie wirken dort als *Chelatbildner u. ermöglichen so eine Aufnahme von *Spurenelementen auch aus steinigem, unfruchtbarem Untergrund. – Mit Aluminium-Verb. gibt M. in neutraler od. essigsaurer alkohol. Lsg. eine charakterist. grüne Fluoreszenz, mit Beryllium-Verb. dagegen in alkal. Lsg. (Möglichkeit zum sicheren Nachw. von Al u. Be nebeneinander in der gleichen Lsg.); mit Eisen-Salzlsg. bildet M. olivgrüne, mit Kupfer-Salzlsg. braungelbe, mit Blei- u. Zinn-Ionen gelbe Niederschläge. M. dient zu Nachw. u. Bestimmung von Al, Be, Ga, In, Sc, Sn, Ti, Zr u. v. a. Elementen. M. kann auch zum Anfärben in der Dünnschichtchromatographie sowie als kosmet. Färbemittel für kurze Verweildauer eingesetzt werden. – ***E*** morin – ***F*** morin(e) – ***I*** = ***S*** morina

Lit.: Beilstein E V **18/5**, 492 ▪ J. Mol. Struct. **317**, 89 (1994) ▪ Sax (8.), MRN 500 ▪ s. a. Flavon(oid)e. – *[HS 2932 99; CAS 480-16-0 (M.); 519-34-6 (Maclurin)]*

Morion s. Quarz.

Morkit®. Saatgutbeizmittel auf der Basis von *Anthrachinon gegen Krähenfraß. ***B.:*** Bayer.

Moronal®. Dragées, Salbe, Genitalcreme, Ovula u. Suspension mit *Nystatin gegen innere u. äußere Hefemykosen, insbes. Candida-Infekionen; *Moronal-V-Salbe* (Rp) enthält zusätzlich *Triamcinolon-16α,17α-acetonid. ***B.:*** Bristol Myers Squibb.

Moroxydin (Rp).

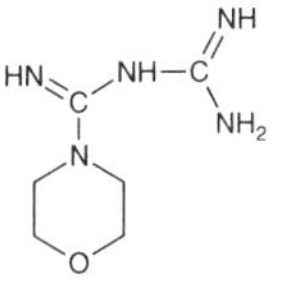

Internat. Freiname für das *Virostatikum *N*-Amidino-4-morpholincarbamidin, $C_6H_{13}N_5O$, M_R 171,21. Verwendet wird meist das Hydrochlorid, Schmp. 204–207 °C. M. wurde 1957 von AB Kabi patentiert. – ***E*** = ***F*** moroxydine – ***I*** = ***S*** moroxidina

Lit.: Beilstein E V **27/1**, 248 f. ▪ Hager (5.) **8**, 1039 f. ▪ Martindale (31.), S. 659. – *[HS 2934 90; CAS 3731-59-7 (M.); 3160-91-6 (Hydrochlorid)]*

Morphaktine. Von *...morph(o)... u. aktiv abgeleitete Bez. für Derivate der 9-Hydroxyfluoren-9-carbonsäure (Flurenol), die als Pflanzen-*Wachstumsregulatoren Verw. finden. – ***E*** = ***F*** morphactines – ***I*** morfattine – ***S*** morfactinas

Lit.: s. a. Chlorflurenol-methyl.

Morphin (7,8-Didehydro-4,5α-epoxy-17-methyl-3,6-morphinandiol, Morphium). $C_{17}H_{19}NO_3$, M_R 285,34, glänzende Nadeln od. Prismen, Schmp. 254 °C (wasserfrei), 254–256 °C (Hydrat) bzw. 197 °C (metastabile Form), $[\alpha]_D^{23}$ –131° (CH_3OH); wenig lösl. in siedendem Wasser u. Chloroform, lösl. in Alkohol, wäss. Erdalkalihydroxiden u. Phenol. M. ist das wichtigste der *Morphin-Alkaloide, die zu den *Opium-Alkaloiden gehören.

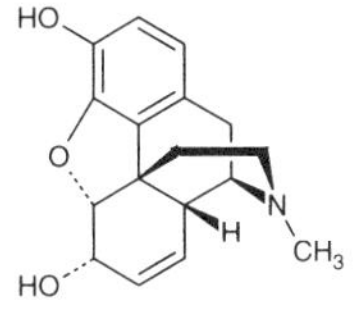

(-)-M.

M. wird aus dem Schlafmohn (*Papaver somniferum*) durch Extraktion gewonnen.

Nachw.: M. kann durch verschiedene Farbreaktionen (z. B. Violettfärbung mit Fe^{3+} in alkal. Lsg.) nachgewiesen werden, bes. empfindliche Verf. sind die Gaschromatographie, Massenspektroskopie u. Radio-Immunoassays.

Verw. u. ***Wirkung:*** M. wird als starkes Analgetikum bei schweren Schmerzzuständen eingesetzt. Neben dem Schmerz werden auch andere Reflexe des protektiven Syst. gedämpft. Dem Infarktpatienten nimmt M. nicht nur den Schmerz, sondern auch das „Vernichtungsgefühl" u. die Todesangst. Andere Sinnesqualitäten (Temp., Berührung etc.) werden nicht beeinflußt. Beim Erwachsenen beträgt die analget. wirksame Dosis 10 mg. Bei den meisten Menschen stellt sich infolge des Angriffs von M. am limb. Syst. eine pos. Stimmungslage (Euphorie) ein. Eine sedativ-hypnot. Wirkung von M. ist bei der Mehrzahl von Patienten bei der normalen Dosis zu beobachten. Bei höheren Dosen stellt sich ein narkoseähnlicher Zustand ein. Die atemdepressive Wirkung von M. beruht auf einer Herabsetzung der Empfindlichkeit des Atemzentrums gegenüber dem Kohlendioxid-Partialdruck bzw. der H^+-Ionen-Konz. im Blut. Dieser Effekt tritt schon bei sehr niedriger Dosierung (2–4 mg) ein. Mit einer stark verminderten Atemfunktion bis zum Atemstillstand ist bei Dosen >50 mg zu rechnen. M. passiert die Plazentaschranke u. darf deshalb nicht zur Schmerzbekämpfung in der Geburtshilfe eingesetzt werden. M. wirkt antitussiv durch Dämpfung der reflektorischen Erregbarkeit des Hustenzentrums. Diese Wirkung ist beim M.-Derivat *Codein stärker ausgeprägt. M. dämpft auch das Brechzentrum. Neben den zentralen Wirkungen hemmt M. die Magen-, Blasen- u. Darmentleerung. Bei akuter M.-Vergiftung u. drohendem Atemstillstand können als Antagonisten Morphin-Analoga, bei denen die Methyl-Gruppe am N-Atom durch einen Allyl-Rest (z. B. *Naloxon) ersetzt ist, gegeben werden. Neben M. sind noch synthet. u. halbsynthet. Derivate als Analgetika im Gebrauch (*Buprenorphin, *Dextromoramid, *Hydromorphon, *Levomethadon, *Oxycodon, *Pentazocin, *Pethidin, *Piritramid *Tramadol). Die außergewöhnlich spezif. Wirkung von M. u. seinen Analoga wurde durch den Nachw. von Opiat-Rezeptoren verständlich. Diese befinden sich v. a. in Zentralnervensyst. u. Dünndarm, aber auch in anderen Organen. Wenn eine M.-Behandlung über längere Zeit fortgesetzt wird, können prädisponierte Personen abhängig werden. Dies gilt bes. für den Genuß von *Heroin, das im Körper zu M. abgebaut wird.

Biosynth.: Das (–)-Enantiomer des Benzylisochinolin-Alkaloids *Reticulin ist der spezif. Vorläufer der

Opium-Alkaloide einschließlich Morphin. Beim Erhitzen lagert sich M. in *Apomorphin um. M. unterliegt dem Betäubungsmittelgesetz. Der Anbau von Schlafmohn ist nicht gestattet.
Geschichte: M. wurde erstmals 1803 von Sertürner aus Opium in reiner Form isoliert. Die Strukturaufklärung erfolgte 1925 durch Robinson u. Schöpf. Die erste Synth. des M.-Grundgerüstes (vgl. Morphinane) gelang Grewe, die erste M.-Synth. erfolgte 1952 durch Gates, s. a. Opium. – ***E*** = ***F*** morphine – ***I*** = ***S*** morfina

Lit.: Atta-ur-Rahman (Hrsg.), Studies in Natural Products Chemistry, Bd. 18, S. 43–154, Amsterdam: Elsevier 1996 (Synth.-Review) ▪ Beilstein E V **27/9**, 316 ff. ▪ Dtsch. Apoth. Ztg. **136**, 519–527 (Biosynth. endogenes M.), 1127 (1996) ▪ Geschichte der Pharmazie **47**, 55–60 (1995); **48**, 18 ff. (1996) ▪ Hager (5.) **3**, 662 ff.; 911, 843 ff.; **7**, 1068 ff., 1301; **8**, 1040 ff. ▪ J. Am. Chem. Soc. **114**, 9688 (1992); **115**, 11 028 (1993) ▪ Nachr. Chem. Tech. Lab. **41**, 1120–1128 (1993) (Synth.-Review) ▪ Sax (8.), MRO 500 ▪ Tetrahedron Lett. **35**, 3453 (1994) (Synth.). – *[HS 2939 10; CAS 57-27-2]*

Morphin-Alkaloide (Morphinan-Alkaloide). Bekannteste Klasse der *Isochinolin-Alkaloide, die als Grundgerüst das Morphinan-Syst. enthalten (vgl. Morphinane). Es sind Alkaloide vom Thebain-Morphin-Typ, die biosynthet. durch oxidative Kupplung aus Benzylisochinolin-Alkaloiden (*Reticulin) gebildet werden. Dabei entsteht zunächst das Morphinandienon *Salutaridin*, das über die Zwischenstufen Thebain u. Codein in Morphin übergeht. Die M.-A. kommen hauptsächlich in *Opium vor. Hauptalkaloide sind neben *Morphin *Codein, *Papaverin, *(–)-α-Narcotin u. *Thebain (s. Tab.).

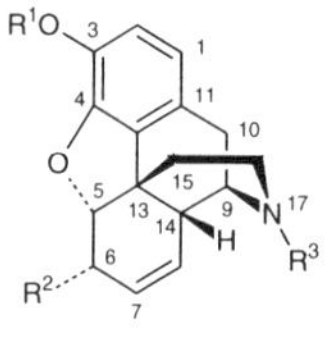

Tab.: Morphin-Alkaloide u. synthetische Derivate.

Name	R[1]	R[2]	R[3]	
Morphin	H	OH	CH_3	
Codein	CH_3	OH	CH_3	
Dihydrocodein	CH_3	OH	CH_3	7,8-dihydro
Thebain	CH_3	OCH_3	CH_3	6,14-didehydro
Heroin	$COCH_3$	$OCOCH_3$	CH_3	
Ethylmorphin	C_2H_5	OH	CH_3	
Hydrocodon	CH_3	=O	CH_3	7,8-dihydro
Hydromorphon	H	=O	CH_3	7,8-dihydro
Morphinoxid	H	OH	CH_3	17-*N*-Oxid
Nalmefen	H	$=CH_2$	Cyclopropylmethyl	7,8-dihydro
Nalbuphin	H	OH	Cyclobutylmethyl	7,8-dihydro
Nalorphin	H	OH	Allyl	

Verwandte Alkaloide: Während beispielsweise *Sinomenin* (aus *Menispermum*- u. *Sinomenium*-Arten) eine tetracycl. Verb. ist, besitzt *Morphin einen zusätzlichen Ether-Ring. Zu den eigentlichen M.-A. gehören auch die **Hasubanan-Alkaloide* (z. B. *Hasubanonin*), die *Homomorphinane*, die gegenüber den M. anstelle des Cyclohexyl-Rings einen Cycloheptyl-Ring besitzen (z. B. *Androcymbin* u. *Kreysiginin*) u. Alkaloide vom Typ des *Acutumin*; vgl. a. Opium-Alkaloide. – ***E*** morphine alkaloids – ***F*** alcaloïdes de morphine – ***I*** alcaloidi della morfina – ***S*** alcaloides de morfina

Lit.: Beilstein E V **27/9**, 310–368 ▪ Manske **16**, 393–430; **17**, 385–544; **33**, 307–347; **35**, 177–214; **45**, 128–232 ▪ Nuhn, Naturstoffchemie (3.), Stuttgart: Wissenschaftliche Verlagsges. 1997. – *[HS 2939 10]*

Morphinane.

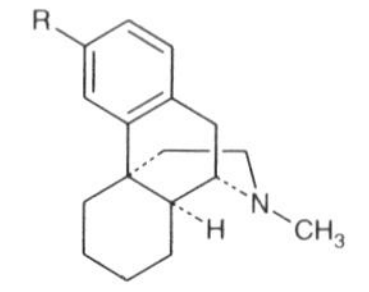

enantio-Morphinane :
R = CH_3 : Dimemorfan (**1**)
R = OCH_3 : Dextromethorphan (**2**)

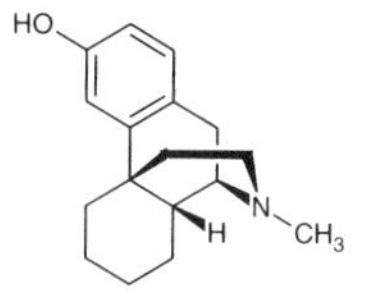

17-Methyl-3-morphinanol :
(±) : Racemorphan (**3**)
(-) : Levorphanol (**4**)

Gruppe von synthet. Alkaloiden, die auf das Grundgerüst von *Morphinan* ($C_{16}H_{21}N$, M_R 227,35) zurückgeführt werden können. Wichtige M. sind *Levorphanol* ($C_{17}H_{23}NO$, M_R 257,38, Schmp. 198–199 °C), *Racemorphan* ($C_{17}H_{23}NO$, M_R 257,38, Schmp. 251–253 °C), *Dextromethorphan* ($C_{18}H_{25}NO$, M_R 271,41) u. *Dimemorfan* ($C_{18}H_{25}N$, M_R 255,40, Schmp. 90–93 °C). Levorphanol ähnelt in seinen pharmakolog. Eigenschaften dem *Morphin. – ***E*** morphinanes – ***F*** morphinanes, alcaloïdes de morphinane – ***I*** morfinani – ***S*** morfinanos, alcaloides de morfinano

Lit.: Beilstein E V **20/7**, 537 f.; **21/3**, 450 ff. ▪ J. Chem. Educ. **66**, 718 ff. (1989) ▪ Nachr. Chem. Tech. Lab. **29**, 761 (1981) ▪ Tetrahedron Lett. **31**, 875 (1990) ▪ Thomson, The Chemistry of Natural Products, S. 314, Glasgow: Blackie 1985 ▪ Ullmann (5.) **A 2**, 279; **A 4**, 15 ▪ s. a. Morphin, Morphin-Alkaloide. – *[HS 2939 10; CAS 36309-01-0 (1); 125-71-3 (2); 297-90-5 (3); 77-07-6 (4)]*

Morphinoxid s. Morphin-Alkaloide.

Morphium s. Morphin.

. . .morph(o). . . Von griech.: morphē = Gestalt abgeleiteter Wortbestandteil; *Beisp.:* *Isomorphie, *Metamorphose, folgende Stichwörter. Nach dem griech. Traumgott Morphéus („Gestalter", Sohn des Gottes Hýpnos = Schlaf) benannte *Sertürner das *Morphin, in dem Ludwig Knorr (1859–1921) fälschlich eine *Morpholin-Teilstruktur vermutete. – ***E*** = ***F*** . . .morph(o). . . – ***I*** = ***S*** . . .morf(o). . .

Morphogene. Signal-Substanzen, die in Organismen durch räumliche Konz.-Unterschiede Einfluß auf die Gestalt-Entwicklung (Morphogenese) nehmen. Diese Funktion hat z. B. *Activin beim Krallenfrosch *Xenophus laevis* [1]. Um ein weiteres M. der Wirbeltiere handelt es sich möglicherweise bei Retinsäure (*Tretinoin), die an einen *Kernrezeptor bindet. Im Cytoplasma bindet Retinsäure an ein Träger-Protein, das CRABP (von engl.: *c*ellular *r*etinoic *a*cid-*b*inding *p*rotein). Zu M. bei **Drosophila melanogaster* s. *Lit.*[2]. – ***E*** morphogens – ***F*** morphogènes – ***I*** morfogeni – ***S*** morfogenes

Lit.: [1] Curr. Biol. **7**, R 698 ff. (1997). [2] Cell **85**, 951–961 (1996). *allg.:* Sem. Cell. Dev. Biol. **7**, 87–93 (1993).

Morpholin (1,4-Oxazinan: Tetrahydro-1,4-oxazin). C 

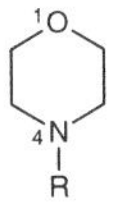

R = H : Morpholin
R = CH_3 : 4-Methyl-morpholin
R = CHO : 4-Formyl-morpholin
R = C_6H_5 : 4-Phenyl-morpholin

C_4H_9NO, M_R 87,12. Farblose, leichtbewegliche brennbare, hygroskop. Flüssigkeit mit intensivem Amin-Geruch, D. 1,004, Schmp. -8 °C, Sdp. 129 °C, FP. 31 °C c.c.; M. ist mischbar mit Wasser u. den meisten organ. Lsm., mit Wasserdampf flüchtig u. absorbiert CO_2 aus der Luft. M. ist bas. (pK_b 5,67), die Dämpfe reizen stark die Augen u. die Atemwege. Kontakt mit der Flüssigkeit führt zu Verätzung der Augen u. der Haut. Die Flüssigkeit wird auch über die Haut aufgenommen. Bei anhaltender Einwirkung sind Lungenödem, später Leber- u. Nierenschäden möglich. MAK 10 ppm (MAK-Werte-Liste 1996); LD_{50} (Ratte oral) 1050 mg/kg; WGK 2. Die Verw. von M. u. seinen Salzen in kosmet. Mitteln ist verboten (Kosmetik-VO Anl. 1, Nr. 344); Verwendungsverbot als Kühlschmierstoffkomponente (TRGS 611). Die Reaktion mit nitrosierenden Agenzien kann zur Bildung des carcinogenen *N*-Nitrosomorpholins führen [1].

Herst.: Aus Diethanolamin durch Dehydratisierung od. aus Diethylenglykol mit NH_3 u. wenig H_2 in Ggw. eines Katalysators.

Verw.: Als nützliches Reagenz in organ. Synth., als Lsm., als Zwischenprodukt für opt. Aufheller, Kautschukchemikalien, Pharmazeutika usw., bestimmte *N*-Derivate wie z.B. *N*-Formyl- od. *N*-Methyl-M. zur extraktiven Gewinnung von Aromaten aus Erdölfraktionen. – ***E*** = ***F*** morpholine – ***I*** = ***S*** morfolina

Lit.: [1] Maximale Arbeitsplatzkonzentrationen und Biologische Arbeitsstofftoleranzwerte 1996, S. 75, Weinheim: VCH-Verlagsges. 1996.
allg.: Beilstein E V **27/1**, 63–83 ▪ Hager (5.) **3**, 846 ▪ Hommel, Nr. 139 ▪ Houben-Weyl **6/4**, 509–546 ▪ Merck-Index (12.), Nr. 6362 ▪ Paquette **5**, 3671 ▪ Ullmann (4.) **7**, 384 ff.; (5.) **2**, 14, 29, 31 ▪ Weissberger **17**, 378–393 ▪ Weissermel-Arpe (4.), S. 173 f. – *[HS 2934 90; CAS 110-91-8; G 3]*

Morpholino...

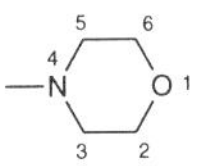

Bez. für den über das N-Atom gebundenen *Morpholin-Rest in organ. Verb. (IUPAC-Regeln B-2.12, R-2.5); ebenso zulässig: (4-Morpholinyl)... (C. A.), Morpholin-4-yl... (Beilstein); s. aber Morpholin-*x*-yl... – ***E*** = ***F*** morpholino... – ***I*** = ***S*** morfolino...

2-Morpholinoethansulfonsäure s. MES.

3-Morpholino-1-propansulfonsäure s. MOPS.

Morpholin-*x*-yl... [(*x*-Morpholinyl)...; *x*=2 od. 3]. Bez. für einen über ein C-Atom gebundenen *Morpholin-Rest; s. aber Morpholino... – ***E*** = ***F*** morpholin-*x*-yl... – ***I*** morfolin-x-il... – ***S*** morfolin-*x*-il...

Morphologie. Von *Morph(o)... abgeleitete Bez. für Formen- od. Gestaltlehre. Grundlegende Wissensgebiete der M. werden in den Naturwissenschaften als Bio-, Geo- u. *Kristallmorphologie u. in den Geisteswissenschaften als Kultur-, Sozio- u. Sprach-M. abgehandelt. – ***E*** morphology – ***F*** morphologie – ***I*** morfologia – ***S*** morfología

Morphotropie. Bez. für eine nach V. M. *Goldschmidt in der Kristallchemie mit der *Isomorphie u. der Mischkristallbildung (s. Mischkristalle) verknüpfte Erscheinung, daß chem. eng verwandte Stoffe bei gleichem Formeltyp ganz unterschiedliche *Kristallstrukturen annehmen können. *Beisp.:* TiO_2 krist. im Rutil-Typ, ThO_2 im Fluorit-Typ. – ***E*** morphotropy – ***F*** morphotropisme, morphotropie – ***I*** morfotropia – ***S*** morfotropismo, morfotropía

Morse-Potential. Von dem amerikan. Physiker P. McCord Morse 1929 vorgeschlagene Potentialform, mit der das elektron. Potential V eines zweiatomigen Mol. in Abhängigkeit vom Kernbindungsabstand r beschrieben wird:

$$V(r) = D_e \cdot [1 - e^{-a(r-r_o)}]^2.$$

D_e ist die Dissoziationsenergie, r_o der Kernabstand mit der geringsten potentiellen Energie u. a eine Konstante, die man über die Vibrationskonstante ω_e ermitteln kann. Für das M.-P. kann die *Schrödinger-Gleichung analyt. gelöst werden u. liefert die Schwingungsenergien:

$$E_{vib}(v) = a\sqrt{\frac{h \cdot D_e}{2\pi^2 \cdot c \cdot \mu}}(v + 1/2) - \frac{h \cdot a^2}{8\pi \cdot c \cdot \mu}(v + 1/2)^2$$

mit v = Schwingungsquantenzahl, c = Lichtgeschw., h = Plancksches Wirkungsquantum, μ = reduzierte Masse = $\frac{m_1 \cdot m_2}{m_1 + m_2}$ wobei m_1 u. m_2 die Massen der beiden Atomkerne sind. Dieser Energieausdruck entspricht dem eines starren, nichtharmon. Rotators:

$$E_{vib}(v) = \omega_e(v + 1/2) - \omega_e\chi_e(v + 1/2)^2,$$

d. h. das M.-P. ist, im Vgl. zum harmon. Oszillator, eine wesentlich bessere Annäherung an das wirkliche Potential.

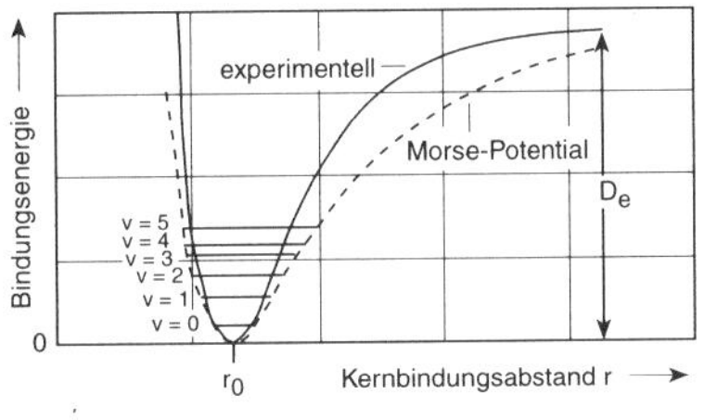

Abb.: Vgl. zwischen einem Morse-Potential u. dem experimentell gefundenen Potential. Mit v sind die untersten Schwingungsniveaus gekennzeichnet.

Die Abb. zeigt schemat., daß dennoch Abweichungen zwischen dem M.-P. u. dem experimentell gefundenen Potential existieren. Deshalb wurde von Hulburt u. Hirschfelder eine Verbesserung des M.-P. vorgeschlagen:

$$V(r) = D_e\{[1 - e^{-a(r-r_o)}]^2 + c \cdot a^3(r - r_o)^3 [1 - a \cdot b \cdot (r - r_o) e^{-2a(r-ro)}]\}.$$

Heute angewendet wird eher das *RKR-Potential. – ***E*** Morse potential – ***F*** potentiel Morse – ***I*** potenziale di Morse – ***S*** potencial Morse

Lit.: Barrow, Physikalische Chemie, Braunschweig: Vieweg 1984 ▪ Herzberg, Molecular Spectra and Molecular Structure I, New York: Van Nostrand 1950 ▪ Hollas, High Resolution Spectroscopy, London: Butterworth 1982.

Morton. Kurzbez. für die 1848 gegr. Morton International Inc., Chicago, IL 60606-1596, USA. *Daten* (1996): 14100 Beschäftigte, 3,6 Mrd. $ Umsatz. *Produktion:* Chemikalien zur Beschichtung u. Versiegelung, Chemikalien für Textilien, Papier, Druckfarben- u. Druckprozesse, Färbemittel, wasserlösl. Farben u. Beschichtungspolymere, Halbleiterproduktion; Antioxidantien, Asphaltadditive, Magnesiumsalze, Tenside, organ. Spezialchemikalien, Phosphor-organ. Verb., Reduktionsmittel, Wachse, Thermoplaste, Polyurethane, Polysulfidpolymere, Gummichemikalien, Kleber, Industrielacke, Airbag, Salze. *Vertretung* in der BRD: Morton International GmbH, 68267 Mannheim.

Mosaikgold s. Messing.

Mosaik-Kristalle. Bez. für reale *Einkristalle, die aus *Subkörnern* bestehen, welche um kleine Winkelbeträge gegeneinander gekippt od. verdreht sind. Die Streuung der Orientierung des Gitters über das Vol. des Krist. verhindert den bei der *Kristallstrukturanalyse unerwünschten Effekt der *primären Extinktion*, hat aber auch Auswirkungen auf die Reflexbreite bei Beugungsexperimenten. – ***E*** mosaic crystals – ***F*** cristal mosaïque – ***I*** cristalli mosaici – ***S*** cristal mosaico

Lit.: Buerger, Kristallographie, Berlin: de Gruyter 1977 ▪ Luger, Modern X-Ray Analysis on Single Crystals, Berlin: de Gruyter 1980 ▪ Ramdohr-Strunz, S. 196.

Mosander, Carl Gustav (1797–1858). Prof. für Chirurgie, Chemie u. Mineralogie, Stockholm. *Arbeitsgebiet:* Seltene Erden; er entdeckte Lanthan, Didym (eine Mischung der beiden Elemente Neodym u. Praseodym), Erbium u. Terbium. Nach ihm ist das Lanthan-Mineral Mosandrit benannt.

Lit.: J. Chem. Educ. **1968**, 671–679 ▪ Lexikon der Naturwissenschaftler, S. 300 ▪ Neufeldt, S. 31, 35 ▪ Pötsch, S. 311 ▪ Strube **2**, 104, 193.

Moschus. Schwarzbraune, gekörnte Masse mit ammoniakal.-animal. Geruch. Der eigentliche erogen-animal., trocken holzige M.-Duft entwickelt sich erst beim Bereiten einer Tinktur in ca. 70–80% leicht alkal. Ethanol.

Gewinnung: M. ist das Sekret einer Abdominaldrüse des Moschustiers (*Moschus moschiferus*), einer kleinen geweihlosen Hirschart, die auf den Hochplateaus Ostasiens (Himalaya, Sibirien) lebt. Die männlichen Tiere benutzen das Sekret, um ihr Revier zu markieren u. weibliche Tiere anzulocken. In der Vergangenheit wurden die Tiere getötet u. die das Sekret enthaltenden Beutel herausgeschnitten. Die Beutel gelangten getrocknet in den Handel. Aus der darin enthaltenen schwarzbraunen Masse wurde ein alkohol. Auszug („M.-Tinktur") hergestellt, der für die Herst. von Parfüms verwendet werden konnte. Etwa 40 M.-Beutel sind nötig, um 1 kg gekörnten M. zu erhalten. Wegen der jahrzehntelangen intensiven Bejagung ist das M.-Tier vom Aussterben bedroht. Die Jagd auf das M.-Tier ist daher durch das Washingtoner Artenschutzabkommen verboten worden. Der Export von M. unterliegt strengen Reglementierungen. Die auf ostasiat. Märkten auftauchenden Partien erzielen Preise zwischen 30000 u. 50000 US-$/kg.

Zusammensetzung[1]***:*** Wesentliche geruchsgebende Komponente ist (–)-*Muscon.

Verw.: M. wurde früher als erogene Komponente in teuren Luxusparfüms eingesetzt. Heute wird echter M. in Europa u. den USA nicht mehr verwendet. – ***E*** musk – ***F*** musc – ***I*** muschio – ***S*** almizcle, ambreta, abelmosco

Lit.: [1] Perfum. Flavor. **1** (5), 12 (1976).
allg.: Chem. Rundsch. **47**, Nr. 12, 1, 4 (1994) ▪ Ohloff, S. 195, 200, 208 ▪ Parfum. Cosmet. Arom. **88**, 63 (1988); **90**, 81 (1990) ▪ Theimer, Fragrance Chemistry, S. 433, 436, 495, 509, New York: Academic Press 1982. – *Toxikologie:* Food Chem. Toxicol. **21**, 865 (1983). – *[HS 051000; CAS 68991-41-3]*

Moschuskörneröl. Ether., nach *Moschus riechendes Öl od. gelbliche Masse, wird aus den reifen ca. 3 mm großen nierenförmigen Körnern *(Moschus-, Abelmoschus-, Bisam-, Ambrettekörner)* des ca. 2 m hohen, gelbblühenden, krautigen Moschuseibisch (**Hibiscus abelmoschus*, Malvaceae) in Indien, Ägypten, Angola, Kongo, Westindien usw. durch Wasserdampfdest. gewonnen; D. 0,9, lösl. in 2,5–9 Vol.-% 80%igem Alkohol. Hauptbestandteile: *Farnesol, Pentadecanolid u. *Ambrettolid.

Verw.: Als Anregungsmittel, in der Parfüm-, Likör-, Schnupf- u. Kautabak-Industrie. – ***E*** ambrette seed oil – ***F*** essence de graine d'ambrette, essence de musc végétal – ***I*** essenza (olio) dei semi di ambretta – ***S*** esencia de grano de ambreta

Lit.: Chem. Rundsch. **47**, 1, 4 (1994) ▪ Flavour Fragr. J. **7**, 65 (1992). – *[HS 330129; CAS 8015-62-1]*

Moschusschafgarbe s. Schafgarbenöl.

Moseley, Henry Gwyn Jeffreys (1887–1915), Physiker, Manchester. *Arbeitsgebiete:* Röntgenspektroskopie, Entdecker des nach ihm benannten Gesetzes (s. folgendes Stichwort).

Lit.: Heilbron, H. G. J. Moseley: The Life and Letters of an English Physicist, Berkeley: California University Press 1973 ▪ Krafft, S. 247f. ▪ Krafft u. Meyer-Abich, Große Naturwissenschaftler, S. 232f., Frankfurt: Fischer 1970 ▪ Lexikon der Naturwissenschaftler, S. 301 ▪ Neufeldt, S. 124, 134 ▪ Strube **2**, 80f., 83f. ▪ Strube et al., S. 99, 120, 156.

Moseleysches Gesetz. Das von *Moseley 1913 aufgrund früherer Beobachtungen von Barkla u. van den Broek formulierte Gesetz lautet: „Die Frequenz einer Linie im Röntgenspektrum ist einer Beziehung A $(N-b)^2$ proportional, wobei A u. b Konstanten darstellen," N entspricht dem heutigen Z. In heutiger Schreibweise: $\tilde{\nu} = C \cdot R \cdot (Z-s)^2$ wobei $\tilde{\nu}$ = *Wellenzahl ($=1/\lambda$, λ = Wellenlänge), C = Zahlenfaktor (für die K_α-Linie C = 3/4), R = *Rydberg-Konstante, Z = *Ordnungszahl (Kernladungszahl), s = Materialkonstante (Abschirmungszahl, für die K_α-Linie $s \approx 1$). Trägt man die Wurzel aus der Wellenzahl ($\sqrt{\tilde{\nu}}$) als Ordinate über der Kernladungszahl (Z) auf, so erhält man die sog. *Moseleysche Gerade*, v. a. im Falle der K-Serie, vgl. Abb.; zur Entstehung der K- u. L-Geraden s. Abb. 1 bei Röntgenspektroskopie.

Die hier im Bild nicht gezeigten Abweichungen von der Linearität bei den höheren Serien vermittelten wesentliche Aufschlüsse über den *Atombau. Diese Geraden, u. damit das M. G., lassen erkennen, daß die Aufstellung der Elemente nach der Kernladungszahl ihr fundamentales Anordnungsprinzip bildet, zumal hier nicht die bei Ordnung nach steigendem Atom-Gew. in einigen Fällen (z.B. Iod/Tellur, Argon/Kalium, Cobalt/Nickel) beobachtbare, den chem. Ver-

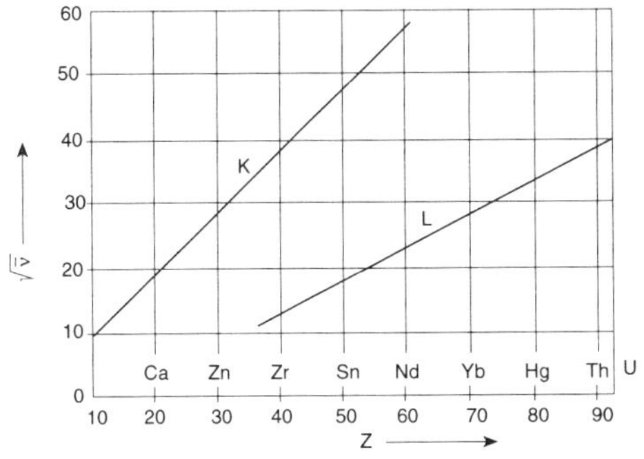

Abb.: Moseleysches Gesetz – $\sqrt{\bar{\nu}}$ in Abhängigkeit von Z.

wandtschaftsverhältnissen widersprechende Reihenfolge auftritt; Näheres s. Periodensystem. Eine weitere wesentliche Folgerung aus dem M. G. war die Möglichkeit der Voraussage der genauen Anzahl der damals noch unbekannten Elemente (unterhalb Uran mit der Ordnungszahl 92) u. die Lage ihrer Röntgenlinien. Das M. G. bildet die Basis der *Elektronenstrahl-Mikroanalyse u. allg. der *Röntgen-Spektroskopie. – ***E*** Moseley law – ***F*** loi de Moseley – ***I*** legge di Moseley – ***S*** ley de Moseley

Lit.: Brockhaus, Physik abc, Leipzig: Brockhaus 1989 ▪ Musiol et al., Kern- u. Elementarteilchenphysik, S. 184, Weinheim: VCH Verlagsges. 1988.

MOS-FET (Abk. für *E m*etal-*o*xide-*s*emiconductor *f*ield-*e*ffect-*t*ransistor). Eine Art des Feldeffekttransistors (s. Transistor u. Halbleiter), bei dem die Steuerelektrode durch eine isolierende Oxidschicht (im allg. SiO_2) von dem leitfähigen Kanal getrennt wird. Falls die Isolationsschicht kein Oxid ist, spricht man auch von MIS-FET. Der Aufbau ist schemat. in Abb. 1 gezeigt, hier für einen n-Kanal MOS-FET (die n- u. p-Dotierungen können vertauscht werden, so daß ein p-Kanal MOS-FET entsteht). In das p-leitende Substrat werden zwei n-leitende Bereiche eindiffundiert (*Halbleiter), die kontaktiert werden u. als Stromquelle (source S) u. Stromsenke (Drain D) bezeichnet werden. Die Steuerelektrode (gate G) ist durch die Oxidschicht vom Halbleiter isoliert. Liegt an der Gateelektrode keine od. eine neg. Spannung, so sperrt die Anordnung den Stromfluß von S nach D für beide Polungen, da einer der beiden pn-Übergänge (*Diode, *Halbleiter) stets in Sperrichtung gepolt ist. Legt man jedoch eine pos. Spannung an G, so sammeln sich durch Influenz an der Grenzfläche zum Oxid im Halbleiter neg. Ladungsträger, d. h. Elektronen an, u. es entsteht ein dünner n-leitender Kanal, der in Abb. 1 gestrichelt eingezeichnet ist. Diese Schicht wird auch als Inversionsschicht bezeichnet, da der Leitfähigkeitstyp von p nach n übergeht. Stromfluß zwischen S u. D wird möglich, u. zwar um so besser, je größer die pos. Gatespannung ist.

Ein MOS-FET ist somit ein regelbarer Widerstand. Der Strom I_{DS} steigt bei konstanter Gatespannung U_{GS} mit zunehmender Spannung U_{DS} zwischen S u. D (D pos.) zunächst linear an u. geht dann in Sättigung (Abb. 2). Zu dem Auftreten dieser Sättigung tragen zwei Effekte bei. Zum einen erreichen die Ladungsträger im leitfähigen Kanal bei hohen elektr. Feldern eine Sättigungsgeschw. (für Elektronen in Si ca. 10^7 cm/s), zum anderen führt eine Erhöhung der Drainspannung zu einer Verringerung der effektiven Spannung zwischen Gate u. dem leitfähigen Kanal. – ***E*** MOS-FET – ***I*** transistor a effetto di campo a gate isolato, MOS-FET – ***S*** transitor de efecto de campo con un metal-óxido semiconductor

Lit.: Fraser, Halbleiterphysik, München: Oldenbourg 1981 ▪ Paul, Elektronische Halbleiterbauelemente, Studienskripte 112, Stuttgart: Teubner 1986 ▪ Sze, Physics of Semiconductor Devices, 2. Aufl., New York: Wiley 1981.

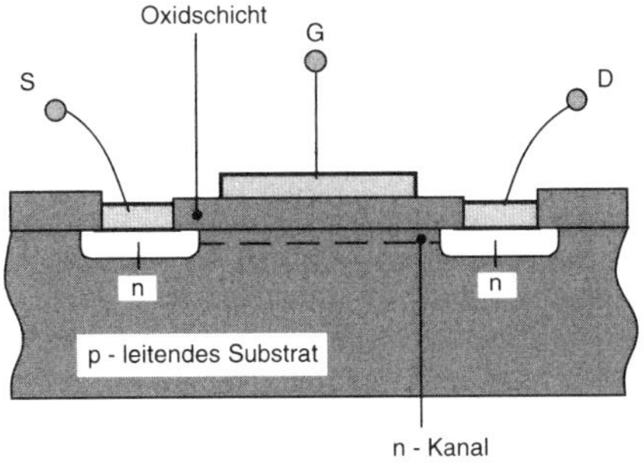

Abb. 1: Schemat. Aufbau eines n-Kanal MOS-FET.

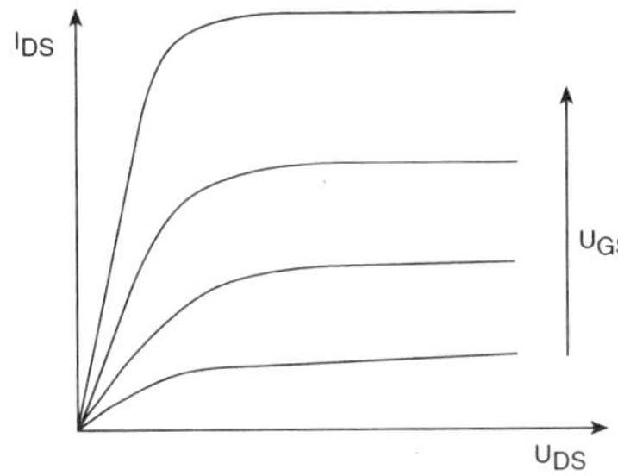

Abb. 2: Schemat. Kennlinienfeld eines MOS-FET.

Moshers Säure s. MTPA.

Most. Regionale, vorwiegend in Süddeutschland u. den Alpenländern übliche Bez. für Obstpreßsaft bes. aus Äpfeln, Birnen od. Trauben. Apfel- od. Birnen-M. wird häufig aus speziellen Säure-reichen, Gerbstoffhaltigen Sorten (Hordapfel) hergestellt u. mit Wasser vermischt, vergoren od. unvergoren (*Süßmost*) genossen. Der allg. Sprachgebrauch versteht unter Trauben-M. ein Vorprodukt der Traubensaftherst. od. Traubensaft als solchen. Für den Gesetzgeber ist Trauben-M. nur das Erzeugnis, aus dem durch Vergären Wein erzeugt werden soll. Trauben-M. unterliegt damit der Weingesetzgebung. Bei Trauben-M. handelt es sich um ein aus frischen Weintrauben auf natürlichem Wege od. durch physikal. Verf. gewonnenes Erzeugnis, das höchstens 1% vol Alkohol enthalten darf[1]. Beurteilungsgrundlage für Trauben-M. u. daraus hergestellte Erzeugnisse ist ebenfalls eine VO der Europ. Gemeinschaft[2]. Anforderungen an die Zusammensetzung von Apfel- u. Birnen-M. sind den Richtlinien für die Herst., Kennzeichnung u. Beurteilung von Fruchtweinen u. weiterverarbeiteten Erzeugnissen[3] (Gruppe 6: M. nach Landesbrauch) zu entnehmen. Den Wasserzusatz (höchstens ein Drittel) sowie weitere Elemente der Kennzeichnung regelt die Ausführungs-VO zum Wein-

Gesetz[4]. Angaben über Aromastoffe des M. sind *Lit.*[5] zu entnehmen. – ***E*** fruit juice; must; fruit wine – ***F*** moût; vin doux – ***I*** = ***S*** mosto

Lit.: [1] VO (EWG) Nr. 822/87 vom 16. 3. 1987 in der Fassung vom 17.03.1997 (ABl. der EG Nr. L 83/5). [2] VO (EWG) Nr. 339/79 in der Fassung vom 19.6.1989 (ABl. der EG L 202/30). [3] Zipfel, C 407. [4] Ausführungs-VO zum Weingesetz vom 16.7.1932 in der Fassung vom 22.12.1981 (BGBl. I, S. 1625). [5] Chem. Ztg. **97**, 29 (1973).
allg.: Amerine, Methods for Analysis of Musts and Wines, New York: Wiley 1980 ▪ Belitz-Grosch (4.), S. 826 ▪ Römpp Lexikon Lebensmittelchemie, S. 565 f. ▪ Troost, Technologie des Weines (5.), Stuttgart: Ulmer 1980 ▪ Würdig u. Woller, Chemie des Weines, S. 45–167, Stuttgart: Ulmer 1989. – *[HS 2009 60, 2009 70]*

Mostwaage s. Oechsle-Grade.

MO-Theorie (Molekülorbital-Theorie). Von *Hund u. *Mulliken (Nobelpreis für Chemie 1966; *Lit.*[1]) 1927, also bereits kurz nach Entwicklung der mathemat. u. physikal. Grundlagen der *Quantentheorie, eingeführtes Näherungsverf. der *Quantenchemie, welches zunächst v. a. zur Interpretation der Elektronenspektren zweiatomiger Mol. konzipiert wurde. Weitere wichtige Beiträge zur Entwicklung der MO-T. stammen von *Lennard-Jones, *Herzberg u. E. *Hückel (s. a. HMO-Theorie u. Hückel-Regel). In den letzten 3 Jahrzehnten hat sich die MO-T. zur wichtigsten Theorie der *chemischen Bindung entwickelt; sie wird in großem Umfang – begünstigt durch die rasche Entwicklung auf dem Computersektor – zur Erklärung u. Vorhersage von Mol.-Eigenschaften auf quantentheoret. Grundlage herangezogen. Die MO-T. geht von einem gegebenen Kerngerüst aus (*Born-Oppenheimer-Näherung der Behandlung der Elektronenbewegung) u. bestimmt die Energieniveaus (*Orbitalenergien) eines Elektrons im Feld der Kerne u. im gemittelten Feld der übrigen Elektronen. Die zugehörigen Einelektronenwellenfunktionen bezeichnet man als *Molekülorbitale (Abk.: MO); im folgenden wird ein MO mit φ symbolisiert. Bei mehratomigen Mol. werden die MO im allg. nach einem *Basissatz von *Atomorbitalen χ_k entwickelt [*LCAO-(MO)-Methode]:

$$\varphi_i = \sum_k \chi_k C_{ki}.$$

Die Koeff. C_{ki} werden im allg. über das *Energievariationsprinzip bestimmt (s. a. Hartree-Fock-Verfahren). In einfachen *semiempirischen Verfahren wie der Hückel-Molekülorbital-Theorie (s. HMO-Theorie) werden die Koeff. durch die Topologie des Mol. festgelegt. Die Beschreibung der Bindungsverhältnisse in homonuklearen zweiatomigen Mol. mit Hilfe der MO-T. ist bei *chemische Bindung (S. 671–677) ausführlicher dargestellt. Dort werden auch Begriffe wie σ-Orbitale, π-Orbitale, bindende u. antibindende MO erläutert; zudem wird am Beisp. des H_2-Mol. der Zusammenhang zwischen MO-T. u. *Valence-Bond-Methode diskutiert. Hier sollen noch zwei Beisp. von mehratomigen Mol. etwas ausführlicher besprochen werden. Das Valenz-MO-Energieniveau-Schema des BeH_2-Mol. (lineare *Gleichgewichtsgeometrie; Punktgruppe $D_{\infty h}$) ist in Abb. 1 dargestellt (s. a. *Lit.*[2]).
Das energet. tiefste Valenz-MO, mit σ_g bezeichnet, wird durch Linearkombination der Atomorbitale (AO) 2s (Be), 1s (H) u. 1s′ (H′) gebildet; die beiden 1s-AO

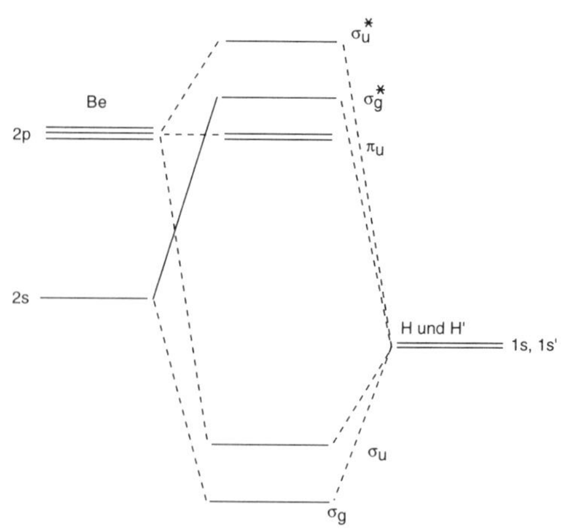

Abb. 1: Valenz-MO-Energieniveaus des BeH_2-Moleküls.

haben hierbei gleiche Koeffizienten. Bei der Spiegelung am Inversionszentrum (in diesem Falle der Be-Kern) ändert sich dieses MO nicht, es erhält daher zu seiner Klassifizierung den rechten Subskript g (für gerade). Da es rotationssymmetr. um die Kernverbindungslinie ist, handelt es sich um ein σ-Orbital. Das energet. nächsthöhere MO wird mit σ_u bezeichnet (u: Abk. für ungerade), da es bei Spiegelung am Inversionszentrum sein Vorzeichen ändert. Es wird durch Linearkombination der AO $2p_z$ (Be), 1s (H) u. 1s′ (H′) gebildet; die beiden letzten AO haben hierbei Koeff., die betragsmäßig gleich sind, aber sich im Vorzeichen unterscheiden. Die MO σ_g u. σ_u sind über alle 3 Atome *delokalisiert* u. haben *bindenden* Charakter. Durch eine einfache Transformation, die den physikal. Sachverhalt nicht ändert (s. a. chemische Bindung S. 676 f.), lassen sich aus den beiden delokalisierten MO zwei *äquivalente lokalisierte* MO erzeugen; Näheres s. *Lit.*[3], wo auch Höhenlinienbilder aller 4 MO aufgeführt sind. Die weiteren MO, die mit den zur Verfügung stehenden AO (minimaler Basissatz) gebildet werden können, haben *antibindenden* Charakter u. sind in Abb. 1 mit einem Stern bezeichnet. Im elektron. Grundzustand des BeH_2-Mol. sind diese MO nicht besetzt.
Die MO-T. läßt sich auf beliebige Mol. anwenden, z. B. auch auf Koordinationsverb. (s. Koordinationslehre). Abb. 2 zeigt ein qual. Orbitalenergie-Diagramm für einen oktaedr. Komplex, wobei die Liganden in vereinfachender Annahme jeweils nur ein energiegleiches σ-Orbital zur Bindung mit dem Zentralatom (od. -ion) beisteuern sollen. Die Korrelation der MO mit den AO (links im freien Zentralatom, rechts davon nach Aufspaltung im oktaedr. Ligandenfeld) u. den σ-Orbitalen der Liganden (ganz rechts) ist in Abb. 2 dargestellt. Die MO werden mit Hilfe der gruppentheoret. Symbole klassifiziert; z. B. bedeutet a_{1g} ein totalsymmetr. MO, das bei der Spiegelung am Inversionszentrum (dem Atomkern des Zentralatoms) u. Anw. der übrigen Symmetrieoperationen der Oktaedergruppe (s. a. Gruppentheorie) unverändert bleibt.
Die e-Orbitale sind zweifach, die t-Orbitale dreifach entartet. Die 3 energet. höchsten MO in Abb. 2 (e_g^*, a_{1g}^* u. t_{1u}^*) haben antibindenden Charakter.

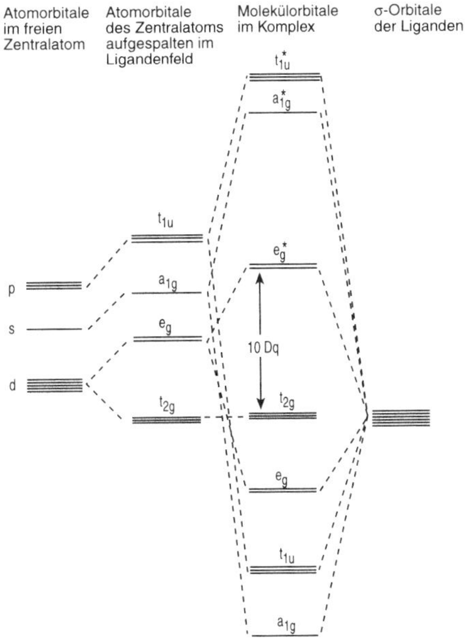

Abb. 2: Schemat. MO-Energieniveau-Diagramm für einen oktaedr. Komplex.

Neben der *ab initio-MO-T. gibt es eine Fülle *semiempirischer Verfahren, die unter Einzelstichwörtern wie *AM1, *CNDO, *EHT, *HMO-Theorie, *INDO, *MINDO, *MNDO, *PM3 od. *PPP näher besprochen werden. – ***E*** MO theory – ***F*** théorie OM – ***I*** teoria dell'orbitale molecolare – ***S*** teoría OM (orbital molecular)

Lit.: [1] Angew. Chem. **79**, 541–554 (1967). [2] Huheey, Anorganische Chemie, S. 128ff., Berlin: de Gruyter 1988. [3] Kutzelnigg, Einführung in die Theoretische Chemie, Bd. 2: Die chemische Bindung, 2. Aufl., Weinheim: VCH Verlagsges. 1994. *allg.:* Hehre et al., Ab Initio Molecular Orbital Theory, New York: Wiley 1986 ▪ Klessinger, Elektronenstruktur organischer Moleküle, Weinheim: Verl. Chemie 1982 ▪ Reinhold, Quantentheorie der Moleküle, Stuttgart: Teubner 1994 ▪ Stabo u. Ostlund, Modern Quantum Chemistry, New York: McGraw-Hill 1989 ▪ Zülicke, Quantenchemie, Bd. 2, Berlin: Dtsch. Verl. Wiss. 1985.

Mothes, Kurt (1900–1983), Prof. für Botanik, Biochemie, Halle. *Arbeitsgebiete:* Stoffwechsel u. Biochemie der Pflanzen, Heterotrophie, Alkaloide, Proteinbiosynth., Phytokinine. Er gilt aufgrund der Zusammenführung von physiolog. u. chem. Erkenntnissen bei Pflanzen als Mitbegründer der modernen Biochemie.

Lit.: Chem. Ztg. **94**, 853 (1970) ▪ Lexikon der Naturwissenschaftler, S. 301 ▪ Nachmansohn, S. 325 ▪ Naturwiss. Rundsch. **33**, 453–458 (1980); **36**, 491–494 (1983) ▪ Pötsch, S. 311f.

Motilin.
Phe-Val-Pro-Ile-Phe-Thr-Tyr-Gly-Glu-Leu-Gln-Arg-Met-Gln-Glu-Lys-Glu-Arg-Asn-Lys-Gly-Gln
Im Zwölffingerdarm, meist jedoch nicht zu Zeiten der Nahrungsaufnahme gebildetes Peptidhormon aus 22 Aminosäuren (hier Aminosäure-Sequenz des menschlichen M., $C_{120}H_{188}N_{34}O_{35}S$, M_R 2699,08), das bei der *Verdauung eine Rolle spielt, indem es die Motorik von *Magen u. *Darm u. die Sekretion von Pepsin stimuliert. – ***E*** motilin – ***F*** motiline – ***I*** = ***S*** motilina

Lit.: M. S. – Méd. Sci. **9**, 547–552 (1993) ▪ Peptides **18**, 593–608 (1997). – *[CAS 52906-92-0, 9072-41-7]*

Motilium® (Rp). Tabl. u. Suspension mit *Domperidon gegen Erbrechen u. Übelkeit. ***B.:*** Byk Gulden.

Motorenöle (Motorschmieröle). Sammelbez. für *Mineralöle, auch synthet. Öle (organ. Ester, synthet. Kohlenwasserstoffe, Poly-α-olefine, Polyolefine) mit od. (heute nur noch selten) ohne *Mineralöladditive, die als *Schmierstoffe für Motoren geeignet sind. Die Additive bewirken ein günstiges Fließverhalten bei tiefen u. hohen Temp. (Verbesserung des Viskositätsindexes), sie suspendieren Feststoffe (Detergent-Dispersant-Verhalten), neutralisieren saure Reaktionsprodukte u. bilden einen Schutzfilm auf der Zylinderoberfläche (EP-Zusatz, für „extreme pressure"). M. werden in verschiedenen Viskositätsklassen als Ein- od. Mehrbereichsöle hergestellt, wobei letztere mehr als eine *SAE-Viskositätsklasse abdecken. Für die Aufarbeitung von *Altöl – wegen des Gehalts an krebserzeugenden Pyrolyse-Produkten wurde es in die Gruppe V d der MAK-Liste eingestuft – sind verschiedene *Recycling-Verf. entwickelt worden, wobei die Beseitigung des als Abfall anfallenden sog. *Säureteers* gewisse Probleme aufwirft (s. a. Altölentsorgung). – ***E*** motor oils, engine oils – ***F*** huiles à moteur – ***I*** oli lubrificanti – ***S*** aceites para (engrase de) motores

Lit.: DIN 51511: 1985-08 ▪ Kirk-Othmer (4.) **15**, 463–493; **18**, 458; **21**, 1–10 ▪ Ullmann (5.) **A 15**, 460–466 ▪ Winnacker-Küchler (4.) **5**, 147–151 ▪ s. a. Schmierstoffe. – *[HS 2710 00]*

Motorkraftstoffe. Flüssige od. gasf., nahezu ausschließlich aus *Erdöl durch Raffination gewonnene *Brennstoffe, deren chem. Energie sich in Verbrennungsmotoren in mechan. Energie umwandeln läßt. Der weltweit wichtigste M. ist das zum Antrieb von *Otto-Motoren* (Kolbenmotoren) u. *Wankel-Motoren* (Rotationskolben-Motoren) verwendete Benzin (zur grundsätzlichen Wirkungsweise s. dort). Benzin wird an den Tankstellen in der BRD z. Z. in der Regel in 3 Handelsqualitäten angeboten: Unverbleites Normal mit *Octan-Zahl 91 ROZ, Super mit Octan-Zahl 95 ROZ u. Super-Plus mit Octan-Zahl 98 ROZ. Verbleites Super mit Octan-Zahl 98 ROZ nach DIN 51600: 1988-01 ist noch zugelassen, wird aber nicht mehr an allen Tankstellen verkauft. Zur Bedeutung von ROZ u. MOZ s. Octan-Zahl. Nach DIN EN 228: 1993-05 muß unverbleiter *Ottokraftstoff* frei sein von sichtbarem Wasser u. festen Fremdstoffen, der Blei-Gehalt darf 13 mg/L u. der Schwefel-Gehalt 0,05% nicht übersteigen. Lösl. *Additive* sind in gewissen Grenzen erlaubt, so z. B. Antioxidantien, reinigende, schmierende u. rostverhindernde Mittel, Zusätze zur Verminderung der Rußbildung u. der CO-Menge in den *Kraftfahrzeugabgasen (Abgasentgiftung), Mittel zur Verhinderung der Vergaservereisung (*Anti-Icing-Mittel), Farbstoffe (z. B. *Azofarbstoffe) zur Markenkennzeichnung, als Warnmarkierung vor verbleitem Benzin od. unversteuertem Dieselkraftstoff (Heizöl) etc. Die wichtigsten Additive stellen die *Antiklopfmittel dar; im Blei-freien Benzin werden Sauerstoff-haltige Verb. [2-Methyl-2-propanol (TBA), 2-Methyl-1-propanol (IBA, s. Butanole), 2-*Propanol, *tert*-*Butylmethylether (MTBE) u. a.] u. Benzol (z. Z. bis zu 5 Vol.-%, Herabsetzung ist beab-

sichtigt) eingesetzt. Jahrzehntelang setzte man vorwiegend Bleialkyle, bes. *Bleitetraethyl ein, das durch seine *Radikalfänger-Eigenschaft zum Abbruch von *Kettenreaktionen führt, die das bekannte *Klopfen* beim Verbrennen von M. verursachen. Allerdings wirft die weltweite Verw. von giftigen Blei-Verb. erhebliche Umweltprobleme auf, die sich zu den durch normale Verbrennung der M. verursachten *Luftverunreinigungen hinzuaddieren.
Die zweite wichtige Gruppe der M. sind die Dieselkraftstoffe (s. dort u. Cetan-Zahl). Flugzeug-Treibstoffe (Flugkraftstoffe) sind unter *Flugbenzin u. *Düsenkraftstoffe abgehandelt, vgl. a. Treibstoffe. In der BRD wurden 1996 insgesamt 30 Mio. t Ottokraftstoffe u. 26 Mio. t Dieselkraftstoffe abgesetzt[1]. Abgesehen von den hier erwähnten flüssigen M. können prinzipiell auch gasf. Substanzen od. verflüssigte Gase – Stadtgas, Methan, Holzgas, (flüssiges) Propan u. a. Flüssiggase (LPG, von *E* liquefied petroleum gas) sowie Wasserstoff – zu einer motor. Verbrennung ausgenutzt werden. Wenngleich gegenüber M. aus Erdöl z. Z. noch nicht wettbewerbsfähig, werden alternative M. bereits in größeren Mengen (subventioniert) eingesetzt mit dem Ziel der Minderung von Schadstoff- u. CO_2-Ausstoß sowie zur Vorsorge gegen vorhersehbare Erdöl-Verknappung: *Gasohol (in den USA u. Brasilien); Rapsölmethylester (RME, „Biodiesel") aus *nachwachsenden Rohstoffen (s. a. Dieselkraftstoffe); Flüssiggase (LPG) als bes. schadstoffarm. Während diese alternativen M. in herkömmlichen Motoren Verw. finden, bedarf der Einsatz von Wasserstoff der Weiterentwicklung der Motoren. – ***E*** motor fuels, engine fuels – ***F*** carburants – ***I*** carburanti dei motori – ***S*** carburantes, combustibles para motores

Lit.: [1] Erdöl Erdgas Kohle **113**, Heft 4, 154 (1997).
allg.: Kirk-Othmer (3.) **11**, 652–695; **S**, 1–42; (4.) **12**, 341–388 ▪ Ullmann (4.) **17**, 51–70; (5.) **A 16**, 719–753 ▪ Winnacker-Küchler (4.) **5**, 137–147 ▪ s. a. Benzin u. Dieselkraftstoff. – *[HS 2710 00]*

Motoroctan-Zahl s. Octan-Zahl.

Motor-Proteine s. molekulare Motoren.

Motorschmieröle s. Motorenöle u. Schmierstoffe.

Mott, Sir Nevill Francis (1905–1996), Prof. für Physik, Bristol u. Cambridge; 1951–1957 Präsident der IUPAC. *Arbeitsgebiete:* Metallphysik, Magnetochemie, elektr. Leitfähigkeit von Metallen u. Halbleitern, Wellenmechanik, Atombau, Photographie, Supraleitfähigkeit. Nobelpreis für Physik 1977 zusammen mit P. W. *Anderson u. van *Vleck.

Lit.: Lexikon der Naturwissenschaftler, S. 301 ▪ Poggendorf **7 b/5**, 3420–3425.

Mottelson, Benjamin R. (geb. 1926), Prof. für Physik, Kopenhagen. *Arbeitsgebiete:* Kernphysik, Kernenergie, Atombau, Aufstellung des sog. Kollektivmodells der Atomstruktur; hierfür Nobelpreis für Physik 1975 zusammen mit A. *Bohr u. *Rainwater.

Mottenbekämpfung. Motten sind meist nachts fliegende, kleine graue Schmetterlinge, zu denen verschiedene Fruchtmotten u. z. T. arge Vorratsschädlinge gehören wie z. B. die Mehl- u. Kornmotte. Am bekanntesten ist die hier gemeinte Kleidermotte (*Tineola bisseliella*). Deren Larven (etwa 1 cm lange, weiße Räupchen) zerfressen Wolle, Pelze, Federn, Seide (selten Baumwolle, Kunstseide, Nylon usw.) u. bauen aus den abgenagten Stoffteilchen kleine, sackartige Gehäuse, in denen sie sich verpuppen u. zu Schmetterlingen entwickeln. Nur diese Raupen sind direkt schädlich u. werden bekämpft, während die Schmetterlinge durch Fehlen entsprechender Mundwerkzeuge nicht in der Lage sind, Fraßschäden zu verursachen (aber natürlich sich fortzupflanzen). In den USA schätzt man die jährlichen wirtschaftlichen Verluste durch Kleidermotten u. Teppichkäfer auf mehrere 100 Mio $, weshalb sie intensiv bekämpft werden. Die klass. Atemgiftstoffe zur M. („Mottenpulver, Mottenkugeln"), zu denen z. B. *Campher, *Naphthalin, 1,4-*Dichlorbenzol, *Hexachlorethan u. a. gehören, wirken eher als *Insektenabwehrmittel, d. h. mehr temporär vertreibend als tötend, wogegen Mittel wie *Dichlorvos bessere Wirkung zeigen. Wirksame Kontaktgifte haben für den Haushaltsgebrauch oft eine zu hohe generelle Toxizität, u. auch *Fumigantien (Cyanwasserstoff, Methylbromid etc.) werden nur gewerblich angewandt. Motten-*Pheromone, die vielfach schon synthet. hergestellt werden, sind ebenfalls im Hausgebrauch ungeeignet. Als Mittel der Wahl gelten daher *Fraßschutzmittel*; dabei handelt es sich um *Textilschutzmittel*, welche direkt auf die Faser od. nachträglich aus wäss. Lsg. aufgetragen werden u. z. B. auf Basis von Fluoriden, organ. Phosphonium- od. Ammonium-Verb., Sulfonamid-, Triphenylmethan- od. Harnstoff-Derivate wirksam sind. Bekannter Vertreter dieser Gruppe ist z. B. *Eulan®. Mit letzterem verbindet sich der Begriff des *Eulanisierens* als gleichbedeutend mit *Mottenfestausrüstung* (*E* mothproofing) für Teppiche, Kleider-, Mantel- u. Anzugstoffe etc. Die Mittel verbinden sich häufig in der Art von Farbstoffen mit der Faser u. können daher dem Färbebad zugesetzt werden. – ***E*** moth control – ***F*** lutte antimite – ***I*** lotta tarmicida – ***S*** lucha antipolilla

Lit.: Kirk-Othmer (4.) **14**, 592 f. ▪ Rouette, Lexikon für Textilveredlung, Bd. 2, S. 1297 f., Dülmen: Laumann-Verl. 1995 ▪ Ullmann (4.) **13**, 243–245; (5.) **A 14**, 307 f. ▪ Vollmer u. Franz, Chemie in Haus und Garten, Stuttgart: Thieme 1994.

Mottenkugeln s. Mottenbekämpfung.

Mottramit s. Descloizit.

Mountex®. Eindeckmittel mit hohem Brechungsindex für die Mikroskopie. ***B.:*** Merck.

Moura Campos, Marcello de (geb. 1921), Prof. für Organ. Chemie, Sao Paolo (Brasilien). *Arbeitsgebiete:* Thioacetale u. -hemiacetale, Steroide, Tellur-Verb., Nachbargruppeneffekte bei Additionsreaktionen u. v. a.

Moureu, F. Charles (1863–1929), Prof. für Chemie, Univ. Paris, erster Präsident der IUPAC. *Arbeitsgebiete:* Eugenol, Isoeugenol, Spartein, Polymerisation, Acrolein, Tränengase, Edelgase, Acrylsäure, Acetylen-Derivate, Rubren, Antioxidantien.

Lit.: Ber. Dtsch. Chem. Ges. **62**, A 87, A 93 (1929) ▪ Pötsch, S. 312.

Mouton-Effekt s. a. Kerr-Effekt.

Mova Nitrat Pipette®. Augentropfen mit *Silbernitrat-Lsg. zur Prophylaxe von Kokkeninfektionen des Auges (Blennorrhoe). ***B.:*** Lindopharm.

Movergan® (Rp). Tabl. mit *Selegilin-hydrochlorid zur Kombinationsbehandlung mit Levodopa bei Parkinsonismus. ***B.:*** Orion Pharma.

MOVPE s. MOCVD.

Mowilith®. Sortiment (ca. 70 Typen) von thermoplast. Kunstharzen, die in verschiedenen Formen, Polymerisationsgraden u. Zusammensetzungen auf dem Markt sind, sowohl als Homopolymerisate auf der Basis von Vinylacetat wie auch als Copolymerisate aus Vinylacetat u. Ethylen, Vinylchlorid, Maleinsäuredibutylester, Acrylsäureester, Versaticsäurevinylester u./od. als Copolymerisat auf der Basis von verschiedenen AOR-Säure-Derivaten u. Styrol/Acrylsäureester. Handelsformen sind feste od. gelöste Harze, wäss. Dispersionen u. Dispersionspulver.
Verw.: Zur Herst. von Anstrichmitteln für innen u. außen, von Grundierungen, Leimen u. Klebstoffen, Heißsiegelbeschichtungen, Appretur- u. Imprägniermitteln, Bindemitteln für Faserleder, Betonzusatzmitteln, Bauklebemassen, Ind.-Fußböden u. Lebensmittelbeschichtungen. Als M. wurde ursprünglich das 1913 von Klatte gefundene Polymerisat von Chloressigsäurevinylester bezeichnet. ***B.:*** Clariant.

Mowiol®. *Polyvinylalkohol(PVAL)-Typen von verschiedenen Polymerisations- u. Hydrolysengraden, die in Wasser hochviskose Lsg. geben. Diese wäss. Lsg. trocknen zu klaren, mechan. festen Filmen auf.
Verw.: Bindemittel in der Klebstoff-, Papier- u. Textil-Ind., Schutzkolloid zur Herst. von Kunststoff-Dispersionen, Schlichtemittel, als Geliermittel, zur Herst. von Kosmetika, Dichtungen, Hohlkörpern, Platten, Lsm.-beständigen Schläuchen, Handschuhen u. dgl., als Trennlack für Gießharzverarbeitung, als temporäres Bindemittel in der Keramik-Ind., zur Herst. wasserlösl. Folien. ***B.:*** Clariant.

Mowital® B. *Polyvinylbutyral-(PVB)Typen mit unterschiedlichem Polymerisations- u. Acetalisierungsgrad, hergestellt aus Polyvinylacetat durch Verseifung zu Polyvinylalkohol u. anschließende Acetalisierung mit Butyraldehyd.
Verw.: Alleinbindemittel für Folienlacke (heißsiegelfähig zwischen 120 u. 180 °C), für kalthärtende, luft- u. ofentrocknende Lacke, Bindemittel für Druckfarben, Washprimer u. Shop-Primer; spezielle Typen zur Herst. von Folien für Sicherheitsverbundgläser im Automobil- u. Bausektor. ***B.:*** Clariant.

Mowiton®. Kunststoffdispersion für den Bausektor als Mörtelzuschlag zur Verbesserung der Verarbeitbarkeit, Elastizität u. Haftung u. als Bindemittelkomponente in Ind.-Fußböden. ***B.:*** Clariant.

Moxalactam (Rp) s. Latamoxef.

Moxaverin.

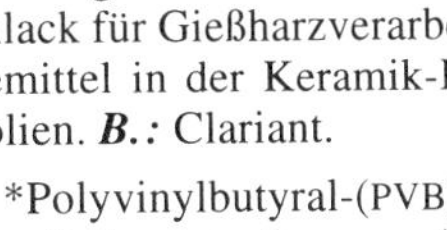

Internat. Freiname für das spasmolyt. wirksame 1-Benzyl-3-ethyl-6,7-dimethoxyisochinolin, $C_{20}H_{21}NO_2$, M_R 307,39, Schmp. 78–79 °C; λ_{max} (CH$_3$OH) 240, 319, 332 nm ($A^{1\%}_{1cm}$ 2230, 127, 142). Verwendet wird meist das Hydrochlorid, Schmp. 208–210 °C (Zers.), auch 211–217 °C angegeben; λ_{max} (0,01 M HCl) 252 nm ($A^{1\%}_{1cm}$ 1950). M. wurde 1964 von Orgamol patentiert u. ist von Sertürner (Certonal®) u. Ursapharm (Kollateral®) im Handel. – ***E*** moxaverine – ***F*** moxavérine – ***I*** = ***S*** moxaverina

Lit.: Beilstein E V **21/5**, 394 f. ▪ Hager (5.) **8**, 1049 ff. ▪ Martindale (31.), S. 1729. – *[HS 293340; CAS 10539-19-2 (M.); 1163-37-7 (Hydrochlorid)]*

Moxifloxacin (Rp).

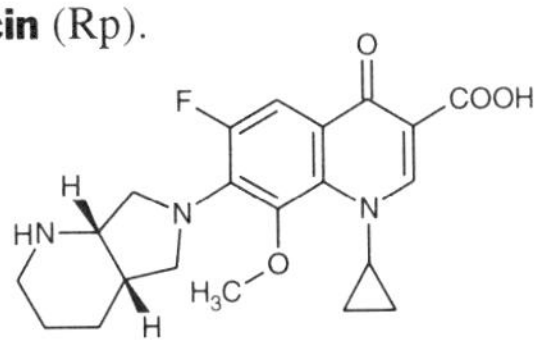

Von der WHO vorgeschlagener internat. Freiname für das Chemotherapeutikum, ein *Gyrase-Hemmer (1′S,6′S)-1-Cyclopropyl-7-(2,8-diazabicyclo[4.3.0]-non-8-yl)-6-fluoro-8-methoxy-4-oxo-1,4-dihydrochinolin-3-carbonsäure, $C_{21}H_{24}FN_3O_4$, M_R 401,43, Schmp. 203–208 °C. Verwendet wird das Hydrochlorid, Schmp. 248–251 °C (Zers.); $[\alpha]^{20}_D$ –132° (c 0,5/H$_2$O); LD_{50} (Ratte oral) 1320, (Ratte i.v.) 112 mg/kg. M. zeigt eine höhere Wirksamkeit gegen Gram-pos. Kokken u. Gram-neg. Krankheitserreger des Respirationstrakts als *Ciprofloxacin. Es wurde 1990 von Bayer patentiert u. ist zur Zeit in der klin. Prüfung. – ***E*** moxifloxacin – ***F*** moxifloxacine – ***I*** moxifloxacina – ***S*** moxifloxacín

Lit.: Drugs of the future **22** (2), 109–113 (1997). – *[CAS 151096-09-2 (M.); 186826-86-8 (Hydrochlorid)]*

Moxisylyt.

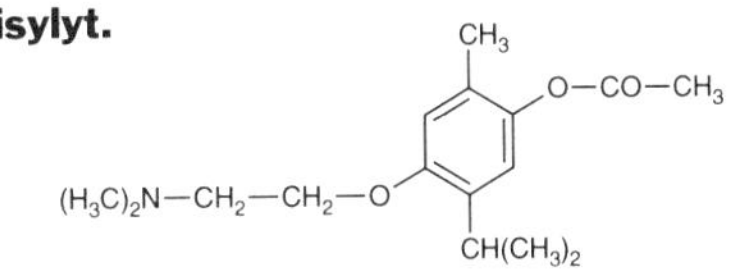

Internat. Freiname für das α-*Sympath(ik)olytikum (gegen cerebrale u. periphere Durchblutungsstörungen) {4-[2-(Dimethylamino)ethoxy]-5-isopropyl-2-methylphenyl}-acetat, $C_{16}H_{25}NO_3$, M_R 279,37. Verwendet wird meist das Hydrochlorid, Schmp. 208–210 °C; λ_{max} (CH$_3$OH) 275 nm ($A^{1\%}_{1cm}$ 79); LD_{50} (Maus oral) 265, (Maus s.c.) 200 mg/kg. M. wurde 1954 von Diwag, 1956 von Veritas Drug patentiert. – ***E*** moxisylyte, thymoxamine – ***F*** moxisylyte – ***I*** moxisilite – ***S*** moxisilita

Lit.: Beilstein E IV **6**, 6021 ▪ Hager (5.) **8**, 1051 f. ▪ Martindale (31.), S. 953. – *[HS 292250; CAS 54-32-0 (M.); 964-52-3 (Hydrochlorid)]*

Moxonidin (Rp).

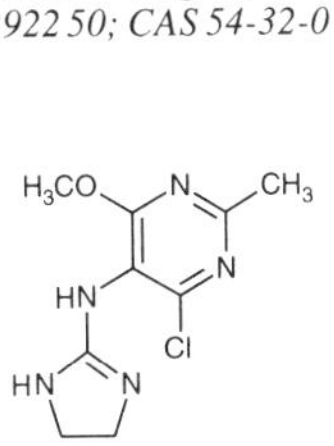

Internat. Freiname für das *Antihypertonikum (α_2-Rezeptor-Agonist) 4-Chlor-N-(4,5-dihydro-1H-imidazol-2-yl)-6-methoxy-2-methyl-5-pyrimidinamin, $C_9H_{12}ClN_5O$, M_R 241,68, Schmp. 217–219 °C (Zers.). Verwendet wird das Hydrochlorid, Schmp. 189 °C. M.

wurde 1980 u. 1982 von Beiersdorf AG (Cynt®) patentiert u. ist auch von Solvay-Arzneimittel (Physiotens®) im Handel. – ***E*** = ***F*** moxonidine – ***I*** = ***S*** moxonidina

Lit.: Drugs **44**, 993–1012 (1992) ▪ Martindale (31.), S. 912 f. ▪ Pharm. Ztg. **141**, 1300 (1996). – *[HS 2933 59; CAS 75438-57-2 (M.); 75438-58-3 (Hydrochlorid)]*

MOZ. Abk. für *Mo*tor*o*ctan*z*ahl, s. Octanzahl.

MΦ. Abk. für *Makrophage.

MP. Abk. für *Störungstheorie nach Møller u. Plesset; weitverbreitetes Verf. der *Quantenchemie. Die Ordnung wird üblicherweise in Form einer arab. Ziffer angehängt, z. B. MP2 für Störungstheorie 2. Ordnung.

MPa. Symbol für Megapascal, s. Pascal.

M-P-A®. Gruppe organ. Thixotrope für nichtwäss. Pigmentsyst. in Ind.-Lacken; benetzt die Farbpigmente u. verhindert das Absetzen der Pigmente. ***B.:*** RHEOX.

MPC. Abk. für *E* *M*aximum *P*ermissible *C*oncentration, max. zulässige Konz., s. MAC.

MPD. Abk. für Magnetoplasmadynamik, s. Magnetohydrodynamik.

MPF. 1. Kurzz. (nach DIN 7728-1: 1988-01) für *Melamin-Phenol-Formaldehyd-Harze. – 2. Abk. für maturation promoting factor s. Cycline. – 3. s. MP-Faser.

MP-Faser (MPF). Handelsname einer Faser aus einem Vinylchlorid/Vinylacetat-Copolymer.

MPG. Abk. für *Max-Planck-Gesellschaft.

MPI. Abk. für Max-Planck-Inst., s. Max-Planck-Gesellschaft.

MPIC. Abk. für Mobile Phase Ion Chromatography, s. Ionenpaarchromatographie.

MPN s. Peroxonitrat-Ester.

MPQ s. MQ.

M-Protein. 1. Variables Protein (ca. 400 Aminosäure-Reste) auf der Oberfläche infektiöser Streptokokken (Gruppe A, z. B. *Streptococcus pyogenes*), das diesen Resistenz gegen die Abwehrkräfte ihres Wirtes verleiht, so daß sie nicht von Phagocyten (z. B. *Makrophagen) angegriffen werden. Möglicherweise ist das M-P. an der Autoimmunerkrankung *Psoriasis (Schuppenflechte) beteiligt[1]. – 2. Protein (M_R 165 000) des *Muskels, Hauptkomponente der M-Bande der Myofibrillen. Bindet die Muskel-Proteine *Myosin u. *Titin. Das M-P. besitzt *Immunglobulin- u. *Fibronectin-ähnliche Domänen. – ***E*** M protein – ***F*** protéine M – ***I*** proteina M – ***S*** proteína M

Lit.: [1] Clin. Exp. Immunol. **107**, Suppl. 1, 21–24 (1997).
allg. (*zu 1.*): Immunol. Today **13**, 362–367 (1992) ▪ Spektrum Wiss. **1991**, Nr. 8, 50–58. – (*zu 2.*): Adv. Biophys. **33**, 91–99 (1996).

M-PVC s. Masse-PVC.

MPVQ s. MQ.

MQ. Kurzz. (nach DIN ISO 1629: 1981-10) für Methylsilicon-Kautschuke, die ausschließlich Methyl-Gruppen seitenständig zur Polymerkette enthalten (*Beisp.:* Polydimethylsiloxan), in Abgrenzung zu Siliconkautschuken (s. Silicone) mit zusätzlichen Fluor- (MFQ), Phenyl- (MPQ), Phenyl- u. Vinyl- (MPVQ) od. Vinyl-Gruppen (MVQ), für welche nach derselben Norm die eingeklammerten Kurzz. gelten.

M_R. Abk. für relative *Molmasse.

MR-CI. Abk. für *M*ulti *R*eference-*C*onfiguration *I*nteraction. Wichtiges Verf. der *Quantenchemie, das v. a. zum Studium von Dissoziationsprozessen u. elektron. angeregten Zuständen eingesetzt wird, wo andere weniger aufwendige Verf. nicht anwendbar sind. Zum Vgl. mit anderen CI-Varianten s. Configuration Interaction. – ***E*** MR-CI – ***S*** interacción de configuraciones de referencia múltiple

Lit.: s. ab initio u. Configuration Interaction.

Mrd. Abk. für *Milliarde (10^9; vgl. Giga...).

mrem. Symbol für Millirem, s. Rem, Sievert.

MRF, MRH, MRIH s. Melanotropin.

MRL. Abk. für *Maximum Permissible Risk Level u. Maximum Residue Limit (s. Rückstand).

mRNA. Abk. für *Ribonucleinsäuren.

MRS-Gleichung s. Martin-Roth-Stiehler-Gleichung.

MR-System s. Munsell-System.

ms. a) Symbol für Millisekunde, s. Sekunde. – b) *ms*- (kursiv) war Kurzz. für *Meso... (Stereobez. u. veraltete Stellungsbez.).

Ms. Abk. für *Mesyl... (= *Methansulfonyl...); Symbol für Megasekunde, s. Sekunde (1 Ms = 11,574 d); veraltetes Kurzz. für Maulbeer-*Seide, für *Messing u. für *Meso... in histor. Bez. einiger Radioisotope, z. B. MsTh = *Mesothorium.

MS. Abk. für *Massenspektrometrie u. für *Multiple Sklerose.

MSA. Abk. für *Maleinsäureanhydrid.

M-Säure s. Naphthylaminsulfonsäuren.

MSDS. Abk. für *E* *M*aterial *S*afety *D*ata *S*heet, *Sicherheitsdatenblatt.

MSF. Abk. für Multi-stage flash evaporation.

MSG. Abk. für engl.: monosodium glutamate, s. Natrium-L-glutamat.

MSH. Abk. für Melanocyten-stimulierendes Hormon, s. Melanotropin.

MSI/MSR/MST Mundipharma® (Btm). Ampullen, Suppositorien u. Retardtabl. mit dem starken *Analgetikum *Morphin-Sulfat. ***B.:*** Mundipharma.

MSOC. Abk. für die 2-(Methylsulfonyl)ethoxycarbonyl-Gruppe als Schutzgruppe von Aminosäuren.

MSR. Abk. für Messen, Steuern, Regeln. Die techn.-chem. Produktionen sind heute weitgehend automatisiert, ihre Anlagen enthalten eine große Zahl von Meß-, Steuer- u. Regeleinrichtungen. Hiermit werden wichtige verfahrenstechn. Größen erfaßt, gemeldet, protokolliert u. zur Beeinflussung des Prozesses weiterverarbeitet. Mit den Meßgeräten (z. B. für Temp., Druck) werden die Zustandsgrößen des Prozesses erfaßt. Steuer- u. Regeleinrichtungen erhalten Informationen über den gewünschten Betriebsablauf, auf deren

Grundlage diese in den Prozeß eingreifen u. ihn in gewünschter Weise beeinflussen.
Die Grundbegriffe der Regelungs- u. Steuertechnik sind in DIN 19226 [1] genormt. Regelung ist ein Vorgang, bei dem eine Größe, die aus dem Prozeß stammende Regelgröße *x*, fortlaufend erfaßt u. mit einer anderen Größe, der Führungsgröße *w*, verglichen wird. Der Vgl. findet im Regler statt, dessen Ausgangsgröße, die Stellgröße *y*, den Prozeß in Abhängigkeit vom Ergebnis des Vgl. so beeinflußt, daß die Regelabweichung (*x–w*) möglichst klein wird. Der Vorgang des fortlaufenden Messens, Vergleichens u. Stellens entspricht einem geschlossenen Wirkungskreislauf, der den Regelkreis bezeichnet, s. Abbildung.
Von der Regelung unterscheidet sich die Steuerung dadurch, daß sie im allg. einen offenen Wirkungsablauf hat. Die Steuerung ist ein Vorgang, bei dem eine od. mehrere Größen als Eingangsgrößen andere Größen als Ausgangsgrößen nach einem bestimmten Algorithmus beeinflussen. Das Ergebnis der Steuerung hat im allg. keinen Einfluß auf den Eingang, daher offener Wirkungskreis.

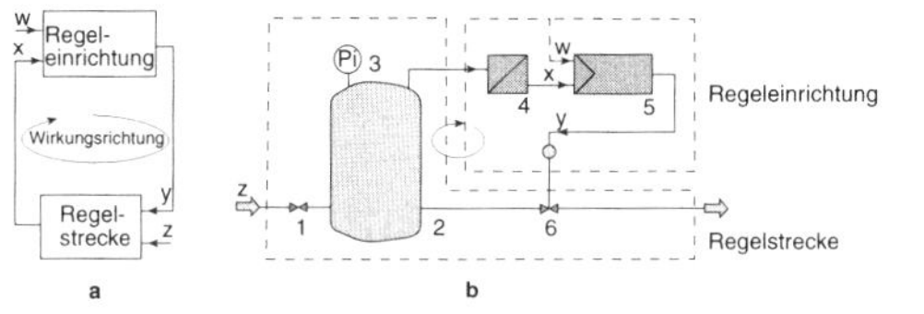

Abb.: Aufbau eines Regelkreises; a Regelkreis (schemat.); b Druckregelung: 1 Zulaufventil, 2 Behälter, 3 Druckanzeiger, 4 Meßumformer, 5 Regler, 6 Stellgerät (Regelventil), x Regelgröße, w Führungsgröße, y Stellgröße, z Störgröße.

Die Abb. zeigt den Aufbau eines einfachen Regelkreises zur Druckregelung in einem Behälter. Die zur Darst. von MSR-Funktionen in diesem Fließbild verwendeten Symbole u. Buchstaben sind in DIN 19227 [2] definiert. Für die Planung des MSR-Aufwandes in Chemie-Anlagen werden solche Fließbilder (R&I-Fließbilder) verwendet. Die Tab. zeigt die nach DIN 19227 zu verwendenden Buchstaben. Der Endbuchstabe, gegebenenfalls mit Zusatzbuchstabe, gibt die Funktion an, der Folgebuchstabe die Signalverarbeitung. So bedeutet z. B. PI eine Druckmessung mit Anzeige, FIC eine Durchflußmessung mit Anzeige u. Regelung.

Tab.: Kennbuchstaben nach DIN 19227.

	Erstbuchstabe	Folgebuchstabe
A	–	Grenzwertmeldung, Alarm
C	–	Regelung
F	Durchfluß	Verhältnis
H	Handeingabe, -eingriff	–
I	–	Anzeige
L	Stand	–
P	Druck	–
Q	Qualitätsgrößen	Integral, Summe
R	Strahlungsgrößen	Registrierung
S	Geschw., Drehzahl, Frequenz	Schaltung
T	Temp.	–
U	zusammengesetzte Größen	–

Lit.: [1] DIN 19226: 1994-02. [2] DIN 19227: 1993-10.
allg.: Schmidt, Schalttechnisches Taschenbuch, 4. Aufl., S. 286, Düsseldorf: VDI 1988 ▪ Winnacker-Küchler (4.) **1**, 504–598.

mSt. Abk. für Millistokes, s. Stokes.

MSTFA s. Silicium-organische Verbindungen.

MsTh s. Mesothorium.

MTBE s. *tert*-Butylmethylether.

MTD. Abk. für minimale topolog. Differenz, s. QSAR u. Stereochemie.

mtDNA. Abk. für *mitochondriale DNA.

MTF. Nach DIN 60001-4: 1991-08 Kurzz. für *Metallfasern.

MTG-Verfahren (*M*ethanol *t*o *g*asoline). Ein von Mobil entwickeltes Verf. zur Dehydratisierung von Methanol an einem Zeolith-Katalysator. Es entsteht ein Kohlenwasserstoff-Gemisch, dessen größter Anteil im Siedebereich von Fahrbenzin liegt (Methanol-Benzinierung). – ***E*** MTG process – ***F*** procédé MTG – ***I*** processo MTG – ***S*** procedimiento MTG
Lit.: Ullmann (5.) **A 28**, 498 ▪ Weissermel-Arpe (3.) (engl.), S. 32 f.

MTPA. Abk. für α-Methoxy-α-(trifluoromethyl)-phenylessigsäure (3,3,3-Trifluor-2-methoxy-2-phenylpropionsäure, Moshers Säure).

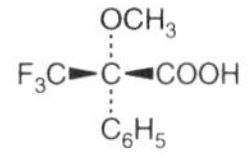

(–)-(*S*)-MTPA

$C_{10}H_9F_3O_3$, M_R 234,17, farblose, viskose Flüssigkeit, Sdp. 115–117 °C (2 hPa). Die (+)-(*R*)- u. (–)-(*S*)-Enantiomeren {$[\alpha]_D^{20}$ +73° bzw. –73° (c 2/CH_3OH)} dienen zur Bestimmung der opt. Reinheit u. abs. Konfiguration von Alkoholen u. Aminen. – ***E*** α-methoxy-α-(trifluormethyl)-phenylacetic acid – ***I*** acido-metossi-(trifluorometil)-fenilacetico – ***S*** ácido 3,3,3-trifluoro-2-metoxi-2-fenilpropiónico
Lit.: J. Org. Chem. **34**, 2543 (1969) ▪ Paquette **5**, 3392. – *[HS 2918 90; CAS 20445-31-2 (R(+)); 17257-71-5 (S(–)); 81655-41-6 (±)]*

MTX. Abk. für *Maitotoxin.

Mu. Abk. für *Myonium.

Mucidine s. Strobilurine.

Mucilagines. Latein. Bez. (von mucus = Schleim) für *Schleime.

Mucine (von latein: mucus = Schleim). In schleimigen Sekreten der meisten Epithele (z. B. *Speichel, Magen- u. Darmsaft, Bronchialschleim) enthaltene Gemische aus L-Fucose-reichen *Glykosaminoglykanen *(Fucomucine)* u. Sialinsäure-reichen Glykoproteinen (*Mucoproteine, Sialomucine*). Infolge ihrer komplexen Strukturen u. ihrer hohen Molmasse (1–50 Mio.) sind sie schwierig in nativer Form zu isolieren. Sie üben Transport-, Schmier- u. Schutzfunktionen aus (z. B. Transport des Speisebreis, Abpuffern überschüssiger Magensäure, Schutz gegen Mikroorganismen, Gelenkschmierung durch die *Synovialflüssigkeit von Gelenken). In vitro werden M. durch

*1,4-Dimercapto-2,3-butandiol od. Schwefel-haltige Aminosäuren in Untereinheiten gespalten (*Mucolyse*). Membran-gebundene epitheliale M. wie MUC1, deren normale Funktion noch nicht eindeutig charakterisiert ist, sind bei Brustkrebs im Übermaß vorhanden[1]. Ihnen nachgebildete synthet. Glykopeptide könnten als Tumor-Impfstoffe dienen[2]. – ***E*** mucins – ***F*** mucines – ***I*** mucine – ***S*** mucinas

Lit.: [1] Biochim. Biophys. Acta **1241**, 407–423 (1995). [2] Nature (London) **389**, 587–591 (1997).
allg.: Annu. Rev. Physiol. **57**, 547–657 (1995) ▪ Nachr. Chem. Tech. Lab. **40**, 1227–1231 (1992).

Mucinsäure s. Schleimsäure.

muco-. In der Nomenklatur der *Inosite ist *muco-* Bez. für 1,2,4,5-*cis*/3,6-*trans*-ständige Heteroatome am Cyclohexan-Ring. – ***E*** = ***F*** = ***I*** = ***S*** muco-

Mucolyse s. Mucine u. Mucolytika.

Mucolytika (Mukolytika). Von latein.: mucus = Schleim abgeleitete Bez. für Arzneipräp., die die Schleimbildung anregen u./od. die Schleimverflüssigung (*Mucolyse*) bewirken. Die als *Expektorantien u. Rhinologika bei Atemwegserkrankungen eingesetzten Präp. enthalten z. B. *Bromhexin, *Mesna, *N*-*Acetylcystein, *S*-Carboxymethylcystein (*Carbocistein), *Ambroxol, Calciummethenaminthiocyanat od. Iodpropylidenglycerin, ggf. kombiniert mit Antibiotika od. Spasmolytika. Eine klare Abgrenzung zwischen M., *Sekretolytika u. *Sekretomotorika ist nicht möglich. – ***E*** mucolytics – ***F*** mucolytiques – ***S*** mucolíticos

Lit.: s. die Textstichwörter u. Broncholytika.

Muconsäure (2,4-Hexadiendisäure).
HOOC–CH=CH–CH=CH–COOH, $C_6H_6O_4$, M_R 142,11. M. existiert in 3 stereoisomeren Formen: *trans,trans-M.*, Schmp. 305 °C (Zers.), *cis,trans-M.*, Schmp. 190–191 °C u. *cis,cis-M.*, Schmp. 194–195 °C. Alle Formen sind prakt. unlösl. in kaltem Wasser, lösl. in Eisessig; findet Verw. in organ. Synthesen. – ***E*** muconic acid – ***F*** acide muconique – ***I*** acido muconico – ***S*** ácido mucónico

Lit.: Beilstein E IV **2**, 2297 f. ▪ Merck-Index (12.), Nr. 6381 ▪ Ullmann (5.) **A 8**, 534. – *[CAS 505-70-4]*

Mucopeptid. 1. Bez. für ein beliebiges *Glykosaminoglykan-haltiges Peptid. – 2. Synonym für *Murein.

Mucopolysaccharidasen s. Glykosaminoglykane.

Mucopolysaccharide. Veraltete Bez. für *Glykosaminoglykane.

Mucopolysaccharidosen s. Glykosaminoglykane.

Mucoproteine s. Mucine.

Mücken s. Fliegen, Insekten.

Mückenvertreibungsmittel s. Insektenabwehrmittel.

Mühlen. Zum *Zerkleinern in der Aufbereitungs- u. Verf.-Technik verwendete Maschinen, die entsprechend der Vielfalt des Mahlguts u. der erwünschten Zerkleinerung (s. a. Mahlen u. Korngröße) sehr unterschiedliche Ausführungsformen aufweisen. Man unterscheidet zwischen *Brechern für das Grob- u. Feinbrechen u. M. für die Grieß-, Fein- u. Feinstmahlung, jeweils für Hart-, Mittelhart- u. Weichzerkleinerung. Die M. bewirken die Zerkleinerung durch Stoß, Schlag, Druck, Reibung, Scherung usw. von Mahlorganen, die rotierende, schwingende, taumelnde od. hin- u. hergehende Bewegungen ausführen. Der Mahlvorgang kann naß od. trocken, in einigen Fällen auch als *Kaltmahlung durchgeführt werden, wobei sich Funktion u. Anw. der einzelnen M.-Typen z. T. überschneiden.

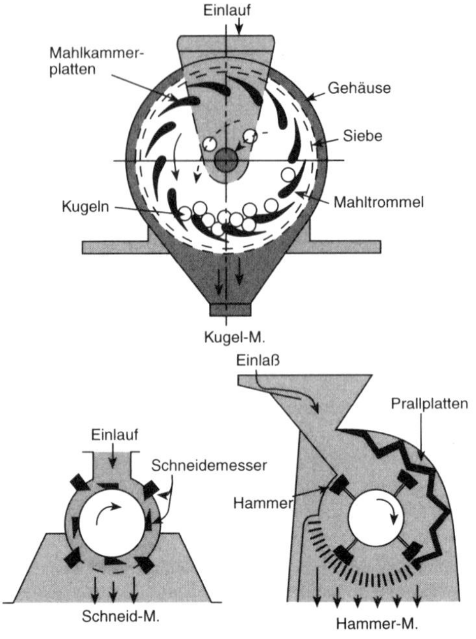

Abb.: Schemat. Darst. verschiedener Mühlentypen.

Für die Feinzerkleinerung harter Stoffe findet bevorzugt die *Kugel-M.* Verw. (s. Abb.). In einer rotierenden Mahltrommel werden Stahl-, Porzellan- od. Flintkugeln mitgerollt, die das trockene od. benetzte Mahlgut beim Mitrollen od. Herabfallen zertrümmern. Bei einer *Siebkugel-M.* werden die abfallenden, zermahlenen Teilchen noch durch ein die Trommel umgebenden Sieb gesiebt. Varianten dieses M.-Typs stellen *Schwingkugel-M.* u. *Umlauf-M.* dar. Letztere ist eine Kombination aus Kugel-M. u. Windsichter.
Für das Mahlen weicher u. mittelharter Stoffe auf Korngrößen von wenigen mm ist bes. die *Hammer-M.* (s. Abb.) geeignet. Die Zerkleinerung findet hier durch einen Pralleffekt statt. Das rotierende Organ besteht aus Flachstahlschlägern, die an einer Welle pendelnd aufgehängt sind. Die Umlaufgeschw. der Schlägerspitzen beträgt ca. 40–50 m/s. Das Material wird tangential in den Mahlraum eingeführt u. dort durch die Schläger zertrümmert. Die Feinheitseinstellung erfolgt durch ein Sieb in der unteren Hälfte des Mahlraumes.
In der Kunststofftechnik gelangt v. a. die sog. *Schneid-M.* (s. Abb.) zum Einsatz. Sie besteht aus einem horizontal od. vertikal angeordneten Rotor, der mit Messern bestückt ist, die gegen im Gehäuse der Mühle verankerte Messer arbeiten. Verbreitete Anw. in vielen Varianten finden die *Feinprall-M.,* zu denen u. a. Stift-

M., M. mit einer peripheren Mahlbahn u. Strahl-M. gehören, z.B. die Querstrom-M. u. die Spiralstrahl-Mühle. Techn. Bedeutung für spezielle Aufgaben haben die Walzen-, Rohr-, Scheiben-, Zahnscheiben-, Schwing-, Glocken-, Federkraftroll-, Fliehkraftroll-, Schlagkreuz- u.a. Mühlen.
Eine Teilchengröße von ≤5 µm läßt sich mit den sog. *Kolloid-M.* erreichen, in denen der Mahleffekt auf der Schlagwirkung der schnellaufenden Mahlorgane sowie auf Wandreibung u. Scherkräften beruht, od. a. mit sog. *Gegenstrahl-Mühlen.* – ***E*** mills – ***F*** broyeurs – ***I*** mulini – ***S*** molinos

Lit.: Kirk-Othmer (3.) **21**, 132–162 ▪ Ullmann (5.) **B 2**, 5–20, 14-2 ▪ Winnacker-Küchler (4.) **1**, 87 ff. ▪ s.a. Zerkleinern.

Müll. Der Begriff M. wird in der Umgangssprache häufig anstelle des Begriffs *Abfall vorwiegend für feste Abfälle (z.B. *Hausmüll, Sperrmüll) verwendet.

Müller, Achim (geb. 1938), Prof. für Anorgan. Chemie, Univ. Bielefeld. *Arbeitsgebiete:* Chemie der Übergangsmetalle, anorgan. Strukturchemie, anorgan. Biochemie, heterogene Katalyse, Molekularphysik, Spurenelement-Analyse.

Lit.: Kürschner (15.), S. 3124 ▪ Nachr. Chem. Tech. Lab. **43**, Nr. 4, 482 (1995).

Müller, Bernd Willy Werner (geb. 1943), Prof. für Pharmazeut. Technologie, Christian-Albrechts-Univ. Kiel. *Arbeitsgebiete:* Kolloide Arzneistoff-Trägersyst. (Mikroemulsionen), orale Syst. zur kontrollierten Wirkstoff-Freisetzung, Mikropartikel aus biolog. abbaubaren Polymeren, Lsg.-Vermittlung schwerlösl. Wirkstoffe (Cyclodextrin-Derivate).

Lit.: Kürschner (16.), S. 2490.

Müller, Erich (1870–1948), Prof. für Physikal. Chemie, TH Dresden. *Arbeitsgebiete:* Elektrochemie, Alkali-Elektrolyse, Verchromung, Potentiometrie, elektrochem. Herst. anorgan. u. organ. Verb., elektrometr. Maßanalyse.

Lit.: Pötsch, S. 312.

Müller, Eugen (1905–1976), Prof. für Organ. Chemie, Univ. Tübingen. *Arbeitsgebiete:* Freie Radikale, Stereochemie, Tautomerie, Azoxy-Verb., Diazo-Verb., präparative Photochemie, insbes. Photonitrosierung, Caprolactam, Magnetochemie, Metall-organ. Verb., Polymerisation.

Lit.: Chem. Ztg. **89**, 415 (1965); **100**, 397 (1976) ▪ Nachr. Chem. Tech. **13**, 239 (1965); **18**, 270 f. (1970) ▪ Neufeldt, S. 190 ▪ Pötsch, S. 313.

Müller, Franz (Ferenc) Joseph von Reichenstein (1740–1825 od. 1826), Dir. der siebenbürg. Bergwerke. *Arbeitsgebiete:* Anorgan. Chemie, Metallurgie, Mineralogie, Entdeckung eines neuen Elementes, dem *Klaproth den Namen Tellur gab, Entwicklung des Röstens der Erze mit Schwefelkies.

Lit.: J. Chem. Educ. **1968**, 293–297 ▪ Strube **2**, 101, 192.

Müller, Paul Hermann (1899–1965), Chemiker u. Dir. bei Geigy, Basel. *Arbeitsgebiete:* Toxikologie, Wirkung u. Konstitution natürlicher u. synthet. Insektizide, entdeckte die insektizide Eigenschaft des DDT; hierfür 1948 Nobelpreis für Medizin od. Physiologie.

Lit.: Chem. Eng. News **43**, 91 (1965) ▪ Lexikon der Naturwissenschaftler, S. 303 ▪ Neufeldt, S. 206, 374 ▪ Pötsch, S. 313 ▪ Strube et al., S. 113, 214.

Müller, Walther s. H. W. Geiger.

Müller-Buschbaum, Hanskarl (geb. 1931), Prof. für Anorgan. Chemie, Univ. Kiel, Greifswald, Münster u. Giessen. *Arbeitsgebiete:* Festkörperchemie, stabile u. metastabile Oxometallate der Lanthanoide u. Übergangsmetalle; Hochtemp.-Reaktionen mit H. F.-Plasmen u. CO_2-Laser-Technik; Reaktionen unter O_2-Hochdruck. Mitglied der Dtsch. Akad. der Naturforscher Leopoldina.

Lit.: Kürschner (16.), S. 2522 ▪ Nachr. Chem. Tech. Lab. **39**, Nr. 4, 454 (1991); **40**, Nr. 718, 905 (1992).

Müller-Hill, Benno Andreas (geb. 1933), Prof. für Genetik, Univ. Köln. *Arbeitsgebiete:* Protein-DNA-Erkennung u. Regulation der Genaktivität, Malaria, Alzheimer.

Lit.: Kürschner (16.), S. 2525 ▪ Wer ist wer? (35.), S. 1009.

Müller-Kühne-Verfahren s. Schwefelsäure.

Müller-Rochow-Synthese s. Methylchlorsilane u. Silicone.

Müllersches Zählrohr s. Zählrohre.

Müller-Warmuth, Werner (geb. 1929), Prof. (emerit.) für Physikal. Chemie, Univ. Münster. Dir. des Inst. für Physikal. Chemie, Univ. Münster; Rektor der Univ. Münster (1978–1982). *Arbeitsgebiete:* Stat. u. dynam. Struktur der Materie, insbes. ungeordnete Festkörper u. Einlagerungsverb., NMR-Spektroskopie, Mößbauer-Spektroskopie, Behinderte Rotation.

Lit.: Kürschner (16.), S. 2530 ▪ Wer ist wer? (35.), S. 1011.

Müllverbrennung s. Abfallverbrennung, Hausmüllverbrennung.

Münchnone s. Azomethin-Ylide u. mesoionische Verbindungen.

Münzing. Kurzbez. der 1830 gegr. Münzing Chemie GmbH, 74017 Heilbronn. *Daten* (1995): ca. 120 Beschäftigte, ca. 55 Mio. DM Umsatz. *Produktion:* Spezialchemikalien für die Farben- u. Lack-, Klebstoff-, chem. Ind., Bauchemikalien, Papier-, Leder-Ind. u. Abwasserbehandlung.

Münzmetalle. Metall. Werkstoffe zur Herst. von Münzen. Abgesehen von numismat. Ausgaben werden Münzen heute nur noch aus Leg. von Nichtedelmetallen geprägt, deren Nennwert über dem des Herstellungswertes liegt. Wichtigste Gebrauchseigenschaften sind Korrosionsbeständigkeit u. eine gewisse Verschleißfestigkeit, daneben auch die Farbe sowie die Automatensicherheit. Die Tab. (s. S. 2772) stellt gebräuchliche M. in Leg.-Gruppen zusammen.
Die plattierten Syst. werden zunehmend durch galvan. Abscheidung hergestellt; höherwertige Verbunde mit Automatensicherheit werden gewalzt. – ***E*** coin metals – ***F*** métaux monétaires, métaux de monnaies – ***I*** metalli da monete – ***S*** metales de acuñación, metales para monedas

Lit.: Münzplättchen, Informationsbroschüre N 5085 86-08 der Krupp VDM, Werdohl: Werdohl 1986.

Müonen s. Myonen.

Mürbesalz s. Papain.

Muffen s. Stative u. Rohre.

Tab.: Gebräuchliche Münzmetalle.

Basis-metall	Leg.-Syst.	Leg.-Anteile [%]	Anmerkung (Bez.)
Ni	Ni	Ni≥99,2	Reinnickel
	CuNi	Ni 8–25	Kupfernickel
	CuNiZn	Ni 9–25; Zn 10–25	Neusilber
	CuZn	Zn 5–15	Tombak
Cu		Zn 28–40	Messing
	CuZnNi	Zn 20; Ni 1	Nickelmessing
	CuZnSn	Sn 0,5–4; Zn 1–3	Münzbronze
	CuAlNi	Al 2–8; Ni 2–6	Aluminiumbronze
	CuAlNiFe	Ni, Al 5; Fe 1	Monedor®
Al	AlMg	Mg 1–5	Leichtmetall
Fe	FeCrNi	Cr 13–18; Ni 0–9	Crofer®
	Cu/Fe/Cu		Cu-plattierter Stahl
	CuZn/Fe/CuZn	Zn 25	Messing-plattierter Stahl
beid-	CuNi/Fe/CuNi	Ni 25	CuNi-plattierter Stahl
seitig	Ni/Fe/Ni		Ni-plattierter Stahl
plattierte	CuNi/Ni/CuNi	Ni 25	
Syst.	Ni/CuNi/Ni	Ni 25	Magnimat®
	CuNiZn/Ni/CuNiZn	Ni 9; Zn 10	
	CuNi/Cu/CuNi	Ni 25	CuNi-plattiertes Kupfer

Mukaiyama-Reaktion. 1. Neuere Meth. der enantioselektiven *stereoselektiven Synthese von Alkoholen durch Red. von prochiralen Ketonen z. B. mit Lithiumaluminiumhydrid in Ggw. eines chiralen, aus der Aminosäure Prolin entwickelten, Pyrrolidin-Derivates.

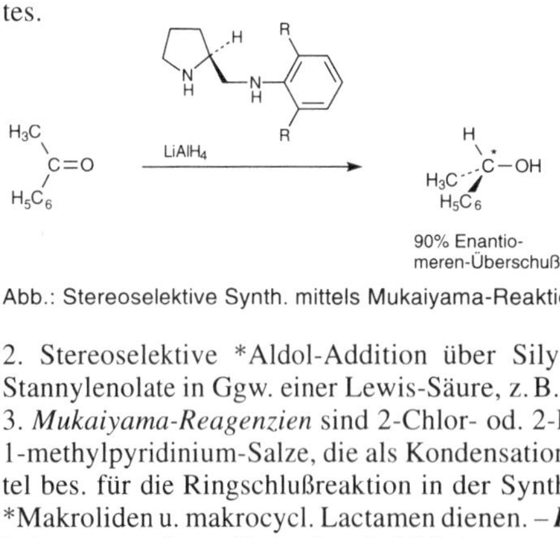

Abb.: Stereoselektive Synth. mittels Mukaiyama-Reaktion.

2. Stereoselektive *Aldol-Addition über Silyl- od. Stannylenolate in Ggw. einer Lewis-Säure, z. B. $TiCl_4$. 3. *Mukaiyama-Reagenzien* sind 2-Chlor- od. 2-Fluor-1-methylpyridinium-Salze, die als Kondensationsmittel bes. für die Ringschlußreaktion in der Synth. von *Makroliden u. makrocycl. Lactamen dienen. – ***E*** Mukaiyama reaction – ***F*** réaction de Mukaiyama – ***I*** reazione di Mukaiyama – ***S*** reacción de Mukaiyama

Lit.: Hassner-Stumer, S. 268 ▪ Krauch u. Kunz, Reaktionen der organischen Chemie, 6. Aufl., S. 58, Heidelberg: Hüthig 1997 ▪ Org. React. **28**, 187 (1982) ▪ Top. Curr. Chem. **27**, 133 f. (1985).

Mukoviszidose s. zystische Fibrose.

Mulberrofurane. Gruppe von ca. 18 amorphen, teilweise farbigen (rot, violett, blau) *Lignanen (bzw. Lignin-Teilstrukturen) aus Maulbeerbaum-Arten (*Morus alba, M. australis, M. lhou, M. bombycis*). Sie kommen vorwiegend in der Rinde vor. Gemeinsam ist allen M. ein 6-Hydroxy-benzofuran-Syst., das teilweise in 7-Stellung mit einer Geranyl-Seitenkette substituiert ist. Am C-Atom 2 befinden sich komplizierte Ring-Syst. aus Zwischenprodukten der Lignin-Biosynth., die durch Kondensation von Aryl-C_3-Bausteinen (z. B. Coniferylalkohol u. 4-Hydroxyzimtalkohol), Aryl-C_1-Bausteinen u. Phenolen entstehen.

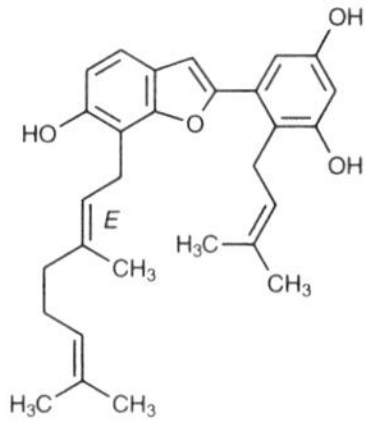

M. D

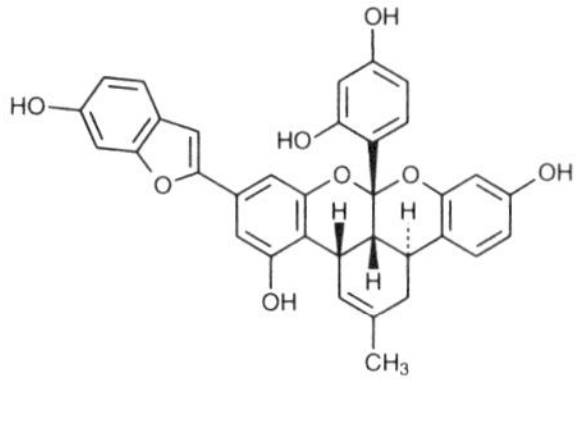

M. G
(relative Konfiguration)

Als Beisp. für M. s. Formel von *M. D* ($C_{29}H_{34}O_4$, M_R 446,58, Schmp. 116–120 °C) u. *M. G* (Albanol A, $C_{34}H_{26}O_8$, M_R 562,58). – ***E*** mulberrofurans – ***F*** mulberrofuranes – ***I*** mulberrofurani – ***S*** mulberrofuranos

Lit.: Chem. Pharm. Bull **33**, 3195, 4175, 4288, 5294 (1985); **41**, 1238 (1993) ▪ Heterocycles **19**, 1855 (1982); **24**, 1381, 1807 (1986); **26**, 759 (1987); **29**, 2035 (1989) ▪ Nat. Prod. Rep. **11**, 205–218 (1994) ▪ Planta Med. **46**, 28 (1982) ▪ Tang u. Eisenbrand, Chinese Drugs of Plant Origin, S. 669–696, Berlin: Springer 1992. – *[CAS 83474-71-9 (M. D); 87085-00-5 (M. G)]*

Mulden-Korrosion s. Korrosion.

Mulgatol®. Multivitaminpräp., auch mit Spurenelementen (Mn, Mo) u. Calciumphosphinat. ***B.:*** Woelm.

Mulliken, Robert Sanderson (1896–1986), Prof. für Physik u. Chemie, Univ. Chicago. *Arbeitsgebiete:* Valenztheorie u. Mol.-Struktur, Mol.-Spektren, Dipolmoment, Elektronegativität, Konjugation u. Hyperkonjugation, mit *Hund zusammen Entwicklung der Theorie der Mol.-Orbitale (*MO-Theorie); 1966 Nobelpreis für Chemie.

Lit.: Chem. Labor Betr. **18**, 8–12 (1967) ▪ Lexikon der Naturwissenschaftler, S. 303 ▪ Nachr. Chem. Tech. **14**, 490 (1966) ▪ Neufeldt, S. 157, 234, 369 ▪ Pötsch, S. 314.

Mullis, Karl Banks (geb. 1944), Prof. für Biochemie; seit 1987 Berater von unterschiedlichen Gentechnikfirmen für Nucleinsäure-Chemie. 1983 entdeckte er die Polymerase-Kettenreaktion, durch die aus geringsten Ausgangsmengen an DNA mit Hilfe des Enzyms Polymerase durch Kettenreaktion sich größere Mengen entwickeln lassen, die dann beispielsweise genaueren Analysen zugänglich gemacht werden können. 1993 erhielt er hierfür den Nobelpreis für Chemie zusammen mit M. *Smith.

Lit.: Lexikon der Naturwissenschaftler, S. 303.

Mullit. $Al_2(Al_{2+2x}Si_{2-2x})O_{10-x}V_x$; V = Sauerstoff-Leerstelle, $0{,}17 \leq x \leq 0{,}59$, rhomb. krist. *Aluminiumsilicat, meist mit Zusammensetzungen von $3\,Al_2O_3 \cdot 2\,SiO_2$ (3:2-M.) bis $2\,Al_2O_3 \cdot SiO_2$ (2:1-M.). M. hat eine *Defekt-Struktur*, die man als eine fehlgeordnete *Sillimanit-Struktur (x = 0) auffassen kann, in der 19% der Brücken-Sauerstoffe zwischen den $[AlO_4]$- u. $[SiO_4]$-Tetraedern fehlen, vgl. *Lit.*[1]. Zur Struktur von M. gibt es zahlreiche Untersuchungen, z. B. *Lit.*[2], *Lit.*[3] (Überstruktur), *Lit.*[4] (Untersuchung von M. mit *NMR-Spektroskopie), *Lit.*[5] (3:2-M.), *Lit.*[6] (2:1-M.) u. *Lit.*[7] (Al-reicher M.).

Eigenschaften: Faserige, nadelige od. stengelige, meist zu radialstrahligen Büscheln gruppierte farblose, weiße, gelbe od. rosa- bis lilafarbene Krist., H. 6–7, D. 3,11–3,26. Schmp. oberhalb von 1800 °C; hohe Feuerfestigkeit, niedrige therm. Ausdehnung, gute Temp.-Wechselbeständigkeit.

Verw.: Als Bestandteil von *keramischen Werkstoffen, darunter grobkeram. Erzeugnisse, *Hochleistungskeramik u. Funktionskeramik (z. B. als Infrarotfenster), *Feuerfestmaterialien (M.-Steine, Schamottesteine), *Glaskeramiken u. als Trägermaterial für Katalysatoren von Kraftfahrzeugen, Oxidationsschutz in Form von dünnen Schichten, Substratmaterial in der Elektrotechnik. Als Füllstoff in Kunststoffen, Farben u. zur Verstärkung von Straßenbelägen. M. ist wesentliche krist. Komponente von *Porzellan u. bewirkt mit seinen feinfilzigen Krist.-Aggregaten die Festigkeit des Porzellanscherbens; s. a. *Lit.*[8] u. Schneider et al. (*Lit.*).

Herst.: Da M. in der Natur selten, z. B. in Fremdgesteins-Einschlüssen in *Basalten (u. a. Insel Mull/Schottland, Name!) u. in basalt. Schlacken in der Eifel, u. nur in Transvaal/Südafrika in abbauwürdiger Menge vorkommt, stellt man ihn synthet. als *Sintermullit* od. *Schmelzmullit* durch Erhitzen geeigneter Mischungen von *Ton (*Kaolin) od. Quarzsand u. calcinierter Tonerde bzw. *Bauxit im Tunnel- bzw. Lichtbogenofen her. Ein weiteres Synth.-Verf. für M. ist die *Sol-Gel-Meth.*[4,9]. Außer *Kaolinit[10] gehen u. a. auch Sillimanit (oberhalb von 1500 °C), *Kyanit u. *Andalusit beim Erhitzen in M. über. – ***E*** = ***F*** = ***I*** mullite – ***S*** mullita

Lit.: [1] Phys. Chem. Miner. **21**, 546–554 (1994). [2] Am. Mineral. **71**, 1476–1482 (1986). [3] Am. Mineral. **76**, 333–342 (1991); Acta Crystallogr., Sect. B **43**, 116–126 (1987). [4] Phys. Chem. Miner. **18**, 47–52 (1991). [5] Am. Mineral. **78**, 1192–1196 (1993). [6] Phys. Chem. Miner. **23**, 50–55 (1996). [7] Am. Mineral. **79**, 983–990 (1994). [8] J. Am. Ceram. Soc. **74**, 2343–2358 (1991). [9] J. Am. Ceram. Soc. **74**, 2367–2373, 2388–2392 (1991). [10] Phys. Chem. Miner. **22**, 215–222 (1995).

allg.: Deer, Howie u. Zussman, Rock-Forming Minerals (2.), Vol. 1 A, Orthosilicates, S. 742–758, London: Longman 1982 ▪ Schneider, Okakda u. Pask, Mullite and Mullite Ceramics, Chichester (U. K.): Wiley 1994 ▪ Ullmann (5.) **A 23**, 694 ff. – *[CAS 1302-93-8]*

Multiblock-Polymere (Multiblock-Copolymere). Bez. für *Blockcopolymere, die in der Regel mehr als drei chem. unterschiedliche Blocksegmente enthalten. – ***E*** multiblock polymers, multiblock copolymers – ***F*** polymères en multibloc – ***I*** polimeri in multiblocco (multiblocco) – ***S*** polímeros en multibloque

Multicolor-Effekte. 1. In der Textilfärberei auf Cellulose- u. a. Fasern mögliche, druckähnlich wirkende unregelmäßige Färbung für mod. Textilien nach speziellen Verfahren. – 2. Als *Multicolorlacke* bezeichnet man wäss. Suspensionen pigmentierter Lackfarben od. Lackteilchen (meist 3–4 verschiedene Farben), die bunte Sprenkelung ergeben. – ***E*** multicolor effects – ***F*** effets multicolores – ***I*** effetti multicolori – ***S*** efectos multicolor

Lit. (zu 1.): Rouette, Lexikon für Textilveredlung, Bd. 2. S. 1301 f., Dülmen: Laumann-Verl. 1995. – (*zu 2*): Gatz, Lexikon der Anstrichtechnik, Bd. 1 (10. Aufl.), München: Callwey 1994.

Multi-Configuration Self Consistent Field-Verfahren s. MCSCF-Verfahren.

Multicopyplasmid s. Gendosis, vgl. Plasmide.

Multidental s. mehrzähnig.

Multidrug-Resistenz s. P-Glykoprotein.

Multienzyme. Von der *IUBMB empfohlene Bez. für *Enzyme mit mehreren katalyt. Zentren, die unterschiedliche Reaktionen katalysieren. Sind bei einem M. die Zentren auf verschiedene Polypeptid-Ketten verteilt, spricht man von *M.-Komplexen*. Polypeptid-Ketten, die mehr als einen Typ katalyt. Domänen enthalten, werden als *M.-Polypeptide* bezeichnet. – ***E*** = ***F*** multienzymes – ***I*** multienzimi – ***S*** multienzimas

Lit.: Eur. J. Biochem. **185**, 485 f. (1989).

Multienzymkomplexe s. Enzyme, Multienzyme u. Proteasen.

Multienzym-Polypeptide s. Multienzyme.

Multifiden s. Algenpheromone.

Multifil(garn) s. Monofil u. Filament.

Multikatalytischer Proteinase-Komplex s. Proteasen.

Multikomponenten-Reaktion s. Mehrkomponenten-Reaktion.

Multilayer s. monomolekulare Schichten.

Multilind® Heilpaste. Paste mit *Nystatin u. Zink oxid gegen Haut- u. Schleimhautentzündungen. ***B.:*** Bristol Myers Squibb.

Multiload® Cu (Rp). *Intrauterinpessar aus Polyethylen mit Kupfer-Wicklung zur Empfängnisverhütung. ***B.:*** Nourypharma.

Multimerisation. Bez. für das unter geeigneten Bedingungen in Lsg. stattfindende Zusammenlagern von Makromol. zu größeren Mol.-Verbänden („physikal. Mol."). Präziser ist es jedoch, die reversible M. zu lösl.

Mol.-Verbänden als Assoziation, die irreversible M. zu unlösl. Produkten dagegen als Aggregation zu bezeichnen. In der Lit. werden diese Begriffe allerdings oft synonym verwendet. Darüber hinaus wird die M. in den Biowissenschaften oft als Polymerisation bezeichnet. – ***E*** multimerization – ***F*** multimérisation – ***I*** multimerizzazione – ***S*** multimerización

Lit.: Elias (5.) **1**, 701.

Multimode-Faser s. Faseroptik.

Multiphotonen... s. Mehrphotonen-Spektroskopie.

Multiple Arzneimittel-Resistenz s. P-Glykoprotein.

Multiple Chemical Sensitivity s. MCS.

Multiple Chemikalienüberempfindlichkeit s. MCS.

Multiple Enzym-Formen s. Isoenzyme.

Multiple Proportionen s. Daltonsche Gesetze u. Stöchiometrie.

Multiple Sklerose (MS, synonym Encephalomyelitis disseminata). Entzündliche Erkrankung des Zentralnervensyst., die zu herdförmigem Abbau der Markscheiden von Nervenzellen (s. a. Hirnsubstanz) führt. Die entstehenden Narben aus Gliazellen haben eine derbe Konsistenz. Die Erkrankung entsteht vermutlich durch Autoimmunprozesse (s. a. Autoimmunität), die auslösende Ursache ist nicht geklärt. Die M. S. ist eine der häufigsten neurolog. Erkrankungen in unseren Breiten u. tritt v. a. zwischen dem 20. u. 40. Lebensjahr auf, bei Frauen häufiger als bei Männern. Ihr Verlauf ist in den meisten Fällen schubweise, oft mit Rückbildung der Krankheitserscheinungen. Als Symptome können Ausfälle verschiedenster zentralnervöser Syst. vorkommen. Häufig sind Sehstörungen durch Entzündung der Sehnerven, Lähmungen od. Empfindungsstörungen der Gliedmaßen u. Koordinationsstörungen der Bewegungsabläufe. Zur Behandlung werden Glucocorticosteroide (s. Corticosteroide) u. Immunsuppressiva (s. a. Immunsuppression) eingesetzt. – ***E*** multiple sclerosis – ***F*** sclérose multiple, sclérose en plaques – ***I*** sclerosi multipla – ***S*** esclerosis múltiple, esclerosis en placas

Lit.: Mumenthaler u. Mattle, Neurologie, S. 471–483, Stuttgart: Thieme 1997.

Multiplett. Von latein.: multiplex = vielfach abgeleitete Bez. für eine Vielheit, z. B. von eng beieinanderliegenden Spektrallinien od. von eng benachbarten Teilchen- od. Energiezuständen, deren *Quantenzahlen bis auf eine gleich sind. – ***E*** = ***F*** multiplet – ***I*** multipletto – ***S*** multiplete

Multiplikationspräfixe (Vervielfachungspräfixe, Zahlpräfixe). Chem. Namensfragmente vervielfacht man mit M., die latein. u. griech. Zahlwörtern entlehnt sind (IUPAC-Regeln R-0.1.4, R-4.1). Tab. 1 zeigt: A) M. für einfache Namensfragmente; B) M. für zusammengesetzte u. a. Namensfragmente, für die Typ A mehrdeutig ist (*Tri*decyl-/*Tris*decylamin: C_{13}-Rest/3 C_{10}-Reste; *Di*silyl-/*Bis*silylethin: Si_2H_5-Rest/2 SiH_3-Reste); C) M. für ident. Einheiten der Ringsequenzen. Typ A wird ab der Zahl 4 durch Endsilbe „...kis" zu Typ B, ab 10 durch Endvokal „i" statt „a" zu Typ C. Endvokal „a" entfällt vor Vokal bei Funktionssuffixen (in Chemical Abstracts), bei Hantzsch-Widman-Namen u. Namen für homogene u. alternierende anorgan. Ringe u. Ketten; *Beisp.:* Silantetrol, Tetrazol, Cyclohexarsan, Cyclotetrarsoxan, Tetrazan. M. für mehrstellige Zahlen setzt man aus den M. der einzelnen Stellen in umgekehrter Reihenfolge zusammen (Tab. 2).

Tab. 1: Multiplikationspräfixe für 1 bis 10.

Zahl	A	B	C
1	Mon(o)...[a]	Mono...[a]	–
2	Di...[b]	Bis...	Bi...
3	Tri...	Tris...	Ter...
4	Tetr(a)...	Tetrakis...	Quater...
5	Pent(a)...	Pentakis...	Quinque...
6	Hex(a)...	Hexakis...	Sexi...
7	Hept(a)...	Heptakis...	Septi...
8	Oct(a)...	Octakis...	Octi...
9	Non(a)...[c]	Nonakis...	Novi...
10	Dec(a)...	Decakis...	Deci...

[a] Mono... wird selten verwendet. Als letzte Ziffer mehrstelliger Zahlen wird 1 durch Hen... ausgedrückt, vor Deca... aber durch Un... (z. B. 11 = Undeca...).
[b] Als letzte Ziffer mehrstelliger Zahlen: 2 = Do...; Verdopplung von *Cyclo...: *Bi...; Spiro-Verknüpfung zweier ident. polycycl.Ringsysteme: *Spirobi[...].
[c] Veraltet: *Ennea...

Tab. 2: Multiplikationspräfixe für 11 bis 9999.

Zahl	Präfix	Zahl	Präfix
11	Undec(a)...	21	Heneicos(a)...[a]
12	Dodec(a)...	22	Docos(a)...
13	Trideca(a)...	23	Tricos(a)...
14	Tetradec(a)...	24	Tetracos(a)...
15	Pentadec(a)...	25	Pentacos(a)...
16	Hexadec(a)...	26	Hexacos(a)...
17	Heptadec(a)...	27	Heptacos(a)...
18	Octadec(a)...	28	Octacos(a)...
19	Nonadec(a)...	29	Nonacos(a)...
20	Eicos(a)...[a]	30	Triacont(a)...
31	Hentriacont(a)...	100	Hect(a)...
32	Dotriacont(a)...	200	Dict(a)...
33	Tritriacont(a)...	300	Trict(a)...
40	Tetracont(a)...	400	Tetract(a)...
50	Pentacont(a)...	500	Pentact(a)...
60	Hexacont(a)...	600	Hexact(a)...
70	Heptacont(a)...	700	Heptact(a)...
80	Octacont(a)...	800	Octact(a)...
90	Nonacont(a)...	900	Nonact(a)...
1000	Kili(a)...	9001	Hennonali(a)
2000	Dili(a)...	9111	Undecahecta-nonali(a)...
3000	Trili(a)...		
4000	Tetrali(a)...	9200	Dictanonali(a)...
5000	Pentali(a)...	9621	Heneicosahex-actanonali(a)...
6000	Hexali(a)...		
7000	Heptali(a)...	9999	Nonanona-contanonacta-nonali(a)...
8000	Octali(a)...		
9000	Nonali(a)...		

[a] IUPAC-Regeln seit 1979: Icosa... u. Henicosa... für 20 u. 21 (in der chem. Lit. aber völlig unüblich).

M. ohne Endvokal „a" dienen ab Pent... als Namensstämme für *aliphatische, *alicyclische, *bicyclische u. *Spiro-Verbindungen. Bruch-M.: s. Hemi... (½), Sesqui... (1½), Sester... (2½); M.-Präfix für „vollständig": s. Per... – ***E*** multiplying prefixes – ***F*** préfixes multiplicatifs – *I* prefissi moltiplicativi – *S* prefijos multiplicativos

Multiplikative Trennverfahren. Bez. für Trennverf., bei denen der Einzeleffekt (Wanderungsgeschw. von Ionen, Verdampfungsgeschw., Löslichkeit, Dampfdruck usw.) in geeigneter Weise vervielfacht wird; *Beisp.:* Elektrophorese, Zonenschmelzverf., Gegenstromverteilung, fraktionierte Dest. od. Krist., vgl. die Einzelstichwörter. – ***E*** multiplicative separation processes – ***F*** procédés de séparation multiplicatifs – ***I*** processi di separazione multiplicativa – ***S*** métodos de separación multiplicativos

Multiplikativname. Namenstyp der organ.-chem. *Nomenklatur für Verb., in denen die Stammverb. mehrfach an eine symmetr. mehrbindige Gruppe gebunden ist (IUPAC-Regeln C-72/73 u. R-1.2.8); *Beisp.:* (1,2,3-Propantriyltrioxy)triessigsäure, $HOOC–CH_2–O–CH(CH_2–O–CH_2–COOH)_2$. – ***E*** multiplicative name – ***F*** nom multiplicatif – ***I*** nome multiplicativo – ***S*** nombre por multiplicación

Multiplizität. Anzahl der zu einer Gruppe von Energieniveaus od. *Termen (Multiplett) gehörenden Zustände. Für den Chemiker ist v. a. die *Spin-M. wichtig. Sie ist gleich 2S + 1, wobei S die Spinquantenzahl des betrachteten Mehrelektronensyst. ist. *Beisp.:* CH_4 (Methan): S = 0, M. = 1 (**Singulett*); CH_3 (Methyl-Radikal): S = ½, M. = 2 (*Dublett*); CH_2 (Methylen): S = 1, M. = 3 (**Triplett*; Grundzustand) od. S = 0, M. = 1 (Singulett; 1. angeregter Zustand); N-Atom: S = 3/2, M. = 4 (*Quartett*). Zur Schreibweise s. a. Term; *M.-Verbot* s. Spin(-Verbot). – ***E*** multiplicity – ***F*** multiplicité – ***I*** multiplicità – ***S*** multiplicidad

Multipolymere. Gelegentlich gebrauchte Bez. für *Copolymere, die, wie z. B. *Proteine, aus vielen unterschiedlichen Grundeinheiten aufgebaut sind.

Multipolymerisation. Gelegentlich gebrauchte Bez. für *Polymerisationen, bei denen mehr als zwei *Monomere copolymerisiert werden, bei denen also *Multipolymere gebildet werden.

Multi Reference-Configuration s. MR-CI.

Multistriatine (5-Ethyl-2,4-dimethyl-6,8-dioxabicyclo[3.2.1]octane).

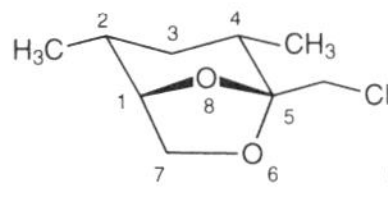

α-Multistriatin

$C_{10}H_{18}O_2$, M_R 170,25, Öle. *α*-M. [(1*S*)-2*endo*,4*endo*-Form, $[\alpha]_D^{25}$ –47° (Hexan)] ist Bestandteil des Aggregations-Pheromons des Ulmenborkenkäfers (*Scolytus multistriatus*), der einer der Überträger des Ulmen-Sterbens ist. Bei den nicht stereospezif. Synth. von M. fallen noch weitere Stereoisomere an: *β*-M. [(1*S*)-2*exo*,4*exo*-Form], *γ*-M. [1(*S*)-2*endo*,4*exo*-Form] u. *δ*-M. [1(*S*)-2*exo*-Form]), das ebenfalls eine Komponente des Aggregations-Pheromons von *Scolytus multistriatus* ist. Zur Synth. s. *Lit.*[1]. – ***E*** multistriatins – ***F*** multistriatines – ***I*** multistriatine – ***S*** multistriatinas

Lit.: [1] J. Am. Chem. Soc. **117**, 3653 (1995).
allg.: ApSimon **4**, 74 f., 154–163; **9**, 428–436 (Synth.) ▪ Beilstein E V **19/1**, 252 ▪ Experientia **33**, 845 ff. (1977) ▪ J. Chem. Ecol. **10**, 373–385 (1984); **12**, 583–608 (1986) ▪ J. Chem. Soc., Chem. Commun. **1996**, 1477 (Synth.) ▪ J. Org. Chem. **60**, 5127–5134 (1995) ▪ Justus Liebigs Ann. Chem. **1995**, 1011 ff. [(–)*β*-M.] ▪ Tetrahedron Lett. **36**, 2595 (1995). – *[CAS 59014-03-8 (α-M.); 59014-05-0 (β-M.); 54832-21-2 ((±)-γ-M.); 54832-22-3 ((±)-δ-M.)]*

Multivitamin-Präparate. Tabl., Dragées, Kapseln, Sirupe, Injektionslsg., die eine Vielzahl von *Vitaminen (oft noch kombiniert mit *Spurenelementen, *Enzymen u. a.) enthalten u. der Substitution bei entsprechendem Mangel dienen sollen. – ***E*** multivitamin preparations – ***F*** préparations multivitaminiques – ***I*** preparati multivitaminici – ***S*** preparados multivitamínicos

Multizyklon s. Zyklone.

Mulzer, Johann Hermann Wolfgang (geb. 1944), Prof. für Organ. Chemie, FU Berlin. *Arbeitsgebiete:* Stereokontrollierte Synth. von Naturstoffen (Makroliden, Prostanoiden, Aminosäuren), Chemie von Carbanionen, Aldoltyp-Additionen.

Lit.: Kürschner (16.), S. 2538 ▪ Wer ist wer? (35.), S. 1014.

Mumifizierung s. Konservierung (von anatom.-zoolog. Objekten).

Mundisal®. Gel mit Cholinsalicylat gegen Entzündungen des Mund- u. Rachenraums. ***B.:*** Mundipharma.

Mundpflegemittel. Sammelbegriff für solche Mittel, die entweder allein der Reinigung der Mundhöhle dienen (*Kosmetika) od. die aufgrund zusätzlicher Wirkstoffe mit spezif. vorbeugenden u. heilenden Eigenschaften zugleich noch therapeut. Zwecke verfolgen u. daher als Arzneimittel anzusehen sind. Zu den M. gehören demnach nicht nur die aus alkohol. Lsg. von ether. Ölen, Netzmitteln, *Adstringentien (z. B. Aluminiumlactat, Myrrhe, früher auch *Kino) u. Antiseptika bestehenden *Mundwässer*, die ähnlich zusammengesetzten *Mund-Pulver* sowie *Mundpillen*, die meistens aus gereinigter Lakritze, Zucker u. Bindemitteln (*Mastix, *Tragant, *Gummi arabicum) bestehen u. Aromastoffe enthalten, sondern auch die Mundsprays, Gebiß-, Prothesen- u. *Zahnpflegemittel. Zur Aromatisierung dienen meist pflanzliche *Aromen, z. B. Pfefferminzöl, Krauseminzeöl od. Menthol; zur Färbung sind nur *Lebensmittelfarbstoffe zugelassen. Die M. bezwecken eine Verbesserung des Atemgeruchs u. sollen Zahnsteinansatz, Entzündungen, Bakterienbefall, *Karies sowie der *Parodontose vorbeugen. Eingeborene trop. Regionen betreiben häufig Mundpflege durch Kauen an *Zahnhölzern*, deren Inhaltsstoffe u. a. antibakterielle u. entzündungshemmende Eigenschaften haben. Eine nützliche Wirkung hat auch *Kaugummi, dem entsprechende Verb. od. Fluoride zugesetzt sind. – ***E*** oral hygiene preparations – ***F*** produits d'hygiène buccal – ***I*** preparati per l'igiene della bocca – ***S*** preparados para la higiene de la boca

Lit.: Charlet, Kosmetik für Apotheker, S. 171–187, Stuttgart: Wiss. Verlagsges. 1989 ▪ Pharm. Unserer Zeit **10**, 150–156 (1981).

Mungo s. Reißwolle.

Mungobohnen s. Bohnen.

Munitagin s. Pavin- und Isopavin-Alkaloide.

Munition. Aus dem Französ. stammende Bez. für Schießmaterial, das sich aus Geschoß, *Explosiv- od. *Schießstoff u. *Zündmittel zusammensetzt. Man unterscheidet M. nach der Verw. für militär. Zwecke od. als Sport- u. Jagd-M. (s. a. Jagdpulver u. Schrot) sowie nach dem Kaliber. *Patronen*-M. vereinigt Projektil u. Schießstoff in einer Hülse, während bei großkalibrigen Geschützen eine Trennung in Geschoß u. *Kartusche* (enthält das *Schießpulver als Treibmittel) üblich ist. Außer mit *Sprengstoff – bes. „effektiv" sind *Hohlladungen – kann M. auch mit *Leuchtsätzen, *Nebel-Bildnern, entzündlichem Material (s. Brandwaffen) od. sogar (soweit nach Völkerrecht zulässig) mit bestimmten *Kampfstoffen geladen sein. Im weiteren Sinne werden auch Granaten, Torpedos, Minen, Bomben, Raketen – inklusive *Kernwaffen – zur M. gezählt. Friedlicheren Zwecken dienen Spreng-, Signal- u. Salut-M.; in letzterer sorgt *Schwarzpulver für Knall u. Rauch. – ***E*** ammunition – ***F*** munition – ***I*** munizione – ***S*** munición

Lit.: s. Explosivstoffe.

Munobal® (Rp). Retardtabl. mit dem *Calcium-Antagonisten *Felodipin gegen Bluthochdruck. ***B.:*** HMR.

Munsell-System. Das M.-S. stellt ein Ordnungssyst. für Farben dar. Nach mehrfacher Überarbeitung in der Vergangenheit wird heute v. a. das verbesserte *Munsell-Renotation-Syst.* (MR-Syst.) verwendet. Darin wird eine Farbe durch drei Größen, Farbton, Helligkeit u. Sättigung, beschrieben. Der Farbton orientiert sich an den Spektralfarben, die Helligkeit gibt den Dunkelgrad eines Farbtons an u. die Sättigung beschreibt den Graugehalt der Probe. Im Munsell-Farbbuch erhält jeder Farbton eine Seite, auf der er zweidimensional nach Helligkeit u. Sättigung angeordnet ist. Die Farbqualität wird durch eine Kombination von Buchstaben u. Zahlen wie folgt beschrieben: Der Farbton wird durch 10 Buchstaben spezifiziert, die den fünf Hauptfarben (*R*ed, *Y*ellow, *G*reen, *B*lue, *P*urple) u. den dazwischenliegenden fünf Kombinationen entsprechen (z. B. GY für *G*reen-*Y*ellow). Eine weitere Unterteilung der Farbtöne erfolgt durch die Zahlen 1–10, die *vor* die Buchstaben geschrieben werden. Helligkeit u. Sättigung werden durch zwei Zahlen gekennzeichnet, die *hinter* den Buchstaben stehen. Eine bestimmte grüngelbe Farbe ist daher durch die Munsell-Bezeichnung 5 GY 2/6 vollständig beschrieben. Für glänzende u. für matte Oberflächen existieren parallel zwei verschiedene MR-Systeme. – ***E*** Munsell system – ***F*** système de Munsell – ***I*** = ***S*** sistema Munsell

Lit.: Elias (5.) **1**, 1009.

Muntz-Metall s. Messing.

Muonen s. Myonen.

Mupirocin s. Pseudomon(in)säure.

Mur. Kurzz. für *Muraminsäure.

Murahashi's Reagenz s. (Methylphenylamino)triphenylphosphoniumiodid.

Murami(ni)dasen s. Lysozyme u. Murein.

Muraminsäure {2-Amino-O^3-[(*R*)-1-carboxyethyl]-2-desoxy-D-glucose, O^3-D-Lactyl-D-glucosamin, Muramsäure, Kurzz.: Mur}.

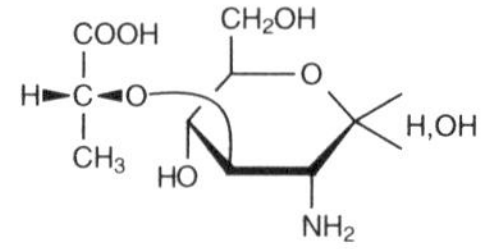

$C_9H_{17}NO_7$, M_R 251,23. Weiße Krist. aus Wasser, Schmp. 152–154 °C. Die Abb. zeigt die Pyranose-Form. M. ist als *N*-Acetyl-M. (MurNAc) im *Murein der Bakterien-Zellwand u. im *Muramyl-Dipeptid enthalten (Name von latein.: murus = Wand u. von Amin). – ***E*** muramic acid – ***F*** acide muramique – ***I*** acido muramico – ***S*** ácido murámico

Lit.: Beilstein E IV **4**, 2029 f. – *[CAS 1114-41-6]*

Muramsäure s. Muraminsäure.

Muramyl-Dipeptid (*N*-Acetylmuramyl-L-alanyl-D-isoglutamin, Abk.: MDP).

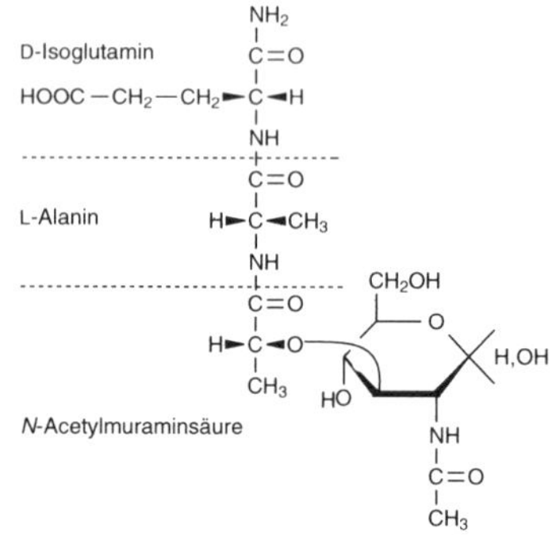

$C_{19}H_{32}N_4O_{11}$, M_R 492,48. Synthet. Glykopeptid; aktiviert – wie auch einige seiner Derivate – Phagocyten, regt die Produktion von *Cytokinen (z. B. Interleukin 1) an u. besitzt *Adjuvans-Eigenschaften. – ***E*** = ***F*** muramyl dipeptide – ***I*** dipeptide di muramile – ***S*** muramil-dipéptido

Lit.: Clin. Infect. Dis. **14**, 1100–1109 (1992) ▪ Pharm. Biotechnol. **6**, 313–324 (1995). – *[CAS 53678-77-6]*

Murein (Mucopeptid, Peptidoglykan).

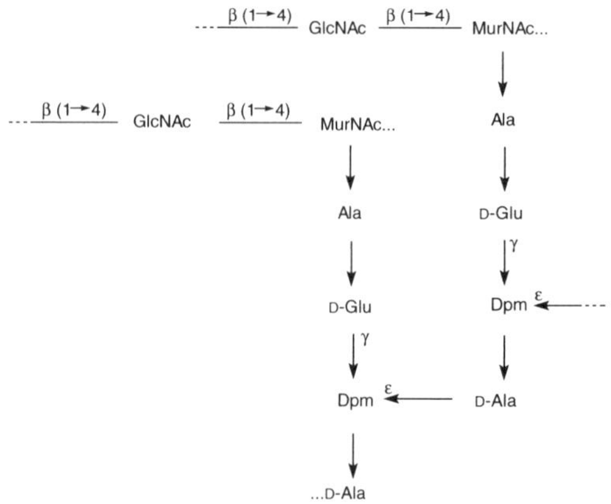

Abb.: Dem Muropeptid C3 entsprechender Ausschnitt aus dem Murein von *Escherichia coli*; Abk. s. Text.

Stützsubstanz der *Bakterien-Zellwände, die bei *Escherichia* (*E.*) *coli* aus alternierenden β(1→4)-verknüpften Einheiten von *N-Acetyl-D-glucosamin* (GlcNAc, vgl. Glucosamin) u. *N-Acetylmuraminsäure* (MurNAc, vgl. Muraminsäure) besteht. Die so entstehenden Stränge (*Glykosaminoglykan-Ketten) tragen über die Carboxy-Gruppe der MurNAc peptid. gebundene Peptidketten, meist Tetrapeptide mit L-Alanin u. den ungewöhnlichen Aminosäuren D-Alanin u. D-Glutaminsäure sowie *meso*-2,6-Diaminopimelinsäure (Dpm, *meso*-2,6-Diaminoheptandisäure). Letztere ist in *Staphylococcus aureus* durch ihr Decarboxylierungs-Produkt L-Lysin ersetzt. Durch Peptid-Bindungen zwischen den Aminosäuren der Seitenketten verschiedener Makromol.-Stränge (direkt zwischen D-Ala u. Dpm bei *E. coli*; mit Penta- od. Hexaglycin-Brücke zwischen D-Ala u. Lys bei *S. aureus*) kommt es zur Ausbildung zweidimensionaler, netzartiger Strukturen, die als sackartiges Riesenmol. (*M.-Sacculus*) den Protoplasten einhüllen u. bei Gram-pos. Bakterien mehrschichtig, bei Gram-neg. einschichtig sind. Erstere enthalten oftmals noch eine saure Hülle aus *Teichonsäuren.

Biosynth.: Die Aminozucker werden in Form ihrer UDP-Derivate (vgl. Uridinphosphate) im Cytoplasma synthetisiert u. UDP-MurNAc schrittweise unter Katalyse spezif. Enzyme u. unter Verbrauch von *Adenosin-5′-triphosphat mit Aminosäuren verknüpft. Dabei wird im letzten Schritt ein D-Ala-D-Ala-Dipeptid angehängt. Das entstandene *N*-Acetylmuramyl-Pentapeptid wird unter Freisetzung von UMP auf einen lipophilen Carrier (*Undecaprenylphosphat, Bactoprenylphosphat*) übertragen [1]. In diesem Stadium werden ggf. Glycin-Reste angehängt. Im folgenden kommt es zur Übertragung von GlcNAc auf das MurNAc-Peptid (unter Freisetzung von UDP), zur weiteren Verlängerung der Peptidoglykan-Kette durch sukzessives Anhängen von Disaccharid-Derivaten (unter Abspaltung von Undecaprenyldiphosphat, das vor Wiederverw. zum Monophosphat dephosphoryliert werden muß) u. zur Quervernetzung an die Zellwand, wobei ein D-Ala-Rest wieder frei wird.

In die Biosynth. des M. greifen verschiedene Antibiotika ein: *Cephalosporine, *Penicilline u. *Cycloserin verhindern als Antimetaboliten des D-Alanins die Quervernetzung der Glykosaminoglykan-Stränge, während *Bacitracin u. *Vancomycin deren Wachstum hemmen, *Nisin wahrscheinlich gegen die Anknüpfung der GlcNAc-Reste wirkt u. *Fosfomycin die Synth. der aktivierten MurNAc (UDP-MurNAc) inhibiert.

Abbau: Eine Auflösung des M.-Gerüstes tritt ein unter dem Einfluß der Enzyme *Lysozym [*Murami(ni)dase*; spaltet die Glykosid-Bindung der Hauptkette u. liefert verschiedene *Muropeptide*] u. *Lysostaphin (*Muroendopeptidase*; spaltet die Glycin-Glycin-Peptid-Bindung zwischen den – 2 verschiedenen Strängen angehörenden – Tetrapeptid-Seitenketten bei *S. aureus*). Zum Umbau des M. durch bakterielle Enzyme u. zum dabei möglichen Eingriff durch Antibiotika s. *Lit.*[2]. Zur M.-Biosynth. in Eukaryonten s. *Lit.*[3]. – ***E*** murein – ***F*** muréine – ***I*** mureina – ***S*** mureína

Lit.: [1] FEMS Microbiol. Lett. **119**, 255–262 (1994). [2] Biospektrum **1997**, Sonderausgabe, 63–66. [3] Experientia **48**, 921–931 (1992).

Muresko®. Matte Fassadenfarbe für dickschichtige, egalisierende Fassadenbeschichtungen, wetterbeständig nach VOB (Verbindungsordnung für Bauleistungen), DIN 18363, wasserabweisend nach DIN 4108. ***B.:*** Caparol.

Murexid (Ammoniumpurpurat).

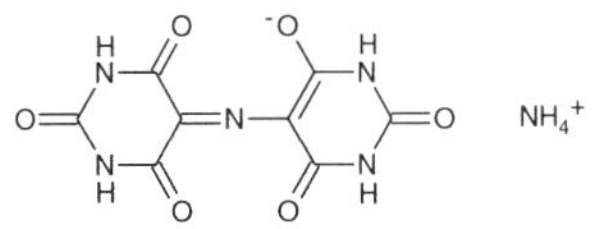

$C_8H_8N_6O_6$, M_R 284,18 ($C_8H_5N_5O_6 \cdot NH_3$). Als Monohydrat dunkelrotbraunes Pulver, wenig lösl. in kaltem, etwas besser in heißem Wasser (wäss. Lsg. purpurrot, nach NaOH-Zusatz Blaufärbung), unlösl. in Alkohol u. Ether. M. wird als Metallindikator in der Komplexometrie z. B. bei der Titration von Ca, Ni, Co, Cu usw. mit *EDTA verwendet. Es entsteht auch beim Harnsäure- od. Xanthin-Nachw. (*Murexid-Reaktion*): Durch Versetzen von Harnsäure mit oxidierend wirkender konz. Salpetersäure u. anschließendem Eindampfen des Reaktionsgemisches auf dem Wasserbad erhält man *Alloxantin (aus *Alloxan u. *Dialursäure), das durch Zugabe einiger Tropfen Ammoniak-Lsg. in das die Lsg. purpurrot färbende M. überführt wird. Alkylierte Xanthine (Coffein, Theobromin usw.) zeigen die M.-Reaktion nicht, es sei denn, man oxidiert sie mit H_2O_2/HCl od. $KClO_3$/HCl. Name von latein.: murex = Purpurschnecke. – ***E*** = ***F*** murexide – ***I*** muresside – ***S*** murexida

Lit.: Beilstein E V **25/16**, 94 ▪ Fries-Getrost, S. 102 ▪ Merck-Index (12.), Nr. 6386 ▪ Pure Appl. Chem. **55**, 1217–1220 (1983) ▪ Ullmann (5.) **A 14**, 140, 141. – *[HS 2933 51; CAS 3051-09-0]*

Murexid-Reaktion s. Murexid.

Murexin s. Urocansäure.

Muriatische Säure. Von latein.: muria = Salzlake abgeleiteter mittelalterlicher Name für *Salzsäure (acidum muriaticum). *Muriat. Quellen* sind Natriumchlorid-führende Quellen (s. Mineralwasser). – ***E*** muriatic acid – ***F*** acide muriatique – ***I*** acido muriatico – ***S*** ácido muriático

Murmeltieröl. M. hat in der Volksmedizin eine bis ins Mittelalter zurückreichende Geschichte. Heute noch erfreut es sich bes. im Alpenraum großer Beliebtheit. Die äußerliche Anw. bei rheumat. Erkrankungen, Gelenkentzündungen u. Ekzemen steht im Vordergrund. Die Hauptmenge des auf dem Markt befindlichen M. stammt aus der GUS, es ist ein farbloses Öl, Schmp. ca. 5 °C. Das nach Indikationen ähnlich verwendete *Dachsfett/-öl* wurde bis Ende des Zweiten Weltkrieges noch als Salbengrundlage in Offizin u. pharmazeut. Ind. verwendet. M. weist einen hohen Gehalt an ungesätt. *Fettsäuren (Linolsäure : Linolensäure = 1 : 2) auf, Fettsäuren mit mehr als 18 C-Atomen konnten nicht nachgewiesen werden. Weiterhin sind geringe Mengen *Vitamin E u. *Corticosteroide (30–80 mg/kg M.) enthalten. Für Dachsfett gelten ähnliche

Werte. Zur Indikation Rheuma ergibt sich ein direkter Bezug, da Corticosteroide wegen ihrer entzündungshemmenden u. immunsupprimierenden Eigenschaften seit langem in der Rheumatherapie Verw. finden. – ***E*** fat of marmot – ***F*** graisse de marmotte – ***I*** grasso della marmotta – ***S*** grasa de marmota

Lit.: Dtsch. Apoth. Ztg. **128**, 1921 ff. (1988) ▪ Fette, Seifen, Anstrichm. **68**, 360 (1966). – *[HS 1506 00]*

MurNAc. Kurzz. für *N*-Acetylmuraminsäure, s. Muramyl-Dipeptid u. Murein.

Muroendopeptidase, Muropeptide s. Murein.

Muromonab-CD$_3$ (Rp). Internat. Freiname für monoklonale Antikörper (IgG_{2a}) aus der Maus gegen T3(CD3)-Antigene humaner T-Lymphocyten. M. ist von Janssen-Cilag (Orthoclone OKT 3®) im Handel. – ***E*** = ***F*** = ***I*** = ***S*** muromonab-CD$_3$

Lit.: ASP ▪ Martindale (31.), S. 592.

Murphy, William Parry (1892–1987), Prof. für Medizin u. Hämatologie, Boston u. Harvard. *Arbeitsgebiete:* Diabetes mellitus u. Blutkrankheiten, Entdeckung des Antiperniziosa-Faktors, Einführung der Lebertherapie bei perniziöser Anämie; 1934 (zusammen mit Minot u. Whipple) Nobelpreis für Physiologie od. Medizin.

Lit.: Lexikon der Naturwissenschaftler, S. 303 f. ▪ Poggendorf **7 b/5**, 3457 f.

Murray, Joseph Edward (geb. 1919), Prof. für Medizin, Harvard Medical School. Er führte 1954 die erste Organtransplantation durch, indem er eineiigen Zwillingen jeweils eine Niere einsetzte. 1990 erhielt er zusammen mit E. D. *Thomas den Nobelpreis für Physiologie od. Medizin für die Entwicklung immunsuppressiver Behandlungsmeth. bei Organ- u. Zelltransplantationen.

Lit.: Lexikon der Naturwissenschaftler, S. 304.

Musafasern s. Manilahanf.

Musaril® (Rp). Filmtabl. mit dem *Muskelrelaxans *Tetrazepam. ***B.:*** Sanofi Winthrop.

Musc(a)... Von latein.: musca = Fliege od. spätlatein.: muscatus = moschus..., muskat... abgeleiteter Bestandteil von Trivialnamen, z. B. für das Fliegen-Pheromon *Muscalur, für Inhaltsstoffe von *Amanita muscaria* (*Fliegenpilz), s. folgende Stichwörter, u. für Duftstoffe, z. B. *Muscon, s. a. Moschus. – ***E*** musc(a)... – ***F*** = ***S*** musca... – ***I*** mosca...

Muscaaurine s. Fliegenpilz.

Muscaflavin (4-Formyl-2,3-dihydro-1*H*-azepin-2,7-dicarbonsäure).

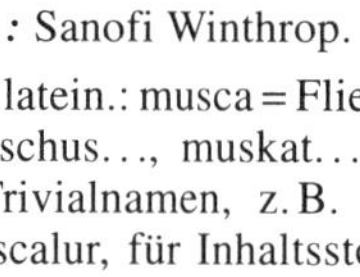

$C_9H_9NO_5$, M_R 211,17, instabile gelbe Krist., Schmp. des Dimethylesters 98 °C, $[\alpha]_D^{20}$ –270° (CH_3OH). Der gelbe Dihydroazepin-Farbstoff aus dem Fliegenpilz (*Amanita muscaria*) u. Saftlingen (*Hygrocybe*-Arten) ist ein Isomeres der Betalaminsäure (s. Betalaine). Biosynthet. wird M. wie Betalaminsäure aus L-*DOPA u. Tyrosin gebildet. M. ist in *Amanita*- u. *Hygrocybe*-Arten über die Aldehyd-Gruppe als Schiffsche Base mit verschiedenen Aminosäuren verknüpft. Diese labilen gelben, orangen u. roten Konjugate heißen *Hygroaurine*, *Muscaaurine*, *Muscapurpurine*. – ***E*** muscaflavin – ***F*** muscaflavine – ***I*** = ***S*** muscaflavina

Lit.: Helv. Chim. Acta **62**, 1231 (1979) ▪ Justus Liebigs Ann. Chem. **1981**, 2164 ▪ Zechmeister **51**, 75–86. – *[CAS 12624-18-9 (M.); 70991-04-7 (M.-dimethylester)]*

Muscalur [9(*Z*)-Tricosen].

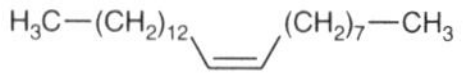

$C_{23}H_{46}$, M_R 322,61, farbloses Öl, Sdp. 157–158 °C (13,3 Pa), n_D^{26} 1,4517. M. ist das Sexualpheromon der weiblichen Stubenfliege *Musca domestica*. M. wurde auch in *Propolis nachgewiesen [1]. Die stärkste Pheromon-Wirkung konnte bei Dosen von 10–20 µg/Fliege auf 2–3 d alte männliche Fliegen beobachtet werden [2]. M. bildet sich neben anderen C_{23}-Alkenen in 2 d alten Fliegen, der Gehalt nimmt mit fortschreitendem Alter zu. Bei der Kopulation wird es auf das Männchen übertragen u. zu verschiedenen Metaboliten oxidiert [3]. M. kann in Ködern zur Bekämpfung der Stubenfliege eingesetzt werden. – ***E*** = ***F*** muscalure – ***I*** = ***S*** muscalura

Lit.: [1] Justus Liebigs Ann. Chem. **1989**, 1123–1126. [2] J. Chem. Ecol. **15**, 1475–1490 (1989). [3] J. Insect Physiol. **35**, 775 (1989).

Biosynth.: Arch. Insect Biochem. Physiol. **12**, 173–186 (1989). – *Synth.:* ApSimon **4**, 20 ff.; **9**, 25–28 ▪ Chem. Ztg. **114**, 315 (1990) ▪ Org. Prep. Proced. Int. **26**, 680 (1994) ▪ Merck-Index (12.), Nr. 6388 ▪ s. a. Pheromone u. Insektenlockstoffe. – *[CAS 27519-02-4]*

Muscarin [(2*S*)-(2α,4β,5α)-Trimethyl(tetrahydro-4-hydroxy-5-methylfurfuryl)ammonium].

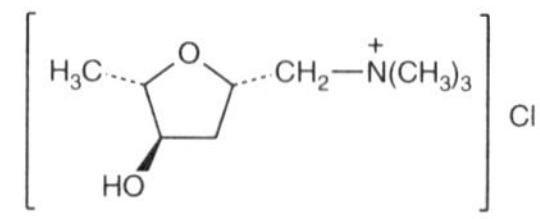

$C_9H_{20}NO_2^+$, Chlorid, $C_9H_{20}ClNO_2$, M_R 209,72, hygroskop. Nadeln, Schmp. 181,5–182 °C, sehr leicht lösl. in Wasser u. Alkohol, mäßig lösl. in Chloroform, Ether, Aceton. Von M. sind verschiedene Stereoisomere bekannt. Die (2*S*)-(2α,4β,5α)-Form ist Inhaltsstoff des *Fliegenpilzes (*Amanita muscaria*) u. verwandter *Amanita*-Arten, z. B. *Nancatl* (*Amanita mexicana*), einer mexikan. Fliegenpilz-Art. M. kommt auch in Rißpilzen (*Inocybe*) u. Trichterlingen (*Clitocybe*) vor.

Wirkung: M. ist sehr giftig, LD_{50} (Maus i.v.) 0,23 mg/kg. 100 g Fliegenpilz enthalten ca. 16 mg M., bereits 0,05 mg reichen aus, um das Herz eines Frosches zu lähmen. M. greift im parasympath. Teil des Nervensyst. an den Acetylcholin-Rezeptoren an. Da M. nicht von Acetylcholin-Esterase abgebaut werden kann, resultiert eine unkontrollierte Dauererregung der parasympath. Zielorgane. M. hat damit die entgegengesetzte Wirkung wie *Atropin. Die Ausscheidung von M. erfolgt über die Nieren. Vergiftungssymptome sind Speichelfluß, Schweißausbrüche, Durchfall, Erbrechen, Miosis u. Kreislaufkollaps. M. wird nicht zu pharmazeut. Zwecken verwendet. Im Fliegenpilz sind neben M. noch andere Giftstoffe enthalten, vgl. Ibotensäure, Muscimol, Muscazon u. Fliegenpilz. Die

*Halluzinogen-Eigenschaften des Fliegenpilzes sind nicht auf M. zurückzuführen, sondern auf Ibotensäure u. deren Derivate Muscimol u. Muscazon. – ***E*** = ***F*** muscarine – ***I*** = ***S*** muscarina

Lit.: Acta Crystallogr. Sect. C **46**, 1279 (1990) ▪ Beilstein E V **18/10**, 220 f. ▪ Hager (5.) **3**, 849 ff. ▪ Manske **23**, 327–380 ▪ Merck-Index (12), Nr. 6389 ▪ Pharm. Unserer Zeit **12**, 111–118 (1983). – *Synth.:* Can. J. Chem. **70**, 2726 (1992) ▪ Chem. Pharm. Bull. **43**, 1067 (1995) ▪ J. Chem. Soc., Perkin Trans. 1 **1992**, 3023. – *[CAS 300-54-9 (M.-Kation); 2303-35-7 (M.-Chlorid)]*

Muscarin-Alkaloide s. Muscarin, Muscazon, Muscimol, Fliegenpilz.

Muscarinischer (Acetylcholin-)Rezeptor s. Acetylcholin.

Muscaron®-Fliegenstreifen. Streifen mit *Fenthion u. *Dichlorvos zur Fliegenbekämpfung in Stallungen. ***B.:*** Bayer.

Muscazon (α-Amino-2,3-dihydro-2-oxo-5-oxazolessigsäure).

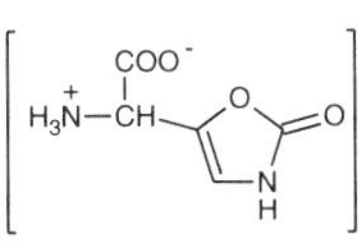

$C_5H_6N_2O_4$, M_R 158,11, farblose Krist., Schmp. 190 °C (Zers.). Die Aminosäure M. ist im *Fliegenpilz (*Amanita muscaria*) enthalten. Wahrscheinlich ist sie kein nativer Inhaltsstoff, sondern ein photochem. Abbauprodukt der *Ibotensäure. M. wirkt halluzinogen. – ***E*** = ***F*** = ***I*** muscazone – ***S*** muscazona

Lit.: Beilstein E V **27/21**, 225 ▪ Bresinsky u. Besl, Giftpilze, S. 98–100, Stuttgart: Wissenschaftliche Verlagsges. 1985 ▪ Merck-Index (12.), Nr. 6390. – *[CAS 2255-39-2]*

Muschelgold. Pulverisiertes *Gold, wird mit *Gummi arabicum als Bindemittel in der Aquarell-Malerei zum Vergolden von Zeichnungen, Pergament-Blättern u. dgl. verwendet. – ***E*** shell gold – ***F*** or moulu, or d'applique – ***I*** oro conchilifero – ***S*** oro musivo

Lit.: Gatz (Hrsg.), Lexikon der Anstrichtechnik, Bd. 1, (8. Aufl.), S. 181, München: Callwey 1987.

Muschelkalk s. Erdzeitalter.

Muscheln s. Mollusken.

Muscheltoxine. Stoffe unterschiedlichster chem. Natur, die meist als *Toxine aus Meeresplankton in Muscheln angereichert werden, so daß der Name „Algentoxine" eigentlich zutreffender ist. Daneben wurden **PSP-Toxine* (*E* *p*aralytic *s*hellfish *p*oisoning) in Krebsen[1] nachgewiesen. 1987 sorgte *Saxitoxin, ein zur Gruppe der PSP-Toxine gehörendes Nervengift, für Schlagzeilen[2]. Saxitoxin wird von bestimmten Dinoflagellaten (*Gonyaulax tamarensis*, *Gymnodinium catenatum*) gebildet u. führt zu neurolog. Störungen, so daß es als „echtes" M.[3] betrachtet werden kann. Neuesten Untersuchungen zufolge sind neben Saxitoxin v. a. Neosaxitoxin, *Gonyautoxin sowie deren Decarbamoyl-Analoga für die Toxizität kontaminierter Muschelkonserven[4] verantwortlich. Der tox. Wirkungsmechanismus beruht wahrscheinlich auf einer Verminderung des Natrium-Einstroms in die Nervenzelle durch Blockierung des entsprechenden Ionenkanals. Die tödliche Dosis für den Menschen liegt bei ca. 1 mg. Zu dieser Toxinklasse gehört ebenfalls die in kontaminierten Miesmuscheln (*Mytilus edulis*) gefundene neurotox. *Aminosäure *Domoinsäure[5], die ursprünglich aus Rotalgen isoliert wurde. Die Hitzestabilität der PSP-Toxine ist *Lit.*[6] zufolge relativ groß, so daß beim Zubereiten nur ein geringer Anteil zerstört wird.

Im Gegensatz zu PSP-Toxinen führen *DSP-Toxine* (*E* *d*iarrhetic *s*hellfisch *p*oisoning) zu eher harmlosen gastrointestinalen Beschwerden, für die in den häufigsten Fällen *Okadainsäure sowie Dinophysis-Toxin 1 u. 3 verantwortlich sind. Über die Struktur-Wirkungs-Beziehung der DSP-Toxine berichtet *Lit.*[7].

Analytik: Die Bestimmung von DSP-Toxinen (speziell Okadasäure) kann nach Derivatisierung mit 9-Anthryldiazomethan über HPLC mittels Fluoreszenzdetektor[8,9] erfolgen. Das PSP-Toxin Domoinsäure ist über *HPLC[10,11] nachweisbar. Zur Bestimmung weiterer PSP-Toxine stehen das Mausbioassay[11,12], ein *DC-Verf.[13] sowie immunolog. Meth.[13] zur Verfügung. Die Molmassen verschiedener PSP-Toxine wurde durch FAB-*Massenspektrometrie[14] bestimmt. Der *Methode nach § 35 LMBG[15] (L 12.03/04-1) liegt ein fluorimetr. Verf. zugrunde. Saxitoxin ist über HPLC mit Nachsäulenderivatisierung u. Fluoreszenzdetektion[16] nachweisbar.

Rechtliche Beurteilung: Nach der Fisch-VO[17] (§ 6) dürfen Schalentiere u. Schalentiererzeugnisse nicht in Verkehr gebracht werden, wenn fettlösl. Algentoxine (DSP) nachweisbar sind od. mehr als 400 µg wasserlösl. Algentoxine (PSP) pro kg enthalten sind. Das Verf. zur Probennahme u. Analytik ist in § 7 u. Anlage 3 (*Lit.*[17]) beschrieben. Nach der Kriegswaffenliste[18] (Teil A, Nr. 3) verpflichtet sich die BRD, auf den Einsatz von Saxitoxin als Kampfmittel zu verzichten. – ***E*** shellfish poisons – ***F*** toxine de coquillage – ***I*** tossine delle conchiglie – ***S*** toxinas de conchas

Lit.: [1] Agric. Biol. Chem. **50**, 593–598 (1986); J. Assoc. Off. Anal. Chem. **74**, 1006 ff. (1991). [2] Frankfurter Rundschau vom 16.02.1987, S. 24. [3] Z. Lebensm. Unters. Forsch. **187**, 421–424 (1988). [4] Z. Lebensm. Unters. Forsch. **190**, 491–495 (1990). [5] J. Chromatogr. **462**, 419–425 (1989); Food Chem. Toxicol. **28**, 707–715 (1990). [6] J. Food Protect. **48**, 659–662 (1985). [7] Carcinogenesis **11**, 1837–1841 (1990). [8] Agric. Biol. Chem. **51**, 877–881 (1987). [9] Lebensmittelchem. Gerichtl. Chem. **43**, 61 (1989). [10] J. Chromatogr. **462**, 349–356 (1989). [11] J. Assoc. Off. Anal. Chem. **72**, 674 ff. (1989); **74**, 68–72 (1991). [12] J. Assoc. Off. Anal. Chem. **69**, 547–550 (1986). [13] J. Assoc. Off. Anal. Chem. **68**, 13–16 (1985). [14] Agric. Biol. Chem. **48**, 2783–2788 (1984). [15] Bundesgesundheitsblatt **33**, 177 (1990). [16] Dtsch. Lebensm. Rundsch. **83**, 379 ff. (1987). [17] VO über gesundheitliche Anforderungen an Fische u. Schalentiere (Fisch V) vom 8. 8. 1989 (BGBl. I, S. 1570). [18] 6. VO zur Änderung der Kriegswaffenliste vom 19. 10. 1989 (BGBl. I, S. 1853).

allg.: Anal. Chem. **61**, 1053–1059 (1989) ▪ Chem. Unserer Zeit **29**, 68–75 (1995) ▪ Food Technol. **42**, 94–98 (1988) ▪ Großklaus, Rückstände in von Tieren stammenden Lebensmitteln, S. 19, Berlin: Parey 1989 ▪ J. Agric. Biol. Chem. **52**, 1075 (1988) ▪ J. Assoc. Off. Anal. Chem. **74**, 137–140 (1991) ▪ J. Food Protect. **56**, 69–83 (1993) ▪ Lindner, Toxikologie der Nahrungsmittel (4.), S. 105–108, Stuttgart: Thieme 1990 ▪ Rev. Env. Contam. Toxicol. **117**, 50–94 (1991) ▪ Strickarts u. Hall (Hrsg.), Marine Toxins, Origin, Structure and Molecular Pharmacology, American Chemical Society Symposium Series No. 418, Washington: ACS 1989 ▪ Tetrahedron **41**, 1019–1025 (1985) ▪ Trends Biochem. Sci. **15**, 98–102 (1991).

Muschelvergiftung. Bez. für die Ansammlung von giftigen Stoffwechselprodukten von *Algen u. *Cyanobakterien in Muscheln (Bivalvia) sowie für die beim Menschen [1] od. anderen Lebewesen [2] hervorgerufene Erkrankung durch Verzehr von Muscheln, die diese Stoffwechselprodukte enthalten (*Mytilotoxismus*). Muscheln filtrieren Schwebstoffe wie Algen, *Bakterien u. *Detritus als Nahrung aus dem Wasser. Sie nehmen dabei u. a. *Algentoxine [3] auf, wobei manche Muschelarten geschädigt werden, andere hingegen die Toxine ohne erkennbaren Schaden akkumulieren (s. Bioakkumulation), chem. modifizieren (z. B. *Konjugation) od. ausscheiden (im Laufe von wenigen Tagen bis einigen Wochen). M. wurden in fast allen Meeren beobachtet.
Entsprechend den Krankheitssymptomen unterscheidet man meist M. mit Lähmungserscheinungen (*PSP = Paralytic Shellfish Poisoning, manchmal mit NSP = Neurotoxic SP synonymisiert), mit gastrointestinalen Störungen (DSP = Diarrhoic SP) u. mit Gedächtnisstörungen (ASP = Amnesic SP). Zu den PSP-Toxinen gehören *Saxitoxin u. *Gonyautoxin, zu den DSP-Toxinen *Okadainsäure u. Dinophysistoxine, zu ASP-Toxinen *Domoinsäure [2] (s. a. Muscheltoxine).
Der Zusammenhang zwischen dem Auftreten giftiger Algen (s. Algenblüte) u. der Giftigkeit von Muscheln war schon indian. Ureinwohnern Nordamerikas bekannt. Durch M. bedingte Todesfälle sind seit 1789 dokumentiert. Durch Aufnahme von biogenen Giften aus der Umwelt können wie bei der M. auch Fische (s. Ciguatera-Toxin u. Fischgifte), Schnecken, Krabben, Schwämme u. a. Tiere sek. passiv giftig werden. – ***E*** shellfish poisoning – ***F*** intoxication par fruits de mer – ***I*** intossicazione da molluschi – ***S*** intoxicación por mariscos

Lit.: [1] Römpp Lexikon Lebensmittelchemie, S. 568. [2] Naturwiss. Rundschau **49**, 17 f. (1996). [3] Römpp Lexikon Lebensmittelchemie, S. 17–20.

Muscimol [5-Aminomethyl-3(2*H*)-isoxazolon, Agarin, Pantherin].

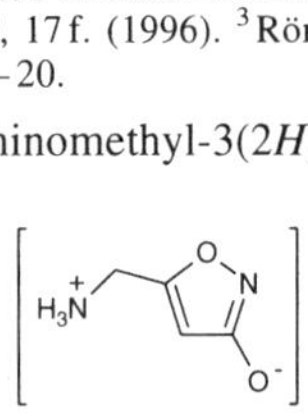

$C_4H_6N_2O_2$, M_R 114,10, Krist., Schmp. 155 °C (Monohydrat), sehr leicht lösl. in Wasser, schwer lösl. in Methanol, unlösl. in Ethanol. Giftiger Inhaltsstoff [LD_{50} (Maus s.c.) 3,8 mg/kg, (Ratte i.p.) 4,5 mg/kg, (Ratte p.o.) 45 mg/kg] aus dem *Fliegenpilz (*Amanita muscaria*). Biosynthet. wird M. durch Decarboxylierung der *Ibotensäure gebildet.
Wirkung: Wegen ihrer strukturellen Ähnlichkeit mit γ-*Aminobuttersäure (GABA) erregen M. u. Ibotensäure die GABA-Rezeptoren des Zentralnervensyst. u. sind für die halluzinogene Wirkung des Fliegenpilzes verantwortlich. In typ. Vergiftungsfällen ist die anticholinerge Wirkung ausgeprägt (Tachykardie, weite Pupillen, trockener Mund). M. wirkt halluzinogen. Die Aufnahme von M. hemmt die motor. Funktionen bei Mensch u. Tier, vgl. gegensätzliche Wirkung von *Muscarin. M. wirkt auch insektizid. – ***E*** = ***F*** = ***S*** muscimol – ***I*** muscimolo

Lit.: Acta Chem. Scand., Ser. B **30**, 281 (1976); **35**, 311 (1981) ▪ Beilstein EV **27/20**, 72 ▪ Bresinsky u. Besl, Giftpilze, S. 98–100, Stuttgart: Wissenschaftliche Verlagsges. 1985 ▪ Merck-Index (12.), Nr. 6391 ▪ Neurochem. Res. **5**, 1047–1068 (1980) ▪ Sax (7.), S. 197 f. – *[HS 2934 90; CAS 2763-96-4]*

Muscon (Muskon, 3-Methylcyclopentadecanon).

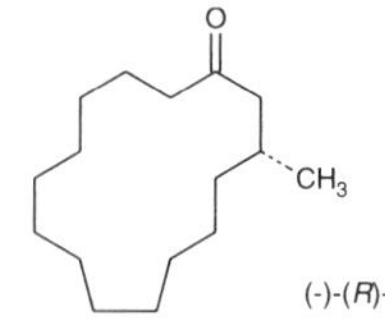

(-)-(*R*)-M.

$C_{16}H_{30}O$, M_R 238,41, Öl, Sdp. 328 °C (130 °C bei 0,16 kPa), d_4^{17} 0,922, n_D^{17} 1,4802, $[\alpha]_D^{22}$ –14°, wenig lösl. in Wasser, lösl. in Alkohol. Die (–)-(*R*)-Form ist der wichtigste Duftstoff des *Moschus, der als Fixateur in der Parfüm-Ind. von großer Bedeutung ist. Aus diesem Grund wurden zahlreiche racem. u. stereospezif. Synth. entwickelt. Die synthet. Abkömmlinge Cyclopentadecanon u. 5-Cyclohexadecenon ähneln in ihren Eigenschaften dem Muscon. M. wurde bes. von *Ružička, Ohloff u. *Stoll untersucht. – ***E*** = ***F*** = ***I*** muscone – ***S*** muscona

Lit.: Beilstein EIV **7**, 118 ▪ Theimer, Fragrance Chemistry, S. 434–491, New York: Academic Press 1982 ▪ Ullmann (5.) **A 11**, 178. – *Synth.:* Chem. Ind. (London) **1985**, 29 ▪ Chem. Lett. **1986**, 911 ▪ Helv. Chim. Acta **66**, 2512–2524, 2608–2614 (1983); **70**, 2146–2151 (1987); **71**, 1704 (1988); **73**, 896–901 (1990) ▪ J. Am. Chem. Soc. **115**, 1593 (1993) ▪ J. Chem. Soc., Chem. Commun. **1988**, 1638 f. ▪ J. Org. Chem. **55**, 820–826 (1990) ▪ Seife, Öle, Fette, Wachse **115**, 538–545 (1989) ▪ Tetrahedron **45**, 2989–2998 (1989) ▪ Tetrahedron Lett. **24**, 943 (1983). – *[CAS 541-91-3 (±); 10403-00-6 (–)]*

Muscovit (Muskovit, Kaliglimmer).
$KAl_2[(OH,F)_2/AlSi_3O_{10}]$, heller dioktaedr. *Glimmer, überwiegend monoklin, Kristallklasse 2/m-C_{2h}; häufigster Polytyp (*Polymorphie) ist *M.-2M₁*. Beschreibung u. Abb. der Struktur s. Glimmer (S. 1555 f.); zur Struktur bei hohen Temp. s. *Lit.* [1], zur Struktur bei hohen Drücken *Lit.* [2,3] u. bis zum Übergang in den amorphen Zustand *Lit.* [4]. M. bildet durchsichtige bis durchscheinende, farblose, weiße bis graue, gelbliche bis hellbraune, auch rosafarbige od. rötliche Platten, Blättchen od. blättrig-rosettenartige, schuppige od. dichte Aggregate; perlmuttartig, z. T. silbrig („*Katzensilber*") glänzend, höchst vollkommen bis in dünne, durchsichtige, elast. biegsame Plättchen spaltbar. Tafelige Krist. mit gestreiften u. dadurch rauhen Prismenflächen. H. 2–2,5, D. 2,78–2,88. K kann z. T. ersetzt sein durch Na, Rb, Cs, Ca u. Ba, sechsfach (oktaedr.) koordiniertes Al durch Mg, Fe^{2+}, Fe^{3+}, Mn, Li, Ti u. V (beim dunkelolivfarbigen bis grünlichbraunen, 4–7% V_2O_3 enthaltenden *Roscoelith*). Eine Cr-haltige Abart ist *Fuchsit*; der rötlich-purpurfarbige *Alurgit* enthält Mangan. Durch den gekoppelten Ersatz $Al^{[6]}Al^{[4]} \rightleftharpoons (Mg,Fe^{2+})Si^{[4]}$ entsteht der gelbliche bis grüne, bes. in Gesteinen der *Hochdruckmetamorphose auftretende, mit einfachen Hilfsmitteln ebenso wie *Paragonit von M. nicht unterscheidbare *Phengit* (Si > Al > 3:1). Die Bildung von *Mischkristallen zwischen M. u. Paragonit ist beschränkt, sie nimmt mit steigendem Druck ab [2]. M. ist sehr widerstandsfähig, von den gewöhnlichen Säuren greift ihn nur Flußsäure an; zur Kinetik

der Auflösung u. Umwandlung von M. bei pH-Werten von 1–4 s. *Lit.*[5]. Viele Silicat-Mineralien gehen bei hydrothermalen Zersetzungsvorgängen in M. über, z.B. *Andalusit, *Cordierit; in *Feldspäten entsteht dabei die sehr feinschuppige, seidenartig glänzende Varietät *Sericit* („Sericitisierung"). Bei der *Verwitterung kann M. in *Illit (Hydro-M.) umgewandelt werden.

Vork.: In *magmatischen Gesteinen, bes. in *Graniten u. *Pegmatiten, hier z.T. in m^2-großen Tafeln u. als *„Glimmerbücher"*. Verbreitet in *metamorphen Gesteinen, z.B. Glimmerschiefern, *Gneisen u. *Quarziten; als Sericit in *Tonschiefern u. *Phylliten. In *Sedimentgesteinen, z.B. in *Sandsteinen.

Zur Verw. s. Glimmer u. *Lit.*[6]. – ***E*** = ***F*** muscovite – ***I*** muscovite, mica chiara – ***S*** muscovita, moscovita

Lit.: [1] Am. Mineral. **72**, 537–550 (1987); Eur. J. Mineral. **1**, 625–632 (1989). [2] Eur. J. Mineral. **6**, 171–178 (1994). [3] Phys. Chem. Miner. **22**, 170–177 (1995). [4] J. Geophys. Res. **99**, 19785–19792 (1994). [5] Geochim. Cosmochim. Acta **60**, 367–385 (1996). [6] Ind. Miner. (London) **189**, 27–50 (1983). *allg.:* Bailey (Hrsg.), Micas (Reviews in Mineralogy, Vol. 13), Washington (D. C.): Mineralogical Society of America 1984 ▪ Deer et al. (2.), S. 288–293 ▪ Ramdohr-Strunz, S. 745 ff. ▪ s. a. Glimmer. – *[HS 2525 10; CAS 1318-94-1]*

Musivgold s. Messing.

Muskarin s. Muscarin.

Muskat vgl. Muskatnüsse.

Muskatellersalbei-Öl. Aus dem Kraut des Muskatellersalbeis (*Salvia sclarea*, Lamiaceae) bes. in Frankreich, Ungarn u. der UdSSR durch Wasserdampfdest. in ca. 0,1% Ausbeute gewonnener, wichtiger Parfümrohstoff. Das Destillat hat einen krautigen (Lavendel)Weinbouquet-Geruch mit Nachklang an Ambra, kommt dest. (D. 0,897–0,911, lösl. in der 3–5fachen Menge 70%igen Alkohols) u. extrahiert (Konkret: Schmp. 58–60 °C, starke Ambranote, Absolue: D. 0,980–0,985, Schmp. 35–36 °C) in den Handel. Zusammensetzung des dest. Öls: 50–70% Ester (Linalyl-, Nerolidolacetat) u. des extrahierten Öls: ca. 17% Linalylacetat, ca. 5% Linalool, ca. 28% Sesquiterpenalkohole, ca. 42% Sclareol. – ***E*** muscatel sage oil – ***F*** essence de muscat – ***I*** olio essenziale di moscatella (sclarea) – ***S*** esencia de salvia moscatel

Lit.: Drug Cosmet. Ind. **116**, 34 f., 93 f. (1975) ▪ Gildemeister **7**, 122–132 ▪ Ohloff, S. 145, 212 ▪ Perfum. Flavor. **15** (4), 69 (1990) ▪ Ullmann (4.) **20**, 265. – *[HS 3301 29; CAS 8016-63-5]*

Muskatnüsse (Nux moschata, Macisnüsse). Stumpfe, runde, 2,5–3,5 cm lange, 2 cm breite, unregelmäßig netzartig gerunzelte, ohne Samenmantel gelbbraune od. durch Tauchen in Kalkmilch als früherem Schutz gegen Insektenfraß weiß bestäubte Samen von *Myristica fragrans* u.a. *Myristica*-Arten. Die Muskatnußbäume sind 10–15 m hohe Bäume, die etwa vom 9.–60. Jahr jährlich zweimal Steinfrüchte tragen u. in Westindien, Südamerika, Indonesien usw. angebaut werden.

Verw.: In geraspelter, gemahlener Form zum Würzen. M. enthalten 25–40% fette Öle (*Muskatnußbutter*), 7–16% ether. Öle (*Muskatnußöl), ca. 30% Stärke, 10% Faserstoffe, 7% Protein u. ca. 2% Mineralstoffe. Das die M. umgebende Fruchtfleisch (*Muskatblüte*) wird wegen seines Gehalts an ether. Ölen getrocknet als Pulver (*Macis, Mazis*) gehandelt. M. wurden u. werden in der Volksmedizin als Analgetikum, Digestivum, Stomachikum, Hypnotikum, Aphrodisiakum u. Amenorrhoikum verwendet. Übermäßiger Genuß der M. führt jedoch aufgrund ihres Gehalts an Elemicin u. *Myristicin zu Schweißausbruch, Harndrang, Übelkeit, Kopfschmerzen, Gleichgewichtsstörungen, Halluzinationen, Lachkrämpfen u. Stupor. Aus diesen Gründen ist auch die Verw. in *Niespulver nicht zu empfehlen. – ***E*** nutmeg, mace – ***F*** muscade – ***I*** noci moscata – ***S*** nuez moscada

Lit.: Franke, Nutzpflanzenkunde, 6. Aufl., S. 373 ff., Stuttgart: Thieme 1997. – *[HS 0908 10]*

Muskatnußöl (Macisöl). Angenehm würzig duftendes farbloses bis gelbliches Öl, das durch Wasserdampfdest. aus den getrockneten Früchten (*Muskatnüsse) u. den Samenmänteln (*Macis*, „Muskatblüte") von *Myristica fragrans* (Myristicaceae) gewonnen wird. Die physikal. Daten schwanken je nach Ursprungsland des Öls; z.B. ist M. aus Indonesien bzw. (in Klammern) von den Westind. Inseln (vorwiegend Grenada) folgendermaßen charakterisiert: D^{20} 0,883–0,917 (0,862–0,882), n_D^{20} 1,4750–1,4880 (1,4720–1,4760), $[\alpha]^{20}$ +8° bis +25° (+25° bis +40°). M. ist in Ethanol löslich. Das indones. M. enthält einen höheren Anteil höher siedender Bestandteile. Eine typ. Zusammensetzung ist: 27% α-*Pinen, 21% β-Pinen, 15% *Sabinen, 9% *Limonen als Aromaträger neben *Borneol, *Terpineol, *Eugenol, *Isoeugenol sowie als halluzinogen wirksame Bestandteile 14% *Myristicin, Elemicin[1] (s. Myristicin) u. *Safrol sowie weitere Phenylallyl-Derivate. M. findet Verw. als Nahrungsmittel-Aromastoff u. in der Parfüm-Industrie.

Wirkung: M. wirkt bei Inhalation als Expektorans[2], in höheren Dosen narkot., jedoch wirkt die ganze Nuß stärker als das Öl. Die Produktion an M. in Indonesien beträgt ca. 100 t/a. – ***E*** nutmeg oil, mace oil – ***F*** essence de muscade – ***I*** olio di noce moscata – ***S*** esencia de nuez moscada

Lit.: [1] Karrer, Nr. 224. [2] Pharm. Unserer Zeit **14**, 10 (1985). *allg.:* Lebensm. Wiss. Technol. **24**, 198–203 (1991) ▪ Sax (7.), S. 2597 ▪ Schmidbauer u. vom Scheidt, Handb. der Rauschdrogen, S. 238–285, München: Nymphenburger 1988 ▪ Ullmann (5.) **A 11**, 235. – *[HS 3301 29]*

Muskel (latein.: musculus = Mäuschen). Gewebeart mit der Fähigkeit, sich zusammenzuziehen u. wieder zu erschlaffen (Kontraktilität). Man unterscheidet die *glatte Muskulatur* der Eingeweide, die sich langsam kontrahiert, von der *quergestreiften Skelettmuskulatur* mit langgestreckten Zellen (Fasern), die durch die regelmäßige Anordnung der Myofibrillen gestreift erscheint u. zu rascher Kontraktion fähig ist, u. der *Herzmuskulatur* mit sich verzweigenden Fasern u. weniger zahlreichen Myofibrillen.

Die einzelnen Zellen des Skelettmuskels (M.-Fasern) werden von Nervenzellen über spezielle *Synapsen, die motor. Endplatten, erregt. Dabei werden die durch die synapt. Erregungsübertragung entstandenen Membranpotentialänderungen entlang von Einstülpungen der Zellmembran rasch über die gesamte Oberfläche

u. in die Tiefe der Muskelfaser ausgebreitet. Dadurch wird die intrazelluläre Calcium-Konz. von ca. 0,01 mol/L (Ruhe) auf 1 – 10 mol/L heraufgesetzt. Die Erhöhung der intrazellulären Calcium-Konz. führt über eine Reihe von Reaktionen zur Verkürzung der M.-Faser (*elektromechan. Koppelung*). Im Cytoplasma jeder M.-Faser befinden sich Bündel von parallel angeordneten *Myofibrillen*, die die kontraktilen Elemente darstellen. Eine Myofibrille wird von plattenartigen Protein-Scheiben (Z-Scheiben) in ca. 2 µm lange Fächer, die *Sarkomere* unterteilt, innerhalb derer Filamente aus *Myosin u. aus *Actin in charakterist. Weise ineinandergreifend angeordnet sind. Die Actin-Filamente, die jeweils aus zwei ineinander verdrillten Ketten aus ca. 400 Actin-Mol. bestehen, sind in ihrer Mitte an der Z-Scheibe fixiert u. ragen so mit je einer Hälfte in zwei benachbarte Sarkomere. Zwischen zwei Actin-Filamentgruppen sind die Myosin-Filamente ohne Kontakt zur Z-Scheibe gelagert. Ein Myosin-Filament besteht aus 150 bis 360 bündelartig zusammengefassten Myosin-Mol., die reversibel an das Actin binden können. Unter Vermittlung der beiden an das Actin angelagerten Proteine *Tropomyosin u. *Troponin, die bei hoher Calcium-Konz. die nötigen Bindungsstellen freigeben, gleiten Actin- u. Myosin-Filamente bei der Kontraktion ineinander, was zur Verkürzung des Muskels führt. Dabei wird im Rahmen der Reaktionen der Filamente miteinander *ATP gespalten, so daß bei der Kontraktion die in ATP gespeicherte chem. Energie in mechan. Energie u. Wärmeenergie umgewandelt wird.
Die glatte Muskulatur enthält ebenfalls Actin u. Myosin, eine Anordnung in Sarkomere u. damit eine Querstreifung fehlen jedoch. Ihre Kontraktion ist langsam u. hält oft über längere Zeit mehr od. weniger stark an. Beeinflußt wird sie zum einen durch Dehnung des Muskels, zum anderen durch Kontakt mit vegetativen Nervenfasern.
Die Herzmuskulatur hat ähnlich der quergestreiften Skelettmuskulatur Sarkomere u. kontrahiert schnell, allerdings in einem spontanen Eigenrhythmus, der von bestimmten Schrittmacherzellen angegeben u. durch den Einfluß vegetativer Nervenfasern moduliert wird. – ***E*** = ***F*** muscle – ***I*** muscolo – ***S*** músculo

Lit.: Schmidt u. Thews, Physiologie des Menschen, S. 67 – 87, Heidelberg: Springer 1995.

Muskelrelaxantien (Myorelaxantien, von latein.: relaxare = erweitern, lockern). Bei Operationen u. Einrenkungen etc. zusätzlich zu *Narkotika, auch bei Strychnin-Vergiftungen u. Tetanus od. in der Psychiatrie bei der Elektrokrampftherapie angewendete Präp., die den quergestreiften *Muskel zum Erschlaffen bringen u. so die während der Operation unerwünschten reflektor. Spannungszustände beseitigen. M. wirken *peripher* durch Hemmung der *Acetylcholin-Rezeptoren an den sog. motor. Endplatten der entsprechenden Nervenfasern; *Beisp.:* *Curare, *Decamethoniumbromid, *Suxamethoniumchlorid u. a. *Ganglienblocker auf Cholin-Basis. *Zentral* angreifende M. hemmen polysynapt. Reflexe; *Beisp.:* *1,4-Benzodiazepin *Tetrazepam, der GABA-Antagonist (s. GABA-Rezeptoren) *Baclofen, das *Carbamat *Carisoprodol. – ***E*** muscle relaxants – ***F*** relaxants musculaires – ***I*** rilassanti muscolari, farmaci miorilassanti – ***S*** relajantes musculares

Lit.: Kirchner u. Seitz (Hrsg.), Klinik der Muskelrelaxation, Darmstadt: Steinkopff 1995 ▪ Mutschler (7.), S. 243 ff. ▪ Ullmann (5.) **A 24**, 209 – 218.

Musso, Hans (1925 – 1988), Prof. für Organ. Chemie, Marburg, Karlsruhe. *Arbeitsgebiete:* Reaktionsmechanismen, oxidative Kupplung von Phenolen u. Aminophenolen, Phenoxazine, Pilz- u. Flechtenfarbstoffe, Lackmus, Asterane, Metall-acetylacetonate u. a. -chelate, Diazonium-Salze.

Lit.: Kürschner (15.), S. 3188 ▪ Nachr. Chem. Tech. **26**, 672 ff. (1978); **28**, 908 (1980).

Mustelan s. Musteliden u. Thietane.

Musteliden. Von latein.: mustela = Wiesel, Marder abgeleitete Familienbez. (latein.: Mustelidae) für kleine Landraubtiere, zu denen Marder, Zobel, Iltis, Hermelin, Frettchen, Mauswiesel, Nerz, Vielfraß, Dachs, *Stinktier u. Fischotter gehören. Gemeinsam sind den etwa 70 Arten in 5 Unter-Familien neben der Lebensweise u. a. rechts u. links des Afters sitzende Analbeutel, die mit einem sehr unangenehm bis ekelhaft riechenden Drüsen-Sekret gefüllt sind, das zur Körperpflege, Terrainmarkierung u. Kommunikation dient (*Pheromon) u. bei manchen Arten auch bei Erregung u. zur Abwehr von Feinden versprüht wird. Beim Nerz wurden aus dem gelben bis grünen, pastösen Sekret z. B. Indol, aliphat. Carbonsäuren, Wachse u. Cholesterin isoliert, die leichtflüchtigen Duftstoffe sind niedermol. organ. Schwefel-Verb. wie Alkyl-substituierte *Thietane (z. B. 2,2-Dimethylthiethan = Mustelan, Name!) u. *Dithiolane sowie aliphat. *Thiole u. *Sulfide. Schwefel-Heterocyclen wurden auch bei Iltis u. Hermelin gefunden, bei Marder u. Fischotter dagegen v. a. Carbonsäuren (*n*- u. *iso*-Buttersäure, 2- u. 3-Methylbuttersäure). – ***E*** mustelidae – ***F*** mustélidés – ***I*** mustelidi – ***S*** mustélidos

Lit.: Niethammer, Säugetiere, Stuttgart: Ulmer 1979.

Mutaflor®. Kapseln mit lebensfähigen Bakterien *Escherichia coli* Nissle gegen Störungen der Dickdarmflora u. deren Folgezustände. ***B.:*** Ardeypharm.

Mutagene. Von latein.: mutare = vertauschen, ändern, verwandeln u. *...gen abgeleitete Sammelbez. für alle Faktoren, die bei mikrobiellen, pflanzlichen u. tier. Organismen *Mutanten* (genet. veränderte Individuen) induzieren können. Unter **Mutation* versteht man dabei eine vererbbare Veränderung des Erbmaterials (*Genotyp), die sich üblicherweise im äußeren Erscheinungsbild (*Phänotyp) eines Individuums ausprägt. Mutationen können spontan auftreten od. als Folge der Einwirkung von *Mutagenen*. Ursachen von Spontanmutationen, soweit man sie kennt, sind Integration u. Wiederausschneiden von *Transposonen, außerdem fehlerhaft arbeitende Enzyme bei DNA-*Replikation u. -Reparatur. Bei spontanen u. induzierten Mutanten läßt sich das Mutationsgeschehen nach den strukturellen Veränderungen des Erbmaterials unterscheiden: *Genom-Mutationen* führen zu numer. Veränderungen der *Chromosomen (fehlende od. überzählige Chromosomen; Vervielfachung kompletter Chromosomensätze).

Chromosomen-Mutationen (*Deletionen, *Insertionen, Inversionen, *Translokationen) ändern die Reihenfolge der Gene innerhalb des Chromosoms. *Gen-od.* **Punkt-Mutationen* beruhen auf der Änderung der Basensequenz in einem Gen (intragen. Mutation).
Bei den M. unterscheidet man physikal. M. [kurzwellige UV-Strahlung (254 nm); langwelliges UV (300–400 nm) in Kombination mit *Psoralenen; ionisierende Strahlung wie Röntgen- u. Gammastrahlung, kosm. Strahlung; erhöhte Temp.] u. chem. Mutagene. Bei den *chem.* M. unterscheidet man nach ihrer Wirkung auf die DNA drei Gruppen:
1. M., die *nicht-replizierende DNA* chem. verändern. Zu dieser Gruppe gehören salpetrige Säure (desaminierende Wirkung), Hydroxylamin, die alkylierenden Agenzien (z.B. Ester der *Methansulfonsäure, *Diethylsulfat, *Methyliodid, *Epoxide, *Lost, *Aflatoxine), Urethane u. Nitroso-Verbindungen. Die Wirkung dieser mutagenen Agenzien besteht in einer chem. Modif. der DNA-Basen (Änderung der Basenpaarungseigenschaften), die bei der folgenden DNA-Replikation od. -Reparatur zu Fehlern führen.
2. **Basenanaloge*, die aufgrund ihrer Strukturähnlichkeit mit einer der natürlich vorkommenden Basen in replizierende DNA eingebaut werden u. zu Fehlpaarungen führen können (z.B. *5-Bromuracil, 2-Aminopurin).
3. *Frameshift-M.*, die sich während DNA-Replikation od. -Reparatur in die DNA einschieben u. durch die dabei entstehende Rasterverschiebung Insertion od. Deletion eines od. weniger Nucleotidpaare verursachen (z.B. *Acridin-Farbstoffe).
Weitere Verb., wie *Alkaloide* (das Mitosegift *Colchicin; *Scopolamin; *Coffein u.a.), *Antibiotika* wie *Actinomycin, *Griseofulvin, *Peroxide* wie *Wasserstoffperoxid, Alkylperoxide u.a. Radikalbildner zeigen eine mutagene Wirkung.
Die Induktion von Mutationen im Genom ist ungerichtet, wenn auch M.-spezif. bestimmte Bereiche mit gehäufter Mutationsentstehung (die sog. „hot spots") vorliegen. Eine gezielte Mutagenese in bestimmten Genbereichen wurde erst durch die Meth. der *Gentechnologie möglich. (s. *in vitro*-Mutagenese).
Das Auftreten von Mutationen ist eine entscheidende Voraussetzung für die Evolution. Gezielt eingesetzt wird die *Mutagenese zur Züchtung von Hochleistungsstämmen bei der mikrobiellen *Stammentwicklung od. in der Pflanzenzüchtung. Mit M. in Nahrung od. Umwelt (u.a. polycycl. aromat. Kohlenwasserstoffe aus Kohle u. Ölschiefer, Metalle, Mineralien, Lsm.) besteht aber auch ein Gefährdungspotential, da viele M. auch als *Carcinogene u./od. *Teratogene wirken. Bei der Beurteilung der Mutagenität einer Substanz ist im Einzelfall immer zu unterscheiden, an welchen Organismen die m. Wirkung zu beobachten ist (Mikroorganismen, Pflanzen, Insekten, Kleinsäuger, menschliches Zellmaterial). Vor einer bedingungslosen Extrapolation von einer *Zellen- od. Organismenart auf die andere muß gewarnt werden, z.B. von Befunden an *Hefen od. an **Drosophila melanogaster* auf die Wirkungsweise im menschlichen Erbmaterial. Es muß deshalb mit den verschiedenen Mutagenitäts-Tests – bekanntestes Beisp. ist der *Ames-Test mit *Defektmutanten – für jedes Problem eine geeignete Testkombination gefunden werden (*Lit.* [1–3]). Die Meth. der *Gentechnologie können ebenfalls zur Entwicklung von Mutagenitäts-Tests eingesetzt werden[4]. Das bes. Interesse an M. beruht auf der Vorstellung, daß die Mutagenität einer Substanz mit deren *Krebs-auslösender (*carcinogener*) Wirkung korreliert werden kann, denn eine einzige Mutation an einer einzigen Base eines einzigen Gens kann ein harmloses Gen in ein *Onkogen verwandeln. Der Gefährdung durch M. wird u.a. Rechnung getragen durch die Aufstellung von *technischen Richtkonzentrationen (TRK-Werte) für solche gefährlichen Arbeitsstoffe (s. Gefahrstoffe), bei denen eine M.-Wirkung nachweislich ist. Zur M.-Prüfung von Substanzen hatte die DFG von 1968–1983 ein Institut gegr. u. unterhalten, u. das *NIOSH veröffentlicht jährlich eine Liste derjenigen Substanzen, die auf tox. (auch mutagene) Effekte untersucht wurden. – ***E*** mutagens – ***F*** mutagènes – ***I*** mutageni – ***S*** mutágenos

Lit.: [1] Mutat. Res. **114**, 117 (1983). [2] Mutat. Res. **310**, 187 (1994). [3] Naturwissenschaften **70**, 173 (1983). [4] LABO **15**, 97 (1984).
allg.: Biochimie **77**, 803 (1995) ▪ Crueger-Crueger (3.), S. 7–25 ▪ Mutat. Res. **296**, 221 (1993) ▪ Stryer 1996, S. 850f.

Mutagenese. Die Einführung von vererbbaren Veränderungen im genet. Material eines Organismus. Die M. kann spontan auftreten[1], wobei die *Mutationsrate spezif. für ein bestimmtes *Gen ist, od. infolge Einwirkung von *Mutagenen induziert werden. – ***E*** mutagenesis – ***F*** mutagénèse – ***I*** mutagenesi – ***S*** mutagénesis

Lit.: [1] Mutat. Res. **277**, 139 (1992).
allg.: s. Mutagene.

Mutagenese, gezielte s. *in vitro*-Mutagenese.

Mutagenität. Bez. für die Eigenschaft von *Mutagenen, in einem Organismus *Mutationen zu induzieren od. eine Erhöhung der natürlichen *Mutationsrate zu erzielen. – ***E*** mutagenicity – ***F*** mutagénicité – ***I*** mutagenità – ***S*** mutagenicidad

Lit.: Environ. Mol. Mutagen. **21**, 38 (1993) ▪ Mutat. Res. **330**, 115 (1995) ▪ s. Mutagene.

Mutanten s. Mutagene.

Mutarotase s. Mutarotation.

Mutarotation (von latein.: mutare = vertauschen). Die Veränderung des Drehwertes, die eintritt wenn ein Zucker od. eine andere opt. aktive Substanz in Lsg. sich mit ihrem *Anomeren ins Gleichgew. setzt. Diese erstmals von Dubunfaut 1846 entdeckte Erscheinung ist bes. gut für *Glucose* untersucht. Löst man α-D-(+)-Glucose in Wasser u. bestimmt augenblicklich den opt. Drehwert, so findet man $[\alpha]_D$ +112°; mit der Zeit nimmt dieser Wert bis auf +52,7° ab, um dann konstant zu bleiben. Das gleiche Phänomen beobachtet man bei der β-Form, deren Drehwert von +18,7° auf den Gleichgewichtswert +52,7° ansteigt. Ursache für die M. ist, daß die offenkettige *Aldohexose-Form der Glucose mit zwei epimeren *Halbacetal-Formen (*α- u. β-Pyranose*) im Gleichgew. steht (*Epimerisierung). Dabei liegt die α-D-(+)-Glucopyranose zu

36,5%, die β-D-(+)-Glucopyranose zu 63,5% im Gleichgew. vor, wobei die offenkettige Aldehyd-Form zu weniger als 0,005% am Gleichgew. beteiligt ist (s. Abb. bei D-Aldosen). Die M. verläuft normalerweise langsam, kann aber durch Säuren od. Basen u. bes. effizient durch Enzyme (*Mutarotase, Aldose-1-epimerase*) katalysiert werden. Da bei der M. das *Massenwirkungsgesetz in leicht überschaubarer Weise eingehalten wird [1], kann die Reaktion zur Bestimmung von Glucose u. Glucose-Derivaten eingesetzt werden. – ***E*** = ***F*** mutarotation – ***I*** mutarotazione – ***S*** mutarrotación

Lit.: [1] Chem. Unserer Zeit **8**, 121 ff. (1974).
allg.: Eliel u. Wilen, Stereochemistry of Organic Compounds, S. 750, 1202, New York: Wiley 1994 ▪ Quinkert, Egert u. Griesinger, Aspekte der Organischen Chemie, S. 117, Weinheim: VCH Verlagsges. 1995.

Mutasen s. Isomerasen, Transferasen.

Mutastein. Glykoprotein aus *Aspergillus terreus*-Kulturen. M. besteht zu 85% aus Protein u. zu 6,5% aus Kohlenhydraten, M_R >2 000 000, lösl. in wäss. Lsg. bei pH >4.
Wirkung: M. hemmt die Biosynth. von Glucanen durch *Streptococcus mutans* (*S. salivarius*) in der Mundhöhle durch Blockierung des Enzyms Glucosyltransferase (Dextranase, GTase). Diese Glucane bilden auf den Zahnoberflächen festanhaftende unlösl. Überzüge, die die Entfernung der durch Bakterien gebildeten agressiven Säuren auf den Zahnoberflächen durch den Speichel behindern u. damit die Entstehung von Karies fördern. Die Wirkung von M. in der Karies-Prophylaxe wird bei Zusatz zu Mundpflegemitteln u. Kaugummi untersucht. – ***E*** mutastein – ***F*** mutastéine – ***I*** mutasteina – ***S*** mutasteína

Lit.: Infect. Immunol. **38**, 882–886 (1982) ▪ J. Antibiot. (Tokio) **36**, 203–207 (1983); **40**, 227 ff., 394 f. (1987).

Mutation. Bez. für eine vererbbare Änderung des Erbmaterials durch Veränderung in der Nucleotid-Sequenz von DNA u. RNA bzw. in der Anzahl von *Genen od. *Chromosomen in der Zelle. M. kommen spontan vor od. werden induziert (s. Mutagene). – ***E*** = ***F*** mutation – ***I*** mutazione – ***S*** mutación

Mutationshäufigkeit s. Mutationsrate.

Mutationsrate. Bez. für die Häufigkeit von *Mutationen (s. a. Mutagene) pro *Genlocus u. Generation. Bei Bakterien liegt die spontane M. zwischen 10^{-4} bis 10^{-8}. Die Häufigkeit, mit der eine Mutation in einer Population auftritt, wird als *Mutationshäufigkeit* bezeichnet. – ***E*** mutation rate – ***F*** taux de mutation – ***I*** rata di mutazione – ***S*** tasa de mutación

Muthmanns Flüssigkeit s. 1,1,2,2-Tetrabromethan.

Mutilin s. Pleuromutilin.

Mutschler, Ernst (geb. 1931), Dr. rer. nat., Dr. med., Prof. für Pharmazeut. Chemie, Mainz, Prof. für Pharmakologie, Frankfurt/Main. Präsident der Dtsch. Pharmazeut. Ges. 1988–1991. *Arbeitsgebiete:* Muscarin-Rezeptoren, Diuretika, Pharmakokinetik bei eingeschränkter Organfunktion, enantioselektive Bestimmung von Racematen.

Lit.: Kürschner (16.), S. 2545 ▪ Wer ist wer? (35.), S. 1017.

Mutterkern s. Radioaktivität.

Mutterkorn-Alkaloide s. Ergot-Alkaloide.

Mutterkümmel s. Römischer Kümmel.

Mutterlauge. Bez. für die nach der *Kristallisation einer chem. Verb. aus *Lösungen zurückbleibende u. durch *Dekantieren od. *Filtration abgetrennte Flüssigkeit. Sie enthält im allg. (bes. bei *Umkristallisation) die abzutrennenden *Verunreinigungen neben geringen Mengen der zu reinigenden Substanz. – ***E*** mother liquor – ***F*** eau mère, solution mère – ***I*** acqua madre – ***S*** aguas madres, solución madre

Muttermilch s. Humanmilch.

Mutternuklid s. Radioaktivität.

MVA. Abk. für *Mevalonsäure.

MVQ s. MQ.

MW. Symbol für Megawatt (10^6 *Watt).

MWG. Abk. für *Massenwirkungsgesetz.

MWK. Kurzz. (nach DIN 7728-2: 1980-03) für Metallwhisker-verstärkte *Kunststoffe.

mWS. Symbol für *Meter Wassersäule.

Mx. Symbol der Einheit *Maxwell, s. Weber.

MX. Trivialname für 3-Chlor-4-(dichlormethyl)-5-hydroxy-2(5*H*)-furanon, $C_5H_3Cl_3O_3$, M_R 217,44. MX entsteht bei der Trinkwasserchlorierung u. der Zellstoffherst. durch Bleichung mit Chlor u. Natronlauge aus Huminstoffen bzw. Holzabbauprodukten. MX ist akut toxisch. Es wirkt im *Ames-Test mutagen u. auf Ovarzellen des Hamsters klastogen (Chromosomen-brechend); MX verursacht einen wesentlichen Teil der mutagenen Aktivität chlorierten Trinkwassers (3–57%). In Abhängigkeit vom pH-Wert liegen tautomere Ring- u. offenkettige Form sowie (*E*)-2,4,4-Trichlor-3-formyl-2-butensäure (*E-MX) vor.

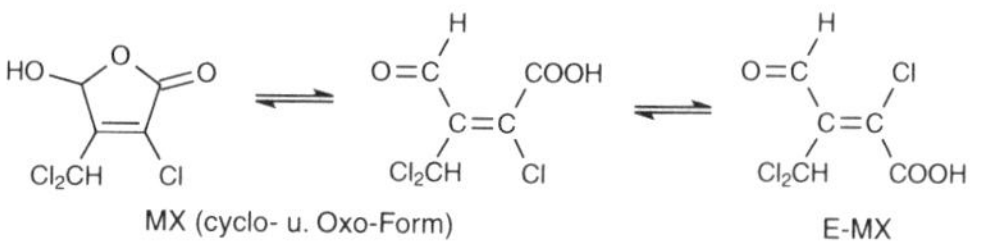

MX (cyclo- u. Oxo-Form) E-MX

Im Trinkwasser wird MX hydrolyt. gespalten (chem. Lebensdauer $T_{1/2}$ ca. 6 d bei 23 °C). Durch Sulfite u. a. Nucleophile in Zellstoff-Fabrikationsabwasser ebenso wie durch überschüssiges Chlor sinkt die Lebensdauer beträchtlich. – ***E*** MX – ***F*** = ***I*** = ***S*** MX

Lit.: Chemosphere **27**, 1707–1718 (1993); **28**, 1111–1117 (1994); **35**, 1709–1716 (1997) ▪ Environ. Sci. Technol. **26**, 1030–1035 (1992) ▪ J. Am. Water Works Assoc. **86**, 103–111 (1994). – *[CAS 77439-76-0]*

my s. μ (am Anfang dieses Bandes, vor m).

Myambutol® (Rp). Tabl. u. Ampullen mit *Ethambutol-dihydrochlorid gegen Tuberkulose, als M.-INH auch zusätzlich mit *Isoniazid. ***B.:*** Lederle.

Myc (Myc-Proteine). Familie von Proto-*Onkogen-Produkten, deren Produktion in der Zelle z. B. von *Wachstumsfaktoren induziert wird. Die Myc-Proteine – im Komplex Max genannten Proteine – wirken als *Transkriptionsfaktoren, sind sowohl aktivierend als auch reprimierend an der Regulation des

Zellcyclus (s. Wachstum) beteiligt u. spielen auch bei der *Apoptose [1] eine Rolle. Bei der Dimerisierung mit Max wird ein *Leucin-Reißverschluß ausgebildet; die Bindung an die *Desoxyribonucleinsäuren erfolgt mit *helix-loop-helix-Domänen. Wahrscheinlich wird die Protein-Phosphatase Cdc25A durch Myc induziert [2]. Myc wurde zunächst in Retroviren als Onkogen-Produkt entdeckt; Mutationen in zellulären (c-)*myc*-Genen sind in vielen Typen bösartiger Krebs-Erkrankungen zu beobachten [3]. – ***E = F = I = S*** myc

Lit.: [1] Prog. Mol. Subcell. Biol. **16**, 104–129 (1996); Science **278**, 1246f., 1305–1309 (1997). [2] Curr. Biol. **6**, 1553–1556 (1996). [3] Dang u. Lee, c-Myc Function in Neoplasia, Berlin: Springer 1996.
allg.: Alberts et al., Molekularbiologie der Zelle, 3. Aufl., S. 1065f., Weinheim: VCH Verlagsges. 1995 ▪ Biochem. J. **314**, 713–721 (1996) ▪ Experientia **52**, 1123–1129 (1996) ▪ Trend Biochem. Sci. **22**, 177–181 (1997).

Myc... vgl. Myko...

Mycalamide.

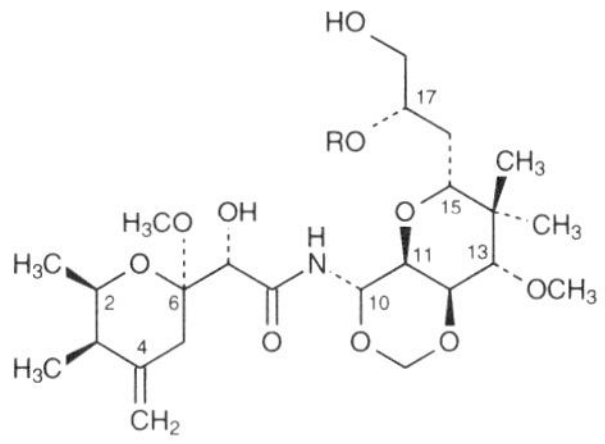

R = H : Mycalamid A
R = CH_3 : Mycalamid B

Aus neuseeländ. Meeresschwämmen der Gattung *Mycale* wurden 2 heterocycl. Verb. isoliert, die humane u. murine Tumorzellinien im nMol-Bereich hemmen. Neben bemerkenswerter Antitumorwirkung besitzen sie auch antivirale Eigenschaften. Es handelt sich um *M. A*: $C_{24}H_{41}NO_{10}$, M_R 503,59, Öl, $[\alpha]_D$ +110° u. *M. B*: $C_{25}H_{43}NO_{10}$, M_R 517,62, Öl, $[\alpha]_D$ +110°. Sie hemmen die Protein-Biosynthese. Die M. sind strukturverwandt mit Onnamid A (ebenfalls aus Schwämmen) sowie *Pederin aus einer Käfer-Art. – ***E = F*** mycalamides – ***I*** micalamidi – ***S*** micalamidas

Lit.: Cancer Res. **49**, 2935–2940 (1989) ▪ Heterocycles **42**, 159 (1996) ▪ J. Am. Chem. Soc. **110**, 4850f. (1988) ▪ J. Org. Chem. **55**, 223–227, 4242 (1990) ▪ Scheuer II **3**, 149. – *[CAS 115185-92-7 (M. A); 124512-46-5 (M. B)]*

Mycel (Myzel). Gesamtheit der Hyphen (Zellfäden) eines *Pilz-Vegetationskörpers. In bestimmten Stadien, z. B. beim Übergang zur sexuellen od. asexuellen Vermehrung, bildet das M. gewebeartige Verbände (Plektenchyme) aus (z. B. das „Fleisch" der Hutpilze). Bei höheren Pilzen schließt sich das M. zu dicken Strängen (Rhizomorphen) zusammen, die dem Stofftransport dienen.
Auch manche Bakteriengattungen können ein M. bilden (z. B. *Actinomyceten, *Streptomyceten). – ***E*** mycelium – ***F*** mycélium – ***I = S*** micelio

Lit.: Esser, Kryptogamen, Berlin: Springer 1986 ▪ Schlegel (7.), S. 169ff.

...mycin (...mycetin). Von griech.: mýkēs = Pilz abgeleitete Endung (s. Myko...) von Namen für Inhaltsstoffe von Pilzen (*Mycophyta*), *Actinomyceten u. dgl.; *Beisp.:* s. bei Antibiotika, Cytostatika. – ***E*** ...mycin – ***F*** ...myc(ét)in – ***I*** ...mic(et)ina – ***S*** ...mic(et)in

Myclobutanil.

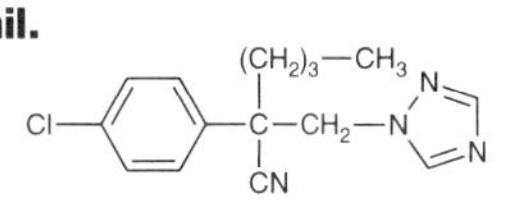

Common name für (±)-2-(4-Chlorphenyl)-2-(1*H*-1,2,4-triazol-1-ylmethyl)hexannitril, $C_{15}H_{17}ClN_4$, M_R 288,77, Schmp. 63–68 °C, LD_{50} (Ratte oral) 1600 mg/kg (WHO), von Rohm & Haas Ende der achtziger Jahre entwickeltes system. *Fungizid mit protektiver u. kurativer Wirkung gegen eine Vielzahl von Pflanzenkrankheiten in zahlreichen Kulturen. – ***E = F*** myclobutanil – ***I*** miclobutanile – ***S*** miclobutanil

Lit.: Farm ▪ Perkow ▪ Pesticide Manual. – *[HS 2941 90; CAS 88671-89-0]*

Myco... s. Myko...

Mycobacidin (4-Oxo-2-thiazolidinhexansäure, Cinnamonin, Actithiazinsäure, Acidomycin).

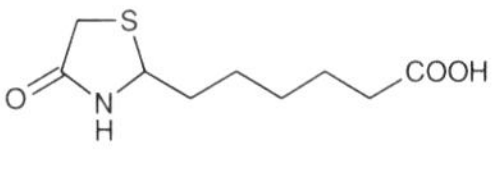

$C_9H_{15}NO_3S$, M_R 217,28, Nadeln, Schmp. 139–140 °C, $[\alpha]_D^{25}$ –54° (CH_3OH); lösl. in Wasser, Aceton, Ethanol, Dichlormethan u. Eisessig. In alkal. Lsg. tritt rasch Racemisierung ein. Antibiotikum aus *Streptomyces lavendulae* u. a. *S.*-Arten, das gegen verschiedene Mykobakterien (z. B. *M. tuberculosis*) wirksam ist. – ***E*** mycobacidin – ***F*** mycobacidine – ***I = S*** micobacidina

Lit.: Beilstein E III/IV, **27**, 4282 ▪ Merck-Index (12.), Nr. 6403. – *[HS 2941 90; CAS 539-35-5]*

Mycogonin s. Bikaverin.

Mycomycin.

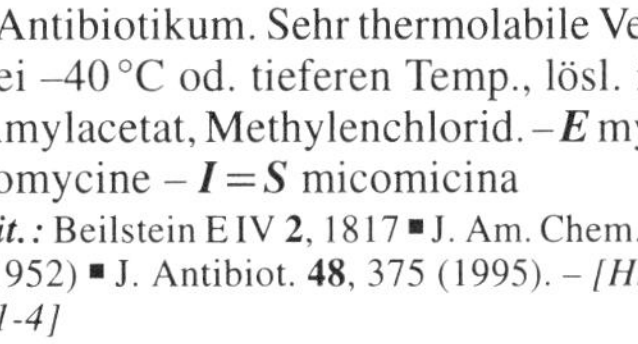

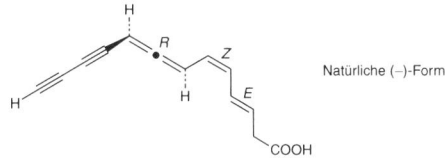

Natürliche (–)-Form

$C_{13}H_{10}O_2$, M_R 198,22, Schmp. 75 °C (explodiert). Von *Nocardia acidophilus* (*Actinomyceten) gebildetes *Antibiotikum. Sehr thermolabile Verb., beständig nur bei –40 °C od. tieferen Temp., lösl. in Ethanol, Ether, Amylacetat, Methylenchlorid. – ***E*** mycomycin – ***F*** mycomycine – ***I = S*** micomicina

Lit.: Beilstein E IV **2**, 1817 ▪ J. Am. Chem. Soc. **74**, 1870, 2245 (1952) ▪ J. Antibiot. **48**, 375 (1995). – *[HS 2941 90; CAS 544-51-4]*

Mycophenolatmofetil (Rp).

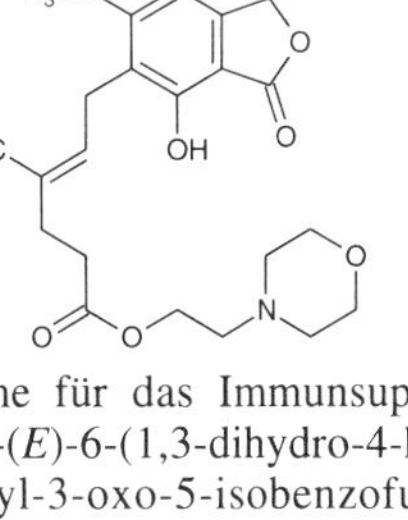

Internat. Freiname für das Immunsuppressivum 2-Morpholinoethyl-(*E*)-6-(1,3-dihydro-4-hydroxy-6-methoxy-7-methyl-3-oxo-5-isobenzofuranyl)-4-methyl-4-hexenoat, $C_{23}H_{31}NO_7$, M_R 433,50; LD_{50} (Ratte oral) 500 mg/kg. M. wird in Kombination mit *Cyclosporin u. Glucocorticoiden zur Prophylaxe von akuter Transplantat-Abstoßung bei Patienten mit allogener Nierentransplantation eingesetzt. M. wurde im Februar 1996 für Europa zugelassen u. ist von Hoffmann-La Roche (Cellcept®) im Handel. – ***E*** mycophenolate mofetil – ***F*** mycophénolat-mofétil – ***I*** micofenolato mofetile – ***S*** mofetil de micofenolato

Lit.: Drugs **51**, 278–298 (1996) ▪ Pharm. Ztg. **141**, 907, 1350, 3020–3024 (1996). – *[CAS 128794-94-5]*

Mycophenolsäure (Melbex).

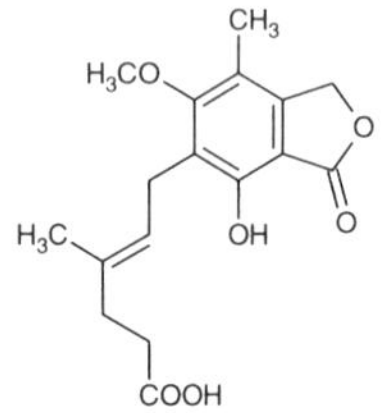

$C_{17}H_{20}O_6$, M_R 320,34, Nadeln, Schmp. 141 °C, schwache zweibasige Säure, lösl. in Ethanol, mäßig lösl. in Ether u. Chloroform, unlösl. in Benzol u. Toluol. M. wurde aus verschiedenen *Penicillium-*, *Verticicladella-* u. *Septoria-*Arten isoliert. Biosynthet. wird M. aus einem methylierten Tetraketid u. einer Farnesyl-Kette gebildet, die oxidativ zur M.-Seitenkette gespalten wird [1].

Wirkung: M. hemmt die Guanosinnucleotid-Biosynth. durch Inhibierung der Inosinmonophosphat-Dehydrogenase (IMPD) u. Guanosin-Monophosphat-Synthetase. M. verfügt über antifung., antibakterielle, antivirale sowie immunsuppressive Eigenschaften u. ist in verschiedenen Tumormodellen wirksam. In klin. Studien erwies sich M. als wenig wirksam zur Tumorbekämpfung, jedoch ist M. als Therapeutikum zur Behandlung der Schuppenflechte (Psoriasis) auf dem Markt. Der semisynthet. 2-Morpholinoethylester von M., Mycophenolat Mofetil, wurde 1996 in der BRD als Immunsuppressivum nach Nierentransplantationen zugelassen [2]. – ***E*** mycophenolic acid – ***F*** acide mycophénolique – ***I*** acido micofenolico – ***S*** ácido micofenólico

Lit.: [1] J. Chem. Soc., Perkin Trans. 1 **1982**, 365–373 ▪ Turner **1**, 115 f.; **2**, 80 ff. [2] Agents Actions Suppl. **44**, 165 (1993); Dtsch. Apoth. Ztg. **136**, 179 f. (1996).

allg.: Beilstein EV **18/9**, 239 ▪ Cole-Cox, S. 866 ▪ Hager (5.) **6**, 59–63 ▪ J. Am. Chem. Soc. **108**, 806–810 (1986) ▪ J. Biol. Chem. **261**, 8363 (1986) (Enzymhemmung) ▪ J. Med. Chem. **33**, 833 (1990); **39**, 46–55, 1236–1242 (1996) ▪ J. Org. Chem. **60**, 4542–4548 (1995) ▪ Mycologia **81**, 837 (1989) ▪ Sax (8.), MRX 000 ▪ Tetrahedron **49**, 4789–4798 (1993) (Synth.). – *[HS 2932 29; CAS 24280-93-1]*

Mycoplasma-like organisms s. MLO.

Mycose s. Trehalose.

Mycostatin s. Nystatin.

Myc-Proteine s. Myc.

Mydriatika. Bez. für pupillenerweiternde Präp., die entweder über eine Reizung des pupillenerweiternden Irismuskels (*spast.* M., *Beisp.:* *Adrenalin) od. über eine Lähmung des pupillenverengenden Irismuskels wirken [*paralyt.* M., *Beisp.:* *Parasympath(ik)olytika wie *Tropicamid, *Atropin, *Homatropin, *Scopolamin u. a. *Belladonna-Präp.]. Bes. letztere wurden früher als *Augenkosmetika von Damen genutzt, die ihren *Augen den Ausdruck von Leidenschaftlichkeit verleihen wollten. – ***E*** mydriatics – ***F*** mydriatiques – ***I*** midriatici – ***S*** midriáticos

Lit.: s. Ophthalmika.

Myelin (von griech.: myelos = Mark). Nervenfasern *(Axone)*, die langen Fortsätze der Nervenzellen (Neuronen), sind von spezialisierten Zellen (*Schwann-Zellen* bei peripheren Nerven, *Oligodendrocyten* im Zentral-Nervensyst.) umgeben, deren Plasmamembran in bis zu 50 dichten Lagen um die Faser herumgewickelt ist. Eine Schwann-Zelle umgibt dabei einen Axon-Abschnitt von etwa 1 mm Länge (ein Oligodendrocyt umgibt gleichzeitig mehrere Axons abschnittweise). Die so resultierende *Myelin-* od. *Markscheide* aus flüssigkrist. Lipid-Doppelschichten (vgl. Membranen) hat die Aufgabe, die Axone elektr. zu isolieren u. die Signalleitung in den Fasern zu beschleunigen. Zwischen solchen myelinisierten Abschnitten ergeben sich die als elektr. Schaltstellen wirkenden *Ranvierschen Knoten* od. *Schnürringe*, an denen ein vergleichsweise sehr kurzes Stück (ca. 0,5 µm) der Nervenfaser bloßliegt. Das M. besteht zu ca. 70% aus Lipiden u. außerdem aus Proteinen. Von den Lipiden sind ca. 42% *Phospholipide, 28% *Glykolipide [hauptsächlich das für M. typ. Galactocerebrosid (*N*-Palmitoylsphingosin-*β*-D-galactopyranosid)], 22% *Cholesterin u. 8% verschiedene. Die Phospholipide teilen sich auf in 15% Phosphatidylethanolamine (s. Kephaline), 10% Phosphatidylcholine (s. Lecithine), 9% Phosphatidylserine u. 8% Sphingomyeline, bezogen auf Gesamt-Lipid. Der enge Zusammenhalt der Membran-Lagen untereinander ist durch das mit sich selbst adhäsive Protein 0 bedingt [1].

Der Zusammenbruch der M.-Membranstruktur wird für die Entstehung der *multiplen Sklerose verantwortlich gemacht; es wird neben einem genet. Defekt u. einer persistierenden Virus-Infektion als mögliche Ursache eine Autoimmun-Reaktion (vgl. Autoimmunität) gegen M.-Proteine angenommen, z. B. das M.-Oligodendrocyten-Protein [2] u. das *bas. M.-Protein* [3]. Spezif. M.-Gifte sind u. a. *Hexachlorophen, Trialkylzinn-Verb. u. Blei-organ. Verbindungen. – ***E*** myelin – ***F*** myéline – ***I*** = ***S*** mielina

Lit.: [1] Curr. Biol. **7**, R 21–R 23 (1997). [2] J. Mol. Med. **75**, 77–88 (1997). [3] Bioessays **18**, 13–18 (1996); Int. J. Biochem. Cell Biol. **29**, 743–751 (1997).

allg.: Curr. Biol. **7**, R 406–R 410 (1997).

Myko... (Myco...). Von griech.: mýkēs = Pilz abgeleitete Vorsilbe, die eine Verwandtschaftsbeziehung zu *Pilzen (insbes. Kleinpilzen) ausdrückt; *Beisp.: Mykologie:* Allg. Pilzkunde, bes. Lehre von den niederen Pilzen; **Mykobakterien:* Den Pilzen nahestehende Gruppe von *Bakterien, zu denen *Tuberkulose- u. *Lepra-Bakterien gehören; **Mykosen*; *Mykobionten:* Die Pilz-Symbionten der *Flechten; *Mykosterine:* von Pilzen (*Hefen) gebildete Sterine wie *Ergosterin; **Mykotoxine* etc. Mit Myc..., Myco..., Myko... beginnen viele Handelsnamen (Marken) von Präp. gegen

Mykosen der Haut u. Schleimhäute. Derartige Präp. enthalten vorzugsweise *Antimykotika wie *Clotrimazol, *Miconazol u. a. Imidazol-Derivate, *Griseofulvin, *Tolnaftat, *Nystatin, ferner Undecensäure-Derivate, Phenole, quartäre Ammonium-Verb. u. *Nitrofurane. Die im Pflanzenschutz u. in der Technik gegen Pilzbefall eingesetzten Präp. nennt man *Fungizide. – $E=F$ myco... – $I=S$ mico...
Lit.: s. Antimykotika, Mykosen u. Pilze.

Mykobactine s. Sideramine.

Mykobakterien (von griech.: mýkēs = Pilz; bakterion = Stäbchen). M. sind Gram-pos. (s. Gram-Färbung), unbewegliche Stäbchen, die unregelmäßig geformte, leicht verzweigte Zellen bilden. Charakterist. ist die säurefeste Anfärbung mit Anilinfarbstoffen (z. B. Carbolfuchsin) nach der Ziehl-Neelsen-Technik, die auf dem hohen Gehalt der Zellwand an *Mykolsäuren beruht, die die Zellen der M. wachsartig u. stark hydrophob machen.
Stoffwechsel: Die M. sind aerobe Atmer u. ernähren sich chemoorganotroph (s. Chemotrophie). Der Nährstoffbedarf ist unterschiedlich, viele Arten leben *saprotroph, andere können mit Paraffinen, aromat. od. aliphat. Kohlenwasserstoffen als Kohlenstoff-Quelle wachsen. M. haben eine charakterist. Zellwandzusammensetzung: Das *Murein-Gerüst ist mit einem Arabinogalactan verknüpft. Mit diesem sind die Mykolsäuren verbunden, die für die Säurefestigkeit verantwortlich sind.
Sicherheitsstufe (nach Anhang I B der Gentechnik-Sicherheits-VO 1990, s. Gentechnik-Gesetz): Außer den Arten *Mycobacterium tuberculosis, M. leprae* u. *M. africanum*, die in die Risikogruppe 3 eingeordnet wurden, gehören die übrigen M.-Arten in die Risikogruppe 1 od. 2.
Anw.: *Mycobacterium phlei* wird für die Gewinnung von *Carotinoiden (z. B. Phlei-Xanthophyll) herangezogen. Verschiedene M.-Arten können für die *Biotransformation von Steroiden (Seitenkettenabspaltung) eingesetzt werden. – E mycobacteria – F mycobactéries – I micobatteri – S micobacterias
Lit.: J. Clin. Microbiol. **32**, 740 (1994) ▪ J. Gen. Microbiol. **139** (Pt. 9), 2203 (1993) ▪ Med. Klin. **91**, 654 (1996) ▪ Schlegel (7.), S. 103 ff.

Mykobiont s. Flechten.

Mykolsäuren. Trivialname für langkettige, verzweigte Fettsäuren, die in Zellwänden von *Mykobakterien, Rhodokokken, Nocardien u. Corynebakterien vorkommen. Durch die Einlagerung der M. werden die Zellen stark hydrophob. Allen M. gemeinsam ist eine β-Hydroxycarbonsäure als Grundstruktur,

$$R^1-CH(OH)-CH(R^2)-COOH$$

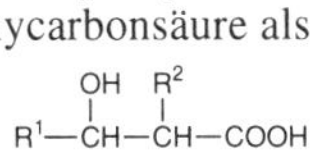

die in 2- u. 3-Position durch aliphat. Ketten substituiert ist (R^1: Komplexe Strukturen von bis zu 60 C-Atomen, z. B. mit 1,2-Cyclopropylen-Einheiten, Methyl- u. Sauerstoff-Resten; R^2: lineare Alkane, $C_{20}-C_{24}$). Diese Ketten sind bei verschiedenen Organismen von unterschiedlicher Länge: 32–36 C-Atome bei Corynebakterien, 48–58 bei Nocardien u. 79–85 bei Mykobakterien. M. sind häufig mit Zuckern verestert, z. B. Trehalose od. Arabinose. – E mycolic acids – F acides mycoliques – I acidi micolici – S ácidos micólicos
Lit.: J. Biol. Chem. **271**, 29545 (1996) ▪ Proc. Natl. Acad. Sci. USA **93**, 12828 (1996) ▪ Schlegel (7.), S. 104.

Mykoplasmen (Mycoplasmen, Mycoplasmatales, Mollicutes). Von griech. mýkēs = Pilz u. plasma = Gebilde hergeleitete Bez. für eine Gruppe oft sehr kleiner (0,8 μm) Bakterien, die keine Zellwand, aber eine dreischichtige Cytoplasmamembran aufweisen. M. sind pleomorph, d. h. von sphär., eiförmiger, verzweigt-fadenförmiger od. helikal-fadenförmiger Gestalt u. gewöhnlich unbeweglich. Aufgrund des kleinen Genoms ($0,5-1\times10^9$ Dalton) kann nur eine geringe Anzahl von Enzymen gebildet werden. Die Genome von *Mycoplasma genitalium*[1] u. *M. pneumoniae*[2] sind vollständig sequenziert worden. Die M. können typischerweise nur in Kulturmedien angezogen werden, die langkettige Fettsäuren, Cholesterin u. a. essentielle Bestandteile enthalten. Die meisten M. sind fakultativ anaerob, einige obligat anaerob. Da sie keine Zellwand aufweisen, sind sie gegen Penicillin u. seine Derivate resistent. M. leben saprophyt. od. als Parasiten, so als Erreger vieler schwerer Tiererkrankungen. M. werden zu der Bakterien-Abteilung Tenericutes, Klasse Mollicutes, gestellt u. in die Familien Mycoplasmataceae, Acholeplasmataceae u. Spiroplasmataceae untergliedert, denen noch die Gattungen *Anaeroplasma* u. *Thermoplasma* angegliedert werden; s. a. MLO. – E mycoplasmas – F mycoplasmes – I micoplasmi – S micoplasmas
Lit.: [1] Science **270**, 397–403 (1995). [2] Nucleic Acids Res. **24**, 4420–4449 (1996).
allg.: Holt et al. (Hrsg.), Bergey's Manual of Determinative Bacteriology (9.), S. 705–717, Baltimore: Williams & Wilkins 1993 ▪ Holt (Hrsg.), Bergey's Manual of Systematic Bacteriology, Bd. 1, S. 740–793, Baltimore: Williams & Wilkins 1984.

Mykorrhiza s. Pilze.

Mykosen. Infektionserkrankungen, die durch Pilze hervorgerufen werden. Verschiedene Pilzarten (z. B. *Candida albicans*) können die Haut (v. a. im Zwischenzehen- u. Genitalbereich) u. die Schleimhäute befallen, wo sie zu Entzündungen führen. Von diesen lokalen äußeren M. unterscheidet man die insbes. bei Menschen mit geschwächtem Immunsyst. auftretenden Allgemeininfektionen u. Lungenentzündungen durch Pilze. Zur Behandlung dienen je nach Erkrankung äußerlich od. innerlich angewandte *Antimykotika. – $E=F$ mycoses – I micosi – S micosis
Lit.: Brandis et al., Lehrbuch der Medizin. Mikrobiologie, S. 621–640, Stuttgart: Fischer 1994.

Mykosterine s. Myko... u. Sterine.

Mykotoxine. Vorwiegend von niederen *Pilzen ausgeschiedene niedermol., z. T. thermostabile Stoffwechselprodukte unterschiedlicher chem. Struktur, die für Menschen, Tiere u. Pflanzen tox. sind (s. Toxine; Gifte höherer Pilze s. Giftpilze). Teilw. wirken M. auch gegen andere Mikroorganismen, so daß die Abgrenzung zu den *Antibiotika nicht immer eindeutig ist. Da M. vorwiegend auf pflanzlichen Nahrungs- u. Futtermitteln gebildet werden, sind sie häufig Ursache von *Lebensmittelvergiftungen. Zu den am stärksten befallenen Lebensmitteln gehören Getreideerzeugnisse,

Backwaren, Nüsse, Preßkuchen von Ölpflanzen, Käse, Reis, Malz, Fruchtsäfte. M.-Produzenten sind v.a. *Aspergillus-* (*Schimmelpilze), *Penicillium-, Fusarium-, Claviceps-* (Mutterkorn, s. Ergot-Alkaloide) u. *Rhizopus-*Arten. Bekannte M. sind die *Aflatoxine (die stärksten oral wirkenden natürlichen *Carcinogene), *Citrinin, *Byssochlamsäure, *Patulin, *Ochratoxin A, *Sterigmatocystin, *Moniliformin, *Ergot-Alkaloide, *Ergochrome, *Cytochalasine, Penicillsäure, *Zearalenon, *Rubratoxine B, *Trichothecene u. andere. Den sichersten Schutz vor M.-Vergiftungen bietet das Vermeiden verschimmelter Lebensmittel. In jüngerer Zeit sind M. verschiedentlich als *Kampfstoffe verdächtigt worden, z. B. die Trichothecene [1]. – ***E*** mycotoxins – ***F*** mycotoxines – ***I*** micotossine – ***S*** micotoxinas

Lit.: [1] Nachr. Chem. Tech. **32**, 598 (1984).
allg.: Bioact. Mol. **10**, 69, 127, 185, 233, 249, 257 (1989) ▪ Chem. Biol. Interact. **71**, 105 (1989) ▪ Dtsch. Tierärztl. Wochenschr. **96**, 346, 355 (1989) ▪ Ernährung **13**, 739 (1989) ▪ Food Addit. Contam. **10**, 17 (1993) ▪ Food Rev. Int. **6**, 115 (1990) ▪ J. Dairy Sci. **76**, 880 (1993) ▪ J. Vet. Intern. Med. **8**, 49 (1994) ▪ Nat. Toxins **4**, 103 (1996).

Mylar®. Dimensionsstabile *Polyethylenterephthalat (PTFP)-Folien für Anw. im Temperaturbereich –70 °C bis +150 °C. ***B.:*** DuPont.

Mylepsinum® (Rp). Tabl. mit *Primidon gegen Epilepsie. ***B.:*** Zeneca.

Myleran® (Rp). Tabl. mit *Busulfan gegen chron. myel. Leukämie u. Polycythaemia vera. ***B.:*** Glaxo-Wellcome.

Mylonit s. kataklastische Gesteine.

myo-. In der Nomenklatur der *Inosite ist *myo-* Bez. für 1,2,3,5-*cis*/4,6-*trans*-ständige Heteroatome am Cyclohexan-Ring; veraltete Bez.: *meso-*. – ***E*** = ***F*** myo- – ***I*** = ***S*** mio-

Myo... Von griech.: mȳs (Genitiv: myós) = Maus, Muskel abgeleitete Bez. für *Muskel...; *Beisp.:* *Myoglobin, *Myosin, Myalgie (Muskelschmerz). – ***E*** = ***F*** myo... – ***I*** = ***S*** mio...

MyoD. Skelettmuskel-spezif. *Transkriptionsfaktor der *helix-loop-helix-Superfamilie. Wie die nahe verwandten *Proteine *Myogenin, Myf5 u. MRF4 wird MyoD wegen seiner Beteiligung an der *Differenzierung der Muskelzellen (Myocyten) als *myogenes Protein* bezeichnet. Das MyoD-Mol. bindet als Dimer an bestimmte Abschnitte der *Desoxyribonucleinsäuren. Dadurch wird die *Transkription Muskel-spezif. *Gene angeregt, u. a. auch derjenigen von Myogenin u. MyoD selbst. Als Coregulatoren werden Proteine wie der *Myocyten-Enhancer-bindende Faktor 2* benötigt [1]. Gestartet wird die Produktion von MyoD durch ein Protein namens Pax3, das in vielen verschiedenen Zelltypen vorkommt [2]. – ***E*** = ***F*** = ***I*** = ***S*** myoD

Lit.: [1] Proc. Natl. Acad. Sci. USA **93**, 9366–9373 (1996). [2] Cell **89**, 5–8 (1997).
allg.: Alberts et al., Molekularbiologie der Zelle, 3. Aufl., S. 524, 1256, Weinheim: VCH Verlagsges. 1995 ▪ Biochem. Cell Biol. **73**, 723–732 (1995) ▪ Bioessays **17**, 203–228 (1995) ▪ Curr. Biol. **7**, R620–R623 (1997).

Myofibrillen s. Muskel.

Myogenes Protein s. MyoD u. Myogenin.

Myogenin. Skelettmuskel-spezif. *Protein (287 Aminosäure-Reste), dessen *Gen, wenn künstlich in Fibroblasten (ein Zelltyp des *Bindegewebes) eingebracht, durch Produktion von M. deren *Differenzierung zu Muskelzellen bewirkt (myogenes Protein). Andererseits findet bei Fehlen des M.-Gens in Mäusen keine Muskelbildung (Myogenese) statt. M. besitzt eine *helix-loop-helix-Domäne u. bindet damit (als Homodimer od. Heterodimer mit ähnlichen Proteinen) Sequenz-spezif. an *Desoxyribonucleinsäuren. Dadurch wird die *Transkription Muskel-spezif. Gene ausgelöst, jedoch scheint dabei das Zusammenwirken mit weiteren, in Fibroblasten schon vorhandenen *Transkriptionsfaktoren nötig zu sein. Die Produktion des M. selbst wird wahrscheinlich durch die verwandten Proteine *MyoD u. Myf5 ausgelöst. – ***E*** myogenin – ***F*** myogénine – ***I*** = ***S*** miogenina

Lit.: s. MyoD.

Myogit® (Rp). Magensaftresistente Tabl., Retardtabl., Suppositorien u. Ampullen mit dem *Antirheumatikum *Diclofenac-Natrium. ***B.:*** Pfleger.

Myoglobin (von *Myo..., Kurzz.: Mb). In *Muskeln konzentriertes *Eisen-Protein *(Hämoprotein)*, das eine Sauerstoff-Transportfunktion in der Muskulatur der Wirbeltiere erfüllt, ähnlich wie dies *Hämoglobin (Hb) im Blut besorgt. Die Affinität zum Sauerstoff, der als axialer Ligand am Häm-Eisen gebunden wird, ist jedoch beim Mb größer als beim Hb; daher wandert der Sauerstoff des Bluts ins Mb, wo er gespeichert u. bei Bedarf an die Muskeln abgegeben wird. Stark arbeitende Muskeln (z. B. Herzmuskel, Flügelmuskeln, Flossenmuskulatur) sind reich an Mb; Seehunde u. Wale können z. B. mit dem im Mb gespeicherten Sauerstoff längere Zeit unter Wasser verbringen. Aufgrund des *Bohr-Effekts im Blut wird die Sauerstoff-Übertragung auf das Mb bei Ansäuerung noch gesteigert; andererseits wird im arbeitenden Muskel durch verstärkte *Glykolyse Milchsäure gebildet, weshalb der pH-Wert abnimmt. Das Eisen(II)-enthaltende Mb ist – was die rote Farbe von Säugetier-*Fleisch bedingt – purpurrot gefärbt; sein Sauerstoff-Addukt (MbO_2) ist ebenfalls leuchtend rot, während das Oxid.-Produkt mit Fe^{3+} (*Metmyoglobin*, MetMb), das z. B. in gekochtem Fleisch auftritt, braun ist u. keinen Sauerstoff mehr binden kann. Seine rote Farbe kann allerdings wiederhergestellt werden (*Umrötung*), wenn man ihm NO_2^--Ionen od. NO (aus *Nitriten, vgl. Nitritpökelsalz) zuführt. ***Struktur:*** Die Struktur des Mb ist der des Hb sehr ähnlich. So besitzen beide *Häm als prosthet. Gruppe u. eine in ähnlicher Weise mehrfach gefaltete, das Häm taschenförmig umhüllende Polypeptid-Kette (*Globin). Diese enthält 8 α-Helices, an denen 70% der gesamten Aminosäure-Reste beteiligt sind. Während jedoch Hb ein Tetrameres ist, ist Mb monomer. Die Peptid-Kette des menschlichen Mb ist aus 152 Aminosäuren zusammengesetzt (M_R 17 000); ihre Sequenz stimmt an vielen Stellen mit denen der α- u. β-Globin-Ketten des Hämoglobins überein. Verwandtschaftsbeziehungen u. Parallelen bestehen auch zu den Mb anderer Tiere u. zu *Leghämoglobin. Die Strukturermittlung des bereits 1934 von *Theorell krist. Mb, die mehr als 20 000 röntgenograph. Einzelmessungen u.

-berechnungen erforderte, gelang *Kendrew erst Ende der 50er Jahre; der Chemie-Nobelpreis wurde ihm hierfür zusammen mit *Perutz (für die Strukturaufklärung des Hämoglobins) 1962 verliehen. – ***E*** myoglobin – ***F*** myoglobine – ***I*** = ***S*** mioglobina

Lit.: J. Biol. Chem. **271**, 17593–17596 (1996) ▪ Protein Sci. **4**, 149–158 (1995). – *[CAS 9047-17-0]*

Myokinase s. Adenylat-Kinase.

Myonen (Muonen, Müonen). *Elementarteilchen aus der Familie der *Leptonen (s.a. Tab. 1, S. 1135 bei Elementarteilchen). Die M. kann man als „schwere Elektronen" betrachten; dem neg. M. (μ^-) entspricht das *Elektron, dem pos. (μ^+) das *Positron. Mit einer Ruhemasse von 105,6 MeV sind die M. etwa 200mal schwerer als Elektronen. Sie haben den *Spin ½ u. eine mittlere Lebensdauer von $2{,}197 \cdot 10^{-6}$ s. Das M. μ^- wurde 1936 von C. D. *Anderson u. S. Neddermeyer in der *kosm. Strahlung* mittels Nebelkammeraufnahmen (s. a. Wilson-Kammer) entdeckt (*Lit.*[1]). Es unterliegt der *schwachen Wechselwirkung* (s. Elementarteilchen) u. zerfällt gemäß $\mu^- \rightarrow e^- + \bar{\nu}_e + \nu_\mu$ in ein Elektron, ein Elektron-Antineutrino u. ein M.-Neutrino (s. Neutrinos). Analog zerfällt das Anti-M. μ^+ gemäß $\mu^+ \rightarrow e^+ + \nu_e + \bar{\nu}_\mu$ in ein Positron, ein Elektron-Neutrino u. ein M.-Antineutrino.

Die „natürlichen" M., die 90% der kosm. Strahlung in Meereshöhe ausmachen, entstehen beim Zerfall der geladenen *Pionen, die ihrerseits beim Stoß zwischen hochenerget. leichten Atomkernen (v. a. *Protonen) u. Mol. in der oberen Atmosphäre gebildet werden. Das pos. Pion π^+ hat eine Lebensdauer von $2{,}6 \cdot 10^{-8}$ s u. zerfällt gemäß $\pi^+ \rightarrow \mu^+ + \nu_\mu$ in ein Anti-M. u. ein M.-Neutrino. Im Laboratorium werden M. auf analoge Weise erzeugt: Protonen od. Elektronen werden auf eine über der Pionenruhemasse liegende Schwellenenergie beschleunigt u. anschließend auf ein Produktionstarget gelenkt. Entstehende Pionen der gewünschten Ladung werden magnet. abgelenkt; durch eine weitere Impulsauslese kann ein spinpolarisierter M.-Strahl erzeugt werden (*Lit.*[2]). Hiermit läßt sich eine der *EPR-Spektroskopie verwandte Spektroskopie-Art betreiben, die als *μSR*-Spektroskopie bezeichnet wird (*μSR*: Abk. für Myon-Spin-Rotation).

Das pos. M. u. ein Elektron bilden ein dem Wasserstoff-Atom ähnliches *exotisches Atom, welches als *Myonium, Abk. Mu, bezeichnet wird ($Mu \equiv \mu^+ e^-$). Atomares Myonium wird in gesätt. Lsg. in gebräuchlichen Lsm. wie Wasser od. Kohlenwasserstoffen auf einer Mikrosekunden-Zeitskala beobachtet, denn es reagiert durch Abstraktion deutlich langsamer als Wasserstoff. Im Vgl. mit H-Atomen eignet sich Mu daher v. a. zum Studium kinet. *Isotopie-Effekte, sowohl in Lsg. als auch in der Gasphase. *Mu-substituierte Radikale* lassen sich durch Addition von Mu an ungesätt. Stellen von Mol. (z. B. C=C, C=O od. C=N) erzeugen. Das M. dient hier als Sonde zur Aufklärung von Struktur, Reaktions- u. Reorientierungsdynamik; Näheres s. *Lit.*[2–4]. Auch zur Untersuchung von Oberflächen u. Festkörpern finden M. Anw.; Näheres s. *Lit.*[5,6].

Chem. Untersuchungen mit M. erfordern Beschleuniger mit sehr intensiven M.-Quellen. Diese stehen v. a. am Paul-Scherrer-Inst. in Villigen (Schweiz), der Three University Meson Facility in Vancouver u. dem KEK in Tokio zur Verfügung. – ***E*** = ***F*** muons – ***I*** muoni, mesoni mu – ***S*** muones

Lit.: [1] Close et al., Spurensuche im Teilchenzoo, Heidelberg: Spektrum der Wissenschaft Verlagsges. 1989. [2] Chimia **43**, 86–97 (1989). [3] Lecture Notes in Chemistry, Bd. 49, Berlin: Springer 1988. [4] Prog. React. Kinet. **14**, 1–42 (1986). [5] Mol. Engin. **4**, 259–276 (1994). [6] Davis u. Cox, Protons and Muons in Material Science, London: Taylor & Francis 1996.

allg.: Chappert u. Grynszpan, Muons and Pions in Materials Research, Amsterdam: North-Holland 1984 ▪ Roduner, The Positive Muon as a Probe in Free Radical Chemistry. Potential and Limitations of the *μ*SR Technique. Lecture Notes in Chemistry, Bd. 49, Heidelberg: Springer 1988 ▪ Schenck, Muon Spin Rotation Spectroscopy, Bristol: Hilger 1985 ▪ Walker, Muon and Muonium Chemistry, Cambridge: Cambridge University Press 1983.

Myonen-Atome. *Exotische Atome, bei denen ein Elektron der innersten Schale durch das 207mal schwerere, neg. geladene Myon μ^- ersetzt ist. Das einfachste M.-A. ist $p^+\mu^-$, wobei p^+ ein *Proton symbolisiert. Es entspricht einem Wasserstoff-Atom mit einem schweren Elektron; seine Energiewerte erhält man durch Lösung der *Schrödingergleichung zu

$$E_n = -\frac{m_\mu m_p e^4}{(m_\mu + m_p)\, 2\hbar^2 (4\pi\varepsilon_0)^2} \cdot \frac{1}{n^2}.$$

Hierbei sind m_μ u. m_p die Myonen- bzw. Protonen-Ruhemasse, e die Elementarladung, $\hbar$ die Plancksche Konstante geteilt durch 2π u. ε_0 die elektr. Feldkonstante (s.a. Fundamentalkonstanten). Die Energiewerte E_n hängen nur von der Hauptquantenzahl n ab (s. Atombau, S. 292). Wegen der größeren Masse ist das Myon wesentlich stärker gebunden als das Elektron im H-Atom. Die Übergänge zwischen verschiedenen Zuständen eines M.-A. liegen im Bereich der *Gammastrahlung. Da das Myon dem Atomkern sehr nahe kommen kann, sind M.-A. interessante Objekte der *Kernphysik u. können zum Studium der Ladungsdichteverteilung im Kern herangezogen werden. – ***E*** muon atoms – ***F*** atomes muoniques – ***I*** atomi muonici – ***S*** átomos muónicos

Lit.: Haken u. Wolf, Atom- u. Quantenphysik, 6. Aufl., Berlin: Springer 1996.

Myonium (Mu). Dem Wasserstoff-Atom ähnliches *exotisches Atom, das aus einem pos. geladenen Myon μ^+ u. einem *Elektron e^- aufgebaut ist; Näheres s. Myonen. – ***E*** = ***F*** muonium – ***I*** muonio – ***S*** mionio

Myorelaxantien s. Muskelrelaxantien.

Myosin (von *Myo...). In der Muskulatur als M. II od. „konventionelles" M. vorkommendes Protein, das die Aktivität einer *Adenosintriphosphatase besitzt Myosin-ATPase, EC 3.6.1.32] u. als *molekularer Motor der Umwandlung von chem. Energie – gespeichert in der Phosphorsäure-Anhydrid-Bindung des *Adenosin-5'-triphosphats (ATP) – in mechan. Arbeit (Muskel-Ar-

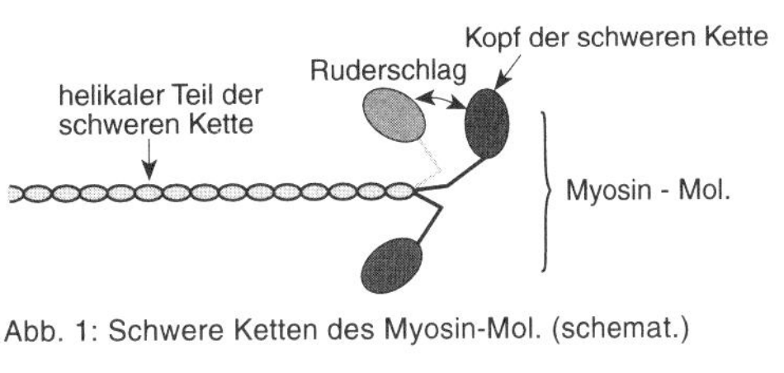

Abb. 1: Schwere Ketten des Myosin-Mol. (schemat.)

beit) dient. Im *Muskel macht M. ca. 20% der Trockenmasse aus.
Das M.-Mol. (M_R etwa 540000) besteht aus 2 umeinander gewundenen Polypeptid-Ketten mit je annähernd 2000 Aminosäure-Resten (M_R je 175000–240000, „schwere Ketten", s. Abb. 1) u. aus 2 Paaren kleinerer Polypeptide (M_R ca. 20000, „leichte Ketten", in der Abb. nicht gezeigt). Es besitzt einen stäbchenförmigen Teil, ca. 150 nm lang u. 2 nm dick, der aus zwei miteinander verdrillten α-Helices besteht, u. hat am Ende zwei flexibel angebrachte ellipsoide Köpfe von 20 · 7 nm. In den Köpfen, die man durch *Papain-Behandlung abtrennen kann, ist die ATPase-Aktivität des M. lokalisiert; außerdem enthalten sie die Bindungsstelle für *Actin, mit dem das M. während der Muskel-Kontraktion zu dem temporären *Actomyosin*-Komplex zusammentreten kann.

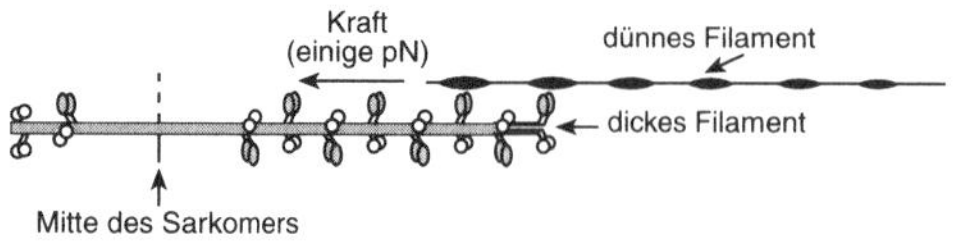

Abb. 2: Schema der Wechselwirkung zwischen den (dicken) M.- u. den (dünnen) Actin-Filamenten im Muskel.

Etwa je 200–250 M.-Mol. sind im quergestreiften Muskel zu 1 µm langen u. 10 nm starken sog. *dicken Filamenten* vereinigt, aus denen die Köpfe seitwärts herausragen. Die dicken Filamente bilden zusammen mit den *dünnen Filamenten*, die sich aus Actin, *Troponin u. *Tropomyosin zusammensetzen, sowie mit *Titin die *Myofibrillen* (s. Muskel). Im glatten Muskel ist Troponin durch *Caldesmon ersetzt. Die Kontraktion kommt nach verbreiteter Auffassung durch Ruderschlag-ähnliche Bewegungen der Köpfe (Anheften an das Actin u. Umklappen in Schrägstellung) zustande [1], die die Actin-Filamente an den M.-Filamenten in Richtung auf die Mitte des Sarkomers vorbeizieht (s. Abb. 2). Nach einem Ruderschlag löst sich die Bindung des betreffenden Köpfchens wieder, um zurückzuschwenken u. einen neuen Schlag auszuführen. Die Energie für die kraftaufwendige Konformationsänderung wird aus der Hydrolyse der endständigen Phosphat-Gruppen von ATP gewonnen, das im Muskel aus *Kreatinphosphat gebildet werden kann. Initiiert wird die Muskelkontraktion durch plötzlich ansteigende cytosol. Calcium-Ionen-Konzentration. Im quergestreiften Muskel wird die Regulation der Kontraktion über im dünnen Filament enthaltenes Troponin u. Tropomyosin vermittelt; in der glatten Muskulatur dagegen über eine Phosphorylierung von Caldesmon, *Calponin u. zwei der leichten Ketten, letztere katalysiert durch *Myosin-Leichtketten-Kinase* [2] (EC 2.7.1.117), ein *Calmodulin-bindendes Enzym. In vielen eukaryont. Zellen kommen auch *M. I* vor [3] (1 schwere Kette vom M_R 110000–140000 sowie eine od. mehrere leichte Ketten), die nur 1 Kopf besitzen u. keine Filamente ausbilden. Diese binden an Membran-Lipide u. scheinen bei Fortbewegung sowie Organellentransport eine Rolle zu spielen, während für die Cytokinese (Zellteilung) M. II nötig ist. Insgesamt unterscheidet man bis jetzt XII verschiedene M.-Klassen, wobei M. II auch als konventionell, die anderen als unkonventionell bezeichnet werden. Zu. M. V s. *Lit.* [4].
Geschichte: Die Kenntnis der M.-Actin-Wechselwirkung geht auf Arbeiten *Szent-Györgyis zurück. – ***E*** myosin – ***F*** myosine – ***I*** = ***S*** miosina

Lit.: [1] Curr. Biol. **7**, R 112–R 118 (1997). [2] J. Muscle Res. Cell. Motil. **18**, 1–16 (1997). [3] Am. J. Physiol. – Cell Physiol. **42**, C 347–C 359 (1997). [4] Curr. Biol. **7**, R 301–R 304 (1997).
allg.: Annu. Rev. Physiol. **58**, 671–702 (1996) ▪ Cell **87**, 151–157 (1996) ▪ J. Biol. Chem. **271**, 15849–15853, 16431–16434, 16983–16986 (1996) ▪ J. Cell Biol. **133**, 221–224 (1996) ▪ Nature (London) **390**, 345 f. (1997) ▪ Physiol. Rev. **77**, 671–697 (1997).

Myosin-Leichtketten-Kinase s. Myosin.

Myosmin s. Tabak-Alkaloide.

Myrcen (β-Myrcen, 7-Methyl-3-methylen-1,6-octadien).

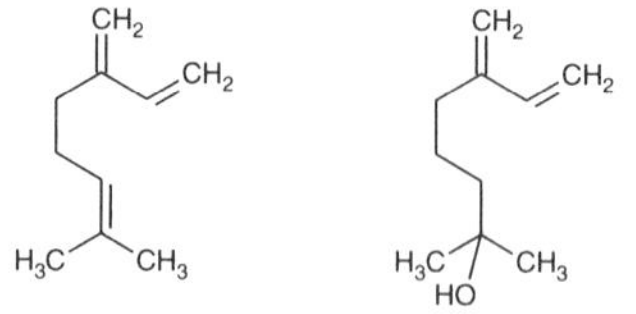

Myrcen Myrcenol

$C_{10}H_{16}$, M_R 136,23, angenehm riechendes Öl, Sdp. 167 °C, D^{20} 0,794, n^{20} 1,4709, lösl. in Ethanol, Chloroform, Diethylether, unlösl. in Wasser. Das Monoterpen M. kommt in vielen Pflanzenölen vor u. wird synthet. durch Pyrolyse von β-*Pinen od. Dimerisierung von *Isopren gewonnen.
Verw.: Zur Synth. von *Geraniol, *Citronellal, *Citronellol u. a. Parfümrohstoffen sowie der Vitamine A u. E, als Hilfsstoff bei Kautschuk- u. Kunststoff-Synthesen. Als *α-M.* bezeichnet man das Isomere 2-Methyl-6-methylen-1,7-octadien, das nicht natürlich vorkommt. *Myrcenol* [1] [2-Methyl-6-methylen-7-octen-2-ol, $C_{10}H_{18}O$, M_R 154,25, Öl, Sdp. 78 °C (0,7 kPa), D^{20} 0,8711, n_D^{20} 1,4731], ein Isomeres von Geraniol u. *Linalool kommt im Lavendelöl u. verschiedenen Arzneipflanzen vor. Es verfügt über einen sehr angenehmen Citrus-Duft u. wird in der Parfüm-Ind. zur Erzeugung flüchtiger Kopfnoten verwendet. – ***E*** myrcene – ***F*** myrcène – ***I*** mircene – ***S*** mircena

Lit.: [1] Indian J. Chem. **13**, 1244 (1975); J. Indian Chem. Soc. **50**, 329 (1973).
allg.: Beilstein E IV **1**, 1108 f., 2280 ▪ Chem. Lett. **1979**, 53–56 ▪ Finar, Organic Chemistry, (5.) Bd. 2, S. 359, Singapore: Longman Scientific & Technical 1988 ▪ Karrer, Nr. 32 ▪ Merck-Index (12.), Nr. 6413 ▪ Sax (8.), Nr. MRZ 150 ▪ Synthesis **1977**, 307 f. ▪ Ullmann (5.) **A 11**, 157. – *[HS 2901 29; CAS 123-35-3 (M.); 543-39-5 (Myrcenol)]*

Myricetin s. Flavone.

Myricylalkohol s. 1-Hentriacontanol u. 1-Triacontanol.

Myristate s. Myristinsäureester.

Myristicin [Myristizin, 6-Allyl-4-methoxy-1,3-benzodioxol].

Myristicin Elemicin

$C_{11}H_{12}O_3$, M_R 192,21, Öl, Sdp. 276–277 °C (149 °C bei 2 kPa), D^{20} 1,1437, n^{20} 1,5403, unlösl. in Wasser, lösl. in Ether. M. kommt u. a. in der Muskatnuß, im Petersilienöl u. in Möhren vor. Es verursacht den typ. Muskatnußduft. M. wird die halluzinogene Wirkung von *Muskatnüssen zugesprochen [1], es wird begleitet von geringen Mengen *Safrol u. *Elemicin* [2] [5-Allyl-1,2,3-trimethoxybenzol, $C_{12}H_{16}O_3$, M_R 208,26, Sdp. 144–147 °C (133 Pa)]. M. hat insektizide Eigenschaften u. wirkt als Synergist für andere Insektizide (z. B. bei Fruchtfliegen, Mückenlarven). – ***E*** myristicin – ***F*** myristicine – ***I*** = ***S*** miristicina

Lit.: [1] Angew. Chem. **83**, 392–396 (1971). [2] Karrer, Nr. 243. *allg.:* ACS Symp. Ser. **330**, 295 (1987) ▪ Beilstein E V **19/2**, 631 ▪ J. Agric. Food Chem. **30**, 317, 495 (1982) ▪ Merck-Index (12.), Nr. 6417 ▪ Sax (8.), Nr. MSA 500. – *[CAS 607-91-0 (M.); 487-11-6 (Elemicin)]*

Myristinsäure (Tetradecansäure). $H_3C–(CH_2)_{12}–COOH$, $C_{14}H_{28}O_2$, M_R 228,38, Blättchen, Schmp. 58,5 °C, Sdp. 199 °C (2,1 kPa), lösl. in Methanol, Chloroform, Petrolether. M. kommt als Glycerinester in Muskatnußbutter (70–80%), Kokosfett (bis zu 20%), Spermöl (bis zu 15%), Milchfett (bis zu 12%) u. vielen anderen pflanzlichen u. tier. Fetten vor (z. B. *Lanolin). Die Ester u. Salze von M. werden auch *Myristate* genannt, s. a. Myristinsäureester.

Verw.: M. u. seine Ester sind Bestandteile von Seifen, Rasiercremes, Gleit- u. Schmiermitteln, Beschichtungen von Aluminium. – ***E*** myristic acid – ***F*** acide myristique – ***I*** acido miristico – ***S*** ácido mirístico

Lit.: Beilstein E IV **2**, 1126–1131 ▪ Karrer, Nr. 701 ▪ Merck-Index (12.), Nr. 6416 ▪ Sax (7.), S. 2444 f. ▪ Ullmann (5.) **A 10**, 247. – *[HS 2915 90; CAS 544-63-8]*

Myristinsäureester. $H_3C–(CH_2)_{12}–COOR$, einige der wasserunlösl., niederen, flüssigen Ester der *Myristinsäure (*Myristate*) haben Bedeutung für kosmet. Präp., insbes. der *Myristinsäure-iso-propylester* [Isopropylmyristat (1), R = $CH(CH_3)_2$, $C_{17}H_{34}O_2$, M_R 270,46, D. 0,8532, Sdp. 140 °C (3 hPa), lösl. in Aceton, Chloroform, Ethanol]. Er ist ein Lösungsvermittler, dringt leicht in die Haut ein u. wird in Hautcremes, Insektenschutzöl, Sonnenschutzöl, Lippenstiften u. dgl. verwendet. Ähnliche Verw., wenn auch in geringerem Umfang, finden: *Myristinsäuremethylester* [Methylmyristat (2), R = CH_3, $C_{15}H_{30}O_2$, M_R 242,40, D. 0,866, Schmp. 19 °C, Sdp. 323 °C], der auch als Bezugssubstanz in der Gaschromatographie verwendet wird; *Myristinsäureethylester* [Ethylmyristat (3), R = C_2H_5, $C_{16}H_{32}O_2$, M_R 256,43, D. 0,8573, Schmp. 12 °C, Sdp. 295 °C] ersetzt gelegentlich fette Öle u. flüssige Kohlenwasserstoffe. Der *Myristinsäurebutylester* [Butylmyristat (4), R = C_4H_9, $C_{18}H_{36}O_2$, M_R 283,48, Schmp. 1 °C] wird mitunter anstelle von Butylstearat in Lippenstiften u. dgl. verwendet. – ***E*** = ***F*** myristates – ***I*** miristati – ***S*** miristatos

Lit.: Beilstein E IV **2**, 1131 ff. ▪ Janistyn **1**, 498, 631 f. ▪ Umbach, Kosmetik (2.), Stuttgart: Thieme 1995. – *[HS 2915 90; CAS 110-27-0 (1); 124-10-7 (2); 124-06-1 (3); 110-36-1 (4)]*

Myristoyl... (Tetradecanoyl...). Bez. für die unsubstituierte Atomgruppierung $–CO–(CH_2)_{12}–CH_3$ (IUPAC-Regel C-404). – ***E*** = ***F*** myristoyl... – ***I*** = ***S*** miristoil...

Myristoyliertes Alanin-reiches C-Kinase-Substrat s. MARCKS.

Myristoyl-Proteine. *Proteine mit Myristoyl-(Tetradecanoyl-)Rest (vgl. Myristinsäure) an der Amino-Gruppe des ersten Aminosäure-Restes, der in allen Fällen Glycin ist. Es handelt sich um ca. 100 bisher bekannte *eukaryontische Proteine, die oft an der *Signaltransduktion beteiligt sind, aber auch bei Krebsentstehung u. Virusinfektion eine Rolle spielen. Der *lipophile Myristoyl-Rest trägt dazu bei, die M.-P. in Ggw. von Calcium-Ionen in Lipid-Doppelschichten von *Membranen zu verankern (*Membran-Anker*). Die Myristoylierung erfolgt nach der Protein-Biosynth. (als posttranslationale Modifizierung) mit Hilfe von Myristoyl-*Coenzym A unter Katalyse einer *N*-Myristoyltransferase (EC 2.3.1.97) [1]. *Beisp.:* *ARF, *MARCKS, *Recoverin. – ***E*** myristoyl proteins – ***F*** myristoyl-protéines – ***I*** miristoil-proteine – ***S*** miristoil-proteínas

Lit.: [1] Adv. Enzymol. Rel. Areas Mol. Biol. **67**, 375–430 (1993). *allg.:* Cell. Signal. **9**, 15–35 (1997) ▪ Nature (London) **389**, 198–202 (1997) ▪ Trends Biochem. Sci. **20**, 272–276 (1995).

Myristyl... Nur in Trivial- u. Handelsnamen übliche Bez. für den *Tetradecyl-Rest $–(CH_2)_{13}–CH_3$; *Beisp.:* Myristylalkohol (s. 1-Tetradecanol). – ***E*** = ***F*** myristyl... – ***I*** = ***S*** miristil...

Myritol®. Caprylsäure-Caprinsäure-Triglycerid als neutrales, fast farbloses, klares Öl mit niedriger Viskosität. Verw. als hautfreundliche Ölkomponente u. Auffettungsmittel für pharmazeut. u. kosmet. Produkte, speziell für orale u. parenterale Applikation. ***B.:*** Henkel.

MYRJ®. Polyoxyethylenstearate, weiße bis cremefarbene wachsartige Produkte mit unterschiedlichem Hydrophiliegrad. Verw. als nichtionogene hydrophile Emulgatoren, Lsg.-Vermittler etc. in Kosmetik, Pharmazie u. Lebensmitteln, als Gleitmittel für die Glasflaschenherstellung. ***B.:*** ICI.

Myrmicacin [(*R*)-3-Hydroxydecansäure].

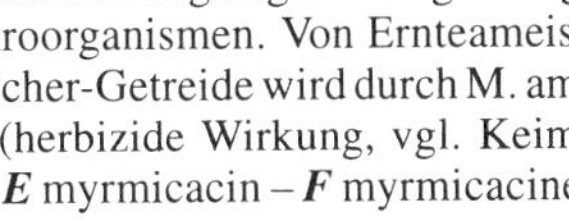

(-)-(*R*)-Form

$C_{10}H_{20}O_3$, M_R 188,26, Krist., Schmp. 48–49 °C, $[\alpha]_D^{20}$ –20,8° ($CHCl_3$), lösl. in Chloroform. M. wird von südamerikan. Blattschneiderameisen (*Atta sexdens*, Myrmicinae) sezerniert. Es dient zum spezif. Schutz der von den Ameisen angelegten Pilzgärten gegen Befall durch Mikroorganismen. Von Ernteameisen eingetragenes Speicher-Getreide wird durch M. am Auskeimen gehindert (herbizide Wirkung, vgl. Keimungshemmstoffe) [1]. – ***E*** myrmicacin – ***F*** myrmicacine – ***I*** = ***S*** mirmicacina

Lit.: [1] Angew. Chem. **83**, 110 (1971). *allg.:* Beilstein E IV, **3**, 893 ▪ Z. Naturforsch. Teil C **51**, 409 (1996). – *Biosynth.:* Biochem. Biophys. Acta **572**, 1 (1979). – *Synth.:* Agric. Biol. Chem. **42**, 879 (1978) ▪ Tetrahedron Lett. **26**, 4665 (1985). – *[CAS 33044-91-6 (allg.); 19525-80-5-(–)]*

Myrobalanen. 4–5 g schwere, in frischem Zustand pflaumenartige Steinfrüchte des ind. Myrobalanenbaums *Terminalia chebula*, die in der Fruchtwand 20–50% Pyrogallol-*Gerbstoff enthalten u. als Gerbmittel benutzt werden. – ***E*** myrobalans – ***F*** prunes-cerises myrobalans – ***I*** mirobolani, mirabolani – ***S*** ciruelas mirobalanas

Lit.: Franke, Nutzpflanzenkunde, 6. Aufl., S. 300, Stuttgart: Thieme 1997.

Myrol s. Salpetersäureester.

Myrosin s. Myrosinase.

Myrosinase (EC 3.2.3.1, Thioglucosid-Glucohydrolase). Eine früher *Myrosin* genannte, jetzt nach *IUBMB-Empfehlung als *Thioglucosidase* zu bezeichnende Hydrolase, die Thioglykoside in Thiole u. Zucker spaltet. Das Enzym ist in Pflanzen, z. B. Kreuzblütlern enthalten u. wird durch L-Ascorbinsäure aktiviert. *Glucosinolate ergeben wegen nichtenzymat. Umlagerung des *Aglykons (Thiols) nach der Spaltung *Senföle (Isothiocyanate); z. B. wird *Sinigrin in Allylsenföl u. D-Glucose gespalten – daher ist M. auch als *Sinigr(in)ase* bekannt. – ***E*** = ***F*** myrosinase – ***I*** mirosinasi – ***S*** mirosinasa

Lit.: Physiol. Plant. **97**, 194–208 (1996).

Myrrhe. Braungelbe, od. rotbraune, glänzende od. staubige Körner od. größere, traubige Stücke, Geruch aromat., Geschmack bitter aromatisch. Die M. sind Baumharze (*Gummen*), die ebenso wie *Opopanax von alters her in Somalia u. in Südarabien von verschiedenen kleinen Bäumen aus der Familie der Burseraceae gesammelt werden (*Commiphora* spp.). Es gibt zahlreiche M.-Sorten, die sich sehr in ihren Eigenschaften unterscheiden. Sie enthalten 57–61% Gummen u. 7–17% ether. Öle mit überwiegend Sesquiterpenen (Myrrhenöl), ferner 20–25% Harze u. Harzsäuren sowie Derivate langkettiger Alkantetrole. Von einigen M.-Sesquiterpenen wurde gezeigt, daß sie über Opioid-Rezeptoren analget. wirken [1]. M.-Extrakte werden seit Jahrtausenden in der Parfümerie verwendet, wegen der desinfizierenden u. desodorierenden Wirkung auf das Zahnfleisch auch in Kaugummi u. Zahnpflegemitteln, als Trübungsmittel für Mundwässer u. als Carminativa. – ***E*** myrrh – ***F*** myrrhe – ***I*** = ***S*** mirra

Lit.: [1] Nature (London) **379**, 29 f. (1996), vgl. Markus-Evangelium 15, 23.

allg.: DAB **1997** u. Komm. ▪ Dtsch. Apoth. Ztg. **134**, 25–30 (1994) ▪ Hager (4.) **4**, 256–259 ▪ Wichtl (3.), S. 400 ff. – *[HS 1301 90]*

Myrtecain.

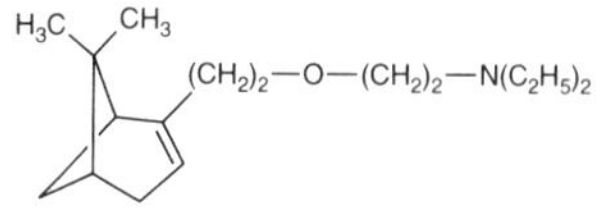

Internat. Freiname für das lokalanästhet. u. spasmolyt. wirksame (±)-{2-[2-(6,6-Dimethyl-2-norpinen-2-yl)ethoxy]-ethyl}-diethylamin, $C_{17}H_{31}NO$, M_R 265,43, Sdp. 130–135 °C (267 Pa); n_D^{20} 1,477. – ***E*** myrtecaine – ***F*** myrtécaïne – ***I*** mirtecaina – ***S*** mirtecaína

Lit.: ASP ▪ Hager (5.) **8**, 1055 f. ▪ Martindale (31.), S. 1337. – *[HS 2922 19; CAS 7712-50-7]*

Myrtenöl. Gelbes bis grünliches ether., stark riechendes Öl, wird bes. in Frankreich aus Blättern u. Zweigen von *Myrtus communis* gewonnen (Ausbeute 0,3%), D. 0,89–0,915, lösl. in Alkohol. M. enthält z. B. 23% *Limonen, 20% *Linalool, 14% α-*Pinen, 12% *Cineol, 2% *p*-*Cymol sowie Camphen, β-Pinen, Myrtenylacetat, Myrtenol, Geraniol u. Nerol. M. wird als Gewürz sowie bei Seborrhoe in pharmazeut. Präp. verwendet. – ***E*** myrtle oil – ***F*** essence de myrte – ***I*** essenza di mirto – ***S*** esencia de mirtos

Lit.: Gildemeister **6**, 63. – *[HS 3301 29]*

Mytilotoxin s. Saxitoxin.

Mytilotoxismus s. Muschelvergiftung.

Myxin s. Phenazin.

Myxobakterien (von griech.: mýxa = Schleim; bakterion = Stäbchen). M. sind durch Gleiten bewegliche, streng aerobe, chemoheterotrophe (s. Chemotrophie) Bakterien, die im Boden od. auf zerfallendem Pflanzenmaterial vorkommen. Die M. sind Gram-neg. (s. Gram-Färbung) u. können sich auf festen Oberflächen od. an der Luft-Wasser-Grenze bewegen.
M. bilden extrazelluläre *Enzyme, die Makromol. wie *Proteine, *Nucleinsäuren, Fettsäureester (s. Fettsäuren) u. verschiedene *Polysaccharide (teilw. sogar *Cellulose) abbauen können. Durch die Bildung von *Carotinoiden, *Melaninen u. *Protoporphyrinen weisen die Kolonien meist eine lebhafte Färbung auf. Charakterist. ist außerdem die Ausscheidung von Polysaccharid-Schleim, in den die Zellen eingebettet sind od. der hinter den gleitenden Zellen als Spur zurückbleibt.
Bei Nahrungsverknappung beginnen die M. zu aggregieren. Die Aggregate differenzieren sich zu farbigen Fruchtkörpern von makroskop. Größe, die bei der Reifung Dauerformen (Myxosporen od. Microcysten) bilden.
Anw.: M. stellen eine bes. ergiebige Quelle für biolog. aktive Sekundärmetabolite dar, die völlig verschiedenen Stoffklassen angehören. Bekannt sind z. B. das *Antibiotikum Ambruticin S (antifung.), die *Saframycine u. *Sorangicine u. das Fulvocin C, ein *Bakteriocin. – ***E*** myxobacteria – ***I*** mixobatteri – ***S*** mixobacterias, bacterias mucilagíneas

Lit.: Microbiol. Rev. **60**, 70 (1996) ▪ Reichenbach u. Dworkin, The Myxobacteria, in Balows et al., The Prokaryotes, Berlin: Springer 1991 ▪ Schlegel (7.), S. 124 ff.

Myxödem s. Hypothyreose.

Myxomyceten s. Pilze u. Myxomyceten-Farbstoffe.

Myxomyceten-Farbstoffe. Gruppe verschiedener Farbstoffe aus den sog. Echten Schleimpilzen, die an feuchten Orten, bes. an altem, abgestorbenem Holz vorkommen. Die Myxomyceten umfassen ca. 15 Familien mit insgesamt 500 Arten. Bes. auffällig sind die stark gefärbten Trichiales, die als leuchtend gelbe u. rote Massen ganze Baumstämme überziehen können. M. dienen auch zur taxonom. Bestimmung von Myxomyceten. Mit M.-F. lassen sich Textilien färben [1]. Das leuchtend gelbe *Physarum polycephalum* enthält ein Polyenchromophor. Aus *Lycogala epidendrum* wurden *Carotinoide isoliert, die die Rosafärbung der Fruchtkörper verursachen. Zu den Pigmenten der ziegelroten *Arcyria*-Arten s. Arcyria-Farbstoffe. *Trichia floriformis* enthält die Farbstoffe *Trichion u. Homotrichion sowie verschiedene Nebenpigmente, z. B. *TF 1* ($C_{31}H_{20}O_{13}$, M_R 600,46, oranges Pulver, Zers. >190 °C). Aus *Fuligo septica* („Gelbe Lohblüte“) wurde *Fuligorubin isoliert. – ***E*** pigments of myxomycetes, slime molds – ***F*** colorants aux myxomycètes – ***I*** coloranti di mixomicetene – ***S*** colorantes de mixomicetenas

Lit.: [1] Sundström, Mit Pilzen Färben, S. 67 f., Zürich: Orell Füssli 1984.

allg.: Pure Appl. Chem. **61**, 281 (1989) ▪ Zechmeister **51**, 122 f., 170–173, 216–226, 234 ff. ▪ s. a. Arcyria-Farbstoffe u. Fuligorubin.

Myxothiazol.

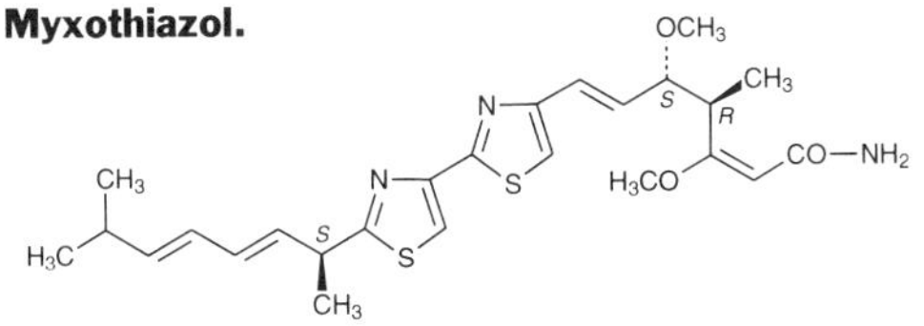

Antifung. Antibiotikum aus *Myxococcus fulvus* u. anderen Myxobakterien, $C_{25}H_{33}N_3O_3S_2$, M_R 487,67, Schmp. 79 °C, $[\alpha]_D^{25}$ +43,4° (CH_3OH). M. wirkt mit einer minimalen Hemmkonz. von 0,01–3 µg/mL stark antifung., cytotox. (0,5 ng/mL) u. insektizid. Ursache dafür ist eine Hemmung der Atmungskette am Cytochrom-bc_1-Komplex. Wie die *Strobilurine u. *Oudemansine besitzt M. einen *β*-Methoxyacrylat-Pharmakophor, der jedoch nicht wie dort in der *α*-, sondern in der *β*-Position mit dem Rest des Mol. verknüpft ist. Zudem ist M. mit einer LD_{50} (Maus p.o.) von 2 mg/kg sehr toxisch. – ***E*** = ***F*** myxothiazol – ***I*** mixotiazolo – ***S*** mixotiazol

Lit.: Biochim. Biophys. Acta **636**, 282 (1981) ▪ J. Antibiot. **1980**, 1474, 1480 ▪ Justus Liebigs Ann. Chem. **1986**, 93–98 (Biosynth.) ▪ Tetrahedron Lett. **22**, 3829 (1981); **34**, 5151–5154 (1993) (Synth.). – *[HS 2941 90; CAS 76706-55-3]*

Myzel s. Pilze u. Mycel.

N

ν (ny, nü; engl.: nu). 13. Buchstabe im *griechischen Alphabet; physikal.-chem. Größensymbol: *Frequenz, kinemat. *Viskosität, Reaktionsordnung (s. Kinetik), *stöchiometrischer Faktor u. Ladungszahl der elektrochem. Zellreaktion; $\tilde{\nu}$, $\bar{\nu}$, selten ν': *Wellenzahl; ν_e, ν_μ, ν_τ, $\bar{\nu}_e$, $\bar{\nu}_\mu$, $\bar{\nu}_\tau$: *Elementarteilchen-Symbole für Elektron-, Myon- u. Tau-*Neutrino u. -Antineutrino.

n. a) Kurzz. für *Nano... (= 10^{-9}; vgl. ppb). – b) Symbol für *Neutronen. – c) Symbol für variable (ganze) Zahlen, z. B. in allg. *Bruttoformeln u. *Markush-Formeln homologer Reihen: Alkane C_nH_{2n+2}, α,ω-Alkandiole HO–$(CH_2)_n$–OH. – d) Abk. für „negativ", s. Halbleiter. – e) Abk. der veralteten Konz.-Bez. „normal" (s. Normalität). – f) Kursives *n*: Kurzz. vor allg. Bez., Zeilenformeln u. Abk. für „normale" (= unverzweigte) gesätt. C-Ketten; *Beisp.*: *n*-Alkane, *n*-C_4F_9–CN, *n*Bu (= *Butyl...); für systemat. Namen ist „*n*-" nicht empfohlen. – g) Symbol für viele Größen (*n* od. n): Beugungsordnung (s. Kristallstrukturanalyse), Brechungsindex (s. Refraktion), Hauptquantenzahl (s. Atombau), Ladungszahl von elektrochem. Reaktionen, Reaktionsordnung (s. Kinetik), *Stoffmenge (s. Mol), Teilchendichte (s. Vakuum).

N. a) Chem. Symbol für *Stickstoff (Nitrogen). Kursives *N* ist in chem. Namen Stellungsbez. für Reste an N-Atomen; *Beisp.*: *N,N*-Diethylanilin-*N*-oxid. – b) Symbol für *Asparagin u. für unbekannte *Nucleoside in der Peptid- bzw. Nucleosidnotation der IUB. – c) Symbol für *Newton (SI-Einheit der Kraft); neben n Abk. der veralteten Konz.-Bez. „normal" (s. Normalität); Abk. der Reinheitsbez. *Neuner (für Werkstoffe, *hochreine Metalle). – d) Symbol *N* od. N für Größen u. Konstanten: Neutronenzahl im Atomkern, Teilchenzahl, *Avogadro'sche Zahl N_A. – e) Ein N in Kurzbez. für Polymere u. Weichmacher bedeutet Natur..., ...nitrat, ...nitril od. Nonyl...; *Beisp.*: NR = Naturkautschuk, CN = Cellulosenitrat, AN = Acrylnitril, DNA = Dinonyladipat. – f) Kennbuchstabe nach *Gefahrstoffverordnung für *umweltgefährlich.

Na. Chem. Symbol für das Element *Natrium.

NA. Abk. für *Normenausschuß.

N_A. Symbol für die *Avogadro'sche Zahl.

NAA. Abk. für *Neutronenaktivierungsanalyse.

Nabilon (Rp; BtMVV, Anlage III A). Kurzbez. für ein synthet. Derivat des Δ^9-*Tetrahydrocannabinols (s. a. Cannabinoide), (±)-*trans*-3-(1,1-Dimethylheptyl)6,6a, 7,8,10,10a-hexahydro-1-hydroxy-6,6-dimethyl-9*H*-dibenzo[*b,d*]pyran-9-on, $C_{24}H_{36}O_3$, M_R 372,54, Schmp.

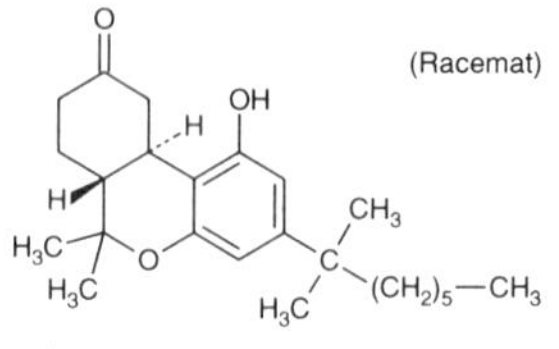

159–160 °C; λ_{max} (CH_3OH) 275, 282 nm ($A^{1\%}_{1cm}$ 35). N. wurde 1975 u. 1976 von Lilly als Tranquilizer u. Antiemetikum patentiert. – ***E*** = ***F*** = ***I*** nabilone – ***S*** nabilona

Lit.: Beilstein EV **18/1**, 561 ▪ Drugs **30**, 127–144 (1985) ▪ Florey **10**, 499–512 ▪ Martindale (31.), S. 1230 f. – *[HS 2932 99; CAS 51022-71-0]*

NABU. Abk. für *Naturschutzbund Deutschland e. V.

Nabumeton (Rp).

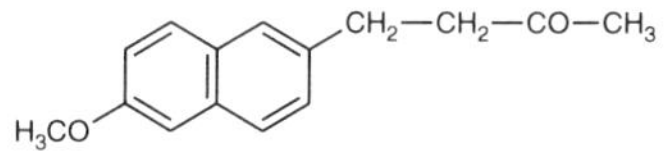

Internat. Freiname für das nichtsteroidale *Antirheumatikum 4-(6-Methoxy-2-naphthyl)-2-butanon, $C_{15}H_{16}O_2$, M_R 228,29, Schmp. 80–81 °C. N. wurde 1975 u. 1977 von Beecham (Arthaxan®) patentiert. – ***E*** = ***I*** nabumetone – ***F*** nabumétone – ***S*** nabumetona

Lit.: ASP ▪ Drugs **35**, 504–524 (1988) ▪ Martindale (31.), S. 68. – *[HS 2914 69; CAS 42924-53-8]*

Nachauflaufen s. Auflaufen u. Keimung.

Nachbargruppen-Effekt (synartetischer Effekt). Bez. für die Erscheinung, daß bei manchen organ. Reaktionen, z. B. *Substitutions- od. *Umlagerungs-Reaktionen, eine dem Reaktionszentrum benachbarte Gruppe einen beschleunigenden od. verzögernden Einfluß auf die Geschw. der Reaktion u. auf die Stereochemie (*Konfigurationserhalt* od. *Konfigurationsumkehr* an einem *asymmetr.* Zentrum) ausübt. Wie bei **anchimere Hilfe* dargelegt, kann der N.-E. nicht nur von Atomen mit freien Elektronenpaaren (N-, O- u. S-Atome), sondern auch von C,C-Doppel- u. C,C-Einfachbindungen ausgehen, so daß nichtklass. Strukturen als Zwischenstufen solcher Reaktionen diskutiert werden; s. anchimere Hilfe, Carbokationen. Auch C,C-Verknüpfungsreaktionen mit nucleophilen Übergangsmetallorgan.-Verb. werden mit beachtlicher Selektivität beschleunigt od. verzögert[1]. Man kann die N.-E. als Beisp. für *Proximitätseffekte* – zu denen man im allg. auch *transannulare u. *Through space- od. *Through bond-Wechselwirkungen rechnet – auffassen. – ***E*** neighbo(u)ring group effects – ***F*** effet des groupes voisins – ***I*** effetto dei gruppi vicinali – ***S*** efecto de los grupos vecinos

Lit.: [1] Synthesis **1995**, 745.
allg.: Brückner, Reaktionsmechanismen, S. 64 f., Heidelberg: Spektrum Akadem. Verl. 1996 ▪ s. a. anchimere Hilfe.

Nachbehandlung. In der Umwelttechnik Bez. für die weitere Behandlung des *Abwassers in *Kläranlagen nach den *Nachklärbecken, z. B. durch Nachfällung, „Schönung" in Abwasserteichen od. Desinfektion[1]. Da viele Kläranlagen über eine *mechanische Abwasserbehandlung u. eine *biologische Abwasserbehandlung verfügen u. damit „zweistufig" sind, spricht man auch von einer dritten Reinigungsstufe. Im Gegensatz zu N. versteht man unter weitergehender Abwasserbehandlung auch Verf., die in die ersten Stufen integriert sind („Simultanverf.") z. B. zur *Phosphat-Eliminierung od. zur *Stickstoff-Eliminierung. – ***E*** secondary (tertiary) waste water treatment, follow up-treatment – ***I*** trattamento successivo – ***S*** tratamiento ulterior o posterior
Lit.: [1] Abwassertechnische Vereinigung (Hrsg.), ATV-Handbuch Biologische u. weitergehende Abwasserreinigung (4.), S. 499–538, Berlin: Ernst 1997.
allg.: Brauer (Hrsg.), Handbuch des Umweltschutzes u. der Umweltschutztechnik, Bd. 4, S. 129, Berlin: Springer 1996.

Nachchromierfarbstoffe s. Beizenfarbstoffe.

Nachfließen s. Kalter Fluß.

Nachhaltige Entwicklung, nachhaltig zukunftsverträgliche Entwicklung s. Sustainable Development.

Nachklärbecken (Nachklärung). Behälter zur Abscheidung von *Überschußschlamm aus dem Ablauf der *biologischen Abwasserbehandlung. N. sollen verhindern, daß *Belebtschlamm (mit adsorbierten Schadstoffen) in den *Vorfluter gelangt. N. ermöglichen die Rückführung des Belebtschlammes in die biolog. Behandlungsstufe, so daß dort eine ausreichende Konz. an Mikroorganismen aufrechterhalten werden kann. N. sind in der Regel Abscheidebecken, in denen der Schlamm durch Sedimentation vom biolog. gereinigten *Abwasser getrennt wird (s. a. Dortmundbrunnen u. Klärschlammaufbereitung). – ***E*** secondary sedimentation basin, final settling tank – ***F*** bassin de décantation (clarification) finale – ***I*** bacino finale di sedimentazione, bacino finale di decantazione – ***S*** estanque (tanque) de decantación (clarificación) final
Lit.: Abwassertechnische Vereinigung (Hrsg.), ATV-Handbuch Mechanische Abwasserreinigung (4.), S. 170–193; ATV-Handbuch Biologische u. weitergehende Abwasserreinigung (4.), S. 408–412, Berlin: Ernst 1997 ▪ Hosang u. Bischof, Abwassertechnik, S. 376–381, Stuttgart: Teubner 1993 ▪ Ullmann (5.) **B 8**, 132 ff.

Nachklärung s. Nachklärbecken.

Nachkristallisation. Werden Polymere aus der Schmelze verarbeitet, so müssen sie nach der Formgebung auf 20 °C abgekühlt werden. Um eine geringe Cyclenzeit u. hohe Maschinenauslastung zu erreichen, sollen diese Abkühlzeiten möglichst kurz sein. Bei sehr leicht krist. Polymeren muß die Abkühlzeit auch deshalb kurz sein, um das Wachstum großer Sphärolithe zu verhindern, durch die das Material verspröden würde. Je nach Kristallisationstendenz werden dabei amorphe od. aber teilkrist. Polymere mit hohem amorphen Anteil erhalten. Oft kommt die Krist. jedoch auch bei 20 °C nicht völlig zum Stillstand. Es tritt vielmehr eine sog. N. ein, die sich je nach Temp. u. Material über sehr lange Zeiträume erstrecken kann. Die durch N. zunehmende Kristallinität des Werkstückes führt – wegen der höheren Dichte krist. Bereiche im Vgl. zu den amorphen – zu einer Verdichtung des Materials u. damit zu Nachschwindung u. geänderten Gebrauchseigenschaften. Da die Schwindung unmittelbar nach der Formgebung zwar am geringsten ist, wenn mit kalten Werkzeugen gearbeitet wird, dann aber beim Lagern eine stärkere Nachschwindung auftritt, arbeitet man in der Regel bei möglichst hohen Werkzeugtemperaturen. So kann die spätere Nachschwindung geringer gehalten werden. – ***E*** aftercrystallization, postcrystallization, secondary crystallization – ***I*** postcristallizzazione – ***S*** cristalización subsiguiente
Lit.: Elias (5.) **2**, 344, 380.

Nachkupferungsfarbstoffe s. substantive Farbstoffe.

Nachlauf s. Destillation.

Nachleuchten s. Leuchtstoffe, vgl. Lumineszenz u. Phosphoreszenz.

Nachleuchtpigmente s. Leuchtpigmente.

Nachmansohn, David (1899–1983), Prof. für Biochemie, KWI Biologie, Berlin-Dahlem, Columbia-Univ., New York. *Arbeitsgebiete:* Neurochemie, synapt. Transmission, Enzymmechanismen, Acetylcholinesterase, Entwicklung von Antidots gegen Organophosphorsäureester.
Lit.: Nachr. Chem. Tech. **32**, 34 ff. (1984) ▪ Nachmansohn, S. 307 f., 351 ff.

Nachschlagewerke. Oberbegriff für gedruckte od. elektron. gespeicherte Werke, in denen Informationen systemat. (alphabet., hierarch.) geordnet u. schnell nachschlagbar sind. Dazu zählen (s. chemische Literatur) *Handbücher, Lexika, *Tabellenwerke u. Hilfsbücher (*Indexe, *Wörterbücher, Norm- u. Regelwerke, Kataloge, Adreßbücher u. a.) u. zugehörige *Datenbanken, aber auch z. B. mit Inhaltsverzeichnis u. alphabet. Register versehene Lehr- u. Anleitungsbücher, *Monographien, Fortschritts- u. Konferenzberichte u. *Referateorgane. Jedes wissenschaftliche N., das Datenfluten in kurzer Form referiert, muß Lit.-Angaben u. a. Hinweise anbieten. Allg. N. für den Bereich der Chemie sind in jedem Band dieses Werkes im Vorwort (Absatz „Häufig zitierte Werke") aufgeführt; s. a. Handbücher, Tabellenwerke. Über N. für Spezialgebiete informiere man sich bei deren Stichwörtern u. in *Bibliotheken. – ***E*** dictionaries, encyclopedias, handbooks, reference works – ***F*** aide-mémoires, ouvrages de référence, encyclopédies – ***I*** opere di consultazione, dizionari – ***S*** obras de consulta (bzw. referencia)

Nachschwindung s. Nachkristallisation.

Nachsorge. Nach § 16 Absatz 2 *Bundes-Immissionsschutzgesetz hat der Betreiber einer *genehmigungsbedürftigen Anlage, der die Betriebseinstellung beabsichtigt, dies der *Genehmigungsbehörde anzuzeigen u. dabei auch die vorgesehenen N.-Maßnahmen zur Vermeidung von Altlasten bzw. zur Abfallentsorgung gemäß § 5 Absatz 3 BImSchG mitzuteilen. N.-Maßnahmen sind auch in anderen Gesetzen festgelegt.

Lit.: Beck (Hrsg.), Umweltrecht für Nichtjuristen (2.), S. 186, Würzburg: Vogel 1996.

Nachtcremes s. Hautpflegemittel.

Nachtschattengewächse s. Solanaceen-Alkaloide.

Nachverbrennung. Bez. für ein Verf. der Abgas- u. *Abluftreinigung zur Beseitigung organ. Verunreinigungen durch Verbrennung zu Kohlendioxid (u. Wasser). Der Begriff schließt oft auch die bei relativ niedrigen Temp. ablaufenden, katalysierten Oxid. ein. Gemäß *Großfeuerungsanlagen-Verordnung sind N.-Anlagen Einrichtungen zum Zwecke der Abgasreinigung, die nicht als selbständige Feuerungsanlagen betrieben werden. Vorschriften zur N. s. TA Luft. – *E* afterburning, post-combustion – *F* postcombustion – *I* postcombustione – *S* postcombustión

Lit.: Hutzinger **4B**, 241–248 ▪ Vogl et al. (Hrsg.), Handbuch des Umweltschutzes (3.), Teil II-2.7.3, S. 1–39, Landsberg: ecomed 1992.

Nachwachsende Rohstoffe. Bez. für eine Gruppe von überwiegend pflanzlichen Rohstoffen für den Einsatz in der stoffwandelnden (chem.) Ind. u. zur Energieerzeugung. Zu den n. R. zählen sowohl prim. Rohstoffe wie Holz, als auch Produkte der ersten u. zweiten Verarbeitungsstufe wie Cellulose, Stärke, monomere *Kohlenhydrate, *Chitin, *Fette u. Öle (auch tier. Fette) sowie – in bisher nur geringem Maße – *Proteine. Als Vorteile von n. R., die sich im biolog. Kreislauf „erneuern", gelten die Neutralität hinsichtlich der globalen CO_2-Bilanz, die hohe Funktionalität („Synthesevorleistung der Natur") u. in bestimmten Fällen ein bes. günstiges Ökoprofil.
Einsatz finden n. R. v. a. dort, wo deren natürliche Funktionalität genutzt wird, z. B. für die Herst. von *Tensiden aus Pflanzenölen wie z. B. von *Alkylpolyglucosiden, *Klebstoffen, oleochem. Monomeren u. Spezialpolymeren. Demgegenüber sind n. R. für organ. Grundstoffe, wie niedere Olefine, od. für die Energieerzeugung auf absehbare Zeit nicht konkurrenzfähig. Sinnvoll ist ihr Einsatz jedoch unter bestimmten ökolog. Randbedingungen, so in der Forstwirtschaft z. B. als Sägekettenöle. Mit z. T. erheblichen Subventionen wird die Verw. von einfach veredelten Rapsölen („Methylester") als Treibstoff („Biodiesel") gefördert. Um die Marktchancen von n. R. zu vergrößern, werden Anteil u. Zusammensetzung von Inhaltsstoffen durch Züchtung od. gentechn. modifiziert, z. B. das Fettsäurespektrum in Raps zugunsten von *Laurinsäure od. in der Sonnenblume zugunsten von Ölsäure. In der dtsch. chem. Ind. werden jährlich etwa 1,8 Mio. t (10% des Rohstoffeinsatzes) n. R. eingesetzt, davon 910 000 t Fette u. Öle, 465 000 t Stärke, 250 000 t Cellulose u. 32 000 t Zucker (1995). – *E* renewable resources – *F* matières premières renouveables – *I* materie prime ricrescenti – *S* materias primas regenerables

Lit.: Fachagentur Nachwachsende Rohstoffe e. V., Handbuch Nachwachsende Rohstoffe, Gülzow 1994 ▪ Eierdanz, Perspektiven nachwachsender Rohstoffe in der Chemie, Weinheim: VCH Verlagsges. 1996 ▪ Symposium Chemie nachwachsender Rohstoffe, Tagungsband, Wien: Österreich Bundesministerium für Umwelt, Jugend u. Familie 1997 ▪ Zoebelein, Dictionary of Renewable Resources, Weinheim: Wiley-VCH 1997.

Nachweis. Allg. Bez. für die *Identifizierung eines chem. Elementes, einer chem. Verb. od. einer funktionellen Gruppe, z. B. in einem reinen Stoff od. einem Gemenge. – *E* proof, detection – *F* identification, détection – *I* prova – *S* identificación, detección

Lit.: Laatsch, Die Technik der organischen Trennungsanalyse, Stuttgart: Thieme 1988 ▪ Pure Appl. Chem. **34**, 83–92 (1973).

Nachweisgrenze. Die kleinste Konz. od. Menge einer Komponente, die in einer Analysenprobe noch nachgewiesen od. bestimmt werden kann, wird als *N.* bzw. *Bestimmungsgrenze* bezeichnet. Im letzteren Fall spricht man auch von *Erfassungsgrenze.* Beide sind von der *Empfindlichkeit u. den Schwankungen des Blindwertes des jeweiligen Meßinstrumentes abhängig. Nach DIN 32 645: 1994-05 werden N. u. Erfassungsgrenze nach der *direkten Meth.* aus der Unsicherheit des Leerwertes (Leerwertmeth.) od. mit Hilfe der Kalibriergeraden berechnet, wobei die Unsicherheit des Leerwertes über eine *Extrapolation von Regressionsdaten* ermittelt wird. – *E* detection limit – *F* détectabilité, limite de détection – *I* limite provabile – *S* límite de detección

Lit.: Otto, Analytische Chemie, S. 28, Weinheim: VCH Verlagsges. 1995 ▪ Schwedt, Analytische Chemie, S. 27 f., Stuttgart: Thieme 1995.

Nachweisverordnung (NachwV). Die am 7. 10. 1996 in Kraft getretene N. basiert auf dem *Kreislaufwirtschafts- und Abfallgesetz (KrW-/AbfG) u. konkretisiert dessen Regelungen zur Überwachung der *Abfallentsorgung. Die N. ersetzt die frühere *Abfall- und Reststoffüberwachungsverordnung u. regelt die Nachweisführung über die Entsorgung bes. überwachungsbedürftiger Abfälle (s. Abfallbestimmungsverordnungen, Sonderabfälle), überwachungsbedürftiger u. nicht überwachungsbedürftiger Abfälle. Die Nachweisverf. unterteilen sich in zwei Bereiche: 1. Nachw. der Zulässigkeit des vorgesehenen Entsorgungsweges vor Beginn der Entsorgung (Vorabkontrolle), 2. Nachw. über die tatsächlich durchgeführte Entsorgung (Verbleibskontrolle). Die Vorabkontrolle erfolgt bei *bes. überwachungsbedürftigen Abfällen* mit Hilfe des *Entsorgungsnachweis-Verf., wobei zwei Varianten zu unterscheiden sind. Beim *Grundverf.* muß für die Entsorgung eines jeden Abfalls eine behördliche Bestätigung eingeholt werden. Beim *privilegierten Verf.* ist diese Einzelbestätigung nicht erforderlich, sofern die Abfälle in *Abfallentsorgungsanlagen behandelt od. verwertet werden, die von der Behörde freigestellt wurden, d. h. eine behördliche Rahmenbestätigung besitzen. Der Verbleib bes. überwachungsbedürftiger Abfälle wird mit *Begleitscheinen dokumentiert.
Bei *überwachungsbedürftigen Abfällen* wird die Vorabkontrolle mittels vereinfachtem Nachw. durchgeführt. Der vereinfachte Nachw. ist ein Formularsatz, in dem der Abfallerzeuger seine Abfälle nach Herkunft, Art u. Menge beschreibt u. der Abfallentsorger die Annahme dieser Abfälle erklärt (s. a. Entsorgungsnachweis); eine Behördenbeteiligung ist nicht erforderlich. Die Verbleibskontrolle erfolgt mit Übernahmeschei-

nen, in denen die Übernahme der Abfälle durch den Abfallbeförderer bzw. den Abfallentsorger dokumentiert wird. Für *nicht überwachungsbedürftige Abfälle* zur Verwertung existieren keine Nachweispflichten; im Ausnahmefall können sie jedoch von der Behörde angeordnet werden.

Lit.: Nachweis-VO vom 10.09.1996 (BGBl. I S. 1382).

Nackt. Bildhafte Bez. für ein *nur schwach, unvollständig od. gar nicht solvatisiertes od. komplexiertes* Atom od. Ion (s. Solvatation) z.B. bei Übergangsmetall-Komplexen. In diesem ursprünglichen Sinne wurde der Begriff von G. *Wilke für hochreaktive katalyt. Zwischenstufen bei Nickel-organ. Verb. eingeführt. Eine neue Meth., „n. Ionen" hoher Reaktivität in unpolaren, inerten Lsm. zu erhalten, ist die *Phasen-Transfer-Katalyse. – ***E*** naked – ***F*** nu – ***I*** nudo – ***S*** desnudo

Nacktmaus (Nackte Maus, Nude-Maus). Bez. für eine genet. bedingte Mausmutante, die haarlos ist u. keinen *Thymus besitzt. Die Defekte werden durch die Homozygotie im nu-Gen (nu/nu) ausgelöst. Die N. hat keine Thymusepithelzellen u. keine Thymushormone, so daß trotz des Vorhandenseins von lymphoiden Stammzellen keine T-*Lymphocyten reifen können. Den Mäusen fehlen damit alle T-Zell-vermittelten Immunreaktionen. Daher können die unterschiedlichsten Zellen, u.a. Tumorzellen des Menschen, für weitere Untersuchungen auf diese Mäuse transplantiert werden, ohne daß Transplantatabstoßungen auftreten. – ***E*** nude mouse – ***F*** souris nude – ***I*** topo nudo – ***S*** ratón desnudo

Lit.: Anticancer Res. **16**, 627 (1996) ▪ Cancer Res. **54**, 5092 (1994) ▪ Curr. Biol. **5**, 18 (1995) ▪ Fogh, The Nude Mouse in Experimental and Clinical Research, New York: Academic Press 1978 ▪ J. Cell. Biochem. **56**, 9 (1994).

NaCMC. Kurzz. für Natrium-*Carboxymethylcellulose, dem Natrium-Salz des Glykolsäureethers der *Cellulose.

Nacol®. Einzelfraktionen linearer, geradzahliger, primärer C4–C22-Fettalkohole. ***B.:*** Condea.

Nacolox®. Ethoxylate auf der Basis nativer u. synthet. Fettalkohole als Emulgatoren in kosmet., pharmazeut. u. industriellen Anwendungen. ***B.:*** Condea.

Nacom® (Rp). Tabl. mit *Carbidopa u. Levodopa (s. Dopa) gegen Parkinsonismus. ***B.:*** Du Pont.

NAD. Abk. für *Nicotinamid-Adenin-Dinucleotid, *Noradrenalin u. engl.: non-aqueous dispersion = nichtwäss. *Polymerdispersion.

NAD⁺-ADP-Ribosyltransferase s. Nicotinamid-Adenin-Dinucleotid.

Nadeleisenerz s. Goethit.

Nadelerz s. Aikinit.

Nadelfilz s. Filz.

NAD⁺-Glykohydrolase, NADH s. Nicotinamid-Adenin-Dinucleotid.

NADH-Dehydrogenase s. Atmungskette.

Nadid. Internat. Freiname für *Nicotinamid-Adenin-Dinucleotid.

Nadifloxacin (Rp).

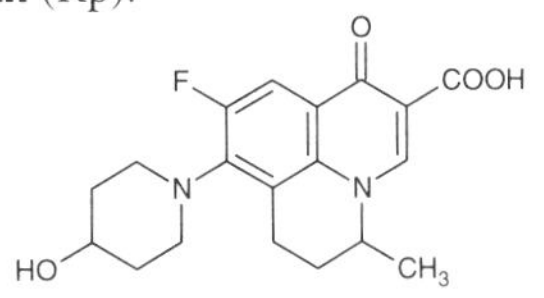

Internat. Freiname für den *Gyrase-Hemmer (±)-9-Fluor-6,7-dihydro-8-(4-hydroxypiperidino)-5-methyl-1-oxo-1*H*,5*H*-benzo[*ij*]chinolizin-2-carbonsäure, $C_{19}H_{21}FN_2O_4$, M_R 360,38, Schmp. 245–247 °C (Zers.); LD_{50} (Maus i.v.) 400 mg/kg. N. wurde 1982 u. 1983 von Otsuka zur topischen Behandlung der Akne vulgaris patentiert. – ***E*** nadifloxacin – ***F*** nadifloxacine – ***I*** nadifloxacina – ***S*** nadifloxacín

Lit.: Arzneimittelforsch. **44**, 1265–1268 (1994) ▪ Martindale (31.), S. 251 f. – *[CAS 124858-35-1]*

NADIR®. Permanent hydrophile Polymermembranen für die Ultra- u. Nanofiltration basierend auf *Polysulfon, *Polyethersulfon, Polyaramid u. sehr hydrophiler, hoch Lsm.-beständiger *Cellulose. Der Einsatz erfolgt in folgenden Industriezweigen: Umweltschutz, Oberflächenwasseraufbereitung, Metallverarbeitung, Elektrotauchlack, Wasserlack, Lebensmittel, Chemie, Pharma/Biotechnologie, Textil- u. Papier-Industrie. ***B.:*** Hoechst.

NAD⁺-Kinase s. Nicotinamid-Adenin-Dinucleotid.

NAD⁺-Nucleosidase s. Nicotinamid-Adenin-Dinucleotid.

Nadolol (Rp).

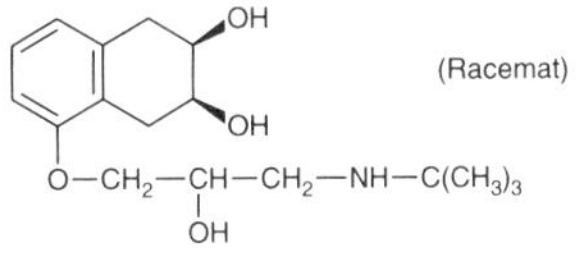

Internat. Freiname für den adrenergen *β*-Rezeptorenblocker (±)-*cis*-5-(3-*tert*-Butylamino-2-hydroxypropoxy)-1,2,3,4-tetrahydronaphthalin-2,3-diol, $C_{17}H_{27}NO_4$, M_R 309,40, Schmp. 124–136 °C; λ_{max} (CH_3OH) 270, 278 nm ($A^{1\%}_{1cm}$ 37,5, 39,1); LD_{50} (Maus oral) 4,5 g/kg; Lagerung: dicht verschlossen. N. wurde 1973, 1974 u. 1976 von Squibb (Solgol®) patentiert. – ***E*** = ***F*** = ***S*** nadolol – ***I*** nadololo

Lit.: ASP ▪ Florey **9**, 455–485; **10**, 732 ▪ Gross, International Experience with Nadolol, New York: Academic Press 1981 ▪ Hager (5.) **8**, 1059 ff. ▪ Martindale (31), S. 913. – *[HS 2922 50; CAS 42200-33-9]*

NADP, NADP⁺, NAD(P)⁺-Glykohydrolase, NADPH s. Nicotinamid-Adenin-Dinucleotid.

NADPH-Dehydrogenase, NADPH-Diaphorase s. Nicotinamid-Adenin-Dinucleotid.

NADPH-Oxidase s. Makrophagen.

NAD(P)⁺-Nucleosidase, NAD(P)⁺-Transhydrogenase, NAD⁺-Pyrophosphatase s. Nicotinamid-Adenin-Dinucleotid.

Nadroparin (Rp). Internat. Freiname für eine niedermol. *Heparin-Fraktion, die aus Schweinedarmmukosa gewonnen wird; M_R durchschnittlich 4500. N. wurde 1980, 1984 u. 1987 von Choay patentiert, wird zur *Thrombose-Prophylaxe verwendet u. ist in Form des Calcium-Salzes als Injektionslsg. von Sanofi-Winthrop (Fraxiparin®) im Handel. – ***E*** nadroparin – ***F*** nadroparine – ***I*** nadroparina – ***S*** nadroparín

Lit.: Merck-Index (12.), Nr. 6434 ▪ *Rote Liste. – *[CAS 37270-89-6 (N.-Calcium)]*

Nägel s. Fingernägel.

Nährboden s. Nährmedium.

Nährcremes s. Hautpflegemittel.

Nährlösungen. Wäss. Mineralsalz-Lsg. verschiedener Zusammensetzung, in denen zu Versuchs- od. Kulturzwecken grüne Pflanzen ohne ihr natürliches Erdsubstrat gehalten werden. Diese Technik, die als Hydrokultur (s. dort die Knopsche N. als Beisp. für die Zusammensetzung einer N.) bezeichnet wird, ist möglich, weil die höheren Pflanzen photolithotroph sind (s. Lithotrophie); die übrigen Nährstoffe werden ihnen weitgehend ähnlich wie im Boden selbst in den Salzen der N. geboten. An Kationen werden meist nur K^+, Ca^{2+}, Mg^{2+} u. Fe^{2+} benötigt, an Anionen NO_3^-, SO_4^{2-} u. PO_4^{3-}, außerdem verschiedene Spurenelemente, bes. B, Mn, Cu, Zn u. Mo; die Gesamtkonz. an *Mineralstoffen liegt etwa zwischen 0,16–0,25%.
Als N. bezeichnet man auch flüssige Nährmedien der *Gewebezüchtung od. zur Aufzucht von Mikroorganismen (s. Nährmedien) sowie nährstoffhaltige, zur *Infusion geeignete *isotonische Lösungen. – ***E*** nutritive solutions – ***F*** solutions nutritives – ***I*** soluzioni nutritive – ***S*** soluciones nutritivas

Nährmedium (Kulturmedium). Bez. in der *Mikrobiologie u. Zellzucht für Lsg. od. Suspensionen aller notwendigen Nährstoffe, die für den Stoffwechsel (Wachstum, Vermehrung, Substanzbildung u. Erhaltungsstoffwechsel) von Bakterien, Hefen, Pilzen u. tier. u. pflanzlichen Zellkulturen benötigt werden. Das flüssige N. kann nach der Herst. durch Zusatz von *Agar od. *Gelatine verfestigt werden (Nährboden). Trockennährmedien sind pulverförmig u. enthalten außer Wasser alle Nährlösungsbestandteile. Sie werden fabrikmäßig in mehr od. weniger standardisierter Form hergestellt. Man unterscheidet definierte N. aus chem. bekannten Substanzen, angesetzt mit dest. Wasser, u. komplexe N., die neben den Hauptkomponenten auch wenig definierte Substrate wie Hefeextrakt, Sojamehl, Maisquellwasser, Fleischextrakt od. Peptone enthalten. Für Labor-Reihenuntersuchungen, z.B. zur Ermittlung von Stoffwechselwegen, werden definierte N. eingesetzt, zur Herst. biotechnolog. Produkte werden komplexe N. verwendet, da der Substratbedarf meist nicht genau bekannt ist u. diese Substanzen billiger sind. Selektivmedien fördern (Blutagar für pathogene Keime, Endo-Agar für **Escherichia coli*) od. reprimieren (Mangelmedien) das Wachstum spezieller Mikroorganismen.
N.-Bestandteile lassen sich in vier große Gruppen einteilen: 1. Hauptbestandteile wie Kohlenhydrate als C-Quellen (Glucose, Dextrine, Stärke, Malzextrakt) u. Stickstoff-Verb. (Proteine, Peptone, Sojamehl, Hefeextrakt, Ammoniumsulfat). – 2. Makroelemente wie Phosphate, Kalium, Magnesium. – 3. Spurenelemente wie Mangan, Molybdän, Zink, Kupfer, Cobalt. – 4. Vitamine wie Thiamin, Riboflavin, Niacinamid u. Wachstumsfaktoren wie spezielle Aminosäuren u. ungesätt. Fettsäuren. Als Beisp. eines definierten N. gilt für Pilze das *Czapek-Dox-Nährmedium. Ein komplexes Produktionsmedium für *Actinomyceten enthält z.B. Dextrin 10%, Sojamehl 7,5%, Hefeextrakt 2,0%. – ***E*** nutrient broth, culture medium – ***F*** milieu de culture – ***I*** terreno di coltura, soluzione di coltura – ***S*** medio de cultivo

Lit.: Biotechnol. Bioeng. **24**, 1519 (1982) ▪ Dale u. Linden, in Tsao (Hrsg.), Annual Reports on Fermentation Processes, Bd. 7, S. 107–134, Orlando: Academic Press 1984 ▪ Minoda, in Aida et al. (Hrsg.), Progress in Industrial Microbiology, Bd. 24, Tokio: Kodansha 1986.

Nährstoffe für Mikroorganismen. Bez. für alle Elemente u. Verb., die ein Mikroorganismus für die Aufrechterhaltung des Lebens bzw. für seine Vermehrung benötigt. Den mengenmäßig größten Anteil an der Ernährung hat Kohlenstoff, den die heterotrophen Mikroorganismen (s. Chemotrophie) aus energiereichen, organ. Kohlenstoff-Verb. beziehen (v.a. *Kohlenhydrate, *Lipide, *Proteine od. *Kohlenwasserstoffe). Aber auch einfache Verb. wie *Fettsäuren, *Aminosäuren, *Alkohole, *Essigsäure, selbst *Methan, *Methanol u. Kohlenmonoxid können als energiereiche Kohlenstoff-Quellen verwendet werden.
*Autotrophe Organismen kommen mit CO_2 als einziger Kohlenstoff-Quelle aus, allerdings nur in Verb. mit einer externen Energiequelle. Weiterhin müssen Stickstoff-, Phosphat- u. Schwefel-Quellen vorhanden sein sowie eine Reihe von *Mineralstoffen (z.B. Fe^{2+}, Ca^{2+}, K^+, Mg^{2+}, Mn^{2+}, Zn^{2+}). *Spurenelemente (Ni^{2+}, Co^{2+}, Sn^{2+}, Cu^{2+}, Al^{3+}, I^-, Br^-, BO_3^{3-}, MoO_4^{2-} usw.) werden ebenfalls benötigt; sie sind aber meistens im verwendeten Wasser in ausreichender Menge enthalten.
Gewisse Organismen od. *Defektmutanten (*auxotrophe Organismen) haben auch noch spezielle Bedürfnisse für *Wuchsstoffe od. *Vitamine. – ***E*** microbial nutrients – ***F*** nutriments microbiels – ***I*** sostanze nutritive microbiche, nutrienti microbici – ***S*** nutrientes microbianos

Lit.: Schlegel (7.), S. 191 ff.

Nährwert. Unter dem N. versteht man allg. den *physiologischen Brennwert eines Lebensmittels, d.h. den vom Organismus im *Stoffwechsel verwertbaren Energiegehalt. Der Gesetzgeber geht in der VO über N.-Angaben bei Lebensmitteln [1] noch über diese Definition hinaus, indem nach *brennwertbezogenen* u. *nährstoffbezogenen* Angaben unterschieden wird. Nährstoffbezogene Angaben beziehen sich auf den Gehalt an Nährstoffen (z.B. Eiweiß, Fett od. Alkohol), wobei allerdings die ernährungsphysiolog. Wertigkeit z.B. des Eiweißes unberücksichtigt bleibt. Die Einheit des N. ist Kilojoule (s. Joule). Mit der Einführung der *SI-Einheiten (1.1.1978) sollte die früher übliche Einheit Kilokalorie verschwinden, nach der Nährwert-Kennzeichnungs-VO [1] ist sie jedoch noch zulässig, so daß der durchschnittliche physiolog. Brennwert in der Einheit „... Kilojoule (... Kilokalorie)" od. „... kJ (kcal)" angegeben werden muß. Dies trifft nach § 19 der Diät-VO [2] für diätet. Lebensmittel zu. Der Berechnung des

Tab.: Energiegehalte zur Berechnung des physiolog. Brennwerts.

Substanz	Energiegehalt
1 g verwertbares Fett	38 kJ bzw. 9 kcal
1 g verwertbares Eiweiß	17 kJ bzw. 4 kcal
1 g verwertbare Kohlenhydrate, Sorbit u. Xylit sowie Glycerin	17 kJ bzw. 4 kcal
1 g Ethylalkohol	30 kJ bzw. 7 kcal
1 g organ. Säure	13 kJ bzw. 3 kcal
1 g Isomalt	10 kJ bzw. 2,4 kcal

physiolog. Brennwerts sind die in der Tab. aufgeführten Energiegehalte zugrunde gelegt (*Lit.*[1], § 2 Absatz 2).
Darüber hinaus ist der Gehalt an verwertbaren Kohlenhydraten, Fetten u. Eiweißstoffen anzugeben. *Brennwert-* od. *nährstoffverminderte* Lebensmittel dürfen nur in Verkehr gebracht werden, wenn neben den obigen Angaben auch die Art u. der Umfang der *Nährwertverminderung* kenntlich gemacht sind. Der Brennwert von Lebensmitteln, in deren Bez. auf einen geringeren Brennwert hingewiesen wird, darf höchstens 210 kJ/100 g betragen. Für Getränke, Suppen u. Brühen gilt ein Höchstwert von 84 kJ/100 mL. Angaben, die auf eine *Brennwertverminderung* hindeuten, dürfen nur dann gemacht werden, wenn die in Anlage 1 der Nährwert-Kennzeichnungs-VO (s. *Lit.*[1]) angegebenen Höchstwerte für spezielle Lebensmittel nicht überschritten werden od. der durchschnittliche Brennwert vergleichbarer herkömmlicher Lebensmittel mind. 40% unterschritten wird. Gleiches gilt für Angaben, die sich auf einen *verminderten Nährstoffgehalt* beziehen (Ausnahme: Kohlenhydrat-verminderte Brot- u. Backwaren; s. *Lit.*[1], § 7 Absatz 2 Nr. 3 a). Angaben zum N. einzelner Lebensmittel sind *Lit.*[3,4] zu entnehmen. Bei Wein (unterliegt nicht der Lebensmittelgesetzgebung), der als „für Diabetiker geeignet" gekennzeichnet ist, müssen nach der Wein-VO[5] der Brennwert des Alkohols u. der physiolog. Gesamtbrennwert angegeben sein. Die Angabe des N. erscheint in Anbetracht der immer stärkeren Gewichtung ernährungsbedingter Risikofaktoren (Übergew., unangemessene Nährstoffzusammensetzung, Mangel an essentiellen Nährstoffen) sinnvoll. Seitens der EG wurde mit dem Ziel der Vereinheitlichung der N.-Angaben eine N.-Kennzeichnungs-Richtlinie für Lebensmittel erlassen[6]. – ***E*** nutritive value – ***F*** valeur nutritive, valeur nutritionnelle – ***I*** valore nutritivo – ***S*** valor nutritivo

Lit.: [1] Nährwert-Kennzeichnungs-VO vom 9. 12. 1977 in der gültigen Fassung. [2] VO über diätetische Lebensmittel vom 25. 8. 1988 in der gültigen Fassung. [3] Dtsch. Forschungsanstalt für Lebensmittelchemie (Hrsg.), Der kleine „Souci-Fachmann-Kraut": Lebensmitteltabellen für die Praxis (2. Aufl.), Stuttgart: Wissenschaftliche Verlagsges. 1991. [4] Souci, Fachmann u. Kraut, Die Zusammensetzung der Lebensmittel: Nährwerttabellen (5.), Stuttgart: Wissenschaftliche Verlagsges. 1994. [5] VO über Wein, Likörwein u. weinhaltige Getränke vom 4. 8. 1983 in der jeweils gültigen Fassung, § 17 Absatz 3. [6] Richtlinie des Rates der EG (90/496/EWG) über die Nährwertkennzeichnung von Lebensmitteln (Amtsblatt der EG **33**, Nr. L 276, S. 40).
allg.: Dtsch. Ges. für Ernährung (Hrsg.), Empfehlungen für die Nährstoffzufuhr (4.), Frankfurt: Umschau 1985 ▪ Fachgruppe Lebensmittelchemie u. gerichtliche Chemie in der GdCh (Hrsg.), Der Nährwert der Lebensmittel, Verbesserung, Beurteilung, Kennzeichnung, Hamburg: Behrs 1986 ▪ Fachgruppe Lebensmittelchemie u. gerichtliche Chemie in der GdCh (Hrsg.), Aktuelle Fragen der Ernährung, Bd. 15, S. 11–33, Hamburg: Behrs 1989 ▪ Gorny u. Muskat: Kommentar Nährwertkennzeichnung, Hamburg: Behrs 1991 ▪ Zipfel, C 22.

Naematolin.

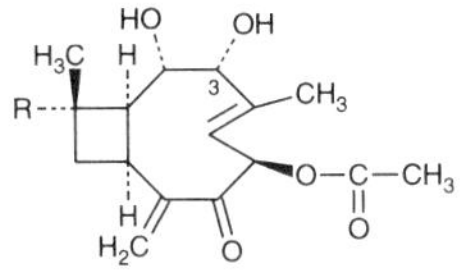

R = CH_3 : Naematolin
R = CH_2OH : Naematolin B

$C_{17}H_{24}O_5$, M_R 308,37, Krist., Schmp. 144–145 °C, $[\alpha]_D$ –370° ($CHCl_3$). Cytotox. Sesquiterpen vom Caryophyllan-Typ (*cis*-verknüpft) aus Kulturen von Schwefelköpfen (*Hypholoma* = *Naematoloma*, Höhere Pilze). Natürliche Begleiter von N. sind das 3-Keton: *Naematolon*, $C_{17}H_{22}O_5$, M_R 306,36, Öl; $[\alpha]_D^{22}$ +116° ($CHCl_3$) u. die (11*S*)-11-Hydroxymethyl-Verb.: *Naematolin B*, $C_{17}H_{24}O_6$, M_R 324,37, Krist., Schmp. 122–123 °C; $[\alpha]_D^{23}$ –352°. – ***E*** naematolin – ***F*** naématoline – ***I*** naematolina – ***S*** nematolina

Lit.: Chem. Lett. **1986**, 653 ▪ J. Chem. Soc., Chem. Commun. **1990**, 725 ▪ Justus Liebigs Ann. Chem. **1984**, 1332. – *[CAS 11054-16-3 (N.); 102167-68-0 (N.B); 92121-62-5 (Naematolon)]*

Nässezeiger s. Hygrophyten.

Nafarelin (Rp).

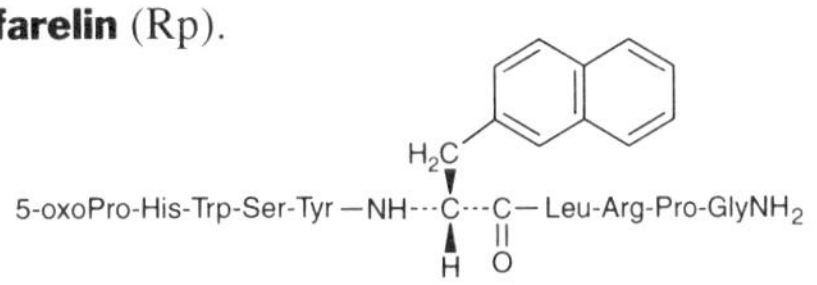

Internat. Freiname für das Gonadoliberin-Analogon 6-[3-(2-Naphthyl)-D-alanin]-gonadoliberin, $C_{66}H_{83}N_{17}O_{13}$, M_R 1322,49. Zur Behandlung der Endometriose wird das Acetatsalz-Hydrat eingesetzt, Schmp. 188–190 °C (getrocknet). M. wurde 1980 von Syntex patentiert u. ist von Heumann (Synarela®) im Handel. – ***E*** nafarelin – ***F*** nafaréline – ***I*** nafarelina – ***S*** nafarelín

Lit.: Eur. J. Endocrinol. **130**, 339–345 (1994) ▪ Martindale (31.), S. 1287 ▪ Pharm. Ztg. **139**, 584 ff. – *[CAS 76932-56-4]*

Nafcillin (Rp). Internat. Freiname für (2-Ethoxy-1-naphthyl)penicillin, $C_{21}H_{22}N_2O_5S$, M_R 414,51.

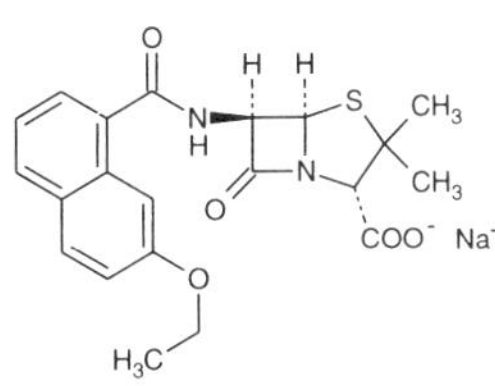

N. ist ein semisynthet. *Penicillin-Derivat; es wurde 1961 von Beecham patentiert. Sein Natrium-Salz wird als Antibiotikum verwendet. – ***E*** nafcillin – ***F*** nafcilline – ***I*** nafcillina – ***S*** nafcillín

Lit.: Beilstein E V **27/21**, 342 ▪ Biochem. J. **281**, 191–196 (1992) ▪ Merck-Index (12.), Nr. 6438. – *[CAS 147-52-4 (N.); 985-16-0 (Na-Salz)]*

Nafion®. Perfluorierte Ionenaustauscher-Membrane für Membranelektrolysen. ***B.:*** Aldrich; Du Pont.

Nafol®. Mischungen linearer, geradzahliger, prim. C_6-Fettalkohole. Sie bilden bis zu C_{12} farblose Flüssigkeiten, ab C_{14} weiße, wachsartige Festkörper. Verw. zur Herst. biolog. vollständig abbaubarer Tenside, Textil-, Leder-, Papierhilfsmittel, Weichmacher, Kosmetika, Pharmaka, Entschäumer, Öladditive u. Verdunstungshemmer. Rohstoff für die organ. Synthese. ***B.:*** Condea.

Naftidrofuryl (Rp).

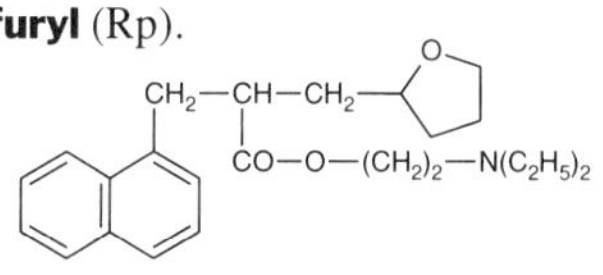

Internat. Freiname für den *Vasodilatator (±)-2-(1-Naphthylmethyl)-3-(tetrahydro-2-furyl)propionsäure-2-(diethylamino)ethylester, $C_{24}H_{33}NO_3$, M_R 383,53, Sdp. 190 °C (66,5 Pa); d_4^{31} 1,0465; n_D^{20} 1,5513; LD_{50} (Maus oral) 365 mg/kg. Verwendet wird meist das N.-oxalat, $C_{26}H_{35}NO_7$, M_R 473,56, Schmp. 110–111 °C. N. wurde 1964 u. 1967 von Lipha (Dusodril®) patentiert u. ist als Generikum im Handel. – ***E*** = ***F*** naftidrofuryl – ***I*** naftidrofurile – ***S*** naftidrofurilo

Lit.: Beilstein E V **18/6**, 581 ▪ Hager (5.) **8**, 1065–1068 ▪ Martindale (31), S. 913 f. – *[HS 2932 99; CAS 31329-57-4 (N.); 3200-06-4 (Oxalat)]*

Naftifin (Rp).

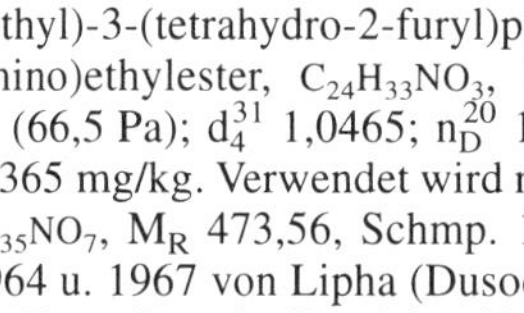

Internat. Freiname für das *Antimykotikum (*E*)-*N*-Cinnamyl-*N*-methyl-1-naphthalinmethanamin, $C_{21}H_{21}N$, M_R 287,40, Sdp. 162–167 °C (1,5 kPa). Verwendet wird meist das Hydrochlorid, Schmp. 177 °C. N. wurde 1977 u. 1981 von Sandoz patentiert u. ist von Renschler (Exoderil®) im Handel. – ***E*** = ***F*** naftifine – ***I*** = ***S*** naftifina

Lit.: ASP ▪ Hager (5.) **8**, 1068 f. ▪ Martindale (31.), S. 413. – *[HS 2921 49; CAS 65472-88-0 (N.); 65473-14-5 (Hydrochlorid)]*

Naftilong® (Rp). Retardkapseln mit *Naftidrofuryl-Hydrogenoxalat zur Behandlung peripherer arterieller Durchblutungsstörungen. ***B.:*** Hexal.

Naftocit®. Vulkanisationsbeschleuniger wie Dithiocarbamate, Ethylenthioharnstoffe, Mercaptobenzothiazole, Guanidine u. Thiurame. ***B.:*** CHEMETALL.

Naftolan®. Flüssigpolymere auf Acrylat-/Acrylbasis zur Herst. hochwertiger Verbundgläser. ***B.:*** CHEMETALL.

Naftolen®. Weichmacher als Prozeßmittel auf Mineralölbasis zur Kautschukherst. u. -verarbeitung. ***B.:*** CHEMETALL.

Naftolube®. Gleitmittel auf der Basis von Fettalkoholen, Paraffinwachsen, paraffin. Estern u. a. ***B.:*** Chemson.

Naftomix®. Bleifreie, staubfreie u. rieselfähige Stabilisatoren-Gleitmittel-Compounds in verschiedenen Lieferformen für Rohre, Spritzgußartikel, Profile, Kabelisolationen u. -kanäle, Schuhcompounds, Folien u. Fußböden. ***B.:*** Chemson.

Naftosafe®. Stabilisatoren-Gleitmittel-Compounds in verschiedenen Lieferformen. Findet Verw. in Rohren, Spritzgußartikeln, Profilen, Kabelisolationen u. -kanälen, Schuhcompounds, Folien u. Fußböden. ***B.:*** Chemson.

Naftotec®. *Epoxidharz-Klebstoff für hochfeste Klebeverb. von Metallen u. anderen Werkstoffen, haftet auch auf geölten Metalloberflächen u. ist durchschweißbar. ***B.:*** CHEMETALL.

Naftotherm®. Thermoplast. Primärdichtstoff auf der Basis von Polyisobutylen zur Herst. von Isolierglas; niedrige Gasdiffusionswerte. ***B.:*** CHEMETALL.

Naftotherm® M 82. Zweikomponentiger Isolierglas-Dichtstoff auf der Basis von *Polysulfid zur Herst. von Isolierglas. Gute Hafteigenschaften an Glas u. Metall, niedrige Wasserdampf- u. Gasdiffusionswerte. ***B.:*** CHEMETALL.

Naftovin®. Wärme- u. Lichtstabilisatoren auf der Basis von Blei-, Barium/Cadmium-, Calcium/Zink- u. organ. Verb. für PVC. ***B.:*** Chemson.

Naftozin®. Stearinsäuren in Verfahrensmitteln für die Produktion von Thermoplasten u. in der Produktion von Gummicompounds u. Gleitmitteln. ***B.:*** CHEMETALL.

Nagase. Kurzbez. für die 1832 gegr. japan. Nagase Corp., 5-1, Nihonbashi Kobunacho Chuo-ku, Tokyo 103. *Produktion:* Farbstoffe, Pharmazeutika, Farben u. Lacke, Photochemikalien, Thermopapier, Klebstoffe, Agrochemikalien; Zusatzstoffe für Farben, Plastik, Lebensmittel; Klebstoffe, Biocide, Elektrochemikalien; medizin. Produkte aus Kunststoff, Silicone, chem. Grundstoffe. *Vertretung* in der BRD: Nagase (Europa) GmbH, 40212 Düsseldorf.

Nagelfluh s. Konglomerate.

Nagellack. Zu den *Nagelpflegemitteln zählende *Kosmetika, gehören neben *Lippenstiften zu dem am meisten verwendeten dekorativen Kosmetika. N. bestehen aus *Cellulosenitrat als Filmbildner (meist im Gemisch mit synthet. Harzen auf der Basis von *Polyacrylaten, *Polymethacrylaten od. *Toluolsulfonamid-*Formaldehyd-Harzen zur Verbesserung der Filmhaftung auf dem Nagel sowie zur Glanz-Erhöhung), Weichmachern wie Dibutylphthalat (s. Phthalsäureester), *Campher od. Acetyltributylcitrat, gelöst in Lsm.-Gemischen aus z. B. *Essigsäurebutylester, *Essigsäureethylester, *Toluol, 2-*Propanol u. 1-*Butanol. Zur Farbgebung dienen anorgan. u. organ. Pigmente u. Farbstoffe, soweit sie zum Einsatz in kosmet. Mitteln gesetzlich zugelassen sind (s. Kosmetika). Zur Erzielung von Perlglanz-Effekten können Substanzen wie *Fischsilber, *Glimmer od. Bismutoxidchlorid (s. Bismutchloride) zugesetzt werden. Man unterscheidet Unterlacke, Transparentlacke, Cremelacke u. Perllacke.

Als *Nagellack-Entferner* dienen Lsm.-Gemische in ähnlicher Zusammensetzung wie in den N., ggf. in Kombination mit *Aceton sowie mit pflegenden Zusätzen zur Rückfettung der Nägel, vorbeugend gegen ein Brüchigwerden. – ***E*** nail lacquer, nail polish – ***F*** vernis à ongles – ***I*** smalto per unghie – ***S*** laca para uñas

Lit.: Janistyn **3**, 922–938 ▪ Kirk-Othmer (4.) **7**, 606 f. ▪ Ullmann (4.) **12**, 566; (5.) **A 24**, 230 ▪ Umbach (Hrsg.), Kosmetik, 2. Aufl., S. 331–336, Stuttgart: Thieme 1995 ▪ Vollmer u. Franz, Chemie in Bad u. Küche, S. 80–83, Stuttgart: Thieme 1991. – *[HS 3304 99]*

Nagellackentferner s. Nagellack.

Nagelpflegemittel. Sammelbez. für *Kosmetika, die der Pflege u. Verschönerung von *Fingernägeln u. Fußnägeln dienen. Neben den viel verwendeten *Nagellacken werden auch feste u. flüssige *Nagelpolituren* (heute nur noch selten), *Nagelhauterweicher* bzw. *-entferner*, Mittel zum Bleichen der Nägel, solche gegen brüchige (*Nagelöle, -cremes*) u. gegen zu weiche Nägel (meist Formaldehyd-haltige *Nagelhärter*) benutzt. – ***E*** nail cosmetics – ***F*** cosmétiques pour les ongles – ***I*** cosmetici per unghie – ***S*** cosméticos para las uñas

Lit.: Janistyn **3**, 921–942 ▪ Umbach (Hrsg.), Kosmetik, 2. Aufl., S. 330–336, Stuttgart: Thieme 1995 ▪ Vollmer u. Franz, Chemie in Bad u. Küche, S. 79–83, Stuttgart: Thieme 1991. – *[HS 3304 99]*

NAGUS. Abk. für den *DIN-Normenausschuß „Grundlagen des Umweltschutzes", der aus 4 Arbeitsausschüssen besteht: Umweltterminologie, Umweltmanagement/Umweltaudit, *Ökobilanzen u. umweltbezogene Kennzeichnung. Der N. arbeitet auf internationaler Ebene mit dem *ISO-Technical Committee 207 Environmental Management.

Lit.: UBA (Hrsg.), Jahresbericht 1994, S. 73 ff., Berlin: Selbstverl. 1995.

Nagyagit (Blättertellur, Blättererz). $AuPb_5(Te,Sb)_4S_{5-8}$ od. $AuTe_2 \cdot 6Pb(S,Te)$; nach *Lit.*[1] $Pb_{13}Au_2Sb_3Te_6S_{16}$. Grauweißes bis dunkelbleigraues, stark metallglänzendes, nach *Lit.*[1] orthorhomb.-pseudotetragonales Erzmineral; bildet dünntafelige, oft verbogene Krist., blättrige Krist.-Aggregate u. körnige od. derbe Massen. H. 1–1,5, D. 7,49; Strichfarbe grauschwarz od. bräunlich. N. enthält bis 10% Au u. 18–30% Te; in *Lit.*[2] wird N. mit bis 5,5 Gew.-% As beschrieben.

Vork.: In Nagyág (heute Săcărâmb; Name!) in Siebenbürgen/Rumänien, in Cripple Creek u. Gold Hill in Colorado/USA u. im Tavua-Goldfeld/Fidschi-Inseln. – ***E*** = ***F*** = ***I*** nagyagite – ***S*** nagyagita

Lit.: [1] Mineral. Mag. **58**, 479–482 (1994). [2] Mineral. Mag. **58**, 473–478 (1994).
allg.: Anthony et al., Handbook of Mineralogy, Vol. I, S. 344, Tucson (Arizona): Mineral Data Publishing 1990 ▪ Lapis **9**, Nr. 9, 8–11 (1984) („Steckbrief") ▪ Ramdohr, Die Erzmineralien u. ihre Verwachsungen, S. 467 ff., Berlin: Akademie-Verl. 1975 ▪ Ramdohr-Strunz, S. 454. – *[CAS 12174-01-5]*

Nahfeldmikroskopie. Meth. der opt. *Mikroskopie, bei der eine punktförmige, nur wenige Nanometer große Lichtquelle sehr dicht (Abstand ≤20 nm) über die Oberfläche des Meßobjektes gerastert wird. Aufgezeichnet wird im allg. die transmittierte od. gestreute Lichtintensität in Abhängigkeit vom Ort. Da zur Bilderzeugung keine konventionelle Optik eingesetzt wird, ist die Auflösung nicht wie bei der klass. opt. Mikroskopie auf etwa die Hälfte der Wellenlänge des verwendeten Lichtes begrenzt (Beugungsbegrenzung). Experimentell wurde bereits eine Auflösung von nur 1 nm (10^{-9} m) erreicht[1]. Opt. N. kann z. B. eingesetzt werden, um die Diffusion einzelner Farbstoff-Mol. in einem polymeren Dünnfilm zu beobachten[2]. – ***E*** near-field microscopy, scanning near-field optical microscopy (SNOM) – ***F*** microscopie de champ rapproché – ***I*** microscopia ottica a campo vicino – ***S*** microscopía óptica de campo cercano

Lit.: [1] Science **269**, 1083 (1995); Phys. Unserer Zeit **27**, 34 (1996). [2] Spektrum Wiss. **1997**, Nr. 11, 27.
allg.: Phys. Bl. **49**, 486 (1993); **51**, 493, 837 (1995) ▪ Phys. Unserer Zeit **24**, 176 (1993).

Nahrungskette. Eine durch Nahrungsbeziehungen geprägte u. voneinander abhängige Organismen-Reihe sowie Modell für Teile des Stoff- u. Energie-Flusses eines *Ökosystems. Grundsätzlich besteht eine N. aus 2 Komponenten: Die autotrophe (*Autotrophie) Komponente nutzt Lichtenergie od. Energie aus der Oxid. anorgan. Substrate zur Synth. organ. Verb., wobei Biomasse gebildet wird – dieser Vorgang wird als (Primär-)Produktion bezeichnet. Die heterotrophe Komponente verwendet (konsumiert) organ. Substanz, formt dabei Biomasse um u. setzt anorgan. Stoffe – ihrerseits Ausgangsstoffe für die Produktion – frei. Folglich enthält eine (Fraß-)N. Produzenten wie grüne Pflanzen, phototrophe Bakterien (*Phototrophie) od. chemolithotrophe Bakterien (*Chemolithotrophie) sowie Konsumenten, bei denen Pflanzenfresser (Herbivoren) als Primärkonsumenten u. Fleischfresser (*carnivore Pflanzen) als Sekundär- u. Folgekonsumenten unterschieden werden. Der von Primärproduzenten u. Konsumenten gebildete (Bestands-)Abfall wie Laub, *Exsudate, Kadaver u. Kot dient den als saprovor (*saprotroph), bakteriophag, nekrotroph (s. Nekrotrophie) u. coecotroph (s. Koprophagen) bezeichneten N. als Grundlage, diese N. beginnt mit den Zersetzern (*Destruenten), z. B. heterotrophen *Bakterien u. *Pilzen. Da diese Organismen nicht nur mineralisieren, d. h. organ. Substanz zu anorgan. abbauen, sondern auch Biomasse bilden (Sekundärproduktion), werden sie als Sekundärproduzenten bezeichnet; ihre Bedeutung liegt in der Nutzbarmachung des sehr umfangreichen Bestandabfalls – manchmal mehr als 90% der Primärproduktion.

Die Organismen einer troph. Funktion, z. B. alle Primärproduzenten in einem Ökosyst., bilden eine sog. troph. Ebene, von denen eine N. typischerweise 5 umfaßt. Da die Konsumenten stets einen wesentlichen Teil der aufgenommenen Biomasse der sie ernährenden troph. Ebene im Energiestoffwechsel veratmen, nimmt die Biomasse in der N. von Ebene zu Ebene ab, typischerweise auf ein Zehntel. Die Verteilung der troph. Ebenen eines Ökosyst. läßt sich auch graph. in Form von Nahrungspyramiden darstellen. In artenreichen Lebensgemeinschaften sind N. zu Nahrungsnetzen verknüpft, von denen schon mehr als 100 identifiziert wurden. Innerhalb einer N. kann es zur *Akkumulation persistenter Stoffe (s. Biokonzentration u. Persistenz) kommen. – ***E*** food chain – ***F*** chaîne alimentaire – ***I*** catena alimentare – ***S*** cadena alimenticia, cadena nutritiva

Lit.: Römpp Lexikon Umwelt, S. 485 f.

Nahrungsmittel. Produkte pflanzlichen od. tier. Ursprungs, die aufgrund ihres Gehaltes an Nährstoffen der Ernährung dienen. Für den Gesetzgeber sind die

Begriffe N. u. *Lebensmittel synonym, so daß die früher übliche Unterteilung in N. u. Genußmittel hinfällig ist; zur rechtlichen Beurteilung von N. s. Lebensmittel.
Die N. setzen sich aus *Kohlenhydraten, Fetten, Eiweißen u. *Ballaststoffen, die mengenmäßig den größten Anteil ausmachen, sowie *Vitaminen, *Mineralstoffen u. *Spurenelementen zusammen. Darüber hinaus werden den N. Stoffe zugesetzt, die dazu bestimmt sind, ihre Beschaffenheit zu beeinflussen od. bestimmte Eigenschaften od. Wirkungen zu erzielen. Diese Stoffe werden nach § 2 *LMBG als *Zusatzstoffe bezeichnet. Stoffe, die als Kontaminationen anthropogener Herkunft unbeabsichtigt in N. gelangen u. häufig unter toxikolog. Aspekten unerwünscht sind, werden als *Xenobiotika bezeichnet. Auch originäre N.-Bestandteile können toxikolog. Relevanz besitzen.
Zur Energiegewinnung werden Kohlenstoff-haltige Inhaltsstoffe der Nahrung im menschlichen Körper oxidiert, wobei die freiwerdende Energie in kJ (kcal) angegeben wird (s. Nährwert). Die bei abs. Ruhe zur Erhaltung der Körperfunktionen notwendige Energie wird als *Grundumsatz bezeichnet. Der Gehalt an Nährstoffen sowie der *Nährwert der Nahrung kann Tabellenwerken[1] entnommen werden.
Eine ausgewogene Zusammensetzung der Nahrung, die in vernünftigen Verhältnissen neben Kohlenhydraten, Fetten u. Eiweiß auch Mineralstoffe, Vitamine u. Spurenelemente enthält, ist die beste Prophylaxe vor ernährungsbedingten Krankheiten[2], zu denen *Arteriosklerose, *Diabetes mellitus, *Struma u. nicht zuletzt Krebserkrankungen[3–5] zu zählen sind. V.a. falsche Ernährung in Form einer übermäßigen Nahrungsaufnahme u. einer falschen Zusammensetzung der Nahrung (zuviel Fett u. Alkohol, zu wenig Vitamine) ist maßgeblich an einer Krankheitsentstehung beteiligt. Einige natürliche Inhaltsstoffe der N. sind als *Carcinogene beschrieben, andere besitzen anticarcinogene Eigenschaften. Die Ernährungsgewohnheiten der Bundesbürger haben sich in den letzten 40 Jahren drast. verändert. Der Verbrauch an *Fleisch u. Südfrüchten (s. Obst) nahm stetig zu, während der Konsum von *Brot u. *Kartoffeln rückläufig ist. Entsprechende Zahlen-Angaben sind den statist. Jahrbüchern (*Lit.*) zu entnehmen. Allerdings ist in jüngster Zeit ein eher gegenläufiger Trend zu beobachten, der Kostformen ausgewogener Zusammensetzung favorisiert (z. B. Vollwertkost), u. Produkte mit möglichst geringem Verarbeitungsgrad (Rohkost) einbezieht. Auf diesen Trend haben industrielle Lebensmittelhersteller durch Produktion kalorien-, kochsalz- od. alkohol-reduzierter N. reagiert, so daß ein Trend zur bewußteren Ernährung durchaus erkennbar ist, vgl. a. Sporternährung. Die pathogene Wirkung von N. ist in den allermeisten Fällen auf mikrobiolog. Infektionen od. Intoxikationen[6] zurückzuführen u. nur selten durch Xenobiotika, deren Gehalt durch eine Vielzahl von Gesetzen u. VO reglementiert ist, hervorgerufen. – ***E*** food, foodstuffs – ***F*** aliments, produits alimentaires – ***I*** alilmentari, viveri – ***S*** alimentos, productos alimenticios

Lit.: [1] Souci, Fachmann u. Kraut, Die Zusammensetzung der Lebensmittel. Nährwerttabellen 1989/90, (4.), Stuttgart: Wissenschaftliche Verlagsges. 1989. [2] Bundesgesundheitsblatt **33**, 94 ff. (1990). [3] Aktuel. Ernährung **12**, 56–61 (1987). [4] Einblick, Zeitschrift des Dtsch. Krebsforschungszentrums **1988**, H. 1, 20–24. [5] Miller (Hrsg.), Diet and the Aetiology of Cancer, Berlin: Springer 1989. [6] Bundesgesundheitsblatt **33**, 89–93 (1990).
allg.: Bartholomai, Food Factories, Weinheim: VCH Verlagsges. 1987 ▪ Classen, et al., Toxikologisch-hygienische Beurteilung von Lebensmittelinhalts- u. -zusatzstoffen sowie bedenklicher Verunreinigungen, Berlin: Parey 1987 ▪ Davidek et al. (Hrsg.), Chemical changes during food processing, Amsterdam: Elsevier 1990 ▪ Elmadfa u. Leitzmann, Ernährung des Menschen, Stuttgart: Ulmer 1990 ▪ Fellows, Food Processing Technology, Weinheim: VCH Verlagsges. 1988 ▪ Frank, Lexikon der Lebensmittelmikrobiologie, Hamburg: Behrs 1990 ▪ Fülgraff, Lebensmitteltoxikologie, Stuttgart: Ulmer 1989 ▪ Großklaus, Rückstände in von Tieren stammenden Lebensmitteln, Berlin: Parey 1989 ▪ Heiss, Haltbarmachen von Lebensmitteln (3.), Berlin: Springer 1994 ▪ Kasper, Ernährungslehre u. Diätetik (5.), München: Urban u. Schwarzenberg 1985 ▪ Ketz (Hrsg.), Grundriß der Ernährungslehre, Darmstadt: Steinkopff 1990 ▪ Lindner, Toxikologie der Nahrungsmittel (4.), Stuttgart: Thieme 1990 ▪ Machholz (Hrsg.), Lebensmitteltoxikologie, Berlin: Springer 1989 ▪ Pfannhauser, Essentielle Spurenelemente in der Nahrung, Berlin: Springer 1988 ▪ Pichhardt, Lebensmittelmikrobiologie (3.), Berlin: Springer 1993 ▪ Rhodes et al. (Hrsg.), Food Protection Technology II, Boca Raton, Florida: Lewis Publishers 1990 ▪ Stute (Hrsg.), Lebensmittelqualität, Weinheim: VCH Verlagsges. 1989 ▪ Watson, Natural Toxicants in Food, Weinheim: VCH Verlagsges. 1987 ▪ WHO (Hrsg.), Food Additives Series, Toxicological Evaluation of certain Food Additives and Contaminants, Cambridge: University Press, seit 1987 ▪ Wolfram u. Kirchgeßner (Hrsg.), Spurenelemente u. Ernährung, Stuttgart: Wissenschaftliche Verlagsges. 1990 ▪ Zipfel, C 451. – *Organisationen:* Bund für Lebensmittelrecht u. Lebensmittelkunde e. V., Godesberger Allee 157, 53175 Bonn ▪ s. a. Lebensmittel, Lebensmittelchemie.

Nahrungsmittelallergie s. Lebensmittelallergien.

Nahtmaterial. Fäden aus natürlichem od. künstlichem Material zum Anlegen einer chirurg. Naht. Dabei unterscheidet man zwischen resorbierbarem N. aus *Collagen (*Catgut) od. Polyglykolsäure u. unresorbierbarem N. aus *Cellulose (Zwirn), *Fibroin (*Seide), *Polyamid od. *Polyester. Auch Edelstahldraht wird für bestimmte Zwecke als N. gebraucht. – ***E*** suture material – ***F*** matériel de suture – ***I*** materiale di sutura – ***S*** material de sutura

Lit.: Compendium **10**, 260, 360 (1989) ▪ J. Am. Podiatr. Med. Assoc. **80**, 72 (1990).

Nailsyn®. Perlglanzpigment-Dispersionen mit Bismutoxidchlorid od. Titandioxid/Glimmer für die Kosmetik, speziell für Nagellacke. ***B.:*** Merck.

Nakan®. Vinyl-Compounds. ***B.:*** Elf Atochem.

Nakrit s. Kaolinit.

Nalbuphin (Rp).

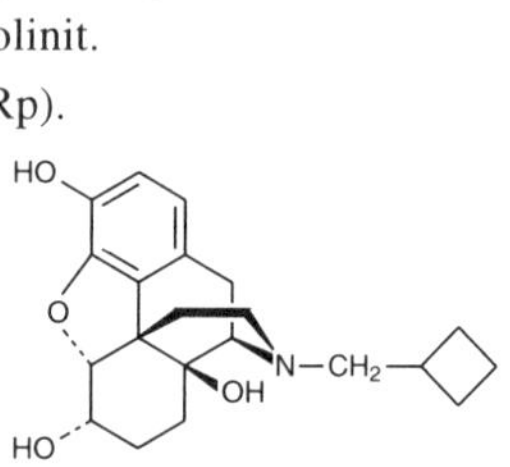

Internat. Freiname für das als gemischter Opioid-Agonist-Antagonist wirksame Analgetikum 17-Cyclobutylmethyl-4,5α-epoxy-3,6α,14-morphinantriol, $C_{21}H_{27}NO_4$, M_R 357,44, Schmp. 230,5 °C; λ_{max} (CH_3OH): 287 nm ($A^{1\%}_{1cm}$ 46,2). Verwendet wird meist das Hydrochlorid. N. wurde 1968 von Endo patentiert u. ist von Du Pont Pharma (Nubain®) im Handel. – ***E*** = ***F*** nalbuphine – ***I*** = ***S*** nalbufina

Lit.: ASP ▪ Beilstein E V **27/9**, 452 f. ▪ Drugs **26**, 191 – 211 (1983) ▪ Hager (5.) **8**, 1069 ff. ▪ Martindale (31.), S. 68 f. – *[HS 2939 10; CAS 20594-83-6 (N.); 23277-43-2 (Hydrochlorid)]*

Nalco. Kurzbez. für die 1928 gegr. Nalco Chemical Company, Naperville/Ill. 60653-1198. *Daten* (1996): ca. 6000 Beschäftigte (weltweit), 1,3 Mrd. $ Umsatz (weltweit). *Produktion:* Spezialprodukte u. Verf. für Wasserchemie (Frisch-, Kessel-, Kühl-, Prozeß- u. Abwasser); Produkte für Zellstoff-, Papier-, Lebensmittel-, Stahl- u. Auto-Ind., Energieerzeuger, Bergbau; Inhibitoren gegen Korrosion u. Polymerablagerungen in Raffinerien u. Petrochemie. *Vertretung* in BRD: Deutsche Nalco-Chemie GmbH, 60486 Frankfurt.

Nalidixinsäure (Rp).

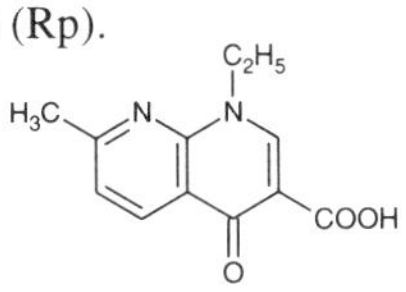

Internat. Freiname für 1-Ethyl-1,4-dihydro-7-methyl-4-oxo-1,8-naphthyridin-3-carbonsäure, $C_{12}H_{12}N_2O_3$, M_R 232,23. Weißes bis schwach gelbes, krist. Pulver, Schmp. 225 – 231 °C; λ_{max} (0,1 N NaOH) 258, 334 nm ($A^{1\%}_{1cm}$ 1125, 492); LD_{50} (Maus oral, i.p., i.v.) 3300, 500, 176 mg/kg, in Wasser kaum löslich. Lagerung: vor Licht u. Luft geschützt. N. wurde 1962 u. 1964 von Sterling Drug patentiert. Es war der erste *Gyrasehemmer u. wurde bei Urogenitalinfektionen (heute noch veterinärmedizin.) eingesetzt. – ***E*** nalidixic acid – ***F*** acide nalidixique – ***I*** acido nalidixico – ***S*** ácido nalidíxico

Lit.: ASP ▪ Beilstein E V **25/7**, 384 f. ▪ Florey **8**, 371 – 397 ▪ Hager (5.) **8**, 1071 – 1074 ▪ Martindale (31.), S. 252 f. ▪ Ph. Eur. **1997** u. Komm. ▪ Prog. Drug. Res. **21**, 9 – 104 (1977) ▪ Sammes, Topics in Antibiotic Chemistry, Bd. 3, Chichester: Horwood 1980. – *[HS 2933 90; CAS 389-08-2]*

Nalorphin (Rp). Internat. Freiname für *N*-Allylnormorphin (s. Abb. bei Morphin-Alkaloide), $C_{19}H_{21}NO_3$, M_R 311,39, Schmp. 208 – 209 °C; $[\alpha]^{25}_D$ –155,3 (c 3/CH_3OH); λ_{max} (wäss. Säure) 285 nm ($A^{1\%}_{1cm}$ 49), (wäss. Alkali) 251, 298 nm ($A^{1\%}_{1cm}$ 190, 81); Lagerung: vor Licht u. Luft geschützt. Verwendet wird auch das Hydrobromid, Schmp. 258 – 259 °C (Zers.); λ_{max} (CH_3OH) 288 nm ($A^{1\%}_{1cm}$ 42), u. das Hydrochlorid, Schmp. 260 – 263 °C; LD_{50} (Ratte s.c.) 1460 mg/kg. N. ist ein *Antagonist zu Morphin u. a. *Opiaten, zeigt aber selbst ausgeprägte analget. Wirkung; es macht nicht süchtig, erzeugt jedoch bizarre u. oft recht unangenehme psych. Zustände, bei Süchtigen auch starke Entzugssymptome. N. wurde 1959 von Merck & Co. patentiert. – ***E*** = ***F*** nalorphine – ***I*** = ***S*** nalorfina

Lit.: Beilstein E V **27/9**, 333 f. ▪ Hager (5.) **8**, 1074 ff. ▪ Martindale (31.), S. 986 ▪ s. a. Morphin. – *[HS 2939 10; CAS 62-67-9 (N.); 1041-90-3 (Hydrobromid); 57-29-4 (Hydrochlorid)]*

Naloxon (Rp).

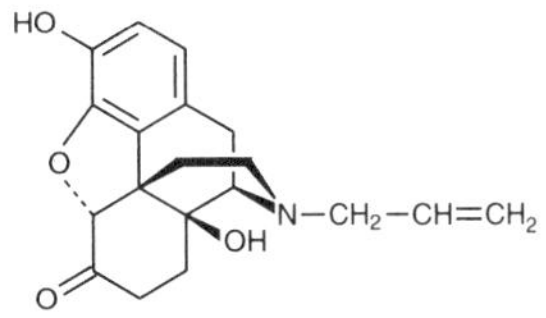

Internat. Freiname für den *Morphin- u. *Opiat-Antagonisten 17-Allyl-4,5α-epoxy-3,14-dihydroxy-6-morphinanon, $C_{19}H_{21}NO_4$, M_R 327,38. Weißliches Pulver, Schmp. 177 – 178 °C, auch 184 °C angegeben; $[\alpha]^{20}_D$ –194,5 (c 0,93/$CHCl_3$). Lagerung: vor Licht u. Luft geschützt. Verwendet wird meist das Hydrochlorid, Schmp. 200 – 205 °C; $[\alpha]^{20}_D$ –170° bis –181° (c 2,5/H_2O).

Verw.: Als Antidot bei Opiat-Vergiftungen; da N. bei Opiat-Abhängigen ein Entzugssyndrom auslöst, in geringer Dosis zur Diagnostik einer solchen Abhängigkeit; als Zusatz zu zentral-wirksamen Analgetika (*Tilidin, *Valoron® N) zur Verhinderung von mißbräuchlicher Verwendung. N. wurde 1963 von Sankyo patentiert u. ist als Generikum im Handel. – ***E*** = ***F*** = ***I*** naloxone – ***S*** naloxona

Lit.: ASP ▪ Beilstein E V **27/14**, 354 f. ▪ Florey **14**, 453 – 489 ▪ Hager (5.) **8**, 1076 – 1079 ▪ Martindale (31.), S. 986 ff. ▪ Ph. Eur. **1997** u. Komm. ▪ s. a. Morphin. – *[HS 2939 10; CAS 465-65-6 (N.); 357-08-4 (Hydrochlorid)]*

Naltrexon (Rp).

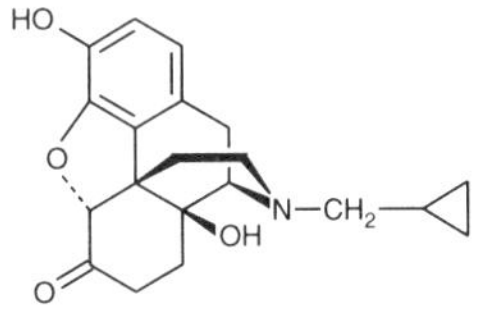

Internat. Freiname für 17-(Cyclopropylmethyl)-4,5α-epoxy-3,14-dihydroxy-6-morphinanon, $C_{20}H_{23}NO_4$, M_R 341,40, Schmp. 168 – 170 °C; LD_{50} (Maus s.c.) 586 mg/kg. Verwendet wird meist das Hydrochlorid, Schmp. 274 – 276 °C. N. ist ein Opiat-Antagonist, der kompetitiv die Bindung von *Morphin etc. an die Morphin-Rezeptoren hemmt. Damit werden Opiat/Opioid-Wirkungen wie Euphorie, Miosis od. die Entwicklung einer Abhängigkeit verhindert. Die Substanz führt beim Opiat-Abhängigen zum akuten Entzugssyndrom. Vor Therapiebeginn muß deshalb die Ausscheidung aller Opiate erfolgt sein. N. hat keine opioide Eigenwirkung, so daß der Suchtkranke keine erneute Abhängigkeit – wie z. B. beim *Methadon – befürchten muß. Die Substanz unterscheidet sich von *Naloxon durch den Ersatz der Allyl-Gruppe durch eine Cyclopropylmethyl-Gruppe am Stickstoff. N. wurde 1967 von Endo patentiert u. ist von Du Pont Pharma (Nemexin®) im Handel. – ***E*** = ***F*** = ***I*** naltrexone – ***S*** naltrexona

Lit.: Alcohol. **13**, 35 – 39 (1996) ▪ ASP ▪ Beilstein E V **27/14**, 356 ▪ Hager (5.) **8**, 1080 f. ▪ Martindale (31.), S. 988 ▪ Med. Res. Rev. **2**, 211 – 246 (1982). – *[HS 2939 10; CAS 16590-41-3 (N.); 16676-29-2 (Hydrochlorid)]*

Namensgebung s. Nomenklatur.

Namen(s)reaktionen. Bez. für solche chem. Reaktionen, die man aus histor. Gründen, wegen ihrer fortdauernden Bewährung in der Praxis u. schließlich wegen der damit verknüpften mnemotechn. Vorteile mit dem Namen ihrer Entdecker verknüpft. Die meisten dieser N. sind auch in diesem Werk abgehandelt; *Beisp.:* *Beilstein-Test, *Claisen-Kondensation, *Cope-Umlagerung, *Hofmann-Eliminierung, *Meerwein-Ponndorf-Verley-Reduktion, *Michael-Addition, *Nef-Reaktion, *Oppenauer-Oxidation, *Wohl-Abbau u. viele andere. – ***E*** name reactions, named reactions – ***F*** réactions nommées – ***I*** reazioni di nome – ***S*** reacciones con nombres propios

Lit.: Hassner-Stumer ▪ Krauch u. Kunz, Reaktionen der Organischen Chemie, 6. Aufl., Heidelberg: Hüthig 1997 ▪ Laue-Plagens ▪ Mundy u. Ellerd, Name Reactions and Reagents in Organic Synthesis, New York: Wiley 1988 ▪ Uhl u. Kyriatsoulis, Namen- u. Schlagwortreaktionen in der Organischen Chemie, Wiesbaden: Vieweg 1984.

Nametkin-Reaktion s. Retro-Pinakolon-Umlagerung.

NANA s. Acylneuraminsäuren.

Nancatl s. Muscarin.

Nandrolon.

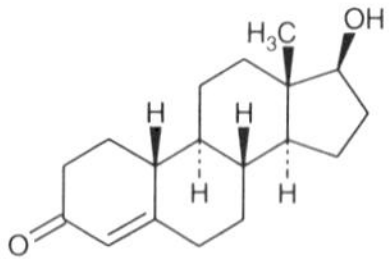

Internat. Freiname für 19-Nortestosteron, 17*β*-Hydroxy-4-estren-3-on, $C_{18}H_{26}O_2$, M_R 274,40, dimorphe Krist., Schmp. 112 °C u. 124 °C; $[\alpha]_D^{20}$ +55° (c 0,9/$CHCl_3$); λ_{max} (C_2H_5OH) 241 nm ($A_{1cm}^{1\%}$ 620). Das Estran-Derivat, das sich von *Testosteron durch Fehlen der C-19-Methyl-Gruppe unterscheidet, verhindert die Entwicklung der Spermien (s. Konzeption) durch Senkung des Spiegels der gonadotropen Hormone Follitropin u. Lutropin sowie von Testosteron. Daneben wird das Decanoat, $C_{28}H_{44}O_3$, M_R 428,66, Schmp. 32–35 °C (Deca-Durabolin®, Organon) auch als Anabolikum u. das N.-Hydrogensulfat-Natriumsalz bei Hornhautverletzungen (Keratyl®, ankerpharm) verwendet. – ***E*** = ***F*** = ***I*** nandrolone – ***S*** nandrolona

Lit.: ASP ▪ Beilstein E IV **8**, 966 ▪ Hager (5.) **8**, 1081 ff. ▪ Martindale (31.), S. 1498 f. – *[HS 2937 99; CAS 434-22-0 (N.); 360-70-3 (Decanoat)]*

Nano... (von griech.: nānos = Zwerg). a) Vorsatz vor physikal. Einheiten zur Bez. des milliardsten Teils; Symbol: n; *Beisp.:* Nanometer (1 nm = 10^{-9} m; veraltet: Millimikron, mμ), Nanogramm (1 ng = 10^{-9} g), Nanosekunde (1 ns = 10^{-9} s). Die Konz.-Einheit *ppb = 10^{-9} wird in der Lit. viel verwendet, ist aber mehrdeutig u. nicht SI-konform (Massen-, Vol.- od. Stoffmengen-Anteil 10^{-9}; US-„Billion" = *Milliarde). – b) Vorsatz in allg. Begriffen mit der Bedeutung „extrem klein", vgl. die folgenden Stichwörter. – ***E*** = ***F*** = ***I*** = ***S*** nano...

Nanocolor®. Komplettes Syst. für photometr. Wasseranalysen, bes. geeignet für den Umweltschutz. Etwa 40 Parameter von Aluminium über Blei, Cadmium, Chromat, CSB etc. bis zum Zink können auf einfache Weise bestimmt werden, viele davon in Form von gebrauchsfertigen Rundküvettentests. ***B.:*** Macherey-Nagel.

Nanogramm s. Nano...

Nanogramm-Methode s. Mikroanalyse.

Nanophasen-Materialien. Materialien, die sich von herkömmlichen Werkstoffen in ihrem Gefüge unterscheiden. Bei „normalen" Metallen, Keramiken od. anderen Festkörpern sind die Gefüge aus Körnern aufgebaut, deren Durchmesser 1 μm–1 mm betragen. Bei N.-M. liegen die Korndurchmesser unter 100 nm; Körner in diesem Bereich bezeichnet man auch als *Cluster.* Solche Cluster werden durch Gasphasenabscheidung erzeugt. Ihre Größe läßt sich über die Verdampfungsgeschw. sowie über die Art u. den Druck eines Inertgases beliebig zwischen einem u. hundert Nanometern steuern. N.-M. weisen bes. Eigenschaften auf, weil die winzigen Körner auf Licht, mechan. Spannung od. Elektrizität völlig anders reagieren als Kriställchen im Mikro- oder Millimeterbereich.

Beisp.: Nanophasen-Titandioxid läßt sich 600 K unter der Sintertemp. von TiO_2 (1673 K) sintern u. ergibt ein härteres, bruchfesteres Produkt, dessen Duktilität bei Korngrößen unter 30 nm außerdem noch zunimmt. Dies eröffnet die Möglichkeit, komplizierte Keramik-Teile direkt zu formen, anstatt die Rohlinge nachträglich abtragend zu bearbeiten. Dieses *net-shape forming* od. endkonturgenaue Formgebung genannte Verf. läßt erstmals die sehr schnelle u. relativ kostengünstige Massenfertigung unterschiedlicher Keramik-Teile zu. So kann kompakt gepreßtes Nanophasen-TiO_2 bei 1073 K unter Druck um bis zu 60% verformt werden. Zurückzuführen ist dies auf das sog. *Korngrenzengleiten,* bei dem die nanometerkleinen Körner viel leichter als millimetergroße Körner übereinandergleiten. Bei den *Nanophasen-Metallen,* etwa bei Kupfer, beobachtet man bei Korndurchmessern von 6 nm eine fünfmal höhere Härte als bei „normalen" Metallen. Die Verformbarkeit von Metallen wird mit der Anwesenheit u. Wanderung von Kristallversetzungen erklärt. Dagegen konnten bei der elektronenmikroskop. Betrachtung der Metallcluster von N.-M. keine Versetzungen beobachtet werden. Dies erklärt die stark erhöhte Festigkeit von Nanophasen-Metallen.

Es lassen sich von den meisten Materialien Nanophasen-Formen herstellen, neben den Keramiken u. Metallen auch von Polymeren u. Verbundwerkstoffen. – ***E*** nanophase materials

Lit.: Spektrum Wiss. **1997**, Nr. 3, 62.

Nanoröhren (Nanotubes). Nach der Entdeckung einer dritten Modif. des Kohlenstoffes neben Diamant u.

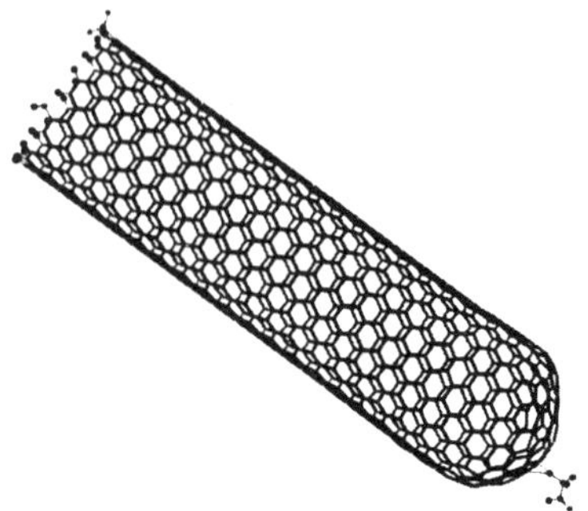

Abb.: Derivatisierter Abschnitt einer (10,10)-Fulleren-Nanoröhre mit einem offenen Ende.

Graphit, nämlich den *Fullerenen, setzte eine intensive Suche nach weiteren verwandten Strukturen ein. Dabei fand man auch Nanoröhren. Das sind zylindr. ein- u. mehrlagige Kohlenstoff-Röhren mit halbkugelförmigen Abschlüssen (s. Abb. S. 2804), die möglicherweise interessante mechan. u. elektr. Eigenschaften haben. Kugelförmige viellagige massive Kohlenstoffstrukturen sind als *Quantenzwiebeln* (Quantum onions) bekannt. – ***E*** = ***F*** nanotubes – ***I*** nanotubi – ***S*** nanotubos

Lit.: Angew. Chem. **109**, 1666–1673 (1997) ▪ C & EN **1997**, 39 ▪ Phys. Unserer Zeit **29** (1), 16 (1998).

Nanosekunde s. Nano...

Nanospur s. Spurenanalyse.

Nanoverkapselung s. Mikroverkapselung.

Napadisilat (Napadisylat). Internat. Kurzbez. für Naphthalin-1,5-disulfonat in den Freinamen von pharmazeut. Präparaten. – ***E*** = ***F*** napadisilate – ***I*** = ***S*** napadisilato

Napalm. Von *Fieser [1] während des 2. Weltkrieges entwickelte gelierende Aluminium-Seife (vgl. Metallseifen) der allg. Formel $Al(OH)R^1R^2$, wobei R^1 u. R^2 Reste von Öl-, *Na*phthen- u. *Palm*itinsäure (Name!) sind. Bringt man dieses Produkt mit Benzinen zusammen, so entsteht ein festes Gel; zur Zündung dient weißer Phosphor. Heute sind auch andere Formulierungen bekannt, so z. B. N. B (50% Polystyrol, 25% Benzol, 25% Benzin), weshalb man alle *Brandwaffen als „N." bezeichnet, die auf gelierten Benzinen basieren. N. wurde von den USA im 2. Weltkrieg im Pazifik, v. a. aber im Koreakrieg (ca. 32000 t) u. im Indochinakrieg (über 200000 t) angewendet, ferner wurde es im Nahen Osten u. Angola in Brandbomben u. Flammenwerfern eingesetzt. Brennendes N. hat auf den Menschen verheerende Wirkung, da es infolge seiner starken Adhäsionsfähigkeit u. der Lipophilie seiner Fettsäure-Salze zu fressenden, schwärenden Brandwunden führt, die oft cancerös werden. Durch hohe Flammendichte u. daraus resultierendes lokales O_2-Defizit kann brennendes N. auch erstickend wirken. – ***E*** = ***F*** = ***I*** = ***S*** napalm

Lit.: [1] Fieser, The Scientific Method: A Personal Account of Unusual Projects in War and in Peace, New York: Reinhold 1964.
allg.: Kirk-Othmer (4.) **5**, 804. – *[CAS 8031-21-8]*

Naphazolin.

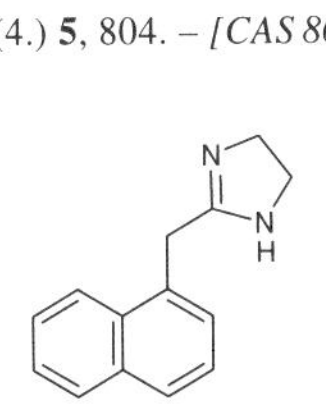

Internat. Freiname für das adrenerge *Sympath(ik)omimetikum 4,5-Dihydro-2-(1-naphthylmethyl)-1*H*-imidazol, $C_{14}H_{14}N_2$, M_R 210,27, Schmp. 120–121 °C; λ_{max} (wäss. Säure) 281 ($A^{1\%}_{1cm}$ 321). Verwendet werden meist N.-hydrochlorid (M_R 246,74, Schmp. 255–260 °C) od. N.-Nitrat [M_R 273,29, Schmp. 167–170 °C; λ_{max} (0,1 M HCl) 270, 280, 291 nm ($A^{1\%}_{1cm}$ 214, 253, 170); weißliches, krist. Pulver, lösl. in Wasser]. Lagerung: Vor Licht u. Luft geschützt. N. wird in Augen- u. Nasentropfen eingesetzt u. ist als Generikum im Handel. – ***E*** = ***F*** naphazoline – ***I*** = ***S*** nafazolina

Lit.: Beilstein E V **23/8**, 293 ▪ Florey **21**, 307–344 ▪ Hager (5.) **8**, 1083–1086 ▪ Martindale (31.), S. 1582 ▪ Ph. Eur. **1997** u. Komm. – *[HS 2933 29; CAS 835-31-4 (N.); 550-99-2 (Hydrochlorid); 5144-52-5 (Nitrat)]*

Naphtanilid®-Farbstoffe. Sortiment von *Entwicklungsfarbstoffen aus vielen Kupplungskomponenten auf der Basis hydroxylierter Naphthoesäureanilide u. Echtbasen bzw. Diazoechtsalzen auf der Basis aromat. Amine. ***B.:*** Rohner.

Naphth... s. Naphth(o)...

Naphtha. Bez. für *Cycloalkan-reiches *Erdöl od. für bestimmte Fraktionen bei Erdöl-Dest. od. -*Kracken. Demzufolge werden unter N. od. *Rohbenzin* (*E* crude gasoline) sowohl Fraktionen mit den Siedebereichen 30–180 °C u. 100–200 °C als auch noch höhersiedende Gemische verstanden. N. ist die wichtigste Rohstoffquelle der *Petrochemie. Der Name läßt sich auf die schon vor 2300 a bei den Babyloniern übliche Bez. naptu = Erdöl zurückführen u. findet sich auch im slaw. Sprachraum, z. B. russ.: neft. Auch so verschiedene Verb.-Klassen wie die aromat. *Naphth*aline u. die alicycl. *Naphth*ene, die aus Erdöl isoliert wurden, leiten ihre Namen von N. ab, vgl. die folgenden Stichwörter. – ***E*** naphtha – ***F*** naphta – ***I*** = ***S*** nafta

Lit.: s. Erdöl u. Petrochemie. – *[HS 2710 00]*

Naphthacen.

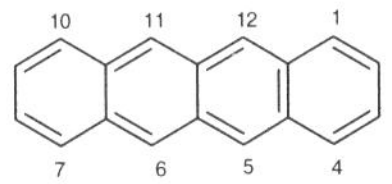

$C_{18}H_{12}$, M_R 228,29. Wegen der Möglichkeit der Verwechslung mit *Tetrazen sollte die alte Bez. *Tetracen* nicht mehr gebraucht werden. Orangefarbene Blättchen, D. 1,35, Schmp. 341 °C (im Kapillarröhrchen), 357 °C (im Kupfer-Block), subl., wenig lösl. in heißem Benzol u. Schwefelsäure, in den meisten organ. Lsm. u. Wasser kaum lösl.; die Lsg. fluoreszieren schwach grünlich. N. bildet kein Pikrat, dagegen beim Belichten in Ggw. von O_2 ein Endoperoxid (Epidioxid). N. ist ein Bestandteil des Steinkohlenteers, aus dem es durch fraktionierte Dest. im Vak. gewonnen werden kann; es bildet eine häufige Verunreinigung des handelsüblichen *Anthracens, dem es eine gelbliche Färbung verleiht.

Herst.: Durch therm. Umsetzung von Phthalsäureanhydrid mit Naphthalin-Derivaten.

Verw.: Als Ausgangsprodukt für Farbstoffe, wobei der Weg meist über die Chinone des N. führt. N. ist der Grundkörper des *Rubrens, der Tetracycline u. a. Antibiotika. – ***E*** naphthacene – ***F*** naphtacène – ***I*** naftacene – ***S*** naftaceno

Lit.: Beilstein E IV **5**, 2545 ▪ Elsevier **14**, 311–328; **14 S**, 107 S. – *[HS 2902 90; CAS 92-24-0]*

Naphthalin. Xn

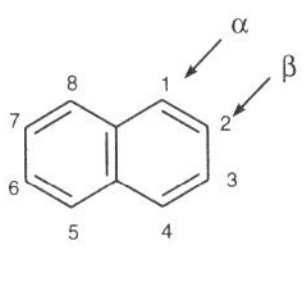

$C_{10}H_8$, M_R 128,17. Farblose, charakterist. (nach „Mottenpulver") riechende Blättchen, D. 1,16 (auch 1,025–1,25 angegeben), Schmp. 80,2 °C, Sdp. 218 °C, 88 °C (13 mbar); mit Wasserdampf flüchtig, subl. leicht. N. ist in Wasser unlösl., dagegen leicht lösl. in Alkohol, Ether, Chloroform, Schwefelkohlenstoff, Benzol. Geschmolzenes N. löst z. B. Schwefel, Phosphor, Indigo, Arsen-, Antimon- u. Zinnsulfid. Aufgrund seiner hohen molalen kryoskop. Konstante (6,899) eignet sich N. zur Molmassenbestimmung. Mit Wasserstoff u. Katalysatoren läßt es sich unter Druck leicht zu Tetrahydronaphthalin u. *Decalin hydrieren; mit Chlor bildet geschmolzenes N. in Ggw. von $FeCl_3$, $SbCl_5$ etc. *Chlornaphthaline, deren höher chlorierte Vertreter (polychlorierte N., PCN) ggf. die sog. Perna-Krankheit (s. Chlorakne) verursachen können. N. läßt sich leicht nitrieren u. sulfonieren (s. Naphthalinsulfonsäuren); mit Pikrinsäure, Arsenbromid, Antimonchlorid u. dgl. bildet es wohldefinierte Additionsverbindungen. Bei den Substitutionsprodukten des N. unterscheidet man je nach Stellung 1-(od. α-)substituierte u. 2-(od. β-)substituierte Derivate; bei disubstituierten Verb. waren auch Trivialnamen wie *ana-* (1,5), *peri-* (1,8-), *amphi-* (2,6-) üblich. Theoret. sind 2 Mono-, 10 Di-, 14 Tri-, 22 Tetra-, 14 Penta-, 10 Hexa- u. 2 Heptasubstitutionsprodukte möglich. Bei elektrophilen Substitutionsreaktionen wird N. bei niedrigen Temp. bevorzugt in der α-Stellung angegriffen; bei höherer Temp. erfolgt Isomerisierung zum thermodynam. stabileren β-Derivat. An der Luft verbrennt N. unter sehr starker Rußabscheidung zu Kohlendioxid u. Wasserdampf. N. hat aufgrund seiner antisept. u. antihelmint. Eigenschaften Verw. in der Medizin u. Veterinärmedizin gefunden, wird heute jedoch nicht mehr benutzt. N.-Dämpfe reizen Augen u. Atemwege, MAK 50 mg/m^3. Nach Vergiftungen – z. B. durch Verschlucken von Mottenkugeln – wurde hämolyt. Anämie beobachtet, in Einzelfällen führt chron. Exposition zu Katarakten. Die Beschwerden sollen durch die Stoffwechselprodukte *Naphthol u. *Naphthochinon ausgelöst werden. Näheres zur Toxizität s. in *Lit.*[1].

Vork.: N. entsteht bei jeder unvollständigen Verbrennung u. kommt durch *Kraftfahrzeugabgase in die Umwelt. Zum Nachw. kann die Biolumineszenz eines gentechn. veränderten Bakteriums eingesetzt werden[2]. In der Natur findet sich N. sehr selten in einigen Erdölen u. (spurenweise) in gewissen ether. Ölen (Irisöl, Styraxrindenöl); dagegen ist es – ähnlich wie das isomere *Azulen – der Grundkörper vieler Sesquiterpene. N. entsteht bei der trockenen Dest. der Steinkohle u. wandert in den Steinkohlenteer über, der bis zu 11% N. enthält. Techn. N. wird aus den Mittelölen u. Schwerölen des Steinkohlenteers, aus Raffinerieprodukten u. durch katalyt. Hydrodesalkylierung gewonnen.

Verw.: Als Ausgangsmaterial für die Herst. von Decalin, Tetralin, Chlornaphthalinen, Naphthylaminen, Naphtholen u. deren Sulfonsäuren, von Naphthalincarbon- u. -sulfonsäuren, Naphthochinon-Derivaten u. hieraus von Anthrachinon-Derivaten, bes. aber zur oxidativen Herst. von Phthalsäureanhydrid, wenn auch heute *o*-Xylol hier als Rohstoff vorgezogen wird. Über die oben erwähnten Derivate ist N. jedoch noch immer eine der wichtigsten Ausgangsstoffe für Farbstoffe, Gerbstoffe, Insektizide u. Pharmaka, vgl. *Lit.*[3]. Ein bekanntes Anwendungsgebiet war auch die *Mottenbekämpfung. N. wurde 1819 von Garden entdeckt u. 1820 von Kidd nach *Naphtha benannt. – ***E*** naphthalene – ***F*** naphtalène – ***I*** naftalina – ***S*** naftalina, naftaleno

Lit.: [1] Franklin, in Snyder, Ethel Browning's Toxicity and Metabolism of Industrial Solvents, Bd. 1, S. 153–175, Amsterdam: Elsevier 1987. [2] Science **249**, 778 ff. (1990). [3] Negwer (6.), S. 1711 ff.
allg.: Beilstein E IV **5**, 1640–1655 ▪ Hager (5.) **3**, 855 ff.; **8**, 1086 ▪ Hommel, Nr. 140 ▪ Kirk-Othmer (3.) **15**, 698–749; (4.) **16**, 963–1017 ▪ Ullmann (4.) **17**, 77–126; (5.) **A 17**, 1–57 ▪ Winnacker-Küchler (4.) **6**, 245–266. – *[HS 2707 40; CAS 91-20-3; G 4.1]*

Naphthalincarbonsäuren.

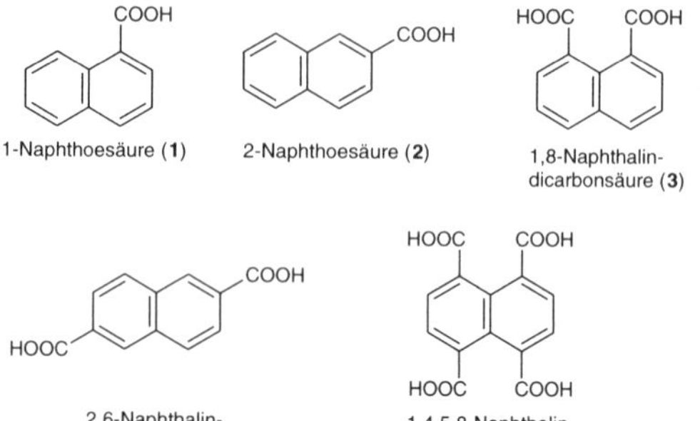

1-Naphthoesäure (**1**) 2-Naphthoesäure (**2**) 1,8-Naphthalindicarbonsäure (**3**) 2,6-Naphthalindicarbonsäure (**4**) 1,4,5,8-Naphthalintetracarbonsäure (**5**)

Von den zahlreichen möglichen N. seien hier nur einige erwähnt: Durch Oxid. der entsprechenden Methylnaphthaline erhält man die Naphthoesäuren (**1** u. **2**), $C_{11}H_8O_2$, M_R 172,18, *1-Naphthoesäure* (Schmp. 160,5–162 °C) bzw. *2-Naphthoesäure* (Schmp. 184–185 °C), die als Zwischenprodukte für Farbstoffe u. Pharmazeutika Verw. finden. Die durch Oxid. von *Acenaphthen zugängliche Naphthalsäure [*1,8-Naphthalindicarbonsäure* (**3**), $C_{12}H_8O_4$, M_R 216,19 (über 60 °C beginnt Anhydrid-Bildung)] u. das hiervon abgeleitete Anhydrid ($C_{12}H_6O_3$, M_R 198,18, Schmp. 274 °C) werden in techn. Maßstab hergestellt u. für die Herst. von *Küpenfarbstoffen verwendet; das Anhydrid besitzt fungizide Eigenschaften. Das Imid dient zur Synth. von opt. Aufhellern. *2,6-Naphthalindicarbonsäure* (**4**), ($C_{12}H_8O_4$, M_R 216,18, Schmp. >340 °C) wird zur Polyester-Herst. benutzt. Zur Farbstoff-Herst. dient die *1,4,5,8-Naphthalintetracarbonsäure* (**5**), ($C_{14}H_8O_8$, M_R 304,21, bildet das Dianhydrid oberhalb 80 °C, Schmp. Dianhydrid >300 °C). – ***E*** naphthalenecarboxylic acids – ***F*** acides naphtalène-carboxyliques – ***I*** acidi naftalencarbossilici – ***S*** ácidos naftalencarboxílicos

Lit.: Beilstein E IV **9**, 2402, 2414, 3533 ff.; E V **17/11**, 492 f., **19/5**, 423 f. ▪ Kirk-Othmer (4.) **16**, 1000 ff. ▪ Ullmann (5.) **A 5**, 249 ff. – *[HS 2915 39; CAS 86-55-5 (1); 93-09-4 (2); 518-05-8 (3); 81-84-5 (Anhydrid von 3); 1141-38-4 (4); 128-97-2 (5); 81-30-1 (Dianhydrid von 5)]*

Naphthalindiole s. Naphthole.

1,8-Naphthalindiylbis(dimethylboran).

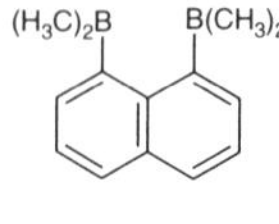

$C_{14}H_{18}B_2$, M_R 207,91. N. zeichnet sich durch eine so hohe Affinität für Hydrid-Ionen aus, daß es als „Hydridschwamm" bezeichnet wird. – ***E*** 1,8-naphthalenediylbis(dimethylborane) – ***F*** 1,8-naphtalènediylbis(diméthylborane) – ***I*** = ***S*** 1,8-naftalendiilbis(dimetilborano)

Lit.: Beyer-Walter, Lehrbuch der organischen Chemie, 23. Aufl., Stuttgart: Hirzel 1997. – *[CAS 94844-03-8]*

1-Naphthalinessigsäure (1-Naphthylessigsäure).

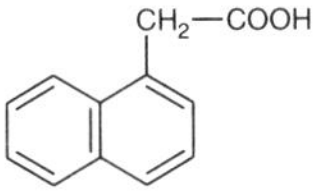

$C_{12}H_{10}O_2$, M_R 186,21. Farblose Nadeln, Schmp. 135 °C, in Wasser kaum, in Alkohol mäßig, in Ether u. Aceton leicht lösl.; LD_{50} (Ratte oral) 1000 mg/kg; WGK 2 (Selbsteinst.). N. beschleunigt die Stecklingsbewurzelung, verhindert vorzeitigen Fruchtfall u. hemmt das Auskeimen von Kartoffeln. Die zulässige Höchstmenge für alle pflanzlichen Lebensmittel beträgt zusammen mit 1-Naphthylessigsäureamid 0,05 mg/kg [1]. N. findet Verw. als Pflanzenwachstumsfaktor für Laborversuche im Rahmen der Pflanzenphysiologie, Untersuchungen des Pflanzenmetabolismus u. der Regulation des Pflanzenwachstums. – ***E*** 1-naphthaleneacetic acid – ***F*** acide 1-naphtalèneacétique – ***I*** acido naftalenacetico – ***S*** ácido 1-naftalenacético

Lit.: [1] Pflanzenschutzmittel-Höchstmengenverordnung vom 01.09.1994, geändert durch 2. Änderungsverordnung vom 07.03.1996.

allg.: Beilstein E IV **9**, 2424 f. ▪ Merck-Index (12.), Nr. 6458 ▪ Ullmann (4.) **24**, 54; (5.) **A 20**, 417. – *[HS 2916 39; CAS 86-87-3]*

Naphthalinsulfonsäuren. Kristallisierbare, sehr hygroskop., in Wasser mit saurer Reaktion sehr leicht lösl. Substanzen, die bei der Einwirkung von konz. Schwefelsäure auf *Naphthalin entstehen u. zwar als 1-N. od. 2-N., als Di-, Tri- u. Tetrasulfonsäuren (s. Tab.). Die Monosulfonierung gehört zu den reversiblen elektrophilen *Substitutions-Reaktionen. Bei niedriger Temp. (<80 °C) bildet sich die 1-N., bei höherer (> 120 °C) die 2-Naphthalinsulfonsäure. Wegen der Reversibilität kann die 1-N. bei höherer Temp. in die 2-N. umgewandelt werden.

Tab.: Daten von Naphthalinsulfonsäuren.

	Name	Summenformel	M_R	Schmp. [°C]	CAS
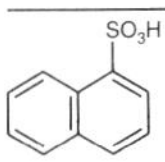	Naphthalin-1-sulfonsäure (**1**)	$C_{10}H_8O_3S$	208,23	139-140 90 (Hydrat)	85-47-2
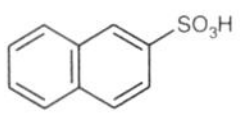	Naphthalin-2-sulfonsäure (**2**)	$C_{10}H_8O_3S$	208,23	124-125 (Monohydrat)	120-18-3
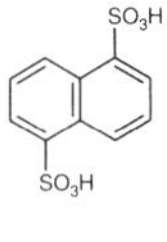	Naphthalin-1,5-disulfonsäure (**3**)	$C_{10}H_8O_6S_2$	288,29	240-245	81-04-9
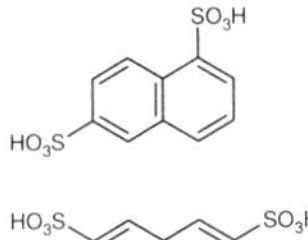	Naphthalin-1,6-disulfonsäure (**4**)	$C_{10}H_8O_6S_2$	288,29	125	525-37-1
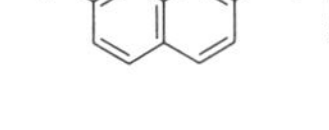	Naphthalin-2,7-disulfonsäure (**5**)	$C_{10}H_8O_6S_2$	288,29	199	92-41-1

Verw.: Als Zwischenprodukte für die Farbstoff-, Netz- u. Dispergiermittel-, Pharmazeutika-Herstellung. N. können durch Alkalischmelze in die entsprechenden Hydroxy-Verb. u. durch Nitrierung in Nitro-Verb. u. diese in Amino-Verb. überführt werden, s. Naphthol-Farbstoffe, Naphtholsulfonsäuren u. Naphthylaminsulfonsäuren. Techn. Bedeutung besitzt auch das Na-Salz der Naphthalin-1-sulfonsäure, das auch als Lösungsvermittler für Phenol u. Tierleim verwendet wird. – ***E*** naphthalenesulfonic acids – ***F*** acides naphtalènesulfoniques – ***I*** acidi naftalensolfonici – ***S*** ácidos naftalensulfónicos

Lit.: Beilstein E IV **11**, 521, 527, 560 ff., 571 f. ▪ Elsevier **12 B**, 4844–4903 ▪ Kirk-Othmer (3.) **15**, 720-724; (4.) **16**, 980 f. ▪ Ullmann (5.) **A 17**, 11 f. ▪ Winnacker-Küchler (4.) **6**, 247–266. – *[HS 2904 10]*

Naphthalintetracarbonsäure(anhydrid) s. Naphthalincarbonsäuren.

Naphthalsäure(anhydrid) s. Naphthalincarbonsäuren.

Naphtharson s. Thorin.

Naphthazarin (5,8-Dihydroxy-1,4-naphthochinon).

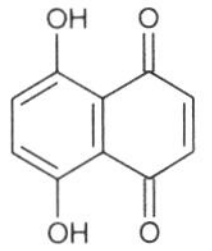

$C_{10}H_6O_4$, M_R 190,15, grünlich glänzende, braune Nadeln, Schmp. 276–280 °C, lösl. in Alkohol u. Eisessig mit roter Farbe sowie gut lösl. in Alkalien, wenig lösl. in Wasser. Das fungizide N. ist Grundkörper einiger Pflanzenfarbstoffe wie z. B. *Alkannin. N. sowie verschiedene Derivate finden in Haarfärbemitteln [1] u. als Stabilisatoren von Nylon Verwendung. – ***E*** naphthazarine – ***F*** naphtazarine – ***I*** = ***S*** naftazarina

Lit.: [1] Dyes Pigm. **12**, 107–118 (1990).

allg.: Beilstein E IV **8**, 2946 f. ▪ Ullmann (5.) **A 3**, 575. – *[HS 2914 69; CAS 475-38-7]*

Naphthen s. Cyclohexan.

Naphthenate s. Naphthensäuren.

Naphthene. Veraltete u. ursprünglich auf *Naphtha zurückgehende, in der Petrochemie noch gebräuchliche Bez. für *alicyclische Verbindungen, vgl. Cycloalkane. – ***E*** naphthenes – ***F*** naphtènes – ***I*** nafteni – ***S*** naftenos

Naphthensäuren.

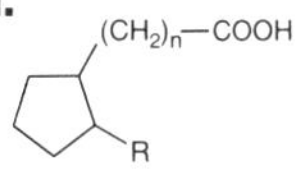

Hellgelbe, unangenehm riechende Öle, die aus Baku-Erdöl gewonnen werden; es handelt sich hierbei zumeist um alicycl., ein- od. zweikernige Monocarbonsäuren der abgebildeten Struktur mit R = H bzw. CH_2-cyclopentyl. Eine bekannte N. ist die *Cyclopentancarbonsäure* (n = 0, R = H; $C_6H_{10}O_2$, M_R 114,14), die bei 215 °C siedet u. Valeriansäure-artig riecht. Die N. sind wahrscheinlich aus der Ölsäure von Organismen hervorgegangen; sie sind in poln., rumän. u. sowjet. *Erdölen mit ca. 3% enthalten. Die Salze der N. werden als *Naphthenate* bezeichnet (s. a. Metallseifen).

Verw.: *Kupfernaphthenat wirkt gegen Kleinlebewesen u. Ungeziefer u. hat konservierende Wirkung für Holz, Gewebe u. Farben. Die stark schäumenden Natriumnaphthenate können zur Herst. billiger Seifen benutzt werden. Verschiedene Naphthenate finden als *Trockenstoffe (*Sikkative*) Verw., so z.B. Kupfernaphthenat (grün, D. 1,02), Bleinaphthenat (blaßgelb, D. 0,99), Mangannaphthenat (dunkelrot, D. 0,96), Cobaltnaphthenat (dunkelrot-violett, D. 0,96). Letzteres dient auch als Aktivator bei Vernetzungsreaktionen von Polyesterharzen. – ***E*** naphthenic acids – ***F*** acides naphténiques – ***I*** acidi naftenici – ***S*** ácidos nafténicos

Lit.: Kirk-Othmer (3.) **15**, 749 – 753; (4.) **16**, 1017 – 1029 ▪ Ullmann (4.) **17**, 127 f. – *[HS 3824 20; CAS 1338-24-5]*

Naphthionate s. Naphthylaminsulfonsäuren.

Naphthionsäure s. Naphthylaminsulfonsäuren.

Naphth(o)... a) Bestandteil von chem. Trivialnamen, der auf *Naphtha (*Beisp.:* Naphthalan, *Naphthene) od. *Naphthalin (*Beisp.:* *α-Naphthoflavon, *Naphthyridin) hindeuten kann. – b) Wortstamm in (halb)systemat. Namen für Naphthalin-Derivate (*Beisp.:* *Naphthochinone, *Naphthole, *...naphthon). – c) Präfix in (halb)systemat. Namen *kondensierter Ringsysteme, das die Anellierung des Naphthalin-Ringsyst. an ein anderes Ringsyst. anzeigt {IUPAC-Regeln A-21.4, R-2.4.1.1; *Beisp.:* Naphth[1,2-*b*]azepin, *meso*-Naphthodianthren (s. Meso...)}. – ***E*** naphth(o)... – ***F*** napht(o)... – ***I*** = ***S*** naft(o)...

Naphthochinoline s. Benzochinoline.

Naphthochinone.

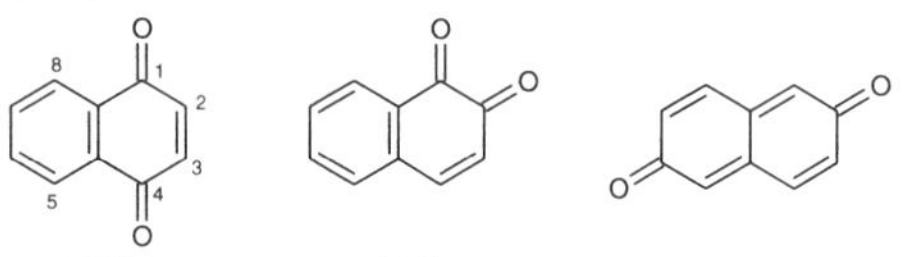

1,4-N. 1,2-N. 2,6-N.

$C_{10}H_6O_2$, M_R 158,15. Gruppenname für Oxid.-Produkte des *Naphthalins mit *o*- od. *p*-chinoider Anordnung der Carbonyl-Gruppen.

1,4-N. (α-N.): Gelbe, sublimierbare, stechend u. kratzend riechende Nadeln od. Tafeln, D. 1,422, Schmp. 128 °C (subl. ab 100 °C), in Wasser sehr wenig, in Ether, Benzol, Alkohol, Chloroform leicht lösl., mit Wasserdampf flüchtig; LD_{50} (Ratte oral) 190 mg/kg; WGK 2 (Selbsteinst.). Es entsteht (neben Phthalsäureanhydrid) bei der Luft-Oxid. von Naphthalin od. aus 1-Naphthol u. 1-Naphthylamin mit Chromsäure. Derivate des 1,4-N. bilden die Grundkörper vieler *Naturfarbstoffe (s. Hydroxy-1,4-naphthochinone), sowie von Vitamin K (s. 2-Methyl-1,4-naphthochinon). 1,4-N. ist ein wichtiges Zwischenprodukt bei der Synth. von Anthrachinon u. Anthrachinon-Derivaten u. findet z.B. Verw. als Polymerisationsregulator bei der Herst. von Synth.-Kautschuk u. Polyesterharzen, Stabilisator in Transformatorenölen, früher als Antimykotikum, Zwischenprodukt bei der Herst. von Farbstoffen, Fungiziden, Algenbekämpfungsmitteln, Antioxidantien. 1,4-Naphthochinondioxim ist ein Vulkanisationsmittel für Butylkautschuk.

1,2-N. (β-N.): Goldgelbe, geruchlose, nicht flüchtige Nadeln, D. 1,45, Schmp. 147 °C (Zers.), in Wasser unter Zers., in Alkohol, Ether, Benzol leicht lösl., nicht mit Wasserdampf flüchtig. Das durch Oxid. von 1-Amino-2-naphthol mit $FeCl_3$ zugängliche 1,2-N. ist ein Reagenz auf Resorcin u. Ausgangsmaterial für Farbstoff-Synth.; die Monooxime sind Nachweismittel für Co, Zr, Amine, Phenole etc., ähnlich auch die 1,2-Naphthochinon-4-sulfonsäure.

2,6-N. (*amphi*-N.): Rotgelbe, geruchlose, nicht flüchtige Prismen, Zers. bei 135 °C, in Alkohol u. Methanol lösl., in Aceton unter Zersetzung. Herst. aus 2,6-Naphthalindiol durch Oxid. mit Bleidioxid in benzol. Lösung. – ***E*** naphthoquinones – ***F*** naphtoquinones – ***I*** naftochinoni – ***S*** naftoquinonas

Lit.: Beilstein E IV **7**, 2417, 2422 ▪ Houben-Weyl **7/3 a**, **7/3 b** ▪ Ullmann **4**, 264 ff.; **12**, 600 ff.; (4.) **17**, 120; (5.) **A 17**, 67 f. ▪ s. a. Chinone. – *[HS 2914 69; CAS 130-15-4 (1,4-N.); 524-42-5 (1,2-N.); 613-20-7 (2,6-N.)]*

1,2-Naphthochinon-4-sulfonsäure-Natriumsalz (Natrium-3,4-dioxo-3,4-dihydro-1-naphthalinsulfonat, Folins Reagenz).

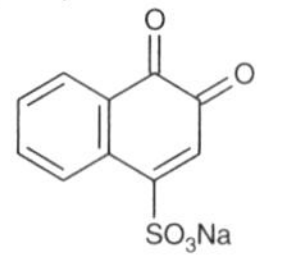

$C_{10}H_5NaO_5S$, M_R 260,19. Gelbliches, krist. Pulver, lösl. in Wasser, schwer lösl. in Alkohol.

Verw.: Zum Aminosäure-Nachw. (*Folins Reagenz*), zusammen mit der Biuret-Reaktion zur quant. Bestimmung von Proteinen u. Enzymen (*Lowry-Meth.*), zur Analyse von Aminen, Hydrazin-Derivaten u. Sulfaten. – ***E*** 1,2-naphthoquinone-4-sulfonic acid sodium salt – ***F*** 1,2-naphtoquinone-4-sulfonate de sodium – ***I*** 1,2-naftochinon-4-solfonati di sodio – ***S*** 1,2-naftoquinon-4-sulfonato de sodio

Lit.: Merck-Index (12.), Nr. 8791. – *[CAS 521-24-4]*

Naphthodianthren s. Meso...

Naphthoesäuren s. Naphthalincarbonsäuren.

α-Naphthoflavon (7,8-Benzoflavon, 2-Phenyl-4*H*-benzo[*h*]chromen-4-on, 2-Phenyl-4*H*-naphto[1,2-*b*]-pyran-4-on).

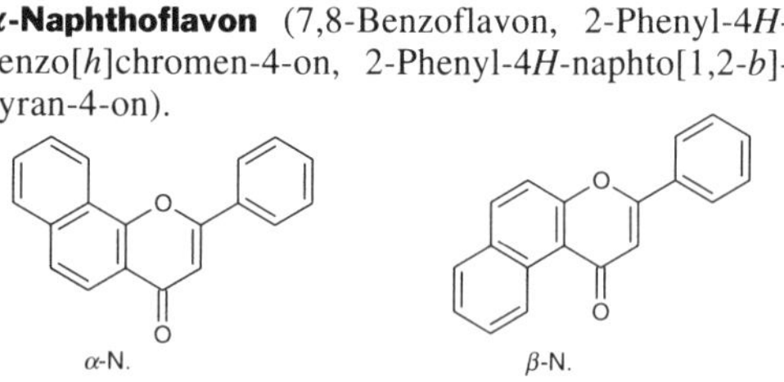

α-N. β-N.

$C_{19}H_{12}O_2$, M_R 272,30. Reagenz (Schmp. 157 – 159 °C) auf aktives Chlor; dieses setzt aus zugesetztem Iodid Iod frei, das mit α-N. eine blauviolette Verb. bildet. α-N. dient auch als Redox-Indikator (s. Redoxsysteme) u. ebenso wie das isomere *β-Naphthoflavon* (5,6-Benzoflavon, 3-Phenyl-1*H*-benzo[*f*]chromen-1-on 3-Phenyl-1*H*-naphto[2,1-*b*]pyran-1-on, Schmp. 164 – 166 °C) als Inhibitor der Aromaten-Hydroxylase, die bei der Carcinogenese eine Rolle spielen soll. – ***E*** α-naphthoflavone – ***F*** α-naphtoflavone – ***I*** α-naftoflavone – ***S*** α-naftoflavona

Lit.: Beilstein E V **17/10**, 726 f., 728 ▪ Cancer Res. **34**, 10, 40 (1974); **40**, 2785 (1980) ▪ J. Indian Chem. Soc. **61**, 179 (1984) ▪ Science **225**, 1032 (1984). – *[HS 2932 99; CAS 604-59-1 (α-N.); 6051-87-2 (β-N.)]*

Naphthol s. Naphthole.

Naphtholblauschwarz s. Naphtholschwarz 6 B.

Naphtholdisulfonsäuren s. Naphtholsulfonsäuren.

Naphthole.

Xn

Im weiteren Sinne Bez. für Hydroxy-Derivate des *Naphthalins mit einer od. mehreren OH-Gruppen, im engeren Sinne Bez. für die beiden *Monohydroxynaphthaline*, $C_{10}H_8O$, M_R 144,17, die seit altersher *α*- u. *β-Naphthol* (systemat. 1- u. 2-N.) genannt werden. Beide N. wirken haut- u. schleimhautreizend; bei längerer Einwirkung kann es zu Nekrosen kommen. Die bakterizide Wirkung des 2-N. ist größer als bei Phenol, weshalb es als Antiseptikum u. Anthelmintikum Verw. fand. Durch die Haut wird 2-N. – es ist Bestandteil mancher Keratolytika – leicht aufgenommen, was wegen seiner nierenschädigenden Wirkung zu beachten ist. 1- u. 2-N. sind in kleinen Mengen im Steinkohlenteer enthalten; beide N. (bes. aber 2-N.) haben in Form ihrer Sulfonsäuren, Nitro- u. Amino-Derivate für die Farbstoffsynth. große Bedeutung erlangt. Derivate beider N. sind pharmazeut. Wirkstoffe (vgl. *Lit.*[1]), andere werden als Fluorogene zur enzymat. Analyse eingesetzt.

1-Naphthol (*α*-N.): Farblose, schwach Phenol-artig riechende, sublimierbare, mit Wasserdampf flüchtige Kristallnadeln, D. 1,224, 1,099 (bei 99 °C), Schmp. 97 °C, Sdp. 288 °C; in heißem Wasser wenig, in kaltem sehr wenig, in Alkohol, Ether, Benzol u. Chloroform leicht löslich. Festes 1-N. färbt sich an der Luft dunkel (Oxid.).

Herst.: Aus 1-Naphthalinsulfonsäure durch Alkalischmelze, durch Hydrolyse von 1-Naphthylamin od. durch Oxid. von Tetralin u. anschließende Dehydrierung.

Verw.: Als Zwischenprodukt für Farbstoffe, Pflanzenschutzmittel, Pelz- u. Haarfarben, Chemikalien, synthet. Parfums, Antiseptika, Antioxidantien, Schmieröladditive, als Lsm. für Öle, Fette, Wachse, Harze, Seifen u. Farbstoffe; Homogenisierungsmittel u. Stabilisator für Emulsionen.

2-Naphthol (*β*-N.): Farblose, seidenglänzende, Phenol-artig riechende, prismat. Krist., die in Blättchen sublimieren u. mit Wasser flüchtig sind, D. 1,28, Schmp. 124 °C, Sdp. 295 °C, in kaltem Wasser sehr schwer, in heißem etwas leichter, in Alkohol, Ether, Chloroform, Benzol u. Ölen leicht löslich. 2-N. wird durch Alkalischmelze der 2-Naphthalinsulfonsäure hergestellt.

Verw.: Als Ausgangsmaterial für die Herst. von 2-Naphthylamin, Kautschukalterungsschutzmitteln, Riechstoffen, Farb- u. Gerbstoffen, Antiseptika, Schädlingsbekämpfungsmitteln, zur Konservierung von Leimen, als Appreturzusatz etc.

Von den 10 *Naphthalindiolen* spielen die 1,4-, 1,6-, 1,7-, 2,6- u. 2,7-, bes. aber 1,5-Derivate eine gewisse techn. Rolle. *1,3-Naphthalindiol* (Naphthoresorcin, $C_{10}H_8O_2$, M_R 160,17, farblose Blättchen, Schmp. 103–104 °C, lösl. in Wasser, Alkohol u. Ether) dient als Reagenz auf Glucuronsäure (*Tollens Reagenz*) sowie auf Zucker u. Öle. – ***E*** naphthols – ***F*** naphtols – ***I*** naftoli – ***S*** naftoles

Lit.: [1] Negwer (6.), S. 1712.
allg.: Beilstein E IV **6**, 4208–4253 ▪ Hager (5.) **8**, 1086 ff. ▪ Hommel, Nr. 597 ▪ Kirk-Othmer (3.) **15**, 732–736; (4.) **16**, 994–999 ▪ Ullmann (4.) **17**, 84–88; (5.) **A 17**, 15–20 ▪ Winnacker-Küchler (4.) **6**, 252–264. – *[HS 2907 15; CAS 90-15-3 (1-N.), 135-19-3 (2-N.)]*

Naphthol-Farbstoffe. Unspezif. Bez. für alle Farbstoffe, die sich von Naphtholen ableiten u. unter denen sich wichtige *Säurefarbstoffe befinden (s. auch Tab. auf S. 2810).

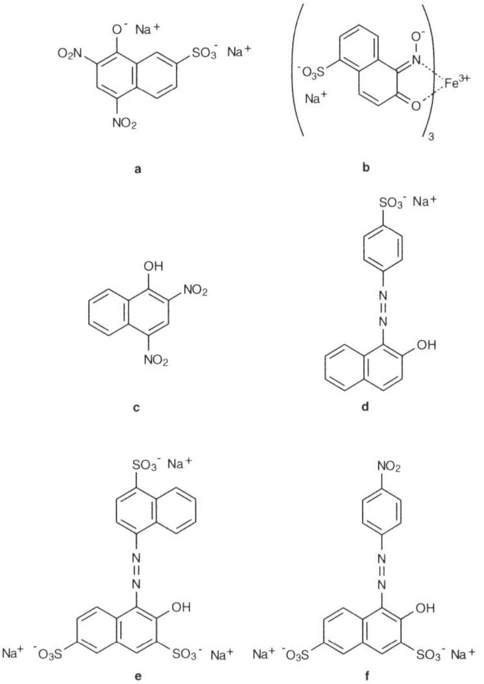

Von den N.-F. sind die z. T. ganz andersartigen *Naphtol-Farbstoffe (ohne „h") zu unterscheiden. – ***E*** naphthol dyes – ***F*** colorants au naphtol – ***I*** coloranti naftolici – ***S*** colorantes de naftol

Lit.: Beilstein E III **11**, 543 (a), 618 f. (b); E IV **6**, 4240 f. (c); E IV **16**, 408 (d); E III **16**, 327 (e), 324 (f) ▪ Ullmann (5.) **A 3**, 306 ff. ▪ Zollinger, Color Chemistry, 2. Aufl., S. 107 f., Weinheim: VCH Verlagsges. 1991. – *[HS 2908 90]*

Naphtholgelb S s. Naphthol-Farbstoffe.

Naphtholgrün B s. Naphthol-Farbstoffe.

***β*-Naphthol-methylether** s. Methyl(2-naphthyl)ether.

Naphtholorange s. Tropäolin u. Naphthol-Farbstoffe.

***α*-Naphtholphthalein.**

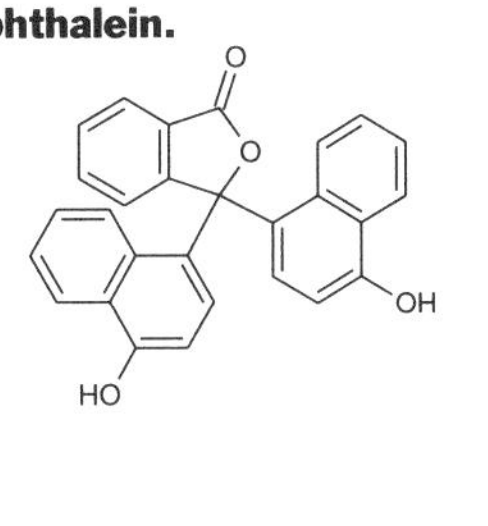

Tab.: Einteilung der Naphthol-Farbstoffe.

Trivialnamen	systemat. Name	Summenformel	M_R	Verw.	CAS
Naphtholgelb S (Natrium-flavianat, Citronin A) (a)	8-Hydroxy-5,7-dinitro-naphthalin-2-sulfon-säure-Dinatriumsalz	$C_{10}H_4N_2Na_2O_8S$	358,19	Färben von Naturfasern, Kosmetika, Mikroskopie, Fällung von Aminosäuren (z.B. Arginin) u. Peptiden	846-70-8
Naphtholgrün B (b)	Trinatrium-Tris-[5,6-dihydro-5-(hydroxyimino)-6-oxo-naphthalin-1-sulfonato(2–)-N^5,O^6]ferrat(3–)	$C_{30}H_{15}FeN_3Na_3O_{15}S_3$	878,46	Kosmet. Mittel	19381-50-1
Martiusgelb (c)	2,4-Dinitro-1-naphthol	$C_{10}H_6N_2O_5$	234,17	Biolog. Färbung u. Indikator	605-69-6
β-Naphtholorange (Tropäolin OOO 2) (d)	4-(2-Hydroxy-1-naphthyl-azo)-benzolsulfonsäure-Mononatriumsalz	$C_{16}H_{11}N_2NaO_4S$	350,32	Färben von Wolle, Seide u. kosmet. Mitteln; Indikator, Umschlag bernsteinfarben nach orange bei pH 7,4–8,6 u. orange nach rot bei pH 10,2–11,8	633-96-5
Naphtholrot S (Amaranth) (e)	3-Hydroxy-4-(4-sulfo-1-naphthylazo)-naphthalin-2,7-disulfonsäure-Trinatriumsalz	$C_{20}H_{11}N_2Na_3O_{10}S_3$	604,46	Färben von Wolle, Seide, Lebensmitteln u. kosmet. Mitteln (E 123)	915-67-3
β-Naphtholviolett (f)	3-Hydroxy-4-(4-nitro-phenylazo)-naphthalin-2,7-disulfonsäure-Dinatriumsalz	$C_{16}H_9N_3Na_2O_9S_2$	497,36	Indikator, Umschlag orangegelb nach violett bei pH 10,6–12	5859-05-2

$C_{28}H_{18}O_4$, M_R 418,44. Farbloses bis rötlich-graues Pulver, Schmp. 253–255 °C, sehr schwer lösl. in Wasser, lösl. in Alkohol. Eine 0,1%ige Lsg. wird als Indikator (bes. für schwache Säuren in stark alkohol. Lsg.) verwendet, Umschlag bei pH 7,8–9,0 (rötlich nach blaugrün). – ***E*** *α*-naphtholphthalein – ***F*** *α*-naphtolphthaléine – ***I*** *α*-naftolftaleina – ***S*** *α*-naftolftaleína

Lit.: Beilstein E V **18/4**, 219 ▪ Merck-Index (12.), Nr. 6476 ▪ Ullmann (4.) **13**, 186; (5.) **A 14**, 130. – *[HS 3932 29; CAS 596-01-0]*

Naphtholrot S s. Amaranth u. Naphthol-Farbstoffe.

Naphtholschwarz 6 B [4-Amino-5-hydroxy-3-(4-nitrophenylazo)-6-(phenylazo)-2,7-naphthalindisulfonsäure-Dinatriumsalz, Naphtholblauschwarz, C.I. Acid Black 1, C.I. 20470].

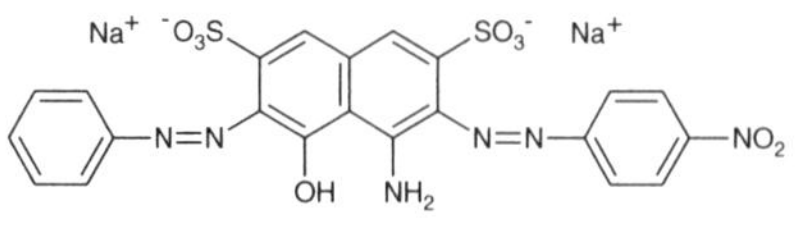

$C_{22}H_{14}N_6Na_2O_9S_2$, M_R 616,48. Blauschwarzer Bisazofarbstoff, der bei der Herst. als bronzeglänzendes Kristallpulver anfällt. Darf zur Herst. solcher kosmet. Mittel verwendet werden, die nur kurzzeitig mit der Haut in Berührung kommen. – ***E*** naphthol black 6B – ***F*** noir naphtol 6 B – ***I*** nero di naftolo 6 B – ***S*** negro naftol 6 B

Lit.: Beilstein E IV **16**, 622 ▪ Kirk-Othmer (4.) **3**, 394. – *[HS 2927 00; CAS 1064-48-8]*

Naphtholsulfonsäuren. Sammelbez. für die systemat. als *Hydroxynaphthalin(di,tri)sulfonsäuren* zu benennenden Säuren. Diese durch Sulfonierung der Naphthole leicht zugänglichen Produkte u. ihre Natriumsalze spielen seit langer Zeit eine große Rolle als Zwischenprodukte der Farbstoff-Herst., was auch ihre unübersichtliche Belegung mit Trivial- u. Entdeckernamen sowie mit alphanumer. Zeichen (*Buchstabensäuren*) verstehen läßt. Hier (vgl. Tab. S. 2811) sei der Versuch einer tabellar. Zusammenstellung aus verschiedenen Quellen gemacht; die Lage der einzelnen Substituenten prüfe man anhand der Abb. des *Naphthalins. Die gleiche Zuordnung gilt auch für die Salze der N. (G-Salz etc.); N. mit zusätzlichen Amino-Substituenten sind die *Naphthylaminsulfonsäuren. Zur techn. Bedeutung sowie weiteren Synth. der in der Tab. erwähnten u. der anderen N. sowie physikal. Daten s. *Lit.* – ***E*** naphtholsulfonic acids – ***F*** acides naphtolsulfoniques – ***I*** acidi naftolsolfonici – ***S*** ácidos naftolsulfónicos

Lit.: Beilstein E IV **11**, 613–626, 634–637 ▪ Kirk-Othmer (4.) **16**, 979 ff. ▪ Ullmann (5.) **A 17**, 9 ff. – *[HS 2908 20]*

***β*-Naphtholviolett** s. Naphthol-Farbstoffe.

...naphthon. Endung von systemat. Namen für Acyl-Derivate des *Naphthalins (IUPAC-Regel C-313.2, laut Regel R-5.6.2.1 veraltet); *Beisp.:* 2′-Butyronaphthon = 1-(2-Naphthyl)-1-butanon C_7H_{10}–CO–$(CH_2)_2$–CH_3. – ***E*** ...naphthone – ***F*** ..naphthone – ***I*** ...naftone – ***S*** ...naftona

Naphthoresorcin s. Naphthole.

2-Naphthoxyessigsäure s. 2-Naphthyloxyessigsäure.

Naphthyl... Bez. für den *Naphthalin-Rest –$C_{10}H_7$ [IUPAC-Regeln A-24.2, R-9.1.22; Chem. Abstr.: Naphthalenyl...; Isomere: 1- u. 2-N. (früher *α*- u. *β*-N.), 4a(2*H*)-, 4a(4*H*)- u. 4a(8a*H*)-N.]. – ***E*** = ***F*** naphthyl... – ***I*** = ***S*** naftil...

Naphthylamindisulfonsäuren s. Naphthylaminsulfonsäuren.

Tab.: Zusammenstellung der Naphtholsulfonsäuren, Naphthylaminsulfonsäuren u. der Aminonaphtholsulfonsäuren.

Naphtholsulfonsäuren

Trivialname(n) ...-Säure	Systemat.Name -Hydroxy-...	-naphthalin-sulfonsäure	Halbsystemat. Name -Naphthol-	...-sulfonsäure	CAS
Nevile-Winther-S., NW-S.	4-	-1-	1-	-4-	84-87-7
L-S., Azurin-S., Oxylaurent-S.	5-	-1-	1-	-5-	117-59-9
Baeyer-S., Crocein-S., Rumpff-S.	7-	-1-	2-	-8-	132-57-0
Baum-S., Schäffer-S. (α)	1-	-2-	1-	-2-	567-18-0
Schäffer-S. (β)	6-	-2-	2-	-6-	93-01-6
F-S., Cassella-S.	7-	-2-	2-	-7-	92-40-0
G-S.	7-	-1,3-di-	2-	-6,8-di-	118-32-1
δ-S., CS-S., Schöllkopf-S., Oxy-Chicago-S.	4-	-1,5-di-	1-	-4,8-di-	117-56-6
D-S.	4-	-1,6-di-	1-	-4,7-di-	6361-37-1
ε-S., Andresen-S.	8-	-1,6-di-	1-	-3,8-di-	117-43-1
R-S.	3-	-2,7-di-	2-	-3,6-di-	148-75-4
RG-S., GR-S.	4-	-2,7-di-	1-	-3,6-di-	578-85-8

Naphthylaminsulfonsäuren

...-Säure	-Amino-	...-naphthalin-sulfonsäure	-Naphthyl-amin	...-sulfonsäure	CAS
A-S., Tobias-S.	2-	-1-	2-	-1-	81-16-3
Naphthion-S., Piria-S.	4-	-1-	1-	-4-	84-86-6
Laurent-S., Purpurin-S.	5-	-1-	1-	-5-	84-89-9
Dahl-S. I, Dahl-S., D-S.	6-	-1-	2-	-5-	81-05-0
Badische S., Forsling-S. I	7-	-1-	2-	-8-	86-60-2
Peri-S.	8-	-1-	1-	-8-	82-75-7
Cleve-S., Cleve-γ-S.	4-	-2-	1-	-3-	134-54-3
1,6-Cleve-S., Cleve-β-S., μ-S.	5-	-2-	1-	-6-	119-79-9
Brönner-S., Amino-Schäffer-S.	6-	-2-	2-	-6-	93-00-5
δ-S., F-S., Baeyer-S., Cassella F-S.	7-	-2-	2-	-7-	92-40-0
1,7-Cleve-S.	8-	-2-	1-	-7-	119-28-8
Amino-I-S., Amino-J-S.	6-	-1,3-di-	2-	-5,7-di-	118-33-2
Amino-G-S.	7-	-1,3-di-	2-	-6,8-di-	86-65-7
C-S., Cassella-S.	3-	-1,5-di-	2-	-4,8-di-	131-27-1
Amino-S-S., Disulfo-S-S.	4-	-1,5-di-	1-	-4,8-di	117-55-5
Dahl-S. III	4-	-1,6-di-	1-	-4,7-di-	85-75-6
Amino-ε-S.	8-	-1,6-di-	1-	-3,8-di-	129-91-9
Dahl-S. II	4-	-1,7-di-	1-	-4,6-di-	85-74-5
Alen-S., Freund-S. (1,3,7)	4-	-2,6-di-	1-	-3,7-di-	6362-05-6
Kalle-S.	1-	-2,7-di-	1-	-2,7-di-	486-54-4
Amino-R-S.	3-	-2,7-di-	2-	-3,6-di-	92-28-4
Freund-S. (1,3,6)	4-	-2,7-di-	1-	-3,6-di-	6251-07-6
Melan-S., B-S.	8-	-1,3,5-tri-	1-	-4,6,8-tri-	17894-99-4
2R-Amino-S.	7	-1,3,6-tri	2-	-3,6,8-tri-	118-03-6
Koch-S., Amino-H-S., T-S.	8-	-1,3,6-tri-	1-	-3,6,8-tri-	117-42-0

Aminonaphtholsulfonsäuren

...-Säure	-Amino-	...-hydroxy-	...-naphthalin-sulfonsäure	-Amino-	...-naphtol-...	-sulfonsäure	CAS
1,2,4-S., Boeniger-S.	4-	-3-	-1-	1-	-2-	-4-	116-63-2
S-S., Chicago-S-S.	4-	-5-	-1-	8-	-1-	-5-	83-64-7
γ-S., Gamma-S.	6-	-4-	-2-	7-	-1-	-3-	90-51-7
I-S., J-S.	7-	-4-	-2-	6-	-1-	-3-	87-02-5
M-S.	8-	-4-	-2-	5-	-1-	-3-	489-78-1
SS-S., Chicago-SS-S.	4-	-5-	-1,3-di-	8-	-1-	-5,7-di-	82-47-3
I-Di-S., Sulfo-I-S.	2-	-5-	-1,7-di-	6-	-1-	-3,5-di-	6535-70-2
K-S.	4-	-5-	-1,7-di-	8-	-1-	-3,5-di-	130-23-4
RR-S., 2R-S., Columbia-S.	3-	-5-	-2,7-di-	7-	-1-	-3,6-di-	90-40-4
H-S.	4-	-5-	-2,7-di-	8-	-1-	-3,6-di-	90-20-0

Naphthylamine. Im weiteren Sinne Bez. für Amino-Derivate des *Naphthalins, im engeren Sinne Bez. für die beiden Aminonaphthalinen, $C_{10}H_9N$, M_R 143,18.

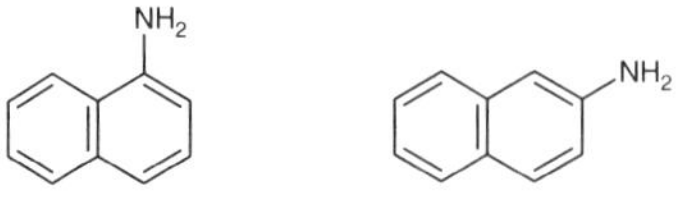

1-N. 2-N.

1-N. (α-N.): Farbloses, an Luft rot werdendes krist. Pulver (flache Nadeln), das unangenehm riecht, D. 1,13, Schmp. 50 °C, Sdp. 301 °C, in Wasser sehr schwer (neutrale Reaktion), in Alkohol u. Ether leicht lösl., mit Wasserdampf flüchtig; MAK 0,17 ppm (TRGS 900); WGK 2; LD_{50} (Ratte oral) 779 mg/kg. 1-N. wird techn. aus 1-Nitronaphthalin durch Red. mit Eisen/HCl (Béchamp-Red.) od. durch katalyt. Hydrierung hergestellt.

Xn  N 

Verw.: Wichtiges Zwischenprodukt für viele Azofarbstoffe, zur Herst. von Aminonaphthalinsulfonsäuren, Zwischenprodukt für Pharmazeutika, Pflanzenschutzmittel, zur Herst. von Kautschukchemikalien usw.

2-N. (β-N.): Farblose bis leicht rötliche, glänzende, geruchlose Blättchen, D. 1,216, 1,061 (bei 98 °C), Schmp. 113 °C, Sdp. 306 °C, in kaltem Wasser wenig, in heißem ziemlich leicht lösl. (fluoresziert blau), in Alkohol u. Ether leicht lösl., mit Wasserdampf flüchtig; Emissionsklasse I (TA Luft 2.3). Die techn. Herst. geht von 2-Naphthol aus, das mit Ammoniak u. Ammoniumsulfit umgesetzt wird (*Bucherer-Reaktion).

T  N 

Beide N. kommen in geringen Mengen im Steinkohlenteer vor. Sie sind sehr gesundheitsschädlich: Staub u. Dämpfe reizen die Augen, die Atemwege, die Lunge u. die Haut u. werden auch über die Haut aufgenommen. Der Blutfarbstoff wird verändert (Methämoglobin-Bildung) u. die roten Blutkörperchen werden zerstört, nachfolgend Leber- u. Nierenschäden möglich. Kontakt mit dem festen Stoff bewirkt Reizung der Augen u. der Haut. Zur krebserzeugenden Wirkung von 1-N. s. *Lit.*[1]. 2-N. gilt als eindeutig krebserzeugender Arbeitsstoff (III A 1 MAK-Werte-Liste 1996), weshalb die großtechn. Herst. aufgegeben wurde; 2-N. war früher Ausgangsmaterial für wichtige Farbstoffzwischenprodukte. 1-N., 2-N. u. ihre Salze dürfen beim Herstellen od. Behandeln von kosmet. Mitteln nicht verwendet werden (Kosmetik-VO Anlage 1, Nr. 242). 2-N. u. seine Salze u. Zubereitungen mit einem Massengehalt von 0,1% od. mehr dürfen nicht in den Verkehr gebracht werden (Chemikalien-Verbotsverordnung vom 19. 07. 1996). – ***E*** naphthylamines – ***F*** naphtylamines – ***I*** naftilamine – ***S*** naftilaminas

Lit.: [1]IARC Monogr. **4**, 87–96 (1974); Suppl. **4**, 164–167 (1982).
allg.: Beilstein E IV **12**, 3009–3013, 3122–3125 ▪ Hager (5.) **3**, 857 ▪ Hommel, Nr. 960, 1058 ▪ Kirk-Othmer (4.) **16**, 888 f. ▪ TRGA 606, 2-Naphthylamin-Ersatzstoffe u. Verwendungsbeschränkungen (April 1986) ▪ Ullmann (4.) **17**, 106; (5.) **A 5**, 265, 267; **A 17**, 32 f. – *[HS 2921 45; CAS 134-32-7 (1-N.); 91-59-8 (2-N.); G 6.1]*

Naphthylaminsulfonsäuren. Durch Sulfonierung gehen die *Naphthylamine je nach Reaktionsbedingungen in eine od. mehrere der N. über, die systemat. als *Aminonaphthalin(di,tri)sulfonsäuren* zu benennen sind. Nitrierung u. anschließende Red. lassen aus *Naphthalinsulfonsäuren andere N. entstehen. Die N. werden überwiegend als Zwischenprodukte bei der Herst. von Azofarbstoffen benutzt. Bezüglich der verwirrenden Namensvielfalt (*Buchstabensäuren*) s. Naphtholsulfonsäuren, selbstverständlich gelten die Zuordnungen auch für die Salze (Naphthionate, H-Salz usw.). Im dtsch. Sprachgebrauch sagt man meist „Freundsche Säure", im engl. „ Freund's acid", aber hier in der Tab. kurz „Freund-S.". Weitere *Buchstaben-* u. *Namen-Säuren* gehen aus den *Aminonaphtholen hervor od. werden auf anderen Wegen hergestellt; sie werden systemat. als *Aminohydroxynaphthalinsulfonsäuren*, halbsystemat. als Aminonaphtholsulfonsäuren bezeichnet, wobei zur zusätzlichen Verwirrung auch noch unterschiedliche Ziffernsyst. üblich sind, je nachdem, ob der NH_2- od. der OH-Gruppe die niedrigste Ziffer zuerteilt wird (einige dieser Verb. sind im 2. Teil der Tab. bei Naphtholsulfonsäuren aufgeführt). Die Aminohydroxynaphthalinsulfonsäuren (3. Teil der Tab. bei *Naphtholsulfonsäuren) dienen überwiegend als Kupplungskomponenten zur Herst. von Azofarbstoffen. – ***E*** naphthylaminesulfonic acids – ***F*** acides naphtylaminesulfoniques – ***I*** acidi naftilaminsolfonici – ***S*** ácidos naftilaminosulfónicos

Lit.: Beilstein E IV **14**, 2792–2830 ▪ Kirk-Othmer (4.) **16**, 979 ff. ▪ Ullmann (4.) **17**, 98 ff.; (5.) **A 17**, 9 ff. ▪ Winnacker-Küchler (4.) **6**, 247–266. – *[HS 2921 45]*

2-Naphthylbenzoat s. Benzoesäure-2-naphthylester.

α-Naphthylbromid s. 1-Bromnaphthalin.

Naphthylchloride s. Chlornaphthaline.

1-Naphthylessigsäure s. 1-Naphthalinessigsäure.

***N*-(1-Naphthyl)ethylendiamin-dihydrochlorid.**

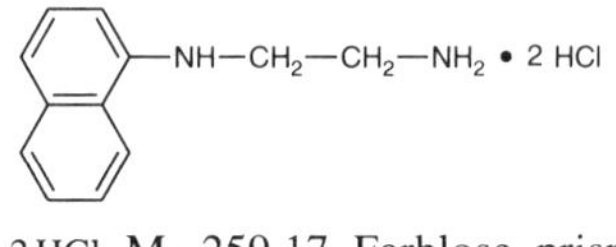

$C_{12}H_{14}N_2 \cdot 2HCl$, M_R 259,17. Farblose, prismat. Krist., Schmp. 188–190 °C, lösl. in heißem Wasser, 95%igem Alkohol, verd. Salzsäure, schwer lösl. in kaltem Wasser, abs. Alkohol u. Aceton. N. wird zum Sulfonamid-Nachw. im Blut u. als Reagenz auf Nitrite, Sulfate, Kalium, Folsäure verwendet. – ***E*** *N*-(1-naphtyl)ethylenediamine dihydrochloride – ***F*** dichlorhydrate de *N*-(1-naphthyl)ethylènediamine – ***I*** dicloridrato di N-(1-naftil)etilendiamina – ***S*** diclorhidrato de *N*-(1-naftil)etilendiamina

Lit.: Anal. Chim. Acta **110**, 123 (1979) ▪ Beilstein E III **12**, 2955 f. ▪ Hager (5.) **2**, 126, 143 ▪ Merck-Index (12.), Nr. 6496. – *[HS 2921 59; CAS 1465-25-4]*

1-Naphthylisocyanat.

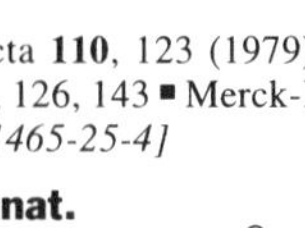

$C_{11}H_7NO$, M_R 169,18. Stechend riechende, giftige, farblose bis blaßgelbe Flüssigkeit, D. 1,177, Schmp.

+4,5 °C, Sdp. 270 °C, leicht lösl. in Kohlenwasserstoffen, Chlorkohlenwasserstoffen, Estern, Ethern, Ketonen; zur Herst. s. Isocyanate. Verw. zu Farbstoff- u. anderen organ. Synth., zum Nachw. von Alkoholen als Urethan (*Neubergs Reagenz*), zur Spurenanalyse von Alkoholen u. Aminen. – ***E*** 1-naphthyl isocyanate – ***F*** isocyanate de 1-naphtyle – ***I*** isocianato di 1-naftile – ***S*** isocianato de 1-naftilo

Lit.: Beilstein E IV **12**, 3094 ▪ Merck-Index (12.), Nr. 6497 ▪ Ullmann (5.) **A 11**, 287. – *[HS 2929 10; CAS 86-84-0; G 6.1]*

2-Naphthyloxyessigsäure (2-Naphthoxyessigsäure).

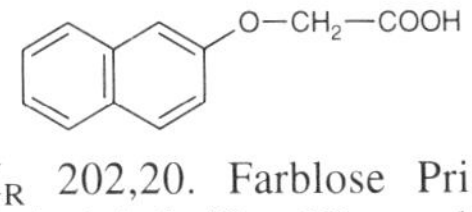

$C_{12}H_{10}O_3$, M_R 202,20. Farblose Prismen, Schmp. 156 °C, mäßig lösl. in heißem Wasser, lösl. in Alkohol, Ether, Essigsäure. N. wird als Pflanzenwuchsstoff verwendet (fördert Stecklingsbewurzelung, verhindert, daß Früchte vorzeitig abfallen). – ***E*** 2-naphthyloxyacetic acid – ***F*** acide 2-naphtyloxyacétique – ***I*** acido 2-naftilossiacetico – ***S*** ácido 2-naftiloxiacético

Lit.: Beilstein E IV **6**, 4274 ▪ Merck-Index (12.), Nr. 6484 ▪ Ullmann (4.) **12**, 601; **18**, 23; (5.) **A 17**, 16, 18. – *[HS 2918 90; CAS 120-23-0]*

Naphthyl(tetrahydro)isochinolin-Alkaloide s. Ancistrocladus-Alkaloide.

(1-Naphthyl)-thioharnstoff s. Antu.

Naphthyridine. Bez. nach IUPAC-Regeln B-2.11 u. R-9.1.23 für von *Naphthalin abgeleitete heterocycl. Verb. (*Diazanaphthaline, Pyridopyridine*), bei denen in beiden Ringen je eine Methin-Gruppe durch Stickstoff ersetzt ist; *Beisp.:* *Nalidixinsäure. Es gibt 6 Isomere: 1,5-, 1,6-, 1,7-, 1,8-, 2,6- u. 2,7-Naphthyridin. – ***E*** = ***F*** naphthyridines – ***I*** naftiridine – ***S*** naftiridinas

Naphtol® AS [3-Hydroxy-2-naphth(oesäure)anilid].

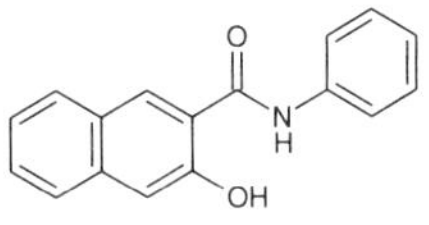

$C_{17}H_{13}NO_2$, M_R 263,30. N. AS ist eine Farbstoffkupplungskomponente für spezielle Azofarbstoffe (*Entwicklungsfarbstoffe), die (zunächst farblos) in alkal. Lsg. in Ggw. von Formaldehyd u. Schutzkolloiden substantiv aufzieht u. beim Entwickeln mit diazotierten Basen auf Baumwolle, Leinen, Viskose u. a. Cellulose-Fasern außerordentlich klare, wasch-, licht- u. säureechte Färbungen gibt. N. AS läßt sich selbst wieder vielfach substituieren, ohne seine Neigung, sich mit der Faser zu verbinden, einzubüßen; die Entwicklung des N. AS (od. verwandter Stoffe) kann z. B. mit einer Vielzahl diazotierter Basen (*Echtbasen) erfolgen. Auf diese Weise kommt die reichhaltige Gruppe der *N. AS-Farbstoffe* (vgl. Naphtol-Farbstoffe) zustande, deren Färbungen oft Echtheitseigenschaften der *Indanthren-Farbstoffe erreichen, ohne mit diesen chem. verwandt zu sein. Das *N. AS-Verf.* wurde 1911 von Winther, Laska u. Zitscher im Werk Naphtolchemie in Offenbach (Farbwerke Hoechst) ausgearbeitet; AS ist dabei Abk. für „Anilid-Säure". Die von der Hydroxy-Gruppe des N. AS sich ableitenden Ester spielen eine Rolle in der enzymat. Analyse (Esterasen-Bestimmung). ***B.:*** DyStar

Lit.: Beilstein E IV **12**, 13 ▪ s. a. Azofarbstoffe.

Naphtol-Farbstoffe. Oft auch irreführenderweise als *Naphthol-Farbstoffe zusammengefaßte Gruppe von *Entwicklungsfarbstoffen, die als *Azofarbstoffe auf der Textilfaser (Wolle, Baumwolle) durch Kupplungsreaktionen zwischen den *Naphtol*-Kupplungskomponenten u. den diazotierten **Echtbasen* bzw. *Echtsalzen* entstehen. Ursprünglich von Naphthol-Derivaten (s. Naphtol AS®) ausgehend, haben sich erstere in ihrer Zusammensetzung heute z. T. weit hiervon entfernt, u. auch die *Diazoechtsalze sind sehr heterogen zusammengesetzt. – ***E*** naphtol dyes – ***I*** coloranti di naftolo

Lit.: Herbst u. Hunger, Industrielle organische Pigmente (2. Aufl.), Weinheim: VCH Verlagsges. 1995 ▪ Kirk-Othmer (4.) **8**, 311 ▪ Winnacker-Küchler (4.) **7**, 20 ▪ s. a. Azofarbstoffe, Naphtol AS.

Nappaleder. Glacégegerbtes Lamm-, Schaf- u. Ziegenleder, das durch Nachgerbung mit pflanzlichen Gerbstoffen waschbar gemacht wird, vgl. Glacéleder. Wird bes. für Handschuhe, Taschen etc. verwendet. – ***E*** = ***F*** nappa – ***I*** cuoio nappa – ***S*** cabritilla, nap(p)a

Lit.: Faber, Gerbmittel, Gerbung, Nachgerbung, S. 289, 315 f., Frankfurt a. M.: Umschau Verl. 1985 ▪ Ullmann (4.) **16**, 115 ▪ s. a. Leder. – *[HS 5105 12, 5106 12]*

Nappar®. Zwischen 70 °C u. 220 °C siedende naphthen. Kohlenwasserstoff-Fraktionen. N. wird zur Substitution von Aromaten (vergleichbare Löslichkeitsparameter) u. Halogenkohlenwasserstoffen in Kaltreinigern, in Klebstoff-Rezepturen u. Haushaltprodukten verwendet. ***B.:*** Dtsch. EXXON CHEMICAL GmbH.

Napropamid.

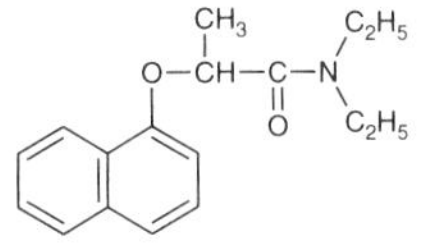

Common name für (±)-*N,N*-Diethyl-2-(1-naphthyloxy)propionamid, $C_{17}H_{21}NO_2$, M_R 271,35, Schmp. 75 °C, LD_{50} (Ratte oral) >5000 mg/kg, von Stauffer 1971 eingeführtes selektives Vorauflauf-*Herbizid gegen Ungräser u. Unkräuter im Winterraps-, Obst-, Gemüse- u. Zierpflanzenanbau. – ***E*** = ***F*** = ***I*** napropamide – ***S*** napropamid

Lit.: Farm. ▪ Perkow ▪ Pesticide Manual. – *[HS 2924 29; CAS 15299-99-7]*

Naproxen (Rp).

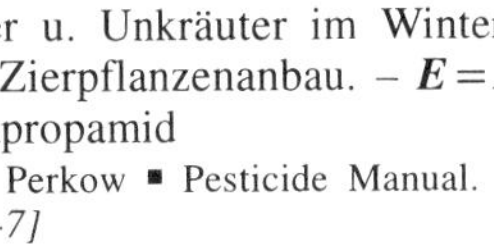

Internat. Freiname für die antiphlogist., analget. u. antipyret. wirksame (*S*)-2-(6-Methoxy-2-naphthyl)propionsäure, $C_{14}H_{14}O_3$, M_R 230,26, Schmp. 152–154 °C, $[\alpha]_D^{20}$ +63° bis +68,5° (c 2/$CHCl_3$); LD_{50} (Maus i.v.) 435 mg/kg, (Maus oral) 1234 mg/kg. Weißliches, krist. Pulver; in Wasser prakt. unlösl., lösl. in Chloroform (1:15), Alkohol (1:25) u. Ether (1:40). Lagerung: Vor Licht u. Luft geschützt. Verwendet werden meist das Natriumsalz, $C_{14}H_{13}NaO_3$, M_R 252,25, Schmp. 244–246 °C u. das Piperazin-Salz, $(C_{14}H_{14}O_3)_2 \cdot C_4H_{10}N_2$, $C_{32}H_{38}N_2O_6$, M_R, 546,66. N. wurde 1968, 1975 u. 1977 von Syntex patentiert u. ist als Generikum im Handel. – ***E*** naproxen – ***F*** naproxène – ***I*** naproxene – ***S*** naproxeno

Lit.: Arzneim. Forsch. **25**, 278–332 (1975) ▪ ASP ▪ Drugs **18**, 241–277 (1979) ▪ Hager (5.) **8**, 1088–1091 ▪ Martindale (31.), S. 69 f. ▪ Ph. Eur. **1997** u. Komm. – *[HS 2918 90; CAS 22204-53-1 (N.); 26159-34-2 (Na-Salz); 70981-66-7 (Piperazin-Salz)]*

Napsilat. Internat. Kurzbez. für die 2-Naphthalinsulfonat-Gruppe in den Freinamen von pharmazeut. Präparaten. – ***E*** napsylate – ***F*** napsilate – ***I*** = ***S*** napsilato

Narasin [Narasin A, (4*S*)-4-Methylsalinomycin].

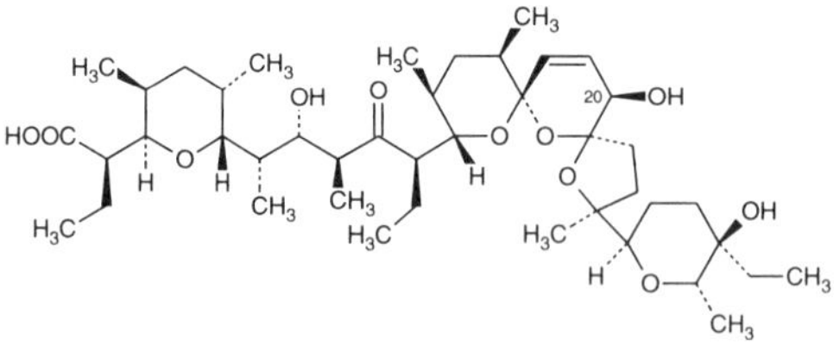

$C_{43}H_{72}O_{11}$, M_R 765,03, Krist., Doppel-Schmp. 98–100 °C u. 198–200 °C, $[\alpha]_D^{25}$ –54° (CH_3OH). Polyether-Antibiotikum aus *Streptomyces*-Arten, das bes. gut gegen Kokzidien-Infektionen von Geflügel wirkt. Verschiedene Derivate von N. werden als Futtermittelzusätze verwendet. – ***E*** narasin – ***F*** narasine – ***I*** = ***S*** narasina

Lit.: Beilstein E V **19/12**, 553 ▪ Diss. Abstr. Int. B **44**, 1829 (1983) ▪ Martindale (30.), S. 522 ▪ Merck-Index (12.), Nr. 6506 ▪ Poultry Sci. **59**, 2008 (1980). – *[HS 2941 90; CAS 55134-13-9]*

Naratriptan (Rp).

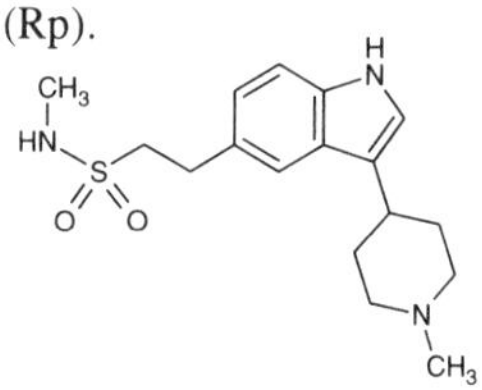

Internat. Freiname für den Serotonin 5-HT_1-Agonisten *N*-Methyl-3-(1-methyl-4-piperidinyl)-1*H*-indol-5-ethansulfonamid, $C_{17}H_{25}N_3O_2S$, M_R 335,46. Verwendet wird das Hydrochlorid, das von Glaxo in der klin. Prüfung gegen Migräne ist. – ***E*** = ***I*** naratriptan – ***F*** naratriptane – ***S*** naratriptán

Lit.: Br. J. Pharmacol. **120**, 153–159 (1997). – *[CAS 121679-13-8 (N.); 143388-64-1 (Hydrochlorid)]*

Narbonin. Globuläres Protein, das erstmalig aus *Vicia narbonensis* L. isoliert wurde. N. besteht aus 291 *Aminosäuren (M_R ca. 33 100). Das Protein besitzt ähnlich der *Triosephosphat-Isomerase od. der *Pyruvat-Kinase eine $\alpha\beta$-Barrel-Struktur, d. h. es hat einen zentralen Kern aus acht parallelen β-Faltblatt-Strängen (s. Proteine), der von acht α-Helices umgeben ist. Dieses Strukturelement findet sich auch in Chitinasen. Bisher konnte dem N. allerdings keine enzymat. Aktivität zugeordnet werden. – ***E*** narbonin – ***F*** narbonine – ***I*** narbonina – ***S*** narbonín

Lit.: FEBS Lett. **306**, 80 (1992) ▪ J. Mol. Biol. **262**, 243 (1996) ▪ Plant. Mol. Biol. **28**, 61 (1995).

Narbosine.

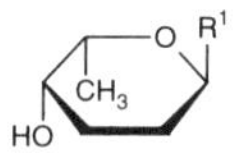

	R[1]	Summenformel	M_R	Cas-Nr.
N. A	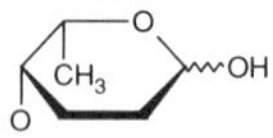	$C_{12}H_{22}O_5$	246,30	133578-76-3 13346-42-1 133646-43-2 133646-44-3
N. B	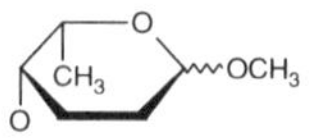	$C_{13}H_{24}O_5$	260,33	
N. C	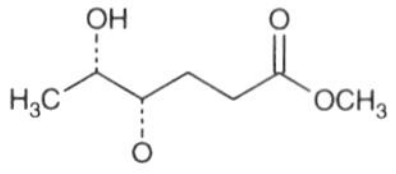	$C_{13}H_{24}O_6$	276,34	133578-68-4
N. D	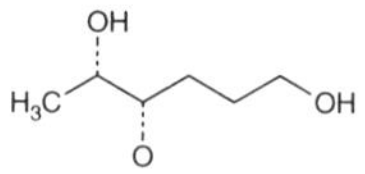	$C_{12}H_{24}O_5$	248,31	133578-70-8

Familie von Saccharid-*Antibiotika aus *Streptomyces*-Species mit antiviralen Eigenschaften (s. Virostatika). – ***E*** = ***F*** narbosins – ***I*** = ***S*** narbosina

Lit.: Justus Liebigs Ann. Chem. **1991**, 575.

Narcanti® (Rp). Ampullen mit *Naloxon-hydrochlorid als Antidot bei Opioid-Vergiftungen. ***B.:*** DuPont.

Narcissidin s. Amaryllidaceen-Alkaloide.

(–)-α-Narcotin (Opianin, 8-Methoxyhydrastin, internat. Freiname: Noscapin).

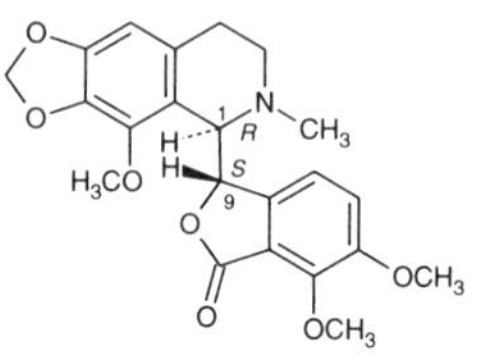

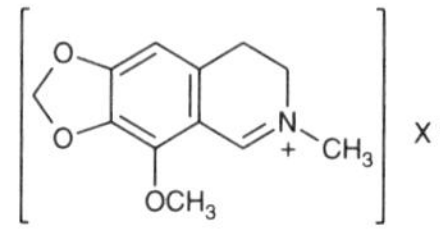

Cotarnin

$C_{22}H_{23}NO_7$, M_R 413,41, farblose Krist., Schmp. 176 °C, $[\alpha]_D$ –200° ($CHCl_3$); LD_{50} (Ratte oral) 1520 mg/kg; lösl. in Aceton, Ethanol, Eisessig u. Chloroform sowie in alkal. Lsg. unter Bildung unbeständiger Salze, den sog. *Narcotaten*. Das *Isochinolin-Alkaloid N. gehört zu den Hauptalkaloiden des *Opiums, in dem es zu 3–10% vorkommt. Die rechtsdrehende Form u. das Racemat (*α-Gnoscopin*, Schmp. 230–233 °C) sind synthet. zugänglich. Durch oxidative Spaltung von N. bildet sich das Narkotikum *Cotarnin* [$C_{12}H_{14}NO_3^+$, M_R 220,25, Schmp. des Iodids: 184–186 °C (Zers.)]. Die analoge Reaktion liefert *Hydrastinin aus *Hydrastin. N. ist als *Antitussivum ohne den analget. Effekt der Opium-Alkaloide im Gebrauch. Es wirkt auch als *Mitosehemmer. – ***E*** = ***F*** (–)-α-narcotine – ***I*** = ***S*** (–)-α-narcotina

Lit.: Anal. Profiles Drug Subst. **11**, 407 (1982) ▪ ApSimon **3**, 30, 84, 117, 183 ▪ Beilstein E V **27/24**, 406 (Cotarnin), **27/27**, 158 f. (Narcotin) ▪ Florey **11**, 407–461 ▪ Hager (5.) **8**, 1214 ff. ▪ J. Nat. Prod. **45**, 105 (1982) (Vork.) ▪ Martindale (31.),

S. 1072 f. ▪ Mutagenesis **8**, 311 (1993) ▪ Negwer (7.), S. 8884 ▪ Pharm. Biol. **4**, 81–85 ▪ Ph. Eur. **1997**, 1404 f. u. Komm. ▪ Sax (8.), NBP 275 ▪ Schmidbauer u. vom Scheidt, Handbuch der Rauschdrogen, S. 309, München: Nymphenburger 1988 ▪ Ullmann (5.) **A 1**, 375 f. – *[HS 293910; CAS 128-62-1 ((–)-α-N.); 35933-64-3 ((+)-α-N.); 6035-40-1 ((±)-α-N.); 912-60-7 (Hydrochlorid); 20276-45-3 (Cotarnin)]*

Narcylen s. Acetylen.

Narde s. Valtrat.

Naringenin s. Naringin.

Naringensäure. Synonym für 4-Hydroxyzimtsäure, s. 2-Hydroxyzimtsäure.

Naringin [Aurantiin, Naringenin-7-*O*-(2-*O*-α-L-rhamnosyl-β-D-glucosid)].

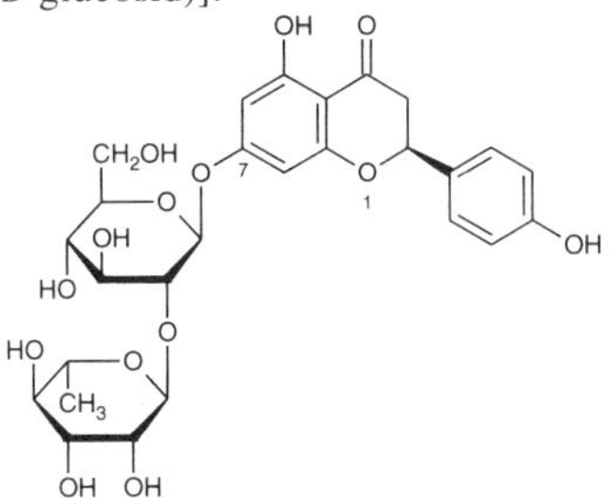

$C_{27}H_{32}O_{14}$, M_R 580,54, bitter schmeckende Krist., Schmp. 82 °C (Octahydrat) bzw. 172 °C (Dihydrat), lösl. in Alkohol u. heißem Wasser; $[\alpha]_D^{10}$ –82° (C_2H_5OH). Glykosid aus den Blüten, Früchten (bes. unreifen) u. der Rinde des Pampelmusen-Baumes (Grapefruit, *Citrus paradisi*, Rutaceae) u. a. Citrus-Gewächsen. N. ist der Bitterstoff des Grapefruitsaftes, der noch in einer Verdünnung von 1:10 000 zu schmecken ist. Das Aglykon zu N., das Flavon *Naringenin* {Floribundigenin, Naringetol, Salipurol, $C_{15}H_{12}O_5$, M_R 272,26, Schmp. 250–251 °C, $[\alpha]_D^{27}$ –22,5° (CH_3OH), (*S*)-Form)}, wirkt als Antagonist der *Gibberelline in ruhenden Pfirsichblüten. Naringenin kommt auch in anderen Pflanzen-Glykosiden als Aglykon vor, sowohl in der (*S*)-Form (Akazien, *Crataegus*, *Sophora*), als auch in der (*R*)-Form (*Helichrysum*); es wird in der Photometrie verwendet. Mit Hilfe des Enzyms Naringinase läßt sich Grapefruitsaft entbittern. Durch Hydrierung von N. gelangt man zum Dihydrochalkon, das ca. 300mal süßer als Saccharose ist. – ***E*** naringin – ***F*** naringine – ***I*** = ***S*** naringina

Lit.: Beilstein E V **18/4**, 528 ▪ Belitz-Grosch (4.), S. 747 f., 773 ▪ Hager (5.) **4**, 84 f.; **5**, 962 ▪ Karrer, Nr. 1605 ▪ Kirk-Othmer (3.) **9**, 194 f.; **22**, 458–464 ▪ Merck-Index (12.), Nr. 6511, 6512 ▪ Pharm. Biol. **4**, 121–124 ▪ Ullmann (5.), **A 11**, 507, 578. – *Verw.:* J. Exp. Bot. **13**, 213 (1962). – *[HS 2938 90; CAS 10236-47-2 (N.); 480-41-1 (Naringenin)]*

Narkotika (von griech.: nárkē = Erstarrung, Lähmung, Betäubung). Im weiteren Sinne Bez. für alle Chemikalien, die die Funktionen lebender Zellen vorübergehend (also reversibel) hemmen, d. h. die betäubend (N. im engeren Sinn), dämpfend (*Sedativa), gefühlslähmend (*Anästhetika) od. einschläfernd u./od. schlafverstärkend (Hypnotika) wirken. Im engeren Sinn sind N. solche Chemikalien, die in geeigneter Konz. bei Menschen u. Tieren durch reversible Veränderungen im Zentralnervensyst. Bewußtsein, Schmerzempfindung (s. Schmerzmittel), Abwehrreflexe u. Muskelspannung weitgehend ausschalten. Nach der Applikationsart unterscheidet man **Inhalationsnarkotika* (z. B. *Enfluran, *Lachgas, *Halothan) u. **Injektionsnarkotika* (z. B. *Hexobarbital, *Ketamin). Infolge mehr od. weniger ausgeprägter Nachwirkungen der N. wird die völlige Funktions- u. Arbeitsfähigkeit (Verkehrstüchtigkeit!) erst nach Stunden – ggf. auch Tagen – zurückgewonnen. Die N. sind trotz ihrer betäubenden Wirkung nicht ident. mit den **Betäubungsmitteln* [*E* narcotics (!)] – *keine* N. sind z. B. die *Opiate. Im dtsch. Sprachgebrauch überschneidet sich der Begriff N. teilw. mit dem der **Anästhetika*. Eine Narkose wird heute kaum noch als *Mononarkose*, d. h. mit einem einzigen N. ausgeführt, sondern als *Kombinationsnarkose* mit mehreren N., die, unabhängig voneinander dosierbar u. steuerbar, synergist. die gewünschten Wirkungen hervorrufen können; *Beisp.:* Kombination von *Neuroleptika mit *Analgetika (*Neuroleptanalgesie*). Eine allg. akzeptierte Theorie der N.-Wirkung existiert bis heute nicht, s. die zusammenfassende Diskussion in *Lit.* [1].

Geschichte: Die erste Vollnarkose (mit Ether) wurde von Crawford Williamson Long am 30. März 1842 in Amerika bei der Operation einer Nackengeschwulst ausgeführt; nach anderen Angaben fand die erste allg. anerkannte Ether-Narkose am 16. Okt. 1846 statt [2]. – ***E*** an(a)esthetics, narcotics – ***F*** narcotiques – ***I*** narcotici – ***S*** narcóticos

Lit.: [1] Neurotransmissions RBI **13**, 1–7 (1997). [2] Sneader, Drug Discovery, S. 15–24, Chichester: Wiley 1985.
allg.: Mutschler (7.), S. 231–242 ▪ Ullmann (5.) **A 2**, 289–301.

Narrow range (Abk.: N. R., Eingeengter Bereich). Bei der *Ethoxylierung von Verb. mit aktiven Wasserstoff-Atomen zur Herst. von *nichtionischen Tensiden werden z. B. *Fettalkohole mit überschüssigem *Ethylenoxid (EO) zu einem Gemisch von verschiedenen Homologen umgesetzt, wobei der freie Alkohol-Gehalt u. die Homologenverteilung entscheidend durch die Natur des Alkoxylierungskatalysators beeinflußt werden. Mit üblichen bas. Katalysatoren (Natriummethylat, Natriumhydroxid) werden Produkte mit vergleichsweise hohem Restalkohol-Gehalt u. weiter, annähernd statist. Homologenverteilungen erhalten. Demgegenüber bewirkt der Einsatz von Erdalkali-Salzen, wie z. B. Strontiumphenolat od. Bariumoxid, eine Einengung der Homologenverteilung. Der durchschnittliche Alkoxylierungsgrad fällt dann mit dem Maximum in der Homologenverteilung zusammen, Anteile an niederen u. höheren Homologen sowie der Restalkohol-Gehalt sind gegenüber der weiten Homologenverteilung signifikant vermindert. Günstig ist auch der Einsatz von Schichtsilicaten od. anderen aciden Katalysatoren. Produkte, die sich durch eine eingeengte Homologenverteilung auszeichnen, werden als N. R. bezeichnet; in der Fachlit. findet man für *Ethylenoxid-Anlagerungsprodukte mit eingeengter Homologenverteilung auch den Begriff „narrow range ethoxylates (NRE)".

Verw.: NRE zeigen gegenüber entsprechenden Produkten mit weiter Homologenverteilung Vorteile in Hinblick auf niedrigere Fließpunkte, höhere Rauchpunkte, bessere Wasserlöslichkeit, verminderte Geruchsbelastung u. geringeres Pluming bei der Sprühtrocknung. – ***E*** narrow range – ***I*** ambito contratto

Lit.: Van Os (Hrsg.), Nonionic Surfactants: Organic Chemistry, New York: Dekker 1997.

Nasan®. Nasentropfen, -gel u. -spray mit dem α-Sympathomimetikum *Xylometazolin-Hydrochlorid. ***B.:*** Hexal.

Nasarow-Reaktion s. Nazarov-(Ringschluß-)Reaktion.

Nascierend s. in statu nascendi.

NasenTropfen E/-K-ratiopharm®. Nasentropfen mit dem α-Sympathomimetikum *Xylometazolin-Hydrochlorid. ***B.:*** ratiopharm.

Nasivin(etten)®. Gel, Lsg. u. Spray mit *Oxymetazolin-hydrochlorid gegen Infekte im Nasen-Rachen-Raum. ***B.:*** Merck.

Naßabscheider. Einrichtung zur Naß-*Entstaubung von *Abluft u. *Abgas. Man spricht auch von *Naßwäschern, wenn gasf. Verunreinigungen mit ausgewaschen werden. Das entscheidende Problem der Naßabscheidung ist das Zustandekommen eines Kontakts der Staubteilchen mit den Tropfen. Dabei geht die Vorstellung dahin, daß die Staubpartikel bei der Umströmung eines Tropfens dem Gasstrom nicht mehr folgen können, sondern infolge ihrer Massenträgheit auf den Tropfen gelangen. Neben dem Durchmesser u. der Dichte der Staubteilchen ist auch der im Wäscher erzeugte Tropfendurchmesser, die Anzahl der Tropfen u. die Relativgeschw. der Tropfen zu den Staubteilchen für die Abscheideleistung maßgeblich. Die Staubabscheidung in einem Naßwäscher geht also fraktioniert vonstatten, d.h., je kleiner ein Staubteilchen ist, desto schlechter wird es abgeschieden. Das Abscheiden der staubbeladenen Waschwassertropfen gelingt über Prallbleche, Lamellenabscheider od. *Zyklone meist recht gut.

Nach der strömungstechn. Konzeption der N. lassen sich fünf Grundtypen erkennen:

- *Waschturm, *Füllkörper- u. Boden-*Kolonnen
- Injektor- od. *Strahlwäscher
- *Rotationszerstäuber (Zyklonwäscher)
- *Venturi-Wäscher u.
- Wirbelwäscher.

Von großer Bedeutung beim Einsatz von N. ist die Abwasserfrage, da die Aufarbeitung des Waschwassers u.U. weitaus teurer ist als die eigentliche Abscheidung der Stäube aus der Abluft; s.a. Elektrofilter. – ***E*** wet scrubber – ***F*** séparateur (à voie) humide – ***I*** separatore a umido – ***S*** separador por vía húmeda

Lit.: Brauer (Hrsg.), Handbuch des Umweltschutzes u. der Umweltschutztechnik, Bd. 3, S. 203–229, Berlin: Springer 1996.

Naßdampf. Synonyme Bez. für Sattdampf, s. Dampf.

Naßfestigkeit. Bez. für die mechan. Festigkeit von Chemie- u. Naturfasern, Papieren etc. im nassen Zustand, die meist die *Trockenfestigkeit unterschreitet, seltener übersteigt; mit steigender Temp. werden diese Unterschiede jedoch kleiner. Die N. läßt sich durch *Naßverfestigungsmittel* erhöhen, z.B. bei Papier durch Imprägnierungen mit Formaldehyd-, Ethylenimin- od. Chlorhydrin-Harzen. – ***E*** wet strength – ***S*** resistencia en estado húmedo

Naßmetallurgie s. Hydrometallurgie.

Naßmodul. Maß für die Dimensionsstabilität (genauer Dehnungsstabilität) von natürlichen u. synthet. Textilfasern. Man mißt dabei am feuchten Material die Zugkraft in N/tex (übliche Größenordnung ist cN/dtex; früher pond/denier), die notwendig ist, um eine Faser um 5% zu dehnen, u. extrapoliert auf 100%. So ergeben sich in der Praxis N.-Werte von 1,5–5 cN/dtex; bei Werten von 10 u. mehr handelt es sich um prakt. schrumpffeste Fasern, die man allg. als *Modalfasern (*Hochmodulfasern mit N. = 10–12 u. Polynosische Fasern (s. Polynosic®) mit N. = 12–18 cN/dtex) bezeichnet. – ***E*** wet moduls – ***F*** module d'humidification – ***I*** modulo umido – ***S*** módulo húmedo

Naßoxidation. Bez. für Verf. der *chemischen Abwasserbehandlung (s. a. Schlammstabilisierung), bei denen Abwasserbestandteile durch Luft-Sauerstoff, techn. Sauerstoff, Wasserstoffperoxid, Ozon od. andere Oxidationsmittel in wäss. Phase (im Gegensatz zur *Gasphasenoxidation) oxidiert werden. Durch N. behandelt werden Abwasserteilströme, deren Inhaltsstoffe im Verlauf der biolog. Abwasserreinigung zu langsam abgebaut werden od. die diesen Abbau beeinträchtigen können.

Luft bzw. Sauerstoff wird nur unter Druck u. bei erhöhter Temp. zur N. eingesetzt. Man unterscheidet: *Niederdruck-N.* (6 bar, 120 °C; s. LOPROX) u. *Hochdruck-N.* (200 bar, 320 °C).

Niederdruck-N. eignet sich bes. zur Vorbehandlung von hochbelastetem *Abwasser vor der Einleitung in eine biolog. Kläranlage. Häufig lassen sich biolog. schwer abbaubare organ. Verb. soweit anoxidieren, daß sie in der nachfolgenden *aeroben Biologie leichter oxidiert werden können. In Ausnahmefällen kann z.B. Ammoniak rückgewonnen werden. Die Hochdruck-N. eignet sich für die vollständige Oxid. schwer abbaubarer Substanzen, ist aber wesentlich aufwendiger als die Niederdruck-Naßoxidation. – ***E*** wet oxidation – ***F*** oxydation par voie humide – ***I*** ossidazione a umido – ***S*** oxidación por vía húmeda

Lit.: Environ. Prog. **16**, 9–12 (1997).

Naß-Spinnen. Polymere können aus Lsg. („Lösungsspin-Verf.") nach dem Naßspinn-, dem Trockenspinn- u. dem Gelspinn-Verf. versponnen werden. Das Naßspinn-Verf. wird zum Verspinnen von Fasern angewendet, wenn die Polymeren keine für das Verspinnen aus der Schmelze ausreichende therm. Stabilität aufweisen. In diesem Fall werden 5–25%ige Lsg. der Polymeren durch Spinndüsen in ein Fällbad gedrückt, wo sie koagulieren, u. anschließend in einem Streckbecken verstreckt. Die Abzugsgeschw. sind mit nur ca. 50–100 m/min allerdings wesentlich geringer als z.B. beim Schmelzspinnen. Aus Gründen der Wirtschaftlichkeit wird in den meisten Fällen mit wäss. Syst. gearbeitet. Durch N.-S. werden z.B. 7–10%ige wäss. Lsg. von *Cellulosexanthogenat in verd. Schwefelsäure, 10–18%ige wäss. Lsg. von *Polyvinylalkohol in verd. wäss. Natriumsulfat-Lsg., 15–25%ige Aceton-Lsg. von Modacryl in wäss. Aceton u. 20%ige

Schwefelsäure-Lsg. von *Aramiden in Wasser versponnen.
Das *Gelspinnen* ist ein Spezialfall des Lösungsspinnens. Hier werden gelartige „Lsg." mit einem Polymer-Gehalt von bis zu 80% versponnen. Das Verf. erlaubt höhere Abzugsgeschw. (ca. 500 m/min) u. gewährleistet eine größere Formstabilität der Fäden. Das Gelspinnen wird z. B. mit 25–55%igen Lsg. von *PAN u. *PVA durchgeführt.
Schließlich geht man auch beim sog. *Trockenspinnen* von Polymer-Lsg. aus. Hier dienen jedoch Luft od. Stickstoff als „Fällungsbad". – ***E*** wet spinning – ***I*** filatura a umido – ***S*** hilado en mojado
Lit.: Elias (5.) **2**, 509.

Naßwäscher. Einrichtung zur Beseitigung (v. a.) gasf. Bestandteile aus *Abluft u. *Abgas durch Absorption in einem Waschmedium (Bez. wird auch für *Naßabscheider benutzt). Da es bei den N. wie bei den Naßabscheidern auf einen innigen Kontakt zwischen Waschmedium u. der zu reinigenden Gasphase ankommt, sind die Bauweisen ähnlich. Es lassen sich physikal. u. chem. wirkende Waschmedien unterscheiden. Bei ersteren wird der absorbierte Stoff rein physikal. in der Flüssigkeit gelöst (wie z. B. Methanol in Wasser), bei letzteren geht das absorbierte Gas eine chem. Bindung mit der Flüssigkeit od. mit einem Reaktanden der Flüssigkeit ein (z. B. Säureanhydrid mit Wasser). Zur Regeneration der Waschflüssigkeit können physikal. Trennverf. (z. B. Entspannung, Ausblasen mit einem Inertgas, *Rektifikation, *Extraktion, *Adsorption, Krist.), chem. Trennverf. (z. B. Umkehrung der Reaktion, Fällungsreaktionen, Elektrolyse, Oxid. u. Neutralisation) od. biolog. Verf. (z. B. *biologischer Abbau in Biowäschern) eingesetzt werden. Die Wahl des geeigneten Waschmediums ist für die Verwirklichung eines Absorptionsverf. von entscheidender Bedeutung (s. Entschwefelung). Insgesamt soll das Waschmedium eine Reihe von Forderungen erfüllen: Gute Verfügbarkeit, niedriger Preis, geringe Gefährlichkeit, niedrige Viskosität, niedriger Dampfdruck, geringe Korrosivität, therm. Stabilität, biolog. Abbaubarkeit bzw. gute Entsorgbarkeit. – ***E*** wet scrubber, gas washer, absorber – ***F*** laveur-épurateur à eau – ***I*** lavatore a umido – ***S*** lavador húmedo
Lit.: Brauer (Hrsg.), Handbuch des Umweltschutzes u. der Umweltschutztechnik, Bd. 3, S. 295–340, Berlin: Springer 1996 ▪ s. a. Absorption, Entschwefelung.

Nastien (von griech.: nastos = fest-, zusammengedrückt). Sammelbez. für solche reversiblen Bewegungen ortsfester Pflanzen, deren Richtung unabhängig von der Reizrichtung ist. Gerichtete Bewegungen nennt man dagegen *...tropismus (vgl. die Taxis von Mikroorganismen). Man unterteilt die N. nach dem auslösenden Faktor: *Seismonastie* (Stoß, Erschütterung), *Haptonastie* od. *Thigmonastie* (Berührung), *Chemonastie* (Einwirkung bestimmter Verb.), *Hygronastie* (Wassermangel), *Photonastie* (Licht), *Nyktinastie* (Dunkelheit, von griech.: nyx = Nacht), *Thermonastie* (Temp.-Änderung), *Elektro-* od. *Galvanonastie* (Strom), *Traumatonastie* (Verletzung) u. a. Meistuntersuchtes Objekt ist die *Mimose („Sinnpflanze"), andere sind fleischfressende Pflanzen wie der *Sonnentau. Ausgelöst werden die Bewegungen durch Wachstumsreaktion od. durch die zu den *Pflanzenhormonen zählenden sog. (*Periodic*) **Leaf Movement Factors* (PLMF, **Turgorine*), die eine Veränderung des osmot. Drucks (*Turgor*, s. Osmose) in den Zellen bewirken. Die erste Beschreibung einer N. stammt von einem Admiral Alexanders des Großen (Androsthenes von Thasos, 325 v. Chr.), der die Schlafbewegungen von *Tamarindus indica* beobachtete. – ***E*** nasties, nastic movements – ***F*** nastismes, nasties – ***I*** nastie – ***S*** nastias, movimientos násticos
Lit.: s. Pflanzenphysiologie u. Turgorine.

Nasutine s. Ellagsäure.

Naszierend s. in statu nascendi.

Natamycin (Pimaricin, Tennecetin, Myprozine, Pimafucin).

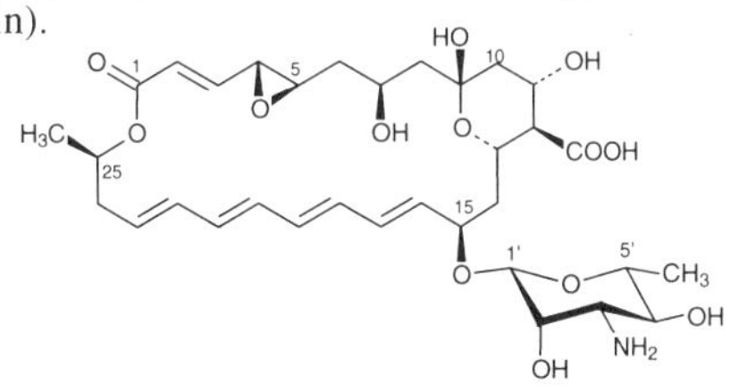

$C_{33}H_{47}NO_{13}$, M_R 665,73, Schmp. 200 °C (Zers.). Ein aus Kulturen von *Streptomyces natalensis* u. *S. chattanoogensis* isoliertes Polyen-Antibiotikum (s. Makrolide) vom Tetraen-Typ mit D-Mycosamin (3-Amino-D-3,6-didesoxymannose) als Aminozucker in glykosid. Bindung. Lichtempfindliche Krist., außer in *N*-Methyl-2-pyrrolidon u. Dimethylformamid kaum löslich.
Anw.: Antibiotikum mit bes. breitem Wirkungsspektrum gegen Pilzerkrankungen (*Candida*-Infektionen der Haut), in einigen Ländern (nicht in der BRD) als Fungizid zur Oberflächenbehandlung von Hart- u. Schnittkäse u. zur Konservierung von Würsten. N. wirkt auch antiviral u. immunstimulierend. – ***E*** natamycin – ***F*** natamycine – ***I*** = ***S*** natamicina
Lit.: Agrochemicals Handbook (3.), A 480. Royal Society of Chemistry 1992 ▪ Beilstein E V **19/8**, 321 ▪ Econ. Microbiol. **8**, 117 (1983) ▪ Florey **23**, 399 ▪ Lewis, in: Food Additives Handbook, New York: Van Nostrand Reinhold International 1989 ▪ Pesticide Manual, Nr. 9760. – *[HS 2941 90; CAS 7681-93-8]*

Nathans, Daniel (geb. 1928), Prof. für Mikrobiologie, Johns Hopkins Univ., Baltimore (USA). *Arbeitsgebiete:* Mol. Genetik, Anw. von Restriktionsenzymen zur Genlokalisierung, wofür er 1978 den Nobelpreis für Medizin od. Physiologie (zusammen mit *Arber u. H. *Smith) erhielt.
Lit.: Lexikon der Naturwissenschaftler, S. 305 ▪ Neufeldt, S. 270, 377 ▪ Pötsch, S. 317 ▪ Who's Who in America (50.), S. 3096.

Natil®. Kapseln mit dem Antidementivum (Nootropikum) *Cyclandelat. ***B.:*** 3M Medica.

National Bureau of Standards s. NBS.

National Center for Biotechnology Information (NCBI). Das 1988 gegründete NCBI mit Sitz in 20894 Bethesda, MD, ist Teil der *National Library of Medicine. Aufgabe des NCBI ist die Entwicklung neuer Informationstechniken, um das Verständnis fundamen-

taler mol. u. genet. Prozesse zu fördern. NCBI ist Hersteller der Datenbank GENBANK, die Informationen zu Nucleinsäuresequenzen u. dazugehörende Angaben von 1982 bis heute enthält.
Publikationen: NCBI Newsletter. INTERNET-Adresse: http://www.ncbi.nlm.nih.gov.

National Formulary s. Pharmakopöen.

National Institute of Occupational Safety and Health s. NIOSH.

National Institute of Standards and Technology s. NIST.

National Institutes of Health s. NIH.

National Library of Medicine (NLM). Die U. S.-NLM mit Sitz in 8600 Rockville Pike, 20894 Bethesda, MD, USA, ist eine von 24 Einrichtungen des *NIH u. die größte medizin. Bibliothek der Welt mit über 5 Mio. Büchern, Zeit- u. Druckschriften. Die NLM sammelt Material in allen wichtigen Gebieten der Gesundheitswissenschaften, aber auch auf dem Gebiet der Chemie u. Physik. In den USA sind über 4500 Bibliotheken der Gesundheitswissenschaften über das „National Network of Libraries of Medicine" (NN/LM) an die NLM angeschlossen. Die NLM produziert den *Index Medicus*, eine umfassende Zusammenstellung von Artikeln, die in den führenden medizin. Zeitschriften erscheinen. Über *MEDLARS kann auf über 40 Datenbanken zugegriffen werden, von denen *MEDLINE die wichtigste ist. Wichtige Datenbanken mit Bezug zur Chemie sind: HSDB (Hazardous Substance Data Book), die Informationen zur Toxikologie von über 5000 gefährlichen Chemikalien enthält, TOXLINE (Toxicology Information Online) u. TOXLIT (Toxicology Literature from Special Sources), die Informationen über pharmakolog., biochem., physiolog. u. toxikolog. Wirkungen von Arzneimitteln u. Chemikalien enthalten.
Publikationen: Fact Sheets, News, Technical Bulletin. INTERNET-Adresse: http://www.nlm.nih.gov.

National Science Foundation (NSF). Eine 1950 gegr. amerikan. Forschungsförderungsges. mit ähnlichen Aufgabenbereichen wie die *Deutsche Forschungsgemeinschaft. Verwaltungssitz ist 4201 Wilson Boulevard, Arlington, Virginia 22230 (USA). Die von Regierungsweisungen unabhängige NSF fördert Grundlagenforschung, Erziehungswesen u. Sozialwissenschaften durch Gewährung von Stipendien, Finanzierung von Geräten u. Anlagen u. a. materielle Unterstützungen. INTERNET-Adresse: http://www.nsf.gov.

National Standard Reference Data System s. NSRDS.

National Standards System Network (NSSN). Kern des NSSN, das von dem American National Standards Institute (ANSI) u. *NIST entwickelt wurde, ist eine Datenbank, die über 100000 im Gebrauch befindliche Normen enthält. Das NSSN, das durch nat. u. internat. Normungsorganisationen, Firmen sowie staatliche Stellen unterstützt wird, ist über das Internet erreichbar. Nutzer haben Zugang zu den elektron. u. gedruckten Versionen von nat. amerikan. u. ISO-Normen. INTERNET-Adresse: http://www.nssn.org.

National Starch. Kurzbez. für die seit 1997 zur ICI-Gruppe gehörende National Starch & Chemical Company, Bridgewater, NJ 08807-3300, USA. *Daten* (1996): 8432 Beschäftigte, 2,5 Mrd. $ Umsatz. *Produktion:* Klebstoffe (Bondmaster®), Versiegelungen, Spezialchemie (Polymere für Kosmetika, Acrylate als Detergenzien u. Beschichtungen, Emulsionen zur Oberflächenveredelung u. als Additive); Chemikalien für die elektron. Ind. u. Maschinenbau, spezielle Nahrungsmittelzusatzstoffe, Ind.-Stärke. *Vertretung* in der BRD: National Starch & Chemical GmbH, 67418 Neustadt.

National Technical Information Service s. NTIS.

Nativ. Von latein.: nativus = angeboren abgeleitetes Adjektiv zur Bez. eines Natur-ident. Zustandes; *Beisp.:* Native *Enzyme, native *Proteine, native *Desoxyribonucleinsäuren besitzen natürliche Raumstruktur u. Aktivität. – ***E*** native – ***F*** natif – ***I*** = ***S*** nativo

Natrilix® (Rp). Filmtabl. mit dem *Antihypertonikum *Indapamid. ***B.:*** Servier Deutschland.

Natrium (chem. Symbol Na). Zur ersten Gruppe des Periodensyst. gehörendes metall. Element (*Alkalimetall*), Atomgew. 22,989768, Ordnungszahl 11. Na gehört zu den anisotopen Elementen, d. h. es tritt in der Natur nur in Form des Isotops 23 auf; außerdem kennt man künstliche Isotope ^{19}Na–^{31}Na mit HWZ zwischen 17 ms u. 2,6 a, von denen z. B. ^{24}Na industrielle Verw. als Tracer findet. Na tritt +1- u. 0-wertig auf; es können auch Verb. mit Na^--Anionen erhalten werden, wenn das Kation durch Komplexbildung mit *Kronenethern od. *Kryptanden stabilisiert wird. Die Na-Verb. sind meist farblos (falls das Anion farblos ist) u. wasserlöslich. Na kann mit dem Messer leicht zerschnitten werden; es ist ein an frischen Schnittflächen silberweiß glänzendes *Leichtmetall*. An feuchter Luft läuft es innerhalb von wenigen Sekunden infolge Bildung einer NaOH-Schicht matt an, wobei – in völliger Dunkelheit – ein grünliches Leuchten beobachtet wird (Chemilumineszenz). D. 0,968 (20 °C), 0,927 (120 °C), Schmp. 97,81±0,03 °C, Sdp. 882,9 °C, H. 0,4. Auf feuchter Haut u. Schleimhäuten gibt Na schwere Laugenverätzungen. Kleine, dünne Na-Stückchen gehen an offener Luft unter Bindung von Sauerstoff, Wasser u. Kohlendioxid schon innerhalb von wenigen Tagen in ein Gemisch aus Natriumcarbonat u. Natriumhydrogencarbonat über; man bewahrt deshalb Na in Form kleiner Brocken unter Paraffinöl auf. Durch Verunreinigungen wird die Reaktion von metall. Na mit Luft stark beschleunigt. Na ist lösl. in flüssigem Ammoniak u. vielen Aminen. Die tief dunkelblaue, bei höherer Konz. bronzefarbene Lsg. in flüssigem NH_3 enthält solvatisierte Elektronen u. solvatisierte Na^+-Kationen.

C 

F 

Wirft man ein Stückchen Na-Metall auf Wasser, so schmilzt es augenblicklich zu einem Kügelchen, das durch den entstehenden Wasserstoff ($2\,Na + 2\,H_2O \rightarrow 2\,NaOH + H_2$) auf der Wasseroberfläche umhergetrieben wird. Kann die Reaktionswärme nicht abgeführt werden, kommt es auch zur Entzündung des H_2. Wegen dieser heftigen Reaktion darf man mit Na nur unter

Feuchtigkeitsausschluß (trockene Geräte, Schutzbrille, Gummihandschuhe) arbeiten, s. *Lit.*[1]. Na reagiert auch mit Schnee u. Eis, heftig mit Halogenen, desgleichen mit vielen Chlorkohlenwasserstoffen (Explosionsgefahr). Na-Reste werden daher durch Eintragen kleiner Anteile in eine größere Menge Ethanol vernichtet (s. a. Alkoholate); langsamer verläuft die Reaktion beim Einbringen in einen höher siedenden sek. Alkohol wie z. B. 2-Propanol. Beim Erhitzen an der Luft verbrennt es mit intensiv gelber Flamme zu Natriumperoxid u. Dinatriumoxid.

Physiologie: Während Na im Gegensatz zu Kalium für die meisten Pflanzen nur ein Mikronährstoff ist, der eine gewisse Rolle bei osmot. Vorgängen spielt, ist es in tier. Organismen ein Makroelement – auf rein pflanzliche Kost angewiesene Tiere müssen daher Na separat aufnehmen (Salzlecksteine!). Im menschlichen u. tier. Körper sind ungefähr gleich große Mengen von Na- u. K-Ionen vorhanden (meist in Form von Chloriden, Hydrogencarbonaten u. Phosphaten), u. zwar findet sich Na v. a. in den Körperflüssigkeiten. Etwa ⅓ der im menschlichen Körper gebundenen ca. 100 g Na, die auch bei längerer salzfreier Ernährung zäh festgehalten werden, ist in den Knochen als Reserve eingelagert, während das extrazelluläre Na zusammen mit Chlorid für die Einstellung des osmot. Druckes, die Bildung von Magensalzsäure u. für die Aktivierung von Enzymen (z. B. der α-Amylasen) notwendig ist. Die Na^+-Konz. im Blut liegt konstant bei 3,2 g/L. Auf dem – durch sog. *N.-Kanäle* erfolgenden – aktiven Transport von Na^+-Ionen durch die Zellmembranen, der sog. *Kalium-N.-Pumpe*, beruht nicht nur die Einstellung des osmot. Drucks, sondern auch die Ausbildung von Membranpotentialen z. B. bei Nervenleitung u. Muskelerregung[2]. In mancher Beziehung kann man Kalium als Na-Antagonist ansehen. Na-Verluste des Körpers durch Schweiß u. a. Flüssigkeitsabgaben machen sich zunächst durch Durstgefühle bemerkbar, dann durch Appetitlosigkeit, Übelkeit u. Muskelkrämpfe; durch Kochsalzzufuhr lassen sich die Symptome leicht beheben. Bei der Regulation des Na-Haushalts spielt Angiotensin II eine wichtige Rolle[3]. Der tägliche Bedarf an Na (ca. 1 g) wird im allg. mit der Zufuhr von 3 – 7 g (entsprechend 8 – 18 g Kochsalz) erheblich überschritten. Überhöhte Na-Zufuhr ist u. a. für die Entstehung von *Hypertonie mitverantwortlich. Daher werden bei überhöhtem Blutdruck u. bei Ödemen (Na wirkt hydropigen) Salurese-fördernde Diuretika (*Saluretika*; fördern die NaCl-Ausscheidung, z. B. *Hydrochlorothiazid) angewandt. Außerdem wird eine Na-arme Diät mit Kochsalz-Ersatzmitteln empfohlen. Allerdings darf hierbei nicht vergessen werden, daß Medikamente (z. B. Antibiotika, selbst *Antihypertonika) oft viel Na gebunden enthalten.

Nachw.: Die bekannteste Nachw.-Reaktion für Na u. seine Verb. ist die kräftig gelbe Flammenfärbung, die auch für die quant. flammenspektroskop. Bestimmung bis herab zu pg-Mengen in nL-Proben von Bedeutung ist[4]. Andere analyt. Nachw.-Meth. sind die Fällung mit Kahanes Reagenz als gelbes Natriummagnesiumuranylacetat, als farbloses Natriumhexahydroxoantimonat od. als schwerlösl. Sulfat-Doppelsalz mit Bismut. Die quant. Bestimmung ist als Natriumdecavanadat od. mit Na-ionenspezif. Glaselektroden möglich.

Vork.: Etwa 2,43% der obersten, 16 km dicken Erdkruste bestehen aus chem. gebundenem Na; dieses steht in der Häufigkeitsliste der Elemente an 6. Stelle. Es tritt in den Gesteinen hauptsächlich in Form von Silicaten (z. B. Natronfeldspat od. Albit) u. als Natriumchlorid (Steinsalz) auf, daneben auch als Carbonat, Nitrat (v. a. als *Chilesalpeter) u. Kryolith sowie in vielen anderen Mineralen. Meerwasser enthält im Durchschnitt 27 kg Kochsalz (10,6 kg Na) pro t, das sind 77% aller im Meerwasser enthaltenen Salze.

Herst.: Die Na-Gewinnung betrieb man früher nach dem *Castner-Verf.* durch Elektrolyse von geschmolzenem Ätznatron (Temp. ca. 330 °C, Stromausbeute max. 50%, Energiebedarf 11 – 12 kWh/kg Na). Heute erfolgt sie hauptsächlich nach dem *Downs-Verf.* durch Schmelzflußelektrolyse eines ternären Gemisches aus NaCl, $CaCl_2$ u. $BaCl_2$ (erniedrigt den Schmp. auf eine Temp. von ca. 600 °C). Weitere Bedingungen: Graphit-Anode, Eisen-Kathoden, Verbrauch 10 – 11 kWh/kg Na bei 42 000 A u. 6 – 7 V, ca. 90% Stromausbeute. Das elektrolyt. gewonnene Na wird in heizbaren Kesselwagen u. Containern transportiert, unter Paraffinöl umgeschmolzen, in eisernen Formen zu Barren gegossen u. in Blechbüchsen luftdicht eingelötet. Auch in Form von Drähten, Kugeln u. Dispersionen gelangt es in den Handel.

Verw.: Zur Herst. von Na-Verb. wie z. B. Natriumperoxid, Natriumhydrid, Natriumborhydrid u. Natriumamid, zur Titan-Gewinnung durch Metallothermie sowie zu Red.-Zwecken in der organ. chem. Ind. (z. B. Birch-Red.), zur Reinigung von Kohlenwasserstoffen (z. B. Naphthalin) u. Altöl, zu Kondensationen, zur Alkoxid-Herst., als Polymerisationsinitiator, in der präparativen organ. Chemie[5]. Kleinere Mengen werden verbraucht zum Trocknen von organ. Lsm. (z. B. Benzol, Ether), Transformatorenöl usw. (hierbei bildet Na mit Wasser leicht abzutrennendes NaOH), zur Herst. von Natrium-Leg. z. B. für die Goldwäscherei (Natriumamalgam), in Natrium-Dampflampen, in Kernreaktoren (schnelle Brüter) als Kühlmittel[6], als Wärmeüberträger in Kraftwerken, in galvan. Hochtemp.-Zellen (Na-S-Batterien mit β-Al_2O_3 als Festelektrolyt, der bei 300 – 350 °C Betriebstemp. als Na^+-Ionenleiter fungiert, s. *Lit.*[7]) usw. Der größte Teil der Na-Produktion ging bisher in die Herst. der Antiklopfmittel *Bleitetramethyl u. -tetraethyl, die wegen des zunehmenden Verbrauchs bleifreien Benzins in den letzten Jahren endlich zurückgefahren werden konnte.

Geschichte: In der Antike bezeichneten die Ägypter wahrscheinlich die Soda ihrer Sodaseen u. die aus Pflanzen gewonnene Pottasche als „neter". Hieraus dürfte sich das röm., schon von Plinius für Soda u. Pottasche gebrauchte „nitrum" ebenso wie das arab. „natrun" herleiten. Aus diesen ist später das Natron der arab. Alchemisten geworden, mit dem in Europa etwa bis 1750 die miteinander verwechselten Verb. Soda u. Pottasche bezeichnet wurden. Die Bez. Niter od. Nitrum für Salpeter ist erst gegen Ende des 16. Jh. aufgekommen. Die Verschiedenheit von Soda u. Pottasche wurde 1702 von Stahl vermutet u. von Du Hamel de Monceau 1736 experimentell nachgewiesen. Marggraf zeigte 1758, daß man beide Stoffe an den Flammenfärbungen unterscheiden kann. Am 19. 11. 1807 berichtete Davy, es sei ihm gelungen, durch Elektrolyse von schwach angefeuchteten Ätzalkalien zwei verschiedene Metalle zu gewinnen; das eine Metall nannte er Sodium (dies ist noch heute die französ. u. engl. Bez. für Natrium), weil es in Soda enthalten ist, das andere Potassium (= engl. u. französ. Bez. für Kalium), weil man es aus Pottasche gewinnen kann. Im dtsch. Sprachgebiet wird das Sodium Davys seit 1811 nach einem Vorschlag von Berzelius als N. bezeichnet, während man für das Potassium Davys den von Klaproth 1796 eingeführten Ausdruck Kalium (von arab.: al-qali = Asche, aus Pflanzenasche gewinnbar) übernahm. – ***E*** = ***F*** sodium – ***I*** = ***S*** sodio

Lit.: [1] Merkblatt Natrium (M019), Heidelberg: BG Chem. Ind. 1984; Braun-Dönhardt, S. 262. [2] Lehninger, Nelson u. Cox, Prinzipien der Biochemie (2.), S. 852, Heidelberg: Spektrum Akadem. Verl. 1994. [3] De Caro et al. (Hrsg.), The Physiology of Thirst and Sodium Appetite, New York: Plenum 1986. [4] Townshend, Encyclopedia of Analytical Science, S. 4680–4683, Oxford: Pergamon 1995. [5] Synthetica **1**, 306–315. [6] VDI-Ber. (Ver. Dtsch. Ing.) **668**, 113–128 (1988); Werkst. Korros. **38**, 732–737 (1987). [7] Proc.-Electrochem. Soc. **87-5**, 1–9 (1987); VDI-Ber. (Ver. Dtsch. Ing.) **652**, 201–215 (1987).
allg.: Belitz-Grosch (4.), S. 379 ▪ Brauer (3.) **2**, 935ff., 941–948 ▪ Büchner et al., S. 218–228 ▪ Gmelin, Syst.-Nr. 21, Na, 1928, Erg.-Bd. 1964–1973 ▪ Hommel, Nr. 316 ▪ Kirk-Othmer (3.) **21**, 181–204, 205–262 (Na-Verb.) ▪ Snell-Ettre **18**, 207–260 ▪ Sudworth u. Tilley, The Sodium Sulphur Battery, London: Chapman & Hall 1985 ▪ Ullmann (5.) **A 24**, 277–298 ▪ Winnacker-Küchler (4.) **2**, 481–525 ▪ s. a. Alkalimetalle. – *[HS 2805 11; CAS 7440-23-5; G 4.3]*

Natriumacetat (Rotsalz). $H_3C–COONa$, $C_2H_3NaO_2$, M_R 82,03. Als Trihydrat farb- u. geruchlose, bitter-salzig schmeckende, monokline Säulen, D. 1,45, Schmp. 58 °C, spaltet bei 120 °C Kristallwasser ab (Schmp. 324 °C), leicht lösl. in Wasser, mäßig lösl. in Alkohol, WGK 1. N. krist. auch (als sog. *Natriumdiacetat*, weißes Pulver, Zers. >150 °C) mit 1 Mol Essigsäure. In wäss. Lsg. ist das Salz prakt. vollständig dissoziiert mit schwach alkal. Reaktion.

Verw.: Zur Acetylierung, Herst. von Eisessig, Essigsäureanhydrid, Acetylchlorid, Essigsäureethylester, Cumarin, zur Färberei, Gerberei, Galvanisierung, als Puffersubstanz in essigsauren Lsg., in der Kautschuk-Fabrikation, zur Füllung von Wärmespeichern (hohe Schmelzenthalpie), in der analyt. Chemie zur Neutralisation von Mineralsäuren, zur Trennung von Opium-Alkaloiden, als Füllungsmittel, in der Photographie (Zusatz zu Tonungsbädern, in Hydrochinon-Entwicklern), in der Medizin früher als Diuretikum. N. ist zugelassen als Lebensmittelzusatzstoff (Konservierungsstoff Natriumdiacetat E 262)[1]. – ***E*** sodium acetate – ***F*** acétate de sodium – ***I*** acetato di sodio – ***S*** acetato de sodio

Lit.: [1] Liste der zugelassenen Lebensmittelzusatzstoffe (Fundstellenliste) vom 15. Jan. 1985, Bundesanzeiger Nr. 43 A vom 2.3.85.
allg.: Beilstein E IV **2**, 109f. ▪ Gmelin, Syst.-Nr. 21, Na, 1928, S. 819–836, Erg.-Bd. 4, 1967, S. 1412–1439 ▪ Lück u. Jager, Chemische Lebensmittelkonservierung, S. 143–149, Berlin: Springer 1995 ▪ Merck-Index (12.), Nr. 8711. – *[HS 2915 22; CAS 127-09-3]*

Natriumalanat s. Natriumaluminiumhydrid.

Natriumalginat (Algin). Polysaccharid, Natriumsalz der *Alginsäure, cremefarbenes Pulver, lösl. in Wasser unter Bildung viskoser, kolloidaler Lsg., unlösl. in Alkohol, Chloroform, Ether u. wäss. Säuren bei pH <3. N. wird aus Brauntangen gewonnen u. für verschiedene Zwecke verwendet, s. hierzu Alginsäure. – ***E*** sodium alginate, algin – ***F*** alginate de sodium, algine – ***I*** alginato di sodio – ***S*** alginato de sodio, algina

Lit.: Merck-Index (12.), Nr. 240 ▪ s. Alginsäure. – *[HS 2913 10; CAS 9005-38-3]*

Natriumalkoholate. Bez. für stark bas. Verb. aus dem Natrium-Kation u. dem Anion eines Alkohols. Nach IUPAC-Regel C-206 u. R-5.5.3 werden N. durch die Endung ...*olat* (Alkanolate) od. ...*oxid* (Alkoxide; nur bei gesätt. C_1 bis C_4 u. Phenoxiden) benannt; *Beisp.:* Natriumethanolat od. -ethoxid, Natrium-2-propanolat od. -2-propoxid, Natriumphenolat od. -phenoxid. Die Namensgebung mit ...*ylat* – z. B. Natriumethylat – ist veraltet u. sollte nicht mehr verwendet werden; Näheres zur Herst. u. Verw. s. bei Alkoholate. – ***E*** sodium alcoholates – ***F*** alcoholates de sodium – ***I*** alcoolati di sodio – ***S*** alcoholatos de sodio

Natriumalkyle s. Natrium-organische Verbindungen.

Natriumaluminate. Bei Einwirkung überschüssiger Natronlauge auf Al-Salze entstehen *Aluminate des Natriums, von denen bes. das *Natriummetaaluminat*, $NaAlO_2$, M_R 81,97, nicht nur als Zwischenprodukt beim Bauxit-Aufschluß nach dem Bayer-Verf. (s. Aluminium, S. 136) techn. wichtig ist; wasserlösl. weißes Pulver, Schmp. 1800 °C. Es dient zur Herst. von Seifen, Papieren, Milchglas, Lackfarben, in der Email-Ind., als Beize in der Alizarinfärberei, zur Wasserenthärtung, Frischwasseraufbereitung, Abwasserklärung durch Flockung bes. in Kombination mit anderen Flockungsmitteln, als Betondichtungsmittel u. Schnellhärter beim Talsperren-, Tunnel- u. Brückenbau. – ***E*** sodium aluminates – ***F*** aluminates de sodium – ***I*** alluminati di sodio – ***S*** aluminatos de sodio

Lit.: Gmelin, Syst.-Nr. 35, Al, Tl. B, 1934, S. 361–367 ▪ Hommel, Nr. 680, 892 ▪ Kirk-Othmer (3.) **2**, 197–202 ▪ Ullmann (5.) **A 1**, 534f. – *[HS 2841 10; CAS 1302-42-7 (Natriummetaaluminat)]*

Natriumaluminiumhydrid (Natriumtetrahydridoaluminat, Natriumalanat). $NaAlH_4$, M_R 54,00. Direkt aus den Elementen erhältliches weißes, feines Kristallpulver, D. 1,27, Schmp. 183 °C (Zers.), lösl. in Tetrahydrofuran u. Polyglykolethern. N. ist ein wirksames Red.-Mittel, reduziert z. B. Carbonsäureester zu Aldehyden, Lactone zu Hydroxyaldehyden u. dient auch zur Bestimmung kleiner Wassermengen in Ethern, Olefinen u. a. Kohlenwasserstoffen. $NaAlH_4$ ist nicht ungefährlich u. reagiert heftig mit Oxid.-Mitteln u. Wasser, explosionsartig mit Halogenkohlenwasserstoffen. Etwas milder verlaufen Umsetzungen mit dem Derivat *Natriumbis(2-methoxyethoxo)aluminiumhydrid* (SDMA, *Red-Al®): $Na[AlH_2(O–CH_2–CH_2–OCH_3)_2]$, $C_6H_{16}AlNaO_4$, M_R 202,16, gelbliche Flüssigkeit, D. 1,122, Zers. bei 205 °C. Dieses ist in aromat. Lsm. u. Ethern leicht lösl., kommt als 70%ige Benzol- od. 63%ige Toluol-Lsg. in den Handel u. ist bei Luft- u. Feuchtigkeitsausschluß stabil. – ***E*** sodium aluminium hydride – ***F*** hydrure d'aluminium et de sodium – ***I*** idruro sodico d'alluminio – ***S*** hidruro de aluminio y sodio

Lit.: Kirk-Othmer (4.) **13**, 623 f. ▪ Strouf et al., Sodium Dihydrido-bis(2-methoxyethoxo)-aluminate (SDMA), Amsterdam: Elsevier 1985 ▪ Synthetica **2**, 296–302 ▪ s. a. Hydride. – *[HS 2850 00; CAS 13770-96-2 (N.); 22722-98-1 (SDMA); G 4.3]*

Natriumaluminiumsilicat. $Na_{12}(AlO_2)_{12}(SiO_2)_{12} \cdot 27\,H_2O$ = Zusammensetzung der Elementarzelle des Na-Zeolith A (s. Zeolithe). Weißes krist. Pulver, D. 2, unlösl. in Wasser u. Alkalien, lösl. in Säuren (Zers.), Porendurchmesser 0,42 nm, aus Wasserglas u. Natriumaluminat zugänglich.

Verw.: Vorwiegend als sog. heterogener anorgan. Builder (HAB) zum teilw. Ersatz der Phosphate in Waschmitteln, wobei N. als Ionenaustauscher härtebildende u. a. Metall-Ionen bindet. N. dient außerdem als Adsorptionsmittel z. B. zur Reinigung u. Trocknung von Gasen, in Mehrscheiben-Isolierglas u. Lsm.-freien Polyurethan-Beschichtungen. – ***E*** sodium aluminum silicate – ***F*** silicate d'aluminium et de sodium – ***I*** silicato sodico d'alluminio – ***S*** silicato de aluminio y sodio

Lit.: Chem. Unserer Zeit **20**, 117–127 (1986) ▪ Colloid Polymer Sci. **256**, 270, 1014 (1978) ▪ Seifen, Öle, Fette, Wachse **106**, 321–324 (1980) ▪ Umweltverhalten von Natrium-Aluminium-Silikat (SASIL) (UBA, Materialien 4/79) Berlin: Schmidt 1979 ▪ s. a. Zeolithe. – *[HS 2842 10]*

Natriumamalgam. Na_xHg_y, silberweiße, giftige, poröse, krist. Masse mit 2–10% Na, ist unterhalb eines Na-Gehalts von 0,7% flüssig, wird durch Wasser unter H_2-Entwicklung zersetzt. N. besteht aus Na^+-Kationen u. anion. Clustern aus Quecksilber-Atomen u. entsteht als Zwischenprodukt bei der *Chloralkalielektrolyse nach dem Quecksilber-Verf. od. durch Einbringen von Na in Quecksilber unter starker Wärmeentwicklung.

Verw.: Zur Red. von SO_2 zu *Natriumdithionit u. Na-polysulfid zu Na-sulfid sowie zur Umsetzung mit Alkoholen zu Na-alkoholaten. Red.-Verf. mittels N., z. B. von Salicylsäure zu Salicylaldehyd od. Nitrobenzol zu Azobenzol, haben keine techn. Bedeutung mehr. – ***E*** sodium amalgam – ***F*** amalgame de sodium – ***I*** amalgama di sodio – ***S*** amalgama de sodio

Lit.: Brauer (3.) **3**, 2061 f. ▪ Gmelin, Syst.-Nr. 34, Hg, Tl. A, 1962, S. 915–974 ▪ Ullmann (4.) **17**, 153 f.; (5.) **A 3**, 541 ▪ Winnacker-Küchler (4.) **2**, 400 f. – *[HS 2851 00; CAS 11110-52-4]*

Natriumamid. $NaNH_2$, M_R 39,01. Farblose, Haut u. Schleimhäute reizende Krist., Schmp. 210 °C, die sich bei etwa 400 °C zersetzen. Von Wasser wird N. lebhaft angegriffen ($NaNH_2 + H_2O \rightarrow NaOH + NH_3$), u. beim Stehen an Luft bildet es stark explosive Oxid.-Produkte, die $Na_2N_2O_2$ u. $Na_2N_2O_3$ enthalten. Eine Probe von N. (ca. 0,1–1 g) muß beim Erhitzen auf einem Löffelspatel ruhig schmelzen; gelb od. gar braun verfärbte Vorräte dürfen nicht verwendet werden. Die Entsorgung kann z. B. nach Umsetzung einer Suspension in Dioxan mit 2-Propanol erfolgen. Geschmolzenes N. ist ein Lsm. für Mg, Zn, SiO_2 u. Silicate.

Herst.: Techn. durch Überleiten von trockenem Ammoniak-Gas über geschmolzenes Na od. durch Auflösen von Na in flüssigem NH_3.

Verw.: Als Kondensationsmittel für organ. Synth., als starke Base zur Herst. von Phosphor-*Yliden, zu Aminierungen, Red. u. Acylierungen, zur Indigo-Synth., zur Herst. von Natriumazid. – ***E*** sodium amide – ***F*** amide de sodium – ***I*** ammide di sodio – ***S*** amida de sodio

Lit.: Brauer (3.) **1**, 449 ff. ▪ Fortschr. Chem. Forsch. **73**, 49–103 (1978) ▪ Gmelin, Syst.-Nr. 21, Na, 1928, S. 253–257, Erg.-Bd. S. 916–927 ▪ Hommel, Nr. 893 ▪ Synthetica **2**, 303–313 ▪ Ullmann (4.) **17**, 157 f.; (5.) **A 2**, 151; **A 24**, 267–276 ▪ Winnacker-Küchler (4.) **2**, 196. – *[HS 2851 00; CAS 7782-92-5; G 4.3]*

Natriumammoniumphosphat s. Salzperlen.

Natriumapolat.

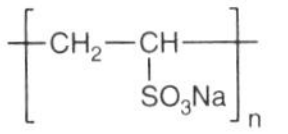

Internat. Freiname für Poly(natrium-vinylsulfonat), ein thrombolyt. *Heparinoid. – ***E*** sodium apolate – ***F*** apolate de sodium – ***I*** sodio apolato – ***S*** apolato de sodio

Lit.: Hager (5.) **8**, 1094 ▪ Martindale (31.), S. 943. – *[CAS 25053-27-4]*

Natriumarm. Da Natrium zumindest in Form bestimmter Salze (z. B. Natriumchlorid) einer der Hauptrisikofaktoren bei der Entstehung von Bluthochdruck (*Hypertonie) u. *Arteriosklerose ist, werden für betroffene Personen *n. Lebensmittel* angeboten, wobei die Angabe „n." nach den Anforderungen der Nährwert-Kennzeichnungs-VO [1] zu erfolgen hat. *Diätet. Lebensmittel für Natrium-empfindliche* dürfen nach der Diät-VO [2] höchstens 120 mg Natrium pro 100 g enthalten. Der Natrium-Gehalt von Getränken ist bei entsprechender Kennzeichnung auf 2 mg/100 mL begrenzt. Natürliche *Mineralwässer dürfen bis zu diesem Natrium-Gehalt als *„geeignet für die n. Ernährung"* gekennzeichnet werden. Die Angabe *„streng n."*, auch ergänzt durch die Angabe *„streng kochsalzarm"*, ist nach *Lit.* [2] nur für Lebensmittel zulässig, ausgenommen Getränke, deren Gehalt an Natrium 40 mg/100 g nicht überschreitet. Finden sich auf Lebensmitteln Angaben, die auf eine Verw. von Kalium anstatt Natrium hinweisen, ist der Gehalt an Kalium anzugeben (*Lit.* [1], §3 Absatz 1). Auf eine *Kochsalz-* od. *Natrium-Verminderung* darf nur bei bestimmten Lebensmitteln (*Lit.* [1], §7 Absatz 2 Nr. 3 u. Anlage 2) unter Berücksichtigung der in der VO angegebenen Höchstgehalte hingewiesen werden (s. Tab.). Der Hinweis „salzarm" ist bei Fleischbrühwürfeln nur dann zulässig, wenn der Salzgehalt nicht mehr als 40%

Tab.: Lebensmittel, die als Natrium-vermindert gekennzeichnet sein dürfen.

Lebensmittel	höchstzulässiger Natrium-Gehalt des verzehrfertigen Lebensmittels [mg/100 g]
Brot, Kleingebäck u. sonstige Backwaren	250
Fertiggerichte u. fertige Teilgerichte	250
Suppen, Brühen u. Soßen	250
Erzeugnisse aus Fischen, Krusten-, Schalen- u. Weichtieren	250
Kartoffeltrockenerzeugnisse	300
Kochwürste	400
Käse u. Erzeugnisse aus Käse	450
Brühwürste u. Kochpökelwaren	500

beträgt. – ***E*** poor (low) in sodium – ***F*** pauvre en sodium – ***I*** povero di sodio – ***S*** pobre en sodio

Lit.: [1]Nährwert-Kennzeichnungs-VO vom 25. 11. 1994 (BGBl. I, S. 3526), §7 Absatz 3. [2]VO über diätetische Lebensmittel vom 15. 8. 1988 in der Fassung vom 13. 6. 1990 (BGBl. I, S. 1065), §13 Absatz 1 bzw. 2.
allg.: Dtsch. Apoth. Ztg. **128**, 1446 (1988) ▪ Zipfel, C 240.

Natriumarsenate. T Natriumsalze der *arsenigen Säure [*Natriumarsenate(III)*, Natriumarsenite, Natriumtrioxoarsenate(III)] u. der *Arsensäure [*Natriumarsenate(V)*, Natriumorthoarsenate, Natriumtetraoxoarsenate(V)]. Das sek. Natriumarsenat(III), Na_2HAsO_3, M_R 169,91, u. das tert. Natriumarsenat(III), Na_3AsO_3, M_R 191,89, bilden farblose Krist., lösl. in Wasser mit alkal. Reaktion. Bes. im Engl. wird Natriumarsenit mit *Natriummetaarsenit* gleichgesetzt: $NaAsO_2$, M_R 129,91, weißes bis grauweißes, etwas hygroskop. Pulver, sehr giftig, nimmt aus der Luft CO_2 auf, lösl. in Wasser, wenig lösl. in Alkohol. Das giftige, sek. Natriumarsenat(V) [Dinatriumhydrogenarsenat(V)] liegt als Heptahydrat vor, $Na_2HAsO_4 \cdot 7\,H_2O$, M_R 312,01, farblose, monokline Prismen, lösl. in Wasser od. Glycerin, wenig lösl. in Alkohol.
Verw.: In Holzschutzmitteln, in Druckertinten, früher auch in Schädlingsbekämpfungsmitteln u. in medizin. Präp., in der Maßanalyse als Reagenzien. – ***E*** sodium arsenates – ***F*** arséniates de sodium – ***I*** arsenati di sodio – ***S*** arseniatos de sodio

Lit.: Gmelin, Syst.-Nr. 21, Na, 1928, S. 934–939 ▪ Hommel, Nr. 1055–1057, 1068 ▪ Kirk-Othmer (4.) **3**, 639 ▪ Snell-Ettre **6**, 234 f. ▪ Ullmann (5.) **A 3**, 127. – *[HS 2842 90; CAS 13464-37-4 (Na_3AsO_3); 7784-46-5 ($NaAsO_2$); 10048-95-0 ($Na_2HAsO_4 \cdot 7H_2O$); G 6.1]*

Natriumascorbat.

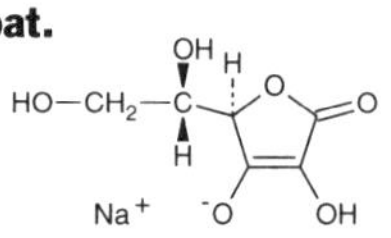

Freie internat. Kurzbez. für das Na-Salz der *Ascorbinsäure, $C_6H_7NaO_6$, M_R 198,10, Zers. bei 218 °C. N. ist zugelassen als Lebensmittelzusatzstoff (E 301); es wird als Antioxid.-Mittel z. B. in Fleischerzeugnissen, trockenen Suppen, Saucen u. Knabbererzeugnissen verwendet. – ***E*** sodium ascorbate – ***F*** ascorbate de sodium – ***I*** ascorbato di sodio – ***S*** ascorbato de sodio

Lit.: Beilstein E V **18/5**, 29 ▪ Liste der zugelassenen Lebensmittelzusatzstoffe (Fundstellenliste) vom 15. Januar 1985, Bundesanzeiger Nr. 43 A vom 2.3.85 ▪ Merck-Index (12.), Nr. 8723 ▪ Vollmer et al., Lebensmittelführer (2.), Stuttgart: Thieme 1995. – *[HS 2936 27; CAS 134-03-2]*

Natriumaurothiomalat (Rp).

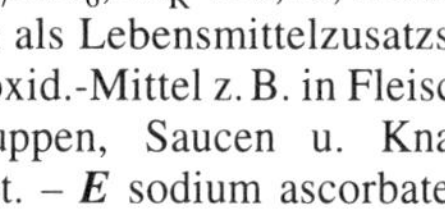

Internat. Freiname für eine variable Mischung von Monogold(I)-mono- ($C_4H_4AuNaO_4S$, M_R 368,09) u. -dinatriumsalz ($C_4H_3AuNa_2O_4S$, M_R 390,07) der (±)-Mercaptobernsteinsäure (2-Thioäpfelsäure), in Wasser sehr leicht lösl.; Lagerung: Vor Licht u. Luft geschützt. N. findet als Gold-Therapeutikum bei Rheuma, insbes. rheumatoider Arthritis Verwendung. – ***E*** aurothiomalate disodium – ***F*** aurothiomalate de sodium – ***I*** sodio aurotiomalato – ***S*** aurotiomalato de sodio

Lit.: Adv. Inflammation Res. **3**, 219 (1982) ▪ Beilstein E IV **3**, 1130 ▪ Hager (5.) **8**, 1094 ff. – *[HS 2843 30; CAS 12244-57-4]*

Natriumazid. T NaN_3, M_R 65,01. Farblose Krist., D. 1,846, Zers. in die Elemente bei ca. 300 °C, lösl. in Wasser u. flüssigem Ammoniak, unlösl. in Ether, in saurer Lsg. Zers. zu hochexplosiver u. sehr giftiger Stickstoffwasserstoffsäure, MAK 0,2 mg/m³. N. läßt sich unzersetzt schmelzen u. verpufft erst beim stärkeren Erhitzen od. auf Schlag.
Verw.: Zur Herst. von reinstem Natrium im Labor, Bleiazid u. Stickstoffwasserstoffsäure sowie von *tert*-Alkylaziden, ggf. als Bakterizid u. Fungizid, zur raschen Blutdrucksenkung in Notfällen, als Nitrifikations-Inhibitor. – ***E*** sodium azide – ***F*** azide de sodium – ***I*** azide di sodio – ***S*** azida de sodio

Lit.: Brauer (3.) **1**, 457 ▪ Chem. Eng. News **62**, Nr. 2, 2 (1984) ▪ Gmelin, Syst.-Nr. 21, Na, 1928, S. 249–251, Erg.-Bd. S. 897–911 ▪ Hommel, Nr. 894 ▪ Tetrahedron Lett. **1975**, 2959 ▪ Ullmann (5.) **A 2**, 151 ▪ Winnacker-Küchler (4.) **2**, 347. – *[HS 2850 00; CAS 26628-22-8; G 6.1]*

Natriumbenzoat. $H_5C_6–COONa$, $C_7H_5NaO_2$, M_R 144,11. Geruchlose, körnige Masse od. weißes Pulver, gut lösl. in Wasser, weniger in Alkohol. N. kann Allergien verursachen.
Verw.: N. dient als Konservierungsmittel insbes. für Getränke (Fungistatikum); es ist als Lebensmittelzusatzstoff zugelassen (E 211), wobei die Verw. jedoch aus diversen Gründen (Geschmack, Allergenität) rückläufig ist. Unter widrigen Umständen kann in Getränken aus N. in Spuren (ppb-Bereich) Benzol gebildet werden[1]. In der Technik findet N. Verw. als Korrosionsinhibitor. – ***E*** sodium benzoate – ***F*** benzoate de sodium – ***I*** benzoato di sodio – ***S*** benzoato de sodio

Lit.: [1]J. Agric. Food Chem. **41**, 693 ff. (1993).
allg.: Beilstein E IV **9**, 279 ▪ DAB **9**, 1052 ▪ Liste der zugelassenen Lebensmittelzusatzstoffe (Fundstellenliste) vom 15. Januar 1985, Bundesanzeiger Nr. 43 A vom 2. 3. 85 ▪ Lück u. Jager, Chemische Lebensmittelkonservierung, S. 181–189, Berlin: Springer 1995 ▪ Merck-Index (12.), Nr. 8725 ▪ Ullmann (5.) **A 3**, 559, 568 ▪ Vollmer et al., Lebensmittelführer (2.), Stuttgart: Thieme 1995. – *[HS 2916 31; CAS 532-32-1]*

Natriumbi... s. Natriumhydrogen...

Natriumbis(2-methoxyethoxo)aluminiumhydrid s. Natriumaluminiumhydrid.

Natriumbismutat(V). $NaBiO_3$, M_R 279,97. Gelbes, amorphes, wasserunlösl., zersetzliches Pulver mit ca. 5% aktivem Sauerstoff. Findet Verw. als starkes Oxid.-Mittel zur Mangan-Bestimmung in Eisen u. Stahl, früher auch als Antisyphilitikum. – ***E*** sodium bismuthate(V) – ***F*** bismuthate(V) de sodium – ***I*** bismutato(V) di sodio – ***S*** bismutato(V) de sodio

Lit.: Gmelin, Syst.-Nr. 21, Na, 1928, S. 894 ▪ Snell-Ettre **7**, 206 f. – *[HS 2841 90; CAS 12232-99-4]*

Natriumbituminosulfonat s. Bituminosulfonate.

Natriumboranat s. Natriumborhydrid.

Natriumborhydrid F (Natriumtetrahydridoborat, Natriumboranat). $NaBH_4$, M_R 37,83. Ätzende, farblose, brennbare Krist., D. 1,074, zersetzlich oberhalb 300 °C in feuchter Luft, an trockener Luft bis 600 °C stabil, reagiert mit Wasser unter Bildung

von H_2 (1 g N. gibt 2,4 L H_2), lösl. in Wasser, Ammoniak, Aminen, Glykolethern u. Dimethylformamid.
Herst.: Techn. aus Borosilicatglas, Natrium u. Wasserstoff od. aus Natriumhydrid u. Borsäuretrimethylester beim Erhitzen auf 225–275 °C.
Verw.: Als Red.-Mittel für Aldehyde, Ketone, Chinone, Schiffsche Basen, Säurechloride, zur Dehalogenierung, bes. in Ggw. von Hydrierkatalysatoren, zur Herst. von *Boranen, zur Red. von Küpenfarbstoffen, zum Bleichen von Papier u. Cellulose, als Red.-Mittel beim *Nibodur-Verfahren.
Ersatz eines H-Atoms des N. durch eine Cyano-Gruppe führt zum *Natriumcyanoborhydrid* {einem sog. *Hybrid-Hydrid*, $Na[BH_3CN]$, M_R 62,84}. Dieses ist ein farbloses, giftiges, hygroskop. Pulver, Schmp. 242 °C (Zers.), lösl. in Wasser, Alkoholen, Aminen, unlösl. in Ether, Benzol u. a. Kohlenwasserstoffen, mit dem sich bes. schonende u. selektive Red. durchführen lassen[1]. Sulfidiertes N. (*Lalancette-Reagenz) ist ebenfalls ein nützliches Red.-Mittel. – ***E*** sodium borohydride – ***F*** borohydrure de sodium – ***I*** boroidruro di sodio – ***S*** borohidruro de sodio
Lit.: [1] Synthesis **1975**, 135–146.
allg.: Brauer (3.) **2**, 794 ▪ Gmelin, Syst.-Nr. 21, Na, Erg.-Bd. S. 257–261, 1212–1226 ▪ Hommel, Nr. 895 ▪ J. Mol. Catal. **18**, 273–297 (1983) ▪ Kirk-Othmer **3**, 616–622; (4.) **4**, 499 f. ▪ Synthetica **1**, 321–329; **2**, 316 ff. ▪ Ullmann (5.) **A 4**, 319 ▪ Winnacker-Küchler (4.) **2**, 560 f. – *[HS 2850 00; G 4.3]*

Natriumbromat. $NaBrO_3$, M_R 150,89. Weiße, haut- u. schleimhautreizende, zentrallähmend wirkende Krist., D. 3,34, Schmp. 381 °C (Zers. unter Sauerstoff-Abspaltung), lösl. in Wasser; N. entsteht neben Natriumbromid, wenn man Brom bis zur Sättigung in heiße Natronlauge gießt; N. wird als Oxid.-Mittel in der Oxidimetrie (Bromatometrie), in Kaltwellpräp., als Einkrist. in der Elektrooptik u. Piezoelektrik verwendet. – ***E*** sodium bromate – ***F*** bromate de sodium – ***I*** bromato di sodio – ***S*** bromato de sodio

O 

Lit.: Gmelin, Syst.-Nr. 21, Na, 1928, S. 434–437, Erg.-Bd. 5, 1970, S. 1803–1817 ▪ Hommel, Nr. 455 ▪ Kirk-Othmer (4.) **4**, 567 ▪ Ullmann (5.) **A 4**, 426 ▪ s. a. Bromsäure. – *[HS 2829 90; CAS 7789-38-0; G 5.1]*

Natriumbromid. NaBr, M_R 102,89. Weiße Krist., D. 3,203, Schmp. 755 °C (als Dihydrat Schmp. 51 °C), Sdp. 1390 °C, lösl. in Wasser, Alkohol u. Methanol. N. wird verwendet zur Herst. von photograph. Platten u. Papieren, früher in der Medizin als Nervenberuhigungsmittel (vgl. Brom-Präparate). – ***E*** sodium bromide – ***F*** bromure de sodium – ***I*** bromuro di sodio – ***S*** bromuro de sodio
Lit.: Braun-Dönhardt, S. 82 ▪ Gmelin, Syst.-Nr. 21, Na, 1928, S. 414–420, Erg.-Bd. 6, S. 1–402 ▪ Kirk-Othmer (4.) **4**, 562 ▪ Ullmann (5.) **A 4**, 423. – *[HS 2827 51; CAS 7647-15-6]*

Natriumcalciumedetat.

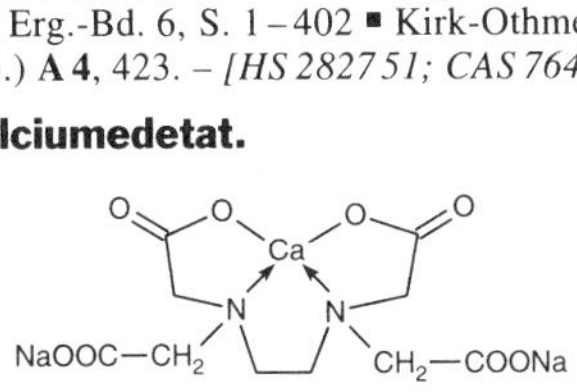

Internat. Freiname für Calcium-dinatrium-ethylendiamintetraacetat, $C_{10}H_{12}CaN_2Na_2O_8$, M_R 374,27. Als Tetrahydrat farbloses Pulver, in Wasser gut, in organ. Lsm. kaum löslich. Verw. als Komplexbildner zur Bindung giftiger Schwermetall-Ionen (insbes. Blei) durch Chelatisierung (s. Chelate), s. a. Ethylendiamintetraessigsäure. – ***E*** sodium calcium edetate – ***F*** édétate de sodium et de calcium – ***I*** edetato di sodio e calcio – ***S*** edetato de sodio y calcio
Lit.: DAB **10** ▪ Hager (5.) **8**, 1097 ▪ Merck-Index (12.), Nr. 3555. – *[HS 2922 49; CAS 62-33-9]*

Natriumcarbonat. Na_2CO_3, M_R 105,99. Im folgenden wird neben N. auch der histor. Name *Soda* benutzt (*das* od. *die* Soda, Herkunft unklar, möglicherweise von arab.: suwwâd = Salzpflanzen-Asche). Kristallwasserfreies N. (auch *calcinierte Soda* od. *Ammoniaksoda* genannt) bildet ein weißes, auf Haut u. Schleimhäute reizend wirkendes Pulver, D. 2,533, wobei man zwischen *leichter* calcinierter Soda (Schüttgew. 0,5–0,55 kg/L) u. *schwerer* calcinierter Soda (Schüttgew. 1,0–1,1 kg/L) unterscheidet, Schmp. 854 °C, stark hygroskop., kann in feuchten Räumen bis zu 10% Wasser binden, ohne feucht auszusehen. Man löst N. am leichtesten durch Einrühren in heißes Wasser: 100 g H_2O lösen bei 0 °C 7,1 g, bei 10 °C 12 g, bei 20 °C 21,7 g, bei 30 °C 37,2 g u. bei 100 °C 45,5 g Na_2CO_3. Die wäss. Lsg. reagiert stark alkal. (pH 11,6). N. ist ferner lösl. in Glycerin, jedoch unlösl. in Alkoholen. Es bildet mit Wasser drei Hydrate: Decahydrat (*Kristallsoda*), $Na_2CO_3 \cdot 10H_2O$, M_R 286,14, farblose, monokline, eisartig aussehende Krist., D. 1,44, Schmp. 32–34 °C; Heptahydrat, M_R 232,10, rhomb. Krist., D. 1,51, Schmp. 35,4 °C; Monohydrat, M_R 124,00, rhomb. Krist., D. 2,25, Schmp. 100 °C. Mit Säuren entwickelt N. unter Aufbrausen Kohlendioxid ($Na_2CO_3 + H_2SO_4 \rightarrow Na_2SO_4 + H_2O + CO_2$). Beim Sieden von tier. u. pflanzlichen Fettsäuren mit konz. N.-Lsg. entstehen *Seifen.
Vork.: N. findet sich (in Mischung mit viel *Natriumhydrogencarbonat als *Trona bezeichnet) in großen Mengen in den Natronseen von Ägypten (Wadi Natrun), Nord- u. Südamerika. Der Soda-Gehalt von Owens Lake in Kalifornien wird allein auf rund 100 Mio. t geschätzt; aus diesem gewinnt man durch Wasserverdunstung ein ziemlich unreines Natriumcarbonat. Der ostafrikan. Magadi-See (70 Meilen von Nairobi entfernt) enthält eine bis zu 30 m dicke Schicht von ca. 97%igem Trona (s. unten). N. findet sich auch in einigen alkal. Heilquellen (Karlsbad) u. in Form von Bodenausblühungen bei Szegedin u. in einigen Laven. Natursoda-Vork. finden sich auch in China, Indien, Sibirien, Tibet, Armenien u. der Mongolei. Beim Verbrennen von Kochsalz-reichen Meeres- od. Strandpflanzen hinterbleibt eine Soda-reiche Asche; auf diese Weise hat man bis etwa 1850 die meiste Soda gewonnen.
Herst.: 1. *Leblanc-Verf.:* Bei dem 1790 von *Leblanc – aufgrund eines 1775 von der Pariser Akademie der Wissenschaften ausgesetzten Preisausschreibens – entwickelten Verf. stellte man zunächst aus NaCl u. Schwefelsäure Natriumsulfat her, das mit Kalk u. Kohle erhitzt wurde:

$$Na_2SO_4 + CaCO_3 + 2C \rightarrow Na_2CO_3 + CaS + 2CO_2.$$

Anschließend wurde die Soda aus dem Reaktionsprodukt mit Wasser ausgelaugt. Nachteilig waren der hohe

Energieverbrauch u. der Anfall an HCl u. lästigen CaS-haltigen Abfallprodukten, weshalb der Prozeß durch das Solvay-Verf. abgelöst wurde.

2. *Solvay-Verf.* (Ammoniak-Soda-Verf.): Bei diesem 1861 von E. *Solvay ausgearbeiteten Verf. leitet man in eine nahezu gesätt. Kochsalzlsg. zuerst Ammoniak u. dann Kohlendioxid ein. Es entsteht hierbei Ammoniumhydrogencarbonat, das mit Kochsalz das verhältnismäßig schwer lösl. *Natriumhydrogencarbonat gibt:

$$NH_4HCO_3 + NaCl \rightarrow NaHCO_3 + NH_4Cl.$$

Durch Erhitzen (*Calcinieren*) des Natriumhydrogencarbonats erhält man N. (*Ammoniaksoda*)

$$2\,NaHCO_3 \rightarrow Na_2CO_3 + H_2O + CO_2;$$

das Kohlendioxid wird von neuem in die Salzlsg. geleitet. Aus der Mutterlauge wird das Ammoniak durch Behandlung mit gebranntem Kalk ($2\,NH_4Cl + CaO \rightarrow 2\,NH_3 + H_2O + CaCl_2$) zurückgewonnen u. wieder in den Produktionsprozeß zurückgeführt. Weiteres Kohlendioxid fällt beim Brennen des Kalks an, der zur Ammoniak-Rückgewinnung benötigt wird. Als letztes Abfallprodukt entsteht $CaCl_2$, das trotz des hohen Energieaufwandes in zunehmendem Maße aus den Ablaugen zurückgewonnen od. auf Gips verarbeitet wird, früher jedoch großenteils in die Abwässer geleitet wurde.

3. Die *Natursoda*-Gewinnung erlangt wegen des niedrigen Energiebedarfs u. der geringen Umweltbelastung zunehmende Bedeutung. In den USA wird seit 1985 reine Soda ausschließlich aus Trona, $Na_2CO_3 \cdot NaHCO_3 \cdot 2\,H_2O$, u. a. natürlichen N.-Vork. durch Löse-, Reinigungs- u. Eindampf- bzw. Calcinierprozesse hergestellt. Auch in Kenia, Mexico u. den GUS-Staaten gewinnt man Natursoda. Eine Neuentwicklung ist der Übergang vom bergmänn. Abbau auf die Gewinnung von Soda als wäss. Lsg. (Solution Mining).

Von der Weltjahresproduktion an N. (32,4 Mio. t 1990) entfallen 9,6 Mio. t auf Natursoda, der Rest wird synthet. hergestellt. In den USA wurden 1990 9,2 Mio. t, in den GUS-Staaten 4,5 Mio. t, in China 3,7 Mio. t, in der BRD 2,3 Mio. t, in Frankreich u. in Japan je 1,2 Mio. t, in Großbritannien u. Bulgarien je 1,0 Mio. t, in Polen 0,9 Mio. t u. in Rumänien 0,8 Mio. t N. hergestellt.

Verw.: N. ist nach Natriumchlorid die techn. wichtigste Na-Verbindung. Etwa 50% werden bei der Glasfabrikation eingesetzt, 23% dienen zur Herst. von Chemikalien, davon ca. ⅓ Na-phosphate, etwa 5% gehen in die Papier- u. Zellstoff-Ind. u. weitere 5% in die Herst. von Seifen u. Waschmitteln. Kleinere Mengen Soda werden in fast allen Ind.-Zweigen verbraucht, z. B. zum Auswaschen von CO_2 aus Gemischen mit N_2 od. CO durch reversible Bildung von $NaHCO_3$ aus Na_2CO_3. – ***E*** sodium carbonate, soda ash – ***F*** carbonate de sodium, soude – ***I*** carbonato di sodio, soda – ***S*** carbonato de sodio, sosa

Lit.: Büchner et al. (2.), S. 229 ff. ▪ Chem. Tech. (Leipzig) **27**, 356 (1975) ▪ Gmelin, Syst.-Nr. 21, Na, 1928, S. 684–716, Erg.-Bd. 1964, S. 267–308, 1317–1328 ▪ Kirk-Othmer (4.) **1**, 1026 ff.; **5**, 42 f. ▪ Minerals Yearbook 1987, Vol. 1, S. 795–802, Washington: Bureau of Mines 1989 ▪ Ullmann (5.) **A 24**, 299–316 ▪ Winnacker-Küchler (4.) **2**, 294–520. – *[HS 2836 20; CAS 497-19-8]*

Natriumcarboxymethylcellulose s. Carboxymethylcellulose.

Natriumchlorat. $NaClO_3$, M_R 106,44. Farblose, wasserfreie, hygroskop., meist reguläre Krist. (metastabil, rhomboedr. u. monoklin), D. 2,487 (25 °C), Schmp. 248–261 °C, Zers. ab 265 °C, lösl. in Wasser u. Alkohol. N. gibt mit Kohle, Schwefel u. dgl. explosive Gemische (Oxid.-Mittel), wirkt wie alle Chlorate giftig (*Methämoglobin-Bildung). Eine Lsg. von $NaClO_3$ ist mit Vorsicht zu behandeln; Kleidung, die mit $NaClO_3$-Lsg. befeuchtet wurde, muß man gründlich auswaschen, da sie sich beim Trocknen leicht entzündet.

Xn O

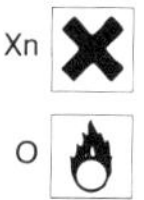

Herst.: Aus wäss. NaCl-Lsg. bei 60–75 °C durch Elektrolyse in *Chlorat-Zellen*, deren Kathoden (Stahl) u. Anoden (aktiviertes Titan) nicht wie bei der Herst. von *Natriumhydroxid durch ein Diaphragma od. eine Membran voneinander getrennt, sondern eng zueinander angeordnet sind. So setzt sich das anod. prim. entstehende Chlor mit Wasser zu unterchloriger Säure u. mit kathod. erzeugten Hydroxid-Ionen zu Hypochlorit-Anionen um:

$$Cl_2 + H_2O \rightarrow HClO + HCl$$
$$Cl_2 + OH^- \rightarrow ClO^- + HCl,$$

die in der Wärme disproportionieren u. dabei Chlorid- u. Chlorat-Ionen bilden:

$$2\,HClO + ClO^- \rightarrow ClO_3^- + 2\,HCl.$$

Unerwünschte Nebenreaktionen wie O_2-Entwicklung an der Anode u. kathod. Red. von Hypochlorit werden durch Zusatz von Natriumchromat (ca. 3 g/L) unterdrückt.

Verw.: Als Oxid.-Mittel, zur Herst. von Perchloraten, zur Br-Gewinnung aus Salzwässern, in Explosiv- u. Zündstoffen (*Chloratsprengstoffen), als wirksamer Bestandteil in Herbiziden, als Zwischenprodukt für die Herst. von Chlordioxid (s. Chloroxide) u. *Natriumchlorit. Etwa 70% der Produktion an N. wurden in der Papier-Ind. für Bleichzwecke verwendet. – ***E*** sodium chlorate – ***F*** chlorate de sodium – ***I*** clorato di sodio – ***S*** clorato de sodio

Lit.: Braun-Dönhardt, S. 263 ▪ Büchner et al. (2.), S. 181 f., 185 ▪ Gmelin, Syst.-Nr. 21, Na, 1928, S. 392–404, Erg.-Bd. S. 168–180, 1745–1766 ▪ Hommel, Nr. 142, 1054 ▪ J. Electrochem. Soc. **131**, 1551–1559 (1984) ▪ Kirk-Othmer (4.) **5**, 1000–1012 ▪ Perkow ▪ Ullmann (5.) **A 6**, 501–514 ▪ Winnacker-Küchler (4.) **2**, 447–456. – *[HS 2829 11; CAS 7775-09-9; G 5.1]*

Natriumchlorid. NaCl, M_R 58,44; im folgenden u. in anderen Stichwörtern werden neben N. auch die histor. Namen „*Kochsalz*" u. „*Steinsalz*" (s. unten) benutzt. Chem. reines NaCl krist. aus wäss. Lsg. in farblosen Würfeln, die oft treppenförmig zu innen hohlen Pyramiden anwachsen; gelegentlich finden sich auch Oktaeder od. Rhombododekaeder, D. 2,164, H. 2,5, Schmp. 801 °C, Sdp. 1413 °C; die Dampfdichte entspricht der Formel NaCl. NaCl ist nicht hygroskopisch. Im Kristallgitter sind Na- u. Cl-Ionen jeweils oktaedr. von sechs Gegenionen umgeben, s. Kristallstrukturen, Abb. 1. Während des Auskristallisierens können in Lücken des Krist. kleine Wassermengen eingeschlossen werden; diese verdampfen beim Erwärmen u. bewirken ein Zerplatzen der Krist. (*Dekrepitieren), wobei ein Knistern hörbar wird. Auch Einschlüsse von Gasen (Kohlendioxid, Schwefelwasserstoff, Methan u. a.) sind möglich (*Knistersalz). Blaues Steinsalz entsteht durch Einwirkung radioaktiver Strahlung (Farbzentren). Je 100 g Wasser lösen bei 0 °C 35,6 g, bei 20 °C 35,8 g u. bei 100 °C 39,1 g reines NaCl auf; die gesätt. wäss. Lsg. siedet bei 107,7 °C; zur Thermodynamik von wäss. NaCl-Lsg. s. *Lit.*[1]. Kolloidale, gelbe bis gelbrote NaCl-Lsg. entstehen, wenn man organ. Na-Verb. in wasserfreiem Benzol mit organ. Cl-Verb. umsetzt. NaCl setzt den *Erstarrungspunkt des Wassers sehr stark herab (eutekt. Punkt –21,3 °C), worauf seine Verw. in *Kältemischungen u. als *Streusalz beruht.

Physiologie: Offenbar ist NaCl für die gewöhnlichen Landpflanzen nicht lebensnotwendig, es wird nur von den sog. Halophyten (Meeresstrandpflanzen, vgl. Halo...) benötigt. Tiere u. Menschen können dagegen ohne ein gewisses Mindestmaß an NaCl nicht auskommen, u. zwar wird dieses teils durch die Speisen (Fleisch ist NaCl-haltig), teils in Form von *Kochsalz zugeführt. Die Höhe des tatsächlichen N.-Bedarfs hängt sehr stark von den Ausscheidungen (*Schweiß, *Harn) ab. Für den Menschen dürfte jedoch eine tägliche Aufnahme von ca. 2–3 g NaCl bei mäßiger bzw. von ca. 15 g bei starker körperlicher Arbeit (u. in den Tropen) ausreichen – die durchschnittliche Tageskost in Westeuropa u. den USA überschreitet mit 8–18 g NaCl den durchschnittlichen Bedarf um ein Mehrfaches; zum Na-Stoffwechsel s. Natrium u. vgl. Kalium (Kalium-Natrium-Pumpe), zur „Toxizität" von Kochsalz s. *Lit.*[2]. Bei starken Flüssigkeitsverlusten kann ggf. ein Ausgleich durch Infusion von *Ringer-Lösung od. „Physiolog. Kochsalz-Lsg." (enthält 0,85% NaCl, s. isotonische Lösungen), bei diarrho. Zuständen von Kleinkindern bes. als *ORS erfolgen. Kochsalzarme (*Natriumarm) Diät u. Verw. von *Kochsalz-Ersatzmitteln ist bei Bluthochdruck, Herz- u. Nierenerkrankungen u. Diabetes zu empfehlen.

Vork.: NaCl ist die in unserem Lebensbereich häufigste Na-Verb. Sie findet sich im *Meerwasser (1 t Meerwasser enthält durchschnittlich 27 kg NaCl) zu ca. 3%, wobei die Binnenmeere (Mittelmeer, Rotes Meer) bisweilen wesentlich höhere NaCl-Gehalte aufweisen. Ferner hat es sich – vermischt mit einigen Prozent Beimengungen (Ca-, Mg-sulfat, Mg-, K-chlorid u. dgl.) aus eintrocknenden od. abgeschnürten Meeresteilen verschiedener geolog. Epochen (z. B. zur Zechsteinzeit in Norddeutschland, zur Muschelkalkzeit in Süd- u. Mitteldeutschland) – als *Steinsalz* abgelagert. Dieses ist meist von *Kalisalzen, den sog. *Abraumsalzen bedeckt u. bildet ggf. mit deren Bestandteilen Sylvin u. Kieserit sog. *Hartsalze. Die Steinsalz-Lager der Zechsteinzeit erreichen in Mitteldeutschland (Staßfurter Bezirk) stellenweise über 1000 m Mächtigkeit. Erwähnenswert ist auch der NaCl-Gehalt zahlreicher Quellen (sog. *Kochsalzquellen*), die ggf. als *Mineralwässer Verw. finden.

Gewinnung: NaCl wird hauptsächlich nach vier Verf. gewonnen. 1. Durch bergmänn. Abbau von Steinsalz; ca. 90% des gesamten NaCl der BRD wird so gewonnen. – 2. Durch Eindampfen natürlicher od. künstlicher gesätt. wäss. NaCl-Lsg. (*Solen*, die z. B. durch Einpumpen von Wasser in unterird. Lagerstätten entstanden sind) in *Salinen* erhält man das sog. *Siedesalz*, wobei man noch Fein-, Mittel- od. Grobsalz unterscheidet. – 3. Durch Eintrocknenlassen von in Becken (*Salzgärten*) aufgefangenem *Meerwasser (*Meersalz*) od. von Wasser von Salzseen in warmen Ländern (Spanien, Südfrankreich, Krim usw.), in gemäßigten Gegenden früher auch in *Gradierwerken, in kalten Gegenden durch teilw. Ausfrieren von Meerwasser (Salzanreicherung im nichtgefrorenen Wasseranteil); bei ca. –10 °C kann sich N. auch als monoklines Dihydrat (*Hydro-* od. *Kryohalit*) abscheiden, welches bei +0,15 °C in wasserfreies N. übergeht. – 4. In zunehmendem Maße als „Nebenprodukt" der *Meerwasserentsalzung zur Trink- u. Brauchwassergewinnung.

Verw.: Als *Speisesalz* od. *Tafelsalz* für den menschlichen Genuß [darf 20 ppm Hexacyanoferrate(II) od. 1% kolloide Kieselsäure als Rieselhilfe enthalten], als *Pökelsalz* (s. Nitritpökelsalz) für Fleisch u. Fische, als mit Eisenoxid gefärbtes *Viehsalz* für die Tierhaltung, in z. T. durch Petroleum vergällter u./od. durch Farbstoffe (z. B. Eosin) gekennzeichneter Form als *Gewerbesalz* od. *Industriesalz* für Kältemischungen, als *Auftausalz* für den Straßen-Winterdienst (s. Streusalz), zum Glasieren von Tonwaren, zum Aussalzen von Seifen, in der Gerberei u. Metallurgie, in der Färberei, in der chem. Ind. als Ausgangsmaterial für fast alle anderen Na-Verb., als *Grubensalz* zur Kohlenstaubbekämpfung im Bergbau, zur Wasseraufbereitung, als *Häutesalz* zur Häutekonservierung, zur Inhalationstherapie bei verschiedenen Beschwerden, in Mineralwässern bei Verdauungskrankheiten, als primitives Brechmittel (lauwarme, konz. wäss. Lsg.), als Gegenmittel bei $AgNO_3$-Vergiftungen (gibt unlösl. Silberchlorid), zur Rehydratations-Therapie (ORS) bei Diarrhöen, zu Gurgelwässern bei Katarrhen, in der Photographie, zur Unkrautbekämpfung. NaCl-Einkrist. dienen als opt. Fenster, Linsen u. Prismen in der IR-Spektroskopie u. für die Röntgen-Beugung.

Die Weltproduktion an N. betrug 1992 ca. 185 Mio. t, davon entfielen ca. 36 Mio. t auf die USA; in der BRD lag die Produktion bei 13,1 Mio. t; davon entfielen 1,8 Mio. t auf Meersalz. Bedeutende N.-Mengen wurden 1992 außerdem in China (25,0 Mio. t), Kanada (11,2 Mio. t), Indien (9,5 Mio. t), Brasilien (8,2 Mio. t), Australien (8,0 Mio. t), Mexiko (7,6 Mio. t), Frankreich (6,6 Mio. t), Rumänien (6,0 Mio. t), der Ukraine (4,4 Mio. t) u. den Niederlanden (3,5 Mio. t) produziert.

Geschichte: Kochsalz hat für den Menschen seit jeher eine herausragende Bedeutung gehabt. Größere Siedlungen entstanden bes. in der Nähe von Salz-Vork. u. an den Salzhandelswegen, was sich z. B. auch heute noch in Städtenamen wie Hallstadt, Hallein, Reichenhall, Salzburg, Halle ausdrückt – auch Jericho entstand vor ca. 10 000 Jahren in der Nähe von Salzvorkommen. Zu manchen Zeiten war N. wertvoller als Gold u. daher oft der Anlaß krieger. Auseinandersetzungen. Das wohl älteste Salzbergwerk in Hallstadt wurde schon um 1000 v. Chr. betrieben; zur Entwicklung der Siedesalz-Erzeugung seit dem 16. Jh. s. *Lit.*[3]. – ***E*** sodium chloride – ***F*** chlorure de sodium – ***I*** cloruro di sodio – ***S*** cloruro de sodio

Lit.: [1] J. Phys. Chem. Ref. Data **11**, 15–81 (1982); **13**, 1–102 (1984). [2] Nachr. Chem. Tech. **24**, 139 f. (1976). [3] Chem. Tech. (Leipzig) **37**, 319–322 (1985).
allg.: Annu. Rev. Physiol. **45**, 533–548 (1983) ▪ Braun-Dönhardt, S. 263 ▪ DAB **10** ▪ Denton, The Hunger for Salt, Berlin: Springer 1984 ▪ Der inform. Arzt **5**, Nr. 5, 110–122 (1977); **11**, Nr. 8, 16–21 (1983) ▪ Emons u. Walter, Mit dem Salz durch die Jahrtausende, Leipzig: Grundstoffind. 1984 ▪ Fregly u. Kare, The Role of Salt in Cardiovascular Hypertension, New York: Academic Press 1982 ▪ Gmelin, Syst.-Nr. 21, Na, 1928, S. 305–331, Erg.-Bd. 1, S. 126–150, Erg.-Bd. 6, S. 1–402 ▪ Kirk-Othmer (4.) **1**, 946 ff. (NaCl-Elektrolyse) ▪ Lück u. Jager, Chemische Lebensmittelkonservierung, Berlin: Springer 1995 ▪ Ramdohr-Strunz, S. 484 f. ▪ Ullmann (5.) **A 24**, 317–339 ▪ Winnacker-Küchler (4.) **2**, 481–494 ▪ s. a. Natrium, Kalisalze. – *[HS 2501 00; CAS 7647-14-5]*

Natriumchlorit. $NaClO_2$, M_R 90,44. Farblose, bei 20 °C beständige Krist., bei 180–200 °C Zers., leicht lösl. in Wasser, krist. unterhalb 37,4 °C als Trihydrat, wirkt als Blutgift (*Methämoglobin-Bildung). N. ist ein starkes Oxid.-Mittel, das vor Kontakt mit leicht oxidierbarem Material (organ. Verb., Red.-Mitteln) geschützt werden muß. Beim Erhitzen disproportioniert es od. zerfällt unter Sauerstoff-Entwicklung:

$$3\,NaClO_2 \rightarrow 2\,NaClO_3 + NaCl$$
$$NaClO_2 \rightarrow NaCl + O_2.$$

Mit Chlor reagiert N. unter Bildung von Chlordioxid, was zu dessen Herst. im Laboratorium ausgenutzt wird:

$$2\,NaClO_2 + Cl_2 \rightarrow 2\,NaCl + 2\,ClO_2.$$

Die bleichende Wirkung von N. bei Säurezusatz beruht wenigstens teilw. auf der Bildung von Chlordioxid, bei abnehmender Säurekonz. wirkt das Chlorit-Ion oxidierend.
Herst.: Durch Red. von ClO_2 mit H_2O_2 in alkal. Lösung.
Verw.: Als Bleichmittel in der Papier- u. Textil-Ind., Oxid.-Mittel in der chem. u. metallverarbeitenden Ind., als Desinfektions- u. Desodorierungsmittel, zur Abwasserbehandlung u. zur Ausfällung von Fe u. Mn. – ***E*** sodium chlorite – ***F*** chlorite de sodium – ***I*** clorito di sodio – ***S*** clorito de sodio

Lit.: Brauer (3.) **1**, 322 f. ▪ Braun-Dönhardt, S. 76, 263 ▪ Gmelin, Syst.-Nr. 21, Na, 1928, S. 391 f., Erg.-Bd. S. 161–168, 1741 f. ▪ Hommel, Nr. 143, 1002 ▪ Kirk-Othmer (4.) **5**, 981–991 ▪ Merkblatt: Verhütung von Unfällen beim Umgang u. beim Bleichen mit Natriumchlorit (ZH 1/431), Köln: Heymanns 1971 ▪ Ullmann (5.) **A 4**, 193 f.; **A 6**, 500 f. ▪ Winnacker-Küchler (4.) **2**, 463–466. – *[HS 2828 90; CAS 7758-19-2 (N.); 49658-21-1 (Trihydrat); G 5.1]*

Natriumchromat(VI). Na_2CrO_4, M_R 161,97, Schmp. 792 °C, krist. in orthorhomb. gelben Nadeln, die oberhalb 413 °C in die hexagonale Form übergehen. N. ist hygroskop. u. bildet verschiedene Hydrate: Decahydrat unter 19,5 °C, Hexahydrat zwischen 19,5 u. 26 °C, Tetrahydrat zwischen 26 u. 62,8 °C. Oberhalb dieser Temp. krist. wasserfreies N. aus. Beim Ansäuern bildet sich *Natriumdichromat.

Xi 

Herst.: Erfolgt großtechn. durch alkal.-oxidierenden Aufschluß von *Chromit:

$$4\,FeCr_2O_4 + 8\,Na_2CO_3 + 7\,O_2 \xrightarrow{1000-1100\,°C} 8\,Na_2CrO_4 + 2\,Fe_2O_3 + 8\,CO_2.$$

N. steht in Verdacht, krebserzeugend zu sein (MAK-Stoffliste III B); es kann auf Schleimhäuten u. verletzter Haut zu Gewebenekrosen führen.
Verw.: Zur Korrosionsverhinderung bes. in der Erdöl-Ind. u. als Färbereihilfsmittel in der Textilindustrie. – ***E*** sodium chromate(VI) – ***F*** chromate(VI) de sodium – ***I*** cromato(VI) di sodio – ***S*** cromato(VI) de sodio

Lit.: Braun-Dönhardt, S. 109 f. ▪ Gmelin, Syst.-Nr. 52, Cr, Tl. B 1962, S. 466–477 ▪ Kirk-Othmer (4.) **6**, 275 ff. ▪ Ullmann (5.) **A 7**, 85 ▪ Winnacker-Küchler (4.) **2**, 654, 657–662. – *[HS 2841 50; CAS 7775-11-3]*

Natriumcitrat (Trinatriumcitrat).

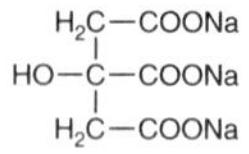

$C_6H_5Na_3O_7$, M_R 258,07. Dihydrat: Farblose, rhomb. Krist., D. 1,857, Schmp. (nach Kristallwasserverlust) 150 °C, in Wasser leicht, in Alkohol schwer löslich.
Verw.: Als Lebensmittelzusatzstoff (E 331), in der Medizin als gerinnungshemmender Zusatz zu Transfusionsblut, als mildes Diuretikum, in der Photographie, als Zusatz zu galvan. Bädern, in der Textilind. zum Reservieren, als Puffer, Maskierungsmittel, für Tenside usw. – ***E*** sodium citrate – ***F*** citrate de sodium – ***I*** citrato di sodio – ***S*** citrato de sodio

Lit.: Beilstein E IV **3**, 1274 ▪ DAB **9**, 1061 ▪ Merck-Index (12.), Nr. 8746 ▪ Mutschler (7.). – *[HS 2918 15; CAS 68-04-2 (N.); 6132-04-03 (Dihydrat)]*

Natriumcobaltnitrit s. Natriumhexanitrocobaltat(III).

Natriumcyanat. NaOCN, M_R 65,01. Farb- u. geruchlose, wasserlösl. Krist., D. 1,89, Schmp. 550 °C. N. wird durch Schmelzen von Harnstoff mit Soda hergestellt:

$$2\,OC(NH_2)_2 + Na_2CO_3 \rightarrow 2\,NaOCN + 2\,NH_3 + CO_2 + H_2O.$$

Verw.: Zu organ. Synth., z. B. zur Herst. von substituierten Harnstoffen, als Textilhilfsmittel für Proteinfasern, in der Wärmebehandlung des Stahls, gelegentlich als Kontaktherbizid. – ***E*** sodium cyanate – ***F*** cyanate de sodium – ***I*** cianato di sodio – ***S*** cianato de sodio

Lit.: Beilstein E IV **3**, 82 f. ▪ Gmelin, Syst.-Nr. 21, 1928, S. 799–801, Erg.-Bd. S. 1382–1386 ▪ Proc. Nat. Acad. Sci. **68**, 2791 (1971) ▪ Ullmann (5.) **A 8**, 157 f. – *[HS 2838 00; CAS 917-61-3]*

Natriumcyanid. NaCN, M_R 49,01. Farblose, würfelförmige, äußerst giftige (MAK 5 mg/m^3) Krist., D. 1,60, Schmp. 563 °C, Sdp. 1496 °C, gut lösl. in Wasser, wird durch die Haut resorbiert; die wäss. Lsg. reagiert infolge Hydrolyse stark alkalisch.

T+ 

Herst.: Früher durch Reaktion von Na mit Kohle u. Ammoniak (*Castner-Verf.*); heute ausschließlich durch Neutralisation von Blausäure mit Natronlauge.
Verw.: Zur Edelmetall-Gewinnung (s. Cyanide), Herst. von galvan. Bädern, als Flotationshilfsmittel, bei der Hitzebehandlung von Stahl, zur Metallreinigung, Schädlingsbekämpfung, zur Synth. von komplexen Cyaniden u. organ. Nitrilen. – ***E*** sodium cyanide – ***F*** cyanure de sodium – ***I*** cianuro di sodio – ***S*** cianuro de sodio

Lit.: Beilstein E IV **2**, 55 ▪ Braun-Dönhardt, S. 75 ▪ Gmelin, Syst.-Nr. 21, Na, 1928, S. 778–796, Erg.-Bd. S. 1371–1375 ▪

Hommel, Nr. 317 ▪ Kirk-Othmer (4.) **7**, 765 ff. ▪ Merkblatt für gefährliche Arbeitsstoffe M002 der BG Chemie, Ausgabe 4/85 ▪ Ullmann (5.) **A 8**, 165–170 ▪ s. a. Cyanide. – *[HS 2837 11; CAS 143-33-9; G 6.1]*

Natriumcyanoborhydrid s. Natriumborhydrid.

Natriumcyclamat.

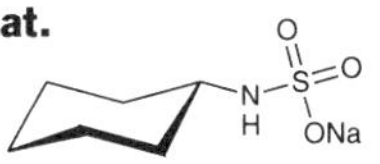

Internat. Freiname für das Natriumsalz der Cyclohexylsulfamidsäure, $C_6H_{12}NNaO_3S$, M_R 201,21, angenehm schmeckende, farblose Krist., gut lösl. in Wasser, nahezu unlösl. in Ether, Alkohol u. Dichlormethan.

Zulassung: Nach der Diät-VO[1] (§ 8) u. der *Zusatzstoff-Zulassungs-VO[2] (Anlage 7 Liste A u. B.) sind Cyclamat u. seine Verb. des Natriums u. Calciums als *Süßstoff zur Herst. diätet. Lebensmittel zugelassen. In den USA, Großbritannien u. Frankreich ist N. nicht zugelassen. Der Höchstgehalt ist in Getränken auf 0,4 g/L begrenzt. Der Zusatz ist nach § 18 der Diät-VO[1] durch die Angabe „diätet. Lebensmittel mit Süßstoff" kenntlich zu machen. N. darf nach der Zusatzstoff-Verkehrs-VO[3] (Anlage 2, Liste 9) als Nebenbestandteile u. Verunreinigungen höchstens 30 mg/kg *Selen, 10 mg/kg *Cyclohexylamin, 1 mg/kg *Dicyclohexylamin u. 1 mg/kg *Anilin enthalten. Die Trockenmasse muß mind. 98% betragen, der Trocknungsverlust darf sich max. auf 1% belaufen. Nach § 6a der Zusatzstoff-Zulassungs-VO[2] darf N. zur Herst. von brennwertverminderten (s. Nährwert) Erfrischungsgetränken bis zu einer Höchstmenge von 400 mg/L (berechnet als Cyclohexylsulfamidsäure) eingesetzt werden. Die Herst. von Tafelsüßen unter Verw. von N. ist ebenfalls zulässig.

Toxikologie: LD_{50} (Ratte oral) 15,25 g/kg. Aus dem 1982 von der WHO/FAO angegebenen temporären *ADI-Wert für Cyclamat errechnet sich für N. ein Wert von 0–12,34 mg/kg Körpergewicht. Dies entspricht bei vollem Ausschöpfen des ADI-Werts für eine Person mit 70 kg Körpergew. einer max. zulässigen Aufnahme von ca. 21 Süßstofftabl. handelsüblicher Zusammensetzung; zu einem möglichen carcinogenen Risiko u. weiteren toxikolog. Daten s. *Lit.*[4]. Arbeiten, die sich mit einem möglichen *cocarcinogenen u. *teratogenen Potential von N. u. Süßstoffen allg. befassen, sind in *Lit.*[4] zusammengefaßt. Untersuchungen zum genotox. Potential von Cyclamat u. Calciumcyclamat schließen eine direkte Genotoxizität dieser Substanzen aus[5]. Zur Toxikologie künstlicher Süßstoffe hat die Kommission der EG mehrfach Stellung genommen[6], N. wurde dabei, wie alle anderen zugelassenen Süßstoffe auch, als annehmbar eingestuft.

Analytik: Neben den unter Cyclamat angegebenen Meth. kann N. auch durch *HPLC mit anschließender Ionenpaarextraktion[7] sowie durch prächromatograph. Derivatisierung[8] nachgewiesen werden. Um die Reinheitsanforderungen an N. zu überprüfen, existiert zur Bestimmung von Cyclohexylamin, Dicyclohexylamin u. Anilin eine *Methode nach § 35 LMBG (L 57.22.01–1). Der N.-Gehalt von Süßstofftabl. ist ebenfalls nach einer Meth. nach § 35 LMBG (L 57.22.99-1) bestimmbar. Inzwischen wurde in N.-haltigen Getränken die Bildung von 2-Cyclohexen-1-on nachgewiesen[9]. – ***E*** sodium cyclamate – ***F*** cyclamate de sodium – ***I*** ciclamato di sodio – ***S*** ciclamato de sodio

Lit.: [1] VO über diätetische Lebensmittel vom 25. 8. 1988 in der Fassung vom 20. 6. 1990 (BGBl. I, S. 1065). [2] ZZulV vom 22. 12. 1981 in der Fassung vom 13. 6. 1990 (BGBl. I, S. 1053) Anlage 7 Liste A Nr. 2. [3] ZVerkV vom 10. 7. 1984 in der Fassung vom 20. 6. 1990 (BGBl. I, S. 1062). [4] Williams (Hrsg.), Sweeteners: Health Eff., Proc. Int. Conf. 1987, S. 127–136, 193–224, 235–246, Princeton (New York): Princeton Sci. Publication 1988. [5] Environ. Mol. Mutagenesis **14**, 188–199 (1989). [6] Dtsch. Lebensm. Rundsch. **85**, 266 (1989). [7] J. Assoc. Off. Anal. Chem. **71**, 934–937 (1988). [8] Z. Lebensm. Unters. Forsch. **194**, 520–523 (1992). [9] Dtsch. Lebensm. Rundsch. **93**, 74 ff. (1997).

allg.: Baltes, Lebensmittelchemie (4.), Berlin: Springer 1995 ▪ Belitz-Grosch (4.), S. 391 ▪ Crit. Rev. Toxicol. **22**, 81–118 (1992) ▪ Dobbing, Sweetness, Berlin: Springer 1987 ▪ Food Add. Contam. **7**, 463–475 (1990) ▪ Fülgraff (Hrsg.), Lebensmitteltoxikologie, S. 101, Stuttgart: Ulmer 1989 ▪ Lindner, Toxikologie der Nahrungsmittel (4.), S. 188–192, Stuttgart: Thieme 1990 ▪ Nabors (Hrsg.), Alternativ Sweeteners, S. 71–87, New York: Dekker 1986 ▪ Ullmann (5.) **A 11**, 563 ▪ Zipfel, C 20. – *[HS 2929 90; CAS 139-05-9]*

Natriumdampf-Lampen. Bez. für *Gasentladungs-*Lampen, die neben Edelgasen festes *Natrium enthalten, das unter den Betriebsbedingungen (Niederdruck, Lichtbogen-Zündung; analog den *Quecksilberdampf-Lampen) verdampft. Das gelbe, monochromat. Licht der N.-L. (Wellenlänge 589 nm) wird vom menschlichen Auge als bes. hell empfunden, weshalb N.-L. bes. zur Straßenbeleuchtung geeignet sind. N.-L. haben eine 13mal höhere Lichtausbeute als *Glühlampen. – ***E*** sodium vapor lamps – ***F*** lampes à vapeur de sodium – ***I*** lampade a vapori di sodio – ***S*** lámparas de vapor de sodio

Lit.: Bergmann u. Schäfer, Lehrbuch der Experimentalphysik, Bd. 3 Optik (9. Aufl.), S. 661, Berlin: de Gruyter 1993 ▪ s. a. Gasentladung.

Natriumdesoxycholat (Natrium-3α,12α-dihydroxy-5β-cholan-24-oat). $C_{24}H_{39}NaO_4$, M_R 414,56. N. ist das Na-Salz der *Desoxycholsäure; farblose, wasserlösl. Kristalle. Es wird als Bakteriennährbodenzusatz zur Salmonella-Untersuchung mit der Leifson-Methode verwendet. – ***E*** sodium deoxycholate – ***F*** désoxycholate de sodium – ***I*** deossicolato di sodio – ***S*** desoxicolato de sodio

Lit.: s. Desoxycholsäure. – *[HS 2918 19; CAS 24404-86-2]*

Natriumdiacetat s. Natriumacetat.

Natriumdibunat.

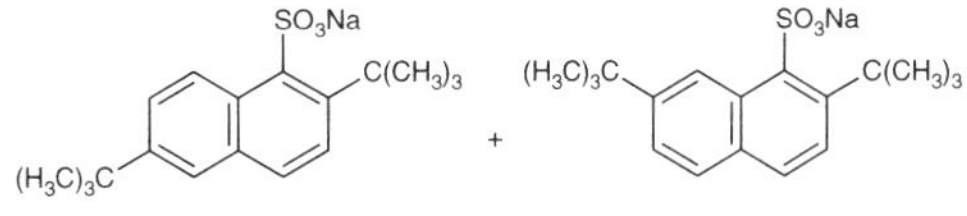

Internat. Freiname für das Natriumsalz der 2,6- u. 2,7-Di-*tert*-butyl-1-naphthalinsulfonsäure (Gemisch mit weiteren Natriumsalzen sulfonierter *tert*-butylierter Naphthaline), $C_{18}H_{23}NaO_3S$, M_R 342,42, Schmp. >300 °C (Zers.). In kaltem Wasser schwer, in heißem Wasser leicht löslich. N. werden Husten-stillende Eigenschaften zugeschrieben. – ***E*** sodium dibunate – ***F*** dibunate de sodium – ***I*** sodio dibunato – ***S*** dibunato de sodio

Lit.: ASP ▪ Hager (5.) **8**, 1101 f. ▪ Martindale (31.), S. 1074. – *[HS 2904 10; CAS 14992-59-7 (2,6-Isomer); 39315-52-1 (Gemisch)]*

Natrium-2,6-dichlorphenol-indophenol s. 2,6-Dichlorphenol-indophenol-Natrium.

Natriumdichromat(VI) (veraltete Bez. Natriumbichromat). Das Dihydrat, $Na_2Cr_2O_7 \cdot 2H_2O$, M_R 261,97. Orangerote, hygroskop., monokline Nadeln, D. 2,34, in Wasser leicht, in Alkohol nicht löslich. Wasserfreies N., krist. oberhalb 83 °C, schmilzt bei 357 °C u. zersetzt sich oberhalb 400 °C unter Sauerstoff-Abspaltung. N. wirkt stark oxidierend (so ist z. B. ein Gemisch aus 60 g N., 12 g Glycerin u. 4 g Wasser beim Zerreiben entzündlich); in alkal. Lsg. geht es in *Natriumchromat über. N. ist die techn. wichtigste Verb. des sechswertigen Chroms.
Herst.: Durch Umsetzung von *Natriumchromat(VI) mit Schwefelsäure od. Kohlendioxid.
Verw.: Als starkes Oxid.-Mittel (bes. in der organ. Chemie), Ausgangsmaterial für *Chrom-Pigmente, *Chromoxide, Chrom-Gerbstoffe u. andere Chrom-Verb., zur Holz-Imprägnierung, als Korrosionsinhibitor u. zur Oberflächenbehandlung von Metallen. N. steht im Verdacht, krebserzeugend zu sein (MAK-Stoffliste III B); es kann auf Schleimhäuten u. verletzter Haut zu Gewebenekrosen führen. – ***E*** sodium dichromate(VI) – ***F*** dichromate(VI) de sodium – ***I*** dicromato(VI) di sodio – ***S*** dicromato(VI) de sodio
Lit.: Braun-Dönhardt, S. 109 f. ▪ Gmelin, Syst.-Nr. 52, Cr, Tl. B, 1962, S. 477–485 ▪ Kirk-Othmer (4.) **6**, 275–278 ▪ Ullmann (5.) **A 7**, 86 ▪ Winnacker-Küchler (4.) **2**, 657–664. – *[HS 2841 30; CAS 10588-01-9 (wasserfrei); 7789-12-0 (Dihydrat)]*

Natrium-diethyldithiocarbamat (Cupral).

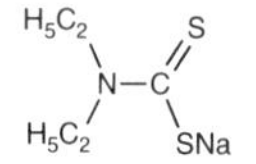

$C_5H_{10}NNaS_2$, M_R 171,25. Farblose Krist., Schmp. 94–96 °C (wasserfrei), lösl. in Wasser u. Alkohol, Reagenz für die Bestimmung von Schwermetallen. – ***E*** sodium diethyldithiocarbamate – ***F*** diéthyldithiocarbamate de sodium – ***I*** dietilditiocarbamato di sodio – ***S*** dietilditiocarbamato de sodio
Lit.: Beilstein E IV **4**, 390 ▪ Fries-Getrost, S. 65 ff. ▪ Merck-Index (12.), Nr. 3443. – *[HS 2930 20; CAS 148-18-5]*

Natriumdihydrogenphosphat s. Natriumphosphate.

Natriumdioctylsulfosuccinat s. Docusat-Natrium.

Natriumdioxid s. Natriumoxide.

Natriumdiphosphat s. Natriumphosphate.

Natriumdisulfat s. Natriumhydrogensulfat.

Natriumdisulfit (Natriumpyrosulfit, Natriummetabisulfit). $Na_2S_2O_5$, M_R 190,11. Farblose Prismen, D. 1,48, zersetzt sich oberhalb 150 °C unter Abspaltung von SO_2. Das Disulfit-Anion hat die Struktur $[O_2S\text{–}SO_3]^{2-}$ mit einer labilen S–S-Bindung [systemat. Name: Dinatrium-pentaoxodisulfat(*S-S*)]. N. löst sich in Wasser unter Bildung von *Natriumhydrogensulfit*:

$$Na_2S_2O_5 + H_2O \rightleftharpoons 2\,NaHSO_3;$$

es wird deshalb im Technikerjargon oft „festes Natriumbisulfit" genannt. N. entwickelt mit Säuren Schwefeldioxid:

$$Na_2S_2O_5 + 2\,HCl \rightarrow 2\,NaCl + 2\,SO_2 + H_2O.$$

Herst.: Durch Einleiten von SO_2 in 50–70%ige Natronlauge od. durch Einengen von Natriumhydrogensulfit-Lösung.
Verw.: In fester Form (E223) od. in wäss. Lsg. (E222) in der Lebensmittelchemie u. a. als Antioxidans, zum Schwefeln von Wein u. Obstpülpen, zum Bleichen, Desinfizieren, Konservieren u. Reduzieren in der Färberei, in der Photographie, bei der Papierfabrikation zur Entfernung des Chlors u. zur Schleimbekämpfung, in der Gerberei zum Entkälken der Blößen u. zur Red. von Dichromat, zur Entfernung von Braunsteinflecken, im Gärungsgewerbe, zu Nachw., Isolierung u. Reinigung von Aldehyden, zur Herst. von *Natriumdithionit, zur Latexkoagulation, als Zusatz zu Silofutter usw. – ***E*** sodium disulfite – ***F*** disulfite de sodium – ***I*** disolfito di sodio – ***S*** disulfito de sodio
Lit.: Gmelin, Syst.-Nr. 21, Na, 1928, S. 526–535, Erg.-Bd. S. 211 ff., 1086 ff. ▪ Kirk-Othmer (3.) **22**, 152 f. ▪ Ullmann (5.) **A 25**, 478 ▪ Winnacker-Küchler (4.) **2**, 81. – *[HS 2832 10; CAS 7681-57-4]*

Natriumdithionit [Natriumhypo(di)sulfit, „Natriumhydrosulfit"]. $Na_2S_2O_4$, M_R 174,11. Weißes, die Atemwege u. Augen reizendes, krist. Pulver, Zers. bei ca. 80 °C, gut lösl. in Wasser. Das $S_2O_4^{2-}$-Ion weist mit 238,9 pm eine ungewöhnlich lange u. entsprechend schwache S,S-Bindung auf u. dissoziiert in Lsg. zu einem kleinen Teil in $SO_2^{\cdot -}$-Radikalanionen:

$$^{-}O_2S\text{–}SO_2^{-} \rightleftharpoons 2\,SO_2^{\cdot -}$$

Obgleich dieses Gleichgewicht fast vollständig auf der linken Seite liegt, hat N. eine hohe Reaktivität, was auf die schwache S,S-Bindung u. auf die Anwesenheit von $SO_2^{\cdot -}$-Radikalanionen zurückzuführen ist. In wäss. Lsg. u. als Dihydrat zersetzt sich N. leicht zu *Natriumthiosulfat u. *Natriumdisulfit, in Ggw. von Luft auch zu Natriumhydrogensulfat. Die alkal. Lsg. von N. kann viel Sauerstoff chem. binden; sie wird daher in der Gasanalyse als Absorptionsmittel verwendet. Um vorzeitige Zers. (evtl. Selbstentzündung bei Lagerung in Ggw. von Feuchtigkeit) zu vermeiden, ist das wasserfreie N. trocken, gut verschlossen u. kühl aufzubewahren; die Lsg. stellt man erst vor Gebrauch her. Gegen metall. Eisen, Kupfer, Blei u. dgl. ist N. ziemlich beständig, dagegen können Salze dieser Metalle nachteilige Verfärbungen verursachen. In Färbeflotten läßt sich N. bequem iodometr. od. titrimetr. nach Luftoxid. bestimmen; zur Herst. s. Dithionite.
Verw.: Als Red.-Mittel in der Färberei (sog. *Hydrosulfit*), insbes. in der *Küpenfärberei, zum Bleichen von holzhaltigen Papierprodukten, Zucker, Sirup, Gelatine, Stärke, Melasse, Zuckersaft, Seifen, techn. Fetten, als Entfärber für Textilien, zur Entsilberung gebrauchter Fixierbäder. Zur Anw. kommt N. auch in weiter reduzierter Form zur Herst. von Aldehyd-Sulfoxylat-Addukten, z. B. dem Na-Salz der *Hydroxymethansulfinsäure (Rongalit®) im Zeugdruck. – ***E*** sodium dithionite – ***F*** dithionite de sodium – ***I*** ditionito di sodio – ***S*** ditionito de sodio

Lit.: Am. Dyest. Rep. **78** (3), 18, 21, 23, 24, 26 (1989) ▪ Brauer (3.) **1**, 394 ▪ Gmelin, Syst.-Nr. 21, Na, 1928, S. 495–504, Erg.-Bd. 5, 252–256, 1073–1076 ▪ Hommel, Nr. 318 ▪ Kirk-Othmer (3.) **22**, 153 ff. ▪ Ullmann (5.) **A 4**, 195; **A 25**, 482 ff. ▪ Winnacker-Küchler (4.) **2**, 81 ff. ▪ s. a. Dithionite. – *[HS 2831 10; CAS 7775-14-6; G 4.2]*

Natriumdodecylsulfat (Natriumlaurylsulfat, SDS). H_3C-$(CH_2)_{11}$-O-$SO_3^-Na^+$, $C_{12}H_{25}NaO_4S$, M_R 288,38, weiße, wasserlösl. Kristalle. N. bildet lösl. Calcium- u. Magnesiumsalze u. ist daher gegenüber der *Härte des Wassers weitgehend unempfindlich. Es besitzt ein gutes Schaum-, Netz- u. Waschvermögen u. wird in Kläranlagen rasch u. prakt. vollständig mineralisiert.
Verw.: Waschmittelrohstoff (s. Fettalkoholsulfate), Zahncremes, Haarshampoos, Schaumbäder u. kosmet. Produkte. – ***E*** sodium dodecylsulfate – ***F*** dodécylsulfate de sodium – ***I*** solfato di dodecile sodico – ***S*** dodecilsulfato de sodio
Lit.: Kosswig u. Staches, Die Tenside, München: Hanser 1993 ▪ s. a. Fettalkoholsulfate. – *[CAS 151-21-3]*

Natriumethoxid (Natriumethanolat, Natriumethylat). C_2H_5ONa, M_R 68,06. Weißes od. gelbliches, hygroskop. Pulver, amorph, entsteht bei der Einwirkung von Na auf Ethanol u. bei Entfernung von Wasser aus ethanol. NaOH-Lsg; WGK 2 (Selbsteinst.). Durch die mit Wasser auf feuchter Haut oder Schleimhäuten entstehende Natronlauge wirkt N. stark ätzend. Bes. gefährdet sind die Augen u. die Atmungsorgane bei Staub-Bildung. Zur Verw. s. Alkoholate. – ***E*** sodium ethoxide – ***F*** éthylate de sodium – ***I*** etossido (etilato) di sodio – ***S*** (etilato) etóxido de sodio
Lit.: Beilstein E IV **1**, 1306 ▪ Hommel, Nr. 141 ▪ Merck-Index (12.), Nr. 8758 ▪ Paquette **7**, 4559 ▪ Ullmann (4.) **7**, 220 ff.; (5.) **A 1**, 298 – *[HS 2905 19; CAS 141-52-6; G 4.2]*

Natriumethylat s. Natriumethoxid.

Natriumethylxanthat s. Natriumxanthate.

Natriumfluoride. a) *Natriumfluorid,* NaF, M_R 41,99. Farblose, stark ätzende u. giftige (MAK 2,5 mg/m^3), kub., selten tetragonale Krist., D. 2,79 (2,558 bei 41 °C), Schmp. 988 °C (auch bis 1012 °C angegeben), Sdp. 1695 °C, in Wasser mäßig, in Alkohol wenig löslich. Die wäss. Lsg. reagiert infolge teilw. Hydrolyse alkalisch.
Verw.: Zum Imprägnieren von Nutzholz (CF-Salze, s. Holzschutzmittel), als Konservierungsmittel in der Kalkleim-, Kleister- u. Klebstoff-Ind., Trübungsmittel in der Glas-, Email- u. Keramik-Ind., Flußmittel in der Stahl- u. Aluminium-Ind., in Fungiziden, Insektiziden u. Rodentiziden, zur *Fluoridierung des Trinkwassers, zur Therapie von Osteoporose. Aufgrund ihrer Durchlässigkeit im Wellenlängenbereich von 0,13–12 µm eignen sich NaF-Krist. als Material für opt. Fenster, Linsen u. Prismen im IR- u. UV-Bereich.
b) *Natriumhydrogendifluorid,* (saures Natriumfluorid, Natriumbifluorid). $NaHF_2$ bzw. NaF · HF, M_R 61,99. Farblose Krist., D. 2,08, lösl. in Wasser, wird aus wäss. Lsg. mit einem Überschuß an HF erhalten. In der Technik findet es außer zur Herst. von Fluor ähnliche Verw. wie Kaliumhydrogenfluorid (s. Kaliumfluoride). – ***E*** sodium fluorides – ***F*** fluorures de sodium – ***I*** fluoruri di sodio – ***S*** fluoruros de sodio

Lit.: Braun-Dönhardt, S. 173 f. ▪ Brauer **1**, 220 ▪ Der inform. Arzt **5**, Nr. 1, 60–68 (1977); **11**, Nr. 20, 65 f. (1983) ▪ Gmelin, Syst.-Nr. 21, Na, 1928, S. 297–303, Erg.-Bd. S. 119–125, Erg.-Bd. 6, S. 1–402 ▪ Hommel, Nr. 300, 1003 ▪ Kirk-Othmer (4.) **12**, 426 f. ▪ Toxicol. Environ. Chem. **9**, 237–245 (1985) ▪ Ullmann (5.) **A 11**, 331 ▪ Winnacker-Küchler (4.) **2**, 540–543. – *[HS 2826 11; CAS 7681-49-4 (NaF); 1333-83-1 (NaHF$_2$)]*

Natriumfluorophosphat. Na_2PO_3F, M_R 143,95. Weißes, geruchloses Pulver, Schmp. ca. 625 °C, in Wasser lösl.; die Toxizität des N. ist nur etwa 1/3 so groß wie die von Natriumfluorid. N. findet Verw. zur Fluoridierung in Zahnpasten, Zahnlacken, Touchierlsg., Trinkwasser, als Flußmittel für Metallschmelzen, bei keram. Erzeugnissen u. zur Bekämpfung von Mykosen. – ***E*** sodium fluorophosphate – ***F*** fluorophosphate de sodium – ***I*** fluorofosfato di sodio – ***S*** fluorofosfato de sodio
Lit.: Gron u. Ericsson, Monofluorophosphate Perspectives, Basel: Karger 1983 ▪ Parfüm. Kosmet. **61**, 209–214 (1980). – *[HS 2826 90; CAS 10163-15-2]*

Natriumformaldehydsulfoxylat s. Hydroxymethansulfinsäure.

Natriumformiat. HCOONa, $CHNaO_2$, M_R 68,01. Farblose, zerfließliche, bitter-salzig schmeckende, rhomb. Prismen od. Tafeln, D. 1,9, Schmp. 253 °C, lösl. in Wasser, WGK 1. N. wirkt reduzierend u. geht bei raschem Erhitzen auf 440 °C unter Wasserstoff-Abspaltung in Natriumoxalat über.
Herst.: Durch Einwirkung von Kohlenmonoxid auf gepulvertes NaOH unter Druck od. aus Natriumsulfat, Calciumhydroxid u. CO im wäss. System.
Verw.: Zur Herst. von Ameisen- u. Oxalsäure od. Natriumdithionit, in der Textil- u. Leder-Ind. zum Beizen, Imprägnieren u. Quellen, Fällungsmittel für Edelmetalle, Extraktionsmittel zur Bestimmung von Phosphat in Bodenproben. N. ist als *Lebensmittelzusatzstoff zugelassen (E 237) u. wird als Konservierungsmittel verwendet. – ***E*** sodium formate – ***F*** formiate de sodium – ***I*** formiato di sodio – ***S*** formiato de sodio
Lit.: Beilstein E IV **2**, 14 ▪ Giftliste ▪ Gmelin, Syst.-Nr. 21, Na, 1928, S. 806–811, Erg.-Bd. S. 1398–1403 ▪ Liste der zugelassenen Lebensmittelzusatzstoffe (Fundstellenliste) vom 15. Januar 1985, Bundesanzeiger Nr. 43 A vom 2. 3. 85 ▪ Lück u. Jager, Chemische Lebensmittelkonservierung, S. 137–142, Berlin: Springer 1995 ▪ Merck-Index (12.), Nr. 8765 ▪ Ullmann (4.) **7**, 370 ▪ Vollmer et al., Lebensmittelführer (2.), Stuttgart: Thieme 1995 ▪ Winnacker-Küchler (4.) **6**, 78 f. – *[HS 2915 12; CAS 141-53-7]*

Natriumgentisat. Internat. Freiname für das antirheumat. wirkende Natriumsalz der 2,5-*Dihydroxybenzoesäure (*Gentisinsäure*), $C_7H_5NaO_4$, M_R 176,10. – ***E*** sodium gentisate – ***F*** gentisate de sodium – ***I*** sodio gentisato – ***S*** gentisato de sodio
Lit.: Martindale (31.), S. 96. – *[HS 2918 29; CAS 4955-90-2]*

Natrium-D-gluconat. $C_6H_{11}NaO_7$, M_R 218,14. Weißes, wasserlösl., ungiftiges Natriumsalz der *D-Gluconsäure (Formel s. dort), Schmp. 200–205 °C (Zers.).
Verw.: Z. B. in Flaschenreinigungsmaschinen, als Maskierungsmittel für Ca u. Fe, zur Metallreinigung, zu diätet. Zwecken in Lebensmitteln (zugelassen als Lebensmittelzusatzstoff, E 576), als Betonzusatzmittel (Abbindeverzögerer u. Erhärtungsbeschleuniger).

– ***E*** sodium gluconate – ***F*** gluconate de sodium – ***I*** gluconato di sodio – ***S*** gluconato de sodio

Lit.: Beilstein E IV **3**, 1256 ▪ Liste der zugelassenen Lebensmittelzusatzstoffe (Fundstellenliste) vom 15. Januar 1985 ▪ Merck-Index (12.), Nr. 8766 ▪ Ullmann (4.) **24**, 787. – *[HS 2918 16; CAS 527-07-1]*

Natrium-L-glutamat (Mononatriumglutamat, engl.: monosodium glutamate = MSG).

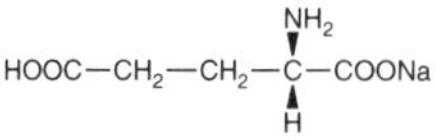

$C_5H_8NNaO_4$ (liegt als Monohydrat vor), M_R 169,11. Weißes Kristallpulver, lösl. in Wasser, kaum lösl. in Alkohol. Infolge Sensibilisierung der Geschmackspapillen der Zunge wirkt N. (nur die L-Form) als *Geschmacksverstärker für die Empfindung „salzig“ u. wird deshalb in zahlreichen Lebensmitteln (z. B. Suppenprodukte, Fleisch- u. Fischerzeugnisse) verwendet; N. ist als Lebensmittelzusatzstoff zugelassen (E 621). 1908 entdeckte der japan. Wissenschaftler Ikeda, daß N. der Hauptgeschmacksstoff einer seit Jh. in China u. Japan aus Seetang gewonnenen Suppenwürze ist. Überhöhte Aufnahme von N. kann zu Herzrasen, starkem Erröten, Benommenheit u. Kopfschmerzen führen (das sog. China-Restaurant-Syndrom) [1].

Herst.: Aus dem Gluten von Weizen, Mais, Soja, aus Rübenzuckermelasse usw., durch Fermentation aus Glucose od. synthet. mit anschließender Racemattrennung (der D-Antipode ist geschmacklos), s. Glutaminsäure u. Glutamate. – ***E*** sodium L-glutamate – ***F*** L-glutamate de sodium – ***I*** L-glutamato di sodio – ***S*** L-glutamato de sodio

Lit.: [1] Naturwiss. Rundsch. **24**, 351 (1971).
allg.: Beilstein E IV **4**, 3031 ▪ Food Technol. **41**, 143–150, 152 ff. (1987) ▪ Liste der zugelassenen Lebensmittelzusatzstoffe (Fundstellenliste) vom 15. Januar 1985, Bundesanzeiger Nr. 43 A vom 2. 3. 85 ▪ McKetta **3**, 228–240; **22**, 168 ▪ Rehm, Industrielle Mikrobiologie, S. 322 ff., Berlin: Springer 1980 ▪ Ullmann (4.) **7**, 431 ▪ Vollmer et al., Lebensmittelführer (2.), Stuttgart: Thieme 1995 ▪ s.a. Geschmacksverstärker, Umami. – *[HS 2922 42; CAS 6106-04-3 (Monohydrat)]*

Natriumgualenat.

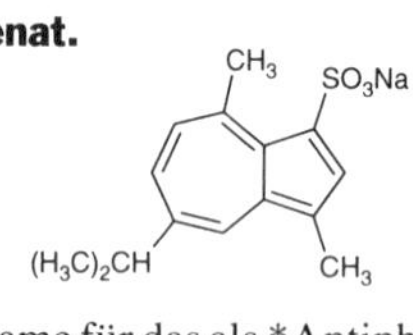

Internat. Freiname für das als *Antiphlogistikum wirksame Natriumsalz der 5-Isopropyl-3,8-dimethyl-1-azulensulfonsäure (sulfoniertes *Guajazulen), $C_{15}H_{17}NaO_3S$, M_R 300,34. – ***E*** sodium gualenate – ***F*** gualénate de sodium – ***I*** sodio gualenato – ***S*** gualenato de sodio

Lit.: Beilstein E IV **11**, 541 ▪ Martindale (31.), S. 1241. – *[HS 2904 10; CAS 6223-35-4]*

Natriumhexacyanoferrate. Die Na-Salze der *Hexacyanoeisensäuren sind das gelbe, monokline, wasserlösl. *Natriumhexacyanoferrat(II)* {Gelbnatron, $Na_4[Fe(CN)_6] \cdot 10\,H_2O$, M_R 303,91, D. 1,458, >81,5 °C wasserfrei u. farblos} u. das rote, zerfließliche, wasserlösl. *Natriumhexacyanoferrat(III)* {Rotnatron, $Na_3[Fe(CN)_6] \cdot H_2O$, M_R 280,92}. Beide N. finden ähnliche Verw. wie die analogen Kaliumsalze, s. Blutlaugensalze. – ***E*** sodium hexacyanoferrates – ***F*** ferrocyanures de sodium – ***I*** esacianoferrati di sodio – ***S*** hexacianoferratos de sodio

Lit.: Beilstein E III **2**, 104, 106 ▪ Gmelin, Syst.-Nr. 59, Fe, Tl. B, 1932, S. 889–896 ▪ Kirk-Othmer (4.) **14**, 877 f. ▪ Ullmann (5.) **A 8**, 174 f. – *[HS 2837 20; CAS 13408-63-4 ($[Fe(CN)_6]^{4-}$); 13601-19-9 ($Na_4[Fe(CN)_6]$); 14434-22-1 (Gelbnatron); 14217-21-1 ($Na_3[Fe(CN)_6]$); 13755-37-8 (Rotnatron)]*

Natriumhexafluoroaluminat s. Kryolith.

Natriumhexafluorosilicat (Natriumsilicofluorid). $Na_2[SiF_6]$, M_R 188,06. Farblose, giftige (MAK 2,5 mg/m³, als F_2 berechnet), hexagonale Krist., D. 2,679, wenig lösl. in Wasser, unlösl. in Alkohol. N. entsteht als Nebenprodukt beim Aufschließen von Phosphaten (Superphosphat-Gewinnung) über *Fluorokieselsäure.

T 

Verw.: Als Geliermittel bei der Schaumgummi-Herst., zur Herst. von synthet. *Kryolith, als Trübungsmittel bei der Email- u. Milchglasfabrikation, als Insektizid u. Rodentizid, als *Fluat, auch anstelle von *Natriumfluoriden für die Fluoridierung von Trinkwasser. – ***E*** sodium hexafluorosilicate – ***F*** hexafluorosilicate de sodium – ***I*** esafluorosilicato di sodio – ***S*** hexafluorosilicato de sodio

Lit.: Blaue Liste, S. 227 ▪ Braun-Dönhardt, S. 173 f. ▪ Gmelin, Syst.-Nr. 21, Na, 1928, S. 882–884, Erg.-Bd. S. 338–341, 1533–1536 ▪ Winnacker-Küchler (4.) **2**, 540–543. – *[HS 2826 20; CAS 16893-85-9; G 6.1]*

Natriumhexametaphosphat s. Natriumphosphate.

Natriumhexanitrocobaltat(III) [Cobalt(III)-natriumnitrit, Natriumcobalt(III)-nitrit, Trinatrium-hexakis(nitrito-*N*)cobalt(3-)]. $Na_3[Co(NO_2)_6]$, M_R 403,94. Gelbes, wasserlösl. Pulver, das mit Kaliumsalzen gelbe, in Wasser schwerlösl. Niederschläge von *Kaliumhexanitrocobaltat(III) gibt. – ***E*** sodium hexanitrocobaltate(III) – ***F*** hexanitrocobaltate(III) de sodium – ***I*** esanitrocobaltato(III) di sodio – ***S*** hexanitrocobaltato(III) de sodio

O 

Lit.: Brauer (3.) **3**, 1683 ▪ Gmelin, Syst.-Nr. 58, Co, Tl. A, 1932, S. 400 f., Erg.-Bd., 1961, S. 764 f. – *[HS 2837 20; CAS 13600-98-1]*

Natriumhum(in)at s. Kasseler Braun.

Natriumhydrid. NaH, M_R 24,00. Farblose, kub. Krist., D. 1,396, ab ca. 300 °C langsame, bei 420 °C lebhafte Zers., wirkt stark reizend u. ätzend auf Schleimhäute u. feuchte Haut. N. ist an feuchter Luft selbstentzündlich u. reagiert mit Feuchtigkeit sehr heftig zu NaOH u. H_2; es ist lösl. in geschmolzenem NaOH. Der Wasserstoff liegt als *Hydrid-Ion vor. In organ. Synth. wirkt N. kaum reduzierend, sondern als starke Base, in geschmolzenem NaOH od. eutekt. Salzbädern dagegen als kräftiges Red.-Mittel für Metallsalze u. -oxide.

F 

C 

Herst.: Bei 250–300 °C aus den Elementen od. durch Hydrierung von Natriumoxid:

$$Na_2O + H_2 \rightarrow NaOH + NaH.$$

N. kommt als Dispersion in Paraffinöl od. mit NaOH brikettiert in den Handel.

Verw.: In der organ. Synth. für Claisen-Kondensationen, Aldol-Additionen, Alkylierungen u. Acylierungen, zur Herst. lang- u. verzweigtkettiger Alkoholate;

außerdem zur Herst. von Natriumborhydrid, zur Entzunderung von Metallen. – ***E*** sodium hydride – ***F*** hydrure de sodium – ***I*** idruro di sodio – ***S*** hidruro de sodio

Lit.: Angew. Chem. **95**, 597–611 (1983) ▪ Brauer (3.) **2**, 949 ▪ Fortschr. Chem. Forsch. **73**, 105–124 (1978) ▪ Gmelin, Syst.-Nr. 21, Na, 1928, S. 159–165, Erg.-Bd. S. 787–807 ▪ Hommel, Nr. 964 ▪ Kirk-Othmer (4.) **13**, 608 f. ▪ Plešek u. Hefmánek, Sodium Hydride, its Use in the Laboratory and in Technology, London: Iliffe 1968 ▪ Synthetica **1**, 330–338 ▪ Ullmann (5.) **A 13**, 203 ff. – *[HS 2850 00; CAS 7646-69-7; G 4.3]*

Natriumhydrogencarbonat (veraltete Namen: Natriumbicarbonat, Doppeltkohlensaures Natrium od. Natron, Natron). $NaHCO_3$, M_R 84,01. Weißes, alkal. schmeckendes, geruchfreies, an trockener Luft beständiges Pulver (monokline Krist.), D. 2,159, zerfällt beim Erwärmen auf über 65 °C in CO_2, H_2O u. *Natriumcarbonat

$$2\,NaHCO_3 \rightarrow Na_2CO_3 + H_2O + CO_2,$$

oberhalb 300 °C ist die Umwandlung vollständig. In Wasser löst sich $NaHCO_3$ mit schwach alkal. Reaktion – gegen Phenolphthalein keine Färbung, erst beim Erhitzen tritt eine Rosafärbung infolge Na_2CO_3-Bildung auf. Bei 0 °C lösen sich 6,9 g, bei 15 °C 8,8 g, bei 30 °C 11 g u. bei 45 °C 13,86 g $NaHCO_3$ in je 100 g Wasser. Säuren werden durch $NaHCO_3$ unter Kohlendioxid-Entwicklung neutralisiert:

$$NaHCO_3 + HCl \rightarrow NaCl + H_2O + CO_2.$$

An feuchter Luft erfolgt langsame CO_2-Abspaltung unter Bildung von sog. *Natriumsesquicarbonat* ($Na_2CO_3 \cdot NaHCO_3 \cdot 2\,H_2O$).

Herst.: Durch Sättigen von Sodalsg. mit CO_2 (Umkehrung der 1. Gleichung), als Zwischenprodukt der Soda-Herst. nach dem Solvay-Verf.:

$$NaCl + NH_3 + H_2O + CO_2 \rightarrow NaHCO_3 + NH_4Cl$$

od. durch Einleiten von CO_2 in Natronlauge.

Verw.: Als Bestandteil von Backpulvern, Brausepulvern, pharmazeut. Präp., Antacida, in Feuerlöschmitteln, Badetabl., zur Verzögerung der Milchgerinnung, als Neutralisationsmittel. – ***E*** sodium hydrogencarbonate – ***F*** hydrogénocarbonate de sodium – ***I*** idrogenocarbonato di sodio, bicarbonato di sodio – ***S*** hidrogenocarbonato de sodio

Lit.: DAB **7**, 703 ff. ▪ Gmelin, Syst.-Nr. 21, Na, 1928, S. 758–769, Erg.-Bd., 1964, S. 309 ff., 1349–1353 ▪ Ullmann (5.) **A 24**, 315 f. ▪ Winnacker-Küchler (4.) **2**, 507 ff., 513 f. – *[HS 2836 30; CAS 144-55-8]*

Natriumhydrogendifluorid s. Natriumfluoride

Natriumhydrogenphosphat s. Natriumphosphate.

Natriumhydrogensulfat (Natriumbisulfat, Natriumhydrosulfat). $NaHSO_4$, M_R 120,06; als Monohydrat farblose, große, in Wasser sehr leicht lösl. Krist. (stark saure Reaktion), die beim Erhitzen unter Wasserverlust zunächst in *Natriumdisulfat* (Natriumpyrosulfat, $Na_2S_2O_7$, M_R 222,11 farblose Kristallmasse, D. 2,435, Schmp. 315 °C, bei 460 °C Zers.) übergehen: C

$$2\,NaHSO_4 \rightarrow Na_2S_2O_7 + H_2O;$$

bei weiterem Erhitzen entsteht Natriumsulfat unter Abspaltung von Schwefeltrioxid.

Herst.: Aus NaCl u. konz. Schwefelsäure:

$$H_2SO_4 + NaCl \rightarrow NaHSO_4 + HCl.$$

Verw.: Zum Sauerstellen in der chem. Ind., Textil-, Papier-, Leder-, Kautschuk- u. Eisen-Ind., beim Färben von Wolle, zum Aufschließen schwerlösl. Verb. in der chem. Analyse, Reinigung von Platin-Tiegeln, zur Herst. von Natriumsulfat, in Thermophoren (Wärmespeicher). – ***E*** sodium hydrogensulfate – ***F*** hydrogénosulfate de sodium – ***I*** idrogenosolfato di sodio, bisolfato di sodio – ***S*** hidrogenosulfato de sodio

Lit.: Gmelin, Syst.-Nr. 21, Na, 1928, S. 586–592, Erg.-Bd. S. 246 f., 1150–1161 ▪ Hommel, Nr. 1004 ▪ Kirk-Othmer (4.) **22**, 403–411 ▪ Ullmann (5.) **A 24**, 366. – *[HS 2833 19; CAS 7681-38-1 (wasserfrei); 10034-88-5 (Monohydrat)]*

Natriumhydrogensulfid (veraltete Bez.: Natriumhydrosulfid, Natriumsulfhydrat). Xn
NaSH, M_R 56,06. Farblose bis gelbliche, zerfließliche, ätzende u. reizende Krist., die stark nach Schwefelwasserstoff riechen, Haar u. Haut erweichen u. zur Selbstentzündung neigen. Dihydrat: D. 1,79, Schmp. 55 °C (kristallwasserhaltig), Schmp. 350 °C (wasserfrei), gut lösl. in Wasser u. Alkohol.

Verw.: In der Gerberei als Enthaarungsmittel, zur Herst. von Viskoseseide, Natriumthiosulfat, Thioglykolsäure, Thiobenzoesäure, Thioharnstoff, Farbstoffen. – ***E*** sodium hydrogensulfide – ***F*** hydrogénosulfure de sodium – ***I*** idrogenosolfuro di sodio – ***S*** hidrogenosulfuro de sodio

Lit.: Brauer (3.) **1**, 371 ▪ Braun-Dönhardt, S. 356 ▪ Gmelin, Syst.-Nr. 21, Na, 1928, S. 491–494, Erg.-Bd. S. 203 ff., 1068 f. ▪ Hommel, Nr. 149 ▪ Kirk-Othmer (4.) **22**, 412 ff. ▪ Ullmann (5.) **A 25**, 450. – *[HS 2830 10; CAS 16721-80-5]*

Natriumhydrogensulfit. $NaHSO_3$, M_R 104,06. N. ist in festem Zustand nicht bekannt, sondern nur in Lsg.; das beim Konzentrieren anfallende Salz ist Natriumdisulfit (s. dort). – ***E*** sodium hydrogensulfite – ***F*** hydrogénosulfite de sodium – ***I*** idrogenosolfito di sodio – ***S*** hidrogenosulfito de sodio – *[HS 2832 10; CAS 7631-90-5]* Xn

Natriumhydrosulfid s. Natriumhydrogensulfid.

Natriumhydrosulfit s. Natriumdithionit.

Natriumhydroxid (Ätznatron, kaust. Soda). C
NaOH, M_R 40,00. Weiße, hygroskop. Körner, Brocken, Schuppen, Plätzchen, Perlen od. Stangen. D. 2,13, Schmp. 323 °C, Sdp. 1388 °C, MAK 2 mg/m^3, lösl. in Alkohol u. Glycerin, unlösl. in Ether u. Aceton, unter starker Erwärmung (Hydrat-Bildung) sehr leicht lösl. in Wasser. Je 100 g Wasser lösen bei 0 °C 42 g, bei 20 °C 109 g u. bei 100 °C 342 g NaOH; die Lsg. reagiert sehr stark alkal. (*Natronlauge). Aus der Lsg. können feste Hydrate mit 1–7 Mol Kristallwasser pro Mol NaOH auskristallisieren. An der Luft geht NaOH unter Bindung von Kohlendioxid allmählich in Natriumcarbonat über. Zu Aufbewahrung u. Transport eignen sich Gefäße aus Eisen, Stahl, Nickel-Leg. od. Polyethylen; Aluminium, Zink u. Zinn werden dagegen stark angegriffen, auch Glas wird angeätzt (Glasschliffstopfen „fressen sich fest"). Festes N. verursacht tiefgreifende Verätzungen von Haut, Schleimhäuten u. Augen, weshalb im Umgang bes. Sicherheitsmaßnahmen beachtet werden müssen. Verätzte Stellen sofort mit sehr viel Wasser spülen, dann verd. Säuren anwenden wie z. B. Haushaltsessig od. Zitronensaft

(nicht bei Augenverätzungen; dort kommen spezielle Pufferlsg. zum Einsatz).
Herst.: NaOH wurde früher nach dem *Kalk-Soda-Verf.* durch Umsetzung von Sodalsg. mit der berechneten Menge gelöschtem Kalk in Form von Natronlauge (s. o.) gewonnen (*Kaustifizierung*):

$$Na_2CO_3 + Ca(OH)_2 \rightarrow CaCO_3 + 2\,NaOH.$$

Heute erhält man Natronlauge überwiegend (bis zu 90% der Gesamtproduktion) durch die *Chloralkali-Elektrolyse, u. zwar in hoher Reinheit beim Amalgamverf., sowie – in zunehmendem Maße – beim modernen Membranprozeß, in dem Kathoden- u. Anodenraum durch eine hydraul. undurchlässige, ionenleitende Membran getrennt sind (Abb. 1). Unter den Elektrolyse-Bedingungen geeignete Membranen besitzen z. B. ein perfluoriertes Polyethylen-Grundgerüst mit Seitenketten, die Sulfonsäure- u./od. Carbonsäure-Gruppen enthalten (Abb. 2). Nach dem Membranverf. arbeiteten 1990 ca. 15% der installierten Elektrolyse-Kapazitäten von weltweit ca. 45 Mio. t NaOH.

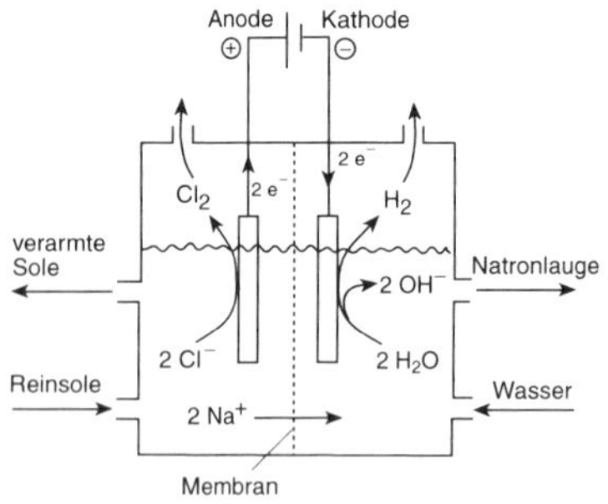

Abb. 1: Schemat. Darst. der Chloralkali-Elektrolyse nach dem Membran-Verfahren.

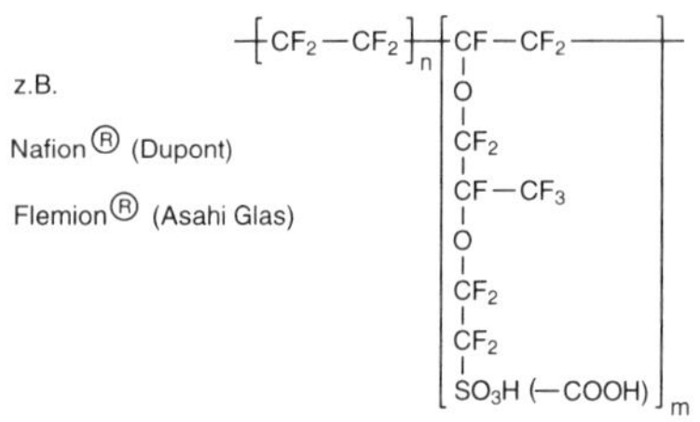

Abb. 2: Formelschema für Membranen, z. B. Nafion® (Dupont), Flemion® (Asahi Glas).

Als Koppelprodukt ist die Menge erzeugter Natronlauge von der Chlor-Produktion abhängig. Da auf zahlreichen Gebieten Natronlauge u. Soda gleichermaßen verwendet werden können, beeinflußt die Höhe des NaOH-Anfalls die Na_2CO_3-Produktion. Festes N. erhält man durch Eindampfen von Natronlauge in Behältern aus Nickel-plattiertem Stahl; die Schmelze wird entweder in Blechtrommeln abgefüllt (eingegossene Ware) od. zu N.-Schuppen od. -Perlen (Prills) verarbeitet u. in Polyethylensäcken abgepackt.
Verw. (auch als *Natronlauge, dem wichtigsten Handelsprodukt): In der chem. Ind. insbes. als Neutralisationsmittel, für Verseifungsreaktionen u. zur Herst. von Natrium-Verb. (z. B. Natriumhypochlorit), zum Aufschluß von Bauxit (s. Aluminium) u. anderen Erzen, in der Seifen- u. Waschmittel- u. der Papier-Industrie. N. wird ferner verwendet als Aufschlußmittel in der analyt. Chemie, zum Reinigen von Fetten, Ölen u. Erdöl, zur Beseitigung von fettigen Verunreinigungen u. Milchstein, bei Farbstoff-Synth. (z. B. Alkalischmelze), zur Regenerierung von Gummi u. Ionenaustauschern, zur Zellstoffgewinnung (s. Organosolv- u. Sulfat-Verf. unter *Cellulose, S. 637), zum Mercerisieren der Baumwolle, zur Konservierung alter Schriftstücke, in der Photographie, zur Herst. von Wasserglas, Phenol, Holzbeizen, Laugen für Brezeln u. anderes Laugengebäck (1–4%ige wäss. Lsg.), Abbeizmitteln, Brüniersalz, Gerbstoffen, Viskoseseide, in der Tierheilkunde zur Stalldesinfektion. – ***E*** sodium hydroxide, caustic soda – ***F*** hydroxyde de sodium, soude caustique – ***I*** idrossido di sodio, soda caustica – ***S*** hidróxido de sodio, sosa cáustica

Lit.: Blaue Liste, S. 212 ▪ Braun-Dönhardt, S. 229 f. ▪ Büchner et al., S. 149–163 ▪ Chem.-Ztg. **113**, 207–214 (1989) ▪ Chem.-Ing.-Techn. **59**, Nr. 4, 271–280 (1987) ▪ Chem. Unserer Zeit **12**, 135–145 (1978) ▪ DAB **7**, 169 f., 708 f. ▪ Gmelin, Syst.-Nr. 21, Na, 1928, S. 168–240, Erg.-Bd. 1964, 1965, S. 18–24 ▪ Hommel, Nr. 144, 145 ▪ Kirk-Othmer (4.) **1**, 938 ff. ▪ Pharm. Ind. **33**, 835–840 (1971) ▪ Ullmann (5.) **A 6**, 410–450; **A 24**, 345–354 ▪ Winnacker-Küchler (4.) **2**, 379–442 ▪ s. a. Chloralkalielektrolyse. – *[HS 2815 11; CAS 1310-73-2; G 8]*

Natriumhyperoxid s. Natriumoxide.

Natriumhypobromit s. Hypobromite.

Natriumhypochlorit. NaOCl, M_R 74,44. N. ist das Na-Salz der *Hypochlorigen Säure, das in fester Form als Hexahydrat isolierbar ist, sich jedoch leicht zersetzt.
Herst.: Als Zwischenprodukt bei der Herst. von Natriumchlorat durch Einleiten von Chlor in verd. Natronlauge unter intensiver Kühlung.
Verw.: Festes N. ist als Na_3PO_4-Addukt, $4\,Na_3PO_4 \cdot NaOCl \cdot 44\,H_2O$, Bestandteil von Haushalts- u. Ind.-Reinigungsmitteln, gelbgrüne Lsg. werden als Bleichlaugen (*Chlor- od. Natronbleichlaugen*) zum Bleichen von Papier, Seifen, Stroh-, Korbwaren, Baumwolle usw., zur Desinfektion u. Wasserentkeimung (bes. in privaten Schwimmbädern), in sog. Sanitärreinigern (über mögliche Cl_2-Vergiftungen s. *Lit.*[1]), als *Aufhellungsmittel für Mikroskopie u. zur Entgiftung von cyanid. Abwässern verwendet. Die max. 12,5% wirksames *Chlor enthaltenden N.-Lsg. gelangten früher unter der Bez. *Eau de Labarraque in den Handel. – ***E*** sodium hypochlorite – ***F*** hypochlorite de sodium – ***I*** ipoclorito di sodio – ***S*** hipoclorito de sodio

Lit.: [1] Dtsch. Med. Wochenschr. **109**, 1874 (1984).
allg.: Brauer (3.) **1**, 319 f. ▪ Gmelin, Syst.-Nr. 21, Na, 1928, S. 373–391, Erg.-Bd. S. 152–161, 1740 ▪ Hommel, Nr. 385 ▪ Kirk-Othmer (4.) **5**, 943 ff. ▪ Snell-Ettre **7**, 226 ▪ Ullmann (5.) **A 6**, 488–496, 520 ▪ Winnacker-Küchler (4.) **1**, 448–451, 456 f. ▪ s. a. Hypochlorite. – *[HS 2828 90; CAS 7681-52-9]*

Natriumhypo(di)sulfit s. Natriumthiosulfat u. -dithionit.

Natriumhypophosphit s. Natriumphosphinat.

Natriumiodat. $NaIO_3$, M_R 197,89. Weißes Pulver, D. 4,28, unlösl. in Alkohol, lösl. in Wasser, kann im Gemisch mit brennbaren Substanzen durch Schlag zur Explosion gebracht werden. Das aus *Chilesalpeter (Caliche) gewonnene N. dient zur Herst. von Iod-Präp., von *iodiertem Speisesalz u. als chem. Reagenz z.B. zur Ausfällung von Ce^{4+}, Th^{4+}, Zr^{4+}, Hf^{4+} aus salpetersaurer Lösung. – ***E*** sodium iodate – ***F*** iodate de sodium – ***I*** iodato di sodio – ***S*** yodato de sodio, iodato de sodio

Lit.: Blaue Liste, S. 22 ▪ Gmelin, Syst.-Nr. 21, Na, 1928, S. 460f., Erg.-Bd. S. 1817–1821. – *[HS 2829 90; CAS 7681-55-2]*

Natriumiodid. NaI, M_R 149,89. Farblose, Haut u. Schleimhäute reizende u. ätzende Krist., D. 3,667, Schmp. 662 °C, Sdp. 1304 °C, lösl. in Wasser, Alkohol u. Aceton, krist. bei 20 °C aus wäss. Lsg. als Dihydrat. N. findet ähnliche Verw. wie *Kaliumiodid; für *iodiertes Speisesalz wird allerdings das *Natriumiodat vorgezogen. Szintillations-Krist. aus N. werden in der Medizin für Computertomographie u. Positronen-Emissions-Tomographie eingesetzt. Thallium-dotierte Einkrist. zeichnen sich durch bes. gute Szintillationseigenschaften für ionisierende Strahlen u. Teilchen aus. ^{123}I-markiertes N. wird in der *Schilddrüsen-Diagnostik verwendet. – ***E*** sodium iodide – ***F*** iodure de sodium – ***I*** ioduro di sodio – ***S*** yoduro de sodio, ioduro de sodio

Lit.: DAB **7**, 710f. ▪ Gmelin, Syst.-Nr. 21, Na, 1928, S. 438–443, Erg.-Bd. S. 151 f., Erg.-Bd. 6, S. 1–402 ▪ Kirk-Othmer (4.) **22**, 380 ff. ▪ Naturwiss. Rundsch. **37**, 45–52 (1984) ▪ Ullmann (5.) **A 14**, 388 ▪ s. a. Iod. – *[HS 2844 40; CAS 7681-82-5]*

Natrium-Kalium-ATPase (Na^+,K^+-ATPase, Na^+,K^+-Pumpe, Natrium-Pumpe). Membran-durchspannendes Protein (eine α- u. eine β-Untereinheit, M_R 112000 bzw. ca. 40000) aus tier. *Zellen, das den aktiven Transport von Kalium- u. Natrium-Ionen in die bzw. aus den Zellen bewirkt (*Ionenpumpe), u. so der Aufrechterhaltung erhöhter Konz. von Kalium-Ionen innerhalb u. Natrium-Ionen außerhalb dient.

Funktionsweise: Der Transport dreier Natrium-Ionen u. zweier Kalium-Ionen erfolgt in Gegenrichtung von Konz.-Gefällen u. baut ein elektr. Membran-Potential auf (*elektrogener Transport*). Daher efordert er den Aufwand von Energie (ca. ⅓ des gesamten zellulären Energie-Bedarfs), die durch Hydrolyse von *Adenosin-5′-triphosphat (ATP) zu *Adenosin-5′-diphosphat (ADP) bereitgestellt wird; die Pumpe besitzt die Aktivität einer *Adenosintriphosphatase (ATPase, EC 3.6.1.37). Die strenge Kopplung des Transportcyclus an die Hydrolyse eines ATP-Mol. ist durch eine zwischenzeitliche Phosphorylierung der Pumpe (P-Typ-ATPase) an einem Asparaginsäure-Rest verwirklicht. Herzglykoside (z.B. *Ouabain*) hemmen die Ionenpumpe. Zur Bestimmung der Konz.-Änderungen in der Zelle eignen sich *ionenselektive Elektroden; Kopplungs-/Entkopplungs-Phänomene lassen sich mit Hilfe von *Ionophoren untersuchen.

Physiolog. Bedeutung: Die Na^+,K^+-Pumpe ist an der Regulation des osmot. Drucks u. des Zell-Vol. beteiligt. Die durch die Na^+,K^+-ATPase erzeugten Konz.-Gefälle (Differenzen der *chemischen Potentiale) der erwähnten Ionensorten über die Membran u. das elektr. Membran-Potential bilden die energet. Basis für den aktiven Transport von Nährstoffen durch die Membran u. sind auch für die Erregbarkeit von Nerven- u. Muskel-Zellen durch *Neurotransmitter (z.B. *Acetylcholin) entscheidend: Im Reizzustand ändert sich plötzlich die Durchlässigkeit der Zellmembranen für die Ionensorten (aufgrund in der Membran vorhandener *Ionenkanäle, vgl. Kalium- u. Natrium-Kanäle), woraufhin die Zellen an Kalium-Ionen verarmen u. Natrium-Ionen aufnehmen. Die nun einsetzende Na^+,K^+-ATPase stellt den Normalzustand wieder her. – ***E*** = ***F*** sodium potassium ATPase – ***I*** ATP-asi sodio-potassica – ***S*** ATPasa del sodio y potasio

Lit.: Alberts et al., Molekularbiologie der Zelle, 3. Aufl., S. 243, 607–611, 621, Weinheim: VCH Verlagsges. 1995 ▪ FEBS Lett. **412**, 1–4 (1997) ▪ J. Biol. Chem. **269**, 19659–19662 (1994) ▪ J. Membrane Biol. **155**, 105–112 (1997).

Natrium-Kanäle. *Ionenkanäle, die selektiv Natrium-Ionen durch biolog. *Membranen passieren lassen. Man unterscheidet Spannungs- u. Liganden-abhängige N.-Kanäle.

Beisp.: In Nerven- u. Muskelzellen vorkommende Spannungs-abhängige N.-K.[1] (durch *Tetrodotoxin hemmbar) sind an der Entstehung von Aktionspotentialen beteiligt. Die N.-K. verschiedener Epithelien[2], die durch *Amilorid gehemmt werden, sind für die Aufrechterhaltung der Wasser- u. Elektrolyt-Bilanz[3] u. des Blutdrucks[4] von Bedeutung. Durch cGMP (s. Guanosinphosphate) gesteuerte N.-K. ermöglichen beim *Sehprozeß in den Photorezeptor-Zellen der Netzhaut die Polaritätsänderung der Zellmembran. – ***E*** sodium channels – ***F*** canaux sodiques – ***I*** canali per gli ioni di sodio – ***S*** canales de sodio

Lit.: [1] J. Membrane Biol. **151**, 203–214 (1996). [2] FASEB J. **8**, 522–528 (1994). [3] Physiol. Rev. **77**, 359–396 (1997). [4] Nachr. Chem. Tech. Lab. **43**, 693 f. (1995).
allg.: Alberts et al., Molekularbiologie der Zelle, 3. Aufl., S. 625 ff., 890, 894, Weinheim: VCH Verlagsges. 1995.

Natriumlactat.

$C_3H_5NaO_3$, M_R 112,06. Als farblose od. gelbliche, neutral od. schwach alkal. reagierende, mild salzig schmeckende Flüssigkeit in Form von 50- bis 70%iger wäss. Lsg. im Handel.

Verw.: Als Schmiermittel, Brems-, Heizbad-, Kühlflüssigkeit, als Infusion bei metabol. Acidose u. Elektrolyt- u. Wasserverlusten. (+)-D-, (–)-L- u. (±)-DL-Form von N. sind als Lebensmittelzusatzstoff (E 325) zugelassen, s.a. Milchsäure. – ***E*** sodium lactate – ***F*** lactate de sodium – ***I*** lattato di sodio – ***S*** lactato de sodio

Lit.: Beilstein E III **3**, 443, 449, 463 ▪ DAB **9**, 1071 ▪ Liste der zugelassenen Lebensmittelzusatzstoffe (Fundstellenliste) vom 15. Januar 1985, Bundesanzeiger Nr. 43 A vom 2. 3. 85 ▪ Lück u. Jager, Chemische Lebensmittelkonservierung, S. 248 f., Berlin: Springer 1995 ▪ Merck-Index (12.), Nr. 8781 ▪ Ullmann (4.) **17**, 6. – *[HS 2918 11; CAS 72-17-3 (allg.); 920-49-0 (D); 867-56-1 (L); 312-85-6 (DL)]*

Natriumlaurylsulfat s. Natriumdodecylsulfat.

Natrium-Legierungen. Zwar bildet *Natrium mit vielen metall. Elementen Leg. (Ag, Al, Au, Bi, Hg, K, Li, Mg, Pb, Sn, Tl, Zn), doch sind von diesen nur wenige techn. bedeutsam, so *Natriumamalgam, einige *Kalium-Natrium-Legierungen u. Natrium-Blei-Leg. (NaPb). NaPb mit ca. 10% Na kann im Laboratorium als Trockenmittel z. B. für Benzol, Ether, Cyclohexanol, techn. auch zur Herst. von *Bleitetraethyl verwendet werden. NaPb mit 30% Na dient als H_2-Quelle im Laboratorium. Geringe Anteile an Na (um 1%) sind in manchen *Lagerwerkstoffen (z. B. Bahnmetall) enthalten. – ***E*** sodium alloys – ***F*** alliages de sodium – ***I*** leghe di sodio – ***S*** aleaciones de sodio

Lit.: Kirk-Othmer (4.) **22**, 346 f. ▪ Synthetica **2**, 314 f. ▪ s. a. Textstichwörter.

Natriummeta... s. Metaphosphate, Natriumarsenate, Natriumdisulfit, Natriumphosphate, Natriumsilicate.

Natriummethoxid (Natriummethanolat, Natriummethylat). CH_3ONa, CH_3NaO, M_R 54,02. Feines, weißes Pulver, hygroskop., zersetzt sich mit Wasser u. beim Erwärmen, lösl. in Methanol u. Ethanol. Durch die mit Wasser, auf feuchter Haut od. den Schleimhäuten sowie bei Aufnahme durch den Mund entstehende Natronlauge wirkt N. stark ätzend. Die Augen u. die Atemwege sind durch Staub gefährdet; WGK 1. Das aus Na od. Natriumamalgam mit Methanol zugängliche N. findet Verw. wie andere *Alkoholate, außerdem in der *Zemplén-Reaktion* (einer Variante des *Wohl-Abbaus), mit der die Kettenlänge von Aldosen verkürzt werden kann. – ***E*** sodium methoxide – ***F*** méthoxyde (méthylate) de sodium – ***I*** metossido (metilato) di sodio – ***S*** metóxido (metilato) de sodio

F 

C 

Lit.: Beilstein E IV **1**, 1241 ▪ Hommel, Nr. 146, 146 a ▪ Merck-Index (12.), Nr. 8789 ▪ Paquette **7**, 4593 ▪ Ullmann (4.) **7**, 220, 222; (5.) **A 1**, 298. – *[HS 2905 19; CAS 124-41-4; G 4.2]*

Natriummethylat s. Natriummethoxid.

Natriummethylsiliconat s. Silicone.

Natriummethylxanthat s. Natriumxanthate.

Natriummolybdat (Dinatriummolybdat). Na_2MoO_4, M_R 205,92. Als Dihydrat farblose Krist., D. 3,28, Schmp. (wasserfrei) 687 °C, lösl. in Wasser. Von N. sind, ebenso wie von anderen *Molybdaten, Iso- u. Heteropolysalze bekannt.

Xn 

Verw.: Als Reagenz auf Alkaloide, zur Unterscheidung von Sb u. Sn, zum Nachw. von P, im Korrosionsschutz, Flammschutz bei Textilwaren, Mikrodünger. – ***E*** sodium molybdate – ***F*** molybdate de sodium – ***I*** molibdato di sodio – ***S*** molibdato de sodio

Lit.: Gmelin, Syst.-Nr. 53, Mo, 1935, S. 214–219 ▪ Kirk-Othmer (4.) **16**, 940 ▪ Ullmann (5.) **A 16**, 681. – *[HS 2841 70; CAS 7631-95-0 (wasserfrei); 10102-40-6 (Dihydrat)]*

Natriummonovanadat s. Natriumvanadate.

Natriummonoxid s. Natriumoxide.

Natriummorrhuat. Bez. für die Natriumsalze der Fettsäuren des Leberöls des Kabeljaus (*Gadus morrhua*). – ***E*** sodium morrhuate – ***F*** morrhuate de sodium – ***I*** morruato sodico – ***S*** morruato de sodio – *[HS 3003 90]*

Natriumnaphthenate s. Naphthensäuren.

Natriumnaphthochinonsulfonat s. 1,2-Naphthochinon-4-sulfonsäure-Natriumsalz.

Natrium-1-naphthylhydrogenphosphat.

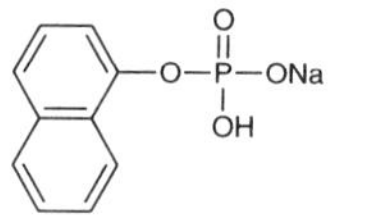

Das Mononatriumsalz des Phosphorsäure-1-naphthylesters ($C_{10}H_8NaO_4P$, M_R 246,13) dient als Substrat bei der Phosphatase-Bestimmung: Durch Einwirkung der Phosphatase wird Naphthol frei, das durch Kupplung mit einem Diazoniumsalz einen Azofarbstoff bildet. – ***E*** sodium 1-naphthyl hydrogen phosphate – ***F*** hydrogénophosphate de 1-naphtyle et de sodium – ***I*** idrogenfosfato di 1-naftile e sodio – ***S*** hidrogenofosfato de 1-naftilo y sodio

Lit.: Beilstein E IV **6**, 4226 ▪ J. Biol. Chem. **190**, 7 (1951). – *[CAS 2650-44-4]*

Natriumnitrat (Natronsalpeter). $NaNO_3$, M_R 84,99. Farbloses, hygroskop., in würfelähnlichen Rhomboedern kristallisierendes Salz, D. 2,261, Schmp. 307 °C, in Wasser sehr leicht lösl. mit kühlendem, bitterem Geschmack u. neutraler Reaktion; 100 g Wasser lösen bei 25 °C 92 g, bei 100 °C 180 g N. unter starker Temp.-Senkung. Beim Erhitzen geht N. in Natriumnitrit (600–700 °C), Natriumperoxid (750–800 °C) u. schließlich Na_2O über (900 °C). N. dient Pflanzen als Stickstoff-Quelle; sein Anteil an der Weltproduktion von Stickstoff-Dünger betrug 1880–1910 60% u. liegt heute bei 0,1%, weil N. nur für wenige Kulturpflanzen (z. B. Zuckerrüben, Tabak, Baumwolle) als Düngemittelzusatz verabreicht wird. Auch Weidetiere profitieren aufgrund ihres Bedarfs an Na^+ von der N.-Düngung, doch wirkt N. auf Tiere u. Menschen in größeren Mengen giftig. In der Natur kommt N. im *Chilesalpeter vor, aus dem es durch Abbau der sog. *Caliche u. Costra gewonnen wird.

O 

C 

Herst.: Aus nitrosen Gasen u. Natriumhydroxid od. -carbonat:

$$3\,NO_2 + 2\,NaOH \rightarrow 2\,NaNO_3 + NO + H_2O.$$

Das in einer Nebenreaktion: $NO_2 + NO + 2\,NaOH \rightarrow 2\,NaNO_2 + H_2O$ gebildete *Natriumnitrit wird mit Salpetersäure zu N. oxidiert.

Verw.: Als Düngemittel, in der Feuerwerkerei, als Oxid.-Mittel, bei der Herst. hochwertiger Glas-Sorten, in der Email-Ind., zur Herst. von Farbstoffen, Explosivstoffen, Kalisalpeter, in Salzbädern zur Wärmebehandlung von Metallen, zum Phosphatieren von Stahldraht, als Flußmittel. In der Lebensmittel-Ind. wird N. zum Pökeln u. Umröten von Fleisch, als Zusatz zu Anchosen, in der Tabak-Ind. als Weißbrandmittel gebraucht. Wegen der möglichen Bildung gesundheitsschädlicher *Nitrosamine aus N. (über das Nitrit) ist die Anw. von N. in Lebensmitteln reglementiert, s. Natriumnitrit. – ***E*** sodium nitrate – ***F*** nitrate de sodium – ***I*** nitrato di sodio, nitrato sodico – ***S*** nitrato de sodio

Lit.: Braun-Dönhardt, S. 273 ▪ Gmelin, Syst.-Nr. 21, Na, 1928, S. 270–296, Erg.-Bd. S. 982–1011 ▪ Hommel, Nr. 147 ▪ Kirk-Othmer (4.) **22**, 383–393 ▪ Ullmann (5.) **A 17**, 266–271 ▪ Winnacker-Küchler (4.) **2**, 168 f. ▪ s. a. Nitrate. – *[HS 3102 50; CAS 7631-99-4]*

Natriumnitrit. $NaNO_2$ M_R 68,99. Weiße od. schwach gelbliche Krist., D. 2,17. Schmp. 284 °C, ab ca. 320 °C Zers., etwas hygroskop., in Alkohol wenig, in Wasser sehr leicht löslich. N. wird bereits durch schwache Säuren unter Entwicklung von Stickoxiden zersetzt; an der Luft erfolgt langsam Oxidation.

Herst.: Durch Umsetzen von NaOH od. Na_2CO_3 mit nitrosen Gasen, s. Natriumnitrat. Das neben etwas Natriumnitrat entstehende N. wird durch Eindampfen der Mutterlsg. zur Krist. gebracht od. als Lsg. (z. B. zum Diazotieren) weiter verarbeitet. N. ist ziemlich giftig, seine Wirkung beruht auf der reversiblen Bildung von *Methämoglobin u. – infolge von Gefäßerweiterung – starkem Blutdruckabfall ggf. bis zur Cyanose u. zum Kreislaufkollaps; längerer Kontakt kann zu Haut- u. Augenreizungen führen. N. unterdrückt das Wachstum von Bakterien wie z. B. *Clostridium botulinum.* Mit sek. Aminen bildet N. *Nitrosamine, unter denen manche starke Carcinogene sind; auch daher ist die Verw. von N. in Lebensmitteln, z. B. in Nitritpökelsalz (s. dort zur chem. Funktion des $NaNO_2$) gesetzlichen Beschränkungen unterworfen. N. kann außerdem aus Natriumnitrat durch Red. entstehen, – z. B. durch die *Nitrat-Reduktase im Speichel – weshalb in der Fleisch-VO vom 21. 1. 1982 (BGBl. I, S. 89) die Höchstmenge an Nitrit u. Nitrat (als $NaNO_2$ berechnet) auf 150 mg/kg Rohschinken u. 100 mg/kg für andere Fleischerzeugnisse begrenzt worden ist. Außerdem sind Bestrebungen im Gange, den Nitrat-Gehalt auch in Gemüse u. anderen pflanzlichen Lebensmitteln herabzusetzen. Mit *Ascorbinsäure läßt sich die Bildung von Nitrosaminen verhindern. In den USA darf Pökelschinken höchstens 120 mg Nitrite/kg enhalten, u. auch dann nur, wenn zugleich mind. 550 mg Natriumascorbat od. -erythorbat (Erythorbinsäure ist das 5-Epimere der Ascorbinsäure) vorhanden sind.

Verw.: Zur Diazotierung (s. Diazonium-Verbindungen) bei der Herst. von *Azofarbstoffen, Saccharin, Coffein u. Pestiziden, als Gegengift bei Cyanid-Vergiftungen, zum Brünieren u. Abschrecken von Stahl, als Wärmeüberträger, als Beschleuniger bei der Kaltphosphatierung, zur Herst. von Nitro-Verb., Hydroxylaminsulfat-Lsg., zur Farbstabilisierung von Vinylharzen, zum Bleichen von Naturfasern, als Bestandteil von Korrosionsschutzmitteln, Emails, Reinigungsmitteln, Bohrölen u. zu organ. Synthesen. – ***E*** sodium nitrite – ***F*** nitrite de sodium – ***I*** nitrito di sodio – ***S*** nitrito de sodio

Lit.: Blaue Liste, S. 217 ▪ DAB **8**, 322 f., Komm. 548–551 ▪ Gmelin, Syst.-Nr. 21, Na, 1928, S. 263–270, Erg.-Bd. S. 960–977 ▪ Hommel, Nr. 148 ▪ Kirk-Othmer (4.) **22**, 394–403 ▪ Lück u. Jager, Chemische Lebensmittelkonservierung, Berlin: Springer 1995 ▪ Ullmann (5.) **A 17**, 281–284 ▪ Winnacker-Küchler (4.) **2**, 168 f. ▪ s. a. Nitrite u. Nitrosamine. – *[HS 2834 10; CAS 7632-00-0]*

Natriumnitroprussiat s. Nitroprussidnatrium.

Natriumoleat. $H_3C–(CH_2)_7–CH=CH–(CH_2)_7–COO^-Na^+$, $C_{18}H_{33}NaO_2$, M_R 304,45. Weißes, schwach talgartig riechendes Pulver, wenig lösl. in Wasser u. Alkohol. N. enthält gewöhnlich noch kleine Mengen an Natriumsalzen anderer *Fettsäuren.

Verw.: Als Emulgator, Hydrophobierungsmittel, Gleitmittel, Flotationshilfsmittel, zur Herst. von flüssigen u. Schmierseifen, früher auch als Choleretikum. – ***E*** sodium oleate – ***F*** oléate de sodium – ***I*** oleato sodico – ***S*** oleato de sodio

Lit.: Beilstein E IV **2**, 1645 ▪ Kosswig u. Stache, Die Tenside, München: Hanser 1993. – *[HS 2916 15; CAS 143-18-0]*

Natrium-organische Verbindungen. Im Vgl. zu der großen Bedeutung, die *Lithium-organische Verbindungen in der Metall-organ. Chemie besitzen, spielen die *Metall-organischen Verbindungen der höheren Alkalimetalle (Na,K) eine geringe Rolle. Eine Ausnahme ist lediglich Natriumcyclopentadienid (C_5H_5Na, M_R 88,08). Da bei den höheren Alkalimetallen die Polarität der Metall-Kohlenstoff-Bindung stark zunimmt, handelt es sich um extrem reaktive Verb. mit ausgeprägtem Carbanionen-Charakter, die sogar Ether u. Kohlenwasserstoffe metallieren. Die niederen Natriumalkyle sind an der Luft selbstentzündliche Pulver (z. B. Methylnatrium, das wie Methyllithium als Tetramer vorliegt), andere etwas stabilere N.-o. V. sind Phenylnatrium u. Triphenylmethylnatrium.

Herst.: N.-o. V. werden beispielsweise durch Halogen-Metall-Austausch mit elementarem Natrium aus einer geeigneten Halogen-Verb. (s. Abb. a, vgl. in diesem Zusammenhang die Wurtz-Synthese), durch Transmetallierung u. durch Reaktion von metall. Natrium od. *Natriumalkoholaten mit genügend CH-aciden Verb. (s. Abb. b, c, vgl. Metall-organische Reaktionen) hergestellt.

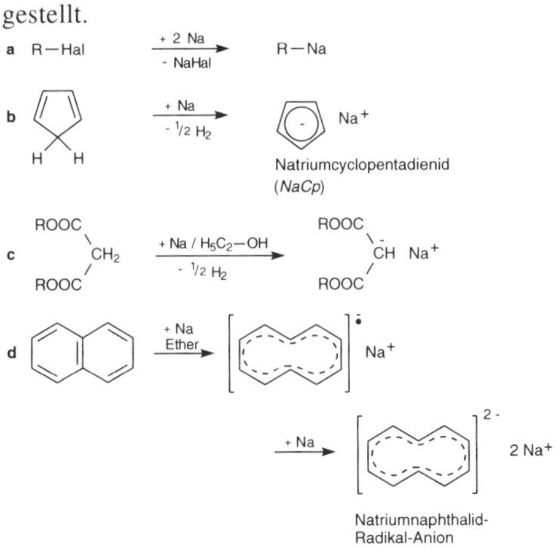

Abb.: Verschiedene Meth. für die Herst. Natrium-organischer Verbindungen.

Neben diesen Meth. gibt es noch die Möglichkeit, daß Elektronen vom Metall auf ein geeignetes Substrat, z. B. Benzol od. Naphthalin übertragen werden (s. Abb. d). Dabei entstehen zunächst Radikal-Anionen u. dann Dianionen. Das Natriumnaphthalid-Anion, das in Ether eine homogene grüne Lsg. darstellt, besitzt prakt. Bedeutung als Red.-Mittel. Eine weitere Anw. von Natrium-Radikal-Anionen findet sich bei der *Birch-Reduktion.

Nicht zu den N.-o. V. im eigentlichen Sinne gehören die Na-Salze von organ. Säuren u. die Natriumalkoholate. – ***E*** organosodium compounds – ***F*** composés organiques de sodium – ***I*** composti organici di sodio – ***S*** compuestos orgánicos de sodio

Lit.: Adv. Organomet. Chem. **16**, 167–210 (1977) ▪ Angew. Chem. **76**, 124–143, 258–269 (1964) ▪ Elschenbroich u. Salzer, Organometallics, 2. Aufl., S. 33, Weinheim: VCH Verlagsges. 1992 ▪ Herrmann-Brauer **1**, 36 f., 51, 59, 82; **2**, 24 f. ▪ Houben-Weyl **13/1**, 255–725 ▪ Kirk-Othmer (3.) **16**, 557 f. ▪ Ullmann (5.) **A 18**, 216 ▪ Wilkinson-Stone-Abel **1**, 43 ff.; II **1**, 1 ff.

Natriumoxalat (Dinatriumoxalat). Xn
NaOOC–COONa, $C_2Na_2O_4$, M_R 134,00. Farblose Krist., D. 2,34, geringfügig lösl. in Wasser, unlösl. in Alkohol u. Ether, WGK 1. Zur Toxizität s. *Lit.*[1]. Verw. als Urtitersubstanz in der Manganometrie u. Acidimetrie, zur Textilausrüstung, in Spezialzementen u. Feuerwerk; mit Einschränkung erlaubt in kosmet. Mitteln (Kosmetik-VO Anlage 2, Nr. 3). – ***E*** sodium oxalate – ***F*** oxalate de sodium – ***I*** ossalato di sodio – ***S*** oxalato de sodio

Lit.: [1] Merck-Index (12.), Nr. 8795.
allg.: Beilstein E IV **2**, 1823 ▪ Ullmann (4.) **17**, 480, **19**, 627; (5.) **A 18**, 257. – *[HS 2917 11; CAS 62-76-0; G 6.1]*

Natriumoxide. C Von den Oxiden des Natriums hat lediglich das *Natriumperoxid eine techn. Bedeutung. Bei dessen Herst. entsteht als Zwischenprodukt *Natriumoxid* (Natriummonoxid, Na_2O, M_R 61,98, weißes, hygroskop. Pulver, D. 2,27, subl. bei 1275 °C), das im Anti-Fluorit-Gitter krist. u. mit Wasser unter Bildung von NaOH reagiert. Es kann als Kondensationsmittel anstelle von Natriumamid u. dgl. u. zum Trocknen von organ. Lsm. verwendet werden. Das *Natriumdioxid* (Natriumhyperoxid, NaO_2, M_R 54,99, äußerst leicht zersetzliche, gelbliche Substanz) entsteht, wenn man Sauerstoff bei –78 °C in eine Lsg. von Natrium in flüssigem Ammoniak od. in der Hitze über Natriumperoxid leitet. Durch Überleiten eines Gemisches von O_2 u. O_3 über NaO_2 unterhalb von 0 °C erhält man *Natriumozonid* (NaO_3, M_R 70,99), welches sich mit flüssigem NH_3 extrahieren u. in Form von roten, unterhalb von 20 °C zersetzlichen Krist. isolieren läßt. – ***E*** sodium oxides – ***F*** oxydes de sodium – ***I*** ossidi di sodio – ***S*** óxidos de sodio

Lit.: Brauer (3.) **2**, 951 ff., 956 ▪ Gmelin, Syst.-Nr. 21, Na, 1928, S. 165–168, 967, Erg.-Bd. S. 809–816, 1711 ▪ Hollemann-Wiberg (101.), S. 1175 ▪ Hommel, Nr. 1005. – *[HS 2825 90; CAS 1313-59-3 (Na_2O)]*

Natriumozonid s. Natriumoxide.

Natriumparabenate s. 4-Hydroxybenzoesäureester.

Natriumpentosanpolysulfat.

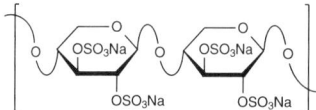

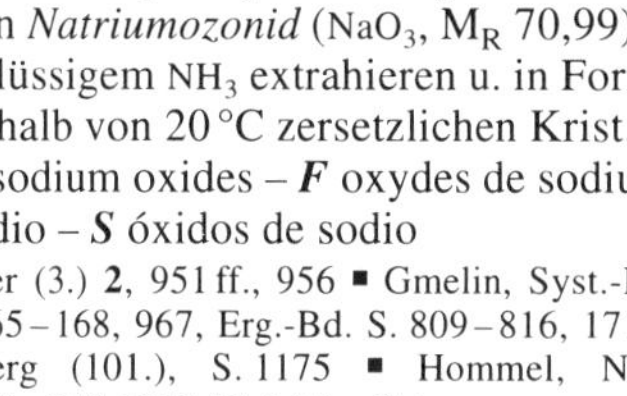

Internat. Freiname für das *Heparinoid Xylan-poly(hydrogensulfat)-Natriumsalz. Weißes, schwach hygroskop. Pulver, $[\alpha]_D^{20}$ –57°; n_D^{20} 1,344 (10%ige, wäss. Lsg.). N. wurde 1953 von Wander patentiert u. ist von bene-Arzneimittel (Fibrezym®, Pentosanpolysulfat SP 54®) im Handel. – ***E*** sodium pentosan polysulfate – ***F*** pentosanepolysulfate de sodium – ***I*** sodio pentosanpolisolfato – ***S*** pentosanpolisulfato de sodio

Lit.: Martindale (31.), S. 926 f. ▪ Thromb. Haemostasis **47**, 104, 109 (1982) ▪ Urology **6**, 552 (1990). – *[CAS 37300-21-3 (Pentosanpolysulfat); 37319-17-8 (N.)]*

Natriumperborat (Natriumperoxoborat-Trihydrat). O Xn $NaBO_2 \cdot H_2O_2 \cdot 3\,H_2O$, M_R 99,81. Das häufig auch als Natriumperborat-Tetrahydrat ($NaBO_3 \cdot 4\,H_2O$) bezeichnete N. liegt in festem Zustand als cycl. *Peroxoborat u. damit nicht, wie früher formuliert, als H_2O_2-Addukt vor:

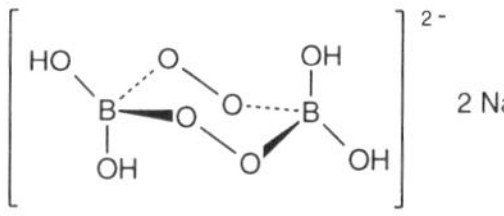

N. bildet ein weißes, geruchloses, krist. Pulver, D. 1,731, Schmp. 65 °C, in Wasser mäßig löslich. Auch andere Hydrate u. die wasserfreie Form („Oxoborat“) sind bekannt. Die alkal. wäss. Lsg. gibt erst nach längerem Stehen langsam Sauerstoff ab; durch Erwärmung wird die Sauerstoff-Entwicklung beschleunigt; über die Herst. von N. sowie seiner Hydrate s. Winnacker-Küchler (*Lit.*).

Verw.: Wegen der Entwicklung von bleichend wirkendem Sauerstoff wird N. seit 1907 als Oxid.- u. Bleichmittel v. a. in Waschmitteln (können bis zu 30% N. enthalten), ferner in Reinigungs-, Geschirrspül- u. Munddesinfektionsmitteln, Gebißreinigern, Fleckentfernern u. dgl. verwendet. Als Stabilisatoren sind z. B. Alkalisilicate u. Magnesiumsilicat geeignet (*Per*borat-*Sil*icat = Persil®). N. dient auch zum Bleichen von Stroh, Elfenbein, Schwämmen, Wachs, Textilien, Seifen u. zum Nachoxidieren von Küpen- u. Schwefel-Farbstoffen. Das Marktvol. an N. betrug 1990 ca. 600 000 t. – ***E*** sodium perborate – ***F*** perborate de sodium – ***I*** perborato di sodio – ***S*** perborato de sodio

Lit.: Brauer (3.) **2**, 810 ▪ Gmelin, Syst.-Nr. 21, Na, 1928, S. 672–681, Erg.-Bd. S. 1297–1299 ▪ Kirk-Othmer (4.) **4**, 388, 392 f.; **18**, 210 ▪ Snell-Hilton **7**, 379 ▪ Ullmann (5.) **A 4**, 273; **A 8**, 358 ff., 420; **A 19**, 182 ff. ▪ Waschmittelchemie, S. 137–154, Heidelberg: Hüthig 1976 ▪ Winnacker-Küchler (4.) **2**, 584–588. – *[HS 2840 30; CAS 7632-04-4 ($NaBO(O_2)$); 90568-23-3 ($Na_2[B(OH)_2(O_2)]_2$); 125022-34-6 (Hexahydrat)]*

Natriumpercarbonat. In unspezif. Weise verwendete Bez. für *Natriumcarbonat-Wasserstoffperoxid-Komplexe*. Die Handelsware hat die durchschnittliche Zusammensetzung $2\,Na_2CO_3 \cdot 3\,H_2O_2$ u. ist damit *kein* *Peroxocarbonat. N. bildet ein weißes, wasserlösl. Pulver, das leicht in Natriumcarbonat u. bleichend u. oxidierend wirkenden „aktiven“ Sauerstoff zerfällt u. deshalb ähnliche Verw. findet wie das *Natriumperborat. – ***E*** sodium percarbonate – ***F*** percarbonate de sodium – ***I*** percarbonato di sodio – ***S*** percarbonato de sodio

Lit.: Gmelin, Syst.-Nr. 21, Na, 1928, S. 774 f., Erg.-Bd. 1966, S. 1365 f. ▪ Kirk-Othmer (4.) **18**, 211 ▪ Seifen, Öle, Fette, Wachse **103**, 411 (1977) ▪ Ullmann (5.) **A 19**, 192 f. ▪ Winnacker-Küchler (4.) **2**, 592. – *[HS 2836 99; CAS 15630-89-4]*

Natriumperchlorat. O Xn Als Monohydrat $NaClO_4 \cdot H_2O$, M_R 122,44. Farblose, hygroskop. Krist., D. 2,02, Schmp. 130 °C, bei 482 °C Zers., lösl. in Wasser u. Alkohol. Die Herst. erfolgt durch Elektrolyse einer wäss. Natriumchlorat-Lösung. Verw. in Sprengstoffgemischen u. als Analysenreagenz. – ***E*** sodium perchlorate – ***F*** perchlorate de sodium – ***I*** perclorato di sodio – ***S*** perclorato de sodio

Lit.: Gmelin, Syst.-Nr. 21, Na, 1928, S. 408–414, Erg.-Bd. S. 180–184, 1775–1793 ▪ Hommel, Nr. 319 ▪ Kirk-Othmer (4.) **18**, 15, 160ff. ▪ Winnacker-Küchler (4.) **2**, 458–462. – *[HS 2829 90; CAS 7601-89-0 (wasserfrei); 7791-07-3 (Monohydrat)]*

Natriumperiodate. Gruppe von Na-Salzen der *Periodsäure u. ihrer wasserreichen Formen. *Natrium-tetraoxoiodat*(1-) (Natriummetaperiodat), $NaIO_4 \cdot 3H_2O$, M_R 213,89. Farblose Krist., D. 3,22, Zers. bei 175 °C, wasserlösl., wird durch elektrochem. Oxid. von Iodat an PbO_2-Anoden od. durch chem. Oxid. von Iodat mit Chlor hergestellt. Es findet Verw. zur Bestimmung von Zuckerarten, Glycerin u. anderen vicinalen Glykolen durch *Glykol-Spaltung*, von Diaminen durch oxidative Spaltung, zur Oxid. von Alkoholen. *Pentanatriumhexaoxoiodat(5-)* (Natriumparaperiodat), Na_5IO_6, M_R 337,85, farblose Krist., Schmp. 800 °C (Zers.), ist auch in Form saurer Salze bekannt (z. B. Na_4HIO_6, $Na_3H_2IO_6$). Weitere N. sind *Trinatrium-pentaoxoiodat(3-)* (Natriummesoperiodat, Na_3IO_5, M_R 257,87) u. *Heptanatrium-heptaoxoiodat(7-)* (Natriumorthoperiodat, Na_7IO_7, M_R 399,83). – ***E*** sodium periodates – ***F*** periodates de sodium – ***I*** periodati di sodio – ***S*** peryodatos de sodio, periodatos de sodio

Lit.: Brauer (3.) **1**, 334ff. ▪ DAB **10** ▪ Gmelin, Syst.-Nr. 21, Na, 1928, S. 464ff., Erg.-Bd. S. 1825ff. ▪ Synthesis **1974**, 229–272 ▪ Synthetica **1**, 355ff. ▪ Ullmann (4.) **13**, 426. – *[HS 2829 90; CAS 7790-28-5 ($NaIO_4$)]*

Natriumperoxid („Natriumsuperoxid"). Na_2O_2, M_R 77,98. Gelblichweißes Pulver, D. 2,805, Schmp. 660 °C, bei 750 °C Zers., das getrocknet od. geschmolzen weder selbstentzündlich noch brennbar ist u. (verschlossen) lange aufbewahrt werden kann. Gemische mit brennbaren Stoffen sind jedoch selbstentzündlich. N. wirkt stark ätzend u. verursacht schlecht heilende Wunden. Mit Kohlenoxid u. Kohlendioxid verbindet es sich zu Soda, wobei ggf. Sauerstoff abgespalten wird (s. unten). Beim Auflösen in Wasser entstehen unter Wärmeentwicklung Hydrate (z. B. $Na_2O_2 \cdot 8H_2O$); beim Verdünnen mit Wasser entstehen Hydroxid- u. Hydroperoxid-Anionen ($O_2^{2-} + H_2O \rightarrow HOO^- + OH^-$). Beim Ansäuern entsteht *Wasserstoffperoxid, das sich in der Wärme unter Sauerstoff-Abgabe zersetzt (Bleichwirkung): $Na_2O_2 + H_2SO_4 \rightarrow Na_2SO_4 + H_2O_2$; $H_2O_2 \rightarrow H_2O + [O]$.
Herst.: Großtechn. aus metall. Na u. Sauerstoff, wobei als Zwischenprodukt Natriummonoxid entsteht, od. aus dem bei der *Chloralkali-Elektrolyse anfallenden Natriumamalgam.
Verw.: In Bleichlaugen für Cellulose-haltiges Material, Wolle, Haare, Knochen u. ä. Substanzen, zur Hydrolyse von Amiden u. Nitrilen zu den entsprechenden Säuren, als Füllung von Atmungspatronen ($2Na_2O_2 + 2H_2O \rightarrow 4NaOH + O_2$ bzw. $2Na_2O_2 + 2CO_2 \rightarrow 2Na_2CO_3 + O_2$). N. ist ein sehr stark oxidierendes Aufschlußmittel u. greift fast alle Tiegelmaterialien an. Man verwendet es z. B. zur Schwefel-Bestimmung in schwerlösl. Sulfiden (z. B. Molybdänglanz, Pyrit, Bleiglanz, Arsenkies), zum Aufschluß von Chromeisenstein, Ferrochrom, Ferrosilicium. – ***E*** sodium peroxide – ***F*** peroxyde de sodium – ***I*** perossido di sodio – ***S*** peróxido de sodio

Lit.: Gmelin, Syst.-Nr. 21, Na, 1928, S. 240–247, Erg.-Bd. S. 379–384, 817–823 ▪ Hommel, Nr. 320 ▪ J. Org. Chem. **40**, 1187 (1975) ▪ Kirk-Othmer (3.) **17**, 2f. ▪ Synthesis **1976**, 807f. ▪ Ullmann (5.) **A 19**, 179–182 ▪ Winnacker-Küchler (4.) **2**, 593ff. – *[HS 2836 99; CAS 1313-60-6; G 5.1]*

Natriumperoxoborat s. Natriumperborat.

Natriumperoxodisulfat (Handelsbez. auch Natriumpersulfat). $NaO_3S–O–O–SO_3Na$, M_R 238,11. Weiße, wasserlösl., auf Haut u. Schleimhäute reizend u. ätzend wirkende Krist., die sich in Ggw. von Feuchtigkeit u. oxidierbaren Stoffen ggf. selbst entzünden können. Die wäss. Lsg. zersetzt sich beim Erwärmen:

$$2Na_2S_2O_8 + 2H_2O \rightarrow 4NaHSO_4 + O_2.$$

In Ag^+-haltiger, saurer Lsg. oxidiert N. Mn^{2+} zu Permanganat u. Cr^{3+} zu Dichromat. N. wird durch Umsetzen von *Ammoniumpersulfat mit Natronlauge od. Natriumcarbonat-Lsg. hergestellt.
Verw.: Zum Oxidieren bei Küpenfärbungen, Entschlichten, Bleichen, Aufschließen von Stärke, als Katalysator für die Emulsionspolymerisation, zum Ätzen von gedruckten Schaltungen, in photograph. Fixierbädern usw. – ***E*** sodium peroxodisulfate – ***F*** peroxodisulfate de sodium – ***I*** perossodisolfato di sodio – ***S*** peroxodisulfato de sodio

Lit.: Gmelin, Syst.-Nr. 21, Na, 1928, S. 592ff., Erg.-Bd. S. 385, 1161 ▪ Hommel, Nr. 896 ▪ Ullmann (5.) **A 19**, 192 ▪ Winnacker-Küchler (4.) **2**, 589, 591. – *[HS 2833 40; CAS 7775-27-1]*

Natriumpersulfat s. Natriumperoxodisulfat.

Natriumphenolat s. Phenolate.

Natriumphosphate. Summar. Bez. für die Natriumsalze der verschiedenen *Phosphorsäuren, bei denen man **Metaphosphorsäuren* u. **Polyphosphorsäure* $(HPO_3)_n$ von *Orthophosphorsäure* H_3PO_4 unterscheiden kann.
Natriumorthophosphate: *a) Prim. N., Natriumdihydrogenphosphat*, NaH_2PO_4, M_R 119,98, Dihydrat (D. 1,91, Schmp. 60 °C) u. Monohydrat (D. 2,04) sind weiße, in Wasser sehr leicht lösl. Pulver, verlieren beim Erhitzen das Kristallwasser u. gehen bei 200 °C in das schwach saure Diphosphat (*Dinatriumdihydrogendiphosphat*, $Na_2H_2P_2O_7$), bei höherer Temp. in Natriumtrimetaphosphat ($Na_3P_3O_9$) u. Maddrellsches Salz (s. unten) über. NaH_2PO_4 reagiert sauer; es entsteht, wenn Phosphorsäure mit Natronlauge auf einen pH-Wert von 4,5 eingestellt u. die Mischung versprüht wird. Es wird als lösl. Säure, Puffersubstanz, zur Wasserenthärtung, als Zusatz zu galvan. Bädern, Futterkalken, sauren Reinigungsmitteln usw. verwendet.
b) *Sek. N., Dinatriumhydrogenphosphat*, Na_2HPO_4, M_R 141,96, farblose, sehr leicht wasserlösl. Krist., existiert wasserfrei u. mit 2 Mol. (D. 2,066, Wasserverlust bei 95 °C), 7 Mol. (D. 1,68, Schmp. 48 °C unter Verlust von $5H_2O$) u. 12 Mol. Wasser pro Formeleinheit (D. 1,52, Schmp. 35 °C unter Verlust von $5H_2O$), wird bei 100 °C wasserfrei u. geht bei stärkerem Erhitzen in das Diphosphat $Na_4P_2O_7$ (s. unten) über.
Herst.: Durch Neutralisation von Phosphorsäure mit Sodalsg. unter Verw. von Phenolphthalein als Indikator. Die 1%ige Lsg. hat den pH-Wert 9,2.
Verw.: In der analyt. Chemie als Reagenz (in der Chemie versteht man unter „Natriumphosphat" gewöhn-

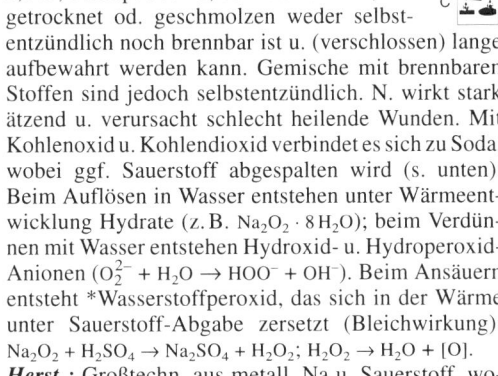

lich Na_2HPO_4), in der Textil-Ind., für Glasuren, zur Ledergerbung, als Futterkalkzusatz, als Käseschmelzsalz, zur Herst. anderer Phosphate, zum Fixieren in der Färberei, zum Diazotieren ohne Eis, zur Erhöhung des pH-Wertes von Peroxid-Bleichbädern, als Zusatz zu Entwicklern u. dgl.

c) *Tert. N., Trinatriumphosphat*, Na_3PO_4, M_R 163,94, farblose Krist., existiert als Dodecahydrat (D. 1,62, Schmp. 73–76 °C unter Zers.), als Decahydrat (entsprechend 19–20% P_2O_5, Schmp. 100 °C) u. in wasserfreier Form (entsprechend 39–40% P_2O_5, D. 2,536); in Wasser unter stark alkal. Reaktion leicht löslich.

Herst.: Durch Eindampfen einer Lsg. aus genau 1 Mol Dinatriumphosphat u. 1 Mol NaOH.

Verw.: Zur Enthärtung des Kesselspeisewassers, zum Phosphatieren, als Bestandteil von Seifenpulvern u. Toilettenseifen (etwa bis 5%), Abbeizmitteln u. Geschirrspülmitteln (hier emulgiert u. verseift die stark alkal. Lsg. Fette u. Öle), als Puffer, in der Metallreinigung, Papierfabrikation usw. Das sog. chlorierte Trinatriumphosphat (ungefähre Zusammensetzung $4\,Na_3PO_4 \cdot 44\,H_2O \cdot NaOCl$) wird als desinfizierendes, desodorierendes u. bleichendes Reinigungsmittel verwendet.

Natriumisopolyphosphate: a) *Tetranatriumdiphosphat (Natriumpyrophosphat)*, $Na_4P_2O_7$, M_R 265,90; in wasserfreier Form (D. 2,534, Schmp. 988 °C, auch 880 °C angegeben) u. als Decahydrat (D. 1,815–1,836, Schmp. 94 °C unter Wasserverlust) farblose, in Wasser mit alkal. Reaktion lösl. Kristalle. $Na_4P_2O_7$ entsteht beim Erhitzen von Dinatriumphosphat auf >200 °C od. aus Phosphorsäure u. Soda im stöchiometr. Verhältnis:

$$2\,H_3PO_4 + 2\,Na_2CO_3 \rightarrow Na_4P_2O_7 + 2\,CO_2 + 3\,H_2O.$$

Die so erhaltene Lsg. wird durch Versprühen entwässert. Wasserfreies $Na_4P_2O_7$ existiert in fünf verschiedenen Modif. (I – V) mit Umwandlungstemp. von 400 °C (V ⇌ IV), 510 °C (IV ⇌ III), 520 °C (III ⇌ II) u. 545 °C (II ⇌ I). Das Decahydrat $Na_4P_2O_7 \cdot 10\,H_2O$ komplexiert Schwermetall-Salze u. Härtebildner u. verringert daher die *Härte des Wassers.

Verw.: In Wasch- u. Geschirrspülmitteln (emulgiert Fette u. Öle), in Metallentfettungsmitteln (kombiniert mit Fettalkoholsulfaten), Badesalzen, Detachiermitteln, zum Stabilisieren von Natriumdithionit, in der Färbereitechnik, Papier-Ind., Schleiferei, in Backpulvern, zur Käse- u. Speiseeiszubereitung, in sodafreien Waschmitteln als Sauerstoff-Stabilisator, in der Farbfilmbehandlung.

b) Das techn. wichtige *Pentanatriumtriphosphat* (Natriumtripolyphosphat), $Na_5P_3O_{10}$, M_R 367,86, existiert in zwei wasserfreien Modif. (Phasen I u. II), die das $[O_3P\text{–}O\text{–}PO_2\text{–}O\text{–}PO_3]^{5-}$-Ion enthalten, sowie als Hexahydrat. Es wird aus $2\,Na_2HPO_4$ u. NaH_2PO_4 durch Erhitzen od. durch kontrolliertes Abkühlen einer Schmelze der Zusammensetzung $5\,Na_2O \cdot 3\,P_2O_5$ hergestellt. Phase II ist der erwünschte Builder (s. unten) für Waschmittel, da diese sich im Gegensatz zu Phase I leicht u. ohne Verbacken in Wasser löst. In 100 g Wasser lösen sich bei Zimmertemp. etwa 17 g, bei 60 °C ca. 20 g, bei 100 °C rund 32 g des kristallwasserfreien Salzes; nach zweistündigem Erhitzen der Lsg. auf 100 °C entstehen durch Hydrolyse etwa 8% Orthophosphat u. 15% Diphosphat.

Herst.: Phosphorsäure wird mit Soda- od. Natronlauge im stöchiometr. Verhältnis zur Reaktion gebracht u. die Lsg. durch Versprühen entwässert:

$$6\,H_3PO_4 + 5\,Na_2CO_3 \rightarrow 2\,Na_5P_3O_{10} + 5\,CO_2 + 9\,H_2O.$$

Verw.: Ähnlich wie Grahamsches Salz u. Natriumdiphosphat löst Pentanatriumtriphosphat viele unlösl. Metall-Verb. (auch Kalkseifen u. dgl.):

$$Na_5P_3O_{10} + CaC_2O_4 \rightarrow Na_3CaP_3O_{10} + Na_2C_2O_4;$$

es wird daher Waschmitteln (hier bezeichnet man seine Funktion als die eines *Builders*), Kosmetika, Wasserenthärtungsmitteln u. dgl. beigemischt; des weiteren wird es bei Tiefbohrungen, der Kaolinreinigung u. Zementbereitung verwendet. Da Pentanatriumtriphosphat (als einer von vielen anderen Faktoren) zur *Eutrophierung stehender od. langsam fließender Oberflächengewässer beiträgt, wurde seine Verw. in Waschmitteln in etlichen Ländern, z. B. USA, Kanada, Italien, Schweden, Norwegen, durch gesetzliche Vorschriften beträchtlich reduziert u. in der Schweiz gänzlich untersagt. In der BRD dürfen Waschmittel seit 1984 (2. Stufe der Phosphat-Höchstmengen-VO vom 04. 06. 80) höchstens noch 20% dieses Builders enthalten. Als *Phosphat-Ersatz- od. -austauschstoffe* bieten sich *NTA u. v. a. *Natriumaluminiumsilicate an (s. a. Waschmittel). Seit Anfang der 70er Jahre ging der Verbrauch von Natriumtripolyphosphat in den Industrieländern deutlich zurück (in Nordamerika von 825 000 t in 1984 auf 555 000 t in 1987 u. in Westeuropa von 1 000 000 auf 725 000 t), dagegen stieg er in den Regionen mit zunehmendem Konsum von Wasch- u. Reinigungsmitteln entsprechend an, so daß der weltweite Verbrauch seither um etwa 2,6 Mio. t stagniert.

c) Durch Kondensation des NaH_2PO_4 entstehen höhermol. N., bei denen man cycl. Vertreter, die *Natriummetaphosphate* (vgl. Metaphosphate) u. kettenförmige Typen, die *Natriumpolyphosphate*, unterscheiden kann. Insbes. für letztere sind eine Vielzahl von Bez. in Gebrauch: Schmelz- od. Glühphosphate, Grahamsches Salz (wasserlösl. Glas der ungefähren Zusammensetzung $Na_2O \cdot P_5O_5$; die gelegentlich gebrauchte Bez. *Natriumhexametaphosphat* beruht auf einem Irrtum), Kurrolsches u. Maddrellsches Salz. Alle höheren N. werden gemeinsam als *kondensierte Phosphate bezeichnet, s. dort u. vgl. Polyphosphate.

– ***E*** sodium phosphates – ***F*** phosphates de sodium – ***I*** fosfati di sodio – ***S*** fosfatos de sodio

Lit.: Brauer (3.) **1**, 532–538 ▪ Chem. Ind. (Düsseldorf) **35**, 733 ff. (1983) ▪ Corbridge, Phosphorus (5.), S. 170–305, Amsterdam: Elsevier, 1995 ▪ DAB **10** ▪ Gmelin, Syst.-Nr. 21, Na, 1928, S. 893–924, Erg.-Bd. 1964–1967, S. 341 ff., 1629 ff. ▪ Kirk-Othmer (4.) **18**, 685 ff. ▪ Phosphorus Potassium **159**, 16 ff. (1989) ▪ Tenside Deterg. **20**, 285–288 (1983) ▪ Ullmann (5.) **A 8**, 350–419 ▪ Winnacker-Küchler (4.) **2**, 238–247, 250 ▪ s. a. Kondensierte Phosphate, Metaphosphate, Polyphosphate u. Phosphate. – *[HS 2844 40; CAS 7558-80-7 (NaH_2PO_4); 7558-79-4 (Na_2HPO_4); 7601-54-9 (Na_3PO_4); 7722-88-5 ($Na_4P_2O_7$); 7758-29-4 ($Na_5P_3O_{10}$); 7782-85-6 ($Na_2HPO_4 \cdot 7\,H_2O$); 10049-21-5 ($NaH_2PO_4 \cdot H_2O$); 10101-89-0 ($Na_3PO_4 \cdot 12\,H_2O$); 13472-36-1 ($Na_4P_2O_7 \cdot 10\,H_2O$)]*

Natriumphosphinat (Natriumhypophosphit). $NaH_2PO_2 \cdot H_2O$, M_R 87,98. Farblose zer-

Xi

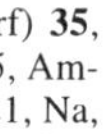

fließliche monokline Krist., lösl. in Wasser u. Alkohol, die als *Thieles Reagenz zum Se-Nachw., früher in Tonika, bes. aber für die stromlose Abscheidung von Phosphor-haltigen Nickelschichten auf Metallen od. Kunststoffen u. anderen nichtleitenden Materialien Verw. finden. – ***E*** sodium phosphinate – ***F*** phosphinate de sodium – ***I*** fosfinato di sodio – ***S*** fosfinato de sodio

Lit.: Chem. Tech. (Leipzig) **34**, 142 ff., 192–195 (1982) ▪ DAB **10** ▪ Gmelin, Syst.-Nr. 21, Na, 1928, S. 888 f., Erg.-Bd. S. 1542 ▪ Winnacker-Küchler (4.) **2**, 255. – *[HS 2835 10; CAS 7681-53-0 (wasserfrei); 123333-67-5 (Hydrat)]*

Natriumpicosulfat.

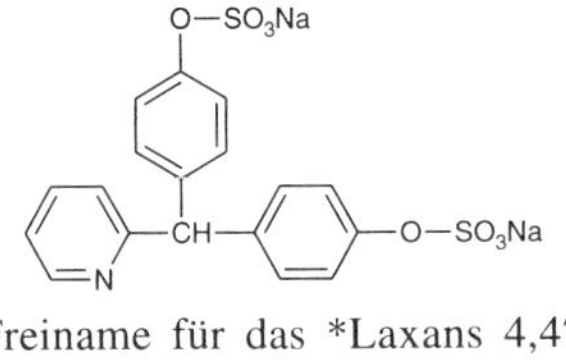

Internat. Freiname für das *Laxans 4,4′-(2-Pyridylmethylen)diphenol-*O,O′*-bis(sulfat)-Dinatriumsalz, $C_{18}H_{13}NNa_2O_8S_2$, M_R 481,40, Schmp. 272–275 °C (Zers.); λ_{max} (H_2O) 218, 262 nm ($A^{1\%}_{1cm}$ 424, 126). N. wurde 1968, 1970 u. 1971 von De Angeli u. 1970 von Thomae (Dulcolax NP®) patentiert, 1974 von Dieckmann (Laxoberal®, heute Boehringer Ingelheim) ausgeboten u. ist als Generikum im Handel. – ***E*** sodium picosulfate – ***F*** picosulfate de sodium – ***I*** picosolfato di sodio – ***S*** picolsulfato de sodio

Lit.: ASP ▪ Beilstein E V **21/5**, 416 ▪ Hager (5.) **8**, 1118 f. ▪ Martindale (31.), S. 1241 f. ▪ Ph. Eur. **1997** u. Komm. – *[HS 2933 39; CAS 10040-45-6]*

Natriumpolyphosphate s. kondensierte Phosphate, Natriumphosphate u. Polyphosphate.

Natriumpolysulfid s. Natriumsulfide.

Natriumpropionat. $H_3C–CH_2–COONa$, $C_3H_5NaO_2$, M_R 96,06. Durchsichtige, hygroskop. Krist. od. Körner, wasserlösl., WGK 1, Schmp. 281–284 °C.

Verw.: Als Fungizid; war in der BRD von 1988 bis 1995 als Lebensmittelzusatzstoff (E 281) nicht mehr zugelassen, über die EU-Gesetzgebung wurde N. jedoch für Schnittbrot wieder zugelassen, s. a. Propionsäure. – ***E*** sodium propionate – ***F*** propionate de sodium – ***I*** propionato di sodio – ***S*** propionato de sodio

Lit.: Beilstein E IV **2**, 701 ▪ Lück u. Jager, Chemische Lebensmittelkonservierung, S. 151–157, Berlin: Springer 1995 ▪ Merck-Index (12.), Nr. 8816 ▪ Ullmann (4.) **19**, 457. – *[HS 2915 50; CAS 137-40-6]*

Natrium-Pumpe s. Natrium-Kalium-ATPase.

Natriumpyrophosphat s. Natriumphosphate.

Natriumpyrosulfat s. Natriumhydrogensulfat.

Natriumpyrosulfit s. Natriumdisulfit.

Natriumrhodanid s. Natriumthiocyanat.

Natriumrhodizonat s. Rhodizonsäure.

Natriumsalicylat.

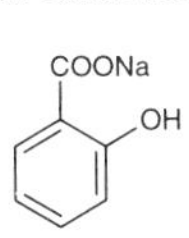

$C_7H_5NaO_3$, M_R 160,16. Weiße, in Wasser u. Alkohol lösl., geruchlose Krist., Schmp. 200 °C; LD_{50} (Ratte oral) 1200 mg/kg; WGK 1 (Selbsteinst.). N. wird als Analgetikum, Antipyretikum, Antirheumatikum, als Konservierungsmittel für Pasten, Leime, Häute u. dgl. verwendet. – ***E*** sodium salicylate – ***F*** salicylate de sodium – ***I*** salicilato di sodio – ***S*** salicilato de sodio

Lit.: Beilstein E IV **10**, 127 f. ▪ Merck-Index (12.), Nr. 8819 ▪ Ullmann (4.) **20**, 301; (5.) **A 23**, 480. – *[HS 2918 21; CAS 54-21-7]*

Natriumselenit. Na_2SeO_3, M_R 172,94. Weiße hygroskop. Krist., lösl. in Wasser. Das unter Bildung von rotem Selen leicht reduzierbare N. wird zur Rotfärbung von Glas u. Porzellan sowie in der Bakteriologie, als Alkaloid-Reagenz, Bestandteil von Spezialfixierbädern, zur Prüfung der Keimfähigkeit von Saatgut u. gegen Selen-Mangel-Erscheinungen (sog. Keshan-Krankheit) verwendet. Eingebettet in ein Styrol-Butadien-Copolymer dient N. als Se-Quelle in schwed. Seen, die mit Quecksilber belastet sind. Das langsam freigesetzte Se fällt Hg^{2+}-Ionen als HgSe u. schützt so den Fischbestand. – ***E*** sodium selenite – ***F*** sélénite de sodium – ***I*** selenito di sodio – ***S*** selenito de sodio

Lit.: Brauer (3.) **1**, 424 ▪ Gmelin, Syst.-Nr. 21, Na, 1928, S. 637 f. ▪ Science **268**, 73 (1977). – *[HS 2842 90; CAS 10102-18-8]*

Natriumsesquicarbonat s. Natriumhydrogencarbonat.

Natriumsilicate. Sammelbez. für die Natriumsalze der verschiedenen *Kieselsäuren. Man unterscheidet N., bei denen das Verhältnis $SiO_2/Na_2O \geq 2$ od. ≤ 1 ist. Zur letzteren Gruppe gehört das *Natriummetasilicat* (Na_2SiO_3), M_R 122,06, das wasserfrei (Schmp. 1089 °C) u. bes. in Form des Pentahydrats (Schmp. 72 °C) u. des Nonahydrats (Schmp. 48 °C) in den Handel gelangt: Weißes, krist., geruchfreies Salz, in Wasser lösl. mit alkal. Reaktion. Die Lsg. wirkt schmutz-, öl- u. fettemulgierend, netzend, säureabstumpfend, desinfizierend u. wasserenthärtend.

Herst.: Durch Zusammenschmelzen von SiO_2 u. Na_2CO_3 im entsprechenden Molverhältnis als glasartig erstarrendes Produkt, das beim Tempern unterhalb des Schmp. kristallisiert.

Verw.: In Waschmitteln, Bleichlaugen u. Reinigungsmitteln sowie zur Metallentfettung.

Durch Mischen von wasserfreiem Natriummetasilicat mit NaOH erhält man die sog. Sesqui- u. Orthosilicate (*Beisp.:* Na_4SiO_4, M_R 184,04, Schmp. 1018 °C), s. a. Silicate. Über die flüssigen Gläser mit höherem SiO_2/Na_2O-Verhältnis s. unter *Natronwasserglas* bei Wasserglas; Krist. von Natriumdisilicat ($Na_2O \cdot 2\,SiO_2$) treten u. a. bei der Entglasung von *Glas auf. – ***E*** sodium silicates – ***F*** silicates de sodium – ***I*** silicati di sodio – ***S*** silicatos de sodio

Lit.: Gmelin, Syst.-Nr. 21, Na, 1928, S. 871–878, Erg.-Bd. S. 334, 1466 ff. ▪ Kirk-Othmer (4.) **22**, 1 ff. ▪ Winnacker-Küchler (4.) **3**, 54–63 ▪ s. a. Wasserglas. – *[HS 2839 19; CAS 6834-92-0 (Na_2SiO_3); 1344-09-8 (Na_4SiO_4)]*

Natriumsilicofluorid s. Natriumhexafluorsilicat.

Natriumstearat. $H_3C–(CH_2)_{16}–COONa$, $C_{18}H_{35}NaO_2$, M_R 306,46. Weiße Blättchen, lösl. in Wasser u. Alkohol, Bestandteil von Suppositorien, harten Seifen, Kosmetika, wasserdichtmachenden Stoffen usw. – ***E*** sodium stearate – ***F*** stéarate de sodium – ***I*** stearato di sodio – ***S*** estearato de sodio

Lit.: Beilstein E IV **2**, 1211 ▪ Kosswig u. Stache, Die Tenside, München: Hanser 1993 ▪ Merck-Index (12.), Nr. 8827. – *[HS 2915 70; CAS 822-16-2]*

Natriumsuccinat. $NaOOC–CH_2–CH_2–COONa$, $C_4H_4Na_2O_4$, M_R 162,05. Als Hexahydrat, weiße Krist., luftbeständig, verliert das Kristallwasser bei 120 °C, lösl. in Wasser, unlösl. in Alkohol. N. wird zur Alkalisierung des Harns u. als Analeptikum bei Barbiturat-Vergiftungen verwendet. – ***E*** sodium succinate – ***F*** succinate de sodium – ***I*** succinato di sodio – ***S*** succinato de sodio

Lit.: Beilstein E IV **2**, 1911 ▪ Merck-Index (12.), Nr. 8828. – *[HS 2917 19; CAS 150-90-3]*

Natriumsulfat. Na_2SO_4, M_R 142,04. N. wurde schon 1650–1660 von *Glauber aus Natriumchlorid u. Schwefelsäure hergestellt; das Decahydrat ist deshalb allg. als *Glaubersalz* bekannt. Wasserfreies N. krist. rhomb.-bipyramidal, D. 2,664, Schmp. 884 °C; es löst sich in Wasser unter leichter Erwärmung (Hydratationswärme), das kristallwasserhaltige Salz dagegen unter starker Abkühlung. Je 100 g gesätt. wäss. Lsg. enthält an N. bei

0 °C	10 °C	20 °C	32,38 °C	35 °C	40 °C	50 °C	100 °C
4,5	8,24	16,1	33,2	33,1	32,5	31,8	29,9 g

Bei der Abkühlung der gesätt. Lsg. tritt leicht *Übersättigung auf. Die Lsg. reagieren neutral. Unterhalb 32,4 °C krist. aus wäss. Lsg. *Glaubersalz* aus: Große, farblose, monokline Prismen, D. 1,464, Schmp. 32,4 °C, die an der Luft langsam unter Kristallwasserverlust verwittern. Daneben ist auch ein Heptahydrat bekannt. Das „saure N.“ ist das *Natriumhydrogensulfat.

Vork.: N. findet sich in der Natur in vielen *Mineralwässern (Marienbad, Karlsbad, Franzensbad u. a. Glaubersalzquellen sowie in vielen *Bitterwässern), ferner als Minerale Thenardit, Mirabilit (natürliches Glaubersalz) u. in Form der Doppelsalze *Glauberit, *Astrakanit, *Glaserit, Löweit usw., z. B. in den USA u. in Kanada.

Herst.: Früher wurde N. hauptsächlich auf dem Wege

$$NaCl + H_2SO_4 \rightarrow NaHSO_4 + HCl$$

u. anschließend

$$NaHSO_4 + NaCl \rightarrow Na_2SO_4 + HCl$$

gewonnen, da es als Ausgangsmaterial bei der Herst. von Soda nach dem Leblanc-Verf. (s. Natriumcarbonat) benötigt wurde. Heute erhält man die überwiegende Menge des Na_2SO_4 als Nebenprodukt bei der Gewinnung von Kochsalz, Soda, Borax, Lithium- u. *Kalisalzen u. bei chem. u. metallurg. Prozessen zur Herst. von Natriumdichromat, Vitamin C, Viskosefasern. In einigen Ländern, z. B. Mexiko, Spanien, GUS, USA, Kanada, gewinnt man natürliches N. aus Mineralen (s. o.) u. Salzseen. Die Überführung von Glaubersalz in wasserfreies Na_2SO_4 erfolgt in Sprühtrocknern od. Eindampfkristallisatoren. Die Weltproduktion belief sich 1987 auf 4,5 Mio. t, davon entfielen etwa 50% auf N. aus natürlichen N.-Vorkommen. Der Verbrauch ist rückläufig u. fiel in den USA von 890 000 t 1988 auf 610 000 t 1994.

Verw.: Zur Herst. von Waschmitteln (v. a. in der BRD), Papier- u. Zellstoffgewinnung (bes. in USA u. Kanada, mit allerdings rückläufigem Verbrauch wegen Recycling), in der Glas-Ind. (wo N. in gewissem Umfang Soda ersetzen kann). Ferner wird N. verwendet in der Färberei u. Galvanotechnik, zur Tierfutterherst., zur Herst. von Ultramarin, Natriumsulfid u. anderer Chemikalien. Glaubersalz kann als Wärmespeichermedium dienen. Offizinelles Glaubersalz u. *Karlsbader Salz sind Abführmittel, u. im Laboratorium benutzt man pulvriges wasserfreies („geglühtes“) N. als *Trockenmittel für Lösemittel. – ***E*** sodium sulfate – ***F*** sulfate de sodium – ***I*** solfato di sodio – ***S*** sulfato de sodio

Lit.: Braun-Dönhardt, S. 265 ▪ Büchner et al., S. 223–226 ▪ DAB **10** ▪ Gmelin, Syst.-Nr. 21, Na, 1928, S. 535–582, Erg.-Bd. S. 213–246, 1091–1106 ▪ Kirk-Othmer (4.) **22**, 403–411 ▪ Lindner u. Scheunemann, Die Entwicklung eines dynamischen Glaubersalz-Latentwärmespeichers bis zur Serienreife (FB 81–32), Köln-Porz: DFVLR 1981 ▪ Minerals Yearbook 1987, Vol. 1, S. 795–802, Washington: Bureau of Mines 1989 ▪ Ramdohr-Strunz, S. 611 ▪ Ullmann (5.) **A 24**, 355–368 ▪ Winnacker-Küchler (4.) **2**, 76–80. – *[HS 2833 11; CAS 7757-82-6 (Na_2SO_4); 7727-73-3 ($Na_2SO_4 \cdot 10H_2O$)]*

Natriumsulfhydrat s. Natriumhydrogensulfid.

Natriumsulfide. *Natriummonosulfid* (Dinatriumsulfid, „Schwefelnatrium“). Na_2S, M_R 78,04, in wasserfreier Form selbstentzündliche, ätzende, farblose u. hygroskop. Krist., D. 1,856, Schmp. 1180 °C. Unterhalb 48,9 °C krist. N. als Nonahydrat aus; zerfließliche haut- u. augenätzende, farblose od. durch Polysulfid-Spuren schwach gelblich gefärbte Prismen, D. 1,427, Schmp. ca. 50 °C, lösl. in Wasser mit alkal. Reaktion (Hydrolyse) u. in Alkohol, an feuchter, Kohlensäure-haltiger Luft Zers. unter H_2S-Entwicklung:

C

$$Na_2S + H_2O + CO_2 \rightarrow Na_2CO_3 + H_2S,$$

in Lsg. allmählich Bildung von Thiosulfat u. Natronlauge:

$$2\,Na_2S + 2\,O_2 + H_2O \rightarrow Na_2S_2O_3 + 2\,NaOH.$$

Herst.: Durch Red. von Natriumsulfat mit Kohle bei höherer Temp. ($Na_2SO_4 + 2C \rightarrow Na_2S + 2CO_2$), mit H_2 in Ggw. von Eisenoxid als Katalysator od. durch Red. von Polysulfid mit Natriumamalgam (im Zusammenhang mit der *Chloralkali-Elektrolyse).

Verw.: In der Gerberei als Enthaarungsmittel, in der Kunstseiden-Ind. zum Entschwefeln, zum Holzaufschluß, zur Herst. von Schwefel-Farbstoffen u. organ. Sulfiden, in der Photographie u. Lithographie, zur Red. von Nitro-Verb., zum Färben von Glas, zur Entfernung von NO_x aus Abgasen, in der chem. Analyse u. in zunehmendem Maß auch in der Abwasserbehandlung zur Fällung von Schwermetall-Ionen, im Bergbau zur Erzaufbereitung.

Natriumpolysulfide, Na_2S_x: Als Natrium-Derivate der *Sulfane aufzufassende, durch Auflösung von Schwefel in gelöstem od. geschmolzenem Natriumsulfid entstehende gelbe bis braunrote Produkte. In krist. Form sind Dinatriumdisulfid ($Na_2S_2 \cdot 5H_2O$, M_R 110,10), -trisulfid ($Na_2S_3 \cdot 3H_2O$, M_R 196,223), -tetrasulfid ($Na_2S_4 \cdot 8H_2O$, M_R 174,22) u. -pentasulfid ($Na_2S_5 \cdot 8H_2O$, M_R 206,28) bekannt. Die *Polysulfide finden (meistens in Form von Lsg.) bei der Herst. von Schwefel-Farbstoffen, Flotationsmitteln, Metallfärbungsmitteln, Additiven, Insektiziden, in der Gerberei- u. in der Kautschuk-Ind. Verwendung. – ***E*** sodium sulfides – ***F*** sulfures de sodium – ***I*** solfuri di sodio – ***S*** sulfuros de sodio

Lit.: Brauer (3.) **1**, 362–378 ▪ Braun-Dönhardt, S. 356 ▪ Gmelin, Syst.-Nr. 21, Na, 1928, S. 466–484, Erg.-Bd. S. 185–202, 1049–1068 ▪ Hommel, Nr. 182 ▪ Kirk-Othmer (4.) **22**, 411–419 ▪ Miner, Metall, Process **3**, 158–163 (1986) ▪ Ullmann (5.) **A 25**, 443 ff. ▪ Winnacker-Küchler (4.) **2**, 83 f ▪ s. a. Polysulfide (1.). – *[HS 2830 10; CAS 1313-82-2 (Na_2S); 1313-84-4 ($Na_2S \cdot 9H_2O$); 1344-08-7 (Na_2S_x)]*

Natriumsulfit. Na_2SO_3, M_R 126,04. Wasserfreies N. (D. 2,633) zersetzt sich bei Rotglut. Das Heptahydrat, M_R 252,15, bildet farblose, leicht verwitternde, haut- u. schleimhautreizende, geruchlose Krist., D. 1,539, verliert sein Kristallwasser bei ca. 150 °C, in Wasser gut lösl. mit alkal. Reaktion (Hydrolyse), mit Säuren Bildung von Schwefeldioxid.
Herst.: Durch Umsetzen von Natriumhydrogensulfit-Lsg. mit Natronlauge od. Sodalsg., ferner als Nebenprodukt bei der Herst. von Naphtholen u. Phenolen aus Naphthalin- u. Benzolsulfonsäuren.
Verw.: In photograph. Entwicklern, zum Korrosionsschutz im Wasser, als Bleichmittel, zur Entfernung von Chlor, zum Aufschließen von Zellstoff, Stroh u. Holz, als Fällbäderzusatz, zur Entschwefelung der Faser, im Textildruck als Red.-Mittel, zum Sulfitieren von Gerbstoffextrakten, als Konservierungsmittel bei pflanzlichen Lebensmitteln, Getränken u. Wein (E 221). – ***E*** sodium sulfite – ***F*** sulfite de sodium – ***I*** solfito di sodio – ***S*** sulfito de sodio

Lit.: DAB **10** ▪ Gmelin, Syst.-Nr. 21, Na, 1928, S. 515–526, Erg.-Bd. S. 205–208, 1079–1083 ▪ Kirk-Othmer (3.) **22**, 149–151 ▪ Lück u. Jager, Chemische Lebensmittelkonservierung, Berlin: Springer 1995 ▪ Ullmann (5.) **A 25**, 479 ▪ Winnacker-Küchler (4.) **2**, 80 f. – *[HS 2832 10; CAS 7757-83-7]*

Natriumsuperoxid s. Natriumperoxid.

Natriumtartrat.

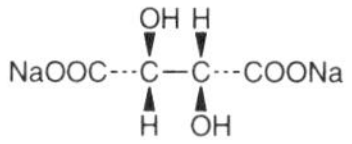

$C_4H_4Na_2O_6 \cdot 2\,H_2O$, M_R 194,05. Natürliche (*R,R*)-Form: Farblose, rhomb., wasserlösl., feuchtigkeitsbeständige Krist., D. 1,818, Schmp. 150 °C, $[\alpha]_D^{20}$ +26° (c 1/H_2O).
Verw.: Zur Einstellung des Karl-Fischer-Reagenz, als Maskierungsreagenz, zugelassen als Lebensmittelzusatzstoff (Säureregulator, E 335). – ***E*** sodium tartrate – ***F*** tartrate de sodium – ***I*** tartrato di sodio – ***S*** tartrato de sodio

Lit.: Beilstein E IV **3**, 1222 ▪ Gmelin, Syst.-Nr. **21**, Na, 1928, S. 850–854, Erg.-Bd. S. 1448–1452 ▪ Hunnius, Pharmazeutisches Wörterbuch, S. 718, Berlin: de Gruyter 1986 ▪ Liste der zugelassenen Lebensmittelzusatzstoffe (Fundstellenliste) vom 15. Januar 1985, Bundesanzeiger Nr. 43 A vom 2. 3. 85 ▪ Merck-Index (12.), Nr. 8833. – *[HS 2918 13; CAS 868-18-8 ((R,R)-N.); 6106-24-7 ((R,R)-N. × 2 H_2O)]*

Natriumtetrafluoroborat (Natriumfluoborat). $Na[BF_4]$, M_R 109,79. Farblose, giftige, durchsichtige Prismen, D. 2,47, Schmp. 384 °C, in Wasser sehr gut lösl., die durch Umsetzung von NaF mit Bortrifluorid hergestellt u. in der Leichtmetallgießerei als Formsandzusatz, in Löt- u. Schweißmitteln als Oxidlöser u. als Fluorierungsmittel verwendet werden. – ***E*** sodium tetrafluoroborate – ***F*** tétrafluoroborate de sodium – ***I*** tetrafluoroborato di sodio – ***S*** tetrafluoroborato de sodio

Lit.: Brauer (3.) **1**, 236 ▪ Gmelin, Syst.-Nr. 21, Na, 1928, S. 681, Erg.-Bd. S. 1305–1307 ▪ Kirk-Othmer (4.) **11**, 309 ff. – *[HS 2826 90; CAS 13755-29-8]*

Natriumtetrahydr(id)oborat s. Natriumborhydrid.

Natriumtetraphenylborat (Kalignost®). $[B(C_6H_5)_4]^-Na^+$, $C_{24}H_{20}BNa$, M_R 342,22. Farbloses, krist., wasser- u. acetonlösl. Reagenz auf K, Rb, Cs, NH_4 u. Alkaloide. – ***E*** sodium tetraphenylborate – ***F*** tétraphénylborate de sodium – ***I*** tetrafenilborato di sodio – ***S*** tetrafenilborato de sodio

Lit.: Beilstein E IV **16**, 1624 f. ▪ Merck-Index (12.), Nr. 8839 ▪ Ullmann (4.) **8**, 653. – *[HS 2931 00; CAS 143-66-8]*

Natrium(tetra)thioantimonat(V). $Na_3SbS_4 \cdot 9\,H_2O$, M_R 318,96. Hellgelbe Krist., D. 1,806, Schmp. 87 °C, Sdp. 234 °C (Zers.), in Wasser leicht löslich. Die nach dem Apotheker Carl Friedrich von Schlippe (1799–1874) als *Schlippesches Salz* benannte Verb. wird durch Zusammenschmelzen von Grauspießglanz, Natriumsulfid u. Schwefel hergestellt u. findet Verw. zur Herst. von Antimon(V)-sulfid, als Verstärker in der Photographie u. als Einkrist. in der Elektronik. – ***E*** sodium tetrathioantimonate(V) – ***F*** tétrathioantimoniate(V) de sodium – ***I*** (tetra)tioantimonato(V) di sodio – ***S*** tetratioantimoniato(V) de sodio

Lit.: Brauer (3.) **1**, 596 ▪ Ullmann (5.) **A 3**, 69 f. – *[CAS 13776-84-6 (Na_3SbS_4); 10101-91-4 ($Na_3SbS_4 \cdot 9H_2O$)]*

Natriumthiocyanat (Natriumrhodanid). NaSCN, M_R 81,07. Farblose, hautreizende, zerfließliche Rhomben, Schmp. 287 °C, lösl. in Wasser, Alkohol u. Aceton.
Herst.: Durch Umsetzung von Ammoniumthiocyanat mit Natronlauge.
Verw.: In der Medizin, Färberei, Photo-Ind., Textil-Ind. (Herst. von Polyacrylnitril-Fasern), Metallurgie (zur Extraktion u. Trennung von Zr, Hf, Th u. a. seltenen Metallen), Galvanotechnik, in der organ. Synth. usw. – ***E*** sodium thiocyanate – ***F*** thiocyanate de sodium – ***I*** tiocianato di sodio – ***S*** tiocianato de sodio

Lit.: Beilstein E IV **3**, 301 ▪ Gmelin, Syst.-Nr. 21, Na, 1928, S. 801–806, Erg.-Bd. S. 1387–1390 ▪ Kirk-Othmer (3.) **22**, 158 f. ▪ Ullmann (5.) **A 26**, 762 f. – *[HS 2838 00; CAS 540-72-7]*

Natriumthioglykolat (Mercaptoessigsäure-Natriumsalz). $HS–CH_2–COONa$, $C_2H_3NaO_2S$, M_R 114,09. Farblose, hygroskop. Krist., an der Luft u. bei Ggw. von Fe Verfärbung, leicht lösl. in Wasser, wenig lösl. in Alkohol. N. wird in Kaltwellpräparaten (vgl. Haarbehandlung, S. 1641), Depilatorien, Reagenzien, Zusatz zu Bakteriennährböden u. als Keratolytikum verwendet. – ***E*** sodium thioglycolate – ***F*** thioglycolate de sodium – ***I*** tioglicolato di sodio – ***S*** tioglicolato de sodio

Lit.: Merck-Index (12.), Nr. 8842 ▪ s. a. Thioglykolsäure. – *[HS 2930 90; CAS 367-51-1; G 6.1]*

Natriumthiosulfat (veralteter Name: Natriumhyposulfit, s. jedoch auch Natriumdithionit). Als Pentahydrat $Na_2S_2O_3 \cdot 5\,H_2O$, M_R 158,10, farblose, geruchfreie, salzig-bitter schmeckende Krist., D. 1,729, Schmp. 45–50 °C (verwittern ab 33 °C), die in reinstem Zustand luftbeständig, bei Anwesenheit von Verunreinigungen etwas hygroskop. sind. N. löst sich sehr leicht in Wasser mit schwach alkal. Reaktion. Beim Ansäuern (z. B. mit HCl) entsteht eine sich allmählich verstärkende, anfangs weiße, später gelbliche Trübung von ausgeschiedenem Schwefel; die Säure setzt zunächst *Thioschwefelsäure ($H_2S_2O_3$) frei, die sofort zerfällt:

$$Na_2S_2O_3 + 2\,HCl \rightarrow 2\,NaCl + H_2O + S + SO_2.$$

Elementares Chlor wird von N. leicht reduziert:

$$Na_2S_2O_3 + 4\,Cl_2 + 5\,H_2O \rightarrow 2\,NaHSO_4 + 8\,HCl.$$

Silberhalogenide lösen sich in N.-Lsg. auf:

$$2\,Na_2S_2O_3 + AgBr \rightarrow Na_3[Ag(S_2O_3)_2] + NaBr.$$

Stärkere N.-Lsg. bewirken bei manchen Pflanzen Keimhemmung od. Hemmung des Wurzelwachstums. ***Herst.:*** Aus Natriumsulfit mit Natriumdisulfid od. durch Erhitzen von Natriumsulfit-Lsg. mit fein verteiltem Schwefel unter Druck ($Na_2SO_3 + S \rightarrow Na_2S_2O_3$), früher als Nebenprodukt bei der Fabrikation von Schwefel-Farbstoffen.
Verw.: Als *Fixiersalz* in der Photographie, zur Entfernung des Chlors aus gebleichten Geweben u. Papiermasse (*Antichlor*), in der Iodometrie zur Red. von I_2 zu $2\,I^-$ unter Bildung von Tetrathionat ($^-O_3S{-}S{-}S{-}SO_3^-$), in der Chromlederfabrikation, zur Extraktion von Silberchlorid aus Silbererzen, zur Herst. von galvan. Gold- u. Silberlsg., als Ätzmittel für Nichteisenmetalle, Bleichmittel für Stroh, Knochen, Elfenbein, Reagenz in der analyt. Chemie, als Gegenmittel bei Cyanid-Vergiftungen (Bildung von mindergiftigem Thiocyanat), zur Trinkwasseraufbereitung. – ***E*** sodium thiosulfate – ***F*** thiosulfate de sodium – ***I*** tiosolfato di sodio – ***S*** tiosulfato de sodio

Lit.: DAB **7**, 237f., 722f. ▪ Gmelin, Syst.-Nr. 21, Na, 1928, S. 602–623, Erg.-Bd. S. 247f., 1162–1168 ▪ Hommel, Nr. 318 ▪ Kirk-Othmer (3.) **22**, 978–983 ▪ Ullmann (5.) **A 25**, 479–481 ▪ Winnacker-Küchler (4.) **2**, 85. – *[HS 2832 30; CAS 7772-98-7 ($Na_2S_2O_3$); 10102-17-7 ($Na_2S_2O_3 \cdot 5H_2O$)]*

Natriumtimerfonat (Rp).

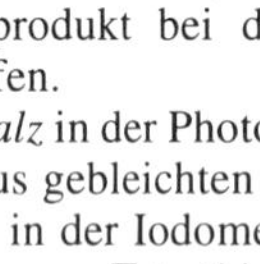

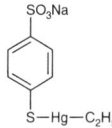

Internat. Freiname für das *Antiseptikum 4-(Ethylmercuriothio)benzolsulfonsäure-Natriumsalz, $C_8H_9HgNaO_3S_2$, M_R 440,85. – ***E*** thimerfonate sodium – ***F*** timerfonate de sodium – ***I*** sodio timerfonato – ***S*** timerfonato de sodio

Lit.: Beilstein EIII **11**, 517 ▪ Hager (4.) **7b**, 327f. – *[HS 2931 00; CAS 5964-24-9]*

Natriumtrichloracetat s. TCA-Na.

Natriumtrimetaphosphat s. Metaphosphate.

Natriumtripolyphosphat s. Natriumphosphate.

Natriumtrithiocarbonat s. Trithiokohlensäure.

Natriumvanadate. *Trinatriummonovanadat* (Natriumorthovanadat), $Na_3VO_4 \cdot 10\,H_2O$, M_R 183,91. Farblose Krist., Schmp. (wasserfrei) 866 °C, lösl. in Wasser, unlösl. in Alkohol. Herst. erfolgt durch Verschmelzen von V_2O_5 mit Na_2CO_3. Xn

Natriummonovanadat (Natriummetavanadat), $NaVO_3 \cdot 4\,H_2O$, M_R 121,93. Farblose Krist., Schmp. (wasserfrei) 630 °C, lösl. in heißem Wasser; Herst. aus NaOH u. V_2O_5 in wäss. Lösung.
Verw.: Beiz- u. Fixiermittel, in der Photographie als Tonungsmittel, zur Herst. von Spezialtinten u. dgl., zur Alkohol-Bestimmung in Körperflüssigkeiten. – ***E*** sodium vanadates – ***F*** vanadates de sodium – ***I*** vanadati di sodio – ***S*** vanadatos de sodio

Lit.: s. Vanadium. – *[HS 2841 90; CAS 13721-39-6 (Na_3VO_4); 13718-26-8 ($NaVO_3$)]*

Natriumwolframat. $Na_2WO_4 \cdot 2\,H_2O$, M_R 293,83. Farblose Krist., D. 3,23 (wasserfrei D. 4,179). Xn
Verw.: Als Flammschutz- u. Hydrophobiermittel, als chem. Reagenz auf Alkaloide, Blutzucker, Harnsäure, Plasmaproteine, zum Fixieren von Färbungen, in Keramik u. Photographie sowie zur Herst. von Wolframaten, *Natriumpolywolframat* zur Herst. von sog. *Schwerflüssigkeiten. – ***E*** sodium tungstate – ***F*** tungstate (bzw. wolframate) de sodium – ***I*** wolframato di sodio – ***S*** tungstato (bzw. volframato) de sodio

Lit.: Gmelin, Syst.-Nr. 54, W, 1933, S. 212–219 ▪ Kirk-Othmer (3.) **23**, 430. – *[HS 2841 80; CAS 13472-45-2 (Na_2WO_4); 10213-10-2 ($Na_2WO_4 \cdot 2H_2O$)]*

Natriumxanthate (Natriumxanthogenate). Bez. für Natriumsalze von *O*-Estern der Xanthogensäure (Dithiokohlensäure) mit der allg. Formel $R{-}O{-}CS{-}S^-\,Na^+$, wobei R ein Alkyl-Rest od. auch ein Cellulose-Rest wie z. B. bei der Viskose-Herst. (vgl. Cellulosexanthogenat) sein kann. Von den aus Alkoholen, Natronlauge u. Schwefelkohlenstoff entstehenden einfachen N. ist *Natriumethylxanthat* ($H_5C_2O{-}CS{-}SNa$, $C_3H_5NaOS_2$, M_R 144,18, gelbliches Pulver) am wichtigsten. Es wird als Sammler bei der *Flotation von sulfid. Erzen eingesetzt; vgl. a. Kaliumxanthate; eine Übersicht über techn. wichtige N. findet man in Ullmann (*Lit.*). – ***E*** sodium xanthates – ***F*** xanthates de sodium – ***I*** xant(ogen)ati di sodio – ***S*** xantatos de sodio

Lit.: Houben-Weyl **E 4**, 102f. ▪ Ullmann (5.) **A 28**, 423 ff. – *[CAS 140-90-9 (Natriumethylxanthat)]*

Natriuretika s. Saluretika.

Natriuretische Peptide. Familie von Peptid-*Hormonen mit Einfluß auf das Gefäß-Vol. sowie den Flüssigkeits- u. Elektrolyt-Haushalt des Körpers. Man kennt n. P. aus Herz-Vorhof (ANP, s. atrionatriuretischer Faktor), das ebenfalls aus dem Herz stammende BNP (Abk. von: *brain natriuretic peptide*, da ursprünglich aus Schweinehirn isoliert), das *C-Typ n. P.* (CNP, in verschiedenen Geweben vorkommend)[1], sowie *Urodilatin* (Niere)[2], die auf gemeinsame Rezeptoren wirken (ANP-A-, ANP-B- u. ANP-C-Rezeptoren), jedoch bevorzugt der B-Rezeptor das CNP. A- u. B-Rezeptoren sind an cGMP (s. Guanosinphosphate) als *second messenger gekoppelt, der C-Rezeptor dient möglicherweise der Entfernung der Peptide aus dem Blut. – ***E*** natriuretic peptides – ***F*** peptides natriurétiques – ***I*** peptidi sodiouretici – ***S*** péptidos natriuréticos

Lit.: [1] Peptides **17**, 1243–1251 (1997). [2] Clin. Exp. Pharmacol. Physiol. **24**, 374 ff. (1997).
allg.: J. Intern. Med. **235**, 507–576 (1994); **237**, 525f. (1995) ▪ Lancet **349**, 1307–1310 (1997) ▪ Zool. Sci. **12**, 141–149 (1995).

Natrolith. $Na_{16}[Al_{16}Si_{24}O_{80}] \cdot 16\,H_2O$ od. $Na_2[Al_2Si_3O_{10}] \cdot 2\,H_2O$, namengebendes Mineral für eine Gruppe von *Faser-*Zeolithen*, zu der u.a. noch *Mesolith* $Na_{16}Ca_{16}[Al_{48}Si_{72}O_{240}] \cdot 64\,H_2O$ bzw. $Na_2Ca_2[Al_6Si_9O_{30}] \cdot 8\,H_2O$ u. *Skolezit* $Ca_8[Al_{16}Si_{24}O_{80}] \cdot 24\,H_2O$ bzw. $Ca[Al_2Si_3O_{10}] \cdot 3\,H_2O$ gehören. Diese 3 Mineralien sind in ihrem Aussehen u. ihren Eigenschaften so ähnlich, daß zu ihrer Unterscheidung neben Röntgenbeugungsmeth. zusätzlich kristallopt. u. chem. Untersuchungen notwendig sind, s. *Lit.*[1].
Struktur, Modif.: Die Struktur von N.[2–5] enthält charakterist. Ketten von $[SiO_4]$- u. $[AlO_4]$-Tetraedern, die wie in der Abb. gezeigt miteinander verbunden sind.

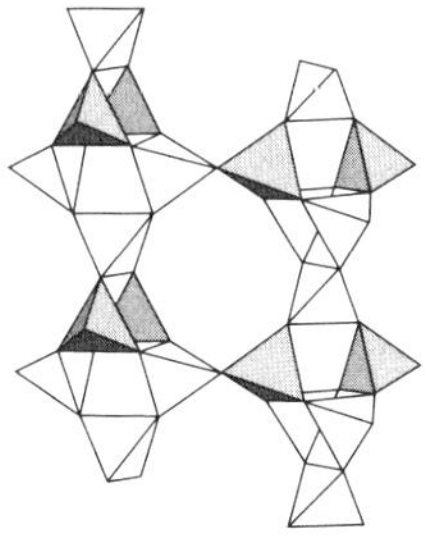

Abb.: Die Tetraeder-Ketten der Natrolith-Struktur; $[AlO_4]$-Tetraeder schraffiert; nach *Lit.*[2], S. 431.

Senkrecht zur Richtung der Fasern sind weite Kanäle vorhanden (s. Abb.), in die austauschbare Kationen wie Na^+, K^+, Ca^{2+} u. Wassermol. eingelagert werden können. N. krist. rhomb., Kristallklasse mm2-C_{2v}, mit meist geordneter Al-Si-Verteilung (Si/Al > 1,5) innerhalb der Tetraeder-Verbände. Ungeordnete Al-Si-Verteilungen weisen die hinsichtlich ihrer Unterscheidung kontrovers diskutierten[6–8] Minerale *Tetra-N.* (tetragonal), *Para-N.* $Na_2[Al_2Si_3O_{10}] \cdot 3\,H_2O$ (tetragonal, an Luft instabil, wandelt sich in Tetra-N. um) u. *Gonnardit* $Na_5Ca_2[Al_9Si_{11}O_{40}]$ (Si/Al<1,5) auf. Zur Kristallchemie von N., Mesolith u. Skolezit s. *Lit.*[9]. Beim Erhitzen wandelt sich N. bei 275 °C in *Meta-N.* $Na_2[Al_2Si_3O_{10}]$ um[10]. Zur Kristallstruktur von Li-ausgetauschtem N. s. *Lit.*[11], von NH_4-ausgetauschtem N. *Lit.*[12].
Eigenschaften: N. bildet nadelige bis faserige auch prismat., durchsichtige bis durchscheinende Krist., radialstrahlige Büschel, faserige u. kugelige Aggregate sowie dichte od. mehlige Massen. H. 5–5,5, D. 2,2–2,6; Glas- od. Seidenglanz; Farbe weiß, grau, gelb, rötlich, auch bräunlichgelb.
Vork.: Überwiegend in Hohlräumen *magmatischer Gesteine, bes. in *Phonolithen (z.B. Hohentwiel/Hegau, Kaiserstuhl) u. *Basalten (z.B. Vogelsberg/Hessen, Maroldsweisach/Bayern, Arensberg/Eifel. Tetra-N. u. Para-N. in *Nephelinsyeniten, z.B. Mt. St. Hilaire/Kanada, Lovozero-Massiv/Kola-Halbinsel/Rußland. Mesolith u. Skolezit in Hohlräumen von Basalten, z.B. Island, Indien u. Brasilien. – ***E = F = I*** natrolite – ***S*** natrolita

Lit.: [1]Lapis **21**, Nr. 6, 13–16 (1996). [2]Z. Kristallogr. **113**, 430–440 (1960). [3]Acta Crystallogr. Sect. C **40**, 1658–1662 (1984). [4]Zeolites **4**, 140–146 (1984). [5]Phys. Chem. Miner. **19**, 562–570 (1993); **21**, 309–316 (1994). [6]Mineral. Mag. **52**, 207–219 (1988). [7]Am. Mineral. **77**, 685–703 (1992). [8]Eur. J. Mineral. **7**, 501–508 (1995). [9]Neues Jahrb. Mineral., Abhandl., **143**, 231–248 (1982). [10]Neues Jahrb. Mineral., Monatsh. **1995**, Nr. 1, 26–38. [11]Eur. J. Mineral. **2**, 761–769 (1990). [12]Eur. J. Mineral. **4**, 1229–1240 (1992).
allg.: Anthony et al., Handbook of Mineralogy, Vol. II, Tl. 2, S. 571, Tucson (Arizona): Mineral Data Publishing 1995 ▪ Deer et al. (2.), S. 520–529 ▪ Gottardi u. Galli, Natural Zeolites, S. 35–56, Berlin: Springer 1985. – *[HS 2836 30; CAS 1318-95-2]*

Natron. Ursprünglich wohl von „neter“ (s. Natrium) über „Wadi Natrun“ (Sodasee in Ägypten) abgeleiteter Name für Soda (*Natriumcarbonat), später auch für *Natriumhydrogencarbonat. – ***E = F = I*** natron – ***S*** natrón

Natronbleichlauge s. Natriumhypochlorit, Eau de Labarraque u. Eau de Javelle.

Natroncellulose. Im techn. Fachjargon häufiger gebrauchte Bez. für *Alkalicellulose.

Natronfeldspat s. Feldspäte.

Natronglimmer s. Paragonit.

Natronkalk. Das Gemisch aus Ätznatron u. Ätzkalk $[NaOH + Ca(OH)_2]$ entsteht, wenn man gebrannten Kalk mit konz. Natronlauge löscht; es wird zur Absorption von Kohlendioxid u. zur Reinigung von NH_3 verwendet. – ***E*** soda lime – ***F*** chaux sodée – ***I*** calce sodata – ***S*** cal sodada – *[HS 3823 90; CAS 8006-28-8]*

Natronlauge. C Stark alkal. reagierende, ätzende Lsg. von *Natriumhydroxid in Wasser. Die Konz. kann man durch Bestimung der Dichte

Tab.: Beziehungen zwischen dem Gehalt einer Natronlauge, ihrer Dichte, den Baumé-Graden [°Bé], den Twaddell-Graden [°Tw] u. dem Verdünnungsvolumen. Letzteres gibt an, wievielе Vol.-Tl. Wasser man mit 1 Vol.-Tl. 50%iger NaOH mischen muß, um eine Lauge vom gewünschten Gehalt zu erhalten.

Natronlauge					
% NaOH	g NaOH/L	D.	°Bé	°Tw	Verdünnungs-Vol.
1	10,1	1,009	1,4	2,3	74,82
2	20,4	1,021	2,9	4,6	36,65
4	41,7	1,043	5,9	9,0	17,56
6	63,9	1,065	8,8	13,4	11,20
8	86,9	1,087	11,5	18,0	8,02
10	110,9	1,109	14,2	22,4	6,11
12	135,7	1,131	16,7	26,8	4,84
14	161,4	1,153	19,2	31,2	3,93
16	187,9	1,175	21,6	35,6	3,25
18	215,4	1,197	23,8	40,2	2,72
20	243,8	1,219	26,0	44,6	2,29
22	273,0	1,241	28,1	49,0	1,94
24	303,0	1,263	30,2	53,4	1,65
26	334,0	1,285	32,1	57,8	1,14
28	365,7	1,306	34,0	62,0	1,20
30	398,1	1,327	35,7	66,4	1,02
32	431,1	1,348	37,4	70,6	0,86
34	465,4	1,369	39,1	74,8	0,72
36	500,1	1,389	40,6	78,8	0,59
38	535,7	1,410	42,2	83,0	0,48
40	572,0	1,430	43,6	86,8	0,38
42	608,9	1,450	45,0	90,8	0,29
44	646,3	1,469	46,3	94,6	0,21
46	684,3	1,488	47,5	98,4	0,13
48	722,9	1,506	48,7	102,2	0,06
50	762,2	1,524	49,8	106,0	0,00

mit einem *Aräometer anhand von Umrechnungstab. ermitteln.
Früher wurde auch in Baumé-Graden u. Twaddell-Graden gemessen, weshalb diese Angaben hier beibehalten wurden. N., die längere Zeit an offener Luft steht, nimmt aus dieser Kohlendioxid auf u. geht dabei in Sodalsg. über: $2\,NaOH + CO_2 \rightarrow Na_2CO_3 + H_2O$. Daher sollen die Laugengefäße gut verschlossen bleiben. Im Laboratorium stellt man N. gewöhnlich durch Auflösen von Ätznatron (Näheres zur Herst., Chemie u. Verw. s. bei Natriumhydroxid) in Wasser her; hierbei tritt infolge der Bildung von *Hydraten starke Erwärmung auf. – ***E*** caustic soda solution, soda lye – ***F*** solution de soude caustique, lessive (de soude) caustique – ***I*** soluzione di soda caustica – ***S*** (solución de) sosa cáustica, lejía de sosa
Lit.: s. Natriumhydroxid, Aräometer. – *[HS 2815 12]*

Natronsalpeter s. Natriumnitrat.

Natronseifen s. Seifen.

Natronwasserglas s. Wasserglas.

Natronweinstein s. Kaliumnatrium-(*R*,*R*)-tartrat.

Natrosol®, Natrosol® Plus. Wasserlösl. Polymere auf der Basis von Hydroxymethylcellulose u. modifizierter Hydroxymethylcellulose. Anwendungsbereich: Farben-, Bau-, Papier-, Lebensmittel-Ind., Pharmazeut. Ind., Körperpflege u. Kosmetik-Ind., Polymerisation. ***B.:*** Hercules Aqualon.

Natsyn. Von engl.: *nat*ural *syn*thetic rubber = „Natur-Synthesekautschuk" abgeleitete Kurzbez. für durch koordinierende *Polymerisation unter Verw. von *Ziegler-Natta-Katalysatoren synthet. hergestelltes *cis*-1,4-*Polyisopren (Naturkautschuk). – ***E*** natsyn – ***I*** *cis*-1,4-poliisoprene – ***S*** natsyn
Lit.: Cowie, Chemie und Physik der synthetischen Polymeren, S. 164, Braunschweig-Wiesbaden: F. Vieweg Verlagsges. 1997 ▪ Elias (5.) **2**, 487.

Natta, Giulio (1903 – 1979), Prof. für Industrielle Chemie u. Polytechnik, Mailand. *Arbeitsgebiete:* Synth. von Kohlenwasserstoffen, Polypropylen, Kautschuk, Formaldehyd, Furfurol, Methanol u. viele andere stereospezif. Polymerisation von Olefinen u. Acetylen-Verb., asymmetr. Synth. opt. aktiver Polymere, Taktizität von Polymeren; Nobelpreis für Chemie 1963 zusammen mit K. *Ziegler.
Lit.: Adv. Catal. **29**, XIII f. (1980) ▪ Chem. Br. **17**, 298 ff. (1981) ▪ Lexikon der Naturwissenschaftler, S. 305 ▪ Neufeldt, S. 244, 368.

Natta-Projektion. Die Konfiguration eines Polymeren, d. h. die Sequenz der räumlichen Anordnungen der Substituenten an den (pseudo)asymmetr. Kohlenstoff-Atomen entlang der Polymer-Hauptkette kann mit Hilfe der N.-P. graph. eindeutig dargestellt werden. In dieser Darst. wird die Polymer-Hauptkette als in der Papierebene in *all-trans*-Konformation ausgebreitete Zickzack-Kette angenommen. Die zwei Substituenten eines jeden Kohlenstoff-Atoms befinden sich dann oberhalb u. unterhalb der Papierebene, was man durch keilförmige bzw. punktierte Striche andeutet (s. Abb.). Im Falle eines Poly(α-olefin)s befindet sich damit der Substituent R jedes (pseudo)asymmetr. Kohlenstoff-Atoms entweder oberhalb od. unterhalb der Papierebene. Ist die Lage zufällig, spricht man von atakt. Polymeren (I). Stehen die Substituenten R alle auf der gleichen Seite der Papierebene, so spricht man von isotakt. Polymeren (II), bei Alternanz von syndiotakt. Polymeren (III). Zu beachten ist, daß bei Polymerketten, die z. B. ausschließlich (pseudo)asymmetr. Atome enthalten (z. B. substituiertes Polymethylen IV), od. bei denen nur jedes dritte (pseudo)asymmetr. ist (z. B. Polyoxymethylen V), die isotakt. Kette diejenige ist, bei der die Substituenten in der N.-P. abwechselnd oberhalb u. unterhalb der Papierebenen stehen. Bei syndiotakt. Ketten sind hier die Gruppen R alle auf derselben Seite der Papierebene angeordnet. – ***E*** Natta projection – ***F*** projection de Natta – ***S*** proyección Natta
Lit.: Lechner, Gehrke u. Nordmeier, Makromolekulare Chemie, S. 21, Basel: Birkhäuser 1993.

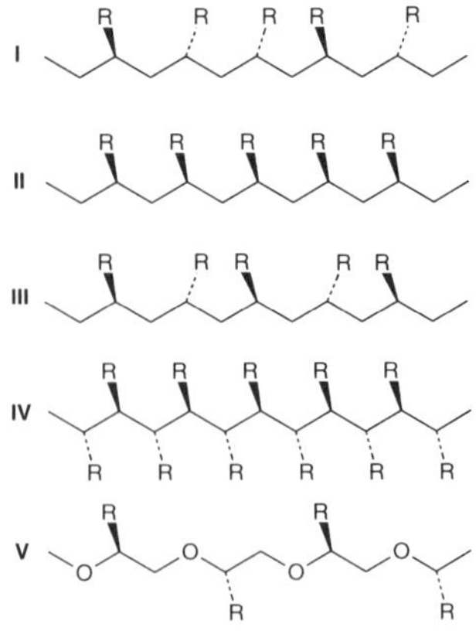

Abb.: Natta-Projektionen von atakt. (I), isotakt. (II) u. syndiotakt. Poly(α-olefin) (III) sowie von isotakt., substituiertem Polymethylen (IV) u. isotakt. Polypropylenoxid (V).

Nattermann. Kurzbez. für die 1906 gegr. Firma A. Nattermann & Cie. GmbH, 50792 Köln-Braunsfeld, Tochterunternehmen der *Rhône-Poulenc Rorer GmbH. *Produktion:* Arzneimittel, Pflanzenschutzmittel u. pharmazeut. Wirkstoffe.

Natto s. Sojabohnen.

Natürliche Harze (Naturharze). Sammelbez. für *Harze pflanzlicher od. tier. – von diesen hat alleine *Schellack techn. Bedeutung erlangt – Herkunft. Die pflanzlichen n. H., von denen die wichtigsten in eigenen Stichwörtern behandelt werden, basieren auf Ausscheidungen (*Exsudaten*) von speziellen Pflanzen, meist Bäumen, die nach natürlichen od. künstlich herbeigeführten (Anritzen der Rinde) Verletzungen als meist klebrige Massen ausfließen u. an der Luft infolge der Verdunstung flüchtiger Komponenten sowie von Polymerisations- u. Oxid.-Reaktionen erstarren.
Frisch gewonnene n. H. nennt man *rezente* Harze, aus geolog. Lagerstätten gewonnene, z. B. *Bernstein, *fossile* Harze. Letztere stammen aus dem Holz untergegangener prähistor. Wälder. Eine Mittelstellung zwischen den rezenten u. fossilen nehmen die *rezent-fossilen* n. H. ein, deren Alter einige Jahrzehnte bis Jahrtausende betragen kann.
Fossile u. *rezent-fossile* n. H. werden als Ablagerungen weltweit gefunden, z. B. *Kopale in Afrika, *Kau-

rikopal in Neuseeland od. *Bernstein im Ostseeraum. Zu ihnen gehören auch die harten asphalt. Bitumen (*Asphaltite*, s. Asphalte), die aufgrund ihrer chem. Konstitution als natürliche Kohlenwasserstoff-Harze betrachtet werden können u. im **Gilsonit* einen Vertreter mit großer prakt. Bedeutung haben.
Rezente n. H. sind u.a. *Acaroid*-Harze (gelbe od. rote Harze von austral. *Xanthorrhoea*-Arten; Verw. in Lack- u. Druckfarben od. Holzbeizen), *Benzoeharz, *Canadabalsam* (gewonnen aus Balsamkiefern; Verw. als opt. Zement u. Einbettungsmasse für mikroskop. Präp.), China- u. *Japanlack, *Dammarharz, *Drachenblut, *Elemi, *Labdanum, *Mastix, *Myrrhe, *Perubalsam, *Sandarak, *Styrax, *Tolubalsam, Venezianisches Terpentin (s. Lärche) u. *Kolophonium, das nach Art seiner Gewinnung in Balsamkolophonium, Wurzelharz (s. Holzterpentinöl) u. Tallharz (s. Tallöl) unterteilt wird.
Die Löslichkeit der n. H. verändert sich mit zunehmendem Alter als Folge der bei der Alterung ablaufenden Verharzungsprozesse. Sie werden nach ihren Löslichkeitseigenschaften auch in die Klassen öllösl. – z.B. Kopale u. Bernstein – bzw. alkohollösl. – u.a. Balsame u. Kiefernharze (Kolophonium, Dammar, Sandarak, Manilakopale u. Mastix) – n. H. eingeteilt.
Die n. H. sind flüssige od. feste, amorphe u. nicht kristallisierbare Produkte mit durchschnittlichen Molmassen unter 2000 g/mol. Ihr Aggregatzustand ermöglicht eine weitere Einteilung in Hart- (*Resina), Weich-Harze (*Balsame) u. Gummen od. Schleimharze. Die Hart-Harze, zu denen u.a. Benzoe, Dammar, Drachenblut, Jalapen-Harz, Kolophonium, Kopale u. Sandarak zählen, sind bei Normaltemp. hart u. spröde. Balsame (Copaiva-, Peru-, Tolubalsam, Elemi, Styrax u. Terpentin) sind flüssig od. in ether. Ölen gelöste Produkte. Zu den Schleimharzen gehören u.a. Galbanum, Asa foetida, Gutti, Myrrhe, Olibanum u. Opopanax.
Die meisten n. H. sind gelb bis braun gefärbt; einige Mastixarten besitzen jedoch eine grünliche, Drachenblut eine dunkelrote Farbe. Ihre Dichte liegt im Bereich von 0,9–1,3, ihre Härte zwischen der von Gips u. Steinsalz. Harte n. H. schmelzen im Temp.-Bereich von ca. 40 °C (Asa foetida) u. 360 °C (Bernstein).
N. H. sind weitgehend geruch- u. geschmacklos; die für einige von ihnen charakterist. „Harzdüfte" sind auf eingeschlossene *etherische Öle zurückzuführen.
Zusammensetzung u. Eigenschaften der n. H. hängen nicht nur von der Art ihrer Ursprungspflanze ab, sondern auch von den klimat. Bedingungen, denen diese ausgesetzt sind. Chem. gesehen sind die n. H. Gemenge aus sehr unterschiedlichen Substanzen wie *Harzsäuren (*Resinolsäuren*), Harzalkoholen (*Resinole*), Estern von Harzsäuren u. -alkoholen, Phenolen mit Gerbstoffcharakter (*Resinotannole*) u. ungesätt., z.T. Sauerstoff-haltigen Verb. (*Resene*). Die eingeklammerten, von latein.: resina = Harz abgeleiteten Bez. sagen nichts über die Chemie der im allg. den Diterpenen, seltener den *Tri- od. *Sesquiterpenen zuzurechnenden Harzkomponenten aus u. sollten daher möglichst nicht verwendet werden.
Die Harzsäuren sind leicht in *Harzester u. *Harzseifen od. in *Hartharze, die für *Harzlacke größere Bedeutung haben, überführbar. Hohe Anteile von Harzsäuren enthaltende Koniferen-Harze, z.B. *Kolophonium, können abhängig von ihrer Konstitution mit Dienen, Dienophilen, Alkoholen od. Phenolen modifiziert werden, z.B. zu *Maleinat-Harzen od. sog. Kunstkopalen. Hydrierung der ungesätt. Harzsäuren führt zu Produkten mit Klebstoff- od. Weichmacher-Eigenschaften, Addition von Ammoniak an die Doppelbindungen zu Stickstoff-haltigen, als Textilhilfsmittel, Weichmacher, Flotationshilfsmittel, Korrosionsinhibitoren od. mikrobizid wirksamen Derivaten.
Die n. H. der im Handel befindlichen sog. *Naval Stores stammen meist aus Kiefernholz. Sie werden eingeteilt in *Balsamharze* (Kolophonium u. Terpentin aus lebenden Bäumen), *Wurzelharze* (aus *Stubben extrahierte Harze) u. *Tallharze*, die aus *Tallöl gewonnen werden, die bei Cellulose-Aufschlußverf. anfallen.
Verw.: Wegen ihrer Verrottungsfestigkeit wurden im Altertum n. H. von Ägyptern u. Karthagern zum Einbalsamieren von Leichen benutzt. Breite Verw. fanden sie früher zum Abdichten von hölzernen Schiffsrümpfen. Heute werden sie u. ihre Derivate u.a. eingesetzt zur Herst. von Ölharzlacken, Linoleum, Druckfarben u. Harzseifen, als Hilfsmittel bei der Papierverleimung, als Rohstoffe für Dichtungsmassen, Leder- u. Schuhpflegemittel, Klebstoffe od. Beschichtungsmassen. Unentbehrlich sind manche n. H. für die Gewinnung von *Riechstoffen u. *Aromen in Form sog. *Oleoresine* (vgl. a. etherische Öle). Zu detaillierteren Angaben zur Verw. s. einzelne natürliche Harze.
Fossile Harze sind wegen ihrer Einschlüsse von fossilen Organismen von hohem Interesse für die *Paläontologie. Die Bedeutung der n. H. ist durch das Aufkommen der *synthetischen Harze, deren Eigenschaften über die Wahl ihrer Edukte u. Herstellungsverf. den unterschiedlichen Einsatzgebieten in vielen Fällen optimal angepaßt werden können, stark reduziert worden. – ***E*** natural resins – ***F*** résines naturelles – ***I*** resine naturali – ***S*** resinas naturales

Lit.: Encycl. Polym. Sci. Eng. **14**, 438–453 ▪ Ullmann (5.) **A 23**, 73 ff. ▪ s. a. Harze, einzelne Harze. – *[HS 1301 90]*

Natürliche Killerzellen (NK-Zellen). Große granulierte *Lymphocyten mit der Fähigkeit, bestimmte Virus-infizierte od. Tumor-Zellen zu erkennen u. sie abzutöten (spontane Zell-vermittelte Cytotoxizität). NK-Zellen besitzen keinen spezif. Antigen-Rezeptor, wohl aber einen inhibitor. Rezeptor[1] für *Histokompatibilitäts-Antigene der Klasse I, wodurch normale Körper-eigene Zellen erkannt u. verschont werden („Ausweiskontrolle"). Das Cytomegalovirus operiert allerdings mit gefälschten Ausweisen u. entgeht so dem Zugriff[2]. NK-Zellen sind durch *Interferon u. *Interleukin 2 – durch hohe Konz. von Letzterem zu *Lymphokin-aktivierten Killerzellen – aktivierbar. Im Gegensatz dazu benötigen die T-Killer-Zellen (cytotox. T-Lymphocyten, CTL) eine Stimulierung durch Antigen; gleichwohl soll bei stark aktivierten bzw. lange in Zellkultur gehaltenen CTL auch Antigen-unspezif. Cytotoxizität zu beobachten sein. Im Blut machen die NK-Zellen bis zu 15% der Lymphocyten aus, besitzen Rezeptoren für den Fc-Teil der *Immunglobuline(Ig) G (Fc_γ-Rezeptoren) u. können deshalb auch alle IgGbesetzten (opsonisierten) Zellen töten (Antikörper-abhängige Zell-vermittelte Cytotoxizität). Die Abtötung der Zielzelle erfolgt durch deren Bindung u. anschließende Sekretion von *Perforin u. *Granzymen sowie teilw. auch *Tumornekrose-Faktor, welche die *Apoptose einleiten. – ***E*** natural killer cells – ***F*** cellules tueuses naturelles – ***I*** cellule killer naturali – ***S*** células con citoxicidad natural

Lit.: [1] Curr. Biol. **7**, 615–618, R624ff. (1997); Nature (London) **389**, 96–100 (1997); Trends Cell Biol. **7**, 473–479 (1997). [2] Nature (London) **386**, 446, 510–517 (1997).
allg.: Curr. Opin. Immunol. **9**, 24–56, 126–131, 344–350, 694–701 (1997) ▪ Eur. Cytokine Network **8**, 229–237 (1997) ▪ Immunol. Rev. **155**, 5–221 (1997) ▪ Moretta, Molecular Basis of NK Cell Recognition and Function, Basel: Karger 1996 ▪ Roitt et al., Kurzes Lehrbuch der Immunologie, 3. Aufl., S. 4, 12, 19f., 107–111, 208, 219, 251, Stuttgart: Thieme 1995.

Natürliche Linienbreite. Inhärente Breite einer Absorptions- od. Emissionslinie, die durch die endliche Lebensdauer der beteiligten Energieniveaus gegeben ist. Aus der Heisenbergschen Unschärfebeziehung – in der Energie-Zeit-Schreibweise $\Delta E \cdot \Delta t \geq \hbar$ mit ΔE = Energie-, Δt = Zeitunschärfe u. $\hbar = h/2\pi$, wobei h = Plancksches Wirkungsquantum – folgt mittels $\Delta E = h \cdot \Delta\nu$ für die Frequenzunschärfe einer Übergangslinie

$$\Delta\nu = \frac{1}{2\pi} \cdot \frac{1}{\Delta t} \quad \text{bzw.} \quad \Delta\nu = \frac{1}{2\pi}\left[\frac{1}{\tau_1} + \frac{1}{\tau_2}\right],$$

wobei τ_1 u. τ_2 die Lebensdauer der beiden Energieniveaus darstellen.
Generell ist die n. L. die schmalste Breite, mit der eine Linie durch *Spektroskopie beobachtet werden kann, sofern andere Effekte wie *Doppler-Effekt, Flugverbreiterung u. das Auflösungsvermögen des Instrumentes dieses zulassen. Die beobachtbare Linienform der n. L. ist ein Lorentzprofil:

$$g(\nu) = \left(\frac{\Delta\nu}{2\pi}\right)\left[(\nu-\nu_0)^2 + \left(\frac{\Delta\nu}{2}\right)^2\right]^{-1}.$$

Durch spezielle Verf. ist es möglich, Strukturen zu beobachten, die schmaler sind als die n. L. (*Ramsey-Resonanzen*). – ***E*** natural line width – ***F*** largeur naturelle de la raie spectrale – ***I*** larghezza naturale delle righe spettrali – ***S*** ancho natural de la línea espectral

Natürliche Polymere. In Abgrenzung zu synthet. Polymeren gebräuchliche Sammelbez. für in der Natur vorkommende *Polymere, zu denen u. a. *Polysaccharide [*Cellulose, Galactomannane (s. Mannane), *Stärke], *Proteine, *Nucleinsäuren, *Lignine u. *Naturkautschuk zählen. – ***E*** natural polymers, naturally occuring polymers – ***F*** polymères naturels – ***I*** polimeri naturali – ***S*** polímeros naturales

Lit.: s. Biopolymere u. einzelne natürliche Polymere.

Natur (von latein.: natura = Schöpfung, Geburt, Beschaffenheit). Vielfältig definierter Begriff für das Ganze, alles Existierende, einschließlich des Menschen (Physis). Die meisten Definitionen gehen von Gegensätzen aus:
In der Philosophie z. B. der Gegensatz zwischen einer (N.-)Ordnung, die notwendig u. lebensdienlich ist u. eine normative Instanz bildet, u. dem menschlichen Gesetz (Nomos), das im wesentlichen willkürlich u. lebensfeindlich ist.
Der Gegensatz N. u. Kunst bezieht sich ursprünglich auf ein Nachahmungsverhältnis: In der Kunst bildet der Mensch die Formen u. das Wirken der N. nach. Später wurde der Kunst-Begriff in diesem Zusammenhang zu Kunst als „wahre Erkenntnis u. Vervollkommnung der Natur“ weiterentwickelt. Heute wird unter Kunst (bzw. künstlich) eher das verstanden, was kein unmittelbares Vorbild in der N. hat.
Der Gegensatz N. u. Technik bezieht sich zunächst darauf, daß das Natürliche seine Entwicklung u. Reproduktion in sich trägt, wohingegen Technisches vom Menschen entwickelt u. hergestellt wird (s. a. anthropogen). In den Naturwissenschaften gibt es aber keinen echten Gegensatz zwischen N. u. Technik. Die allg. verbindlichen Naturgesetze bestimmen Natürliches, nämlich die N. einschließlich des Menschen. In diesem Sinne sind auch vom Menschen erzeugte Substanzen, Gegenstände, Anlagen u. Syst. stets natürlich. Techn., physikal., chem. u. mineral. sind Unterbegriffe zu natürlich u. kennzeichnen das vom Menschen beeinflußte techn., zur Physik, Chemie od. zur unbelebten N. gehörige. Fälschlich werden diese Begriffe oft in Politik u. Presse als Gegensatz zu natürlich verwendet od. sogar mit naturwidrig od. schädlich gleichgesetzt.
Im Naturschutzrecht verwendet man den Begriff N. u. Landschaft für die Erdoberfläche einschließlich der Wasser- u. Eisflächen u. ihr Pflanzen- u. Tierleben sowie die darunterliegenden Erdschichten u. der darüberbefindliche Luftraum. – ***E*** = ***F*** nature – ***I*** natura – ***S*** naturaleza

Lit.: Janich u. Rüchardt (Hrsg.), Natürlich, technisch, chemisch – Verhältnisse zur Natur am Beispiel der Chemie, Berlin, New York: de Gruyter 1996.

Natural Moisturizing Factor s. Feuchthaltemittel.

Naturfarbstoffe. Bez. für natürlich vorkommende organ. Farbstoffe pflanzlichen, tier. u. mikrobiellen Ursprungs. Sie rufen aufgrund ihrer chem. Struktur Farbwirkungen hervor (Pigmentfarben), während die Strukturfarben durch die physikal. Beschaffenheit von Oberflächen hervorgerufen werden. N. können nach verschiedenen Kriterien eingeteilt werden: 1) Nach ihrem Vork. (Pflanzenfarbstoffe, tier. Farbstoffe, Insektenfarbstoffe, Algenfarbstoffe, Pilzfarbstoffe, Flechtenfarbstoffe, Bakterienfarbstoffe); – 2) nach ihrer chem. Struktur (*Carotinoide, *Benzochinone, *Naphthochinone, Anthranoide, Indigoide Farbstoffe, *Flavonoide, *Anthocyane, *Betalaine, Neoflavonoide, Xanthone, *Alkaloid-Farbstoffe, Benzophenon-Farbstoffe, *Pteridine, *Pyrrol-Farbstoffe, *Ommochrome, *Ergochrome); – 3) nach ihrer Funktion (Lock-, Schreck- od. Tarnfarbstoffe).
Für die Farbstoffe der Höheren Pflanzen werden folgende Funktionen diskutiert: 1) Absorption, Transport u. Umwandlung der Lichtenergie, um die endergonen Prozesse der *Photosynthese zu ermöglichen, – 2) Kommunikation zwischen Pflanzen u. Tieren (Farbstoffe in Blüten u. Früchten), – 3) Absorption von schädigendem UV-Licht. Von vielen N. ist wie bei anderen sek. Naturstoffen die physiolog. Bedeutung unbekannt. N. werden seit Jahrtausenden zum Färben der unterschiedlichsten Materialien verwendet, z. B. Tex-

tilien u. Wolle für Teppiche. Zu den ältesten verwendeten N. gehören *Alizarin, *Indigo, *Purpur, aber auch *Safran, *Kermes, *Cochenille u. Flavonoid- bzw. Neoflavonoid-haltige Farbhölzer. Mit der Entwicklung synthet., den Naturprodukten meist hinsichtlich der Stabilität u. den Gebrauchswerteigenschaften überlegener Farbstoffe ist die Nutzung von N. stark zurückgegangen. Mit der Zellkultur-Technik werden N. zur Färbung von Kosmetika (*Shikonin) od. als Lebensmittelfarbstoffe hergestellt. – ***E*** natural dyes – ***F*** colorants naturels – ***I*** coloranti naturali – ***S*** colorantes naturales

Lit.: Counsell, Natural Colours for Food and other Uses, Barking: Appl. Sci. Publ. 1981 ▪ Czygan, Pigments in Plants (2.), Stuttgart: Fischer 1980 ▪ Harborne (Hrsg.), The Flavonoids (5 Bde.), London: Chapman u. Hall 1975–1994 ▪ Roth, Kormann u. Schweppe, Färbepflanzen – Pflanzenfarben, Landsberg/Lech: ecomed 1992 ▪ Schweppe ▪ Vevers, The Colours of Animals, London: Arnold 1982 ▪ Zechmeister **51**, 75–285 ▪ Zollinger, Color Chemistry (2.), Weinheim: VCH Verlagsges. 1991.

Naturfasern. DIN 60001-1: 1990-10 definiert N. als „natürliche, linienförmige Gebilde, die sich textil verarbeiten lassen. Sie können von Pflanzenteilen gewonnen od. das Haarkleid von Tieren bilden od. von den Kokons der Seidenspinner gewonnen werden od. mineral., natürlichen Ursprungs sein." Die *Pflanzenfasern können Samenfasern (*Beisp.:* Baumwolle), Fruchtwandfasern (*Beisp.:* Kapok), Bastfasern (Flachs, Hanf, Jute etc.) od. Hartfasern (Sisal, Kokos u. a.) sein. Bei den tier. Fasern wird zwischen Wolle, feinen u. groben Tierhaaren u. Seide unterschieden. Eine N. auf Mineralbasis ist Asbest. Länge u. Querschnitt der N. ergeben sich aus dem natürlichen Wachstum; durch die Verarbeitung erhält man kürzere Faserstücke, die nach DIN 60001-2: 1990-10 eigene Bez. erhalten haben: *Flock, *Linters, Kämmlinge (beim Kämmen anfallende kurze N.), Bourette u. Schappe (bei Seide), *Werg u. Flockenbast (mechan. u./od. chem. aufgeteilte *Bastfasern). – ***E*** natural fibers – ***F*** fibres naturelles – ***I*** fibre naturali – ***S*** fibras naturales

Naturgas s. Erdgas.

Naturharze s. natürliche Harze.

Naturkautschuk. Bez. – im folgenden wird hier die Kurzbez. NR (nach DIN ISO 1629: 1981-10, abgeleitet von *E* *n*atural *r*ubber) verwendet – für *Kautschuk, der im weißen Milchsaft (*Latex) der Milchröhren zahlreicher Dikotyledonen vorkommt. NR wird aber fast ausschließlich (zu nahezu 99%) aus dem Latex gewonnen, der beim Anritzen der Sekundärrinde der Stämme von Kautschuk- od. Parakautschukbäumen (*Hevea brasiliensis*, Familie Wolfmilchsgewächse, Euphorbiaceae) ausfließt. *Hevea brasiliensis* ist ein ursprünglich im Amazonasgebiet einheim. Baum – Höhe: ca. 15–20 m; Stammdurchmesser: 60–74 cm –, der heute in fast allen Tropengebieten Afrikas, Asiens u. Südamerikas in großem Umfang plantagenmäßig angebaut wird. Von anderen kautschukführenden Pflanzen u. Organismen – man fand NR sogar in Pilzen (Reizkern) – werden lediglich nur noch der Guttaperchabaum (s. Guttapercha), der Guayule-Strauch (*Parthenium argentatum*; s. Guayule), *Kok-Saghys u. *Mimusops balata* (syn. *Manilkara bidentata*) zur Gewinnung von NR in geringem Umfang genutzt. Milchsäfte von verschiedenen einheim. Gewächsen, z. B. Gänsedistel (*Sonchus oleraceus*) od. Salat (*Lactuca sativa*) enthalten ebenfalls NR, prozentual sogar mehr als die genannten trop. Gewächse. Bei diesen kleinen krautartigen Pflanzen sind aber die Voraussetzungen für eine ökonom. NR-Gewinnung nicht gegeben. Die Hektarerträge an trockenem NR konnten bei der Hevea-Plantagenkultur von ursprünglich weniger als 500 kg/a auf heute ca. 2000–2500 kg/a gesteigert werden. In Pflanzungsversuchen wurden bereits 3000–4000 kg/a erzielt. Steigerungen der Hektarerträge auf ca. 9000 kg/a werden für möglich gehalten. Ein mittelgroßer Kautschukbaum liefert täglich etwa 7 g Latex. Latex ist eine *Emulsion von 0,0005–0,001 mm großen NR-Tröpfchen in Wasser, wobei Eiweißstoffe als Schutzkolloide dienen. Je 100 g Latex enthalten etwa 30–35 g NR, Proteine, Sterine, Fette, Kohlenhydrate (zusammen 4,5–5 g) u. 0,5 g mineral. Bestandteile; der Rest ist Wasser. Latex hat die D. 1,02, NR dagegen etwa 0,93; daher steigen die NR-Tröpfchen beim längeren Lagern allmählich in die Höhe. Zur Erhöhung der Haltbarkeit fügt man zumeist 0,5–1% Ammoniak zum Latex. Der Latex wird an Ort u. Stelle mit verschiedenen Mitteln (z. B. Essigsäure, Ameisensäure od. durch Elektrophorese) zur Gerinnung gebracht, wobei sich der Roh-NR als feste Masse vom Wasser trennt. Die geronnene Masse (Koagulat) wird zwischen zwei Walzen, die unterschiedliche Drehgeschw. haben, unter Wasserzusatz gereinigt, zerrissen, gewaschen, geknetet u. zu langen, etwa 1 mm dicken „Fellen" von weißem Crepe-Kautschuk aufgerollt. Um die letzten 10–20% Wasser zu entfernen, hängt man diese Felle in etwa 50 °C warmen Räumen auf. „Smoked Sheet" ist eine andere wichtige Rohkautschuk-Handelssorte. Hier wird der Latex nicht (wie bei Crepe-Kautschuk) durch Natriumhydrogensulfit-Zusatz konserviert, sondern man stellt vom geronnenen NR etwas dickere Felle her u. trocknet u. räuchert diese in etwa 50 °C warmen Räucherkammern, in denen man Holz od. Kokosnußschalen abbrennt. Heute überführt man den Latex zur Transportkostenersparnis meist in ein feines Pulver, das nachher vulkanisiert wird. Für Spezialzwecke kommen auch die (allerdings aufkonzentrierten) Latices zum Versand. NR in Form von farblosen od. dunklen Kuchen od. Fellen (Sheets) ist leichter als Wasser, fast geruchsfrei, elast. u. sehr dehnbar: Er kann auf das Fünffache seiner Länge auseinandergezogen werden. NR leitet die Wärme u. den elektr. Strom schlecht; bei 3–4 °C wird er spröde, bei 145 °C klebrig, bei 170–180 °C zerfließt er u. verbrennt leicht mit stark rußender Flamme. In Ether, Benzol, Schwefelkohlenstoff, Tetrachlormethan, Leichtbenzin, Leinöl, Terpentinöl u. dgl. löst er sich z. T. auf. Verd. Säuren u. Laugen verändern den Rohkautschuk nicht; dagegen kann er Halogene, Sauerstoff, Schwefel u. dgl. an seine Doppelbindungen anlagern. NR ist nämlich ein ungesätt. Polymer mit

$$-CH_2-\overset{\displaystyle CH_3}{\overset{|}{C}}=CH-CH_2-$$

als Grundeinheiten, die in der 1,4-*cis*-(a; Hevea-NR) bzw. 1,4-*trans*-Konfiguration (b; Balata u. Guttapercha) vorliegen können:

a) 1,4-cis- ... Kautschuk

b) 1,4-trans- ... Guttapercha Balata

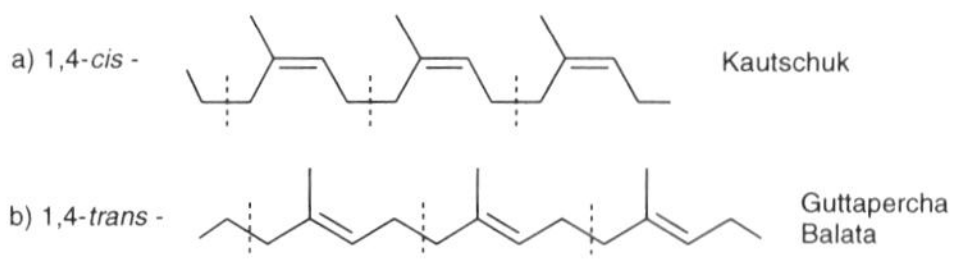

NR ist also ein *Polyisopren, dessen enzymat. katalysierte Biosynth. über Isopentyl- u. Farnesylpyrophosphat als Vorstufen verläuft. NR, Balata u. Guttapercha unterscheiden sich zusätzlich durch ihren *Polymerisationsgrad, der bei NR ca. 8000–30000, bei den beiden anderen Kautschuken ca. 1500 beträgt.

Roher NR erleidet bei längerer Lagerung unter Licht- u. Lufteinfluß infolge von Vernetzungs- u. Oxid.-Reaktionen nachteilige Veränderungen. Zu einem wertvollen techn. Produkt wurde NR erst, nachdem der Amerikaner Goodyear 1840 die Heißluftvulkanisation, das auch heute noch wichtigste *Vulkanisations-Verf. für NR, eingeführt hatte. Bei diesem Verf. wird der Rohkautschuk nach Verkneten mit Schwefel auf 130–140 °C (ca. 1 h) erhitzt. Durch Reaktion des Schwefels mit einem Teil der Doppelbindungen der Polyisopren-Ketten werden die einzelnen *Makromoleküle des NR miteinander über ein- od. mehratomige (S bzw. S_x) Schwefel-Brücken verknüpft.

$$n \sim CH_2-\underset{CH_3}{C}=CH-CH_2\sim \xrightarrow{\text{Schwefel}/\Delta}$$

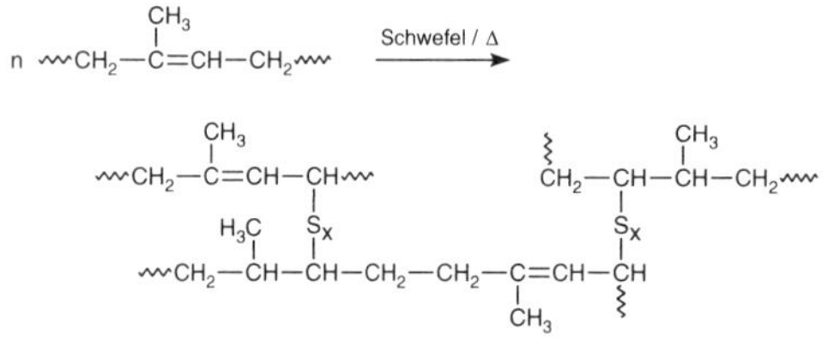

Diese intermol. Vernetzungs-Reaktion führt schließlich zu einem unlösl. u. thermoplast. nicht mehr verarbeitbaren Produkt, das als *Gummi bezeichnet wird. Je nach Menge des bei der Vulkanisation verwendeten Schwefels erhält man *Weichgummi (1–4 Tl. Schwefel) od. *Hartgummi (>20 Tl. Schwefel). Der Schwefel kann auch intramol. von den NR-Mol. gebunden werden unter Minderung der Zerreiß- u. Strukturfestigkeit des Vulkanisats.

Da die Vulkanisation des NR durch Schwefel alleine selbst bei erhöhter Temp. zu langsam vor sich geht, werden dem Rohkautschuk außer Schwefel bei der Heißvulkanisation noch andere Stoffe beigemischt, v. a. die sog. *Vulkanisationsbeschleuniger*. Als solche verwendet man insbes. die Xanthogenate, Dithiocarbamate, Tetramethylthiuramdisulfid u. a. Thiurame, Mercaptobenzothiazol u. a. Thiazole, Guanidine, Thioharnstoff- u. Amin-Derivate. Selbst diese Beschleuniger benötigen zur vollen Entfaltung ihrer Wirkung noch sog. *Aktivatoren (Zinkoxid, Antimonsulfid, Bleiglätte; diese wirken offenbar als „Schwefel-Überträger") u. den Zusatz von Fettsäuren (Stearinsäure). Mit den Vulkanisationsbeschleunigern kann man Vulkanisationsdauer u. -temp. stark reduzieren; so wird z. B. ein NR-Schwefel-Zinkoxid-Gemisch durch Zusatz von 1% Zinkdimethyldithiocarbamat schon bei 120 °C in einigen min vulkanisiert, u. NR, dem man 3% Tetramethylthiuramdisulfid beimischt, gibt bei 12 min Erhitzen auf 140 °C (ohne bes. Schwefel-Zusatz!) ein tadelloses Vulkanisat. Umgekehrt benötigt man gelegentlich sog. *Vulkanisationsverzögerer*, um das Einsetzen der Vernetzung hinauszuschieben (organ. Säuren wie Benzoe- od. Salicylsäure, Phthalsäureanhydrid, *N*-Nitrosodiphenylamin). Je nach Beschaffenheit des Kautschuks (Natur u./od. *Synthesekautschuk) u. nach Verw.-Zweck des Gummis erfordert die Kautschuk-Verarbeitung den Zusatz zahlreicher weiterer Stoffe; zwangsläufig hat sich angesichts der vielen Variablen (Reihenfolge u. Dauer der Einwirkung, Temp., gegenseitige Beeinflussungen der Zusätze) eine hochspezialisierte Kautschuk-Technologie entwickelt. Als derartige, ebenso wie die vorgenannten z. T. in Einzelstichwörtern behandelten u. oft allg. als *Kautschukchemikalien* zusammengefaßten *Additive kommen für NR (auch für Synthesekautschuk) hauptsächlich in Frage: *Füllstoffe* (Gasruß u. a. Ruße, Kieselgel, Silicate wie Kaolin, Kreide, Talk usw.), *Pigmente* (organ. Farbstoffe, Lithopone, Titandioxid, Eisenoxide, Chrom- u. Cadmium-Verb.), *Weichmacher (Mineralöle, Ether u. Thioether, Ester u. a. *Elastikatoren, Faktisse*), *Mastiziermittel* (Thiophenole, ggf. chloriert, u. deren Zink-Salze), *Alterungsschutzmittel*, zu denen die Oxid.-, Hitze-, Ozon-, Licht-, Ermüdungs- u. Hydrolyse-Schutzmittel rechnen (aromat. Amine, Phenole, Phosphite, Wachse u. viele andere), *Treibmittel* für poröse Artikel (Hydrazide, Nitrosoamine, Azodicarbonsäure-Derivate), *Flammschutzmittel* (chlorierte Alkane, Halogenalkylphosphate), *Konservierungs-* u. Termitenschutzmittel (Chlorphenole, Phosphorsäureester), *geruchverbessernde Mittel, Antistatika, Trennmittel* zur Verringerung der Klebrigkeit u. zur leichteren Ablösung des Verarbeitungsgutes von Walzen u. Formen (Wachse, Fette, Stearate, Silikonöle), *Haftmittel* zur Verbesserung der Haftung von NR auf Metallen od. Geweben (Cobaltnaphthenat, Resorcin-Formaldehyd-Harze, Phenol-Harze, Isocyanate, Eiweiß). Bei der seltener angewendeten, auf dünne NR-Gegenstände beschränkten *Kaltvulkanisation* taucht man die Rohkautschukwaren einige s bis einige min in eine Lsg. von Dischwefeldichlorid (S_2Cl_2) in Schwefelkohlenstoff (CS_2), in Benzin od. Benzol u. bringt sie dann in eine Ammoniak-Atmosphäre, um die entstandene Salzsäure zu neutralisieren u. das überschüssige Dischwefeldichlorid zu zersetzen.

Der ungesätt. Charakter des NR ermöglicht nicht nur die Herst. von Vulkanisaten, sondern auch von Additionsderivaten wie hydrochloriertem NR (Addition von HCl), *Chlorkautschuk (Addition von Cl_2), *Cyclokautschuk (Einwirkung von Säuren od. Metallhaliden), *AC-Kautschuk.

Geschichte: Bei Ausgrabungen aus der Mayakultur (11. Jh.) fand man schon Darst. von Gummibällen u. Ballspielen. Columbus brachte wahrscheinlich als erster Europäer von seiner 2. Amerikareise Spielbälle aus NR von Haiti nach Europa, aber erst 1755 beschrieb La Condamine die Gewinnung von NR aus dem Milchsaft von *Hevea brasiliensis* durch Eingeborene vom Amazonasstrom; sie benutzten diesen NR als Klebemittel zur Anfertigung von Schuhen, wasserdichten Gefäßen usw. Im Jahre 1759 kam die erste NR-Ladung von Para nach Portugal; 1772 wurden bereits die er-

sten kleinen NR-Würfel in Paris u. London als Radiergummi verkauft. Das engl. Wort „India-Rubber" (Indien = Westindien) stammt wahrscheinlich von dem engl. Chemiker Priestley, der schon 1770 zeigte, daß man mit NR Bleistiftstriche wegradieren (*E* rub) kann. Die Engländer Peal (1791) u. MacIntosh erfanden die ersten gummierten, wasserdichten Gewebe. Dem Amerikaner Goodyear gelang um 1840 die Vulkanisation. Im Jahre 1876 schmuggelte der Engländer Henry Wickham 70000 Samen von *Hevea brasiliensis* nach England, u. nach kurzen Züchtungsversuchen im botan. Garten von Kew (London) legte man um 1880 die ersten NR-Plantagen in Ceylon, Burma, Java usw. an. Diese hinterind. Plantagen gaben um die Jahrhundertwende bereits bedeutende Ernten, womit das Monopol des brasilian. Kautschuks gebrochen war, der heute nur noch einen Anteil <1% an der Rohkautschuk-Erzeugung hat.

Erste chem. Untersuchungen des NR durch Williams (1860) führten zur Identifizierung von *Isopren u. Dipenten als Pyrolyseprodukte. Aber erst der Nachw. von Lävulinaldehyd als Ozonisierungsprodukt von NR durch *Harries (1905–1912) u. *Pummerer (1931) sowie die Polymerisation von Isopren zu einem NR-ident. Produkt bewiesen dessen Struktur.

Weltproduktion- u. -verbrauch: Die Weltproduktion von Naturkautschuk wird für 1997 auf ca. 6240000 t geschätzt, der Verbrauch auf 6380000 t (*Lit.*[1]). Die Entwicklung von Weltkautschukproduktion u. -verbrauch von 1970 bis 1997 zeigt die Abb.

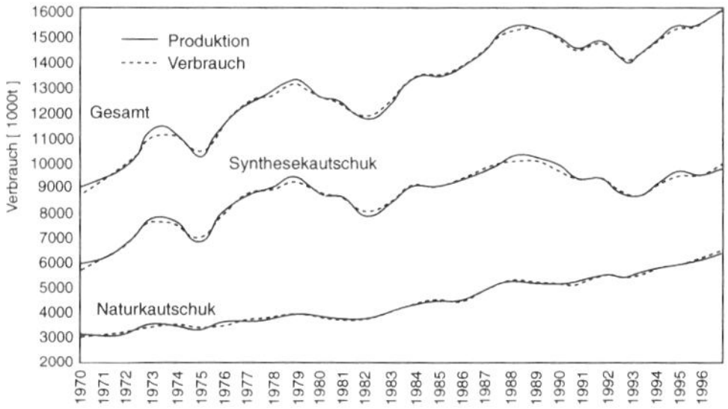

Abb.: Weltkautschukproduktion u. -verbrauch 1970–1997.

Die Produktionsmengen von 1980, 1991, 1994 u. 1997 schlüsseln sich dabei auf nach Ländern wie in Tab. 1, die Verbrauchsmengen von 1980, 1991, 1994 u. 1997 wie in Tab. 2 dargestellt. Zur Regulierung des NR-Weltmarktes wurde 1979 das internat. N.-Abkommen geschlossen, das Angleichung von Produktion u. Nachfrage, Preisstabilisierung, Versorgungssicherheit, Wettbewerbsfähigkeit u. internat. Kooperation auf dem NR-Sektor als wichtigste Ziele hat. Statist. Daten zu Produktion u. Verbrauch von NR (u. Synthesekautschuk) werden regelmäßig vom International Institute of Synthetic Rubber Producers (IISRP) erstellt u. in Fachzeitschriften regelmäßig publiziert.

Verw.: NR wird unmodifiziert, als Derivate u. als Vulkanisate verwendet. Nicht modifiziert wird er in kleinen Mengen zur Herst. von Klebebändern, Kautschuklsg., Knetgummi usw. benutzt. Zur Verw. von NR-Derivaten s. Chlorkautschuk u. Cyclokautschuk. Die weitaus größte Menge des NR wird in vulkanisierter Form zu Weich- od. Hartgummi verarbeitet. Haupteinsatzgebiete der Vulkanisate sind der Autoreifen-Sektor (der über 70% des NR aufnimmt), die Herst. von Gummifedern u. -puffern, die Fertigung dünnwandiger weicher Gegenstände hoher Festigkeit (Luftballons, chirurg. Handschuhe, sanitäre Gummiartikel), die Herst. von Transportbändern, Riemen, techn. Artikeln wie Schläuchen, Dichtungen, Membranen od. Motoraufhängungen sowie von Gebrauchsartikeln wie Gummistiefel, Schuhsohlen u. -absätze, Handschuhe, Schwämme, Gummifäden usw. – ***E*** natural rubber – ***F*** caoutchouc naturel – ***I*** caucciù naturale – ***S*** caucho natural

Tab. 1: Produktion (für 1997 geschätzt) von Naturkautschuk in ausgewählten Ländern (in 1000 t).

Land	1980	1991	1994	1997
Malaysia	1530,0	1255,7	1100,6	1070,0
Indonesien	1020,0	1284,0	1360,8	1530,0
Thailand	501,1	1340,8	1722,4	1934,0
Sri Lanka	133,2	103,9	105,3	113,0
Vietnam	45,8	87,0	88,0	110,0
Kambodscha	–	30,5	42,0	49,0
Indische Union	155,4	360,2	464,0	570,0
Burma	15,8	15,0	16,0	21,0
VR China	113,0	269,4	341,0	400,0
Philippinen	69,0	59,6	58,0	60,0
Brasilien	27,8	27,3	28,0	35,0
Liberia	77,5	32,0	21,0	25,0
Nigeria	25,2	11,0	11,6	13,0
Kamerun	16,6	43,4	54,0	56,0
Elfenbeinküste	23,0	70,5	71,8	87,0
Welt ingesamt	3850,0	5240,0	5670,0	6240,0

Tab. 2: Verbrauch (für 1997 geschätzt) von Naturkautschuk in ausgewählten Ländern (in 1000 t).

Land	1980	1991	1994	1997
USA	585,0	755,8	1001,7	1010,0
Kanada	80,0	76,3	106,0	110,0
Japan	427,0	689,5	639,8	694,0
Indische Union	170,8	374,8	472,9	617,0
VR China	340,0	610,0	725,0	820,0
Süd-Korea	–	263,5	290,0	330,0
Malaysia	–	216,0	292,2	365,0
Taiwan	–	120,0	105,0	109,0
Thailand	–	103,7	132,2	180,0
Indonesien	–	110,0	116,0	151,0
Australien	42,2	34,0	45,0	51,0
Brasilien	81,1	125,0	128,0	147,0
Afrika	–	124,0	140,0	151,0
EU-Länder	790,0	852,7	823,8	908,0
darunter				
BRD	179,7	210,7	178,0	215,0
Frankreich	187,7	183,0	179,8	190,0
Italien	132,0	120,0	100,0	106,0
Spanien	–	101,0	117,0	136,0
Großbritannien	130,8	119,0	124,0	130,0
Übriges Europa	415,0	241,5	171,4	155,0
Welt insgesamt	3760,0	5100,0	5620,0	6380,0

Lit.: [1] Gummi Asbest Kunstst. **50**, 22ff. (1997).

allg.: Elias (5.) **2**, 481 ff. ▪ Encycl. Polym. Sci. Eng. **14**, 687–716 ▪ Kirk-Othmer (3.) **20**, 468–491 ▪ Morton, Rubber Technology, 3. Aufl., New York: Van Nostrand Reinhold Comp. 1987 ▪ Roberts, Natural Rubber Science and Technology, Oxford: Oxford University Press 1988 ▪ Ullmann (5.) **A 23**, 225 ff. ▪ s.a. Kautschuke. – *[HS 4001 10, 4001 20, 4001 30]*

Naturkonstanten. In die Naturgesetze eingehende Konstanten, die in allg. dimensionsbehaftet u. deren Zahlenwerte vom gewählten Maßsyst. abhängig sind. Bes. wichtige N. sind die **Fundamentalkonstanten*. – ***E*** natural constants, physical constants – ***F*** constantes naturelles – ***I*** costanti naturali, costanti fisiche – ***S*** constantes naturales

Naturschutz. Gesamtheit aller Maßnahmen zur Erhaltung u. Förderung der natürlichen Lebensgrundlagen (Naturgüter), von Pflanzen u. Tieren wildlebender *Arten (*Artenschutz) u. ihrer Lebensgemeinschaften sowie zur Sicherung von Landschaften u. Landschaftsteilen (u.a. *Biotopschutz) in ihrer Vielfalt u. Eigenart; der N. ist mit dem *Bundesnaturschutzgesetz geregelt. Für die Notwendigkeit des N. werden im allg. eth., ästhet., wissenschaftliche sowie wirtschaftliche Gründe genannt. Die eth. Gründe stellen das Recht auf Leben für alle Organismen in den Vordergrund, die ästhet. Gründe gehen im wesentlichen davon aus, daß alles Natürliche als schön angesehen wird. Die wissenschaftliche Begründung stellt die Bedeutung der *Natur für die Funktion der biogeochem. Kreisläufe in den Vordergrund. Wirtschaftlich gesehen ist der Verlust von Pflanzen- u. Tierarten sowie von Ökosyst. ein Verlust an Naturpotentialen. Als Kriterien zur Prüfung, ob Umweltkompartimente unter N. zu stellen sind, gelten u.a. Natürlichkeit (s. Natur), Gefährdung, Unersetzbarkeit, Vielfalt bzw. Mannigfaltigkeit, Seltenheit, bes. Eigenart od. hervorragende Schönheit. Zum Zwecke des N. sind in der BRD u.a. festgesetzt worden[1] (Flächen teilw. überschneidend, Stand Mitte 90er-Jahre): 5314 N.-Gebiete (6845 km^2), 13 Biopshärenreservate (nach UNESCO-Programm „Man and the Biosphere", 12491 km^2), ca. 5893 Landschaftsschutzgebiete (ca. 88000 km^2), 68 Naturparks (56788 km^2), 635 Naturwaldreservate u. -zellen (205 km^2), 29 Feuchtgebiete mit internat. Bedeutung für Wat- u. Wasservögel (nach Ramsar-Übereinkommen, 6712 km^2) u. 494 Vogelschutzgebiete (nach EG-Vogelschutzrichtlinie, ca. 9000 km^2). – ***E*** nature protection – ***F*** protection de la nature – ***I*** protezione della natura – ***S*** protección de la naturaleza

Lit.: [1] Umweltbundesamt (Hrsg.), Daten zur Umwelt 1997, S. 359–401, Berlin: E. Schmidt 1997.
allg.: Gessner et al., Bundesnaturschutzgesetz Kommentar, München: Beck 1996 ▪ Römpp Lexikon Umwelt, S. 258 [Feuchtgebiet(Ramsar)], 453 (Man and the Biosphere), 488–490 (mehrere Stichwörter), 755 [UNESCO (Ramsar)].

Naturschutzbund Deutschland e. V. (NABU). NABU mit Sitz der Bundesgeschäftsstelle in 53225 Bonn, Herbert-Rabius-Str. 26, gehört mit 230000 Mitgliedern u. 15 Landesverbänden zu den größten Umweltschutzorganisationen der BRD. Hervorgegangen ist NABU aus dem Ende des letzten Jh. gegründeten Bund für Vogelschutz, der 1956 in Deutscher Bund für Vogelschutz umbenannt wurde. Mit der dtsch. Vereinigung u. dem Zusammenschluß mit den Landesverbänden des Naturschutzbundes in Ostdeutschland gab sich der Verband den neuen Namen NABU. Er setzt sich konsequent für den Erhalt von Umwelt u. Natur ein. Als dtsch. Vertretung europ. u. weltweiter Organisationen arbeitet er auch über die Landesgrenzen hinaus an der Lösung globaler Umweltprobleme. INTERNET-Adresse: http://www.nabu.de.

Naturschutzgesetz s. Bundesnaturschutzgesetz.

Natursoda-Gewinnung s. Natriumcarbonat.

Natursteine. In der Natur vorkommende Gesteine, die in zwei großen Bereichen eingesetzt werden: 1. Als N. für den *Straßen-, Wege-, Bahn- u. Wasserbau*; hier lassen sich alle grobstückig anfallenden, harten bis sehr harten u. verwitterungsbeständigen Festgesteine verwenden (Qualitätsanforderungen s. *Lit.*[1]); zu diesem Verw.-Bereich gehört auch der *Betonbau*. – 2. Als *Naturwerksteine* im Außenbau (Mauerquader, Pflastersteine, Fassaden- u. Wandbekleidung, Treppen usw.), im Innenausbau (Bodenbeläge, Treppen, Fensterbänke usw.), im Grabmal-Bereich sowie für Bildhauerarbeiten, Denkmäler[2] u. Kunstgewerbe. Typ., ggf. in Einzelstichwörtern behandelte Beisp. für N. sind Granit, Granodiorit (*Granite), Syenit, Larvikit, Diorit, Gabbro, Rhyolith (einschließlich Quarzporphyr), Andesit, Trachyt, Kuselit (dem Trachyt ähnliches Vulkangestein aus dem Saar-Nahe-Gebiet), Porphyr, Basalt (einschließlich Lava), Melaphyr, Diabas, Pikrit, Marmor, Gneis, Serpentinit (*Serpentin), Kalkstein, Jurakalk, Muschelkalk, Travertin, Dolomit, Onyx (als Handelsname), Alabaster, Sandstein, *Glaukonit-Sandstein, Grauwacke, Dachschiefer (*Tonschiefer) u. Quarzit. Heute spielen bei der Sicherung und Nutzung heim. Gesteinsrohstoffe (in Steinbruchbetrieben) Belange des Natur- u. Landschaftsschutzes eine wesentliche Rolle[3]; zur Rekultivierung u. Renaturierung von Abbaustellen von N. s.a. *Lit.*[4]; Argumente für u. gegen den Abbau von N. u. Kalken erörtert *Lit.*[5]. Mehrere tausend Gesteinsmuster von in der Welt derzeit od. früher verwendeten Naturwerksteinen zeigt das Deutsche Naturstein-Archiv in Wunsiedel/Bayern. – ***E*** natural stones, quarrystones – ***F*** pierres naturelles – ***I*** pietre vive, pietre naturali – ***S*** piedras naturales

Lit.: [1] Lagerstätten der Steine, Erden u. Industrieminerale (Vademecum 2), Schriftenreihe der GDMB 38, S. 219–231, Weinheim: Verl. Chemie 1981. [2] Grimm (Hrsg.), Bildatlas wichtiger Denkmalgesteine der Bundesrepublik Deutschland (Arbeitsheft 50), München: Bayer. Landesamt für Denkmalpflege 1990. [3] Die Naturstein-Ind. (DNI) **1997**, Nr. 4, 16–20. [4] Die Naturstein-Ind. (DNI) **1996**, Nr. 2, 19–24. [5] Arbeitsgemeinschaft Naturstein (Hrsg.), Pro u. Kontra Naturstein u. Kalk, Köln: AGN 1997.
allg.: Bundesanstalt für Geowissenschaften u. Rohstoffe et al. (Hrsg.), Steine u. Erden in der Bundesrepublik Deutschland – Lagerstätten, Produktion u. Verbrauch (Geolog. Jahrb. Reihe D, H. 82), S. 98–277, Stuttgart: Schweizerbart 1986 ▪ Mehling, Naturstein-Lexikon (4. Aufl.), München: Callwey 1993 ▪ Meisel, Naturstein, Erhaltung u. Restaurierung von Außenbauteilen, Wiesbaden; Bauverl. 1988 ▪ Müller, Gesteinskunde (5.) (Lehrbuch u. Nachschlagewerk über Gesteine für Hochbau, Innenarchitektur, Kunst u. Restauration), Ulm: Ebner 1996 ▪ Reinsch, Natursteinkunde, Stuttgart: Enke 1991. – *Zeitschriften:* Die Naturstein-Industrie (DNI), Iffezheim: Stein-Verl. ▪ Granit International, München: Callwey; Naturstein, Ulm: Ebner. – *Organisationen:* Arbeitsgemeinschaft Natur-

stein (AGN), 50968 Köln ▪ Bundesverband Naturstein-Industrie e. V., 50968 Köln.

Naturstoffe. Allg. Bez. für Substanzen aus Tieren, Pflanzen u. Mikroorganismen, die überwiegend deren Sekundär-, im weiteren Sinne auch dem Primär-*Stoffwechsel entstammen. Die Primärstoffe kommen ubiquitär in der belebten Natur vor, das Vork. der Sekundärstoffe beschränkt sich zumeist auf bestimmte Organismen. Die Einteilung in prim. u. sek. Naturstoffe geht auf den Physiologen A. Kessel zurück.
Während der Terminus N. heute fast ausschließlich auf bestimmte organ. Stoffe natürlichen Ursprungs bezogen wird, wurden früher auch Stoffe mineral. od. unbestimmten Ursprungs hinzugerechnet: z. B. Steine, Mineralien, Steinsalz, Kohle, Erdöl, Knochen, Elfenbein etc. (zur heute gültigen Begriffsbestimmung vgl. a. Nuhn, *Lit.*).
N. lassen sich beispielsweise einteilen nach a) *ihrer chem. Struktur*: z. B. Alkaloide, Amine, Aminosäuren, aromat. Verb., Fettsäuren, Flavonoide, Kohlenwasserstoffe, Lipide, Nucleotide, Nucleinsäuren, Mono-, Oligo- u. Polysaccharide, Phenylpropan-Derivate, Steroide, Terpene, Terpenoide u. a.; b) *nach ihrer biogenet. Herkunft*: z. B. Acetogenine, Eicosanoide, Isoprenoide, Polyketide, Shikimisäure-Abkömmlinge; od. c) *nach ihrer Funktion bzw. Wirkung*: z. B. Antibiotika, Antikörper, Farbstoffe, Enzyme, Gifte, Hormone, Abwehr-, Signal- u. Wuchsstoffe, Pheromone, Riech- u. Speicherstoffe, Vitamine u. a.
N. zeichnen sich durch sehr große strukturelle Vielfalt aus. Infolge Verbesserung der instrumentellen Analytik u. Trennmethodik sowie der Kenntnis biogenet. Gesetzmäßigkeiten dauert die Strukturaufklärung eines komplizierten Naturstoffes heute oft nur wenige Wochen od. Monate, wo früher Jahre od. Jahrzehnte benötigt wurden. Als bes. ergiebige Quellen für neue Strukturen haben sich in jüngerer Zeit Mikroorganismen u. Meeresorganismen erwiesen.
N. besitzen vielfältige Wirkungen. Die Bedeutung u. Funktion der meisten Primärstoffe ist gut verstanden, über die Funktion bzw. ökolog. Bedeutung der meisten Sekundärstoffe ist erst sehr wenig bekannt. Viele N. wurden u. werden in der volksmedizin. Heilkunde verwendet (Ethnopharmakologie). Aus zahlreichen N. wurden durch Abwandlung der ursprünglichen Strukturen auf chem. od. mikrobiolog. Wege Arzneimittel- u. Pflanzenschutz-Wirkstoffe entwickelt (N. als Leitstrukturen; über 40% aller Medikamente leiten sich von N. ab). Für die Gewinnung komplizierter natürlicher Wirkstoffe od. N.-Derivate, deren synthet. Herst. zu teuer od. unmöglich ist, werden klass. biotechnolog. u. neue gentechnolog. Meth. zunehmend wichtig; *Beisp.:* Fermentation mikrobieller Wirkstoffe; Isolierung von Herzglykosiden aus *Digitalis*-Arten u. China-Alkaloiden aus *Cinchona*; Peptidhormone u. Proteine wie Insulin, Wachstumshormon od. Faktor VIII aus gentechn. veränderten Mikroorganismen u. Säugetierzellkulturen.
Die N.-Chemie befaßt sich mit der Isolierung, Konstitutionsermittlung, Partial- u. Totalsynth., Aufklärung der Biogenese u. der biomimet. Synth. von Naturstoffen. N.-chem. Arbeiten u. die Herausforderung zur Lösung komplexer Probleme haben wesentlich zur Meth.-Entwicklung in Strukturaufklärung u. organ. Synth. beigetragen. Meilensteine der Analytik waren z. B. die Strukturaufklärung von Morphin, Lignin, Insulin, Estron u. Cholesterin sowie die Aufklärung der Biosynth. von Terpenoiden, Morphin, Penicillin, Chlorophyll u. Vitamin B_{12}. Wesentliche Fortschritte der synthet. Chemie waren beispielsweise die Totalsynth. von Campher, Hämin, Chinin, Saccharose, Tropin, Chlorophyll, Vitamin B_{12}, Erythromycin u. Palytoxin. Zahlreiche N. des „Chiral Pool" werden als Ausgangsverb. in der Synth. opt. aktiver Verb. eingesetzt od. dienen in Form von Derivaten als Katalysatoren für enantioselektive Synthesen.
Die Entwicklung der Chemotaxonomie anhand des Vork. von Sekundärstoffen hat dazu beigetragen, verwandtschaftliche Zusammenhänge bei Tieren, Pflanzen u. Mikroorganismen aufzuklären.
In manchen Anw.-Gebieten wie z. B. der Lebensmittelchemie od. Kosmetik unterscheidet man zwischen natürlichen Zusatzstoffen u. „naturident." Verb., wenn diese totalsynthet. hergestellt worden sind.
Eine traditionsgemäße Abgrenzung der N.-Chemie z. B. von der übrigen organ. Chemie, der Physik, den Biowissenschaften, speziell der Biotechnologie, Molekularbiologie u. der Wirkstoff-Forschung ist heute nicht mehr möglich. So wird heute das Gesamtgebiet der extensiv erweiterten N.-Chemie auch als „Bioorgan. Chemie" bezeichnet.
Die Prinzipien der N.-Nomenklatur – Belegung mit halbsystemat. Namen – sind in Sektion F der IUPAC-Regeln, im Compendium der IUBMB, Biochemical Nomenclature, London: Portland Press 1992, u. im Chemical Abstracts Index Guide, bes. im Anhang IV, §§ 202–212, 222–224 u. 297, behandelt. Die im Text erwähnten N. u. N.-Gruppen werden bei den Einzelstichwörtern besprochen. – ***E*** natural products – ***F*** substances naturelles – ***I*** prodotti naturali, sostanze naturali – ***S*** productos naturales, sustancias naturales

Lit.: Römpp Chemie Lexikon (9.) **4**, 2948 f. ▪ Römpp Lexikon Naturstoffe, S. VII – X, 429.

Naturstoff-Extrakte. *Extrakte, die aus *Mikroorganismen, *Pilzen, *Pflanzen od. Tieren gewonnen werden u. *Naturstoffe enthalten. Die *Extraktion ist die klass. Operation für die Anreicherung von Naturstoffen aus Fermentationsbrühen (s. Fermentation). – ***E*** natural product extracts – ***F*** extraits de substances naturelles – ***I*** estratti di prodotti naturali – ***S*** extractos de productos naturales

Lit.: Präve (4.), S. 452 ff.

Naturstoff-Screening. N.-S. bezeichnet Verf. zum systemat. Durchtesten von *Naturstoffen in geeigneten Testsyst., die die Auswahl gewünschter Naturstoffe (z. B. *Antibiotika) ermöglichen (s. Screening). – ***E*** screening of natural products – ***I*** screening di prodotti naturali – ***S*** tamizado de productos naturales

Lit.: Biochem. Pharmacol. **53**, 121 (1997).

Naturwerksteine s. Natursteine.

Naturwissenschaft. Oberbegriff für die einzelnen empir. Wissenschaften, die sich mit der systemat. Erforschung der Natur u. dem Erkennen der zugrundeliegenden Gesetzmäßigkeiten befassen. Man trennt die N. nach der belebten u. der unbelebten Natur bzw. Materie: Zu den biolog. Naturwissenschaften zählt man die Biologie, Anthropologie, Physiologie, Genetik, Molekularbiologie, Ökologie u. a. Zu den physikal. u. mathemat. erfaßbaren Naturwissenschaften zählt man die Physik, Chemie, Astronomie, Geologie sowie ihre Teildisziplinen bzw. die sich verbindenden Bereiche wie beispielsweise die physikal. Chemie, Astrophysik, Geophysik, Meteorologie, Mineralogie u. a. Die Aufgabe der N. liegt nicht nur darin, die Erscheinungen u. Vorgänge in der Natur u. ihre Gesetzmäßigkeiten zu ergründen u. mittels geeigneter Theorien zu beschreiben, sondern auch im Rahmen der angewandten N. die gewonnenen Erkenntnisse dem Menschen allg. nutzbar zu machen (s. a. Forschung). – ***E*** natural science – ***F*** science(s) naturelle(s) – ***I*** scienze naturali – ***S*** ciencia(s) natural(es)

Nausea s. Emetika.

Naval Stores... Bez. für Harze u. Ölprodukte wie Kiefernöl, *Kolophonium, *Tallöl od. *Terpentinöl, die aus Kiefern gewonnen werden. In der Zeit der Kolonialisierung der Neuen Welt bezeichnete man ursprünglich Harze, Peche u. Teere, die zum Abdichten der Schiffe verwendet wurden, als naval stores rosins, pitches u. tars.

Lit.: Elias (5.) **2**, 36.

Navanone s. Pheromone.

Navelbine® (Rp). Infusionskonzentrat mit dem *Cytostatikum Vinorelbin. ***B.:*** Pierre Fabre Pharma.

Navenone s. Alarmstoffe.

Navigation. Kursbestimmung, d. h. die Fähigkeit von Tieren, in unbekannter Umgebung die Position u. die Zielrichtung zu bestimmen (s. a. Orientierung). – ***E*** navigation – ***F*** navigation, orientation – ***I*** navigazione – ***S*** navegación

Nazarov-(Ringschluß-)Reaktion (Nasarow-Reaktion). Von I. N. Nazarov erstmals 1942 beschriebene, zu 2-Cyclopentenonen führende Cyclisierung von Allyl-vinyl-ketonen – in der Regel aus 1,5-Dien-3-inen intermediär erzeugt – unter dem Einfluß mittelstarker Säuren. Die eigentliche Cyclisierung geht von Divinylketonen aus, erfolgt über 3-Hydroxypentadien-Kationen (s. Abb. a oben) u. gehört zu den kation. *elektrocyclischen Reaktionen (vgl. a. pericyclische Reaktionen). Silyl-Gruppen in *β*-Stellung zur Carbonyl-Gruppe (s. Abb. b) begünstigen den einheitlichen Verlauf der N.-R. (*β-Silyl-Effekt*).
Als *Nazarov-Reagenz* werden Ester der 3-Oxo-4-pentensäure bezeichnet, die für Anellierungen analog der *Robinson-Anellierung verwendet werden. – ***E*** Nazarov reaction – ***F*** réaction de Nazarov – ***I*** reazione di Nazarov – ***S*** reacción de Nazarov

Lit.: Helv. Chim. Acta **66**, 2377–2411 (1983) ▪ Hassner-Stumer, S. 270 ▪ Krauch u. Kunz, Reaktionen der Organischen Chemie, 6. Aufl., S. 410, Heidelberg: Hüthig 1997 ▪ Laue-Plagens, S. 230 ▪ Mulzer et al., Organic Synthesis Highlights, S. 137 f., Weinheim: VCH Verlagsges. 1991 ▪ Nachr. Chem. Tech. Lab. **35**, 606–610 (1987) ▪ Org. React. **45**, 1 ff. (1994) ▪ Synthesis **1983**, 429–442, 715 f. ▪ Trost-Fleming **5**, 751 ff.

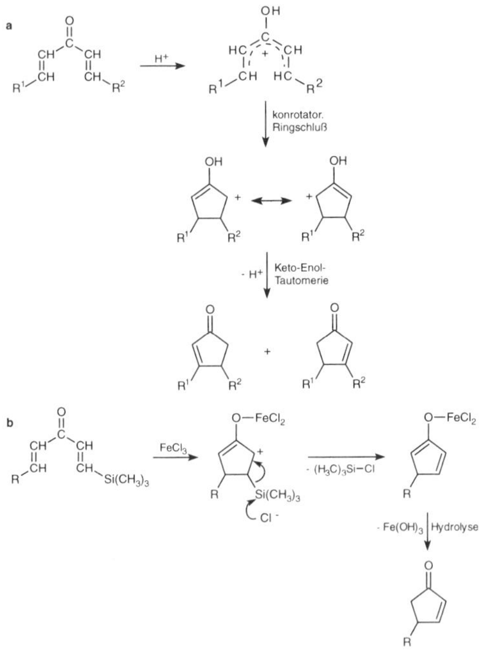

Abb.: Nazarov-Reaktion.

Nb. Symbol für das chem. Element *Niob.

NBC-RIM-Verfahren. Bei der sog. alkal. Schnellkondensation, einer anion. verlaufenden *Polymerisation von *Lactamen zu *Polyamiden, wird wasserfreies Lactam in Ggw. von *p*-Toluolsulfonsäure, die als Katalysator wirkt, in Formen sukzessive auf über 200 °C erhitzt („Guß-Polyamid"). Eine Weiterentwicklung dieses Verf. ist das sog. NBC-RIM-V. (*E* *N*ylon-*B*lock-*C*opolymer-*R*eaction *I*njection *M*oulding). Hier werden dem Ansatz ca. 20% *Polypropylenglykol zugesetzt, wodurch Polyamid-Polypropylenglykol-*Blockcopolymere entstehen. Vorteile dieses Verf. bestehen in dem geringeren Schwund, der verringerten Wasseraufnahme u. der sehr guten Kaltschlagzähigkeit des Materials. Es wird zur Herst. großflächiger, dünnwandiger Teile z. B. im Fahrzeugbau verwendet. – ***E*** NBC-RIM process – ***F*** procédé NBC-RIM – ***I*** processo NBC-RIM – ***S*** procedimiento NBC-RIM

Lit.: Tieke, Makromolekulare Chemie, S. 123, Weinheim: Wiley-VCH 1997.

NBD. Abk. für *2,5-Norbornadien.

NBD-Chlorid.

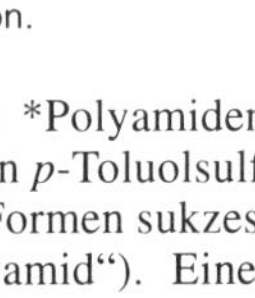

Abk. für 4-Chlor-7-nitrobenzofurazan (4-Chlor-7-nitro-2,1,3-benzoxadiazol), $C_6H_2ClN_3O_3$, M_R 199,55. Dünne, gelbe Nadeln, Schmp. 97–99 °C, in wäss. Syst., Alkoholen, Essigester lösl., hautreizend.
Verw.: Als fluorogenes Nachw.-Reagenz für Aminosäuren, biogene Amine, einige Alkaloide, *N*-haltige Arzneimittel, Sulfonamide, Thiole. In Verbindung mit Dünnschichtchromatographie ist NBD-Chlorid bes. zur *Doping-Kontrolle geeignet. – ***E*** NBD chloride – ***F*** chlorure de NBD – ***I*** cloruro NBD – ***S*** cloruro de NBD

Lit.: Beilstein E V **27/27**, 525. – *[CAS 10199-89-0]*

NBDE. Abk. für Nonabromdiphenylether, s. PBDE.

NBH-Verfahren s. Dotierung.

NBP. Abk. für *4-(4-Nitrobenzyl)pyridin.

NBR. Kurzz. (nach DIN ISO 1629: 1981-10) für *Acrylnitril-*1,3-Butadien-*Kautschuk u. *Nitrilkautschuk.

NBS. 1. Geläufige Abk. für *N*-*Bromsuccinimid.
2. Abk. für das 1901 gegr. National Bureau of Standards, Gaithersburg, Maryland 20899 (USA). 1988 erfolgte die Umbenennung in National Institute of Standards & Technology (Abk. *NIST).

NC. Anstelle von *CN gelegentlich gebrauchtes Kurzz. für *Cellulosenitrat.

NCAM s. Zell-Adhäsionsmoleküle.

NCBI. Abk. für *National Center for Biotechnology Information.

NCR. Kurzz. (nach DIN ISO 1629: 1981-10) für *Acrylnitril-*Chloropren-*Kautschuk.

NCS. Abk. für *N*-*Chlorsuccinimid; *Isothiocyanato-Gruppen-N=C=S in chem. Formeln.

NCSA. Abk. für *N*-*Carbonylsulfamoylchlorid.

Nd. Symbol für das chem. Element *Neodym.

NDBA. Abk. für *N*-Nitrosodibutylamin, s. Nitrosamine.

NDEA. Abk. für *N*-Nitrosodiethylamin, s. Nitrosamine.

NDELA. Abk. für *N*-Nitrosodiethanolamin, s. Nitrosamine.

NDGA. Abk. für *Nordihydroguajaretsäure.

NDIR s. IR-Spektroskopie.

NDMA. Abk. für **N*-Nitrosodimethylamin.

NDPA. Abk. für *N*-Nitrosodipropylamin, s. Nitrosamine.

ND-PE. Kurzz. für *Polyethylene niedriger Dichte.

Nd:YAG-, Nd:Glas-, Nd:YLF- u. Nd:Cr:GSGG-Laser s. Neodym-Laser

Ne. Symbol für das chem. Element *Neon.

NEA. 1. Abk. für Nuclear Energy Agency, 12, Boulevard des Iles, F-92130 Issy-les-Moulineux, eine 1958 als European Nuclear Energy Agency (ENEA) gegr. u. 1972 umbenannte Organisation. Aufgabe ist die Koordinierung von Entwicklung u. Anw. von Anlagen zur friedlichen Nutzung der Kernenergie innerhalb der Mitgliederstaaten. Bes. Bedeutung kommt der Harmonisierung sicherheitstechn. u. genehmigungsrechtlicher Fragen zwischen den Regierungen zu, ferner dem Handling radioaktiver Abfälle u. der Wiederaufbereitung von Kernbrennstoffen, z. B. durch *Eurochemic. In Zusammenarbeit mit der *IAEA werden Vorhersagen über Uran-Vork., -Produktion u. -Bedarf erstellt u. gemeinsame Forschungsprojekte gefördert, z. B. das Halden-Reaktorprojekt in Norwegen, das Reaktorsicherheitsprojekt RASPLAV gemeinsam mit der russ. Föderation u. die Reaktorsicherheitstestanlage LOFT in den USA. In der NEA-Datenbank (Saclay, Frankreich) sind nukleare Daten u. Programme verfügbar. Der NEA gehören außer Neuseeland u. Tschechien alle *OECD-Staaten sowie neuerdings Korea an. *Publikationen:* Annual Report; NEA Newsletter; Nuclear Law Bulletin; Technical reports and publications; Issue Briefs. INTERNET-Adresse: http://www.nea.fr.
2. Abk. für *N*-Ethyl-*N*-nitrosoanilin, s. Nitrosamine.

Neamin s. Neomycin.

Neapelgelb (Antimongelb, Bleiantimonat, C. I. Pigment Yellow 41). Hauptbestandteil: $Pb_3(SbO_4)_2$, M_R 993,10, D. 6,6. Das als gelbe Künstlermalerfarbe u. Zementfarbe verwendete Pigment ist Licht-, Temp.- u. Alkali-beständig, wird dagegen von Säuren gelöst od. zersetzt u. durch Schwefelwasserstoff geschwärzt (Bleisulfid-Bildung). – ***E*** Naples yellow – ***F*** jaune de Naples – ***I*** giallo di Napoli, giallo di antimonio, ortoantimoniato di piombo – ***S*** amarillo de Nápoles – *[HS 2841 90; CAS 13510-89-9 ($Pb_3(SbO_4)_2$); 8012-00-8 (N.)]*

Neapelgrün s. Chrom-Pigmente.

Neapelrot s. Rötel.

Neatan®. Gebrauchsfertige Kunststoff-Dispersion zur Dokumentation von DC-Chromatogrammen. ***B.:*** Merck.

Nebacetin® (Rp). Tabl., Salbe, Puder, Lsg., Wundgaze etc. mit *Neomycin-Sulfat u. *Bacitracin zur Behandlung bakterieller Infektionen. ***B.:*** Yamanouchi.

Nebacumab (Rp). Bez. für einen monoklonalen IgM-Antikörper, der die Lipid-A-Komponente bakterieller Zellwand-Lipopolysaccharide erkennt. Er wurde als Antibiotikum gegen Gram-neg. Bakterien bei sept. Schock eingesetzt. N. wurde 1991 von Centocor (Centoxin®) auf den Markt gebracht, 1993 wurde der Vertrieb wieder eingestellt. – ***E*** = ***I*** = ***S*** nebacumab – ***F*** nébacumab

Lit.: Drugs **47**, 855–861 (1994). – *[CAS 138661-01-5]*

Nebel. Allg. *Aerosole, d. h. kolloide Dispersionen von Flüssigkeitströpfchen in Gasen (vgl. a. Kolloidchemie); der Durchmesser der Tropfen beträgt 10 µm od. weniger. *Natürliche*, atmosphär. N. entstehen, wenn sich Luft mit einem bestimmten Gehalt an *Wasserdampf unter den *Taupunkt abkühlt (s. a. Dampf u. relative Luftfeuchtigkeit).
Nach dem Prinzip der natürlichen N.-Entstehung läßt sich in der *N.-Kammer* (s. Wilson-Kammer) künstlich N. erzeugen. *Künstliche N.* lassen sich mit Hilfe verschiedener chem. Substanzen entwickeln, wobei außer N. z. T. auch *Rauch gebildet wird. *Beisp.*: *Berger-Mischung, Nebelsäure (*Chloroschwefelsäure hydrolysiert beim Versprühen durch den Wasserdampf der Luft z. B. nach $HO–SO_2Cl + H_2O \rightarrow H_2SO_4 + HCl$ u. bildet feine N.-Tropfen), weißer Phosphor (verbrennt an der Luft zu Phosphorpentoxid, das mit dem Wasserdampf der Luft einen weißen N. von Phosphorsäure bildet), Salmiak-Rauch (läßt sich durch Einwirkung von Ammoniak auf Chlorwasserstoff od. Salzsäure erzeugen), Silicium-, Titan- od. Zinntetrachlorid-N. (entstehen durch Hydrolyse der flüssigen Verb. in feuchter Luft u. enthalten zusätzlich zu HCl feste Oxid-Partikel). Titantetrachlorid verwendet man auch zur

sog. Himmelsreklame (Himmelsschreiber). N. lassen sich in techn. Anlagen mit Hilfe von *Demistern abscheiden. Künstlicher N. mit nichtaggressiven Agenzien wird im Pflanzenbau als Schutz gegen Bodenfröste eingesetzt. Dabei läßt sich die Beständigkeit des N. durch Bildung eines monomol. Films aus z. B. längerkettigen Glykolethern auf den Wassertröpfchen erhöhen. Durch chem. Reaktionen von Luftverunreinigungen werden vielfach auch Nebel gebildet, s. Smog. Ebenfalls von Nebeln od. Vernebeln spricht man, wenn im Pflanzenbau bei der Schädlingsbekämpfung die Wirkstoffe (*Fumigantien) in nebelartig feinen Tröpfchen mittels verschiedener „Nebelgeräte" versprüht werden. Nebelerzeugung wird auch militär. genutzt. – ***E*** fog, mist – ***F*** brouillard, brume – ***I*** nebbia – ***S*** niebla

Nebelabscheider. Einrichtung zur Abtrennung von Flüssigkeitströpfchen aus einem *Aerosol, z. B. hinter *Naßabscheidern u. *Naßwäschern zur Beseitigung von Sprüh-*Nebel. Die üblichen *Abscheider nutzen Massenkräfte, z. B. der *Zyklon. Beim Prallabscheider (Impaktor, Impinger) werden die Aerosolströme – nach Beschleunigung in einer Düse – wiederholt umgelenkt. Aufgrund ihrer Trägheit prallen Tropfen auf die Umlenkbleche, von denen ein Flüssigkeitsfilm abfließt. Beim Drahtgestrickabscheider (*Demister) wird ein Aerosol durch ein Gestrick aus dünnen Drähten geleitet, wobei Tropfen auf die Drähte prallen. – ***E*** demister, impactor, impinger – ***F*** séparateur d'aréosols – ***I*** deumidificatore – ***S*** separador o decantador por niebla

Nebelkammer s. Wilson-Kammer.

Nebelsäure s. Nebel u. Nebelwaffen.

Nebelwaffen. Zu den *chemischen Waffen zählende Mittel der *Militärchemie, die in erster Linie dazu dienen sollen, dem Gegner die Orientierung zu erschweren. Die künstlichen *Nebel sind *Aerosole flüssiger od. fester Materialien, die möglichst undurchdringlich für Lichtwellen im sichtbaren u. infraroten Bereich sein sollen. Hierfür liegt der optimale Durchmesser der in Luft dispergierten Teilchen bei 0,5 – 1 μm. Zur Tarnung eigener Objekte od. Gebiete sollen die N. möglichst untox. sein, bei Anw. gegen gegner. Ziele können N. in Kombination mit *Kampfstoffen od. *Tränenreizstoffen eingesetzt werden. Die wichtigsten Basis-Materialien für N. sind:

1. Mineralöle: Sie werden heiß zerstäubt mittels geeigneter Düsen-Aggregate u. bilden bei rascher Abkühlung dichte Nebel; Verw. v. a. zur Tarnung eigener Objekte.
2. Lsg. von SO_3 (55 Tl.) in Chlorsulfonsäure (45 Tl.): Diese *Nebelsäure* hydrolysiert beim Versprühen in feuchter Luft unter Bildung feinster Tröpfchen von Schwefel- u. Salzsäure, die zusammen mit kondensierender Luftfeuchte stabile Nebel bilden.
3. $TiCl_4$, $SiCl_4$, $SnCl_4$: Hydrolysieren mit Wasser zu Salzsäure-Tröpfchen u. feinteiligen Oxiden der Metalle.
4. Präp. auf der Basis von weißem od. rotem Phosphor: Verbrennen nach Entzündung zu fein verteiltem P_2O_5.
5. Mischungen aus Al-Granulat, Zinkoxid u. Hexachlorethan (*Berger-Mischung): Verbrennen nach Entzündung in mehrstufiger Reaktion ($2\,Al + Cl_3C{-}CCl_3 \rightarrow 2\,AlCl_3 + 2\,C$; $2\,AlCl_3 + 3\,ZnO \rightarrow Al_2O_3 + 3\,ZnCl_2$), wobei die Nebel-Bildung hauptsächlich durch Adsorption von Luftfeuchte an Zinkchlorid entsteht.

Die Einsatzformen von N. sind Nebel-Geräte, -Kerzen, -Granaten, -Bomben u. -Raketen. Zu den N. im erweiterten Sinne können auch die *Rauchpulver gezählt werden, die – ggf. mit färbenden Zusätzen versehen – zu Signal-Zwecken, zur Markierung von Zielen bei Luftangriffen od. a. als Notsignale z. B. in Seenot-Fällen dienen können (s. a. Pyrotechnik). – ***E*** military smokes – ***F*** armes fumigènes – ***I*** armi nebbiogeni – ***S*** armas fumígenas

Lit.: Kirk-Othmer (3.) **5**, 405–408; (4.) **5**, 806–810 ▪ Klimmek et al., Chemische Gifte u. Kampfstoffe, S. 117–120, Stuttgart: Hippokrates 1983 ▪ Ullman (4.) **9**, 442; **19**, 630; (5.) **A 22**, 438, 448 f.

Nebenbestandteil s. Konzentration.

Nebengruppenelemente s. Periodensystem u. Übergangsmetalle.

Nebennieren. Innersekretor. Drüsen, die dem oberen Pol der Nieren aufgelagert sind. Die menschlichen N. sind etwa halbmondförmig u. wiegen je ca. 6 g. Man unterscheidet zwischen dem weicheren, braunroten an Nerven bes. reichen Mark u. der festeren gelblichbraunen Rinde, die unterschiedliche *Hormone bilden. Die Zellen des N.-Markes (NNM) produzieren die *Catecholamine *Adrenalin, *Noradrenalin u. *Dopamin. Die N.-Rinde (NNR) ist Bildungsort von über 40 verschiedenen *Steroiden, die nach ihren Hauptwirkungen in Mineralocorticosteroide (z. B. *Aldosteron), Glucocorticosteroide (s. Corticosteroide) (z. B. Cortisol) u. *Sexualhormone (*Androgene) unterteilt werden. Störungen im Hormonstoffwechsel der jeweiligen N.-Anteile äußern sich als Über- od. Unterfunktion der betreffenden Hormone. So führen Störungen der N. zu charakterist. Krankheitsbildern wie dem Cushing-Syndrom bei Überfunktion (Stammfettsucht, Mondgesicht, Osteoporose u. a.) u. der *Addisonschen Krankheit bei Unterfunktion. Eine Überproduktion von NNM-Hormonen findet sich bei bestimmten NNM-Tumoren (Phäochromozytom), Unterfunktionszustände des NNM sind nicht bekannt. – ***E*** adrenal glands – ***F*** glandes surrénales – ***I*** ghiandole surrenali – ***S*** glándulas suprarrenales

Lit.: Siegenthaler, Klinische Pathophysiologie, S. 303–324, Stuttgart: Thieme 1994.

Nebennierenhormone. Sammelbez. für alle *Hormone der *Nebennieren. Im *Mark* der Nebennieren werden als N. im engeren Sinne die *Catecholamine *L-Adrenalin (*E* adrenal gland = Nebenniere, Anteil ca. 80%) u. L-*Noradrenalin (ca. 20%) gespeichert u. auf nervösen Reiz ausgeschieden. Aus der *Nebennierenrinde (NNR)* wurden zahlreiche Hormon-wirksame u. -unwirksame Steroide isoliert, die häufig (solange ihre Konstitution noch unbekannt war) mit dem Namen ihrer Entdecker bezeichnet wurden; *Beisp.:* Reichsteins Verb. Fa = Kendalls Verb. E = Wintersteiners Verb. F = *Cortison. Die *Steroidhormone* – im allg. handelt es sich um 20-Ketosteroide – werden nach Stimulierung durch *Corticotropin, *Angiotensin II usw. z. T. aus *Cholesterin synthetisiert. Die in *Glucocorticoide* u. *Mineralcorticoide* – gelegentlich definiert man *Androcorticoide* u. *Estrocorticoide* – unterteilbaren NNR-Hormone werden zusammenfassend als *Corticosteroide bezeichnet. – ***E*** adrenal hormones – ***F*** hormones surrénaliennes – ***I*** ormoni della ghiandola surrenale – ***S*** hormonas suprarrenales

Nebenprodukt. Bei chem. *Reaktionen in geringerer Menge gebildetes Produkt. – ***E*** minor product, byproduct – ***F*** produit secondaire, sous-produit – ***I*** sottoprodotto – ***S*** producto secundario, subproducto

Nebenquantenzahl s. Atombau, S. 292 ff.

Nebenreaktion s. Reaktionen.

Nebenschilddrüsen (Epithelkörperchen). Vier kleine, 20–40 mg schwere innersekretor. Drüsen, die beidseitig der *Schilddrüse hinten anliegen. Sie sezernieren das *Parathyrin, das zusammen mit seinem Gegenspieler, dem *Calcitonin der Schilddrüse, den *Calcium-Haushalt reguliert. So äußern sich Überfunktionszustände (Hyperparathyreoidismus) u.a. in einem erhöhten Calcium-Spiegel im Blut (*Hypercalcämie), Knochenveränderungen u. Nierensteinen, eine Unterfunktion der N. (Hypoparathyreoidismus) führt u.a. zu einer *Hypocalcämie, zur Übererregbarkeit von Nerven u. Muskeln (Tetanie) u. zu Veränderungen von Haut u. Haaren. – ***E*** parathyroid glands – ***F*** glandes parathyroïdes – ***I*** paratiroidi, ghiandole paratiroidi – ***S*** (glándulas) paratiroides

Lit.: Siegenthaler, Klinische Pathophysiologie, S. 284–293, Stuttgart: Thieme 1994.

Nebenvalenzen s. chemische Bindung (S. 677 f.).

Nebenwirkungen von Arzneimitteln s. Arzneimittel-Nebenwirkungen u. Pharmakologie.

Neber-Umlagerung. Von Neber u. Friedolsheim 1926 im Zuge ihrer Untersuchung der *Beckmann-Umlagerung entdeckte Reaktion, bei der *Oxime* letztlich in *α-Aminoketone* umgewandelt werden. Dazu überführt man die Oxime zunächst in Oximsulfonate, die auch als Ausgangsmaterialien für die Beckmann-Umlagerung dienen können, u. unterwirft diese dann einer bas. Spaltung zu den *α*-Aminoketonen, bei der nachgewiesenermaßen *Azirine als Zwischenstufe auftreten.

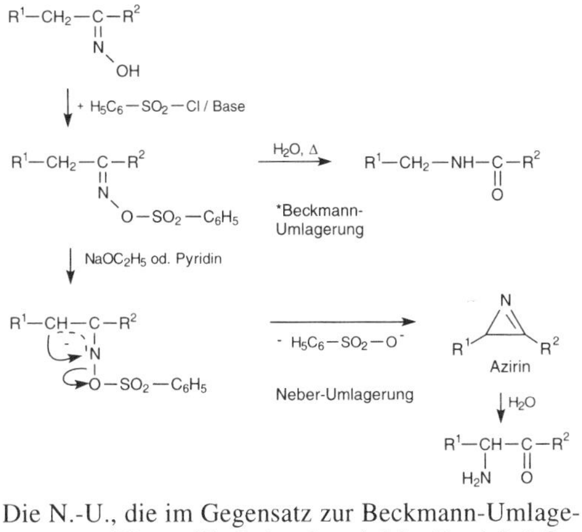

Die N.-U., die im Gegensatz zur Beckmann-Umlagerung aus (*E*)- u. (*Z*)-Oxim das gleiche Produkt(-Gemisch) liefert, ist oft ein wichtiger Syntheseschritt bei der Herst. von Naturstoffen. – ***E*** Neber rearrangement – ***F*** réarrangement de Neber – ***I*** trasposizione di Neber – ***S*** transposición de Neber

Lit.: Chem. Rev. **64**, 81–90 (1964) ▪ Hassner-Stumer, S. 271 ▪ Houben-Weyl **10/4**, 235 f.; **11/1**, 903 ff. ▪ Krauch u. Kunz, Reaktionen der Organischen Chemie, 6. Aufl., S. 517, Heidelberg: Hüthig 1997 ▪ Laue-Plagens, S. 233 ▪ March (4.), S. 217 f., 1089 ▪ Trost-Fleming **6**, 786 f. ▪ s.a. Ketone u. Azirine.

Nebivolol (Rp).

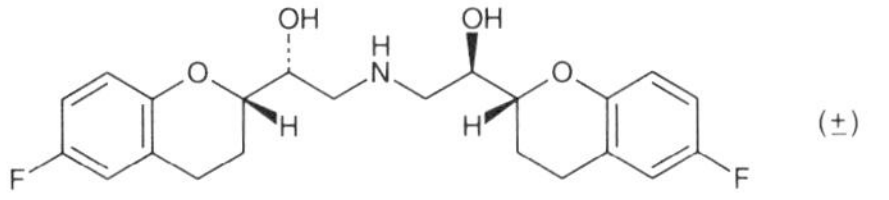

Internat. Freiname für das *Antihypertonikum (Beta-Blocker) (±)-[1*R**(*R**),1′*R**(*S**)]-2,2′-Iminobis[1-(6-fluor-2-chromanyl)ethanol], $C_{22}H_{25}F_2NO_4$, M_R 405,44. Verwendet wird meist das Hydrochlorid. N. wurde 1985 u. 1987 von Janssen patentiert u. ist von Berlin Chemie (Nebilet®) im Handel. – ***E*** = ***S*** nebivolol – ***F*** nébivolol – ***I*** nebivololo

Lit.: Martindale (31.), S. 914. – *[CAS 118457-14-0]*

Nebularin (9-*β*-D-Ribofuranosyl-9*H*-purin).

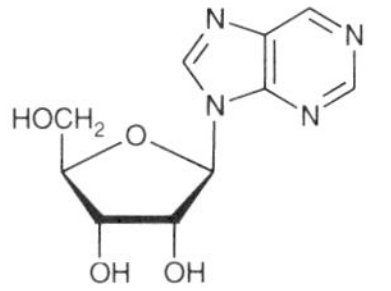

$C_{10}H_{12}N_4O_4$, M_R 252,22, Krist., Schmp. 182–183 °C, $[\alpha]_D^{35}$ –46,8° (H_2O), lösl. in Aceton, Ether, Chloroform, Nucleosid-Antibiotikum aus der Nebelkappe[1] (*Clitocybe nebularis*), einem in unseren Wäldern im Herbst häufig anzutreffenden Blätterpilz. N. wurde auch in einer *Streptomyces*-Art[2] gefunden. N. wirkt antimitot. u. tuberkulostat.; LD_{50} (Ratte/Meerschweinchen s.c.) 220/15 mg/kg. – ***E*** nebularine – ***F*** nébularine – ***I*** = ***S*** nebularina

Lit.: [1] Tetrahedron **44**, 7001–7006 (1988). [2] J. Antibiot. Ser. A **13**, 270 (1960).

allg.: Beilstein E V **26/11**, 198 ▪ Merck-Index (12.), Nr. 6521 ▪ Nuhn, Chemie der Naturstoffe (3.), S. 618, Stuttgart: Hirzel 1990 ▪ Sax (8.), RJF 000 ▪ Ullmann (5.) **A 2**, 492. – *Synth.:* Synthesis **1984**, 401; **1988**, 848. – *[HS 2941 90; CAS 550-33-4]*

Nebulin. Hochmol. (M_R 600000–900000) *Actin-bindendes Protein des quergestreiften *Muskels der Wirbeltiere, das sich von der Z-Scheibe des Sarkomers (s. Muskel) an den dünnen Actin-Filamenten entlang erstreckt. Das langgestreckte N.-Mol., das in seiner gesamten Ausdehnung (1,05–1,3 μm) aus 150–200 sich wiederholenden Actin-bindenden Motiven von 35 Aminosäure-Resten besteht u. dessen Länge mit der der dünnen Filamente korreliert, könnte als mol. Maßband die Länge der Letzteren festlegen. Im Gegensatz dazu ist das ebenfalls sehr große *Titin-Mol. mit dem *Myosin der dicken Muskel-Filamente assoziiert. – ***E*** nebulin – ***F*** nébuline – ***I*** = ***S*** nebulina

Lit.: Adv. Biophys. **33**, 123–150, 223–233 (1996) ▪ Alberts et al., Molekularbiologie der Zelle, 3. Aufl., S. 1008 f., Weinheim: VCH Verlagsges. 1995 ▪ Curr. Opin. Cell Biol. **7**, 32–38 (1995) ▪ J. Mol. Biol. **248**, 308–315 (1995).

Neburon.

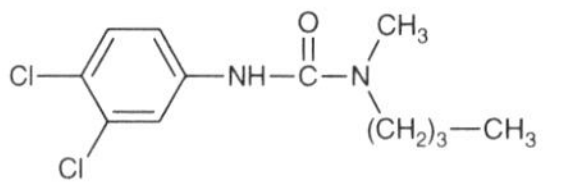

Common name für 1-Butyl-3-(3,4-dichlorphenyl)-1-methylharnstoff, $C_{12}H_{16}Cl_2N_2O$, M_R 275,17, Schmp. 102–103 °C, LD_{50} (Ratte oral) >11 000 mg/kg (WHO), von DuPont 1957 eingeführtes selektives Vorauflauf-*Herbizid gegen Unkräuter u. Ungräser v. a. im Getreideanbau sowie in Baumschulen. – ***E*** neburon – ***F*** néburon – ***I*** neburone – ***S*** neburón

Lit.: Farm ▪ Perkow ▪ Pesticide Manual. – *[HS 2924 21; CAS 555-37-3]*

Necatoron (5,10-Dihydroxy-6*H*-pyrido[4,3,2-*kl*]-acridin-6-on).

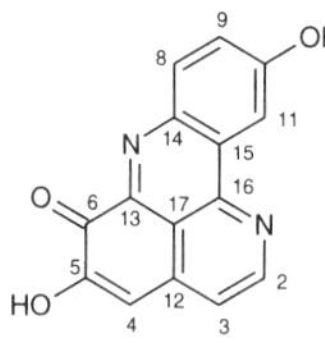

$C_{15}H_8N_2O_3$, M_R 264,24, rote Krist., Schmp. >360 °C, lösl. in DMSO mit grüner Farbe, mit Alkalien Violettfärbung, wenig lösl. in Eisessig mit gelber Farbe, unlösl. in Wasser. N. u. *4,4′-Binecatoron* ($C_{30}H_{14}N_4O_6$, M_R 526,46) verursachen die grünbraune Farbe des Tannenreizkers (Grüner Mörder, Mordschwamm, *Lactarius necator*, Basidiomycetes). Der Tannenreizker gilt in manchen Ländern als Speisepilz, in Skandinavien werden Konserven hergestellt. N. ist im *Ames-Test stark mutagen. Eine Totalsynth. wurde beschrieben[1]. Aus dem amerikan. türkisgrünen *L. atroviridis* wurde *10,10′-Didesoxy-4,4′-binecatoron* ($C_{30}H_{14}N_4O_4$, M_R 494,46, schwarzgrüne Krist.) isoliert[2]. N. wird biosynthet. aus Tyrosin u. Anthranilsäure aufgebaut. – ***E*** = ***I*** necatorone – ***F*** nécatorone – ***S*** necatorona

Lit.: [1]Tetrahedron Lett. **26**, 5975–5978 (1985). [2]Phytochemistry **28**, 3519–3522 (1989).

allg.: Tetrahedron Lett. **25**, 3575–3578 (1984) ▪ Zechmeister **51**, 227 f. – *[CAS 92631-70-4 (N.); 126624-08-6 (4,4′-Binecatoron); 126647-32-3 (10,10′-Didesoxy-4,4′-binecatoron)]*

Necin(e). Als N. wird der bicycl. Aminoalkohol 1-Pyrrolizidinmethanol bezeichnet. N. ist der Alkohol-Teil der meist als Ester vorliegenden *Pyrrolizidin-Alkaloide. – ***E*** necine(s) – ***F*** nécine(s) – ***I*** necina(s)

Necires®. Epoxid-Modifizierungsmittel für Lsm.-freie u. Lsm.-arme Beschichtungen; auch Kohlenwasserstoffharze als Druckfarben. ***B.:*** Krahn.

Necrodole.

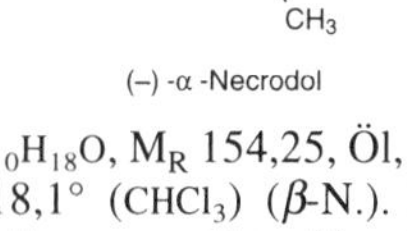

(–)-α-Necrodol

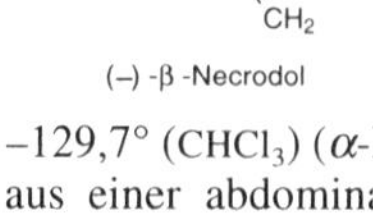

(–)-β-Necrodol

$C_{10}H_{18}O$, M_R 154,25, Öl, $[\alpha]_D$ –129,7° ($CHCl_3$) (α-N.), –18,1° ($CHCl_3$) (β-N.). Das aus einer abdominalen Drüse versprühte Abwehrsekret des trop. Rotlinien-Mistkäfers (*Necrodes surinamensis*, Silphidae) besteht aus einer Mischung aliphat. Säuren u. Monoterpen-Alkohole. Die cyclopentanoiden Monoterpene α- u. β-N. sind wesentlich für die Abwehrwirkung des Sekrets verantwortlich. – ***E*** necrodols – ***F*** nécrodols – ***I*** necrodoli – ***S*** necrodoles

Lit.: Helv. Chim. Acta **69**, 1817 (1986); **72**, 1158 (1989) ▪ J. Org. Chem. **55**, 4047–4051, 4051–4062 (1990) ▪ Phytochemistry **36**, 43 (1994). – *[CAS 104104-38-3 (α-N.); 104086-70-6 (β-N.)]*

Nedocromil (Rp).

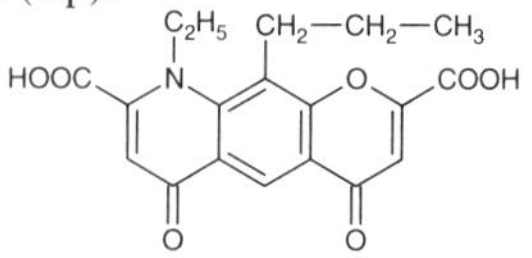

Internat. Freiname für den gegen Allergien u. Asthma wirksamen Mastzell-Stabilisator (verhindert Histamin-Freisetzung aus Mastzellen) 9-Ethyl-6,9-dihydro-4,6-dioxo-10-propyl-4*H*-pyrano[3,2-*g*]chinolin-2,8-dicarbonsäure, $C_{19}H_{17}NO_7$, M_R 371,34, Schmp. 298–300 °C. Verwendet wird das Dinatriumsalz Trihydrat. N. wurde 1978 u. 1984 von Fisons (Irtan®, Tilade®) patentiert u. ist auch von Asta medica (Halamid®) im Handel. – ***E*** nedocromil – ***F*** nédocromil – ***I*** nedocromile – ***S*** nedocromilo

Lit.: ASP ▪ Hager (5.) **8**, 1123 ff. ▪ Martindale (31.), S. 1444 f. – *[HS 2934 90; CAS 69049-73-6 (N.); 69049-74-7 (Dinatriumsalz)]*

Nedolon P® (Rp). Schmerztabl. mit *Paracetamol u. *Codein-phosphat. ***B.:*** Merck.

Néel, Louis Eugène Félix (geb. 1904), Prof. für Physik, Straßberg u. ehem. Leiter des Kernforschungszentrums in Grenoble. *Arbeitsgebiete:* Magnet. Werkstoffe, Hysterese, Oberflächenanisotropie, magnet. Kräfte, Antiferro- u. Ferrimagnetismus sowie dessen Temp.-Abhängigkeit; Nobelpreis für Physik 1970 (zusammen mit *Alfvén). Nach ihm ist die Néel-Temp. benannt (s. a. magnetische Werkstoffe).

Lit.: Lexikon der Naturwissenschaftler, S. 306 ▪ Neufeldt, S. 193, 225, 361 ▪ The International Who's Who (16.), S. 1114 ▪ Umschau **71**, 5 (1971).

Néel-Temperatur s. magnetische Werkstoffe.

Neembaum s. Nimbaum.

Neemöl (Nimöl, Margosaöl). Gelbes Pflanzenöl aus den zerdrückten Samen des *Nimbaumes (*Azadirachta indica*, Synonym *Antelaea azadirachta, Melia azadirachta*). Die Zusammensetzung des N. hängt stark von der Herkunft des Öls ab. Wichtigste Bestandteile sind verschiedene Stereoisomere u. Derivate von *Azadirachtin (50–4000 ppm). Weiterhin sind zahlreiche *Limonoide sowie verschiedene Disulfide enthalten, die den knoblauchartigen Geruch des N. verursachen.

Verw.: N. kann als natürlicher Fraßhemmer u. Insektizid im Pflanzenschutz eingesetzt werden. Diese Wirkungen sind auf Azadirachtin zurückzuführen. Das Öl ist in seiner Wirkung dem reinen Wirkstoff überlegen, was auf die stabilisierende Wirkung des Öls u. auf seinen Gehalt an anderen wirksamen Substanzen zurückzuführen ist. Wäss. Samenextrakte u. Emulsionen des Öls werden traditionell in Indien als Insektizide eingesetzt u. stellen eine wichtige Alternative zur Verw. synthet. *Neurotoxine dar (zum Wirkmechanismus s. Azadirachtine). In Indien werden ca. 80 000 t/a N. hergestellt, die allerdings größtenteils der Seifenproduktion zugeführt werden. – ***E*** neem oil, margosa oil – ***F*** huile de margosa – ***I*** olio di margosa – ***S*** aceite de margosa

Lit.: ACS Symp. Ser. **296**, 220–235 (1986); **387**, 70f., 112–126 (1989); **551**, 103–129 (1994) ▪ Can. J. Botany **68**, 1–11 (1990) ▪ 17th IUPAC-Symp. Nat. Prod. Chem., Abstracts S. 238, New Delhi 1990 ▪ J. Agric. Food Chem. **38**, 1406–1411 (1990) ▪ National Research Council, Neem: A Tree for Solving Global Problems, Washington, D. C.: National Academic Press 1992 ▪ Saxena, Natural Pesticides of the Neem Tree, S. 171–204, Proc. 1st Int. Neem Conf. 1980.

Nefazodon (Rp).

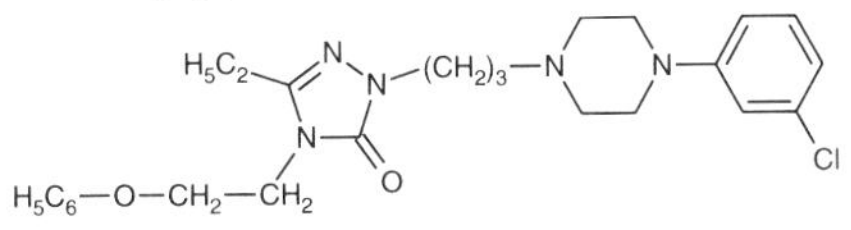

Internat. Freiname für das als postsynapt. 5-HT_2-Blocker u. Serotonin-Wiederaufnahme-Hemmer, (SSRI) wirkende *Antidepressivum 2-{3-[4-(3-Chlorphenyl)-1-piperazinyl]propyl}-5-ethyl-2,4-dihydro-4-(2-phenoxyethyl)-3*H*-1,2,4-triazol-3-on, $C_{25}H_{32}ClN_5O_2$, M_R 470,01, Schmp. 83–84 °C. Verwendet wird meist das Monohydrochlorid, Schmp. 186–187 °C, 181–182 °C, 175–177 °C (verschiedene Modif.). N. wurde 1982 von Mead Johnson patentiert u. ist von Bristol Myers Squibb (Nefadar®) im Handel. – ***E*** = ***I*** nefazodone – ***F*** néfazodon – ***S*** nefazodona

Lit.: Ann. Pharmacother. **30**, 1006–1012 (1996) ▪ Drugs **53**, 608–636 (1996) ▪ Dtsch. Apoth. Ztg. **137**, 1723f. (1997) ▪ Martindale (31.), S. 326f. ▪ Pharm. Ztg. **142**, 1576 (1997). – *[HS 2933 59; CAS 83366-66-9 (N.); 82752-99-6 (Hydrochlorid)]*

Nefopam (Rp).

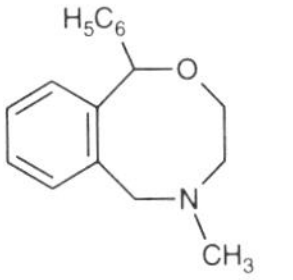

Internat. Freiname für das *Analgetikum, *Muskelrelaxans u. *Antidepressivum 3,4,5,6-Tetrahydro-5-methyl-1-phenyl-1*H*-2,5-benzoxazocin, $C_{17}H_{19}NO$, M_R 253,34; λ_{max} (CH_3OH) 267 nm ($A^{1\%}_{1cm}$ 25). Verwendet wird meist das Hydrochlorid, Schmp. 238–242 °C; LD_{50} (Maus oral) 119, (Maus i.v.) 44,5 mg/kg. N. wurde 1974 von Riker patentiert u. ist von 3M Medica (Ajan®) u. Krewel Meuselbach (Silentan®) im Handel. – ***E*** = ***I*** = ***S*** nefopam – ***F*** néfopam

Lit.: ASP ▪ Drugs **19**, 249–267 (1980) ▪ Beilstein EV **27/7**, 22 ▪ Gerbershagen u. Cronheim, Nefopam, Stuttgart: Fischer 1979 ▪ Hager (5.) **8**, 1125–1128 ▪ J. Chem. Soc. Perkin Trans. 2 **1989**, 113–122 (Stereochemie) ▪ Martindale (31.), S. 70f. – *[HS 2934 90; CAS 13669-70-0 (N.); 23327-57-3 (Hydrochlorid)]*

Nef-Reaktionen. 1. Umwandlung von prim. bzw. sek. Nitroalkanen in Carbonyl-Verb., wobei zunächst die *aci*-Nitro-Derivate gebildet werden. Die N.-R. hat in neuerer Zeit im Zuge der Umpolungs-Strategie eine neue Bedeutung erlangt (s. Abb. 1).

2. Nef-Synth.: Ethinylierung von Aldehyden od. Ketonen mit Natriumacetylenid zu Alkinolen (s. Abb. 2). – ***E*** Nef reactions – ***F*** réactions de Nef – ***I*** reazioni di Nef – ***S*** reacciones de Nef

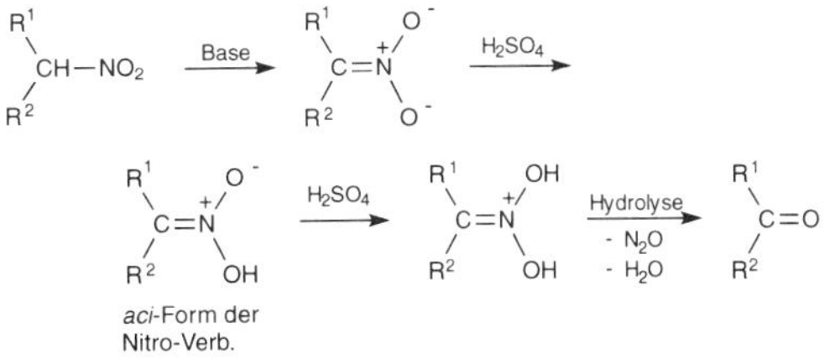

Abb. 1: Nef-Reaktion – Umwandlung von prim. od. sek. Nitroalkanen in Carbonyl-Verbindungen.

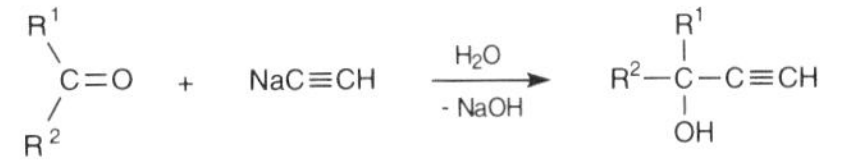

Abb. 2: Nef-Synth. – Ethinylierung von Carbonyl-Verbindungen.

Lit. *(zu 1):* Chem. Rev. **55**, 137–155 (1955) ▪ Hassner-Stumer, S. 273 ▪ Houben-Weyl **7/2**, 843; **10/1**, 458 ▪ Krauch u. Kunz, Reaktionen der Organischen Chemie, 6. Aufl., S. 15, Heidelberg: Hüthig 1997 ▪ Laue-Plagens, S. 235 ▪ March (4.), S. 886f. ▪ Org. React. **38**, 655–792 (1990) ▪ Synthesis **1988**, 833ff. – *(zu 2):* Houben-Weyl **13/1**, 605 ▪ March (4.), S. 948

Negativ s. Photographie.

Negative Katalyse s. Desaktivierung, Katalyse.

Negativ-Kopierverfahren. Reprograph. Verf. für die photomechan. Druckformherst. bei Verw. eines Negativs: Die vom Licht gehärteten Stellen einer Druckplatte sind resistent gegenüber dem Entwickler, u. die nicht gehärteten Teile werden ausgewaschen. Das N.-K. wird in *Offsetdruck, *Chemigraphie u. bei *Photoresist verwendet. – ***E*** negative copy process – ***F*** procédé de copie au négatif – ***I*** processo copiativo negativo – ***S*** procedimiento de copiar negativos

Negativliste. Aufgrund § 34 Abs. 3 des Sozialgesetzbuches (SGB) V ist seit 01.07.91 eine Liste von Arzneimitteln (Präp.) in Kraft, die als unwirtschaftlich angesehen werden u. deshalb von den Krankenkassen nicht erstattet werden. Die N. umfaßt derzeit etwa 4500 Einträge; sie kann in Apotheken eingesehen werden.

Lit.: Pharm. Ztg. **141**, 2753 (1996).

Neher, Erwin (geb. 1944), Prof. für biophysikal. Chemie, Univ. Göttingen u. Leiter der Abteilung für Membranbiophysik am MPI, Göttingen. Er erforschte in den 70er Jahren zusammen mit B. Sakmann Ionenkanäle u. erhielt hierfür sowie für die Entwicklung einer Meßmeth. der Ströme in Ionenkanälen mit B. Sakmann 1991 den Nobelpreis für Medizin u. Physiologie.

Lit.: Lexikon der Naturwissenschaftler, S. 306 ▪ Nachr. Chem. Tech. Lab. **39**, Nr. 5, 583 (1991); **40**, Nr. 2, 254 (1992).

Neidlein, Richard (geb. 1930), Prof. für Pharmazeut. Chemie u. Direktor des Pharmazeut.-Chem. Inst. der Univ. Heidelberg. *Arbeitsgebiete:* Organ.-chem. Synth.-Meth. sowie Reaktionen; aromat. Mol.-Syst. u. Heterocyclen, neue Farbstoffe; homogene Katalyse, Metallcyclen; Biotransformation u. Metabolismus: Pharmakokinetik, Distribution, Elimination etc. von Wirkstoffen, enzymat. Synth. von Glucuroniden: enzymat. Reaktionen u. Biotransformationen mit Enzymen, Bakterien in der organ. Synthese.

Lit.: Kürschner (16.), S. 2569 ▪ Nachr. Chem. Tech. Lab. **41**, Nr. 5, 620 (1993).

Nekal®Marken. Anion. Tenside auf der Basis von *Alkylnaphthalinsulfonaten, die aufgrund ihrer grenzflächenaktiven Eigenschaften zur Verw. in wäss. Syst. in der chem., chem.-techn., Textil-, Kautschuk-, Gummi- u. Anstrichmittel-Ind. geeignet sind. *N. BX* ist das Natrium-Salz von Diisobutylnatphthalinsulfonsäure. Der Name N. soll von „netzt kalt" hergeleitet sein. ***B.:*** BASF.

Nekro.... Von griech.: nekrós = Leiche abgeleiteter Bestandteil von Fremdwörtern.

Nekrobionten s. Nekrophagen.

Nekrohormone. Ausdruck für die bei der *Entzündung freigesetzten *Mediatoren (*Wundhormone).

Nekrophagen (Necrophaga, Nekrotrophe, Nekrovore, Nekrobionten, Zoosaprophagen). Tiere, die sich von toten Tieren, die sie nicht selbst getötet haben, ernähren (*Nekrotrophie). Zu den N. gehören neben aasfressenden Säugetieren u. Vögeln auch Aaskäfer u. Aasfliegen (z. B. Maden der Fliegengattungen *Calliphora* u. *Lucilia*). – ***E*** carrion feeders, necrophagous animals – ***F*** nécrophages – ***I*** necrofaghi – ***S*** necrófagos

Lit.: Biotropica **6**, 51–63 (1974) ▪ J. Arid Environ. **6**, 253–263 (1983) ▪ Stugren, Grundlagen der Allgemeinen Ökologie (4.), S. 100, Stuttgart: Fischer 1986.

Nekrophagie s. Nekrotrophie.

Nekrose s. Gangrän.

Nekrotrophie (Nekrophagie). Ernährung von Aas; die aasfressenden Tiere heißen auch *Nekrophagen, die auf Aas lebenden Pflanzen Nekrophyten; s. a. saprotroph. – ***E*** necrotrophy – ***F*** nécrophagie – ***I*** necrofagia – ***S*** necrotrofia

Lit.: Lexikon der Biologie (7.), Bd. 6, S. 132, Freiburg: Herder 1988.

Nekrovore s. Nekrophagen.

Nektar. Nach der VO über Fruchtnektare u. Fruchtsirup[1] ist Frucht-N. das gärfähige (schließt den Zusatz von Konservierungsstoffen aus), aber nicht gegorene, durch Zusatz von Wasser u. Zucker-Arten aus Fruchtsaft hergestellte Erzeugnis, das mind. die in der Anlage festgelegten Gehalte an Fruchtsaft u. Gesamtsäure aufweist. Für *Citrusfrüchte sind dies z. B. mind. 5 g/L Gesamtsäure u. 50% Fruchtsaftgehalt. Früchte von Gemüsearten können zur Herst. von N. nicht verwendet werden. Die Herst. von Frucht-N. ist in § 2, die Kennzeichnung in § 3 der oben genannten VO geregelt. Danach muß neben der Verkehrsbez. „Frucht-N." auch der Mindestfruchtgehalt mit den Worten „Fruchtgehalt: mind. ...%" angegeben sein; zu Zusammensetzung u. Herst. s. *Lit.*[2,3]. Jahresproduktion (BRD, 1989): 632 Mio. L; s. a. Fruchtsäfte u. Honig. – ***E*** = ***F*** nectar – ***I*** nettare – ***S*** néctar

Lit.: [1] VO über Fruchtnektare u. Fruchtsirup vom 17. 2. 1982 in der Fassung vom 22. 7. 1993 (BGBl. I, S. 1341). [2] Belitz-Grosch (4.), S. 767, 769. [3] Koch (Hrsg.), Getränkebeurteilung, S. 272–311, Stuttgart: Ulmer 1986.
allg.: Ullmann (5.) **A 4**, 36, 62 ▪ Zipfel, C 331. – *[HS 2202 90]*

Nekton s. Limnion.

Nelfinavir (AG 1346, Rp).

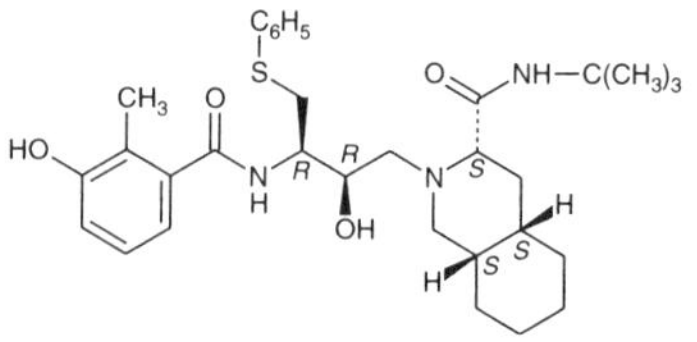

Internat. Freiname für den neuen HIV-Protease-Hemmer (3*S*)-*N*-*tert*-Butyl-(4a*β*,8a*β*)-decahydro-2-[(2*R*,3*R*)-2-hydroxy-3-(3-hydroxy-2-methylbenzamido)-4-(phenylthio)butyl]-3*α*-isochinolincarboxamid, $C_{32}H_{45}N_3O_4S$, M_R 567,78, pK_{a1} 6,0, pK_{a2} 11,6, log P 4,1, dessen Mesilat-Salz $C_{33}H_{49}N_3O_7S_2$, M_R 663,89, von Agouron Pharmaceuticals (Viracept®) patentiert u. in einem beschleunigten Verf. von der FDA in den USA zugelassen wurde. – ***E*** = ***F*** = ***I*** = ***S*** nelfinavir

Lit.: Antimicrob. Agents Chemother. **40**, 292–297, 1575 (1996) ▪ J. Am. Med. Assoc. **277**, 145–153 (1997) ▪ J. Pharm. Sci. **84**, 1090–1093 (1995). – *[CAS 159989-64-7 (N.); 159989-65-8 (N.-Mesilat)]*

Nelken. 1. *Gewürznelken:* Der in Malaysia heim., ca. 10–12 m hohe, immergrüne Gewürznelkenbaum (*Syzygium aromaticum*, Myrtaceae) wird heute auch in Sansibar, Madagaskar, Indonesien, Sri Lanka sowie in den Tropen Amerikas angebaut. Die getrockneten Blütenknospen (*Nelken*) sind seit Jh. ein beliebtes Küchengewürz für Früchte, süßsaure Konserven, Backwaren, Marinaden u. einige Gemüse. Den größten Bedarf an N. hat Indonesien zur Herst. aromatisierter Zigaretten (*Sigaret Kretek*, ⅓ N., ⅔ Tabak). Aus den N., deren Stielen sowie Blättern u. Zweigen des Baumes werden verschiedene *Nelkenöle gewonnen, deren Inhaltsstoffe auch für die geschmacklichen Eigenschaften des Nelkengewürzes verantwortlich sind.
2. Neben diesen N. u. ihren Produkten kennt man noch: Die echte Nelkenwurz (*Geum urbanum*) u. die Bachnelkenwurz (*G. rivale*, Rosaceae), die homöopath. verarbeitet werden u. nelkenartig riechen; Nelkenzimt, auch Nelkenrinde, Nelkenkassie, Nelkenholz genannt (Cortex Cassiae caryophyllatae); Nelkenpfeffer (s. Piment) u. die Gartennelke (*Dianthus caryophyllus*, aus der Pflanzenfamilie der Nelkengewächse, Caryophyllaceae), die parfümist. in Frankreich u. Italien genutzt wird durch Extraktion. Auch hier spielt als Geruchsträger das *Eugenol neben *Isoeugenol u. a. Komponenten eine Rolle. – ***E*** cloves, carnations – ***F*** girofles, œillets – ***I*** 1. chiodo di garofano, 2. garofanaia – ***S*** clavos (de especia)

Lit.: Franke, Nutzpflanzenkunde, 6. Aufl., S. 371 f., 376, Stuttgart: Thieme 1997.

Nelkenöle. Aus verschiedenen Teilen des *Gewürznelkenbaumes* (s. Nelken) durch Wasserdampfdest. gewinnbare ether. Öle: Das organolept. bes. wertvolle Knospenöl, das mengenmäßig bedeutendste Blätteröl u. das Nelkenstielöl. Das *Nelkenknospenöl* entstammt den getrockneten Blütenknospen (*Nelken*, 15–20% Ausbeute), farbloses bis gelbliches Öl, D. 1,040–1,060, enthält 70–90% *Eugenol, 10–15% des für den Nelkengeruch bes. typ. Eugenolacetats, ferner kleinere Anteile Alkohole, Methylester, Ketone sowie die als Artefakte gebildeten Sesquiterpene *Caryophyllen u. *Humulen.

Verw.: In der Aromen-Ind., Parfümerie, wegen seiner keimtötenden u. anästhesierenden Wirkung in der Zahnmedizin u. Mundpflege, als Insektenabwehrstoff in Sonnenschutzmitteln, zur Herst. von Eugenol (bes. Nelkenblätteröl), Isoeugenol u. Vanillin. Von geringerer geruchlicher Qualität ist das *Nelkenstielöl* aus den getrockneten Stielen der Nelken, Ausbeute ca. 6%, D. 1,040–1,060, besteht zu 90–96% aus Eugenol u. wird hauptsächlich zu dessen Reinherst. u. Folgesynth. verwendet. – ***E*** clove oils – ***F*** essences de girofle – ***I*** essenze di garofano – ***S*** esencias de clavo

Lit.: Bauer et al. (2.), S. 150 ▪ Food Cosmet. Toxicol. **16**, 695 (1978) ▪ Hager (5.) **6**, 858 ▪ Ullmann (5.) **A 11**, 224. – *[HS 3301 29; CAS 8000-34-8 (Nelkenknospenöl); 8015-97-2 (Nelkenblätteröl); 8015-98-3 (Nelkenstielöl)]*

Nelkenpfeffer s. Piment.

Nelsonit. Gestein aus ca. 60% *Ilmenit, 30% *Apatit u. 10% *Rutil (kann auch fehlen). N. wurde in Virginia/USA abgebaut u. auf Titandioxid-Weißpigmente verarbeitet. – ***E*** = ***F*** = ***I*** nelsonite – ***S*** nelsonita

Lit.: Bates u. Jackson (Hrsg.), Glossary of Geology (3.), S. 444, Alexandra (Virginia): American Geological Institute 1987 ▪ Gmelin, Syst.-Nr. 41, Ti, 1951, S. 30, 64, 75.

Nemacur®. Nematizid auf der Basis von *Fenamiphos gegen alle wichtigen pflanzenparasitären Nematoden an Banane, Ananas, Citrus, Kaffee, Gemüse u. a. Kulturen. ***B.:*** Bayer.

Nematische Phasen s. flüssige Kristalle, S. 1370.

Nematizide (von *Nematoden u. *...zid). Bez. für chem. Mittel zur Bekämpfung pflanzenschädigender (phytopathogener) Nematoden. Da die oberird. lebenden Blatt- u. Stengelnematoden im allg. durch *Insektizide mit abgetötet werden, versteht man unter N. im engeren Sinn die gegen die bodenbewohnenden Arten gerichteten Präparate. Die Wirkstoffe können sich im Boden über das Luftkapillarsyst. (Bodenbegasungsmittel) od. über das Wasserkapillarsyst. (wasserlösl. Mittel) verteilen. Bei den Bodenbegasungsmitteln sind v. a. kurzkettige Brom- u. Chlorkohlenwasserstoffe u. *Dithiocarbamate von Bedeutung. Die Wirkung der Dithiocarbamate beruht dabei auf der hydrolyt. Freisetzung von *Methylisothiocyanat (Methylsenföl). Bei den wasserlösl. Mitteln handelt es sich überwiegend um *Phosphorsäureester u. *Carbamate. Während die Bodenbegasungsmittel in der Regel aufgrund ihrer auch pflanzenschädigenden Wirkung nur vorbeugend auf den unbepflanzten Flächen angewendet werden können, lassen sich mit den modernen wasserlösl. N. auch bei bereits stehenden Kulturen Bekämpfungserfolge erzielen. Chem. Mittel zur Bekämpfung human- u. tierparasitärer Nematoden werden als*Anthelmintika bezeichnet. – ***E*** nematicides – ***F*** nématocides – ***I*** nematicidi – ***S*** nematicidas

Lit.: Farm ▪ Ullmann (5.) **A 17**, 125–133 ▪ s. a. Pflanzenschutzmittel.

Nematoden (Fadenwürmer). Von griech.: nema = Gespinst, Faden abgeleitete Bez. für eine sehr artenreiche, auch viele *Parasiten beherbergende Klasse des Tierstamms der Nemathelminthes (= Aschelminthes, Schlauch- od. Rundwürmer). Hierzu zählen insbes. bodenbewohnende, oft mikroskop. kleine, phytopathogene Arten, die Wurzelzellen anstechen u. aussaugen od. als echte Vollparasiten in Pflanzengewebe leben u. z. T. für *Bodenmüdigkeit u. die Bildung von *Gallen verantwortlich sind. Andere N.-Arten sind auch human- u./od. tierpathogen wie z. B. Spulwürmer (Ascariden), Fadenwürmer (Filarien), Madenwürmer (Oxyuren), Hakenwürmer, Trichinen usw. Die N. sind ein Paradebeisp. für die zahlreichen Übergänge in der Evolution von freilebenden bis hin zu hochgradig spezialisierten parasit. Formen. Mittel, die gegen N. wirken, werden im Pflanzenschutz *Nematizide, in der Medizin *Anthelmintika genannt. – ***E*** = ***F*** nematodes – ***I*** nematodi – ***S*** nemátodos

Lit.: Dönges, Parasitologie, 2. Aufl., Stuttgart: Thieme 1988 ▪ Matthes, Tierische Parasiten, Braunschweig: Vieweg 1988.

Nematophag. Von griech. nēma = Faden u. phageîn = essen hergeleitete Bez. für Organismen, die *Nematoden (Fadenwürmer) verzehren. N. Pilze sind als Parasiten bzw. Fänger (Räuber) von Agrarkultur-Schädlingen wichtig für die Bodenfruchtbarkeit. N. Pilze u. Insekten finden sich auch im Wasser. – ***E*** nematode-destroying, nematophagous – ***F*** nématophages – ***I*** nematofaghi – ***S*** nematófagos

Lit.: Helminthology. Abstr. Ser. B **53**, 1–14 (1984) ▪ Naturwissenschaften **74**, 482–490 (1987).

NE-Metalle. Abk. für *Nichteisenmetalle.

Nemexin® (Rp). Tabl. mit *Naltrexon als Antidot u. Opiat-Antagonist zur medikamentösen Unterstützung einer psychotherapeut./psycholog. geführten Entwöhnungsbehandlung Opiat-Abhängiger nach erfolgter Opiat-Entgiftung. ***B.:*** Du Pont.

NEMP. Abk. für nuklearer *elektromagnetischer Puls, s. a. Kernwaffen.

Nencki-Reaktion. Von dem poln. Biochemiker M. Nencki (1847–1901) [1] aufgefundene C-Alkylierung u. C-Acylierung von Phenolen in Ggw. von $FeCl_3$ (statt $AlCl_3$, vgl. Friedel-Crafts-Reaktion) od. von $ZnCl_2$ u. Säure. – ***E*** Nencki reaction – ***F*** réaction de Nencki – ***I*** reazione di Nencki – ***S*** reacción de Nencki

Lit.: [1] Ber. Dtsch. Chem. Ges. **35**, 4503–4521 (1902). *allg.:* Houben-Weyl **7/2 a**, 284 ▪ s. a. Friedel-Crafts-Reaktion.

Nenitzescu, Costin D. (1902–1970), Prof. für Organ. Chemie, TH Bukarest. *Arbeitsgebiete:* Indol- u. Keton-Synth. (vgl. folgendes Stichwort), Isomerisierung, Kohlenwasserstoffe, Butadien u. seine Metallkomplexe, Bedeutung des $AlCl_3$ in der aliphat. Chemie; Aufbau der rumän. Pharma- u. chem. Industrie.

Lit.: Chem. Ber. **104**, XVII-LXV (1971) ▪ Nachr. Chem. Tech. **10**, 200 (1962) ▪ Pötsch, S. 318 f.

Nenitzescu-Reaktionen. 1. *Nenitzescu-Acylierung:* Von *Nenitzescu 1931 beschriebene Reaktion von Cycloalkenen mit Säurechloriden in Ggw. von $AlCl_3$, die unter Disproportionierung des Cycloalkens zu Acylcycloalkanen führt (s. *Darzens-Kondakoff-Acylierung* bei Darzens-Reaktion).

2. *Nenitzescu-Indol-Synth.:* Die 1929 aufgefundene *Indol-Synth.* aus *p*-Benzochinonen u. 3-Alkyl-3-aminoacrylsäureestern, s. Abb. S. 2860. – ***E*** Nenitzescu reactions – ***F*** réactions de Nenitzescu – ***I*** reazioni di Nenitzescu – ***S*** reacciones de Nenitzescu

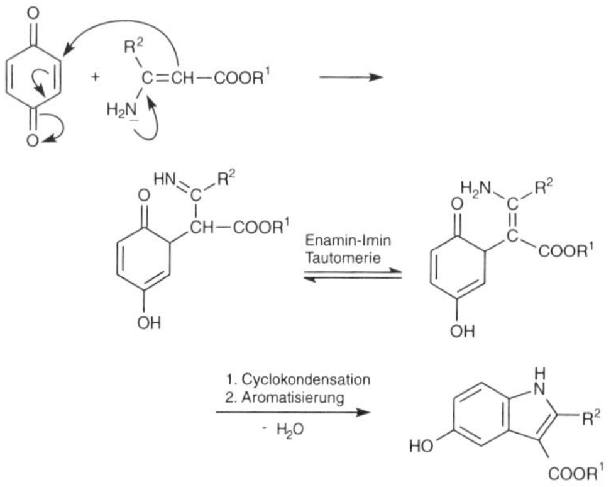

Abb.: Nenitzescu-Indol-Synthese.

Lit. (*zu 1*): s. Darzens Reaktion. – (*zu 2*): Hassner-Stumer, S. 274 ▪ Krauch u. Kunz, Reaktionen der Organischen Chemie, 6. Aufl., S. 415, Heidelberg: Hüthig 1997 ▪ Org. React. **20**, 337–454 (1973).

Neo... Von griech.: néos = jung, neu abgeleitete Vorsilbe. – 1. Allg. Bez. für neue Formen od. Stoffe, z. B. chem. Elemente (Neodym, Neon), Stereo- u. Konstitutionsisomere (Neomenthol, Neoabietinsäure), synthet. u. Naturstoffe (folgende Stichwörter). – 2. Bez. für verzweigte Alkane H-$(CH_2)_n$-$C(CH_3)_3$ u. Alkyl-Reste -$(CH_2)_n$-$C(CH_3)_3$; IUPAC-Regel A-2.1, -2.25, R-9.1.19 empfiehlt nur unsubstituiertes Neopentan u. *Neopentyl.... – 3. Bez. für bestimmte Gerüsttypen bei pentacycl. *Triterpenen (endständiges Isopropylcyclopentan statt Dimethylcyclohexan). – 4. In der Nomenklatur der *Inosite ist *neo-* Bez. für 1,2,3-*cis*/4,5,6-*trans*-ständige Heteroatome am Cyclohexan-Ring. – ***E*** = ***I*** = ***S*** neo... – ***F*** néo...

Neoabietinsäure.

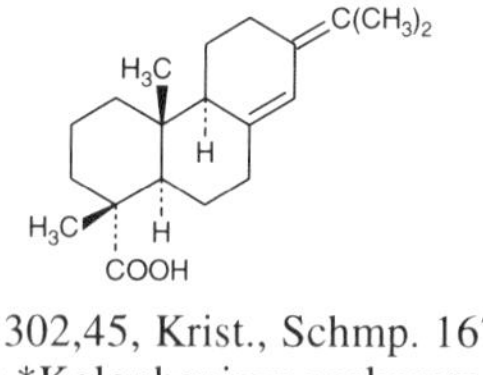

$C_{20}H_{30}O_2$, M_R 302,45, Krist., Schmp. 167–169 °C. N. ist eine der im *Kolophonium vorkommenden *Harzsäuren auf Diterpen-Basis.Zur Verw. s. Kolophonium. – ***E*** neoabietic acid – ***F*** acide néoabiétique – ***I*** acido neosilvico – ***S*** ácido neoabiético

Lit.: Beilstein E IV **9**, 2177 f. – *[CAS 471-77-2]*

Neo-angin®. Gurgel-Lsg. mit *Hexetidin u. *Benzalkoniumchlorid, *Neo-angin® N:* Lutschtabl. mit 2,4-Dichlorbenzylalkohol, Levomenthol u. *p*-Pentyl-*m*-kresol gegen entzündliche Erkrankungen im Mund- u. Rachenraum. ***B.:*** Klosterfrau.

Neoanisatin s. Anisatin.

Neoarsphenamin.

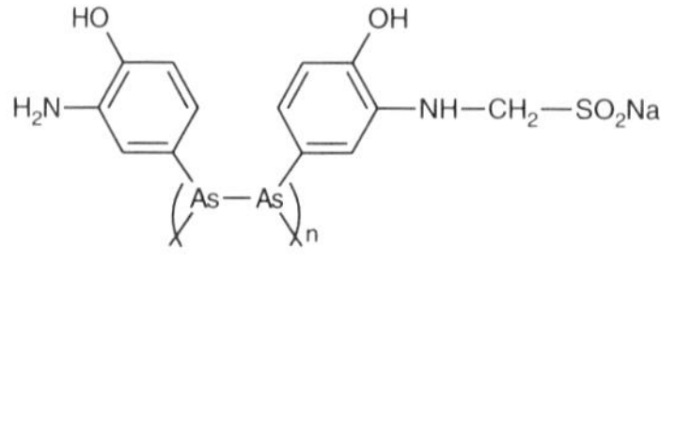

Internat. Freiname für ein auch als Neosalvarsan® bekanntes *Chemotherapeutikum, das als 3,3′-Diamino-4,4′-dihydroxy-arsenobenzol-*N*-methansulfinsäure-Natriumsalz, $C_{13}H_{13}As_2N_2NaO_4S$, M_R 466,15, bezeichnet wurde u. als Ersatz für *Arsphenamin entwickelt worden war. N. liegt in Lsg. polymer vor (M_R 500–35 000, *Lit.*[1]), im Krist. evtl. als cycl. Trimer, wie für Hexaphenylcyclohexaarsin durch Röntgenstrukturanalyse gefunden wurde (*Lit.*[2]). Heutzutage sind diese *Arsen-Präparate weitgehend durch andere Antibiotika ersetzt. – ***E*** neoarsphenamine – ***F*** néoarsphénamine – ***I*** = ***S*** neoarsfenamina

Lit.: [1] J. Chem. Educ. **54**, 98 f. (1977). [2] Organometallics **2**, 327–331 (1983).

allg.: Beilstein E II **16**, 564; E III **16**, 1158 ▪ Hager (4.) **3**, 240 ▪ Kirk-Othmer **2**, 730 ▪ Martindale (31.), S. 1731. – *[HS 2931 00; CAS 457-60-3 (CAS-Nr. für falsche Struktur mit Methyl-sulfoxylat- statt Methansulfinat-Gruppe; die korrekte Struktur fehlt bei CAS)]*

Neobiphyllin® (Rp). Ampullen, Suppositorien, Retardtabl. u. Retensionsklysmen mit den Broncholytika/Antiasthmatika *Proxyphyllin, *Diprophyllin u. *Theophyllin gegen obstruktive Atemwegserkrankungen. ***B.:*** Trommsdorff.

Neocarmin. Farbstoffreagenzien (Typen MS u. W) zum Nachw. von Textilfasern von Merck.

Neocarzinostatin A (Zinostatin).

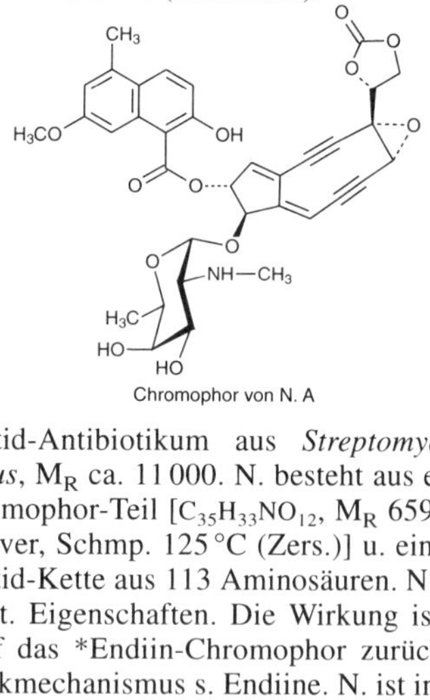

Chromophor von N. A

Polypeptid-Antibiotikum aus *Streptomyces carzinostaticus*, M_R ca. 11 000. N. besteht aus einem labilen Chromophor-Teil [$C_{35}H_{33}NO_{12}$, M_R 659,64, amorphes Pulver, Schmp. 125 °C (Zers.)] u. einer stabilen Polypeptid-Kette aus 113 Aminosäuren. N. hat starke tumorstat. Eigenschaften. Die Wirkung ist überwiegend auf das *Endiin-Chromophor zurückzuführen, zum Wirkmechanismus s. Endiine. N. ist in Japan zur Therapie verschiedener Krebserkrankungen zugelassen. – ***E*** neocarzinostatin A – ***F*** néocarzinostatine, zinostatine – ***I*** neocarzinostatina A, zinostatina – ***S*** neocarzinostatina A

Lit. Biosynth.: J. Am. Chem. Soc. **11**, 3295 (1989). – *Pharmakologie:* Foye, Cancer Chemotherapeutic Agents, S. 617–625, Washington: ACS 1995 ▪ J. Med. Chem. **39**, 2103 (1996) ▪ Sax (8.), NBV 500. – *Synth.:* Am. Chem. Soc. **112**, 5369 (1990); **113**, 694 (1991); **118**, 10 006 (1996) ▪ Lukacs, Recent Progress in the Chemical Synthesis of Antibiotics and Related Microbial Products, S. 293–330, Berlin: Springer 1993 ▪ s. a. Endiine. – *[HS 2941 90; CAS 9014-02-2 (N.-A.); 79633-18-4 (N.-A-Chromophor)]*

Neocosal®. Kunststoff-gecoatetes Holzmehl als Adsorptionsmittel für Öle u. lipophile Lsm. auf festem Boden u. Wasseroberflächen. ***B.:*** Grünau.

Neocuproin s. 2,9-Dimethyl-1,10-phenanthrolin.

Neocycasine s. Cycasin.

Neodym (chem. Symbol Nd). Metall. Element der *Lanthanoiden-Gruppe (*Seltenerdmetalle), Ordnungszahl 60, Atomgew. 144,24. Natürliche Isotope (Häufigkeit in Klammern): 142 (27,13%), 143 (12,18%), 144 (23,80%), 145 (8,30%), 146 (17,19%), 148 (5,76%), 150 (5,64%). Künstliche Isotope mit HWZ zwischen 5,9 s u. 11,1 d; zur Isotopenverteilung s. *Lit.*[1]. Das Element ist silbrig-glänzend bis schwach gelblich. D. 7,004 (20 °C), Schmp. 1024 °C, Sdp. 3027 °C. Unterhalb von 868 °C kristallisiert Nd hexagonal, oberhalb kub. raumzentriert. Die Schnittfläche des Metalls ist im frischen Zustand silberweiß, läuft jedoch an der Luft grau an unter Bildung einer Oxidschicht, die einen weiteren Angriff der Atmosphäre verringert. An feuchter Luft bilden sich Oxidhydrate. In Abhängigkeit von der Form entzündet sich Nd-Metall an der Luft bei 300–400 °C; es löst sich in verd. Säuren. Die Salze des nahezu ausschließlich 3-wertig vorkommenden Nd sind rotviolett bzw. blau (Oxid). Nd^{4+} tritt als NdF_7^{3-} u. Nd^{2+} als $[(\eta^5\text{-}C_5Me_5)_2NdCl_2]^{2-}$ auf.
Vork.: Nd kommt als Begleiter des Cers in den *Ceriterden Allanit, Bastnäsit u. Monazit vor; der Gehalt in der Erdkruste beträgt 0,0024% (33. Stelle der Häufigkeit).
Herst.: Nach der Abtrennung von anderen Seltenerdmetall-Salzen durch Ionenaustauschchromatographie od. Flüssig-Flüssig-Extraktion erhält man Nd-Metall in Reinheitsgraden bis zu 99% mittels Schmelzflußelektrolyse aus Neodymchlorid u. Neodymfluorid, hochreines Nd auch durch calciotherm. Red. der Halogenide.
Verw.: Als Metall meist in Mischung mit 15–25% *Praseodym unter dem Namen *Didym-Metall*, zur Verbesserung der mechan. Eigenschaften von Magnesium-Leg., zur Herst. magnet. Werkstoffe (z. B. $Nd_2Fe_{14}B$); seine Verb. zum Färben von Email, Porzellan, Entfärben des Glasflusses (die Violettkomponente des Nd kompensiert den von Fe herrührenden Gelbstich), zur Herst. von Sonnenschutzgläsern u. Schweißbrillen, zur Rosafärbung von Gläsern (Nd_2O_3), für Nd-Glas- u. Nd-YAG-*Laser (zur Dotierung von Gläsern u. Glaskeramiken mit Nd s. *Lit.*[2]), für künstliche Schmucksteine (Bleiglas mit Spuren von Nd, Ce od. Pr), zur Herst. von Antikoagulantien, s. a. Seltenerdmetalle.
Geschichte: Nd wurde 1885 durch *Auer von Welsbach bei der Zerlegung von *Didym mittels fraktionierter Krist. der Ammoniumdoppelnitrate erstmals hergestellt. Den Namen prägte er nach griech.: néos = neu u. dídymos = Zwilling; der Partner wurde Praseodym = grüner Zwilling genannt. – ***E*** neodymium – ***F*** néodyme – ***I*** = ***S*** neodimio

Lit.: [1] Annu. Rev. Earth Planet. Sci. **7**, 11–38 (1979). [2] Adv. Quantum Electron. **1** (1970); Schott Inform. **1973**, Nr. 2, 16–21.
allg.: s. a. Lanthanoide, Laser u. Seltenerdmetalle. – *[HS 2805 30; CAS 7440-00-8]*

Neodym-Laser. *Festkörperlaser, bei denen *Neodym-Atome in einem Wirtskrist. od. anderen Festkörpern eingelagert sind. Der häufigste ist der Nd:YAG-Laser.

a) *Nd:YAG-Laser:* Der Wirtskrist. Yttrium-Aluminium-Granat (chem. Formel: $Y_3Al_5O_{12}$, Kurzz. YAG) ist in reiner Form ein farbloser, opt. isotroper Krist., mit einem Schmp. bei 1970 °C u. einer Knoop-Härte von 1215; weitere Details s. z. B. *Lit.*[1], S. 49. Beim Dotieren werden bei einer Konz. von ~ $1{,}4 \cdot 10^{20}$ Nd-Ionen/cm^3 ~ 1% der Y^{3+}-Ionen durch Nd^{3+}-Ionen ersetzt. Zur Kristallherst. läßt man üblicherweise einen Krist. in [111]-Richtung wachsen; aufgrund der langsamen Wachstumsrate von ~ 0,5 mm/h benötigt man für einen Laserstab mit einer typ. Länge von 10–15 cm einige Wochen. Hieraus resultiert der hohe Preis. Der Nd:YAG-Laser ist ein Vier-Niveau-*Laser, bei dem die Anregung durch Licht in breitbandige Energiebänder um 2,5 eV erfolgt. Mittels strahlungsloser Übergänge wird eine Besetzungsinversion in dem angeregten $^4F_{3/2}$-Niveau erreicht (s. Abb. 1), wobei sich bei Zimmertemp. nach dem *Boltzmannschen Energieverteilungsgesetz ~ 40% in der oberen R_2-Komponente anreichert. Von dort erfolgt der Laserübergang in die Y_3-Komponente des $^4I_{11/2}$-Niveaus unter Aussendung von Strahlung bei 1064 nm.

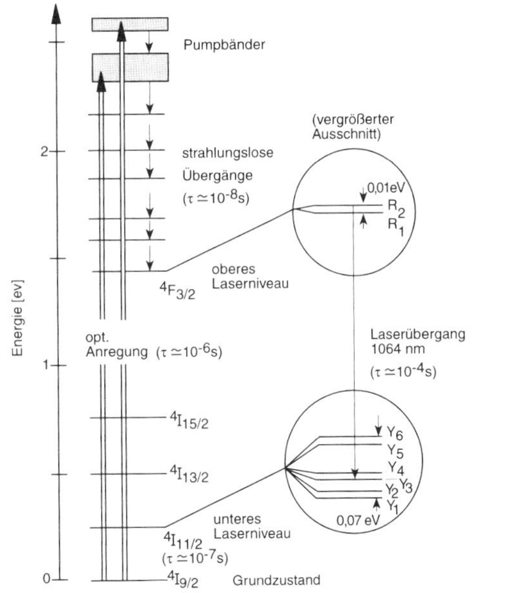

Abb. 1: Laserübergang beim Nd:YAG-Laser; τ ist die mittlere Übergangszeit.

Bei niedrigen Temp. kann man auch Laserstrahlung bei 1061 nm (R_1-Komponente von $^4F_{3/2}$ zur Y_1-Komponente von $^4I_{11/2}$) erhalten, sowie bei Kühlung des Laserstabes Linien bei 1839 nm u. bei 946 nm.
Abb. 2 (S. 2862) zeigt den typ. Aufbau eines Festkörperlasers mit zylindr. Laserstab, wie er auch beim Nd:YAG-Laser verwendet wird. Das Licht der anregenden Pumplampe wird über einen zylindr. Hohlspiegel (*E* cavity) in den Laserstab reflektiert. Der Querschnitt des Hohlspiegels ist kreisförmig od. ellipt., wobei sich im einen Brennpunkt die Lampe u. im anderen Brennpunkt der Laserstab befindet. Bei zwei Pumplampen ist der Hohlspiegel entsprechend doppelelliptisch.

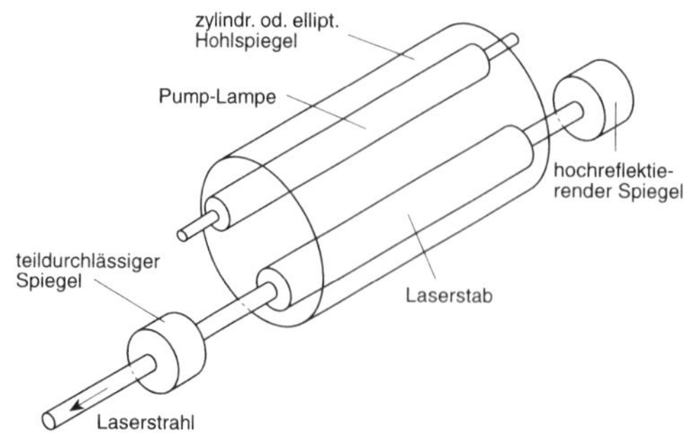

Abb. 2: Aufbau eines Festkörperlasers.

Kommerziell werden Nd:YAG-Laser mit Dauerstrichleistungen bis zu 1800 W (Mehrmoden-Betrieb) bzw. bis zu 30 W (Einmoden-Betrieb) angeboten; gepulste Laser liefern Energien bis zu 1655 J/Puls (Pulsdauer τ = 500 µs) im Mehrmoden- bzw. 50 J (bei τ ~ 2 µs) im Einmoden-Betrieb[2]. Eine Marktübersicht über kontinuierliche Nd:YAG-Laser ist in *Lit.*[3] gegeben.

Anw.: Für die Materialbearbeitung zum Trennen, Schweißen, Härten, Gravieren usw. von Metallen; zum Pumpen von *Farbstofflasern; nach *Frequenzverdopplung (λ = 532 nm, grüner Spektralbereich) als Markierungslaser; in der Medizin zum Abtragen u. Koagulieren von Gewebe.

b) *Nd:Glas-Laser:* Aufbau u. Wirkungsweise sind ähnlich wie beim Nd:YAG-Laser. Als Wirtsmaterial werden meist Silicate (SiO_2: λ_{Laser} = 1062 nm) od. Phosphate (P_2O_5: λ_{Laser} = 1054 nm) verwendet; zur Auflistung der physikal. Werte s. z. B. *Lit.*[1], S. 54. Da die Wärmeleitung in Glas geringer als in einem Krist. ist, sind die Laserlinien von Nd:Glas breiter als bei Nd:YAG. Man erhält in Glas einen geringeren Verstärkungsfaktor, kann aber mehr Energie speichern u. kürzere Pulse erzeugen als in YAG. Somit ist bei hohen Repetitionsraten u. beim kontinuierlichen Betrieb der YAG-Krist. vorzuziehen, während Glas für den hochenerget. Pulsbetrieb besser geeignet ist. Nd:Glas-Stäbe werden mit hohen Nd-Konz. (5% Nd_2O_3 in SiO_2) hergestellt. Typ. Abmessungen der Stäbe sind Längen von 10–50 cm u. Durchmesser von 1–3 cm; es sind aber auch Stäbe mit Längen von 1 m u. Durchmesser bis 10 cm kommerziell erhältlich.

Die typ. Energien pro Puls reichen bis 25 J im Mehrmoden- u. bis zu 120 J (Einzelpulse) im Einmoden-Betrieb (τ = 30 ns) bei λ = 1054 nm u. 400 J (τ = 2 ms) im Mehrmoden- bzw. 75 J (τ = 0,75 µs) im Einmoden-Betrieb bei λ = 1062 nm (*Lit.*[2]).

c) *Nd:Cr:GSGG:* Im Wirtskrist. Gadolinium-Scandium-Galium-Granat ($Gd_3Sc_2Ga_3O_{12}$, GSGG) werden neben Nd-Ionen Cr-Ionen als zweiter Dopant eingelagert, um die Effektivität (Verhältnis emittierte Laserstrahlung zu eingestrahlter Lichtmenge) zu erhöhen. Cr^{3+}-Ionen haben breite Absorptionsbanden im gesamten sichtbaren Spektralbereich; während man mit YAG keine Steigerung der Effektivität erreicht, erzielt man mit GSGG als Wirtsmaterial eine Verbesserung um ~100%.

d) *Nd:YLF:* YLF ist die Abkürzung für $LiYF_4$. Die Laseremission bei 1053 nm stimmt sehr gut mit dem Maximum der Verstärkung von Nd-dotierten Phosphat- u. Fluorophosphat-Gläsern überein. Deshalb wird Nd:YLF als Laser-Oszillator für Verstärkerketten mit diesen Gläsern verwendet. Kommerziell erhältlich: Dauerstrich im Einmoden-Betrieb 22 W u. gepulst im Mehrmodenbetrieb bis zu 76 · 10^6 J. – ***E*** neodynium laser – ***F*** laser à néodyme – ***I*** laser a neodimio – ***S*** láser de neodimio

Lit.: [1] Koechner, Solid-State Laser Engineering, Berlin: Springer 1996. [2] Laser Focus World, The Buyers' Guide 1997, München: Johann Bylek 1996. [3] Phys. Bl. **46**, A 839 (1990).

Neodym-Verbindungen. Von den Verb. des *Neodyms haben eine gewisse Bedeutung: a) *Neodymoxid* (Nd_2O_3), M_R 336,48: Hellblau mit roter Fluoreszenz, D. 7,24, Schmp. ca. 1900 °C. – b) *Neodymchlorid* ($NdCl_3$), M_R 250,60: Rosaviolett, D. 4,1, Schmp. 784 °C, lösl. in Wasser u. Alkohol. – c) *Neodymnitrat* [$(Nd(NO_3)_3 \cdot 6\,H_2O$], M_R 330,25: Rosa, lösl. in Wasser u. Alkohol. – d) *Neodymsulfat* [$Nd_2(SO_4)_3 \cdot 8\,H_2O$], M_R 576,65: Rote, monokline Krist., D. 2,85, Schmp. 1176 °C, lösl. in Wasser. – ***E*** neodymium compounds – ***F*** composés de neodymium – ***I*** composti di neodimio – ***S*** compuestos de neodimio

Lit.: s. Seltenerdmetalle. – *[HS 2846 90; CAS 1313-97-9 (a); 10024-93-8 (b); 16454-60-7 (c); 10101-95-8 (d)]*

neogama® (Rp). Ampullen, Kapseln, Tabl. u. Lsg. mit dem *Neuroleptikum *Sulpirid. ***B.:*** Hormosan.

***A'*-Neogammacerane** s. Hopane.

Neo-Gilurytmal® (Rp). Tabl. mit *Prajmalium-bitartrat gegen Herzrhythmusstörungen. ***B.:*** Solvay Arzneimittel.

Neohecogenin s. Hecogenin.

Neo Heliopan®. Marke für Sonnenschutzfilter, die im UV-B-Bereich u./od. UV-A-Bereich schützen. ***B.:*** Haarmann & Reimer.

Neo Heliopan® AV.

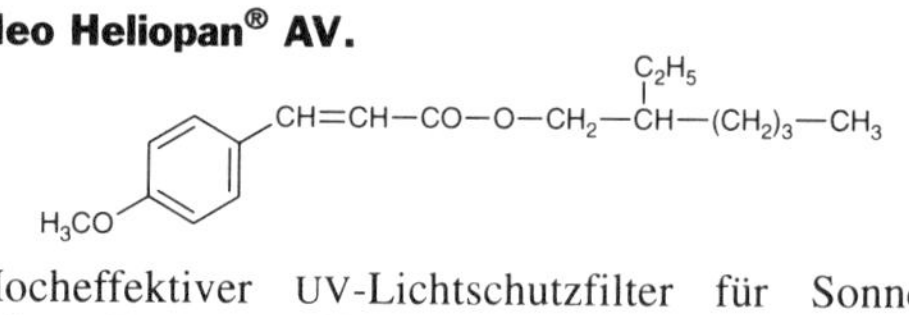

Hocheffektiver UV-Lichtschutzfilter für Sonnenschutz-Präparate. Chem. Verb.: *p*-Methoxyzimtsäure-2-ethylhexylester, $C_{18}H_{26}O_3$, M_R 290,40. INCI adopted name: Octyl Methoxycinnamate. Flüssiger u. öllösl. UV-B-Absorber mit breitem Absorptionsspektrum u. einer spezif. Extinktion $E^{1\%}_{1cm}$ bei λ max. 308 nm von ca. 850. EU Nr. 1,2. FDA-OTC Panel: Kategorie 1. Zulässige Höchstkonz. in EU-Ländern 10% u. in den USA 2,0 bis 7,5%. ***B.:*** Haarmann & Reimer. – *[CAS 5466-77-3]*

Neo Heliopan® BB.

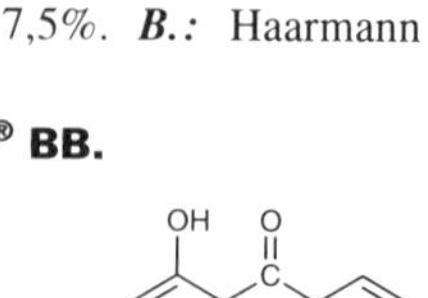

Breitbandlichtschutzfilter für Sonnenschutz-Präparate. Chem. Verb.: 2-Hydroxy-4-methoxybenzophenon, $C_{14}H_{12}O_3$, M_R 228,24. INCI adopted name: Benzophenone-3. Krist. u. öllösl. UV-B- u. UV-A-Absorber. Absorptionsmaxima im kurzwelligen UV-B bei λ max. 286 nm ($E^{1\%}_{1cm}$ ca. 640) u. im kurzwelligen UV-A bei λ max. 325 nm ($E^{1\%}_{1cm}$ ca. 410). EU Nr. 1.4. FDA-OTC Panel: Kategorie 1. Zulässige Höchstkonz. in EU-Ländern 10% u. in den USA 2,0 bis 6,0%. ***B.:*** Haarmann & Reimer. – *[CAS 131-57-7]*

Neo Heliopan® E 1000.

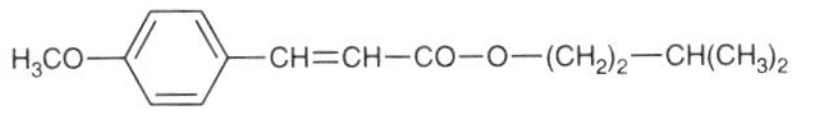

Hocheffektiver UV-Lichtschutzfilter für Sonnenschutz-Präparate. Chem. Verb.: *p*-Methoxyzimtsäureisoamylester, $C_{15}H_{20}O_3$, M_R 248,32. INCI adopted name: Isoamyl Methoxycinnamate. Flüssiger u. öllösl. UV-B-Absorber mit breitem Absorptionssepktrum u. einer spezif. Extinktion $E^{1\%}_{1cm}$ bei λ max. 308 nm von ca. 1000. EU Nr. 2.13. Zulässige Höchstkonz. in EU-Ländern 10%. ***B.:*** Haarmann & Reimer. – *[CAS 71617-10-2]*

Neo Heliopan® Hydro.

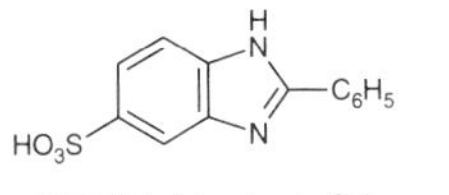

Hocheffektiver UV-Lichtschutzfilter für Sonnenschutz-Präparate. Chem. Verb.: 2-Phenyl-1*H*-benzimidazol-5-sulfonsäure. $C_{13}H_{10}N_2O_3S$, M_R 274,29. INCI adopted name: Phenylbenzimidazole Sulfonic Acid. Krist. u. wasserlösl. UV-B-Absorber. Typ Hydro liegt als freie Säure vor, die nur eine sehr geringe Wasserlöslichkeit besitzt. Erst nach Neutralisation mit Natriumhydroxid, Triethanolamin od. Monoethanolamin ist der Typ Hydro in Form seiner Salze sehr gut wasserlöslich. Die spezif. Extinktion $E^{1\%}_{1cm}$ bei λ max. 302 nm beträgt 1000. EU Nr. 1.6. FDA-OTC Panel: Kategorie 1. Zulässige Höchstkonz. in EU-Ländern 8% u. in den USA 1,0 bis 4,0%. ***B.:*** Haarmann & Reimer. – *[CAS 27503-81-7]*

Neo Heliopan® OS.

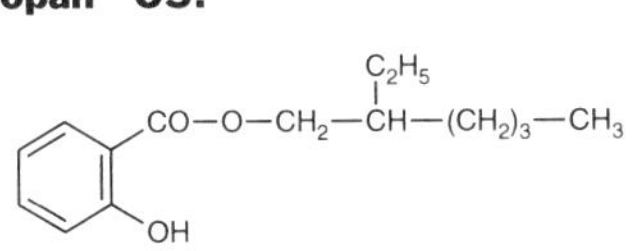

UV-Lichtschutzfilter für Sonnenschutz-Präparate. Chem. Verb.: (2-Ethylhexyl)salicylat, $C_{15}H_{22}O_3$, M_R 250,33. INCI adopted name: Octyl Salicylate. Flüssiger u. öllösl. UV-B-Absorber mit einer spezif. Extinktion $E^{1\%}_{1cm}$ bei λ max. 305 nm von ca. 180. EU Nr. 2.6; FDA-OTC Panel: Kategorie 1. Zulässige Höchstkonz. in EU-Ländern 5% u. in den USA 3,0–5,0%. ***B.:*** Haarmann & Reimer. – *[CAS 118-60-5]*

Neohesperidin s. Hesperetin.

Neohesperidin-Dihydrochalkon (NHDC). N.-D. ist ein über die Süßstoffrichtlinie der EU seit 1994 zugelassener hochintensiver *Süßstoff, der bei praxisüblichem Einsatz eine Süßkraft von 400–600 im Vgl. zu Zucker hat.

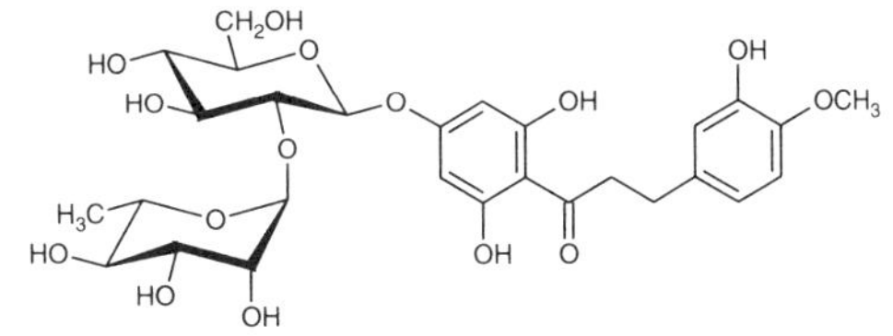

$C_{28}H_{36}O_{15}$, M_R 612,58. Die Löslichkeit von N.-D. in Wasser beträgt bei 20 °C ca. 0,4–0,5 g/L (bei 80 °C 650 g/L). N.-D. ist durch Hydrierung von Neohesperidin (s. Hesperetin), einem Flavonoid aus Citrusfrüchten, zugänglich. Neben den süßenden Eigenschaften wirkt N.-D. schon in geringen Mengen (<5 ppm) geschmacksmodifizierend u. -verstärkend. N.-D. wird vom menschlichen Körper nur zu einem geringen Prozentsatz aufgenommen u. analog zu Neohesperidin voll verstoffwechselt. Der ADI-Wert wurde auf 0–5 mg/kg Körpergew. festgelegt (JECFA). Zur Analytik u. zur Stabilität s. *Lit.*[1,2]. – ***E*** neohesperidin-dihydrochalcone – ***I*** neoesperidina DC – ***S*** neohesperidin-dihidrocalcón

Lit.: [1] Lebensmittelchemie **50**, 30f. (1996). [2] Z. Lebensm. Unters. Forsch. **201**, 541 ff. (1995); Food Chem. **52**, 263 ff. (1995). *allg.:* Beilstein E V **17/7**, 553 ▪ Food Chem. Toxicol. **28**, 507–513 (1990) ▪ Food Tech Europe **1995**, Nr. 3 u. 4, 84f. ▪ Lisansky u. Corti (Hrsg.), Low-Calorie Sweeteners: Harmonisation in Europe, S. 80–86, Newbury: Cpl Press 1996 ▪ Z. Lebensm. Unters. Forsch. **200**, 32–37 (1995). – *[CAS 20702-77-6]*

Neohexan s. 2,2-Dimethylbutan.

Neoisomenthol s. Menthol.

Neokupferron [*N*-(1-Naphthyl)-*N*-nitrosohydroxylamin-Ammoniumsalz, Ammonium-*N*-(1-naphthyl)hyponitrit].

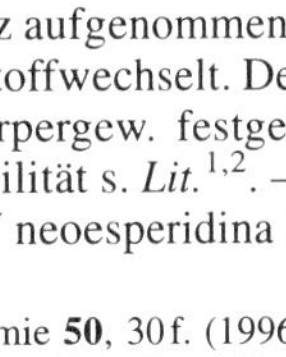

$C_{10}H_8N_2O_2 \cdot NH_3 = C_{10}H_{11}N_3O_2$, M_R 205,21. Farblose, lichtempfindliche Krist., Schmp. 126 °C (Zers.), lösl. in Wasser (Lsg. instabil) u. Methanol. N. wird zur Bestimmung von Fe- u. Cu-Spuren in Mineralwasser u. Seewasser verwendet. – ***E*** neocupferron – ***F*** néocupferron – ***I*** neocupferrone, neocupferron – ***S*** neocupferrón

Lit.: Beilstein E IV **16**, 899 ▪ Merck-Index (12.), Nr. 6536. – *[CAS 1013-20-3]*

Neolignane s. Lignane.

Neolith s. Türkis.

Neomenthol s. Menthol.

Neomycin.

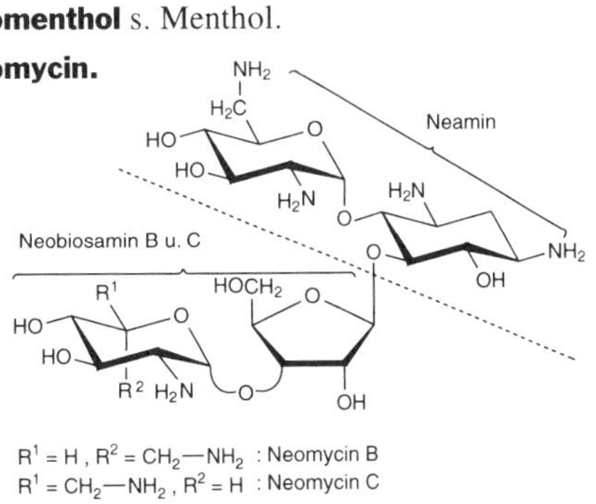

R^1 = H, R^2 = CH_2—NH_2 : Neomycin B
R^1 = CH_2—NH_2, R^2 = H : Neomycin C

Tab.: Daten zu den 3 Komponenten des Neomycins.

	Summenformel	M_R
Neomycin A (= Neamin)	$C_{12}H_{26}N_4O_6$	322,36
Neomycin B	$C_{23}H_{46}N_6O_{13}$	614,67
Neomycin C	$C_{23}H_{46}N_6O_{13}$	614,67

Internat. Freiname für ein aus Kulturen von *Streptomyces fradiae* isoliertes od. auf anderem Wege hergestelltes *Aminoglykosid-Antibiotikum. Die von Waksman 1949 isolierte Substanz besteht aus den drei Komponenten A, B u. C (s. Abb.). N. A ist ein Abbauprodukt der beiden Stereoisomeren N. B u. N. C. N. B (**Framycetin*) ist der Hauptbestandteil des Gesamtkomplexes; dieser reagiert als amorphe, wasserlösl. Base, lösl. auch in Methanol u. saurem Alkohol, in den üblichen organ. Lsm. prakt. unlöslich. N. ist ein Inhibitor der Protein-Synth. u. wirkt gegen Gram-pos. u. Gram-neg. Bakterien.

Anw.: Arzneiliche Verw. findet sowohl das Gemisch (als *Neomycinsulfat*) als auch das Sulfat des N. B (*Framycetinsulfat*): Da sich N. u. die eng verwandten *Paromomycine (Neomycin E) bei parenteraler Zufuhr als tox. erwiesen haben, kommt gegen bakterielle Infektionen der Haut, Augen, Ohren usw. (auch veterinärmedizin.) nur die lokale (äußerliche) Anw. in Frage, die orale auch zur Darmdesinfektion, da N. nicht resorbiert wird. LD_{50} (N. B) (Maus s.c.) 220 mg/kg, (Maus oral) 1250 mg/kg. – ***E*** neomycin – ***F*** néomycine – ***I*** = ***S*** neomicina

Lit.: Beilstein EV **18/10**, 509 ▪ J. Am. Chem. Soc. **77**, 5311 (1955) ▪ J. Antibiot. **45**, 984 (1992) ▪ Kirk-Othmer (4.) **2**, 904 – *[HS 2941 90; CAS 1404-04-2 (N. allg.); 3947-65-7 (N. A.); 119-04-0 (N.B); 66-86-4 (N.C)]*

Neon (chem. Symbol Ne). Gasf. Element, *Edelgas, Ordnungszahl 10, Atomgew. 20,1797. Natürliche Isotope (Häufigkeit in Klammern): 20 (90,51%), 21 (0,27%), 22 (9,22%), deren Verhältnis zueinander allerdings auf der Erde anders als in *Meteoriten od. der Sonne ist[1]. Außerdem kennt man künstliche Isotope ^{17}Ne – ^{25}Ne mit HWZ <3,38 min. D. des Gases 0,9000 g/L (0 °C, 101,3 kPa), 0,6964fache Luftdichte, D. des flüssigen Ne am Sdp. 1,207 g/cm^3, Schmp. –248,60 °C, Sdp. 27,1 K = –246,03 °C (101,3 kPa); krit. Temp. 44,4 K = –228,75 °C, krit. Druck 2,654 bar, krit. D. 0,483, Tripelpunkt bei 24,562 K u. 43,37 kPa. Ne ist ein farb- u. geruchloses, äußerst reaktionsträges, nullwertiges Gas, das keine *Edelgas-Verbindungen bildet. In 1 L Wasser von 20 °C lösen sich 10,5 mL Ne; das Gas wird durch aktivierte Holzkohle bei tiefen Temp. gut adsorbiert. Bei der *Glimmentladung zeigt Ne eine typ. scharlachrote Färbung, s. Neonröhren.

Vork. u. Gewinnung: Ne gehört zu den seltenen Elementen; sein Anteil an der obersten, 16 km dicken Erdkruste, einschließlich Lufthülle, wird nur auf $5 \cdot 10^{-9}$ geschätzt – im Weltraum (auf den Fixsternen) ist Ne nach Wasserstoff u. Helium jedoch das dritthäufigste Element. Atmosphär. *Luft enthält nur 18,2 mL Ne/m^3; gewöhnlich wird Ne durch Luftzerlegung aus *flüssiger Luft gewonnen. Wegen des niedrigen Ne-Anteils wird meist das He/Ne/N_2-Gemisch mehrerer Luftverflüssigungsanlagen durch Kondensation (od. Adsorption an Aktivkohle bei tiefen Temp.) von N_2 befreit. Danach wird Ne bei sehr tiefen Temp. kondensiert u. mit 99,995% Reinheit gewonnen. Das He-Abgas enthält noch ca. 10% Ne u. ist zehnmal reicher an $^3_2$He als He aus Erdgas.

Verw.: Als Füllgas für *Leuchtröhren* (*Neonröhren), Blitz- u. Stroboskoplampen, im Gemisch mit anderen Gasen zur Füllung von *Blasenkammern, *Zählrohren u. anderen Detektoren für Elementarteilchen, zusammen mit Helium als Laser-Gas u. als Bestandteil des *Grieson-Schneidgases. Flüssiges Ne könnte bei niedrigeren Herst.-Kosten als Kältemittel in der Kryogenik dienen, denn es hat ein etwa 40mal höheres Kühlvermögen je Vol.-Einheit als flüssiges Helium u. etwa das 3fache von flüssigem Wasserstoff.

Geschichte: Ne wurde 1897 von Ramsay aufgrund seines scharlachroten Spektrallichtes entdeckt u. „Neon" (griech.: neos = neu) genannt. Die natürlichen Ne-Isotope wurden bereits 1912 von Thomson massenspektrometr. identifiziert. – ***E*** = ***I*** neon – ***F*** néon – ***S*** neón

Lit.: [1] Naturwiss. Rundsch. **35**, 271–274 (1982).
allg.: Clever et al., Helium and Neon (Solubility Date Series 1), Oxford: Pergamon 1979 ▪ Encycl. Gaz, S. 99–126 ▪ Gmelin, Syst.-Nr. 1, Edelgase, 1926, S. 99–126 ▪ Hommel, Nr. 961 ▪ Kirk-Othmer (3.) **12**, 249–287 ▪ Ullmann (4.) **3**, 570 f., 620 f. – *[HS 2804 29; CAS 7440-01-9; G 2]*

Neonröhren. Allg. Bez. für *Glimmentladungs-Lampen mit Edelgas-Füllung; die verengte Glasröhre der mit ca. 6 mbar *Neon gefüllten *Plückerschen Röhre* leuchtet beim Stromdurchgang scharlachrot auf; andere Edelgase (s. dort) emittieren in anderen Spektralbereichen. Fügt man zu Neon noch ein wenig Quecksilber-Dampf, so entsteht ein „warmes", kornblumenblaues Mischlicht; wird dieses Licht in einer Röhre aus gelblichem Glas erzeugt, so leuchtet die Röhre bei Stromdurchgang grün auf. Die umgangsprachlich – ohne Berücksichtigung der Füllgasart – als „Neonröhren" bezeichneten Leuchtröhren funktionieren nach einem anderen Prinzip; s.a. Gasentladung u. Leuchtstoffe. – ***E*** neon tubes – ***F*** tubes au néon – ***I*** tubi al neon – ***S*** tubos (de) neón

Neopentan s. 2,2-Dimethylpropan.

Neopentyl... Bez. für die unsubstituierte Atomgruppierung $-CH_2-C(CH_3)_3$ nach IUPAC-Regel A-2.25, R-9.1.19 [Beilstein, C. A.: (2,2-Dimethylpropyl)...]. – ***E*** neopentyl... – ***F*** néopentyl... – ***I*** = ***S*** neopentil...

Neopentyl-Umlagerung. Bez. für eine anionotrope *Umlagerung, die zu den *Wagner-Meerwein-Umlagerungen gerechnet wird. Die Neopentyl-Gruppe $[(H_3C)_3C-CH_2-]$ geht bes. leicht eine über *Carbokationen verlaufende Umlagerungen ein, da aus einem prim. *Carbenium-Ion ein stabileres tert. Carbenium-Ion gebildet wird.

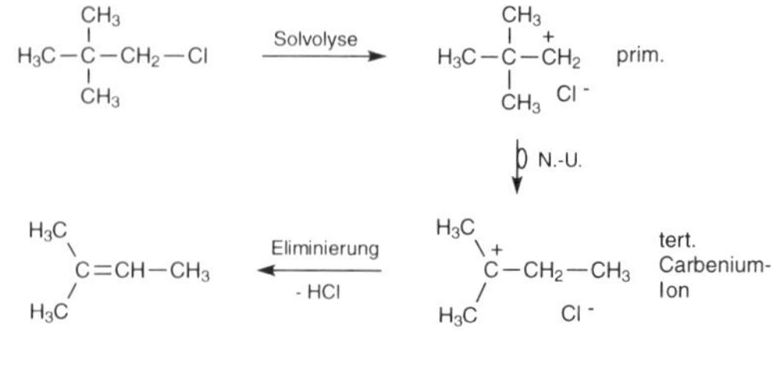

– *E* neopentyl rearrangement – *F* réarrangement du néopentyle – *I* trasposizione neopentilica – *S* transposición del neopentilo

Lit.: s. Umlagerungen u. Wagner-Meerwein-Umlagerung.

Neoplasien s. Krebs.

Neopolen® P. Polypropylen-Schaumstoff, Lieferform: Platten unterschiedlicher Abmessungen, Partikel zur Herst. geschäumter Formteile unterschiedlicher Dichte.
Eigenschaften: geschlossenzellig, hohe stat. Flächenbelastbarkeit, hohe Temp.-Beständigkeit, sehr gutes Rückstellvermögen nach dynam. Beanspruchung, geringe Wasseraufnahme, ausgezeichnetes Dämmvermögen, gute Chemikalienbeständigkeit.
Anw.: Automobilsektor, z. B. Stoßstangeneinlagen, Stoßpolster, Armlehnen, Sonnenblenden u. a.; Verpackungssektor, z. B. hochwertige Güter, mehrfachverwendbare Transportbehältnisse, konstruktive Teile, Helmeinlagen, Polstereinalgen. *B.:* BASF Schwarzheide.

Neoprene. Von den Amerikanern *Carothers u. Collins (1930) erfundener Chloropren-Kautschuk, der durch Polymerisation von *Chloropren in den USA seit 1931 hergestellt wird, zunächst unter der Bez. Duprene. Die aus Polychloropren durch Vulkanisation erhältlichen N.-Typen sind härter als Naturkautschuk, haben höhere Beständigkeit gegen Öl, Wärme, Sonnenlicht u. verschiedene chem. Einwirkungen u. geringe Gasdurchlässigkeit. Infolge des hohen Chlor-Gehalts sind sie schwer brennbar; Farbe je nach Type hellgelb, grau bis dunkel, charakterist. Geruch.
Verw.: Klebstoffe, Kabelmäntel, Schläuche, Walzen, Dichtungen, Förderbänder, Keilriemen, etc. *B.:* DuPont Dow Elastomere.

Lit.: Kirk-Othmer (3.) **8**, 515–534 ▪ Winnacker-Küchler (4.) **6**, 516, 559–563.

Neopterin [2-Amino-6-(1,2,3-trihydroxypropyl)-4(3*H*)-pteridinon].

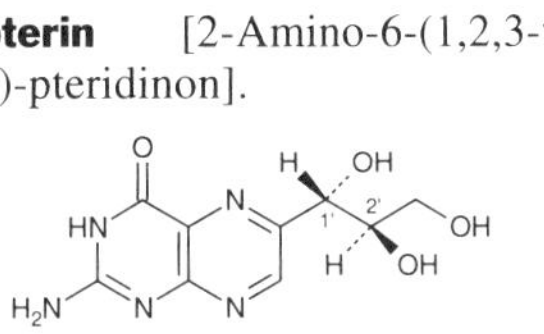

(1'*S*, 2'*R*)-Form

$C_9H_{11}N_5O_4$, M_R 253,21, schwach gelbe Kristalle. Das zu den *Pteridinen gehörende N. kommt in vier stereoisomeren Formen vor. Die Bez. N. wurde ursprünglich für die (1'*S*,2'*R*)-Form, die D-*erythro*-Form $\{[\alpha]_D^{25}$ +45° (0,1 M HCl)$\}$ geprägt, die wie die hierzu enantiomere (1'*R*,2'*S*)-Form, die L-*erythro*-Form, im menschlichen u. Primaten-Urin vorkommt. N. wurde schon 1889 von *Hopkins aus Harn isoliert, jedoch wurde die Struktur erst viel später aufgeklärt. N. ist Vorstufe in der Biosynth. des *Biopterin. Es wird wie alle anderen natürlichen Pteridine biosynthet. aus Guanosintriphosphat gebildet. Der Harn von Patienten mit malignen Tumoren u. Viruserkrankungen, u. a. auch AIDS, enthält eine erhöhte N.-Konz.[1], die wahrscheinlich von humanen Makrophagen, die von γ-Interferon stimuliert werden, produziert wird. Sehr hohe N.-Konz. deuten oft auf schlechtere Prognosen der Krankheitsbilder hin, sie kommen auch bei cerebralen Infektionen u. Multipler Sklerose vor. Am höchsten sind die N.-Werte bei akuten Phasen von Autoimmunkrankheiten[2]. Allg. hat N. große Bedeutung für die klin. chem. Analytik. – *E* neopterin – *F* néoptérine – *I*=*S* neopterina

Lit.: [1] Hoppe Seyler's Z. Physiol. Chem. **360**, 1957–1960 (1979). [2] Die Neue Ärztliche, Nr. 182, 24. 9. 1990; Immunology Today **9**, 150–155 (1988).
allg.: Adv. Clin. Chem. **27**, 81–141 (1989) ▪ Beilstein EV **26/18**, 427 f. ▪ Dtsch. Med. Wochenschr. **112**, 107 (1987). – *[CAS 670-65-5 (N.); 2009-64-5 (1S',2R')*; 2277-43-2 (1'*R*,2'*S*)]

Neopyrin® forte. Kapseln mit der *Analgetika-Kombination *Paracetamol u. *Coffein. *B.:* Palmincol Arzneimittel.

Neoquassin s. Quassia.

Neosalvarsan® s. Neoarsphenamin (histor. Marke von Hoechst).

Neosolaniol s. Trichothecene.

Neo-Stediril® (Rp). Dragées mit Levonorgestrel (s. Norgestrel) u. *Ethinylestradiol als Antikonzeptionsmittel. *B.:* Wyeth.

Neostigmin (Rp).

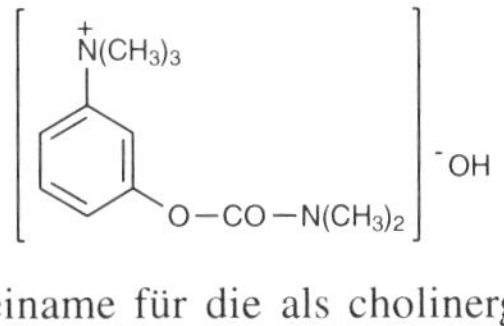

Internat. Freiname für die als cholinerge *Parasympath(ik)omimetika verwendeten Salze des 3-(Dimethylcarbamoyloxy)-*N*,*N*,*N*-trimethylanilinium-Kations. Verwendet werden meist das Bromid, $C_{12}H_{19}BrN_2O_2$, M_R 303,20, Schmp. 217–221 °C (Zers.), λ_{max} (CH_3OH) 261, 267 nm ($A_{1cm}^{1\%}$ 18,5, 16,2) u. das Methylsulfat, $C_{13}H_{22}N_2O_6S$, M_R 334,39, Schmp. 144–149 °C. N. ist gegen Glaukome als Generikum im Handel. – *E* neostigmine – *F* néostigmine – *I*=*S* neostigmina

Lit.: ASP ▪ Beilstein E III **13**, 939 ▪ Florey **16**, 403–444 ▪ Hager (5.) **8**, 1130–1134 ▪ Martindale (31.), S. 1422 ff. ▪ Ph. Eur. **1997** u. Komm. – *[HS 2924 29; CAS 59-99-4 (N.); 114-80-7 (Bromid); 51-60-5 (Methylsulfat)]*

Neosugar s. Süßstoffe.

Neosurugatoxin s. Surugatoxin.

Neotenin s. Juvenilhormone.

Neotetrazoliumchlorid s. Tetrazolpurpur.

Neotigason® (Rp). Kapseln mit *Acitretin zur Behandlung der Psoriasis vulg. u. Akne. *B.:* Hoffmann-La Roche.

Neotri® (Rp). Lacktabl. mit *Xipamid u. *Triamteren gegen Ödeme u. *Hypertonie. *B.:* Lilly.

Neotürkis s. Türkis.

NeoTussan®. Hustensaft mit dem *Antitussivum *Dextromethorphan-Poly(styrol,divinylbenzol)sulfonat. *B.:* Novartis.

Neozapon® Farbstoffe. Metallkomplex-Farbstoffe mit guter bis sehr guter Löslichkeit in polaren Lsm.; zur Herst. von Flexo- u. Tiefdruckfarben. *B.:* BASF.

Neozoikum s. Erdzeitalter.

NEP. Abk. für *neutrale Endopeptidase 24.11.

NEP®. *N*-Ethyl-2-pyrrolidon für Farben, Tinten, Beschichtungen u. Stripper für Polymere mit hohen Molmassen. ***B.:*** ISP.

Nēpenthês s. Opium.

Nepetalacton. $C_{10}H_{14}O_2$, M_R 166,22, Öl, Sdp. 71–72 °C (6,7 Pa), $[\alpha]_D$ +11,1° ($CHCl_3$). *Iridoid aus der Katzenminze (*Nepeta cataria* u. *N. nuda*), das als Katzenlockstoff u. als Sexualpheromon von Aphiden wirkt. Ein anderes Iridoid, der *Matatabi-Ether* {$C_{10}H_{16}O$, M_R 152,24, Sdp. 67 °C (1,6 kPa), $[\alpha]_D$ –150° (CCl_4)}, wirkt ebenfalls anziehend auf Katzen u. katzenartige Raubtiere; Strukturformeln s. Iridoide. N. kann z. B. aus (–)-*Limonen [1] od. *Citronellal [2] synthetisiert werden. – ***E*** nepetalactone – ***F*** népétalactone – ***I*** nepetalattone – ***S*** nepetalactona

Lit.: [1] Chem. Pharm. Bull. **36**, 172–177 (1988). [2] Agric. Biol. Chem. **52**, 2369 ff. (1988).
allg.: Acta Pharm. Jugosl. **39**, 253–257 (1989) ▪ ApSimon **2**, 69–81; **4**, 496 f. ▪ Beilstein E V **17/9**, 493 ▪ J. Org. Chem. **45**, 3811 (1980); **53**, 2984 (1988) ▪ Pharm. Unserer Zeit **13**, 33–39 (1985) ▪ Phytochemistry **23**, 83 (1984); **26**, 1200, 2311 (1987) (*Biosynth.*). – *[CAS 21651-62-7 (N.); 21700-60-7 (Matatabiether)]*

Nephelauxetischer Effekt (von griech.: nephélē = Nebel, Wolke u. aúxēsis = Wachstum, Zunahme). In Koordinationsverb. (s. Koordinationslehre) beobachteter Effekt, wonach die Abstoßung zwischen den d-Elektronen hier etwas geringer ist als im freien Zentralatom od. -ion. Diese verminderte Abstoßung wird auf einen größeren mittleren Abstand der Elektronen u. damit auf eine effektive Vergrößerung der *Orbitale (daher der Name „wolkenausdehnend") infolge von Überlappung zwischen Zentralatom- u. Ligandenorbitalen zurückgeführt. Sowohl für Liganden als auch für Zentralatome u. -ionen läßt sich eine sog. *nephelauxet.* Reihe aufstellen, die die Stärke des n. E. angibt (s. die Tab.).

Tab.: Nephelauxet. Reihen von Liganden u. Zentralionen[a].

Ligand	h_L	Zentralion	k_z
F^-	0,8	Mn^{2+}	0,07
H_2O	1,0	Ni^{2+}	0,12
NH_3	1,4	Cr^{3+}	0,20
Cl^-	2,0	Fe^{3+}	0,24
CN^-	2,1	Co^{3+}	0,33
Br^-	2,3	Pt^{4+}	0,6
I^-	2,7	Ni^{4+}	0,8

[a]) In einer Koordinationsverb. des Typs ZL_n (Z = Zentralion, L = Ligand) ist der gesamte nephelauxet. Effekt proportional dem Produkt $h_L \cdot k_z$

– ***E*** nephelauxetic effect – ***F*** effet néphélauxétique – ***I*** effetto nefelauxetico – ***S*** efecto nefelauxético

Lit.: Huheey, Anorganische Chemie (2.), Berlin: de Gruyter 1995 ▪ Jørgensen, Oxidation Numbers and Oxidation States, Berlin: Springer 1969 ▪ s. a. Ligandenfeldtheorie.

Nephelin. Zu den *Feldspat-Vertretern gehörendes hexagonales Mineral der theoret. Zusammensetzung $Na_3K[AlSiO_4]_4$, jedoch im Na:K-Verhältnis schwankend; natürliche N. enthalten oft einen Überschuß an Si über Al; zum Ladungsausgleich bleiben Kalium-Gitterplätze unbesetzt. Kristallklasse 6-C_6. Die Kristallstruktur von N. leitet sich von der von *Tridymit ab (s. dazu u. zu *Überstrukturen Heaney et al., *Lit.*); Struktur eines synthet. N. s. *Lit.* [1], Struktur eines synthet. Na-N. s. *Lit.* [2]. Kurzsäulige hexagonale, z. T. glasglänzende Krist., Körner u. unregelmäßige Aggregate; auf den muscheligen Bruchflächen Fettglanz; H. 5,5–6, D. 2,55–2,65. Meist wolkig trüb, weiß, grau, oft mit Stich ins Blaue, Grüne od. Braune, auch rot. Durch Entmischung der auch als Mineral *Kalsilit* vorkommenden Komponente $K[AlSiO_4]$ trüb undurchsichtige, ölig glänzende Abarten werden als *Eläolith* bezeichnet. Oberhalb 1254 °C ist die kub. Hochtemp.-Modif. *β-Carnegieit* stabil [3]. Die Auswirkungen des Ersatzes von Na durch (K,Rb,Cs), Al durch Ga u. Si durch Ge sind mehrfach untersucht worden; vgl. *Lit.* [4] für das Syst. $NaAlSiO_4$–$NaGaSiO_4$. N. wird durch Salzsäure unter Ausscheidung von wolkigen Gallerten (griech.: nephélē = Wolke, Name!) aus Kieselsäure zersetzt.
Vork.: V. a. in Kieselsäure-untersättigten alkalireichen *magmatischen Gesteinen, z. B. in *Nephelinsyeniten u. deren *Pegmatiten; in Shonkinit (dunkler, Kalium-reicher, grobkörniger Foid-*Syenit) vom Katzenbuckel/Odenwald; in *Phonolithen u. Alkali-*Basalten (einschließlich der N. u. *Pyroxene als Hauptminerale enthaltenden Nephelinite), z. B. in der Eifel, im Kaiserstuhl u. in der Rhön sowie allg. in Grabenzonen (Riftzonen), z. B. in Ostafrika.
Verw.: Eläolith u. durchscheinender rötlichbrauner bis bläulich-grüner N. aus Norwegen für Schmuckzwecke [5]. Auf der Kola-Halbinsel/Rußland befindet sich ein N.-*Apatit-Erzkörper mit durchschnittlich 30% N.-Gehalt, aus dem N.-Konzentrat erzeugt u. als Tonerde-Rohstoff verwendet werden (s. *Lit.* [6,7]); s. a. Nephelinsyenit. – ***E*** nepheline – ***F*** néphéline – ***I = S*** nefelina

Lit.: [1] Bull. Mineral. **107**, 499–507 (1984). [2] Z. Kristallogr. **187**, 39–53 (1989). [3] Z. Kristallogr. **209**, 113–117 (1994). [4] Phys. Chem. Miner. **30**, 594–600 (1994). [5] Gemmologie (Z. Dtsch. Gemmol. Ges.) **45**, 134 f. (1996). [6] Lapis **21**, Nr. 4, 13–30 (1996). [7] Erzmetall **43**, 152–155 (1990).
allg.: Anthony et al., Handbook of Mineralogy, Vol. II, Tl. 2, S. 580, Tucson (Arizona): Mineral Data Publishing 1995 ▪ Deer et al (2.), S. 473–485 ▪ Heaney, Prewitt u. Gibbs (Hrsg.), Silica (Reviews in Mineralogy, Vol. 29), S. 92–122, Washington (D. C.): Mineralogical Society of America 1994 ▪ Schröcke-Weiner, S. 852–856. – *[HS 2529 30; CAS 1302-72-3]*

Nephelinsyenit. Zu den magmat. Alkaligesteinen (*magmatische Gesteine) gehörendes mittel- bis grobkörniges, meist hell weißlich, gelblich od. bräunlich gefärbtes Tiefengestein, das Alkali-*Feldspäte u. *Nephelin als Hauptminerale enthält; Nebengemengteile können *Glimmer, *Hornblende, Alkali-*Pyroxen, *Sodalith u. *Magnetit sein. In N.-*Pegmatiten finden sich seltene Mineralien, u. a. Titan- u. Zirconium-haltige Silicate, z. B. *Zirkon, *Eudialyt u. der honig- bis schwefelgelbe *Wöhlerit*, $NaCa_2(Zr,Nb)[(O,OH,F)_2/Si_2O_7]$.
Vork.: N.-Pegmatite u. N. in Südnorwegen u. auf der Halbinsel Kola/Rußland [1], N. ferner in der Sierra de Monchique/Portugal, Ontario/Kanada u. Maine/USA.
Verw.: N. (mit 80–95% Feldspäten + Feldspat-Vertretern u. weniger als 2% Fe_2O_3) wird in Kanada, Nor-

wegen, Rußland u. der Türkei abgebaut u. zu einem von Störmineralien befreiten Gesteinsmehl aufbereitet; dieses dient, öfters in Konkurrenz zu Feldspat, als Rohstoff v. a. für die Glas-Ind. u. die Keramik-Ind.; auch als Füllstoff in Farben, Kunststoffen, PVC, Gummi, Dichtungsmitteln u. Klebstoffen; vgl. *Lit.*[2]. In Rußland auch zur Herst. von Aluminium. – ***E*** nepheline syenite – ***F*** syénite à néphéline – ***I*** sienite a nefelina – ***S*** sienita nefelínica

Lit.: [1]Lapis **21**, Nr. 4, 13–30 (1996). [2]Ind. Miner. (London) **1995**, Nr. 332, 25–45.
allg.: Hall, Igneous Petrology (2.), S. 420–436, Harlow (U. K.): Longman 1996 ▪ Harben u. Bates, Industrial Minerals, Geology and World Occurrence, S. 175 ff., London: Industrial Minerals Division of Metal Bulletin Plc 1990 ▪ Matthes, Mineralogie (5.), S. 207 f., Berlin: Springer 1996 ▪ s. a. magmatische Gesteine. – *[HS 2529 30]*

Nephelometrie (von griech.: nephélē = Nebel, Wolke). Ein opt. Analysenverf., mit dem man in Suspensionen, Aerosolen u. anderen trüben Dispersionen den Feststoff-Anteil bestimmen kann. Die N. beruht auf dem *Faraday-Tyndall-Effekt* (s. Kolloidchemie), bei dem man die Intensität des Streulichtes mißt, das aus der von einem einfallenden Lichtstrahl getroffenen Probe in einem bestimmten Winkel austritt. Die Streuung des Lichtes kann entweder durch Messung der Intensitätsabnahme des einfallenden Lichtstrahls nach dem Durchgang durch das streuende Medium od. durch Bestimmung der Intensität des seitlich abgelenkten Lichtes ermittelt werden (s. Abb.).

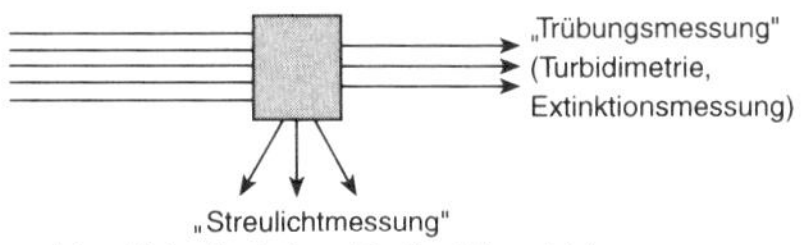

Abb.: Messung des gestreuten Lichts in Abhängigkeit von der Richtung.

Im ersten Fall spricht man von der Meth. der *Turbidimetrie,* im zweiten von der der *Nephelometrie* od. *Tyndallometrie.* Die verwendeten *Nephelometer* od. *Turbidimeter* entsprechen weitgehend den Kolorimetern u. Photometern. Bereits mit dem einfachen Dubosq-Kolorimeter (s. Abb. bei Kolorimetrie) lassen sich recht genaue turbidimetr. Bestimmungen durchführen. Die Genauigkeit der Bestimmung von kleinen Mengen an gelösten Substanzen durch Trübungsmessung nach Fällungsreaktionen leidet an der Herst. geeigneter Standards für die Eichung, da die Korngröße eines *Niederschlages von vielen Faktoren (Temp., pH-Wert, Fremdelektrolyte, Reihenfolge u. Geschw. des Reagenzzusatzes, Alterung usw.) abhängt. Zur Kalibrierung in der Wasseranalyse[1] verwendet man Formazin (Formaldehydazin, $H_2C{=}N{-}N{=}CH_2$, $C_2H_4N_2$, M_R 56,07), das durch Reaktion von Hydrazinsulfat mit Hexamethylentetramin zugänglich ist. Die *nephelometr. Titration* wird als **Heterometrie* bezeichnet. Sie wird mit der *turbidimetr. Titration* auch als *Trübungstitration zusammengefaßt.

Verw.: Trübungsmessungen werden in wissenschaftlichen Laboratorien, in der chem., pharmazeut. sowie Lebensmittel- u. Getränke-Ind. eingesetzt. Sie sind auch etabliert zur Kontrolle der Effektivität von Filterprozessen. In der Hydrologie werden sie sehr häufig zur Bestimmung der Konz. von suspendierten Partikeln eingesetzt. Eine wichtige Anw. ist auch die Bestimmung der Molmasse u. der Dimensionen von Polymeren in Lsg. sowie der Größe von sphär. Partikeln wie Latex. In der Mikrobiologie kann das Wachstum von Zellen u. Bakterien durch Trübungswechsel beobachtet werden. In der Lebensmittel-Ind. dient die Trübungsmessung häufig der Qualitätskontrolle, bes. bei der Käse- u. der Getränkeherstellung. – ***E*** nephelometry – ***F*** néphélométrie – ***I*** nefelometria – ***S*** nefelometría

Lit.: [1]Turbidity, in Standard Methods for the Examination of Water and Wastewater, 18. Aufl., S. 2-8–2-11, Washington DC: American Public Healths Association 1992.
allg.: Kirk-Othmer (3.) **20**, 738–748 ▪ Townshend, Encyclopedia of Analytical Science, Bd. 9, S. 5289–5296, New York: Academic Press 1995 ▪ Ullmann (5.) **B 5**, 421.

Nephelometrische Titration s. Heterometrie.

Nephral® (Rp). Filmtabl. mit *Triamteren u. *Hydrochlorothiazid gegen Ödeme u. leichte Hypertonie. ***B.:*** Pfleger.

Nephrit. Faserig ausgebildete, stark verfilzte u. daher sehr zähe, unter dem *Elektronenmikroskop[1] Büschel u. Haufwerke aus stäbchenförmigen Kristalliten im Größenbereich von µm zeigende Abart der zu den *Amphibolen gehörenden Minerale Aktinolith u. *Tremolit; durch wechselnde Gehalte an Fe^{2+} unterschiedlich grün (oft kräftig mitteldunkelgrün) gefärbt, auch graugrün od. rötlichbraun; nur an Kanten durchscheinend, keine Krist.; H. 6,5, D. 2,9–3,0, splittriger, scharfkantiger Bruch. N. wandelt sich bei 900 °C in Diopsid (*Pyroxene) um[2].

Vork.: Prim. in *Serpentin-Gesteinen u. bas. Gesteinen eingewachsen, z. B. Niederschlesien/Polen, Baikalsee/Sibirien u. British Columbia/Kanada. Häufig als Gerölle, z. B. in Neuseeland u. Sinkiang/VR China.

Verw.: Zur Herst. von Schmuckstücken, Steinketten, kunstvollen Vasen, Figuren u. Ziergerät, z. T. unter Bez. wie *Jade od. „Russisch Jade". Schon im Altertum (u. heute wieder) als Heilstein gegen Nierenleiden (griech.: nephros = Niere). – ***E*** nephrite – ***F*** néphrite – ***I*** nefrite – ***S*** nefrita

Lit.: [1]Mineral. Mag. **49**, 31–36 (1985). [2]Neues. Jahrb. Mineral., Monatsh. **1994**, Nr. 7, 317–327.
allg.: Eppler, Praktische Gemmologie (5.), S. 316 ff., Stuttgart: Rühle-Diebener 1994 ▪ Ramdohr-Strunz, S. 726 ▪ s. a. Edelsteine u. Schmucksteine. – *[HS 7103 10; CAS 12174-03-7]*

Nephritis. Griech. Wort für Entzündung der *Nieren.

Nephron s. Nieren.

Nephrotoxizität. Eigenschaft von Stoffen (z. B. Arzneimitteln), das Gewebe der *Nieren zu schädigen.

Neplanocine. Gruppe von carbocycl. Nucleosid-Antibiotika aus *Ampullariella regularis*-Kulturen, die antifung. u. antivirale Eigenschaften haben (Formel s. S. 2868). So wurde *N. C* {$C_{11}H_{13}N_5O_4$, M_R 279,25, Schmp. 226 °C, $[\alpha]_D^{21}$ –43,6° (H_2O)} als Pharmakon gegen HIV- u. Epstein-Barr-Viren entwickelt. *N. A* {$C_{11}H_{13}N_5O_3$, M_R 263,26, Schmp. 220–222 °C, $[\alpha]_D^{21}$ –157° (H_2O)} unterscheidet sich von N. C lediglich durch eine Doppelbindung im Cyclopentan-Ring, die bei N. C epoxi-

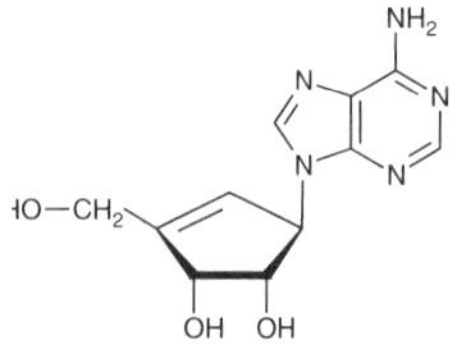

Neplanocin A

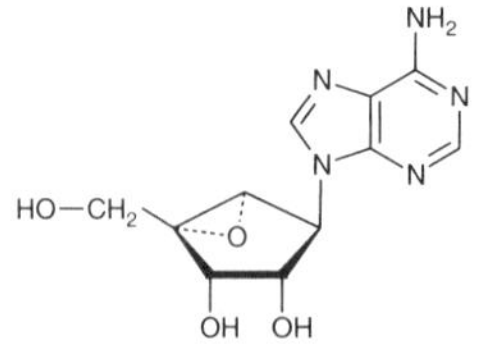

Neplanocin C

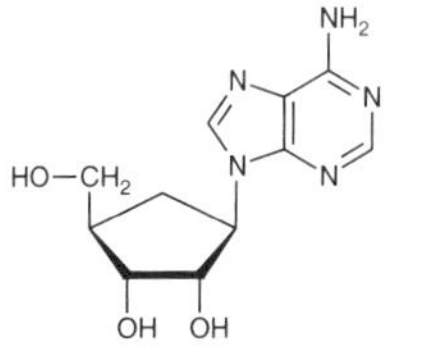

Aristeromycin

diert ist. Die N. waren Ziel verschiedener stereoselektiver Synth.[1]. Die gute Wirksamkeit der N. (N. A zeigt eine starke Antitumorwirkung) ist an die Doppelbindung bzw. das Epoxid gebunden, wie ein Vgl. mit *Aristeromycin*[2] ($C_{11}H_{15}N_5O_3$, M_R 265,27), das ein gesätt. Ringsyst. besitzt, zeigt. – ***E*** neplanocins – ***F*** néplanocines – ***I*** neplanocine – ***S*** neplanocinas

Lit.: [1] Angew. Chem. **102**, 95f. (1990); Helv. Chim. Acta **66**, 1915 (1983); J. Am. Chem. Soc. **105**, 4049 (1983); J. Chem. Soc., Chem. Commun. **1990**, 458f.; J. Chem. Soc., Perkin Trans. 1 **1988**, 3133–3140; J. Org. Chem. **55**, 4712–4717 (1990); Synform **7**, 225–252 (1989); Tetrahedron **48**, 571 (1992); Synlett **1994**, 491. [2] Ullmann (5.) **A 2**, 493.
allg.: J. Antibiot. **41**, 1711 (1988). – *[HS 2941 90; CAS 72877-50-0 (N.A); 72877-48-6 (N.C); 19186-33-5 (Aristeromycin)]*

Nepresol® (Rp). Tabl. u. Ampullen mit *Dihydralazin-sulfat u. Ampullen mit -mesilat gegen Bluthochdruck. ***B.:*** Novartis.

Neprilysin s. neutrale Endopeptidase 24.11.

Neptun®. Farbstoffe; Spezialfarbstoffe für die Herst. von Kugelschreiberpasten u. Kopiertoner. ***B.:*** BASF.

Neptunit. $KNa_2Li(Fe^{2+},Mn^{2+},Mg)_2Ti_2[Si_8O_{24}]$, schwarze, glasglänzende, starken *Pleochroismus u. *Piezoelektrizität zeigende prismat., z.T. gebogene, monokline Krist. mit fast quadrat. Querschnitt, Kristallklasse m-C_s. Die Struktur[1] enthält Ketten aus $[SiO_4]$-Tetraedern in allen 3 Raumrichtungen u. Ketten aus $[Fe,TiO_6]$-Oktaedern, zwischen denen Fe^{2+}-Ti^{4+}-Ladungsübergänge stattfinden[2]; zur (Fe,Ti)-Ordnung u. zu Oktaeder-Verzerrungen s. *Lit.*[3]. H. 5,5, D. 3,23.
Vork.: In der Dallas Gem Mine/Kalifornien, in Grönland, auf der Kola-Halbinsel/Rußland (*Mangan-N.*); in Tadschikistan u. in Quebec u. Neufundland/Kanada. – ***E*** = ***F*** neptunite – ***I*** nettunite – ***S*** neptunita

Lit.: [1] Am. Mineral. **57**, 85–102 (1972). [2] Phys. Chem. Miner. **16**, 78–82 (1988). [3] Phys. Chem. Miner. **18**, 199–213 (1991).
allg.: Anthony et al., Handbook of Mineralogy, Vol. II, Tl. 2, S. 582, Tucson (Arizona): Mineral Data Publishing 1995 ▪ Lapis **7**, Nr. 5, 6f. (1982) („Steckbrief") ▪ Schröcke-Weiner, S. 783f.

Neptunium (chem. Symbol Np). Radioaktives Element der *Actinoiden-Reihe (ein *Transuran), Ordnungszahl 93. Bekannt sind die Isotope ^{228}Np bis ^{242}Np mit HWZ zwischen 60 s u. 2,14 · 10^6 a. Reines Np-Metall ist silberweiß, duktil u. sehr reaktionsfähig, Schmp. 637 °C, Sdp. ca. 3900 °C; es kommt in 3 Modif. vor: α-Np (orthorhomb., D. 20,45), β-Np [stabil bei 280±5 °C, tetragonal, D. 19,36 (313 °C)], γ-Np [stabil >577 °C, kub.-raumzentriert, D. 18,0 (577±5 °C)]. In seinen Verb. hat Np die Oxid.-Stufen +3, +4, +5, +6 u. +7; synthetisiert wurden z.B. Halogenide, Hydride, Oxide, Sulfide, Carbide, Nitride, Nitrate, Neptunate, Metall-organ. Verb. wie Tris(η^5-cyclopentadienyl)neptunium. Die Oxid.-Stufe +2 konnte lediglich als verd. feste Lsg. in Erdalkalihalogenid-Krist. realisiert werden. Aus Verb. wie Li_5NpO_6 (7wertiges Np) ergibt sich eine formale Nähe zur 7. Nebengruppe, weshalb Np früher als Eka-Rhenium bezeichnet wurde. Eine paramagnet. Sandwich-Verb. des N. ist das Bis(η^8-cyclooctatetraen)neptunium mit 23 Valenzelektronen; zur Organometallchemie des Np s. *Lit.*[1]. Inkorporiertes Np wird in Knochen u. Nebennierenrinde konzentriert; zur Biochemie u. Toxizität s. *Lit.*[2].
Vork.: Spurenweise tritt ^{237}Np in Pechblendenkonzentraten aus dem Kongo-Gebiet auf, in denen es aus Uran durch Neutronen-Einfangprozesse entsteht; von ihm geht eine Zerfallsreihe (vgl. Radioaktivität) aus, die bei ^{209}Bi endet. Der Anteil des Np in der obersten, 16 km dicken Schicht der Erdkruste wird auf 4 · 10^{-17}% geschätzt; damit steht Np in der Häufigkeitsliste der Elemente an 89. Stelle vor Francium (1,3 · 10^{-21}%) u. Astat (3 · 10^{-24}%). Im *Mondgestein ließ sich ^{237}Np nachweisen.
Herst.: ^{237}Np fällt zu etwa 1% in Plutonium an, das aus Uran in Kernreaktoren gebildet wird, u. läßt sich aus abgebrannten Kernbrennstoffen durch extraktive Trennung nach einem modifizierten *Purex-Verfahren gewinnen; über die Bildung u. das Verhalten im Kernbrennstoff-Kreislauf u. zur Wiederaufbereitung s. *Lit.*[3]. Np-Metall wird durch Red. von NpF_3 mit Ba bei 1200 °C erhalten.
Verw.: Techn. spielen lediglich ^{237}Np u. ^{239}Np als Zwischenstufen bei der Herst. wichtiger Nuklide eine Rolle, ersteres auch bei der Mößbauer-Spektroskopie[4].
Geschichte: Np wurde 1940 von *McMillan u. Abelson an der Univ. of California bei der Bestrahlung von Uran 238 mit Neutronen entdeckt: $^{238}_{92}U\ (n,\beta)\ ^{239}_{93}Np$, nachdem bereits in den 30er Jahren die Entdeckung dieses Transurans von verschiedenen Seiten postuliert worden war. Seinen Namen erhielt Np von dem Planeten Neptun, der entdeckungsgeschichtlich dem Planeten Uranus folgte [u. seinerseits wiederum dem Pluto (vgl. Plutonium) vorausging]. – ***E*** = ***F*** neptunium – ***I*** nettunio – ***S*** neptunio

Lit.: [1] Bohlander, Organometallchemie des Neptuniums, Diss. Univ. Karlsruhe; KfK 4152, 1986. [2] Sci. Total Environ. **83**, 217–225 (1989). [3] Chem.-Ztg. **110**, 215–231 (1986). [4] J. Nucl. Mater. **166** (1–2), 5–21 (1989).
allg.: Brauer (3.) **2**, 1256–1281 ▪ Chem.-Ztg. **104**, 77–104 (1980); **106**, 137–142 (1982) ▪ Kirk-Othmer (4.) **1**, 412–445 ▪ Winnacker-Küchler (4.) **3**, 497–510 ▪ s. a. Actinoide u. Transurane. – *[HS 2844 40; CAS 7439-99-8; G 7]*

Neptun® Oleat Farbstoffe. Farbbasenaufschlüsse in Olein; zur Herst. von Kohlepapiermassen u. Farbbandfarben. ***B.:*** BASF.

Neral s. Citral.

Nereistoxin.

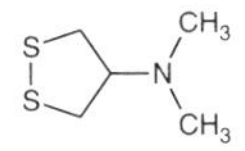

$C_5H_{11}NS_2$, M_R 149,26, geruchloses Öl, Sdp. 212–213 °C, als Oxalat: Schmp. 168–170 °C (Zers.). Das 1,2-Dithiolan N. kommt in *Lumbriconereis heteropoda* vor, einem etwa 40 cm langen Meeresringelwurm, der Anglern zu Köderzwecken dient. Es ist schon lange bekannt, daß fleischfressende Insekten wie Ameisen od. Fliegen bei Kontakt mit dem Wurm sterben. Als giftiges Prinzip wurde das *Neurotoxin N. isoliert. N.-Injektionen bewirken Myosis, einen gesteigerten Tonus der glatten Muskulatur, Tränenfluß u. Zittern, LD_{50} (Maus p.o.) 38 mg/kg, (Kaninchen s.c.) 180 mg/kg. Aufgrund seiner interessanten Wirkung ist N. eine Leitstruktur für die Synth. von Insektiziden. Das Handelsprodukt *Cartap wurde direkt aus N. entwickelt (reduktive Spaltung der Disulfid-Bindung u. Biscarbamoylierung). – ***E*** nereistoxin – ***F*** néréistoxine – ***I*** nereistossina – ***S*** nereistoxina

Lit.: Ann. N. Y. Acad. Sci. **90**, 667–674 (1968) ▪ Beilstein E V **19/8**, 347 ▪ J. Pharm. Technol. **3**, 136–141 (1987) ▪ Tu, Marine Toxins and Venoms, S. 366, New York: Dekker 1988. – *[CAS 1631-58-9]*

Nerisona® (Rp). Creme u. Salbe mit *Diflucortolon-21-valerat, *N. C* zusätzlich mit *Chlorquinaldol, gegen Hautkrankheiten. ***B.:*** Schering.

Nernst, Walther Hermann (1864–1941), Prof. für Physikal. Chemie, Univ. Göttingen u. Berlin. *Arbeitsgebiete:* Osmot. Theorie der galvan. Elemente, Verteilungssatz, Molmassen u. Gasgleichgew. bei hohen Drücken u. hohen Temp., Aufstellung des dritten *Hauptsatzes der Thermodynamik, spezif. Wärmen bei hohen u. niederen Temp., Kalorimetrie, Infrarotstrahlung, Kettenreaktionen, Elektrochemie, Photochemie, Lsg.-Druck usw. Nobelpreis für Chemie 1920 für die Aufstellung des Wärmetheorems; s. a. die folgenden Stichwörter.

Lit.: Angew. Chem. **76**, 445–455 (1964) ▪ Chem. Ztg. **88**, 603–606 (1964) ▪ Krafft, S. 251 f. ▪ Lexikon der Naturwissenschaftler, S. 306 ▪ Mendelssohn, Walther Nernst u. seine Zeit, Weinheim: Verl. Chemie 1976 ▪ Nachmansohn, S. 32 f., 180 ff., 315 f. ▪ Neufeldt, S. 85, 89, 115, 365, 381 ▪ Pötsch, S. 319 ▪ Strube **2**, 68, 74 f., 151, 194.

Nernst-Effekt. Ein galvano-magnet. Effekt, bei dem das Magnetfeld H senkrecht zur Richtung des elektr. Stromes I steht u. in Stromrichtung eine Temp.-Differenz ΔT entsteht. – ***E*** Nernst effect – ***F*** effet Nernst – ***I*** effetto Nernst – ***S*** efecto Nernst

Lit.: Kohlrausch, Praktische Physik 3, Stuttgart: Teubner 1996.

Nernst-Faktor s. Nernstsche Gleichung.

Nernst-Lampe s. Nernst-Stift.

Nernst-Potential s. Zeta-Potential.

Nernstsche Gleichung. Von *Nernst 1889 abgeleitete, inzwischen vielfach abgewandelte Gleichung z. B. zur Erklärung des Lösungsdrucks von Metallen, der *Redoxpotentiale, des *pH, der Theorie der *Elektrolyse u. der EMK der *galvanischen Elemente. Für Redoxsyst. lautet die N. G.:

$$E = E_0 + \frac{RT}{zF} \cdot \ln \frac{c_{ox.}}{c_{red.}}$$

wobei E = *elektromotorische Kraft (EMK, in Volt), E_0 = *Normalpotential, R = *Gaskonstante, T = abs. Temp., F = Faraday-Konstante (s. Faradaysche Gesetze), c = Konz. (bzw. *Aktivitäten, a) u. z = Ladungsäquivalent (für Kationen pos., für Anionen neg. ganze Zahl) bedeuten; der Faktor RT/zF wird oft *Nernst-Faktor* od. *-Spannung* genannt. Für T = 293 K ergibt sich

$$E = E_0 + \frac{0{,}058}{z} \cdot \ln \frac{c_{ox.}}{c_{red.}}$$

durch Einsetzen der Konstantenwerte u. Umwandlung des Zehner- in den natürlichen Logarithmus. Durch Messung der Normalpotentiale – Beisp. findet man bei *Spannungsreihe – lassen sich über die N. G. *chemische Gleichgewichte u. ihre Gibbs-Energien bestimmen. Müssen in einer Meßanordnung die Ladungsträger ein *Diaphragma passieren (*Beisp.:* Membranen von *Glas- u. *ionenselektiven Elektroden), so müssen für die Berechnung auch die *Überführungszahlen in der N. G. berücksichtigt werden. – ***E*** Nernst equation – ***F*** formule de Nernst – ***I*** equazione di Nernst – ***S*** ecuación de Nernst

Lit.: s. Elektrochemie.

Nernstsche Regel s. Nernst-Thomson-Regel.

Nernstscher Verteilungssatz. Wenn sich ein Stoff in zwei Phasen (I u. II) lösen kann, ohne daß es zu chem. Reaktionen kommt, so ist bei genügend verd. Lsg. im Idealfall das Verhältnis der Molenbrüche c in den beiden Phasen konstant:

$$c(II)/c(I) = K.$$

In diesem Fall kann man auch die dem Molenbruch proportionale Größe Stoffmengen-Konz. c benutzen:

$$c(II)/c(I) = K.$$

Die Größe K wird *Verteilungskoeff.* genannt (*Nernst 1891). Für den Fall, daß Gemischkomponenten verschiedene K-Werte besitzen u. daß es sich bei der einen Phase um eine mobile (flüssige od. gasf.) u. bei der zweiten um ein stationäre Phase (flüssige od. feste) handelt, bildet der N. V. die Grundlage zum Trennen von Stoffgemischen. Die Tab. gibt eine Übersicht.

Tab.: Trennmeth., die auf dem Nernstschen Verteilungssatz beruhen.

		stationäre Phase	
		fest	flüssig
mobile Phase	flüssig	Adsorptionschromatographie Dünnschichtchromatographie Ionenaustauschchromatographie	Gegenstromextraktion Papierchromatographie Verteilungschromatographie Dünnschichtchromatographie
	gasf.	Gaschromatographie	fraktionierte Destillation Gas-Flüssigchromatographie

– *E* Nernst distribution law – *F* loi de distribution de Nernst – *I* legge di distribuzione di Nernst – *S* ley de distribución de Nernst

Lit.: Atkins, Physikalische Chemie, 2. Aufl., Weinheim: VCH Verlagsges. 1996 ▪ Barrow, Physikalische Chemie, Braunschweig: Vieweg 1984.

Nernstsches Wärmetheorem s. Hauptsätze.

Nernst-Spannung s. Nernstsche Gleichung.

Nernst-Stifte (Nernst-Lampe). N.-S. sind spezielle *Infrarot-Strahler, die aus einer Mischung von Zirconiumoxid (85%) u. Yttererden (15%) bestehen. Typ. Dimensionen sind eine Länge von 1–3 cm u. ein Durchmesser von 1–2 mm. N.-S. werden mit Gleichstrom betrieben (1–2 A bei einer Spannung von 110 V), wobei zur Inbetriebnahme der Stift erhitzt werden muß (Bunsenbrenner), um seine elektr. Leitfähigkeit zu erhöhen. – *E* Nernst sticks – *F* lampes (bzw. filaments) de Nernst – *I* lampada di Nernst – *S* lámparas de Nernst

Lit.: Kohlrausch, Praktische Physik 2, S. 155, Stuttgart: Teubner 1996.

Nernst-Thomson-Regel. Von *Nernst u. Sir J. J. *Thomson 1893 formulierte Gesetzmäßigkeit, derzufolge Lsm. die *elektrolytische Dissoziation von Elektrolyten um so mehr fördern, je größer ihre *Dielektrizitätskonstante ist, u. zwar durch Schwächung der elektrostat. Anziehung zwischen den Elektrolytionen infolge *Solvatation. – *E* Nernst-Thomson rule – *F* loi de Nernst et Thomson – *I* regola di Nernst-Thomson – *S* ley de Nernst y Thomson

Nerobraun s. Kasseler Braun.

Nerol s. Geraniol.

Nerolidol (3,7,11-Trimethyl-1,6,10-dodecatrien-3-ol).

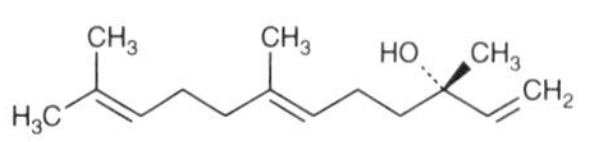

(*S*)-Form

$C_{15}H_{26}O$, M_R 222,37, farblose bis hellgelbe Flüssigkeit, D. 0,8756, Sdp. 145–146 °C (16 mbar), $[\alpha]_D$ +10,7° ($CHCl_3$) (*S*-Form); lösl. in den gebräuchlichen organ. Lsm., nicht in Wasser. Der mit *Farnesol isomere Sesquiterpenalkohol N. kommt in der (*S*)-Form als Bestandteil vieler ether. Öle, z. B. in Orangenblüten, Perubalsam u. Cabreuvaöl vor, die (*R*)-Form im Holz von *Dalbergia parviflora*.

Verw.: Zwischenprodukt für die chem. Ind., z. B. bei der Herst. von Pharmazeutika, Schädlingsbekämpfungsmitteln u. Riechstoffen. – *E*=*S* nerolidol – *F* nérolidol – *I* nerolidolo

Lit.: Beilstein EIV **1**, 2336 ▪ Gildemeister **3b**, 239–244 ▪ Janistyn **2**, 219 ▪ Karrer, Nr. 124 ▪ Kirk-Othmer (3.) **22**, 752 ▪ Merck-Index (12.), Nr. 6561 ▪ Phytochemistry **39**, 785 (1995) ▪ Roth u. Kormann, S. 438 ▪ Ullmann (5.) **A 11**, 159. – *[HS 2905 22; CAS 7212-44-4 (N.); 142-50-7 ((3S,6Z)-Form); 1119-38-6 ((3S,6E)-Form); 77551-75-8 ((3R,6E)-Form); 2211-29-2 ((±-(E)-Form)]*

Nerolin s. Ethyl-2-naphthylether; *Yara-Nerolin* s. Methyl-2-naphthylether.

Neroliöl s. Orangenblüten(-Absolue, -Öl).

Nerolsäure s. Geraniumsäure.

Nerosin. In der ehem. UdSSR entwickeltes flüssiges Verarbeitungsprodukt von Brennschiefern mit harzähnlichen Eigenschaften, das als Sandbindemittel gegen Winderosion versprüht wird. Das Mittel bildet auf der Erdoberfläche eine ca. 2 cm dicke Kruste, die den Sand gegen die Windabtragung schützt, ohne den Pflanzenwuchs wesentlich zu beeinträchtigen, heute nur noch von histor. Interesse.

Lit.: Ideen exakt. Wiss. **1969**, 360; **1972**, 436. – *[HS 2707 99]*

Nerven (latein.: nervus = Sehne, Band). Mit Bindegewebe umhüllte Bündel von parallel verlaufenden Nervenfasern (s. Neuron), die zusammen mit ihren in Ganglien zusammengelagerten Zellkörpern das periphere Nervensyst. bilden. Periphere N. sind von ganz unterschiedlicher Dicke u. Länge. Sie enthalten kabelartig zusammengefaßte Nervenfasern mit den sie umgebenden, von den Schwann-Zellen gebildeten, Myelinscheiden. Nach ihrer Funktion werden unterschieden: *Somatomotor.* od. *efferente* N., die Impulse aus dem Zentralnervensyst. (ZNS) zur Körpermuskulatur leiten, *somatosensible* od. *afferente* N., die Reize von Sinnesorganen zum ZNS leiten, *viszeromotor.* N., die Impulse vom ZNS an innere Organe übermitteln, sowie *viszerosensible* N., die Reize von inneren Organen an das ZNS weiterleiten. In den meisten peripheren N. sind verschiedene Faserarten zusammengefaßt, man spricht deshalb von gemischten Nerven. Ausgehend von den verschiedenen Anteilen des ZNS unterscheidet man beim Menschen 12 Paar Hirnnerven u. 31 Paar Rückenmarksnerven, die sich in ihrem Verlauf entsprechend ihrer Zielmuskeln u. -organe weit verzweigen. – *E* nerves – *F* nerfs – *I* nervi – *S* nervios

Lit.: Kahle et al., Taschenatlas der Anatomie, Bd. 3, Nervensystem u. Sinnesorgane, Stuttgart: Thieme 1991.

Nervendragees-ratiopharm®. Pflanzliche Schlafdragées mit standardisiertem *Baldrianwurzel-, Passionsblumen- u. Hopfenzapfen-Trockenextrakt. *B.:* ratiopharm.

Nervengase s. chemische Waffen, Kampfstoffe.

Nervengifte s. Gifte, binäre Kampfstoffe u. Kampfstoffe.

Nervensystem. Syst. aus den Zellen des Nervengewebes eines Organismus, das der Aufnahme, Weiterleitung, Verarbeitung u. Beantwortung von Informationen dient. Es ist wichtig für die Aufnahme von Reizen aus der Außenwelt mit Hilfe von Sinneszellen, für die Koordination von Bewegungen u. Organfunktionen sowie für die Verarbeitung (Speicherung, Verknüpfung) von Informationen. Einfache N. findet man bei den Hohltieren (Coelenteraten), wie z. B. die Nervennetze der Polypen. Würmer u. Insekten weisen ein strickleiterförmiges N., teilw. mit gehirnähnlichen Bildung im Kopfbereich, auf. Bei den Wirbeltieren ist das N. als ein *zentrales N.* (ZNS), bestehend aus *Gehirn u. Rückenmark, u. ein *peripheres N.* aus den *Nerven von Kopf, Rumpf u. Extremitäten ausgebildet. Funktionell unterscheidet man ein *animales N.*, das der bewußten Wahrnehmung u. der willkürlichen Bewegung dient, von einem *vegetativen* (*autonomen*) *N.*, das, primär unabhängig vom Bewußtsein, die lebenswichtigen Organfunktionen steuert. Das vegetative N. besteht aus zwei Anteilen, dem *Sympathikus u. dem *Parasympathikus, die einander in der Regulation der Organfunktionen häufig antagonist., teilw. synergist. beeinflussen. – *E* nervous system – *F* système nerveux – *I* sistema nervoso – *S* sistema nervioso

Lit.: Ali, Nervous Systems in Invertebrates, New York: Plenum Press 1987 ▪ Nieuwenhuys, Voogd u. van Huijzen, The Human Central Nervous System, Berlin: Springer 1989 ▪ Schmidt u. Thews, Physiologie des Menschen, Berlin: Springer 1995.

Nervenwachstumsfaktor (engl. Abk.: NGF). Meist dimeres *Protein, M_R ca. 26 500 (2 β-Untereinheiten aus je 118 Aminosäure-Resten, M_R je 13 259), mit Hormon-Eigenschaften, dessen Aminosäure-Sequenz u. Raumstruktur (enthält *Cystin-Knoten) teilw. übereinstimmen mit denen des Proinsulins (s. Insulin). Der von verschiedenen Zellarten ausgeschiedene, meist aus der Speicheldrüse von Mäusen od. aus Schlangengiften isolierte NGF ermöglicht den peripheren sympath. u. sensor. *Neuronen sowie den cholinergen Neuronen der Vorderhirnbasis das Überleben u. sowohl allg. (*neurotropher Faktor*) als auch gerichtetes (durch Chemotropismus; *neurotropher Faktor*) Wachstum zum Zielorgan. In ausgewachsenen sensor. Neuronen kann er die Synth. von *Neuropeptiden (*Substanz P, *Calcitonin-Gen-zugehöriges Peptid) regulieren u. hat auch Auswirkungen auf das *Immunsystem. Die Speicherform des NGF in der Speicheldrüse ist ein Komplex der Stöchiometrie $α_2β_2γ_2$, wobei $γ$ (M_R 26 000) eine Protease, die mit ihr in 80% der Aminosäure-Reste übereinstimmende α-Untereinheit (M_R 26 500) jedoch ein Protease-Inhibitor ist. Neben NGF wurden weitere, in der Aminosäure-Sequenz verwandte neurotrophe Faktoren entdeckt; zu deren *Rezeptoren u. zu denen des NGF s. dort. Die Effekte des NGF wurden Ende der 40er-Jahre von *Levi-Montalcini entdeckt (1986 Nobelpreis für Physiologie od. Medizin zusammen mit *Cohen). – *E* nerve growth factor – *F* facteur de croissance nerveuse – *I* fattore di crescita nervosa – *S* factor de crecimiento nervioso

Lit.: Allergy **52**, 883–894 (1997) ▪ Biochim. Biophys. Acta **1222**, 187–202 (1994) ▪ Brain Develop. **18**, 362–368 (1996) ▪ Trends Neurosci. **19**, 514–520 (1996).

Nervina. Veraltete Bez. für Präp., die auf das Nervensyst. wirken, s. Analeptika, Analgetika (als Mittel gegen Nervenschmerzen) u. Sedativa. – *E* nervines – *F* nervins – *I* nervini – *S* nervinos

Nervon [(D-*erythro*-3-Hydroxy-2-tetracos-15*c*-enoyl-amino-octadec-4*t*-enyl)-β-D-galactopyranosid].

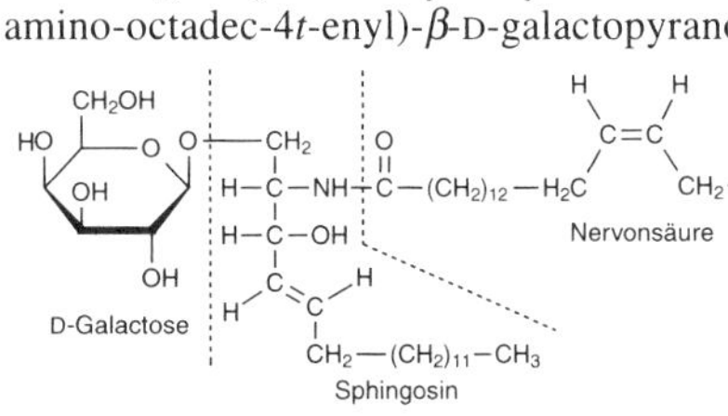

$C_{48}H_{91}NO_8$, M_R 810,25. Aus Gehirn isolierbares *Cerebrosid aus D-*Galactose, dem *Sphingosin-Rest u. *Nervonsäure* (Tetracos-15*c*-ensäure). Schmp. 180 °C nach Übergang in den flüssig.-krist. Zustand. – *E* = *F* = *I* nervone – *S* nervona

Lit.: Beilstein E III/IV **17**, 3419. – [*CAS 17283-91-9*]

Nervonsäure s. (Z)-15-Tetracosensäure.

Nerylacetat [(Z)-3,7-Dimethyl-2,6-octadienylacetat]. $C_{12}H_{20}O_2$, M_R 196,28 (Formelbild s. bei Geraniol). Farblose bis blaßgelbe Flüssigkeit mit blumig-süßem Rosen- bzw. Neroliduft, D. 0,908–0,913, Sdp. 134 °C (3,4 kPa). Verw. als Riechstoff für blumige Noten in der Parfümerie. – *E* neryl acetate – *F* acétate de neryle – *I* acetato di nerile – *S* acetato de nerilo

Lit.: Beilstein E II **2**, 153 ▪ Ullmann (5.) A **11**, 164. – [*HS 2915 39; CAS 105-87-3, 141-12-8*]

Nerz s. Musteliden.

Nerzöl. Aus dem dorsalen Fett des Zuchtnerzes (s. Musteliden) raffiniertes gelbliches Öl mit charakterist. Fettöl-Geruch u. mildem Geschmack. Es enthält die Glyceride von 39–44% *Ölsäure u. 16–18% *Palmitoleinsäure, D. 0,91, SZ 0,9–1,20, VZ 195. N. findet in *Hautpflegemitteln u. zur *Haarbehandlung Verwendung. – *E* mink oil – *F* huile de vison – *I* olio di visone – *S* aceite de visón

Lit.: Domsch, Die kosmet. Präparate, Bd. 3, S. 20, Augsburg: Ziolkowsky 1994 ▪ Janistyn (3.) **1**, 656.

Nesmeyanov (Nesmejanow), Alexander Nikolaevich (1899–1980), Prof. für Organ. Chemie, Univ. Moskau, Direktor des Inst. Elementorgan. Verb., Akademie der Wissenschaften der UdSSR. *Arbeitsgebiete:* Metall-organ., insbes. Quecksilber-organ. Verb., chem. Bindung, Periodensyst.; s. a. folgendes Stichwort.

Lit.: Adv. Organomet. Chem. **10**, 1–78 (1972) ▪ Chem. Br. **18**, 275 (1982) ▪ Lexikon der Naturwissenschaftler, S. 307 ▪ Pötsch, S. 319 ▪ Tetrahedron **38**, 1973 f. (1982).

Nesmeyanov-Reaktion. Eine von *Nesmeyanov 1929 erstmalig beschriebene Meth. zur *Metallierung* von aromat. Verb., indem man eine *Diazonium-Verbindung mit einem Metall-Salz, das den gewünschten Metall-Rest enthält, zu einem Doppelsalz umsetzt u. dieses dann mit Kupfer- od. Eisen-Pulver zersetzt. Auf diese Weise lassen sich Metall-organ. Verb. von Hg, Tl, Pb, Sn, As, Sb u. Bi herstellen.

$$[H_5C_6-\overset{+}{N}\equiv N]\ Cl^- \cdot HgCl_2 \xrightarrow[-\ 2\ CuCl]{2\ Cu}_{-\ N_2} H_5C_6-Hg-Cl$$

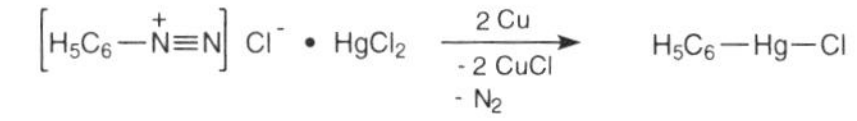

Abb.: Nesmeyanov-Reaktion zur Metallierung aromat. Verbindungen.

– *E* Nesmeyanov reaction – *F* réaction de Nesmeyanoff – *I* reazione di Nesmeyanov – *S* reacción de Nesmeyanov

Lit.: Krauch u. Kunz, Reaktionen der Organischen Chemie, 6. Aufl., S. 466, Heidelberg: Hüthig 1997 ▪ s. a. Metall-organische Reaktionen.

Nesosilicate s. Silicate.

Nessel [von german.: nat(il)on = zusammendrehen, knüpfen]. Bei *Textilien: 1. Bez. für ein *Gewebe aus Baumwollgarnen in sog. Nessel- od. Leinwandbindung. Nach der Garnqualität unterscheidet man *Cretonne* (grob), *Renforcé* (mittel), *Kattun* (fein) u. *Batist* (feinst); appretierter, dichter, im allg. beschichteter Kattun wird *Kaliko* (von Calikut an der Malabar-Küste) genannt. – 2. Bez. für zu den *Bastfasern zählende Fasern u. Garne aus einheim. od. fremden *Nesseln* (*Nesselpflanzen*, *Faserpflanzen*) wie *Brennnesseln

od. *Ramie. – ***E*** nettle – ***F*** ortie – ***I*** 1. mussolina, 2. ortica – ***S*** 1. (tejido de) ortiga, 2. ortiga – *[HS 5208 12, 5303 10]*

Nesselfieber (Nesselsucht, Urtikaria). Schubweise auftretende Krankheit, die durch Bildung von stark juckenden Quaddeln auf der Haut (wie bei Kontakt mit einer Brennessel) gekennzeichnet ist. In schweren Fällen können die Schleimhäute beteiligt sein u. Allgemeinerscheinungen wie Kreislaufversagen bis zum Schock auftreten. Ursachen sind Unverträglichkeiten meist allerg., aber auch nicht allerg. Art sowie physikal. Einflüsse (Kratzen, Kälte, Schwitzen). Die Krankheitserscheinungen werden auf die Freisetzung von *Histamin u. a. *Mediatoren aus *Mastzellen zurückgeführt. – ***E*** nettle rash, urticaria – ***F*** urticaire – ***I*** orticaria, urticaria – ***S*** urticaria

Lit.: Steigleder, Dermatologie u. Venerologie, S. 210–219, Stuttgart: Thieme 1992.

Nesselgifte. Gattungsbez. für chem. uneinheitlich zusammengesetzte Gifte pflanzlichen (z. B. Brennessel) od. tier. (z. B. Nesselqualle) Ursprungs, die *Nesselfieber-ähnliche Erscheinungen hervorrufen können. Beispielsweise enthalten die Brennhaare von *Urtica*-Arten (*Brennesseln) *Acetylcholin, *Histamin u. *Serotonin. – ***E*** nettle poisons – ***F*** poisons d'ortie – ***I*** veleni dell' ortica – ***S*** venenos de ortiga

Lit.: Teuscher u. Lindequist, Biogene Gifte, 2. Aufl., Stuttgart: Fischer 1994.

Nesselpflanzen (Nesselgewächse). Bez. für die Kräuter u. Stauden der Familie Urticaceae, von der mit *Brennhaaren* bewehrte Arten (z. B. *Brennesseln, *Laportea*- u. *Jatropha*-Arten, s. Jatrophon) u. brennhaarlose Arten (z. B. *Ramie) bekannt sind.
Die *Bastfasern aus N. finden ggf. textile Verw., s. Nessel. Aus Gründen der Ähnlichkeit werden auch nichtverwandte Arten „Nesseln" genannt, z. B. Taubnesseln. – ***E*** nettles – ***F*** orties – ***I*** orticacee – ***S*** ortigas

Nesselsucht s. Nesselfieber.

Nesseltiere (Cnidaria). Bez. für im *Meer-, seltener im Süßwasser lebende, festsitzende od. freischwimmende *Hohltiere, die über Beutefang- u./od. Abwehrmechanismen unter Verw. von *Nesselgiften verfügen. – ***E*** cnidaria – ***F*** cnidaires – ***I*** cnidari – ***S*** (c)nidarios

Neßlers Reagenz. Von Julius Neßler (1827–1905) entwickeltes Reagenz (alkal. K_2HgI_4-Lsg.) zum Nachw. von Ammoniak u. Ammonium-Verb., bei welchem sich das schwerlösl. braune Iodid der sog. *Millonschen Base bildet. N. R. besteht aus einer Lsg. von 11 g (66 mmol) KI u. 15 g (33 mmol) HgI_2 in 100 mL Wasser, die mit dem gleichen Vol. 6n NaOH vermischt sind. Prim. u. sek. Alkohole sowie Aldehyde reduzieren N. R. beim Erwärmen zu metall. Quecksilber. – ***E*** Nessler's reagent – ***F*** réactif de Nessler – ***I*** reattivo di Nessler – ***S*** reactivo de Nessler

Lit.: Townshend, Encyclopedia of Analytical Science, Bd. 3, S. 1692, 1693, Bd. 6, S. 3321, 3338, 3344, New York: Academic Press 1995. – *[CAS 7783-33-7]*

NESTE Oy. Kurzbez. für die finn. Firma Neste Oy, 02151 Espoo (die sich im Staatsbesitz befindet). *Produktion:* Kraftstoffe, Öle u. Fette, Petrochemikalien. Die Aktivitäten im Bereich der Chemie sind bei NESTE CHEMICALS zusammengefaßt. *Produktion:* Leimharze auf Harnstoff- u. Phenol-Formaldehyd-Basis, Formaldehyd, Oxoalkohole, ungesätt. Polyester-Harze, Gelcoats, Polystyrol, expandierbares Polystyrol.
Vertretung in der BRD: NESTE Chemicals GmbH, 40549 Düsseldorf.

Netilmicin (Rp).

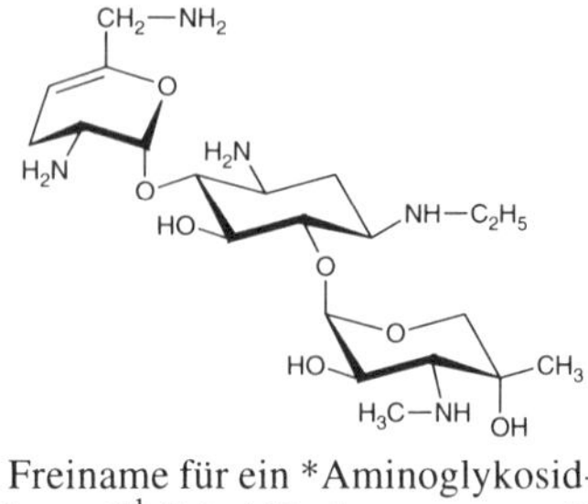

Internat. Freiname für ein *Aminoglykosid-Antibiotikum, das *N*[1]-Ethyl-Derivat von *Sisomicin, $C_{21}H_{41}N_5O_7$, M_R 475,58; $[\alpha]_D^{26}$ +164° (c 3/H_2O); LD_{50} (Maus i.v., s.c., i.p.) 40, 125, 175 mg/kg. Das halbsynthet. N. ist auch verwandt mit *Gentamicin u. hat ähnliche nephro- u. ototox. Nebenwirkungen wie dieses. Verwendet wird meist das Sulfat $(C_{21}H_{41}N_5O_7)_2 \cdot (H_2SO_4)_5$, $C_{42}H_{92}N_{10}O_{34}S_5$, M_R 1441,54; $[\alpha]_D^{20}$ +88° bis +96°. N. wurde 1977 von Schering patentiert u. ist von Essex Pharma (Certomycin®) im Handel. – ***E*** netilmicin – ***F*** nétilmicine – ***I = S*** netilmicina

Lit.: Drugs **27**, 548–578 (1984) ▪ Hager (5.) **8**, 1135 f. ▪ Martindale (31.), S. 255. – *[HS 2941 90; CAS 56391-56-1 (N.); 56391-57-2 (Sulfat)]*

Net protein utilization s. NPU-Wert.

Netrine. Extrazelluläre *Proteine (ca. 560–770 Aminosäure-Reste) mit *Laminin-ähnlichen *Domänen, die die Wachstumsrichtung von Axonen (Nervenfasern) bestimmen u. die bei Insekten, Nematoden u. Wirbeltieren untereinander große Ähnlichkeit in Struktur u. Funktion aufweisen. *Beisp.:* N. 1 u. 2 aus Huhn, N. A u. B aus *Drosophila melanogaster*, Unc-6-Protein aus *Caenorhabditis elegans*. N. 1 kann sowohl anziehende als auch abstoßende Wirkung auf Axonen ausüben. – ***E*** netrins – ***F*** nétrines – ***I*** netrine – ***S*** netrinas

Lit.: Curr. Biol. **7**, R6–R9 (1997).

Nettoretentionsvolumen, -zeit s. HPLC.

Netz s. Netzebene u. Vernetzung.

Netzebene (rationale Ebene). Die Ergebnisse der *Röntgen- od. *Kristallstrukturanalyse sowie theoret. Erwägungen haben gezeigt, daß die Bausteine der *Kristalle nicht willkürlich, sondern nach bestimmten Regeln in gleichmäßigen Abständen im dreidimensionalen Raum angeordnet sind (s. Abb., Teil a). Die Periodizität der *Kristallstrukturen bedeutet, daß sie bei Parallelverschiebung in bestimmten Richtungen u. mit bestimmten Längen mit sich zur Deckung kommen. Eine solche Verschiebung nennt man *Symmetrie-Translation*. Der Verschiebungsvektor heißt *Translationsvektor* od. *Gittervektor*. Die unendliche Menge der Translationsvektoren nennt man das zur Kristallstruktur gehörende *Vektorgitter* (oder einfach *Gitter*).

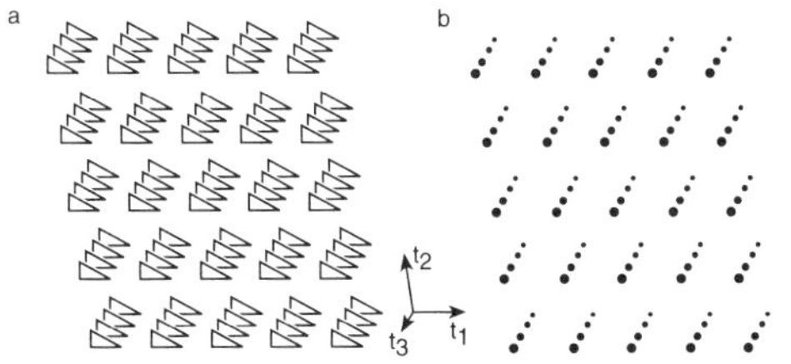

Abb.: Ausschnitt aus einem allg. homogenen Kristallmuster (a) u. seinem zugehörigen Raumgitter (b) nach Buerger, s. *Lit.*

Man kann zeigen, daß es 230 symmetrieverschiedene period. Anordnungsmöglichkeiten von Motiven im dreidimensionalen Raum (s. a. Raumgruppen) gibt, die man als *Raumgitter* (s. Kristallgeometrie) od. *räumliche Punktgitter* bezeichnet (s. Abb., Teil b). Tatsächlich entsprechen die Schwerpunkte der einfachsten Bausteine der Krist. (Ionen, Atome od. Mol.) solchen regelmäßigen Punktanordnungen, die man sich auf einer Geraden als Punktreihe, in einer Ebene als *Netz* od. *N.* u. schließlich im Raum als Raumgitter vorstellen kann. Die Bez. N. rührt daher, daß diese Ebene – definiert durch drei nicht auf einer gemeinsamen Geraden liegende Gitterpunkte – zwei nicht parallele Translationen T u. T′ aufweisen muß u. damit gleichmäßig – etwa nach Anordnung der Knoten eines Fischernetzes – mit Gitterpunkten überdeckt ist. Mit einer derartigen N. als Motiv u. einer geeigneten Translation des Gitters als Erzeugungsoperator entsteht eine Schar dazu paralleler N., deren Abstände zueinander ident. sind (Identitätsperiode d). Zur Beschreibung von N. dienen die *Millerschen Indizes (hkl) (s. a. Kristallgeometrie, Abb. 3). N. spielen in vielen Bereichen der Kristallographie eine wichtige Rolle. Begrenzungsflächen von frei gewachsenen Krist. sind meist niedrig indizierte Netzebenen. Viele Vorgänge in Kristallstrukturen laufen in bestimmten N. ab, beispielsweise Brüche od. Ausscheidungen. Die Braggsche Beugungsbedingung (s. Kristallstrukturanalyse) setzt das Vorhandensein von N.-Scharen voraus. – ***E*** lattice plane – ***F*** plan réticulaire – ***I*** piano reticolare (razionale) – ***S*** plano reticular

Lit.: Buerger, Kristallographie, Berlin: de Gruyter 1977 ▪ s. a. Kristallographie.

Netzmittel (Benetzungsmittel). Natürliche od. synthet. Stoffe, die in Lsg. die *Oberflächenspannung (allg. *Grenzflächenspannung) des Wasser od. anderer Flüssigkeiten herabsetzen, so daß diese in die Oberflächen fester Körper (z. B. Textilfasern) eindringen u. sie unter Verdrängung der Luft durchtränken u. benetzen können. Beisp. für techn. Prozesse, bei denen N. Verw. finden sind: Waschen, Reinigen, Dispergieren, Färben, Gerben, Beschichten, Schmieren, Imprägnieren, Kleben, Desinfizieren, Feuerlöschen, Flotieren etc. Die als N. eingesetzten Stoffe sind ihrer Natur nach grenzflächenaktiv u. werden unter dem Stichwort *Tenside näher erläutert. Unter den Einzeltensiden stellen die *Alkylbenzolsulfonate bes. effektive N. dar. Gewöhnlich werden kurze Benetzungszeiten jedoch durch synergist. Kombination von verschiedenen, als Einzelstoffe in der Regel eher mäßiger N. erreicht. Das Netzvermögen der N. wird gewöhnlich nach der *Tauchnetzmethode (DIN 53901) bestimmt. – ***E*** wetting agents – ***F*** agents mouillants – ***I*** sostanza umettante – ***S*** agentes mojantes, humectantes

Lit.: s. Grenzflächen u. Tenside.

Netzpolymere s. Flächenpolymere.

Netzschwefel. Fein pulverisierter Schwefel, der unter Zusatz von *Netzmitteln in starker Verdünnung als fungizides Spritzmittel gegen echten Mehltau u. *Fusicladium*-Schorf sowie gegen einige Milbenarten verwendet wird. – ***E*** wettable sulfur – ***F*** soufre mouillable – ***I*** zolfo umettante – ***S*** azufre humedecible

F 

Lit.: Perkow ▪ s. a. Schwefel. – *[HS 3808 20]*

Netzwerk(dichte) s. polymere Netzwerke.

Neu s. Neuraminsäure.

Neuartige Waldschäden s. Waldschäden.

Neuberg, Carl (1877–1956), Prof. für Biochemie, Berlin u. New York. *Arbeitsgebiete:* Kohlenhydrat-Stoffwechsel, Biochemie der Gärungsvorgänge, Enzymwirkung, Carboxylase. 1934 wurde er aus seinem Amt als Direktor des KWI für experimentelle Therapie gedrängt u. emigrierte 1940 in die USA; s. a. folgende Stichwörter.

Lit.: Adv. Carbohydr. Chem. **13**, 1 ff. (1958) ▪ Chem. Ber. **94**, I–VI (1961) ▪ Lexikon der Naturwissenschaftler, S. 307 ▪ Nachmansohn, S. 292 ff. ▪ Neufeldt, S. 125, 135 ▪ Pötsch, S. 320.

Neubergs Reagenz s. 1-Naphthylisocyanat.

Neuburger Kieselerde s. Kieselerde.

Neufuchsin (Neofuchsin, 3,3′,3″-Trimethylfuchsin, C. I. Basic Violet 2, C. I. 42520). $C_{22}H_{24}ClN_3$, M_R 365,91. Mit *Fuchsin verwandter Triarylmethan-Farbstoff (vgl. dort das Formelbild), jedoch eine Nuance blaustichiger u. etwas leichter löslich. Grüne Nadeln, enthalten bei 130 °C getrocknet 1 Mol H_2O, in Wasser mäßig, in Ether kaum löslich. Verw. als Farbstoff für die Mikroskopie u. Bakteriologie, kation. Farbstoff zum Färben von Polyacrylnitril-Fasern u. Papier (N. G konz. krist.). – ***E*** new fuchsin – ***F*** néofuchsine – ***I*** fucsina nuova – ***S*** neofucsina

Lit.: Beilstein E III **13**, 2084 ▪ s. a. Triarylmethan-Farbstoffe. – *[CAS 3248-91-7]*

Neugelb s. Bleichromat u. Tropäolin (OO).

Neugewürz s. Piment.

Neugrün s. Schweinfurter Grün.

Neumann, Franz Ernst (1798–1895), Prof. für Physik u. Mineralogie, Königsberg. *Arbeitsgebiete:* Krist.-Physik, Kristallographie, spezif. Wärme, opt. Doppelbrechung, Reflexion an Metallflächen, Dispersion, Elektrodynamik, Induktion.

Lit.: Krafft, S. 252 f. ▪ Krafft u. Meyer-Abich, Große Naturwissenschaftler, S. 237 f., Frankfurt: Fischer 1970 ▪ Lexikon der Naturwissenschaftler, S. 307 ▪ Neufeldt, S. 22, 379.

Neumann, Wilhelm Paul (1926–1993), Prof. für Organ. Chemie, Univ. Dortmund. *Arbeitsgebiete:* Metallorgan., insbes. Zinn-organ. Verb., schwere Carben-Analoga, Chemie freier Radikale, Metall-organ. Reagenzien für die organ. Synthese.

Lit.: Kürschner (16.), S. 2589 ▪ Nachr. Chem. Tech. Lab. **34**, Nr. 9, 1104 (1986); **41**, Nr. 10, 1179 (1993).

Neumann-Koppsche Regel s. Molwärme.

Neuner. In der Werkstoffkunde geläufige Bez., mit der die *chemische Reinheit von *Metallen od. Gasen angegeben wird. Beisp. s. hochreine Metalle. – ***E*** niner – ***F*** unité de pureté – ***I*** unità di nove – ***S*** unidad del nueve

Neupert, Walter (geb. 1939), Prof. für Physiolog. Chemie, Univ. Göttingen, München, Inst. für Physiolog. Chemie, Physikal. Biochemie u. Zellbiologie. *Arbeitsgebiete:* Struktur u. Biogenese von Mitochondrien, intrazellulärer Protein-Transport, Faltung von Proteinen.

Lit.: Kürschner (16.), S. 2592 ▪ Nachr. Chem. Tech. Lab. **43**, Nr. 4, 482 (1995).

Neupogen® (Rp). Ampullen mit dem *Cytokin *Filgrastim (r-met HuG-CSF). ***B.:*** Hoffmann-La Roche.

Neuralgin®. Schmerztabl. mit *Acetylsalicylsäure, *Paracetamol u. *Coffein. ***B.:*** Pfleger.

Neuraltherapie. Medizin. Behandlungsmeth. v. a. von schmerzhaften Erkrankungen durch lokale Infiltration mit einem *Lokalanästhetikum (therapeut. Lokalanästhesie). Das Konzept der klass. N. wurde in der ersten Hälfte des 20. Jh. von den Gebrüdern F. u. W. Huneke entwickelt. Danach führen lokale Herde in Form von Narben, Entzündungen u. a. über angenommene nervale Reflexwege zu allg. Krankheitserscheinungen. Eine Ausschaltung dieser sog. Störfelder mittels der lokalen Infiltration mit Lokalanästhetika wie *Procain od. *Lidocain soll zur Verminderung od. Heilung von Störungen führen, die auch weitab vom Injektionsort gelegen sein können. Im klass. Fall tritt der Effekt kurz nach od. gleichzeitig mit der Injektion auf (Sekundenphänomen). – ***E*** neural therapy – ***F*** thérapie neurale – ***I*** terapia neurale – ***S*** terapia neural

Lit.: Dosch, Lehrbuch der Neuraltherapie nach Huneke (14.), Heidelberg: Haug 1995 ▪ Huneke, Impletoltherapie, Stuttgart: Hippokrates 1952 ▪ Tilscher u. Eder, Therapeut. Lokalanästhesie, Stuttgart: Hippokrates 1991.

Neuraminidasen (EC 3.2.1.18, *Sialidasen*, Acylneuraminylhydrolasen). In Mikroorganismen (z. B. *Cholera-Bazillus, *Grippe-Virus) ebenso wie in Geweben von Wirbeltieren (z. B. in den *Lysosomen u. in Spermien) vorkommende, teilw. aus Untereinheiten zusammengesetzte *Glykoproteine mit M_R zwischen 10000 u. 250000. Die N. sind oft in Membranen lokalisiert u. zählen als α-*Glykosidasen zu den *Hydrolasen. Sie spalten in *Neuraminsäure-Glykosiden (Neuraminsäure-haltigen Glykoproteinen, Glykolipiden u. Glykosaminoglykanen) am nichtreduzierenden Ende die 2,3-, 2,6- u. 2,8-glykosid. Bindungen zwischen D-Galactose, *N*-Acetyl-D-hexosamin, *N*- od. *O*-*Acylneuraminsäuren einerseits u. endständiger *N*- od. *O*-Acylneuraminsäure (nicht: O^4-Acetylneuraminsäure) andererseits.

Biolog. Funktionen: Die Desialysierung von Glykoproteinen im Blut durch N. leitet deren Aufnahme in die Leber u. dortigen Abbau ein (vgl. Asialoglykoprotein-Rezeptor). Die Membran-ständige N. der Grippe-Viren ist wohl zur Zerstörung umgebenden Schleims geeignet. Außerdem werden durch N. auch Sialinsäure-haltige Erythrocyten-Rezeptoren für diese Viren zerstört (*receptor-destroying enzymes*, RDE). Im *Akrosom der Spermatozoen befindliche N. dient als *Penetrationsenzym* zum Eindringen in die Eihaut. Bei N.-Mangel kommt es zu *Sialidosen*. – ***E*** = ***F*** neuraminidases – ***I*** neuraminidasi, neuramminidasi – ***S*** neuraminidasas

Neuraminsäure (5-Amino-3,5-didesoxy-D-*glycero*-D-*galacto*-2-nonulosonsäure, Kurzz. Neu).

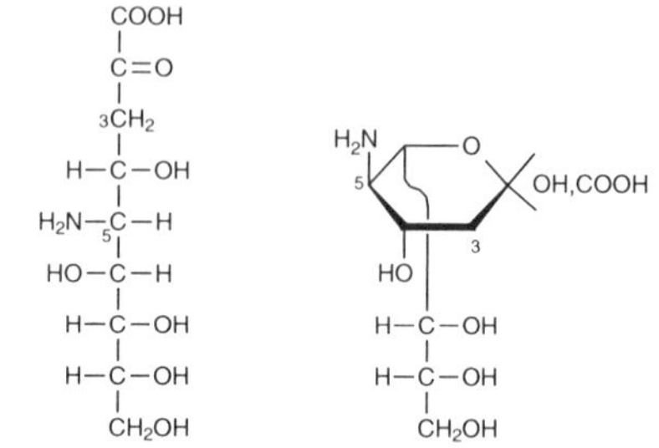

offenkettige Form — pyranoside Form

$C_9H_{17}NO_8$, M_R 267,23. Von Klenk aus *Gangliosiden isolierte u. benannte Aminozuckersäure, die synthet. durch *Aldol-Addition aus Brenztraubensäure u. D-Mannosamin zugänglich ist. N. ist unbeständig u. cyclisiert spontan zu einem Pyrrolin-Derivat. Sie ist jedoch in *N*- u. *O*-acylierter Form weit verbreitet. Zusammenfassend bezeichnet man diese Derivate als *Acylneuraminsäuren *(Sialinsäuren)*; sie sind – meist in glykosid., durch *Neuraminidase spaltbarer Bindung – Bestandteil vieler bakterieller u. tier. *Glykolipide, *Glykoproteine u. *Glykosaminoglykane. – ***E*** neuraminic acid – ***F*** acide neuraminique – ***I*** acido neuramico – ***S*** ácido neuramínico – *[CAS 114-04-5]*

Neureguline. Familie von Proteinen, die mit dem *epidermalen Wachstumsfaktor (EGF) verwandt sind u. wie dieser als Liganden an ErbB-Rezeptoren (EGF an ErbB1, N. an ErbB2–ErbB4) binden. Die N. haben vielfältige Aktivitäten als *Wachstumsfaktoren, z. B. bei der Entwicklung des Nervensyst. u. des Herzmuskels [1]. Im Nervensyst. regulieren sie Anzahl, Schicksal u. Anordnung der Zellen [2]. *Beisp.:* *Heregulin α u. *Acetylcholin-Rezeptor-induzierende Aktivität* (ARIA) [3], ein von Nervenzellen abgegebener Faktor, der in Muskelzellen die Synth. des Acetylcholin-Rezeptors reguliert u. somit eine wichtige Rolle bei der Ausbildung u. Unterhaltung neuromuskulärer Synapsen spielt. N. β induziert die Produktion einer Untereinheit des NMDA-Rezeptors (s. Glutamat-Rezeptoren) im Gehirn [4]. – ***E*** neuregulins – ***F*** neurégulines – ***I*** neureguline – ***S*** neuregulinas

Lit.: [1] Bioessays **18**, 263–266 (1996). [2] Curr. Opin. Neurobiol. **7**, 87–92 (1997). [3] Annu. Rev. Neurosci. **20**, 429–458 (1997); J. Cell Biol. **134**, 465–476 (1996); Science **276**, 599–603 (1997). [4] Nature (London) **390**, 691–694 (1997).
allg.: Nature (London) **387**, 509–516 (1997).

Neurexine. Zelloberflächen-*Proteine unbekannter Funktion von Nervenzellen des Gehirns, die in vielen verschiedenen Formen mit Variationen der Aminosäure-Sequenz (Isoformen) auftreten. Diese werden von 3 verschiedenen *Genen kodiert u. von jeweils zwei unterschiedlichen Startpunkten (Promotoren) aus abgelesen, wodurch die N. Iα–IIIα sowie Iβ–IIIβ entstehen, welche wiederum durch alternatives *Spleißen der zugehörigen Prämessenger-*Ribonucleinsäuren in insgesamt über 1000 Unterformen zerfallen, die von verschiedenen Untergruppen von Nervenzellen in jeweils charakterist. Auswahl produziert werden. Im extrazellulären Teil der Membran-durchspannenden Proteine besteht Sequenz-Ähnlichkeit u. *Laminin A u. *Agrin. *Neuroligine*, an Synapsen vorkommende Membran-*Glykoproteine (Neuroligin 1: M_R 116000, 843 Aminosäure-Reste aufgrund *cDNA-Sequenz) mit *Esterase-ähnlichen *Domänen, binden bestimmte Formen der N. Iβ–IIIβ in Anwesenheit von Calcium-Ionen[1]. Der cytoplasmat. Teil der N. bindet einen Komplex, der das mit den synapt. Vesikeln vergesellschaftete *Synaptotagmin[2] sowie *Syntaxin u. den ω-*Conotoxin-empfindlichen *Calcium-Kanal enthält[3], was eine Rolle spielen könnte bei der Verschmelzung der Vesikeln mit der synapt. Membran bei der *Exocytose. Die früher damit in Zusammenhang gebrachte massive Ausschüttung von *Neurotransmitter durch α-*Latrotoxin scheint jedoch nach neueren Erkenntnissen durch einen anderen Rezeptor vermittelt zu werden[4]. Einige der Isoformen von N. IIIα werden offenbar sezerniert u. dienen möglicherweise als Signal-Moleküle[5]. Zumindest in **Drosophila melanogaster* sind N. nicht an den Synapsen lokalisiert u. werden auch von Nicht-Nervenzellen produziert. Eine Rolle der N. bei der Organisation von Zell-Zell-Verbindungen wird diskutiert[4]. – ***E*** neurexins – ***F*** neurexines – ***I*** neuressine – ***S*** neurexinas

Lit.: [1]Cell **81**, 435–443 (1995); J. Biol. Chem. **271**, 2676–2682 (1996). [2]Neuron **10**, 307–315 (1993). [3]FEBS Lett. **326**, 255–260 (1993). [4]J. Cell. Biol. **137**, 793–796 (1997). [5]Proc. Natl. Acad. Sci. USA **90**, 6410–6414 (1993). *allg.:* Neuron **14**, 497–507 (1995).

Neurobion®. Ampullen mit den B-Vitaminen *Thiamin-Hydrochlorid, *Pyridoxin-Hydrochlorid u. *Cyanocobalamin gegen Neuritiden. ***B.:*** Merck.

Neurochemie (griech.: neuron = Sehne, Nerv). Teilgebiet der Biologie des Nervensyst., das sich mit den chem. u. biochem. Vorgängen in Nervenzellen u. dem Nervensyst. befaßt. So sind u. a. die biochem. Grundlage der Erregungsbildung u. -leitung von *Neuronen, die Signalübertragung an *Synapsen (s. a. Hirnsubstanz u. Neurotransmitter), Transportvorgänge in Nervenzellen sowie Entwicklungs- u. Wachstumsbedingungen von Neuronen Arbeitsgebiete der Neurochemie. Die rasche Fortentwicklung der N. begann in der ersten Hälfte dieses Jh. u. a. mit der Entdeckung von Leitfähigkeitsänderungen an der Nervenzellmembran bei Entstehung u. Weiterleitung des Aktionspotentials durch Cole u. Curtis 1938, durch die Identifizierung des *Acetylcholins als Neurotransmitter durch Loewi 1921 u. der Entdeckung des Nerve Growth Factor (*Nervenwachstumsfaktor) durch Levi-Montalcini u. Hamburger 1950. – ***E*** neurochemistry – ***F*** neurochimie – ***I*** neurochimica – ***S*** neuroquímica

Lit.: Kandel et al., Prinicples of Neural Science, Amsterdam: Elsevier 1991.

Neurocil® (Rp). Tabl. mit dem *Neuroleptikum *Levomepromazin-Hydrogenmaleat, Tropfen u. Ampullen enthalten das Hydrochlorid. ***B.:*** Bayer.

Neuro-Endokrino-Immunologie s. Immunologie.

Neurofilamente. Bes. Typ der *intermediären Filamente, der in *Neuronen vorkommt u. in Wirbeltieren aus 3 verschiedenen N.-Proteinen (M_R 60000, 100000 u. 130000) gebildet wird. – ***E*** = ***F*** neurofilaments – ***I*** neurofilamenti – ***S*** neurofilamentos

Lit.: Annu. Rev. Neurosci. **19**, 187–217 (1996).

Neurohormone. Nicht einheitlich gehandhabte Sammelbez. für – 1. endokrine *Hormone, die in sekretor. Nervenzellen [z. B. denen des Hypothalamus od. Hypophysen-Hinterlappens (HHL, Neurohypophyse)] als *neurosekretor. Hormone* gebildet werden od. – 2. Gewebshormone, die als *Neurotransmitter od. *Neuromodulatoren* innerhalb verschiedener Bereiche des Nervensyst. wirksam werden. Bisweilen wird nur die 1. Gruppe, nach anderer Lesart nur die 2. unter N. verstanden. Soweit es sich bei den N. um Peptide mit Wirkung auf das Nervensyst. handelt, werden sie auch als *Neuropeptide bezeichnet. *Beisp.* für N.: *Releasing-Hormone u. *inhibiting factors (Neuropeptide des Hypothalamus), *Vasopressin u. *Oxytocin (Neuropeptide, die im Hypothalamus synthetisiert u. im HHL gespeichert werden), *Endorphine u. *Enkephaline (Neuropeptide des Hirns, *Hirnpeptide*), *Acetylcholin u. *L-Adrenalin (nicht-peptid. Neurotransmitter) sowie unzählige weitere. – ***E*** = ***F*** neurohormones – ***I*** neurormoni, neuro-ormoni – ***S*** neurohormonas

Neuroimmunologie s. Immunologie.

Neurokine. Auch *neuropoet. Cytokine* od. *Neuropoietine* genannte Familie *neurotropher Faktoren. Im weiteren Sinn Bez. für solche Faktoren, die sowohl auf das Nervensyst. als auch als Cytokine auf das *Immunsystem wirken (*Beisp.:* *Nervenwachstumsfaktor[1], *Midkin, Pleiotrophin[2]). – ***E*** = ***F*** neurokines – ***I*** neurochine – ***S*** neuroquinas

Lit.: [1]Trends Neurosci. **19**, 514–520 (1996). [2]Cancer Res. **57**, 1814–1819 (1997).

Neurokinine.

His-Lys-Thr-Asp-Ser-Phe-Val-Gly-Leu-Met-NH_2 (N. A)
Asp-Met-His-Asp-Phe-Phe-Val-Gly-Leu-Met-NH_2 (N. B)

Abb.: Aminosäure-Sequenzen der Neurokinine A u. B. Die unterstrichenen Teile stimmen mit *Kassinin überein.

Familie von *Neuropeptiden u. Untergruppe der *Tachykinine, die aus sensor. Nerven freigesetzt werden u. sowohl im Zentralnervensyst. als auch in peripheren Organen vorkommen. Die N. umfassen N. A (NKA, N. α, *Neuromedin L, *Substanz K*, $C_{50}H_{80}N_{14}O_{14}S$, M_R 1133,33), N. B (NKB, N. β, Neuromedin K, $C_{55}H_{79}N_{13}O_{14}S_2$, M_R 1210,43) u. N. P (NKP, *Substanz P, SP), die bevorzugt die N.-*Rezeptoren NK_2, NK_3 bzw. NK_1 stimulieren (sämtlich *G-Protein-gekoppelte Rezeptoren der 7-Transmembran-Helix-Familie). SP u. NKA besitzen als gemeinsamen Vorläufer das *Präprotachykinin* A (PPT A), während NKB aus PPT B entsteht. N. A ist ident. mit dem Carboxy-Ende des *Neuropeptids K*, das ebenfalls aus PPT B gebildet wird.

Zusammen mit dem *Calcitonin-Gen-zugehörigen Peptid u. dem *vasoaktiven intestinalen Polypeptid gehören die N. als (hauptsächlich entzündungsfördernde) *Mediatoren zum *nicht-adrenergen nicht-cholinergen* (NANC) Nervensystem. Die N. bewirken *Histamin-Freisetzung aus *Mastzellen u. sind für Schmerzwahrnehmung mitverantwortlich. Indirekt induzieren sie in der Haut Juckreiz u. Rötung, in den Bronchien Kontraktion der Muskulatur u. Schleimsekretion. Inhibitoren der N.-Rezeptoren sind als neuartige Schmerz- u. Asthma-Mittel in der Entwicklung [1]. – ***E*** neurokinins – ***F*** neurokinines – ***I*** neurochinine – ***S*** neuroquininas

Lit.: [1] Exp. Opin. Therap. Patents **7**, 43–54 (1997).
allg.: Allerg. Immunol. (Paris) **25**, 280 ff., 285 (1993) ▪ Can. J. Physiol. Pharmacol. **73**, 854–939 (1995).

Neuroleptanalgesie s. Narkotika.

Neuroleptika (Neuroplegika). Von griech.: neûron = Nerv u. lēptós = (an)gegriffen, (ein)gefangen bzw. plēgê = Schlag, Züchtigung abgeleitete Bez. für eine Gruppe von Psychopharmaka mit sedativ-hypnogenen (beruhigenden u. antriebsdämpfenden) u. antipsychot. Wirkungen bei psych. Erkrankungen; mit ganz anderer Indikation zusammen mit *Analgetika in der sog. Neuroleptanalgesie (s. Narkotika).
Die meisten N. sind Phenothiazin- od. Butyrophenon-Derivate, erstere mit 3-(Dialkylamino)propyl-Substituent am Ring-Stickstoff.
N. werden klin. nach ihrer *neurolept. Potenz* eingeteilt: 1. Schwach wirksam, z. B. *Chlorprothixen, *Prothipendyl; indiziert bei psychomotor. Erregtheit u. ängstlicher Agitation; – 2. mittelstark wirksam, z. B. *Clopenthixol, *Triflupromazin; indiziert bei Schizophrenien; – 3. stark wirksam, z. B. *Perphenazin, Trifluperazin, indiziert bei paranoiden u. halluzinator. Zuständen sowie chron. Schizophrenie; – 4. sehr stark wirksam, z. B. *Fluphenazin, *Haloperidol, *Reserpin, Indikationen wie 3. Als Bezugssubstanz für die Wirkstärke dient *Chlorpromazin. Mit steigender Wirkstärke nehmen die extrapyramidal-motor. Nebenwirkungen zu, die sedierenden u. vegetativen ab. „Atyp." N. wie *Clozapin, Risperidon u. *Sulpirid zeigen ein bes. klin. Wirkungsprofil.
Der *Wirkungsmechanismus* von N. ist im einzelnen nicht geklärt. Sie beeinträchtigen die Erregungsübertragung an (nor)adrenergen, serotoninergen, cholinergen u. histaminergen Synapsen. N. können psych. Erkrankungen nicht heilen, sondern nur bestimmte Symptome abschwächen. N. sind stark wirksame u. bei längerer Anw. evtl. persönlichkeitsverändernde Medikamente, so daß sie nur in die Hand erfahrener Ärzte gehören. – ***E*** neuroleptics – ***F*** neuroleptiques – ***I*** neurolettici – ***S*** neurolépticos

Lit.: Dietmayer et al., Neuro-Psychopharmaka, Bd. 4: Neuroleptika, Wien: Springer 1992 ▪ Mutschler (7.), S. 143–152 ▪ Psychiatr. Prax. **23**, 109–116 (1996).

Neuroleukin (Abk.: NLK). Bez. für ein Protein (M_R 56000), das als *neurotropher Faktor das Wachstum bestimmter Nervenzellen regelt u. außerdem periphere mononucleäre Blut-Zellen zur Sekretion von Immunglobulin anregt. Es findet sich in Gehirn, Herz, Muskel u. Niere; seine Produktion durch Muskelzellen u. *Lymphocyten konnte gezeigt werden; daher kann es auch zu den *Lymphokinen gerechnet werden. Darüber hinaus besitzt NLK *Enzym-Aktivität: Als *Glucose-6-phosphat-Isomerase* (GPI, EC 5.3.1.9) katalysiert es in der *Glykolyse die Umwandlung von D-*Glucose-6-phosphat in D-Fructose-6-phosphat. Strukturell existiert partielle Homologie zu *gp120, dem Hüll-Protein des HIV-Virus; letzteres inhibiert die neurotrophe Wirkung des NLK *in vitro*, was eine Rolle spielen könnte bei den Auswirkungen des Virus auf das Nervensystem. Bei Mutation des NLK/GPI-Gens kann es zu hämolyt. Anämie kommen. – ***E*** neuroleukin – ***F*** neuroleucine – ***I*** = ***S*** neuroleucina

Neuro-Lichtenstein® N. Dragées u. Ampullen mit den B-Vitaminen *Thiamin- u. *Pyridoxin-Hydrochlorid gegen Neuritiden, *N.-L.:* Ampullen enthalten zusätzlich *Cyanocobalamin. ***B.:*** Lichtenstein.

Neuroligine s. Neurexine.

Neuromedine. Gruppe von *Neuropeptiden aus dem Rückenmark von Schweinen.

Gly-Asn-Leu-Trp-Ala-Thr-Gly-His-Phe-Met-NH_2
Neuromedin B

Gly-Asn-His-Trp-Ala-Val-Gly-His-Leu-Met-NH_2
Neuromedin C

Lys-Ile-Pro-Tyr-Ile-Leu
Neuromedin N

Phe-Lys-Val-Asp-Glu-Glu-Phe-Gln-Gly-Pro-Ile-Val-Ser-Gln-Asn-Arg-Arg-**Tyr-Phe-Leu-Phe-Arg-Pro-Arg-Asn-NH_2**
Neuromedin U-25 (halbfett: N. U-8)

Die *N. B* ($C_{52}H_{73}N_{15}O_{12}S$, M_R 1132,30) u. *N. C* ($C_{50}H_{73}N_{17}O_{11}S$, M_R 1120,30) ähneln in ihrer Struktur dem *Bombesin aus Amphibienhaut u. dem Gastrin-Releasing-Peptid (GRP, s. Gastrin). Wie Bombesin stimuliert N. B. die Kontraktion glatter Muskeln. N. C stammt biosynthet. vom selben Vorläufer-Protein ab wie GRP, besteht aus dessen 10 C-terminalen Aminosäure-Resten u. wird daher auch GRP-10 genannt. Wie GRP regt es die Freisetzung des Gastrins u. a. gastrointestinaler Hormone an. Die *N. K* u. *L* sind ident. mit den Neurokininen B bzw. A; Näheres dazu s. dort. *N. N* ($C_{38}H_{63}N_7O_8$, M_R 745,96) ähnelt dem *Neurotensin u. hat mit diesem ein gemeinsames Vorläufer-Protein [1]. Die *N. U-8* ($C_{54}H_{78}N_{16}O_{10}$, M_R 1111,31, 8-Aminosäure-Reste) u. *U-25* ($C_{144}H_{217}N_{43}O_{37}$, M_R 3142,57, 25 Aminosäure-Reste) wirken stimulierend auf die Uterus-Muskulatur. Zur Rolle der N. bei der Regulation von Wachstum, Struktur u. Funktion der Nebennierenrinde s. *Lit.* [2]. – ***E*** neuromedins – ***F*** neuromédines – ***I*** neuromedine – ***S*** neuromedinas

Lit.: [1] Ann. N. Y. Acad. Sci. **668**, 1–42 (1992). [2] Histol. Histopathol. **9**, 591–601 (1994). – *[CAS 102577-19-5; 102577-22-0; 102577-23-1; 92169-45-4; 111745-44-9]*

Neuromodulatoren s. Neurotransmitter.

Neuromodulin (GAP-43). Alanin-reiches saures *Protein aus 194–238 Aminosäure-Resten (je nach Tierart; Ratte: M_R 23600), das an der Signalübertragung u. der Regulation des *Cytoskeletts in den Nervenenden beteiligt ist. N., das teilw. an Proteine des Cytoskeletts (*Actin, α-*Actinin, *Talin, *Fodrin) gebunden vorgefunden wird, assoziiert mit dem Amino-Ende an die Innenseite der präsynapt. Membran u. bindet *Calmodulin (CaM) Calcium-unabhängig. Bei Phosphorylierung des N. durch *Protein-Kinase C verliert es seine Affinität für CaM, u. es ergibt sich *Langzeit-Potenzierung* der Synapse u. Verzweigung der Nervenendigung. In α-Untereinheiten von *G-Proteinen stimuliert N. den Austausch von GDP gegen GTP (s. Guanosinphosphate). – ***E*** neuromodulin – ***F*** neuromoduline – ***I*** = ***S*** neuromodulina

Lit.: Trends Neurosci. **20**, 84–91 (1997).

Neuron (griech.: neuron = Nerv, Sehne). *Zelle des Nervengewebes (Nervenzelle, Ganglienzelle, s. a. Hirnsubstanz), deren Aufgabe als Funktionseinheit des Nervensyst. die Weiterleitung elektr. Impulse ist. Sie besteht aus dem Zellkörper (*Perikaryon*) mit dem Zellkern (*Nucleus*), einem Hauptfortsatz (*Axon* od. *Neurit*) u. meist mehreren weiteren, sich oft baumartig verzweigenden Fortsätzen, den *Dendriten*. Je nach ihrer Aufgabe unterscheiden sich N., sehr in Anzahl u. Struktur ihrer Fortsätze. Die Dendriten empfangen Erregung, z. B. von anderen N. u. leiten sie in Richtung Zellkörper weiter. Dagegen leitet das Axon die Impulse vom Zellkörper fort. Auch Axone, die eine beträchtliche Länge (beim Menschen bis zu 1 m) erreichen können, geben in ihrem Verlauf Äste ab (Axonkollaterale) u. verzweigen sich an ihrem Ende, um mit kleinen Auftreibungen (*Endknöpfchen, Boutons terminaux*) an Nerven od. Muskelzellen **Synapsen* zu bilden. Synapsen verbinden die N. untereinander u. mit ihren Zielzellen u. machen die Erregungsübertragung von einer Zelle auf die andere möglich. Das Axon ist über seine gesamte Länge von einer Hülle aus **Myelin* (*Markscheide*) umgeben, die von speziellen Hüllzellen (*Schwannsche Zellen*, im Zentralnervensyst. *Oligodendrocyten*) gebildet wird u. der elektr. Isolation dient. In regelmäßigen Abständen von 1–3 mm wird die Markscheide durch Einschnürungen (*Ranvierscher Knoten* od. *Schnürring*) unterbrochen.

Die Erregung eines N. u. die Erregungs-Weiterleitung geschieht durch Änderungen des *Membranpotentials* der Zelle. Dieses Membranpotential wird durch ein Konz.-Gefälle von Na^+-, K^+- u. Cl^--Ionen erzeugt u. durch eine Kalium-Natrium-Pumpe unter Energieverbrauch aufrechterhalten. Ein teilw. Ausgleich der normalerweise über der Zellmembran bestehenden Spannung von ca. –75 mV führt über eine kurzzeitige Erhöhung der Leitfähigkeit für Natrium-Ionen zu einer kurzen Spannungsumkehr (*Depolarisation*) auf ca. +30 bis 40 mV, dem *Aktionspotential*. Dieser elektr. Impuls dehnt sich über die Zellmembran aus u. wird entlang der axonalen Membran aufgrund der isolierenden Markscheide von Schnürring zu Schnürring weitergeleitet (*saltator. Erregungsleitung*). Dabei ist die Erregungsleitungsgeschw. wegen der Verhältnisse der elektr. Widerstände zueinander vom Durchmesser des Axons, der Dicke der Markscheide u. dem Abstand der Schnürringe abhängig. Man unterscheidet daher dicke markhaltige Nervenfasern von dünnen markarmen od. marklosen u. teilt sie nach ihrer Leitungsgeschw. in Gruppen A, B u. C od. I–IV ein. Die schnellsten Fasern haben eine Leitungsgeschw. von bis zu 120 m/s, während die langsamsten weniger als 2,5 m/s schnell leiten. – ***E*** neuron, nerve cell – ***F*** = ***I*** neurone – ***S*** neurona

Lit.: Kandel et al., Principles of Neural Sciences, Amsterdam: Elsevier 1991 ▪ Schmidt, Neuro- u. Sinnesphysiologie, Heidelberg: Springer 1995.

Neuronale Netze (neuronale Computer). Ein n. N. besteht aus einer Verschaltung vieler einzelner Schaltzellen. Dabei hat jede Zelle mehrere Ein- u. Ausgänge, d. h. sie empfängt Signale von vielen anderen Zellen u. gibt ihr Ausgangssignal auch an viele Zellen weiter. Charakterist. für ein n. N. ist, daß die Schaltcharakteristik jeder einzelnen Zelle einen kontinuierlichen u. keinen abrupten Übergang von 0 zu 1 zeigt u. daß die Kopplungsstärke eines Ausgangssignals an die nächste Zelle z. B. durch „Lernprozesse" veränderbar ist. Durch die starke Vernetzung werden die Ausgangssignale z. T. auf den Eingang rückgekoppelt. Man untersucht z. B. die (spontane) Bildung von räumlichen u. zeitlichen Strukturen in n. N. u. hofft, durch die Untersuchung von n. N. die Funktionsweise des Gehirns besser zu verstehen. Wichtige Fragestellungen sind z. B. dezentrale Speicherung, assoziatives Gedächtnis, Lernvorgänge.

Realisieren lassen sich n. N. z. B. durch geeignetes Zusammenschalten von vielen kleinen Computern (NC) od. durch Verbinden von nichtlinear opt. (*nichtlineare Optik) u./od. opt. bistabilen (*optische Bistabilität) Bauelementen. – ***E*** neuronal network – ***F*** réseau neuronal – ***I*** reti/computer neuronali – ***S*** red neuronal

Lit.: Phys. Bl. **46** (7), 255 (1990) ▪ Sci. Am. **256**, Nr. 3, 66; Nr. 10 (1987); **257**, Nr. 12, 62 (1987).

Neuropeptide. Sammelbez. für Peptid-*Mediatoren, die im Nervensyst. lokalisiert sind u. in demselben wirksam werden, entweder endokrin als Peptid-*Hormone od. parakrin als Peptid-*Neurotransmitter od. Peptid-Neuromodulatoren. *Beisp.:* *Angiotensin, *Endorphine, *Enkephaline, *inhibiting factors, *Releasing-Hormone, *Substanz P, *vasoaktives intestinales (Poly-)Peptid usw. Auffallend viele N. besitzen einen amidierten Carboxy-Terminus u. entstehen aus *Polyprotein-Vorläufern durch spezif. Spaltung mit Hilfe von *Peptidasen u. Peptidylglycin-Monooxygenase (EC 1.14.17.3)[1]. Zur Geschichte der N. s. *Lit.*[2]. – ***E*** = ***F*** neuropeptides – ***I*** neuropeptidi – ***S*** neuropéptidos

Lit.: [1]Science **278**, 1300–1305 (1997). [2]Front. Neuroendocrinol. **16**, 293–321 (1995); **17**, 126–179, 247–280 (1996). *allg.:* Crawley u. McLean, Neuropeptides: Basic and Clinical Advances, New York: N. Y. Acad. Sci. 1996 ▪ Smith, Peptidases and Neuropeptide Processing, San Diego: Academic Press 1994 ▪ Turner, Neuropeptide Gene Expression, Colchester: Portland Press 1994.

Neuropeptid γ, K s. Tachykinine.

Neuropeptid Y (Abk.: NPY).

Tyr-Pro-Ser-Lys-Pro-Asp-Asn-Pro-Gly-Glu-Asp-Ala-Pro-Ala-Glu-Asp-Met-Ala-Arg-Tyr-Tyr-Ser-Ala-Leu-Arg-His-Tyr-Ile-Asn-Leu-Ile-Thr-Arg-Gln-Arg-Tyr-NH_2

$C_{189}H_{285}N_{55}O_{57}S$, M_R 4271,74 (Mensch). Ursprünglich in Schweinehirn gefundenes, jedoch in allen Wirbeltieren vorkommendes Peptid aus 36 Aminosäure-Resten mit L-*Tyrosin (Kurzz. hierfür: Y, daher Name) am Amino- u. Carboxy-Ende. Diese Charakteristik zeigt auch das *Peptid YY (PYY); beide zeigen Verwandtschaft zum *pankreatischen Polypeptid (PP). NPY gilt als eines der häufigsten Peptide im zentralen u. peripheren Nervensyst. u. kommt auch im Nebennierenmark vor. Es wirkt mit dem *Neurotransmitter L-*Adrenalin als Cotransmitter u. beeinflußt den system. Blutdruck, Nahrungsaufnahme [1], Reproduktion (Freisetzung von *Gonadoliberin), Körpertemp., Angstverhalten u. Gedächtnis. Verschiedene Rezeptor-Subtypen, die von *G-Proteinen abhängen, wurden pharmakolog. charakterisiert u. binden neben NPY auch PYY u. PP [2]. – ***E*** = ***F*** = ***I*** neuropeptide Y – ***S*** neuropéptido Y

Lit.: [1] Annu. Rep. Med. Chem. **32**, 21–30 (1997); Nature (London) **385**, 119f. (1997). [2] Trends Neurosci. **20**, 294–298 (1997).
allg.: Peptides **18**, 445–457 (1997) ▪ Regulat. Peptides **65**, 1–11, 165–174 (1996). – *[CAS 82785-45-3]*

Neurophysine (Kurzz.: NP). Gruppe *Cystein-reicher Proteine aus ca. 95 Aminosäure-Resten, M_R ca. 10000, die im *Hypothalamus zusammen mit *Oxytocin bzw. *Vasopressin in Form gemeinsamer Vorstufen gebildet u. über Nervenfasern zum Speicherorgan Neurohypophyse (*Hypophysen-Hinterlappen) transportiert werden. Durch enzymat. Spaltung werden aus dem einen Vorläufer-Protein Oxytocin u. NP1, aus dem anderen Vasopressin u. NP2 freigesetzt. Man vermutet, daß die NP eine Transport- u. Schutzfunktion für die genannten Peptid-Hormone erfüllen. Mutationen, die zur strukturellen Änderung von NP2 führen, können zentralen Diabetes insipidus bewirken. Von den NP ist keine eigene Hormon-Wirkung bekannt. – ***E*** neurophysins – ***F*** neurophysines – ***I*** neurofisine – ***S*** neurofisinas

Lit.: Horm. Res. **45**, 182–186 (1996).

Neuroplant®. Filmtabl. mit Trockenextrakt aus *Johanniskraut gegen psychovegetative Störungen. ***B.:*** Spitzner.

Neuroplegika s. Neuroleptika.

Neuropoetische Cytokine, Neuropoietine s. neurotrophe Faktoren.

Neuro-ratiopharm®. Ampullen u. Filmtabl. mit den B-Vitaminen *Thiamin-, *Pyridoxin-Hydrochlorid u. *Cyanocobalamin gegen Neuritiden. ***B.:*** ratiopharm.

Neurosekretorische Hormone s. Hormone u. Neurohormone.

Neurotensin (Kurzz. NT).

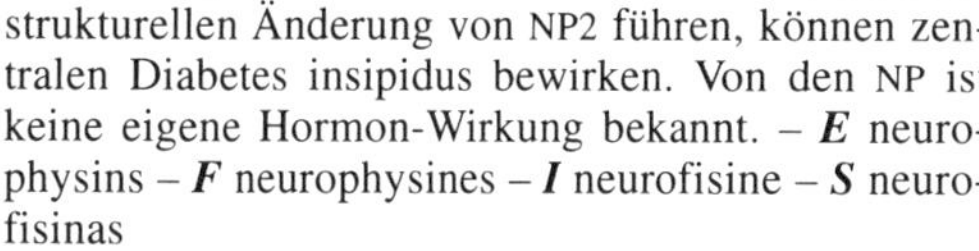

$C_{78}H_{121}N_{21}O_{20}$, M_R 1672,95. Ein Oligopeptid (*Neuropeptid) mit 13 Aminosäure-Resten aus dem *Hypothalamus, dem *Hypophysen-Vorderlappen u. dem unteren Dünndarm. N. wirkt nicht nur als *Neurotransmitter, sondern ist auch ein *Neurohormon im engeren Sinn, das den *Blutdruck senkt, die Gefäße durchlässiger macht, Dünndarmkontraktionen auslöst, den Zwölffingerdarm aber erschlaffen läßt, die Magensäure-Sekretion hemmt u. die Plasmaspiegel von Glucagon, D-Glucose, Somatotropin, Prolactin u. a. beeinflußt; es wirkt außerdem stark analgetisch. Im Gehirn bzw. Hypothalamus stimuliert N. die Produktion von *Dopamin bzw. von *Gonadoliberin, *Somatostatin u. *Corticoliberin. Die Synth. von NT wird andererseits durch mehrere zirkulierende Hormone beeinflußt, so daß sich Rückkopplungseffekte einstellen können. Der NT-Rezeptor, ein *G-Protein-abhängiges 7-Transmembran-Helix-Protein, bindet auch *Neuromedin N. – ***E*** neurotensin – ***F*** neurotensine – ***I*** = ***S*** neurotensina

Lit.: Frontiers Neuroendocrinol. **18**, 115–173 (1997) ▪ Kitabgi u. Nemeroff, The Neurobiology of Neurotensin, New York: N. Y. Acad. Sci. 1992 ▪ Prog. Neurobiol. **52**, 455–468 (1997). – *[CAS 39379-15-2]*

Neurotoxine (Nervengifte). Bez. für Verb. natürlichen od. synthet. Ursprungs, die die Nerven schädigen. Natürliche N. sind die Reptilien- u. *Amphibiengifte, wie die *Schlangengifte (*Crotoxin, *Kobratoxine), die Froschgifte (*Batrachotoxin, *Pumiliotoxin), *Spinnengifte (*Argiopinin, *Argiotoxin, JSTX, *Latrotoxin), *Bienen- u. *Wespengifte (*Apamin, *Philanthotoxin), *Skorpiongifte (Margatoxin), Pilzgifte (*Amanitine), Bakteriengifte (Tetanustoxin, Botulinustoxin), *Pflanzengifte u. Gifte von Meerestieren (*Anatoxin A, *Saxitoxin, *Tetrodotoxin). Die wichtigsten chem. N. sind wohl die *Pestizide, aber auch *chemische Waffen (Giftgase, Nervengase) u. Metalle wie *Thallium u. *Quecksilber. – ***E*** neurotoxins – ***F*** neurotoxines – ***I*** neurotossine – ***S*** neurotoxinas

Lit.: Chubb u. Geffen, Neurotoxins: Fundamental and Clinical Advances, Adelaide: Union Press 1979 ▪ Habermehl, Gift-Tiere u. ihre Waffen (5.), Berlin: Springer 1994 ▪ Mebs, Gifttiere, Stuttgart: Wissenschaftliche Verlagsges. 1992 ▪ Oliver, Neurotoxins in Neurochemistry, Chichester: Ellis Horwood 1988 ▪ Teuscher u. Lindequist, Biogene Gifte (2.), Stuttgart: Fischer 1994 ▪ Trends Neurosci. **17**, 151–155 (1994); Suppl. 4 (1994) ▪ Tu, Handbook of Natural Toxins, New York: M. Dekker 1982–1991.

Neurotransmitter. Boten-Substanzen (parakrin wirkende Gewebs-*Hormone im weiteren Sinn, *Mediatoren), die an den *Synapsen des Nervensyst. die Signal- od. Informations-Übertragung auf chem. Wege besorgen.

Die N. werden im präsynapt. Teil der Nervenzelle (des *Neurons) enzymat. aus Vorstufen (z. B. Aminosäuren) synthetisiert, in den synapt. Vesikeln gespeichert u. auf elektr. Reiz hin (Depolarisierung der Plasmamembran), wobei sich der innerzelluläre Calcium-Spiegel erhöht, durch *Exocytose ausgeschüttet. Durch Diffusion erreichen sie ihre postsynapt. od. präsynapt. (Rückkopplungswirkung) *Rezeptoren. Diese stellen entweder selbst *Ionenkanäle dar (Klasse 1, *fast responding receptors*) od. aktivieren mehr od. weniger komplexe Signal-Ketten (s. Signaltransduktion), an denen oft *G-Proteine, *Phospholipasen, *Protein-Kinasen, *second messengers u. ebenfalls Ionenkanäle beteiligt sind (Klasse 2, *slow responding receptors*). Über die Ionenkanäle nehmen die N. Einfluß auf das elektrochem. Membran-Potential. Dabei lassen sich erregungshemmende (inhibitor.) u. -fördernde (exzitator.) Wirkungen unterscheiden. Die Effektivität der Transmitter-Aktivität kann durch zusätzliche Mediatoren, sog. *Neuromodulatoren*, geregelt werden. Die

durch sie verursachte Veränderlichkeit der synapt. Signal-Übertragung wird auch *synapt. Plastizität* genannt. Entgegen früherer Auffassung enthalten die Synapsen eines Neurons nicht immer nur eine Transmitter-Verb.; oft wirken „klass." N. u. peptid. *Cotransmitter* zusammen. Nach ihrer chem. Beschaffenheit unterscheidet man bei den N. *Aminosäuren [z.B. *Glycin, L-*Glutaminsäure, *4-Aminobuttersäure (GABA)], Aminosäure-Derivate (z.B. *Acetylcholin), Monoamine (meist *Catecholamine wie z.B. L-*Noradrenalin, L-*Adrenalin, *Dopamin, aber auch *Serotonin, *Adenosin, *Adenosin-5′-di- u. triphosphat), *Peptide (*Neuropeptide, z.B. *Bradykinin, *Enkephaline, *Endorphine, *Substanz P) u. gasf. Oxide [Stickstoffmonoxid (s. Stickstoffoxide), *Kohlenstoffoxid][1]. Hinsichtlich der Verw. bestimmter Substanz-Gruppen in bestimmten neuronalen Syst. spricht man z.B. von cholinergen Neuronen bzw. Rezeptoren (spezif. für Acetylcholin), adrenergen (L-Noradrenalin), dopaminergen, GABAergen, peptidergen usw. Systemen.
Da N. meist Kurzzeit-Impulse übertragen sollen, müssen sie effektiv inaktiviert (abgebaut od. in das synapt. Depot zurückgeführt) werden können. An inaktivierenden Enzymen kennt man z.B. *Acetylcholin-Esterase (hydrolysiert Acetylcholin), *Monoamin-Oxidase u. Catecholamin-*O*-Methyltransferase (MAO bzw. COMT, bauen L-Noradrenalin u. L-Adrenalin ab). – ***E*** neurotransmitters – ***F*** neurotransmetteurs – ***I*** neurotrasmettitore – ***S*** neurotransmisor

Lit.: [1] Hormone Metab. Res. **29**, 477–482 (1997).
allg.: Annu. Rev. Neurosci. **19**, 219–233 (1996) ▪ J. Biol. Chem. **270**, 1971–1974 (1995) ▪ Pögün, Neurotransmitter Release and Uptake, Berlin: Springer 1997 ▪ Powis u. Bunn, Neurotransmitter Release and Its Modulation, Cambridge: Cambridge University Press 1995 ▪ Tracey et al., Neurotransmitters in the Human Brain, New York: Plenum 1995 ▪ Trends Neurosci. **20**, 538–543 (1997) ▪ Zimmermann, Synaptic Transmission. Cellular and Molecular Basis, Stuttgart: Thieme 1994.

Neurotrat®. Ampullen mit dem B-Vitamin *Cyanocobalamin gegen Vitaminmangelzustände. *N. forte* Ampullen enthalten zusätzlich *Thiamin- u. *Pyridoxin-Hydrochlorid. *N. S forte* Filmtabl. enthalten nur die beiden letztgenannten. ***B.:*** Knoll.

Neurotrophe Faktoren. Körpereigene *Proteine der Wirbeltiere (M_R im allg. 13000–24000, oft Dimere aus 2 gleichen Untereinheiten), die als *Wachstumsfaktoren Aufbau, Unterhalt u. Überleben von *Neuronen regulieren. N. F. werden von den sich entwickelnden Neuronen selbst (autokrin) abgegeben, von umgebenden Neuronen u. a. Zellen (parakrin) od. von den Zielzellen, zu welchen die sich entwickelnden Neuronen mit Hilfe von Axonen (Nervenfasern) Verbindungen herstellen (Zielzellen-abhängiges Axon-Wachstum). Typischerweise werden während der neuronalen Entwicklung zunächst Neuronen im Überschuß gebildet, von denen jedoch nur diejenigen überleben, die erfolgreich Verbindungen zu Zielzellen herstellen u. dadurch geeignete n. F. rekrutieren. Aufgrund struktureller Ähnlichkeit der n. F. u. ihrer jeweiligen *Rezeptoren unterscheidet man drei Familien: Die *Neurotrophine* (NT), die *neuropoet. Cytokine* (*Neurokine, Neuropoietine*) u. die **Fibroblasten-Wachstumsfaktoren*.
Zu den NT, deren hochaffine Rezeptoren, die Trk-Glykoproteine, dem *Insulin-Rezeptor ähneln u. als Tyrosin-Kinasen (EC 2.7.1.112, s. Protein-Kinasen) fungieren, gehören *Nervenwachstumsfaktor (NGF), *brain-derived neurotrophic factor* (BDNF) u. die NT 3, 4/5 u. 6. Ein intrazellulärer Signalweg nach Aktivierung der Trk-Mol. geht u. a. über die *Ras-Proteine u. *Mitogen-aktivierten Protein-Kinasen. In sympath. Neuronen wird der NGF/TrkA-Komplex zum Zellkern transportiert, wo er den *Transkriptionsfaktor CREB (s. Adenosin-3′,5′-monophosphat) aktiviert[1]. In bestimmten Krebsarten findet man veränderte Trk-Rezeptoren (Trk-Onkoproteine), deren Polypeptidkette teilw. durch die anderer Proteine ersetzt ist. Ein Rezeptor niedriger Affinität für die NT ist $p75^{NTR}$ (s. *Lit.*[2]), dessen Todes-*Domäne (*death domain*) in Abwesenheit der NT, bei manchen Zellen allerdings auch bei Bindung des NGF[3] die *Apoptose bewirkt. Eine Unterfamilie der NT bilden der *glial cell line-derived neurotrophic factor* (GDNF), der dopaminerge Neuronen schützt u. deshalb evtl. gegen die *Parkinsonsche Krankheit eingesetzt werden könnte[4], sowie *Neurturin*[5]. Sie ähneln strukturell (Homodimer mit *Cystin-Knoten) dem NGF u. dem *transformierenden Wachstumsfaktor *β*, binden jedoch an eigene Rezeptoren, denen die Tyrosin-Kinase Ret[6] als Untereinheit gemeinsam ist.
Der Rezeptor des *ciliary neurotrophic factor* (CNTF), der neben den *Interleukinen 1, 3 u. 6, dem *Leukämie-inhibierenden Faktor u. *Oncostatin M zu den Neuropoietinen[7] gerechnet wird, benutzt den *Jak/STAT-Weg der *Signaltransduktion.
Zur Pharmakologie u. potentiellen Anw. der n. F. bei Erkrankungen des peripheren u. zentralen Nervensyst. s. *Lit.*[8]. – ***E*** neurotrophic factors – ***F*** facteurs neurotrophiques – ***I*** fattori neurotrofici – ***S*** factores neurotróficos

Lit.: [1] Science **277**, 1097–1100 (1997). [2] Neuron **18**, 187–190 (1997); Science **272**, 506f. (1996). [3] Curr. Biol. **7**, R38ff. (1997). [4] Cell Tissue Res. **286**, 175–268 (1996); Nature (London) **380**, 252–255 (1996); Science **275**, 838–841 (1997). [5] Nature (London) **384**, 467–470 (1996); **387**, 717–724 (1997). [6] Nachr. Chem. Tech. Lab. **44**, 891f. (1996); Nature (London) **381**, 785–793 (1996). [7] Perspect. Dev. Neurobiol. **4**, 3–107 (1996). [8] Annu. Rev. Pharmacol. Toxicol. **37**, 239–267 (1997).
allg.: Annu. Rev. Neurosci. **19**, 289–317, 463–515 (1996) ▪ Curr. Biol. **7**, R627–R630 (1997) ▪ J. Mol. Med. **75**, 637–644 (1997) ▪ Neurochem. Int. **30**, 347–374 (1997).

Neurotrophine s. neurotrophe Faktoren.

Neurotubuli s. Mikrotubuli.

Neurturin s. neurotrophe Faktoren.

Neusämischgerbung s. Sämischleder.

Neuseeländischer Flachs s. Phormium.

Neusilber. Auch als *Nickelmessing* bezeichnete Kupfer-Nickel-Zink-Leg. des ternären Syst. mit 50–65% Cu, 8–26% Ni, Rest Zn. Leg. dieses Typs sind gekennzeichnet durch ihren silbrigen Glanz, hohe Zähigkeit, gute Verarbeitungseigenschaften u. hohen elektr. Widerstand. Sie werden bevorzugt angewendet in der Uhren- u. Schmuck-Ind. sowie für Bestecke u. Tafelgeräte. Daneben finden sie Einsatz auch in Form von

Federn, bei Musikinstrumenten u. für elektr. Widerstände. Veraltete Bez. für N. sind *Alpaka* sowie *Argentan*.
Bes. Leg. im Syst. N. sind *Parkers N.* mit vergleichsweise geringem Ni- u. Zn-Gehalt u. Mn-Zusatz sowie *Pakfeng* mit hohem Ni-Gehalt sowie Fe-Zusatz. – ***E*** nickel silver (früher German silver) – ***F*** maillechort – ***I*** alpacca, argentone – ***S*** metal blanco, plata alemana, plata nueva, argentán, alpaca
Lit.: DIN 17663: 1983-12 ▪ Metals Handbook, Vol. 2, Nonferrous Alloys and Pure Metals, 9. Aufl., Metals Park: Am. Soc. Metals 1979. – *[HS 7403 21]*

Neustoff. Übliche Bez. für „Neue Stoffe", d.h. für Stoffe, die nicht im europ. *Altstoff-Verzeichnis *EINECS aufgeführt sind. Gemäß §§ 4, 6 u. 7 *Chemikaliengesetz müssen Stoffe, die nach dem 18. 9. 1981 im Bereich der EU in Verkehr gebracht werden, vorher gemeldet u. – beim Überschreiten bestimmter Mengenschwellen – umfangreich geprüft werden. Angemeldete N. werden in *ELINCS veröffentlicht. Bevor ein Stoff in Verkehr gebracht wird, ist festzustellen, ob er ein Altstoff od. N. ist. Exakt definierte Stoffe sind in EINECS über die CAS-Nummer, den Namen od. die Summenformel auffindbar. Für schlecht definierte Mischungen u.a. *UVCB-Stoffe gibt es keine einheitliche Nomenklatur u. Erfassungsregeln. Ein bes. Problem stellen die Polymeren dar: Nicht sie selbst, sondern nur ihre Ausgangsstoffe (Monomere u. a.) sind im EINECS erfaßt. Aufgrund der in der 7. Änderungsrichtlinie [1] eingeführten Polymer-Definition gelten viele (früher als Polymere aufgefaßte) Oligomere heute nicht mehr als Polymere u. unterliegen als N. der Anmeldepflicht, es sei denn, daß sie als „no longer polymers" gelten [2]. Auch Stoffe, die als Forschungs-, Entwicklungs- u./od. Analysenstoffe („Laborstoffe") für das EINECS nicht meldefähig waren, sind mittlerweile prinzipiell meldepflichtig. Zum Anmeldeverf. u. den notwendigen Prüfungen s. Chemikaliengesetz sowie *Lit.* [3–5].
In den USA werden gemeldete N. in das TSCA-Verzeichnis aufgenommen u. damit zu „Altstoffen". – ***E*** new (chemical) (notified) substance – ***F*** substance (chimique) nouvelle (enregistrée) – ***I*** sostanza nuova – ***S*** sustancias (químicas) (notificadas como) nuevas
Lit.: [1] EU (Hrsg.), Notification of New Chemical Substances in Accordance with Directive 67/548/EEC on the Classification, Packing and Labelling of Dangerous Substances – EINECS Corrections, Luxemburg: Office of Official Publications of the EC 1996. [2] No Longer Polymer List, voraussichtlich 1998 (bibliograph. Angaben s. *Lit.* [1]). [3] Technical Guidance for the Completion of a Summary Notification Dossier for a New Chemical Substance Utilising the Structured Notification Interchange Format (SNIF), 1997 (bibliograph. Angaben s. *Lit.* [1]). [4] Bundesanstalt für Arbeitsschutz u. Arbeitsmedizin (Hrsg.), Leitfaden für Meldungen neuer Stoffe nach dem Chemikaliengesetz (2.), Dortmund: Selbstverl. 1997. [5] Europäische Kommission (Hrsg.), Anmeldung neuer Stoffe in der EU, Luxemburg: Amt für amtliche Veröffentlichungen der EG 1994.

Neuston s. Pleuston.

Neutralbasen s. Säure-Base-Begriff.

Neutrale Endopeptidase 24.11 (EC 3.4.24.11, Neprilysin, Enkephalinase, Abk.: NEP). Zink-haltige *Metall-Protease, die bei bestimmten Peptid-*Hormonen (z. B. *atrionatriuretischer Faktor, *Enkephaline, *Insulin, *Kinine, *Substanz P) die Hydrolyse der Bindung zwischen der Amino-Gruppe einer hydrophoben *Aminosäure u. der Carboxy-Gruppe der in der Sequenz unmittelbar vorhergehenden Aminosäure katalysiert. Das Membran-ständige Metallenzym mit 742 Aminosäure-Resten (M_R ca. 90 000) wurde zuerst aus dem Bürstensaum (s. Mikrovilli) der Niere isoliert, ist jedoch auch in verschiedenen anderen Geweben beheimatet u. erfüllt den Zweck der Inaktivierung dieser Boten-Stoffe. Als CD10 (common acute lymphocytic leukemia antigen, CALLA) wird NEP z. B. von Leukämiezellen, aber auch in normalen Lymphocyten-Vorläufern gebildet. NEP-Inhibitoren sind von Interesse, da sie eine zeitliche Verlängerung der Hormon-Wirkungen erreichen können. Insbes. werden zur Zeit kombinierte Inhibitoren von NEP u. Angiotensin-Konversions-Enzym (s. Angiotensine) als neuartige *Antihypertonika u. Therapeutika gegen kongestives Herzversagen entwickelt [1]. – ***E*** neutral endopeptidase 24.11 – ***F*** endopeptidase neutrale 24.11 – ***I*** endopeptidasi neutrale 24.11 – ***S*** endopeptidasa neutral
Lit.: [1] Expert Opin. Therapeut. Patents **6**, 1147–1164 (1996); J. Am. Chem. Soc. **118**, 8231–8249 (1996).
allg.: Adv. Neuroimmunol. **3**, 183–194 (1993) ▪ FASEB J. **11**, 355–364 (1997) ▪ Pharmacol. Rev. **45**, 87–146 (1993).

Neutralfette s. Lipide u. Triglyceride.

Neutralisation. Im weitesten Sinne Bez. für die Überführung eines Syst. in den neutralen Zustand. Man spricht z. B. von N., wenn die elektr. Ladung eines Körpers ausgeglichen u. dieser dadurch „ungeladen" (d. h. elektr. neutral) wird; im Falle eines Ions erfolgt die N. durch Zufuhr (Entzug) der zum Ausgleich der Kernladung in der Elektronenhülle fehlenden (überwiegenden) Elektronen. Am häufigsten wird die Bez. N. dann verwendet, wenn ein sauer od. bas. reagierendes Syst. (z. B. eine Lsg.) durch Zusatz einer entgegengesetzt wirkenden Komponente dazu gebracht wird, weder sauer noch bas. zu reagieren. Beispielsweise „neutralisiert" man einen „sauren" Boden durch Zusatz von gelöschtem Kalk od. ein alkal. reagierendes Abwasser mit sauren Verbrennungsgasen bzw. mit CO_2 selbst; bei der Beseitigung von Sondermüll ist die N. einer der nötigen Arbeitsgänge.
Im engeren Sinne bezeichnet man in der Chemie mit N. den als *schnelle Reaktion verlaufenden Vorgang der Entfernung der überwiegenden Ionenart eines Lsm. od. ihren Ausgleich durch die zweite, entgegengesetzt geladene. Im letzten Falle entstehen (ungeladene) Lsm.-Mol. u. eine salzartige, möglicherweise weitgehend in Ionen dissoziierte Substanz. Beim Lsm. handelt es sich meist um Wasser, selten um *nichtwäßrige Lösemittel. Bei einer N. in flüssigem Ammoniak reagiert NH_4^+ mit NH_2^- zu Ammoniak, z. B.: $NH_4Br + KNH_2 \rightarrow 2\,NH_3 + KBr$. In Wasser ist am sog. *Neutralpunkt* die Anzahl der in der Lsg. vorhandenen H^+- u. OH^--Ionen gleich groß u. der *pH-Wert beträgt 7. Wird z. B. Natronlauge durch Zusatz von Salzsäure neutralisiert, so entstehen dabei Natriumchlorid u. Wasser: $NaOH + HCl \rightarrow H_2O + NaCl$, wobei das Salz weitgehend in die Ionen Na^+ u. Cl^- dissoziiert bleibt; in bezug auf die eigentlichen Reaktionspartner formuliert man $H_3O^+ + OH^- \rightarrow$

$2H_2O$. Bei diesem Prozeß wird die *Neutralisationswärme* (*Enthalpie) frei, u. zwar mit demselben Betrag von $\Delta H = -57{,}6$ kJ/mol (–13,75 kcal/mol) unabhängig von der Art der Säure. Strenggenommen gilt dies allerdings nur bei der N. von starken Basen mit starken Säuren (u. umgekehrt), denn nur hier entspricht der Neutralpunkt auch dem stöchiometr. Umsatz, d. h. dem *Äquivalenzpunkt. Wird als entscheidendes Kriterium der N. nicht der Ausgleich der Ionen des Lsm. betrachtet (also neutrale Reaktion), sondern das Vorliegen von Säure u. Base in stöchiometr. Mengen, dann wird bei der N. von schwachen Säuren mit starken Basen od. umgekehrt der Neutralpunkt nicht erreicht. Bei der N. im erweiterten Sinne können anstelle der Basen auch bas. Salze, Metalloxide od. -carbonate verwendet werden, anstelle der Säuren saure Salze od. Säureanhydride. Obgleich eine Säure auch durch Einwirkung unedler Metalle in eine neutral reagierende Salzlsg. übergeführt werden kann, z. B. $Fe + 2HCl \rightarrow FeCl_2 + H_2$, spricht man in einem solchen Fall nicht von einer N.; zur Definition der N. nach *Brønsted s. Säure-Base-Begriff; vgl. a. Hydrolyse u. Protolyse. – ***E*** = ***F*** neutralisation – ***I*** neutralizzazione – ***S*** neutralización

Lit.: s. pH u. Säure-Base-Begriff.

Neutralisationsindikatoren s. Indikatoren.

Neutralisationstitration s. Säure-Base-Titration, vgl. a. Acidimetrie.

Neutralisationszahl. In der Schmierstoffanalytik ist die N. (Abk. Nz., früher auch NZ) definiert als die Laugen- bzw. Säuremenge (ausgedrückt in mg KOH od. in äquivalenten Einheiten von mg KOH bzw. in mg verd. HCl), die notwendig ist, um die in 1 g der Probe enthaltenen sauren bzw. alkal. Bestandteile zu neutralisieren. Die N. dient zur Charakterisierung von *Schmierölen u. -fetten* hinsichtlich ihres Gehalts an wasserlösl. Säuren (mit Methylorange titrierbar) bzw. Gesamtsäuren (mit Alkaliblau titrierbar) u. Alkalien. Auch bei *Fetten u. fetten Ölen* sowie bei *Harzen* benutzt man die N. als Kennzahl, wobei hier mit der N. – im Gegensatz zur *Säurezahl* – nicht nur die organ. Säuren, sondern der Gesamtsäure-Gehalt erfaßt wird. – ***E*** neutralization number – ***F*** indice de neutralisation – ***I*** indice di neutralizzazione – ***S*** índice de neutralización

Lit.: DIN 51558-1: 1979-07; 51558-2: 1990-03; 51558-3: 1983-10; 51809-1: 1978-04.

Neutralit®. pH-Indikator-Stäbchen für den neutralen pH-Bereich von Merck.

Neutralitäts-Regel. Synonym für die *Abeggsche Regel, s. a. Oxidationszahl.

Neutralpunkt s. Neutralisation.

Neutralreiniger. Bez. für *Tensid-Gemische mit vor Rost schützenden u. ggf. bakteriziden Zusätzen. Sie dienen in 0,5–2%igen wäss. kalten od. heißen Lsg. mit einem pH-Wert von ca. 6–9,5 zur schaumfreien Entfettung von Metallen. N. trocknen fettfrei auf u. bilden einen für die Zwischenlagerung ausreichenden Rostschutzfilm. – ***E*** neutral cleanser – ***F*** nettoyeur neutre, détergent neutre – ***I*** pulitore neutro – ***S*** detergente neutro

Lit.: Cahn (Hrsg.), Proc. World Conference on Detergents: Global Perspectives, S. 43–49, 99–107, 156–160, Champaign: AOCS Press 1993 ▪ Kosswig u. Stache, Die Tenside, München: Hanser 1993.

Neutralrot (Toluylenrot, N^8,N^8,3-Trimethyl-2,8-phenazindiamin-monohydrochlorid, Basic Red 5, C. I. 50040).

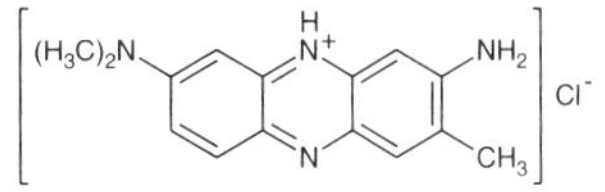

$C_{15}H_{17}ClN_4$, M_R 288,77. Dunkelgrünes Pulver, in Wasser u. Alkohol leicht mit roter Farbe lösl. (WGK 1, Selbsteinst.), färbt tannierte Baumwolle violettrot (nicht lichtecht), wird als Indikator (Farbumschlag von rot nach gelb bei pH 6,8–8), Redoxindikator für biolog. Untersuchungen, in der Mikroskopie zur Nährbodenherst. u. dgl. verwendet. – ***E*** neutral red – ***F*** rouge neutre – ***I*** rosso neutro – ***S*** rojo neutro

Lit.: Beilstein E V **25/12**, 276 ▪ s. a. Phenazin. – *[CAS 553-24-2]*

Neutralsäuren s. Säure-Base-Begriff.

Neutralsalze. Bez. für Salze, deren wäss. Lsg. neutral reagieren; s. a. Salze. – ***E*** neutral salts – ***F*** sels neutres – ***I*** sali neutri – ***S*** sales neutras

NEUTREC®. Trockenverf. für die Rauchgasreinigung mit Hilfe von *Natriumhydrogencarbonat. ***B.:*** Solvay.

Neutrigan® Marken. Alkal. reagierende Salze u. Salzgemische als Abstumpfungs-, Entsäuerungs- u. Maskierungsmittel für Chromleder; Sicherheitsentsäuerungsmittel für mineralgegerbte Pelzfelle. ***B.:*** BASF.

Neutrinos (Symbol ν). Zur Familie der *Leptonen gehörende *Elementarteilchen, die elektr. neutral sind, den *Spin ½ u. allenfalls eine sehr kleine Ruhemasse besitzen. Die Existenz von N. wurde 1931 von W. *Pauli postuliert, um den Energiedefekt beim *Beta-Zerfall zu erklären. Der Name „N." (italien. = kleines Neutron) stammt von *Fermi (1933), der den Beta-Zerfall quantenfeldtheoret. beschrieb u. hierbei das Konzept der schwachen Wechselwirkung (s. Elementarteilchen) aufstellte. Der Nachw. u. die Untersuchung der Eigenschaften von N. sind ungewöhnlich schwierig, da sie Materie nahezu wirkungslos durchdringen. Erst 1956 gelang C. Cowan (geb. 1920) u. F. Reines (geb. 1918, Nobelpreis 1995) der Nachw., daß *Anti-N.* (die Antiteilchen der N.) Wechselwirkungen auslösen können. Sie studierten den inversen Beta-Zerfall $\bar{\nu} + p \rightarrow n + e^+$ ($\bar{\nu}$: Anti-N., p: *Proton, n: *Neutron u. e^+: *Positron) u. fanden zwei wie von der Theorie geforderte zeitlich um 5,5 µs versetzte Ausstöße von Gammastrahlung (s. Gammastrahlen), wovon der erste durch die gegenseitige Vernichtung des Positrons mit einem Elektron u. der zweite, später erfolgende beim Einfang eines Neutrons durch einen Cadmium-Kern in Becken voller Cadmiumchlorid erfolgte. Die beim Beta-Zerfall bzw. inversen Beta-Zerfall gebildeten N. bzw. Anti-N. bezeichnet man inzwischen genauer als Elektron-N. (ν_e) bzw. Elektron-Anti-N. ($\bar{\nu}_e$), da noch 2 weitere N. plus ihre Antiteilchen gefunden wurden. Für die Entdeckung des im *Pionen-Zerfall erzeugten Myon-N. (ν_μ), die 1961 in Brookhaven am 30 GeV-Synchroton gelang, erhielten J. Steinberger, M.

Schwartz u. L. Lederman 1988 den Physik-Nobelpreis. Die Existenz eines dritten N., des Tau-N. (ν_τ), wurde aus dem Zerfall des Tau-Teilchens (s. Elementarteilchen, S. 1135 f.) gefolgert.

N. sind von enormer Bedeutung für die Astrophysik. Wegen ihrer hohen Durchdringungsfähigkeit kann ihre Untersuchung Aufschluß über im Innern der Sonne u. anderer Sterne ablaufende Kernprozesse liefern (*Lit.*[1]). Infolge der geringen Wahrscheinlichkeit von N.-Ereignissen erfordert der Nachw. kosm. N. riesige Detektoren weit unterhalb der Erdoberfläche; z. B. in der Morton-Salzmine nahe Cleveland/USA, der Homestake-Goldmine in Süd-Dakota/USA, der Kamioka-Zinkmine westlich von Tokio, dem Gran Sasso-Tunnel/Italien (*Lit.*[2]) od. gar in der Tiefsee (*Lit.*[3]). Geeignete Nachweisreaktionen sind z. B.

$$^{37}_{17}\mathrm{Cl} + \nu_e \rightarrow {}^{37}_{18}\mathrm{Ar} + e^- \quad \text{od.}$$
$$^{71}_{31}\mathrm{Ga} + \nu_e \rightarrow {}^{71}_{32}\mathrm{Ge} + e^-;$$

von dem Gallium-Detektor erhofft man sich Aufschluß über das Rätsel der Sonnen-N. (*Lit.*[1]). Bereits vor mehr als 20 Jahren sagten theoret. Astrophysiker voraus, daß die Explosion einer Supernova eine riesige Anzahl von N. freisetzt. Tatsächlich konnten am 27. 2. 1987 der Kamiokande-II-Detektor in der Kamioka-Zinkmine u. der IMB-Detektor in der Morton-Salzmine zweifelsfrei N.-Ereignisse registrieren, die von der Supernova-Explosion herrührten, die vor ca. 165 000 Jahren in der Großen Magellanschen Wolke stattfand (*Lit.*[3–6]). Die N. geben den Astrophysikern derzeit noch einige Rätsel auf; hierbei spielt das Problem, ob N. endliche Ruhemassen besitzen, die entscheidende Rolle. – ***E = F*** neutrinos – ***I*** neutrini

Lit.: [1] Spektrum Wiss. **1990**, Nr. 6, 76–84. [2] Lederman u. Schramm, Vom Quark zum Kosmos, Heidelberg: Spektrum 1990; Spektrum Wiss. **1989**, Nr. 10, 86–97. [3] Spektrum Wiss. **1990**, Nr. 12, 42. [4] Phys. Bl. **44**, 419 (1988). [5] Science **240**, 750–759 (1988). [6] Marschall, The Supernova Story, New York: Plenum 1988.

allg.: Appenzeller, Kosmologie u. Teilchenphysik, Heidelberg: Spektrum 1990 ▪ Bahcall, Neutrino Astrophysics, Cambridge: University Press 1989 ▪ Klapdor-Kleingrothaus u. Staudt, Teilchenphysik ohne Beschleuniger, Stuttgart: Teubner 1995 ▪ Musiol et al., Kern- u. Elementarteilchenphysik, Weinheim: VCH Verlagsges. 1988 ▪ Nachtmann, Elementarteilchenphysik, Stuttgart: Vieweg 1986 ▪ s. a. Elementarteilchen.

Neutrocyanine s. Merocyanine.

Neutrol®. Marke der BASF. *N. TE:* Neutralisierungsmittel für die kosmet. Industrie. Das Produkt kann bes. gut in Gelen, die *Carbopol® als Gelbildner enthalten, eingesetzt werden. ***B.:*** BASF.

Neutronen (Symbol n, Name von latein.: neutrum = keines von beiden, d. h. weder pos. noch neg. elektr. geladen). Als *Nukleonen zur Familie der *Baryonen gehörende *Elementarteilchen, die von *Chadwick 1932 bei der Wiederholung u. rechner. Auswertung der bereits von *Bothe u. Becker (1930) sowie *Joliot-Curie u. *Joliot (1931) studierten *Kernreaktion zwischen Beryllium-Atomen ($^{9}_{4}$Be) u. *Alpha-Teilchen ($^{4}_{2}$He) entdeckt wurden. Bei dieser Reaktion wird die Emission einer außerordentlich durchdringenden neutralen Strahlung beobachtet, die zunächst als Gammastrahlung (s. Gammastrahlen) interpretiert wurde. Ausgehend von einer Vermutung Sir E. *Rutherfords aus dem Jahre 1920, daß es neben *Protonen auch elektr. neutrale Teilchen innerhalb der Atomkerne geben sollte, stellte Chadwick gezielte Streuexperimente mit dieser Strahlung an u. konnte zeigen, daß sie aus elektr. neutralen Teilchen von annähernd gleich großer Masse wie die der Protonen bestand. Die Gleichung für die obige Reaktion lautet daher:

$$^{9}_{4}\mathrm{Be} + {}^{4}_{2}\mathrm{He} \rightarrow {}^{12}_{6}\mathrm{C} + {}^{1}_{0}\mathrm{n}.$$

Die Ruhemasse eines N. beträgt 1,6749286(10) · 10^{-27} kg od. 1,008664904(14) u (s. a. Fundamentalkonstanten). Ein N. hat den *Spin ½ u. ist damit ein *Fermion. Mit dem Spin verknüpft ist ein magnet. Moment von μ_n = 0,96623707(40) · 10^{-26} J T^{-1}; dies entspricht 1,9130428 Kernmagnetonen. Das freie N. ist instabil u. zerfällt mit einer mittleren Lebensdauer von ca. 900 s in ein Proton, ein Elektron u. ein Elektron-Antineutrino gemäß $n \rightarrow p + e^- + \bar{\nu}_e$ (s. a. Beta-Zerfall). Das Antiteilchen des N., *Antineutron* $\bar{n}$ genannt, ist ebenfalls elektr. neutral u. wurde 1956 beim Beschuß von Materie mit *Antiprotonen entdeckt. Die zugehörige Reaktionsgleichung lautet $p + \bar{p} \rightarrow n + \bar{n} + \pi^0$, d. h. beim Zusammenstoß eines Protons p mit einem Antiproton $\bar{p}$ entsteht ein N., ein Antineutron u. ein elektr. neutrales *Pion π^0.

Alle Kerne außer Wasserstoff enthalten N., in bes. Fällen ebenso viele wie Protonen; *Beisp.:* $^{4}_{2}$He, $^{12}_{6}$C, $^{16}_{8}$O, $^{20}_{10}$Ne, $^{32}_{16}$S, $^{40}_{20}$Ca. Bes. stabil sind *Nuklide mit *magischen Zahlen, während die meisten nicht-natürlichen N.-Überschußkerne (*Beisp.:* $^{30}_{10}$Ne, $^{32}_{12}$Mg, $^{35}_{13}$Al, $^{39}_{15}$P u. $^{8}_{2}$He, das Nuklid mit dem größten N.-Anteil) sehr kurze HWZ haben.

Zur Erzeugung von N. kommen zahlreiche *Kernreaktionen insbes. mit Beryllium (*Lit.*[1]) in Betracht; kommerzielle Quellen (*Neutronenkanonen*) nutzen (α,n)-Prozesse [^{227}Ac/Be, ^{241}Am/Be(B,F,Li), ^{242}Cm/Be, ^{226}Ra/Be, ^{228}Th/Be], (γ,n)-Prozesse (^{124}Sb/Be) od. spontane Zerfallprozesse aus, z. B. bei ^{252}Cf (s. Californium). Monoenerget. N. erhält man durch Beschuß von Tritium od. Deuterium (absorbiert auf einem Träger) mit Deuteronen od. Protonen. Bes. ergiebig sind sog. *Spallationsneutronenquellen* (SNQ), bei denen Protonen aus einem Beschleuniger auf ein Metall-Target geschossen werden (*Lit.*[2,3]). Zwar fallen in Kernkraftwerken N. reichlich als „Nebenprodukt“ an, doch eignen sich diese wegen ihrer energet. Uneinheitlichkeit nur wenig zur systemat. Forschung. Dagegen bietet z. B. der Höchstflußreaktor des Inst. Laue-Langevin in Grenoble N. mit Flußdichten bis zu 10^{15} n/cm^2 · s (*Lit.*[4]). Die Wechselwirkung der N. mit Materie hängt stark von ihrer kinet. Energie ab, weshalb es üblich ist, N. nach ihrer Energie in Gruppen einzuteilen (s. Tab.).

Tab.: Klassifizierung der Neutronen nach ihrer Energie.

Bez. der Neutronen	Energieintervall [eV]
ultrakalte N.	$< 10^{-5}$
kalte N.	$10^{-5} - 5 \cdot 10^{-3}$
therm. N.	$5 \cdot 10^{-3} - 0{,}5$
epitherm. N.	$0{,}5 - 10^{3}$
mittelschnelle N.	$10^{3} - 10^{5}$
schnelle N.	$10^{5} - 5 \cdot 10^{7}$
sehr schnelle N.	$> 5 \cdot 10^{7}$

Da N. elektr. neutral sind, kann man sie nicht nachbeschleunigen u. ihre kinet. Energie ist zunächst durch den Erzeugungsprozeß bestimmt; Abbremsung ist allerdings möglich.

Kalte u. *therm.* N. können zur Untersuchung der Strukturen von Festkörpern verwendet werden; Näheres s. Neutronenbeugung. Therm. N. werden durch *Abbremsung* schneller N. aus N.-Quellen od. Kernreaktoren in sog. *Moderatoren (z. B. Paraffin, Wasser od. Graphit) gewonnen. Therm. N. befinden sich im therm. Gleichgew. mit dem sie umgebenden Medium. Ihre wahrscheinlichste kinet. Energie bei Raumtemp. beträgt 0,025 eV. Therm. N. sind in therm. Reaktoren für den Hauptteil der Spaltprozesse verantwortlich (s. Kernspaltung bei Kernreaktionen S. 2128). Sie können manche Stoffe ohne wesentliche Schwächung durchdringen (z. B. 50 cm dicke Blei-Wände). In anderen Stoffen, z. B. Borcarbid, Cadmium od. Gadolinium, werden die N. mit viel höherer Wahrscheinlichkeit absorbiert (*N.-Absorption*). Gadolinium hat hierbei mit ca. 46000 b (1 b = 10^{-28} m^2; s. Barn) den größten *Wirkungsquerschnitt aller Elemente. *Isotope mit einer *magischen Zahl von N. haben hingegen einen sehr kleinen Wirkungsquerschnitt (ca. 1 b), da die Neutronenschalen aufgefüllt sind (s. Kernmodelle). Als *Boräquivalent* bezeichnet man eine Maßzahl für die durch Absorption eintretenden N.-Verluste in *Reaktor-Werkstoffen. Auf dem Einfangprinzip basieren auch die BF_3-Proportional-*Zählrohre zur N.-Messung.

Als neutrales Teilchen ist das N. vorzüglich als atomares Geschoß für Kernumwandlungen – z. B. zum Aufbau von *Transuranen (*Lit.*[5]) – u. Kernspaltungen geeignet. Infolge seiner elektr. Neutralität wirkt auch ein schnelles N. nur wenig ionisierend (*Lit.*[6]): Ein α-Teilchen erzeugt je cm Luftweg etwa 30000 Ionenpaare, ein schnelles N. dagegen nur 1 Ionenpaar auf einige Meter Wegstrecke; deshalb ist die Spur der N. in der *Blasen- u. *Wilsonkammer gewöhnlich nicht sichtbar. Ähnlich wie die γ- u. Röntgenstrahlen wirken auch N.-Strahlen schädlich auf Organismen. Sie ionisieren zwar nicht direkt, stoßen aber aus chem. gebundenen Wasserstoff-Atomen Protonen heraus, die ihrerseits ionisierend u. zerstörend wirken (*Lit.*[7,8]).

Auf dieses Prinzip gründen sich sowohl die verheerende Wirkung der *Neutronenbombe* (s. Kernwaffen) auf lebende Organismen als auch die heilende Wirkung der N.-Strahlung („Neutronenkanone") in der Krebstherapie. N. werden hierbei v. a. zur Therapie von Krebsarten eingesetzt, die sich als resistent gegenüber Röntgenstrahlen erweisen. Weitere Anw. finden N. in der Kernphysik, *Neutronenbeugung, *Radiographie (*Lit.*[9]), zum *Dotieren u. zur Herst. von Halbleitern (*Lit.*[10,11]) u. zur *Neutronenaktivierungsanalyse. Letztere findet eine ungewöhnliche Anw. bei kunsthistor. Untersuchungen zur Aufdeckung von Fälschungen; Näheres s. *Lit.*[12]. Extraterrestr. treten N. in der *kosmischen Strahlung u. in den sog. Neutronensternen od. Pulsaren auf (*Lit.*[13,14]). – ***E*** = ***F*** neutrons – ***I*** neutroni – ***S*** neutrones

Lit.: [1] Naturwissenschaften **69**, 483–490 (1982). [2] LABO **15**, 186–189 (1984). [3] Umschau **84**, 136 ff. (1984). [4] Naturwissenschaften **64**, 59–68 (1977). [5] Chem.-Ztg. **103**, 99–114 (1979). [6] Spektrum Wiss. **1979**, Nr. 8, 58–73. [7] Curr. Top. Radiat. Res. **7**, 1–44 (1970). [8] Prog. Med. Radiat. Phys. **1** (1982). [9] Barton u. von der Hardt, Neutron Radiography, Dordrecht: Reidel 1983. [10] Guldberg, Neutron-Transmutation-Doped Silicon, New York: Plenum 1981. [11] Larrabee, Neutron Transmutation Doping of Semiconductor Materials, New York: Plenum 1979. [12] Close et al., Spurensuche im Teilchenzoo, S. 279 ff., Heidelberg: Spektrum 1989. [13] Spektrum Wiss. **1981**, Nr. 7, 38–50. [14] Naturwissenschaften **71**, 560–566 (1984).
allg.: Schofield, The Neutron and its Applications, Bristol: Hilger 1983.

Neutronenabsorber s. Neutronen u. Kernreaktoren (S. 2129).

Neutronenaktivierungsanalyse (NAA). Bez. für ein analyt. Verf. zur Spurenbestimmung, dessen Grundzüge u. Anw. bei Aktivierungsanalyse ausführlicher beschrieben sind; je nachdem, ob die durch *Neutronen-Einwirkung erzeugten Nuklide direkt *instrumentell* od. nur auf dem Umweg über *radiochem.* Trennungen nachweisbar sind, unterscheidet man die Meth. der INAA u. der RNAA. War anfänglich die NAA – als angewandte *Kernchemie – nur an Forschungs-*Reaktoren möglich, so ist heute mit transportablen Neutronenquellen aus *Californium 252 sogar die N. im Felde möglich. Mit Gammastrahlen-Detektoren auf Halbleiter-Basis wie LEPD (low-energy photon detector) können verschiedene Elemente gleichzeitig bestimmt werden. – ***E*** neutron activation analysis – ***F*** analyse par activation neutronique – ***I*** analisi per attivazione da neutroni – ***S*** análisis por activación neutrónica

Lit.: Heydorn, Neutron Activation Analysis for Clinical Trace Element Research (2 Bd.), Boca Raton: CRC Press 1984 ▪ Kirk-Othmer (4.) **14**, 706; **16**, 841 ▪ Schwedt, Taschenatlas der Analytik, S. 200, Stuttgart: Thieme 1996. – *Serie:* Neutron Activation Analysis Abstracts, London: PRM (seit 1971) ▪ s. a. Aktivierungsanalyse u. Spurenanalyse.

Neutronenbeugung (Neutronenstreuung, -diffraktometrie). Bez. für eine der *Röntgenbeugung* (s. Kristallstrukturanalyse) ähnliche Meth. der Strukturuntersuchung, die darauf beruht, daß die von Kernreaktoren gelieferten therm. *Neutronen ähnliche Wellenlängen u. vergleichbare Querschnitte für die *Streuung an Materie besitzen wie *Röntgenstrahlung, weshalb mit ihnen gleichartige Beugungsexperimente zur Strukturforschung möglich sind. Neutronen sind, wie Photonen, elektr. neutral, können also ohne Coulomb-Barriere u. ohne Vielfach-Streuung in die Materie eindringen. Bis auf die Coulomb-Kraft sprechen sie auf alle *Kräfte, die starke u. die schwache Kernkraft, den Magnetismus u. der Schwerkraft, an. Während jedoch Röntgenstrahlen an den *Elektronen* gestreut werden, die Streuintensität deshalb stark mit der Ordnungszahl ansteigt u. außerdem (da die Abmessungen der Elektronenwolke nicht klein gegenüber den üblichen Röntgenwellenlängen sind) mit dem Streuwinkel stark abfällt, werden Neutronen an den Atom*kernen* gestreut. Dadurch wird eine aus Kernwechselwirkungskräften resultierende *Kernstreuung* u. eine (bei paramagnet. Atomen beobachtbare) *magnet. Streuung* aufgrund von Dipol-Dipol-Wechselwirkungen erzeugt. Die Streufaktoren steigen nur sehr wenig u. unregelmäßig mit der Ordnungszahl an, so daß die Lage von Wasserstoff-Atomen auch neben schweren Atomen gut meßbar ist. Charakterist. für die N. ist ferner die Emp-

findlichkeit gegenüber verschiedenen *Isotopen desselben Elementes, z. B. Wasserstoff u. Deuterium. In *Neutronendiffraktometern* sondert man durch Reflexion an einem Krist. aus der „weißen" Strahlung von moderierten Neutronen ein schmales Wellenlängenband von Neutronen mit Energien von ca. 0,08 eV aus entsprechend einer Geschw. von 2000 m/s u. einer Wellenlänge von 0,1 nm. Mit solchen „monochromat." Neutronen sind dann Untersuchungen nach der *Debye-Scherrer-Meth.* an Kristallpulvern od. nach der *Braggschen Drehkristallmeth.* an *Einkristallen (vgl. Kristallstrukturanalyse) möglich. Vorteilhaft ist, daß dank der niedrigen Energie der Neutronenstrahlen eine Zerstörung der Krist., wie sie bei Verw. von Röntgenstrahlen leicht eintritt, nicht vorkommt.
Die kinet. Energie, der von einem Forschungsreaktor emittierten Neutronen kann meist mit Hilfe von Moderatoren noch erhöht od. erniedrigt werden. In der Tab. sind die typ. Werte für die Geschw., die Energie u. die de-Broglie-Wellenlänge von Elektronen zusammengestellt (*Lit.*[1]).

Tab.: Zur Einteilung der kinet. Energie von Neutronen.

Bez.	Moderator	Temp. [K]	Geschw. [m/s]	Energie [eV]	de Broglie-Wellenlänge [nm]
heiße Neutronen	Graphit	2400	6000	0,2	0,06
therm. Neutronen	Schweres Wasser	300	2200	0,025	0,18
kalte Neutronen	flüssiger Wasserstoff	25	600	0,002	2
ultrakalte Neutronen	„Neutronenturbine"	$\sim 10^{-3}$	~ 5	$\sim 10^{-7}$	80

Die N. bietet sich zur Untersuchung folgender Probleme der *Strukturchemie an: 1. Bestimmung der Position leichter Elemente neben schweren; *Beisp.:* Bestimmung der Lage der inneren H-Atome in Phthalocyanin, Lokalisierung von Wasserstoff-Brücken u. -Atomen in Metallhydriden u. Metall-organ. Verb. (*Lit.*[2]). 2. Bestimmung der Positionen von Elementen ähnlicher Ordnungszahl ($\Delta Z \leq 3$; Ausnahme Al,Si) u. von Isotopenverteilungen: *Beisp.:* Untersuchung von *nichtstöchiometrischen Verbindungen. 3. Untersuchung von Tensiden[3]. 4. Bestimmung der Orientierung von Wasser-Mol. in flüssigem Wasser u. in der Hydratationssphäre von gelösten Ionen[4]. 5. Strukturbestimmung von Biopolymeren[5] od. künstlichen Polymeren[6], wobei sich die Meth. der *Kleinwinkelstreuung* (s. *Lit.*[7] u. vgl. Röntgenkleinwinkelstreuung) bes. bewährt hat. 6. Bestimmung exakter Werte für Temp.-Faktoren, da das Streuvermögen unabhängig vom Beugungswinkel ist. 7. Bestimmung magnet. Strukturen, insbes. von Form u. Größe der magnet. Elementarzelle, Richtung der magnet. Momente, weil der Neutronen- im Gegensatz zum Röntgenstrahl wegen seines eigenen magnet. Vektors zwischen Atomen bzw. Ionen unterschiedlicher Spin-Ausrichtung differenzieren kann; *Beisp.:* Untersuchung der Struktur von magnet. Werkstoffen od. von Antiferromagnetika u. Ferrimagnetika. 8. In der *Neutronenspektroskopie* werden Energiedifferenzen zwischen einfallendem u. gebeugtem Neutronenstrahl gemessen[8]. Man erhält dabei Einsichten in die Dynamik (Rotationen u. Schwingungen) von Molekülen. Die N. erweist sich so als komplementäre Meth. zur IR- u. Ramanspektroskopie einerseits u. zur Elektronenbeugung andererseits. 9. Auch *Interferometrie kann mit Neutronenstrahlen betrieben werden. Versuche mit Neutronenstrahlen werden in der BRD an der TU München (FRM II) u. am Hahn-Meitner-Inst. Berlin (BER II) durchgeführt. – ***E*** neutron diffraction – ***F*** diffraction neutronique – ***I*** diffrazione dei neutroni – ***S*** difracción de neutrones

Lit.: [1]Phys. Bl. **45**, 133 (1989). [2]Chem. Int. **1980**, Nr. 3, 30–34. [3]Phys. Unserer Zeit **24**, 58 (1993). [4]Annu. Rev. Phys. Chem. **34**, 155–186 (1983). [5]Chem. Unserer Zeit **13**, 11–22 (1979); Annu. Rev. Biophys. Bioeng. **12**, 159–182 (1983). [6]Annu. Rev. Mat. Sci. **10**, 269 ff. (1980); Pure Appl. Chem. **56**, 1407–1422 (1984). [7]Annu. Rev. Biophys. Bioeng. **12**, 139–158 (1983). [8]Phys. Unserer Zeit **27**, 225 (1996).
allg.: Ignatovich, The Physics of Ultracold Neutrons, Oxford: University Press 1990 ▪ Kohlrausch, Praktische Physik 2, S. 701 ff., Stuttgart: Teubner 1996 ▪ Krivoglaz, Diffuse Scattering of X-Rays and Neutrons, Berlin: Springer 1996 ▪ Krivoglaz, X-Ray and Neutron Diffraction in Nonideal Crystals, Berlin: Springer 1996 ▪ Lerner u. Trigg (Hrsg.), Encyclopedia of Physics, S. 800, Weinheim: VCH Verlagsges. 1991 ▪ Lovesey, Theory of Neutron Scattering from Condensed Matter (2 Bd.), Oxford: Clarendon Press 1984, 1985 ▪ Lovesey u. Scherm, Condensed Matter Research Using Neutrons, New York: Plenum 1984 ▪ Phys. Bl. **50**, 439, 1137 (1994) ▪ Yelon, Neutron Scattering, in Encyclopedia of Physical Science and Technology, Vol. 10, S. 719–726, San Diego: Academic Press 1992.

Neutronenbombe s. Kernwaffen.

Neutronenbremse s. Moderator, Neutronen, Kernreaktoren.

Neutroneneinfang s. Kernreaktionen.

Neutronenkanonen s. Neutronen.

Neutronen-Radiographie s. Radiographie.

Neutronenspektroskopie s. Neutronenbeugung.

Neutronensterne s. Sterne.

Neutronenstrahlen s. Neutronenbeugung.

Neutronenstreuung s. Neutronenbeugung.

Neutrophile. Kurzform für neutrophile Granulocyten, s. Leukocyten.

Neuviktoriagrün. Oxalsaures Salz von *Malachitgrün.

Neuweiß. Malerfarbe aus *Bariumsulfat.

Nevile-Winther-Säure s. Naphtholsulfonsäuren.

Nevillac®. *Polyurethan (PUR)-Syst. u. PUR-(Beton)-Emulsionen, PUR-Lacke u. -Fußbodenbeläge. ***B.:*** Krahn.

Nevirapin (Rp).

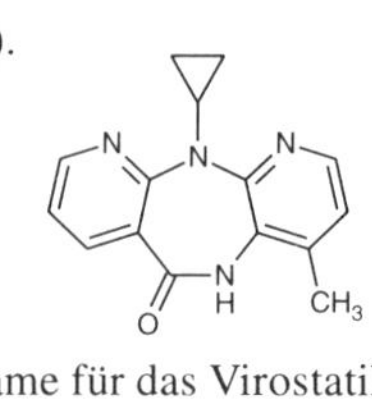

Internat. Freiname für das Virostatikum 11-Cyclopropyl-5,11-dihydro-4-methyl-6*H*-dipyrido[3,2-*b*:2′,3′-

e][1,4]diazepin-6-on, $C_{15}H_{14}N_4O$, M_R 266,30, Schmp. 247–249 °C; pK_A 2,8. N. ist ein nicht nucleosid. Reverse-Transkriptase-Hemmer. Es wurde von Boehringer Ingelheim (Viramune®) in den USA zur AIDS-Therapie in Kombination mit zwei Nucleosid-Analoga zugelassen, die Zulassung für Europa wird in Kürze erwartet. – ***E*** nevirapine – ***F*** névirapine – ***I*** = ***S*** nevirapina

Lit.: Pharm. Ztg. **141**, 4712 f. (1996). – *[CAS 129618-40-2]*

Newell-Lösung. 10%ige wäss. Chromsäure-Lsg. mit HCl-Zusatz zur Stahlätzung.

Newman-Projektion. Von M. S. Newman eingeführte Projektion zur Beschreibung der *Konformation eines Moleküls. Hierbei projiziert man in Richtung der Bindung zwischen zwei Atomen. Die von diesen Atomen ausgehende, durch Striche symbolisierte Bindungen ähneln den Speichen eines Rades (s. Abb. 1 bei Konformation, S. 2228). – ***E*** Newman projection – ***F*** projection de Newman – ***I*** proiezione di Newman – ***S*** proyección de Newman

Lit.: s. Stereochemie.

Newton (Symbol: N). SI-Einheit der Kraft, benannt nach Sir I. *Newton. Die Kraft 1 N erteilt der Masse 1 kg die Beschleunigung 1 m/s^2: 1 N = 1 kg m/s^2. Veraltete Einheiten: 1 dyn = 10^{-5} N; 1 kp (Kilopond) = 9,80665 N. Die Energieeinheit *Newtonmeter* wird *Joule genannt: 1 N m = 1 J.

Newton, Sir Isaac (1643–1727), Prof. für Mathematik, Univ. Cambridge, England. Gilt als eines der größten wissenschaftlichen Genies aller Zeiten u. als Begründer der klass. theoret. Physik. *Arbeitsgebiete:* Begründung der Differential- u. Integralrechnung (zugleich mit G. W. Leibniz), Erklärung der Keplerschen Gesetze durch Gravitation, Axiome der Mechanik, Zerlegung des Lichtes am Prisma, Farbenlehre, Interferenz (Newtonsche Ringe), Bau des ersten Spiegelteleskops, Alchemie (von N. nie veröffentlicht, s. *Lit.*[1]), Theologie. In der Chemie strebte N. durch systemat. metallurg. Versuche danach, möglichst niedrig schmelzende Leg. zu entwickeln. Nach ihm ist die Einheit der Kraft, das *Newton, benannt; vgl. a. die folgenden Stichwörter.

Lit.: [1] Chem. Unserer Zeit **12**, 101–110 (1978).
allg.: Krafft, S. 254 f. ▪ Lexikon der Naturwissenschaftler, S. 308 ▪ Nachmansohn, S. 11, 101 ▪ Pötsch, S. 321 ▪ Sci. Am. **241**, Nr. 6, 76 (1979) ▪ Spektrum Wiss. **1981**, Nr. 5, 100–111 ▪ Strube **2**, 26.

Newton-Legierung. Nach Sir I. *Newton benannte niedrigschmelzende Leg. mit 50% Bi, 18,8% Sn u. 31,2% Pb sowie einem Schmp. zwischen 96 u. 97 °C, s. a. Schmelzlegierungen. – ***E*** Newton's alloy – ***F*** alliage (de) Newton – ***I*** lega di Newton – ***S*** aleación de Newton

Newtonsche Flüssigkeiten. Bez. für diejenigen *Flüssigkeiten deren durch die *Newtonsche Gleichung* $\tau = \eta \cdot D$ definierter Fließwiderstand bei gegebener Temp. eine Stoffkonstante ist. Die Gleichung beschreibt die Proportionalität zwischen Schubspannung τ u. dem Geschw.-Gefälle D beim *Fließen; statt D findet man auch (bes. bei Kunststoffen) das Symbol γ für Schergeschw. (*Schergefälle*). Der Proportionalitätsfaktor η wird dynam. *Viskosität, Scherviskosität od. Zähigkeit genannt. *Newtonsches Fließen* (d. h. Verhalten als N. F.) findet sich nur bei Gasen, niedermol. reinen Flüssigkeiten od. Lsg., bei verd. Suspensionen kugelförmiger Teilchen etc., u. zwar nur bei laminarer *Strömung, nicht dagegen bei *Turbulenz; *Beisp.:* Wasser, Benzin, Schmieröle, Hydraulikflüssigkeiten. Die meisten Stoffe sind allerdings nicht *idealviskos*, sondern zeigen die Eigenschaften nichtnewtonscher Flüssigkeiten, vgl. die D/τ-Diagramme dort. – ***E*** Newtonian fluids – ***F*** liquides newtoniens – ***I*** fluidi newtoniani – ***S*** líquidos newtonianos, fluidos newtonianos

Lit.: Bergmann u. Schäfer, Lehrbuch der Experimentalphysik 5, Vielteilchensysteme, S. 230, Berlin: de Gruyter 1992 ▪ DIN 1342: 1971-12 ▪ Kohlrausch, Praktische Physik 1, Stuttgart: Teubner 1996 ▪ s. a. nichtnewtonsche Flüssigkeiten.

Nexin. Dehnbares Protein (M_R 165 000) der eukaryont. Zilien (Wimperhärchen), das die jeweils parallel nebeneinander liegenden Doppelröhren-förmigen *Mikrotubuli des *Axonems* (Bündel aus 9+2 Mikrotubuli) miteinander verbindet. Die biolog. Funktion ist nicht genau bekannt; wahrscheinlich dient es zur Versteifung der Zilien u. zur Übertragung transversaler Kräfte beim Zilienschlag. N. ist nicht ident. mit den *Protease-Nexinen od. *sorting nexin-1*, einem Protein, das beim Transport des *epidermalen Wachstumsfaktors beteiligt ist[1]. – ***E*** nexin – ***F*** nexine – ***I*** = ***S*** nexina

Lit.: [1] Science **272**, 1008 ff. (1996).
allg.: Int. Rev. Cytol. – Survey Cell Biol. **173**, 2 ff., 46 ff. (1997).

Nexton®. Hydrophob modifizierte Hydroxymethylcellulose. Anwendungsbereich: Farben-, Bau-, Papier-, Lebensmittel-Ind., Pharmazeut. Ind., Körperpflege- u. Kosmetik-Ind., Polymerisation. ***B.:*** Hercules Aqualon.

Neynaber. Kurzbez. für die 1898 gegr. Firma Neynaber Chemie GmbH, 27608 Loxstedt, eine 100%ige Tochterges. der Henkel KGaA. *Daten* (1995): ca. 185 Beschäftigte. *Produktion:* Fettchem. Produkte, Gleitmittel u. Spezialweichmacher, Stabilisator-Gleitmittelgemische für die Kunststoff-Industrie.

NF. 1. Nach DIN 60001-4: 1991-08 Kurzz. für pflanzliche Fasern aus *Phormium.
2. Abk. für National Formulary, s. Pharmakopöen.

NF-κB (nucleärer Faktor κB). *Transkriptionsfaktor eukaryont. Zellen, ein *Protein, das im inaktiven Zustand im *Cytoplasma an den *Inhibitor *IκB* (Protein mit M_R 37 000) gebunden vorliegt, bei *Phosphorylierung des Letzteren aber aktiviert wird, im Zellkern an *Desoxyribonucleinsäuren (DNA) bindet u. zusammen mit anderen Faktoren die *Transkription einer großen Anzahl bestimmter *Gene veranlaßt, die bei Immun-Reaktionen u. der Kontrolle des Zellwachstums beteiligt sind (z. B. Gene von *Zell-Adhäsionsmolekülen, *Cytokinen[1], Cytokin-Rezeptoren, *Akutphasen-Proteinen, *Wachstumsfaktoren, auch virale Gene); zur Rolle des NF-κB bei der *Apoptose s. *Lit.*[2]. NF-κB besteht aus zwei verwandten Untereinheiten (UE), genannt NFKB1 (p50, M_R 50 000) u. RelA (p65, M_R 65 000) – jedoch sind weitere Formen von UE bzw. verwandte Faktoren bekannt. Die erstgenannte UE scheint für die DNA-Bindung verantwortlich zu sein, letztere ist mit ihrem gegenüber NFKB1 verlängerten *C*-Terminus für die Inhibierung durch IκB u. die Gen-Aktivierung notwendig u. spielt beim Tumor-Wachstum[3] eine Rolle. Wie bereits erwähnt, geht der Aktivierung von NF-κB die Phosphorylierung von IκB voraus, u. zwar an zwei Serin-Resten durch einen Multienzym-Komplex[4]. Das phosphorylierte IκB wird weiter durch Verknüpfung mit mehreren Mol. *Ubiquitin gebrandmarkt u. unterliegt dann dem Abbau durch Proteasomen (s. Proteasen). Prim. Stimulus der NF-κB-Aktivierung ist z. B. die Einwirkung von *Lipopolysaccharid, *Tumornekrose-Faktor, *Interleukin 1, aktiven Sauerstoff-Radikalen od. *Viren auf die Zellen, Überladung des *endoplasmatischen Retikulums mit Protein[5], Ultraviolett-Bestrahlung od. Aktivierung von *Lymphocyten durch *Antigen. – ***E*** = ***F*** = ***I*** = ***S*** NF-κB

Lit.: [1] Am. J. Respir. Cell. Mol. Biol. **17**, 3–9 (1997). [2] Curr. Biol. **7**, R94–R97 (1997). [3] Anticancer Res. **16**, 589–596 (1996). [4] Science **278**, 818 f., 860–869 (1997). [5] Trends Biochem. Sci. **22**, 63–67 (1997).
allg.: Annu. Rev. Immunol. **14**, 649–683 (1996) ▪ Curr. Biol. **8**, R19–R22 (1998) ▪ J. Mol. Med. **74**, 749–769 (1996) ▪ Nature (London) **391**, 410–413 (1998) ▪ Sem. Cancer Biol. **8**, 63–73 (1997).

NGF. Engl. Abk. für *Nervenwachstumsfaktor.

NHDC. Abk. für *Neohesperidin-Dihydrochalkon.

NH_x. Im Umweltschutz gelegentlich verwendete Abk. für reduzierte Stickstoff-Verb.[1] (analog zu *NO_x), mit denen meist nur *Ammoniak u. *Ammonium gemeint sind. Die anthropogenen Ammoniak-Emissionen betrugen 1994 in der BRD etwa 622 kt, davon 86% aus der Tierhaltung. NH_x trägt zur *Eutrophierung der Gewässer u. nach Oxid. zum *sauren Regen bei. – ***E*** reduced nitrogen – ***I*** nitrogeno ridotto

Lit.: [1] Umweltbundesamt (Hrsg.), Daten zur Umwelt 1997, S. 140 f., 180–186, 565, Berlin: E. Schmidt 1997.
allg.: ECETOC (Hrsg.), Technical Report 62, Ammonia Emissions to Air in Western Europe, Brussels: ECETOC 1994.

Ni. Chem. Symbol für das Element *Nickel.

Niacin(amid) s. Nicotinsäure(amid).

Niacinogen s. Vitamin-B-Gruppe.

Niacytin s. Vitamin-B-Gruppe.

Nibodur®. Ein Verf. zur stromlosen Nickel-Bor-Abscheidung auf Metallen, Kunststoffen u. keram. Materialien mit Hilfe von Red.-Mitteln wie Natriumborhydrid od. Aminboranen (Borazanen, s. Bor-Stickstoff-Verbindungen; z. B. Dimethylaminboran). Beim *Vernickeln nach dem N.-Verf. entstehen Bor-haltige Nickel-Schichten ($Ni_{10}B_3 = 3\,Ni_3B \cdot Ni$) großer Härte, Abriebfestigkeit, Korrosionsbeständigkeit (Porenarmut) u. Temperaturwechselbeständigkeit. ***B.:*** Bayer

Nicametat.

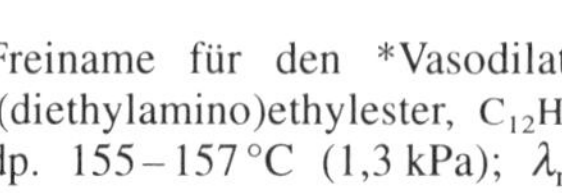

Internat. Freiname für den *Vasodilatator Nicotinsäure-2-(diethylamino)ethylester, $C_{12}H_{18}N_2O_2$, M_R 222,28, Sdp. 155–157 °C (1,3 kPa); λ_{max} 261 nm ($A^{1\%}_{1cm}$ 120). Verwendet werden das Citrat (1:1) u. das Monohydrochlorid, Schmp. 127–129 °C. – ***E*** nicametate – ***F*** nicamétate – ***I*** = ***S*** nicametato

Lit.: Beilstein E III/IV **22**, 380 ▪ Hager (5.) **8**, 1138 f. ▪ Martindale (31.), S. 914. – *[HS 2933 39; CAS 3099-52-3 (N.); 1641-74-3 (Citrat); 56676-64-3 (Hydrochlorid)]*

Nicardipin.

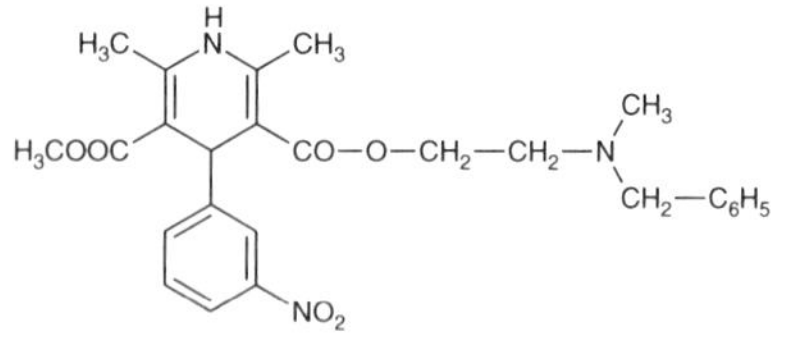

Internat. Freiname für den als *Vasodilatator verwendeten Calcium-Antagonisten (±)-[2-(Benzylmethylamino)ethyl]-methyl-[1,4-dihydro-2,6-dimethyl-4-(3-nitrophenyl)-3,5-pyridindicarboxylat], $C_{26}H_{29}N_3O_6$, M_R 479,53. Verwendet wird das Hydrochlorid, Schmp. 179–181 °C (α-Form), 168–170 °C (β-Form); LD_{50} (Maus oral) 634 mg/kg, (Maus i.v.) 19,9 mg/kg. N. soll wie *Nisoldipin selektiv an den Herzkranzgefäßen wirken. N. wurde 1974 u. 1976 von Yamanouchi patentiert u. ist von Ciba (Antagonil®) im Handel. – ***E*** = ***F*** nicardipine – ***I*** = ***S*** nicardipina

Lit.: ASP ▪ Beilstein E V **22/4**, 269 f. ▪ Hager (5.) **8**, 1140 f. ▪ Martindale (31.), S. 914 f. – *[HS 2933 39; CAS 55985-32-5 (N.); 54527-84-3 (Hydrochlorid)]*

Niccolate s. Nickelate.

Nicein s. Laminine.

Nicergolin (Rp).

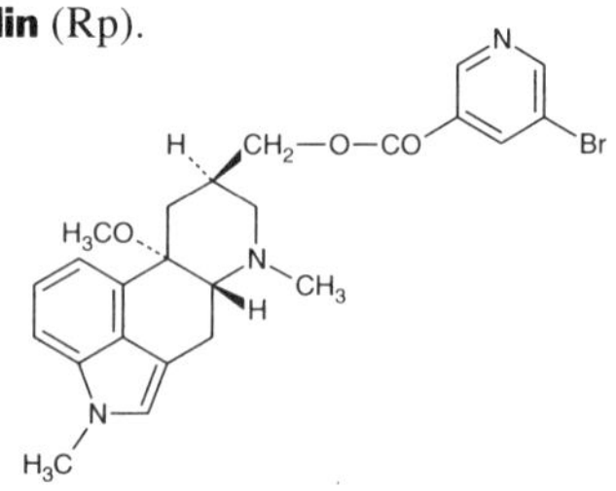

Internat. Freiname für den *Vasodilatator (ein α-*Sympathikolytikum) (10α-Methoxy-1,6-dimethyl-8β-ergolinylmethyl)-5-bromnicotinat, $C_{24}H_{26}BrN_3O_3$, M_R 484,39, ein *Lysergsäure-Derivat; Schmp. 136–138 °C; LD_{50} (Maus oral) 860 mg/kg, (Maus i.v.) 46 mg/kg. N. wurde 1966 u. 1971 von Farmitalia (Sermion®) patentiert u. ist als Generikum im Handel. – ***E*** = ***F*** nicergoline – ***I*** = ***S*** nicergolina

Lit.: Arzneim. Forsch. **29**, 1206, 1213–1316 (1979) ▪ ASP ▪ Beilstein E V **23/13**, 312 ▪ Martindale (31.), S. 1731. – *[HS 2939 69; CAS 27848-84-6]*

Nicethamid (Nicotinsäurediethylamid).

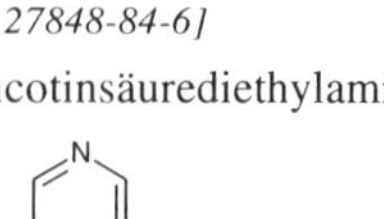

Internat. Freiname für *N,N*-Diethylnicotinamid, $C_{10}H_{14}N_2O$, M_R 178,23. Schwach viskose, farblose Flüssigkeit od. Krist. von bitterem Geschmack, D. 1,058–1,066, Schmp. 24–26 °C, Sdp. 280 °C (Zers., auch 300 °C angegeben), mit Wasser u. organ. Lsm. mischbar. N. wirkt stimulierend auf das Zentralnervensyst., insbes. auf das Atemzentrum; allerdings führen schon leicht erhöhte Dosen zu Krämpfen. N. wurde früher bei Barbiturat- u. Morphin-Vergiftungen angewandt. Es ist als Analeptikum in Kombinationspräparaten im Handel. – ***E*** nicethamide, nikethamide – ***F*** nicéthamide – ***I*** nicetamide – ***S*** nicetamida

Lit.: ASP ▪ Beilstein E V **22/2**, 84 ▪ Martindale (31.), S. 1554 f. ▪ Ph. Eur. **1997** u. Komm. – *[HS 2933 39; CAS 59-26-7]*

Nichtadiabatische Wechselwirkung. Wenn sich die Potentialkurven od. Potentialhyperflächen zweier od. mehrerer elektron. Zustände eines Mol. nahekommen od. kreuzen, pflegt die *Born-Oppenheimer-Näherung zu versagen. Man spricht dann von starker n. W. zwischen den Zuständen, die von der Kernbewegung vermittelt wird. *Beisp.:* Dynam. *Jahn-Teller-Effekt, Ladungsübertragungsreaktionen. N. W. ist meistens für die rasche strahlungslose *Desaktivierung bestimmter elektron. angeregter Zustände verantwortlich.

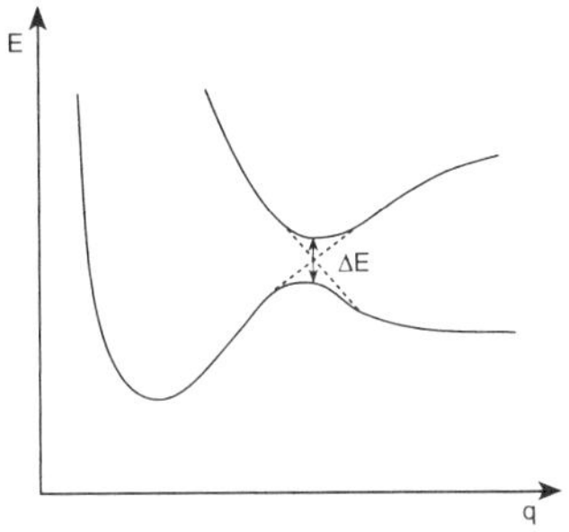

Abb.: Energie E als Funktion der Reaktionskoordinate q.

Die Übergangswahrscheinlichkeit P eines nichtadiabat. Übergangs läßt sich näherungsweise mit Hilfe des *Landau-Zener-Modells* berechnen. Für ein eindimensionales Zweizustandssyst. (s. die Abb.) liefert es den Ausdruck

$$P = \exp\left[(-\pi^2/h)\,(\Delta E^2/v\Delta F)\right].$$

Hierbei ist h die *Plancksche Konstante, ΔE die Energiedifferenz zwischen den beiden adiabat. Potentialkurven an der Stelle der größten Annäherung, ΔF die zugehörige Differenz der Steigungen u. v die Geschw. in Richtung der Reaktionskoordinate q. – ***E*** nonadiabatic interaction – ***F*** interaction non-adiabatique – ***I*** interazione non adiabatica – ***S*** interacción no adiabática

Lit.: s. Jahn-Teller-Effekt u. Photochemie.

Nichtbenzoide aromatische Verbindungen. Bez. für ungesätt. cycl. konjugierte organ. Verb., die nach den Aromatizitätskriterien, z. B. nach der *Hückel-Regel (Anzahl der π-Elektronen = 4n + 2), einen mehr od. weniger stark ausgeprägten aromat. Charakter besitzen, obwohl sie keine *Benzol-Ringe enthalten, s. aromatische Verbindungen u. Aromatizität. *Beisp.:* *Azulene *Annulene, *Cyclopropenylium- u. Cycloheptatrienylium-(*Tropylium)-Kation, *Cyclopentadienyl-Anion, *Oxokohlenstoffe. – ***E*** non-benzenoid aromatic compounds – ***F*** composés aromatiques non-benzéniques – ***I*** composti aromatici non benzenici – ***S*** compuestos aromáticos no bencénicos

Lit.: Houben-Weyl **E 17 d**, 3079 ff. ▪ s. a. die einzelnen Verbindungsklassen, Aromatizität u. aromatische Verbindungen.

Nichtbindend s. chemische Bindung, S. 653, u. einsame Elektronenpaare.

Nichtcarbonathärte (NKH). Bez. für eine Komponente der bleibenden *Härte des Wassers, die vorwiegend von Sulfat-Ionen u. Chlorid-Ionen verursacht wird (s. a. Kesselstein u. permanente Härte). – ***E*** permanent hardness, non-carbonate hardness – ***F*** dureté non-carbonatée, dureté permanente – ***I*** crudezza senza carbonato – ***S*** dureza no carbonatada, dureza permanente

Nichtdaltonide Verbindungen s. nichtstöchiometrische Verbindungen.

Nichtdispersive IR-Spektroskopie s. IR-Spektroskopie (S. 1992).

Nichteisenmetalle (NE-Metalle). Sammelbez. für a) unlegierte Metalle mit Ausnahme des Eisens u. für b) Leg., in denen ein Metall außer Eisen den größten Massenanteil aufweist. Die Leg. können auch Eisen enthalten, allerdings nicht als Hauptlegierungselement. Die Gewinnung der N. erfordert je nach Metall ganz spezif. metallurg. Techniken. Unter verschiedenen Gesichtspunkten kann man die N. beispielsweise in die Gruppen der *Alkalimetalle, *Erdalkalimetalle u. *Seltenerdmetalle sowie aufgrund ihrer bes. chem. Eigenschaften (Edelmetalle/Halbedelmetalle/Unedle Metalle) einteilen; fachsprachlich kann man bei den *Schwermetallen unter den N. u. a. noch die Gruppen der *Buntmetalle* (Cd, Co, Cu, Ni, Pb, Sn, Zn), *Seltenerdmetalle* (Sc, Y, Lanthanide) u. *Stahlveredler* (Cr, Mn, Mo, Nb, Ta, Ti, V, W) abgrenzen. Eine umfassende Darst. der weltweiten Entwicklung von Förderung, Verbrauch, Verw., Import u. Export der N. findet man in der jährlich erscheinenden *Metallstatistik. Die Verknappung der Rohstoffe hat es mit sich gebracht, daß nicht nur neue Verf. zur Nutzung armer Erze entwickelt wurden (*Beisp.:* Einsatz der *Biotechnologie zur Auslaugung), sondern daß auch die Wiederverwertung von Altmetall u. Schrott (*Recycling) heute schon großes Gew. hat u. zu einem erheblichen Anteil zum Gesamtumsatz beiträgt. Angesichts der zunehmenden Umweltbelastung mit schädigenden N. hat die Spuren-Analytik große Bedeutung erlangt. – ***E*** nonferrous metals – ***F*** métaux non-ferreux – ***I*** metalli non ferrosi – ***S*** metales no férreos (bzw. férricos, bzw. ferrosos)

Lit.: Brunhuber, Legierungshandbuch der Nichteisenmetalle, Berlin: Schiele u. Schön 1960 ▪ Ges. Dtsch. Metallhütten- u. Bergleute (Hrsg.), Abfallstoffe in der Nichteisenmetallurgie, Weinheim: VCH Verlagsges. 1986 ▪ Metals Handbook, Vol. 2, Nonferrous Alloys and Pure Metals, 9. Aufl., Metals Park: Amer. Soc. Met., Ohio 1979 ▪ Münster u. Kirchner (Hrsg.), Taschenbuch des Metallhandels, 7. Aufl., Berlin: Metall-Verl. 1982 ▪ Non-Ferrous-Metals – Their Future, Conf. Proc., Luxembourg, 1988.

Nichtelektrolyte s. elektrolytische Dissoziation.

Nichtgleichgewicht s. irreversibel.

Nichthäm-Eisen-Proteine s. Eisen-Proteine.

Nichtionische Tenside (nichtionogene Tenside, Nonionics, Niotenside). Grenzflächenaktive Verb. aus einem – ggf. substituierten – Kohlenwasserstoff-Gerüst u. elektr. neutralen, polaren Kopfgruppen, die in wäss. Lsg. Temp.-abhängig solvatisiert werden, an Grenzflächen adsorbieren u. oberhalb der krit. Micellbildungskonz. zu neutralen *Micellen aggregieren. Die wichtigsten polaren Kopfgruppen sind (Oligo)oxyalkylen-Gruppen, bes. (Oligo)oxyethylen-Gruppen (*Polyethylenglykol-Gruppen). Die techn. bedeutendsten n. T. sind *Fettalkoholpolyglykolether, *Alkylphenolpolyglykolether, Fettsäurepolyglykolester, *Fettamin-Polyglykolether. Zu den n. T. gehören auch Alkylpolyglykoside, Fettamin-*N*-oxide u. langkettige Alkylsulfoxide. N. T., bes. Fettalkoholpolyglykolether, sind Basistenside für Waschmittel- u. Reinigerformulierungen. Die für industrielle Reiniger erforderlichen bes. schaumarmen n. T. erhält man durch Veretherung der endständigen Hydroxy-Gruppen der Polyethylenglykol-Kopfgruppen („*endgruppenverschlossene Oxethylate*"); zu den physikal.-chem. Eigenschaften von n. T. vgl. *Lit.*[1], zur Analytik *Lit.*[2], zum biolog. Abbau, zur Toxikologie u. Dermatologie *Lit.*[3]. – ***E*** nonionic surfactants, nonionics – ***F*** détergents non-ioniques – ***I*** tensioattivi non ionici – ***S*** detergentes no iónicos

Lit.: [1] Schick, Nonionic Surfactants: Physical Chemistry, New York: Dekker 1987. [2] Cross, Nonionic Surfactants: Chemical Analysis, New York: Dekker 1987; Schmitt, Analysis of Surfactants, New York: Dekker 1991. [3] Swisher, Surfactant Biodegradation (2.), New York: Dekker 1987.
allg.: Bailey u. Koleske, Alkylene Oxides and Their Polymers, New York: Dekker 1990 ▪ Kosswig u. Stache, Die Tenside, München: Hanser 1993 ▪ Van Os, Nonionic Surfactants, Organic Chemistry, New York: Dekker 1997 ▪ Ullmann (5.) **A 25**, 783 ff.

Nichtionogene Tenside s. nichtionische Tenside.

Nichtklassische Ionen s. anchimere Hilfe u. Carbokationen.

Nichtkompetitive Hemmung s. kompetitive Hemmung.

Nichtkonjugierte Diene. Bez. für *Diene mit zwei isolierten, d. h. durch mind. eine Methylen-Gruppe getrennten Doppelbindungen, z. B. 1,4-Pentadien, $H_2C{=}CH{-}CH_2{-}CH{=}CH_2$. N. D. unterscheiden sich in ihrem Polymerisationsverhalten meist drast. von dem konjugierter Dien-Monomerer wie z. B. Butadien od. Isopren. So tritt hier aufgrund der nahezu gleichen Reaktivität aller im Syst. vorhandenen olefin. Doppelbindungen in den meisten Fällen bereits schon bei nur mäßigen Umsätzen Vernetzung ein. Lediglich bei 1,6-Dienen lassen sich, wenn die Molmasse nicht zu hoch eingestellt wird, unvernetzte *Cyclopolymere erhalten (s. Abb.).

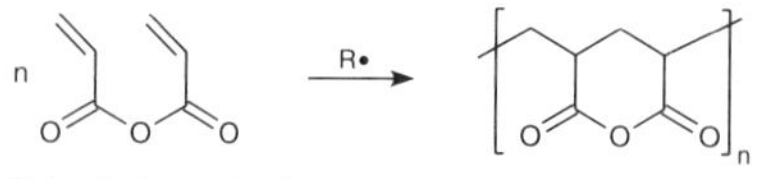

Abb.: Polymerisation eines 1,6-Diens.

– ***E*** non-conjugated dienes – ***F*** diènes non-conjugués – ***I*** dieni non coniugati – ***S*** dienos no conjugados

Nichtleiter s. Dielektrika, vgl. Halbleiter.

Nichtlineare Optik. Die opt. Eigenschaften der Materie, d. h. die Spektren der Transmission, der Reflexion, der komplexen Brechzahl u. dielektr. Funktion sowie der Lumineszenz hängen von der Frequenz ω des Lichtfeldes ab u. in anisotropen (z. B. doppelbrechenden od. dichroit.) Materialien von der Orientierung der Polarisation des Lichtfeldes zu den ausgezeichneten Richtungen der Materie sowie von vielen anderen Parametern wie etwa der Temperatur. Im allg. nimmt man (stillschweigend) an, daß die opt. Eigenschaften unabhängig sind von der Intensität des eingestrahlten Lichtes; dies ist der Bereich der *linearen Optik. Unterschiedliche Lichtstrahlen zeigen in diesem Bereich in Materie keine Wechselwirkung miteinander, d. h. sie durchdringen sich ungestört. Die n. O. befaßt sich dementsprechend mit allen Effekten, bei denen sich die opt. Eigenschaften der Materie mit zunehmender Lichtintensität in reversibler Weise ändern. Die Lichtintensitäten, bei denen n. O. auftritt, liegen je nach Material u. Lichtwellenlänge im Bereich von 10^2 bis 10^6 W cm^{-2}, d. h. in den meisten Fällen sind *Laser als Lichtquellen erforderlich. Zur n. O. gehören durch die Bestrahlung induzierte Änderungen der Brechzahl sowie Abnahme (Ausbleichen) od. Zunahme der Absorption. Ein Beisp. sind *phototrope Gläser, die bei zunehmender Helligkeit dunkler werden u. umgekehrt. N. O. wird bevorzugt in *Halbleitern untersucht, wird aber auch in Gasen (z. B. Na-Dampf), in organ. Mol. (bes. in gelösten Farbstoff-Mol.), in Isolatoren (photorefraktive Effekte) od. in Flüssigkrist. beobachtet.
Im Bereich der n. O. können sich Lichtstrahlen in Materie gegenseitig beeinflussen. Erscheinungen der n. O. sind z. B. die Frequenzmischung od. die Oberwellenerzeugung, bei der ein Lichtstrahl der Frequenz ω teilw. in einen der Frequenz 2ω umgewandelt wird, od. die Beugung an Laser-induzierten Gittern in Materie.
Anw.: Zum Bau von opt. Schaltern/Bauelementen (s. optische Bistabilität) u. Speichern, die sich in der (digitalen) opt. Daten- u. Bildverarbeitung einsetzen lassen. Erniedrigt man die Frequenz eines der einfallenden elektromagnet. Felder vom opt. Bereich in den Bereich elektron. Signalfrequenzen, so kommt man in das Gebiet der *Optoelektronik bzw. Elektrooptik (s. elektrooptische Effekte). – ***E*** nonlinear optics – ***F*** optique nonlinéaire – ***I*** ottica non lineare – ***S*** óptica no lineal

Lit.: Bloembergen, Nonlinear Optics, Reading, MA: Benjamin 1967 ▪ Gibbs, Optical Bistability: Controlling Light with Light, New York: Academic Press 1985 ▪ Mandel, Smith u. Wherrett (Hrsg.), From Optical Bistability towards Optical Computing, Amsterdam: North Holland 1987 ▪ Schubert u. Wilhelmi, Nonlinear Optics and Quantum Electronics, New York: Wiley 1986 ▪ Top. Appl. Phys. **65**, 201 (1989) ▪ Wherrett u. Tooley (Hrsg.), Optical Computing, SUSSP 34, Bristol: IOP Publishing 1989.

Nichtmetalle. Gasf. (H, N, O, F, Cl, Edelgase), flüssige (Br) od. feste (B, C, P, S, I, At u. a.) Elemente von meist elektroneg. Charakter, die ausschließlich in den Hauptgruppen (1., 13.–18. Gruppe) des *Periodensystems auftreten u. im Normalzustand schlechte Leiter für Wärme u. Elektrizität sind (*Dielektrika). Weniger als 20% aller bekannten Elemente gehören zu den Nichtmetallen. Zu den typ. N.-Eigenschaften zählen außerdem: Normale Dispersion, Spaltbarkeit, geringe Duktilität, Löslichkeit in organ. Lsm., die Neigung zur Bildung mehratomiger Mol., niedrige Koordinationszahlen. Ebenso wie die Metall-Kationen lassen sich die Nichtmetall-Anionen in einer *Spannungsreihe anordnen. Die N.-Oxide bilden in wäss. Medium Säuren.

Im Gegensatz zu den Metallen sind N. durch Atomabsorptionsspektroskopie nicht nachweisbar. N. zeigen bes. ausgeprägte Trends innerhalb einer Gruppe (z. B. Reaktivität der Halogene, Acidität der Halogenwasserstoffe) u. eine große Vielfalt bei der Verb.-Bildung (z. B. ausgeprägte Tendenz zur Kettenbildung bei C, P). Den Übergang zu den *Metallen bilden die *Halbmetalle in den Gruppen 13–16, denen oft wegen seiner physikal. u. strukturellen Eigenschaften auch das Bor zugerechnet wird. Einige N. haben auch Modif. mit metall. Charakter (B, P), u. flüssige u. gasf. Metalle zeigen unter bestimmten Bedingungen, z. B. hohen Temp. u. Drücken, einen Übergang zu nichtmetall. Verhalten. Von den N. als chem. Elemente zu unterscheiden sind die vielfach, v. a. in der techn. Lit., als N. bezeichneten *nichtmetall. Werkstoffe*, z. B. Keramik (s. Hochleistungskeramik) u. *Kunststoffe. – ***E*** nonmetals – ***F*** non-métaux – ***I*** nonmetalli – ***S*** no metales

Lit.: Acc. Chem. Res. **15**, 87 ff. (1982) ▪ Angew. Chem. **86**, 459–467 (1974) ▪ Klapötke u. Tornieporth-Oetting, Nichtmetallchemie, Weinheim: VCH Verlagsges. 1995 ▪ Kraft, Analysis of Non-Metals in Metals, Berlin: de Gruyter 1981 ▪ Snell, Photometric and Fluorometric Methods of Analysis: Nonmetals, New York: Wiley 1981.

Nicht-Methan-Kohlenwasserstoffe s. NMHC.

Nichtnewtonsche Flüssigkeiten. Bez. aus der *Rheologie für Flüssigkeiten, die im Gegensatz zu den *Newtonschen Flüssigkeiten beim *Fließen kein *idealviskoses*, sondern (nach DIN 13 342: 1976-06) *nichtlinear-reinviskoses, linear-viskoelast.* od. *nichtlinear-viskoelast.* Verhalten zeigen, vgl. Viskoelastizität u. Elastizität. Die N. F. spielen nicht nur in der Technik eine große Rolle (*Beisp.:* Sole, Gele, Suspensionen höherer Konz., Kunststoffe, Lsg. od. Schmelzen von makromol. Stoffen), sondern auch in der Physiologie (Blut!). Bei ihnen ist die *Viskosität bei gegebener Temp. keine Konstante, sondern von der jeweiligen *Schergeschw.* D od. γ (das Geschw.-Gefälle in einem Querschnitt senkrecht zur Fließrichtung; Einheit: s^{-1}) bzw. von der *Schubspannung* τ (die elast. Spannung, die auftritt, wenn Körper durch tangentiale Kraft-Einwirkung verformt werden; Einheit: Pa, Nm^{-2}) abhängig. Die Abb. zeigt das (idealisierte) Verhältnis von

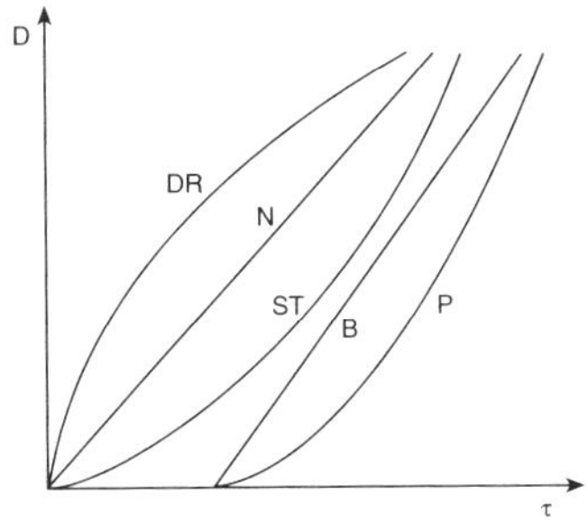

Abb.: Fließverhalten von dilatanten (DR), Newtonschen (N), strukturviskosen Flüssigkeiten (ST), Binghamschen Medien (B) u. Cassonschen od. plast. Massen (P).

D/τ für die Fälle der *Dilatanz (Rheopexie), der *Strukturviskosität od. *Pseudoplastizität (Thixotropie), der *Binghamschen Medien, der plast. Massen od. *Cassonschen Stoffe u. der N. F.; die eingeklammerten Begriffe berücksichtigen beim jeweiligen Phänomen auch die Einwirkungszeit (*Hysterese). Weitere typ. Eigenschaften von N. F. sind der **Weissenberg-Effekt* u. der *Kaye-Effekt*; letzterer zeigt sich beim Ausgießen viskoser Flüssigkeiten, wenn der dünne Strahl eine Schlinge bildet. Eine gute Übersicht über die mathemat. Beschreibung sowie das Fließverhalten von Newtonschen u. N. F. wird in *Lit.*[1], über das Mischen von Flüssigkeiten in *Lit.*[2] gegeben. – ***E*** non-Newtonian fluids – ***F*** liquides non-newtoniens – ***I*** fluidi non newtoniani – ***S*** líquidos no newtonianos

Lit.: [1] Hanks, Fluid Dynamics (Chemical Engineering), Encyclopedia of Physical Science and Technology, Vol. 5, S. 411, New York: Academic Press 1987. [2] Oldshue, Fluid Mixing, Encyclopedia of Physical Science and Technology, Vol. 5., S. 439, New York: Academic Press 1987.
allg.: Annu. Rev. Fluid Mech. **15**, 241–260 (1983) ▪ Chimia **38**, 35–45, 65–75 (1984) ▪ Kohlrausch, Praktische Physik 1, Stuttgart: Teubner 1996 ▪ Spektrum Wiss. **1979**, Nr. 1, 78–82.

Nichtporöse Membran s. ionenselektive Elektroden.

Nichtrostende Stähle. Auch als *korrosionsbeständig, rostbeständig* od. *rostfrei* bezeichnete *Stähle, die sich in einer Vielzahl aggressiver, wäss. Umgebungen durch hohe chem. Beständigkeit auszeichnen. Eisen u. seine Leg. werden als unedle Metalle im Kontakt mit feuchter Atmosphäre u./od. aggressiven Elektrolytlsg. zu thermodynam. stabileren Verb. oxidiert, s. Rosten. Die chem. Beständigkeit der Leg. hängt dabei jedoch ganz entscheidend von den Eigenschaften der gebildeten Verb. (*Korrosionsprodukte*) ab. Beim Entstehen lockerer, voluminöser, diffusionsdurchlässiger Produkte mit geringer Haftung (*Rost) wird der Zutritt von Umgebungsstoffen zur Metalloberfläche nicht unterbunden; der Werkstoff korrodiert mehr od. weniger linear weiter. Durch Zulegieren von Elementen wie Cu u. P mit Gehalten <1% läßt sich eine Verdichtung der entstehenden *Korrosions-Produkte erreichen, wodurch die weitere Reaktion zumindest verzögert wird. Stähle dieser Art werden als *wetterfest, korrosionsträge* od. *schwerrostend* bezeichnet u. hatten in den 70er Jahren eine gewisse Bedeutung für Bauten (Corten®), da man darauf verzichtete, sie nach Fertigstellung mit Schutzanstrichen zu beschichten. Als n. S. werden dagegen ausschließlich solche Stähle bezeichnet, die unter dem Einfluß aggressiver Umgebungsbedingungen eine festhaftende, diffusionsdichte Oxidschicht geringer Dicke ausbilden, welche den weiteren Zugang von aggressiven Stoffen der Umgebung zur Metalloberfläche unterbindet u. bei Verletzungen spontan regeneriert. Das Verhalten dieser Stähle wird als *passiv* bezeichnet, die Eigenschaft als *Passivität* u. die entstehende Oxidschicht als *Passivschicht.*

Zu den n. S., gelegentlich fälschlicherweise als *Edelstähle bezeichnet, gehören alle Stähle mit ≥10,5% Cr u. ≤1,2% C. Chrom bildet mit Eisen einen *Mischkristall; der genannte Mindestgehalt (in der Praxis eher >12%) im Mischkristall mit Eisen gewährleistet die Ausbildung einer Passivschicht auf der Oberfläche entsprechender Stähle. Stähle mit niedrigeren Chrom-Gehalten verhalten sich demgegenüber nur wenig besser als unlegierte Stähle od. Eisen selbst u. zählen allenfalls zu den schwerrostenden Stählen. Die Korrosi-

onsbeständigkeit ändert sich bei Erreichen des genannten Chrom-Gehaltes sprunghaft. Die chem.-physikal. Ursachen der Passivität werden in der Bildung einer geschlossenen Cr_2O_3-Schicht gesehen.
Passivität ist eine Systemeigenschaft; sie hängt nicht nur von der chem. Zusammensetzung ab, sondern auch von den Angriffsbedingungen. Die Struktur der Passivschicht setzt in jedem Fall oxidierende Beanspruchungen voraus. Obwohl sich n. S. unter diesen Bedingungen phänomenolog. so verhalten wie Edelmetalle, so ist die Ursache dieses Verhaltens jedoch grundsätzlich verschieden: Edelmetalle sind in vielen aggressiven Umgebungen stabil, d.h. zeigen keine thermodynam. bedingte Tendenz zur Oxidation. Im Gegensatz hierzu sind n. S. thermodynam. sehr instabil; sie beziehen ihre Beständigkeit ausschließlich aus den speziellen Eigenschaften der vom Leg.-Element Cr gebildeten Oxide. Alle Bedingungen, die den Aufbau dieser Passivschicht beeinträchtigen, können zwangsläufig zu allg. od. lokaler Korrosion führen. Hierzu zählen Halogen-Ionen – ganz bes. Chlor-Ionen – im angreifenden Medium. Aus diesem Grunde lassen sich die n. S. nicht ohne weiteres in die „Spannungsreihe" der Metalle einfügen. Ihr prakt. Verhalten wird nur selten durch eine gleichmäßig abtragende Korrosion mit der Folge einer einfach meßbaren Massenverlustrate (je Zeit- u. Oberflächeneinheit aufgelöste Metallmasse) bestimmt; bei einer derartigen Korrosionsart entspricht eine Massenverlustrate von $0{,}1\ g\,m^{-2}\,h^{-1}$ einer Abtragungsrate von ca. $0{,}1\ mm\,J^{-1}$. Wenn dieser Grenzwert nicht überschritten wird, gilt der entsprechend beanspruchte metall. Werkstoff als beständig.
Weitaus bedeutender sind bei n. S. jedoch die Arten lokaler Korrosion wie interkrist. Korrosion, Loch- u. Spaltkorrosion, sowie die Rißkorrosionsarten Spannungs- u. Schwingungsrißkorrosion, deren Fortschritt nicht mit der genannten Massenverlustrate beschrieben werden kann. Entsprechend den Grundmechanismen Oxid. u. Red. muß man Korrosion in wäss. Medien als elektrochem. Vorgang betrachten: Das Metall löst sich anod. auf, d.h. wird oxidiert, entsprechend wird das Oxid.-Mittel des Mediums kathod. reduziert. Bei den lokalen Korrosionsarten steht daher ein kleiner anod. Bereich einer sehr großen Kathode gegenüber, wodurch der Auflösungsprozeß außerordentlich beschleunigt wird u. in der Praxis rasch zu erheblichen Problemen führt.
Außer produktseitigen Bestandteilen können auch Oberflächeninhomogenitäten die Beständigkeit n. S. beeinträchtigen. Diese Stähle erreichen ihre beste Beständigkeit im sauberen, metallblanken Zustand bei geringer Oberflächenrauhigkeit. Alle hiervon abweichenden Bedingungen, beispielsweise herstellungsbedingter Zunder, schweißbedingte Anlauffarben u. Fremdablagerungen wie *Flugrost od. *Fremdrost, führen zu einer Verminderung der Beständigkeit. Eine wesentliche Bedeutung hat auch die Homogenität des Mischkristalls. Chromcarbid-Ausscheidungen, wie sie als Folge ungeeigneter Wärmebehandlungsbedingungen entstehen, führen zu einem heterogenen Gefüge u. vermindern darüber hinaus den Anteil des beständigkeitsbestimmenden Elements Cr im Mischkristall. Hinsichtlich des Grundgefüges unterscheidet man *ferritische, martensit. (s. Martensit), *ferritisch-austenitische (Duplex-) u. *austenitische n. Stähle. Ihre Struktur leitet sich in erster Linie aus den Anteilen an ferrit- u. austenitstabilisierenden Elementen ab (*Schaeffler-Diagramm).
Die N. S. sind in DIN-Normen u. Werkstoffblättern des VDEh (Verein Dtsch. Eisenhüttenleute) standardisiert. Einer der bekanntesten n. S. war der in den 20er Jahren bei Krupp entwickelte V2A-Stahl, ein Stahl mit ca. 18% Cr u. 8% Ni; neu war seinerzeit die Erkenntnis, bei einer geeigneten Kombination aus ferritstabilisierendem Cr u. austenitstabilisierendem Ni zu einem stabil-austenit. (nichtmagnetisierbaren) Gefüge zu kommen. Obwohl die genormte Bez. dieses Stahls inzwischen X 10 CrNiTi 17 12 u. die Werkstoff-Nummer 1.4541 sind, hat sich der Begriff V2A als seinerzeitige firmeninterne Bez. bis heute im allg. Sprachgebrauch erhalten.
N. S. enthalten neben Cr als dem Garanten der Passivität weitere Elemente, die zur Verbesserung der chem. (Ni, Mo, Cu) u. mechan. Eigenschaften (Ni, Mn, N_2) sowie der Gefügestabilität (N_2) zulegiert werden. Gefügestabilität bedeutet, daß auch bei Zufuhr von Wärme zunächst keine Gefügeveränderungen (Ausscheidungen, neue Phasen) auftreten. Zur Verminderung der Neigung, bei Wärmezufuhr (z.B. beim Schweißen) Chromcarbide auszuscheiden, enthalten n. S. darüber hinaus entweder sehr geringe C-Gehalte (Abk.: ELC, von *E* *e*xtra *l*ow *C*arbon) od. Zusätze an Elementen, bei denen die Bindungsenergie der Carbide diejenige der Chromcarbide übersteigt (Stabilisatoren Ti, Ta, Nb), so daß sich Carbide der Stabilisatoren ausbilden. Durch unerwünschte Stahl-Begleiter können die Eigenschaften der n. S. allerdings auch beeinträchtigt werden; dies hat dazu geführt, daß zur Erzeugung dieser Stähle bes. metallurg. Herst.-Prozesse (z.B. Sauerstoff-Blasverf.) angewendet werden. Die allg. Tendenz der Hersteller ist derzeitig noch, bes. Qualitäten von n. S. für spezielle Anw. zu entwickeln. Die Folge ist das Vorliegen einer außerordentlich breiten Palette an verschiedenen Qualitäten bis hin zu Superaustenit-, Superferrit- u. Superduplex-Stählen mit Eisen-Anteilen <50%. Die Komplexität u. strukturelle Instabilität der Zusammensetzung dieser Stähle hat allerdings zur Folge, daß deren Fertigung außerordentliche Herausforderungen an die Verarbeiter stellt.
Verw.: N. S. werden in großem Umfang als Walz- u. Gußmaterial in der Kerntechnik, der Schiff- u. Raumfahrt, der Erdöl-Ind., bei der Meerwasserentsalzung u. der chem. Verfahrenstechnik eingesetzt. – ***E*** stainless steels – ***F*** aciers antirouilles, aciers inoxydables – ***I*** acciai inossidabili – ***S*** aceros inoxidables

Lit.: DIN EN 10088: 1995-04 ▪ Eckstein (Hrsg.), Korrosionsbeständige Stähle, Leipzig: Grundstoffind. 1990 ▪ Folkhard, Metallurgie der Schweißung nichtrostender Stähle, Wien: Springer 1984 ▪ Gramberg, Horn u. Mattern, Kleine Stahlkunde für den Chemieapparatebau, Düsseldorf: Stahleisen 1992 ▪ Gümpel (Hrsg.), Rostfreie Stähle, Ehningen: Expert 1996 ▪ Lula (Hrsg.), Stainless Steel, Metals Park: Amer. Soc. Met. 1986 ▪ Marshall, Austenitic Stainless Steels, London: Elsevier Appl. Science 1984 ▪ Metals Handbook, Vol. 3, Stainless Steels, 9. Aufl., Metals Park: Amer. Soc. Met. 1980 ▪ Pickering (Hrsg.), The Metallurgical Evolution of Stainless Steels,

London/Ohio: Amer. Soc. Met./The Met. Soc. 1979 (Geschichte).

Nichtstarre Moleküle. Mol., die Schwingungen mit großen Amplituden ausführen können; hierbei kann ein Übergang zwischen verschiedenen Konformeren (s. Konformation) od. Rotameren (s. Rotation) erfolgen. Zu den n. M. zählen z. B. Mol. mit niedrigen Torsionsbarrieren wie *Ethan od. *Methanol u. *quasilineare Moleküle (z. B. C_3) u. *quasiplanare Moleküle (z. B. H_3O^+). – ***E*** nonrigid molecules – ***F*** molécules non-rigides – ***I*** molecole non rigide – ***S*** moléculas no rígidas

Nichtstöchiometrische Verbindungen. Sammelbez. für die früher auch *Berthollide od. nichtdaltonid genannten Verb. im kondensierten, bes. im festen Aggregatzustand, deren Zusammensetzung nicht der Stöchiometrie (dem Daltonschen Gesetz) gehorcht u. die nicht als Mol. im eigentlichen Sinne zu betrachten sind. N. V. sind Phasen wechselnder Zusammensetzung, insbes. isomorphe Verb. (s. Isomorphie), Einlagerungsverb. mit Zwischengitteratomen, intermetall. Verb., Halbleiter u. ähnliche Verbindungen. Eine n. V. liegt immer dann vor, wenn die Zusammensetzung innerhalb gewisser Grenzen schwanken kann. Für die verschiedenen Typen von n. V. gibt es spezif. Schreibweisen: 1.) Phasen mit variabler Zusammensetzung: $Fe_{1-x}S$, Cu_xNi_{1-x}; die feste Lsg. von Wasserstoff in Palladium: PdH_x (x<0,1); $Li_{4-x}Fe_{3x}Ti_{2(1-x)}O_6$ (x=0,35). – 2.) Punktdefekte (*Kröger-Vink*-Notation): $C_{C,0.8}V_{C,0.2}V_{V,1}$, d. h. in Vanadiumcarbid sind 0,8 Kohlenstoff-Positionen u. alle Vanadium-Positionen besetzt, 0,2 Kohlenstoff-Positionen sind unbesetzt; *V* steht für unbesetzte (*E* vacant) Positionen. – 3.) Kristall. Phasen werden mit dem *Pearson-Symbol gekennzeichnet, evtl. gefolgt von der Raumgruppe: $Ag_{1,5}CaMg_{0,5}$ (*hP*12, *P*6$_3$/*mmc*).
Nichtstöchiometrie ist – entgegen früheren Vorstellungen – weit verbreitet, v. a. bei Substanzen mit Metall- od. Nebenvalenzbindung (s. chemische Bindung, S. 677). Sie ist häufig anzutreffen bei Chalkogeniden vieler d- u. f-Block-Elemente, bei Metallhydriden, -boriden, -carbiden, -siliciden u. -phosphiden. Nichtstöchiometrie tritt auch auf, wenn Verb., die in der ReO_3-Struktur kristallisieren, zusätzlich variable Mengen eines weiteren Metalls aufnehmen, z. B. als Wolframbronzen M_xWO_3, mit M = Alkalimetall, Cu, Ag, Ti od. Pb. Ähnliches gilt für M_xXO_3 mit X = Nb, Ta, Ti.
N. V. sind auch die auf der *Perowskit-Struktur basierenden u. in jüngster Zeit eingehend untersuchten *Hochtemperatur-Supraleiter. Zu den in Einzelstichwörtern behandelten Beisp. zählen Boride, Carbide u. Nitride, Suboxide, Clathrate u. Einschlußverb., Graphit- u. a. Interkalations- od. Einlagerungsverb., feste Lsg. von Gasen in Metallen, Verb. mit Kristallbaufehlern, Mischkrist. u. Legierungen. Zur Untersuchung von n. V. eignen sich die *Neutronenbeugung u. a. Meth. der *Kristallstrukturanalyse. – ***E*** nonstoichiometric compounds – ***F*** composés non-stoechiométriques – ***I*** composti non stechiometrici – ***S*** compuestos no estequiométricos

Lit.: Bevan u. Hagenmuller, Non-Stoichiometric Compounds, Oxford: Pergamon 1975 ▪ Greenwood, Ionenkristalle, Gitterdefekte u. Nichtstöchiometrische Verbindungen, Weinheim: Verl. Chemie 1973 ▪ Nowotny, Transport in Non-Stoichiometric Compounds, Amsterdam: Elsevier 1982 ▪ Sørensen, Nonstoichiometric Oxides, New York: Academic Press 1981.

Nichttrocknende Öle s. Fette u. Öle u. trocknende Öle.

Nichtwäßrige Lösemittel. Sammelbez. für organ. *Lösemittel u. für protonenfreie od. protonenhaltige (*prot.*) sog. wasserähnliche Lsm., unter denen man nach *Jander Flüssigkeiten versteht, die salzartige Stoffe lösen u. mit deren Ionen Solvate bilden können. Diese Lsg. leiten z. T. den Strom u. zeigen die Erscheinungen der *Solvolyse*, *Neutralisation* u. *Amphoterie* mehr od. weniger deutlich. Hierzu gehören z. B. die verflüssigten Gase Ammoniak (NH_3), Schwefeldioxid (SO_2), Kohlendioxid (CO_2), Stickstoffdioxid (NO_2), Schwefelwasserstoff (H_2S), Fluorwasserstoff [$(HF)_x$]), Iodwasserstoff (HI), Cyanwasserstoff (HCN), ferner wasserfreie Essigsäure ($H_3C–COOH$), Perchlorsäure ($HClO_4$), Salpetersäure (HNO_3) u. Schwefelsäure (H_2SO_4), geschmolzenes Iod (I_2), *Interhalogen-Verbindungen u. dgl., Quecksilberbromid, Arsen- u. Antimonchlorid, $COCl_2$, $SOCl_2$, $SnCl_4$, $POCl_3$, Salzschmelzen. Die organ. n. L. kann man nach *Brønsted u. a. Autoren in verschiedene Gruppen gliedern (s. Tab.).

Tab.: Einteilung der organ. nichtwäßrigen Lösemittel.

aprot.	dipolar/protophil	DMF, Pyridin, DMSO, THF, Dioxan Acetonitril, Aceton
	dipolar/protophob	Nitromethan
	inert	Kohlenwasserstoffe, Halogenkohlenwasserstoffe
amphiprot.	protogen	Ameisen- u. Essigsäure
	protophil	Amine, Diamine
	neutral	Alkohole

Man kann die n. L. auch nach Donor- u. Akzeptor-Eigenschaften klassifizieren u. diese mit Hilfe von Farbreagenzien in Form von E_T- od. ähnlichen Werten quantifizieren [1]. Aufgrund ihrer sehr unterschiedlichen Zusammensetzung beeinflussen die n. L. nicht nur die Neutralisationspunkte bei Titrationen [2], sondern auch thermodynam. Daten, wie Solvolyse-Enthalpien [3], Gibbs-Energien [4], Elektrodenpotentiale [5] od. die Eigenschaften von ionenselektiven Elektroden [6].
Verw.: Als wasserfreie Lsm. in der chem. Synth., der chem. Analytik, z. B. bei Titrationen, in der physikal. organ. Chemie zum Studium von Reaktionsmechanismen, in der Spektroskopie, z. B. deuterierte n. L. für die NMR-Spektroskopie u. in der Elektrochemie [7]. Weitere Hinweise auf spezif. Anw. finden sich in den Konferenzberichten, die von der Zeitschrift *Pure Appl. Chem.* veröffentlicht werden. – ***E*** non-aqueous solvents – ***F*** solvants nonaqueux – ***I*** solventi non acquosi – ***S*** disolventes no acuosos

Lit.: [1] Chem. Unserer Zeit **17**, 129–134, 163–166 (1983). [2] Chem. Labor Betr. **26**, 382–385 (1975). [3] Pure Appl. Chem. **52**, 2261–2274 (1980). [4] Pure Appl. Chem. **55**, 977–1021 (1983). [5] Pure Appl. Chem. **54**, 1527–1532 (1982); **56**, 461–466 (1984). [6] Pure Appl. Chem. **55**, 2029–2065 (1983). [7] Naturwissenschaften **70**, 495–503.

allg.: Burger, Solvation, Ionic and Complex Formation in Non-Aqueous Solvents, Amsterdam: Elsevier 1983 ▪ Kirk-Othmer (3.) **21**, 377–401; (4.) **22**, 529 ff. ▪ Popovych u. Tomkins, Nonaqueous Solution Chemistry, New York: Wiley 1981 ▪ Reichhardt, Solvents and Solvent Effects in Organic Chemistry, Weinheim: VCH Verlagsges. 1988 ▪ Top. Curr. Chem. **111**, 33–144 (1983) ▪ Ullmann (5.), **A 24**, 437 ff.

Nickel. Metall. Element aus der 10. Gruppe des *Periodensystems, chem. Symbol Ni, Ordnungszahl 28, Atomgew. 58,6934. Natürliche Isotope (Häufigkeit in Klammern): 58 (68,27%), 60 (26,10%), 61 (1,13%), 62 (3,59%), 64 (0,91%); künstliche Isotope 56, 57, 59, 63, 65, 66, 67 mit HWZ zwischen 50 s u. 80000 a. Oxid.-Stufen: meist +2, seltener –1, 0, +1, +3 u. +4. Die wasserhaltigen Nickel(II)-Salze u. ihre Lsg. sind grün. Reines Ni ist ein silberglänzendes Metall, das sich ähnlich wie Eisen polieren, schmieden, schweißen, zu Blech walzen u. zu Draht ziehen läßt. Es ist schwach ferromagnet. (s. magnetische Werkstoffe), D. 8,908, Schmp. 1453 °C, Sdp. 2732 °C, H. 3,8; die elektr. Leitfähigkeit erreicht etwa 13,8%, die Wärmeleitfähigkeit 15% von der des Silbers. Die Zugfestigkeit beträgt beim weichgeglühten Metall 400, beim gehärteten 700–800 MPa. Reines, massives Ni ist sehr widerstandsfähig gegen Luft, Wasser, nichtoxidierende Säuren, Alkalien u. viele organ. Stoffe; es ist leicht lösl. in verd. Salpetersäure, wird jedoch von konz. Salpetersäure wegen Passivierung nicht angegriffen; Näheres zum Korrosionsverhalten des Ni s. *Lit.*[1]. Feinstverteiltes Ni kann sich pyrophor (s. Pyrophore) verhalten; in reinem Sauerstoff verbrennt ein heißer N.-Draht unter Funkensprühen. Je 100 g Ni können 500–800 mL Kohlenoxid aufnehmen; die Neigung zur Bindung von Kohlenoxid zeigt sich auch in der Bildung von *Nickeltetracarbonyl. Feinverteiltes Ni kann bes. bei höherer Temp. beträchtliche Mengen Wasserstoff adsorbieren, weshalb es als Hydrierungskatalysator (*Raney-Nickel) eine wichtige Rolle spielt.

Nachw.: Mit alkohol. *Dimethylglyoxim-Lsg. bilden Ni-Salzlsg. ein scharlachrotes, in ammoniakal. wäss. Lsg. ein schwerlösl. Chelat (s. dort die Abb.), das zur analyt. Bestimmung sowie zur Abtrennung des Ni von Cobalt dienen kann; ähnlich reagiert Ni mit Furildioxim. Nachw. u. Bestimmung können auch mit *Nitroso-R-Salz, komplexometr., elektrolyt., potentiometr., mit Teststäbchen u. Tüpfelreaktionen, photometr. (*Lit.*[2]), voltammetr. (*Lit.*[3]) od. amperometr. erfolgen. Zur Spurenbestimmung in Körperflüssigkeiten eignet sich bes. die AAS (*Lit.*[4]); einen Meth.-Vgl. für die biochem. Analytik gibt Sunderman (*Lit.*[5]).

Physiologie: Ni zählt zu den Spurenelementen; der menschliche Körper enthält ca. 5–10 mg. Ni^{2+}-Ionen aktivieren (wie auch andere zweiwertige Ionen) eine Reihe von Enzymen, z. B. alkal. Phosphatasen u. Oxalacetatdecarboxylase, u. verstärken die Wirkung von Insulin. Der tägliche Bedarf wird auf 35–500 µg geschätzt. Die Konz. im Serum u. Harn beträgt ca. 2,5 µg/L, in den Haaren dagegen 220 µg/kg. Atembare Stäube od. Aerosole von N.-Metall, NiS, sulfid. N.-Erzen, NiO u. $NiCO_3$, wie sie bei der Herst. u. Weiterverarbeitung auftreten können, gelten als gefährliche Arbeitsstoffe (TRgA 910/26) u. als eindeutig krebserzeugend (MAK-Stoffliste III A 1). Mit Ausnahme von *Nickeltetracarbonyl wurde für Ni u. seine Verb. in Form atembarer Stäube u. Rauche ein TRK-Wert von 0,5 mg/m^3 festgelegt, in Form atembarer Tröpfchen gilt ein Wert von 0,05 mg/m^3. Bei vielen Ni-Verb. ist ein tox., allergenes u./od. mutagenes Potential nachgewiesen worden (*Lit.*[6,7]). Ni, z. B. in Armbanduhren od. Modeschmuck, kann sensibilisierend wirken u. bei empfindlichen Personen Dermatitis auslösen. Lösl. Ni-Verb. sind beim Verschlucken magen- u. darmreizend u. können bei lokaler Exposition zu Haut-, Augen- u. Atemwegsreizungen führen; zu Ni-Vergiftungen s. *Lit.*[8,9]. Schwefel-Bakterien können dagegen sogar Konz. von 50 g Ni/L Medium tolerieren. Methan-bildende Archaebakterien besitzen 3 verschiedene Ni-Proteide; als prosthet. Gruppe konnte ein Ni-Porphyrin-Komplex isoliert werden, u. andere Mikroorganismen enthalten Hydrogenasen mit Ni-Atomen. In Schwertbohnen wurde eine Urease als Ni-Enzym identifiziert. Manche Pflanzen können Ni aus dem Boden anreichern – Kiefern z. B. auf das 700fache; Näheres zur Ökochemie des Ni s. *Lit.*[10].

Vork.: Der Anteil des Ni an der obersten, 16 km dicken Erdkruste wird auf 0,007% geschätzt; damit steht Ni in der Häufigkeitsliste der Elemente an 24. Stelle zwischen Rubidium u. Zink. Da Eisen-Meteoriten im Durchschnitt 8–9% Ni enthalten, vermutet man auch im Erdinnern größere Ni-Mengen. Man schätzt den Gew.-Anteil des Ni am Gew. des ganzen Erdballs auf 2,39%, was bedeutet, daß sich im Erdkern möglicherweise $1{,}6 \cdot 10^{14}$ t Ni in Form von *Nife* befinden. Auf der Erdoberfläche ist Ni fast immer an Schwefel, Kieselsäure, Arsen od. Antimon gebunden; bekannte Ni-Mineralien sind z. B. der *Garnierit, *Pentlandit, *Laterit, *Ullmannit, *Nickelin, *Millerit, *Kobalt-, Antimon- u. Weißnickelkies. Für die techn. Ni-Gewinnung sind v. a. Garnierit u. einige Magnetkiese (bes. Pentlandit) von Bedeutung; letztere können bis zu 33% Ni enthalten. Heute müssen vermehrt die schwierig zu verarbeitenden Laterit-Erze abgebaut werden. Spurenweise ist Ni auch in vielen Sedimentgesteinen u. in Kohle enthalten. Von den Gesamtvorräten an zugänglichen Ni-Erzen, deren Ni-Gehalt auf 110 Mio. t geschätzt wird, entfallen auf Kuba 21%, Neukaledonien 14%, Kanada u. Indonesien jeweils 12% u. die Philippinen 10%. Die größten Vorräte befinden sich allerdings in den ozean. *Manganknollen, die ca. 1% Ni enthalten.

Herst.: Die Gewinnungsmeth. für Ni sind nach der Art der Erze sehr verschieden, doch wird bei den meisten Prozessen eine Sulfid-Stufe durchlaufen. Ni wird überwiegend aus den sulfid. Ni/Cu-Erzen des kanad. Sudbury-Districts gewonnen. Nach Abrösten verbleibt ein oxid. Erz od. ein Gemisch von Sulfid u. Metall, das im allg. größere Mengen Fe u./od. Cu enthält, die abgetrennt werden müssen; Näheres zu den pyro- od. hydrometallurg. Verf. s. bei Kirk-Othmer, Ullmann u. Winnacker-Küchler (*Lit.*). Das Roh-N. wird entweder auf elektrolyt. Wege zu mind. 99,5%igem sog. *Elektrolyt-N.* (Kathoden-N., Kani) verarbeitet od. nach dem Carbonyl-Verf. (*Mond-Prozeß) in 99,9%iges *Mond-* od. *Carbonyl-N.* umgewandelt: Nach L. *Mond wird

Ni-Schwamm in einem CO-haltigen Gasstrom auf 50–80 °C erhitzt, wobei sich gasf. *Nickeltetracarbonyl bildet, das man nachher durch Erhitzen auf ca. 200 °C in ca. 99,8–99,9%iges Ni (*Mond-N.* mit 0,06% Fe, 0,01% C sowie S- u. Si-Spuren) u. CO zersetzt. Soll das Ni als Leg.-Bestandteil eingesetzt werden, kann man auf die Reinherst. oft verzichten u. produziert Ferro-N. od. N.-Oxide. Im Jahre 1992 betrug die Weltproduktion an N. 892 500 t, davon wurden in der ehemaligen UdSSR 220 000 t, in Kanada 192 100 t, in Neukaledonien 106 900 t, in Indonesien 77 600 t, in Australien 57 700 t, in Kuba 32 000 t u. in den USA 6700 t erzeugt.

Verw.: Der größte Teil der N.-Produktion wird zur Stahlveredlung u. für N.-Basisleg. verwendet, in geringerem Maße auch für *Superlegierungen, zur Elektroplattierung, für Münzen, Behälter u. Küchengeräte. *Nickel-Legierungen, z. B. mit Kupfer, Chrom, Eisen, Cobalt, haben wegen ihrer bes. physikal. Eigenschaften, ihrer Korrosionsbeständigkeit u. Widerstandsfähigkeit gegen Hitze techn. Bedeutung. Große Ni-Mengen verbrauchen die Erdöl- u. chem. Ind. für die heterogene Katalyse (*Lit.*[11]), geringere Mengen Fernseh-, Rundfunk-, Telefon- u. Rüstungsindustrie. In der präparativen Chemie verwendet man sog. *Raney-Nickel u. *Urushibara-Katalysatoren für Hydrierungen; zur Bedeutung von N. in der homogenen Übergangsmetallkatalyse s. *Lit.*[12]. In speziellen Polymerisationsprozessen spielen *Nickel-organische Verbindungen eine große Rolle; intermediär kann bei derartigen Oligo- u. Polymerisationen sog. „nacktes N." auftreten. Der von Ziegler entdeckte „N.-Effekt" (unerwartete Bildung von Buten anstelle von wachsartigen Oligomeren bei der Ethen-Oligomerisation mit Triethylaluminium), hervorgerufen durch Spuren von Ni-Salzen im Reaktionsgefäß, führte zur Untersuchung des Einflusses anderer Metalle u. schließlich zur Entdeckung der Ziegler-Katalysatoren[13]. Ni dient ferner als Elektrodenmaterial, zur Herst. von Ni-Cd-Batterien, zur Beschichtung von Bändern aus unlegierten u. niedriglegierten Stählen, zur Herst. von Keramikwerkstoffen, in Form von Ni-Sulfat od. Ammoniumnickelsulfat zum *Vernickeln, als Carboxylat in Metallseifen.

Geschichte: Von den Chinesen wurde bereits 2 Jahrtausende vor unserer Zeitrechnung eine dem *Neusilber entsprechende Ni/Cu-Leg. (Pakfeng) als Gebrauchsmetall verwendet; in der Antike diente Ni den Griechen u. a. als *Münzmetall. Der Name des Elements entstand wohl folgendermaßen: Als sächs. Bergleute vor etwa 300 Jahren in der Gegend von Annaberg auf ein rötliches Erz stießen, glaubten sie, Kupfer entdeckt zu haben. Aber bald erkannten sie ihren Irrtum u. nannten den Fund ärgerlich „Kupfer-N.-Erz", d. h. von Nickel (einem Berggeist) verhextes Kupfer-Erz. *Cronstedt untersuchte 1751 dieses Erz (Nickelin, Rotnickelkies, Arsennickel) u. fand darin ein neues Metall, das er „Nickel" nannte. – ***E*** = ***F*** nickel – ***I*** nichel, nichelio – ***S*** níquel

Lit.: [1]Friend, Corrosion of Nickel and Nickel-based Alloys, New York: Wiley 1980. [2]Fries-Getrost, S. 251–261; Townshend (Hrsg.), Encyclopedia of Analytical Science, S. 3304–3311, London: Academic Press 1995. [3]Fresenius Z. Anal. Chem. **318**, 321–326 (1984). [4]Brown u. Sundermann, Progress in Nickel Toxicology, Oxford: Blackwell 1985. [5]Pure Appl. Chem. **52**, 527–544 (1980). [6]Toxicol. Environ. Chem. **7**, 191–212 (1984). [7]Umschau **83**, 494 f. (1983). [8]Braun-Dönhardt, S. 270. [9]Ludewig u. Lohs, Akute Vergiftungen (8.), Stuttgart: Fischer 1991. [10]Toxicol. Environ. Chem. **8**, 9–38 (1984). [11]Chem. Ind. (Düsseldorf) **36**, 380–384 (1984). [12]Angew. Chem. **102**, 251–260 (1990). [13]Wilke, in Brintzinger et al. (Hrsg.), Ziegler Catalysts, S. 1–15, Heidelberg: Springer, 1995.

allg.: Betteridge, Nickel and its Alloys, Chichester: Horwood 1984 ▪ Brauer (3.) **3**, 1685–1703 ▪ Gmelin, Syst.-Nr. 57, Ni, 1965–1975 ▪ Hommel, Nr. 566 ▪ IARC Monogr. **11**, 75–112 (1976), Suppl. **4**, 167–170 (1982) ▪ Kirk-Othmer (4.) **17**, 1–42 ▪ Ullmann (5.) **A 17**, 157–249 ▪ Winnacker-Küchler (4.) **4**, 389–407. – *[HS 7502 10]*

Nickel(II)-acetat. $(H_3C–CO–O)_2Ni$, $C_4H_6NiO_4$, M_R 176,78. Tetrahydrat: Grüne Krist., D. 1,774, therm. Zers. ab 80 °C, lösl. in Wasser u. Alkohol; WGK 3; zur Giftigkeit von Nickel-Verb. s. *Lit.*[1]. Die Herst. erfolgt aus Nickelcarbonat u. Essigsäure. N. wird in der Galvanotechnik, als Beize im Textildruck u. dgl. verwendet. – ***E*** nickel(II) acetate – ***F*** acétate de nickel(II) – ***I*** acetato di nichelio(II) – ***S*** acetato de níquel(II)

Lit.: [1]Roth, Krebserzeugende Stoffe, S. 135, Stuttgart: Wissenschaftliche Verlagsges. 1988.

allg.: Beilstein E IV **2**, 120 f. ▪ Merck-Index (12.), Nr. 6583 ▪ Ullmann (4.) **17**, 293; **A 17**, 240. – *[HS 2915 29; CAS 6018-89-9 (Tetrahydrat)]*

Nickel(II)-acetylacetonat s. Metallacetylacetonate.

Nickel(II)-amidosulfat s. Nickel(II)-sulfamat.

Nickel(II)-ammoniumsulfat. $NiSO_4 \cdot (NH_4)_2SO_4 \cdot 6H_2O$, M_R 286,88. T Blaugrüne, leicht wasserlösl. Krist., D. 1,923. N. wird zum *Vernickeln verwendet. – ***E*** nickel(II) ammonium sulfate – ***F*** sulfate de nickel(II) et d'ammonium – ***I*** solfato di nichel(II) e di ammonio – ***S*** sulfato de níquel(II) y amonio – *[HS 2842 90; CAS 15699-18-0 (wasserfrei); 7785-20-8 (Hexahydrat)]*

Nickelarsenid. Mit *NiAs-* od. *Rotnickelkies-Typ* beschreibt man eine bei Erzen weit verbreitete Kristallstruktur (s. dort, Abb. 4 c) des hexagonalen *Kristallsystems; s. a. Nickelin. Jedes As-Atom ist trigonal-prismat. von 6 Ni-Atomen u. jedes Ni-Atom annähernd oktaedr. von 6 As-Atomen u. zusätzlich von 2 Ni-Atomen umgeben. – ***E*** nickel arsenide – ***F*** arséniure de nickel – ***I*** arsenuro di nichel – ***S*** arseniuro de níquel

Lit.: Ramdohr-Strunz, S. 43, 135, 446.

Nickelate (Niccolate). Bez. für Salze mit komplexen Anionen, deren Zentralatom Nickel ist, u. Gruppenbez. für Salze der Oxosäuren des *Nickels (latein.: niccolum); *Beisp.:* Na_2NiO_2, Natriumnickelat. – ***E*** niccolates – ***F*** nickelates, niccolates – ***I*** nichelati – ***S*** niquelatos, nic(c)olatos

Nickelblüte s. Annabergit.

Nickel(II)-bromid. Als Trihydrat $NiBr_2 \cdot 3H_2O$, M_R 218,50, T gelblichgrüne, zerfließliche Krist., D. 5,10, Schmp. 963 °C, lösl. in gleichen Tl. Wasser; zur MAK s. Nickel. – ***E*** nickel(II) bromide – ***F*** bromure de nickel(II) – ***I*** bromuro di nichel(II) – ***S*** bromuro de níquel(II)

Lit.: Brauer (3.) **3**, 1687 ▪ Gmelin, Syst.-Nr. 57, Ni, Tl. B, 1966, S. 601 ff. ▪ Kirk-Othmer (4.) **17**, 21 ▪ Ullmann (5.) **A 17**, 236. – *[HS 2827 59; CAS 13462-88-9]*

Nickelbronzen. Ältere Bez. für Kupfer-Nickel-Zink- u. Kupfer-Nickel-Eisen-Leg.[1], s. Kupfer-Legierungen u. Bronzen. Erstere (mit Ni ≤ 25%) werden in der Nahrungsmittel-Ind. verwendet, letztere (mit 5–44% Ni) wegen ausgezeichneter Korrosionsbeständigkeit auch als Gußleg.[2] im Apparatebau. – *E* nickel bronzes – *F* bronzes au nickel – *I* bronzi al nichel – *S* bronces de níquel

Lit.: [1] DIN 17664: 1983-12. [2] DIN 17658: 1973-06.

Nickel-Cadmium-Sammler s. Akkumulatoren.

Nickel(II)-carbonat. $NiCO_3$, M_R 118,70. Hellgrüne Rhomben, unlösl. in Wasser. Techn. Bedeutung hat v. a. das bas. Nickel(II)-carbonathydrat [$2NiCO_3 \cdot 3Ni(OH)_2 \cdot 4H_2O$], das durch Fällung mit Natriumcarbonat aus einer Nickelsalz-Lsg. erhalten wird. N. zersetzt sich ab ca. 450 °C zu reaktivem NiO mit großer spezif. Oberfläche. N. gilt als krebserzeugender Arbeitsstoff (MAK-Stoffliste III A 1). N. findet Verw. beim Galvanisieren, als Katalysator (Fetthärtung), zur Herst. von keram. Farben u. Glasuren. – *E* nickel(II) carbonate – *F* carbonate de nickel(II) – *I* carbonato di nichel(II) – *S* carbonato de níquel(II)

Lit.: Brauer (3.) **3**, 1697 f. ▪ Gmelin, Syst.-Nr. 57, Ni, Tl. B, 1966, S. 840 ff. ▪ Kirk-Othmer (4.) **17**, 22 ▪ Ullmann (5.) **A 17**, 235. – *[HS 2836 99; CAS 12244-51-88 (bas. N.-hydrat)]*

Nickelcarbonyl s. Nickeltetracarbonyl.

Nickel(II)-chlorid. Als Hexahydrat $NiCl_2 \cdot 6H_2O$, M_R 129,60, grasgrüne, monokline, prismat. Krist. (zur MAK s. Nickel), die beim Erhitzen unter Verlust des Kristallwassers in goldgelbe, glänzende, leicht sublimierbare Schuppen von wasserfreiem $NiCl_2$, beim weiteren Glühen in NiO übergehen. Das wasserfreie $NiCl_2$ ist gelb, D. 3,56, Schmp. 1001 °C, gut lösl. in Wasser. Es existieren auch ein Dihydrat, $NiCl_2 \cdot 2H_2O$, u. ein Tetrahydrat, $NiCl_2 \cdot 4H_2O$. N. dient zur Vernickelung, zur Herst. von Ni-Katalysatoren, als NH_3-Absorber in Gasmasken, als Reagenz zu Zaubertinten usw. – *E* nickel(II)chloride – *F* chlorure de nickel(II) – *I* cloruro di nichel(II) – *S* cloruro de níquel(II)

Lit.: Brauer (3.) **3**, 1685 f. ▪ Braun-Dönhardt, S. 270 ▪ Gmelin, Syst.-Nr. 57, Ni, Tl. B, 1966, S. 537–593 ▪ Kirk-Othmer (4.) **17**, 21 f. ▪ Ullmann (5.) **A 17**, 236 f. – *[HS 2827 35; CAS 7718-54-9 ($NiCl_2$); 7791-20-0 ($NiCl_2 \cdot 6H_2O$)]*

Nickeldiacetyldioxim, Nickeldimethylglyoxim s. Dimethylglyoxim u. Chelate.

Nickel-Eisen-Akkumulator s. Akkumulatoren.

Nickel(II)-fluorid. NiF_2, M_R 96,69. Gelb-grünes, in Wasser nur wenig lösl. mikrokrist. Pulver, D. 4,63, Schmp. 1000 °C (Subl.); läßt sich direkt aus den Elementen herstellen. Das Tetrahydrat, $NiF_2 \cdot 4H_2O$, erhält man durch Reaktion von Fluorwasserstoff mit Nickel(II)-carbonat; zur MAK s. Nickel. – *E* nickel(II) fluoride – *F* fluorure de nickel(II) – *I* fluoruro di nichel(II) – *S* fluoruro de níquel(II)

Lit.: Gmelin, Syst.-Nr. 57, Ni, Tl. B, 1966, S. 527–536 ▪ Kirk-Othmer (4.) **17**, 21 ▪ Ullmann (5.) **A 17**, 236. – *[HS 2826 19; CAS 10028-18-9 (NiF_2); 13940-83-5 ($NiF_2 \cdot 4H_2O$)]*

Nickel(II)-formiat. $(H{-}CO{-}O)_2Ni$, $C_2H_2NiO_4$, M_R 148,73, als Dihydrat grüne, wasserlösl. Krist., D. 2,154, wird bei vorsichtigem Erhitzen bei 130–140 °C wasserfrei, Zers. bei 180–200 °C; WGK 3 (Selbsteinst.); zur Giftigkeit von Nickel-Verb. s. *Lit.*[1]. N. wird zur Herst. von Nickel-Katalysatoren für organ. Reaktionen verwendet. – *E* nickel(II) formate – *F* formiate de nickel(II) – *I* formiato di nichelio(II) – *S* formiato de níquel(II)

Lit.: [1] Roth, Krebserzeugende Stoffe, S. 135, Stuttgart: Wissenschaftliche Verlagsges. 1988.
allg.: Beilstein E IV **2**, 18 ▪ Gmelin, Syst.-Nr. 57, Ni, Tl. B, 1966, S. 854 ff. ▪ Merck-Index (12.), Nr. 6592 ▪ Ullmann (5.) **A 17**, 241. – *[HS 2915 12; CAS 3349-06-2]*

Nickelhydroxide. a) *Nickel(II)-hydroxid,* $Ni(OH)_2$, M_R 92,71. Voluminöser, apfelgrüner Niederschlag (D. 4,15), der entsteht, wenn man zu Nickel(II)-Salzlsg. eine wäss. Alkalihydroxid-Lsg. gießt; zur MAK s. Nickel. N. ist lösl. in Säuren (Salzbildung), Ammoniak u. Ammonium-Verb. (Komplexbildung); beim Erhitzen wird es ab 230 °C in NiO umgewandelt. Es wird überwiegend für die Herst. von Nickel-Cadmium-Akkumulatoren u. auch von Ni-Katalysatoren verwendet.
b) Das *Nickel(III)-hydroxid* wird als Oxidhydrat $Ni_2O_3 \cdot H_2O$ od. als NiOOH formuliert (auch Nickelsesquioxid od. irreführend Nickelperoxid genannt), s. Nickeloxide, u. entsteht durch anod. Oxid. von $Ni(OH)_2$ in Ni-Cd-Akkumulatoren. – *E* nickel hydroxides – *F* hydroxydes de nickel – *I* idrossidi di nichel – *S* hidróxidos de níquel

Lit.: Brauer (3.) **3**, 1690–1692 ▪ Gmelin, Syst.-Nr. 57, Ni, Tl. B, 1966, S. 434 ff. ▪ Kirk-Othmer (3.) **15**, 804 f. ▪ Synthesis **1979**, 513–516 ▪ Ullmann (4.) **17**, 294 ▪ Winnacker-Küchler (3.) **6**, 273. – *[HS 2825 40; CAS 12054-48-7 (a); 12026-04-9 (b)]*

Nickelin (Rotnickelkies, Arsennickel). NiAs, Nickel-Erz mit 44 Gew.-% Ni, krist. hexagonal, Kristallklasse 6/mmm-D_{6h}. Verbreiteter Strukturtyp (s. Abb. 4c bei Kristallstrukturen); Ni ist von 6 As u. 2 Ni umgeben, As hat 6 Ni in Form eines trigonalen Prismas als Nachbarn. Meist als derbe Massen, körnig, traubig-nierig, gestrickt; im frischen Zustand hell kupferrot, metallglänzend, grauschwarz anlaufend, Strich bräunlichschwarz. H. 5–5,5, D. 7,8; N. enthält meist etwas Fe, Co u. As sowie z. T. mehrere Prozent Sb u. S.
Vork.: V. a. in hydrothermalen *Gängen, z. B. Erzgebirge, Schwarzwald, „Kobaltrücken" im Bereich des Mansfelder *Kupferschiefers, Bieber u. Richelsdorf/Hessen; Gowganda u. Cobalt in Ontario/Kanada, Anarak/Iran. – *E* nickeline, niccolite – *F* nickéline, niccolite – *I* niccolite, nichelina – *S* niquelita

Lit.: Anthony et al., Handbook of Mineralogy, Vol. I, S. 350, Tucson (Arizona): Mineral Data Publishing 1990 ▪ Lapis **14**, Nr. 4, 6–9 (1989) („Steckbrief") ▪ Ramdohr-Strunz, S. 446 f. – *[HS 2604 00]*

Nickel-Legierungen. Bez. für alle metall. Leg. mit Ni als Hauptbestandteil. Aufgrund ihrer bes. Eigenschaften werden N.-L. in unterschiedlichen Bereichen eingesetzt. In aggressiver Umgebung finden deshalb neben Reinnickel auch Leg. der Syst. Ni–Cr–Fe, Ni–Cu, Ni–Cr, Ni–Mo, Ni–Cr–Mo u. Ni–Fe–Cr–Mo Anwendung. Auch heute noch sind viele dieser Leg. unter ihrem ursprünglichen Handelsnamen bekannt, obwohl die Herst.-Patente inzwischen ausgelaufen sind; *Beisp.:* Monel® (Ni–Cu), Hastelloy® (Ni–Mo, Ni–Cr–Mo), In-

conel® (Ni–Cr–Fe). Die entsprechenden Handelsnamen wurden zwischenzeitlich durch den Begriff Alloy ersetzt, d. h. eine ursprünglich nur von der INCO Corp. hergestellte Ni–Cr–Fe-Leg. Inconel® 600 mit 15% Cr wird heute von verschiedenen Herstellern als Alloy 600 geliefert.
Die Grenzen zu höchstlegierten, *nichtrostenden Stählen sind nur formal definiert u. vom Eigenschaftsspektrum her eher fließend. Die meisten der genannten Leg.-Syst. sind wegen hervorragender Hochtemp.-Festigkeit u. -Beständigkeit auch bei hohen Temp. anwendbar. Im Bereich höchster Temp. werden allerdings spezielle *Hochtemperaturwerkstoffe eingesetzt, s. a. Superlegierungen. Weiterhin sind N.-L. mit La vom Typ $NiLa_5$ als Wasserstoff-Speicher geeignet, Leg. mit Ti zeigen Formgedächtniseffekte, s. Nitinol u. Memory-Effekt; hinsichtlich der toxikolog. Situation vgl. Nickel, Metalle.
Anw.: In der Chemie-, Energie-, Umwelt- u. Offshore-Technik. Sie werden weiterhin eingesetzt als Münzmetalle, Widerstands-Leg., im Schiffs-, Apparate- u. Maschinenbau, als Hartlote, magnet. Werkstoffe, sowie für Tafelgeschirre, chirurg. Instrumente u. kunstgewerbliche Gegenstände. – ***E*** nickel alloys – ***F*** alliages de nickel – ***I*** leghe di nichel – ***S*** aleaciones de níquel

Lit.: Gräfen (Hrsg.), Lexikon Werkstofftechnik, S. 694 ff., Düsseldorf: VDI-Verl. 1993 ▪ Heubner et al., Nickelwerkstoffe u. hochlegierte Sonderstähle, 2. Aufl., Ehningen: Expert 1993 ▪ Ullmann (5.) **A 17**, 221 ff. ▪ Volk, Nickel u. Nickellegierungen, Springer: Berlin 1970 ▪ Winnacker-Küchler (4.) **4**, 389 ff. – *[HS 7502 20]*

Nickelmessing. Ältere Bez. für die auch als *Neusilber bekannte Kupfer-Nickel-Zink-Leg. mit Ni-Gehalten bis 25%, die in der Nahrungsmittel-Ind. Verw. finden, s. a. Nickelbronze. – ***E*** nickel silver (früher German silver) – ***F*** maillechort – ***I*** ottone al nichel – ***S*** metal blanco, plata alemana, plata nueva, argentán, alpaca – *[HS 7403 23]*

Nickel(II)-nitrat. Als Hexahydrat $Ni(NO_3)_2 \cdot 6H_2O$, M_R 182,70, smaragdgrüne, monokline, glasige, etwas hygroskop. Krist., D. 2,05, lösl. in Wasser u. Alkohol. Bei 20 °C krist. das Hexahydrat aus der Lsg., oberhalb von 54 °C ist dagegen das Tetrahydrat, oberhalb von 85,4 °C das Dihydrat u. unterhalb von –3 °C das Nonahydrat die beständigste Hydrat-Form. N. zersetzt sich oberhalb von 105 °C unter Bildung von Nickel(II)-oxid. N. besitzt akut nur geringe gesundheitsschädliche Wirkung, kann jedoch Kontaktallergien auslösen; zur MAK s. Nickel. N. wird durch Auflösen von Nickel-Metall in verd. Salpetersäure hergestellt u. dient als Ausgangsmaterial für die Herst. von Nickel-Katalysatoren u. von Nickel(II)-hydroxid. – ***E*** nickel(II) nitrate – ***F*** nitrate de nickel(II) – ***I*** nitrato di nichel(II) – ***S*** nitrato de níquel(II)

Lit.: Gmelin, Syst.-Nr. 57, Ni, Tl. B, 1966, S. 503–526 ▪ Hommel, Nr. 292 ▪ Kirk-Othmer (4.) **17**, 21 ▪ Ullmann (5.) **A 17**, 237. – *[HS 2834 29; CAS 13138-45-9 (wasserfrei); 13478-00-7 (Hexahydrat)]*

Nickelocen s. Nickel-organische Verbindungen u. Metallocene.

Nickeloctoat s. Octoate.

Nickel-organische Verbindungen. Im engeren Sinne Sammelbez. für organ. Verb., die Ni–C-Bindungen enthalten. Von Interesse sind die *Übergangsmetall-Komplexe des Nickels, z. B. die leicht zugänglichen *Carbonylkomplexe wie *Nickeltetracarbonyl. Einige komplexe N.-o. V. besitzen als Katalysatoren für die homogene Katalyse Bedeutung, z. B. bei Dimerisierung u. Cyclooligomerisierungen von Alkenen u. Schiffschen Basen od. bei C–C-Verknüpfungen mit *Grignard-Verbindungen [1]. Die bes. von *Wilke bearbeiteten N.-o. V. zeigen diese synthet. nützlichen Eigenschaften aufgrund der leichten Austauschbarkeit der Liganden in der Ligandensphäre des (zumeist 0-wertigen) Zentralatoms; zum „Nickel-Effekt" bei der Olefin-Polymerisation s. *Lit.* [2]. Ähnlich wie Eisen bildet Nickel ein *Metallocen, *Nickelocen* $[Ni(C_5H_5)_2$, $C_{10}H_{10}Ni$, M_R 188,88, dunkelgrüne Krist., Schmp. 171–173 °C], u. auch „Tripeldecker-*Sandwichverbindungen" sind bekannt. In Heterocyclen u. Käfigverb. tritt Nickel auch kovalent auf. Im weiteren Sinne kann man auch Koordinationsverb. des Ni mit O-, N- u. S-Liganden, z. B. *Chelate vom Typ der *Metallacetylacetonate u. des *Dimethylglyoxims zu den N.-o. V. rechnen. – ***E*** organonickel compounds – ***F*** composés d'organo-nickel – ***I*** composti organici di nichel – ***S*** compuestos de organoníquel

Lit.: [1] Pure. Appl. Chem. **52**, 669–679, 2417–2431 (1980). [2] Angew. Chem. **85**, 1002–1012 (1973).
allg.: Adv. Organomet. Chem. **17**, 105–140, 195–254 (1979) ▪ Angew. Chem. **92**, 362–375 (1980) ▪ Brauer (3.) 1849 f., 1882 f., 1897–1904 ▪ Chem. Rev. **83**, 203–240 (1983) ▪ Cross u. Mingos, Organomet. Compounds of Nickel, London: Chapmann & Hall 1985 ▪ Gmelin, Erg.-Werk, Bd. 16–18, Organonickel Compounds, 1974, 1975 ▪ Houben-Weyl **13/9 b**, 627–700 ▪ Kirk-Othmer (3.) **15**, 806–810; (4.) **17**, 24 f. ▪ Pure Appl. Chem. **56**, 1635–1644 (1984) ▪ Ullmann (5.) **A 17**, 241 ▪ Wilkinson-Stone-Abel **6**; II **9**, 1 ff. ▪ s. a. π-Allyl-Übergangsmetall-Verbindungen, Nickeltetracarbonyl. – *[CAS 1271-28-9 (Nickelocen)]*

Nickeloxide. *Nickel(II)-oxid* (Nickelmonoxid), NiO, M_R 74,69. In reiner Form grün, je nach Herst.-Meth. grünes bis tiefschwarzes Pulver, D. 7,45, Schmp. 2090 °C, unlösl. in Wasser, lösl. in Säuren, kommt in der Natur als Mineral Bunsenit vor. NiO entsteht aus Ni, O_2 u. H_2O bei 1000 °C, dabei liegen Ni-Spuren im chem. Gleichgew. mit NiO vor u. verleihen dem oktaedr. Krist., der sich in Säuren nur noch schwer löst, eine schwarze Farbe. Durch Reinigung mittels einer Transportreaktion mit HCl-Gas od. durch therm. Zers. von Nickelcarbonat od. -nitrat erhält man grünes NiO.
Verw.: Zum Graufärben von Glas, als Färbemittel bei Glasuren u. Email, zur Herst. von legiertem Stahl (Ni-Eintrag u. Entkohlung in einem Schritt), für elektron. Speichersyst., als Katalysator u. wegen seiner Halbleitereigenschaften auch in der Elektrotechnik.
Von höheren N., die als schwarze Pulver vorliegen, sind in der Lit. folgende, meist nichtstöchiometr. Hydrate beschrieben: *„Nickelperoxid"*, $NiO_{1,4} \cdot xH_2O$, unlösl. in Wasser u. organ. Lsm., das als Oxid.-Mittel in der organ. Synth. eingesetzt wird, u. *Nickel(III)-oxidhydrat*, $Ni_2O_3 \cdot H_2O$ od. NiO(OH), werden durch Oxid. von Nickel(II)-hydroxid erhalten; *Nickel(IV)-oxit* (Nickelsesquioxid), $NiO_2 \cdot xH_2O$, das durch Oxid. von

$Ni(OH)_2$ mit Peroxodisulfat-Lsg. erhältlich ist. N. bewirken beim Verschlucken größerer Mengen Reizerscheinungen im Magen-Darm-Bereich u. besitzen allergenes Potential. Ni(II)-oxid gilt als krebserzeugender Arbeitsstoff (MAK-Stoffliste III A 1). – ***E*** nickel oxides – ***F*** oxydes de nickel – ***I*** ossidi di nichel – ***S*** óxidos de níquel

Lit.: Brauer (3.) **3**, 1689, 1691 f. ▪ Braun-Dönhardt, S. 270 ▪ Gmelin, Syst.-Nr. 57, Ni, Tl. B. 1966, S. 376 ff. ▪ Kirk-Othmer (4.) **17**, 1–21 ▪ Kontakte (Merck) **1979**, Nr. 1, 19–26 ▪ Synthetica **2**, 319–322. – *[HS 2825 40; CAS 1313-99-1 (NiO); 1314-06-3 (Ni_2O_3); 12035-36-8 (NiO_2)]*

Nickelperoxid s. Nickeloxide.

Nickel-Pigmente. Gruppe von anorgan. Pigmenten auf der Basis von Nickel-Salzen. Das wichtigste N.-P. ist *Nickeltitangelb* [Nickelrutilgelb, *Lichtgelb 8 G, C. I. Pigment Yellow 53 (z. B. $Ti_{0,85}$,$Sb_{0,10}$,$Ni_{0,05}O_2$], das bei etwa 800 °C aus Titandioxid, Nickel- u. Antimon-Salzen als Mischphasenpigment gewonnen wird. Es zeichnet sich durch hervorragende Licht-, Wetter-, Wasser- u. Lsm.-Echtheit aus u. ist alkali-, zement- u. säureecht. Antimon kann dabei ohne Farbänderung durch Niob ersetzt werden. Im Gegensatz zu anderen Nickel-Verb. besitzt Nickeltitangelb kein krebserzeugendes Potential; Hinweise auf sonstige gesundheitsschädigende Wirkungen bestehen nicht (*Lit.*). Nickeltitangelb findet Verw. für Fassadenanstriche u. Lacke, als Nuancierpigment für Kunststoffe, insbes. PVC. Organ. N.-P. bestehen aus Komplexen des Nickels mit Azofarbstoffen od. Phthalocyanin. – ***E*** nickel pigments – ***F*** pigments de nickel – ***I*** pigmenti di nichel – ***S*** pigmentos de níquel

Lit.: Buxbaum, Industrial Inorganic Pigments, S. 102, Weinheim: VCH Verlagsges. 1993 ▪ Toxicol. Lett. **14**, 189–194 (1982). – *[CAS 8007-18-9 (Nickeltitangelb)]*

Nickelrutilgelb s. Nickel-Pigmente.

Nickelskutterudit s. Skutterudit.

Nickel(II)-sulfamat [Nickel(II)-amidosulfat]. $(H_2N–SO_2–O)_2Ni \cdot 4H_2O$, M_R 250,85. Grüne, leicht wasserlösl. Prismen. N. wird zum *Vernickeln verwendet. – ***E*** nickel(II) sulfamate – ***F*** sulfamate de nickel(II) – ***I*** solfamato di nichel(III) – ***S*** sulfamato de níquel

Lit.: Kirk-Othmer (4.) **17**, 23. – *[HS 2842 90; CAS 13770-89-3]*

Nickel(II)-sulfat. Als Hexahydrat $NiSO_4 \cdot 6H_2O$, M_R 154,75, smaragdgrüne od. blaue Krist., D. 2,03, Schmp. 53 °C, verliert bei 103 °C sein Kristallwasser, lösl. in Wasser u. Alkohol. N. zersetzt sich oberhalb 800 °C in NiO u. SO_3. N. ist auch wasserfrei in Form gelber Krist. bekannt sowie unterhalb 31,5 °C als Heptahydrat $NiSO_4 \cdot 7H_2O$, M_R 280,864, grüne, rhomb. Krist., D. 1,95. N. bildet mit Magnesiumsulfat u. Eisen(II)-sulfat in begrenztem Umfang Mischkrist., mit Alkalisulfaten u. Ammoniumsulfat Doppelsalze, die mit 6 H_2O gut krist., z. B. das blaugrüne Nickelammoniumsulfat. N. bewirkt nach Verschlucken größerer Mengen Reizerscheinungen im Magen-Darm-Trakt u. kann zu Kontaktallergien führen.

Verw.: N. ist neben dem Nickel(II)-oxid die techn. wichtigste Nickel-Verbindung. Das Salz ist Ausgangsverb. für die Herst. von Katalysatoren, anderen Ni-Verb. u. Galvanikbädern. – ***E*** nickel(II) sulfate – ***F*** sulfate de nickel(II) – ***I*** solfato di nichel(II) – ***S*** sulfato de níquel(II)

Lit.: Braun-Dönhardt, S. 270 ▪ DAB **8**, 72, Komm. 86 f. ▪ Gmelin, Syst.-Nr. 57, Ni, Tl. B, 1966, S. 679–735 ▪ Kirk-Othmer (4.) **17**, 20 ▪ Ullmann (5.) **A 17**, 238. – *[HS 2833 24; CAS 7786-81-4 ($NiSO_4$); 10101-97-0 ($NiSO_4 \cdot 6H_2O$); 10101-98-1 ($NiSO_4 \cdot 7H_2O$)]*

Nickelsulfide. *Nickel(II)-sulfid*, β-NiS, M_R 90,76, D. 5,65, Schmp. 797 °C, lösl. in Säuren (N. wird daher aus alkal. Lsg. gefällt), Löslichkeit in Wasser: 4 mg/L. NiS kommt als *Millerit in der Natur vor u. entsteht beim Verschmelzen von elementarem Ni u. S od. durch Fällen aus Nickel(II)-Salzlsg. mit Ammoniumsulfid. Neben NiS sind auch die Sulfide Ni_2S, Ni_3S_2, Ni_3S_4, Ni_6S_5 u. NiS_2 beschrieben worden. – Nickelsulfid u. sulfid. Nickel-Erze gelten als krebserzeugende Arbeitsstoffe (MAK-Stoffliste III A 1).

Verw.: N. haben Bedeutung bei der Katalysator-Herst. u. finden Einsatz beim Reforming von Kohlenwasserstoffen u. bei der Hydrierung von Schwefel-Verb. in der Erdölchemie. – ***E*** nickel sulfides – ***F*** sulfures de nickel – ***I*** solfuri di nichel(II) – ***S*** sulfuros de níquel

Lit.: Brauer (3.) **3**, 1692–1695 ▪ Gmelin, Syst.-Nr. 57, Ni, Tl. B, 1966, S. 631 ff. ▪ Kirk-Othmer (4.) **17**, 23 ▪ Ullmann (5.) **A 17**, 238. – *[HS 2830 90; CAS 1314-04-1 (NiS); 12137-08-5 (Ni_2S); 12035-72-2 (Ni_3S_2); 12137-12-1 (Ni_3S_4); 12035-51-7 (NiS_2)]*

Nickeltetracarbonyl (Nickelcarbonyl, Tetracarbonylnickel). $Ni(CO)_4$, M_R 170,74. Farblose Flüssigkeit, D. 1,310, Schmp. –19,3 °C, Sdp. 43 °C, krit. Temp. 200 °C, krit. Druck 30 bar, krit. D. 0,46. Die Dämpfe sind 6mal schwerer als Luft u. zusammen mit dieser explosionsfähig, FP <–20 °C, Zündtemp. 35 °C. N. ist stark giftig u. hat sich im Tierversuch als krebserregend erwiesen (MAK-Stoffliste III A 2); TRK 0,02 mL/m^3.

Der Nachw. erfolgt mit Prüfröhrchen im Bereich von 0,1–1,0 ppm. N. ist lösl. in Alkohol u. vielen organ. Lsm., unlösl. in Wasser, wird an der Luft allmählich oxidiert. Beim Entzünden verbrennt es mit heller Flamme. Erhitzt man die Dämpfe unter Luftabschluß in Röhren, so zerfallen sie in reines Nickel u. Kohlenmonoxid. Durch diese Reaktion wurde früher das meiste Reinnickel hergestellt (*Mond-Prozeß). Die Herst. von N. erfolgt durch Überleiten von CO über feinverteiltes Ni bei 50–100 °C u. 1 bar.

Verw.: Zur Reinherst. von *Nickel, zum *Vernickeln, als CO-übertragender Katalysator bei der Synth. von Säuren (*Reppe-Synth.*, s. Carbonylierung). Substituierte Ni-*Carbonylkomplexe katalysieren Polymerisations- u. Cyclisierungsreaktionen bei ungesätt. Kohlenwasserstoffen (vgl. Nickel-organische Verbindungen). – ***E*** nickel tetracarbonyl – ***F*** nickel tétracarbonyle – ***I*** nicheltetracarbonile, tetracarbonilenichel – ***S*** níquel tetracarbonilo

Lit.: Brauer **2**, 1512 ff. ▪ Braun-Dönhardt, S. 270 ▪ Gmelin, Syst.-Nr. 57, Ni, Tl. B, 1966, S. 785–805 ▪ Hommel, Nr. 434 ▪ Kirk-Othmer (4.) **17**, 6; **5**, 123 ff. ▪ Krebserzeugende Arbeitsstoffe, Anerkannte Analysenverfahren (ZH 1/120.21), Bonn: HV Gewerbl. Berufsgenoss. 1983 ▪ Nickelcarbonyl (Merkbl. M 029), Heidelberg: BG Chemie 1989 ▪ Ullmann (5.) **A 17**, 239–240. – *[HS 2931 00; CAS 13463-39-3; G 6.1]*

Nickeltitangelb s. Nickel-Pigmente

Nickel-Titan-Legierungen. s. Nitinol.

Nick-Translation. Technik zur *in vitro*-Markierung von doppelsträngigen DNA-Fragmenten. Dabei erfolgt die Markierung mit radioaktiven Isotopen wie ^{32}P od. mit biotinylierten Nucleotiden (s. Biotin-Markierung). Im ersten Schritt werden durch Behandlung mit DNase I wenige, zufällig verteilte Einzelstrang-Brüche in der Doppelstrang-DNA erzeugt. Diese Strangbrüche (engl.: nicks) mit freien 5′-Phosphat- u. 3′-OH-Gruppen können mit der im zweiten Schritt eingesetzten *DNA-Polymerase I, die gleichzeitig auch eine 5′-3′-Exonuclease-Aktivität besitzt, weiterreagieren. Dabei wird der Einzelstrang zunächst kontinuierlich weiter abgebaut u. die entstehende Lücke gleichzeitig mit zugesetzten markierten Nucleotiden wieder aufgefüllt. So entsteht eine markierte Kopie der Original-Matrize. Die markierten DNA-Fragmente finden Anw. als Proben in Hybridisierungsexperimenten (s. Blotting, Kolonie-Hybridisierung). – ***E*** nick translation – ***F*** réarrangement de Nick – ***I*** traslazione del nick, trasferimento puntiforme – ***S*** traslación por ruptura de cadena

Lit.: Glick u. Pasternak, Molekulare Biotechnologie, S. 19–59, Heidelberg: Spektrum Akadem. Verl. 1995 ▪ Knippers, Molekulare Genetik (6.), S. 262–282, Stuttgart: Thieme 1995 ▪ Lehninger et al., Prinzipien der Biochemie (2.), S. 1120–1129, Heidelberg: Spektrum Akadem. Verl. 1994 ▪ Strachan u. Read, Molekulare Humangenetik, S. 99–127, Heidelberg: Spektrum Akadem. Verl. 1996.

Niclate®. Antioxidantien für Elastomere aus Nickeldiisobutyl- u. Nickeldimethyldithiocarbamat. ***B.:*** Vanderbilt.

Niclosamid.

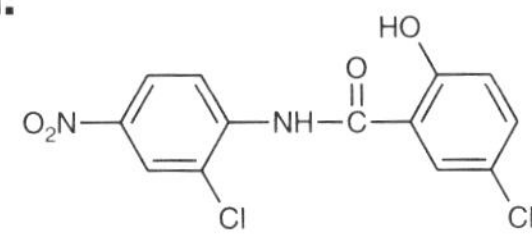

Internat. Freiname für 2′,5-Dichlor-4′-nitrosalicylanilid, $C_{13}H_8Cl_2N_2O_4$, M_R 327,12, Schmp. 230 °C; λ_{max} (CH_3OH) 333 nm ($A^{1\%}_{1cm}$ 527); LD_{50} (Ratte oral) 5000 mg/kg (WHO), von Bayer (Yomesan®) 1959 eingeführtes Molluskizid. Die Verb. wird in Form des 2-Hydroxyethylammonium-Salzes, Schmp. 204 °C, unter der Bez. *Clonitralid* zur Bekämpfung der *Bilharziose-übertragenden Wasserschnecken u. in freier Form im Humanmedizin- u. Veterinärbereich unter der Bez. Niclosamid gegen Bandwürmer eingesetzt. – ***E*** = ***F*** = ***I*** niclosamide – ***S*** niclosamida

Lit.: Hager (5.) **8**, 1141 ff. ▪ Martindale (31.), S. 120 ▪ Perkow ▪ Ph. Eur. **1997** u. Komm. – *[HS 2924 29; CAS 50-65-7]*

Nicoboxil.

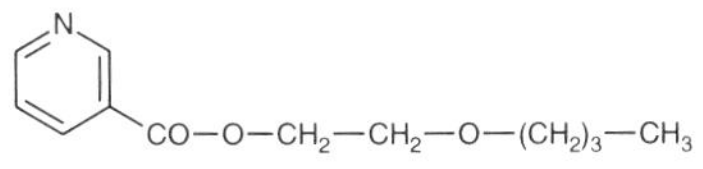

Internat. Freiname für (2-Butoxyethyl)-nicotinat, $C_{12}H_{17}NO_3$, M_R 223,27, das äußerlich zur Hyperämisierung dient. Es ist von Thomae (Finalgon®, Kombination mit *Nonivamid) im Handel. – ***E*** = ***F*** nicoboxil – ***I*** nicoboxile – ***S*** nicoboxilo

Lit.: Beilstein E III/IV **22**, 370 ▪ Martindale (31.), S. 71. – *[HS 2933 39; CAS 13912-80-6]*

Nicofuranose.

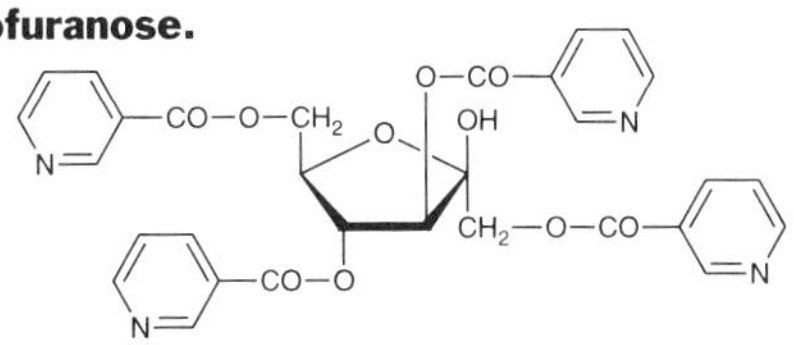

Internat. Freiname für das als *Vasodilatator wirkende *β*-D-Fructofuranose-1,3,4,6-tetranicotinat, $C_{30}H_{24}N_4O_{10}$, M_R 600,54, Schmp. 140–142 °C. N. wurde 1963 von Eprova patentiert. – ***E*** = ***F*** = ***I*** nicofuranose – ***S*** nicofuranosa

Lit.: Martindale (31.), S. 915. – *[HS 2940 00; CAS 15351-13-0]*

Nicol, William (1768–1851), Physiker in Edinburgh. *Arbeitsgebiete:* Polarisationsmikroskop (Nicolsches Kalkspat-Prisma), Beobachtung von Dünnschliffen in durchfallendem Licht, Flüssigkeitseinschlüsse in Kristallen.

Lit.: Lexikon der Naturwissenschaftler, S. 308.

Nicolsche Prismen s. optische Aktivität.

Nicorandil (Rp).

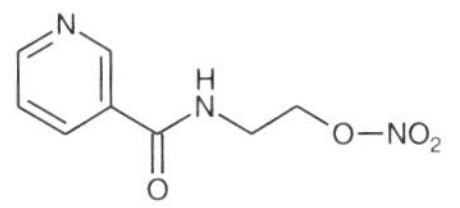

Internat. Freiname für *N*-(2-Nitroxyethyl)nicotinamid, $C_8H_9N_3O_4$, M_R 211,17, Schmp. 92–93 °C; LD_{50} (Ratte oral) 1200–1300, (Ratte i.v.) 800–1000 mg/kg. N. wird gegen Angina pectoris eingesetzt u. wurde 1977 u. 1980 von Chugai (Dancor®) patentiert. – ***E*** = ***F*** = ***I*** = ***S*** nicorandil

Lit.: Martindale (31.), S. 915 ▪ Pharm. Ztg. **139**, 3577 (1993). – *[HS 2933 39; CAS 65141-46-0]*

Nicorette® (Rp). Kaugummi u. Pflaster mit *Nicotin als Tabakentwöhnungsmittel. ***B.:*** Pharmacia & Upjohn.

Nicosulfuron. Common name für 2-[3-(4,6-Dimethoxy-2-pyrimidinyl)ureidosulfonyl]-*N*,*N*-dimethylnicotinamid.

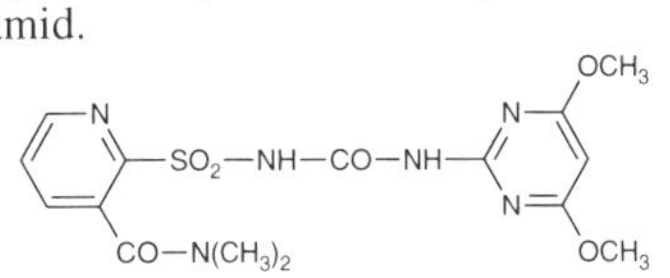

$C_{15}H_{18}N_6O_6S$, M_R 410,40, Schmp. 141–144 °C, LD_{50} (Ratte oral) >5000 mg/kg, von DuPont u. Ishihara Sangyo Kaisha entwickeltes selektives, system. *Herbizid gegen Unkräuter in zahlreichen Kulturen. – ***E*** = ***F*** nicosulfuron – ***I*** nicosulfurone – ***S*** nicosulfurón

Lit.: Perkow ▪ Pesticide Manual. – *[CAS 111991-09-4]*

Nicotellin s. Tabak-Alkaloide.

Nicotiana-Alkaloide s. Tabak-Alkaloide.

Nicotianamin {(*S*)-1-[(*S*)-3-((*S*)-3-Amino-3-carboxypropylamino)-3-carboxypropyl]-2-azetidin-carbonsäure}.

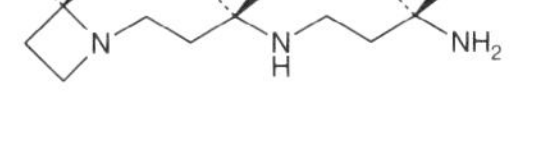

$C_{12}H_{21}N_3O_6$, M_R 302,30, Krist., Schmp. >240 °C, $[\alpha]_D^{23}$ –60,5° (H_2O). Die Aminosäure N. wurde aus Tabakblättern (*Nicotiana tabacum*) u. Bucheckern (*Fagus sylvatica*) isoliert. Wahrscheinlich kommt sie jedoch im Pflanzenreich generell vor. N. ist möglicherweise am zellulären Eisen-Transport beteiligt u. reguliert die *Chlorophyll-Biosynthese. – ***E*** = ***F*** nicotianamine – ***I*** = ***S*** nicotianamina

Lit.: Beilstein E V **22/1**, 21 ▪ Hager (5.) **5**, 723 ▪ Phytochemistry **13**, 2791 (1974); **19**, 2295–2297 (1980) – *Review:* Nachr. Chem. Tech. Lab. **37**, 1577 ff. (1990). – *[CAS 34441-14-0]*

Nicotin [Nikotin, 3-((*S*)-1-Methyl-2-pyrrolidinyl)pyridin].

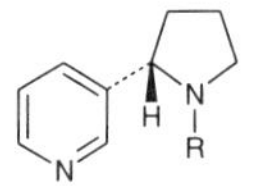

(–)-(*S*)-Form
R = CH_3 : Nicotin
R = H : Nornicotin

$C_{10}H_{14}N_2$, M_R 162,23, hygroskop. Öl, Sdp. 246–247 °C, wasserdampfflüchtig, $[\alpha]_D$ –166 bis 169°; d_4^{20} 1,0097, n_D^{20} 1,5282; gut lösl. in Alkohol, Chloroform, Ether u. Petrolether. Das *Tabak-Alkaloid N. riecht *Pyridin-artig, hat einen brennenden kratzigen Geschmack u. bildet mit vielen Säuren Salze (z. B. N.-Sulfat $C_{10}H_{16}N_2O_4S$, M_R 262,30), mit Metallsalzen auch Doppelsalze (z. B. Dihydrochlorid-Zinkchlorid-Doppelsalz, Monohydrat, $C_{10}H_{16}Cl_4N_2Zn_2 \cdot H_2O$, M_R 389,46). N. kommt in sehr unterschiedlichen Konz. in Tabakpflanzen (*Nicotiana* spp.), aber auch in zahlreichen anderen Pflanzen (*Asclepia*-, Bärlapp-, Schachtelhalm-, *Duboisia*-Arten) vor. Virginia-Tabak enthält ca. 0,05% N., der starke „Burley" 3–4%, die Stammpflanze, des russ. „Machorka"-Tabaks bis zu 7,5%. In einigen Tabakarten wird N. enzymat. zu *Nornicotin* ($C_9H_{12}N_2$, M_R 148,20, Sdp. 270 °C, $[\alpha]_D^{22}$ –88,8°) abgebaut. Die (*R*)-Form des Nornicotins ($[\alpha]_D^{22}$ +86,3°) wurde aus *Duboisia hopwoodii* isoliert. N. ist ein starkes Humangift beim Verschlucken, bei Hautkontakt, subcutaner [LD_{50} (Ratte s.c.) 50 mg/kg], parenteraler u. intravenöser [LD_{50} (Maus i.v.) 300 µg/kg] Applikation, es ist im Tierexperiment teratogen[1]. Die tödliche Dosis bei oraler Applikation wird für Erwachsene auf 40–60 mg geschätzt, der MAK-Wert beträgt 0,5 mg/m³ bzw. 0,07 ppm. Nornicotin ist wie N. sehr giftig: LD_{50} (Kaninchen i.v.) 3 mg/kg.

Wirkungen[2]: Auf das ZNS: zunächst zentrale Erregung, dann rasche Lähmung der Medulla oblongata u. M. spinalis, der Tod erfolgt durch Atemlähmung. Bei genügend hohen Dosen geschieht dies blitzartig. Periphere Wirkungen: in kleinen Dosen wie Acetylcholin, in höheren Dosen als Ganglienblocker, Hypersekretion der Körperdrüsen, Abschwächung der Herztätigkeit, Verengung der Koronargefäße, Erregung der Peristaltik, Blutdruckanstieg, Uteruskontraktionen (bes. während der Gravidität). Die anregende u. zugleich beruhigende Wirkung von N. ist wahrscheinlich der Hauptgrund für das Tabakrauchen neben der Beeinflussung durch die Werbung u. die soziale Umgebung[3]. Zur Raucherentwöhnung wird N. in Kaugummis u. Hautpflastern verwendet. N. besitzt auch eine starke Giftwirkung auf bestimmte niedere Tiere (Insekten, Würmer), weshalb es schon im 18. Jh. zu Beginn des chem. Pflanzenschutzes als Schädlingsbekämpfungsmittel verwendet wurde.

Die *Analytik* von N. in Tabakerzeugnissen, Tabakrauchkondensaten u. Zigarettenfiltern erfolgt nach DIN-Normen. Für N. sind zahlreiche Synth. bekannt, die auch die (*R*)-Form u. das Racemat liefern.

Biosynth.: Biogenet. entstehen N. u. andere Pyridin-Alkaloide (vgl. Anabasin) aus *Nicotinsäure. Die jeweiligen C_4N- bzw. C_5N-Untereinheiten stammen aus den Aminosäuren Ornithin u. Lysin[4].

Geschichte: s. *Lit.* u. Tabak. Der Name N. geht auf den botan. Pflanzennamen u. den franz. Diplomaten Jean Nicot (1530–1600) zurück, der den aus Amerika stammenden Tabak in Lissabon kennenlernte u. als angebliche Heilpflanze allg. bekanntmachte. – ***E*** = ***F*** nicotine – ***I*** = ***S*** nicotina

Lit.: [1] Sax (8.), NDN 000, NDR 000, NDR 500, NDS 500, NNR 500, NNS 500. [2] Ann. N. Y. Acad. Sci. **562**, 211–240 (1989); Med. Chem. Res. **2**, 509, 522 (1993). [3] Br. Assoc. Psychopharmacol. Monogr. **1988**, 27–49; Schmidbauer u. vom Scheidt, Handbuch der Rauschdrogen, S. 159–168, München: Nymphenburger 1988. [4] Drug Metab. Drug Interact. **6**, 95–122 (1988); J. Chem. Soc., Chem. Commun. **1982**, 662; Mann, Secondary Metabolism, S. 186–191, Oxford: Clarendon Press 1980; Pharm. Unserer Zeit **16**, 53–59 (1987).

allg.: Beilstein E V **23/6**, 64 ff. ▪ Dtsch. Apoth. Ztg. **130**, 2200 f. (1990) ▪ Hager (5.) **3**, 870 ff. ▪ Manske **12**, 522 f.; **26**, 121–151 ▪ Merck-Index (12.), Nr. 6611, 6807 ▪ Nachr. Chem. Tech. Lab. **36**, 1188 (1988) ▪ Tetrahedron Lett. **37**, 1137 (1996) (Synth. Nonicotin) ▪ Ullmann (5.) **A 1**, 360; **A 14**, 271 ▪ Zechmeister **28**, 109–161; **34**, 44–55. – *Pharmakologie:* Gorrod, Nicotine and Related Alkaloids, Absorption, Distribution, Metabolism and Excretion, London: Chapman & Hall 1993 ▪ Martin, van Loon, Iwamoto u. Davis, Advances in Behavioral Biology, Bd. 31, Tobacco Smoking and Nicotine, A Neurobiological Approach, New York: Plenum Press 1987 ▪ Prog. Brain Res. (Nicotine Receptors CNS) **79** (1989) (ganzer Band) ▪ Prog. Drug. Res. **33**, 9–41 (1989) ▪ Psychoneuroendocrinology (Oxford) **14**, 407–423 (1989) ▪ Rand u. Thurau, The Pharmacology of Nicotine, Oxford: IRL Press 1988 ▪ Wien. Klin. Wochenschr. **101**, 687–694 (1989) ▪ s. a. Tabak-Alkaloide. – *[HS 2939 70; CAS 54-11-5 {(–)-(S)-N.}; 25162-00-9 {(+)-(R)-N.}; 22083-74-5 {(±)-N.}; 7076-23-5 {(+)-(R)-Nornicotin}; 494-97-3 {(–)-(S)-Nornicotin}; 5746-86-1 {(±)-Nornicotin}; G 6.1]*

Nicotinamid s. Nicotinsäureamid.

Nicotinamid-Adenin-Dinucleotid. Aus *Adenin, (1,4-Dihydro-)*Nicotin(säure)amid, *β*-D-Ribofuranose (s. D-Ribose) u. Diphosphorsäure zusammengesetztes *Coenzym, das in allen Lebewesen vorkommt u. in vielen enzymat. Redox-Reaktionen, meist im Zusammenwirken mit *Dehydrogenasen, als Wasserstoff-Überträger dient. Von der *IUPAC/*IUBMB werden die Abk. NAD^+ (für die oxidierte Form), NADH (reduziert) u. NAD (generell) vorgeschlagen. Die natürlich vorkommenden Stereoisomeren besitzen zwei *N*-*β*-glykosid. Bindungen; *α*-NAD enthält das *α*-D-Ribosid des Adenins. Das 1904 von *Harden u. Young aufgefundene u. früher *Codehydrase I*, Coenzym I, Cozymase, *Diphospho-Pyridinium-Nucleotid* (DPN, oxidierte Form: DPN^+ bzw. reduziert: DPNH) genannte NAD ist ein spezielles Dinucleotid (vgl. Nucleotide), da es nicht wie die aus Nucleinsäuren stammenden Dinucleotide durch eine (3′-5′)-Phosphodiester-Brücke, sondern durch eine (5′-5′)-Diphospho-*α*,*β*-diester-Brücke verknüpft ist.

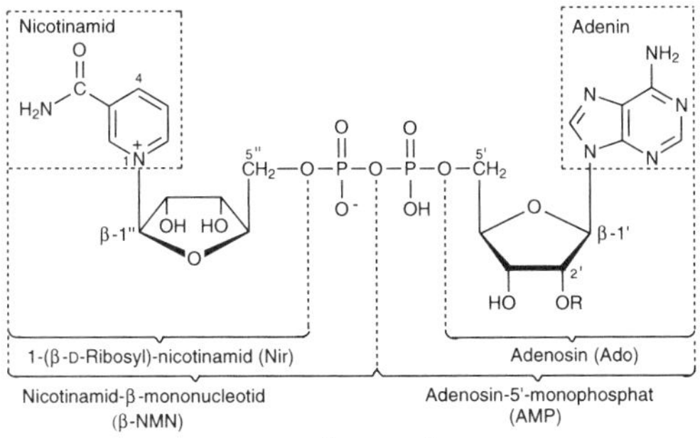

Abb.1: NAD$^+$ (R = H) bzw. NADP$^+$ (R = $P(=O)(OH)-OH$)

Im Organismus ist ein weiteres, 1931 von O. *Warburg entdecktes Redoxsyst. mit sehr ähnlichem Chemismus vorhanden, das sich von NAD durch eine zusätzliche Phosphorsäure-Gruppe an der 2′-Hydroxy-Gruppe (s. Abb. 1) ableitet. Dieses *Nicotinamid-Adenin-Dinucleotid-Phosphat* (NADP, reduzierte Form: NADPH bzw. oxidierte Form: NADP$^+$) wurde früher *Codehydrase II, Coenzym II* od. *Triphospho-Pyridinium-Nucleotid* (TPN, oxidierte Form: TPN$^+$ bzw. reduzierte Form: TPNH) genannt.

Eigenschaften: *NAD$^+$* (Internat. Freiname: *Nadid*): Für das innere Salz (Betain, „freie Säure", Abb. 1, R=H): $C_{21}H_{27}N_7O_{14}P_2$, M_R 663,44. Farbloses, hygroskop. Pulver, Krist. aus wäss. Aceton mit 3 Mol. Wasser, Schmp. 140–142 °C (Zers.), zersetzt sich auch bei 4 °C langsam, schneller bei alkal. pH-Wert; die Salze sind etwas stabiler. In Wasser mit saurer Reaktion leicht löslich. Im Handel sind die freie Säure, das Lithium- u. das Natrium-Salz. NAD$^+$ ist aus frischer Bäckerhefe in einer Ausbeute von 25 mg/kg isolierbar.

NADH (freie Säure): $C_{21}H_{29}N_7O_{14}P_2$, M_R 665,45. Hygroskop., leicht wasserlösl., gelbliches Pulver, wird in saurer u. neutraler wäss. Lsg. zu Dehydrogenase-Hemmstoffen zersetzt u., bes. an Licht u. Luft, oxidiert. Im Handel als Dikalium-, Dinatrium-, Cyclohexylammonium- u. Tris(hydroxymethyl)-methylammonium- (kurz: Tris-)Salz.

NADP$^+$ (Betain, „freie Säure", Abb. 1, R=PO_3H_2): $C_{21}H_{28}N_7O_{17}P_3$, M_R 743,41. Es handelt sich um ein farbloses, hygroskop., amorphes Pulver, das sich in Wasser mit saurer Reaktion leicht löst, Stabilität ähnlich NAD$^+$. Im Handel als Kalium-, Natrium-, Dinatrium- u. Tris-Salz.

NADPH (freie Säure): $C_{21}H_{30}N_7O_{17}P_3$, M_R 745,43. Hygroskop., leicht wasserlösl., gelbliches Pulver, Stabilität ähnlich NADH. Im Handel als Tetrakalium-, Tetranatrium- u. Tris-Salz.

Biochemie: Im Organismus spielt NAD(P) [ähnlich wie *Flavin-Adenin-Dinucleotid (FAD) u. Flavinmononucleotid (FMN, s. Riboflavin-5′-phosphat)] bei der Mehrzahl der unter Dehydrierung u. Hydrierung verlaufenden Prozesse die Rolle des Wasserstoff-Überträgers. Dabei wird NAD, das *in vivo* überwiegend in der oxidierten Form vorliegt, im Katabolismus (z.B. *Glykolyse) reduziert u. speist schließlich den Wasserstoff in die *Atmungskette ein. NADP, das mehr in der reduzierten Form vorliegt, wie sie z.B. bei der *Photosynthese gebildet wird, liefert die im Anabolismus benötigten Red.-Äquivalente (z.B. bei *Fettsäure-Biosynthese). Bei diesen Redox-Reaktionen geht der Nicotinamid-Teil durch Aufnahme eines Hydrid-Ions (H^-, Wasserstoff-Kern mit Elektronenpaar) in ein 1-substituiertes 1,4-Dihydronicotinsäureamid über. Es handelt sich hier stets um einen Zwei-Elektronen-Schritt; ein radikal. Zwischenprodukt wie bei FAD entsteht nicht. In bezug auf die *prochirale Position 4 des Dihydronicotinamid-Rings gibt es *re-* (pro-*R*)- u. *si-* (pro-*S*)-spezif. Enzyme, die den Wasserstoff A bzw. B übertragen (s. Abb. 2).

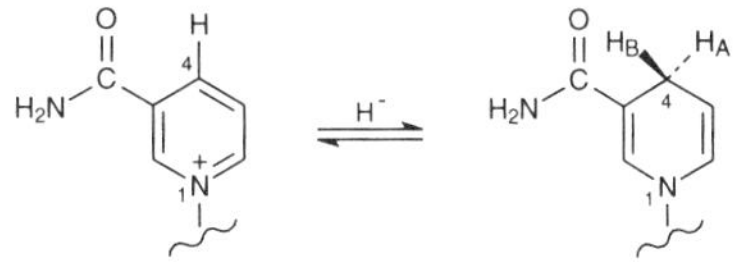

Abb. 2: Red. des Nicotinamid-Rings zum 1,4-Dihydronicotinamid.

Das formulierte Hydrid-Ion tritt nicht frei auf, sondern entstammt unmittelbar den jeweiligen Substraten, die meist zugleich ein Proton (H^+) abgeben. Die Substrate werden dabei oxidiert u. NAD(P)$^+$ reduziert. Umgekehrt ist die Red. eines Substrats zu formulieren, in Kurzschreibweise:

$$NAD(P)^+ + Substrat\text{-}H_2 \rightleftharpoons NAD(P)H + H^+ + Substrat.$$

Die Redox-Äquivalente können zwischen NAD$^+$ u. NADPH bzw. zwischen NADP$^+$ u. NADH ausgetauscht werden; diese Reaktion wird durch *NAD(P)$^+$-Transhydrogenase* [1] (EC 1.6.1.1 u. 1.6.1.2) katalysiert. NAD$^+$ ist auch Ausgangsmaterial für die Biosynth. von *cyclischer ADP-Ribose.

Bei der **ADP-Ribosylierung* spendet NAD$^+$ die Adenosin-5′-diphosphat-D-ribose-Einheiten; als Enzyme wirken *NAD$^+$-ADP-Ribosyltransferase* (EC 2.4.2.30) sowie *NAD$^+$-* u. *NAD(P)$^+$-Glykohydrolase* [NAD$^+$- bzw. NAD(P)$^+$-Nucleosidase, EC 3.2.2.5 bzw. 3.2.2.6, die hier Transferase-Aktivität zeigen]. Eine ungewöhnliche Rolle spielt NAD$^+$ bei der Katalyse der Wasser-Anlagerung an Urocansäure durch *Urocanase, wo es mit dem Substrat ein intermediäres Anlagerungsprodukt bildet. Seit über 60 Jahren im Unklaren ist die physiolog. Funktion der von Warburg u. Christian entdeckten *Riboflavin-5′-phosphat-haltigen *NADPH-Dehydrogenase* (EC 1.6.99.1, NADPH-Diaphorase, *old yellow enzyme*), die *in vitro* Elektronen von NADPH auf verschiedene Akzeptoren überträgt [2].

Biosynth.: Die Biosynth. geht von *Chinolinsäure* (Pyridin-2,3-dicarbonsäure) od. von den Vitaminen Nicotinamid u. *Nicotinsäure aus. NADP$^+$ entsteht aus NAD$^+$ durch Übernahme eines Phosphat-Rests von *Adenosin-5′-triphosphat unter Wirkung der *NAD$^+$-Kinase* (EC 2.7.1.23); unspezif. Phosphatasen können diesen Phosphat-Rest wieder entfernen. Der Abbau erfolgt durch *NAD$^+$-Pyrophosphatase* (EC 3.6.1.22), die NAD$^+$ in AMP u. *β*-NMN (s. Abb. 1) hydrolysiert, aber auch NADP$^+$ angreift, bzw. durch die oben erwähnten Glykohydrolasen, die die glykosid. Bindung zwischen Nicotinamid u. der D-Ribose-Einheit spalten. AMP u.

β-NMN sind auch Ausgangsmaterialien für die chem. Synth. von NAD^+.
Verw.: Auf der charakterist. Änderung der Lichtabsorption bei der Red. von NAD(P) beruhen viele *enzymatische Analysen, z. B. eine *Blutalkohol-Bestimmung u. die Bestimmung von Dehydrogenasen u. Metaboliten in direkten u. gekoppelten opt. Tests. Mit Hilfe der durch bakterielle *Luciferasen erzeugten *Biolumineszenz lassen sich sowohl die NAD(P)-abhängigen Enzyme als auch deren Substrate noch empfindlicher bestimmen. Anw. ergeben sich im biochem. u. klin. Laboratorium, in der Lebensmittelchemie, bei Organfunktionsprüfungen etc. – ***E*** nicotinamide-adenine dinucleotide – ***F*** nicotinamide-adénine-dinucléotide – ***I*** nicotinammide-adenina-dinucleotide – ***S*** nicotinamida-adenina-dinucleótido
Lit.: [1] FASEB J. **10**, 444–452 (1996). [2] Beilstein E V **22/2**, 168 f.
allg.: Beilstein E V **26/16**, 397–401, 435 ff. ▪ Methods Enzymol. **280**, 171–275 (1997) ▪ Stryer 1996, S. 473 ff.

Nicotinamid-Adenin-Dinucleotid-Phosphat s. Nicotinamid-Adenin-Dinucleotid.

Nicotinamidmononucleotid (NMN) s. Nicotinamid-Adenin-Dinucleotid.

Nicotinate. Ester u. Salze der *Nicotinsäure.

Nicotinell® TTS. Membranpflaster mit *Nicotin zur Raucher-Entwöhnung. ***B.:*** Novartis.

Nicotinentwöhnungsmittel s. Tabakentwöhnungsmittel.

Nicotinischer (Acetylcholin-)Rezeptor s. Acetylcholin.

Nicotinsäure (Pyridin-3-carbonsäure).

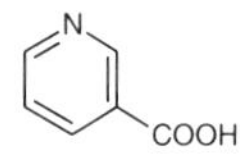

$C_6H_5NO_2$, M_R 123,11. Farblose Krist., in kaltem Wasser wenig, in heißem Wasser u. Ether leichter lösl., D. 1,473, Schmp. 236–237 °C, subl. unzersetzt. N. findet sich spurenweise – meist in Form des *Nicotinsäureamids, mit dem sie auch als *Niacin* zusammengefaßt wird – in fast allen lebenden Zellen u. ist dort Bestandteil von *Coenzymen (vgl. Nicotinamid-Adenin-Dinucleotid) für viele biolog. Redoxreaktionen. N. findet sich z. B. in Hefe, Früchten, Gemüse, Getreide, Brot, Niere, Leber, Muskelfleisch, Milch usw. in relativ großen Mengen u. entsteht im Kaffee beim Rösten aus *Trigonellin. Ernährungsbedingter Mangel an N. führt zu einer als *Pellagra bekannten komplexen Erkrankung, die sich durch erhöhte N.-Gaben heilen läßt, weshalb N. auch als *PP-Faktor* (*Pellagra-präventiver Faktor*) bekannt ist. Man rechnet N. zum *Vitamin B-Komplex* u. bezeichnet sie u. ihr Amid auch als Vitamin B_3; Näheres s. dort.
Verw.: In Multivitaminpräp., als Futtermittelzusatz, medizin. in Form ihrer Ester od. des Natriumnicotinats als spasmolyt., durchblutungsförderndes od. hyperämisierendes Mittel. N. soll den *Cholesterin-Gehalt des Blutes senken u. ist daher häufiger Bestandteil von Lipid-Senkern [1]. Industriell dient N. als Korrosionsschutzmittel für Metalle u. als Hilfsmittel in der Galvanostegie von Zink. Die Bedeutung der N. ist ungleich größer als die der isomeren *Isonicotin- u. *Picolinsäuren. Der Bedarf an N. wird vornehmlich durch die Oxid. von substituierten Pyridinen gedeckt, bes. durch Salpetersäure-Oxid. von 2-Methyl-5-ethylpyridin. N. wurde erstmals von Huber (1867) durch Oxid. von *Nicotin dargestellt. – ***E*** nicotinic acid – ***F*** acide nicotinique – ***I*** acido nicotinico – ***S*** ácido nicotínico
Lit.: [1] Coron. Artery Dis. **7**, 321–326 (1996).
allg.: Annu. Rev. Nutrit. **11**, 169–187 (1991) ▪ Beilstein E V **22/2**, 57–59. – *[HS 2936 29; CAS 59-67-6]*

Nicotinsäureamid (Pyridin-3-carbamid, Nicotinamid, Niacinamid).

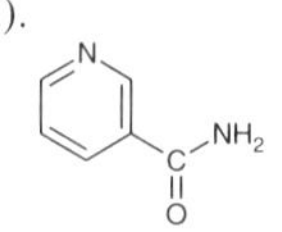

$C_6H_6N_2O$, M_R 122,12. Farblose Nadeln, D. 1,40, Schmp. 129–131 °C, in Wasser, Alkohol, Glycerin leicht löslich. In der analyt. Chemie dient N. als Bezugssubstanz für Elementaranalysen. N. läßt sich durch *Ammonoxidation von β-Picolin u. anschließende partielle Hydrolyse des Nitrils darstellen. N. ist der eigentliche als Wasserstoff-Akzeptor wirkende Bestandteil des *Nicotinamid-Adenin-Dinucleotids. N. weist ähnliche physiolog. Wirkungen wie *Nicotinsäure auf u. wird mit dieser oft zusammenfassend als *Niacin*, Vitamin B_3 od. PP-Faktor bezeichnet; Näheres zu Mangelerscheinungen s. bei Vitamine (B-Gruppe). – ***E*** nicotinic-acid amide – ***F*** amide de l'acide nicotinique – ***I*** ammide dell'acido nicotinico – ***S*** amida del ácido nicotínico
Lit.: Beilstein E V **22/2**, 80–83 ▪ s. a. Nicotinsäure. – *[HS 2936 29; CAS 98-92-0]*

Nicotinsäurebenzylester (Benzylnicotinat).

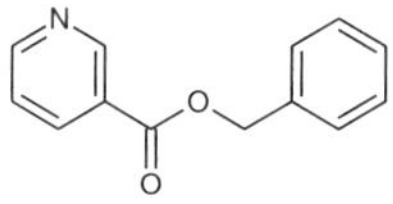

$C_{13}H_{11}NO_2$, M_R 213,23. Bräunlich-gelbe, ölige Flüssigkeit, D. 1,168, Schmp. 24 °C, Sdp. 170 °C (4–5 hPa); lösl. in Alkohol, Aceton, Chloroform, fetten Ölen, schwerlösl. in Wasser. Lagerung: vor Licht geschützt.
N. wird (ebenso wie eine Reihe anderer *Nicotinsäureester) zur lokalen Hyperämisierung bei schmerzhaften Zuständen aller Art eingesetzt. N. wurde 1959 von Nordmark patentiert. – ***E*** benzyl nicotinate – ***F*** nicotinate de benzyle – ***I*** benzile nicotinato – ***S*** nicotinato de bencilo
Lit.: Beilstein E V **22/2**, 62 ▪ DAB **1996** u. Komm. ▪ Martindale (31.), S. 25 ▪ Pharm. Ind. **43**, 1123–1133 (1981) ▪ s. a. Nicotinsäure. – *[HS 2933 39; CAS 94-44-0]*

Nicotinsäurediethylamid s. Nicethamid.

Nicotinsäureester. Sammelbez. für die verschiedenen Ester der *Nicotinsäure, von denen einige wegen ihrer hyperämisierenden Wirkung gegen Rheuma, Prellungen u. dgl. (*Beisp.:* *Nicotinsäurebenzylester), andere bes. gegen periphere u. zentrale Durchblutungsstörungen (*Beisp.:* *Inositolnicotinat) eingesetzt

werden. – ***E*** nicotinates, nicotinic esters – ***F*** nicotinates – ***I*** nicotinati – ***S*** nicotinatos
Lit.: s. Nicotinsäure.

Nicotyrin [3-(1-Methyl-2-pyrryl)-pyridin, β-Nicotyrin].

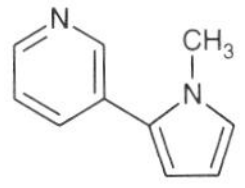

$C_{10}H_{10}N_2$, M_R 158,20, leicht zersetzliches Öl, Sdp. 281 °C, 150–151 °C (2,1 kPa), n_D^{20} 1,6057, lösl. in Ethanol u. verd. Säuren. N. ist ein *Tabak-Alkaloid u. unterscheidet sich vom wichtigsten Vertreter dieser Klasse, dem *Nicotin, durch die Aromatisierung des Pyrrolidin-Restes zum Pyrrol-Ring. Vermutlich bildet sich N. in Tabakblättern nach der Ernte. – ***E*** = ***F*** nicotyrine – ***I*** = ***S*** nicotirina
Lit.: Beilstein E V **23/7**, 227 ▪ J. Org. Chem. **54**, 2476 (1989); **56**, 1822 (1991) ▪ Sax (8.), NDX 300, PQB 500. – *[HS 2933 39; CAS 487-19-4]*

Nidation s. Konzeption.

nido-. Von latein.: nidus = Nest abgeleitetes, kursiv gesetztes Präfix, das nach IUPAC-Regel I-11.3 *Borane u. *Carborane mit nicht ganz geschlossener *closo-Käfigstruktur kennzeichnet (B_nH_{n+4} u. ä.); *Beisp.* s. *Lit.* – ***E*** = ***F*** = ***I*** = ***S*** nido-
Lit.: Top. Curr. Chem. **100**, 169–206 (1982).

Nidogen s. Entactin.

Niederdruck-Polyethylen s. Polyethylene.

Niederdruck-Verfahren s. Fischer-Tropsch-Synthese.

Niedermolekulare Wirkstoffe. Sammelbegriff für chem. Substanzen mit biolog. Aktivität, deren M_R unter etwa 1000–1200 liegt. Für die Entwicklung von Arznei- od. Pflanzenschutzmitteln ist insbes. der Molmassen-Bereich zwischen 300 u. 600 gefragt, um ausgehend von *Leitstrukturen mit den Meth. des Rational Drug Design (s. Computer Aided Drug Design) die Mol.-Eigenschaften durch chem. Synth. zu optimieren. Oftmals wird dabei von niedermol. Naturstoffen od. Teilstrukturen von Naturstoffen mit höheren Molmassen ausgegangen. – ***E*** bioactive compounds of low molecular weight – ***F*** substances actives inframoléculaires – ***I*** agenti bioattivi a basso peso molecolare – ***S*** compuestos bioactivos de bajo peso molecular
Lit.: Böhm, Klebe u. Kubinyi, Wirkstoffdesign, Heidelberg: Spektrum Akadem. Verl. 1996.

Niederschlag (Präzipitat). 1. In der Chemie Bez. für den sich beim Einengen einer gesätt. Lsg. od. in der quant. Analyse, insbes. der Gravimetrie u. Fällungsanalyse, beim Ausfällen aus einer homogenen Flüssigkeit ausscheidenden, fein verteilten Feststoff, der sich nach Überschreiten einer bestimmten *Korngröße aufgrund seiner Dichte als *Bodenkörper* absetzt u. von der *Mutterlauge durch Dekantieren, Filtrieren od. Zentrifugieren getrennt werden kann. N. können amorph od. krist. sein; bei der *Alterung eines amorphen N. tritt meist nicht nur Krist. ein, sondern auch eine Teilchenvergrößerung infolge *Oswald-Reifung*. Eine bes. Form von N. („period.-rhythm. Fällung") liegt in den sog. *Liesegangschen Ringen u. ähnlich wohl bei *oszillierenden Reaktionen vor. In übersätt. Syst. läßt sich die Bildung eines N. (*Präzipitation*) durch *Impfen mit *Keimen auslösen od. beschleunigen, wobei allerdings dem Risiko der *Mitfällung u. *Okklusion begegnet werden muß.
In der Ind. wird die Präzipitation in großem Umfang zur Herst. von Farben, Pigmenten, Pharmazeutika u. photograph. Chemikalien genutzt. Zur Herst. von ultrafeinen krist. Pulvern ist die Präzipitation eine attraktive Alternative zur Pulverisierung, insbes. bei thermolabilen Substanzen.
2. In der *Meteorologie* versteht man unter N. feste od. flüssige Ausscheidungen von Wasser aus der Atmosphäre in Form von Regen, Nieseln, Griesel, Schnee, Hagel, Graupeln, Reif, Tau, nässendem Nebel etc., die z. T. in Einzelstichwörtern beschrieben sind. Auch hier können übersätt. Phasen (Wolken) mit *Keimen zur Bildung von N. angeregt werden. In erweitertem Sinne kann man als N. auch Abscheidungen von Staub ansehen, die z. B. als Folge von Wind-Erosion od. vulkan. Tätigkeit od. aus industriellen Anlagen immittiert werden, u. selbst den radioaktiven *Fallout aus Kernwaffenexplosionen kann man zu den N. rechnen. – ***E*** precipitate, precipitation – ***F*** précipité, précipitation (1. auch: dépôt, sédiment) – ***I*** 1. precipitazione, precipitato, deposito, 2. precipitazione – ***S*** precipitado
Lit. *(zu 1):* Schwedt, Analytische Chemie, S. 75 ff. Stuttgart: Thieme 1995 ▪ Torge, Gravimetrie, Berlin: de Gruyter 1980 ▪ Townshend, Encyclopedia of Analytical Science, S. 1966–1970, London: Academic Press 1995 ▪ Ullmann (5.) **B2**, 3–35. – *(zu 2.):* Baden-Württemberg/Umweltministerium (Hrsg.), Saurer Regen: Probleme für Wasser, Boden u. Organismen, Landsberg: ecomed 1995 ▪ Desbois, Global Precipitations and Climate Change, Berlin: Springer 1994.

Niedriglegierte Stähle. Gebräuchliche, wenngleich nicht mehr genormte Bez. für eine Gruppe von *Stählen, deren Gehalt an Leg.-Bestandteilen zwischen jenen der unlegierten u. hochlegierten Stähle liegt. Den n. S. werden Leg.-Elemente wie Mn, Si u. Al oberhalb eines elementspezif. Grenzgehaltes zugesetzt, wie er aus metallurg. Gründen (Desoxid., Beruhigung, Entschwefelung) vorgesehen ist, jedoch nur bis zu Gehalten <5% je Element. Für die n. S. charakterist. ist eine Kurzbez. nach ihrer chem. Zusammensetzung: Die Leg.-Elemente werden ihrem Gehalt nach aufgelistet, wobei die Gehalte mit entsprechenden Faktoren multipliziert sind, damit sie ganzzahlig werden. Die geltende Norm[1] differenziert dagegen nur noch zwischen unlegierten u. legierten Stählen. – ***E*** low allow steel – ***F*** acier faiblement allié – ***I*** acciaio a basso tenore di lega, acciaio basso legato – ***S*** acero de baja aleación
Lit.: [1] DIN EN 10020: 1989-09.

Niedrigschmelzende Legierungen. Leg.-Syst. der Metalle Sn, Pb, Sb, Cd, Bi, Cu u. In mit einem Schmp., der deutlich unterhalb der Schmp. der Ausgangsmetalle liegt. In Syst. mit begrenzter Mischbarkeit im festen Zustand kann dabei ein tiefschmelzendes *Eutektikum genutzt werden. Anwendungsbezogen wird unterschieden zwischen *Loten zum therm. Verbinden von Teilen (*Weichlote*) u. *Schmelzlegierungen, bei denen der niedrige Schmp. funktionell genutzt wird,

z. B. zum Verflüssigen bei Grenztemp. (therm. Sicherungen). – ***E*** low melting alloy – ***F*** alliage à point de fusion bas – ***I*** lega a punto di fusione basso – ***S*** aleación de punto de fusión bajo

Nielsbohrium (Bohrium). Zunächst von sowjet. Forschern vorgeschlagener Name für das Element 105 (Unnilpentium=Unp; Symbol Ns), das von amerikan. Forschern u. Chem. Abstr. Hahnium (Symbol Ha) genannt wird, u. für das die IUPAC 1994 die Bez. Joliotium (Symbol JL) u. 1997 die Bez. Dubnium (Symbol Db) empfahl. Verwirrenderweise hat sich die Bez. N. (Symbol Ns) in den USA u. bei Chem. Abstr. für Element 107 (Unnilseptium=Uns) durchgesetzt, wofür die IUPAC gern die Bez. Bohrium (Symbol Bh) durchsetzen will. Die Ausführungen bei *chemische Elemente (S. 679) entsprechen dem früheren Stand dieser fortdauernden Kontroverse. – ***E*** = ***F*** nielsbohrium – ***I*** = ***S*** nielsbohrio

Lit.: s. Actinoide u. Transurane.

Nieren. Organe der Wirbeltiere zur Absonderung wasserlösl. Stoffwechselprodukte aus dem Blut; s. a. Harn. Durch Kontrolle der Salz- u. Wasserausscheidung werden Vol. u. Osmoralität des Extrazellulärraumes konstant gehalten. Diese Funktionen der N. werden hormonell u. a. durch *Aldosteron u. *Vasopressin (ADH) den Anforderungen des Organismus angepaßt. Zudem produzieren die N. selbst verschiedene Hormone wie *Angiotensin II, *Erythropoietin, Calcitriol u. *Prostaglandine. Über die Ausscheidung von Bicarbonat- u. Wasserstoff-Ionen tragen die N. auch zur Regulation des Säure-Basen-Haushalts bei. Die N. des erwachsenen Menschen sind ca. 10 cm lang u. wiegen 120–300 g. Sie sind bohnenförmig gekrümmt, an der konkaven Seite liegt die Nierenpforte, durch die Gefäße, Nerven u. das Nierenbecken ein- bzw. austreten. Die N. liegen paarig angeordnet rechts u. links der Wirbelsäule an der hinteren Rumpfwand, etwa in Höhe des 1. Lendenwirbels u. sind von einer Kapsel aus Fettgewebe umgeben. Dem oberen Pol jeder Niere sitzt eine in der Fettkapsel gelegene **Nebenniere* auf. Die N. bestehen aus Blutgefäßen u. aus Röhrchensyst. (*N.-Tubuli*), die zusammen die komplizierte Architektur des N.-Gewebes bilden. So gliedert sich dieses in die ca. 6–10 mm breite reich durchblutete *N.-Rinde* u. das darunter liegende *N.-Mark*, das vorwiegend aus N.-Röhrchen besteht. An das Mark schließt sich mit kelchförmigen Fortsätzen (N.-Kelchen) das *N.-Becken* an, ein trichterförmiger Schlauch, der in den Harnleiter übergeht.

Die funktionelle Einheit der N. ist das *Nephron*, ein arterielles Gefäßknäuel (Glomerulum), das in eine es umgebende Kapsel (Bowmansche Kapsel) hineingestülpt ist, die sich in den Anfangsteil eines dazugehörigen Harnröhrchens öffnet. Jede N. hat etwa 1,2 Mio. Nephrone. Am Beginn des Nephrons wird das durch das Gefäßknäuel fließende Blut gefiltert, wobei Proteine u. Zellen zurückgehalten werden u. das Wasser mit den darin gelösten Stoffen als *Primärharn* vom Kapselraum in den Tubulus gelangt. Der Tubulus ist in seinem Verlauf zunächst gewunden, geht dann in einen geraden Teil über, der sich verjüngend z. T. bis ins N.-Mark hinabverläuft, dort in einer Schleife wieder

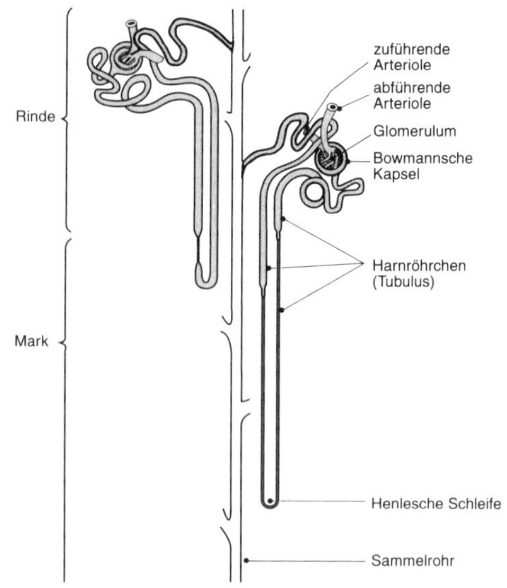

Abb.: Schemat. Darst. von zwei Nephronen mit kurzer bzw. langer Henlescher Schleife; modifiziert nach *Lit.*[1].

nach oben in Richtung Glomerulum zieht (*Henlesche Schleife*) u. über einen weiteren gewundenen Abschnitt in ein *Sammelrohr* mündet. Während der Passage des Harns durch den Tubulus wird der größte Teil des Filtrats wieder durch die Tubuluswand zurück in die die Tubuli umspinnenden Blutgefäße transportiert (resorbiert), manche Stoffe werden auch von den Tubuluszellen in das Lumen abgegeben (sezerniert). Der Rest gelangt in das Sammelrohrsyst., das sich in das N.-Mark fortsetzt, von dort in das N.-Becken u. wird mit dem *Urin* ausgeschieden (*Exkretion*). Die N. werden mit 1,2 L/min. durchblutet, das sind 20–25% des Herzminutenvolumens. Dabei werden 180 L/d filtriert, von den 99% resorbiert werden, nur ca. 1,5 L Urin werden pro Tag ausgeschieden. Im Gegensatz zum plasmaisotonen Primärharn (Osmolalität 285 mosmol/kg, s. a. Osmose) kann die Osmolalität des Endurins je nach Zustand des Wasserhaushalts zwischen 50 u. 1200 mosmol/kg variiert werden. Die Konz. des Harns geschieht nach dem Gegenstromprinzip im langgestreckten Bereich des Tubulus mit der Henleschen Schleife. Die endgültige Einstellung des auszuscheidenden Urinvol. findet unter der Wirkung des antidiuret. Hormons *Vasopressin (ADH) in den Anfangsabschnitten des Sammelrohrsyst. statt. ADH erhöht die Wasserdurchlässigkeit des Sammelrohres, so daß dadurch dem Urin viel Wasser entzogen wird u. wenig (bis zu einigen Zehntel mL/min) hypertoner Urin ausgeschieden wird (*Antidiurese*). In Abwesenheit von ADH kommt es dagegen zu einer gesteigerten Ausscheidung (*Diurese*) großer Mengen (bis zu 18 mL/min) eines hypotonen Urins. Verschiedene Krankheiten (z. B. Stoffwechseldefekte, Gefäßerkrankungen, N.-Entzündungen) u. Vergiftungen mit Medikamenten (z. B. *Phenacetin) od. a. Stoffen mit hoher *Nephrotoxizität (z. B. Schwermetallen wie *Cadmium) führen zur Störung der N.-Funktion. Sie hat die mangelhafte Ausscheidung von harnpflichtigen

Stoffwechselprodukten u. dadurch deren Anreicherung im Blut (Azotämie) zur Folge. Als diagnost. Parameter werden zur Erfassung einer N.-Funktionsstörung u. a. der Gehalt an *Kreatinin u. *Harnstoff im Blut sowie die Parameter des Säure-Basen-Haushalts bestimmt. Leichtere Stadien des N.-Versagens (*N.-Insuffizienz*) können vom Organismus ausgeglichen werden, ein völliger Ausfall der N.-Funktionen (Urämie) führt unbehandelt zum Tod im Koma. Zur Behandlung dieser terminalen N.-Insuffizienz dient die *Hämodialyse, u. U. kann auch eine N.-Transplantation vorgenommen werden. Die Lehre von Bau, Funktionen u. Erkrankungen der N. ist die *Nephrologie* (griech.: nephros = Niere), ein spezielles Teilgebiet der Medizin. – ***E*** kidneys – ***F*** reins – ***I*** reni – ***S*** riñones

Lit.: [1] Bucher u. Wartenberg, Cytologie, Histologie u. mikroskopische Anatomie des Menschen, S. 473, Bern: Huber 1989. *allg.:* Brenner u. Rector, The Kidney, Philadelphia: Saunders 1991 ▪ Kuhlmann u. Walb, Nephrologie, Stuttgart: Thieme 1994.

Nierensteine. Konkremente, die in der Niere, im Nierenbecken od. im Harnleiter auftreten, s. a. Harnsteine.

Niespulver. Bez. für pulverförmige Präp., die als solche od. als Bestandteil von *Schnupftabak zum Niesen reizen sollen. Pflanzliche, mehr od. weniger giftige Wirkstoffe lassen sich aus Sabadillsamen (*Veratrin), Maiglöckchen (die getrockneten Blüten enthalten u. a. Nädelchen von Calciumoxalat), Majorankraut, Nieswurz, Veilchen- od. Iriswurzel, Muskatnuß, Pfeffer u. dgl. gewinnen; Pulver aus *Panamarinde u. *Nieswurz sind allerdings nach der VO vom 28. 2. 1984 ebenso verboten wie 2-*Nitrobenzaldehyd, Holzstaub, *o-Dianisidin u. *Benzidin. – ***E*** sneezing powder, sternutatories – ***F*** sternutatoires – ***I*** starnutatori – ***S*** esternutatorios

Lit.: Lebensmittelchemische Gesellschaft (Hrsg.), Spielwaren u. Scherzartikel, Hamburg: Behrs 1990. – *[HS 9505 90]*

Nieswurz. Dtsch. Name für Pflanzen gänzlich verschiedener Familien, denen lediglich die *Niespulver-Wirkung ihrer Wurzel-Drogen gemeinsam ist. Während die *Helleborus*-Arten – außer der Schwarzen N. (Christ-, Weihnachts-, Schneerose, *Helleborus niger*, Hahnenfußgewächse), zu ihren Inhaltsstoffen s. *Lit.*[1] –, z. B. die Grüne N. (Bärenfuß, *Helleborus viridis*) u. a. Arten, bes. durch ihren Gehalt an *Herzglykosiden vom *Bufadienolid-Typ gekennzeichnet sind (*Beisp.:* Hellebrin), enthalten die Weiße N. (Weißer Germer, *Veratrum album*, Liliengewächse) u. verwandte Arten vornehmlich stark giftige *Veratrum-Alkaloide vom *Steroidalkaloid-Typ. Bei den *Helleborus*-Arten wird der Niesreiz durch Saponine (Helleborin) ausgelöst, bei den Veratrum-Arten sind die Alkaloide vom Cevadin od. *Veratrin-Typ dafür verantwortlich. – ***E*** hellebore – ***F*** ellébore – ***I*** elleboro – ***S*** eléboro

Lit.: [1] Frohne u. Pfänder, Giftpflanzen, S. 309 f., Stuttgart: Wissenschaftliche Verlagsges. 1997. *allg.:* Hager (4.) **5**, 43–48; **6c**, 401–417.

Nifedipin (Rp).

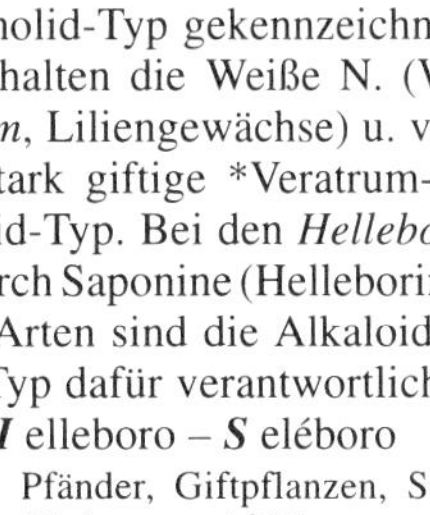

Internat. Freiname für den *Calcium-Antagonisten Dimethyl-1,4-dihydro-2,6-dimethyl-4-(2-nitrophenyl)-3,5-pyridindicarboxylat, $C_{17}H_{18}N_2O_6$, M_R 346,33. Gelbes Pulver, Schmp. 172–174 °C; λ_{max} (CH_3OH) 235, 340 nm ($A^{1\%}_{1cm}$ 624, 145); LD_{50} (Maus oral) 494, (Maus i.v.) 4,2 mg/kg; prakt. unlösl. in Wasser, lösl. in Aceton. Lagerung: Vor Licht u. Luft geschützt. N. wurde 1968 u. 1969 von Bayer (Adalat®) patentiert u. ist als Generikum im Handel. – ***E*** nifedipine – ***F*** nifédipine – ***I*** = ***S*** nifedipina

Lit.: ASP ▪ Beilstein E V **22/4**, 268 f. ▪ Drugs **50**, 495–512 (1995) ▪ Hager (5.) **8**, 1154–1157 ▪ Martindale (31.), S. 916–921 ▪ Pharm. Ind. **47**, 207–215, 319–327 (1985) ▪ Ph. Eur. **1997** u. Komm. – *[HS 2933 39; CAS 21829-25-4]*

Nifenalol (Rp).

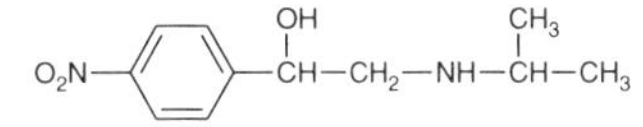

Internat. Freiname für den β-Rezeptorenblocker (±)-2-(Isopropylamino)-1-(4-nitrophenyl)ethanol, $C_{11}H_{16}N_2O_3$, M_R 224,25, Schmp. 98 °C. Verwendet wird meist das Hydrochlorid (Abk.: Inpea), Schmp. 181 °C; λ_{max} (CH_3OH) 265 nm ($A^{1\%}_{1cm}$ 388). N. wurde 1964 von Selvi patentiert. – ***E*** = ***S*** nifenalol – ***F*** nifénalol – ***I*** nifenalolo

Lit.: Hager (5.) **8**, 1157 f. ▪ Martindale (31.), S. 921. – *[HS 2922 19; CAS 7413-36-7 (N.); 5704-60-9 (Hydrochlorid)]*

Nifenazon.

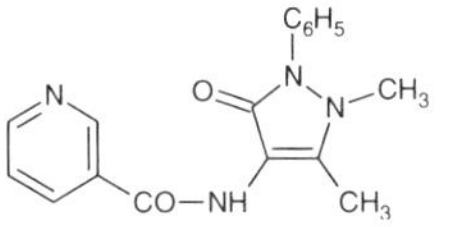

Internat. Freiname für das *Antirheumatikum *N*-(2,3-Dihydro-1,5-dimethyl-3-oxo-2-phenyl-1*H*-pyrazol-4-yl)-nicotinamid, $C_{17}H_{16}N_4O_2$, M_R 308,33, Schmp. 252–253 °C; λ_{max} (0,05 M H_2SO_4) 261 nm ($A^{1\%}_{1cm}$ 500). N. ist ein *Phenazon-Derivat, das wegen seiner Knochenmark schädigenden Nebenwirkungen aus dem Handel genommen wurde. – ***E*** = ***I*** nifenazone – ***F*** nifénazone – ***S*** nifenazona

Lit.: ASP ▪ Beilstein E V **25/14**, 153 ▪ Hager (5.) **8**, 1158 f. ▪ Martindale (31.), S. 71. – *[HS 2933 11; CAS 2139-47-1]*

nif-Gene. Die Gene, die für den *Nitrogenase-Komplex zur enzymat. katalysierten *Stickstoff-Fixierung (*E* *ni*trogen *f*ixation) codieren. Pflanzen benötigen zum Aufbau ihrer Stickstoff-haltigen Verb. (insbes. Aminosäuren, Nucleotide) Stickstoff in Form von Ammonium-Salzen. Einige wenige *Bakterien u. *Cyanobakterien können mit Hilfe ihres Nitrogenase-Komplexes mol. Stickstoff in Ammonium umwandeln. Insbes. die mit bestimmten Pflanzen in Symbiose lebenden *Rhizobien (*Knöllchenbakterien) haben in der Landwirtschaft zur Bodenverbesserung Bedeutung erlangt.

Eines der Hauptziele gentechn. Veränderungen an Pflanzen ist es, Nutzpflanzen durch Übertragung Stickstoff-fixierender Gene aus Bakterien die direkte Stickstoff-Fixierung zu ermöglichen. – ***E*** nif genes, nitrogen fixation genes – ***F*** gènes nif, gènes de fixation de l'azote – ***I*** geni nif – ***S*** genes nif, genes fijadores de nitrógeno

Lit.: Heldt, Pflanzenbiochemie, S. 311 ff., Heidelberg: Spektrum Akadem. Verl. 1996 ▪ Stryer 1996, S. 752 ff.

Nifluminsäure (Rp).

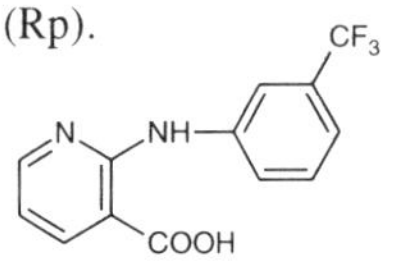

Internat. Freiname für das nichtsteroidale *Antirheumatikum 2-[3-(Trifluormethyl)anilino]-nicotinsäure, $C_{13}H_9F_3N_2O_2$, M_R 282,22, Schmp. 204 °C; λ_{max} (CH_3OH) 289 nm ($A^{1\%}_{1cm}$ 987); LD_{50} (Ratte oral) 370, (Ratte i.p.) 155 mg/kg. N. wurde 1965 u. 1968 von Lab. U. P. S. A. patentiert u. ist von Fournier Pharma (Actol®) im Handel. – ***E*** niflumic acid – ***F*** acide niflumique – ***I*** acido niflumico – ***S*** ácido niflúmico

Lit.: ASP ▪ Beilstein E V **22/13**, 598 ▪ Hager (5.) **8**, 1159 ff. ▪ Martindale (31.), S. 71. – *[HS 2933 39; CAS 4394-00-7]*

Nifur... s. Nitrofurane.

Nifuratel (Rp).

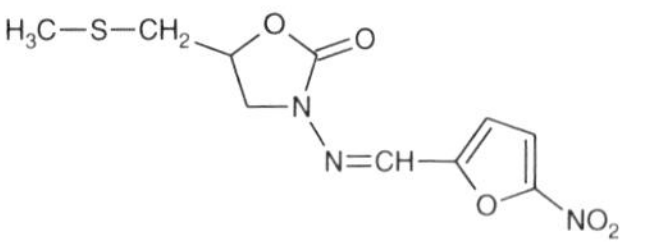

Internat. Freiname für das fungizid u. mikrobizid, z. B. gegen Trichomonaden u. Monilia, wirksame (±)-5-(Methylthiomethyl)-3-(5-nitrofurfurylidenamino)-2-oxazolidinon, $C_{10}H_{11}N_3O_5S$, M_R 285,27, Schmp. 182 °C; λ_{max} (H_2O) 259, 368 nm ($A^{1\%}_{1cm}$ 450, 612). In Wasser prakt. nicht lösl.; Lagerung: vor Licht geschützt. – ***E*** = ***F*** = ***I*** = ***S*** nifuratel

Lit.: Hager (5.) **8**, 1162 f. ▪ Martindale (31.), S. 625. – *[HS 2934 90; CAS 4936-47-4]*

Nifuroxazid.

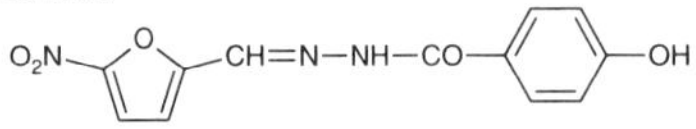

Internat. Freiname für das *Darm-*Antiseptikum 4-Hydroxy-*N′*-(5-nitrofurfuryliden)benzohydrazid, $C_{12}H_9N_3O_5$, M_R 275,22, Schmp. 298 °C. N. wurde 1963, 1964 u. 1967 von Lab. Robert et Carriere patentiert. – ***E*** = ***F*** = ***I*** nifuroxazide – ***S*** nifuroxazida

Lit.: Beilstein E V **17/9**, 342 ▪ Martindale (31.), S. 255. – *[HS 2932 19; CAS 965-52-6]*

Nifurtimox.

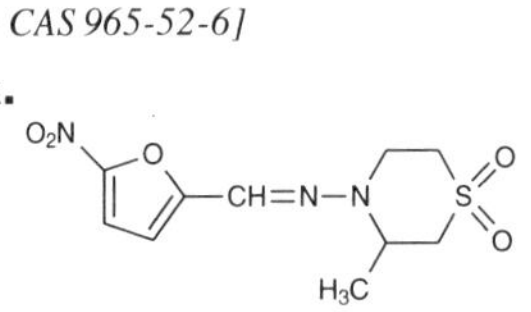

Internat. Freiname für das gegen *Trypanosomen u. a. *Protozoen wirksame (±)-3-Methyl-4-(5-nitrofurfurylidenamino)thiomorpholin-1,1-dioxid, $C_{10}H_{13}N_3O_5S$, M_R 287,29, Schmp. 180–182 °C. N. wurde 1964 u. 1966 von Bayer patentiert. – ***E*** = ***F*** = ***I*** = ***S*** nifurtimox

Lit.: Beilstein E V **27/4**, 392 ▪ Hager (5.) **8**, 1164 f. ▪ Martindale (31.), S. 625 f. – *[HS 2934 90; CAS 23256-30-6]*

Nifurtoinol (Rp).

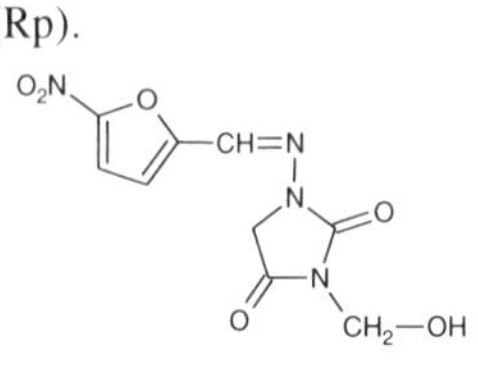

Internat. Freiname für das gegen Harnwegsinfektionen wirksame 3-Hydroxymethyl-1-(5-nitrofurfurylidenamino)-hydantoin, $C_9H_8N_4O_6$, M_R 268,18, Schmp. von Nitrofurantoin 270–272 °C (Abspaltung eines Mols HCHO); λ_{max} (c 2/DMF) 265, 367 nm ($A^{1\%}_{1cm}$ 477, 667). N. wurde 1962 u. 1969 von Norwich Pharmacal patentiert. – ***E*** = ***S*** nifurtoinol – ***F*** nifurtoïnol – ***I*** nifurtoinolo

Lit.: Beilstein E V **24/5**, 230 ▪ Hager (5.) **8**, 1165 f. ▪ Martindale (31.), S. 255 f. – *[HS 2934 90; CAS 1088-92-2]*

Nigericin (Polyetherin A, Azalomycin M, Helixin C).

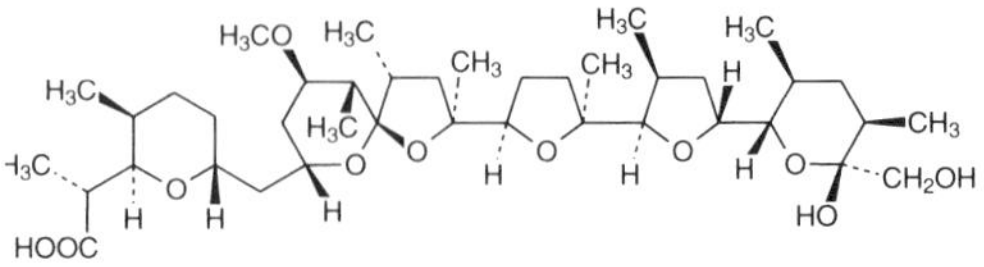

$C_{40}H_{68}O_{11}$, M_R 724,97, Schmp. 183,5–185 °C, $[\alpha]^{24}_D$ +36,2° (c 0,842/$CHCl_3$). *Polyether-Antibiotikum aus Kulturen von *Streptomyces hygroscopicus* u. anderen Streptomyceten. N. ist lösl. in Alkoholen, Aceton, Ethylacetat, Chloroform, Benzol u. Ether, prakt. unlösl. in Wasser. N. wirkt als *Ionophor für einwertige Kationen in Mitochondrien, ist aktiv gegen Gram-pos. Bakterien u. findet Anw. als *Kokzidiostatikum. – ***E*** nigericin – ***F*** nigéricine – ***I*** = ***S*** nigericina

Lit.: Antimicrob. Agents Chemother. (1992), **36**, 492 ▪ Beilstein E V **19/12**, 552 ▪ J. Antibiot. **48**, 1011 (1995) ▪ J. Org. Chem. **52**, 2388 (1987). – *[HS 2941 90; CAS 28380-24-7]*

Niggli, Paul (1888–1953), Prof. für Mineralogie u. Petrographie, TH u. Univ. Zürich. *Arbeitsgebiete:* Lagerstättenkunde, Gesteins- u. Mineralproben, magnet. Differenzierung, Kristallstrukturbestimmung, Kristallchemie, Stereochemie, Magma; s. a. folgendes Stichwort.

Lit.: Lexikon der Naturwissenschaftler, S. 310 ▪ Z. Angew. Math. Physik **4**, 415–506 (1953).

Niggli-Formeln. Von *Niggli eingeführte vereinfachte Schreibweise für die Koordinationsverhältnisse der Atome in den *Kristallstrukturen. – ***E*** Niggli formulas – ***F*** formules de Niggli – ***I*** formule di Niggli – ***S*** fórmulas de Niggli

Nigranilin.

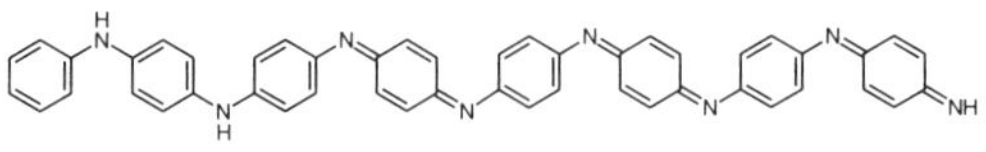

$C_{48}H_{36}N_8$, M_R 724,86. Schwarzgrüne Zwischenstufe mit 8 kettenartig angeordneten Benzol-Ringen (davon 3 auf chinoider Stufe), die bei der *Anilinschwarz-Färbung auf der Faser entsteht. – ***E*** = ***F*** nigraniline – ***I*** = ***S*** nigranilina

Lit.: Beilstein E I **12**, 147 ▪ Winnacker-Küchler (3.) **4**, 255.

Nigrifactin [6-((*E,E,E*)-1,3,5-Heptatrienyl)-2,3,4,5-tetrahydropyridin].

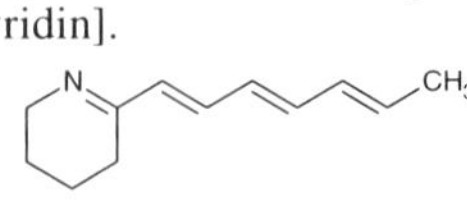

$C_{12}H_{17}N$, M_R 175,27, Schmp. Pikrat: 176 °C, Oxalat: 135 °C. Piperidein-Alkaloid aus *Streptomyces* FFD-101 mit antihistamin. Wirksamkeit. N. ähnelt strukturell dem *Chalciporon aus dem Pfefferröhrling (*Chal-*

ciporus piperatus). – ***E*** = ***F*** nigrifactine – ***I*** nigrifattina – ***S*** nigrifactina

Lit.: Agric. Biol. Chem. **32**, 783 (1968) ▪ Beilstein E V **20/6**, 436 ▪ J. Chem. Soc., Chem. Commun. **1973**, 75 (Biosynth.) ▪ Tetrahedron Lett. **1969**, 2535; **1970**, 2711. – *[CAS 23943-03-5]*

Nigrin s. Rutil.

Nigrosine. Gruppe von schwarzen od. grauen, mit den *Indulinen verwandten *Phenazin-Farbstoffen (*Azin-Farbstoffen*) in verschiedenen Ausführungsformen (wasserlösl., fettlösl., spritlösl.), die bei Wollfärberei u. -druck, beim Schwarzfärben von Seiden, zum Färben von Leder, Schuhcremes, Firnissen, Kunststoffen, Einbrennlacken, Tinten u. dgl. sowie als Mikroskopiefarbstoffe Verw. finden. Man gewinnt die N. techn. durch Erhitzen von Nitrobenzol, Anilin u. salzsaurem Anilin mit metall. Eisen u. $FeCl_3$. Name von latein.: niger = schwarz. – ***E*** = ***F*** nigrosines – ***I*** nigrosine – ***S*** nigrosinas

Lit.: Beilstein E II **12**, 77 f. ▪ Kirk-Othmer (3.) **3**, 378–382.

NIH. Abk. für National Institutes of Health, Bethesda, MD (USA), welches Teil des Public Health Service ist. Das NIH, eines der führenden biomedizin. Forschungszentren der USA, besteht aus 24 Inst. u. hat ein Budget von $ 12 Mrd. (1996). Sein Ziel, Krankheiten zu verhindern, zu erkennen u. zu bekämpfen, erreicht das NIH durch eigene Forschung u. Förderung von Forschungseinrichtungen außerhalb des NIH. INTERNET-Adresse: http://www.nih.gov.

NIH-Verschiebung. von *Witkop 1967 im National Institute of Health (Name!) gefundene Umlagerung, die bei der enzymat. Hydroxylierung von aromat. Substraten auftritt.

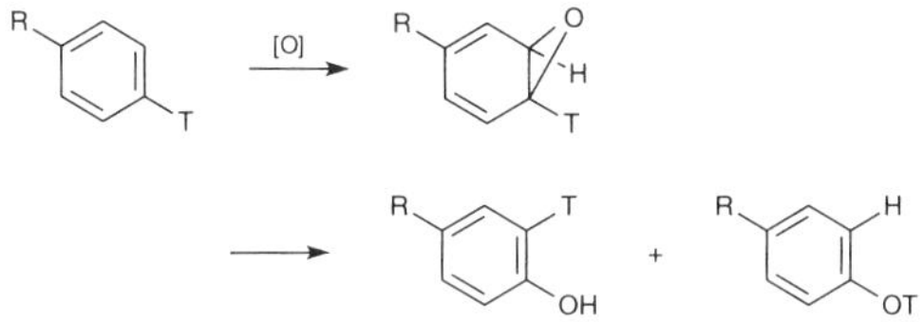

Abb.: NIH-Verschiebung; zum Nachw. der Reaktion wird mit radioaktivem Tritium (T) markiert.

Als Primärprodukte dieser biolog. Oxid. von aromat. Verb. zu Phenolen treten *Arenoxide auf, die für die carcinogene Eigenschaften vieler aromat. Verb. verantwortlich gemacht werden. – ***E*** NIH shift – ***F*** déplacement NIH – ***I*** spostamento di NIH – ***S*** desplazamiento NIH

Lit.: Acc. Chem. Res. **12**, 288 ff. (1979) ▪ Experienta **28**, 1129–1149 (1972) ▪ s. a. Arenoxide u. Carcinogene.

Nikkomycine. Gruppe von Peptid-Nucleosid-Antibiotika (bis 1996 waren 32 Verb. bekannt) aus *Streptomyces*-Kulturen (*S. tendae*) mit bemerkenswerter akarizider, insektizider u. antifung. Aktivität gegen pathogene Hefen u. primärpathogene Pilze. Die Wirkung beruht auf einer Hemmung der *Chitin-Biosynth. infolge Strukturanalogie zu UDP-*N*-Acetyl-D-glucosamin. Mit antifung. wirkenden Azolen treten synergist. Effekte auf[1]. Die N. enthalten Formylimidazolon od.

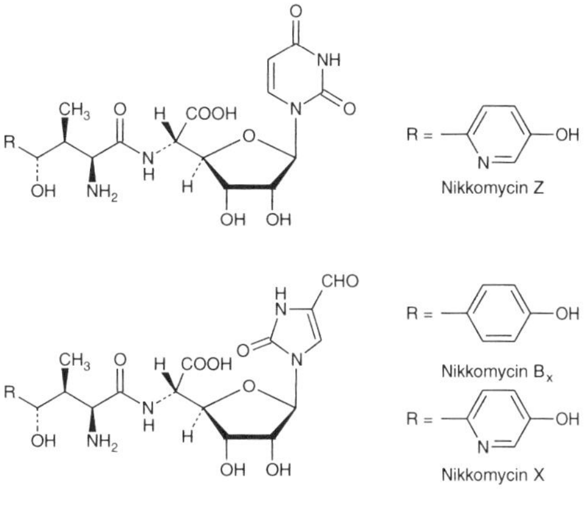

Tab.: Daten zu ausgewählten Nikkomycinen

	Summenformel	M_R	Schmp. [°C]	$[\alpha]_D^{20}$ (H_2O)	CAS
N. Z	$C_{20}H_{25}N_5O_{10}$	495,45	194–197	+49,5°	59456-70-1
N. B_x	$C_{21}H_{26}N_4O_{10}$	494,46		+56,7°	75410-71-8
N. X	$C_{20}H_{25}N_5O_{10}$	495,45	204 (Zers.)	+24°	72864-26-7

Uracil als Heterocyclen. Der Peptid-Teil weist stärkere Variationen auf. N. ähneln den *Polyoxinen. – ***E*** nikkomycins – ***F*** nikkomycines – ***I*** niccomicine – ***S*** nicomicinas

Lit.: [1] Antimicrob. Agents Chemother. **34**, 587–593 (1990); Clin. Dermatol. **7**, 325 (1993); J. Infect. Dis. **157**, 212 ff. (1988). *allg.:* Agric. Biol. Chem. **38**, 699–705 (1974); **44**, 1709 (1980) ▪ Beilstein E V **24/6**, 466 ▪ J. Antibiot. **41**, 1711 (1988); **43**, 43–48 (1990) ▪ Lett. Appl. Microbiol. **9**, 79 ff. (1989) ▪ Pflanzenschutz-Nachr. Bayer **38**, 305–348 (1985) ▪ Ullmann (5.) **A 2**, 492. – *Biosynth.:* Tetrahedron Lett. **36**, 2351 (1995). – *Synth.:* Justus Liebigs Ann. Chem. **1982**, 1615; **1985**, 2165–2177, 2465 ff.; **1987**, 803–807. – *[HS 2941 90; CAS 86003-55-6 (Gruppe)]*

Nilblau A {Nilblau BX, 5-Amino-9-(diethylamino)-benzo[*a*]phenoxaziniumchlorid, C.I. Basic Blue 12, C.I. 51 180}.

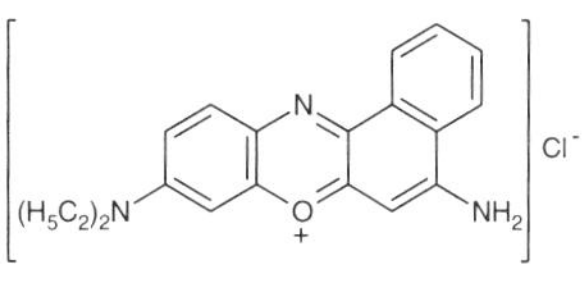

$C_{20}H_{22}ClN_3O$, M_R 355,86. Grünglänzendes Krist.-Pulver, in kaltem Wasser wenig, in heißem leicht mit blauer Farbe löslich.

Verw.: Zum Blaufärben von mit Tannin u. Brechweinstein gebeizter Baumwolle od. auch Seide, als Säure-Basen-Indikator (blau: pH 10,2 – violettrot: pH 13,0), in der Mikroskopie zur Rotfärbung des Neutralfetts an Gefrierschnitten, in der Spektrometrie zur Tantal-Bestimmung. N. BX wird als kation. Farbstoff für die Bakteriologie verwendet. – ***E*** nile blue A – ***F*** bleu de Nil A – ***I*** blu del Nilo A – ***S*** azul Nilo A

Lit.: Beilstein E V **27/19**, 272 ▪ Z. Anal. Chem. **260**, 290 (1972) ▪ s. a. Phenoxazin. – *[CAS 2381-85-3]*

Nilson, Lars Fredrik (1840–1899), Prof. für Analyt. Chemie, Uppsala u. Stockholm. *Arbeitsgebiete:* Seltene Erden, Entdeckung des Scandiums, Dampfdichtebestimmung bei Chloriden von Be, Ge, Ti, Al, In, Ga usw., Darst. von metall. Titan u. Thorium, Arbeiten über Düngung u. Humusstoffe.

Lit.: J. Chem. Educ. **1968**, 649–655 ▪ Lexikon der Naturwissenschaftler, S. 310 ▪ Neufeldt, S. 70 ▪ Pötsch, S. 323 ▪ Strube **2**, 63, 103, 193.

Nilsson-Ester s. Ethanol (S. 1228) u. Phosphoglycerinsäuren.

Nilvadipin (Rp).

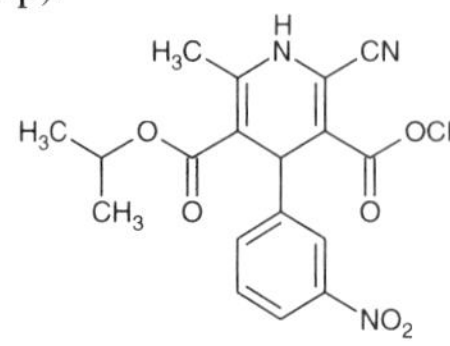

Internat. Freiname für den als *Antihypertonikum verwendeten *Calcium-Antagonisten, (±)-5-Isopropyl-3-methyl-[2-cyan-1,4-dihydro-6-methyl-4-(3-nitrophenyl)-3,5-pyridindicarboxylat], $C_{19}H_{19}N_3O_6$, M_R 385,37, Schmp. 148–150 °C; $[\alpha]_D^{20}$ ±221°±2° (c 1/CH_3OH). N. wurde 1980 u. 1982 von Fujisawa patentiert u. ist von Klinge (Nivadil®) u. Merck (Escor®) im Handel. – ***E*** nilvadipine – ***F*** nilvapidine – ***I*** = ***S*** nilvadipina

Lit.: ASP ▪ Drugs Aging **6**, 150–171 (1995) ▪ Hager (5.) **8**, 1166f. ▪ Martindale (31.), S. 922. – *[HS 2933 39; CAS 75530-68-6]*

Nimbaum (Niembaum, Neembaum). Aus Indien stammender, in trop. Gebieten verbreiteter Baum *Antelaea* od. *Melia azadirachta* (*Azadirachta indica*, Zedrachgewächse, Meliaceae), dessen unangenehm knoblauchartig riechendes Samenöl (*Neemöl) das als fraßhemmendes *Insektenabwehrmittel wirksame *Azadirachtin enthält; ähnlich wirkende Terpenoide wurden auch in anderen Meliaceae gefunden[1]. Aus der Rinde lassen sich verschiedene *Bitterstoffe (*Limonoide) isolieren wie z. B. *Nimbin*[2] {$C_{30}H_{36}O_9$, M_R 540,61, als farb- u. geruchlose, bitter schmeckende Krist., Schmp. 205 °C, $[\alpha]_D$ +170° ($CHCl_3$)}

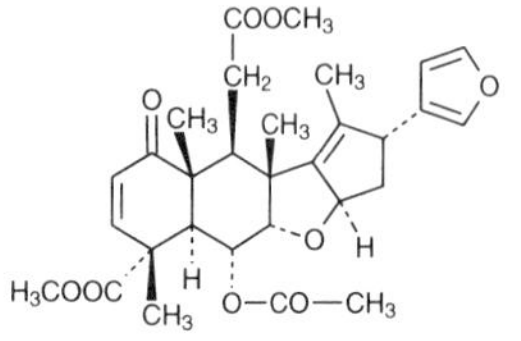

Nimbin

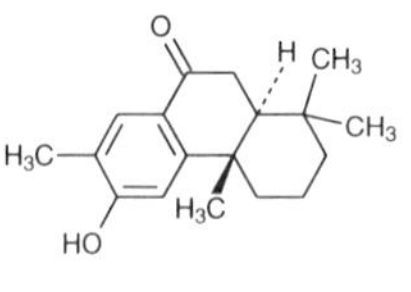

Nimbiol

u. *Nimbiol* {$C_{18}H_{24}O_2$, M_R 272,38, Schmp. 248–252 °C, $[\alpha]_D$ +32,3° ($CHCl_3$)}. Die Rindenextrakte werden in Haut- u. Mundpflegemitteln verwendet. – ***E*** neem tree – ***F*** nim indien – ***I*** albero nim – ***S*** árbol nim

Lit.: [1]Angew. Chem. **90**, 476f. (1978). [2]Indian Drugs **25**, 526f. (1988); Tetrahedron **24**, 1517 (1968); **46**, 775-782 (1990).
allg.: Beilstein E IV **8**, 1108 (Nimbiol); E V **19/8**, 302 (Nimbin) ▪ Karrer, Nr. 3683 ▪ Schmutterer, The Neem Tree, Weinheim: VCH Verlagsges. 1995 ▪ s. a. Azadirachtin.

Nimbin, Nimbiol s. Nimbaum.

Nimesulid (Rp).

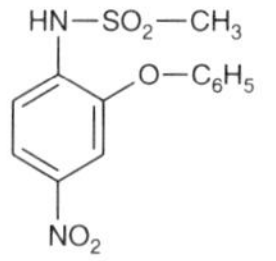

Internat. Freiname für das *Antirheumatikum *N*-(4-Nitro-2-phenoxyphenyl)methansulfonamid, $C_{13}H_{12}N_2O_5S$, M_R 308,30, Schmp. 143–144,5 °C; LD_{50} (Ratte oral) 324 mg/kg. N. hemmt selektiv die Cyclooxygenase 2. Es wurde 1974 von Riker patentiert. – ***E*** nimesulide – ***F*** nimésulide – ***I*** nimesulide – ***S*** nimesulfida

Lit.: Merck-Index (12.), Nr. 6640. – *[HS 2935 00; CAS 51803-78-2]*

Nimodipin (Rp).

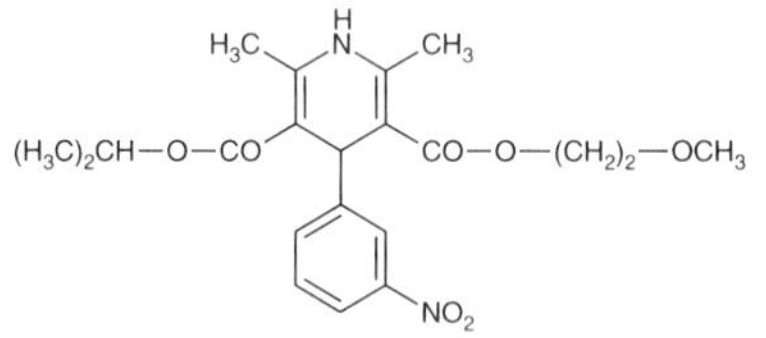

Internat. Freiname für den Calcium-Antagonisten (±)-Isopropyl-(2-methoxyethyl)-1,4-dihydro-2,6-dimethyl-4-(3-nitrophenyl)-3,5-pyridindicarboxylat, $C_{21}H_{26}N_2O_7$, M_R 418,44, Schmp. 125 °C; LD_{50} (Maus oral) 3562, (Maus i.v.) 33 mg/kg; (–)-Isomer: $[\alpha]_D^{20}$ –7,93° (c 0,347/Dioxan); N. wurde 1979 u. 1983 von Bayer (Nimotop®) als cerebraler Vasodilatator patentiert. Es wird bei ischäm. neurolog. Defiziten u. hirnorgan. bedingten Leistungsstörungen im Alter eingesetzt. – ***E*** = ***F*** nimodipine – ***I*** = ***S*** nimodipina

Lit.: Drugs Aging **2**, 262–286 (1992) ▪ Hager (5.) **8**, 1167ff. ▪ Betz et al., Nimodipine. Pharmacological and Clinical Properties, Stuttgart: Schattauer 1985 ▪ Martindale (31.), S. 922. – *[HS 2933 39; CAS 66085-59-4]*

Nimöl s. Neemöl.

Nimonic®. Marke der Inco Alloys Int. für hitze- u. kriechbeständige Leg. auf der Basis von NiCr od. NiCrCo od. a. NiCrCo(Mo), ggf. mit Zusätzen an Fe, Al, Ti, seltener W u. Nb. *Beisp.:* 45–70% Ni, 16–30% Cr, 1,2–2,5% Ti, 1,2–1,4% Al sowie ggf. 17% Co od. 3,2% Mo od. 34,4% Fe. Verw. als Motorenteile, z. B. Brennkammern, Ind.-Ofenteile, Turbinenrotor- u. Kompressorscheiben, gewalzte u. stumpfgeschweißte Ringe, Turbinenschaufelteile usw. ***B.:*** Inco.

Nimorazol (Rp). Internat. Freiname für das Chemotherapeutikum (Trichomonazid) 4-[2-(5-Nitro-1-imidazolyl)-ethyl]-morpholin, $C_9H_{14}N_4O_3$, M_R 226,23 (Formel s. bei Nitroimidazole), Schmp. 109–111 °C; λ_{max} (CH_3OH) 299 nm ($A_{1cm}^{1\%}$ 311); LD_{50} (Maus oral) 1530 mg/kg. N. wurde 1967, 1969 u. 1972 von Merck & Co. patentiert u. ist von Pharmacia & Upjohn (Esclama®) im Handel. – ***E*** = ***F*** nimorazole – ***I*** nimorazolo – ***S*** nimorazol

Lit.: Hager (5.) **8**, 1169ff. ▪ Martindale (31.), S. 626. – *[HS 2934 90; CAS 6506-37-2]*

Nimotop®. Filmtabl. u. Infusionslsg. mit *Nimodipin gegen hirnorgan. bedingte Leistungsstörungen im Alter. ***B.:*** Bayer Pharma Deutschland.

Nimustin (Rp).

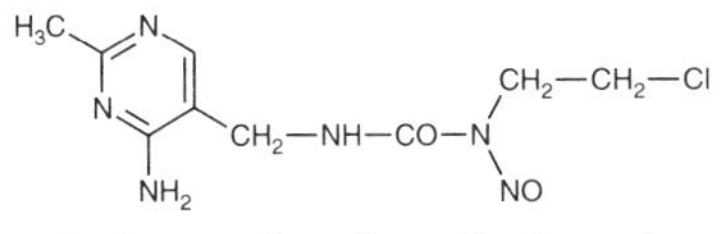

Internat. Freiname für das alkylierend wirkende *Cytostatikum 3-(4-Amino-2-methyl-5-pyrimidinylmethyl)-1-(2-chlorethyl)-1-nitrosoharnstoff, $C_9H_{13}ClN_6O_2$, M_R 272,69, Schmp. 125 °C (Zers.). Verwendet wird meist das Hydrochlorid, Schmp. 190 °C (Zers.); λ_{max} (0,04 N HCl) 245 nm ($A^{1\%}_{1cm}$ 480–510); LD_{50} (Maus i.v.) 62 mg/kg. N. wurde 1973 u. 1977 von Sankyo patentiert u. ist von Asta Medica (ACNU®) im Handel. – ***E*** = ***F*** nimustine – ***I*** = ***S*** nimustina

Lit.: Beilstein E V **25/12**, 136 ▪ Hager (5.) **8**, 1171 f. ▪ Martindale (31.), S. 593. – *[HS 2933 59; CAS 42471-28-3 (N.); 55661-38-6 (Hydrochlorid)]*

Ninhydrin (1,2,3-Indantrion-Hydrat). $C_9H_6O_4$, M_R 178,14. Das als 2,2-Dihydroxy-1,3-indandion vorliegende N., das aus 1,2,3-Indantrion gebildet wird (s. Abb. 1 a), bildet farblose, haut- u. schleimhautreizende Krist., Zers. bei 241–243 °C (nach Rotfärbung ab ca. 100 °C), leicht lösl. in siedendem Wasser, Alkoholen, wenig in Ether.

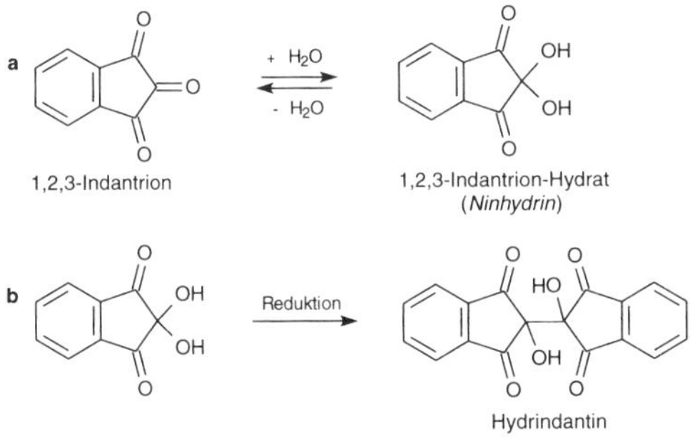

Abb. 1: Bildung (a) u. Reduktion (b) von Ninhydrin.

α-Aminosäuren, (außer Prolin) geben beim Kochen mit einer wäss. N.-Lsg. eine Blaufärbung, die mit Pentanol extrahiert werden kann – Glycin läßt sich noch in der Verdünnung 1:1000 nachweisen. Die *Ninhydrin-Reaktion* zeigt einen recht komplexen Verlauf; in Abb. 2 ist der Mechanismus vereinfacht in drei Reaktionsschritten skizziert.

CO_2 kann in einer Apparatur nach van *Slyke quant. bestimmt werden. Die Menge des gebildeten blauvioletten Farbstoffs (Ruhemann's Purpur) wird photometr. gemessen, so daß daraus die Menge der jeweiligen Aminosäure bestimmt werden kann. Mit Ammoniak, prim. u. sek. Aminen, Prolin, β- u. γ-Aminosäuren, Peptiden u. Proteinen reagiert das von Ruhemann 1910 erstmals beschriebene N.[1] nur unter Bildung gelblich-bräunlicher Kondensationsprodukte. Harnstoff od. tert. Amine geben keine Farbreaktion. Die Farbreaktion ist auch auf Papier- u. Dünnschichtchromatogrammen ausführbar, wozu spezielle Sprühlsg. entwickelt worden sind. N. wird auch in der *forensischen Chemie, z. B. zum Imprägnieren von Banknoten eingesetzt. Bes. für die *Moore-Stein-Analyse geeig-

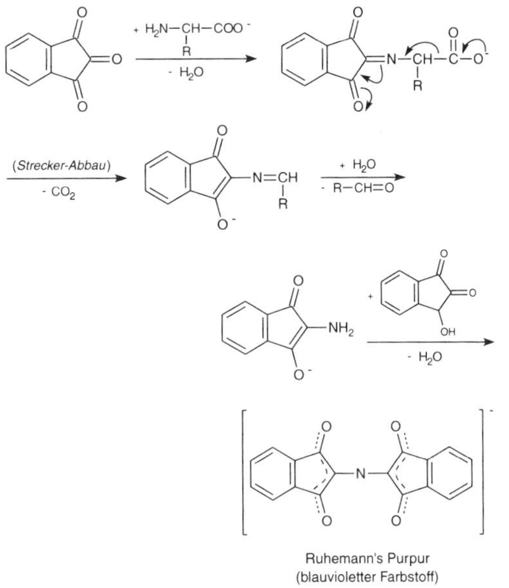

Abb. 2: Mechanismus der Ninhydrin-Reaktion.

net sind N.-Lsg., die Red.-Mittel zur Herst. des Hydrindantins (reduziertes N., $C_{18}H_{10}O_6$, M_R 322,27; s. Abb. 1 b) *in situ* enthalten (*Beisp.:* Methylglykol, Natriumacetat-Puffer, $SnCl_2$, Pyridin, Eisessig, Wasser u. NaCN). Wird Hydrindantin selbst dem N. zugesetzt, ist Dimethylsulfoxid (zusammen mit 25% 4 n Lithiumacetat-Puffer) das Lsm. der Wahl. Zusammen mit Alloxan (gibt Rotfärbung) kann N. auch zur künstlichen *Hautbräunung benutzt werden. – ***E*** ninhydrin – ***F*** ninhydrine – ***I*** ninidrina – ***S*** ninhidrina

Lit.: [1] J. Chem. Educ. **42**, 386–394 (1965).

allg.: Beilstein E IV **7**, 2786 ▪ Kontakte (Merck) **1971**, Nr. 2, 5 f. ▪ Tetrahedron **29**, 4271–4274 (1973); **34**, 1285–1300 (1978) ▪ Ullmann (5.) **A 2**, 89. – *[HS 2914 49; CAS 485-47-2]*

Niob (Niobium, im angelsächs. Schrifttum früher auch Columbium = Cb). Chem. Symbol Nb, metall. Element, Atomgew. 92,90638, Ordnungszahl 41. Als anisotopes Element (Reinelement ^{93}Nb) hat Nb keine weiteren natürlichen Isotope; man kennt jedoch noch künstliche Isotope des Nb (86–103) mit HWZ zwischen 1,5 s u. $3 \cdot 10^7$ a, von denen ^{95}Nb (35 d) als Radionuklid Verw. gefunden hat. In seinen Verb. tritt Nb in den Oxidationsstufen +2, +3, +4 u. +5 auf, wobei +5 am häufigsten u. beständigsten ist. Nb ist chem. eng verwandt mit Tantal (Niobe ist die Tochter des Tantalos; zur Ableitung des Namens Tantal s. dort) u. Vanadium, den Nachbarn in der 5. Gruppe des Periodensyst.; die Trennung insbes. von ersterem war früher wegen gleicher Ionenradien von Nb^{5+} u. Ta^{5+} (beide Ionen haben die Radien 78, 83 u. 88 pm für die Koordinationszahlen 6, 7 u. 8) äußerst mühsam (Meth. von de *Marignac durch Krist. komplexer Fluoride). Die normalen Oxide der Elemente V, Nb, Ta sind Säurebildner, daher bezeichnet man sie auch als *saure Erden* od. *Erdsäuren* (vgl. Erdmetalle).

Nb ist ein luftbeständiges, hellgraues, auf polierten Flächen weiß glänzendes, walzbares u. schmiedbares

Metall, das kub. raumzentriert krist., D. 8,66, Schmp. 2468±10 °C (nach anderen Angaben 2497 °C), Sdp. 5127 °C, das allen Säuren mit Ausnahme von heißer konz. Schwefelsäure u. Flußsäure widersteht (*Passivität), aber von Alkalilaugen angegriffen wird. Erhitzen an Luft oberhalb 300 °C führt zur Oxid. u. auch Wasserstoff bzw. Stickstoff werden oberhalb 250 °C bzw. 300 °C unter Bildung von sehr spröden festen Lsg. absorbiert, weshalb die Bearbeitung von Nb bei erhöhten Temp. unter Edelgasatmosphäre od. im Vak. erfolgen muß.

Physiologie: Der menschliche Körper enthält 100 mg Nb, über dessen physiolog. Funktion wenig bekannt ist; eingeatmete Niob-Verb. werden bes. in den Knochen u. der Leber angereichert[1].

Nachw.: Gravimetr. mit *N-Benzoyl-N-phenylhydroxylamin od. Phenylarsonsäure u. photometr. mit *4-(2-Pyridylazo)-resorcin[2]. Spurenelemente in hochreinem Nb lassen sich durch Aktivierungsanalyse gut erfassen[3].

Vork.: Etwa 24 ppm der obersten, 16 km dicken Erdkruste dürften aus Nb bestehen, das in der Häufigkeitsliste an 34. Stelle zwischen Neodym u. Blei steht. Man findet Nb an vielen Orten verstreut, aber selten in größeren Mengen angereichert. Es gibt etwa 60 Niob-Minerale, vorwiegend Mischoxide, z. B. *Columbit od. Niob-reicher Niobit $(Fe,Mn)(Nb,Ta)_2O_6$, vielfach zusammen mit Zinnstein in Seifen abgelagert. Mit Tantal, Mangan, Seltenen Erden u. anderen Elementen vergesellschaftet ist Nb in Pegmatiten u. pneumolit. Gängen als *Pyrochlor enthalten, dem heute wichtigsten Rohstoff. Von der ca. 16000 t/a betragenden Weltförderung entfallen 80% auf Brasilien u. 11% auf Kanada; eine untergeordnete Rolle spielen Australien, Zaire, Nigeria u. die ehemalige UdSSR sowie die Niob-Gewinnung aus südostasiat. Zinnschlacken (s. Tantal).

Herst.: Zu rund 90% wird Nb in Form von *Ferroniob durch direkte aluminotherm. Red. von Erzkonzentraten gewonnen, denen nach Bedarf Kalk od. Flußspat als Flußmittel u. manchmal Oxid.-Mittel wie $NaClO_3$, zugesetzt werden. Die so erhaltene Leg. enthält ca. 62–67% Nb, 28–32% Fe, geringe Mengen Ta, Al u. Si sowie Spuren anderer Elemente. Zur Herst. von Nb-Metall erfolgt vorher die Abtrennung von Tantal aus dem in einem Schwefelsäure-Flußsäure-Gemisch gelösten Erzkonzentrat durch Flüssig-flüssig-Extraktion mittels 4-*Methyl-2-pentanon. Das hierbei erhaltene Nb_2O_5 kann auch mit Kohlenstoff zum metall. Nb reduziert werden (*Balke-Prozeß*):

$$Nb_2O_5 + 7\,C \xrightarrow{1500\,°C} 2\,NbC + 5\,CO$$
$$5\,NbC + Nb_2O_5 \xrightarrow{2000\,°C} 7\,Nb + 5\,CO$$

Das Metall wird unter Druck hydriert (Versprödung), gemahlen, dehydriert, zu Barren gepreßt u. gesintert. Die Red. der Chloride od. Fluoride mit Na wird prakt. nur bei Tantal (s. dort) ausgeführt. Höchstreines Nb erhält man durch wiederholtes Elektronenstrahlschmelzen[4].

Verw.: Nb wird hauptsächlich in Form von *Ferroniob u. Ferro-Niob-Tantal zur Herst. von Baustählen u. hochwarmfesten Stählen verwendet. Bes. Bedeutung haben in neuerer Zeit die höherfesten, niedriglegierten (High-strength, Low-alloy = HSLA-) Stähle mit bis zu 1% Nb erlangt, v. a. im Automobilbau, für Hochspannungsmasten, Offshore-Plattformen, Brücken u. Rohrleitungen. Nb ist Bestandteil zahlreicher *Superlegierungen, die wegen ihrer hohen Wärmefestigkeit in Gasturbinen u. Triebwerken von Düsenflugzeugen eingesetzt werden. Leg. hoher Reinheit werden meist aus reinem, chem. hergestellten Nb_2O_5 in Ggw. der gewünschten Leg.-Bestandteile (z. B. Fe, Ni) durch Al-Red. erzeugt. Mit Nb-W-Thermoelementen kann man Temp. um 2000 °C exakt messen. Uran-Niob-Leg. finden im Reaktorbau Anw. u. Zirconium-Niob-Leg. zur Umhüllung von Kernbrennstäben, Niob-Zinn (Nb_3Sn) zeigt bei Kühlung mit flüssigem Helium *Supraleitung u. verliert diese Eigenschaft auch nicht in extrem starken Magnetfeldern; für die großen Magnete von Teilchenbeschleunigern werden bevorzugt Nb-Ti-Leg. verwendet[5]. Die Weltjahresproduktion betrug 1993 ca. 12700 t, davon wurden 9756 t in Brasilien, 2393 t in Kanada, 455 t in Zaire, 50 t in Australien u. der Rest in anderen Ländern hergestellt.

Geschichte: Nb wurde 1801 von Hatchett in einem Mineral (mit Tantaloxid vergesellschaftetes Nb-Oxid) entdeckt, das von Connecticut nach England gesandt worden war. Nach dem amerikan. („columbian.") Fundort des Minerals wurde das Element *Columbium* genannt. Die Reinherst. gelang 1864 Blomstrand durch Erhitzen des Chlorids in einer Wasserstoff-Atmosphäre. Der Name N. geht auf Rose (1844) zurück, der das reine Chlorid isolierte; dieser Name wurde 1949 durch die IUPAC als offizielle Bez. des Elementes (latein. Form: Niobium) angenommen. – ***E*** = ***F*** niobium – ***I*** = ***S*** niobio

Lit.: [1] Wennig u. Kirsch, in Seiler u. Sigel (Hrsg.), Handbook on Toxicity of Inorganic Compounds, New York: Dekker 1988. [2] Fries-Getrost, S. 262–266. [3] Pure Appl. Chem. **54**, 787–806 (1982). [4] Neue Hütte **34**, 49–55 (1989). [5] Chem. Tech. (Leipzig) **11**, 685–691 (1982).
allg.: Angew. Chem. **92**, 531–546 (1980) ▪ Brauer (3.) **1**, 261 f.; **3**, 1439–1451, 1457–1476, 1941–1945, 1968 f. ▪ Clark u. Brown, The Chemistry of Vanadium, Niobium and Tantalum, Oxford: Pergamon 1975 ▪ Gmelin, Syst.-Nr. 49, Nb, 1969–1973 ▪ High Temp. Technol. **2**, 185–201 (1984) ▪ Houben-Weyl **13/7**, 366–371 ▪ Int. J. Powder Metall, **22**, 47–50, 52 (1986) ▪ J. Less-Common Met. **139**, 107–122 (1988) ▪ Kirk-Othmer (4.) **17**, 43–67 ▪ Metall (Berlin) **42**, 717–719 (1988) ▪ Naturwissenschaften **69**, 53–62 (1982) ▪ Phys. Unserer Zeit **16**, 16–23 (1985) ▪ Snell-Ettre **16**, 348–395 ▪ Stuart (Hrsg.), Niobium, Proc. Int. Symp., Warrendale, PA: Metall. Soc. AIME 1984 ▪ Ullmann (5.) **A 17**, 251–264 ▪ Winnacker-Küchler (4.) **4**, 518–523. – *[HS 811291; CAS 7440-03-1]*

Niobate(V). Bez. für Salze, die sich von Oxosäuren u. Isopolysäuren des 5-wertigen Niobs ableiten. Man unterscheidet ferroelektr. *Meta-N.* der allg. Formel M^INbO_3 (z. B. Lithiumniobat) u. *Ortho-N.* der allg. Formel $M^I_4Nb_2O_7$ (M^I = einwertiges Metall-Ion), die Halbleiter sind; auch N. der Zusammensetzung $M^I_8Nb_6O_{19}$ u. $Na_{14}Nb_{12}O_{37}$ sind bekannt. – ***E*** = ***F*** niobates(V) – ***I*** niobati(V) – ***S*** niobatos(V)

Lit.: Brauer (3.) **3**, 1469, 1775 f. ▪ Curr. Top. Mat. Sci. **1**, 481 (1978) ▪ Kirk-Othmer (4.) **17**, 62 f. ▪ Naturwissenschaften **63**, 386 (1976); **67**, 141 f. (1980) ▪ s. a. Niob.

Niobborid s. Niob-Verbindungen.

Niobcarbid s. Niob-Verbindungen.

Niobeöl s. Benzoesäuremethylester.

Niobit s. Niob u. Columbit.

Niobium s. Niob.

Niobpentachlorid s. Niob-Verbindungen.

Niobpentafluorid s. Niob-Verbindungen.

Niobpentoxid s. Niob-Verbindungen.

Niob-Verbindungen. a) *Niobborid*, NbB_2, M_R 114,53, graues Pulver, D. 6,97, Schmp. ca. 3050 °C. – b) *Niobcarbid*, NbC, M_R 104,92, lavendelgraues Pulver, D. 7,788, Schmp. 3600 °C, Sdp. 4300 °C, H. 8+; wird neben W-, Ti- u. Mo-carbid in einigen *Hartmetallen verwendet. – c) *Niobpentachlorid*, $NbCl_5$, M_R 270,17, gelbe Krist., D. 2,74, Schmp. 208,3 °C, Sdp. 248,2 °C. – d) *Niobpentafluorid*, NbF_5, M_R 187,90, farblose, monokline Krist., D. 3,54, Schmp. 79 °C, Sdp. 234 °C. – e) *Niobpentoxid*, Nb_2O_5, M_R 265,81, weiße Krist., D. 4,55, Schmp. 1491±2 °C (α-Nb_2O_5), erhöht den Brechungsindex opt. Gläser, findet Verw. in Objektiven für Fotoapparate u. Kopiergeräte sowie in Brillengläsern. – ***E*** niobium compounds – ***F*** composés de niobium – ***I*** composti di niobio – ***S*** compuestos de niobio

Lit.: s. Niob. – *[HS 2850 00, 2827 39; CAS 12007-29-3 (a); 12069-94-2 (b); 10026-12-7 (c); 7783-68-8 (d); 1313-96-8 (e)]*

NIOSH. Abk. für das dem US Department of Health and Human Services unterstehende National Institute of Occupational Safety and Health mit Sitz in 4676 Columbia Parkway, Cincinnati, Ohio 45226 (USA), das 1970 gegründet wurde. Nach Maßgabe des Occupational Safety and Health Act (OSHA) beschäftigt sich NIOSH mit allen Aspekten der *Arbeitssicherheit einschließlich der Einwirkung potentiell u. nachweislich *gefährlicher Stoffe* (*Gefahrstoffe) auf den Menschen. NIOSH erarbeitet u. a. Richtkonz. für Chemikalien, die den *MAK-Werten entsprechen u. publiziert jährlich das Registry of Toxic Effects of Chemical Substances (RTECS), das als Datenbank über *STN International zugänglich ist u. über Toxizität von Substanzen informiert. INTERNET-Adresse: http://www.cdc.gov/niosh.

Niotenside s. nichtionische Tenside.

Nioxim (1,2-Cyclohexandion-dioxim).

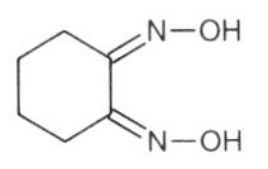

$C_6H_{10}N_2O_2$, M_R 142,15. Farblose Krist., Schmp. 188–190 °C (Zers.), wenig lösl. in Wasser. N. dient zur photometr. Bestimmung von Ni(II) im ppm-Bereich (purpurrote Färbung) u. von Re(VII); weiterhin bildet es Komplexe mit Co u. Fe. – ***E*** = ***F*** nioxime – ***I*** niossime – ***S*** nioxima

Lit.: Beilstein E IV **7**, 1982 f. ▪ Bull. Chem. Soc. Jpn. **46**, 3590 (1973) ▪ J. Am. Chem. Soc. **97**, 932 (1975) ▪ J. Inorg. Nucl. Chem. **36**, 1601 (1974) ▪ Merck-Index (12.), Nr. 6653 ▪ Talanta **26**, 425 (1979). – *[HS 2928 00; CAS 492-99-9]*

Nipa. Kurzbez. für die Nipa Laboratories Ltd., Llantwit Fardre near Pontypridd, Mid Glamorgan CF38 2SN (GB). *Beteiligungs- u. Tochterges.*; Nipa Hardwick Inc. (GB); Lancaster Synthesis (GB). *Produktion:* Spez. Lsm., Zwischenprodukte, Iod-Chemie, Reprographiechemikalien, Konservierungsmittel, Biozide, Pharmazeutika, Desinfektionsmittel, Feinchemikalien. *Nipa...* ist auch anlautender Namensbestandteil in Marken der Fa. für eine Reihe von Konservierungsstoffen, industrielle Biozide u. Desinfektionsmittel. *Vertretung* in der BRD: Nipa Laboratorien GmbH, 22825 Norderstedt.

Nipacide®BCP. Industrielles Biozid für die Desinfektion u. als Antiseptikum auf der Basis von 2-Benzyl-4-chlorphenol/Chlorophen. ***B.:*** Nipa.

Nipacide®BIT. Industrielles Biozid auf der Basis von 1,2-Benzisothioazolin-3-on für Farben, Polymere, Tonmineralsuspensionen u. Latices. ***B.:*** Nipa.

Nipacide®PC. 4-Chlor-3-methylphenol als industrielles Desinfektionsmittel u. Antiseptikum. ***B.:*** Nipa.

Nipacide®PX. Konservierungsmittel Chlorxylenol, das in Kosmetika, flüssigen Seifen u. Handdesinfektionsmitteln eingesetzt wird. ***B.:*** Nipa.

Nipastat®. Gemisch verschiedener *4-Hydroxybenzoesäureester als Konservierungsmittel in Kosmetika. ***B.:*** Nipa.

Nipecotinsäure s. 3-Piperidincarbonsäure.

Niphimycine s. Amycine.

Nipolept® (Rp). Dragées mit dem *Neuroleptikum *Zotepin. ***B.:*** Rhône-Poulenc Rorer.

Nipolit. Brisant detonierbarer Sprengstoff aus *Cellulosenitrat, *Glycerintrinitrat od. *Diethylenglykoldinitrat mit Zusatz von *Hexogen od. *Pentaerythrittetranitrat (evtl. auch Al-Pulver), wurde wie *POL-Pulver hergestellt u. am Ende des 2. Weltkriegs entwickelt. – ***E*** = ***F*** = ***I*** nipolite – ***S*** nipolita

Lit.: Köhler u. Meyer, Explosivstoffe, 8. Aufl., Weinheim: VCH Verlagsges. 1995. – *[HS 3602 00]*

Nipponium s. Technetium.

NIR. Abk. für Nahes Infrarot, s. Infrarotstrahlung u. IR-Spektroskopie.

Nirenberg, Marshall Warren (geb. 1927), Prof. für Biochemie, NIH Bethesda, Md. (USA). *Arbeitsgebiete:* Krebs- u. Herzforschung, Enzyme, Molekularbiologie, Entzifferung des genet. Codes; 1968 Nobelpreis für Physiologie od. Medizin (zusammen mit R. W. H. *Holley u. H. G. *Khorana).

Lit.: Lexikon der Naturwissenschaftler, S. 311 ▪ Nachmansohn, S. 289 ▪ Neufeldt, S. 263, (280), 353, 376 ▪ Pötsch, S. 323 ▪ Who's Who in America (50.), S. 3145.

Ni-Resist®. Eine Gruppe von austenit. Grauguß-Sorten mit 15–36% Nickel. ***B.:*** Inco.

Niridazol (Rp).

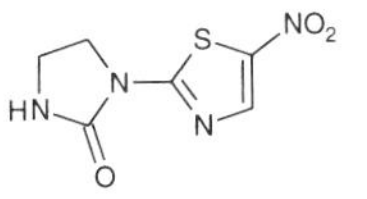

Internat. Freiname für das als *Amöbizid, früher auch gegen *Schistosomiasis eingesetzte 1-(5-Nitro-2-thiazolyl)-2-imidazolidinon, $C_6H_6N_4O_3S$, M_R 214,19, Schmp. 260–262 °C; λ_{max} (C_2H_5OH) 359 nm ($A^{1\%}_{1cm}$ 670). Wegen seiner neurotox. Nebenwirkungen u. Mutagenität wurde es aus dem Handel genommen. – ***E*** = ***F*** niridazole – ***I*** niridazolo – ***S*** niridazol

Lit.: Arzneimittelchemie III, 168, 181 ff., 211 ff. ▪ Beilstein E V **27/17**, 416 ▪ Hager (5.) **8**, 1172 ff. ▪ IARC Monogr. **13**, 123–130 (1977) ▪ Martindale (31.), S. 120 f. – *[HS 2934 10; CAS 61-57-4]*

Nirosta®. *Nichtrostende (Name!) u. säurebeständige Stähle bzw. daraus gefertigte Bänder u. Bleche, vgl. V-Stähle. ***B.:*** Krupp

NIR-Spektroskopie s. IR-Spektroskopie.

Nisin.

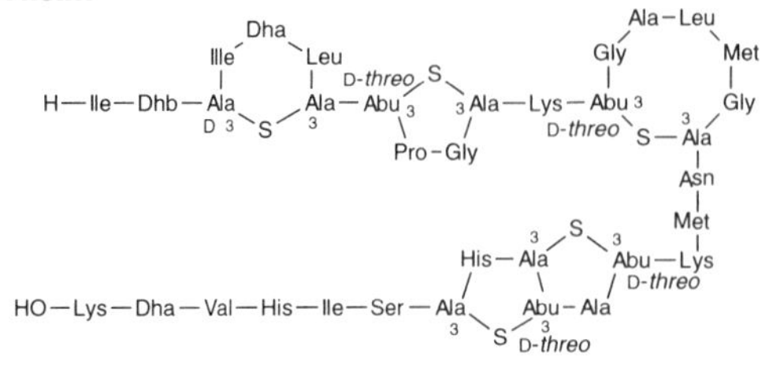

Abu 2-Aminobuttersäure
Dha Dehydroalanin (2-Aminoacrylsäure)
Dhb Dehydrobutyrin (2-Amino-2-butensäure)

$C_{143}H_{230}N_{42}O_{37}S_7$, M_R 3354,08, im Sauren hitzeresistent. Hochmol. Peptid-Antibiotikum, dessen 34 Aminosäuren 5 über Schwefel-Brücken geschlossene cycl. Struktureinheiten bilden. N. wird von Milchsäurebakterien wie *Streptococcus lactis* u. *S. cremoris* gebildet. Die Biosynth. findet im Gegensatz zu den kleineren Peptid-Antibiotika am Ribosom statt. N. ist gegen zahlreiche Gram-pos. Bakterien wirksam, v. a. gegen Bacillen u. Clostridien; es verringert die Hitzeresistenz der Bakteriensporen.

Anw.: Trotz einer leichten Antimalaria-Wirkung ist N. ohne therapeut. Bedeutung. In einigen Ländern (nicht in der BRD) wird N. zur Lebensmittelkonservierung eingesetzt, v. a. bei der Käse-Herst., aber auch bei Obst- u. Gemüsekonserven. – ***E*** nisin – ***F*** nisine – ***I*** = ***S*** nisina

Lit.: Angew. Chem., Int. Engl. Ed. **30**, 1051 (1991). – *[HS 2941 90; CAS 1414-45-5]*

Nisita®. Nasensalbe mit *Natriumchlorid, *Natriumhydrogencarbonat gegen Austrocknung u. Borkenbildung der Nasenschleimhaut. ***B.:*** Engelhard.

Nisoldipin (Rp).

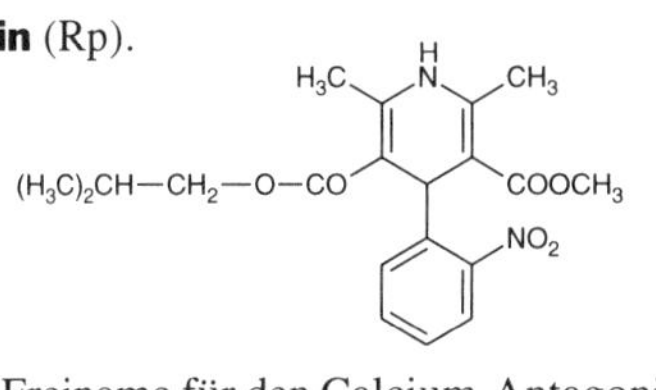

Internat. Freiname für den Calcium-Antagonisten (±)-Isobutyl-methyl-1,4-dihydro-2,6-dimethyl-4-(2-nitrophenyl)-3,5-pyridindicarboxylat, $C_{20}H_{24}N_2O_6$, M_R 388,42, Schmp. 151 – 152 °C. N. wirkt aufgrund starker Gefäßerweiterung am Herzen u. in der Peripherie sowie seiner initial natriuret. Eigenschaften antianginös u. antihypertensiv, vgl. a. die anderen 1,4-Dihydropyridin-Derivate Nifedipin, Nimodipin u. Nitrendipin. – ***E*** = ***F*** nisoldipine – ***I*** = ***S*** nisoldipina

Lit.: ASP ▪ Hager (5.) **8**, 1174 f. ▪ Martindale (31.), S. 923. – *[HS 2933 39; CAS 63675-72-9]*

Ni-Speed-Process®. Ein patentiertes Inco-Verf. zur elektrolyt. Schnellabscheidung von Nickel aus Sulfamat-Elektrolyten. Die Nickelsulfamat-Konz. $[Ni(NH_2SO_3)_2 \cdot 4H_2O]$ liegt zwischen 500 u. 700 g/L. Einsatzgebiete sind insbes. die Dickvernickelung u. die Galvanoformung. Neben der möglichen hohen Abscheidungsgeschwindigkeit sind geringe innere Spannung des Niederschlags sowie gutes Streuvermögen die hervorstechenden Merkmale. ***B.:*** Inco.

Nissan. Kurzbez. für die 1887 gegr. japan. Firma Nissan Chemical Industries Ltd., 7-1, 3-chome, Kanada-Nishiki-cho, Chiyoda-Ku, Tokyo. *Produktion:* Organ. u. anorgan. Grundchemikalien, komprimierte Gase, industrielle u. landwirtschaftliche Chemikalien, Düngemittel, Schädlingsbekämpfungsmittel, pharmazeut. Erzeugnisse, Spezialchemikalien, technolog. Entwicklung. *Vertretung* in der BRD: Nissan Chemical Europe GmbH, Immermannstrasse 45, 40210 Düsseldorf.

NIST. Abk. für National Institute of Standards and Technology, mit Sitz in 20899 Gaithersburg, MD (USA), ist 1988 aus dem 1901 gegründeten National Bureau of Standards (NBS) hervorgegangen u. seitdem Teil des US-Department of Commerce's Technology Administration. Der Namenswechsel dokumentiert die erweiterten Aufgaben des Inst., das 3300 Mitarbeiter beschäftigt u. ein Budget von $ 810 Mio. (1996) hat. Neben Aufgaben, wie sie auch die *Physikalisch-Technische Bundesanstalt verfolgt, ist es das Ziel von NIST, die Geschw. der Kommerzialisierung neuer Technologien der Ind., durch z. B. Technologietransfer u. stärkere Unterstützung von KMU, zu erhöhen. NIST kommt dieser Aufgabe durch das Advanced Technology Program (ATP) u. die Manufacturing Extension Partnership (MEP) nach u. unterhält zu diesem Zweck in Boulder, Colorado, acht Laboratorien. NIST ist Hersteller der Datenbanken JANAF u. NISTTHERMO (chem. thermodynam. Stoffgrößen für anorgan. u. organ. Substanzen mit ein od. zwei C-Atomen), NIST-CERAM (Daten zu physikal. u. chem. Eigenschaften von neuartigen Keramikmaterialien) u. NISTFLUIDS, die über *STN International zugänglich sind.

Publikationen: News Releases and Newsletters, Fact Sheets, Technology at Glance, The Journal of Research of the National Institute of Standards and Technology, Guide to Nist. INTERNET-Adresse: http://www.nist.gov.

Nitenpyram. Common name für (*E*)-*N*-(6-Chlor-3-pyridylmethyl)-*N*-ethyl-*N'*-methyl-2-nitro-1,1-ethendiamin.

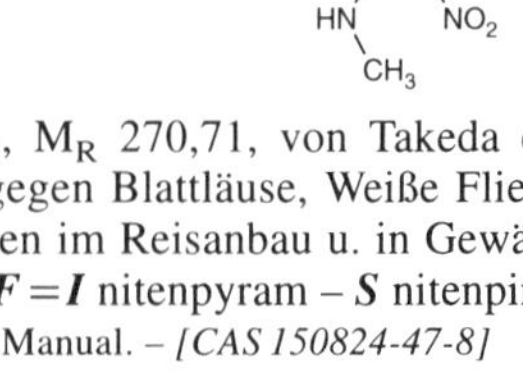

$C_{11}H_{15}ClN_4O_2$, M_R 270,71, von Takeda entwickeltes *Insektizid gegen Blattläuse, Weiße Fliege u. a. saugende Insekten im Reisanbau u. in Gewächshauskulturen. – ***E*** = ***F*** = ***I*** nitenpyram – ***S*** nitenpiram

Lit.: Pesticide Manual. – *[CAS 150824-47-8]*

Nitinol. 1958 im Naval Ordnance Laboratory entwickelte, korrosionsbeständige, hochfeste Nickel-Titan-Leg. mit 55% Ni. Die bis ca. 8% elast. verformbare Leg. ist bis 650 °C verwendbar, D. 6,4, Schmp. 1240 – 1328 °C. N. zählt zu den Formgedächtnis-Legierungen, d. h. zeigt einen sog. *Memory-Effekt, der sich z. B. zur cycl. Umwandlung von therm. in mechan.

Energie u. zum Antrieb kleiner Maschinen (*Banks' Engine* [1]) sowie auch in der Medizintechnik [2] nutzen läßt. – ***E*** = ***F*** = ***S*** nitinol – ***I*** nitinolo

Lit.: [1] Banks, Nitinol Heat Engines, in Perkins (Hrsg.), Shape Memory Alloys, New York: Plenum Press 1975. [2] Ullmann (5.) **A 26**, 14.

allg.: Jorde u. Reiß, Nitinol Bewegungselemente (Ber. A 4381), Köln-Porz: DFVLR 1982 ▪ Kirk-Othmer (3.) **20**, 726 ff. ▪ Umschau **84**, 77–81 (1984). – *[HS 7502 20]*

Niton. Bis 1934 gebräuchlicher Name für *Radon.

Nitr... s. Nitr(o)...

Nitramarin s. Chinolin-Alkaloide.

Nitramid s. Nitramine.

Nitramin s. Tetryl.

Nitramine (Nitroamine). Von Franchimont 1883 entdeckte Gruppe von als *Explosivstoffe verwendbaren *N*-Nitro-Verb. der allg. Formel $O_2N–NR^1R^2$, die sich formal von *Nitramid* (Nitrylamid, M_R 62,03, $R^1 = R^2 = H$, farblose Blättchen, Schmp. 72–75 °C, Zers.) ableiten, wobei R^1 u. R^2 gleiche od. verschiedene Reste sein können; *Beisp.:* *Ethylendinitramin, *Tetryl, *Hexogen u. *Octogen (Tri- bzw. Tetranitramine). – ***E*** = ***F*** nitramines – ***I*** nitroammine – ***S*** nitraminas

Lit.: Köhler u. Meyer, Explosivstoffe, 8. Aufl., VCH Verlagsges. 1995 ▪ Ullmann (4.) **21**, 666–671; (5.) **A 10**, 161 f. ▪ Winnacker-Küchler (4.) **7**, 376–383.

Nitrangin® compositum (Rp). Lsg. mit *Glycerintrinitrat u. konz. Baldriantinktur gegen Angina pectoris. ***B.:*** Isis Pharma.

Nitraniline s. *ar*-Nitroaniline.

Nitrat-Atmung s. Nitrate.

Nitratcellulose. Häufiger verwendete Bez. für *Cellulosenitrat.

Nitrate. 1. *Anorgan. N.* sind Salze der *Salpetersäure (HNO_3), z. B. mit von der allg. Formel M^INO_3. Diese N. sind in Wasser leicht lösl. u. farblos (sofern das Kation nicht farbig ist, wie bei den N. von Cu, Fe, Ni, Co u. dgl.); sie entwickeln beim trockenen Erhitzen Sauerstoff u. können als Oxid.-Mittel verwendet werden. Die wäss. Lsg. wirken im allg. nicht oxidierend, wohl aber die Schmelzen der reinen Nitrate. Man erhält die N. durch Auflösen von Metallen, Metalloxiden, Metallhydroxiden od. Carbonaten in Salpetersäure. Wegen ihrer Wasserlöslichkeit sind N., die in größeren Mengen auch beim Düngen in den Boden gelangen, allenthalben in der **Hydrosphäre* zu finden – N.-Minerale selbst treten nur in extremen Trockengebieten auf (*Beisp.:* *Caliche). N. kommen sowohl im „sauren Regen" als auch im *Trinkwasser u. in pflanzlichen Nahrungsmitteln (s. Tab. bei *Lit.* [1]) vor. Durch Einwirkung von *Nitrat-Reduktasen können aus N. *Methämoglobin- u. *Nitrosamine-bildende Nitrite (s. dort) entstehen, weshalb der N.-Gehalt im Trinkwasser in der BRD seit 1985 gemäß EG-Richtlinie auf 50 mg NO_3/L begrenzt ist (Richtwert sogar nur 25 mg/L). Zum Nachw. der N. eignen sich z. B. Benzyltriphenylphosphoniumchlorid [2], Brucin [3], Chromotropsäure, Diphenylamin, Dimethylphenol, Indol, Nitron, Nixons Reagenz, Lunge-Reagenz, Phenazon, Hydrochinon [4], zur Bestimmung auch Ionenchromatographie u. ionenselektive Elektroden [5]. Für die Entfernung von N. aus Wasser kommen z. B. bakterielle *Denitrifikation, Ionenaustausch- u. Umkehrosmose-Verf. in Frage [6]. Die Denitrifikation (sog. *Nitrat-Atmung*) ist auch für die unerwünschte Verringerung des N.-Gehalts im mit *Stickstoffdünger gedüngten Boden verantwortlich; umgekehrt entsteht N. aus NH_3 im Boden durch den Prozeß der *Nitrifikation.

2. *Organ. N.* sind die *Salpetersäureester der allg. Formel $R–O–NO_2$, in der R = Alkyl- od. ein anderer einwertiger Kohlenwasserstoff-Rest ist; seit altersher werden die als Explosivstoffe bekannten N.-Ester mehrwertiger Alkohole mit *Nitro...-Namen belegt; *Beisp.:* Nitroglycerin. Organ. N. sind auch die Salze von organ. Basen mit HNO_3 sowie die sog. *Graphitnitrate*; zur Funktion von Spuren organ. N. in der Atmosphäre als mol. Depots für Stickoxide s. *Lit.* [7]. – ***E*** = ***F*** nitrates – ***I*** nitrati – ***S*** nitratos

Lit.: [1] Belitz-Grosch (4.), S. 448. [2] J. Chem. Educ. **61**, 60 (1984). [3] Townshend, Encyclopedia of Analytical Science, S. 3331, London: Academic Press 1995. [4] Fries-Getrost, S. 267–272. [5] Chem. Tech. (Leipzig) **32**, 91 f. (1980). [6] Gewässerschutz, Wasser, Abwasser **109**, 249–281 (1988). [7] Nachr. Chem. Tech. Lab. **45**, 979–984 (1997).

allg.: Belitz-Grosch (4.), S. 408, 448, 482, 519, 888 ▪ Bleifeld et al. (Hrsg.), New Aspects of Nitrate Therapy in Coronary Artery Disease, Heidelberg: Springer 1990 ▪ Flinspach (Hrsg.), Zu hohe Nitratkonzentrationen im Trinkwasser, Eschborn: DVGW 1985 ▪ Logan et al., Effects of Conservation Tillage on Groundwater Quality: Nitrates and Pesticides, Chelsea, Mich.: Lewis 1987 ▪ Rohmann, Situationsanalyse des Nitrat-Problems, DVGW-Schriftenreihe, Wasser **205**, 20/1–34 (1989) ▪ Rohmann u. Sontheimer, Nitrat im Grundwasser – Ursachen, Bedeutung, Lösungswege, Karlsruhe: DVGW-Forschungsstudie 1985 ▪ Ullmann (5.) **A 17**, 265–291 ▪ Weigert et al., Nitrat u. Nitrit in Lebensmitteln, Berlin: ZEBS 1986 ▪ Winnacker-Küchler (4.) **2**, 168–172 ▪ s. a. Düngemittel, Salpetersäure(ester). – *[HS 2834 21, 2834 22, 2834 29]*

Nitratesmo. Testpapier zum Nachw. von Nitrat u. Nitrit nebeneinander. Dem Testpapier liegt eine Farbreaktion von Nitrat- u. Nitrit-Ionen in Ggw. von konz. Schwefelsäure bzw. 5n-Salzsäure bei Anwesenheit einer geeigneten organ. Verb. zugrunde. ***B.:*** Macherey-Nagel.

Nitrato... Bez. für das Anion NO_3^- als Ligand in Namen von Koordinationsverbindungen. – ***E*** = ***F*** = ***I*** = ***S*** nitrato...

Nitrat-Reduktasen. Bei der *Stickstoff-Assimilation* (assimilator. N.-R.) u. der *Nitrat-Atmung* (dissimilator. od. respirator. N.-R.) beteiligte *Oxidoreduktasen, die *Nitrate zu *Nitriten reduzieren.

Assimilator. N.-R.: Die Enzyme aus grünen Pflanzen [1,2] verwenden NADH als Wasserstoff-Donator (EC 1.6.6.1) od. können sowohl NADH als auch NADPH umsetzen (EC 1.6.6.2; zu den vorstehenden Abk. s. Nicotinamid-Adenin-Dinucleotid), diejenigen aus Pilzen [2] sind für NADPH spezif. (EC 1.6.6.3). Die N.-R. bestehen aus zwei ident. Untereinheiten (M_R je ca. 100 000), deren jede *Häm-Eisen, FAD (s. Flavin-Adenin-Dinucleotid) u. Molybdopterin (s. Molybdän-Enzyme) als Cofaktoren enthält. Daneben gibt es ebenfalls assimilator. N.-R. bakteriellen Ursprungs u. unterschiedlicher Struktur, die Wasserstoff von *Ferredoxin auf Nitrat übertragen (EC 1.7.7.2). Die Molybdänhaltige Untereinheit der N.-R. aus Wurzelknöllchen-Bakterien (Bakteroiden) von Leguminosen soll mit der verschiedener *Xanthin-Oxidasen u. *Nitrogenasen ident. sein. Durch Regulation der Synth. der diesen Enzymen jeweils zugehörigen anderen Untereinheit könnte auf verschiedene Stickstoff-Quellen (Nitrat, Purine, elementarer Stickstoff) umgeschaltet werden. Das gebildete Nitrit wird durch assimilator. *Nitrit-Reduktasen zu Ammoniak reduziert, das vom pflanzlichen Organismus z. B. zu L-*Glutamin assimiliert werden kann. In Anwesenheit von Ammoniak werden die Nitrat-assimilierenden Enzyme reprimiert, d. h. die *Transkription ihrer Gene wird gehemmt.

Dissimilator. N.-R.: Andersgeartete N.-R. (EC 1.7.99.4 u. 1.9.6.1, Membran-Enzyme, deren Synth. in Ggw. von Sauerstoff unterdrückt wird) sind an der bakteriellen *Denitrifikation (Nitrat-Atmung, dissimilator. Nitrat-Red.; Nitrat als Ersatz für Sauerstoff) beteiligt[3]. Zur Verw. von N.-R. zur Bestimmung von Nitrat in biolog. Proben bzw. zur Red. von Nitrat in Wasser s. *Lit.*[4] bzw. *Lit.*[5]. – ***E*** nitrate reductases – ***F*** nitrate-réductases – ***I*** nitrato-reduttasi – ***S*** nitrato-reductasas

Lit.: [1] Phytochemistry **31**, 2941–2947 (1992). [2] Annu. Rev. Genet. **27**, 115–146 (1993). [3] FEMS Microbiol. Lett. **136**, 1–11 (1996). [4] Methods Enzymol. **268**, 142–151 (1996). [5] Nature (London) **355**, 717 ff. (1992).

Nitrazepam (Rp, BtMVV, Anlage IIIC).

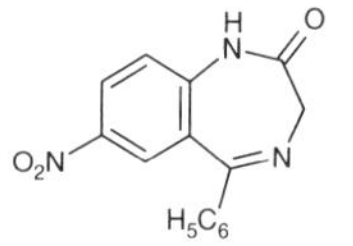

Internat. Freiname für das Hypnotikum, ein 1,4-Benzodiazepin, 1,3-Dihydro-7-nitro-5-phenyl-2*H*-1,4-benzodiazepin-2-on, $C_{15}H_{11}N_3O_3$, M_R 281,27, Schmp. 227–229 °C; λ_{max} (0,1 N H_2SO_4) 277,5 nm ($A^{1\%}_{1cm}$ 1500); LD_{50} (Ratte oral) 825±80 mg/kg. In Wasser prakt. unlösl., in Chloroform (1:45) u. Ethanol (1:120) löslich. Lagerung: vor Licht u. Luft geschützt. N. wurde 1964 von Hoffmann-La Roche (Mogadan®, außer Handel) patentiert u. ist als Generikum im Handel. – ***E*** = ***I*** = ***S*** nitrazepam – ***F*** nitrazépam

Lit.: ASP ■ Beilstein E V **24/4**, 344 ■ Florey **9**, 487–517 ■ Hager (5.) **8**, 1175–1178 ■ Martindale (31.), S. 724 f. ■ Ph. Eur. **1997** u. Komm. – *[HS 2933 90; CAS 146-22-5]*

Nitrazingelb [3-(2,4-Dinitro-2,7-phenylazo)-4-hydroxy-naphthalindisulfonsäure-Dinatriumsalz].

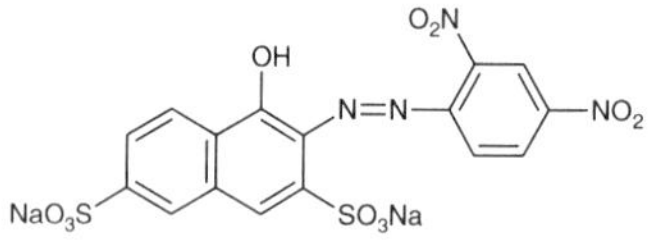

$C_{16}H_8N_4Na_2O_{11}S_2$, M_R 524,35. Braunes, wasserlösl. Pulver, wird in der Maßanalyse in 1%iger wäss. Lsg. als Indikator verwendet, Umschlag pH 6–7 (gelb → blauviolett). – ***E*** nitrazine yellow – ***F*** jaune de nitrazine – ***I*** giallo di nitrazina – ***S*** amarillo de nitrazina

Lit.: Beilstein E III **16**, 317 ■ Ullmann (4.) **12**, 463. – *[HS 2927 00; CAS 5423-07-4]*

Nitrefazol.

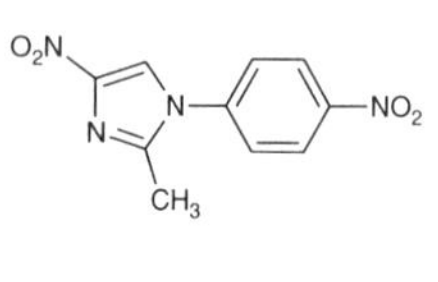

Internat. Freiname für das früher zur Alkohol-Entwöhnung (wirkt als Aldehyd-Dehydrogenase-Inhibitor) eingesetzte 2-Methyl-4-nitro-1-(4-nitrophenyl)-imidazol, $C_{10}H_8N_4O_4$, M_R 248,19, Schmp. 185–187 °C. – ***E*** nitrefazole – ***F*** nitréfazole – ***I*** nitrefazolo – ***S*** nitrefazol

Lit.: Arzneim. Forsch. **32**, 903, 905 (1982) ■ Beilstein E V **23/5**, 78 ■ Martindale (29.), S. 1595. – *[HS 2933 29; CAS 21721-92-6]*

Nitrendipin (Rp).

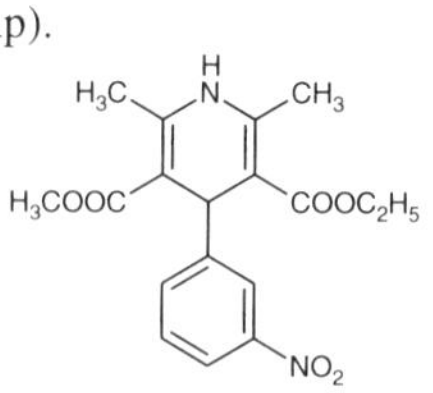

Internat. Freiname für den Calcium-Antagonisten (±)-Ethyl-methyl-1,4-dihydro-2,6-dimethyl-4-(3-nitrophenyl)-3,5-pyridindicarboxylat, $C_{18}H_{20}N_2O_6$, M_R 360,36, Schmp. 158–160 °C; λ_{max} (CH_3OH) 237, 352 nm ($A^{1\%}_{1cm}$ 714, 179). N. wurde 1972 u. 1974 von Bayer (Bayotensin®) patentiert u. ist als Generikum im Handel. – ***E*** = ***F*** nitrendipine – ***I*** nitredipina – ***S*** nitrendipina

Lit.: Hager (5.) **8**, 1178 ff. ■ Martindale (31.), S. 923 ■ Scriabine, Nitrendipine: A Ca^{2+} Antagonist, München: Urban & Schwarzenberg 1984. – *[HS 2933 39; CAS 39562-70-4]*

Nitrene. Die Stammverb. der N., das Mol. NH mit einbindigem Stickstoff-Atom, wird nach den IUPAC-Regeln C-81.2, RC-81.1.3.1 u. R-5.8.1.2 als *Aminylen*, *Nitren* od. *Azanyliden* bezeichnet, bei CAS als *Imidogen*, in der älteren chem. Lit. auch als *Imino*, *Azen* od. *Imen*. N. gehören, wie die *Carbene, *Carbanionen u. *Radikale, zu den *reaktiven Zwischenstufen, d. h., daß sie gewöhnlich nicht isoliert, sondern nur abgefangen werden können. N. besitzen in der Regel einen *Triplett-Grundzustand (s. Abb. 1); sie sind wie die Carbene, mit denen sie *isoelektron.* sind, starke Elektrophile u. zeigen bezüglich Erzeugung u. Reaktionen ein ähnliches Verhalten.

Die Erzeugung der N. geschieht z. B. durch Stickstoff-Abspaltung aus *Aziden (s. Abb. 2 a), durch Desoxygenierung von Nitro- od. Nitrosoaromaten (s. Abb. 2 b) od. durch Oxid. von primären Aminen mit Blei(IV)-

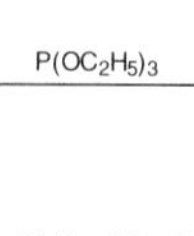

Abb. 1: Triplett-Grundzustand von Nitrenen.

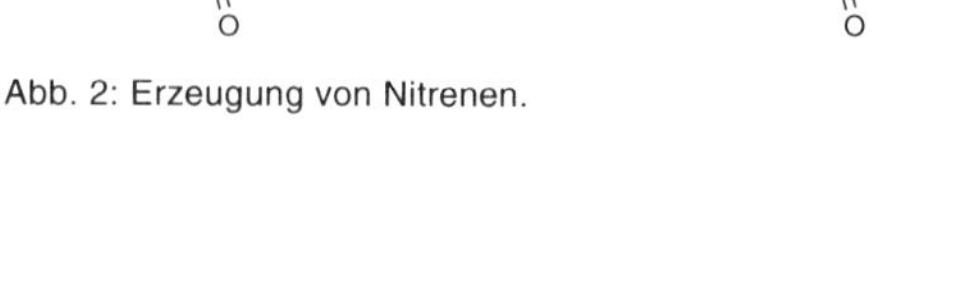

Abb. 2: Erzeugung von Nitrenen.

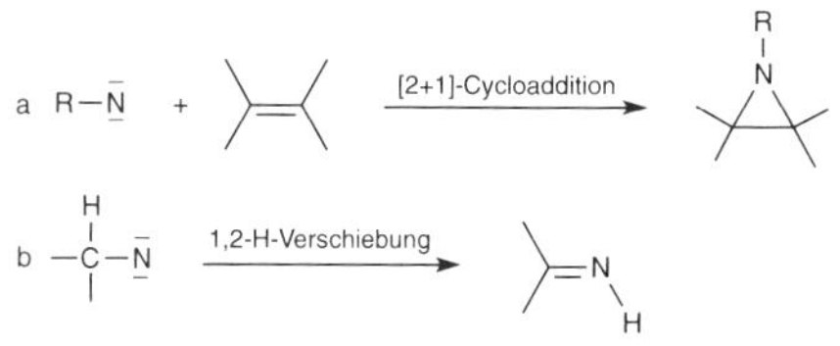

Abb. 3: Typische Reaktionen von Nitrenen.

acetat (s. Abb. 2c). Eine typ. Reaktion einiger N. ist die [2 + 1]-*Cycloaddition an die olefin. Doppelbindung unter Bildung von *Aziridinen (s. Abb. 3a), während andere bevorzugt unter 1,2-Substituentenverschiebung vom Kohlenstoff zum Nitren-Stickstoff reagieren (s. Abb. 3b). Acylnitrene werden bei der photochem. *Curtius-Umlagerung als Zwischenstufen diskutiert. *Aminonitrene* werden nach den IUPAC-Regeln RC-81.1.3.2 u. R-5.3.5 als Derivate von Hydrazinyliden, Diazanyliden od. Isodiazen (CAS-Name) benannt, in der chem. Lit. auch als Hydrazono od. 1,1-disubstituierte *Diazene. Nitrenium-Ionen sind die N-Analoga der *Carbenium-Ionen u. werden als reaktive Zwischenstufe der *Beckmann-Umlagerung formuliert. – ***E*** nitrenes – ***F*** nitrènes – ***I*** nitreni – ***S*** nitrenos

Lit.: Abramovitch, Reactive Intermediates, Bd. 1, S. 263f.; Bd. 2, S. 1f., New York: Plenum 1980, 1982 ▪ Acc. Chem. Res. **28**, 487 (1995) ▪ Angew. Chem. **75**, 707–716 (1963); **79**, 922–931 (1967) ▪ Houben-Weyl **E 16a**, 1243f.; **E 16c**, 67ff. ▪ Lwowski, Reactive Intermediates, Bd. 1, S. 197–227; Bd. 2, S. 315–334, New York: Wiley 1978, 1981 ▪ March (4.), S. 202ff. ▪ Padwa u. Carlsen, Reactive Intermediates, Bd. 2, S. 55–120, New York: Plenum 1982 ▪ Russ. Chem. Rev. **58**, 732–746 (1989) ▪ Scriven, Azides and Nitrenes, New York: Academic Press 1984 ▪ Scriven, Reactive Intermediates, Bd. 2, S. 1–54, New York: Plenum 1982 ▪ Wentrup, Reactive Intermediates, Bd. 1, 263–320, New York: Plenum 1980 ▪ s. a. Curtius-Umlagerung.

Nitrenium-Ionen s. Nitrene.

Nitride. Verb. aus Stickstoff u. einem Metall od. Halbmetall. Man unterscheidet: Die *salzartigen N.*, die vorwiegend heteropolaren Bindungscharakter haben, können als Derivate des Ammoniaks betrachtet werden; *Beisp.:* Alkali- u. Erdalkalinitride wie Li_3N, Mg_3N_2, aber auch Zn_3N_2, Cd_3N_2. Sie werden von Wasser unter NH_3-Entwicklung hydrolysiert. Die *metallartigen N.* der Übergangsmetalle wie VN, CrN, W_2N, bei denen die Stickstoff-Atome die Hohlräume der Metallstruktur besetzen, weisen in Aussehen, Härte u. elektr. Leitfähigkeit metall. Charakter auf. So kann eine Chromstahl-Schmelze unter N_2-Druck bis zu 1,8 Gew.-% Stickstoff aufnehmen u. erlangt dabei höhere Festigkeit ohne Verlust an Zähigkeit. Sie werden zusammen mit den Boriden, Carbiden u. Siliciden zu den metall. *Hartstoffen gezählt. Die *kovalenten N.*, hauptsächlich der 13. Gruppe, wie BN, AlN, InN, GaN u. Si_3N_4 sind chem. sehr beständig, haben hohe Härten u. Schmp. u. sind elektr. Nichtleiter. Sie werden z. T. auch als *diamantartige N.* bezeichnet u. zählen zu den nichtmetall. Hartstoffen.

Herst.: N. werden im allg. durch Festkörperreaktionen hergestellt, z. B. durch *Nitrieren von Metallen mit Stickstoff, durch Umsetzung von Metalloxiden mit Ammoniak in Ggw. von Kohlenstoff od. durch Abscheidung aus der Gasphase (*CVD-Verf., 2.), wobei ein Dampfgemisch aus Metallhalogenid, Stickstoff u. Wasserstoff über einen hocherhitzten Wolfram-Draht geleitet wird. Letzteres Verf. hat große techn. Bedeutung bei der Beschichtung von Hartmetallen mit verschleißfesten N.-Schichten erlangt.

Verw.: Als *Hochtemperaturwerkstoffe (Schmp.: TaN 3090 °C, TiN 2950 °C), für Sinterhart-Leg. u. Hartstoffe, als *keramische Werkstoffe u. *Feuerfestmaterialien; einige N. von Halbmetallen u. Übergangsmetallen als Halbleiter-Materialien; auch als verschleißfeste, harte Diffusionsschichten, s. Nitrieren. – ***E*** nitrides – ***F*** nitrures – ***I*** nitruri – ***S*** nitruros

Lit.: Kirk-Othmer (4.) **17**, 108–127 ▪ Ullmann (5.) **A 17**, 341–361. – *[HS 2850 00]*

Nitrido... a) Bez. für den Liganden N^{3-} in *Komplexen (IUPAC-Regel I-10.4.5.5); Brückenliganden: μ- u. μ_3-Nitrido. – b) Präfix für den Austausch von –OH u. =O od. 3–OH gegen ≡N in anorgan. Säuren (IUPAC-Regel D-5.0, R-3.4); *Beisp.:* Nitridophosphorsäure $N{\equiv}P(OH)_2$ (Phosphonitril), μ_3-Nitridotrischwefelsäure $N(SO_3H)_3$; vgl. Nitrilo... – ***E*** = ***F*** = ***I*** nitrido... – ***S*** nitruro...

Nitrieren. 1. In der Metallurgie das thermomechan. Behandeln von metall. Werkstoffen zur Anreicherung der Randschicht mit Stickstoff, um dadurch bes. Gebrauchseigenschaften wie Oberflächenhärte, Schwing- u. Verschleißfestigkeit zu verbessern. Das Nitrierverf. muß dabei die erforderliche Energie für das Eindiffundieren des Stickstoffs in den metall. Festkörper aufbringen. Formal differenzieren lassen sich dabei solche Verf., nach deren Anw. Stickstoff in fester Lsg. vorliegt u. solchen, bei denen eine nichtmetall. Randschicht aus Nitriden[1] erzeugt wird. Letzteres kann teilweise erreicht werden durch Steigern von Verf.-Temp., -dauer u. der Stickstoff-Aktivität. Für die Erzeugung solcher nichtmetall. Randschichten eignen sich bes. *Nitrierstähle. Stickstoff in fester Lsg. erzeugt hohe Verzerrungen des Metallgitters u. damit auch hohe Härte u. Festigkeit; Metallnitride selbst können sehr hart sein.

Je nach dem Aggregatzustand der Nitrierumgebung wird unterschieden zwischen Gas-, Salzbad-, Pulver- u. Plasma-Nitrieren. *Gas-N.* erfolgt bei 490–570 °C in einem NH_3/H_2-Gemisch für 6–100 h, *Salzbad-N.* in Cyanid/Cyanat/Carbonat-Schmelzen bei 570–580 °C über 2–4 h u. *Pulver-N.* in Calciumcyanamid bei 470–570 °C innerhalb von bis zu 25 h. Beim *Plasma-N.* wird das Plasma mit Hilfe einer Glimmentladung bei 350–600 °C in NH_3, N_2 od. N_2/Methan bis zu 4 h eingebracht. Das Ergebnis der N. wird durch Härtemessungen u. durch die Ermittlung der Nitriertiefe überprüft. Wenn die Randschicht gleichzeitig mit N_2 u. C angereichert wird, spricht man von *Carbonitrieren.* Der Versuch, den metallurg. Begriff N. durch Einführen des Begriffs *Nitridieren* vom verfahrenstechn. N. abzuheben, hat sich nicht durchgesetzt.

Verw.: Veredelung von Oberflächen im Maschinenbau, in der Fahrzeug- u. Werkzeug-Ind. sowie der Antriebstechnik.

2. In der organ. Chemie s. Nitrierung. – ***E*** nitriding – ***F*** nitruration – ***I*** nitrurazione – ***S*** nitruración

Lit.: [1] Ullmann (5.) **A 17**, 341 ff.
allg.: Kirk-Othmer (4.) **16**, 425 ff. ▪ Ullmann (5.) **A 16**, 422 ff. ▪ Winnacker-Küchler (4.) **4**, 687 ff.

Nitrierhärtung. Wird ein Werkstück (im allg. Stahl) in einem Stickstoff-abgebenden Medium gehalten, diffundiert Stickstoff in den Festkörper, s. Nitrieren (1.). Dabei kommt es zunächst zur Einlagerung des Stickstoffs auf Zwischengitterplätzen, dann zur Bildung von Nitriden, schließlich auch zur Anlagerung an Carbide unter Bildung von Carbonitriden. Durch diese Behandlung werden harte Randschichten erzeugt, wodurch die Härte, der Verschleißwiderstand u. die Dauerfestigkeit des Werkstoffs erhöht werden. – *E* nitriding (process), nitrogen case hardening – *F* nituration – *I* cementazione nitrica, nitrurazione – *S* endurecimiento por nitrógeno, templado por nitruración
Lit.: s. Nitrieren.

Nitriersäure. Gemische von wechselnder Zusammensetzung aus konz. Salpetersäure u. konz. Schwefelsäure (Stoffmengenverhältnis von 2:1 bis 1:2, *Mischsäure*), mit denen organ. Materialien nitriert werden können (s. Nitrierung). Die konz. Schwefelsäure bewirkt die Bildung des eigentlich wirksamen *Nitryl-Kations (s. Nitrierung) u. bindet daneben das beim Nitrierprozeß entstehende Wasser:

$$HNO_3 + 2\,H_2SO_4 \rightleftharpoons NO_2^+ + H_3O^+ + 2\,HSO_4^-$$

Den größten Bedarf an N. hat die Sprengstoff-Ind. zur Herst. von aromat. *Nitro-Verbindungen u. von *Salpetersäureestern. – *E* nitrating acid – *F* melange sulfonitrique, acide nitrant – *I* miscela nitrante, miscela solfonitrica – *S* mezcla sulfonítrica, ácido nitrante
Lit.: Chem. Tech. (Heidelberg) **10**, 439–442 (1981) ▪ DECHEMA-Monogr. **68**, 457–465 (1971) ▪ Gmelin, Syst.-Nr. 9, S, Tl. B, 1963, S. 1665–1696 ▪ Hommel, Nr. 176 ▪ Ullmann (5.) **A 17**, 413 f. ▪ s. a. Nitrierung. – [HS 2808 00]

Nitriersalze. Salzmischungen für das *Nitrieren im Salzbad.

Nitrierstahl. Vergütungsstähle mit Leg.-Elementen, die mit Stickstoff harte Sonder-Nitride bilden, d. h. bes. harte u. stabile Nitride z. B. der Metalle Cr, V, Mo, Al; N. enthalten z. B. bis 3,5% Cr, bis 1,1% Mo u. bis 1,2% Al. Teile aus N. werden nach Formgebung u. Vergütung in Stickstoff abgebende, feste od. gasf. Mittel eingebracht (s. Nitrieren). Oberflächennahe Bereiche werden dabei durch Eindiffundieren des Stickstoffes u. Bildung von Sonder-Nitriden sehr hart u. verschleißbeständig (s. Nitrierhärtung). Bereiche in größerem Abstand von der Oberfläche bleiben in ihren mechan. Eigenschaften weitgehend unbeeinflußt, sofern die Anlaßtemp. bei der Vergütung um rund 50 °C über der Nitrier-Temp. gelegen hat. Die durch das Nitrieren erzielbare Härte hängt von der Zusammensetzung der Leg. ab; mit Aluminium legierte *Stähle erreichen höchste Härtewerte. Durch das Nitrieren werden die Dauerfestigkeit des Stahles, d. h. die Festigkeit bei schwingender Beanspruchung erhöht u. die Kerbempfindlichkeit vermindert. Gegenüber anders oberflächengehärteten Stählen zeichnen sich die nitrierten durch eine verbesserte Rostbeständigkeit aus. – *E* nitriding steel – *F* acier nitruré – *I* acciaio nitrurato – *S* acero nitrurado

Lit.: DIN 17211: 1987-04 ▪ Thelning, Steel and Its Heat Treatment, S. 523, London: Butterworths 1984 ▪ VDEh (Hrsg.), Werkstoffkunde der gebräuchlichen Stähle, Bd. 2, S. 55, Düsseldorf: Stahleisen 1977.

Nitrierung. Unter N. versteht man im allg. die Einführung von Nitro-Gruppen in organ. Verb., wobei im Falle der Substitution an C-Atomen *Nitro-Verbindungen (s. a. Nitro...) entstehen. Die N. von *Alkanen* mit Salpetersäure geschieht in der Regel in der Gasphase bei Temp. um 400 °C, wobei ein *Radikal-Kettenmechanismus* angenommen wird (s. Abb. 1a). Die N. verläuft nicht einheitlich, da Mono-, Di- u. Polynitrierung eintritt; z. T. erfolgt im beträchtlichen Ausmaß C,C-Bindungsspaltung. Aktivierte *Methylen-Verbindungen lassen sich schonender z. B. mit Alkylnitraten in Ggw. einer Base nitrieren (s. Abb. 1b), wobei hier ein elektrophiler Substitutionsmechanismus zum Tragen kommt [1].

$$\mathbf{a}\quad R-H + HNO_3 \xrightarrow{400°C} R-NO_2 + H_2O$$

Mechanismus:
$$O_2N^\bullet + R-H \longrightarrow HNO_2 + R^\bullet$$
$$O_2N^\bullet + R^\bullet \longrightarrow R-NO_2$$
$$HNO_3 + HNO_2 \longrightarrow H_2O + 2\,O_2N^\bullet$$

$$\mathbf{b}\quad R^1-CH_2-\overset{O}{\underset{\|}{C}}-R^2 \xrightarrow[-R-OH]{+R-O-NO_2,\ \text{Base}} R^1-\overset{NO_2}{\underset{\|}{CH}}-\overset{O}{\underset{\|}{C}}-R^2$$

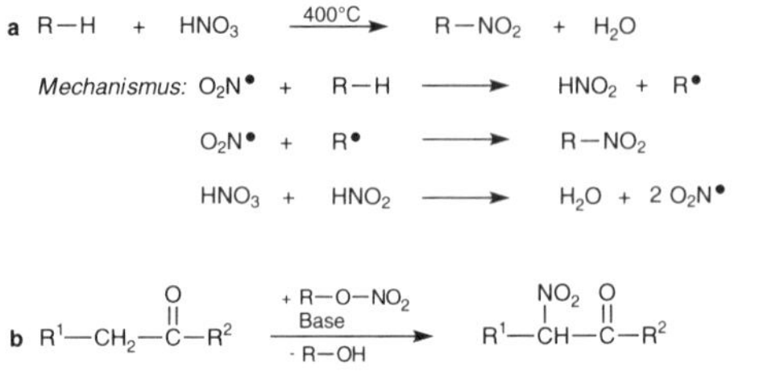

Abb. 1: Mechanismus der Nitrierung von Alkanen.

Für die präparative Chemie von großer Bedeutung ist die *elektrophile* N. von *aromat. Verb.*, zum einen, weil fast alle Aromaten mit einem geeigneten Nitrierungsreagenz nitriert werden können, u. zum anderen, weil die aromat. Nitro-Gruppe leicht in andere funktionelle Gruppen umgewandelt werden kann. Das einfachste Nitrierungsreagenz ist eine Mischung aus Salpeter- u. Schwefelsäure (*Nitriersäure*); empfindlichere Aromaten, wie aromat. Amine od. Phenole werden jedoch besser mit Salpetersäure allein od. mit Salpetersäure in Wasser, Essigsäure od. Acetanhydrid nitriert. Weitere Nitrierungsreagenzien sind N_2O_5 in Tetrachlormethan, Ethylnitrat (für N. im Alkalischen), Methylnitrat mit BF_3, Natriumnitrat in Trifluoressigsäure, N_2O_4, Nitryl-Salze [2] (in der organ. Chemie meist *Nitronium-Salze* genannt) wie Nitryltetrafluoroborat, Nitrylhexafluorophosphat, NO_x/Ozon[3] u. a. Bei der elektrophilen N. wird angenommen, daß das z. B. aus Nitriersäure gebildete *Nitronium-Ion* NO_2^+ das angreifende elektrophile Teilchen ist. Da eine einmal eingeführte Nitro-Gruppe desaktivierend auf eine weitere Substitution wirkt, ist eine Mononitrierung leicht zu verwirklichen; unter verschärften Bedingungen sind aber auch Mehrfachnitrierungen möglich, wobei die zweite Nitro-Gruppe in *meta*-Stellung zur ersten eingeführt wird, da die resultierende kation. Zwischenstufe (σ-*Komplex*) im Falle der *ortho*- od. *para*-Substitution durch das zwangsläufige Auftreten zweier benachbarter pos. Ladungen destabilisiert wird (s. Abb. 2). In einigen Fällen konnte gezeigt werden, daß die N. in *ipso-Stellung, also an einer bereits substituierten Stelle eines Aromaten erfolgt[4].

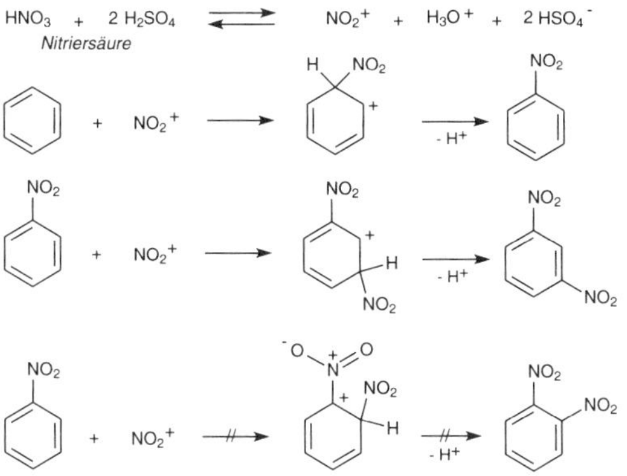

Abb. 2: Elektrophile Mono- u. Dinitrierung von Benzol.

Wegen der Explosivität vieler Nitro-Verb. (*Sprengstoffe, *Explosivstoffe) müssen N. unter sorgfältig kontrollierten Bedingungen vorgenommen werden, insbes. ist die Temp.-Kontrolle wichtig. Neben der N. von C-Atomen lassen sich auch N-Atome (Bildung von *Nitraminen) u. O-Atome (Bildung von *Salpetersäureestern) nitrieren; als Reagenzien hierfür haben sich Verb. des Typs $X-SO-O-NO_2$ (X = Cl: Thionylchloridnitrat; X = ONO_2: Thionyldinitrat) bewährt[5]. – ***E*** = ***F*** nitration – ***I*** nitrazione – ***S*** nitración

Lit.: [1] Patai, The Chemistry of the Nitro and Nitroso Groups, Bd. 1, S. 310–316, New York: Wiley 1969. [2] Russ. Chem. Rev. **52**, 284–297 (1983). [3] Synlett **1995**, 383. [4] J. Chem. Educ. **60**, 937–941 (1983). [5] Helv. Chim. Acta **67**, 906–915 (1984).
allg.: Acc. Chem. Res. **9**, 287 f. (1976) ▪ Gmelin, Syst.-Nr. 4, N, 1936, S. 1006–1013 ▪ Houben-Weyl **10/1**, 12 f.; **19 a/1**, 489 ▪ Kirk-Othmer (3.) **15**, 841–853; (4.) **17**, 68 f. ▪ March (4.), S. 511 ff., 711 f. ▪ Olah et al., Nitrations, Weinheim: VCH Verlagsges. 1989 ▪ Org. React. **12**, 101–156 (1962) ▪ Patai, The Chemistry of the Nitro and Nitroso Groups, Bd. 2, S. 1–48, New York: Wiley 1970 ▪ Schofield, Aromatic Nitration, Cambridge: Cambridge University Press 1980 ▪ Winnacker-Küchler (4.) **6**, 169–180, 249 ff. ▪ s. a. Nitro-Verbindungen.

Nitrifikanten s. Nitrifikation.

Nitrifikation. Bez. für die – vielfach mittels ^{15}N-markierter Verb. untersuchte – Oxid. des durch Zers. von Stickstoff-haltigen biolog. Substanzen freiwerdenden od. durch *Nitrogenasen gebildeten Ammoniaks zu Nitrat mit Hilfe von aeroben *nitrifizierenden Bakterien (Nitrifikanten).* Bei diesen meist *chemolithotrophen* Organismen (s. Chemolithotrophie) handelt es sich in erster Linie um Vertreter der *parabiont.* (zusammenlebenden) Gattungen *Nitrosomonas* u. *Nitrobacter*; erstere sind *Nitrit-Bildner:*

$$2\,NH_4^+ + 3\,O_2 \rightarrow 2\,NO_2^- + 4\,H^+ + 2\,H_2O + 636\text{ kJ},$$

u. letztere sind *Nitrat-Bildner:*

$$2\,NO_2^- + O_2 \rightarrow 2\,NO_3^- + 151\text{ kJ};$$

als Nebenprodukte entstehen bis zu 10% N_2O u. NO (in Mengen bis zu 10^7 t/a). Die freiwerdende Energie wird von den Bakterien zu etwa 10% genutzt.
Die durch N. entstehenden Nitrate bilden den Hauptanteil am normalen Nitrat-Gehalt des *Bodens u. sind für das Gedeihen der grünen Pflanzen von großer Bedeutung. Ein Teil des erzeugten Nitrat-Stickstoffs wird jedoch nicht nur durch die gegenläufig wirkenden *Denitrifikations-Prozesse u. die Einwirkung der *Nitrat-Reduktasen dem Boden entzogen, sondern wegen seiner guten Löslichkeit auch aus dem Boden ausgewaschen. In regenreichen Gebieten können daher die Düngung mit Ammonium-Salzen, die im Boden fester absorbiert werden, u. die Anw. von *Nitrifikationshemmern (Nitrifiziden)* von Vorteil sein. Letztere sind Verb., die die Nitrit-Bildung durch *Nitrosomonas* unterbinden, z. B. *Cyanoguanidin, 2-Chlor-6-(trichlormethyl)-pyridin, *Etridiazol u. verwandte Verbindungen. Die z. B. auch für die Bildung des *Mauersalpeters* in Ställen (vgl. Calciumnitrat) verantwortlichen Nitrifikanten wurden 1890 durch *Winogradsky entdeckt. – ***E*** = ***F*** nitrification – ***I*** nitrificazione – ***S*** nitrificación

Nitrifizide s. Nitrifikation.

...nitril. Bez. für die Gruppe ≡N; Näheres s. Nitrile. – ***E*** = ***F*** = ***I*** ...nitrile – ***S*** ...nitrilo

Nitrile. Organ. C-substituierte Derivate der *Blausäure nennt man organ. *Cyanide od. N., wegen der Synthesebeziehung $R{-}COOH + NH_3 \rightleftharpoons R{-}C{\equiv}N + 2\,H_2O$ auch „Säurenitrile".
Nomenklatur (IUPAC-Regeln C-831 ff., R-5.7.9.1): a) Suffix „...nitril" für die Gruppe ≡N am Ende einer C-Kette; – b) Suffix „...carbonitril" für die Gruppe –C≡N an Ringen od. für drei u. mehr CN-Gruppen an Ketten; – c) Abwandlung des Suffix ...oyl od. ...yl trivial benannter Säurereste in ...onitril für das Säurenitril [*Ausnahme:* Kurzform Propionitril statt Propiononitril; oft wird Malononitril $CH_2(CN)_2$ (*Malonsäuredinitril) falsch als Malonitril benannt, was aber der Name für $NC{-}CH_2{-}CH(OH){-}CN$ (Äpfelsäuredinitril) ist!]; im Deutschen hängt man oft das Suffix ...nitril an den Säurenamen; – d) *Radikofunktioneller Name mit der Endung ...ylcyanid für R–C≡N (veraltet; nur noch für Acylcyanide üblich); – e) Präfix *Cyan... od. Cyano... für die Gruppe –C≡N, wenn das Mol. eine Gruppe höherer Priorität enthält; in Sonderfällen auch *Nitrilo... für die Gruppe ≡N.
Beisp.: a) Ethannitril (*Acetonitril); – b) Benzolcarbonitril (*Benzonitril), Methantricarbonitril $HC(CN)_3$; – d) Acetylcyanid $H_3C{-}CO{-}CN$ (Pyruvonitril); – e) *Cyanoessigsäure. Die einfachen aliphat. u. aromat. N. mit bis zu 12 C-Atomen sind farblose, angenehm riechende Flüssigkeiten (s. osmophore Gruppe), die allerdings in der Regel, wie z. B. *Benzonitril, ziemlich tox. sind. Mit Ausnahme der einfachsten Vertreter sind die N. in Wasser wenig od. gar nicht, in organ. Lsm. dagegen gut lösl. u. stark assoziiert.
Einige N. wurden im interstellaren Raum nachgewiesen (s. *Lit.*[2] u. interstellare Moleküle). In der Natur sind N. in Form der *cyanogenen Glykoside weit verbreitet; s. a. *Lit.*[3].
Herst.: Die Alkylierung von Alkalicyaniden (s. a. Abb. a; Kolbe-Synthesen), die Dehydratisierung von Carbonsäureamiden u. anderen Carbonsäure-Derivaten (s. Abb. b) sowie die von Aldoximen sind die wichtigsten Labormethoden. In der Technik stellt man N. u. Dinitrile durch die sog. *Ammonoxidation aus Kohlenwasserstoffen mit Methyl-Gruppen her.
Verw.: In Umkehrung ihrer Bildung gehen N. beim Erhitzen mit Basen od. Säuren in Carbonsäuren mit der gleichen Anzahl von C-Atomen über, was zur präpa-

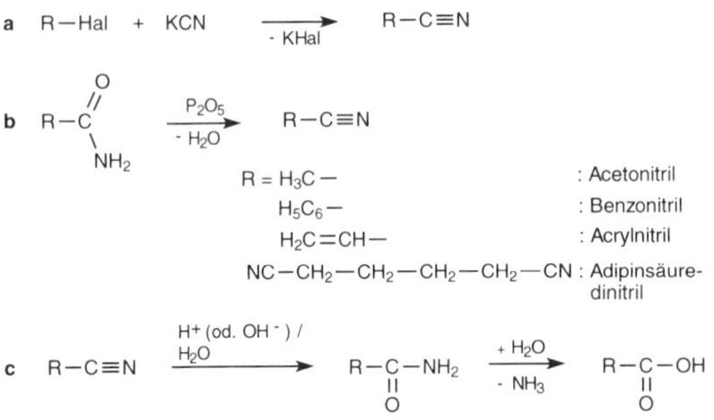

Abb.: Meth. zur Herst. von Nitrilen (a, b) u. von Carbonsäuren aus Nitrilen (c).

rativen Synth. von Carbonsäuren ausgenutzt werden kann (s. Abb. c). N. lassen sich zu Aminen reduzieren u. sind in Analogie zur *Aldol-Addition zu Dimerisierungen u. Cyclisierungen fähig (*Thorpe- u. *Ziegler-Reaktion). Techn. Bedeutung haben bes. *Acetonitril (als Lsm.), *Benzonitril (als Ausgangsverb. für Melaminharze), *Acrylnitril (als Monomer für Polyacrylnitril), *Adipinsäuredinitril (als Ausgangsverb. für Hexandiamin, das seinerseits wiederum zu Nylon 6.6 weiterverarbeitet wird), weiter *Malonsäuredinitril u. *Phthalsäuredinitril (als Zwischenprodukt in der organ. Synth.). Von den N. leiten sich die *Nitril-Ylide (s. a. 1,3-dipolare Cycloaddition) ab, die nützliche Zwischenprodukte in der Heterocyclen-Synth. sind. N. sind außerdem vielfältig verwendbare Liganden in Übergangsmetallkomplexen[4]. – ***E*** = ***F*** nitriles – ***I*** nitrili – ***S*** nitrilos

Lit.: [1] IUPAC, Nomenklatur der Organischen Chemie, S. 157 f., Weinheim: VCH Verlagsges. 1997. [2] Chem. Unserer Zeit **18**, 1–16 (1984); Top. Curr. Chem. **139**, 119 f. (1987). [3] Römpp Lexikon Naturstoffe, S. 160. [4] Coordin. Chem. Rev. **147**, 299 (1996).
allg.: Barton-Ollis **2**, 385–590 ▪ Houben-Weyl **E 4**, 915 f.; **E 5**, 1313–1571 ▪ Katritzky et al. **3**, 611 ff.; **5**, 1099 ff. ▪ Kirk-Othmer (3.) **1**, 414 ff.; **15**, 888–909 ▪ Kontakte (Darmstadt) **1981**, 16–20 ▪ Larock, Comprehensive Organic Transformations, S. 819 f., New York: VCH Publishers 1989 ▪ Patai, The Chemistry of the Cyano Group, London: Wiley 1970 ▪ Patai, The Chemistry of Triple Bonded Functional Groups, Chichester: Wiley 1983 ▪ Sandler u. Caro, Organic Functional Group Preparations, Bd. 1, S. 549–589, New York: Academic Press 1983 ▪ Ullmann (5.) **A 17**, 363 f. ▪ Weissermel-Arpe (4.), S. 266 f., 327 f. ▪ Winnacker-Küchler (4.) **6**, 115 ff., 235 f. ▪ s. a. Cyanide u. Kolbe-Synthesen.

Nitrilimine. Bez. für 1,3-Dipole (*N-Amino-nitrilium-Betaine*), die wie die vergleichbaren *Nitriloxide u. *Nitrilylide in *1,3-dipolaren Cycloadditionen eingesetzt werden; z. B. bilden sich mit Alkinen *Pyrazole.

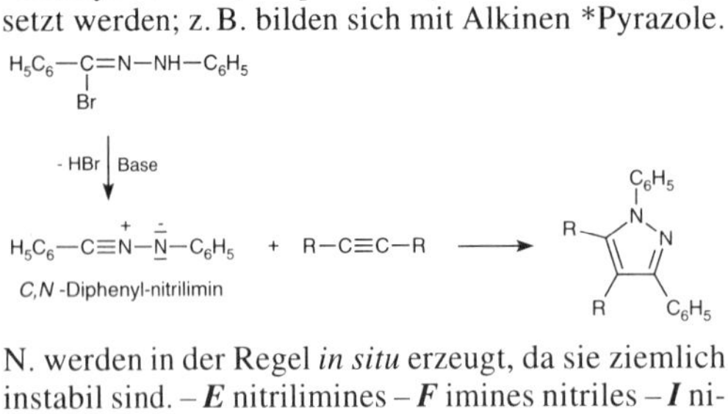

N. werden in der Regel *in situ* erzeugt, da sie ziemlich instabil sind. – ***E*** nitrilimines – ***F*** imines nitriles – ***I*** nitriloimmine – ***S*** nitriliminas

Lit.: Angew. Chem. **106**, 549 (1994) ▪ Katritzky et al. **3**, 677 f. ▪ Padwa, 1,3-Dipolar Cycloaddition Chemistry, Vol. 1, S. 291 ff., New York: Wiley 1984 ▪ s. a. 1,3-dipolare Cycloaddition u. Nitrile.

. . .nitrilio. . . In C. A. Bez. für den Rest $\equiv\overset{+}{N}$–R od. für ein Verbindungsstück $-\overset{+}{N}R=$ od. $>\overset{+}{N}R$ zwischen 2 bzw. 3 ident. organ. Stammstrukturen; Bez. nach IUPAC-Regel RC-82.5.8.3 [1]: . . .azaniumylidin. . ., . . .azaniumylyliden. . ., . . .azaniumtriyl. . . – ***E*** . . .nitrilio. . . – ***F*** = ***I*** = ***S*** nitrilio. . .

Lit.: [1] Pure Appl. Chem. **65**, 1357–1455 (1993).

Nitrilkautschuk (Kurzz. NBR, abgeleitet von *E* *n*itrile-*b*utadiene-*r*ubber). Bez. für einen *Synthesekautschuk, der durch *Copolymerisation von Acrylnitril u. Butadien in Masseverhältnissen von ca. 52:48 bis 82:18 gewonnen wird. Seine Herst. erfolgt prakt. ausschließlich in wäss. Emulsion. Die dabei resultierenden Emulsionen werden als solche (NBR-Latex) eingesetzt od. zum Festkautschuk aufgearbeitet. Die Eigenschaften des N. hängen ab vom Verhältnis der Ausgangsmonomeren u. von seiner Molmasse. Die aus N. zugänglichen *Vulkanisate besitzen hohe Beständigkeit gegenüber Kraftstoffen, Ölen, Fetten u. Kohlenwasserstoffen u. zeichnen sich gegenüber solchen aus *Naturkautschuk durch günstigeres Alterungsverhalten, niedrigeren Abrieb u. verminderte Gasdurchlässigkeit aus. Ausgewählte Kapazitäten zur Produktion von NBR schlüsseln sich für die Jahre 1994 u. 1996 nach Ländern wie in der Tab. dargestellt auf.

Tab.: Ausgewählte Kapazitäten zur NBR-Produktion in der Welt (in 1000 t, *Lit.*[1]).

Land	1994	1996
USA	107	114
Kanada	25	25
Brasilien	17	17
Lateinamerika insgesamt	26	26
Frankreich	46	54
BRD	60	60
Italien	40	40
Niederlande	15	15
Großbritannien	15	15
GUS	40	100
Europa insgesamt	216	284
China	12	12
Indien	2	2
Japan	111	108
Süd-Korea	10	20
Taiwan	16	16
Asien/Ozeanien insgesamt	151	158
Welt insgesamt	526	608

Einen ausgezeichneten Überblick zu Vergangenheit, Gegenwart u. Zukunft von N. gibt *Lit.*[2].

Verw.: *Als Festkautschuk:* Herst. von gegen Öl u. Kraftstoffe beständigen Dichtungen, Schläuchen u. Gummitüchern, zur (Korrosionsschutz-)Auskleidung von Behältern u. a.; *als Latex:* Herst. von Tauchartikeln (Gummihandschuhe) u. Gummifäden, als Binder für Textilien, für Gewebe-Imprägnierungen, Beschichtungen usw. – ***E*** nitrile rubber – ***F*** caoutchouc nitrile – ***I*** caucciù nitrilico – ***S*** caucho nitrílico

Lit.: [1] Gummi Asbest Kunstst. **50**, 22 ff. (1997). [2] Gummi Asbest Kunstst. **49**, 230 ff. (1996).
allg.: Encycl. Polym. Sci. Eng. **2**, 558 f. ▪ Morton, Rubber Technology, 3. Aufl., S. 322–338, New York: Van Nostrand Reinhold Comp. 1987 ▪ s. a. Kautschuk. – *[HS 4002 51, 4002 59]*

Nitrilo... Neben Azanylyliden... bzw. Azantriyl... Bez. für die Gruppen –N= u. >N– als Verbindungsstück zwischen 2 bzw. 3 ident. organ. Stammstrukturen (*Beisp.:* folgende Stichwörter) od. in Brücken über *kondensierten Ringsystemen (IUPAC-Regeln C-72, -73, -815.1, R-9.2.2); in *Substitutionsnamen Bez. für den Rest ≡N, falls Cyano... unzulässig ist; *Beisp.:* Nitriloessigsäure N≡C–COOH (Oxalsäuremononitril, „Cyanokohlensäure", C. A.: Carbonocyanidsäure); vgl. Nitrido... – ***E*** = ***F*** = ***I*** = ***S*** nitrilo...

Nitrilotriessigsäure s. NTA.

2,2′,2″-Nitrilotriethanol [Tris(2-hydroxyethyl)-amin; üblicher Name: *Triethanolamin*]. $N(CH_2{-}CH_2{-}OH)_3$, $C_6H_{15}NO_3$, M_R 149,19. Viskose, klare, stark hygroskop., farblose bis gelbliche Flüssigkeit, die sich an der Luft rasch dunkler färbt u. stark Wasserdampf u. Kohlensäure anzieht, D. 1,1242, Schmp. 21 °C, Sdp. 360 °C, 208 °C (20 hPa), mit Wasserdampf nicht flüchtig, riecht schwach fischartig. Die Dämpfe reizen die Augen u. die Atemwege, Kontakt mit der Flüssigkeit bewirkt Reizung der Augen, geringe Giftigkeit. N. ist mit Wasser, Alkohol, Glycerin u. Glykol beliebig mischbar, leicht lösl. in Chloroform u. Aceton, schwerlösl. in Ether, Schwerbenzin u. Benzol; die wäss. Lsg. reagiert stark alkal., WGK 1. N. bildet wie andere *Alkanolamine mit Fettsäuren leicht sog. *Triethanolaminseifen* (z. B. N.-Stearat, -Oleat, -Linoleat, -Ricinoleat usw.), die nicht nur in Wasser, sondern auch in Mineralölen leicht lösl. sind u. vorzügliche Emulgatoren mit zusätzlicher Wasch- u. Reinigungswirkung darstellen.
Herst.: Durch *Ammonolyse von Ethylenoxid (zusammen mit 2-*Aminoethanol u. *2,2′-Iminodiethanol).
Verw.: Zwischenprodukt zur Herst. von Seifen, Dispergiermitteln u. wasserlösl. Herbiziden, Emulgiermittel für Öle, Fette usw. in Wasser, Dispergiermittel für Wachse, Schmiermittel, Casein u. Schellack, auch in kosmet. Zubereitungen (z. B. Rasierschaum), Korrosionsinhibitor, zur Herst. von Hilfsmitteln für Textil-Ind., sowie von Reinigungs- u. Lederpflegemitteln, Vorprodukt für Pharmazeutika, z. B. für das Trinitrat (*Trolnitrat), als Chelatbildner bei Metall-Titrationen. – ***E*** nitrilotriethanol – ***F*** 2,2′,2″-nitrilitriéthanol – ***I*** 2,2′,2″-nitrilotrietanolo – ***S*** 2,2′,2″-nitrilotrietanol
Lit.: Beilstein E IV **4**, 1524 ▪ Giftliste ▪ Hommel, Nr. 195 ▪ Merck-Index (12.), Nr. 9798 ▪ Ullmann (5.) **A 10** 1–22 ▪ Umbach, Kosmetik (2.), Stuttgart: Thieme 1995 ▪ Winnacker-Küchler (3.) **4**, 72 f.; (4.) **5**, 55. – *[HS 2929 90; CAS 102-71-6]*

1,1′,1″-Nitrilotri-2-propanol [Tris(2-hydroxypropyl)amin; üblicher Name: Triisopropanolamin]. Xi

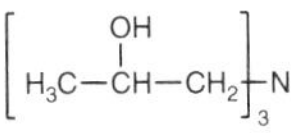

$C_9H_{21}NO_3$, M_R 191,27. Farblose Krist., D. 1,02, Schmp. ca. 55 °C, Sdp. 291 °C (101,3 kPa), lösl. in Wasser, Alkoholen, Aceton, Ether, Glykolen; WGK 1. Trotz des hohen Sdp. reizen die Dämpfe die Haut u. insbes. die Augen, Lungenödem u. Nierenschäden möglich. Spritzer auf die Hornhaut des Auges können zur Erblindung führen. N. kann allerg. Erscheinungen hervorrufen, z. B. Schwellungen in Gesichts- u. Halsbereich; LD_{50} (Ratte oral) 5994 mg/kg. Die Herst. erfolgt aus Propylenoxid u. Ammoniak.
Verw.: Zur Herst. von Emulgatoren, Reinigungsmitteln, Korrosionsinhibitoren, Kautschuk-Alterungsschutzmitteln, Spezialseifen, als chem. Zwischenprodukt, als Absorptionsmittel für Kohlendioxid. – ***E*** = ***F*** = ***S*** 1,1′,1″-nitrilotri-2-propanol – ***I*** 1,1′,1″-nitrilotri-2-propanolo
Lit.: Beilstein E IV **4**, 1680 ▪ Hommel, Nr. 532 ▪ Ullmann (5.) **A 10**, 10–20. – *[HS 2922 19; CAS 122-20-3]*

Nitriloxide. Bez. für Derivate der *Nitrile (IUPAC-Regel C-834), die formal auch als *C*-substituierte Derivate der *Knallsäure (od. „Isoknallsäure", HCNO) aufgefaßt werden können. Die Herst. der N. geschieht im wesentlichen nach zwei Meth., nämlich durch Oxid. von *Oximen (*Aldoxime*) od. durch Dehydratisierung von Nitro-Verbindungen. Die Mehrzahl der N. sind kurzlebige, reaktive Verb., die in Abwesenheit geeigneter Reaktionspartner dimerisieren, oligomerisieren, polymerisieren od. zu *Isocyanaten isomerisieren. Eine Ausnahme bezüglich der Stabilität ist 2,4,6-Trimethylbenzonitriloxid (*Mesitonitriloxid*), das in reiner Form isoliert werden kann.

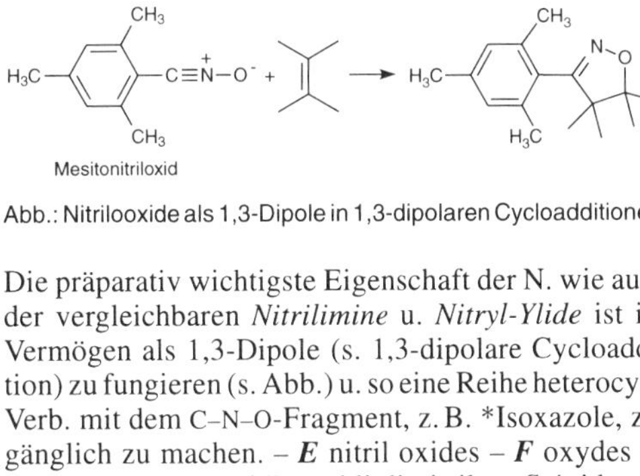

Mesitonitriloxid

Abb.: Nitrilooxide als 1,3-Dipole in 1,3-dipolaren Cycloadditionen.

Die präparativ wichtigste Eigenschaft der N. wie auch der vergleichbaren *Nitrilimine* u. *Nitryl-Ylide* ist ihr Vermögen als 1,3-Dipole (s. 1,3-dipolare Cycloaddition) zu fungieren (s. Abb.) u. so eine Reihe heterocycl. Verb. mit dem C–N–O-Fragment, z. B. *Isoxazole, zugänglich zu machen. – ***E*** nitril oxides – ***F*** oxydes de nitriles – ***I*** nitrilossidi, ossidi di nitrile – ***S*** óxidos de nitrilos
Lit.: Houben-Weyl **10/3**, 837 f.; **E 5/2**, 1585 f. ▪ Katritzky et al. **3**, 677 f. ▪ Padwa, 1,3-Dipolar Cycloaddition Chemistry, Vol. 1, 291–392, New York: Wiley 1984 ▪ Patai, The Chemistry of Double-bonded Functional Groups, S. 369 f., Chichester: Wiley 1977 ▪ Torsell, Nitril Oxides, Nitrones, and Nitronates in Organic Synthesis, Weinheim: VCH Verlagsges. 1988 ▪ s. a. 1,3-dipolare Cycloaddition u. Nitrile.

Nitril-Ylide. Bez. für 1,3-Dipole vom *N*-Alkyl-nitrilium-Betain-Typ (vgl. 1,3-dipolare Cycloaddition). N. werden wie *Nitrilimine u. *Nitriloxide zur Herst. von Heterocyclen, z. B. Pyrrol-Derivaten, eingesetzt.

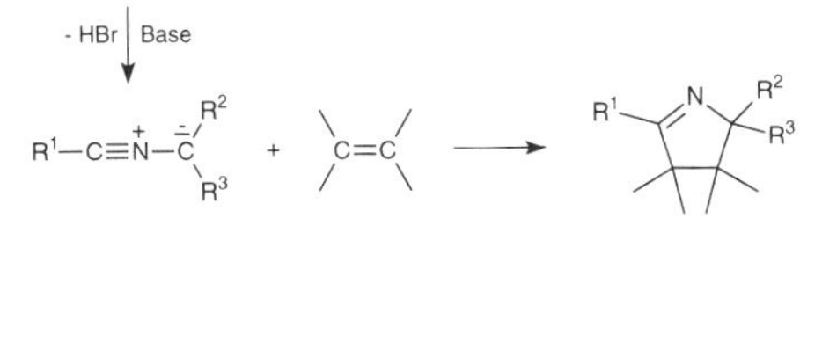

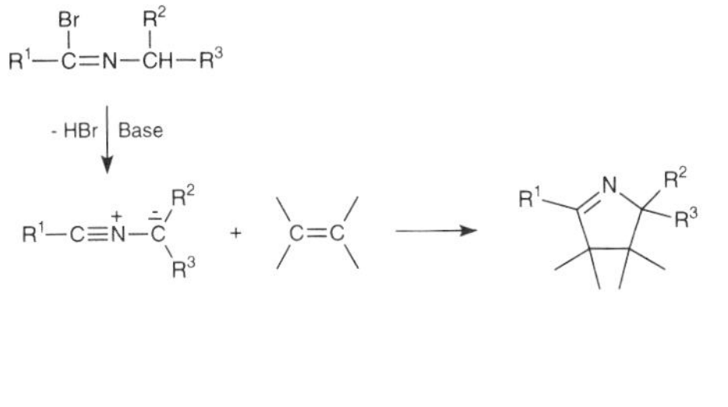

– ***E*** nitrile ylides – ***F*** ylides nitriles – ***I*** ilidi dei nitrili – ***S*** nitrililidos

Lit.: Katritzky et al. **3**, 677 f. ▪ Padwa, 1,3-Dipolar Cycloaddition Chemistry, Vol. 1, S. 177 ff., New York: Wiley 1984 ▪ s. a. 1,3-dipolare Cycloaddition u. Nitrile.

Nitrin s. Nitrite.

Nitrite. 1. *Anorgan. N.* sind Salze der *Salpetrigen Säure (HNO_2), z. B. mit der allg. Formel M^INO_2, von denen bisher nur das in Wasser schwerlösl. Silbernitrit u. die wasserlösl. Alkali- u. Erdalkalinitrite in reinem Zustand bekannt sind. Die Alkalinitrite erhält man durch Erhitzen der Nitrate, ggf. in Ggw. von Red.-Mitteln, od. durch Einleiten von NO/NO_2-Gemischen in wäss. Alkali- u. Erdalkalilaugen. In der Natur entstehen N. als Zwischenprodukte sowohl der *Nitrifikation als auch der *Denitrifikation (mit Hilfe von *Nitrat-Reduktasen; eine bes. hohe Speicherfähigkeit für Nitrat haben Spinat, Kresse, Fenchel, Rettich, Rote Rüben u. Rhabarber). Erhebliche N.-Mengen finden sich im *Speichel; diese könnten im sauren *Magensaft mit sek. Aminen zu carcinogenen *Nitrosaminen reagieren; Näheres, auch zu den übrigen physiolog. Wirkungen, s. dort, bei Natriumnitrit u. Nitritpökelsalz. Die wäss. Lsg. von N. enthält infolge Hydrolyse stets die ihrerseits instabile Salpetrige Säure. Zum Nachw. kleiner N.-Mengen eignen sich z. B. 2,4,6-Triaminopyridin, Thioglykolsäure, die *Iodstärke-Reaktion mit Kalium-Iodid-Stärkepapier od. Trommsdorffs Reagenz, die Grieß-Ilosvay-Reaktion (auf deren Prinzip auch Teststreifen zum Schnellnachw. von Harnwegsinfekten beruhen), *N*-(1-Naphthyl)-ethylendiamindihydrochlorid, Nixons Reagenz, Lunge-Reagenz, *Nitrin* (2-Aminobenzaldehyd-phenylhydrazon, $C_{13}H_{13}N_3$, M_R 211,27, gibt in alkohol. od. acetonhaltiger Lsg. mit N. auf Zugabe von Säure eine rote Färbung).
Verw.: Als Korrosionsschutzmittel, zur Diazotierung u. zur sog. Umrötung von Fleischwaren in Form von *Nitritpökelsalz (oft volkstümlich als „Nitrit" bezeichnet), Natriumnitrit auch als Cardiakum.
2. Die *organ. N.* der allg. Formel R–O–N=O werden hier als *Salpetrigsäureester behandelt. – ***E*** = ***F*** nitrites – ***I*** nitriti – ***S*** nitritos

Lit.: Alternatives to the Current Use of Nitrite in Foods, Washington: Nat. Acad. Press 1982 ▪ Bailey, Recent Advances in the Chemistry of Meat, London: Royal Soc. Chem. 1984 ▪ Belitz-Grosch (4.), S. 410, 447, 519 ▪ CRC Crit. Rev. Anal. Chem. **15** (3.), 283–313 (1985) ▪ Fries-Getrost, S. 273–276 ▪ Int. J. Environ. Anal. Chem. **19**, 11–18 (1984) ▪ Rehm-Reed **5**, 408–411 ▪ Townshend, Encyclopedia of Analytical Science, S. 3331, London: Academic Press, 1995 ▪ s. a. Natriumnitrit, Nitrate u. die Nitros...-Stichwörter. – *[HS 2834 10]*

Nitrito... Bez. für den *Liganden NO_2^- (IUPAC-Regel I-10.4.5.5); man unterscheidet M–NO_2 [(Nitrito-*N*)...; früher: Nitro...] u. M–O–NO [(Nitrito-*O*)...; früher: Nitrito...]. Der Rest –O–NO in organ. Verb. heißt Nitrosooxy... – ***E*** = ***F*** = ***I*** = ***S*** nitrito...

Nitritpökelsalz (Abk. NPS). Nach der Zusatzstoff-Verkehrs-VO ist N. den *Zusatzstoffen (s. § 2 Lebensmittelgesetz u. Zusatzstoff-Zulassungs-Verordnung) gleichgestellt. N. (E 250) ist ein Gemisch aus Speisesalz u. *Natriumnitrit (höchstens 0,5% u. mind. 0,4%), das neben den zulässigen Stoffen zur Erhaltung der Rieselfähigkeit keine anderen Lebensmittel od. Zusatzstoffe enthält [1]. Zum Erhalt der Rieselfähigkeit ist der Zusatz von 20 mg/kg Hexacyanoferrat(II) (berechnet als Kalium-Salz, s. Blutlaugensalze) erlaubt (s. *Lit.*[1], § 5 u. *Lit.*[2]). Die Herst. von N. bedarf einer speziellen Genehmigung der zuständigen Behörde [1]. Sonderregelungen zur Kennzeichnung von N. sind ebenfalls *Lit.*[1] zu entnehmen (§ 4 Absatz 1 Nummer 7 u. 5). Das Verbot von N. bei der Herst. von Hackfleischerzeugnissen regelt die Hackfleisch-VO [3]. Anforderungen an die Reinheit u. Beschaffenheit sind *Lit.*[1] (Anlage 2, Liste 10) zu entnehmen. N. muß nach einer Stellungnahme [4] des „Arbeitskreises lebensmittelchem. Sachverständiger der Länder u. des Bundesgesundheitsamtes (ALS)" in der Zutatenliste von Lebensmitteln erwähnt werden, bei deren Herst. umgerötete Lebensmittel (s. unten) mitverarbeitet wurden.
Verw.: Nach der Fleisch-VO ist der Zusatz von N. zu Fleisch u. Fleischerzeugnissen außer zu Brühwürsten, Weißwürsten, Wollwürsten u. Fleischklößen bis zu einer Höchstmenge von 150 mg/kg für Rohschinken bzw. 100 mg/kg für andere Fleischerzeugnisse erlaubt [5].
N. wird Fleischerzeugnissen zur *Konservierung, zum Erzielen einer stabilen Pökelfarbe u. eines Pökelaromas sowie wegen seiner antioxidativen Effekte zugesetzt. Die konservierende Wirkung richtet sich v. a. gegen *Clostridium botulinum* (*Botulismus) u. *Salmonellen [6]. Das *Myoglobin des Fleisches reagiert unter Ausbildung einer stabilen Pökelfarbe in Ggw. von Stickstoffmonoxid (NO entsteht durch Red. aus Nitrit, wobei Myoglobin, das zu Metmyoglobin oxidiert wird, das reduzierende Agens ist), so daß leuchtend rotes Nitrosomyoglobin [6] entsteht. Als Reaktionspartner des NO kommt auch das dunkel gefärbte Metmyoglobin in Frage, wobei das ebenfalls leuchtend rote Nitrosometmyoglobin gebildet wird [7]. Diese Reaktionsfolge wird als *Umrötung* bezeichnet. Neuere Untersuchungen [8] weisen allerdings darauf hin, daß der Mechanismus der Umrötung weitaus komplexer ist u. über die Zwischenstufe eines Nitrosomyoglobin-Radikalkations verläuft. Daneben reagiert Nitrit auch mit *Aminosäuren [9] (*Tryptophan), wobei für das Pökelaroma wichtige Verb. entstehen.
Red.-Mittel wie *Ascorbinsäure u. *Thiole beschleunigen die Umrötung durch Red. des Metmyoglobins zu Myoglobin. Der möglichen Bildung von carcinogenen *Nitrosaminen in gepökelten Fleischwaren [10] (*NDMA bis 0,9 ppb [11,12], 1-Nitrosopyrrolidin bis 22 ppb [13]) wirkt Ascorbinsäure zwar entgegen, eine Nutzen-Risiko-Analyse sollte jedoch durchgeführt werden [6], zumal Nitrit-verminderte [14] u. Nitrit-freie [15,16] Pökelsyst. zur Verfügung stehen.
Analytik: Der Natriumnitrit-Gehalt von N. kann manganometr., cerimetr. [17] od. spektralphotometr. [18] bestimmt werden. Das manganometr. Verf. ist Grundlage einer *Methode nach § 35 LMBG (56.01.04-1).
Einen Überblick über Physiologie u. Toxikologie des Nitrits gibt *Lit.*[10,19]. Der *ADI-Wert von Nitrit beträgt 0–0,13 mg/kg Körpergewicht. Angaben zur Lagerfähigkeit von N. macht *Lit.*[20]. – ***E*** nitrite pickling salt, curing salt – ***F*** sel nitrique de saumure, sel nitrité – ***I*** salamoia di nitrito e sale – ***S*** (sal de) salmuera nítrica

Lit.: [1] ZVerkV vom 10. 7. 1984 in der gültigen Fassung. [2] ZZulV vom 22. 12. 1981 in der Fassung vom 13. 6. 1990

(BGBl. I S. 1053) Anlage 2. [3]Hackfleisch-VO vom 10. 5. 1976 in der Fassung vom 13. 3. 1984 (BGBl. I S. 393), § 2 Absatz 1. [4]Bundesgesundheitsblatt **31**, 393 (1988). [5]Fleisch-VO vom 21. 1. 1982 in der Fassung vom 15. 3. 1988 (BGBl. I S. 482), Anlage 1. [6]Großklaus, Rückstände in von Tieren stammenden Lebensmitteln, S. 18, Berlin: Parey 1989. [7]Belitz-Grosch (4.), S. 519, 538, 888. [8]J. Agric. Food Chem. **36**, 909–914 (1988). [9]J. Agric. Food Chem. **34**, 892–895 (1986). [10]Classen et al., Toxikologisch-hygienische Beurteilung von Lebensmittelinhalts- u. -zusatzstoffen sowie bedenklicher Verunreinigungen, S. 205–208, 211, Berlin: Parey 1987. [11]Z. Lebensm. Unters. Forsch. **182**, 14–18 (1986). [12]J. Agric. Food Chem. **35**, 346–350 (1987). [13]J. Assoc. Off. Anal. Chem. **72**, 19–22 (1989). [14]Fleischwirtschaft **64**, 727–733 (1984). [15]J. Food Protect. **49**, 691–695 (1986). [16]J. Food Sci. **51**, 1728 f. (1987). [17]Kirk-Othmer **5**, 319. [18]Lebensmittelchem. Gerichtl. Chem. **39**, 99 ff. (1985). [19]Food Chem. Toxicol. **27**, 565–571 (1989). [20]Lebensmittelchem. Gerichtl. Chem. **38**, 91–94 (1984).
allg.: Lindner, Toxikologie der Nahrungsmittel (4.), S. 178–184, Stuttgart: Thieme 1990 ▪ Lück u. Jager, Chemische Lebensmittelkonservierung, S. 95–103, Berlin: Springer 1995 ▪ Prändel et al., Fleisch, S. 332–344, Stuttgart: Ulmer 1988 ▪ Ullmann (5.) **A 11**, 573 ▪ Zipfel, C 122, C 232, C 235. – *[HS 3824 90]*

Nitrit-Reduktasen. *Oxidoreduktasen, die mit Hilfe von Wasserstoff-Donatoren Nitrit reduzieren, welches unter der Einwirkung von Nitrat-Reduktasen entstanden ist (vgl. dort). Man unterscheidet die assimilator. N.-R., die Ammoniak bilden, das vom Organismus aufgenommen u. assimiliert werden kann, u. die dissimilator. (respirator.) N.-R., die die Reaktion zur Energie-Gewinnung ausführen u. gasf. Produkte wie Stickoxide u. Stickstoff bilden (s. Denitrifikation).
Assimilator. N.-R.: Das Enzym aus den Chloroplasten grüner Pflanzen verwendet *Ferredoxin als Wasserstoff-Lieferant (EC 1.7.7.1, M_R 63 000). N.-R. aus Pilzen u. Bakterien (EC 1.6.6.4, 2 ident. Untereinheiten zu je M_R 88 000–140 000) benutzen NADH od. NADPH (s. Nicotinamid-Adenin-Dinucleotid). In Anwesenheit von Ammoniak werden die Nitrit-assimilierenden Enzyme nicht synthetisiert. Als Cofaktoren enthalten sie Eisen-Schwefel-Zentren u. *Sirohäm* (ein *Häm-Derivat), die Pilz/Bakterien-Enzyme zusätzlich *Flavin-Adenin-Dinucleotid.
Dissimilator. N.-R.: N.-R. anderer Struktur (EC 1.7.2.1, 1.7.99.3 u. 1.9.3.2, Membran-Enzyme, deren Synth. in Ggw. von Sauerstoff unterdrückt wird) sind an der bakteriellen dissimilator. Nitrit-Red. beteiligt. – ***E*** nitrite reductases – ***F*** nitrite-réductases – ***I*** nitrito-reduttasi – ***S*** nitrito-reductasas
Lit.: Eur. J. Biochem. **209**, 793–802 (1992) ▪ Nature (London) **389**, 406–412 (1997).

Nitr(o)... (von alchimist.: nitrum = Kali-*Salpeter). a) Nitro... ist Bez. für die Atomgruppierung $-NO_2$ in Namen für organ. Verb. (IUPAC-Regel C-10.1, C-852.1, R-4.1, R-5.3.2; s. Nitrierung, Nitro-Verbindungen) u. veraltete Bez. des Liganden $\leftarrow NO_2^-$ (s. Nitrito...); der Rest NO_2 in anorgan. Verb. heißt *Nitryl... – b) Bez. von Nitrat-Mineralien, z. B. Nitrocalcit (*Calciumnitrat), Nitrokalit (*Kalisalpeter). – c) Bestandteil von Bez. für Stickstoff-haltige Atomgruppierungen, Ionen, Verb., Handelsprodukte, bes. *Düngemittel, etc.; *Beisp.:* vorangehende u. folgende Stichwörter. – ***E = F = I = S*** nitr(o)...

Nitroalkane (Nitroparaffine). Bez. für nitrierte aliphat. Kohlenwasserstoffe wie *Nitromethan, *Nitroethan, *Nitropropan der allg. Formel $C_nH_{2n+1}NO_2$, die durch Gasphasennitrierung von Alkanen mit Salpetersäure zugänglich sind (s. Nitrierung).
Verw.: Als Lsm. für Kunststoffe u. Kunstharze, als Extraktionsmittel, als Stabilisatoren für Halogenkohlenwasserstoffe, als Spezialkraftstoffe, Raketentreibstoffe, in Sprengstoffen, zur Synth. von Carbonyl-Verb. über die *Nef-Reaktion u. weiteren organ. Verb. durch Kondensation (s. Knoevenagel-Kondensation), Red. u. a.; s. a. Nitro-Verbindungen. – ***E*** nitroalkanes – ***F*** nitroalcanes – ***I*** nitroalcani – ***S*** nitroalcanos
Lit.: s. Nitrierung u. Nitro-Verbindungen.

Nitroamine s. Nitramine.

***ar*-Nitroaniline** (Nitraniline).

T 

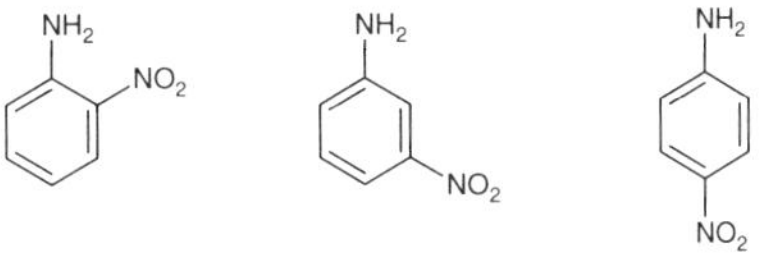

2-N. 3-N. 4-N.

$C_6H_6N_2O_2$, M_R 138,12. *2-N.* (*o*-N.): Goldgelbe Blättchen od. Nadeln, D. 1,442, Schmp. 71–73 °C, Sdp. 284 °C; LD_{50} (Ratte oral) 1600 mg/kg. 2-N. findet Verw. zur Herst. von Farbstoffen, ferner dient es als Reagenz zur photometr. Bestimmung von Vitamin C. – *3-N.* (*m*-N.): Gelbe Nadeln, D. 1,430, Schmp. 114 °C, LD_{50} (Ratte oral) 535 mg/kg. *m*-N. kann durch Red. von 1,3-Dinitrobenzol mit Natriumsulfid-Lsg. gewonnen werden u. findet Verw. als Zwischenprodukt bei der Fabrikation von Azofarbstoffen. – *4-N.* (*p*-N.): Hellgelbe Nadeln, D. 1,424, Schmp. 148–149 °C; LD_{50} (Ratte oral) 750 mg/kg; 4-N. kann durch Erhitzen von 1-Chlor-4-nitrobenzol mit überschüssigem konz., wäss. Ammoniak auf 180 °C unter Druck hergestellt werden. Alle N. sind in Wasser schwer, in Alkohol u. Ether leicht lösl. u. bilden mit Mineralsäuren wasserlösl. Salze; WGK 2. Vergiftungen entstehen durch Einatmen des Staubes, der Dämpfe, durch Verschlucken, aber auch durch Aufnahme über die Haut. N. sind Blutgifte (*Methämoglobin-Bildung), für 4-N. gilt MAK 1 ppm (MAK-Werte-Liste 1996). Das techn. wichtige 4-N. verwendet man zur Synth. von Farbstoffen, Antioxidantien u. Pharmazeutika. – ***E = F*** nitroanilines – ***I*** nitroaniline – ***S*** nitroanilinas
Lit.: Beilstein E IV **12**, 1563 f., 1589 ff., 1613–1616 ▪ Hommel, Nr. 293 ▪ Merck-Index (12.), Nr. 6679–6681 ▪ Ullmann (5.) **A 2**, 37 ff., 309; **A 17**, 434 ff. – *[HS 2921 42; CAS 88-74-4 (2-N.); 99-09-2 (3-N.); 100-01-6 (4-N.); G 6.1]*

Nitroanilinrot s. Pararot.

2-Nitroanisol (1-Methoxy-2-nitrobenzol).

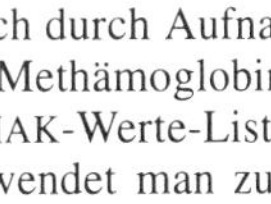

$C_7H_7NO_3$, M_R 153,13. Farblose bis gelbliche Flüssigkeit, D. 1,25, Schmp. 10 °C, Sdp. 272 °C, lösl. in Alkohol, Ether, Chloroform, Dioxan u. Benzol. N. verändert den Blutfarbstoff (*Methämoglobin-Bildung), erregende u. narkot. Wirkungen auf das Zentralnervensyst., Alkoholzufuhr gefährlich, Leberschäden möglich; LD_{50} (Ratte oral) 740 mg/kg; WGK 3; N. gilt als Stoff, der sich im Tierversuch eindeutig als krebserzeugend erwiesen hat, Gruppe III A 2 MAK-Werte-Liste 1996. Das durch Erhitzen von *o*-Chlornitrobenzol mit NaOH in Methanol zugängliche N. findet Verw. als Zwischenprodukt für synthet. organ. Farbstoffe u. Pharmazeutika. – ***E*** 2-nitroanisole – ***F*** = ***S*** 2-nitroanisol – ***I*** 2-nitroanisolo

Lit.: Beilstein E IV **6**, 1249 f. ▪ Hommel, Nr. 672 ▪ Merck-Index (12.), Nr. 6682 ▪ Ullmann (4.) **17**, 409, 410; (5.) **A 17**, 446. – *[HS 2909 30; CAS 91-23-6; G 6.1]*

Nitroaromaten. Sammelbez. für im allg. in Einzelstichwörtern behandelte, ein- od. mehrfach nitrierte aromat. Kohlenwasserstoffe wie Nitrobenzol, Nitrotoluole, Nitroxylole, Nitronaphthaline, Di- u. Trinitrobenzole u. -toluole. Die N. erhält man durch *Nitrierung der aromat. Kohlenwasserstoffe z. B. mit *Nitriersäure (HNO_3/H_2SO_4, s. a. Nitrierung). Da die Nitro-Gruppe leicht chem. in andere *funktionelle Gruppen umgewandelt werden kann, sind N. wertvolle Ausgangsverb. für die Synth. von aromat. Aminen, Azo-, Hydrazo-Verb., Diazonium-Salzen, Isocyanaten, Benzidin-Derivaten, halogenierten u. sulfonierten Aromaten.

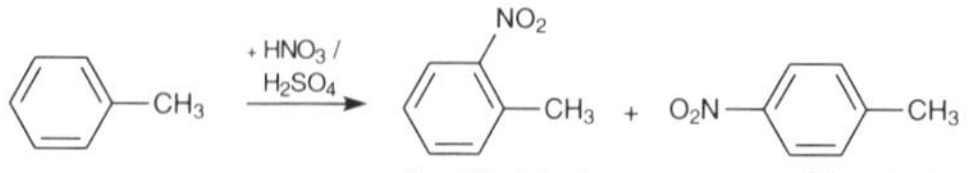

ortho-Nitrotoluol *para*-Nitrotoluol

Abb.: Herst. von Nitroaromaten.

Mehrfach nitrierte Aromaten wie z. B. *Tri*nitro*to*luol (TNT) sind darüber hinaus für die Herst. von Sprengstoffen von Bedeutung. Die oft farbigen u. schwerlösl. N. finden aufgrund dieser Eigenschaften in der analyt. Chemie zur quant. Bestimmung od. Derivatisierung organ. Verb. Verwendung. Einige N. wie 2-Nitronaphthalin sind laut MAK-Liste als eindeutig krebserregend eingestuft. – ***E*** nitroarenes – ***F*** nitroarènes – ***I*** nitroareni – ***S*** nitroarenos

Lit.: s. Nitro-Verbindungen.

5-Nitrobarbitursäure (5-Nitro-2,4,6-pyrimidintrion, Dilitursäure).

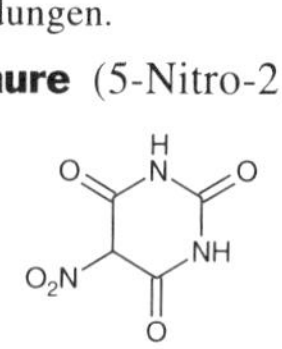

$C_4H_3N_3O_5$, M_R 173,08. Trihydrat, Prismen u. Blättchen aus Wasser, Schmp. 176 °C (mit Zers. wenn wasserfrei). Schlecht lösl. in kaltem Wasser, etwas mehr in heißem Wasser, lösl. in Alkohol, in Natriumhydroxid-Lsg., unlösl. in Ether. Wird als Mikroreagenz für Kalium verwendet. – ***E*** 5-nitrobarbituric acid – ***F*** acide 5-nitrobarbiturique – ***I*** acido 5-nitrobarbiturico – ***S*** ácido 5-nitrobarbitúrico

Lit.: Beilstein E V **24/9**, 105 ff. ▪ Merck-Index (12.), Nr. 6683. – *[HS 2933 51; CAS 480-68-2]*

Nitrobenzaldehyde.

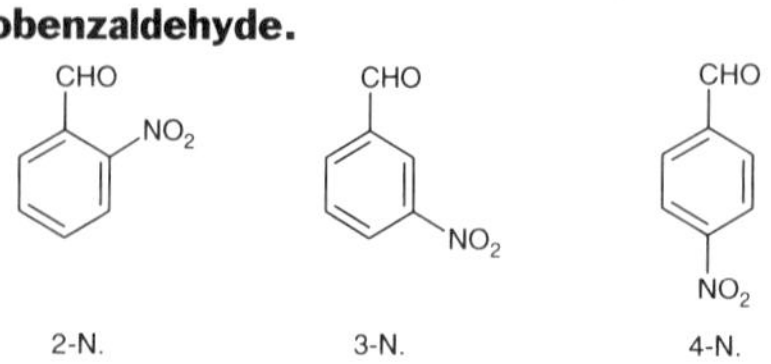

2-N. 3-N. 4-N.

$C_7H_5NO_3$, M_R 151,12. *2-N.* (*o*-N.): Blaßgelbe Nadeln, D. 1,2844 (50 °C), Schmp. 42–44 °C, wenig lösl. in Wasser, lösl. in Alkohol, Benzol, Eisessig; LD_{50} (Maus oral) 600 mg/kg. Die Verw. in *Niespulver ist verboten [1]. – *3-N.* (*m*-N.): Gelbe Krist., Schmp. 57–59 °C, lösl. in Alkohol, Ether, Chloroform. – *4-N.* (*p*-N.): Weiße bis gelbe Krist., Schmp. 106–107 °C, lösl. in Alkohol, Benzol. Die N. dienen als Zwischenprodukte bei der Herst. von Farbstoffen u. Pharmazeutika; 2-N. dient ferner als Reagenz auf 2-Propanol u. Aceton. – ***E*** nitrobenzaldehydes – ***F*** nitrobenzaldéhydes – ***I*** nitrobenzaldeidi – ***S*** nitrobenzaldehídos

Lit.: [1] Bedarfsgegenständeverordnung vom 10. 04. 1992.
allg.: Beilstein E IV **7**, 584 f., 591 f., 598 ff. ▪ Merck-Index (12.), Nr. 6684 ▪ Ullmann (4.) **8**, 348; (5.) **A 3**, 470. – *[HS 2913 00; CAS 552-89-6 (2-N.); 99-61-6 (3-N.); 555-16-8 (4-N.)]*

3-Nitrobenzanthron (3-Nitro-benz[*d,e*]anthracen-7-on).

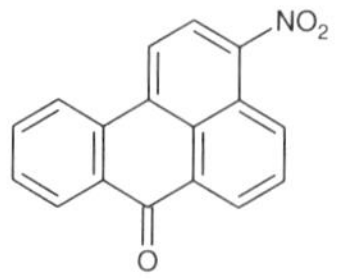

$C_{17}H_9NO_3$, M_R 275,26, Schmp. 256–257 °C, gelbes Pulver. Die zu den *Nitro-PAHs gehörende Verb. (s. a. PAH) steht nach Untersuchungen japan. Toxikologen im Verdacht, ein starkes Mutagen zu sein, das mit den Abgasen von Dieselmotoren an Rußpartikel gebunden in die Umwelt gelangt. Seine im *Ames-Test bestimmte Mutagenität ist sehr hoch, vergleichbar mit der von 1,8-Dinitropyren, so daß die Verb. merklich zur Gesamtmutagenität von Dieselruß beiträgt. 3-N. bildet sich v. a., wenn Dieselmotoren unter hoher Last arbeiten. Es entsteht aber nicht nur bei der Verbrennung fossiler Brennstoffe, sondern auch durch *Nitrierung von Benzanthron mit Hilfe von NO_x in der Atmosphäre. – ***E*** = ***F*** 3-nitrobenzanthrone – ***I*** 3-nitrobenzantrone – ***S*** nitrobenzantrona

Lit.: Envir. Sci. Technol. **31**, 2772 (1997) ▪ s. a. Nitro-PAH. – *[CAS 17117-34-9]*

5-Nitrobenzimidazol.

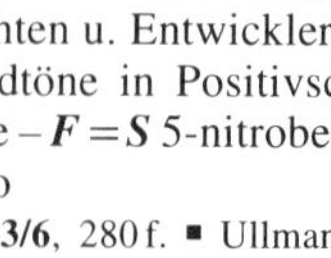

$C_7H_5N_3O_2$, M_R 163,13. Blaßgelbes, feinkrist. Pulver, Schmp. 207–209 °C (Zers.), lösl. in heißem Wasser u. Alkohol, Säuren, Alkalien, sehr wenig lösl. in Ether u. Chloroform; vor Licht geschützt aufbewahren. Verw. in der Photographie als schleierverhütender Zusatz für photograph. Schichten u. Entwickler u. zur Erzielung blauschwarzer Bildtöne in Positivschichten. – ***E*** 5-nitrobenzimidazole – ***F*** = ***S*** 5-nitrobenzimidazol – ***I*** 5-nitrobenzimidazolo

Lit.: Beilstein E V **23/6**, 280 f. ▪ Ullmann (5.) **A 20**, 28. – *[HS 2933 90; CAS 94-52-0]*

Nitrobenzoesäuren.

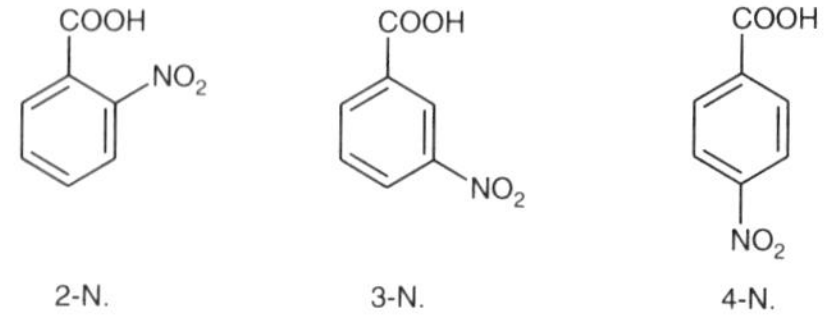

2-N. 3-N. 4-N.

$C_7H_5NO_4$, M_R 167,12. *2-N.:* Gelblichweiße Krist., D. 1,58, Schmp. 147–148 °C, schmeckt auffallend süß. Wird hergestellt durch Oxid. von 2-Nitrotoluol. – *3-N.:* Farblose Krist., D. 1,494, Schmp. 142 °C, bitter schmeckend, wird hergestellt durch Nitrierung von Benzoesäure od. durch Oxid. von 3-Nitrobenzaldehyd. – *4-N.:* Monokline Blättchen, D. 1,58, Schmp. 242 °C, bitterer Geschmack, wird hergestellt durch Oxid. von 4-Nitrotoluol. 4-N. reizt Augen, Haut u. Schleimhäute. Die N. sind lösl. in Ether, Aceton u. Methanol, wenig lösl. in Wasser u. Benzol u. dienen als Zwischenprodukte bei der Herst. von Farbstoffen, Schädlingsbekämpfungsmitteln, Kautschukchemikalien, Arzneimitteln. Die 3-N. ist auch Reagenz auf Alkaloide u. Thorium, die 2-N. dient als Amin-Schutzgruppe. – ***E*** nitrobenzoic acids – ***F*** acides nitrobenzoïques – ***I*** acidi nitrobenzoici – ***S*** ácidos nitrobenzoicos

Lit.: Beilstein EIV **9**, 1046 f., 1055 f., 1072 ff. ▪ Merck-Index (12.), Nr. 6686 ▪ Ullmann (5.) **A 3**, 566 ff.; **A 17**, 415. – *[HS 2916 39; CAS 552-16-9 (2-N.); 121-92-6 (3-N.); 62-23-7 (4-N.)]*

Nitrobenzol. $C_6H_5NO_2$, M_R 123,11, zur Ladungsverteilung (Resonanzstrukturen) s. die Abb. bei Nitro-Verbindungen. T  Farblose bis blaßgelbe, giftige, brennfähige, stark lichtbrechende Flüssigkeit, Geruch bittermandelölartig, die wäss. Lsg. schmeckt süß, D. 1,19867, Schmp. 5–6 °C, Sdp. 210–211 °C, FP. 88 °C c. c., molale kryoskop. Konstante 8,1; in Wasser nur spurenweise lösl., mit Alkohol, Ether u. Benzol mischbar. N. kann durch die Haut, Atmungs- u. Verdauungsorgane in den Körper gelangen u. schwere Vergiftungen hervorrufen. Das Blut wird hierbei dunkelbraun u. verliert die Fähigkeit, Sauerstoff aufzunehmen (*Methämoglobin-Bildung ggf. mit *Cyanose); außerdem wird das ZNS stark geschädigt, u. es treten Erbrechen, Kopfschmerzen, Schwächegefühl, Krämpfe u. Bewußtlosigkeit auf; schwere Vergiftungen können schon nach einigen Stunden tödlich enden, MAK 1 ppm (MAK-Werte-Liste 1996); BAT 100 µg/L; Parameter: Anilin (aus Hämoglobin-Konjugat freigesetzt); WGK 2; LD_{50} (Ratte oral) 640 mg/kg; zur Therapie von N.-Vergiftungen s. *Lit.*[1].

Herst.: Techn. wird N. durch Nitrierung von Reinstbenzol mit *Nitriersäure im kontinuierlichen Verf. gewonnen. Die Red. mit Fe/HCl od. H_2 gibt Anilin, mit Zn in Alkalien Hydrazobenzol, mit Natriumamalgam Azobenzol.

Verw.: Wichtiges, in großem Maßstab hergestelltes Zwischenprodukt z. B. für die Herst. von Anilin (weltweit 90–95% der Produktion), Azo-Verb., Benzidin, Chlornitrobenzol, Nitrobenzolsulfonsäure, Fuchsin, Chinolin usw. Über eine schwere Explosion durch Reaktion von N. mit KOH u. Methanol s. *Lit.*[2]. In geringerem Umfange dient N. auch als Lsm., chem. Reagenz, Schmierölbestandteil, Zusatz bei Dynamit- u. Bergwerkssprengstoffen. Früher wurde N. als sog. *Mirbanöl* auch zur Parfümierung von Seifen verwendet; die Verw. in kosmet. Mitteln ist heute verboten (Kosmetik-VO Anlage 1, Nr. 249). – ***E = I*** nitrobenzene – ***F*** nitrobenzène – ***S*** nitrobenceno

Lit.: [1] Moeschlin, Klinik u. Therapie der Vergiftungen, S. 403–407, Stuttgart: Thieme 1986. [2] Nachr. Chem. Tech. **23**, 334 (1975).

allg.: Beilstein EIV **5**, 708–718 ▪ Hager (5.) **3**, 873 ▪ Hommel, Nr. 210 ▪ Merck-Index (12.), Nr. 6685 ▪ Rippen ▪ Ullmann (4.) **17**, 387 f.; (5.) **A 17**, 415 ▪ Weissermel-Arpe (4.), S. 403 f. – *[HS 2904 20; CAS 98-95-3; G 6.1]*

Nitrobenzolazo... s. Magneson u. Pararot.

4-Nitrobenzoylchlorid.

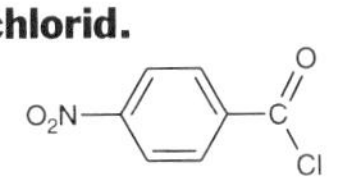

$C_7H_4ClNO_3$, M_R 185,56. Hellgelbe, stechend riechende Kristallnadeln, Schmp. 75 °C, Sdp. 151 °C (20 hPa, oberhalb 100 °C Explosionsgefahr!), lösl. in allen üblichen Lsm., wird durch Wasser zersetzt; LD_{50} (Ratte oral) 5600 mg/kg; WGK 2 (Selbsteinst.). N. ist ein Zwischenprodukt bei Farbstoff-Synth. u. dient in der organ. Analyse als Reagenz zur Identifizierung von Alkoholen, Aminen, Phenolen u. dgl. durch Überführung in schwerlösl. Derivate (*Schotten-Baumann-Reaktion); Zwischenprodukt für Procain-Hydrochlorid. – ***E*** 4-nitrobenzoyl chloride – ***F*** chlorure de 4-nitrobenzoyle – ***I*** cloruro di 4-nitrobenzoile – ***S*** cloruro de 4-nitrobenzoilo

Lit.: Beilstein EIV **9**, 1191 f. ▪ Merck-Index (12.), Nr. 6687 ▪ Paquette **6**, 3726 ▪ Ullmann (5.) **A 3**, 567. – *[HS 2916 39; CAS 122-04-3]*

4-(4-Nitrobenzyl)pyridin (NBP).

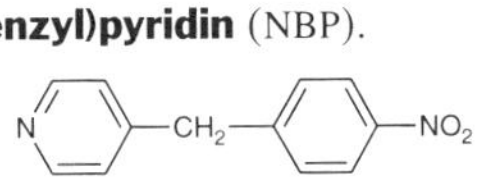

$C_{12}H_{10}N_2O_2$, M_R 214,22. Gelbliche, alkohollösl. Krist., Schmp. 70–72 °C. N. wird zum Nachweis von Epoxiden u. methylierenden Verb., zur spektrophotometr. Bestimmung Phosphor-haltiger Pestizide verwendet. – ***E = F*** 4-(4-nitrobenzyl)pyridine – ***I*** 4-(4-nitrobenzil)piridina – ***S*** 4-(4-nitrobencil)piridina

Lit.: Anal. Chem. **54**, 213 (1982) ▪ Anal. Chim. Acta **92**, 149 (1977) ▪ Beilstein EV **20/7**, 564. – *[HS 2933 39; CAS 1083-48-3; G 6.1]*

Nitrocellulose. In der Technik häufig verwendete Bez. für *Cellulosenitrat, den Salpetersäureester der *Cellulose.

Nitrocellulose-Seide s. Chardonnet-Seide.

4-Nitrochinolin-1-oxid.

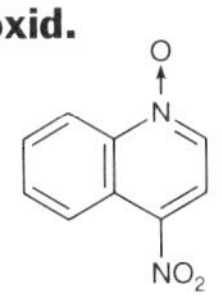

$C_9H_6N_2O_3$, M_R 190,15. Gelbe Krist., Schmp. 154 °C. 4-N. ist eines der chem. einfachst gebauten *Carcinogene; es bildet Charge-transfer-Komplexe mit Desoxynucleotiden; zur Herst. u. Verw. vgl. Weissberger (*Lit.*). – ***E*** 4-nitroquinoline 1-oxide – ***F*** 1-oxyde de 4-nitroquinoléine – ***I*** 1-ossido di 4-nitrochinolina – ***S*** 1-óxido de 4-nitroquinolina

Lit.: Beilstein EV **20/7**, 324 f. ▪ Biochemistry **17**, 1352–1356 (1978); **18**, 3833–3839 (1979) ▪ Sugimura, The Nitroquinolines (Carcinogenesis 6), New York: Raven Press 1981; Weissberger **32/2**, 377 ff. – *[HS 2933 40; CAS 56-57-5]*

Nitrochlorbenzole s. Chlornitrobenzole.

Nitrochloroform s. Trichlornitromethan.

Nitrocyclohexanon-Verfahren s. Nixan-Verfahren.

Nitroderm® TTS (Rp). Membranpflaster mit *Glycerintrinitrat zur Vorbeugung u. Langzeitbehandlung der Angina pectoris. ***B.:*** Novartis.

Nitroerythrit s. Erythrittetranitrat.

Nitroethan. $H_3C{-}CH_2{-}NO_2$, $C_2H_5NO_2$, M_R 75,07. Farblose, leicht brennbare Flüssigkeit, D. 1,0448, Schmp. –88 °C, Sdp. 115 °C, mischbar mit Methanol, Ether u. Alkohol, lösl. in wäss. Alkali-Lsg., schwer mischbar mit Wasser. N. reizt Augen, Haut u. Schleimhäute, MAK 100 ppm (MAK-Werte-Liste 1996); LD_{50} (Ratte oral) 1100 mg/kg; WGK 2. N. entsteht bei der Nitrierung von Propan in der Gasphase (neben 1-Nitropropan, 2-Nitropropan u. Nitromethan). Xn

Verw.: Lsm. für Celluloseester u. Vinylharze, zur Synth. von Arzneimitteln, Insektiziden, Tensiden usw., Bestandteil von Spezialkraftstoffen; Reagenz zur Umwandlung von Aldehyden u. prim. Nitro-Verb. in Nitrile u. zur Herst. von 1,3-Dioxolen. – ***E*** nitroethane – ***F*** nitroéthane – ***I = S*** nitroetano

Lit.: Beilstein E IV **1**, 170 ff. ▪ Hommel, Nr. 296 ▪ Merck-Index (12.), Nr. 6694 ▪ Paquette **6**, 3735 ▪ Tetrahedron Lett. **28**, 3975 (1987); **33**, 8073 (1992) ▪ Ullmann (5.) **A 17**, 401 ff. – *[HS 2904 20; CAS 79-24-3; G 3]*

Nitro-Farbstoffe s. Nitro-Verbindungen.

Nitrofural (Rp).

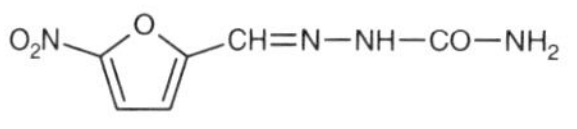

Von der WHO anstelle der früheren Bez. *Nitrofurazon* vorgeschlagener Freiname für das Oberflächenantiseptikum 5-Nitrofurfural-semicarbazon, $C_6H_6N_4O_4$, M_R 198,13, Schmp. 236–240 °C (Zers.); λ_{max} (wäss. DMF) 375 nm ($A^{1\%}_{1cm}$ 815). N. wurde 1949 von Eaton Labs, 1960 von Norwich Pharmacal patentiert u. ist von Procter & Gamble Pharmaceuticals (Furacin®) u. Apogepha (Nifucin®) im Handel. – ***E = F = I = S*** nitrofural

Lit.: Beilstein E V **17/9**, 335 ▪ Hager (5.) **8**, 1180 ff. ▪ IARC Monogr. **7**, 171–180 (1974) ▪ Martindale (31.), S. 257 ▪ Ph. Eur. **1997** u. Komm. – *[HS 2932 19; CAS 59-87-0]*

Nitrofurane.

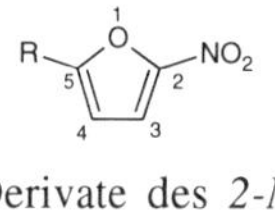

Sammelbez. für Derivate des *2-Nitrofurans* (R = H, $C_4H_3NO_3$, M_R 113,07; gelbliche, in Wasser, Alkohol u. Ether lösl. Krist., Schmp. 29 °C, Sdp. 133–135 °C bei 164 hPa). Seit Mitte der 40er Jahre ist die bakterizide u. fungizide Wirkung der N. bekannt, wobei R sehr verschiedenartige, auch heterocycl. Substituenten bedeutet. Die Benennung derartiger N. erfolgt als 5-Nitro-2-furyl..., u. die internat. Freinamen beginnen meist mit *Nifur...*, *Nitrofur...* od. *Fur...*; das Wirkungsspektrum umfaßt Gram-pos. u. -neg. Bakterien sowie teilweise auch einige Protozoen (Trichomonaden, Ziliaten, Kokzidien). Wegen des tox. Risikos [1] beschränkt sich der Einsatz von N. in der Humanmedizin auf bestimmte Harnwegsinfektionen. In der Veterinärmedizin werden N.-Derivate gegen Infektionen mit *Escherichia coli*, *Salmonella* u. bestimmte Protozoen eingesetzt. – ***E*** nitrofurans – ***F*** nitrofuran(n)es – ***I*** nitrofurani – ***S*** nitrofuranos

Lit.: [1] Römpp Lexikon Lebensmittelchemie, S. 597.
allg.: Beilstein E V **17/1**, 296 f. ▪ Kirk-Othmer (4.), **2**, 870 f. ▪ Mutschler (7.). – *[CAS 609-39-2 (2-N.)]*

Nitrofurantoin (Rp).

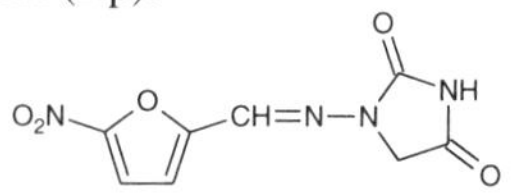

Internat. Freiname für das bakterizid wirksame 1-(5-Nitrofurfurylidenamino)-hydantoin, $C_8H_6N_4O_5$, M_R 238,15, Schmp. 270–272 °C (Zers.); pK_a 7,2, λ_{max} 370 nm ($A^{1\%}_{1cm}$ 776). Zur Wirkung s. a. Nitrofurane. N. wurde 1952 von Eaton Labs, 1959 u. 1969 von Norwich patentiert u. ist als Generikum im Handel. – ***E*** nitrofurantoin – ***F*** nitrofurantoïne – ***I*** nitrofurantoina – ***S*** nitrofurantoína

Lit.: ASP ▪ Beilstein E V **24/5**, 224 ▪ Enzensberger u. Stille, Nitrofurantoin, München: Zuckschwerdt 1983 ▪ Florey **5**, 345–373 ▪ Hager (5.) **8**, 1182–1186 ▪ Martindale (31.), S. 256 f. ▪ Ph. Eur. **1997** u. Komm. – *[HS 2934 90; CAS 67-20-9 (N.); 17140-81-7 (Monohydrat)]*

Nitrofurazon s. Nitrofural.

Nitrogen. Internat. Bez. des Elements *Stickstoff.

Nitrogenase (Dinitrogenase, EC 1.18.6.1). Ein für die Stickstoff-Fixierung (vgl. dort) durch Mikroorganismen wie *Azotobacter*, *Knöllchenbakterien (z. B. *Rhizobium*), *Clostridium*-Arten etc. notwendiger Enzym-Komplex (*Nitrogenase-Komplex*), der aus zwei *Metallproteinen besteht: Die Komponente I (*Molybdoferredoxin*, MoFe-Protein, Nitrogenase, M_R 220000–250000, 2 α- u. 2 β-Untereinheiten) enthält ca. 2 Molybdän-, 32 Eisen- u. 28 säurelabile Sulfid-Ionen („labiler Schwefel"), wahrscheinlich organisiert in 2 Eisen-Molybdän-Zentren (Fe-Mo-Cofaktoren, FeMoCo) u. 2 Eisen-Schwefel-Clustern. In *Azotobacter* u. a. Mikroorganismen wurde neben dem „klass." MoFe-Protein ein durch Molybdän hemmbares Vanadium-Eisen-Protein mit sonst ähnlichen Eigenschaften („alternative" N.) vorgefunden. In *Azotobacter vinelandii* wurde eine N. mit Eisen als einzigem Metall-Cofaktor entdeckt. Die Komponente II (*Azoferredoxin*, Fe-Protein, Nitrogenase-Reduktase, M_R 55000–60000, 2 ident. Untereinheiten) enthält 4 Atome Eisen u. 4 Atome labilen Schwefels in Form eines Fe_4S_4-Clusters.
N. katalysiert die ATP-abhängige (s. Adenosin-5'-triphosphat) Red. von Stickstoff mittels Ferredoxinen u. Flavodoxinen, die zu Ammoniak, ADP (*Adenosin-5'-diphosphat), Phosphat u. Wasserstoff als Nebenprodukten führt. Pro Stickstoff-Mol. werden 16 Mol. ATP in Form des Magnesium-Chelats verbraucht. Unter Stickstoff-Mangel vermag N. auch die Red. anderer Verb. zu katalysieren, z. B. von Acetylen u. Ethylen u. von Cyclopropen, u. in gewissen phototrophen Bakterien (z. B. Cyanobakterien, Purpurbakterien) kommt es ausschließlich zur Produktion von Wasserstoff; dabei ist gleichzeitig der N.-Spiegel drast. erhöht. Das freiwerdende Ammoniak wird bei den symbiont. lebenden Rhizobien direkt von der Pflanze zur Synth. (über-

wiegend von L-*Glutamin) verwertet, da es anderenfalls die N.-Aktivität hemmt. N. wird sehr leicht durch Sauerstoff inaktiviert, weshalb die N.-produzierenden Organismen bestimmte Schutzmechanismen entwickelt haben; so wird z. B. N. in den Knöllchenbakterien durch *Leghämoglobin vor Sauerstoff-Einwirkung geschützt. In Anwesenheit von Stickstoff-Verb. od. von Sauerstoff wird die N.-Biosynth. unterdrückt. Zum mikrobiellen Stickstoff-Metabolismus s. a. Nitrifikation, Denitrifikation. – *E* nitrogenase – *F* nitrogénase – *I* nitrogenasi – *S* nitrogenasa

Lit.: Acc. Chem. Res. **30**, 260–266 (1997) ▪ Angew. Chem. **107**, 1172–1179 (1995) ▪ Annu. Rev. Biochem. **63**, 235–264 (1994) ▪ Arch. Microbiol. **165**, 80–90 (1996) ▪ Eur. J. Biochem. **229**, 14–20 (1995) ▪ Nature (London) **387**, 370–376 (1997).

Nitrogenase-Komplex, Nitrogenase-Reduktase s. Nitrogenase.

Nitrogenium. Latein. Bez. für das Element *Stickstoff.

Nitroglycerin. Seit dem 19. Jh. übliche Kurzbez. für *Glycerintrinitrat; vgl. Nitrate u. Salpetersäureester. – *E* nitroglycerin – *F* nitroglycérine – *I* = *S* nitroglicerina

Nitroglykol. Analog zu *Nitroglycerin* gebildete Kurzbez. für *Ethylenglykoldinitrat, den *Salpetersäureester des Glykols. – *E* = *F* nitroglycol – *I* nitroglicole – *S* nitroglicol

Nitro-Gruppe. Die an Kohlenstoff od. Stickstoff (in *Nitro-Verbindungen) od. an Sauerstoff (in *Salpetersäureestern u. *Nitraten) gebundene NO_2-Gruppe sowie der über das N-Atom an ein Übergangsmetall koordinierte NO_2-Ligand, s. a. Nitro... u. Nitrito... – *E* nitro group – *F* groupe nitro – *I* gruppo nitrico – *S* grupo nitro

Nitroguanidin.

$$H_2N-\underset{\underset{NH}{\|}}{C}-NH-NO_2$$

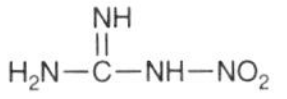

$CH_4N_4O_2$, M_R 104,06. N. existiert in zwei Modif., von denen die stabilere α-Form farblose Nadeln bildet, D. 1,715, Schmp. 225–250 °C, wenig lösl. in Wasser, Methanol u. Alkohol, in wäss. Alkali-Lsg. lösl. unter Zersetzung. N. ist ein Sprengstoff von hoher Unempfindlichkeit gegen mechan. Einwirkung; charakterist. Daten s. Explosivstoffe.
Herst.: Durch Einwirkung von konz. Schwefelsäure auf Guanidinnitrat. N. wird im Gemisch mit anderen Explosivstoffen in rauchschwachen u. sog. kalten Pulvern verwendet, die die Läufe schonen u. weniger Mündungsfeuer geben u. dient ferner als Zwischenprodukt bei der Herst. von Pharmazeutika. – *E* = *F* nitroguanidine – *I* = *S* nitroguanidina

Lit.: Beilstein E IV **3**, 249 ▪ Köhler u. Meyer, Explosivstoffe, 8. Aufl., S. 222, Weinheim: VCH Verlagsges. 1995 ▪ Merck-Index (12.), Nr. 6705 ▪ Ullmann (4.) **12**, 414; **21**, 655, 670; **19**, 626; (5.) A **12**, 550 ff. – [HS 2925 20; CAS 556-88-7]

Nitroimidazole. Sammelbez. für in 1-, meist auch in 2-Stellung substituierte Derivate des Nitroimidazols, deren Freinamen häufig auf ...nidazol enden. 1953 wurde das gegen Trichomonaden wirksame Antibiotikum *Azomycin* aus einer *Streptomyces*-Art isoliert[1] (2-Nitroimidazol, $C_3H_3N_3O_2$, M_R 113,07, Schmp. 265 °C, Zers.),

R^1	R^2	
$(CH_2)_2-OH$	CH_3	Metronidazol
$(CH_2)_2-N\diagdown O$	H	Nimorazol
$(CH_2)_2-SO_2-C_2H_5$	CH_3	Tinidazol

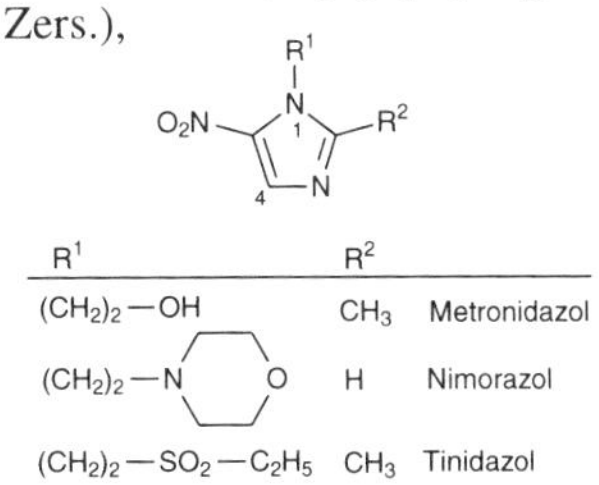

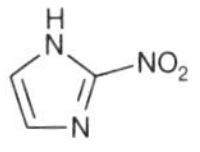

2-Nitroimidazol (Azomycin)

das für eine therapeut. Verw. aber zu tox. war. Die daraufhin entwickelten substituierten 5-N. (z. B. *Metronidazol, *Nimorazol, *Tinidazol) erwiesen sich als ausgezeichnet wirksam gegen verschiedene Erkrankungen durch *Amöben, *Trichomonaden, *Trypanosomen u. a. *Protozoen, gegen anaerobe Bakterien wie Clostridien u. gegen einige Helminthen. Bei der Red. der Nitro-Gruppe in Sauerstoff-armen Zellen gebildete reaktive Zwischenprodukte verursachen DNA-Strangbrüche, -Entspiralisierung u. a. u. führen zum Tod der Parasiten. Menschliche Zellen sind wegen guter Sauerstoff-Versorgung u. der Barriere der Kernmembran wesentlich unempfindlicher. – *E* = *F* = *S* nitroimidazoles – *I* nitroimidazoli

Lit.: [1] J. Antibiot. **6A**, 182 ff. (1953).
allg.: Beilstein E V **23/4**, 471 f. ▪ Mutschler (7.), S. 692 f. ▪ Prog. Drug Res. **27**, 163–252 (1983). – [HS 2933 29]

Nitrokalit s. Kalisalpeter.

Nitroka® plus 12+0+18+6. Dünger mit 12% Stickstoff, 18% Kali u. 6% Magnesia; wird verwendet bei Böden mit hoher bis sehr hoher Phosphat-Versorgung u. zur Verbesserung der Magnesium-Bilanz für alle Kulturen, die gegen hohe Chlorid-Mengen empfindlich sind wie Reben, Hopfen, Obst, Gemüse, Frühkartoffeln u. Tabak. *B.:* BASF.

Nitrolacke. Gruppe von *Lacken, die beispielsweise aus 15% *Cellulosenitrat, 10% Kunstharz, 5% Weichmacher, 20% niedrigsiedenden Lsm. (Ester, Ketone, Methanol), 45% mittelsiedenden Lsm. (Ester, Spiritus) u. 5% hochsiedenden Lsm. (Ester, Glykol-Derivate) aufgebaut sind (gleiche Lsm.-Zusammensetzung für *Nitroverdünnung*). – *E* nitro lacquers – *F* laques cellulosiques – *I* smalti alla nitrocellulosa – *S* lacas nitrocelulósicas

Lit.: Gatz, Lexikon der Anstrichstoffe, Bd. 1 (10. Aufl.), München: Callwey 1994 ▪ Ullmann (4.) **15**, 599–601; (5.) A **5**, 434 ▪ s. a. Lacke.

Nitrolingual® (Rp). Retard-, Zerbeiß-Kapseln, Ampullen zur Infusion, Dosierspray u. Dosierpumpspray mit *Glycerintrinitrat gegen Angina pectoris. *B.:* Pohl.

Nitrolsäure s. Nitro-Verbindungen.

Nitro Mack® (Rp). Ampullen zur Infusion u. Kapseln mit *Glycerintrinitrat gegen Angina pectoris. *B.:* Mack, Illertingen.

Nitromag®. Granulierter Stickstoff-Einzeldünger mit 22% Stickstoff u. 7% Magnesium. Für Weiden u. alle Magnesium-bedürftigen Böden u. Kulturen. *B.:* BASF.

Nitromannit. Analog zu *Nitroglycerin* gebildeter Trivialname für *Mannit(ol)hexanitrat.

Nitrometer. Synonyme Bez. für *Azotometer.

Nitromethan. $H_3C–NO_2$, CH_3NO_2, M_R 61,04. Farblose Flüssigkeit, D. 1,13, Schmp. –29 °C, Sdp. 101 °C, FP. 36 °C c.c., in Wasser wenig, in Alkohol u. Ether leicht lösl., färbt sich beim Lagern allmählich dunkel. Die Dämpfe reizen geringfügig die Augen u. die Atmungsorgane. Kontakt mit der Flüssigkeit bewirkt leichte Reizung der Augen u. der Haut; in schweren Fällen Veränderung des Blutfarbstoffs möglich, betäubende Wirkung sowie Leber- u. Nierenschäden, MAK 100 ppm (MAK-Werte-Liste 1996); LD_{50} (Ratte oral) 940 mg/kg; WGK 2. Zur Struktur des N. u. der *aci*-Verb. s. Nitro-Verbindungen. N. besitzt explosiven Charakter[1], Bleiblockausbauchung 430 cm^3. Zur Herst. s. Nitroethan.

Verw.: Als Lsm. für Celluloseacetat u. -nitrat, Acrylnitril- u. Vinylharze, zur Herst. von Insektiziden, Explosivstoffen, Photochemikalien, Raketentreibstoffen, als Zusatz für Motorkraftstoffe, als Lsm. für Lewis-Säuren, in organ. Synthesen. Die Verw. von N. in kosmet. Präp. ist mit Einschränkungen erlaubt (Kosmetik-VO Anlage 2, Nr. 18). – ***E*** nitromethane – ***F*** nitrométhane – ***I*** = ***S*** nitrometano

Lit.: [1] Köhler u. Meyer, Explosivstoffe, 8. Aufl., S. 227, Weinheim: VCH Verlagsges. 1995.
allg.: Beilstein E IV **1**, 100–105 ▪ Hager (5.) **3**, 875 ▪ Hommel, Nr. 297 ▪ Merck-Index (12.), Nr. 6708 ▪ Paquette **6**, 3742 ▪ Ullmann (4.) **17**, 374, 376, 380; (5.) **A 5**, 90. – *[HS 2904 20; CAS 75-52-5; G 3]*

Nitron. a) Trivialname für das 3-Anilino-1,4-diphenyl-1,2,4-triazolium-*Zwitterion (eine *mesoionische Verbindung):

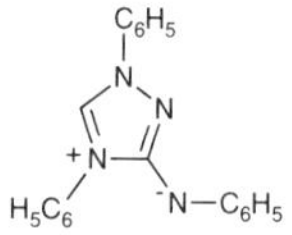

$C_{20}H_{16}N_4$, M_R 312,37. Glänzende, gelbe Blättchen od. amorphes Pulver, Schmp. 189 °C (Zers.), lösl. in Alkohol, Benzol, Chloroform u. Essigester, wenig lösl. in Ether, unlösl. in Wasser. Das Acetat des N. ist in Wasser leicht lösl., das Nitrat des N. ($C_{20}H_{16}N_4 \cdot HNO_3$) dagegen völlig unlösl., weshalb man N. zum quant. Nachw. von NO_3-Ionen verwendet. N. ist auch ein geeignetes Reagenz zur Bestimmung von Perchlorat, Bor, Rhenium, Gold u. Wolfram.

b) Markenname für verschiedene Kunststoffe u. Kunstfasern.

c) Trivialname der dreiatomigen Stammstruktur der *Nitrone $R^1R^2C{=}N(O){-}R^3$. – ***E*** = ***F*** = ***I*** nitron (a, b), nitrone (c) – ***S*** nitrón (a, b), nitrona (c)

Lit.: *(zu a):* Beilstein E V **26/7**, 501 ▪ Merck-Index (12.), Nr. 6710 ▪ Z. Anal. Chem. **276**, 380 (1975). – *[HS 2933 90; CAS 487-88-7]*

Nitron-Amid-Umlagerung s. Nitrone.

Nitronaphthaline. Nitrierungsprodukte des *Naphthalins. Nach Zahl u. Stellung der ins Naphthalin-Mol. eingeführten Nitro-Gruppen unterscheidet man zahlreiche verschiedene N., die bei gewöhnlicher Temp. krist. u. mit Ausnahme des 1-N. u. des 1,3-Dinitronaphthalins (beide hellgelb) farblos sind; sie zeigen in ihren Reaktionen große Ähnlichkeit mit den Nitro-Verb. des Benzols [eine Übersicht gibt Kirk-Othmer (*Lit.*)].

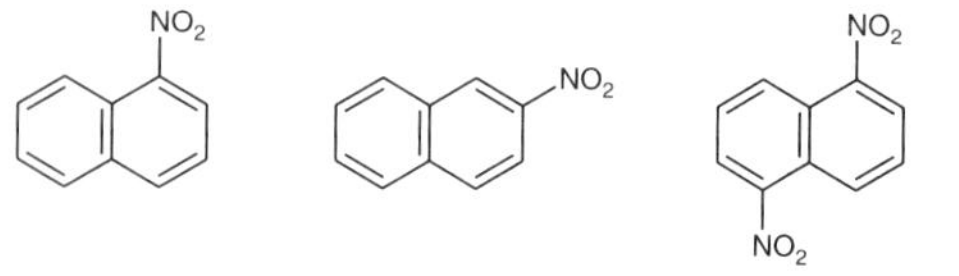

1-N. 2-N. 1,5-Dinitronaphthalin

Unter den N. ist *1-N.* (α-N., $C_{10}H_7NO_2$, M_R 173,17) techn. weitaus am wichtigsten; es bildet gelbe Krist., D. 1,331, Schmp. 59–61 °C, Sdp. 304 °C, giftig, unlösl. in Wasser, lösl. in Alkohol, Chloroform, Ether u. Schwefelkohlenstoff. 1-N. wird durch Nitrierung von Naphthalin mit Mischsäure erhalten; es gilt als Stoff mit begründetem Verdacht auf krebserzeugendes Potential, Gruppe III B der MAK-Werte-Liste 1996; LD_{50} (Ratte oral) 120 mg/kg; WGK 2.

2-N.: Schmp. 79 °C, Sdp. 312 °C, gilt als eindeutig krebserzeugender Arbeitsstoff, Gruppe III A 2 der MAK-Werte-Liste 1996; TRK: 0,25 mg/m^3.

Verw.: 1-N. dient hauptsächlich zur Herst. des entsprechenden Naphthylamins u. daraus abgeleiteter Farbstoffe u. Schädlingsbekämpfungsmittel. Da 1-N. die Fluoreszenz z. B. im Erdöl löscht, wird es auch hin u. wieder „Entscheinungspulver" genannt.

Unter den Dinitronaphthalinen haben *1,5-Dinitronaphthalin* ($C_{10}H_6N_2O_4$, M_R 218,17, Schmp. 219 °C) u. *1,8-Dinitronaphthalin* (Schmp. 172 °C) Bedeutung für die Farbstoff-Synthese.

Trinitronaphthaline werden einigen Ammoniumnitrat-Sprengstoffen beigemischt. – ***E*** nitronaphthalenes – ***F*** nitronaphtalènes – ***I*** nitronaftaline – ***S*** nitronaftalenos

Lit.: Beilstein E IV **5**, 1673–1684 ▪ Hager (5.) **3**, 876 ▪ Kirk-Othmer (4.) **16**, 985 ▪ Merck-Index (12.), Nr. 6711 ▪ Ullmann (4.) **17**, 389 ff.; (5.) **A 5**, 265; **A 17**, 424. – *[HS 2904 20; CAS 86-57-7 (1-N.); 581-89-5 (2-N.); 605-71-0 (1,5-Di-N.); 602-38-0 (1,8-Di-N.); 55810-17-8 (Tri-N.)]*

Nitrone. Gruppenname für *N*-Oxide von Iminen, auch *N*-Alkyl-oxime genannt,

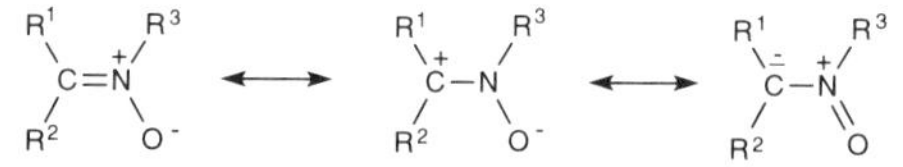

Abb. 1: Mesomere Formeln der Nitrone.

die als Carbonyl-Derivate aufgefaßt werden können. N. bilden *E,Z*-*Konfigurations-Isomere, die durch Erhitzen ineinander überführbar sind (s. Abb. 2). N. sind stabil u. leicht zu handhaben; sie werden durch Kondensation von *N*-monosubstituierten *Hydroxylaminen mit Aldehyden od. Ketonen, Oxid. (*Dehydrogenierung*) von *N,N*-disubstituierten Hydroxylaminen, *Alkylierung von Oximen – neben Oximethern (*O-Alkyl-oximen*) –, durch Kondensation von aromat. *Nitroso-Verbindungen mit Pyridinium-Yliden (*Kröhnke-Reaktion*) u. durch Oxid. des N-Atoms in *Iminen (*Schiffschen Basen*) üblicherweise hergestellt.

N. sind photolabil u. lagern sich stereospezif. beim Bestrahlen in *Oxaziridine um, die ihrerseits weiter zu

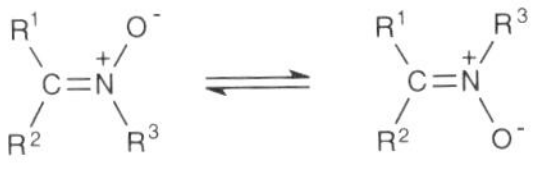

Abb. 2: *E,Z*-Konfigurationsisomere der Nitrone.

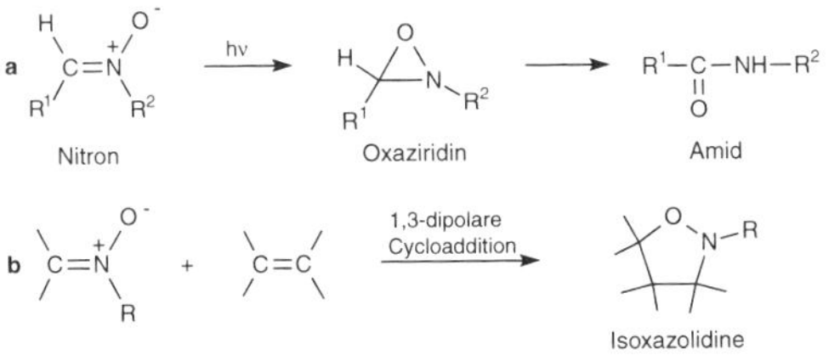

Abb. 3: Typ. Reaktionen von Nitronen.

*Amiden reagieren können (*Nitron-Amid-Umlagerung*, s. Abb. 3a). Die N. gehören zu der Klasse der 1,3-Dipole mit einem breiten Spektrum für *1,3-dipolare Cycloadditionen (s. Abb. 3b). Einige N. können als *Radikal-Fänger* eingesetzt werden (s. dazu bei Nitroxyl-Radikale). – ***E*** = ***F*** nitrones – ***I*** nitroni – ***S*** nitronas

Lit.: Acc. Chem. Res. **12**, 396 (1979) ▪ Angew. Chem. **88**, 131 f. (1976); **89**, 10 f. (1977) ▪ Chem. Rev. **64**, 473 f. (1964) ▪ Houben-Weyl **10/4**, 309 f.; **E 14 b**, 1372 ff. ▪ Org. Prep. Proc. Int. **17**, 25 (1985) ▪ Padwa, 1,3-Dipolar Cycloaddition Chemistry, Vol. 2, S. 83–168, New York: Wiley 1984 ▪ Patai, The Chemistry of Amino, Nitroso and Nitro Compounds and their Derivates, S. 459–564, Chichester: Wiley 1982 ▪ Patai, Nitrones, Nitronates and Nitroxides, S. 245 f., Chichester: Wiley 1989 ▪ Torsell, Nitrile Oxides, Nitrones, and Nitronates in Organic Synthesis, Weinheim: VCH Verlagsges. 1988 ▪ s. a. 1,3-dipolare Cycloaddition.

Nitronium... s. Nitryl...

Nitronsäuren s. Nitro-Verbindungen.

Nitro-Obsidan® (Rp). Tabl. mit *Pentaerythrittetranitrat u. *Propranolol-Hydrochlorid gegen Angina pectoris u. koronare Herzkrankheit bei Hypertonie. ***B.:*** Isis Pharma.

Nitro-PAH (Nitro-PAK). Übliche Bez. für die Nitro-Derivate der polycycl. aromat. Kohlenwasserstoffe (s. PAH). Mono- u. oligonitrierte PAH sind in der Luft ubiquitär, an *Schwebstaub gebunden, verbreitet. Sie entstehen bei Verbrennungsvorgängen z. B. in Dieselmotoren sowie durch Reaktion mit *Photooxidantien in der Gasphase wie auch ion. durch Nitrierung mit Salpetersäure u. a. an Partikeloberflächen. In der Atmosphäre unterliegen sie dem *Photoabbau zu Chinonen u. Phenoxyl-Radikalen, aus denen Nitro-Verb. rückgebildet werden können. Im Stoffwechsel werden sie teilw. wie *PAH aktiviert, teilw. sehr spezif. zu Nitrenium-, Hydroxyamino-, Amino- u. a. Verb. umgesetzt. Nitro-PAH sind mutagen u. carcinogen. – ***E*** nitrated PAH – ***I*** nitroidrocarburi aromatici policlorurati – ***S*** nitroderivados de hidrocarburos aromáticos policlorados

Lit.: Hutzinger **3 G**, 97–137 ▪ Umweltwiss. Schadstofforschung **2**, 170–176 (1990).

Nitroparaffine s. Nitroalkane.

Nitropenta s. Pentaerythrittetranitrat.

Nitrophenole.

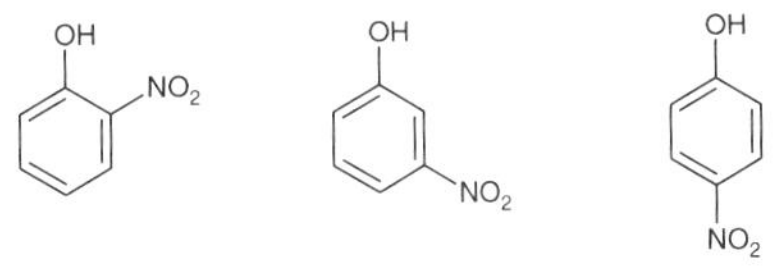

2-N. 3-N. 4-N.

$C_6H_5NO_3$, M_R 139,11. Nitro-Verb. des *Phenols, deren NO_2-Gruppe zur OH-Gruppe in der *o*-, *m*- od. *p*-Stellung stehen kann. Durch diese Nitro-Gruppen wird der saure Charakter des Phenols erhöht. Alle 3 N. sind giftig (am stärksten das *p*-N.), weshalb Einatmen der Dämpfe u. Hautkontakt zu vermeiden sind; mit zeitlicher Verzögerung kann *Methämoglobin-Bildung mit intensiver *Cyanose eintreten.

2-N. (*o*-N.): Hellgelbe Nadeln od. Prismen, D. 1,48, Schmp. 45–46 °C, Sdp. 216 °C, lösl. in Alkohol, Chloroform, Ether u. heißem Wasser; LD_{50} (Ratte oral) 334 mg/kg; WGK 1 (Selbsteinst.). 2-N. entsteht neben 4-N. bei der Nitrierung von Phenol mit verd. Salpetersäure od. aus 1-Chlor-2-nitrobenzol, u. wird zur Herst. von Arzneimitteln, Insektiziden, Riechstoffen, Photochemikalien, zur Mineralölveredlung u. in reinster Form als pH-Indikator verwendet: Farbumschlag pH 5,0 (farblos) bis 7,0 (gelb).

3-N. (*m*-N.): Monoklin-prismat., nahezu farblose Krist., D. 1,485, Schmp. 97 °C, Sdp. 194 °C (93 hPa), lösl. in heißem Wasser, Alkohol u. Benzol; LD_{50} (Ratte oral) 328 mg/kg. 3-N. wird aus 3-Nitroanilin über das Diazonium-Salz hergestellt; als pH-Indikator Farbumschlag pH 6,6 (farblos) bis 8,6 (gelb).

4-N. (*p*-N.): Farblose Krist., D. 1,479, Schmp. 115 °C, Sdp. 279 °C (Zers.), lösl. in heißem Wasser, Alkohol, Ether u. Chloroform; LD_{50} (Ratte oral) 250 mg/kg; WGK 2; Emissionsklasse I (TA Luft 3.1.7). Das aus 1-Chlor-4-nitrobenzol hergestellte od. neben 2-N. anfallende 4-N. wirkt ebenfalls als Indikator: Farbumschlag pH 5,6 (farblos) bis 7,6 (gelb).

Xn 

Verw.: Zwischenprodukte bei Synth. von Photochemikalien, Farbstoffen, Schädlingsbekämpfungsmitteln, Antiseptika u. Chemotherapeutika, als Fungizid in der Leder- u. Gummi-Ind., zur Petroleum- u. Mineralölverbesserung. *Nitrophenyl-ester* u. *-ether*, insbes. *-glykoside*, finden in der enzymat. Analyse Verw. als Substrate für Hydrolasen. Die 3-Nitrophenyl-Gruppierung eignet sich auch als *Schutzgruppe für die COOH-Gruppe in Aminosäuren während der Peptid-Synthese [1]. 4-Nitrophenyl-ester sind reaktive Acylierungsreagenzien. Höher nitrierte Derivate sind die *Dinitrophenole u. *Pikrinsäure. – ***E*** nitrophenols – ***F*** nitrophénols – ***I*** nitrofenoli – ***S*** nitrofenoles

Lit.: [1] Synthesis **1979**, 465 ff.

allg.: Beilstein E IV **6**, 1246 ff., 1269 f., 1279–1282 ▪ Hager (5.) **3**, 878 ▪ Hommel, Nr. 360 ▪ Merck-Index (12.), Nr. 6716–6718 ▪ Paquette **6**, 3751 ▪ Rippen ▪ Ullmann (4.) **13**, 185, **17**, 408 ff.; (5.) **A 1**, 19, 24; **A 17**, 427. – *[HS 2908 90; CAS 88-75-5 (2-N.); 554-84-7 (3-N.); 100-02-7 (4-N.); G 6.1]*

Nitrophenyl... (-ester, -ether, -glykosid) s. Nitrophenole.

Nitrophenylazo... s. Magneson, Pararot.

2-Nitro-1,4-phenylendiamin (2-Nitro-1,4-benzoldiamin).

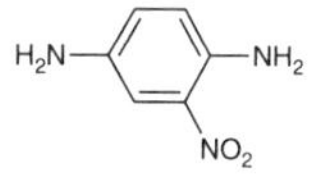

$C_6H_7N_3O_2$, M_R 153,14. Dunkelrotes, charakterist. riechendes, giftiges Pulver, Schmp. 137 °C, unlösl. in Wasser, lösl. in Salzsäure. N. gilt als Stoff mit begründetem Verdacht auf krebserzeugendes Potential, Gruppe III B MAK-Werte-Liste 1996; LD_{50} (Ratte oral) 3080 mg/kg; WGK 2 (Selbsteinst.). Zur allergenen Wirkung s. *Lit.*[1]. N. findet als Zwischenprodukt für Farbstoffe Verwendung. – ***E*** 2-nitro-1,4-phenylenediamine – ***F*** 2-nitro-1,4-phénylènediamine – ***I*** 2-nitro-1,4-fenilendiammina – ***S*** 2-nitro-1,4-fenilendiamina

Lit.: [1] Gesundheitsschädliche Arbeitsstoffe: toxikologisch-arbeitsmedizinische Begründung von MAK-Werten, Weinheim: Verlag Chemie 1972–1997.
allg.: Beilstein EIII **13**, 271 ▪ Ullmann (5.) **A 3**, 224. – *[HS 2921 51; CAS 99-56-9]*

(4-Nitrophenyl)hydrazin.

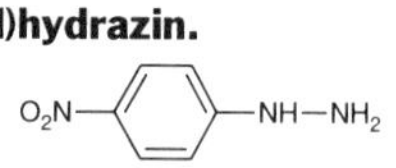

$C_6H_7N_3O_2$, M_R 153,14. Orangerote Blättchen od. Nadeln, Schmp. ca. 157 °C (Zers.), wenig lösl. in Wasser, lösl. in Ether, Chloroform, heißem Benzol u. Alkohol. Verw. als Reagenz auf aliphat. Aldehyde u. auf Ketone; die entstehenden *4-Nitrophenylhydrazone* sind farbig u. meist gut krist. u. eignen sich daher zur Identifizierung der einzelnen Carbonyl-Verb., vgl. Hydrazone. – ***E*** (4-nitrophenyl)hydrazine – ***F*** (4-nitrophényl)hydrazine – ***I*** (4-nitrofenil)idrazina – ***S*** (4-nitrofenil)hidrazina

Lit.: Beilstein EIV **15**, 317 ▪ Merck-Index (12.), Nr. 6721 ▪ Pure Appl. Chem. **51**, 1803–1814 (1979). – *[HS 2928 00; CAS 100-16-3; G 6.1]*

Nitrophos® 26+14+0. NP-Dünger für den Intensiv-Aufbau mit 26% Stickstoff u. 14% Phosphat. NP-Dünger für Böden mit hohen Phosphat-Gehalten, geeignet für alle landwirtschaftlichen u. gärtner. Kulturen. ***B.:*** BASF.

Nitrophoska® 12+12+17 (+2+4). Volldünger mit 12% Stickstoff, 12% Phosphat, 17% Kali, 2% Magnesium u. 4% Schwefel; mit Kaliumsulfat, Kaliumchlorid u. den Spurennährstoffen Bor u. Zink. Für alle Chlor-empfindlichen u. Spurennährstoff-bedürftigen, landwirtschaftlichen u. gärtner. Kulturen. ***B.:*** BASF.

Nitrophoska® 13+9+16 (+4+7). Volldünger mit 13% Stickstoff, 9% Phosphat, 16% Kali u. 4% Magnesium. Für alle Magnesium-haltigen Böden; für alle landwirtschaftlichen u. gärtner. Kulturen, soweit diese nicht Chlor-empfindlich sind. Bes. geeignet für den intensiven Ackerbau. ***B.:*** BASF.

Nitrophoska® 13+13+21 (+2). Volldünger mit 13% Stickstoff, 13% Phosphat u. 21% Kali u. 2% Schwefel. Für alle landwirtschaftlichen u. gärtner. Kulturen, soweit diese nicht Chlor-empfindlich sind. ***B.:*** BASF.

Nitrophoska® 14+10+20 (+4). Volldünger mit 14% Stickstoff, 10% Phosphat, 20% Kali u. 4% Schwefel. Idealer Basisdünger für intensiv wirtschaftende Ackerbaubetriebe mit Rüben als Leitkultur. ***B.:*** BASF.

Nitrophoska® 15+15+15. Volldünger mit 15% Stickstoff, 15% Phosphat, 15% Kali. Für alle landwirtschaftlichen u. nicht Chlor-empfindlichen gärtner. Kulturen, v. a. für Kulturen u. Böden mit hohem Anspruch an Stickstoff u. Phosphat. ***B.:*** BASF.

Nitrophoska® 20+8+8 (3+4). Volldünger mit 20% Stickstoff, 8% Phosphat, 8% Kali, 3% Magnesium u. 4% Schwefel. Universell einsetzbar in Marktfruchtbau-, Gemischt- u. Grünlandbetrieben. ***B.:*** BASF.

Nitrophoska® 20+10+10. Volldünger mit 20% Stickstoff, 10% Phosphat, 10% Kali. Universeller Basisdünger für intensiv wirtschaftende Ackerbaubetriebe mit Viehhaltung u. mäßiger Phosphat-Versorgung. ***B.:*** BASF.

Nitrophoska® 20+20+0. NP-Dünger mit 20% Stickstoff, 20% Phosphat. Für alle landwirtschaftlichen u. gärtner. Kulturen. ***B.:*** BASF.

Nitrophoska® 24+12+0. Der Volldünger mit 24% Stickstoff, 12% Phosphat hat das optimale Nährstoffverhältnis bei hoher Phosphat-Versorgung im Boden; der ideale Dünger für bedarfsgerechte Düngung, besonders geeignet für den Maisanbau. ***B.:*** BASF.

Nitrophoska® perfekt 15+5+20+2. Volldünger mit 15% Stickstoff, 5% Phosphat, 20% Kali, 2% Magnesium u. Spurennährstoffen; wird verwendet bei Böden mit mittlerer bis hoher Phosphat-Versorgung für alle Kulturen, die gegen Chlor empfindlich sind, wie Reben, Gemüse, Baumschulen, Obst, Hopfen, Frühkartoffeln u. Tabak. ***B.:*** BASF.

Nitrophosphate. Gebräuchliche, jedoch unspezif. Sammelbez. für NP- u. NPK-*Düngemittel.

Lit.: Ullmann (4.) **18**, 346–349; (5.) **A 19**, 448–455 ▪ s. a. Düngemittel.

Nitrophyten (Stickstoffzeiger). Pflanzen, die durch ihr Vork. einen hohen Gehalt an Nitrat- u./od. Ammonium im Boden anzeigen, wie er z. B. an Viehlagerplätzen, neben Misthaufen, am Rande feuchter Wälder u. auf feuchten Lichtungen, auf Ruderalflächen (vgl. Ruderalpflanzen) u. Straßenböschungen häufig vorkommt. N. bilden z. B. typ. Bewohner der Stickstoff-Krautfluren (Artemisietea). Zu den N. gehören u. a. Ampfer, Brennessel u. Tollkirsche. Je nach Präferenz der Pflanze für eine der Stickstoff-Verb. wird gelegentlich zwischen Ammonium- u. Nitrat-Pflanzen unterschieden. Damit können allerdings auch Pflanzen gemeint sein, die diese Verb. z. B. in den Vakuolen der Blattzellen speichern od. Stickstoff in Form einer dieser Verb. bevorzugt transportieren. – ***E*** = ***F*** nitrophytes – ***I*** nitrofiti – ***S*** nitrofitas

Lit.: Ber. Dtsch. Bot. Ges. **77**, 82–92 (1964) ▪ Ellenberg, Zeigerwerte der Gefäßpflanzen Mitteleuropas, Göttingen: Goltze 1974.

Nitropotasse. Französ. Handelsdünger, Gemisch aus KCl u. NH_4NO_3.

Nitropropane. $C_3H_7NO_2$, M_R 89,09. Die beiden Isomeren sind giftige, in Wasser nur wenig lösl., farblose Flüssigkeiten, die mit zahlreichen organ. Lsm. mischbar sind; WGK 3 (Selbsteinst.). Die Dämpfe reizen geringfügig Augen u. Atmungsorgane, Kontakt mit der

Flüssigkeit bewirkt leichte Reizung der Augen. In schweren Fällen Veränderung des Blutfarbstoffs möglich, betäubende Wirkung, sowie Leber- u. Nierenschäden möglich. 2-N. gilt als Stoff, der sich im Tierversuch eindeutig als krebserzeugend erwiesen hat, Gruppe III A2 MAK-Werte-Liste 1996; TRK-Wert: 5 ppm. Für 1 N. gilt ein MAK-Wert von 25 ppm bzw. 90 mg/m^3. Die Herst. erfolgt durch Nitrierung von Propan.

1-N., H_3C–CH_2–CH_2–NO_2, D. 0,9934, Schmp. −108 °C, Sdp. 132 °C. Xn

2-N., $(H_3C)_2CH$–NO_2, D. 0,9821, Schmp. −93 °C, Sdp. 120 °C. T

Verw.: Als Lsm. für Lewis-Säuren u. für Celluloseester, Vinylharze, Wachse, Fette u. Farbstoffe, Zwischenprodukte bei organ. Synth., als Kraftstoffzusätze. – ***E = F*** nitropropanes – ***I*** nitropropani – ***S*** nitropropanos

Lit.: Beilstein E IV **1**, 229–232 ▪ Chem. Ztg. **334**, 131 (1992) ▪ Ersatzstoffe für 2-Nitropropan u. 1,2-Dibromethan (Gefährliche Arbeitsstoffe 11), Bremen: Wirtschaftsverl. NW 1984 ▪ Hommel, Nr. 298 ▪ Merck-Index (12.), Nr. 6724, 6725 ▪ Paquette **6**, 3757 ff. ▪ Ullmann (4.) **17**, 374, 378, 381; (5.) **A 5**, 265. – *[HS 2904 20; CAS 108-03-2 (1-N.); 79-46-9 (2-N.); G 3]*

5-Nitro-2-propoxyanilin.

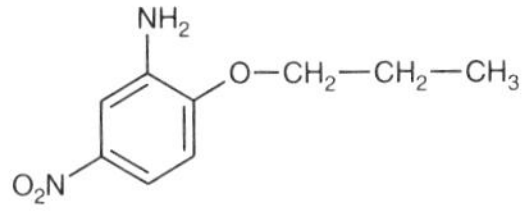

$C_9H_{12}N_2O_3$, M_R 196,20, Schmp. 47,5–48,5 °C. Chem. Name für den heute bedeutungslosen Süßstoff „Ultrasüß", der die 3000–4000fache Süßkraft von *Saccharose besitzt. Die gelbe, krist. Verb., die in Wasser mit ca. 140 mg/L lösl. ist, wurde wegen ihrer leicht lokalanästhet. Wirkung u. anderer tox. Effekte in den USA nie zugelassen u. ist auch in der BRD nicht als *Süßstoff zugelassen. – ***E = F*** 5-nitro-2-propoxyaniline – ***I*** 5-nitro-2-propossianilina – ***S*** 5-nitro-2-propoxianilina

Lit.: Beilstein E IV **13**, 897 ▪ Merck-Index (12.), Nr. 6727 ▪ Ullmann (4.) **22**, 363. – *[HS 2922 29; CAS 553-79-7]*

Nitroprussidnatrium [Natriumnitroprussiat, Natriumpentacyanonitrosylferrat(III), vgl. Nitrosyl...]. $Na_2[Fe(CN)_5NO] \cdot 2H_2O$, M_R 297,92. T Rubinrote, luftbeständige, rhomb. Krist., in Wasser u. Alkohol leicht lösl., die Lsg. ist nicht beständig.

Herst.: Man läßt Salpetersäure auf Gelbes Blutlaugensalz einwirken u. neutralisiert nachher die überschüssige Säure mit Soda.

Verw.: N. ist ein stark u. schnell wirkender Vasodilatator, der die Gefäßmuskulatur erschlaffen läßt u. dadurch kurzfristige Senkung des Blutdrucks bewirkt, z. B. bei Hochdruckkrisen, während Operationen u. bei frischen Herzinfarkten. Als Wirksubstanz fungiert NO, das aus N. freigesetzt wird. NO stimuliert die cytosol. Guanylatcyclase zur katalyt. Bildung von cycl. Guanosinmonophosphat aus Guanosintriphosphat u. bewirkt damit eine Absenkung der intrazellulären Ca^{2+}-Konz. mit Erniedrigung des Gefäßtonus. Weitere Verw. findet N. als Reagenz auf Sulfid-Ionen (Violettfärbung), Aceton u. a. Keton-Körper (*Legal-Test), Aldehyde, Zn, SO_2. Papierchromatograph. kann man mit N. Cyanamid, Dicyandiamid, Guanylharnstoff, Guanidin, Kreatin, Kreatinin, Harnstoff, Thioharnstoff u. dgl. nachweisen. N.-Einkrist. finden auch in der Mößbauer-Spektroskopie Verwendung. – ***E*** sodium nitroprusside – ***F*** nitroprussiate de sodium – ***I*** nitroprussiato di sodio, pentacianonitrosilferrato(III) di disodio – ***S*** nitroprusiato de sodio

Lit.: Beilstein E IV **2**, 74 ▪ DAB **10** ▪ Gmelin, Syst.-Nr. 59, Fe, Tl B. 1932, S. 900 ff. ▪ Florey **6**, 487–513 ▪ Mutschler (7.) ▪ N. Engl. J. Med. **306**, 1121–1128 (1982). – *[HS 2837 20; CAS 14402-89-2 (wasserfrei); 13755-38-9 (Dihydrat); G 6.1]*

Nitropyrene s. Nitro-Verbindungen.

Nitrosamide. *N*-Nitroso-Derivate von Säureamiden, z. B. Carbon-, Sulfon- u. Kohlensäureamiden. Zu letzteren gehören *N*-Nitroso-*N*-methyl- u. *N*-Nitroso-*N*-ethylharnstoff; s. Nitrosamine. – ***E*** nitrosamides – ***I*** nitrosammidi – ***S*** nitrosamidas

Lit.: Reichl, Taschenatlas der Toxikologie, S. 118, Stuttgart: Thieme 1997.

Nitrosamine. Verb., die sowohl eine Amino- wie auch eine Nitroso-Gruppe enthalten; die Bez. wird üblicherweise fast nur für Nitroso-Verb. von Aminen mit der allg. Struktur RR'N–NO (*N*-Nitrosoamine) verwendet, die hier besprochen werden.

Physikal. u. chem. Eigenschaften: Flüssigkeiten od. Feststoffe, D. 0,9–1,2. Durch die N–NO-Gruppierung relativ gute Löslichkeit in Wasser u. a. polaren Lösemitteln. Relativ stabil in neutraler od. schwach bas. Lsg., deutlich instabiler in saurer Lsg.; lichtempfindlich. Wichtige *N*-N. sind auch *N*-*Nitrosamide (10, 11) u. die *C*-Nitroso-Verb. (1, 9) [1,2] (s. Tab., S. 2928), weitere Beisp. s. *Lit.*[3].

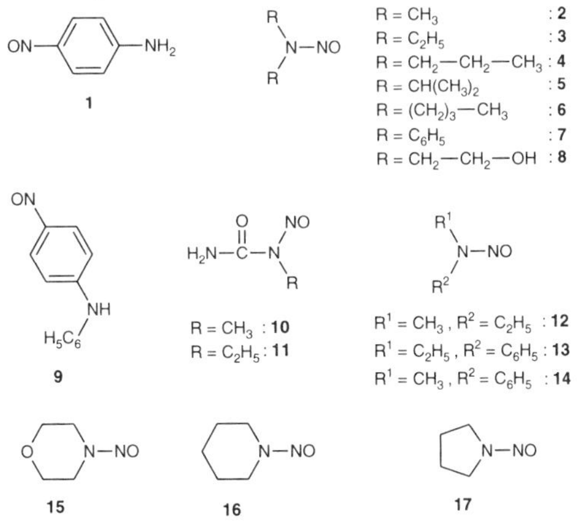

Bildung: Die N. werden aus sek. u. prim. Aminen durch Einwirkung von *Salpetriger Säure gebildet (*Nitrosierung), wobei ein niedriger pH-Wert u. hohe Temp. die Reaktion begünstigen. Darüber hinaus sind N. durch desalkylierende Nitrosierung von tert. Aminen zugänglich. Neben Salpetriger Säure kommen auch Stickstoffoxide, *Nitrosylchlorid, *Salpetrigsäureester u. *Nitroso-Verbindungen in Frage. Bei unsymmetr. N. lassen sich ggf. Konformationsisomere trennen.

In der Atmosphäre bilden sich N. auch photochem. aus geeigneten Aminen durch Einwirkung von Stickstoffoxiden. Unvollständige Verbrennungsprozesse Stick-

Tab. 1: Wichtige Nitrosamine[1–3].

Bez.	Abk., Formel-Nr.	Summenformel	M_R	Schmp. [°C]	CAS
p-Nitrosoanilin	1	$C_6H_6N_2O$	122,12	173–174	659-49-4
N-Nitrosodimethylamin	NDMA, 2	$C_2H_6N_2O$	74,08		62-75-9
N-Nitrosodiethylamin	NDEA, 3	$C_4H_{10}N_2O$	102,14	175–177	55-18-5
N-Nitrosodipropylamin	NDPA, 4	$C_6H_{14}N_2O$	130,19	65	621-64-7
N-Nitrosodiisopropylamin	5	$C_6H_{14}N_2O$	130,19	48	601-77-4
N-Nitrosodibutylamin	NDBA, 6	$C_8H_{18}N_2O$	158,24	234–237	924-16-3
N-Nitrosodiphenylamin	7	$C_{12}H_{10}N_2O$	198,22	66,5	86-30-6
N-Nitrosodiethanolamin	NDELA, 8	$C_4H_{10}N_2O_3$	134,13	176,9	1116-54-7
p-Nitrosodiphenylamin	9	$C_{12}H_{10}N_2O$	198,22	144–146	156-10-5
N-Nitroso-*N*-methylharnstoff[a]	NMU, 10	$C_2H_5N_3O_2$	103,08	124–125 Zers.	684-93-5
N-Nitroso-*N*-ethylharnstoff	11	$C_3H_7N_3O_2$	117,11	103–104 Zers.	759-73-9
N-Nitrosoethylmethylamin[b]	12	$C_3H_8N_2O$	88,11	26,7	10595-95-6
N-Ethyl-*N*-nitrosoanilin	NEA, 13	$C_8H_{10}N_2O$	150,18		612-64-6
N-Methyl-*N*-nitrosoanilin	MNA, 14	$C_7H_8N_2O$	136,15	12–15	614-00-6
N-Nitrosomorpholin	NMOR, 15	$C_4H_8N_2O_2$	116,12	29	59-89-2
N-Nitrosopiperidin	NPIP, 16	$C_5H_{10}N_2O$	114,15		100-75-4
N-Nitrosopyrrolidin	NPYR, 17	$C_4H_8N_2O$	100,12	83	930-55-2

[a] E *N*-methyl-*N*-nitrosourea = NMU
[b] E *N*-ethyl-*N*-nitrosourea = ENU

stoff-haltiger Materialien wie Biomasse führen zu relativ starker N.-Bildung, da in den Abgasen neben flüchtigen u. kondensierten Aminen auch Stickstoffoxide hochkonzentriert vorliegen.
Im Organismus können N. (endogen) entstehen. Zu den nitrosierbaren Amino-Verb. gehören u. a. die lebensnotwendigen *Aminosäuren (s. a. Nitritpökelsalz). In ähnlicher Weise können N. auch aus Arzneimitteln od. Rückständen von Lebensmittel-Zusatzstoffen entstehen, sofern diese nitrosierbare Amino-Gruppen enthalten. Zu den nitrosierenden Stoffen gehört auch *Nitrat (s. a. Trinkwasser u. Pökeln), das u. a. im anaeroben Darmtrakt mikrobiell (z. B. als Nebenprodukt der Nitrat-Atmung) zu Nitrit reduziert werden kann. Die Bildung von N. läßt sich durch geeignete Inhibitoren – das sind Stoffe, die mit Salpetriger Säure schneller reagieren als (sek.) Amine – unterdrücken wie z. B. mit Ascorbinsäure (Vitamin C).
N. sind relativ reaktiv; Komplexbildungsreaktionen, Additionen an Doppelbindungen, Nitrierungen, Umlagerungen, Cyclisierungen, Wasser- u. Stickstoff-Abspaltung (aus *N*-nitrosierten prim. Aminen) u. a. Reaktionen sind möglich (s. a. *Lit.*[4]). Bei einigen aromat. substituierten N. können sich über die Fischer-Hepp-Umlagerung C-Nitroso-Verb. bilden:

$$H_5C_6-N(NO)-C_6H_5 \longrightarrow H_5C_6-NH-C_6H_4-NO$$

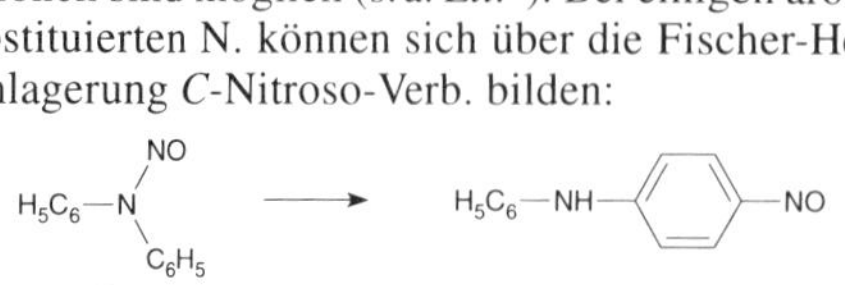

7 → 9

Verw.: N. sind wichtige Zwischenprodukte z. B. bei der Herst. von heterocycl. Verb. u. Farbstoffen. N. werden als Lsm., Antioxidantien für Öle u. Gummi sowie im Korrosionsschutz verwendet.
Vork.: N. sind in vielen abiot. u. biot. Teilen von Hydro-, Pedo- u. Atmosphäre nachgewiesen. Sie kommen in Lebensmitteln, Kosmetika, Tabakrauch, manchen Gummis, Kühlschmiermitteln u. a. Produkten vor. Die Freisetzung von N. bei der industriellen Handhabung ist für die allg. Belastungssituation ohne Bedeutung.

Die (exogene) Belastung des Menschen rührt v. a. vom Tabakrauch bzw. Drogen[2] her. Dort wurde eine Vielzahl carcinogener N. gefunden. U. a. entstehen tabakspezif. N. durch Nitrosierung von Tabak-Alkaloiden.
Bedeutend kann auch die Belastung durch geräucherte od. in Ggw. von Nitrit gekochte od. gebratene Nahrung sein. Die N.-Belastung des Bieres konnte durch Verbesserungen beim Brauprozeß (Darren) gesenkt werden.
Berufsbedingte Belastungen traten bes. in der Metall- u. Gummi-verarbeitenden Ind. auf.
Toxizität: Die Toxizität an Maus u. Ratte liegt je nach Verb. bei wenigen bis einigen tausend mg/kg[5]. Einige N. sind Mutagene u. Carcinogene mit ausgeprägter Organspezifität, wobei sich große Unterschiede in der Stärke der Carcinogenität fanden. Daneben sind teratogene Wirkungen bekannt.
Die Tumorgefährdung einzelner Organe wird durch die Struktur bestimmt. Symmetr. substituierte, offenkettige N. verursachen im allg. Leberkrebs, unsymmetr. substituierte, offenkettige N. Speiseröhrenkrebs. Die Organspezifität des carcinogenen Effektes kann bei verschiedenen Tierarten stark differieren (s. Tab. 2).
N. werden im Organismus möglicherweise über eine *C*-Hydroxylierung u. Desalkylierung zu Diazohydroxiden (s. Diazotate) u. *Diazonium-Verbindungen umgesetzt (*Bioaktivierung). N., die sich von sek. Aminen ableiten, werden durch Cytochrom P-450 u. ähnliche Monoxygenasen am Alkyl-Rest oxidiert. Nach

Tab. 2: Organspezifität des carcinogenen Effektes von Nitrosaminen.

	Ratte	Maus	Hamster
NDMA	Leber, Niere	Lunge, Leber	Leber
NDEA	Leber, (Ösophagus)	Lunge	Trachea, Lunge, Ösophagus
NDBA	Harnblase, Leber	Vormagen, Harnblase	Harnblase, Vormagen

Eliminierung dieses Restes entstehen Alkyldiazohydroxide, die durch Abspaltung von Hydroxid-Ionen u. Stickstoff alkylierende Carbenium-Ionen bilden[6].
Vorschriften: Einige N. sind als giftig od. mindergiftig zu kennzeichnen. In der MAK-Liste sind 12 N. in die Kategorie IIIA2 (im Tierversuch krebserzeugend) eingestuft. Für 10 N. sind *TRK je nach Tätigkeitsbereich mit 0,001–0,0025 mg/m³ festgelegt. Regeln für den Umgang finden sich in *TRGS 552 (3/96), Verwendungsbeschränkungen für Kühlschmierstoffe, bei deren Einsatz *N*-N. auftreten können, in TRGS 611 (5/97). Nach § 15 *Gefahrstoffverordnung bestehen für den Umgang mit *N*-N. allg. Beschäftigungsverbote u. -beschränkungen, von denen alle N. ausgenommen sind, bei denen kein Hinweis auf krebserzeugende Wirkung gefunden wurde; die VO nennt 10 Ausnahmen. Die *WHO empfiehlt einen *ADI für NDMA von 10 µg/d/Person. Kosmetik-VO u. Bedarfsgegenstände-VO s. *Lit.*[7].
Analytik: Zu Nachw. u. Bestimmung von N. wurden zahlreiche hochempfindliche Meth. mit spezif. Detektion (Chemilumineszenz) entwickelt, die u.a. auf Gaschromatographie in Kopplung mit Massenspektroskopie (GC/MS), beruhen u. eine Bestimmung im Nanogramm- u. ppb-Bereich erlauben. – ***E=F*** nitrosamines – ***I*** nitrosammine – ***S*** nitrosaminas

Lit.: [1] Koch, Umweltchemikalien (3.), S. 302–309, Weinheim: VCH Verlagsges. 1995. [2] Richardson u. Gangolli, Dictionary of Substances and their Effects, Bd. 6, S. 223–269, Cambridge: Royal Chemical Soc. 1994. [3] IARC (Hrsg.), IARC Monographs on the Evaluation of the Carcinogenic Risk of Chemicals to Humans, Bd. 37, S. 203–268, Genf: WHO 1985. [4] Barton-Ollis **2**, 363–370. [5] ECETOC, Technical Report 41, S. 89, Brüssel: ECETOC 1990. [6] Reichl, Taschenatlas der Toxikologie, S. 118–123, Stuttgart: Thieme 1997. [7] Römpp Lexikon Lebensmittelchemie, S. 599–603.
allg.: ACS Monogr. **182**, 634 (1984) ▪ Beilstein EIV **4**, 3384–3399; **16**, 862–886 ▪ WHO Environmental Health Criteria, Bd. 5, Nitrate, Nitrite and N-Nitroso Compounds, Genf: WHO 1978.

Nitrose s. Nitrosylschwefelsäure.

Nitrose Gase. Trivialname für das Gemisch *Stickstoffoxid-haltiger, im wesentlichen aus $NO+NO_2$ ($\rightleftharpoons N_2O_3$) bestehender Gase, oft durch die allg. Formel $*NO_x$ ($1<x<2$) ausgedrückt; s. Stickstoffoxide. – ***E*** nitrous fumes – ***F*** vapeurs nitreuses – ***I*** gas nitrosi – ***S*** vapores nitrosos

Nitroseide s. Chardonnet-Seide.

Nitrose Säure s. Nitrosylschwefelsäure.

Nitrosierung. Einführung der Nitroso-Gruppe in organ. Verb., wobei *Nitroso-Verbindungen entstehen. Bei der Nitrosierung von Aminen werden die carcinogenen *Nitrosamine gebildet. Als Nitrosierungsreagenz dient v. a. salpetrige Säure, wobei ein niedriger pH-Wert (Optimum 3–4) u. hohe Temp. die Reaktion begünstigen[1] (s. Abb. 1).
Stickoxide sind ebenfalls als stark nitrosierende Agenzien für Amine bekannt. Challis et al.[2] zeigten, daß NO_x Amine in neutraler u. alkal. Lsg. nitrosieren kann (Radikal-Mechanismus). Die Nitroso-Verb. können auch radikal. mittels NOCl (*Nitrosylchlorid) od. NO/Cl_2-Gemischen gebildet werden. Eine großtechn. durchgeführte Reaktion dieser Art ist die photochem. od.

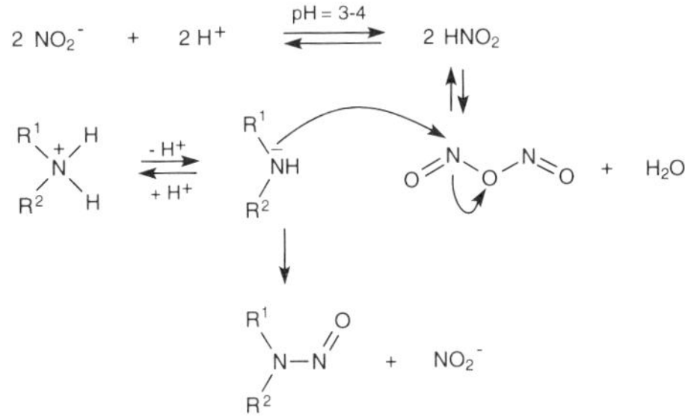

Abb. 1: Nitrosierung von Aminen mit salpetriger Säure.

strahlenchem. N. von Cycloalkanen, insbes. von Cyclohexan (s. Abb. 2), die über Nitrosocyclohexan u. dessen Umlagerungsprodukt *Cyclohexanonoxim zu ε-*Caprolactam führt (*PNC-Prozeß von Toray).

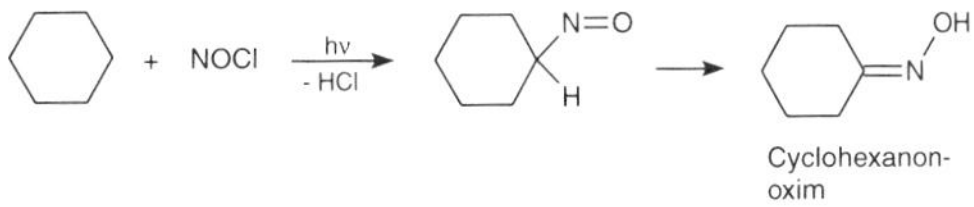

Abb. 2: Nitrosierung von Cycloalkanen mit Nitrosylchlorid.

– ***E=F*** nitrosation – ***I*** nitrosazione – ***S*** nitrosación

Lit.: [1] Eisenbrand et al., The Significance of N-Nitrosation of Drugs, Stuttgart: Fischer Verlag 1990. [2] IARC (Int. Agency Res. Cancer) Sci. Publ. **4**, 11–20 (1977).
allg.: Adv. Phys. Org. Chem. **19**, 381–428 (1983) ▪ Angew. Chem. **90**, 17–27 (1978) ▪ Ann. N. Y. Acad. Sci. **335**, 267–277 (1980) ▪ Weissermel-Arpe (4.), S. 275.

Nitroso... Bez. für die Atomgruppierung –NO in Namen für organ. Verb. (IUPAC-Regel C-10.1, C-851.1, R-4.1, R-5.3.2); s. Nitrosamine, Nitrosierung, Nitroso-Verbindungen; vgl. Nitrosyl... – ***E=F=I=S*** nitroso...

***p*-Nitrosoanilin** s. Nitrosamine.

Nitrosobenzol. C_6H_5NO, M_R 107,11. Farblose, stechend riechende, sehr flüchtige Krist., Schmp. 68–69 °C, Sdp. 57–59 °C (24 hPa), in Wasser unlösl., in Alkohol, Ether, Benzol lösl.; WGK 2 (Selbsteinst.). Die Herst. erfolgt durch Oxid. von *N*-Phenyl-hydroxylamin mit Kaliumdichromat u. Schwefelsäure bei 0 °C. In fester Form liegt N. als farbloses Dimeres vor, in der Schmelze od. in Lsg. als grün gefärbtes Monomeres, das wie andere *Nitroso-Verbindungen als *Radikal-Fänger od. sog. *Spin trap* wirkt. – ***E=I*** nitrosobenzene – ***F*** nitrosobenzène – ***S*** nitrosobenceno

Lit.: Beilstein EIV **5**, 702ff. ▪ Beyer-Walter, Lehrbuch der organischen Chemie (23.), Stuttgart: Hirzel 1997 ▪ Ullmann (4.) **17**, 366 ▪ s. a. Nitroso-Verbindungen. – *[HS 2904 20; CAS 586-96-9; G 6.1]*

***N*-Nitrosodi...** s. Nitrosamine.

***N*-Nitrosodimethylamin** (Abk. NDMA; auch als *N,N*-Dimethylnitrosamin od. nach IUPAC-Regeln Dimethylnitrosamin bezeichnet).

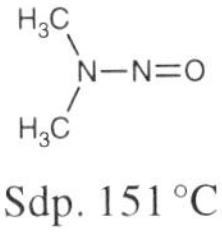

$C_2H_6N_2O$, M_R 74,08, Sdp. 151 °C, lösl. in Wasser u. organ. Lösemitteln.

Vork.: Vor der Umstellung des Darrprozesses (Direktbefeuerung) wurde NDMA in größeren Mengen im Malz u. Bier gefunden[1] (0–68 µg/kg, Mittelwert: 2,7 µg/kg). Die Bildung während des Darrprozesses erfolgte durch Reaktion von Stickoxiden mit den Malzinhaltsstoffen *Hordenin[2] u. *Gramin[3]. Heute sind die Gehalte im Bier auf 5–10% der ursprünglichen Gehalte zurückgegangen[4] u. die tägliche Aufnahme an NDMA aus Bier ist für Männer mit 0,1 µg (Frauen 0,03 µg) angegeben (Gesamtaufnahme 0,29 µg/Mensch/Tag)[5]. NDMA wurde auch in Fleischwaren[6,7] (s. Nitritpökelsalz), geräuchertem Fisch[8] sowie in Kautabak[9] u. Tabakrauch[10,11] identifiziert. Auch in Bedarfsgegenständen aus Gummi[12,13], in Pestizid-Formulierungen[14] u. an speziellen industriellen Arbeitsplätzen[15] (Gummi-Ind., metallverarbeitende Ind., Leder-Ind., chem. Ind.) wurde NDMA nachgewiesen. NDMA kann auch unter nitrosierenden Bedingungen (z. B. bei Reaktion von Nitriten mit Magensaft) als endogenes Nitrosierungsprodukt von Arzneimitteln[16] (z. B. *Aminophenazon) nachgewiesen werden. Der Nitrosamin-Gehalt von Bedarfsgegenständen ist durch die Nitrosamin-Bedarfsgegenstände-VO[17] geregelt.

Toxikologie: NDMA ist wie nahezu alle *Nitrosamine ein gefährliches *Carcinogen mit ausgeprägter Organotropie[18]. Betroffen sind v. a. Leber, Niere u. Lunge. 1956 war NDMA die erste Substanz aus der Verb.-Klasse der Nitrosamine, deren Carcinogenität[19] erkannt wurde. NDMA ist nach Anhang II der GefStoffV[20] als sehr stark gefährdender krebserzeugender Arbeitsstoff (Gruppe I) eingestuft. Die Lagerung von NDMA in einem Betrieb muß dem Gewerbeaufsichtsamt gemeldet sein. Die Senatskommission der Dtsch. Forschungsgemeinschaft zur Prüfung gesundheitsschädlicher Arbeitsstoffe stuft NDMA in die Liste III A 2 ein (Arbeitsstoffe, die sich bislang nur im Tierversuch als krebserzeugend erwiesen haben, u. zwar unter Bedingungen, die der möglichen Exponierung des Menschen am Arbeitsplatz vergleichbar sind). LD_{50} (Ratte oral): 26 mg/kg, R 45-25-26-48, S 53-45; zum Metabolismus von NDMA s. Nitrosamine u. *Lit.*[21].

Analytik: Zum Nachw. von Nitrosaminen in Lebensmitteln allg. u. in Bier existieren 2 gaschromatograph. *Methoden nach § 35 LMBG (00.00-17 u. 36.00-6); s. a. Nitrosamine. – *E* N-nitrosodimethylamine – *F* nitrosodiméthylamine – *I* N-nitrosodimetilammina – *S* nitrosodimetilamina

Lit.: [1] Food Cosmet. Toxicol. **17**, 29 ff. (1979). [2] J. Inst. Brew. London **87**, 259 (1981). [3] International Agency for Research on Cancer (Hrsg.), N-Nitroso Compounds, S. 337–346, Lyon: IARC 1983. [4] J. Agric. Food Chem. **38**, 442 f. (1990). [5] Food Chem. Toxicol. **27**, 27 ff. (1989). [6] Z. Lebensm. Unters. Forsch. **182**, 14–18 (1986). [7] J. Agric. Food Chem. **35**, 346–350 (1987). [8] Z. Lebensm. Unters. Forsch. **190**, 336–340 (1987). [9] J. Agric. Food Chem. **33**, 1178–1181 (1985). [10] Henschler (Hrsg.), Passivrauchen am Arbeitsplatz, Weinheim: Verl. Chemie 1985. [11] Carcinogenesis **9**, 875–884 (1988). [12] Carcinogenesis **4**, 1147–1152 (1983). [13] Lebensmittelchemie **44**, 17 f. (1990). [14] J. Assoc. Off. Anal. Chem. **72**, 508–512 (1989). [15] Staub Reinhalt. Luft **49**, 183–186 (1989); **50**, 3–6 (1990). [16] Eisenbrand (Hrsg.), Drug Development and Evaluation, Bd. 16, Titisee Symposium 1988, Stuttgart: Fischer 1990. [17] VO zur Begrenzung des Übergangs von Nitrosaminen u. nitrosierbaren Stoffen aus bestimmten Bedarfsgegenständen vom 15.12.1981 (BGBl. I, S. 1406). [18] Bundesgesundheitsblatt **30**, 459 ff. (1987). [19] Br. J. Cancer **10**, 114–122 (1956). [20] VO über gefährliche Stoffe (GefStoffV) vom 26.8.1986 in der Fassung vom 23.4.1990 (BGBl. I, S. 790). [21] Cancer Res. **50**, 1144–1150 (1990).

allg.: Beilstein E IV **4**, 3384 ■ Henschler (Hrsg.), Gesundheitsschädliche Arbeitsstoffe, Toxikolog.-arbeitsmed. Begründung der MAK-Werte, Weinheim: VCH Verlagsges. (Loseblattsammlung) ■ Hill (Hrsg.), Nitrosamines, Weinheim: VCH Verlagsges. 1988 ■ International Agency for Research on Cancer (Hrsg.), N-Nitroso-Compounds: Occurrence, Biological Effects and Relevance to Human Cancer, IARC Scientific Publications No. 57, Lyon: IARC 1983 ■ Lindner, Toxikologie der Nahrungsmittel (4.), S. 178–184, Stuttgart: Thieme 1990 ■ Ullmann (5.) **A 5**, 265. – *[HS 2921 19; CAS 62-75-9]*

N-Nitroso-N-ethyl... s. Nitrosamine.

Nitrosoharnstoffe s. Nitrosamine.

Nitrosokautschuk. Bez. für perfluorierte *Polymere mit NO-Brücken in der Hauptkette. N. sind zugänglich z. B. durch Reaktion von Trifluornitrosomethan (I) mit Tetrafluorethylen (II) bei niedriger Temp. unter Bildung von Produkten mit der Gruppierung (III) als konstitutioneller Einheit:

$$n\,F_3C-N=O \;+\; n\,F_2C=CF_2 \xrightarrow{<20°C} \left[\!\!\begin{array}{c} N-O-CF_2-CF_2 \\ | \\ CF_3 \end{array}\!\!\right]_n$$

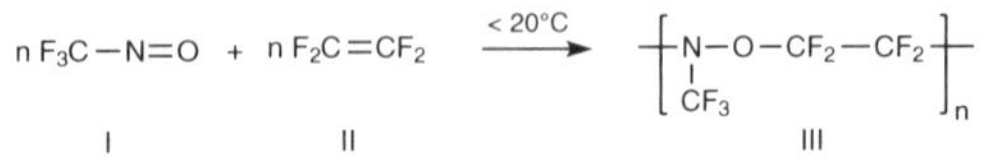

I II III

Die schlechte Vulkanisierbarkeit dieser N. läßt sich durch Zusatz von Hilfsstoffen wie Perfluor-4-nitrosobuttersäure verbessern. Bei der N.-Vulkanisation fällt ein Gummi an, der sich durch außergewöhnliche Eigenschaften auszeichnet: Unbrennbarkeit (auch in reinem Sauerstoff), große Tieftemp.-Flexibilität ($T_g = -51\,°C$), hervorragende Beständigkeit gegen prot. Lsm., Oxid.-Mittel u. Ozon. Nachteilig sind die schlechte Vulkanisierbarkeit, geringe Wärmebeständigkeit u. hohe Toxizität seiner Abbauprodukte. Diese Nachteile schränken die Verw.-Möglichkeiten von N., z. B. in der Raumfahrt, drast. ein. – *E* nitroso rubber – *F* caoutchouc nitroso – *I* nitrosocauciù – *S* caucho nitroso, nitrosocaucho

Lit.: Encycl. Polym. Sci. Eng. **10**, 185–191 ■ Saunders, Organic Polymer Chemistry, 2. Aufl., S. 163 ff., London: Chapman u. Hall 1988.

N-Nitroso-N-methyl... s. Nitrosamine.

Nitrosomonas europaea s. Fluorkohlenwasserstoffe.

N-Nitrosomorpholin s. Nitrosamine.

Nitrosomyoglobin s. Nitritpökelsalz u. Pökeln.

Nitrosonaphthole.

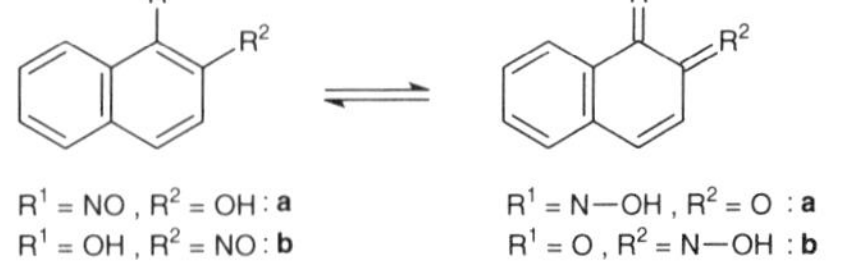

$R^1 = NO, R^2 = OH : a$
$R^1 = OH, R^2 = NO : b$

$R^1 = N-OH, R^2 = O : a$
$R^1 = O, R^2 = N-OH : b$

$C_{10}H_7NO_2$, M_R 173,17. Die wichtigsten Isomeren sind die mit den Monooximen des 1,2-Naphthochinons tautomeren Verb. a) u. b). *1-Nitroso-2-naphthol* (a): Gelbbraune Krist., Schmp. 105–112 °C (Zers.), in Wasser unlösl., in heißem Alkohol, Ether, Benzol gut lösl.; kann durch Einwirken von salpetriger Säure auf 2-Naphthol hergestellt werden.

Verw.: Gegen Verharzungserscheinungen in Benzin, Reagenz zu Bestimmung bzw. Nachw. von Co, Pd, Ag u. v. a. Metallen, von SH-Gruppen sowie als Testsubstanz in der organ. Elementaranalyse.
2-Nitroso-1-naphthol (b): Gelbgrünes od. olivgrünes Krist.-Pulver, Schmp. 158 °C (Zers.), von ähnlicher Löslichkeit wie 1-Nitroso-2-naphthol.
Verw.: Zum Nachw. u. zur kolorimetr. Bestimmung von Co, Zr u. Pd sowie zum fluoreszenzhistochem. Nachw. von Tyrosin. – ***E*** nitrosonaphthols – ***F*** nitrosonaphtols – ***I*** nitrosonaftoli – ***S*** nitrosonaftoles
Lit.: Beilstein EIV **7**, 2418 ff., 2424 ▪ Merck-Index (12.), Nr. 6739 ▪ Ullmann (4.) **17**, 361; (5.) **A 14**, 145. – *[HS 2908 90; CAS 131-91-9 (a); 2636-79-5 (a, Oxim-Form); 132-53-6 (b); 6373-60-0 (b, Oxim-Form); G 6.1]*

Nitrosonium s. Nitrosyl...

4-Nitrosophenol (1,4-Benzochinon-monooxim).

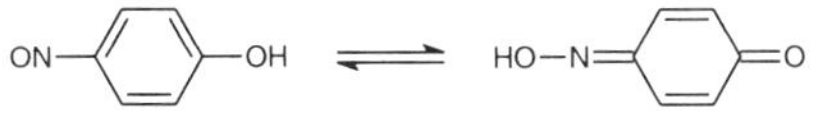

$C_6H_5NO_2$, M_R 123,11. Gelbliches Krist.-Pulver, Schmp. ca. 140 °C nach Braunfärbung ab 124 °C, in Wasser mäßig, in Alkohol, Ether, Aceton gut lösl.; es ist mit *p*-Benzochinonmonoxim tautomer. 4-N. neigt in Ggw. von konz. Alkalien od. Säuren zu heftiger Zers., ggf. unter Explosion; kann Hautreizungen verursachen; Verdacht auf krebserzeugende u. erbgutverändernde Wirkung; WGK 3 (Selbsteinst.).
Verw.: Zwischenprodukt für die Herst. von Farbstoffen, als Vulkanisationsbeschleuniger u. als Polymerisationsinhibitor bei der Styrol-Destillation. N. kommt mit Wasser phlegmatisiert in den Handel. – ***E*** 4-nitrosophenol – ***F*** 4-nitrosophénol – ***I*** 4-nitrosofenolo – ***S*** 4-nitrosofenol
Lit.: Beilstein EIV **7**, 2073 f. ▪ Merck-Index (12.), Nr. 6740 ▪ Ullmann (4.) **17**, 366; (5.) **A 25**, 617. – *[HS 2908 90; CAS 104-91-6 (Nitroso-Form); 637-62-7 (Oxim-Form); G 6.1]*

***N*-Nitroso-*N*-phenylhydroxylamin** s. Kupferron.

***N*-Nitrosopiperidin** s. Nitrosamine.

Nitrosopolymere. N. sind zum einen *Polymere, die Gruppierungen des Typs I od. II

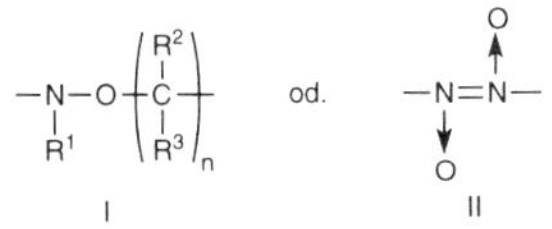

I II

als konstitutionelle Grundeinheiten der Hauptkette enthalten. Andererseits bezeichnet man als N. auch solche Polymere, die, wie z. B. Nitrosierungs-Produkte des *Polystyrols, seitenständige Nitroso-Gruppen enthalten. Zur Herst. von Verb. des Typs I s. Nitrosokautschuk. Verb. des Typs II fallen bei der *Polymerisation von bisfunktionellen Nitrosoalkanen zu Poly(nitrosoalkanen) – Poly(azoalkylen-*N,N'*-dioxid)e – an. Zur Verw. von Nitrosokautschuk s. dort. Von den aromat. N. hat *Poly(p-dinitrosobenzol)*

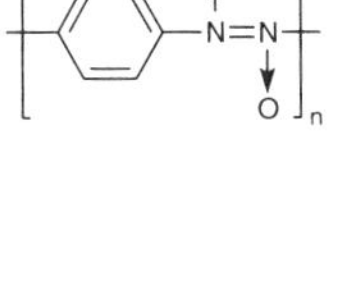

gewisse Bedeutung erlangt. – ***E*** nitroso polymers – ***F*** polymères nitroso – ***I*** nitrosopolimeri – ***S*** nitrosopolímeros
Lit.: Encycl. Polym. Sci. Eng. **10**, 185–191 ▪ s. a. Nitrosokautschuk.

***N*-Nitrosopyrrolidin** s. Nitrosamine.

Nitrosorbon® (Rp). Tabl. u. Retardkapseln mit *Isosorbiddinitrat gegen Angina pectoris. ***B.:*** Pohl.

Nitroso-R-Salz (Dinatrium-3-hydroxy-4-nitrosonaphthalin-2,7-disulfonat).

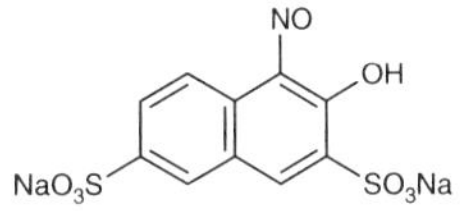

$C_{10}H_5NNa_2O_8S_2$, M_R 377,25, Metallindikator. Goldgelbe Krist., lösl. in heißem Wasser, wenig lösl. in Alkohol. N. wird zur Bestimmung von Co, Fe, K u. zum Nachw. von Ag, Ba, Ca, Ni, Pb verwendet. – ***E*** nitroso-R salt – ***F*** sel nitroso-R – ***I*** sale nitroso R – ***S*** sal nitroso-R
Lit.: Beilstein EIV **11**, 669 ▪ Merck-Index (12.), Nr. 6742 ▪ Ullmann (4.) **13**, 193; (5.) **A 14**, 145. – *[HS 2908 90; CAS 525-05-3]*

Nitroso-Verbindungen. Sammelbez. für diejenigen organ. Verb., die die *Nitroso-Gruppe* (–N=O) an ein aliphat. od. aromat. Kohlenstoff-Atom gebunden enthalten. Ist die Nitroso-Gruppe an ein Stickstoff- od. Sauerstoff-Atom gebunden, so spricht man eher von *Nitrosaminen bzw. *Salpetrigsäureestern (organ. Nitrite) (Abb. 1).

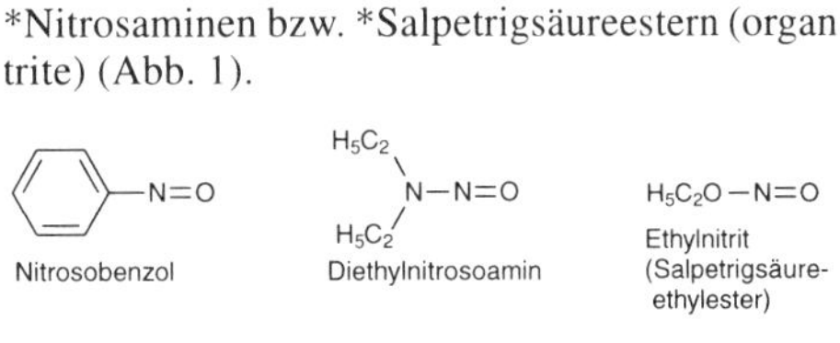

Abb. 1: Nitroso-Verbindungen, Nitrosamine u. Salpetrigsäureester.

Die N.-V. besitzen einige charakterist. Besonderheiten, die sie von Nitrosaminen u. Salpetrigsäureestern unterscheiden. Sie weisen im monomeren Zustand eine charakterist. grüne bis blaue Farbe auf u. neigen dazu, farblose Dimere zu bilden, die als *N,N'*-Azodioxide (Diazen-1,2-dioxide) aufzufassen sind (s. Abb. 2 a auf Seite 2932). Prim. u. sek. aliphat. N.-V. gehen leicht in die tautomeren *Oxime über (s. Abb. 2 b), die deshalb früher auch als *Isonitroso-Verb.* bezeichnet wurden (s. Tautomerie). Die früher gebräuchlichen Präfixe Isonitroso... u. Oximino... sind nach IUPAC-Regel C-842.1 u. R-5.6.6.1 durch *Hydroxyimino... zu ersetzen. Aromat. N.-V. mit zwei orthoständigen Nitroso-Gruppen sind als *Benzofuroxane* aufzufassen (s. Abb. 2 c) u. *ortho-* bzw. *para*-Nitrosophenole zeigen die *Tautomerie mit Chinonmonoximen (s. Abb. 2 d, s. a. Chinonmethide).
Die Herst. der N.-V. geschieht z. B. durch *Nitrosierung von aliphat. od. aromat. Kohlenwasserstoffen, durch Addition von Nitrosylhalogeniden an Alkene, durch Oxid. von Aminen, Hydroxylaminen, Oximen, durch Umlagerung von *N*-Aryl-nitrosaminen (*Fischer-Hepp-Umlagerung*, s. Abb. 3 S. 2932), durch die

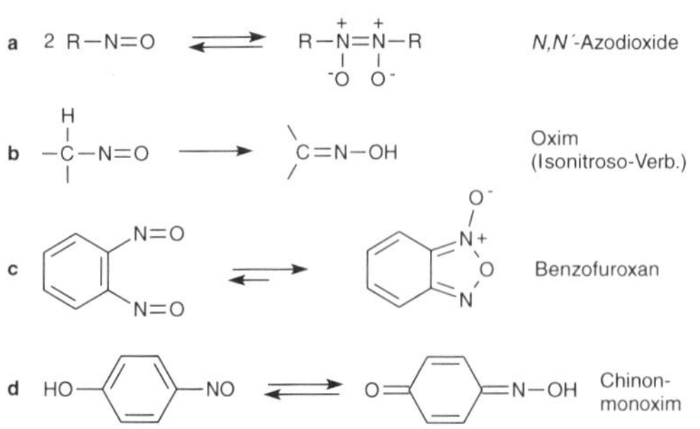

Abb. 2: Veranschaulichung charakterist. Eigenschaften von Nitroso-Verbindungen.

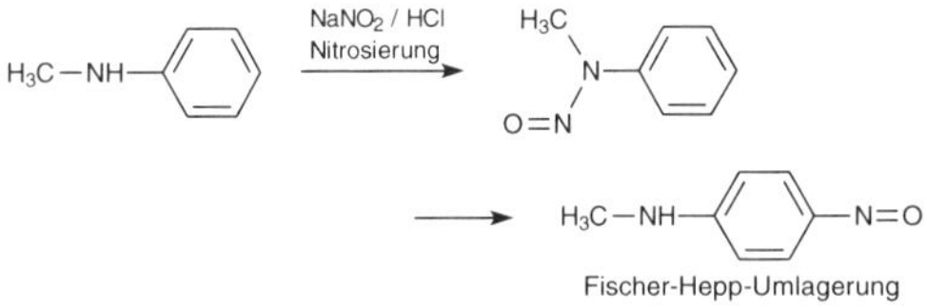

Abb. 3: Herst. von Nitroso-Verbindungen.

*Barton-Reaktion. N. können mit Hilfe der *Liebermann-Reaktion analyt. nachgewiesen werden; ihre Reaktivität ist in vieler Hinsicht derjenigen von Aldehyden vergleichbar. Die Analogie zeigt sich z. B. deutlich bei den Kondensationsreaktionen von N.-V. mit Aminen (Bildung von *Azo-Verbindungen, s. Abb. 4 a) u. mit aktiven Methylen-Verbindungen (Bildung von Nitronen od. Iminen, *Kröhnke-* bzw. *Ehrlich-Sachs-Reaktion*, s. Abb. 4 b, c).

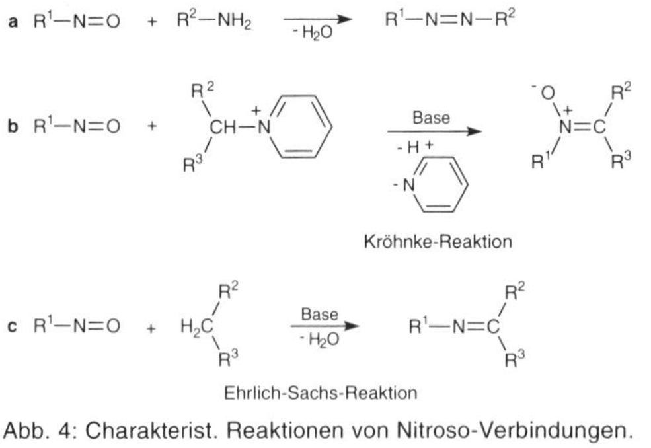

Abb. 4: Charakterist. Reaktionen von Nitroso-Verbindungen.

o-Nitrosophenole zeigen eine ausgeprägte Tendenz zur Bildung farbiger Metallkomplexe, was als empfindliche Nachw.-Reaktion auf Schwermetalle, z. B. Kupfer od. Cobalt, ausgenutzt werden kann. N.-V. liefern im allg. keine Signale im EPR-Spektrum. Sie besitzen jedoch als *Radikal-Fänger (sog. *Spinfallen* – *E* spin traps) zur Identifizierung kurzlebiger *Radikale Bedeutung, da sie diese unter Erhalt der ursprünglichen Radikal-Eigenschaften addieren u. so einer Analyse zugänglich machen (s. a. Nitroxyl-Radikale). – ***E*** nitroso compounds – ***F*** composés nitrosés – ***I*** composti nitroso, nitrosocomposti – ***S*** nitrosocompuestos

Lit.: Houben-Weyl **10/1**, 892–1090; **E 16 a**, 950 ff. ▪ Katritzky et al. **2**, 389 f., 777 f. ▪ Patai, The Chemistry of Amino, Nitroso, Nitro Compounds and their Derivates, Chichester: Wiley 1982.

Nitrostärke s. Stärkenitrate.

Nitrosyl... a) Neben (Stickstoffmonoxid-*N*)... Bez. für den elektr. neutralen *Liganden NO (IUPAC-Regel I-10.4.5.5); *Beisp.:* *Nitroprussidnatrium, *Roussinsche Salze. – b) Bez. für den Rest -NO in kovalenten anorgan. Verb. (IUPAC-Regeln I-5.5.2.2, I-8.4.2.2); *Beisp.:* folgende Stichwörter. – c) Das Kation NO^+, Nitrosyl-Kation (IUPAC-Regel I-8.2.4) od. Nitrosonium genannt, tritt z. B. bei der Herst. von *Diazonium-Verbindungen u. *Nitrosierungen auf. – ***E*** = ***F*** nitrosyl... – ***I*** = ***S*** nitrosil...

Lit.: *(Nitrosyl-Verb.):* a) Adv. Organomet. Chem. **7**, 211–239 (1968); **24**, 41–86 (1985) ▪ Coord. Chem. Rev. **14**, 317–355 (1975) ▪ Top. Stereochem. **12**, 155–216 (1981). – b) Brauer (3.) **1**, 201 f., 329 f., 403, 474 ff., 590.

Nitrosylchlorid. NOCl, M_R 65,46. Rötlichbraunes, giftiges u. die Atemwege reizendes Gas, D. 2,741 g/L (0 °C; 2,31mal so schwer wie Luft), D. 1,417 (–12 °C, als Flüssigkeit), Schmp. –59,6 °C (Tripelpunkt), Sdp. –6,4 °C. Bei 25 °C u. 1 bar ist N. zu 0,63% dissoziiert, bei höherer Temp. zerfällt es in Chlor u. Stickstoffoxid; durch Wasser wird es in Chlorwasserstoff u. Salpetrige Säure gespalten. N. ist in Königswasser enthalten u. erteilt diesem die rotgelbe Farbe. In feuchtem Zustand ätzt es sehr stark u. ist nur in Tantal-Behältern od. Glas lagerfähig, trocken greift es Nickel, Platin, Blei u. einige Kunststoffe nicht an.

T  C 

Verw.: Zur Nitrosierung u. Oximierung u. in der Erdöl- u. Farbstoff-Ind. (zur Diazotierung von Aminen anstelle von Nitrit), als nichtwäss. Lsm., als Katalysator bei Isopren-Polymerisationen u. Krackverf., zur Trennung von Mineralien usw. N. ist zur Mehlbleichung geeignet, in der BRD jedoch für diesen Zweck nicht zugelassen. – ***E*** nitrosyl chloride – ***F*** chlorure de nitrosyle – ***I*** cloruro di nitrosile – ***S*** cloruro de nitrosilo

Lit.: Braker u. Mossmann, Matheson Gas Data Book, S. 545–549, Lyndhurst: Matheson 1980 ▪ Brauer (3.) **1**, 474 ff. ▪ Gmelin, Syst.-Nr. 6, Cl, 1927, S. 424–437, Erg.-Bd. B 2, 1969, S. 500–521 ▪ Helv. Chim. Acta **57**, 1433–1441 (1974) ▪ Houben-Weyl **4/1 a**, 828–871 ▪ Waddington, Nichtwäßrige Lösungsmittel, S. 76–79, Heidelberg: Hüthig 1972 ▪ Winnacker-Küchler (4.) **2**, 446 f. – *[HS 2812 10; CAS 2696-92-6; G 2]*

Nitrosylhydrid s. Nitrosylwasserstoff.

Nitrosylhydrogensulfat s. Nitrosylschwefelsäure.

Nitrosyloxy... Regelwidrige Bez. für die Nitrosooxy-Gruppe -O-NO in organ. Verb.; s. Nitroso...

Nitrosylschwefelsäure (Nitrosylhydrogensulfat). $NO^+HSO_4^-$ od. HO_3SONO, M_R 127,08. Blättrige, federartige, eisblumenförmige od. auch säulenförmige, rhomb., giftige u. ätzende Krist., die sich in fester Form (Schmp. 73,5 °C, Zers.) bei der *Schwefelsäure-Herst. in der Bleikammer als sog. *Bleikammerkrist.* absetzen können, wenn zu wenig Wasser im Reaktionssyst. vorhanden ist. Bei gewöhnlicher Temp. u. hinreichender Wasserzufuhr zerfällt N. in Schwefelsäure u. *Nitrose Gase ($NO + NO_2$). Ihre Lsg. in mäßig konz. Schwefelsäure, die beim Bleikammerverf. im Gloverturm (s. Schwefelsäure, Geschichte) durch Schwefeldioxid in Schwe-

O 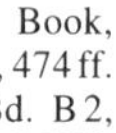 C 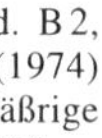

felsäure u. *Violette* (Blaue) *Säure* übergeführt wird, nennt man fachsprachlich *Nitrose Säure* od. nur *Nitrose*. Die Violettfärbung ist dabei auf das $N_2O_2^+$-Kation zurückzuführen: $NO^+HSO_4^- + NO \rightarrow N_2O_2^+ HSO_4^-$.
Verw.: Zur Herst. von *Caprolactam aus Cyclohexancarbonsäure, Farbstoffen, Schädlingsbekämpfungsmitteln, zur Diazotierung, früher auch zur Bleichung von Mehlprodukten. – ***E*** nitrosylsulfuric acid – ***F*** acide nitrosylsulfurique – ***I*** acido nitrosilsolforico – ***S*** ácido nitrosilsulfúrico
Lit.: Brauer (3.) **1**, 403 ▪ Gmelin, Syst.-Nr. 9, S, Tl. B, 1963, S. 1639–1664 ▪ Hommel, Nr. 610 ▪ Synthetica **2**, 330 f. ▪ Ullmann (5.) **A 5**, 41 ▪ Winnacker-Küchler (3.) **2**, 39 ff. – *[HS 2811 19; CAS 7782-78-7; G 8]*

Nitrosylwasserstoff (Nitrosylhydrid). HNO od. NOH, M_R 31,0141. Hellgelber Überzug, der an Gefäßwänden entsteht, wenn man atomaren Wasserstoff bei Temp. der flüssigen Luft auf NO einwirken läßt. N. reagiert schon bei –95 °C unter Bildung des Dimeren $(HNO)_2$ (sog. *Hyposalpetrige Säure), das zu N_2O u. H_2O zerfällt. HNO wird auch als Zwischenprodukt bei der Reaktion einiger Nitroso-Verb. postuliert. – ***E*** nitrosyl hydride – ***F*** hydrure de nitrosyle – ***I*** idruro di nitrosile – ***S*** hidruro de nitrosilo
Lit.: Hollemann-Wiberg (101.), S. 706. – *[CAS 14332-28-6]*

Nitrothal-isopropyl.

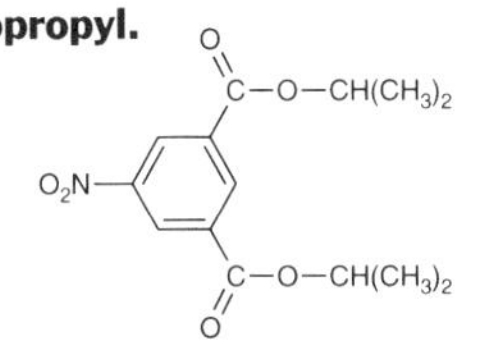

Common name für Diisopropyl-5-nitroisophthalat, $C_{14}H_{17}NO_6$, M_R 295,29, Schmp. 65 °C, LD_{50} (Ratte oral) >6400 mg/kg, von BASF 1973 eingeführtes nicht-system. protektives Kontakt-*Fungizid gegen Echten Mehltau im Apfel-, Wein-, Hopfen-, Gemüse- u. Zierpflanzenanbau, vorwiegend in Mischungen mit anderen *Fungiziden wie Schwefel, Metiram u. a. – ***E*** nitrothal-isopropyl – ***F*** nitrothale-isopropyl – ***I*** nitrotal-isopropile – ***S*** nitrotal-isopropil
Lit.: Farm. ▪ Perkow ▪ Pesticide Manual. – *[CAS 10552-74-6]*

Nitrothiazole. Den *Nitroimidazolen u. *Nitrofuranen analoge *Chemotherapeutika, deren Thiazol-Grundkörper außer durch eine Nitro-Gruppe in 5-Stellung noch durch einen Acylamino- (z. B. Aminitrozol), einen acycl. (Nithiazid) od. einen cycl. Harnstoff-Rest (*Niridazol) in 2-Stellung substituiert ist. Die N., insbes. das letztgenannte, sind gegen Amöben, Schistosomen u. Drachenwürmer (Dracunculus) wirksam. – ***E*** nitrothiazoles – ***F*** nitrothiazoles – ***I*** nitrotiazoli – ***S*** nitrotiazoles
Lit.: Beilstein E V **27/17**, 397–420 ▪ Ehrhart-Ruschig (2.) **5**, 100 ff.

***ar*-Nitrotoluole.**

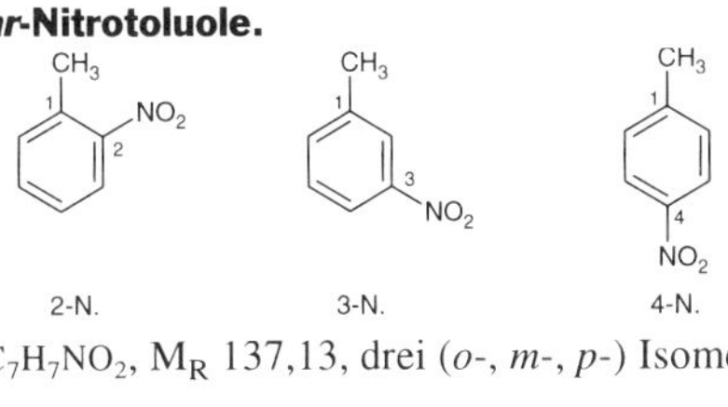

2-N. 3-N. 4-N.

$C_7H_7NO_2$, M_R 137,13, drei (*o*-, *m*-, *p*-) Isomere, giftig: Das Einatmen der Dämpfe u. der Kontakt mit der Flüssigkeit sowie dem festen Stoff, kann neben Reizung der Augen u. der Atemwege zu Erregung od. Lähmungen des Zentralnervensyst. führen. Der Blutfarbstoff wird verändert (*Methämoglobin-Bildung), es können Leber- u. Nierenschäden auftreten. N. werden auch über die Haut aufgenommen, MAK 5 ppm (MAK-Werte-Liste 1996) für 3-N. u. 4-N.; 2-N. gilt als Stoff, der sich im Tierversuch eindeutig als krebserzeugend erwiesen hat (III A2 MAK-Werte-Liste 1996); TRK 5 ppm; WGK 2.
2-N.: Gelbliches Öl od. farblose Krist. in zwei Modif., D. 1,163, Schmp. –3,17 °C (β-Phase, stabil); –9,27 °C (α-Phase, instabil), Sdp. 222 °C. – *3-N.:* Gelbliche Flüssigkeit od. Krist., D. 1,157, Schmp. 16 °C, Sdp. 233 °C. – *4-N.:* Farblose Krist., D. 1,104, Schmp. 55 °C, Sdp. 238 °C, 105 °C (12 hPa). Alle N. sind in Wasser unlösl., in organ. Lsm. dagegen gut löslich. Sie entstehen nebeneinander bei der Nitrierung des Toluols (63% 2-N., 3–4% 3-N., 33–34% 4-N.). Das Gefahrsymbol N gilt nur für 2-N. u. 4-Nitrotoluol.
Verw.: Als Zwischenprodukte für Farbstoffe, Kunststoffe, Pharmazeutika, Riechstoffe, Sprengstoffe (TNT), Polyurethan-Vorprodukte. – ***E*** nitrotoluenes – ***F*** nitrotoluènes – ***I*** nitrotolueni – ***S*** nitrotoluenos
Lit.: Beilstein E IV **5**, 845–850 ▪ Hager (5.) **3**, 880 ff. ▪ Hommel, Nr. 361, 631 a ▪ Merck-Index (12.), Nr. 6748 ▪ Ullmann (4.) **17**, 387 f., 412; (5.) **A 17**, 420 f. ▪ Weissermel-Arpe (4.), S. 400 f. – *[HS 2904 20; CAS 88-72-2 (2-N.); 99-08-1 (3-N.); 99-99-0 (4-N.); G 6.1]*

Nitrotrichlormethan s. Trichlornitromethan.

Nitro-Verbindungen. Sammelbez. für diejenigen organ. Verb., in denen ein H-Atom an einem Kohlenstoff-Atom durch eine Nitro-Gruppe ersetzt ist. Die einfachste N.-V. ist *Nitromethan*. Die Benennung der N.-V. erfolgt nach IUPAC-Regel C-852.1 bzw. R-5.3.2[1] durch Voranstellen des Präfixes *Nitro... vor den Namen des Stammkohlenwasserstoffes. Natürliche N.-V. sind in der Natur weit verbreitet, z. B. *Aristolochiasäure, Nitro-*phellandrene, 1-Nitro-2-phenylethan, *Chloramphenicol (s. a. *Lit.*[2]). Bei den synthet. N.-V. sind auch Verb. mit mehreren Nitro-Gruppen im Mol. bekannt, z. B. *Tetranitromethan u. einige *Nitroaromaten, wie *Pikrinsäure u. *2,4,6-Trinitrotoluol, die z. T. als techn. Sprengstoffe Verw. finden. Daß viele, insbes. aromat. N.-V. farbig sind, läßt sich mit der Einbeziehung der Nitro-Gruppe in das aromat. Resonanzsyst. erklären, wobei aufgrund der max. Vierbindigkeit des Stickstoffs mehrere Resonanzformeln zur Beschreibung der Bindungsverhältnisse nötig sind (s. Abb. 1, S. 2934). Nach der *MO-Theorie besetzen die vier π-Elektronen der Nitro-Gruppe zwei bindende Molekülorbitale, die in Abb. 2 (S. 2934) schemat. wiedergegeben sind; es liegt hier ein Analogon zum Allyl-Anion vor, mit den damit verbundenen 1,3-dipolaren Eigenschaften (vgl. 1,3-dipolare Cycloaddition). Aliphat. prim. u. sek. N.-V. liegen im *Tautomerie-Gleichgewicht mit ihren acid. Formen vor (s. Abb. 3; s. Nef-Reaktion), die nach IUPAC-Regel C-852.2 mit dem Präfix *aci*-Nitro... (vgl. aci-) u. in der chem. Lit. oft als Alkyliden*nitronsäuren* benannt werden. Die neuen Bez. *Hydroxynitroryl...* u. *Azinsäure* nach IUPAC-Regel R-3.3 u. R-5.3.2 sind ungebräuchlich.

Diese *aci*-Formen der N.-V. entsprechen den Enol-Formen von Ketonen bei der *Keto-Enol-Tautomerie; sie lassen sich gelegentlich auch isolieren. Von den *aci*-Formen der N.-V. leiten sich auch – formal durch Reaktion mit Salpetriger Säure – die sog. *Nitrolsäuren* u. *Pseudonitrole* ab (s. Abb. 4).

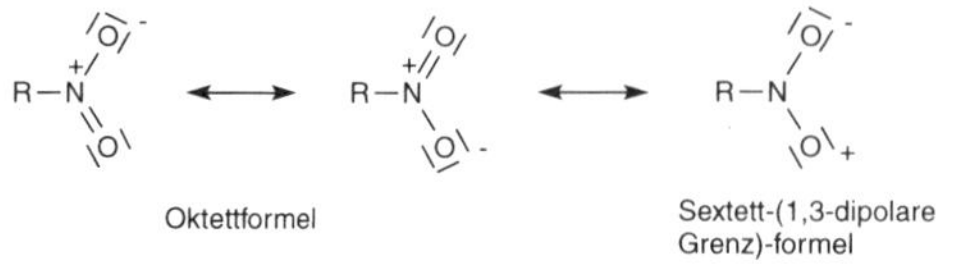

Abb. 1: Resonanzformeln der Nitro-Verbindungen.

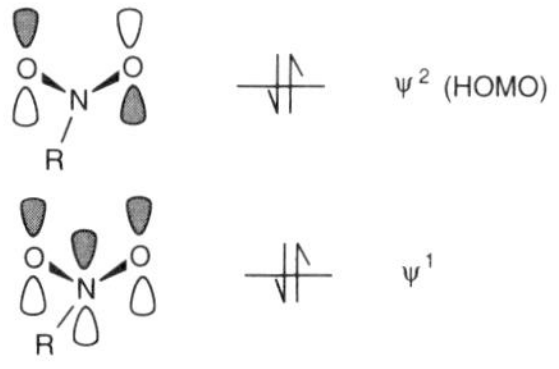

Abb. 2: Bindende MO der Nitro-Gruppe.

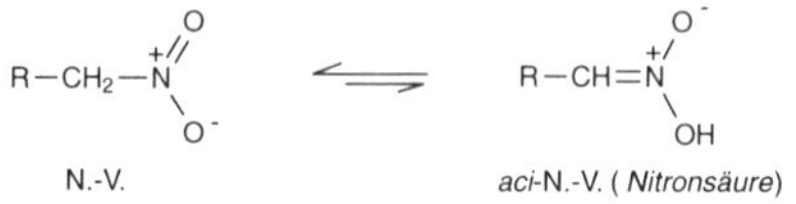

Abb. 3: Tautomerie-Gleichgewicht aliphat. Nitro-Verbindungen.

Abb. 4: Nitrolsäuren (a) u. Pseudonitrole (b).

Herst.: Für die Einführung der Nitro-Gruppe in organ. Verb. existieren z.T. großtechn. Verf., s. Nitrierung.
Verw.: N.-V. werden als Lsm., Sprengstoffe, Schädlingsbekämpfungsmittel u. Riechstoffe, z.B. Nitro-*Moschus (s. osmophore Gruppen) verwendet, hauptsächlich dienen sie aber als leicht zugängliche Zwischenprodukte für die Herst. von Carbonyl-Verb. (s. Nef-Reaktion), Aminen (s. Zinn-Reduktion), Phenolen, Azoverb. u. damit auch von Farbstoffen, Pharmazeutika u. Kunststoffen. Die sog. *Nitro-Farbstoffe*, die neben der Nitro-Gruppe noch *ortho*- od. *para*-ständige Amino- u./od. Hydroxy-Gruppen enthalten, eignen sich wegen ihres sauren Charakters bes. zur – allerdings nicht sehr wasch- u. lichtechten – Färbung von Wolle u. Seide, z.B. 2,4-Dinitronaphthol, Pikrinsäure, Naphtholgelb S, s.a. Naphthol-Farbstoffe.
Toxikologie: Viele N.-V. sind giftig (*Blutgifte*; Bildung von *Methämoglobin), nicht wenige sind gefährliche *Carcinogene (z.B. 5-Nitroacenaphthen, Nitropyren)[3], so daß ihrer Entsorgung größte Aufmerksamkeit geschenkt werden muß. Andererseits sind N.-V. wertvolle *Chemotherapeutika*, z.B. Nitrofurane, -imidazole, -thiazole, Chloramphenicol. Nicht zu den N.-V. rechnet man die *O*-Nitro-Verb., d.h. *Salpetersäureester wie z.B. *Nitroglycerin. – ***E*** nitro compounds – ***F*** composés nitrés – ***I*** nitrocomposti, composti nitro – ***S*** nitrocompuestos, compuestos nitrados

Lit.: [1] IUPAC, Nomenklatur der Organischen Chemie, S. 98, Weinheim: VCH Verlagsges. 1997. [2] Zechmeister **18**, 55–82; Pharm. Unserer Zeit **9**, 114–125 (1980); Römpp Lexikon Naturstoffe, S. 439. [3] IARC Monogr. **33**, 171–222 (1983).
allg.: Angew. Chem. **101**, 286–306 (1989) ▪ Brown, The Organic Chemistry of Aliphatic Nitrogen Compounds, Oxford: University Press 1994 ▪ Chem. Rev. **86**, 751–762 (1986) ▪ Chem. Soc. Rev. **17**, 283–316 (1988) ▪ Contemp. Org. Synth. **1995**, 357 f. ▪ CRC Crit. Rev. Toxicol. **17**, 23–60 (1986) ▪ Houben-Weyl **10/1**, 1–889; **E 14 b**, 780 f.; **E 16 a**, 1147 f.; **E 16 d**, 142 ff. ▪ Katritzky et al. **2**, 391 f., 783 f. ▪ Kirk-Othmer (3.) **15**, 910–932, 969–987; (4.) **17**, 133 f., 205 f. ▪ Feuer u. Nielsen, Nitro Compounds. Recent Advances in Synthesis and Chemistry, New York: VCH Publishers 1990 ▪ Feuer, Organic Nitro Chemistry Series, Bd. 1–3, Weinheim: VCH Verlagsges. 1988–1989 ▪ Nielsen, Nitrocarbons, New York: Wiley 1995 ▪ Patai, The Chemistry of the Nitro and Nitroso Groups, 2 Bd., New York: Wiley 1969 ▪ Patai, The Chemistry of Amino, Nitroso and Nitro Compounds and their Derivates, Chichester: Wiley 1982 ▪ Patai, Nitrones, Nitronates and Nitroxides, Chichester: Wiley 1989 ▪ Propellants, Explos., Pyrotech. **12**, 53–59 (1986) ▪ Ullmann (5.) **A 10**, 159 f.; **A 17**, 401 ff. ▪ White, Nitrated Polycyclic Aromatic Hydrocarbons, Heidelberg: Hüthig 1984.

Nitroverdünnung s. Nitrolacke.

Nitroxide s. Nitroxyl-Radikale.

Nitroxolin.

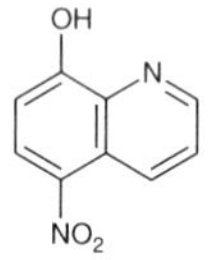

Von der WHO vorgeschlagener Freiname für das als *Harn-*Antiseptikum u. *Antimykotikum wirksame 5-Nitro-8-chinolinol, $C_9H_6N_2O_3$, M_R 190,15; Schmp. 179,5–181,5 °C; vgl. 8-Chinolinol. N. ist von Chephasaar als Generikum im Handel. – ***E*** = ***F*** nitroxoline – ***I*** = ***S*** nitroxolina

Lit.: Beilstein E V **21/3**, 297 ▪ Hager (4.) **6 a**, 258 ▪ Martindale (31.), S. 257. – *[HS 2933 40; CAS 4008-48-4]*

Nitroxyl s. Nitroxyl-Radikale.

Nitroxylole (Dimethylnitrobenzole).

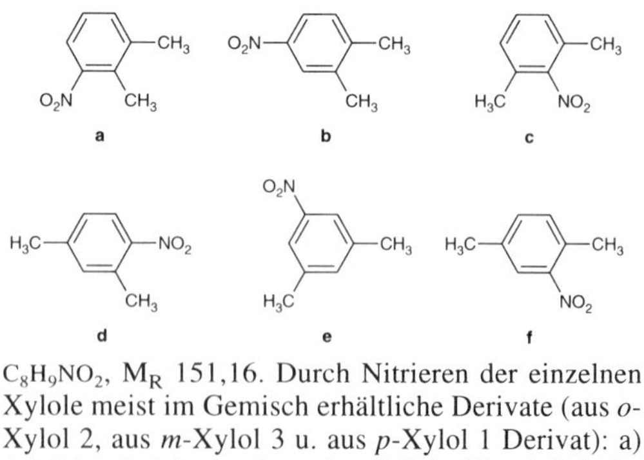

$C_8H_9NO_2$, M_R 151,16. Durch Nitrieren der einzelnen Xylole meist im Gemisch erhältliche Derivate (aus *o*-Xylol 2, aus *m*-Xylol 3 u. aus *p*-Xylol 1 Derivat): a) *1,2-Dimethyl-3-nitrobenzol*, gelbliche Flüssigkeit, D. 1,1402, Schmp. 15 °C, Sdp. 240 °C; – b) *1,2-Dimethyl-4-nitrobenzol*, gelbe Krist., D. 1,139, Schmp. 28–30 °C, Sdp. 254 °C; – c) *1,3-Dimethyl-2-nitrobenzol*, gelblichgrüne Flüssigkeit, D. 1,112, Schmp. 13–15 °C, Sdp. 222 °C; – d) *2,4-Dimethyl-1-nitrobenzol*, gelbe Flüssigkeit, D. 1,126, Schmp. 9 °C, Sdp. 246 °C; – e) *1,3-Dimethyl-5-nitrobenzol*, gelbe Krist., Schmp. 75 °C, Sdp. 273 °C; – f) *1,4-Dimethyl-2-nitro-*

benzol, gelbliche Flüssigkeit, D. 1,132, Schmp. –25 °C, Sdp. 240 °C.
Alle N. sind in Wasser nicht, in organ. Lsm. dagegen löslich. Außer mit einer lokalen Reizwirkung muß mit Blutveränderungen sowie, insbes. in schweren Fällen, mit Schäden am Zentralnervensyst. gerechnet werden. Mit Verzögerung können Schädigungen der Nieren u. der Leber auftreten.
Die Dämpfe reizen u. schädigen, wenn der Dampfdruck durch Erhitzen ansteigt, Augen, Atemwege, Lunge u. Haut. Kontakt mit der Substanz bzw. Flüssigkeit ruft Reizung u. Schädigung der Augen u. der Haut hervor. Die Flüssigkeit wird auch über die Haut aufgenommen.
Verw.: Zwischenprodukte bei der Synth. der entsprechenden Amine u. daraus abgeleiteter Farbstoffe u. Arzneimittel, als Gelatinierungsbeschleuniger von Nitrocellulosen. – ***E*** nitroxylenes – ***F*** nitroxylènes – ***I*** nitroxileni, dimetilnitrobenzeni – ***S*** nitroxilenos
Lit.: Beilstein E IV **5**, 930, 948, 971 f. ▪ Hommel, Nr. 642 ▪ Ullmann (4.) **17**, 387 ff.; (5.) **A 17**, 423 ff. – *[HS 2904 20; CAS 83-41-0 (a); 99-51-4 (b); 81-20-9 (c); 89-87-2 (d); 99-12-7 (e); 89-58-7 (f); G 6.1]*

Nitroxyl-Radikale. Neben Nitroxid- (CAS-Bez.), Amin(o)oxyl- (IUPAC-Regeln R-5.8.1 u. RC-81.2.4) u. Aminyloxid-Radikale od. der v. a. im russ. Schrifttum bevorzugten Bez. Iminoxyl-Radikale ein unsystemat. Name für *Radikale, die die Atomgruppierung

enthalten. Die z. T. sehr stabilen N.-R. sind aufgrund ihrer Radikal-Eigenschaften nicht nur für die theoret. Chemie interessant, sondern werden zunehmend als sog. Spinsonden (*E* spin labels, s. Spinmarkierung) zur Strukturuntersuchung von Biopolymeren (Proteine, Nucleinsäuren, Lipide) genutzt. Stabile N.-R. können auch entstehen, wenn sich freie Radikale an bestimmte *Nitroso-Verbindungen anlagern, die man dann als *Radikal-Fänger (*E* spin traps) bezeichnet. Ein anorgan. N.-R. ist *Fremys Salz. – ***E*** nitroxyl (nitroxide) radicals – ***F*** radicaux nitroxyles – ***I*** radicali nitrossilici – ***S*** radicales nitroxilo
Lit.: Acc. Chem. Res. **4**, 31 (1971) ▪ Houben-Weyl **E 16**, 395–403 ▪ Patai, The Chemistry of Amino, Nitroso and Nitro Compounds and their Derivatives, S. 565–622, Chichester: Wiley 1982 ▪ Patai, Nitrones, Nitronates and Nitroxides, Chichester: Wiley 1989 ▪ Pharm. Unserer Zeit **6**, 83–95 (1977) ▪ Pryor, Free Radicals in Biology, Vol. 4, S. 115 ff., New York: Academic Press 1980 ▪ Pure Appl. Chem. **62**, 177 f. (1990) ▪ Russ. Chem. Rev. **56**, 1253–1272 (1987); **57**, 1440–1466 (1988).

Nitrozucker s. Zuckernitrate.

Nitrum s. Natrium (*Geschichte*).

Nitryl... Bez. für den Rest $-NO_2$ od. das Kation NO_2^+ in kovalenten od. ion. anorgan. Verb. (IUPAC-Regeln I-5.5.2.2, I-8.2.4, I-8.4.2.2); *Beisp.:* Nitrylchlorid NO_2Cl, Nitrylperchlorat NO_2ClO_4, Nitryltetrafluoroborat $[NO_2]BF_4$. Das *Nitryl-Kation*, auch Nitronium genannt, tritt bei *Nitrierungen mit N.-Verb. od. *Nitriersäure auf. – ***E*** = ***F*** nitryl... – ***I*** = ***S*** nitril... ***B.*** *(für N.-Salze):* Janssen.
Lit.: *(Nitryl-Verb.):* Brauer (3.) **1**, 203 f., 330, 476 f., 483 f. ▪ Houben-Weyl **4/1 a**, 767 ff.

Nitryloxy... Regelwidrige Bez. für die Nitrooxy-Gruppe $-O-NO_2$ in organ. Verb.; s. Nitr(o)... – ***E*** = ***F*** nitryloxy... – ***I*** nitrilossi... – ***S*** nitriloxi...

Nivadil® (Rp). Retardkapseln mit dem *Calciumantagonisten *Nilvadipin gegen essentielle Hypertonie. ***B.:*** Klinge.

Nival. Klimabereich, in dem nahezu der gesamte Niederschlag als Schnee fällt, z. B. Polar- (arkt. Klimazone) u. Hochgebirgsregionen; gleichzeitig Bez. für die oberste Höhenstufe der Gebirge in der Folge planar (eben), collin (hügelig), montan (bergig), alpin (gebirgig) u. nival.
Lit.: Walter u. Breckle, Ökologie der Erde (2.), Bd. 1, S. 18–27, Stuttgart: Fischer 1991.

Nivalenol.

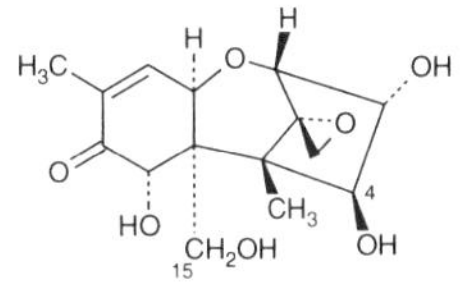

$C_{15}H_{20}O_7$, M_R 312,32, Krist., Schmp. 223–225 °C, $[\alpha]_D^{24}$ +21,5° (C_2H_5OH); sesquiterpenoides *Mykotoxin vom *Trichothecen-Typ aus *Fusarium nivale*, *F. sporotrichoides* u. *Gibberella zeae* mit tetracycl. Struktur. N. wirkt stark hämorrhag., bei Hautkontakt bilden sich Blasen, Gewebenekrosen; innerliche Aufnahme führt zu Übelkeit, Benommenheit, Erbrechen u. Blutungen, die tödlich sein können; LD_{50} (Maus i.p.) 4,1 mg/kg, (Hühnerembryo) 4 µg/Ei. Wie alle Trichothecene hemmt N. die Proteinbiosynthese. Aus *Gibberella saubinetii* wurde das 4,15-Diacetat von N., das *Saubinin I* ($C_{19}H_{24}O_9$, M_R 396,39) isoliert, das antineoplast. u. virostat. wirkt. – ***E*** = ***S*** nivalenol – ***F*** nivalénol – ***I*** nivalenolo
Lit.: Beilstein E V **19/7**, 14 ▪ Cole u. Cox, Handbook of Toxic Fungal Metabolites, S. 206, New York: Academic Press 1981 ▪ Merck-Index (12.), Nr. 6757 ▪ Phytochemistry **14**, 2469 (1975) ▪ Sax (8.) FQR 000, NMV 000 ▪ Turner **2**, 236 f. – *[CAS 23282-20-4 (N.); 14287-82-2 (Saubinin I)]*

Nivalin s. Galanthamin.

Nivea®. Hautcreme, Körperlotion, Sonnenschutzmittel, Badezusätze u. Kinderpflegemittel. ***B.:*** Beiersdorf AG.

Nixan-Verfahren (Nitrocyclohexanon-Verf.). Ein von DuPont entwickeltes Verf. zur Herst. von Nitrocyclohexan aus Cyclohexan durch Nitrierung mit HNO_3 in der Flüssigphase od. mit NO_2 in der Gasphase. Es wird anschließend katalyt. zum Cyclohexanonoxim hydriert, das durch Beckmann-Umlagerung mit H_2SO_4 od. Oleum ε-Caprolactam (Ausgangsstoff für Nylon 6) liefert. – ***E*** nixan process – ***F*** procédé nixan – ***I*** processo nixan – ***S*** procedimiento nixan
Lit.: Weissermel-Arpe (3.) (engl.), S. 254.

Nizatidin (Rp).

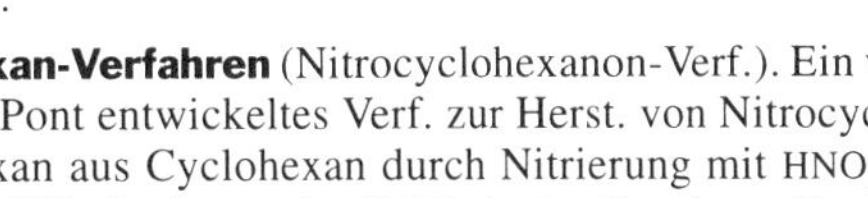

Internat. Freiname für das als H_2-Rezeptor-Antagonist wirkende *Ulcus-Mittel *N*-{2-[2-(*N*,*N*-Dimethylaminomethyl)-4-thiazolylmethylthio]ethyl}-*N'*-methyl-

2-nitro-1,1-ethendiamin, $C_{12}H_{21}N_5O_2S_2$, M_R 331,45, Schmp. 130–132 °C; λ_{max} (CH_3OH) 240, 325 nm ($A^{1\%}_{1cm}$ 258, 592). N. wurde 1982 u. 1983 von Lilly (Nizax®) patentiert u. ist auch von Asche (Gastrax®) im Handel. – ***E*** = ***F*** nizatidine – ***I*** = ***S*** nizatidina

Lit.: ASP ▪ Florey **19**, 397–427 ▪ Hager (5.) **8**, 1190 ff. ▪ Martindale (31.), S. 1231 ▪ Scand. J. Gastroenterol. **22**, Suppl. 136, 1–88 (1987). – *[HS 2934 10; CAS 76963-41-2]*

Nizax® (Rp). Kapseln mit dem Ulkusmittel (H_2-Rezeptor-Antagonisten) *Nizatidin. ***B.:*** Beiersdorf-Lilly.

Nizoral® (Rp). Tabl. u. Creme mit dem *Antimykotikum *Ketoconazol. ***B.:*** Janssen-Cilag.

NK. Abk. für Neue *Kerze, eine veraltete Bez. für *Candela, die SI-Einheit der Lichtstärke (1 NK = 1 cd).

NK-Dünger s. Düngemittel.

NKH. Abk. für *Nichtcarbonathärte, s.a. Härte des Wassers.

NK-Zellen s. natürliche Killer-Zellen.

N_L. Kurzz. für *Avogadro'sche Zahl.

Nle. Kurzz. für die Aminosäure L-*Norleucin in Peptidformeln, empfohlen wird jedoch: Ahx.

NL Industries. Kurzbez. für die Firma National Lead Industries, Houston Texas, USA. 1990 bildete NL zwei selbständig agierende Unternehmen: Kronos Inc. u. Rheox Inc. *Daten* (1996): 3100 Beschäftigte, *Produktion:* Bentonite u. rheolog. Additive, Titandioxid-Pigmente (Titanox®).

NLK s. Neuroleukin.

NLM. Abk. für *National Library of Medicine.

NLO-Polymere. Bez. für *Polymere, die für einen Einsatz als aktive Komponenten auf dem Gebiet der *nichtlinearen Optik (NLO) bei z. B. der Übertragung, Verarbeitung u. Speicherung von opt. Signalen in Betracht zu ziehen sind. Insbes. in der Informationstechnologie würde der damit verbundene Übergang von der Elektronik zur Photonik revolutionäre Fortschritte erlauben. Die für solche Anw. benötigten NLO-Effekte entstehen, da die „Polarisations-Antwort" eines Mediums hochgradig nichtlinear werden kann, wenn es z. B. einem starken elektr. Feld wie dem eines Laserstrahls ausgesetzt wird. Die Wechselwirkung des elektr. Feldes E mit einem Medium kann dann mit Hilfe einer Reihenentwicklung der Polarisation P des Materials beschrieben werden:

$$P = P_0 + \chi^{(1)} E + \chi^{(2)} EE + \chi^{(3)} EEE + \ldots$$

Dabei ist die Suszeptibilität $\chi^{(1)}$ für die „lineare" Lichtbrechung verantwortlich, während $\chi^{(2)}$ zu quadrat. Effekten wie der Frequenzverdopplung (*E* *S*econd *H*armonic *G*eneration, SHG) führt. $\chi^{(3)}$ schließlich ist die nichtlinear-opt. Suszeptibilität 3. Ordnung, die z. B. für die Frequenzverdreifachung verantwortlich ist. Auf mol. Ebene wird diese Nichtlinearität durch die Polarisierung p der Elektronen der einzelnen Mol. bewirkt:

$$p = \mu_0 + \alpha E + \beta EE + \gamma EEE + \ldots,$$

wobei β u. γ die Hyperpolarisierbarkeiten 2. u. 3. Ordnung sind u. μ_0 das mol. Dipolmoment ist.

Typ. organ. Stoffe mit hohen β-Werten – eine notwendige Voraussetzung für hohe makroskop. Suszeptibilitäten 2. Ordnung $\chi^{(2)}$ – weisen wie z. B. das *p*-Nitroanilin ein konjugiertes π-Elektronensyst. auf, das leicht polarisierbare Elektronen enthält u. darüber hinaus sowohl mit einer Elektronendonor- (z. B. Amino-) als auch einer Elektronenakzeptor- (z. B. Nitro-)Gruppierung substituiert ist (sog. NLO-Chromophore). Um jedoch auch makroskop. von einem hohen β-Wert zu profitieren u. hohe $\chi^{(2)}$-Werte zu finden, ist darüber hinaus erforderlich, daß die NLO-Chromophore im Syst. nicht centrosymmetr. angeordnet sind: Im Idealfall sollten sich die individuellen Nichtlinearitäten möglichst effektiv aufaddieren. Eine der vielversprechendsten Strategien, Centrosymmetrie auf makroskop. Skala zu verhindern, ist die Anbindung der NLO-Chromophore an ein Polymer-Rückgrat. In der Regel nutzt man hierfür kommerziell erhältliche Polymere wie das *PMMA. An deren Ester-Funktionen werden die Chromophore über flexible Abstandshalter („Spacer") als seitenständige Substituenten angeheftet. Anschließend müssen diese bei Temp. oberhalb der Glasübergangstemp. T_g des Polymeren durch Anlegen eines elektr. Feldes orientiert werden. Bei nach wie vor angelegtem Feld wird dann das Material auf Temp. unterhalb T_g abgekühlt, wodurch es gelingt, die makroskop. Orientierung der NLO-Chromophore auch dann zu erhalten, wenn schließlich das äußere elektr. Feld abgeschaltet wird. Neben diesem „Einfrieren" der Chromophor-Orientierung in glasartigen Polymer-Matrices ist auch die *Vernetzung der Polymerketten auf chem. od. physikal. Wege eine Strategie, die mit Erfolg zur Fixierung der makroskop. Ordnung der Chromophore verwendet werden kann.

Im Gegensatz zu NLO-P. mit hohen Werten von $\chi^{(2)}$ zeichnen sich Makromol. mit hohem $\chi^{(3)}$ z. B. durch ein über längere Sequenzen od. die gesamte Kette polykonjugiertes Rückgrat aus, wie es z. B. in den Poly(*p*-phenylen-vinylen)en gegeben ist. Neben der noch unzureichenden Photostabilität der als NLO-P. heute verfügbaren Materialien steht derem größeren techn. Einsatz heute noch eine unzureichende Langzeit-Stabilität der Chromophor-Orientierung entgegen. Neuere Arbeiten lassen aber auch hier vielversprechende Lösungsansätze erkennen. – ***E*** nonlinear optical polymers, polymers for nonlinear optics – ***F*** polymères pour optique non linéaire – ***I*** polimeri NLO, polimeri ottici nonlineari – ***S*** polímeros para la óptica no lineal

Lit.: ACS Symp. Ser. **455** (1991); **601** (1995); **628** (1996).

nm. Symbol für Nanometer, s. Nano...

Nm^3. Veraltete Abk. für Normkubikmeter, s. Normzustand.

NMC. Abk. für **N*-Methyl-ε-caprolactam.

NMDA. Abk. für **N*-Methyl-D-aspartat.

NMDA-Rezeptor s. Glutamat-Rezeptoren.

NMF. Abk. für *N*atural *M*oisturizing *F*actor, natürlicher Feuchthaltefaktor, s. Feuchthaltemittel.

NMHC. Abk. für *E* *N*on-*M*ethane *H*ydro*c*arbons = Nicht-Methan-Kohlenwasserstoffe, Bez. für alle *Kohlenwasserstoffe mit Ausnahme des *Methans.

Der Begriff NMHC wird üblicherweise nur für den Umweltbereich Luft eingesetzt, die NMHC sind damit ein Teil der *VOC. NMVOC [1] umfaßt im Unterschied zu NMHC die gesamten flüchtigen organ. Verb. ohne Methan. In der Atmosphäre werden die NMHC – im Gegensatz zum Methan – relativ schnell umgesetzt (*Photoabbau), so daß die NMHC den ROG (Reactive Organic Gases) zugerechnet werden. – ***E*** non-methane hydrocarbons – ***F*** hydrocarbures non méthaniques (HCNM) – ***I*** idrocarburi non di metano – ***S*** hidrocarburos no metánicos

Lit.: [1] Umweltbundesamt (Hrsg.), Daten zur Umwelt 1997, S. 131 f., Berlin: E. Schmidt 1997.

NMM. Abk. für *4-Methylmorpholin.

NMN (Nicotinamidmononucleotid) s. Nicotinamid-Adenin-Dinucleotid.

NMOR. Abk. für *N*-Nitrosomorpholin, s. Nitrosamine.

NMP. Abk. für *N*-*Methyl-2-pyrrolidon.

NMR-Bildgebung (auch MRI von *E* magnetic resonance imaging). Eine Technik, die NMR-Bilder erzeugt u. damit die Diagnostik in der Medizin revolutioniert hat. Zusätzlich zu der in der *NMR-Spektroskopie beschriebenen Meth. benutzt MRI magnet. Feldgradienten in x-, y- u. z-Richtung u. macht dabei die Resonanz-Frequenz zur Funktion des räumlichen Ursprungs des Signals. In der medizin. Bildgebung werden hierzu üblicherweise die Protonen des Wassers detektiert. Während der Wassergehalt in verschiedenen Gewebetypen nur gering variiert, zeigen die Relaxationszeiten T_1 u. T_2 (s. NMR-Spektroskopie, S. 2938) große Unterschiede. Deshalb verwendet man Puls-Sequenzen, welche Kontraste erzeugen, die auf den Unterschieden der Relaxationszeiten beruhen. Die Meth. wurde bes. dadurch interessant, daß man entdeckte, daß Krebsgewebe längere Relaxationszeiten als gesundes Gewebe aufweist. – ***E*** NMR imaging – ***F*** imagerie NMR – ***I*** formazione di immagini NMR – ***S*** generación de imágenes de RMN

Lit.: Physik Unserer Zeit, **20**, 48–54 (1989) ▪ Townshend, Encyclopedia of Analytical Science, Bd. 6, S. 3376 f., New York: Academic Press 1995 ▪ Ullmann (5.) **B 5**, 504.

NMR CHROMASOLV®. Spezielle Lsm. für die LC-NMR. ***B.:*** Riedel.

NMR-Spektroskopie. Von *E* *N*uclear *M*agnetic *R*esonance = kernmagnet. Resonanz abgeleiteter Ausdruck für eines der wichtigsten spektroskop. Verf. zur Strukturaufklärung bes. von organ. u. Metall-organ., seltener von anorgan. Verb.; im dtsch. Sprachgebrauch haben sich als synonyme Bez. *Magnet. Kernresonanz-(MKR-)Spektroskopie*, *Kernmagnet. Resonanz-(KMR-) Spektroskopie*, *Kern(spin)resonanz-Spektroskopie* u. a. nicht einbürgern können. Das von den Nobelpreisträgern F. *Bloch u. E. M. *Purcell 1946 entwickelte Verf. beruht auf der *Resonanz*-Wechselwirkung zwischen Radiowellen (d. h. einem hochfrequenten magnet. Wechselfeld) u. bestimmten Atomkernen der zu untersuchenden, meist flüssigen (gelösten), seltener festen od. gasf. Substanz, die sich in einem sehr starken äußeren, homogenen Magnetfeld befindet. Grundlage der Messungen ist die Präzessionsbewegung, die Atom*kerne* mit Drehimpuls (*Spin) u. *magnetischem Moment μ in einem äußeren Magnetfeld um die Richtung des Magnetfeldes mit einer bestimmten Frequenz (*Larmor-Frequenz* ω) ausführen. Die Einstellung von Spin u. magnet. Moment ist dabei nur in bestimmten Richtungen möglich (Richtungsquantelung), wobei die Anzahl der energet. Einstellungsmöglichkeiten durch die *Kernspin-*Quantenzahl* I bestimmt ist. Diese beträgt bei den meisten für die NMR-S. interessanten Isotopen ½, $\frac{3}{2}$, $\frac{5}{2}$ od. $\frac{7}{2}$. Dementsprechend weisen die untersuchten Elemente im allg. ungerade Massenzahlen auf, dennoch sind unter bestimmten Voraussetzungen auch Kerne wie ^{2}H od. ^{14}N erfaßbar. Übrigens können Isotope mit I > ½ zusätzlich über ein *elektr. Kernquadrupolmoment* verfügen, dessen Vorhandensein die Grundlage der verwandten *NQR-Spektroskopie bildet, Kerne mit durch 4 teilbaren Massenzahlen jedoch wegen des Fehlens eines Spins nicht.

Die in der NMR-S. am häufigsten untersuchten Kerne ^{1}H, ^{13}C, ^{19}F, ^{31}P haben den Spin ½ u. deshalb zwei Einstellungsmöglichkeiten. Übergänge zwischen diesen Energieniveaus sind nur möglich, wenn sich dabei die Quantenzahl um eine Einheit ändert, also z. B. „der Spin umklappt“ von +½ (paralleler Spin) zu –½ (antiparalleler Spin; s. Abb. 1).

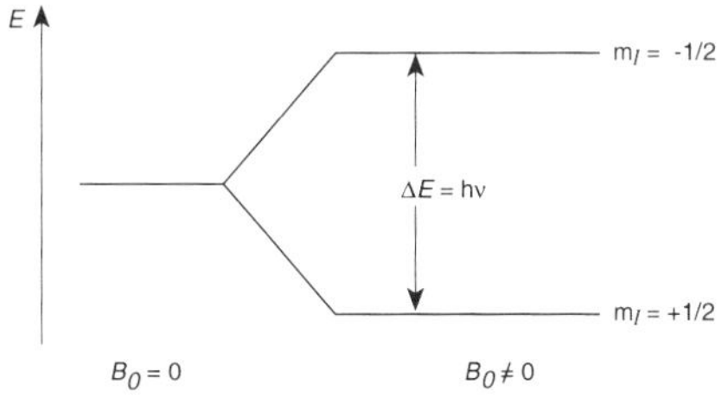

Abb. 1: Energieniveauschema eines Kerns mit I = ½; B_0 = Magnetfeld.

Derartige Übergänge werden – in prinzipiell gleicher Weise wie elektron. Übergänge zwischen den Energieniveaus der Elektronen durch Absorption od. Emission von sichtbarer od. ultravioletter Strahlung – durch Energiequanten erreicht, deren Frequenz der Larmor-Frequenz entspricht. Die Einstrahlung der Energie erfolgt mit Radiowellen einer solchen Frequenz, die zur Hervorrufung der *Resonanzabsorption* (Übereinstimmung der Kern-Larmor-Frequenz u. der Meßfrequenz) in der Lage ist. Um diese erforderliche Resonanzfrequenz zu finden, kann man – da Feldstärke H des Magnetfelds u. Resonanzfrequenz ν der Radiowellen einander nach $h\nu = \mu H$ proportional sind – entweder das äußere Magnetfeld konstant halten u. die Frequenz des Wechselfeldes so lange variieren, bis Resonanzabsorption eintritt, od. umgekehrt die Frequenz des Wechselfeldes konstant halten u. die Stärke des Magnetfeldes so lange ändern, bis Resonanz eintritt. Meßverf., die mit konstantem Magnetfeld u. variabler Frequenz arbeiten, nennt man *CW-Meth.* (continuous wave-Meth.) zur Unterscheidung von der heute üblichen *Fourier-Transform-Technik* (FT-NMR), bei der das gesamte Radiofrequenzspektrum auf einmal eingestrahlt wird. Übrigens spricht man fachsprachlich (u.

auch in diesem Werk noch) oft von Feldstärke (H; Einheit A m^{-1}), meint aber die *magnet. Induktion* od. *Flußdichte* (B; Einheit *Tesla, früher *Gauss: 1 T = 10000 G od. Gs).
Bei der CW-Meth. benötigt man für die Aufnahme eines Spektrums ohne Signal-Störungen üblicherweise 500 s. Da ein NMR-Spektrum meist aus wenigen scharfen Peaks mit langen Perioden Rauschen besteht, war diese Meth. wenig effektiv. *Ernst* u. *Anderson* zeigten 1966, daß es effektiver ist, alle Signale simultan zu detektieren, indem man die Kerne durch Bestrahlen mit einem kurzen intensiven Puls mit Radiofrequenz anregt u. die induzierte Magnetisierung in der Detektorspule verfolgt, wenn die Kerne in den Grundzustand zurückkehren. Das abfallende, zeitabhängige Signal, bekannt als FID (*E free induction decay*), wird durch *Fourier-Transformation in das Frequenz-Domänen-Spektrum umgewandelt (s. Abb. 2). Die Akquisition eines ^{1}H-FID erfordert typischerweise nur wenige Sekunden u. eröffnet die Möglichkeit der Addition vieler FID-Scans zur Verbesserung des Signal/Rausch-Verhältnisses: Während sich die Signale addieren, erhöht sich das Rauschen nur mit der Quadratwurzel der Anzahl der Scans. Dieses Verf. ermöglichte zum ersten Male die Routine-Messung von NMR-Spektren von wenig empfindlichen u./od. in geringer natürlicher Häufigkeit vorkommenden Kernen wie z. B. ^{13}C.

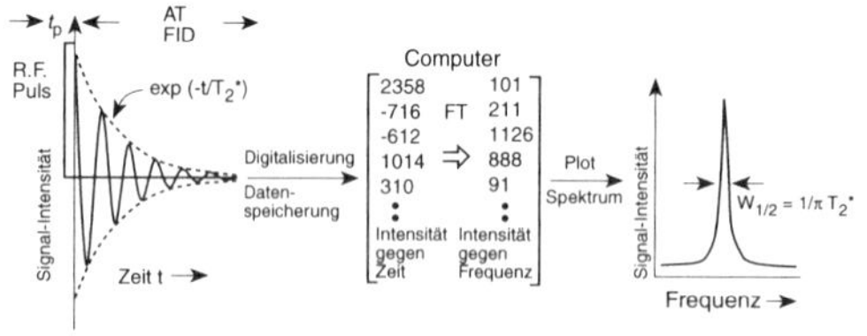

Abb. 2: Das Spektrum wird durch Anregung der Kerne mit einem kurzen resonanten R. F. Puls der Dauer t_p erzeugt. Der FID oszilliert mit ν_i' u. fällt mit der Zeitkonstante T_2^* ab. Es folgen die digitale Daten-Akquisition, die Fourier-Transformation u. das Ausdrucken des Spektrums (R. F. Puls: Radio Frequenz Puls; AT: Akquisitionszeit).

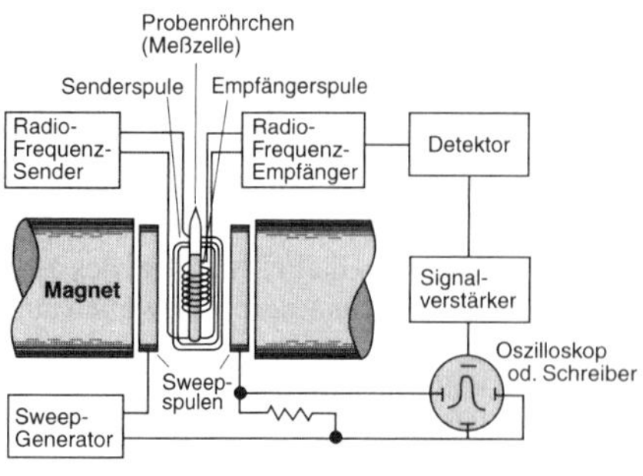

Abb. 3: Blockdiagramm eines NMR-Spektrometers (Kreuzspulensyst. nach Bloch, Purcell).

Abb. 3 zeigt den prinzipiellen Aufbau eines NMR-Spektrometers. Augenfälligstes Merkmal ist der große Magnet mit geringem Polabstand, der ein extrem stabiles u. homogenes Feld erzeugt, das über die sog. Sweep-Spulen variiert werden kann (*E* sweep = durchfahren, abtasten). Das die Untersuchungssubstanz in flüssiger Form enthaltende Probenröhrchen wird in Rotation um die senkrechte Achse versetzt, wodurch sich mögliche Feldinhomogenitäten ausmitteln. Die Probe wird von der Spule, die das hochfrequente magnet. Wechselfeld zur Anregung der Larmor-Präzession in den Kernen erzeugt, zwischen den Polen des Magneten derart umschlossen, daß das Wechselfeld senkrecht zur Richtung des Magnetfeldes des großen Magneten steht. Der Wechselstrom wird einem quarzgesteuerten Hochfrequenzgenerator entnommen, dessen Frequenz extrem stabil sein muß. Hält man die Hochfrequenz des Wechselfeldes konstant u. variiert das Magnetfeld (od. umgekehrt), dann wird in Abhängigkeit von Art u. struktureller Bindung der Kerne an einigen Stellen dem Hochfrequenzsender Energie entnommen, weil die Kernspins zum „Umklappen" gebracht werden, u. es gibt über die Empfängerspule ein „Signal", das durch große Verstärkung auf einem Registriergerät (Oszillograph, Schreiber) sichtbar gemacht wird.
Üblicherweise untersucht man mit der NMR-S. Lage, Zahl u. Bindungsart von Wasserstoff-Kernen = Protonen in organ. Verb. – man spricht deshalb auch von *Protonenresonanz-*(PMR-)*Spektroskopie* – weil ^{1}H sowohl eine hohe natürliche Häufigkeit von 99,9% als auch ein großes magnet. Moment, das nur von dem des Tritiums übertroffen wird, aufweist. Deshalb werden NMR-Geräte meist nach der Feldstärke des Magneten eingeteilt. Zuerst arbeitete man mit Frequenzen um 30 MHz u. später in Routine-Geräten mit 60 MHz (entsprechend einer Feldstärke von ca. 1,4 Tesla). Sog. hochauflösende Geräte besitzen z. B. einen 2,325 Tesla starken Elektromagneten, in dem folgende Resonanzen beobachtbar sind: ^{1}H bei 100 MHz, ^{2}H (D) bei 15,3 MHz, ^{13}C bei 25,1 MHz, ^{19}F bei 94,1 MHz u. ^{31}P bei 40,5 MHz. Noch wesentlich stärkere Magnetfelder erhält man mit supraleitenden Magneten; die obere Grenze war bis 1993 14,1 T mit ca. 600 MHz, die mit der Entwicklung eines Magneten mit 17,63 T u. einer Meßfrequenz von 750 MHz mittlerweile überschritten wurde. Im Frequenzbereich der Protonenresonanz gibt Deuterium kein Signal, weshalb perdeuterierte Verb. ideale Lsm. darstellen; einige häufig benutzte Lsm. sind CCl_4, $CDCl_3$, C_6D_6, $D_3C–CO–CD_3$, D_2O, $D_3C–SO–CD_3$, $D–CO–N(CD_3)_2$, C_2D_5OD u. $F_3C–COOD$. Elemente wie Kohlenstoff (^{12}C), Sauerstoff (^{16}O) u. a. entziehen sich der direkten Beobachtung – es sei denn, man nutzt beim Kohlenstoff den natürlichen Gehalt an Isotop ^{13}C (s. unten) u. beim Sauerstoff an Isotop ^{17}O aus.
Für die Anw. der NMR-S. in der Chemie ist es nun wesentlich, daß das angelegte äußere Magnetfeld durch die Induktionswirkung der Elektronen u. durch die Felder benachbarter Kerne abgeschwächt wird, d. h. die „effektive Feldstärke" ist geringer als die angelegte. Man bezeichnet diesen Effekt auch als *Abschirmung (*E* shielding). Sie ist von Kern zu Kern in Abhängigkeit von der zugehörigen Elektronenverteilung verschieden, selbst bei Kernen gleicher Art, aber verschiedener Elektronendichte – beispielsweise, wenn solche in einem Mol. nicht unmittelbar verbunden, sondern durch ein od. mehrere Atome getrennt sind. Diese auf der Abschirmung durch die Elektronenhülle

beruhende Verschiebung der Resonanzlinie gegenüber der des isolierten Atomkernes in Abhängigkeit vom Bindungszustand bezeichnet man jeweils als *chem. Verschiebung* (*E* chemical shift). Als Bezugspunkt hat man das Signal gewählt, das von den 4 x 3 einander vollkommen äquivalenten Protonen des *Tetramethylsilans [$Si(CH_3)_4$, TMS] hervorgerufen wird. In der weiter unten definierten sog. δ-Skala wird diesem scharfen Signal der dimensionslose Wert $\delta = 0$ zugeteilt. In der sog. τ-Skala hatte es den Wert $\tau = 10$; als Beziehung galt $\tau = 10 - \delta$. Die üblicherweise von Protonen verursachten Signale liegen bei δ zwischen 0 u. 10 (vgl. Abb. 4, S. 2940). Zweckmäßigerweise setzt man die chem. inerte, flüssige Bezugssubstanz TMS od. das verwandte Cyclosilan (1,1,3,3,5,5-Hexamethyl-1,3,5-trisilacyclohexan), bei Problemen mit der Löslichkeit auch 3-(Trimethylsilyl)propionsäure-2,2,3,3-d_4-Natriumsalz, der zu untersuchenden Substanz direkt als sog. *internen Standard* zu. Die chem. Verschiebung, d.h. die Lage eines Signals, gibt man statt in Hz in δ an, u. zwar in ppm, wobei δ definiert ist als

$$\delta = \frac{\nu_{\text{Substanz}} - \nu_{\text{Standard}}}{\nu_0},$$

wobei ν_0 die Betriebsfrequenz des Spektrometers (z.B. 60 MHz) bedeutet. Aus der chem. Verschiebung kann man Rückschlüsse darauf ziehen, welche chem. Gruppen vorliegen od. in welchen Bindungsverhältnissen die H-Atome stehen, denn beispielsweise absorbieren gleichartig gebundene Protonen jeweils bei ungefähr gleichen δ-Werten. Weiter lassen sich aus dem NMR-Spektrum (vgl. Abb. 4) Rückschlüsse auf die Anzahl der jeweiligen Protonen ziehen, indem man die Flächen der jeweiligen „Peaks" (Signale) auf dem Registrierpapier zueinander in eine (notwendigerweise ganzzahlige) Relation setzt; im Beisp. von links nach rechts 3:2:3. Heute wird diese Rechnung von *Integratoren* automat. erledigt, u. aus der Stufenhöhe der Integrationskurve auf dem NMR-Spektrum läßt sich die Protonenzahl leicht ablesen (vgl. Abb. 4). Weiter kann man aus der sog. Spin-Spin-Wechselwirkung (*Kopplung*) einzelner Kerne miteinander, die in einer Multiplett-Aufspaltung (Feinstruktur) infolge des Einflusses der magnet. Momente von benachbarten Gruppen auf den jeweils beobachteten Kern resultiert, Rückschlüsse auf die Art der Verknüpfung der mit Hilfe der chem. Verschiebung identifizierten Gruppen ziehen. Im Beisp. Abb. 4 koppeln die 2 Protonen der mittelständigen Methylen-Gruppe ($-^{12}CH_2-$) bei $\delta = 2{,}3$ ppm, was sich in einer Aufspaltung der jeweiligen Signale im Verhältnis 1:2:1 bzw. 1:3:3:1 äußert. Demgegenüber finden die 3 Protonen der Ester-Methyl-Gruppe bei $\delta = 3{,}7$ ppm keine Kopplungsmöglichkeit – sie treten daher als scharfes Signal in Erscheinung. In vielen Fällen können jedoch ansonsten magnet. äquivalente Protonen (z.B. Methyl-Protonen) bei Verw. *flüssiger Kristalle als Lsm. magnet. inäquivalent werden u. ein Kopplungsmuster zeigen. Die *Kopplungskonstanten* (J) sind, zum Unterschied von der chem. Verschiebung, unabhängig von der Stärke des äußeren Magnetfelds; charakterist. Werte liegen zwischen 0 u. 30 Hz, im gezeigten Beisp. bei ca. 7,5 Hz (ergibt sich aus dem gegenseitigen Abstand der 4 Peaks bei $\delta = 2{,}3$ ppm u. der Relation: 1 ppm ≙ 60 Hz bei einem 60 MHz-Gerät). Aus den NMR-Spektren von aromat. Verb. kann man ersehen, daß durch die Einführung eines Substituenten die verbliebenen Protonen ungleichwertig werden (d.h. an verschiedenen Stellen absorbieren) u. daß Kopplung auch über mehrere Bindungen hinweg stattfindet. Aus dem Auftreten eines „Ringstroms" in bestimmten Verb., wie z.B. den *Annulenen, kann man auf deren *Aromatizität schließen.

Substanzen mit vielen, unterschiedlich gebundenen Protonen ergeben sehr komplizierte NMR-Spektren, weil auch eine Vielzahl von Kopplungsmöglichkeiten besteht. Man versucht derartige Spektren zu ordnen, indem man einzelnen Protonengruppen jeweils Buchstaben zuordnet, wobei Klassifizierungen wie AB_2-, A_2X_2-, ABC_2-, AA′XX′-Spektren zustandekommen. Bes. linienreich können Spektren von solchen – oft wie Isobutan od. Acrylnitril sehr einfach gebauten – Verb. sein, deren Protonensignale (die chem. Verschiebungen) einander auf wenige Hz nahe u. damit in die Größenordnung ihrer Kopplungskonstanten kommen. Vereinfachen lassen sich derartige Spektren durch Anw. hoher Feldstärken od. durch Zusatz von sog. **Verschiebungsreagenzien*. Es hat sich nämlich herausgestellt, daß selbst sehr dicht benachbarte u. aus vielfachen Kopplungen herrührende Signale durch die Ggw. von paramagnet. Seltenerdmetall-Ionen (mit ungepaarten Elektronenspins) „gespreizt" u. voneinander separiert werden. Umgekehrt kann aus diesen Eigenschaften ggf. auch auf das paramagnet. Moment μ geschlossen werden. Als Verschiebungsreagentien bes. geeignet erwiesen sich einige *Chelate von Europium u. Praseodym, z.B. *$Eu(DPM)_3$ u. *$Eu(fod)_3$ u. die entsprechenden Derivate von Gd, Ho, Er, Yb; z.T. sind diese Verb. auch perdeuteriert im Handel. Zur Vereinfachung komplizierter Spektren bedient man sich darüber hinaus einiger Kunstgriffe, auf deren physikal. Hintergründe hier nicht eingegangen werden kann: Bei der *Doppelresonanz* strahlt man Radiowellen geeigneter Wellenlänge in die Probe, die selektiv die Frequenzabsorption von einzelnen (od. mehreren magnet. äquivalenten) Kernen erregen, worauf die Multipletts der mit diesen koppelnden Kerne zu einer einzelnen Linie kollabieren. Mit dieser *Spinentkopplung* lassen sich z.B. einzelne Protonen in Mol. „anpeilen"; spezielle Spielarten sind *INDOR*, *Spintickling* u. der *Kern-Overhauser-Effekt* (Abk.: NOE, von *E* nuclear Overhauser effect). Letzterer kommt durch magnet. Dipol-Dipol-Wechselwirkung zwischen ^1H u. ^2H od. ^{13}C auch durch den Raum hindurch u. in Abhängigkeit von r^6 zustande. Mit ihm erhält man eine Signal-Intensitätssteigerung u. kann räumlich benachbarte, aber oft durch viele Bindungen getrennte Kerne einander zuordnen.

Die großen Erfolge bei der Strukturaufklärung von organ. Verb. durch Protonen-NMR führten zu verstärktem Interesse an Kohlenstoff-NMR. Ist zwar einerseits die Sensitivität von ^{13}C wegen seiner geringen Häufigkeit (1,1%) u. seinem kleinen magnet. Moment um den Faktor 1/5700 kleiner als die von ^1H, so sind andererseits die Größe der chem. Verschiebungen (ca. 200 ppm) u. die Einfachheit der Spektren von Vorteil: Zum einen geben nämlich $^{13}C/^{13}C$-Kopplungen auf-

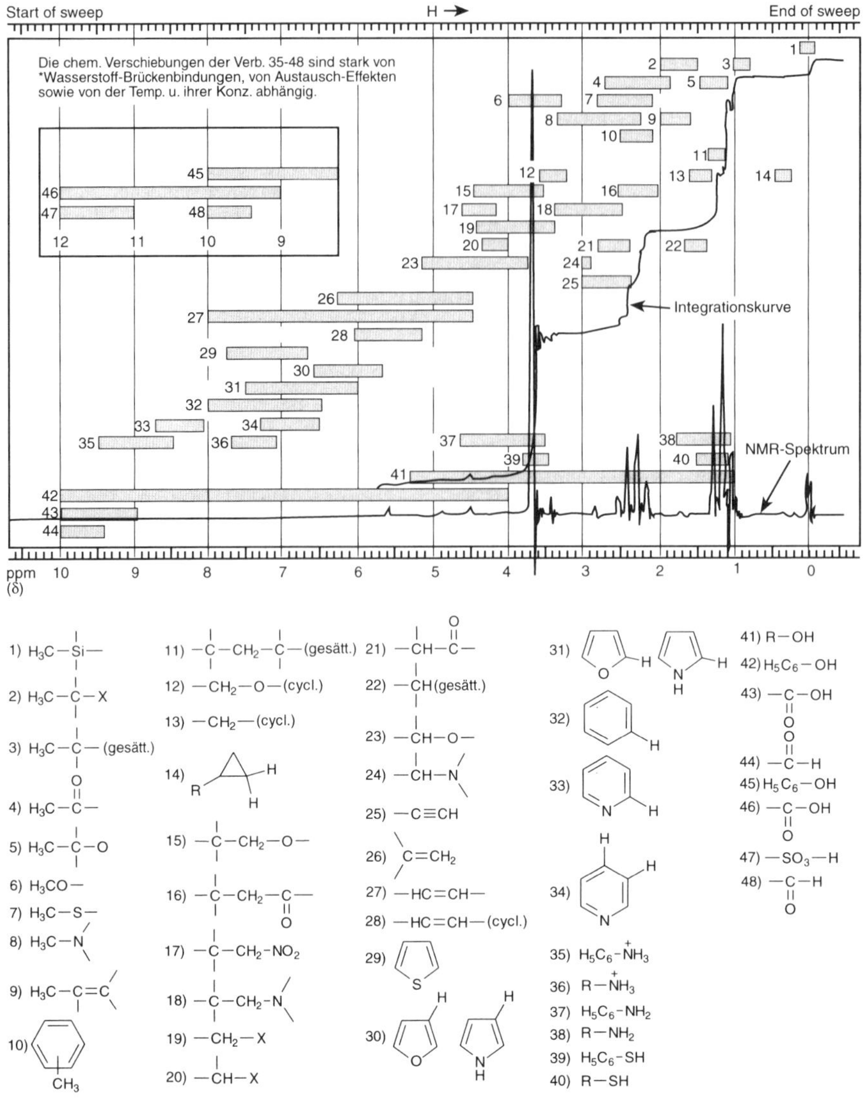

Abb. 4: 60 MHz-NMR-Spektrum des Propionsäuremethylesters ($H_3C–CH_2–COOCH_3$) in Deuterochloroform (Gerät: VARIAN NMR-Spektrometer EM-360) u. chem. Verschiebung charakterist. Gruppen (gesätt. = gesätt. Rest, cycl. = cycl. Rest, X = F, Cl, I).

grund der geringen Wahrscheinlichkeit benachbarter ^{13}C-Isotope nur sehr schwache Signale, die nicht stören, u. zum anderen ergeben ^{13}C/^{1}H-Kopplungen leicht interpretierbare Multipletts. Die Fortschritte der Datenverarbeitungs-Technik haben die früher paraktizierte *CAT-Technik überflüssig gemacht u. durch die moderne *Puls-Fourier-Transform-Technik* (PFT-NMR) ersetzt; Näheres hierzu u. zur ^{13}C-NMR-S. allg. s. *Lit.*[1], die auch die Funktion des sog. freien Induktionsabfalls (*E* free induction decay, FID) am Zustandekommen der FT-Spektren diskutiert. Zur Unterscheidung von prim., sek., tert. u. quartären Kohlenstoff-Atomen benutzt man die sog. *Off-Resonance-Entkopplung*, bei der das Aufspaltungsmuster u. der NOE erhalten bleiben.

Eine Integration ist bei ^{13}C-Spektren schwieriger durchzuführen als bei Protonen-Spektren. Sie verlangt die Zugabe von sog. Relaxationsreagentien zur Probe u. die Unterdrückung des NOE, der die relativen Signalflächen verfälscht.

Die NMR-S. ist einerseits eine Routinemeth. im analyt. Laboratorium, andererseits – bes. als hochauflösende FT-NMR-S. – dient sie der Forschung. Hier haben sich zahllose Spezialmeth. entwickelt, die durch Akronyme wie SEFT (spin-echo Fourier transform), SPI (spin population inversion), INEPT (insensitive nuclei enhancement by polarization transfer), DEPT (distortionless enhancement by polarization transfer), INADEQUATE („incredible natural-abundance double-quantum transfer experiment"), PENIS (proton-enhanced nuclear induction spectroscopy), WAHUHA (Waugh-Huber-Haeberlen pulse sequence), COSY (correlated spectroscopy) u.a. bezeichnet werden[2]. Messungen von *Spin-Echos* u. *Relaxationszeiten* geben über die Beweglichkeit einzelner Atome od. Atomgruppen im

Mol. Auskunft. Die sog. *2-dimensionale NMR-S.* (2D-NMR) erleichtert die Interpretation komplexer Spektren. Durch extrem breite Signale zeichnen sich die Spektren von Festkörpern aus, weshalb diese für die NMR-S. bislang uninteressant waren. Durch schnelles Rotierenlassen der Probe um den „mag. Winkel" von 54,7° zum äußeren Magnetfeld (*E magic angle spinning*, MAS) od. geeignete Pulsfolgen kann man jedoch auch von Festkörpern hochaufgelöste Spektren erhalten.

Verw.: Die NMR-S. hat heute im Forschungs- u. Ind.-Laboratorium für Routineaufgaben wie Konstitutionsermittlung u. Identitätsprüfung ebenso ihren Platz wie UV- u. IR-Spektroskopie. Die Analyse von Kopplungskonstanten gibt Hinweise auf die Stereochemie, d.h. auf Konfiguration u. Konformation von Molekülen. Mit der Linienformanalyse der Signale (*dynam. NMR-S.*) erhält man Auskunft über die Geschw. von Umlagerungs- u. chem. Austausch-Reaktionen. Zur Untersuchung von Radikal-Reaktionen bzw. von Triplett-Syst. bieten sich bes. die Meth. des *CIDNP bzw. die *ODMR-Spektroskopie[3] an. Festkörper-NMR wird u.a. zur Untersuchung von Kohlen, Polymeren, Zeolithen u. dgl. verwendet. Für die Chemie von Metall-organ. Verb. interessant ist die NMR-S. von Kernen wie ^{11}B, ^{23}Na, ^{25}Mg, ^{27}Al, ^{29}Si, ^{43}Ca, ^{59}Co, ^{77}Se, ^{103}Rh, ^{113}Cd. In der Biochemie werden Proteine mittels Protonen-NMR bei hohen Feldstärken untersucht. Für energiereich gebundene Phosphate (ATP, NADP) auch in Geweben u. Organen bietet sich die ^{31}P-NMR-S. an. In der modernen Medizin findet die NMR-S. Anw. in der Kernspintomographie, als bildgebendes diagnost. Werkzeug zur Gewinnung von Schichtbildern des menschlichen Körpers. – ***E*** NMR spectroscopy – ***F*** spectroscopie de résonance magnétique nucléaire (RMN) – ***I*** spettroscopia NMR, spettroscopia di risonanza magnetica nucleare – ***S*** espectroscopia RMN, espectroscopia de resonancia magnética nuclear

Lit.: [1] Breitmaier u. Voelter, Carbon-13 NMR spectroscopy. High-Resolution Methods and Applications in Organic Chemistry and Biochemistry, Weinheim: VCH Verlagsges. 1989. [2] Wendisch, Acronyms and Abbreviations in Molecular Spectroscopy, Berlin: Springer 1990. [3] Clarke, Triplet State ODMR Spectroscopy: Techniques and Applications to Biochemical Systems, Ann Arbor: UMI 1992.

allg.: Cowan, Nuclear Magnetic Resonance and Relaxation, Cambridge: Cambridge University Press 1997 ▪ Kimmisch, NMR, Berlin: Springer 1997 ▪ Markley, Biological NMR Spectroscopy, New York: Oxford University Press 1997 ▪ Townshend, Encyclopedia of Analytical Science, Bd. 6, S. 3358–3600, New York: Academic Press 1995 ▪ Ullmann (5.) **B 5**, 471–514.

NMU. Abk. für *E N*-Nitroso-*N*-methylurea, s. Nitrosamine.

NMVOC. Abk. für *N*on-*M*ethane *V*olatile *O*rganic *C*ompounds, flüchtige organ. Verb. ohne Methan, s. NMHC.

No. Symbol für das Element *Nobelium.

Nobel, Alfred Bernhard (1833–1896), schwed. Chemiker, Ingenieur u. Erfinder. *Arbeitsgebiete:* Stabilisierung von Nitroglycerin mit Kieselgur (s. Dynamit), Einführung der Initialzündung mit Knallsätzen u. Sprengkapseln aus Knall-Quecksilber, Verbesserung der Petroleum-Destillation. N. besaß ca. 350 Patente u. stiftete testamentar. 1895 die später nach ihm benannten *Nobelpreise. Nach ihm ist das Element *Nobelium benannt.

Lit.: Chem. Labor Betr. **34**, 559 (1983) ▪ Kant, Alfred Nobel, Leipzig: Teubner 1983 ▪ Lexikon der Naturwissenschaftler, S. 311 ▪ Neufeldt, S. 48 ▪ Pötsch, S. 324 ▪ Strube **2**, 146 ff. ▪ s. a. Nobelpreis.

Nobelium. Künstliches Element der *Actinoiden-Reihe, chem. Symbol No, Ordnungszahl 102. Ein *Transuran, von dem Isotope ^{250}No – ^{259}No mit HWZ zwischen 0,25 ms u. 58 min (^{259}No) bekannt sind. Seine chem. Eigenschaften entsprechen denen von Calcium u. Strontium. Über die Priorität der Herst. herrschte zwischen schwed., amerikan. [Reaktion $^{246}_{96}$Cm($^{12}_{6}$C,4n)$^{254}_{102}$No, *Ghiorso u. Seaborg 1958] u. russ. Gruppen [Reaktion: $^{241}_{94}$Pu($^{16}_{8}$O,5n)$^{252}_{102}$No, *Flerov] Uneinigkeit, u. statt des zu Ehren *Nobels gewählten Namen N. wurde von russ. Seite vorübergehend *Joliotium* vorgeschlagen. – ***E*** nobelium – ***F*** nobélium – ***I*** = ***S*** nobelio

Lit.: Handb. Exp. Pharmakol. **36**, 691–715 (1973) ▪ Ideen Exakt. Wiss. **1971**, 399–409 ▪ J. Inorg. Nucl. Chem. **38**, 1171, 1207 (1976) ▪ Phys. Rev. Lett. **26**, 1037 (1971) ▪ s. a. Actinoide u. Transurane. – *[HS 2844 40; CAS 10028-14-5]*

Nobelpreis. Alfred *Nobel bestimmte testamentar., daß die Zinsen aus seinem großen Vermögen (seinerzeit ca. 31 Mio. skr) alljährlich für bes. Verdienste auf dem Gebiet der Chemie, Physik, Physiologie od. Medizin, Literatur u. der Erhaltung des Weltfriedens ausgegeben werden sollten – seit 1969 existiert durch eine Stiftung der schwed. Zentralbank auch ein N. für Wirtschaftswissenschaften. Der Text des 1895 in Paris abgefaßten Testaments von A. Nobel lautet in dtsch. Übertragung: „... Der Rest meines verfügbaren Vermögens soll, wie folgt, verwendet werden: Das Kapital soll durch meine Testamentsvollstrecker in sicheren Wertpapieren angelegt werden u. einen Fonds bilden, dessen Zinsen alljährlich verteilt werden sollen, um solche Arbeiten zu belohnen, die im Lauf des verflossenen Jahres für die Menschheit die nützlichsten gewesen sind. Diese Zinsen sind in fünf gleiche Teile zu teilen, die zufallen sollen: ein Teil dem, der auf physikal. Gebiet die wichtigste Entdeckung od. Erfindung gemacht hat; ein Teil dem, der die wichtigste chem. Entdeckung od. Verbesserung gemacht hat; ein Teil dem, der auf physiolog. od. medizin. Gebiet die wichtigste Entdeckung gemacht hat; ein Teil dem, der in der Literatur das Bemerkenswerteste in idealem Sinne geschaffen hat; ein Teil dem, der am meisten od. am erfolgreichsten an der Verbrüderung der Völker, an der Beseitigung od. Verminderung der stehenden Heere u. an der Ausbildung u. Verbreitung der Friedenskongresse gearbeitet hat. Die Preise für Physik, Chemie u. Wirtschaftswissenschaften werden durch die schwed. Akademie der Wissenschaften zuerkannt, für physiolog. od. medizin. Arbeiten durch das Karolinska Inst. in Stockholm, für die Literatur durch die schwed. Akademie in Stockholm, für die Friedenswerke durch einen aus 5 Personen bestehenden Ausschuß, der vom norweg. Storting gewählt wird. Es ist mein ausdrücklicher Wille, daß bei der Zuteilung der Preise keine Rücksicht auf nat. Zugehörigkeit genommen wird, so daß also der Preis dem Würdigsten zugesprochen wird, gleichviel ob er Skandinavier ist od. nicht." Die Auszeichnung mit dem N. erfolgt in objektiver Weise durch das N.-Komitee in Stockholm. Der Nobelpreisträger hält in Stockholm einen Vortrag über sein Fachgebiet (die Chemie-Vorträge werden regelmäßig in der Angew. Chemie abgedruckt) u. erhält den N. u. den Geldpreis, dessen Höhe geringfügig schwanken kann, aus der Hand des schwed. Königs. Analog wird verfahren, wenn N. geteilt werden.

Nobelpreisträger für Chemie: J. H. van't Hoff (1901), E. Fischer (1902), S. A. Arrhenius (1903), Sir W. Ramsay (1904), A. v. Baeyer (1905), H. Moissan (1906), E. Buchner (1907), Sir E. Rutherford (1908), Wilhelm Ostwald (1909), O. Wallach (1910), M. Sklodowska-Curie (1911), V. Grignard u. P. Sabatier (1912), A. Werner (1913), T. W. Richards (1914), R. Willstätter (1915), F. Haber (1918), W. Nernst (1920), F. Soddy (1921), F. W. Aston (1922), F. Pregl (1923), R. Zsigmondy (1925), T. Svedberg (1926), H. Wieland (1927), A. Windaus (1928), Sir A. Harden, H. v. Euler-Chelpin (1929), H. Fischer (1930), C. Bosch u. F. Bergius (1931), I. Langmuir (1932), H. C. Urey (1934), F. Joliot u. I. Joliot-Curie (1935), P. Debye (1936), W. N. Haworth u. P. Karrer (1937), R. Kuhn (1938), A. Butenandt u. L. Ruzicka (1939), G. v. Hevesy (1943), O. Hahn (1944), A. Virtanen (1945), W. M. Stanley, J. B. Sumner u. J. H. Northrop (1946), Sir R. Robinson (1947), A. K. Tiselius (1948), W. Giauque (1949), O. Diels u. K. Alder (1950), G. T. Seaborg u. E. M. McMillan (1951), A. J. P. Martin u. R. L. M. Synge (1952), H. Staudinger (1953), L. C. Pauling (1954), V. du Vigneaud (1955), Sir C. Hinshelwood u. N. N. Semenov (1956), Sir A. R. Todd (1957), F. Sanger (1958), J. Heyrovský (1959), W. F. Libby (1960), M. Calvin (1961), J. C. Kendrew u. M. F. Perutz (1962), K. Ziegler u. G. Natta (1963), D. Crowfoot-Hodgkin (1964), R. B. Woodward (1965), R. S. Mulliken (1966), M. Eigen, R. G. W. Norrish u. G. Porter (1967), L. Onsager (1968), D. H. R. Barton u. O. Hassel (1969), L. F. Leloir (1970), G. Herzberg (1971), C. B. Anfinsen, S. Moore u. W. H. Stein (1972), E. O. Fischer u. G. Wilkinson (1973), P. J. Flory (1974), J. W. Cornforth u. V. Prelog (1975), W. N. Lipscomb (1976), I. Prigogine (1977), P. D. Mitchell (1978), G. Wittig u. H. C. Brown (1979), P. Berg, W. Gilbert u. F. Sanger (1980), K. Fukui u. R. Hoffmann (1981), A. Klug (1982), H. Taube (1983), R. B. Merrifield (1984), H. A. Hauptman u. J. Karle (1985), D. R. Herschbach, Y. T. Lee u. J. C. Polanyi (1986), D. J. Cram, J. M. Lehn u. C. J. Pedersen (1987), J. Deisenhofer, R. Huber u. H. Michel (1988), S. Altman u. T. R. Cech (1989), E. J. Corey (1990), R. Ernst (1991), R. A. Marcus (1992), K. B. Mullis u. M. Smith (1993), G. A. Olah (1994), P. J. Crutzen, M. J. Molina u. F. S. Rowland (1995), R. F. Curl, Sir H. W. Kroto u. R. E. Smalley (1996), P. D. Boyer, J. E. Walker u. Jens C. Skou (1997).

Zusätzlich fielen – bes. in den letzten Jahrzehnten – zahlreiche N. für Physiologie od. Medizin an Biochemiker. Von 1901 bis 1997 wurden 131 N. für Chemie verliehen, davon entfielen auf Forscher aus Deutschland 27, aus den USA 41, aus Großbritannien 27 u. aus Frankreich 7. Manche Forscher wie Sklodowska-Curie, Pauling, Bardeen u. Sanger konnten sogar 2 N. erringen. – ***E*** Nobel prize – ***F*** prix Nobel – ***I*** = ***S*** premio Nobel

Lit.: Acc. Chem. Res. **17**, 346ff. (1984) ▪ Crawford, The Beginnings of the Nobel Institution, Cambridge: Univ. Press 1984 ▪ Dées de Sterio, Nobel führte sie zusammen. Begegnungen in Lindau, Stuttgart: Belser 1975 ▪ Laylin, Nobel Laureates in Chemistry 1901–1992, Washington: ACS 1993 ▪ Nachr. Chem. Tech. Lab. **11**, 1421 (1990) ▪ Naturwissenschaften **68**, 277–281 (1981) ▪ Naturwiss. Rundsch. **21**, 231–236 (1968); **24**, 50–56 (1971); **28**, 189–200 (1975); **33**, 233–244 (1980); **38**, 540f. (1985); **39**, 553 (1986); **40**, 506f. (1987); **41**, 517ff. (1988); **42**, 518f. (1989) ▪ Nobel Prize Topics in Chemistry, London: Heyden (seit 1981) ▪ Umschau **77**, 591–598 (1977) ▪ Weber, Pioneers of Science: Nobel Prize Winners in Physics, Bristol: Inst. of Physics 1980 ▪ Zuckerman, Scientific Elite. Nobel Laureates in the United States, London: Collier Macmillan 1977. – *Serie:* Nobel Foundation: Les Prix Nobel, Stockholm: Norstedt 1901–1965, Amsterdam: Elsevier (seit 1966 jährlich).

Nobel-Stiftung. Die N.-S. mit Sitz in S-10245 Stockholm, Sturegatan 14, ist eine private Inst., die 1900 auf der Basis des letzten Willens Alfred Nobels gegründet wurde. Repräsentiert wird die N.-S. durch ein siebenköpfiges Komitee, das von den Nobelpreis verleihenden Inst., Schwed. Akademie der Wissenschaften, Karolinska Inst. in Stockholm, Schwed. Akademie in Stockholm u. Norweg. Nobel-Komitee gewählt wird. Aufgabe der N.-S. ist: Vertretung der gemeinsamen Interessen der den Nobelpreis verleihenden Inst., die Verwaltung des Vermögens, um die Unabhängigkeit des Nobelpreiskomitees zu gewährleisten sowie die Ausrichtung der Nobelpreisverleihung u. der Nobel-Symposia. INTERNET-Adresse: http://www.nobel.se.

NOBS. Abk. für *p*-Nonanoyloxybenzolsulfonat, einen amphiphilen *Bleichaktivator, der bes. in amerikan. Waschmittelformulierungen eingesetzt wird.

Nocardicine.

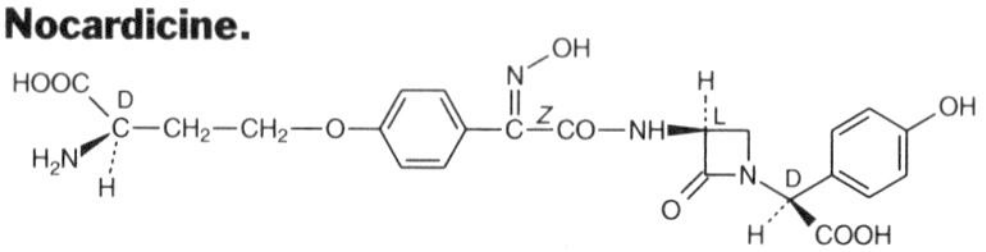

N. A

Trivialname für eine Reihe von *β*-*Lactam-Antibiotika (N. A–G), die aus den Kulturmedien von *Nocardia uniformis* subsp. *tsuyamenensis* isoliert wurden u. die den Aufbau der Bakterienzellwand hemmen. Das wichtigste ist das *N. A*, (*αR*,3*S*)-3-{2-[4-((*R*)-3-Amino-3-carboxypropoxy)-phenyl]-2-((*Z*)-(hydroxyimino)-acetylamino}-*α*-(4-hydroxyphenyl)-2-oxo-1-azetidinessigsäure, $C_{23}H_{24}N_4O_9$, M_R 500,46, Schmp. 214–216 °C (Zers.); $[\alpha]_D^{25}$ −135° (Natrium-Salz); λ_{max} (0,1 N NaOH) 244, 283 nm ($A_{1cm}^{1\%}$ 460, 270); LD_{50} (Maus oral) >8 g/kg (Maus i.v. u. i.p.) >2 g/kg. – ***E*** nocardicins – ***F*** nocardicines – ***I*** nocardicine – ***S*** nocardicinas

Lit.: Angew. Chem. **94**, 826–835 (1982) ▪ Beilstein E V **22/12**, 460 ▪ Chem. Biol. *β*-Lactam Antibiot. **2**, 165–226 (1982) ▪ J. Antibiot. **30**, 917–944 (1977); **35**, 329 (1982). – *[CAS 39391-39-4 (N. A); 60134-71-6 (N. B)]*

Nociceptin (Orphanin FQ).

Phe-Gly-Gly-Phe-Thr-Gly-Ala-Arg-Lys-Ser-Ala-Arg-Lys-Leu-Ala-Asn-Gln

$C_{79}H_{129}N_{27}O_{22}$, M_R 1809,06. Mit den Dynorphinen, *Endorphinen u. *Enkephalinen verwandtes *Neuropeptid, das als körpereigener Ligand für den bis vor kurzem als verwaist geltenden, im Zentralnervensyst. vorkommenden *Opiat-Rezeptor ORL1 (LC132) Einfluß auf die Schmerzempfindung (Nozizeption) ausübt, wobei einigen Berichten zufolge bei Applikation im Gehirn Schmerzverstärkung, im Rückenmark dagegen Schmerzlinderung stattfindet [1], von anderen die schmerzverstärkende Wirkung aber angezweifelt wird. Der N.-Rezeptor signalisiert über *G-Proteine, *Mitogen-aktivierte Protein-Kinasen, Tyrosin-Kinasen (s. Protein-Kinasen) u. Phosphatidylinosit-3-Kinase [2]. –

E nociceptin – *F* nociceptine – *I* nocicettina – *S* nociceptina
Lit.: [1] Br. J. Pharmacol. **120**, 676–680 (1997); Neuroreport **8**, 497–500 (1997). [2] FEBS Lett. **412**, 290–294 (1997).
allg.: Biochem. Biophys. Res. Commun. **233**, 640–643 (1997) ▪ Trends Pharmacol. Sci. **18**, 293–300 (1997).

Nocodazol.

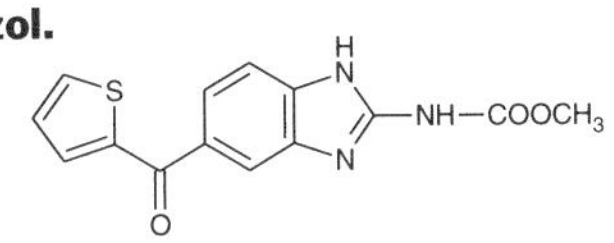

Internat. Freiname für den [5-(Thiophen-2-carbonyl)-1*H*-benzimidazol-2-yl]-carbamidsäure-methylester, $C_{14}H_{11}N_3O_3S$, M_R 301,31, der aufgrund seiner Wirkung auf die *Mikrotubuli als *Cytostatikum einsetzbar ist. – *E* = *S* nocodazol – *F* nocodazole – *I* nocodazolo
Lit.: Beilstein E V **27/35**, 200 ▪ Cancer Res. **36**, 905 (1976) ▪ Eur. J. Cancer **11**, 599, 609 (1975). – *[HS 2934 90; CAS 31430-18-9]*

Noctamid® (Rp). Schlaftabl. mit *Lormetazepam. ***B.:*** Schering.

Noctazepam® (Rp). Schlaf- u. Beruhigungstabl. mit *Oxazepam. ***B.:*** Brenner.

Nodalnomenklatur s. Nomenklatur.

Noddack, Walter (1893–1960), Prof. für Geochemie, Bamberg. *Arbeitsgebiete:* (z.T. zusammen mit seiner Frau Ida *Noddack-Tacke, 1896–1978): Entdeckung u. Erforschung des Rheniums, Versuche über das Element 43 (*Masurium*, vgl. Technetium), Elementhäufigkeit in der Erdrinde, in Meteoriten u. in lebenden Organismen, geochem. Analysenmeth. mit Hilfe der Röntgenspektroskopie, Photochemie u. Photographie.
Lit.: Chem. Ber. **96**, XXVII bis LI (1963) ▪ Krafft, S. 248 ▪ Lexikon der Naturwissenschaftler, S. 311 ▪ Nachr. Chem. Tech. **9**, 76 (1961) ▪ Neufeldt, S. 152 ▪ Phys. Bl. **1958**, 370 f. ▪ Pötsch, S. 324 ▪ Strube **2**, 193.

Noddack-Tacke, Ida Eva (1896–1978). Chemikerin bei AEG, später an der Physikal. Techn. Reichsanstalt in Berlin u. an dem Inst. für Physikal. Chemie der Univ. Freiburg u. Straßburg. Entdeckte u. untersuchte mit ihrem Mann das Element Rhenium; wies Spuren seltener Erden in Meteoritengestein nach.
Lit.: Lexikon der Naturwissenschaftler, S. 311 ▪ Pötsch, S. 324.

Nodulationsfaktoren s. Lipooligosaccharide.

NOE. Engl. Abk. für den Kern-Overhauser-Effekt, s. NMR-Spektroskopie, S. 2939.

NOEC. Abk. für *E No Observable Effect Concentration*. Die NOEC ist diejenige Konz. eines Stoffs, die gegenüber (aquat.) Organismen unter Anw. validierter Prüfmeth. keine biolog. Wirkung zeigt. Die NOEC ist eine zentrale Größe in Risikoabschätzungen vor der Markteinführung neuer Stoffe u. bei der toxikolog. Bewertung sog. Altstoffe. – *E* no observable effect concentration

No Effect Level, NOEL s. ADI, Pflanzenschutzmittel.

No Iron (*E* no iron = kein Bügeleisen). Bez. für Naß-*Knitterfestausrüstungen von Textilien, die nach der Wäsche ein schnelles Trocknen u. ein (nahezu) bügelfreies Tragen ermöglichen, insgesamt also zu den *Pflegeleicht-Ausrüstungen gehören. – *E* no iron – *F* libre de repassage – *I* non stirare – *S* apresto „no-iron" (no plancha)
Lit.: Rouette, Lexikon für Textilveredlung, Bd. 2, S. 1355, Dülmen: Laumann 1995 ▪ s.a. Pflegeleicht-Ausrüstung.

Noisette. 1. Nach den Leitsätzen für Ölsamen u. daraus hergestellte Massen u. Süßwaren[1] können angewirkte Nugatmassen als *Nugat od. N. bezeichnet werden. Unter „Anwirken" ist der Zusatz von höchstens 50% Puderzucker zu verstehen. Die Bez. N.-Creme für Nugatcreme ist nicht üblich. – 2. Ein blanker, hell- bis dunkelbrauner Kakaolikör mit Nußaroma wird gelegentlich ebenfalls als N. bezeichnet. – *E* = *F* noisette – *I* noisette, nougat – *S* praliné con avellana
Lit.: [1] Leitsätze für Ölsamen u. daraus hergestellte Massen u. Süßwaren vom 9.6.1987, Bundesanzeiger Nr. 140a, abgedruckt in Zipfel, C 355.
allg.: Ullmann (5.) **A 7**, 418. – *[HS 1704 90, 2208 90]*

Nojirimycin (5-Amino-5-desoxy-D-glucose).

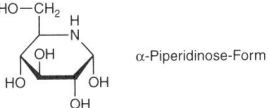

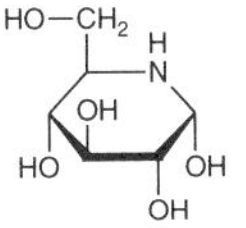

α-Piperidinose-Form

$C_6H_{13}NO_5$, M_R 179,16, farblose Krist., Schmp. 126–130 °C, $[\alpha]_D^{20}$ +63° (H_2O; Endwert). Der Aminozucker N. ist in Kulturbrühen verschiedener *Streptomyces*-Arten enthalten. Er verfügt über eine gute antibiot. Wirksamkeit gegenüber Gram-pos. Bakterien. N. ist synthet. zugänglich[1]. – *E* nojirimycin – *F* nojirimycine – *I* = *S* nojirimicina
Lit.: [1] Carbohydr. Res. **237**, 185 (1992); C. R. Acad. Sci. Ser. II **311**, 521 ff. (1990); J. Chem. Soc., Chem. Commun. **1989**, 1230 f.; Tetrahedron **49**, 2939–2956 (1968); Tetrahedron Lett. **30**, 755–758 (1989).
allg.: ApSimon **6**, 206–211 ▪ Beilstein E V **21/6**, 223 ▪ Nat. Prod. Rep. **11**, 135 (1994). – *[HS 2941 90; CAS 15218-38-9]*

Noll-Reaktion s. Indophenol.

Nolvadex® (Rp). Tabl. mit *Tamoxifen-dihydrogencitrat zur Anw. bei Mammacarcinom. ***B.:*** Zeneca.

Nomenklatur (von latein.: nomenclatura = Namenverzeichnis). Jede Wissenschaft hat zur Verständigung ihre Fachsprache, deren Wortschatz (= Vokabular, *Thesaurus) die N. ist. Erforschung u. Festlegung der N. ist Sache der *Terminologie. Die N. ist die Gesamtheit der Namen für die Gegenstände eines Faches (daher russ.: nomenklatura = „alles, was Rang u. Namen hat"), z.B. für Pflanzen, Tiere, Mikroorganismen, Viren, Enzyme, anatom. Körperteile, Medikamente u. Handelschemikalien (s. Common Names, Freinamen, Harmonisiertes System, Pharmakopöen), aber auch für nichtmaterielle Begriffe, z.B. physikal. Größen, Krankheiten, chem. Reaktionen u. Methoden. Die *systemat. N.* der Chemie besteht vorwiegend aus *Definitionen u. Regeln, ist also eher eine Terminologie. Die *IUPAC legt diese nebst Abk., Symbolen u. *Notationen fest (z.B. *Liganden-Abk.; Element-, *Größen-, *Stereochemie-Symbole; *Polynucleotid-, *Polypeptid-Notationen). Zwischen N. u. *chemischer Zeichensprache stehen Strukturcodes (z.B. *GREMAS, Wiswesser-Linearnotation), die für die elektron. Datenverarbeitung wichtig waren. Heute können Rechnerprogramme Strukturen u. Namen ineinander umwandeln u. beliebige Fragmente in Struktur- u. Namendateien finden.

Geschichte: In der alchimist. Zeit (s. Geschichte der Chemie) benannte man chem. Substanzen meist regellos u. willkürlich od. nach ihrer Herkunft u. typ. Eigenschaften; *Beisp.:* spiritus vini (*Weingeist), sal amarus (*Bittersalz*) u. viele bis heute übliche Namen für *Mineralien. Erste Ansätze einer N. gab es bes. für Geräte u. Verf. im chem. Laboratorium, z. B. durch das Werk „Alchemia" von *Libavius (1597); viele der Bez. sind bis heute gültig. Erst nach Erarbeitung quant. analyt. Meth. konnte *Lavoisier am Ende des 18. Jh. eine systemat. N. für chem. Stoffe anhand der chem. Elemente entwickeln. Diese N. wurde von *Berzelius, *Gerhardt, *Laurent, *Kekulé, A. W. von *Hofmann u. a. weitergeführt u. gilt für einfache anorgan. Verb. bis heute. Für die wachsende Zahl immer komplizierterer organ. Verb. entstand im 19. Jh. ein Chaos an Trivialnamen, das man durch Regeln zur systemat. Strukturbenennung ersetzen mußte. Daher beauftragte die *Internat. Chemiekonferenz* in Paris 1889 eine Kommission mit dem Entwurf eines Regelwerks, das auf der *Internat. Konferenz zur Reform der chem. N.* in Genf 1892 von 34 führenden Chemikern aus 9 europ. Ländern beraten u. als Empfehlung verabschiedet wurde. Die „*Genfer Nomenklatur*" wurde auf weiteren Kongressen, z. B. in Lüttich (Liège, 1930), Luzern (1936), Rom (1938) u. bes. London (1947), u. durch die Arbeit ständiger Kommissionen laufend zur heutigen IUPAC-N. erweitert u. verbessert. *Beilstein's Handbuch der organischen Chemie (seit 1881) u. *Chemical Abstracts (seit 1907) wichen öfter von gültigen N.-Regeln ab, weil für deren Register solche ständig veränderte N. sehr nachteilig wäre od. weil Regeln zu spät erschienen. Außerhalb der IUPAC gab es einige erfolglose Versuche, neue N.-Syst. einzuführen, z. B. durch Istrati[1] (Rumänien, 1850–1918), Siboni[2] (Italien, 1859–1935), Lozac'h u. Goodson[3] (*Nodal-N.*, seit 1979) u. Hirayama[4] (*Radial-N.*, 1984). Die *Kommission für Nomenklatur der Anorgan. Chemie* der IUPAC (1921 gegr.) legte 1938 vorläufige Regeln vor (1940 in Paris vom IUPAC-Generalsekretariat deutsch, engl., französ., italien. u. span. veröffentlicht), die ab 1947 überarbeitet u. 1959 als Neufassung veröffentlicht wurden (1970 erweiterte 2. Aufl.). Bis 1990 verfaßte die Kommission ein stark erweitertes Regelwerk („Red Book"), das 1995 auch auf Deutsch erschien. Ab 1950 haben IUPAC u. IUB/*IUBMB für alle chem. Teil- u. Grenzgebiete ständige N.-Kommissionen eingerichtet, die neue u. verbesserte Regeln entwerfen, zur Diskussion stellen, beraten, beschließen u. veröffentlichen.

Regelwerke: Die Gesamtheit der gültigen N.-Regeln ist so umfangreich, daß hier nur Lit. (Tab. u. Anhang) aufgeführt werden kann. Viele N.-Hinweise finden sich in diesem Werk bei Stichwörtern für chem. Stoffklassen, Namensbestandteile u. Begriffe (s. a. Multiplikationspräfixe, Präfixe, Suffixe, Stereochemie).

Die IUPAC veröffentlicht ihre Regelwerke in Büchern (nach den Einbandfarben „Purple, Blue, Green, Gold, Orange, Red, White, Silver Book" genannt; s. Tab.), u. in Zeitschriften, bes. in der IUPAC-Zeitschrift *Pure and Applied Chemistry* (s. *Lit. allg.*). Auch gibt es dazu N.-Handbücher anderer Autoren[5–12].

N.-Regeln der *Chemical Abstracts* sind im *Chemical Abstracts Index Guide*, Anhang IV, beschrieben. Namen aller bekannten Ringsyst. (über 110000) enthält das *Chemical Abstracts Ring Systems Handbook*.

Die N. in *Beilstein's Handbuch der organ. Chemie* ist z. B. in Band E V 27/1 erläutert (Vorspann, orange-

Tab.: IUPAC-Regeln für chem. Nomenklatur.

Titel[a]	Kurzbez.
IUPAC, *Compendium of Macromolecular Nomenclature*, Oxford: Blackwell 1991	**„Purple Book"**
IUPAC, *Nomenclature of Organic Chemistry*, Oxford: Pergamon 1979[a]	**„Blue Book"**
S. 1–52: Kohlenwasserstoffe	Regeln A
S. 53–76: Heterocycl. Syst.	Regeln B
S. 77–322: CH-Hal, O, S, Se, Te, N-Verb.	Regeln C
S. 323–472: CH-B, Si, P, As, Metall-Verb.	Regeln D
S. 473–490: Stereochemie	Regeln E
S. 491–512: Naturstoffe	Regeln F
S. 513–538: Isotopenmarkierte Verb.	Regeln H
IUPAC, *Guide to IUPAC Nomenclature of Organic Compounds – Recommendations*, Oxford: Blackwell 1993	**„Blue Guide"** Regeln R
IUPAC, *Größen, Einheiten u. Symbole in der Physikal. Chemie*, Weinheim: VCH Verlagsges. 1995 (engl.: Oxford: Blackwell 1993)	**„Green Book"**
IUPAC, *Compendium of Chemical Terminology*, Oxford: Blackwell 1987	**„Gold Book"**
IUPAC, *Compendium of Analytical Nomenclature*, Oxford: Blackwell 1987	**„Orange Book"**
IUPAC, *Nomenklatur der Anorgan. Chemie*, Weinheim: VCH Verlagsges. 1995 (engl: Oxford: Blackwell 1990)	**„Red Book"** Regeln I
IUPAC/IUBMB, *Biochemical Nomenclature & Related Documents*, London: Portland Press 1992; enthält z. B.:	**„White Book"** Regeln:
Aminosäuren u. Peptide, 3. Aufl., 1982	3-AA
Nucleinsäuren, 1970	N
Kohlenhydrate, 1969 [2. Aufl.: Pure Appl. Chem. **68**, 1919–2088 (1996)]	Carb [2-Carb]
Inosite, 1973	Ins
Lipide, 1976	Lip
Steroide, 3. Aufl., 1989	3-S
Carotinoide, 1974	Carot
Retinoide, 1981	Ret
Prenol-Oligomere, 1986	Pr
Corrinoide u. Vitamin B_{12}, 1973	Corrin
Tetrapyrrole, 1986	TP
u. 30 weitere kleinere Regelwerke	–
IUBMB, *Enzyme Nomenclature*, San Diego, CA: Academic Press 1992	–
IUPAC, *Compendium of Terminology and Nomenclature of Properties in Clinical Laboratory Sciences*, Oxford: Blackwell 1995	**„Silver Book"**

[a] *B.* für Kopien vergriffener Bücher, z. B. „Blue Book": Books on Demand, Div. of University Microfilms Int. 300 N Zeeb Rd., Ann Arbor, MI, 48106-1346 (USA).

gelbe Teile 1 u. 2: „*List of the Prefixes Used in Systematic Nomenclature*" u. „*Translation of Chemical Structures into Name Fragments*"; Einleitung, Teil „*Stereochemical Descriptors*").

N.-Typen: a) Im Rahmen der flexiblen *IUPAC-N.*, die häufig mehrere Namen für eine Verb. zuläßt u. deren Regeln teilw. oft wechselten, haben *Chemical Abstracts* u. *Beilstein's Handbuch* zwei starre Register-N.-Regelwerke. Eine rechtlich verbindliche N. gibt es nur für *gesetzliche Einheiten u. Warendeklarationen, z. B. für Zutaten in Arzneien, Kosmetika u. Lebensmitteln.

b) *Systematische Namen nach den IUPAC-Regeln A–E, H u. I sind für komplizierte Verb. untauglich. Daher gibt es z. B. für *Naturstoffe u. *Käfigverbindungen oft *Trivialnamen, die z. B. nach Regel F als Stammnamen für *halbsystematische Namen dienen. Die N.-Regeln der anorgan., organ., Bio- u. makromol. Chemie versagen für neue Stoffklassen oft; so wurden z. B. für *Borane, *Fullerene u. andere komplizierte Gerüste (s. y-Nomenklatur) [13], *hypervalente Moleküle (*δ- u. *λ-N.), *Cyclophane u. *dendritische Polymere neue Regeln nötig.

c) Die systemat. N. kennt z. B. folgende Benennungsarten (Beisp. in Klammern) für sog. N.-Operationen: **Additionsname* [Hydr(o)...], **Anellierungsname* [Benz(o)...], **Austauschname* (Aza..., Carba..., Thio...), **binäre Verbindung* (Zinkiodid), **Brücke* (Epoxy...), *Hantzsch-Widman-Name* (Oxiran), **Konjunktionsname* (Oxirantriethanol), *Koordinationsname* (Hexacarbonylchrom), **Multiplikativname* (4,4′-Oxybisphenol), **radikofunktioneller Name* (Acetylchlorid), *Ringsequenzen* (Terphenyle), **Substitutionsname* (Iodethan, Ethanol) u. **Subtraktionsname* (Ethen). Für veränderte Gerüste gibt es z. B. folgende Präfixe, bes. für Naturstoffe: *Abeo- (*Ringe umlagern*), *Friedo..., *Iso..., *Neo... (*Methyl- u. H-Wanderung*), *Anhydro... (*Cyclodehydratisieren*), *Apo... (*Kette kürzen*), *De(s).../*Des- (*Gruppe/Ring entfernen*), *Cyclo... (*Ringschluß*), *Homo... (*Insertion, Ring erweitern*), *Nor... (*Extrusion, Ring verengen*), *Retro... (*Pi-Bindungen verschieben*), *Seco... (*Ring öffnen*), *Spiro... (*spiro-Verknüpfen*). – ***E*** **=** ***F*** nomenclature – ***I*** **=** ***S*** nomenclatura

Lit.: [1] Verkade, A History of the Nomenclature of Organic Chemistry, S. 320–371, Dordrecht: Reidel 1985. [2] Verkade, A History of the Nomenclature of Organic Chemistry, S. 421–468, Dordrecht: Reidel 1985. [3] Angew. Chem. **91**, 951–964 (1979); **96**, 1–15 (1984); Croat. Chim. Acta **56**, 315–324 (1983); **59**, 547–563 (1986); J. Chem. Inf. Comput. Sci. **20**, 167–172, 172–176 (1980). [4] Hirayama, The HIRN System: Nomenclature of Organic Chemistry, Berlin: Springer 1984. [5] Bähr u. Theobald, Organische Stereochemie, Berlin: Springer 1973. [6] Block et al., Inorganic Chemical Nomenclature, Washington, DC: ACS 1990. [7] Fresenius, Organic Chemical Nomenclature, Chichester: Ellis Horwood 1989; Fresenius u. Görlitzer, Organisch-chemische Nomenklatur, Stuttgart: Wissenschaftliche Verlagsges. 1991. [8] Giese, Beilstein's Index: Trivial Names in Systematic Nomenclature of Organic Chemistry, Berlin: Springer 1986. [9] Godly, Naming Organic Compounds: A Systematic Instruction Manual, Chichester: Ellis Horwood 1989. [10] Hellwinkel, Die systematische Nomenklatur der Organischen Chemie, 2. Aufl., Berlin: Springer 1982. [11] Holland, Die Nomenklatur in der Organischen Chemie, Zürich: Harri Deutsch 1973. [12] Liebscher, Handbuch zur Anwendung der Nomenklatur chemischer Verbindungen, Berlin: Akademie-Verl. 1979. [13] Pure Appl. Chem. **69**, 1659–1692 (1997).

allg.: Regelwerke in IUPAC-Büchern s. Tab. – Lit.-Liste zum Thema N. (8 S.): Chemical Abstracts Index Guide, Anhang IV, § 295–308. – *Geschichte der N.:* Fennell, History of IUPAC 1919–1987, Oxford: Blackwell 1994 ▪ Flood, The Origins of Chemical Names, London: Oldbourne 1963 ▪ Kirk-Othmer **14**, 1–15; (3.) **16**, 28–46 ▪ Nickon u. Silversmith, The Name Game, New York: Pergamon Press 1987 ▪ Verkade, A History of the Nomenclature of Organic Chemistry, Dordrecht: Reidel 1985 ▪ s. a. Geschichte der Chemie. – *Einige nicht in den IUPAC-Büchern* (s. Tab.) *erfaßte N.-Regelwerke: a)* Pure Appl. Chem. **61**, 725–768 (1989) [organ.-chem. Reaktionen]; **65**, 1357–1455 (1993) [Radikale u. Ionen: Regeln RC]; **65**, 1561–1580 (1993) [Doppelstrangpolymere]; **65**, 2003–2122 (1993) [Toxikologie]; **66**, 1077–1184 (1994) [organ.-physikochem. Terminologie]; **66**, 2587–2604 (1994) [Bioanalytik]; **66**, 1893–1901 (1994) [Graphit-Interkalationsverb.]; **66**, 2469–2482 (1994) [Polymerstrukturformeln]; **67**, 1307–1375 (1995) [organ.-chem. Stoffklassenbez.]; **68**, 1919–2008 (1996) [Kohlenhydrate: Regeln 2-Carb]; **68**, 2193–2222 (1996) [Stereochemie]; **68**, 2223–2286 (1996) [Photochemie]; **68**, 2287–2323 (1996) [Polymerchemie]; **68**, 2339–2359 (1996) [Atomgewichte 1995]; **69**, 1251–1303 (1997) [bioanorgan. Chemie]; **69**, 1411–1434 (1997) [Fullerene]; **69**, 1469–1474 (1997) [chirale Trennungen]; **69**, 1633–1657 (1997) [Mol.-Spektroskopie]; **69**, 1659–1692 (1997) [anorgan. Gerüste]; **69**, 2471–2473 (1997) [revidierte Transactinoid-N.]; **69**, 2475–2487 (1997) [Glycolipide: Regeln GL]; **69**, 2489–2495 (1997) [NMR-Spektroskopie]; **69**, 2511–2521 (1997) [nichtlineare Makromol.]; für **70** (1998) geplant: Spiro-Verb. [Regeln SP], von-Baeyer-N. für polycycl. Verb. [Regeln VB], revidierte Regeln F für die Naturstoff-N. [Regeln RF]. – *b) Andere Zeitschriften:* Angew. Chem. **94**, 614–631, 696–702 (1982) [Stereobez.: revidierte CIP-Regeln, stereochem. Reaktionen] ▪ J. Chem. Inf. Comput. Sci. **35**, 969–978 (1995) [Fullerene] ▪ J. Polym. Sci. A **31**, 641–651 (1993) [Dendrimere] ▪ Tetrahedron Asymmetry **4**, 657–668 (1993) [Mängel der CIP-Regeln]. – *Zeitschriften:* Chem. Internat.; J. Chem. Inf. Comput. Sci. (*Aufrufe zur Begutachtung neuer Regelentwürfe*); Pure Appl. Chem. (*Regelwerke; Liste: Anhang des „Gold Book"*). – *N.-Information im Internet:* http://www.alphaline.com; http://www.chem.qmw.ac.uk/iupac/iupac.html.

Nomex®. Aromat. Polyamid (ein *Aramid) aus *m*-Phenylendiamin u. Isophthalsäure, das wegen seiner therm. Beständigkeit (Zers.-Punkt ca. 370 °C) für Feuerschutzanzüge, militär. Bekleidung, Flugzeuginnenausstattung, Filteranlagen für Ind.-Abgase, nicht brennbare Abdichtungen u. Überzüge usw. verwendet wird. N.-Textilien dürfen chem. gereinigt, aber nicht mit Bleichmitteln behandelt werden. Als N.-Papier, das ohne Kleber u. Bindemittel bei hohen Drücken u. Temp. aus N.-Fasern zusammengepreßt wird, findet es bes. als Isoliermaterial in der Elektro-Ind. Verwendung. ***B.:*** DuPont.

Lit.: s. Aramide.

Nomifensin (Rp).

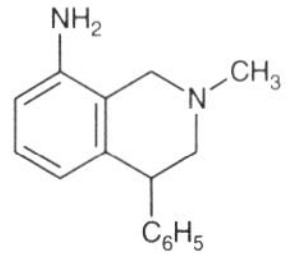

Internat. Freiname für das nicht mehr gehandelte Antidepressivum (±)-1,2,3,4-Tetrahydro-2-methyl-4-phenyl-8-isochinolinamin, $C_{16}H_{18}N_2$, M_R 238,33, Schmp. 178–181 °C; λ_{max} (CH_3OH) 293 nm. Über Nebenwirkungen s. *Lit.*[1]. – ***E*** = ***F*** nomifensine – ***I*** = ***S*** nomifensina

Lit.: [1] Dtsch. Ärztebl. **82**, 879 (1985).
allg.: ASP ▪ Beilstein E V **22/10**, 547 ▪ Hager (5.) **8**, 1192 f. ▪ Linford-Rees et al., Nomifensine, Oxford: Univ. Press 1985 ▪ Martindale (31.), S. 327. – *[HS 2933 40; CAS 24526-64-5]*

Nomogramme (Rechenblätter, Fluchtlinientafeln). Bez. für graph. Darst. der Zusammenhänge zwischen 2 u. mehr Variablen in analyt. od. empir. Funktionen. Aus den sich ergebenden Kurven, Geraden, Netzen, Kreisdiagrammen usw. können die jeweils gesuchten Bezugswerte (*Beisp.:* Mol- od. Gewichtsprozente/Viskositäten/Temp.) ohne aufwendige Rechenoperationen abgelesen werden. In diesem Sinne sind N. mathemat. Hilfsmittel in vielen techn. Disziplinen, z. B. in der Analytik. Das Teilgebiet der Mathematik, das sich mit den verschiedenen Verf. zur Aufstellung von N. befaßt, wird als *Nomographie* bezeichnet. – ***E*** nomograms – ***F*** nomogrammes – ***I*** nomogrammi, abaco – ***S*** nomogramas

Nomographie s. Nomogramme.

Nomon® mono. Kapseln u. Lsg. mit Extrakt aus Kürbissamen gegen Reizblase. ***B.:*** Hoyer.

Non(a)... (von latein.: nonus = neunter). Zahlenvorsatz für „Neun" in chem. Namen; früher *Enne(a)... – ***E*** = ***F*** = ***I*** = ***S*** non(a)...

Nonabrombiphenyle s. PBB.

Nonachlorbiphenyle s. PCB.

Nonacosan vgl. Apfel.

Nonactin.

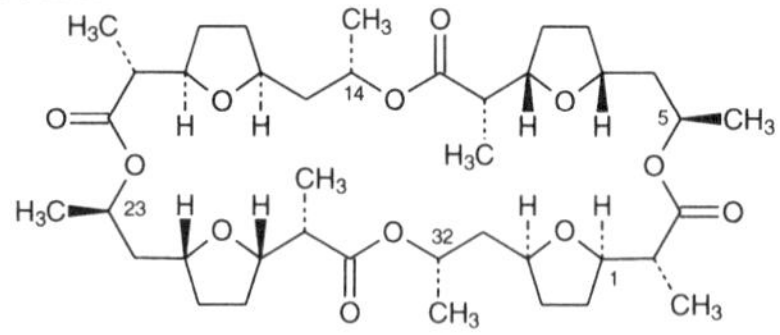

$C_{40}H_{64}O_{12}$, M_R 736,94, farblose Nadeln, Schmp. 147–148 °C. Der Name N. ist internat. Freiname u. allg. üblicher halbsystemat. Name. N. ist ein *Makrotetrolid-Antibiotikum* (s. Makrolide), das 4 Tetrahydrofuran-Ringe enthält, die über Seitenketten-Lacton-Bindungen zu einem 32gliedrigen Ring verknüpft sind. Die Synth. geht von je zwei Mol. (+)- u. (–)-*Nonactinsäure* [(+)- u. (–)-($\alpha R^*,2R^*,5R^*,5^2R^*$)-Tetrahydro-5-(2-hydroxypropyl)-α-methyl-2-furanessigsäure, $C_{10}H_{18}O_4$, M_R 202,25] aus; N. ist also eine opt. inaktive *meso*-Form, was Anlaß für die Namensgebung war. Es existieren daneben noch vier Stoffwechselhomologe: *Monactin* (5-Ethyl, $C_{41}H_{66}O_{12}$, M_R 750,97), *Dinactin* (5,23-Diethyl, $C_{42}H_{68}O_{12}$, M_R 764,99), *Trinactin* (5,14,23-Triethyl, $C_{43}H_{70}O_{12}$, M_R 779,02) u. *Tetranactin* (5,14,23,32-Tetraethyl, $C_{44}H_{72}O_{12}$, M_R 793,05), die sich von der Muttersubstanz durch Ersatz von Methyl- durch Ethyl-Gruppen unterscheiden. Alle N.-Derivate wirken als *Ionophore u. können als *Carrier z. B. einen selektiven *Transport von Alkali- u. NH_4^+-Kationen durch biolog. Membranen ermöglichen. – ***E*** nonactin – ***F*** nonactine – ***I*** = ***S*** nonactina

Lit.: Beilstein E V **19/12**, 751 f. ▪ Helv. Chim. Acta **57**, 2306–2321 (1974); **58**, 2036–2043 (1975) ▪ Tetrahedron **52**, 571–588 (1996) ▪ Zechmeister **26**, 161–189; **58**, 1–82 ▪ s. a. Makrolide. – *[HS 2941 90; CAS 6833-84-7]*

Nonadecan. $H_3C–(CH_2)_{17}–CH_3$, $C_{19}H_{40}$, M_R 268,53. Brennbares Wachs, D. 0,786, Schmp. 32 °C, Sdp. 331 °C, FP. 168 °C, unlösl. in Wasser, lösl. in Alkohol u. Ether. N. wird für organ. Synth. verwendet. – ***E*** nonadecane – ***F*** nonadécane – ***I*** = ***S*** nonadecano

Lit.: Beilstein E IV **1**, 560 ▪ Ullmann (4.) **14**, 655 ff.; (5.) **A 13**, 229 ff. – *[HS 2901 10; CAS 629-92-5]*

2,6-Nonadienal s. Gurken u. Veilchen.

Nonaketide s. Polyketide.

Nonan. $H_3C–(CH_2)_7–CH_3$, C_9H_{20}, M_R 128,26. Farblose, leicht entzündliche Flüssigkeit, D. 0,718, Schmp. –51 °C, Sdp. 151 °C, FP. 31 °C, in Wasser unlösl., in organ. Lsm. dagegen leicht löslich. Das in höheren Konz. narkot. wirkende N. wird zur Herst. von Tensiden u. Schleppmitteln für die Dest.-Technik verwendet. – ***E*** = ***F*** nonane – ***I*** = ***S*** nonano

Lit.: Beilstein E IV **1**, 447–450 ▪ Hommel, Nr. 448 ▪ Ullmann (4.) **14**, 655 ff.; (5.) **A 13**, 229 ff. – *[HS 2901 10; CAS 111-84-2; G 3]*

Nonandisäure s. Azelainsäure.

1-Nonanol (Nonylalkohol). $H_3C–(CH_2)_7–CH_2–OH$, $C_9H_{20}O$, M_R 144,26. Farblose, Citronellol-artig riechende Flüssigkeit, D. 0,828, Schmp. –5 °C, Sdp. 213 °C, unlösl. in Wasser, lösl. in Alkohol, kommt im Orangenöl vor.

Verw.: Zur Herst. von z. B. künstlichem Citronenöl, Kölnisch Wasser, Seifen, Parfüms, Weichmachern (DNA, DNP). Neben 1-N. gibt es noch 4 isomere *n*-Nonanole sowie zahlreiche verzweigte Isomere, von denen in der Technik bes. *3,5,5-Trimethyl-1-hexanol* (*Isononanol, häufig ebenfalls als *Nonanol* bezeichnet) für die Herst. von Weichmachern (DINA, DINP) verwendet wird. – ***E*** = ***F*** = ***S*** 1-nonanol – ***I*** 1-nonanolo

Lit.: Beilstein E IV **1**, 1798 f., 1803 f., 1812 ff. ▪ Merck-Index (12.), Nr. 6774 ▪ Ullmann (4.) **7**, 205, 216, 223; (5.) **A 1**, 291 f. – *[HS 2905 19; CAS 143-08-8; G 3]*

Nonanol N. Gering-verzweigtes, prim. *i*-Nonanol vorzugsweise für die Herst. von Weichmachern für PVC u. Vinylchlorid-Copolymerisate. Schwerflüchtiges Verlaufsmittel für Einbrennlacke sowie Entschäumer. ***B.:*** BASF.

***p*-Nonanoyloxybenzolsulfonat** s. NOBS.

Nonansäure s. Pelargonsäure.

Nonansäurevanillylamid s. Nonivamid.

Nonax®. Synthet. Harze für permanent antistat. Effekte bei allen synthet. Fasermaterialien. ***B.:*** Henkel.

2-Nonenal s. Gurken.

Nonionics s. nichtionische Tenside.

Nonivamid.

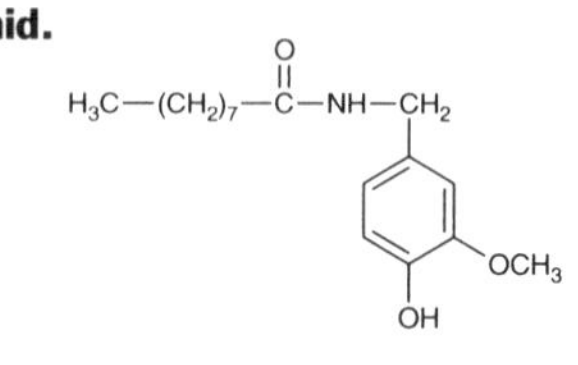

Internat. Freiname für *N*-Vanillylnonanamid (Pelargon- od. Nonansäurevanillylamid), $C_{17}H_{27}NO_3$, M_R

293,40, Schmp. 52–55 °C, Sdp. 200–210 °C (6,65 Pa); λ_{max} (CH_3OH) 229, 280 nm ($A^{1\%}_{1cm}$ 262, 109). N. ist als hyperämisierender Wirkstoff in Pflastern von Beiersdorf (ABC SENSITIV®) u. Gothaplast (Gothaplast Capsicum Wärmepflaster®) im Handel. – *E*=*F*=*I* nonivamide – *S* nonivamida

Lit.: Beilstein E IV **13**, 2588 ▪ Hager (5.) **8**, 1193 f. ▪ Martindale (31.), S. 71. – *[HS 2924 29; CAS 2444-46-4]*

Nonoxinol.

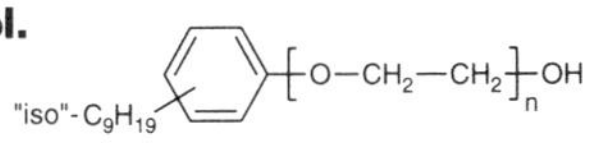

Internat. Freiname für verschieden hoch ethoxylierte Ether des 4-*Nonylphenols (gebildet durch Reaktion von Nonylphenol mit Ethylenoxid), die z. B. durch eine nachgestellte Zahl (n = 4, 9, 15, 30) charakterisiert sind. N.-9 wirkt spermatizid, Wirkstoff in Delfen®, Patentex®-Präp., Ortho-Creme®. – *E* nonoxynol – *F*=*S* nonoxinol – *I* nonoxinolo

Lit.: Hager (5.) **8**, 1194 ▪ Merck-Index (12.), Nr. 6772 ▪ Ullmann (5.) **A 7**, 462 ▪ s. a. Alkylphenolpolyglykolether. – *[CAS 26027-38-3]*

Nonproprietary Names s. Freinamen.

Nonsense-Codon. Andere Bez. für *Stop-Codon.

Nonsense-Mutation s. Punktmutation.

Non-suppressible insulin-like activity s. Insulin-artige Wachstumsfaktoren.

Nontronit. $M^+_{0,4}(Fe^{3+}_{1,2}Al_{0,2}Mg_{0,3})_{2,1}[Al_{0,4}Si_{3,6}O_{10}(OH)_2]$, M^+ z. B. Na^+. Zu den dioktaedr. (*Glimmer) *Smektiten gehörendes monoklines Tonmineral; zur Struktur u. zum Entwässerungsverhalten s. *Lit.*[1,2]. Untersuchungen an N. mit *Mößbauer-Spektroskopie (z. B. *Lit.*[3,4]) haben ergeben, daß Fe^{3+} in oktaedr. [als $FeO_4(OH)_2$] u. auch in tetraedr. Koordination vorliegt. N. bildet nicht aufblähende, gelbe bis gelbgrüne od. grüne, harzartig glänzende bis matte, unter dem Mikroskop feinfaserige tonartige Massen; H. 1–2, D. 2–3.

Vork.: Als Umwandlungsprodukt von Silicaten u. vulkan. Gläsern, z. B. in *Basalten; in Mineralgängen; häufig als wesentlicher Bestandteil von *Böden u. *Sedimenten. Beisp. bei Göttingen, in Tirschenreuth/Oberpfalz, bei Passau/Bayern (als Bestandteil von „Chloropal"), in Nontron (Name!) in der Dordogne/Frankreich; in sedimentären Eisenerzen. – *E*=*F*=*I* nontronite – *S* nontronita

Lit.: [1] Clay Miner. **22**, 157–167 (1987). [2] Clays Clay Miner. **39**, 478–489 (1991). [3] Clays Clay Miner. **39**, 467–477 (1991). [4] Clays Clay Miner. **33**, 295–300 (1985).
allg.: Bayley (Hrsg.), Hydrous Phyllosilicates (Reviews in Mineralogy, Vol. 19), S. 518–521 (1988) ▪ Heim, Tone u. Tonminerale, S. 69–74, Stuttgart: Enke 1990 ▪ Jasmund u. Lagaly (Hrsg.), Tonminerale u. Tone, S. 48–53, 449, 455 f., Darmstadt: Steinkopff 1993. – *[CAS 12174-06-0]*

Nonvariant s. Gibbssche Phasenregel.

Nonwovens. Von *E* non woven fabrics abgeleitete Sammelbez. für alle *nicht gewebten* *Textilverbundstoffe, zu denen in erster Linie die *Vliesstoffe gehören.

Nonyl... Bez. für die Atomgruppierung $-(CH_2)_8-CH_3$ in chem. Namen (IUPAC-Regel A-1.2). – *E*=*F* nonyl... – *I*=*S* nonil...

Nonylalkohol s. 1-Nonanol.

Nonylphenol.

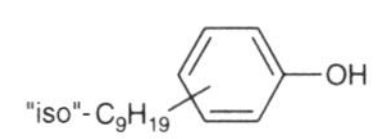

$C_{15}H_{24}O$, M_R 220,35. Klare, gelbliche, zähe Flüssigkeit, D. 0,968, Sdp. 295–304 °C, FP. 140 °C, in Wasser nicht, in Alkohol u. Benzol löslich. Das aus Propylen-Trimer u. Phenol herstellbare verzweigtkettige *Alkylphenol ist als techn. Produkt eine Mischung z. B. aus 85% *p*-N., 10% *o*-N., 4% Decylphenol, Rest andere Alkylphenole, die im allg. durch *Ethoxylierung weiterverarbeitet wird.

Verw.: Zur Herst. von Tensiden, Emulgatoren, Kunstharzen, Antioxidantien, Stabilisatoren für Ethylcellulose, Weichmachern für Celluloseester, Additiven, Kautschukchemikalien, Fungiziden, Bakteriziden, Antikonzeptionsmitteln, Pharmazeutika usw. – *E* nonylphenol – *F* nonylphénol – *I* nonilfenolo – *S* nonilfenol

Lit.: Hommel, Nr. 151 ▪ Kirk-Othmer (3.) **2**, 90 f.; (4.) **2**, 115 ▪ Merck-Index (12.), Nr. 6775 ▪ Ullmann (4.) **6**, 188; **18**, 195, 209, 214; (5.) **A 8**, 315 ff.; **A 19**, 336. – *[HS 2907 13; CAS 25154-52-3]*

Nootkaton [4α,5α-Eremophila-1(10),11-dien-2-on].

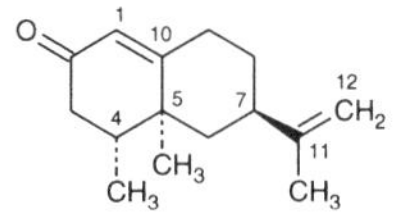

$C_{15}H_{22}O$, M_R 218,33, bitter schmeckende, nach Grapefruit duftende Krist., Schmp. 36–37 °C, $[\alpha]_D$ +195,5° ($CHCl_3$). Das *Sesquiterpen N. ist in Grapefruitsaft u. -öl enthalten u. verursacht den charakterist. Duft reifer Pampelmusen u. anderer Citrusfrüchte. Weiterhin findet sich N. im Stammholz der in Nordamerika (bes. Alaska) beheimateten Nootka-Scheinzypresse (*Chamaecyparis nootkatensis*). N. ist auf mikrobiolog. Wege od. synthet. aus dem Kohlenwasserstoff *Valencen zugänglich. Verw. zur Aromatisierung von Getränken. – *E*=*F* nootkatone – *I* nootcatone – *S* nootkatona

Lit.: Dragoco-Rep. **20**, 251–258 (1973) ▪ Ullmann (4.) **20**, 227, 255 ▪ Zechmeister **34**, 144–155. – *Synth.:* ApSimon **5**, 180–188 ▪ Bull. Chem. Soc. Jpn. **55**, 887 (1982) ▪ J. Org. Chem. **45**, 607 (1980); **47**, 4622 (1982); **50**, 3615 (1985) ▪ Tetrahedron Lett. **1979**, 3529. – *[CAS 4674-50-4]*

Nootrop® (Rp). Kapseln, Filmtabl., Ampullen, Infusionslsg. u. Lsg. mit *Piracetam gegen Hirnfunktionsstörungen verschiedener Genese. *B.:* UCB.

Nopalin [*N*-((*S*)-1-Carboxy-4-guanidinobutyl)-D-glutaminsäure].

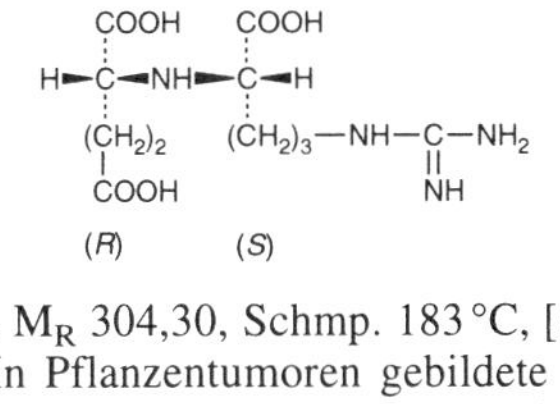

$C_{11}H_{20}N_4O_6$, M_R 304,30, Schmp. 183 °C, $[\alpha]^{23}_D$ +16,3° (c 1/H_2O). In Pflanzentumoren gebildete Guanidinoaminosäure, deren Biosynth. aus Arginin u. 2-Oxoglutarsäure durch virulente Stämme des Bakteriums *Agrobacterium tumefaciens* (Träger des Ti-Plasmids)

induziert wird, s. das ähnlich aufgebaute Octopin. – ***E*** = ***F*** nopaline – ***I*** = ***S*** nopalina

Lit.: J. Gen. Microbiol. **136**, 97–103 (1990) ▪ Mol. Gen. Genet. **241**, 65–72 (1993) ▪ s. a. Octopin. – *[CAS 22350-70-5]*

Nopal-Schildläuse s. Cochenille u. Karmin.

Nopco®. Markenbez. für Entschäumer für die Lack- u. Farben-, Papier-, Faser- u. Textil-Industrie. ***B.:*** Henkel.

Nopcobond®. *Polyvinylalkohol zur Verbesserung der Naßfestigkeit bei der Herst. von Papieren u. Karton sowie für die Papierbeschichtung. ***B.:*** Henkel.

Nopcocid®. *Chlorthalonil als techn. Mikrobizid. ***B.:*** Henkel.

Nopcosperse®. Pigmentdispergatoren für die Lack- u. Farben-Industrie. ***B.:*** Henkel.

Nopcostat®. Antistatika für die Papierbeschichtung sowie für die Spinnpräparation. ***B.:*** Henkel.

Nopcote®. Gleit- u. Beschichtungsmittel auf Basis von Stearat-Emulsionen für die Papierbeschichtung; Vernetzungsmittel zur Verbesserung der Oberflächenfestigkeit. ***B.:*** Henkel.

Nopcowet®. Netzmittel mit Langzeitwirkung für die Papier-Industrie. ***B.:*** Henkel.

Nor... 1. Präfix, das heute in *halbsystematischen Namen das Fehlen einer *Methylen-Gruppe ($-CH_2-$) des Grundgerüsts, also Kettenverkürzung, Ringverengung (Kontraktion) od. Ersatz einer Methyl-Gruppe ($-CH_3$) durch ein H-Atom, bei ungesätt. Verb. (s. z. B. Carotinoide) auch Fehlen einer *Methin-Gruppe ($-CH=$) anzeigt (IUPAC-Regeln C-43, F-4.4, RF-4.1, Carot-5a, 3S-6.2, 3S-7, TP-5.3 Fußnote). Fehlen 2 od. mehr C-Atome, so setzt man *Dinor...*, *Trinor...* usw. ein (Bisnor..., Trisnor... usw. ist veraltet); *Apo... zeigt fehlende längere C-Kettenenden an. Der Ort fehlender C-Atome wird mit ihren Stellungsziffern (Lokanten) angezeigt, die bei Carotinoiden niedrig, sonst hoch zu wählen sind. Kursive Großbuchstaben für veränderte Ringe (*Beisp.:* s. Homo...) benutzt bes. Chemical Abstracts bis heute.
2. Unbeziffertes Präfix, das (ggf. mehrfache) *Demethylierung eines Naturstoffs anzeigt (Abk. für „*Normal*-Verb.", so 1867 von Matthiessen u. Foster)[1,2]; *Beisp.:* *Alkaloide (*Noradrenalin, *Norephedrin, Nornicotin), Ester [Norbixin (s. Bixin)], Ether (*Nordihydroguajaretsäure), Terpene (IUPAC-Regeln A-72/75: Norbornan, *Norcaran, Norpinan; neue, abwegige Regel F-4.2: 8,9,10-Trinor... statt Nor...; Chemical Abstracts: systemat. *Bicyclo[...]...-Namen). Ab 1950 (?) wurde fabuliert, Nor... sei Abk. für ***N***-Atom ***o***hne ***R***adikal od. *E* ***no-r****adical* = radikalfrei.
3. Präfix für unverzweigte (= normale, *n-) Isomere verzweigter *Aminosäuren: *Norleucin u. *Norvalin (*Abderhalden 1913 u. 1921)[1,3]; gegen IUPAC-Regel 3-AA-2.4 u. -15.2.3, aber Lit.-üblich. – ***E*** = ***F*** = ***I*** = ***S*** nor...

Lit.: [1] Pharmazie Beih. **2**, 5–40 (1955). [2] Nature (London) **177**, 1046 (1956). [3] Beilstein E I **4**, 514 f.; E II **4**, 842; E IV **4**, 2629, 2686.

Noradrenalin [1-(3,4-Dihydroxyphenyl)-2-aminoethanol, 4-(2-Amino-1-hydroxyethyl)resorcin, internat. Freiname: *Norepinephrin*, früher: Arterenol].

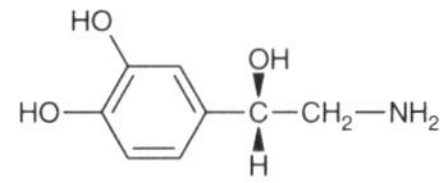

$C_8H_{11}NO_3$, M_R 169,18. Ein *Catecholamin, das natürlicherweise nur in der L-Form (frühere Bez.: *Levarterenol*) vorkommt, farblose Krist., Schmp. 217–218 °C (Zers.), synthet. auch als D,L-N., Schmp. 191 °C (Zers.), in Wasser, Alkohol, Ether kaum löslich. In Licht u. Luft instabil. L-N. ist chem. u. physiolog. nahe mit L-*Adrenalin verwandt u. wird zusammen mit diesem im *Nebennieren-Mark als *Hormon sowie im *Gehirn u. im Bereich der sympath. Ganglien als *Neurotransmitter des adrenergen Nervensyst. gebildet. Als Cotransmitter fungiert hier *Adenosin-5′-triphosphat[1]. L-N. bindet aber, im Unterschied zu L-Adrenalin, außer am Herzmuskel an die α-*Adrenozeptoren.

Biochemie: Die Biosynth. führt von der Aminosäure L-Tyrosin über L-Dopa u. Dopamin zu L-N. u. L-Adrenalin. Die Desaktivierung erfolgt durch Catecholamin-*O*-Methyltransferase (s. Catecholamine) u. *Monoamin-Oxidase; die Ausscheidungsform im Urin ist 3-Methoxy-4-hydroxymandelsäure. Im Stoffwechsel stimuliert das *Sympathikomimetikum L-N. die *Glykolyse in Leber, Fettgewebe u. Skelettmuskel. Physiolog. wirkt es durch Verengung der peripheren Gefäße blutdruckerhöhend (als *Vasokonstriktor, vgl. hierzu L-Adrenalin), beruhigt die glatte Muskulatur u. regt den Herzmuskel an.

Verw.: Therapeut. als Reinsubstanz od. in Form von wasserlösl. Salzen als gefäßkontrahierendes Mittel, ferner in Broncholytika (Krampflösung), Lokalanästhetika (Depotwirkung) usw., wenn dabei auch mit *Tachyphylaxie zu rechnen ist.

Geschichte: Für ihre Forschungen über Neurotransmitter vom Typ des N. erhielten *Axelrod, U. S. von *Euler u. *Katz 1970 den Nobelpreis für Medizin od. Physiologie. – ***E*** noradrenaline, meist: norepinephrine – ***F*** noradrénaline – ***I*** = ***S*** noradrenalina

Lit.: [1] Adv. Second Messenger Phosphoprotein Res. **29**, 461–496 (1994); Fund. Clin. Pharmacol. **8**, 207–213 (1994). *allg.:* Beilstein E IV **13**, 2924 f. – *[HS 2937 99; CAS 51-41-2]*

Norbergit s. Humit.

Norbixin s. Bixin.

2,5-Norbornadien (NBD).

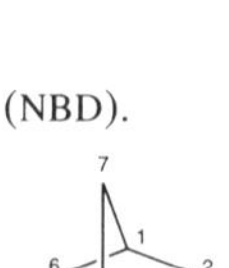

Trivialname für Bicyclo[2.2.1]hepta-2,5-dien, C_7H_8, M_R 92,14. Farblose Flüssigkeit, D. 0,906, Schmp. −19 °C, Sdp. 89 °C, in Wasser unlösl., in organ. Lsm. gut löslich; WGK 2 (Selbsteinst.). Das durch Dien-Synth. aus Cyclopentadien mit Acetylen zugängliche N. ist dank seines gespannten *Bicyclo[...]-Syst. u. seiner homokonjugierten Doppelbindungen sehr reaktionsfähig. Seine Reaktionsfähigkeit zeigt sich z. B. in Valenzisomerisierungen (zu *Quadricyclan; zur Diskussion des Syst. N. ⇌ Quadricyclan als effektives mol. Syst. zur Speicherung von Sonnenenergie s. *Lit.*[1]), in Dien-Synth., Additionsreaktionen (die z.T. unter Umlagerungen u. Ausbildung nichtklassischer Ionen verlaufen) u. Polymerisationen sowohl zu Homo- als auch zu Copolymeren mit Trinor-*Tricyclen als Repetiereinheit. Mit Übergangsmetall-Verb. bildet es leicht π-Komplexe, u. durch Aufnahme von $2H_2$ geht es in *Norbornan* (s. Norbornen) über. – ***E*** = ***I*** 2,5-norbornadiene – ***F*** 2,5-norbornadiène – ***S*** 2,5-norbornadieno

Lit.: [1] Russ. Chem. Rev. **60**, 451–469 (1991).
allg.: Angew. Chem. **94**, 902–915 (1982) ▪ Beilstein E IV **5**, 879 ff. ▪ Russ. Chem. Rev. **41**, 516–528 (1972). – *[HS 2902 19; CAS 121-46-0; G 3]*

Norbornan s. Norbornen.

Norbornen.

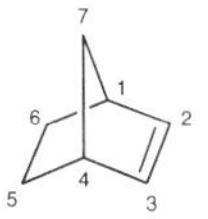

F

Trivialname für Bicyclo[2.2.1]hept-2-en (zur Namensgebung s. Nor... u. Bicyclo[...]...), C_7H_{10}, M_R 94,15. Farblose Krist., Schmp. 44–47 °C, Sdp. 96 °C, Fp. –14 °C, in organ. Lsm. leicht, in Wasser nicht löslich. N. kann aus Cyclopentadien u. Ethylen durch Hochdruck-Dien-Synth. (200 °C, 200–400 atm) hergestellt werden. Ringöffnende Polymerisation (ROMP, s. Metathese) führt zu dem porösen *Polynorbornen*-Kautschuk, der zur Bekämpfung der Ölpest einsetzbar ist. Durch Hydrierung geht N. in Norbornan (Bicyclo[2.2.1]-heptan), den gesätt. Grundkörper der Isocamphan-, Bornan- u. Fenchan-Terpene (2,2,3-, 1,7,7- u. 1,3,3-Trimethylnorbonane) über[1]. Das Gerüst des Norbornans liegt nicht nur vielen Riechstoffen[2], sondern auch Pflanzenschutz- u. Schädlingsbekämpfungsmitteln zugrunde. – ***E*** = ***I*** norbornene – ***F*** norbornène – ***S*** norborneno

Lit.: [1] Römpp Lexikon Naturstoffe, S. 409. [2] Chem.-Ztg. **107**, 327–339 (1983).
allg.: Angew. Chem. **93**, 602 f. (1981) ▪ Beilstein E IV **5**, 394 f. ▪ Houben-Weyl **E 20**, 930 ff. ▪ Kirk-Othmer (3.) **18**, 436–442 ▪ Nachr. Chem. Tech. Lab. **28**, 724 ff. (1980). – *[HS 2902 19; CAS 498-66-8]*

Norborn-2-en-7-yl-Kation s. anchimere Hilfe.

2-Norbornyl-Kation s. Carbokationen.

Norcaradiene. Unsystemat., von *Norcaran abgeleitete Bez. für Bicyclo[4.1.0]hepta-2,4-diene, die mit *1,3,5-Cycloheptatrienen neu im valenztautomeren Gleichgew. stehen, bei dem in der Regel der 7-Ring überwiegt.

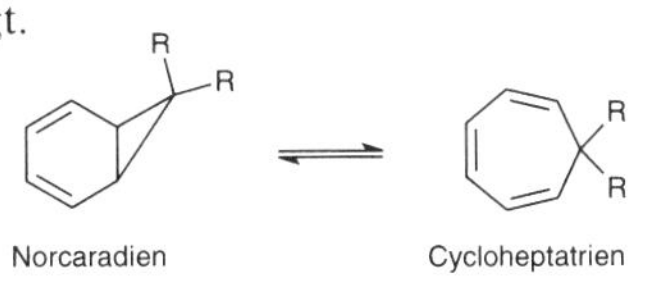

Norcaradien Cycloheptatrien

Akzeptorsubstituenten am Dreiring begünstigen die N.-Form, was anhand der *Walsh-*Orbitale* für den Cyclopropan-Ring verdeutlicht werden kann. Die N.-Cycloheptatrien-Isomerisierung stellt ein Paradebeisp. für die *Valenzisomerisierung u. damit auch für *elektrocyclische Reaktionen dar; die Reaktion kann auch als *Cope-Umlagerung aufgefaßt werden. N. bilden sich bei der Reaktion von *Carbenen, z. B. Methylen (R = H), mit Benzol. – ***E*** = ***I*** norcaradiene – ***F*** norcaradiène – ***S*** norcaradieno

Lit.: s. Norcaran.

Norcaran.

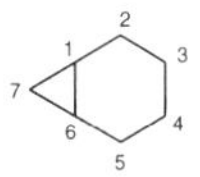

Trivialname für Bicyclo[4.1.0]heptan, C_7H_{12}, M_R 96,17. Farblose Flüssigkeit, Sdp. 116–117 °C. N. ist formal der gesätt. Grundkörper der *Carane, vgl. Nor... zur Bildung des Namens. N. entsteht durch Addition von Carben (*Methylen*, $\bar{C}H_2$) an Cyclohexen. Bei aromat. Verb. bilden sich *Norcaradiene. – ***E*** = ***F*** norcarane – ***I*** = ***S*** norcarano

Lit.: Beilstein E IV **5**, 257 ▪ Helv. Chim. Acta **66**, 2626–2631 (1983) ▪ Merck-Index (12.), Nr. 6781. – *[HS 2902 19; CAS 286-08-8]*

Nord, Friedrich Franz (1889–1973), Prof. für Organ. Chemie u. Enzymologie, Fordham Univ., New York. *Arbeitsgebiete:* Enzyme, Gärung, Kryobiologie, Holzzerstörung durch Pilze, chem. Parasitologie, Lignine, Verholzungsmechanismen, Protein-Aktivität, Polymere.

Lit.: Nachmansohn, S. 301.

Nordazepam (Rp; BtMVV, Anlage III C).

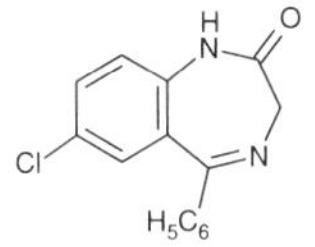

Internat. Freiname für den *Tranquilizer 7-Chlor-1,3-dihydro-5-phenyl-2*H*-1,4-benzodiazepin-2-on, $C_{15}H_{11}ClN_2O$, M_R 270,71, Schmp. 216–217 °C; λ_{max} ($CHCl_3$) 313 nm ($A^{1\%}_{1cm}$ 82); LD_{50} (Maus oral) 2750, (Maus i.p.) >400 mg/kg. In Wasser prakt. nicht, in Alkohol u. Chloroform schwer löslich. N. ist der Hauptmetabolit von *Diazepam u. wurde in Spuren in der Natur gefunden, s. 1,4-Benzodiazepine. N. wurde 1963 u. 1965 von Hoffmann-La Roche patentiert u. ist von Sanofi Winthrop (Tranxilium® N Tropfen) im Handel. – ***E*** = ***I*** = ***S*** nordazepam – ***F*** nordazépam

Lit.: Arzneim. Forsch. **27**, 436 (1977) ▪ Beilstein E V **24/4**, 291 ▪ Br. J. Clin. Pharmacol. **7**, 119 (1979) ▪ J. Pharm. Sci. **67**, 1777 (1978) ▪ Martindale (31.), S. 725. – *[HS 2933 90; CAS 1088-11-5]*

Norddeutsche Affinerie, 20033 Hamburg; gegr. 1866. *Tochterges.:* Hüttenbau-Ges. Peute mbH, Hamburg (100%), Urania Agrochem GmbH, Hamburg (100%), u. a. *Daten* (1995/96): ca. 2200 Beschäftigte, 2,3 Mrd. DM Umsatz. *Produktion:* NE-Metalle (bes. Kupfer) in Form von Pulvern, Halbzeug u. Salzen, Edelmetalle, Schwefelsäure, Straßenbaumaterialien u. a., Schlackenerzeugnisse, Agrarchemikalien.

Nordel®. Sortiment von Ethylen-Propen-ENB-Terpolymeren. Der Ethylen-Gehalt liegt zwischen 40 u. 75%, der ENB-Gehalt zwischen 0,5 u. 9%. N. ist beständig gegen die meisten polaren Medien u. resistent gegen Ozon, Wärme, Wasser u. Glykole. Verw. in Schläuchen, Kabelmänteln u. Dichtungsprofilen. ***B.:*** DuPont Dow Elastomere.

Nordihydroguajaretsäure (NDGA).

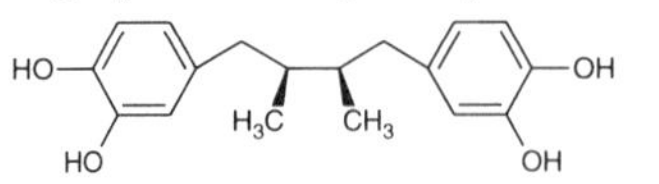

$C_{18}H_{22}O_4$, M_R 302,37, Krist., Schmp. 184–185 °C, lösl. in Ethanol, Methanol, Ether u. Aceton, in Alkalien mit roter Farbe infolge Luft-Oxid., wenig lösl. in Chloroform, unlösl. in Petrolether. Das *Lignan N. kommt in Guajakharzsäure u. den Blättern der immergrünen Kreosot-Sträucher (*Larrea*-Arten) vor. Neben der freien N. findet man v. a. in der austral. Flora *O,O'*-Methylen-Derivate u. Methylether von Nordihydroguajaretsäure. N. verhütet bei Verw. als Antioxidans das Ranzigwerden von Fetten. Schmalz ist nach Zusatz von 0,01% N. 19 Monate bei 20 °C ohne Ranzigwerden haltbar. Das racem. Diastomere von N., Masoprocol, ist als Actinex® in USA zur Behandlung aktin. Keratosen im Handel [1]. – ***E*** nordihydroguaiaretic acid – ***F*** acide nordihydroguaïarétique – ***I*** acido nordiidroguaiaretico – ***S*** ácido nordihidroguayarético

Lit.: [1] J. Am. Acad. Dermatol. **31**, 295 (1994).
allg.: Beilstein E IV **6**, 7771 ▪ Chem. Pharm. Bull. **36**, 648 (1988) ▪ J. Nat. Prod. **53**, 212 (1990) ▪ Phytochemistry **23**, 2647 (1984); **26**, 1513 (1987) ▪ Sax (8.), NBR 000. – *[HS 2907 29; CAS 500-38-9 (N.); 27686-84-6 (Actinex)]*

Nordlanders Test. Nachw. von Quecksilber-Dampf durch Schwarzfärbung eines mit Selensulfid beschichteten Papiers. – ***E*** Nordlander's test – ***F*** test de Nordlander – ***I*** prova di Nordlander – ***S*** ensayo de Nordlander

Nordlichter s. Polarlicht u. kosmische Strahlung.

Nordmann, Rassmann (NRC). Kurzbez. für die 1912 gegr. Firma Nordmann, Rassmann GmbH & Co., 20408 Hamburg. *Daten* (1995): 205 Beschäftigte, 350 Mio. DM Umsatz. *Verkaufsprogramm:* Distribution chem. Roh- u. Hilfsstoffe für die Ind.: Kunststoffe, Gummi, Lack u. Farben, Kautschuk, Naturkautschuk u. Naturkautschuk/-Latex, Klebstoff, Kosmetik, Pharmazie, Lebensmittel, Papier, Waschmittel, Wasseraufbereitung, Keramik u. Bau.

Nordmark. Kurzbez. für die 1927 gegr. Fa. Nordmark Arzneimittel GmbH, 25430 Uetersen, die über *Knoll zur *BASF (100%) gehört. *Daten* (1995): 404 Beschäftigte, ca. 190 Mio. DM Umsatz. *Produktion:* Arzneimittel, Organextrakte, Pharma-Wirkstoffe.

Norephedrin. $C_9H_{13}NO$, M_R 151,21. Die natürliche (1*R*,2*S*)-Form (Strukturformel s. Ephedrin), bitter schmeckende Krist., Schmp. 51 °C (Hydrochlorid: 171–172 °C), $[\alpha]_D$ −15° (C_2H_5OH) kommt in *Ephedra vulgaris* u. *Catha edulis* (*Kat) vor. Die (1*S*,2*R*)-Form u. das Racemat sind synthet. zugänglich. Als *Norpseudoephedrin* (Pseudonorephedrin, Ψ-Norephedrin) wird die (1*R*,2*R*)-Form von N. bezeichnet: Schmp. 77 °C (Hydrochlorid: 180–181 °C), $[\alpha]_D^{20}$ +33,14° (C_2H_5OH), die zusammen mit N. in Pflanzen vorkommt. Sie wirken ähnlich wie Ephedrin. (1*R*,2*R*)-Norpseudoephedrin (als Racemat auch als *Phenylpropanolamin* bezeichnet) ist als verschreibungspflichtiger *Appetitzügler im Gebrauch. – ***E*** norephedrine – ***F*** noréphédrine – ***I*** = ***S*** norefedrina

Lit.: Beilstein E IV **13**, 1874 ff. ▪ Florey **12**, 357–383; **13**, 767 ▪ Hager (5.) **8**, 1195, 1196 ▪ Manske **35**, 77–144 ▪ Negwer (6.), S. 1277 ▪ Sax (8.), Nr. NNM000, NNM500; NNN000, NNN500, NNO000, NNV500, PMJ500 ▪ Ullmann (5.) **A 2**, 317. – *[CAS 492-41-1 ((1R,2S)-N.); 37577-28-9 ((1S,2R)-N.); 14838-15-4 ((1RS,2SR)-N.); 37577-07-4 ((1R,2R)-Norpseudoephedrin); 492-39-7 ((1S,2S)-Norpseudoephedrin); 54680-46-5 ((1RS,2SR)-Norpseudoephedrin)]*

Norepinephrin s. Noradrenalin.

Norethindron s. Norethisteron.

Norethisteron (Rp).

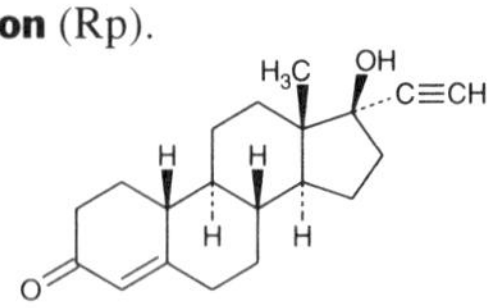

Vorgeschlagener Freiname für das früher auch *Norethindron* genannte *Gestagen 17*β*-Hydroxy-19-nor-17*α*-pregn-4-en-20-in-3-on (17*α*-Ethinyl-17*β*-hydroxy-4-estren-3-on), $C_{20}H_{26}O_2$, M_R 298,42, Schmp. 203–204 °C; $[\alpha]_D^{20}$ −31,7° ($CHCl_3$); λ_{max} (C_2H_5OH) 240 nm ($A_{1cm}^{1\%}$ 582). Verwendet wird auch das Acetat, $C_{22}H_{28}O_3$, M_R 340,46, Schmp. 161–162 °C; λ_{max} 240 nm ($A_{1cm}^{1\%}$ 549). N. (od. sein Acetat) ist als Einzelstoff in Minipillen, in Kombination mit einem Estrogen (meist Ethinylestradiol od. Mestranol) als Zwei- od. Dreiphasenpräp. generikafähig im Handel. Das Enantat, $C_{27}H_{38}O_3$, M_R 410,60 ist eine Depot-Form, die, zunächst in kürzeren Abständen später vierteljährlich, als Antikonzeptionsmittel injiziert werden kann. – ***E*** norethisterone – ***F*** noréthistérone – ***I*** noretisterone – ***S*** norestisterona

Lit.: Beilstein E IV **8**, 1221 ▪ Florey **4**, 268–293 ▪ Hager (5.) **8**, 1201–1206 ▪ Helv. Chim. Acta **68**, 1054–1068 (1985) ▪ IARC Monogr. **6**, 179–189 (1974); **21**, 441–460 (1979) ▪ Martindale (31.), S. 1499 f. ▪ Ph. Eur. **1997** u. Komm. – *[HS 2937 92; CAS 68-22-4 (N.); 51-98-9 (Acetat); 3836-23-5 (Enantat)]*

Noretynodrel (Rp).

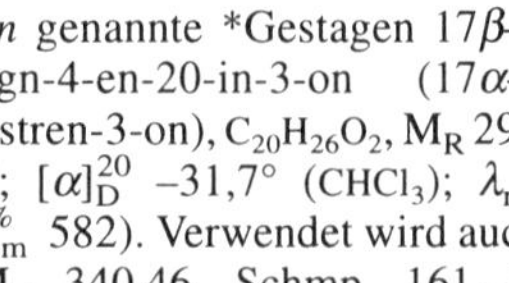

Internat. Freiname für das *Gestagen 17*β*-Hydroxy-19-nor-17*α*-pregn-5(10)-en-20-in-3-on [17*α*-Ethinyl-17*β*-hydroxy-5(10)-estren-3-on], $C_{20}H_{26}O_2$, M_R 298,42, Schmp. 169–170 °C; $[\alpha]_D^{20}$ +108° (c 1/$CHCl_3$), weißliches, geruchloses Krist.-Pulver, prakt. unlösl. in Wasser. Lagerung: Vor Licht geschützt. – ***E*** norethynodrel – ***F*** norétynodrel – ***I*** = ***S*** noretinodrel

Lit.: Beilstein E IV **8**, 1222 ▪ Hager (4.) **2**, 183 ▪ IARC Monogr. **6**, 191–200 (1974); **21** 461–477 (1979) ▪ Martindale (31.), S. 1500. – *[HS 2937 92; CAS 68-23-5]*

Norfenefrin.

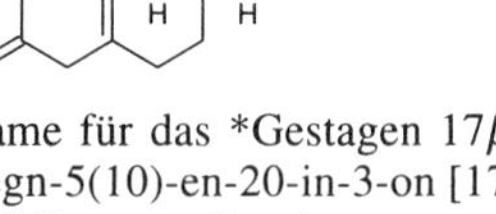

Internat. Freiname für das α-*Sympath(ik)omimetikum (±)-3-(2-Amino-1-hydroxyethyl)-phenol (*Norphenylephrin*), $C_8H_{11}NO_2$, M_R 153,18, Schmp. 73 °C. Verwendet wird das Hydrochlorid, Schmp. 159–160 °C; λ_{max} (CH_3OH) 275 nm ($A_{1cm}^{1\%}$ 111). N. wurde

als *Antihypotonikum 1943 von Ciba patentiert u. ist von Gödecke (Novadral®) u. als Generikum im Handel. – *E* norfenefrine – *F* norfénéfrine – *I* = *S* norfenefrina

Lit.: ASP ▪ Beilstein E IV **13**, 2651 f. ▪ Hager (5.) **8**, 1206 ff. ▪ Martindale (31.), S. 1583. – *[HS 2922 50; CAS 536-21-0 (N.); 15308-34-6 (DL-Form, Hydrochlorid)]*

Norfloxacin (Rp).

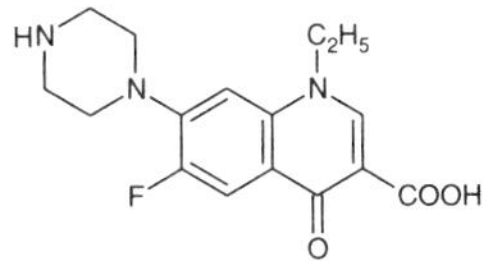

Internat. Freiname für den *Gyrase-Hemmer 1-Ethyl-6-fluor-1,4-dihydro-4-oxo-7-(1-piperazinyl)-3-chinolincarbonsäure, $C_{16}H_{18}FN_3O_3$, M_R 319,33, Schmp. 220–221 °C; λ_{max} (0,1 N NaOH) ~275, 325, 336 nm ($A^{1\%}_{1cm}$ ~1109, 437, 42%); pK_{a1} 6,34, pK_{a2} 8,75; LD_{50} (Maus oral) >4000, (Maus s.c.), 1500 (Maus i.m.) 470, (Maus i.v.) 220 mg/kg. N. wurde 1978 u. 1979 von Kyorin patentiert u. ist von Dieckmann (Barazan®) u. Chibret (Chibroxin®) im Handel. – *E* norfloxacin – *F* norfloxacine – *I* = *S* norfloxacina

Lit.: ASP ▪ Beilstein E V **23/3**, 135 ▪ Chemotherapy **29**, Suppl. 4, 1–1000 (1981) ▪ Drugs **30**, 482–513 (1985) ▪ Hager (5.) **8**, 1208–1211 ▪ Martindale (31.), S. 257 f. – *[HS 2933 59; CAS 70458-96-7]*

Norfluran. Trivialname für 1,1,1,2-Tetrafluorethan, s. Fluorkohlenwasserstoffe.

Norflurazon.

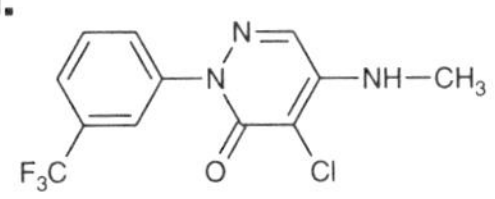

Common name für 4-Chlor-5-methylamino-2-[3-(trifluormethyl)phenyl]pyridazin-3(2*H*)-on, $C_{12}H_9ClF_3N_3O$, M_R 303,67, Schmp. 174–180 °C, LD_{50} (Ratte oral) >8000 mg/kg (WHO), von Sandoz 1971 eingeführtes selektives Vorauflauf-*Herbizid gegen Ungräser u. Unkräuter im Baumwoll-, Obst- u. Sojabohnenanbau. – *E* norflurazon – *F* = *I* norflurazone – *S* norflurazona

Lit.: Beilstein E V **25/14**, 201 ▪ Farm. ▪ Perkow ▪ Pesticide Manual. – *[HS 2933 90; CAS 27314-13-2]*

Norgesalpeter s. Calciumnitrat.

Norgestrel (Rp).

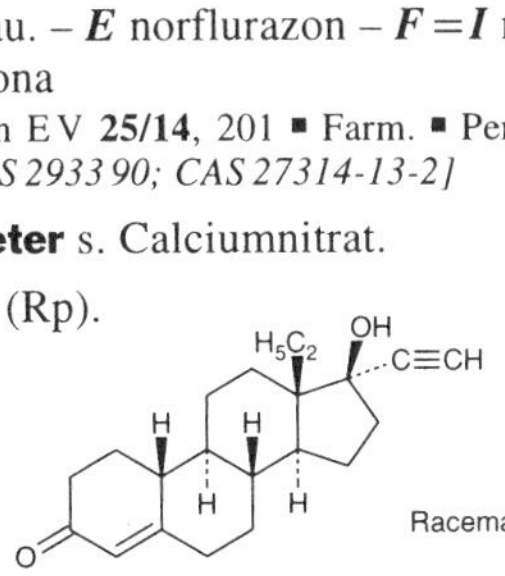

Racemat

Internat. Freiname für das racem., totalsynthet. zugängliche *Gestagen (±)-17*β*-Hydroxy-18-methyl-19-nor-17*α*-pregn-4-en-20-in-3-on [(±)-17*α*-Ethinyl-13*β*-ethyl-17*β*-hydroxy-4-gonen-3-on], $C_{21}H_{28}O_2$, M_R 312,45, Schmp. 205–207 °C; $[\alpha]^{25}_{D}$ 0°±0,05° (c 5/$CHCl_3$); λ_{max} (C_2H_5OH) 242 nm ($A^{1\%}_{1cm}$ 541). N. ist in Kombination mit Estrogenen als *Antikonzeptionsmittel im Handel. (–)-N. mit natürlicher abs. Steroidkonfiguration hat den Freinamen *Levonorgestrel. – *E* = *F* = *I* = *S* norgestrel

Lit.: Florey **4**, 294–318 ▪ Hager (5.) **8**, 1211 f. ▪ IARC Monogr. **6**, 201–205 (1974); **21**, 479–490 (1979) ▪ Martindale (31.), S. 1500 f. ▪ Ph. Eur. **1997** u. Komm. – *[HS 2937 92; CAS 6533-00-2]*

Norgingerol s. Gingerol.

Norit s. Gabbros.

Norit. Kurzbez. für die 1918 gegr. Norit N. V.; Hauptsitz in Amersfoort, Niederlande. *Daten* (1996): ca. 1000 Beschäftigte. *Produktion* u. Vertrieb von Aktivkohle. *Vertretung* in der BRD: Norit Deutschland GmbH, 40211 Düsseldorf.

Norit®. Marke der NORIT N. V., Niederlande, für Aktivkohle mit hohen Adsorptionsleistungen aus pflanzlichen Rohstoffen (Torf, Holz u. Braunkohle). Adsorptionsoberfläche: 700–1400 m^2/g. Anw.: Reinigung von industriellen Flüssigkeiten u. Gasen, Entfärbung von Glycerin, pflanzlichen Ölen u. Mono-/Disacchariden, Wasseraufbereitung, Luftreinigung, Katalysator, Katalysatorträger. *B.:* Norit Deutschland GmbH.

Norkotral® Tema (Rp). Kapseln mit dem Schlafmittel *Temazepam. *B.:* Desitin.

Norleucin (2-Aminohexansäure, *α*-Aminocapronsäure).

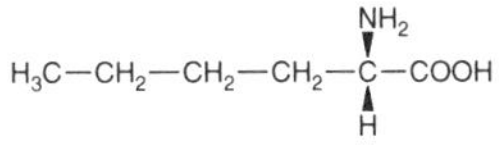

$C_6H_{13}NO_2$, M_R 131,17. Farblose Blättchen, Schmp. 301 °C (Zers.), als DL-N. Zers. bei 327 °C. Nichtessentielle, mit *Leucin isomere Aminosäure, die als seltene Aminosäure in der L-Form in Proteinen vorkommt. Das rechtsdrehende Enantiomere (L-N.) soll schwach süß, das linksdrehende (D-N.) bitter schmecken. Da der Name der *nor...-Nomenklaturregel widerspricht, sollen nach *Lit.*[1] die Bez. N. durch *2-Aminohexansäure* u. das Kurzz. für die L-Form, *Nle*, durch *Ahx* ersetzt werden. – *E* = *F* norleucine – *I* = *S* norleucina

Lit.: [1] Pure Appl. Chem. **56**, 595–624 (1984).
allg.: Beilstein E IV **4**, 2686. – *[HS 2922 49; CAS 327-57-1]*

Norlolin s. Loline.

Normabraïn® (Rp). Filmtabl., Kapseln, Ampullen u. Lsg. mit *Piracetam gegen cerebrale Funktions- u. Durchblutungsstörungen. *B.:* Hoechst Marion Roussel.

Normalbedingungen. Wertepaare von Druck u. Temp., für die per Vereinbarung Stoffdaten angegeben sind, z. B. t_n = 0 °C u. p_n = 101 325 Pa. Befindet sich ein Syst. unter N., so liegt ein *Normzustand (bzw. Normalzustand) vor. – *E* standard conditions, standard termperature and pressure, STP – *F* conditions normales (de température et de pression) – *I* condizioni normali – *S* condiciones normales

Normalbenzin s. Benzin, vgl. Motorkraftstoffe.

Normale s. kalibrieren.

Normalelektroden s. Normalpotential.

Normalelemente s. galvanische Elemente.

Normales Erstarren (Normalerstarrung). Bez. für eine Meth. der *fraktionierten *Kristallisation* durch gerichtetes Erstarren der flüssigen Mischphase. Dazu wird ein mit flüssiger Substanz gefülltes Rohr langsam in eine kältere Umgebung gesenkt. In dem Maß, wie das Substanzrohr gesenkt wird, erstarrt der Inhalt, wobei die Phasengrenze sich immer in gleicher Höhe mit dem Rand des Kühlmediums hält. Verunreinigungen reichern sich im krist. Bereich an u. können mechan. abgetrennt werden. Je nach gewünschter Reinheit der Lsg. kann dieser Prozeß mehrfach wiederholt werden. Durch n. E. lassen sich auch eine Reihe von organ. u. anorgan. festen u. flüssigen Verb. schonend u. verlustfrei reinigen, wenn diese krist. erstarren u. mit den Verunreinigungen keine *Mischkristalle bilden. In solchen Fällen führt das n. E. schneller zu reinen Verb. als das *Zonenschmelzen. – ***E*** progressive freezing – ***F*** congélation progressive – ***I*** congelamento progressivo – ***S*** congelación progresiva

Lit.: Hein u. Buhrig (Hrsg.), Kristallisation aus Schmelzen, Leipzig: VEB Dtsch. Verl. für Grundstoffindustrie 1983.

Normalglühung. Eine auch als *Normalisieren* bezeichnete *Wärmebehandlung von un- u. niedriglegierten Stählen mit nachfolgendem Abkühlen an Luft od. im Ofen. Dabei liegt die Endtemp. kurz oberhalb der Temp., bei der sich der Tieftemp.-*Ferrit in den *Austenit umwandelt. In der Folge stellt sich ein reproduzierbares ferrit.-perlit. Gefüge (s. Perlit) mit einer für viele Anw. optimalen Zähigkeit des Werkstoffs ein. Herstellungsbedingte Eigenspannungen im *Stahl werden dabei aufgehoben. Bei hohen Kaltverformungsgraden ist wegen der Kaltverfestigungseffekte eine Zwischen-N. erforderlich. – ***E*** normalizing – ***F*** normalisation – ***I*** normalizzazione – ***S*** normalización

Lit.: s. Metallographie.

Normalip® Pro (Rp). Kapseln mit *Fenofibrat gegen schwere Hyperlipidämien. ***B.:*** Knoll.

Normalisieren s. Normalglühung.

Normalität. Alteingeführtes, aber *nicht* der DIN-Norm 32625: 1989-12 entsprechendes *Konzentrations-Maß, welches sich auf die Zahl der „Grammäquivalente" an gelöstem Stoff bezieht, die in einem Liter Lsg. enthalten sind u. das in val/L angegeben wird. Im dtsch. Sprachraum schreibt man abgekürzt z. B. 2 n H_2SO_4, im angloamerikan. allg. 2 N H_2SO_4 für 2-normale Schwefelsäure. Da jedoch die Einheit *Val im SI nicht mehr enthalten ist, wird auch der Gebrauch der Bez. „N." in der oben erwähnten Norm nicht mehr empfohlen. Vielmehr soll danach die Angabe als *Äquivalent-Konz. erfolgen; *Beisp.:* 2 n H_2SO_4 soll ersetzt werden durch c (1/2 H_2SO_4) = 2 mol/L bzw. c (H_2SO_4) = 1 mol/L; vgl. a. Normallösungen. – ***E*** normality – ***F*** normalité – ***I*** normalità – ***S*** normalidad

Lit.: Chem. Labor Betr. **31**, 501–512 (1980).

Normalkoordinaten. Zur mathemat. Beschreibung harmon. Eigenschwingungen (z. B. idealisierter Schwingungen der Atomkerne in einem Mol.) bes. geeignete Koordinaten, in denen sowohl die kinet. als auch die potentielle Energie eine einfache (diagonale) Form besitzen. Führt ein Mol. eine *Normalschwingung* aus, dann schwingen alle Atome mit gleicher Frequenz durch die Gleichgewichtslage. Die Bestimmung der Normalkoordinaten aus spektroskop. Daten, insbes. Schwingungsfrequenzen u. ihren Isotopenverschiebungen, bezeichnet man als *Normalkoordinatenanalyse*. – ***E*** normal coordinates – ***F*** coordonnées normales – ***I*** coordinate normali – ***S*** coordinadas normales

Normalkoordinatenanalyse s. Normalkoordinaten.

Normallösungen. Nicht mehr DIN-normgerechte (vgl. Normalität), jedoch von der IUPAC gebilligte Bez. für eine Lsg., deren Konz. an einer aktiven Substanz genau bekannt ist od. die einen genau bekannten *Titer* (s. Faktoren) hat. Eine *prim. N.* ist eine N., die aus einer *Urtitersubstanz angesetzt wurde u. deren Konz. man aus dem Gew. dieser Substanz in einem bekannten Vol. (od. Gew.) der Lsg. kennt. Eine *sek. N.* ist eine N., deren Konz. od. Titer man durch *Titration gegen die erwähnte Urtitersubstanz (*Einstellung*) erhielt od. die aus einer bekannten Gew.-Menge einer Titersubstanz angesetzt wurde. Im allg. werden in der *Maßanalyse solche N. verwendet, deren Konz. „1-normal" od. Dezimalbruchteile davon (meist 0,1 n, 0,2 n, 0,5 n, 0,01 n) sind. Beispielsweise enthält eine 1 n Natronlauge 40,00 g NaOH in einem Liter Lsg., eine 1 n Schwefelsäure (= 0,5 m H_2SO_4) 49,04 g H_2SO_4 in einem Liter Lsg. u. eine 0,1 n Salzsäure 3,646 g HCl in einem Liter Lösung. Zur bequemeren Handhabung in der Maßanalyse sind gebrauchsfertige, genau eingestellte N. im Handel. Nach DIN soll an die Stelle von „N." die Bez. *Maßlsg.* treten, wobei die Angaben in Äquivalent- od. Stoffmengenkonz. zu machen sind, vgl. das *Beisp.* bei Normalität. – ***E*** normal solutions, standard solutions – ***F*** solutions normales – ***I*** soluzioni normali – ***S*** soluciones normales

Lit.: s. Maßanalyse.

Normalpotential (elektrochem. *Standardpotential*, Symbol E_0). Nach der Definition der IEC (International Electrotechnical Commission, die für das Gebiet der Elektronik zuständige Schwesterorganisation der *ISO) ist das N. einer *Elektrode der Gleichgew.-Wert des Elektrodenpotentials, wenn die an der Elektrodenreaktion beteiligten Komponenenten des Elektrolyten sich im *Normzustand befinden (d. h. bei einer spezif. Konz.) u. die festen Komponenten in reiner Form vorliegen. Für gelöste Elektrolyte ist die spezif. Konz. die *Normalität (nach DIN die *Äquivalent-Konz.*), u. für gasf. Komponenten beträgt der Gesamtdruck 1,01325 bar. Das N. entspricht dem Potential einer *Normal-Metallelektrode* (d. h. einer Metallelektrode, die in die Lsg. eines ihrer Salze der *Aktivität 1 eintaucht) gegen die *Normalwasserstoffelektrode* (s. Gaselektroden) bei 25 °C, vgl. die Beisp. bei Redoxpotential u. Spannungsreihe. Das N. ist über die *Nernstsche Gleichung mit dem chem. Gleichgew. verknüpft. – ***E*** standard potential – ***F*** potentiel normal, potentiel standard – ***I*** potenziale standard – ***S*** potencial normal, potencial estándar

Lit.: DIN 50900-2: 1984-01 ▪ Milazzo et al., Tables of Standard Electrode Potentials, New York: Wiley 1978 ▪ Pure Appl. Chem. **57**, 169–179, 1129–1132 (1985).

Normalschwingung s. Normalkoordinaten.

Normalverteilung s. Molmassenverteilung.

Normalwasserstoffelektrode s. Gaselektroden.

Normann, Wilhelm (1870–1939), Chemiker u. Industrieller. *Arbeitsgebiete:* Fetthärtung durch Hydrierung unter Anw. von Nickel-Katalysatoren, Red. von Fettsäuren zu Fettalkoholen durch Hochdruckhydrierung, Verbesserung der Qualität von Nahrungsfetten, Margarinevitaminisierung.
Lit.: Lexikon der Naturwissenschaftler, S. 312 ▪ Neufeldt, S. 109 ▪ Pötsch, S. 325 ▪ Strube **2**, 119.

Normann-Verfahren s. Fette und Öle.

Normatmosphäre s. Luft.

Normdichte s. Dichte u. Gasdichte.

Normdosen. Vorschläge für durchschnittliche therapeut. Dosierungen von Arzneistoffen (keine amtlich festgesetzten Dosen).
Lit.: Haffner et al., Normdosen gebräuchlicher Arzneistoffe u. Drogen, 9. Aufl., Stuttgart: Wissenschaftliche Verlagsges. 1997.

Normdruck s. Normzustand u. Gase.

Normen s. Normung.

Normenausschuß (NA). Das Dtsch. Inst. für Normung e. V. (*DIN) führt die Normungsarbeiten vorwiegend in NA durch, darüber hinaus in selbständigen Ausschüssen, Kommissionen u. Normenstellen. Für die Chemie sind u. a. bedeutsam der NA Chem. Apparatebau in Köln, der NA Kunststoffe in Berlin u. der NA Laborgeräte u. Laboreinrichtungen in Frankfurt.

Normethadon (Rp; BtMVV, Anlage III A).

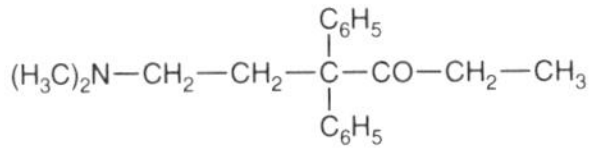

Internat. Freiname für 6-Dimethylamino-4,4-diphenyl-3-hexanon, $C_{20}H_{25}NO$, M_R 295,42, Sdp. 164–167 °C (4 hPa), 154–157 °C (1,3 hPa), pK_a 4,77, das wie auch *Methadon typ. *Opiat-Wirkungen hat. – ***E*** normethadone – ***F*** norméthadone – ***I*** normetadone – ***S*** normetadona
Lit.: Beilstein E IV **14**, 297 ▪ Hager (5.) **8**, 1212 f. ▪ Martindale (31.), S. 1072. – *[HS 2922 30; CAS 467-85-6]*

Normfarben s. Farbe.

Normkubikmeter s. Normzustand.

Normoc® (Rp). Beruhigungs- u. Schlaftabl. mit *Bromazepam. ***B.:*** Merckle.

Normoglaucon® (Rp). Augentropfen mit *Pilocarpin- u. *Metipranolol-Hydrochlorid gegen Eng- u. Weitwinkelglaukom. ***B.:*** Mann.

Normschliff s. Schliffe.

Normtemperatur s. Normzustand.

Normung. Im weitesten Wortsinn Bez. für das Aufstellen von *Normen*, d. h. von Regeln od. Vorschriften für theoret. od. prakt. Verhalten u. von Maßstäben für bewertende Beurteilung (latein.: norma = Regel, Maßstab, Richtschnur, Vorschrift); in vielen anderen Ländern nennt man die Normen **Standards* (von altfranzös.: estandart = Sammelplatz). Durch Vereinheitlichung von Erzeugnissen schafft die N. die Basis für die rationelle Massenfertigung. N. von Stoffen, Meth. u. Begriffen ermöglicht nicht nur die Austauschbarkeit von techn. Erzeugnissen, bewirkt die Einsparung von Werkstoffen u. Lagerraum u. vereinfacht Ein- u. Verkauf, sondern schafft auch durch Klarheit u. Eindeutigkeit die Voraussetzung für den Gedankenaustausch u. für die Vergleichbarkeit von Ergebnissen in Wissenschaft u. Wirtschaft. Somit ist die N. eine der wesentlichen Voraussetzungen u. ein Hilfsmittel der Rationalisierung.

Normen werden nicht erlassen, sondern von denen gemacht, die sie brauchen: Erzeuger, Konsumenten, Handel, Wissenschaft u. Behörden. N. ist somit eine Selbstverwaltungsaufgabe der daran interessierten Kreise, die in nat. u. internat. N.-Organisationen zusammenarbeiten.

Die Erarbeitung der Normen ist die Aufgabe der nationalen N.-Inst. wie *DIN, ANSI, AFNOR, BSI, JIS etc., die auch Mitglieder der *ISO sind. In Europa wird die Normungsarbeit von *CEN, CENELEC (Commité Européen de Normalisation Electrotecnique) u. ETSI (European Telecommunication Standards Institute) wahrgenommen. Ziel ist es, ein einheitliches u. modernes Normenwerk für den Binnenmarkt zu schaffen. Europ. Normen müssen in den Mitgliedsstaaten der EU als nat. Normen eingeführt bzw. nat. Normen an diese angepaßt werden. Organisator. werden europ. Normen in Techn. Komitees (TC) erarbeitet, die den *Normenausschüssen des DIN vergleichbar sind. Die europ. Normen orientieren sich an den Normen der internat. Normungsorganisationen ISO u. IEC, die gemeinsam das weltweit größte nichtstaatliche Syst. für freiwillige industrielle u. techn. Zusammenarbeit auf internat. Ebene bilden. Wenn diese Organisationen jedoch keine geeigneten Ergebnisse vorlegen können, werden spezif. europ. Normen erarbeitet. In der BRD wird die N. vom DIN (Dtsch. Inst. für Normung) in seinen mehr als 4100 Arbeits- u. Unterausschüssen betrieben, u. zwar als „planmäßige, durch die interessierten Kreise gemeinschaftlich durchgeführte Vereinheitlichung von materiellen u. immateriellen Gegenständen zum Nutzen der Allgemeinheit" (DIN 820-3: 1975-03). Das DIN ist seit 1975 (laut Vertrag mit der BRD) die zuständige Normungsorganisation für die BRD, die die BRD auch in den internat. Normungsorganisationen vertritt. Die ehrenamtlichen Mitarbeiter (ca. 36 000) in den Ausschüssen sind Fachleute, die von den interessierten Fachkreisen der Wirtschaft, der Behörden u. der Wissenschaft autorisiert werden u. als Einzelpersonen mitwirken. Informationen über internat., europ. u. dtsch. Normen erhält man beim Deutschen Informationszentrum für techn. Regeln (DITR), das 1979 als zentrale Auskunftstelle zu diesem Themenbereich im DIN gegründet wurde u. über eine umfangreiche Datenbank verfügt. 1989 wurde das DITR von der Europ. Kommission zum offiziellen Euro Info Centre (EIC) ernannt. Empfehlenswert sind auch Datenbanken wie DITER beim Host FIZ-Technik u. IHS bei Host DIALOG. Bestellt werden können Normen des In- u. Auslandes beim Beuth-Verl., Berlin. Mit der N. auf dem Gebiet der Chemie beschäftigen sich u. a. die Normenausschüsse (früher: Fachnormenausschüsse, FNA): Anstrich- u. ä. Beschichtungsstoffe, chem. Terminologie, chem. Apparatebau, Eisen u. Stahl, Farbe, Gefahrstoffe/Arbeitsschutz, Gießereiwesen, Glas, Kautschuktechnik, Kunststoffe, Laborgeräte u. -einrich-

tungen, Luftreinhaltung, Nichteisenmetalle, Pigmente u. Füllstoffe u. a. Selbstverständlich arbeiten die Fachleute des DIN mit denen anderer Fachinst. zusammen, z. B. von BG, BGA, DECHEMA, DKI, DVGW, RAL, RKW, TÜV, VCI, VDE, VDEh, VDG, VDI, VKE usw. Zur N. im erweiterten Sinne sind nicht nur die von nat. N.-Inst. (s. die Anschriftenliste in Kirk-Othmer, *Lit.*), vom CEN u. der ISO aufgestellten Normen bzw. Empfehlungen zu rechnen, sondern all die von autorisierten Fachorganisationen (z.B. ASTM, IEC, ASME, SAE, NBS, CENELEC, API, FID, IUPAC, IUPAP usw.) für einen bestimmten Kreis als verpflichtende Empfehlungen herausgegebenen Festlegungen. Außer an die Richtlinien u. ä. N.-Erg. der oben erwähnten Organisationen ist hier auch an die von größeren Unternehmen für den eigenen Bedarf verbindlich formulierten Werksnormen zu denken. Die internat. N. für den Bereich der chem. Grundstoff-Ind. wurde Ende der 40er Jahre mit der Gründung des techn. Komitees ISO/TC 47 „Chemie" aufgenommen.
Im allgemeinsten Sinne besitzen einen Normencharakter alle *Sprachregelungen:* Die von Verl. erlassenen Autorenanweisungen, die von Inst. formulierten Definitionen für die Terminologien, die von Dokumentations- u. Informationsstellen erarbeiteten Thesauri, die Dezimalklassifikation u. a. Klassifikationen u. selbstverständlich auch die chem. Nomenklatur. – ***E*** standardization – ***F*** normalisation – ***I*** normalizzazione, unificazione, standardizzazione – ***S*** normalización

Lit.: DIN Katalog für technische Regeln (2 Tl.), Berlin: Beuth (jährlich) ▪ Grundlagen der Normungsarbeit des DIN, Berlin: Beuth 1995 ▪ Hesser, An Introduction to Standards and Standardization, Beuth: Berlin 1997 ▪ ISO Catalogue, Geneva: ISO (jährlich) ▪ Kirk-Othmer (4.) **16**, 33–67 ▪ Klein u. Krieg, Einführung in die DIN-Normen, Berlin: Beuth 1993 ▪ Muschalla, Zur Vorgeschichte der Technischen Normung, Beuth: Berlin 1992. – Eine Vielzahl von Titeln zur N. erscheinen bei Beuth (Berlin), ISO (Geneva), ASTM (Philadelphia); s. a. Führer durch die technische Literatur, Hannover: Weidemanns Buchhandlung (jährlich) u. Scientific and Technical Books and Serials in Print, New York: Bowker (jährlich).

Normvolumen (Symbol: V_n). Nach DIN 1343: 1990-01 Bez. für das Vol. im *Normzustand. Das molare N. (stoffmengenbezogene N.) eines idealen Gases ist $V_{mn}=22{,}414\ m^3/kmol$. – ***E*** standard volume – ***F*** volume aux conditions normales – ***I*** volume standard – ***S*** volumen en condiciones normales

Normzustand. Nach DIN 1343: 1990-01 Bez. für einen durch Normtemp. u. Normdruck festgelegten Zustand eines festen, flüssigen od. gasf. Stoffes. Der N. ist definiert durch die *Normtemp.* $T_n=273{,}15$ K bzw. $t_n=0\,°C$ u. den *Normdruck* $p_n=101\,325$ Pa= 1,01325 bar (=760 Torr=1 atm). Das Vol. von 1 m^3 im N. wird in der Technik auch heute noch vielfach als *Normkubikmeter* (Kurzz.: Nm^3) bezeichnet. Neben dem oben definierten *physikal. N.* kannte man früher noch den *techn. N.* mit der Normtemp. 20 °C u. dem Normdruck 98 066,5 Pa=0,980 665 bar (=1 at, vgl. Atmosphäre, 2.). – ***E*** standard conditions – ***F*** conditions normales – ***I*** condizioni normali – ***S*** (estado en) condiciones normales

Lit.: Int. Lab. **14**, Nr. 8, 10–20, Nr. 9, 90 ff. (1984).

Nornicotin s. Nicotin.

Norpatchoulenol s. Patchouli-Öl.

Norphenylephrin s. Norfenefrin.

NORPHOS s. Phosphane.

D-Norpseudoephedrin s. Norephedrin.

Norrish, Ronald George Wreyford (1897–1978), Prof. für Physikal. Chemie, Univ. Cambridge, England. *Arbeitsgebiete:* Reaktionskinetik, Photochemie, Radikale, Keton-Photolyse (s. das folgende Stichwort), Kettenreaktionen bei der Verbrennung, Entwicklung der Blitzlicht-Photolyse, Kinetik schneller Reaktionen. Erhielt 1967 mit Baron G. *Porter u. M. *Eigen den Nobelpreis für Chemie.

Lit.: Chem. Br. **15**, 8 ff. (1979) ▪ Lexikon der Naturwissenschaftler, S. 312 ▪ Neufeldt, S. 226, 369 ▪ Pötsch, S. 325 f. ▪ The Excitement and Fascination of Science, Bd. 2, S. 483–508, Palo Alto: Ann. Rev. 1978.

Norrish-Reaktionen. Von *Norrish 1936 gefundene photochem. Reaktionen von Carbonyl-Verbindungen. Bei der *Norrish-Typ-I-Reaktion* handelt es sich um eine *Photofragmentierung* (α-Spaltung) der Carbonyl-Verb. in ein Acyl- u. ein Alkyl-Radikal, die für *Radikale* typ. Reaktionen eingehen; so stabilisiert sich das Acyl-Radikal z.B. unter Bildung eines Ketens od. durch CO-Abspaltung (s. Abb. 1).

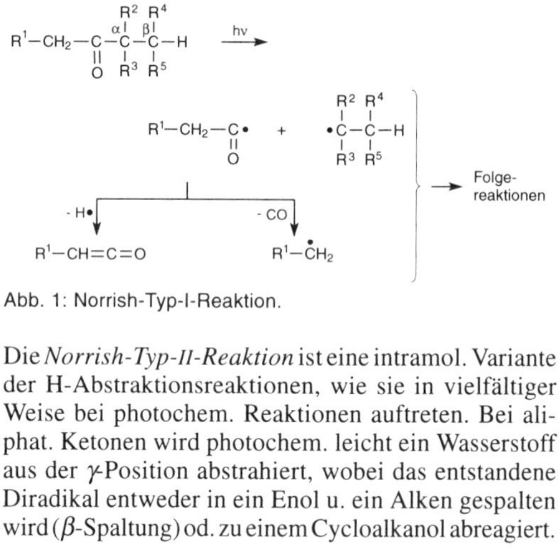

Abb. 1: Norrish-Typ-I-Reaktion.

Die *Norrish-Typ-II-Reaktion* ist eine intramol. Variante der H-Abstraktionsreaktionen, wie sie in vielfältiger Weise bei photochem. Reaktionen auftreten. Bei aliphat. Ketonen wird photochem. leicht ein Wasserstoff aus der γ-Position abstrahiert, wobei das entstandene Diradikal entweder in ein Enol u. ein Alken gespalten wird (β-Spaltung) od. zu einem Cycloalkanol abreagiert.

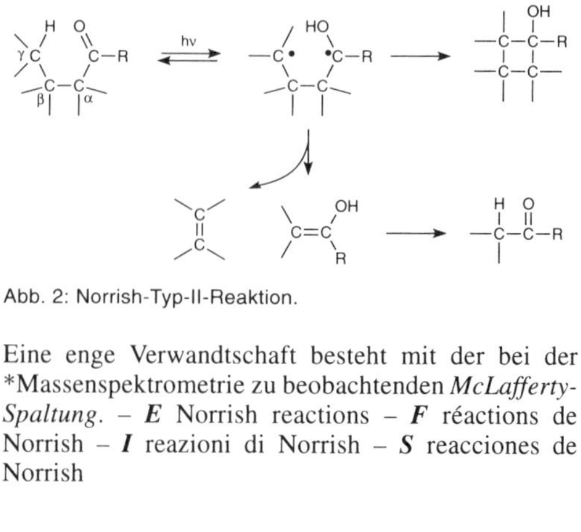

Abb. 2: Norrish-Typ-II-Reaktion.

Eine enge Verwandtschaft besteht mit der bei der *Massenspektrometrie zu beobachtenden *McLafferty-Spaltung.* – ***E*** Norrish reactions – ***F*** réactions de Norrish – ***I*** reazioni di Norrish – ***S*** reacciones de Norrish

Lit.: Acc. Chem. Res. **4**, 168–177 (1971); **5**, 92–101 (1972) ▪ de Mayo, Rearrangements in Ground and Exited States, Bd. 3, S. 381–444, New York: Academic Press 1980 ▪ Klessinger u. Michl, Lichtabsorption und Photochemie organischer Moleküle, S. 316, 339f., Weinheim: VCH Verlagsges. 1990 ▪ Laue-Plagens, S. 237f. ▪ March (4.), S. 243 ▪ Patai, The Chemistry of the Carbonyl Group, S. 823–916, London: Wiley 1966 ▪ Top. Curr. Chem. **66**, 1–52 (1976).

Norrish-Trommsdorf-Effekt s. Geleffekt.

Norsk Hydro. Kurzbez. für das 1905 gegr. Unternehmen Norsk Hydro ASA, N-0257 Oslo. Die *Tochterges.* sind durch den Konzernnamen Hydro gekennzeichnet; z. B. Hydro Agri. *Daten* (1996): 35000 Beschäftigte, 13,9 Mrd. $ Umsatz. *Produktion*: Erdöl u. Erdgas (Exploration u. Förderung); Agrarchemikalien (Düngemittel u. a.); Leichtmetalle (Aluminium, Magnesium); Petrochemikalien (PVC u. a.); Stromerzeugung, Industriechemikalien, Biotechnologie. *Vertretung* in der BRD: Norsk Hydro Deutschland GmbH, 45027 Essen.

Norsteroide s. Nor... u. Steroide.

Norsynephrin s. Octopamin.

19-Nortestosteron s. Nandrolon.

Northern Blotting s. Blotting.

Northrop, John Howard (1891–1987), Prof. für Biochemie, Rockefeller Univ. (New York), Berkeley (Calif.). *Arbeitsgebiete:* Enzyme u. deren Reinherst., Mechanismus der Eiweiß-Verdauung durch Pepsin, Agglutination von Bakterien, stellte Diphterie-Antitoxin als ersten Antikörper krist. her; 1946 zusammen mit J. B. *Sumner u. W. M. *Stanley Nobelpreis für Chemie für die Reindarst. von Enzymen.

Lit.: Lexikon der Naturwissenschaftler, S. 312 ▪ Nachmansohn, S. 224 ▪ Neufeldt, S. 154, 367 ▪ Pötsch, S. 326 ▪ Poggendorff **7b/6**, 3660–3663.

Norton. Kurzbez. für die 1885 gegr. Firma Norton Company, Worcester, MA 01606-0136, USA. *Produktion:* Schleifmittel, Kunststoffprodukte, Fluorkunststoffe (PTFE, PFA, FEP, PVDF, ETFE), Industriekeramik, chem. Prozeß- u. Verfahrensprodukte. *Vertretungen* in der BRD: Norton Schleifmittel GmbH, 50387 Wesseling, Norton Pampus GmbH, 47862 Willich.

Nortrilen® (Rp). Dragées mit *Nortriptylin-hydrochlorid gegen Depressionen. *B.:* Promonta.

Nortriptylin (Rp).

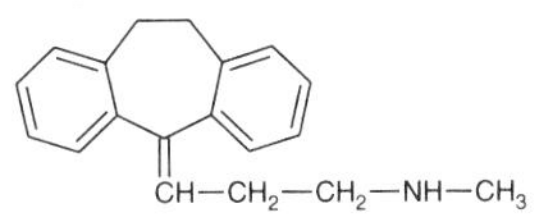

Internat. Freiname für das *Antidepressivum (ein *Thymoleptikum) 3-(10,11-Dihydro-5*H*-dibenzo-[*a,d*]cyclohepten-5-yliden)-*N*-methyl-1-propanamin, $C_{19}H_{21}N$, M_R 263,38. Verwendet wird das Hydrochlorid, Schmp. 213–215 °C; λ_{max} (CH_3OH) 240 nm ($A^{1\%}_{1cm}$ 464), das 1965, 1969 u. 1975 von Merck & Co. patentiert wurde u. von Promonta Lundbeck (Nortrilen®) im Handel ist. – ***E*=*F*** nortriptyline – ***I*=*S*** nortriptilina

Lit.: Florey **1**, 233–237; **2**, 573 ▪ Hager (4.) **2**, 400ff. ▪ Martindale (31.), S. 327f. ▪ Ph. Eur. **1997** u. Komm. – *[HS 2921 49; CAS 72-69-5 (N.); 894-71-3 (Hydrochlorid)]*

Norvalin (α-Aminovaleriansäure, 2-Aminopentansäure).

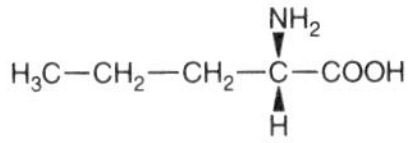

$C_5H_{11}NO_2$, M_R 117,14. Eine für den Menschen nichtessentielle, mit *Valin isomere Aminosäure. Farblose, kleine Blättchen, Schmp. 303 °C (DL-N.), 307 °C (D-N.) bzw. 305 °C (L-N.), subl., gut lösl. in heißem Wasser, unlösl. in den üblichen organ. Lösemitteln. Da der Name der *Nor...-Nomenklatur widerspricht, sollen die Bez. N. durch *2-Aminovalerian-* od. *-pentansäure* u. das Kurzz. für die L-Form, *Nva*, durch *Ape* ersetzt werden [1]. – ***E*=*F*** norvaline – ***I*=*S*** norvalina

Lit.: [1] Pure Appl. Chem. **56**, 595–624 (1984).
allg.: Beilstein EIV **4**, 2629. – *[HS 2922 49; CAS 6600-40-4]*

Norvasc® (Rp). Tabl. mit dem *Calcium-Antagonisten *Amlodipin gegen essentielle Hypertonie. *B.:* Mack, Illert., Pfizer.

Noscapin. Internat. Freiname für *(–)-α-Narcotin.

Nosean. $Na_8[Al_6Si_6O_{24}]SO_4 \cdot H_2O$, zur *Sodalith-Gruppe gehörender *Feldspat-Vertreter, krist. kub., Kristallklasse $\bar{4}3m$-T_d; Struktur s. *Lit.* [1,2]. Gewöhnlich körnig od. massiv. Farblos od. grau, braun, blau, fettglänzend, durchscheinend, H. 5,5, D. 2,3–2,4, verwittert leicht zu feinfaserigem *Natrolith.

Vork.: V. a. in alkalireichen SiO_2-untersättigten vulkan. Gesteinen, bes. in *Phonolithen, u. in vulkan. Auswürflingen, z. B. in der Umgebung des Laacher Sees/Eifel; Monte Somma u. Albaner Berge/Italien. – ***E*** nosean – ***F*** noséane – ***I*** noseana, noseanite – ***S*** noseano

Lit.: [1] Can. Mineral. **27**, 165–172 (1989). [2] Am. Mineral. **74**, 394–410 (1989).
allg.: Anthony et al., Handbook of Mineralogy, Vol. II, Tl. 2, S. 590, Tucson (Arizona): Mineral Data Publishing 1995 ▪ Deer et al. (2.), S. 496–502 ▪ Ramdohr-Strunz, S. 785. – *[CAS 12005-34-4]*

Nostocyclophane.

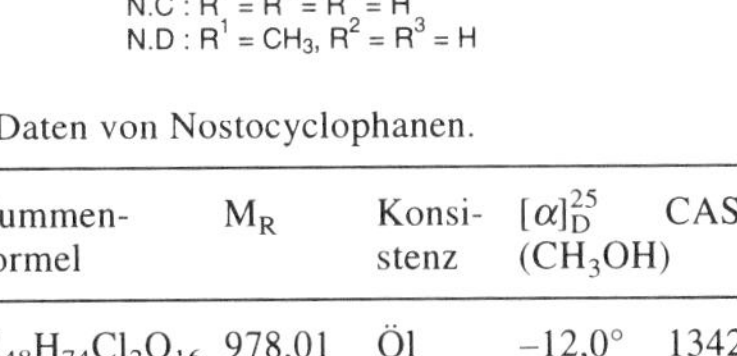

N.A : $R^1 = CH_3$, $R^2 = R^3$ = βDGlc*p*
N.B : $R^1 = CH_3$, R^2 = H, R^3 = βDGlc*p*
N.C : $R^1 = R^2 = R^3$ = H
N.D : $R^1 = CH_3$, $R^2 = R^3$ = H

Tab.: Daten von Nostocyclophanen.

N.	Summenformel	M_R	Konsistenz	$[\alpha]_D^{25}$ (CH_3OH)	CAS
A	$C_{48}H_{74}Cl_2O_{16}$	978,01	Öl	–12,0°	134237-84-6
B	$C_{42}H_{64}Cl_2O_{11}$	815,87	Öl	–3,7°	134237-85-7
C	$C_{35}H_{52}Cl_2O_6$	639,70	Öl	–5,53°	134208-58-5
D	$C_{36}H_{54}Cl_2O_6$	653,73	Schmp. 242–243 °C	+10,8°	126693-93-4

N. sind die ersten natürlich auftretenden Paracyclophane (s. Tab.). Sie wurden aus der Blaualge *Nostoc linckia* isoliert. Es wurden vier [7.7]Paracyclophane identifiziert, die alle eine cytotox. Wirkung (IC_{50} 1–2 µg/mL) u. Antitumor-Aktivität zeigen. Zur Isolierung s. *Lit.*[1], zur Strukturaufklärung s. *Lit.*[2], zur Biosynth. s. *Lit.*[3]. – ***E*=*F*** nostocyclophanes – ***I*** nostociclofani – ***S*** nostociclofanos

Lit.: [1] J. Am. Chem. Soc. **112**, 4061–4063 (1990). [2] J. Org. Chem. **56**, 4360–4364 (1991). [3] Tetrahedron **49**, 7615 (1993).

NO-Synthase s. Stickstoffoxide (Stickstoffmonoxid).

Notatin s. Glucose-Oxidase.

Notationen (von latein.: notatio = Kennzeichnung). Bez. für Zeichen- u. Symbolsyst., z. B. mathemat., Musik-, Schach-N.; in der Chemie gibt es z. B. die Drei- u. Ein-Buchstaben-N.[1] für *Aminosäuren, *Nucleoside u. ihre Biopolymere, N. für *Lipide[1] u. *Oligosaccharide[1], *Kristallklassen u. *Symmetrie-Elemente, *Punktdefekte (IUPAC-Regel I-6.4), Geometrie von Komplexen (IUPAC-Regel I-10), polyedr. Mol.-Strukturen (s. CEP-Regeln), *Stereochemie (IUPAC-Regel E), *Orbitale, chem. Bindigkeit u. Bindungsart (*δ, *η, *κ, *λ, *μ, *π, *σ, *τ) u. *FCKW. *Nomenklatur u. *chemische Zeichensprache sind von N. nicht klar zu trennen: z.B. besteht ein *Tricyclo[...]...-, *Tetracyclo[...]...-Name usw. bei polycycl. *Käfigverbindungen großenteils aus einer Zahlen-N., welche die Struktur vollständig beschreibt; u. N. zur elektron. Speicherung von chem. Strukturen sind eigentlich codierte Grafiken; *Beisp.:* Dyson-IUPAC-N.[2], *GREMAS, Wiswesser-Linearnotation[3], ROSDAL[4]. Solche Struktur-N. verlieren ihre Bedeutung in der *Dokumentation, seit Rechnerprogramme graph. Struktur- u. *Markush-Formeln lesen u. abfragen können. *Registry Numbers sind nützlich, um chem. Verb. in *Datenbanken bes. schnell zu finden, aber ohne eigenen Informationswert, also nicht als N. anzusehen. – ***E*=*F*** notations – ***I*** notazioni – ***S*** notaciones

Lit.: [1] IUPAC/IUB, Compendium of Biochemical Nomenclature, 2. Aufl., London: Portland Press 1992. [2] IUPAC, Rules for IUPAC Notation for Organic Compounds, London: Longmans 1961. [3] Smith u. Baker, The Wiswesser Line-Formula Chemical Notation (WLN), 3. Aufl., Cherry Hill (NJ, USA): CIMI 1976; Hellwinkel. Die systematische Nomenklatur der organ. Chemie (3.), S. 153–157, Berlin: Springer 1982. [4] Welford, ROSDAL (Representation of Organic Structure Descriptions Arranged Linearly) Manual for Users of the Beilstein Database at Dialog, Berlin: Springer 1989.
allg.: Zeitschrift: J. Chem. Inf. Comput. Sci. ▪ s. a. chemische Literatur, Dokumentation, Nomenklatur u. a. Textstichwörter.

Notausgang. Das schnelle u. sichere Verlassen von Arbeitsplätzen u. Räumen muß durch Anzahl, Lage, Bauart u. Zustand von Rettungswegen u. Ausgängen gewährleistet sein. N. müssen als solche deutlich erkennbar u. dauerhaft sicher gekennzeichnet sein; sie müssen auf möglichst kurzem Weg ins Freie od. in einen gesicherten Bereich führen. Auf sie ist zusätzlich hinzuweisen, wenn sie nicht von jedem Arbeitsplatz aus gesehen werden können. Sie dürfen nicht eingeengt werden u. sind stets freizuhalten. N. müssen sich leicht öffnen lassen.
Türen im Verlauf von Rettungswegen müssen gekennzeichnet sein, in Fluchtrichtung aufschlagen u. müssen sich jederzeit von innen ohne Hilfsmittel leicht öffnen lassen, solange sich Personen in dem Raum befinden. – ***E*** emergency exit – ***I*** uscita di sicurezza – ***S*** salida de emergencia

Lit.: Arbeitsstätten-Richtlinie ASR 10/1 „Türen u. Tore" Ausgabe September 1985 ▪ UVV „Allgemeine Vorschriften" (VBG 1), in der Fassung vom 01.04.1992 ▪ UVV „Sicherheitskennzeichnung am Arbeitsplatz" (VBG 125), in der Fassung vom 01.01.1996 ▪ VO über Arbeitsstätten (Arbeitsstätten-VO) vom 20.03.1975 (BGBl. I, S. 729), zuletzt geändert durch Artikel 4 der VO zur Umsetzung von EG-Einzelrichtlinien zur EG-Rahmenrichtlinie Arbeitsschutz vom 20.12.1996 (BGBl. I, S. 1845). – *Bezugsquelle* für Unfallverhütungsvorschriften: Carl Heymanns Verl. KG, Luxemburger Straße 449, 50939 Köln od. Jedermann-Verl., Postfach 103140, 69021 Heidelberg.

Notduschen. N. werden als Sofortmaßnahme dort benötigt, wo Augen od. Körper aggressiven od. giftigen Medien ausgesetzt sind. N. können auch zum Ablöschen in Brand geratener Kleidung von Personen verwendet werden. An N. muß das Stellteil des schnell öffnenden Ventils leicht erreichbar u. verwechslungssicher angebracht sein. Die Öffnungsrichtung muß eindeutig erkennbar sein. Das Ventil darf, einmal geöffnet, nicht selbsttätig schließen. Ketten zum Öffnen des Ventils sind nicht zulässig. Der Standort von N. muß durch das Rettungszeichen „Notdusche" gekennzeichnet sein. Der Zugang ist ständig freizuhalten. Möglichst im Bereich der Körperdusche muß eine Augendusche installiert sein. Sie soll beide Augen sofort mit ausreichenden Wassermengen spülen können. Das Stellteil des Ventils muß leicht erreichbar, verwechslungssicher angebracht u. leicht zu betätigen sein. Es sind auch bewegliche Augenduschen mit am Griff angebrachten selbsttätig schließenden Ventilen zulässig sowie Augenspülflaschen mit steriler Spülflüssigkeit. Der Standort von Augenduschen muß durch das Hinweiszeichen „Augenspüleinrichtung" gekennzeichnet sein. Der Zugang ist ständig freizuhalten.
Der Unternehmer hat dafür zu sorgen, daß Körper- u. Augenduschen mind. einmal monatlich durch eine von ihm beauftragte Person auf Funktionsfähigkeit geprüft werden. – ***E*** emergency shower – ***I*** docce d'emergenza – ***S*** duchas de emergencia

Lit.: Richtlinien für Laboratorien (ZH 1/119), Ausgabe Oktober 1993 ▪ UVV „Sicherheitskennzeichnung am Arbeitsplatz" (VBG 125), in der Fassung vom 01.01.1996. – *Bezugsquelle* für Unfallverhütungsvorschriften u. ZH1/-Schriften: Carl Heymanns Verl. KG, Luxemburger Straße 449, 50939 Köln od. Jedermann-Verl., Postfach 103140, 69021 Heidelberg.

Notifizierung s. Abfallverbringung.

Nougat s. Nugat.

Nourypharma. Kurzbez. für die 1968 gegr. Arzneimittelfirma Nourypharma GmbH, 85764 Oberschleißheim. *Daten* (1994/95): 61 Beschäftigte, 54 Mio. DM Umsatz. *Produktion:* Pharmazeut. Produkte.

Novadral®. Ampullen, Tropfen, Dragées u. Tabl. mit *Norfenefrin gegen hypotone Zustände. ***B.:*** Gödecke.

Novae s. Sterne.

Novalgin® (Rp). Tabl., Ampullen, Tropfen, Sirup u. Suppositorien mit Metamizol zur Verw. als Analgetikum, Spasmolytikum u. Antipyretikum. ***B.:*** Hoechst Marion Roussel.

Novaminsulfon (Rp). Handelsname für einige Schmerz- u. Fiebermittel mit Metamizol. ***B.:*** Braun Melsungen; Lichtenstein; Ratiopharm.

Novanox® (Rp). Tabl. mit dem Hypnotikum *Nitrazepam gegen Einschlaf- u. Durchschlafstörungen. ***B.:*** Pfleger.

Novantisol®. Marke von Bayer für die als Lichtschutzfilter wirkende 2-Phenylbenzimidazol-5-sulfonsäure, die zur Verarbeitung in Sonnenschutzmitteln auf wäss. Basis geeignet ist. ***B.:*** Bayer.

Novantron® (Rp). Injektionslsg. mit *Mitoxantron-hydrochlorid als *Cytostatikum bei Mammacarcinom u. a. Krebs-Formen. ***B.:*** Lederle.

Novartis. Kurzbez. für die 1996 aus dem Zusammenschluß der schweizer Konzerne Sandoz u. Ciba entstandene Novartis International AG, 4002 Basel, Schweiz. Der Konzern umfaßt die Geschäftsbereiche Gesundheitsfürsorge, Agrarchemikalien u. Ernährung. *Daten* (1997): Ca. 100 000 Beschäftigte, 16 Mrd. sF Umsatz (1. Halbjahr 1997). *Produktion:* Verschreibungspflichtige u. nichtverschreibungspflichtige Pharmazeutika, Herbizide, Fungizide, Insektizide, Chemikalien zur Saatbehandlung, Veterinärmedizin, Nahrungsmittel für spezielle Anwendungen.

Nova-T (Rp). *Intrauterinpessar in T-Form mit Kupfer-Wicklung zur Konzeptionsverhütung. ***B.:*** Schering.

Novata®. Sortiment von Suppositorienmassen auf der Basis von Triglyceriden. ***B.:*** Henkel.

Noviform®. Salbe mit *Bibrocathol gegen Reizzustände u. Infektionen des äußeren Auges. ***B.:*** Ciba Vision

Novobiocin (Albamycin, Griseoflavin, Streptonivicin, Vulcamycin).

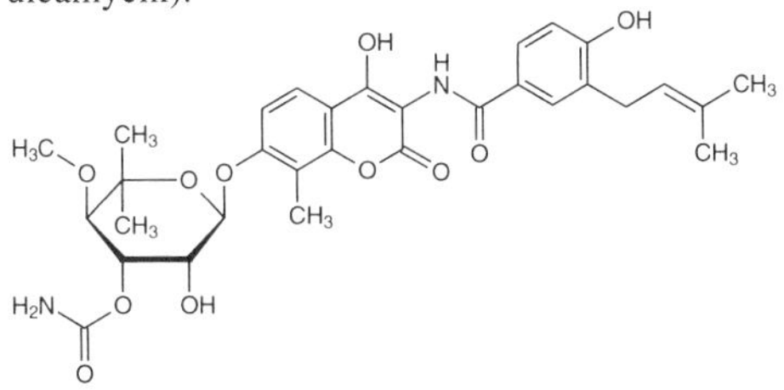

$C_{31}H_{36}N_2O_{11}$, M_R 612,63, Schmp. 152–156/174–178 °C, $[\alpha]_D^{25}$ –62° (c 1/C_2H_5OH). Antibiot. wirksames Cumarin-Glykosid aus Kulturfiltraten von *Streptomyces spheroides, S. niveus, S. griseus* u. *S. griseoflavus*. Lichtempfindliche Substanz, lösl. in Alkoholen, Pyridin, Aceton, Ethylacetat, Wasser (pH >7,5), unlösl. in Säuren, Chloroform, Ether. N. ist wirksam gegen Gram-pos. Bakterien, v. a. Staphylococcen, sowie gegen einige Gram-neg. Erreger. N., das als spezif. Inhibitor der DNA-Gyrase bei der DNA-*Replikation wirkt, zeigt keine Kreuzresistenz mit anderen Antibiotika. ***Anw.:*** Anfang der 60er Jahre fand N. breite therapeut. Anw. bei Staphylococcen-Infektionen. Wegen Nebenwirkungen kommt es in der Humantherapie seltener zur Anw., meist in Kombination mit *Tetracyclin, *Rifampicin od. *Fusidinsäure, wird aber in der Veterinärmedizin eingesetzt. – ***E*** novobiocin – ***F*** novobiocine – ***I*** = ***S*** novobiocina

Lit.: Beilstein E V **18/12**, 105 ▪ J. Antibiot. **45**, 1958 ff. (1992) ▪ Murray, The Natural Coumarins, New York: Wiley 1982. – *[HS 2941 90; CAS 303-81-1]*

Novocain®. Injektionslsg. mit *Procain-hydrochlorid zur Lokalanästhesie u. Neuraltherapie. ***B.:*** Hoechst Marion Roussel.

Novodigal® (Rp). Ampullen mit Digoxin bzw. Tabl. mit β-*Acetyldigoxin zur Prophylaxe u. Behandlung von Herzinsuffizienz. ***B.:*** Lilly.

Novodur®. Sortiment von thermoplast. Kunststoffen auf der Basis von Acrylnitril-Butadien-Styrol (ABS)-Misch- u. Pfropfpolymerisaten, die sich wegen ihrer mechan. Eigenschaften (Festigkeit, Steifigkeit), Wärmestandfestigkeit, Beständigkeit gegen viele Chemikalien usw. für Gehäuseteile in der Büromaschinen-, Fernseh- u. Phono-, Photo-, Haushaltgeräte-, Fahrzeug-, Spielzeug-, Verpackungs- u. Bau-Ind. Anw. finden. ***B.:*** Bayer.

Novolake. Bez. für säurekatalyt. hergestellte Polykondensationsprodukte aus Formaldehyd u. Phenolen. N. enthalten keine Methylol-Gruppen u. gehören zur Gruppe der *Phenol-Harze. Zu Herst., Struktur, Eigenschaften u. Verw. der N. s. Phenol-Harze. – ***E*** novolaks – ***F*** novolaques – ***I*** novolacche – ***S*** novolakas, novolacas

Novoloid-Fasern s. Phenol-Harze.

Novoperm®. Pigmente für Druck-, Lack- u. Anstrichfarben. ***B.:*** Clariant.

Novoprotect (Rp). Filmtabl. u. Retardkapseln mit dem *Antidepressivum *Amitriptylin-Hydrochlorid. ***B.:*** Wyeth.

Novothyral® (Rp). Tabl. mit L-*Thyroxin- u. *Liothyronin-Natrium gegen euthyreot. *Kropf, Hypothyreose u. a. Schilddrüsenerkrankungen mit *Iodaminosäure-Mangel. ***B.:*** Merck.

Nowotny, Hans (geb. 1911), Prof. für Physikal. Chemie, Univ. Wien. *Arbeitsgebiete:* Struktur-, Leg.-Metallchemie, Verschleißforschung, Werkstoffzerstörung durch Kavitation, Krist.-Chemie intermetall. Phasen.

Lit.: Kürschner (16.), S. 2629.

NO_x. Allg. Formel u. im heutigen Sprachgebrauch übliche Bez. für die bei Verbrennungsvorgängen entstehenden gasf. Oxide des Stickstoffs, die insbes. als Komponenten von *Kraftfahrzeugabgasen u. Kraftwerks-*Rauchgasen zur *Luftverunreinigung beitragen, s. Stickstoffoxide, zur NO_x-Reinigung von Kraftfahrzeugabgasen s. Dreiwege-Katalysator u. zur Rauchgasreinigung s. Entstickung.

Noxe (latein.: noxa = Schaden). Stoff od. Umstand, der eine schädigende od. krankheitserregende Wirkung auf den Organismus ausübt. *Chem. N.* können Substanzen wie Arbeitsstoffe u. Arzneimittel sein u. führen zu *Vergiftungen, *mechan. N.* führen zu inneren od. äußeren Verletzungen, *therm. N.* zu Verbrennungen od. Erfrierungen. – ***E*** = ***S*** noxa – ***F*** noxe – ***I*** danno

N-Oxide s. Stickstoffoxide; *N*-Oxide s. Oxide.

Noxiptilin (Rp).

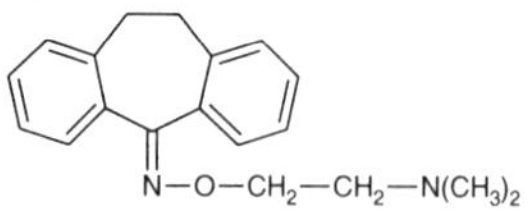

Internat. Freiname für das *Antidepressivum 10,11-Dihydro-5*H*-dibenzo[*a,d*]cyclohepten-5-on-*O*-[2-(dimethylamino)ethyl]oxim, $C_{19}H_{22}N_2O$, M_R 294,39, Sdp. 160–164 °C (6,65 Pa). Verwendet wird das Hydrochlorid, Schmp. 185–187 °C; LD_{50} (Maus s.c.) 240 mg/kg. – ***E*** noxiptilin – ***F*** noxiptiline – ***I*** = ***S*** noxiptilina

Lit.: Arzneim. Forsch. **19**, 458–467, 846–878 (1969) ▪ Martindale (29.), S. 376. – *[HS 2928 00; CAS 3362-45-6 (N.); 4985-15-3 (Hydrochlorid)]*

Noyer-Paste. Ein Präp. zur Umrandung mikroskop. Präp. (nach R. du Noyer). Man erhitzt 20 Tl. Lanolin gelinde 15–30 min im Porzellantiegel (zur Entfernung von Wasserresten) u. verrührt sodann 80 Tl. Kolophonium portionsweise in der Schmelze. Die fertige Paste ist homogen gelbbraun, sie wird mit einem heißen Spatel aufgetragen. – ***E*** Noyer's paste – ***F*** pâte de Noyer – ***I*** pasta di Noyer – ***S*** pasta de Noyer

Lit.: C. R. Soc. Biol. **81**, 741 (1918).

Nozizeption (latein.: nocere = schaden u. capere = nehmen). Aufnahme von gewebsschädigenden Reizen durch Sinneszellen (*Nozizeptoren) u. ihre Weiterleitung u. -verarbeitung im zentralen Nervensystem. Diese Aktivierung des nozizeptiven Syst. führt zu vegetativen Reaktionen wie Anstieg von Blutdruck u. Pulsfrequenz, zu motor. Reflexen sowie in der Regel zur Wahrnehmung von Schmerz. – ***E*** nociception – ***F*** nocicéption – ***I*** nocicezione – ***S*** nocicepción

Lit.: s. Nozizeptoren.

Nozizeptoren (Nozisensoren). Sinneszellen in der Haut u. in inneren Organen, die der Aufnahme von gewebsschädigenden od. potentiell gewebsschädigenden Reizen dienen. Es handelt sich dabei um sog. freie Nervenendigungen, d. h. die peripheren Fortsätze dieser *Neurone, deren Zellkörper in Ganglien entlang der Wirbelsäule (Spinalganglien) liegen, enden ohne spezielle Endorgane im Gewebe. N. sind gegenüber mechan., therm. u. chem. Reizen empfindlich. Diese Reize werden in elektr. Impulse umgewandelt (Transduktion) u. zum Rückenmark weitergeleitet. Bei den Fortsätzen der N. handelt es sich um sehr dünne Nervenfasern mit relativ niedriger Leitungsgeschw. – ***E*** nociceptors – ***F*** nocicépteurs – ***I*** nocicettori – ***S*** nociceptores

Lit.: Melzack u. Wall, Textbook of Pain, S. 13–78, Edinburgh: Churchill Livingstone 1994 ▪ Schmidt, Neuro- u. Sinnesphysiologie, Heidelberg: Springer 1995.

Np. Symbol für das Element *Neptunium.

NP. Kurzz. für *Neurophysine.

NP-, NPK-Dünger s. Düngemittel.

NPIP. Abk. für *N*-Nitrosopiperidin, s. Nitrosamine.

α-NPO.

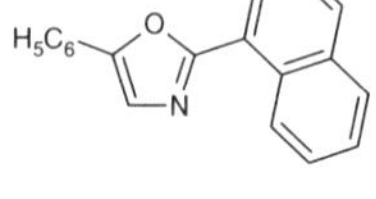

Abk. für 2-(1-Naphthyl)-5-phenyloxazol, $C_{19}H_{13}NO$, M_R 271,31. Fluoreszierende, gelbe Nadeln, Schmp. 105–106 °C, die wie andere 2,5-Diaryl-*Oxazole in Szintillationszählern verwendet werden. – ***E*** 2-(1-naphthyl)-5-phenyloxazole – ***I*** 2-(1-naftil)-5-fenilossazolo – ***S*** 2-(1-naftil)-5-feniloxazol

Lit.: Beilstein EV **27/7**, 342 ▪ s. a. Oxazole. – *[HS 2934 90; CAS 846-63-9]*

NPS. 1. Abk. für *Nitritpökelsalz. – 2. NPS, Nps od. -S-Np ist von der IUPAC zugelassene Abk. für die (4-Nitrophenylthio)-Schutzgruppe in *Peptid-Synthesen (Amin-Schutzgruppe).

NPU-Wert. Abk. für *E* *N*et *P*rotein *U*tilisation = Netto-Proteinverwertung. Der Wert ist ein Maß für die ernährungsphysiolog. Wertigkeit eines Eiweißes.

Tab.: Eiweiß-Gehalt [%] u. -Nährwert [NPU-Einheiten] einiger Lebensmittel.

Lebensmittel	Eiweiß-Gehalt	NPU-Wert
Vollei	13	94
Hülsenfrüchte	21–26	30
Sojabohnen	37	72
Weizenmehl	10–12	35
Kartoffeln	2	67
Rindfleisch (mager)	19	76
Fisch	ca. 18	80
Milch	3–4	86

Ein NPU-W. (s. Tab.) von 100 entspricht dem *Nährwert eines idealen Eiweißes, das zu 100% in körpereigene Eiweiße umgewandelt wird. – ***E*** net protein utilization value, NPU – ***F*** utilisation próteique nette – ***I*** valore NPU, utilizzazione netta delle proteine – ***S*** utilización neta de proteínas

Lit.: Matissek, Lebensmittelanalytik, 2. Aufl., Berlin: Springer 1992 ▪ Spegg, Ernährungslehre u. Diätetik, 6. Aufl., Stuttgart: Dtsch. Apotheker-Verl. 1992.

NPY s. Neuropeptid Y.

NPYR. Abk. für *N*-Nitrosopyrrolidin, s. Nitrosamine.

NQR-Spektroskopie. Von *E* *N*uclear *Q*uadrupole *R*esonance = Kernquadrupol-Resonanz abgeleiteter Ausdruck für ein hochfrequenzspektroskop. Verf. zur Strukturuntersuchung von organ. u. Metall-organ. Verbindungen. Die NQR-S. macht sich zunutze, daß Kerne mit einem *Spin von I>1/2 ein sog. elektr. Quadrupolmoment besitzen, das ein Maß für die räumliche Unsymmetrie der Kernladung darstellt: Das Quadrupolmoment ist 0 für kugelsymmetr. Kerne, <0 für eine „Stauchung" der Kernladung in Richtung der Spinachse u. >0 für eine „Verlängerung" in Richtung der Spinachse. Die elektr. Quadrupolmomente liegen zwischen $-0{,}6 \cdot 10^{-24}$ u. $+6 \cdot 10^{-24}$ cm². Bei der elektr. NQR-S., die auf krist. Proben angewendet wird, richten sich die deformierten Kerne in einem inhomogenen elektr. Feld entsprechend der Richtungsquantelung (s. Atomstrahlen, NMR-Spektroskopie u. Quanten), den Spins u. den Momenten (magnet. Dipol- u. elektr. Quadrupolmomente) aus. Die Inhomogenität wird durch Überlappung des elektr. Feldes der Atome u. Mol. verursacht. Die Quadrupole präzedieren in diesem Feld u. können durch eingestrahlte Hochfrequenz-

Energie mit der Resonanzfrequenz zu Übergängen zwischen verschiedenen Orientierungen, also auf Anregungszustände gedreht werden. Die bei der Umorientierung aufgenommene Energie wird als Absorptionslinie gemessen. Infolge des Fehlens eines homogenen elektr. Feldes kann die Resonanzstelle nur bei Frequenzmodulation beobachtet werden. Durch derartige Messungen sind Aussagen hinsichtlich des Kernquadrupolmomentes, des elektr. Feldgradienten u. damit hinsichtlich des Gitters, seiner Störungen u. chem. Bindungen möglich.

Verw.: Zur Untersuchung chem. Bindungsverhältnisse, der Ladungsverteilung in Ionenkrist., für Kristallstrukturuntersuchungen, insbes. bei Kristallbaufehlern. Gerne werden Chlor-Verb. für die NQR-S. herangezogen, wobei die ^{35}Cl-Resonanz in $KClO_3$ als Standard vorgeschlagen worden ist. Auch deuterierte u. ^{14}N-Verb. erschließen sich der NQR-S.; Näheres zur Anw.-Breite u. zu Parallelen zwischen NQR- u. NMR-Spektroskopie s. *Lit.*[1]. Als Meth. der Spektroskopie entwickelte sich die NQR-S. etwa zur gleichen Zeit wie die *NMR-Spektroskopie, erlangte jedoch außer für Spezialanw. längst nicht die Bedeutung wie diese. – ***E*** NQR spectroscopy – ***F*** spectroscopie RQN – ***I*** spettroscopia NQR, spettroscopia della risonanza nucleare di quadrupolo – ***S*** espectroscopia NQR (bzw. RCN)

Lit.: [1] Angew. Chem. **84**, 498–511, 1037–1048 (1972).
allg.: Spectrosc. Prop. Inorg. Organomet. Compd. **23**, 171–198 (1990); **24**, 192–221 (1991).

NR. Kurzz. (nach DIN ISO 1629: 1981-10) für *Isopren-*Kautschuk (*Naturkautschuk).

NRC s. Nordmann, Rassmann.

ns. Kurzz. für Nanosekunde (10^{-9} s), s. nano....

Ns. Symbol für *Nielsbohrium.

NS. Abk. für Normschliff, s. Schliffe.

NSF. 1. Abk. für *National Science Foundation. – 2. Abk. für *N*-Ethylmaleimid-sensitives Fusionsprotein, s. Membranen (biolog.).

NSF-Anheftungsproteine s. Membranen (biolog.).

NSILA s. Insulin-artige Wachstumsfaktoren.

NSRDS. Abk. für National Standard Reference Data System, wurde 1963 von der amerikan. Regierung geschaffen u. untersteht der Verantwortung des *NIST. NSRDS ist ein Programm zur Datendokumentation, Aufgaben sind die Sammlung, krit. Bewertung u. Neuveröffentlichung von Daten aus der Chemie u. Physik. Das NSRDS arbeitet dezentral. Das Zusammentragen u. die Auswertung der Daten wird an über die gesamte USA verstreuten Daten- u. Informationszentren durchgeführt. Es wird keine Grenze zwischen physikal. u. chem. Daten gezogen. NSRDS erfaßt definierte physikal. u. chem. Eigenschaften von hinreichend charakterisierten Materialien od. Systemen. Die Datenkategorien, die durch NSRDS abgedeckt werden, ändern sich von Jahr zu Jahr. Sowohl Daten aus Grundlagenforschung als auch aus Anw. werden berücksichtigt. Seit 1972 werden die Datenzusammenstellungen im Journal of Chemical and Physical Reference Data veröffentlicht.

NSSN. Abk. für *National Standards System Network.

Nsutit s. Braunsteine.

Nt. Veraltetes Symbol für *Radon (Rn); vgl. Niton.

NT. Kurzz. für *Neurotensin od. Neurotrophine (s. neurotrophe Faktoren).

NTA (engl. Abk. für Nitrilotriessigsäure). $N(CH_2–COOH)_3$, $C_6H_9NO_6$, M_R 191,14. Farblose Krist., Schmp. 242 °C (Zers.), in Wasser kaum, in Alkohol gut löslich. Die Herst. der Natriumsalze von NTA erfolgt durch Cyanomethylierung von Ammoniak mit Formaldehyd u. Natriumcyanid u. anschließende Verseifung des intermediär entstehenden Zwischenprodukts Tris(cyanomethyl)amin (alkal. Prozeß), das auch durch Umsetzung von Hexamethylentriamin mit Cyanwasserstoff in Schwefelsäure erhalten werden kann (saurer Prozeß). Die Natriumsalze der NTA stellen biolog. leicht abbaubare, mindergiftige Komplexbildner (Chelatbildner) aus der Stoffklasse der Aminocarboxylate dar, die in einzelnen Ländern, wie Kanada u. Schweiz, als Bestandteil von Buildersyst. in *Waschmitteln eingesetzt werden. Der NTA-Gehalt der Textilwaschmittel ist in der Schweiz auf 5% begrenzt. Der Toleranzwert für Trinkwasser beträgt 3 µg · L^{-1} NTA. In der BRD u. anderen europ. Ländern sind NTA-haltige Waschmittel wegen der zwar deutlich nachweisbaren, aber in der Öffentlichkeit nicht vermittelbaren Unterschiede zu dem biolog. schwer abbaubaren Komplexbildner *EDTA nicht marktfähig. Die Natriumsalze von NTA dienen auch zur Wasserenthärtung, zur Maskierung von Schwermetall-Ionen u. als Reagenz in komplexometr. Titrationen. – ***E*** nitrilotriacetic acid – ***F*** acide nitrilotriacétique – ***I*** acido nitrilotriacetico – ***S*** ácido nitrilotriacético

Lit.: Bernhardt (Hrsg.), NTA, Studie über die aquatische Umweltverträglichkeit von Nitrilotriacetat, Sankt Augustin: Richarz 1984 ▪ Bayer (Hrsg.), Nitrilotriessigsäure, BUA-Stoffbericht 5, Weinheim: VCH Verlagsges. 1987 ▪ Ullmann (5.) **A 17**, 377–381. – *[HS 2922 49; CAS 139-13-9]*

NTC. Abk. für *n*egative *t*emperature *c*oefficient (s. Thermistor) u. *N*eo*t*etrazolium*c*hlorid (s. Tetrazolpurpur).

NTD-Verfahren s. Dotierung, vgl. Neutronen.

NTEL. Abk. für *N*o *T*eratogenic *E*ffect *L*evel, die höchste Konz., die nicht *teratogen wirkt.

NTIS. Abk. für National Technical Information Service, eine Abteilung des US Department of Commerce's Technology Administration, Springfield, Va. 22161 (USA). Die Nachfolgeorganisation des Clearinghouse for Federal Scientific and Technical Information (CFSTI) ist in den USA für Erfassung, Klassifizierung u. Verteilung bzw. die Bereitstellung von techn., wissenschaftlichen u. Wirtschafts-Informationen in Form von *Reports, CD-ROM's, Audio- u. Videokassetten, Disketten u. Online-Datenbanken verantwortlich. NTIS finanziert sich durch Dienstleistungen u. den Produktverkauf. INTERNET-Adresse: http://www.ntis.gov.

nu. Engl. Bez. des griech. Buchstaben *ν (vor n).

NUA. Nach DIN 7723: 1987-12 Kurzz. für *N*onyl*u*ndecyl*a*dipat als *Weichmacher.

Nuarimol.

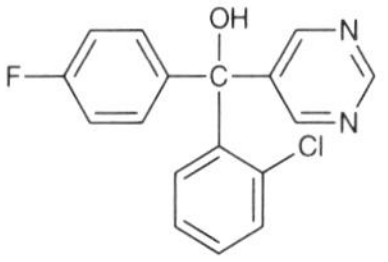

Common name für (±)-α-(2-Chlorphenyl)-α-(4-fluorphenyl)-5-pyrimidinmethanol, $C_{17}H_{12}ClFN_2O$, M_R 314,74, Schmp. 126–127 °C, LD_{50} (Ratte oral männlich) 1250 mg/kg, (weiblich) 2500 mg/kg, von Eli Lilly 1975 eingeführtes system. *Fungizid, das vorwiegend als Spritz- u. Beizmittel im Getreideanbau sowie zur Mehltaubekämpfung im Wein-, Kernobst-, Steinobst- u. Hopfenanbau eingesetzt wird. – ***E*** = ***F*** = ***S*** nuarimol – ***I*** nuarimolo

Lit.: Farm. ▪ Perkow ▪ Pesticide Manual. – *[HS 2933 59; CAS 63284-71-9]*

Nubral®. Creme mit *Harnstoff u. *Natriumchlorid zur steroidfreien Ergänzung der Intervallbehandlung endogener Ekzeme. *N. 4 HC (*Rp.*)* enthält zusätzlich *Hydrocortison zur Behandlung von Neurodermitis u. trockenen Ekzemen. ***B.:*** Galderma.

Nubuk-Leder. Chrom-gegerbtes narbenreines Kalbleder, dessen Narbenseite leicht angeschliffen u. dadurch samtartig wird. – ***E*** nubuk leather – ***F*** (cuir) nubuck – ***I*** cuoio nubuk – ***S*** cuero nubuc

Lit.: Faber, Gerbmittel, Gerbung u. Nachgerbung, Bibliothek des Leders Bd. 3, S. 292, Frankfurt: Umschau 1985 ▪ s. a. Leder. – *[HS 4104 10, 4104 39]*

Nuces s. Nux.

Nuciferal.

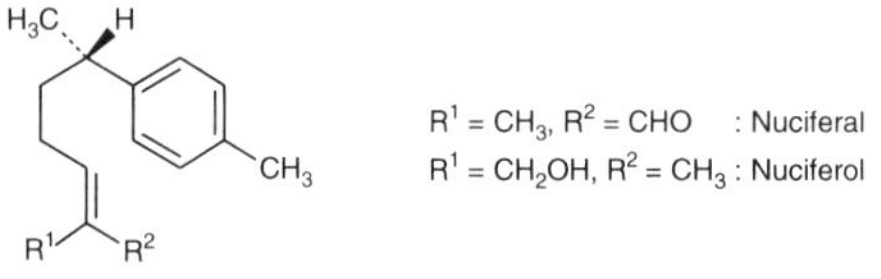

$C_{15}H_{20}O$, M_R 216,32, Öl, Sdp. 108 °C (4 Pa), $[\alpha]_D$ +37,6° ($CHCl_3$); Sesquiterpen-Aldehyd mit Bisabolen-Grundgerüst aus *Torreya nucifera*. Der entsprechende Alkohol, *Nuciferol* ($C_{15}H_{22}O$, M_R 218,34, $[\alpha]_D^{20}$ +41°) ist ebenfalls in der Pflanze enthalten. – ***E*** = ***S*** nuciferal – ***F*** nuciféral – ***I*** nuciferale

Lit.: *Synth.:* ApSimon **5**, 40 f. ▪ Chem. Pharm. Bull. **35**, 913 (1987) ▪ Tetrahedron Lett. **22**, 645 (1981); **23**, 5567 (1982). – *[CAS 25532-74-5 (N.); 39599-18-3 (Nuciferol)]*

Nuciferin [(*R*)-5,6-Dimethoxyaporphin].

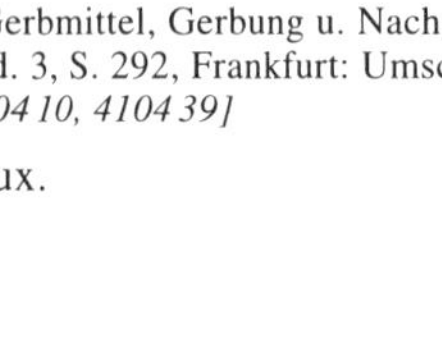

(*R*)-Form

$C_{19}H_{21}NO_2$, M_R 295,38, Krist., Schmp. 165,5 °C, $[\alpha]_D^{20}$ −164° (C_2H_5OH). Das giftige *Aporphin-Alkaloid N. [LD_{50} (Ratte oral) 280 mg/kg] kommt in Lotus-Pflanzen (*Nelumbo nucifera*, *N. lutea*) vor, ist aber auch in anderen Pflanzen verbreitet (Araceen, Berberitzen, Lorbeer-Gewächse, Mohn usw.). Das Racemat ist synthet. zugänglich. – ***E*** nuciferine – ***F*** nuciférine – ***I*** = ***S*** nuciferina

Lit.: Beilstein E V **21/5**, 328 f. ▪ J. Org. Chem. **36**, 2413 (1971) ▪ Phytochemistry **10**, 1963 (1971) ▪ Sax (8.), NOE 500 – *[HS 2939 90; CAS 475-83-2 (N.)]*

Nuciferol s. Nuciferal.

Nucl... (Nukl...). Von latein.: nucleus = Kern abgeleitete Vorsilbe in Begriffen, die einen Zusammenhang herstellen mit *Zellkernen* (z. B. *Nucleinsäuren, *Nucleoside) od. mit *Atomkernen* (z. B. *Nukleonen, *nucleophile Reaktion, *Nuklearmedizin, *Nuklide); die Schreibweise (Nucl..., Nukl....) ist im Deutschen uneinheitlich; s. a. Kern. – ***E*** = ***F*** = ***I*** = ***S*** nucl...

Nucleärer Faktor κB s. NF-κB.

Nucleasen. Sammelbez. für Enzyme, die *Nucleinsäuren an der (5′-3′)-Phosphodiester-Bindung hydrolyt. spalten (*Phosphodiesterasen*), insbes. *Desoxyribonucleasen (*DNasen*, EC 3.1.11, 3.1.21, 3.1.22, 3.1.25) u. *Ribonucleasen (*RNasen*, EC 3.1.13, 3.1.14, 3.1.26, 3.1.27). *Exonucleasen* (EC 3.1.11–3.1.16) lösen endständige *Nucleotide ab, *Endonucleasen* (EC 3.1.21–3.1.31) dagegen greifen innerhalb der Nucleinsäure-Kette an, wobei die *Restriktions-Endonucleasen (EC 3.1.21.3–3.1.21.5) spezif. Nucleotid-Sequenzen in doppelsträngiger *Desoxyribonucleinsäure erkennen u. den Strang dort brechen. Die meisten N. produzieren bei der Spaltung 5′-Phosphomonoester (EC 3.1.11, 3.1.13, 3.1.15, 3.1.21, 3.1.25.1, 3.1.26), andere N. hinterlassen 3′-Phosphomonoester (EC 3.1.14.1, 3.1.16.1, 3.1.22.1–3.1.22.3). Bes. reich an N. sind *Lysosomen u. *Schlangengifte. – ***E*** nucleases – ***F*** nucléases – ***I*** nucleasi – ***S*** nucleasas

Lit.: Linn et al., Nucleases, 2. Aufl., Cold Spring Harbor: CSH Laboratory Press 1993.

Nucleinbasen s. Nucleobasen.

Nucleine s. Nucleoproteine.

Nucleinsäuren. Gruppe von *Biopolymeren, deren Name sich davon herleitet, daß ihre von J. F. *Miescher 1869 entdeckten ersten Vertreter Bestandteile von tier. u. pflanzlichen Zellkernen (latein.: nuclei) sind. Es handelt sich um *Makromoleküle, die bei Hydrolyse in Zucker (Pentosen), heterocycl. organ. Basen u. Phosphorsäure (s. Abb.) auftrennbar sind.

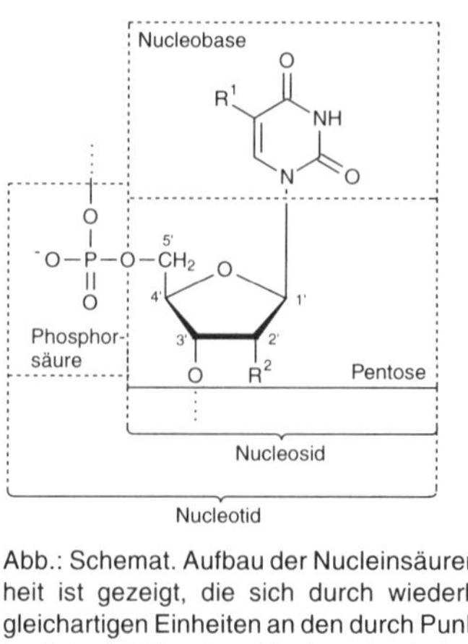

Abb.: Schemat. Aufbau der Nucleinsäuren. Nur 1 Nucleotid-Einheit ist gezeigt, die sich durch wiederholte Veresterung mit gleichartigen Einheiten an den durch Punkte angedeuteten Stellen fortsetzt. Von den sich abwechselnden Nucleobasen (s. dort) ist als Beisp. Uracil (R^1 = H) bzw. Thymin (R^1 = CH_3) gewählt; ersteres kommt in RNA (R^2=OH), letzteres in DNA (R^2 = H) vor.

Struktur u. Eigenschaften: Als Zucker-Komponente tritt entweder D-*Ribose od. *2-Desoxy-D-ribose auf, die beide in der furanosiden Form vorliegen; eine bestimmte N. enthält nur eine von beiden Pentosen, u. man unterscheidet somit **Ribonucleinsäuren* (RNA) u. **Desoxyribonucleinsäuren* (DNA). Diese hier u. allg. in diesem Werk verwendeten engl. Abk. sind – den Empfehlungen der *IUPAC folgend – auch im deutschsprachigen Schrifttum gebräuchlich; weitere Abk. u. zur Nomenklatur s. Nucleoside u. Nucleotide sowie *Lit.*[1].

Die den N. zugrunde liegenden Basen (*Nuclein-* od. **Nucleobasen*) sind die *Purine Adenin u. Guanin sowie die *Pyrimidine Cytosin, Uracil u. Thymin; davon tritt Uracil in den RNA, Thymin in den DNA (jeweils zusammen mit den 3 übrigen Basen) auf. Nur selten finden sich noch weitere Basen, so z. B. Orotsäure, Xanthin, Hypoxanthin in Transfer-RNA od. 5-Hydroxymethylcytosin u. -uracil in der N. bestimmter *Phagen. In den N. ist jeweils 1 Basen-Mol. mit einem Pentose-Mol. durch *N*-*β*-glykosid. Bindung zu einer Einheit verbunden, die als *Nucleosid bezeichnet wird; tritt hierzu noch als dritte Komponente 1 Mol. Phosphorsäure in Ester-artiger Bindung an die Pentose, so hat man das als *Nucleotid bezeichnete Strukturmonomer der N. vor sich (s. Abb.). Im Polymer sind die 3′-Positionen der Pentose des einen Nucleosids u. die 5′-Positionen des jeweils nächsten Nucleosids mit ein- u. demselben Phosphorsäure-Mol. verestert, so daß sich *Phosphodiester-Brücken* ausbilden. Damit stellen sich die N. als Strang von *Polynucleotiden mit einem Zucker-Phosphorsäure-„Rückgrat“ dar, an dem die verschiedenen Nucleobasen als Seiten-Gruppen befestigt sind u. durch ihre Sequenz die *Primärstruktur* (vgl. Proteine) bestimmen. Die N. sind *Polyelektrolyte, die bei physiolog. pH-Wert in dissoziierter Form vorliegen. Mit ihren Hydroxy- u. Amino-Gruppen sind sie zur Bildung von *Wasserstoff-Brückenbindungen befähigt, die sowohl die Sekundärstruktur (vgl. Proteine) der N. stabilisieren als auch eine Wechselwirkung zwischen den N. untereinander od. zwischen N. u. Proteinen (*Beisp.:* *Nucleoproteine, *Histone, *Transkriptionsfaktoren) ermöglichen. Von bes. Bedeutung für die Sekundärstruktur sind die sog. *Watson-Crick-Basenpaarungen* Thymin·Adenin (bzw. Uracil·Adenin) u. Cytosin·Guanin zwischen den beiden DNA-Strängen bzw. bei der Faltung von RNA-Ketten. Auch die Wirksamkeit des *genetischen Codes beruht auf dem Erkennen von Basensequenzen aufgrund spezif. Wasserstoff-Brücken. Die (stereo)chem. Unterschiede zwischen D-Ribose (R^2=OH) u. 2′-Desoxy-D-ribose (R^2=H) wirken sich auch in Konformations- u. Funktionsunterschieden zwischen DNA u. RNA aus. Die Hauptmenge der DNA liegt nach dem Watson-Crick-Modell als *Doppel-*Helix* vor, indem ein Polynucleotid-Strang durch Basen-Paarung u. -Parallelanordnung (*E* base stacking) mit einem korrespondierenden Strang so verbunden ist, daß eine schraubenartige Konformation resultiert. Näheres s. Desoxyribonucleinsäuren.

Die RNA ist in der Primärstruktur ähnlich zusammengesetzt wie die DNA, weist aber niedrigere u. sehr unterschiedliche Molmassen (10^4–10^6) auf u. kommt fast nur als Einzelstrang-Mol. vor – Doppelstränge liegen bei einigen RNA-Viren u. Viroiden vor. Die Raumstruktur der RNA ist – zumindest in erster Näherung – von größerer Vielfalt als die der DNA, wobei durch Faltung u. Verdrillung der Polynucleotid-Kette sowohl doppelt-helikale Bereiche als auch Schleifen (*E* loops) eine wichtige Rolle spielen; Näheres s. Ribonucleinsäuren.

Biolog. Funktion: Die Hauptbedeutung der DNA liegt in ihrer Funktion als Substanz der *Gene. Bei RNA-Viren fungieren statt der DNA die RNA als genet. Substanz. Bei allen anderen Organismen erfüllen die RNA verschiedene Funktionen bei der Weitergabe der genet. Information im Rahmen der Protein-Biosynthese. In der Selbstorganisation von Materie u. der *Evolution biolog. Makromol. nehmen die N. eine zentrale Stellung ein. In den heutigen RNA vermutet man die Abkömmlinge des ersten genet. u. biokatalyt. Syst.; bes. seit der Entdeckung, daß RNA auch Enzym-Funktionen übernehmen können (s. Ribozyme).

Analytik: Zur Isolierung der N. benutzt man u. a. Ultrazentrifuge, Säulenchromatographie, HPLC, Hochspannungs- u. *Pulsfeld-Gel-Elektrophorese auf Polyacrylamid-Gelen[2]. Sequenz-spezif. Detektion kann durch *Hybridisierung bzw. *Blotting[3] erfolgen. Für die Untersuchung der Basenfolge mußten bes. Verf. der *Sequenzanalyse entwickelt werden. Gewisse Charakteristiken der DNA eines Individuums werden mit der *DNA-Fingerabdruck-Meth. (s. a. Desoxyribonucleinsäuren) detektiert. Zu den physikal. Analysemeth., die sich in der N.-Chemie bes. bewährt haben, gehören Röntgenstrukturanalyse, NMR-Spektroskopie, Elektronenmikroskopie, Raster-Kraftmikroskopie[4], Massenspektrometrie[5], Kapillarelektrophorese[6], UV-Spektroskopie, Lichtstreuung, Neutronenbeugung u. Kalorimetrie. Räumliche Strukturen von N., die meist mit Röntgenstrukturanalyse aufgeklärt wurden, sind in der *Nucleic Acid Database* niedergelegt[7].

Herst. u. Verw.: Große Fortschritte wurden auch in der chem. Synth. von N. gemacht; *Khorana gelang die erste Totalsynth. eines funktionierenden Gens. Heute ist die Synth. von Polynucleotiden weitgehend automatisiert. Mit Hilfe der *polymerase chain reaction können N.-Mol. im Reagenzglas spezif. vervielfältigt werden. Hybridisierungs-Meth. haben Eingang in die medizin. Diagnostik gefunden. Zur Blockierung u. damit möglichen Untersuchung von Stoffwechselschritten haben sich in der N.-Chemie Inhibitoren mit Antibiotikacharakter bewährt. Allerdings werden heute bei Fragestellungen ähnlicher Zielsetzung ganz überwiegend die sehr spezif. Meth. der *Gentechnologie eingesetzt. Durch gezielte Hybridisierung von mRNA mit synthet. *Antisense-Nucleinsäuren läßt sich die Biosynth. einzelner Proteine unterdrücken u. die Auswirkung auf Stoffwechsel, Regulation usw. untersuchen. – ***E*** nucleic acids – ***F*** acides nucléiques – ***I*** acidi nucleici – ***S*** ácidos nucleicos

Lit.: [1] Eur. J. Biochem. **150**, 1–5 (1985); Pure Appl. Chem. **40**, 277–290 (1974); **55**, 1273–1280 (1983). [2] Martin, Elektrophorese von Nucleinsäuren, Heidelberg: Spektrum Akadem. Verlagsges. 1996. [3] Darling u. Brickell, Nucleinsäure-Blotting, Heidelberg: Spektrum Akadem. Verlagsges. 1996. [4] Annu. Rev.

Biophys. Biomol. Struct. **25**, 395–429 (1996). [5]Annu. Rev. Biophys. Biomol. Struct. **24**, 117–140 (1995). [6]Heller, Analysis of Nucleic Acids by Capillary Electrophoresis, Wiesbaden: Vieweg 1997. [7]Prog. Biophys. Mol. Biol. **66**, 255 (1996); World Wide Web: http://ndbserver.rutgers.edu:80/.
allg.: Blackburn u. Gait, Nucleic Acids in Chemistry and Biology, 2. Aufl., Oxford: Oxford University Press 1996 ▪ Dangler, Nucleic Acid Analysis. Principles and Bioapplications, Chichester: Wiley 1996 ▪ Eckstein u. Lilley, Nucleic Acids and Molecular Biology, 9 Bd., Berlin: Springer 1987–1995 ▪ Glasel u. Deutscher, Introduction to Biophysical Methods for Protein and Nucleic Acid Research, San Diego: Academic Press 1995 ▪ Shabarova u. Bogdanov, Advanced Organic Chemistry of Nucleic Acids, Weinheim: VCH Verlagsges. 1994 ▪ Trevors u. van Elsas, Nucleic Acids in the Environment, Berlin: Springer 1995.

Nucleobasen (Nucleinbasen).

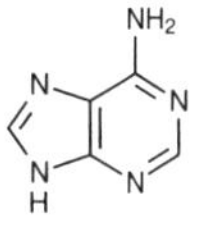

Adenin (Ade)

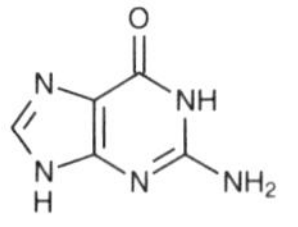

Guanin (Gua)

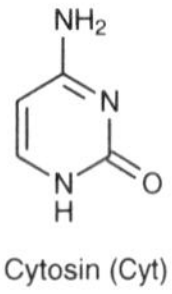

Cytosin (Cyt)

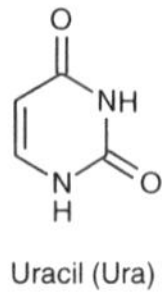

Uracil (Ura)

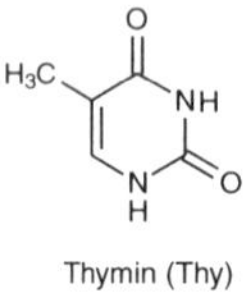

Thymin (Thy)

Bas. reagierende Stickstoff-haltige Heterocyclen, die als Bestandteile von *Nucleosiden, *Nucleotiden u. *Nucleinsäuren vorkommen, meist *Purin- od. *Pyrimidin-Derivate. Die am häufigsten vorkommenden N. können der Abb. entnommen werden (s. a. die Einzelstichwörter), davon kommt Uracil nur in *Ribonucleinsäuren, Thymin nur in *Desoxyribonucleinsäuren vor. Seltenere N. s. Nucleoside. – ***E*** = ***S*** nucleobases – ***F*** nucléobases – ***I*** nucleobasi

Nucleobond®. Marke für eine Gruppe von kleinen Chromatographie-Säulen, gefüllt mit makroporösem Anionenaustauscher auf Kieselgel-Basis zur schnellen Aufreinigung von einzelnen Nucleinsäure-Klassen (Plasmid-DNS, Phagen-DNS, rRNS, mRNS, tRNS). Polysaccharide, Proteine u. Metabolite werden vollständig abgetrennt. Die gereinigten Nucleinsäuren sind in allen Bereichen molekularbiolog. Forschung einsetzbar. ***B.:*** Macherey-Nagel.

Nucleocapsid. Derjenige *Nucleoprotein-Anteil eines *Virus, der sich in eine Protein-Hülle (*Capsid) u. darin enthaltene *Nucleinsäure gliedert u. in vielen Fällen das gesamte Virion ausmacht. – ***E*** nucleocapsid – ***F*** nucléocapside – ***I*** nucleocapside – ***S*** nucleocápside

Nucleofug (von latein.: fugiens = fliehend). Bei chem. Reaktionen Bez. für eine Gruppe, die sich unter Mitnahme des bindenden Elektronenpaars aus dem Mol. löst; Näheres s. bei nucleophile Reaktionen u. nucleophile Substitution. – ***E*** nucleofuge – ***F*** nucléofuge – ***I*** nucleofugo – ***S*** nucleófugo

Nucleogen®. Chromatographie-Säulen auf der Basis von Kieselgel-Anionenaustauschern mit unterschiedlichen Porendurchmessern zur Isolierung u. Trennung von Oligo- u. Polynucleotiden, von Restriktionsfragmenten sowie von hochmol. Nucleinsäuren u. Plasmiden. ***B.:*** Macherey-Nagel.

Nucleohistone. Allg. Bez. für Komplexe aus *Nucleinsäuren u. *Histonen, vgl. Nucleoproteine; speziell: Veraltete Bez. für *Chromatin. – ***E*** nucleohistones – ***F*** nucléohistones – ***I*** nucleoistoni – ***S*** nucleohistonas

Nucleoid. *Bakterien als Prokaryonten besitzen im Gegensatz zu Eukaryonten keinen Zellkern, in dem die DNA lokalisiert ist; ihre DNA liegt aber zu einer Struktur verdichtet vor, die ein großes Vol. der Bakterienzelle ausfüllt u. als Kernäquivalent od. N. bezeichnet wird. – ***E*** nucleoid – ***I*** nucleoide – ***S*** nucleoido
Lit.: Lehninger et al., Prinzipien der Biochemie (2.), S. 922, Heidelberg: Spektrum Akadem. Verl. 1994.

Nucleolin (C23). Mit Silbersalzen anfärbbares saures Phosphoprotein (706 Aminosäure-Reste) u. Haupt-Protein-Bestandteil der Nucleoli (s. Zellen) sich schnell teilender Zellen, das durch Bindung an *Histon H1 die Dekondensation des *Chromatins induziert u. in mehrfacher Weise an der Biogenese der *Ribosomen beteiligt ist. In B-*Lymphocyten ist N. Teil des *Transkriptionsfaktors LR1 [1]. – ***E*** nucleolin – ***F*** nucléoline – ***I*** = ***S*** nucleolina
Lit.: [1]Proc. Natl. Acad. Sci. USA **94**, 3605–3610 (1997).
allg.: Eur. J. Cell Biol. **73**, 287–297 (1997) ▪ J. Biol. Chem. **272**, 13 109–13 116 (1997).

Nucleolus s. Zellen.

Nucleolyse s. Papain.

Nucleophil (von griech.: phílos = Freund, liebend, freundlich). Bei chem. Reaktionen Bez. für eine Gruppe, die als „kernliebendes", „kernfreundliches" Teilchen (z. B. Anionen, *Carbanionen, *Lewis-Basen) eine elektrophile Verb. angreift; Näheres s. bei nucleophile Reaktionen u. nucleophile Substitution, vgl. a. elektrophile Reaktionen. – ***E*** nucleophile, nucleophilic – ***F*** nucléophile – ***I*** nucleofilo – ***S*** nucleófilo

Nucleophile Reaktionen (anionoide Reaktionen). Ion. Reaktionen der organ. Chemie, bei denen ein *Nucleophil ein elektrophiles Substrat angreift. N. R. können als *Additionen, *Eliminierungen, *Substitutionen od. *Umlagerungen – wobei hier nur die wichtigsten Reaktionstypen aufgeführt sind – ablaufen. In manchen Fällen wird ein Einzelektronentransfer, SET-Mechanismus [1] (*Single-Electron-Transfer) unter Beteiligung von *Radikal-Anionen durchlaufen. In mechanist. Hinsicht sehr gut untersucht ist die *nucleophile Substitution. – ***E*** nucleophilic reactions – ***F*** réactions nucléophiles – ***I*** reazioni nucleofile – ***S*** reacciones nucleofílicas
Lit.: [1]Nachr. Chem. Tech. Lab. **32**, 436–439 (1984); Acc. Chem. Res. **28**, 313 (1995); Angew. Chem. **108**, 2623 (1996).
allg.: s. Textstichwörter u. Reaktionsmechanismen.

Nucleophile Substitution. Bez. für eine *nucleophile Reaktion, bei der das angreifende Teilchen (das *Nucleophil Y) unter Einbeziehung eines Elektronenpaars eine neue Bindung zu einem Substrat knüpft, wobei ein anderes Teilchen (das *Nucleofug X) mit einem Elektronenpaar das Substrat verläßt (s. Abb. 1).

Abb. 1: Schemat. Verlauf einer nucleophilen Substitution.

In allen Fällen muß Y – neg. geladen od. neutral – eine Lewis-Base sein. Ist das Nucleophil auch gleichzeitig Lsm., so spricht man von **Solvolyse*. Die wichtigste n. S. ist die an *aliphat.* C-Atomen, aber auch solche an *aromat.* C-Atomen gewinnen zunehmend an Bedeutung. Mehrere Mechanismen werden für die n. S. diskutiert, die in Abhängigkeit von Nucleophil, Nucleofug, Substrat u. Reaktionsbedingungen ablaufen können; die bei weitem wichtigsten sind der S_N1- u. der S_N2-Mechanismus. In neuerer Zeit werden auch SET-Mechanismen im verstärkten Maße diskutiert (s. *Lit.*[1] bei nucleophile Reaktionen). Beim S_N1-Mechanismus (*unimol. n. S.*) werden zwei Reaktionsschritte – nämlich 1. die Dissoziation des Substrates in ein *Carbenium-Ion u. das Nucleofug als reaktionsbestimmender Schritt sowie 2. die schnelle Reaktion zwischen dem Carbenium-Ion u. dem Nucleophil – angenommen (s. Abb. 2a); bei opt. aktiven Verb. erfolgt *Racemisierung, da das als Zwischenstufe durchlaufene achirale flache Carbenium-Ion durch das Nucleophil von beiden Seiten angegriffen werden kann (s. Abb. 2b).

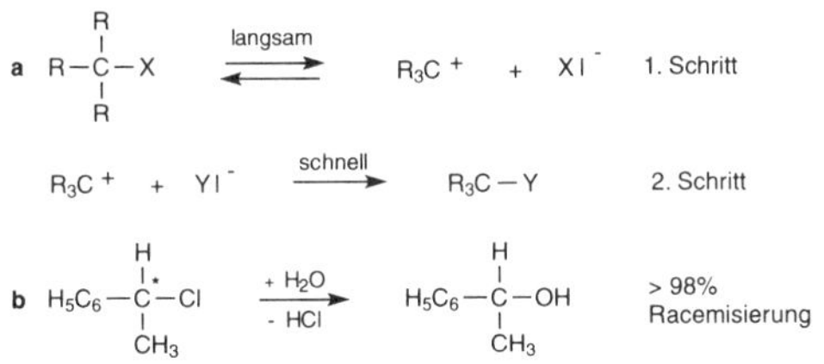

Abb. 2: Nucleophile Substitution – S_N1-Mechanismus.

Bei einer n. S. nach dem S_N2-Mechanismus (*bimol. n. S.*) greift das Nucleophil von der Rückseite zum austretenden Nucleofug das Substrat an, wobei die neue Bindung des Substrates zum Nucleophil u. die alte zum Nucleofug gleichzeitig gebildet bzw. gebrochen wird (s. Abb. 3a); bei opt. aktiven Verb. erfolgt Konfigurationsumkehr (s. Abb. 3b; s. Inversion).

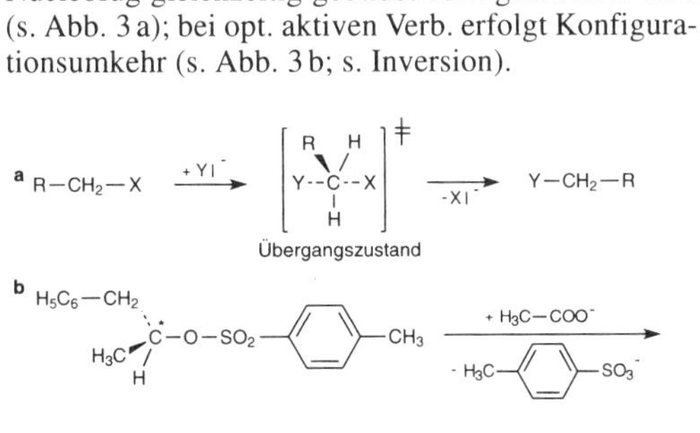

Abb. 3: Nucleophile Substitution – S_N2-Mechanismus.

Allg. kann man sagen, daß n. S. nach dem S_N1-Mechanismus bevorzugt an Phenyl-substituierten u. tert. C-Atomen, solche nach S_N2 bevorzugt an prim. C-Atomen ablaufen. N. S. an aromat. Ringen sind auf aromat. Verb. beschränkt, die durch elektronenziehende Gruppen desaktiviert sind, z. B. Nitroaromaten, u. auf Elektronenmangel-Heterocyclen wie Pyridin (vgl. Beisp. bei Meisenheimer-Komplexe). – ***E*** nucleophilic substitution – ***F*** substitution nucléophile – ***I*** sostituzione nucleofila – ***S*** sustitución nucleofílica

Lit.: Angew. Chem. **106**, 990ff. (1994) ▪ Brückner, Reaktionsmechanismen, S. 38f., 188f., Heidelberg: Spektrum Akadem. Verl. 1996 ▪ Chem. Rev. **56**, 571–752 (1956); **95**, 2261 (1995) ▪ Chem. Unserer Zeit **30**, 134 (1996) ▪ March (4.), S. 293f., 641f. ▪ Patai, The Chemistry of the Carbon-halogen Bond, Bd. 1, S. 409–490, Chichester: 1973 ▪ Terrier, Nucleophilic Aromatic Displacement, New York: VCH Publishers 1991 ▪ s. a. Substitution u. a. Textstichwörter sowie Lehrbücher der Organischen Chemie (Zusammenstellung dort).

Nucleoporine s. Kernporen-Komplex.

Nucleoprotamine s. Nucleoproteine u. Protamine.

Nucleoproteine (veraltet: Nucleoproteide, Nucleine). Zu den konjugierten Proteinen gehörende Assoziate aus *Proteinen u. *Nucleinsäuren. Zu den allg. in lebenden Zellen verbreiteten N. mit *Desoxyribonucleinsäuren (DNA), den *Desoxyribonucleoproteinen*, gehört als wichtigste Klasse das überwiegend aus DNA, *Histonen u. a. Proteinen bestehende *Chromatin, das in Eukaryonten als charakterist. Unterstruktur die *Nucleosomen enthält u. sich zum *Chromosom verdichten kann. Auch bei Bakterien findet man gewisse regulator. Proteine mit dem Chromosom assoziiert. Zu den N. gehören ferner die mit *Protaminen analog zusammengesetzten *Nucleoprotamine* (z. B. aus Fisch-Sperma). N. mit *Ribonucleinsäuren (RNA), die *Ribonucleoproteine* (RNP), finden sich bes. in den *Ribosomen, aber auch in den heterogenen u. in den kleinen nucleären RNP (*hnRNP* bzw. *snRNP*). Die hnRNP sind Assoziate verschiedenartiger im Kern vorhandener RNA [z. B. verschiedener Vorstufen der Messenger-RNA (mRNA)] mit Proteinen, die den Nucleinsäuren offensichtlich zu dichterer Packung verhelfen. Den snRNP sowie auch manchen hnRNP-Proteinen werden katalyt. Funktionen bei der Reifung der RNA-Vorstufen zugeschrieben, wobei sie u. a. zum *Spleißosom* zusammentreten (vgl. Spleißen). Auch im Cytoplasma sind mRNA mit Proteinen in *Messenger-Ribonucleoproteinen* (*mRNP*) vergesellschaftet; diese Proteine regulieren wahrscheinlich die Stabilität u. *Translation der mRNA. Als *signal recognition particles* (Signal-Erkennungs-Partikel, SRP) sind cytoplasmat. RNP am Transport frisch synthetisierter Proteine ins *endoplasmatische Retikulum beteiligt. Auch die *Nucleocapside der Viren können als N. aufgefaßt werden. Zur Untersuchung von N. mit Raster-Kraftmikroskopie s. *Lit.*[1]. – ***E*** nucleoproteins – ***F*** nucléoprotéines – ***I*** nucleoproteine – ***S*** nucleoproteínas

Lit.: [1] Scanning Microscopy **9**, 705–727 (1995).
allg.: Saluz u. Wiebauer, DNA and Nucleoprotein Structure In Vivo, Berlin: Springer 1995.

Nucleosid-Antibiotika s. Nucleoside.

Nucleosidasen. Bez. für zu den *Hydrolasen gehörende Enzyme, die in *Nucleosiden od. *Nucleotiden die *N*-glykosid. Bindung zwischen der Zucker-Einheit u. der Nucleobase hydrolyt. spalten (viele *N*-

Glykosidasen, EC 3.2.2, sind N., z. B. NAD$^+$-N., s. Nicotinamid-Adenin-Dinucleotid). *In vivo* wird diese Bindung oft auch phosphorolyt. aufgebrochen (unter Übertragung der Zucker-Einheit auf Phosphorsäure; so bei manchen Pentosyltransferasen, EC 2.4.2, z. B. Purinnucleosid-Phosphorylase, EC 2.4.2.1), wodurch die chem. Energie der glykosid. Bindung besser als bei Hydrolyse konserviert wird. – ***E*** nucleosidases – ***F*** nucléosidases – ***I*** nucleosidasi – ***S*** nucleosidasas – *[CAS 9025-44-9]*

Nucleoside. Verb. von *Nucleobasen mit Pentosen, v. a. D-Ribofuranose (*Ribo-N.*) od. 2-Desoxy-D-ribofuranose (*Desoxyribo-N.*). Es handelt sich um *N*-*Glykoside, in denen die Pentose über ihr Kohlenstoff-Atom 1 *β*-glykosid. an ein Stickstoff-Atom der Base gekoppelt ist (s. die Abb. bei Nucleinsäuren, Desoxynucleoside, Ribonucleoside). Die den häufigsten Nucleobasen entsprechenden Ribo-N. werden als *Cytidin, *Uridin, Ribothymidin (*Thymidin ist das – häufigere – 2′-Desoxy-Derivat aus *Desoxyribonucleinsäuren), *Adenosin bzw. *Guanosin bezeichnet; die Namen der Pyrimidin-Derivate enden also auf ...*idin*, die der Purin-Abkömmlinge auf ...*osin*; *IUPAC u. *IUBMB haben Drei- u. Ein-Buchstaben-Notationen für N. vorgeschlagen [1], die im folgenden tabellar. zusammengestellt sind.

Zur Kennzeichnung der synthet. od. enzymat. aus Ribo-N. zugänglichen 2′-Desoxyribo-N. wird dem Kurzz. ein „d“ vorgesetzt (*Beisp.:* 2′-Desoxyadenosin = dAdo = dA). Durch *Phosphorylierung am Pentose-Anteil der N. entstehen die Nucleotide u. durch deren Polykondensation die *Nucleinsäuren (*Polynucleotide).

Vork.: Ribo-N. kommen in *Ribonucleinsäuren (RNA), Desoxyribo-N. in Desoxyribonucleinsäuren (DNA) vor. Neben den oben erwähnten häufigeren u. einzeln abgehandelten N. treten im Stoffwechsel weitere wie z. B. Ribosylnicotinamid (s. Abb. 1 bei Nicotinamid-Adenin-Dinucleotid), *Inosin u. *Xanthosin auf. Ferner kennt man aus Nucleinsäure-Hydrolysaten (vornehmlich von Transfer-Ribonucleinsäuren) ca. 100 *seltene N.*[2], bei denen es sich um Verb. handelt, die außer der Nucleobase u. der Pentose noch Alkyl-Gruppen, Aminosäure-Reste, Zucker-Reste u./od. Schwefel-Atome enthalten od. in denen die Nucleobase über eine Kohlenstoff-Kohlenstoff-Bindung gebunden ist (*C*-N., z. B. *Pseudouridin). Einige seltene N. kommen ausschließlich monomer vor. Die wichtigsten Vertreter dieser N., unter denen sich ebenfalls viele *C*-N. befinden, sind die *Nucleosid-Antibiotika* wie *5-Azacytidin, Cytarabin (*Cytosinarabinosid), Formycine, *Nebularin, *Puromycin, Showdomycin (Ribosylmaleimid), *Tubercidin u. andere. Die N.-Antibiotika wirken, weil sie als *Antimetabolite in den Stoffwechsel eingreifen, bakterizid, viruzid u. cytostat., sind allerdings häufig mutagen u. stark toxisch. Zur Synth. von N. s. *Lit.*[3]. – ***E*** nucleosides – ***F*** nucléosides – ***I*** nucleosidi – ***S*** nucleósidos

Lit.: [1] Pure Appl. Chem. **40**, 277–290 (1974). [2] Nucl. Acids Res. **22**, 2183–2196 (1994). [3] Lukevics u. Zablocka, Nucleoside Synthesis. Organosilicon Methods, Chichester: Ellis Horwood 1991; Synthesis (Stuttgart) **1995**, 1465–1479.
allg.: Chu u. Baker, Nucleosides and Nucleotides as Antitumor and Antiviral Agents, New York: Plenum 1993 ▪ Townsend, Chemistry of Nucleosides and Nucleotides, 3 Bd., New York: Plenum 1988–1994.

Nucleosil®. Kugelförmiges Kieselgel für die Hochleistungs-Flüssigkeitschromatographie mit Kugeldurchmessern von 3, 5, 7 u. 10 µm für analyt. Zwecke u. gröber für präparative Zwecke. Das Kieselgel ist durch u. durch porös, druckstabil bis 400 bar, lieferbar mit 7 verschiedenen Porendurchmessern von 5 bis 400 nm u. zusätzlich mit vielen chem. gebundenen Phasen von sehr polar bis sehr unpolar. ***B.:*** Macherey-Nagel.

Nucleosil® Chiral-1. Chromatographiesäulen zur Trennung opt. aktiver Substanzen durch Ligandenaustausch in wäss. Systemen. ***B.:*** Macherey-Nagel.

Nucleoskelett. Zum *Cytoskelett gehörige, nach der Entfernung des *Chromatins u. des granulären Materials des Nucleolus (s. Zellen) verbleibende Strukturen des Zellkerns. Unter diesen findet man die aus *Laminen bestehende, der Kernmembran anliegende Kernfaserschicht (*Kernlamina*), die Kernfilamente, das ebenfalls Lamine enthaltende [1] diffuse Skelett, die Kernkörper, das intranucleoläre Skelett u. die fibrillären Zentren des Nucleolus. Das N. ist von Bedeutung für die *Kompartimentierung des Zellkerns u. wahrscheinlich auch für die *Replikation u. *Tran-

Tab.: Drei- u. Ein-Buchstaben-Notation der Nucleoside.

Nucleobase	Kurzz.	Ribonucleosid	Kurzz.	
Adenin	Ade	Adenosin	Ado	A
Cytosin	Cyt	Cytidin	Cyd	C
Guanin	Gua	Guanosin	Guo	G
Thymin	Thy	Ribothymidin	Thd	T
	(davon Desoxyribonucleosid:	Thymidin	dThd	dT)
Uracil	Ura	Uridin	Urd	U
		Pseudouridin	Ψrd	Ψ
Thiouracil	Sur	Thiouridin	Srd	S
Nicotinamid		Ribosylnicotinamid	Nir	
Orotsäure	Oro	Orotidin	Ord	O
Xanthin	Xan	Xanthosin	Xao	X
Hypoxanthin	Hyp	Inosin	Ino	I
Thiohypoxanthin	Shy	Thioinosin	Sno	sI
beliebige Pyrimidin-Base	Pyr	beliebiges Pyrimidin-N.	Pyd	Y
beliebige Purin-Base	Pur	beliebiges Purin-N.	Puo	R
beliebige Base	Base	beliebiges N.	Nuc	N

skription. – *E* nucleoskeleton – *F* nucléosquelette – *I* nucleoscheletro – *S* nucleoesqueleto

Lit.: [1] J. Cell. Sci. **108**, 635–644 (1995).
allg.: Exp. Cell Res. **229**, 267–271 (1996).

Nucleosomen. *Nucleoprotein-Komplex der Abmessungen 65 · 106 Å, bestehend aus je 2 Mol. der Histone (vgl. dort) H 2A, H 2B, H 3 u. H 4 (Histon-Octamer) sowie einem ca. 140 Basenpaare langem Stück *Desoxyribonucleinsäure (DNA) in einer der B-DNA ähnlichen Doppelhelix, die sich linksgängig 1,87 mal um das Octamer windet. Zur genaueren räumlichen Struktur s. *Lit.*[1]. Die N. sind im Chromatin (vgl. a. dort) wiederholt durch doppelt-helikale, mit Histon H 1 komplexierte Linker-DNA variabler Länge verbunden. Die Positionierung der N. hängt von der DNA-Basensequenz ab. N. dienen dazu, die DNA des Genoms in Helices höherer Ordnung zu packen, besitzen jedoch darüber hinaus nicht vollständig geklärte regulator. Funktionen. So hat man gefunden, daß N. beweglich sind u. Histone strukturelle Ähnlichkeit mit *Transkriptionsfaktoren besitzen. Durch Besetzen von *Promotoren durch N. kann die *Transkription bestimmter Gene (od. eines großen Teils der Gene im allg.) reprimiert werden; andererseits kann die durch die N. verursachte Windung der DNA regulator. Elemente einander annähern u. im Zusammenwirken mit weiteren Transkriptionsfaktoren die Transkription der betreffenden Gene anschalten. Kontrolle der N. u. damit der Transkription erfolgt durch Acetylierung/Desacetylierung der Histone. Zu spezialisierten N. mit abweichenden Histon-Mol. s. *Lit.*[1]. – *E* nucleosomes – *F* nucléosomes – *I* nucleosomi – *S* nucleosomas

Lit.: [1] Nature (London) **389**, 231 ff., 251–260 (1997). [2] Trends Genet. **12**, 58–62 (1996).
allg.: Annu. Rev. Biophys. Biomol. Struct. **26**, 83–112 (1997) ▪ Curr. Biol. **7**, R 653 ff. (1997).

Nucleotidasen. Zu den Hydrolasen gehörende Enzyme, die die Hydrolyse der Phosphoester-Bindungen in *Nucleotiden katalysieren u. diese so zu *Nucleosiden abbauen können. Zu den N. gehören einige Phosphorsäuremonoester-Hydrolasen (EC 3.1.3), z. B. 5′-Nucleotidase (EC 3.1.3.5)[1]. Extrazelluläre N. (*Ecto-N.*, z. B. CD73[2]) sorgen im Nervensyst. für den Abbau von Signalstoffen wie *Adenosin-5′-di- u. triphosphat[3]. – *E* nucleotidases – *F* nucléotidases – *I* nucleotidasi – *S* nucleotidasas

Lit.: [1] Biochem. J. **285**, 345–365 (1992). [2] APMIS **105**, Suppl. 73, 5–28 (1997). [3] Prog. Neurobiol. **49**, 589–618 (1996). – *[CAS 9033-33-4; 9025-84-7; 9027-73-0]*

Nucleotide. Aus *Nucleobasen (meist Pyrimidin- od. Purin-Derivaten), Pentosen (meist D-Ribofuranose od. 2-Desoxy-D-ribofuranose in *β-N*-glykosid. Bindung an die Nucleobase) u. Phosphorsäure aufgebaute Verb., die als Bausteine von *Nucleinsäuren (*Polynucleotiden) aufgefunden wurden u. dorther ihren Namen erhielten, die aber auch als *Mono-*, *Di-* u. *Oligonucleotide vorkommen. Allg. handelt es sich um Phosphorsäureester der *Nucleoside, die in den Nucleinsäuren über 3′,5′-Phosphodiester-Brücken miteinander verknüpft sind [vgl. die Abb. bei Nucleinsäuren, Desoxyribonucleinsäuren (DNA) u. Ribonucleinsäuren (RNA)], u. man unterscheidet nach Art des Zucker-Anteils Ribo(nucleo)tide u. Desoxyribo(nucleo)tide (Desoxynucleotide). Die freien N. haben ihre Phosphorsäureester-Gruppe vorwiegend an Position 5′, seltener an 2′ od. 3′, doch spielen andererseits auch *cyclische Nucleotide biochem. Schlüsselrollen. Bei den 5′-Estern sind bis zu drei Phosphorsäure-Reste miteinander verknüpft, u. man spricht deshalb von Nucleosid-5′-mono-, -di- od. -triphosphorsäuren bzw. meist Nucleosid-5′-mono-, -di- od. -triphosphaten, da die gut wasserlösl. N. in biolog. Syst. in dissoziierter Form vorliegen. Die allg. gebräuchlichen Kurzz. für Mononucleotide setzen sich zusammen aus dem Einbuchstaben-Code des jeweiligen Nucleosids (s. die Tab. dort) u. „MP", „DP" bzw. „TP" für Mono-, Di- bzw. Triphosphat, so daß bei den Ribo-N. Namen wie CMP (Cytidin-5′-monophosphat), UDP (Uridin-5′-diphosphat), ATP (Adenosin-5′-triphosphat), GTP (Guanosin-5′-triphosphat) etc. resultieren – ohne weitere Angaben sind nämlich die 5′-Ester gemeint. TMP steht für *Ribo*thymidin-5′-monophosphat. Bei 2′-Desoxyribo-N. wird ein „d" vorangesetzt; also: dATP (2′-Desoxyadenosin-5′-triphosphat), aber auch: dTMP (Thymidin-5′-monophosphat).

Cycl. N.: Ein „cNMP" zeigt ein beliebiges cycl. Ribonucleosid-3′,5′-monophosphat an, bei dem also ein Phosphat-Rest gleichzeitig die 3′- u. 5′-Hydroxy-Gruppe verestert, z. B. cAMP (Adenosin-3′,5′-monophosphat). Näheres zur Terminologie s. in *Lit.*[1]. In der älteren Lit. sind auch Bez. mit der Endung ...*ylsäure* bzw. ...*ylat* in Gebrauch, die die Monophosphorsäuren bzw. Monophosphate kennzeichnen; *Beisp.:* Adenylsäure bzw. Adenylat (AMP), Cytidylsäure bzw. Cytidylat (CMP), Thymidylsäure bzw. Thymidylat (dTMP). Die bekanntesten Adenosinphosphate sind in Einzelstichwörtern behandelt, während die übrigen geläufigeren N. unter Cytidin-, Guanosin-, Uridin- u. Thymidinphosphate zusammengefaßt sind; Formelbilder s. jeweils dort.

Analyse u. Synth.: Zur Isolierung u. Analyse der N. eignen sich Ionenaustauschchromatographie, Affinitätschromatographie (z. B. mit Boronsäuren), Isotachophorese, HPLC, ^{31}P-NMR-Spektroskopie u. enzymat. Tests (z. B. mit *Luciferase auf ATP). Für Oligo- u. Poly-N. wird mit Erfolg die Gel-Elektrophorese angewandt. Zur *Sequenzanalyse u. Synth. von Polynucleotiden s. Desoxyribo- u. Ribonucleinsäuren. Zu Synth., Eigenschaften u. Anw. in Kinetik, Moleküldynamik, Bindungsverhalten, Energietransferstudien u. Mikroskopie fluoreszierender N.-Analoga s. *Lit.*[2].

Biosynth.: Biosynthet. entstehen die *Pyrimidin-N.* aus energiereichem Carbamoylphosphat u. L-Asparaginsäure über *Orotsäure, die die Stammsubstanz für alle Pyrimidin-N. darstellt. Deren Verknüpfung mit einem 5-Phosphoribosyl-Rest gibt Orotidin-5′-phosphat, dessen Decarboxylierung zu Uridin-5′-phosphat führt. Aus diesem wiederum entstehen in mehrstufiger Reaktion Thymidin-5′-phosphat bzw. durch Austausch einer Oxo- gegen eine Amino-Gruppe Cytidin-5′-phosphat. Wesentlich komplizierter läuft die Biosynth. der *Purin-N.* ab, bei der an den schon vorliegenden Zuckerrest (5-*O*-Phosphono-*β*-D-ribofuranosylamin) kleine Bruchstücke ankondensiert werden. Endprodukt dieser heterocycl. Ringsynth. u. gleichzeitig Ausgangsverb. für die enzymat. Synth. von Adenosin- od. Guanosin-5′-phosphat ist *Inosin-5′-monophosphat. Die für die DNA-Synth. wichtigen *Desoxyribo-N.* gehen aus den Ribo-N. durch enzymat. Red. hervor (s. Ribonucleotid-Reduktase).

Biolog. Bedeutung: Bei ihrer Funktion als *Nucleinsäure-Bestandteile* ist die Sequenz der N. – bzw. ihrer Basen – von bes. Bedeutung für die Informationsübertragung innerhalb der Vererbung u. Genexpression [vgl. genetischer Code, wo sich auch eine Tab. der *Codons (*N.-Tripletts*) findet]. Ihrer zentralen biosynthet. Rolle im Vorfeld der DNA- u. RNA-Biosynth. entsprechend, kommen sowohl der Orotsäure als auch dem Inosin-5′-monophosphat *Vitamin- bzw. Wuchsstoff-Eigenschaften zu; andererseits beruht die Wirkung mancher *Antimetabolite wie *6-Azauridin, *8-Azaguanin, 6-Mercatopurin auf deren konkurrierender Hemmung enzymat. Schritte bei der Nucleinsäure-Biosynthese. 5-Fluoruracil u. 5-Fluordesoxyuridin hemmen die Thymidylat-Synthase, u. verschiedene Hemmstoffe der Dihydrofolat-Reduktase verhindern die Regenerierung von 5,10-Methylen-5,6,7,8-*Tetrahydrofolsäure, die als Methylierungsmittel bei der Synth. von dTMP dient.

Die *freien N.* haben im Organismus völlig andere Aufgaben: Ihnen fällt im Rahmen des Zellstoffwechsels als *Coenzyme eine *Energie-* u./od. *Substrat-Transportfunktion* bzw. als *second messengers u. *Neurotransmitter eine wichtige Rolle im *Signal-Transport* zu. Hervorragend bekannt ist z. B. ATP als Überträger von chem. Energie; seine exergon. Hydrolyse ist mit vielen endergon. Prozessen gekoppelt, die dadurch erst ermöglicht werden. Das Paar ATP/ADP dient auch als Phosphat-Gruppenüberträger (Kinase-Reaktionen); AMP als Carrier für Fettsäuren (bei deren Abbau) u. Aminosäuren (bei der Protein-Biosynth.). In ähnlicher Weise überträgt CDP Diacylglycerine, Cholin u. 2-Aminoethanol (bei der Phospholipid-Biosynth.) u. UDP Monosaccharide. Die von der Struktur her eher untyp. Dinucleotide *Flavin- bzw. *Nicotinamid-Adenin-Dinucleotid (FAD bzw. NAD) sind im Elektronen- bzw. Hydrid-Ionen-Transfer weit verbreitet. Coenzym A, das wichtigste Vehikel für Acyl-Gruppen, enthält als mol. Bestandteil ADP. Bei (Rezeptor-vermittelten od. anderen) Regulations-, Erkennungs- u. Schalt-Prozessen liefert GTP die energet. Basis (bei G-Proteinen, Translation); die cycl. N. cAMP u. cGMP erweisen sich als intrazelluläre Botensubstanzen (second messengers), während extrazellulär ADP u. ATP als Neurotransmitter u. Lokalhormone wirken[3].

Verw.: Einige N. werden therapeut. bei Herz- u. Kreislauferkrankungen u. als Geriatrika eingesetzt. Der potentiellen Verw. als *Virostatika, *Cytostatika u. dgl. steht entgegen, daß sie als Anionen nicht durch biolog. *Membranen diffundieren können. Dieses Problem versucht man durch die Entwicklung entsprechender *prodrugs zu lösen[4]. Einzelne 5′-Ribonucleotide wie Inosin-5′-monophosphat u. Guanosin-5′-monophosphat wirken als *Geschmacksverstärker. N.-Analoga haben sich als Modelle bei der Untersuchung von Enzymwirkungen bewährt, u. immobilisierte N.-Coenzyme bieten sich an als Medien für die Affinitätschromatographie von Enzymen. Zur Rolle der N. in der Ernährung s. *Lit.*[5]. – ***E*** nucleotides – ***F*** nucléotides – ***I*** nucleotidi – ***S*** nucleótidos

Lit.: [1] Pure Appl. Chem. **40**, 277–290 (1974); **55**, 1273–1280 (1983). [2] Methods Enzymol. **278**, 363–390 (1997). [3] Annu. Rev. Cell Develop. Biol. **12**, 519–541 (1996). [4] Antivir. Res. **27**, 1–17 (1995). [5] J. Nutr. Biochem. **6**, 58–72 (1995).

Nuclesil®. Natronwasserglas als Bindemittel für die Herst. von Sandformen in Gießereien. ***B.:*** Henkel.

Nucleus s. Zellen.

Nudeln. *Teigwaren, bei deren Klassifizierung das Unterscheidungsmerkmal „äußere Form" maßgebend ist (*Lit.*[1], § 1 Absatz 2 Nr. 3). Daneben kann auch nach der Art der verwendeten Weizenrohstoffe (*Lit.*[1], § 1, Absatz 2 Nr. 2) u. nach der Verw. von Ei (*Lit.*[1], § 1 Absatz 2 Nr. 1) klassifiziert werden. *Faden-N.* haben einen Durchmesser bis 0,8 mm, *Band-N.* zwischen 2,4 u. 8 mm u. *Röhren-N.* (s. Makkaroni) bis 5 mm.

Zusammensetzung:

Tab.: Zusammensetzung handelsüblicher Nudeln (Angaben für 100 g Nudeln).

Eiweiß	13 g		
Fett	3 g		
Kohlenhydrate	72 g		
Mineralstoffe:		Vitamine:	
Natrium	7 mg	A	0,06 mg
Kalium	155 mg	B_1	0,2 mg
Calcium	20 mg	B_2	0,1 mg
Eisen	21 mg	Niacin	2 mg
Phosphor	195 mg		

Die Anreicherung von N. mit ca. 10% Vollfettsojamehl[2] ist im Hinblick auf den Protein-Gehalt pos. zu bewerten. Sensor. sind diese Produkte N. aus Hartweizengrieß ebenbürtig, wobei die Teigwaren-VO eine solche Protein-Anreicherung jedoch nicht vorsieht. Der allg. Sprachgebrauch benutzt die Begriffe N. u. Teigwaren oft synonym; s. a. Teigwaren. – ***E*** noodles – ***F*** nouilles – ***I*** pasta – ***S*** fideos

Lit.: [1] VO über Teigwaren vom 12. 11. 1934 in der Fassung vom 17. 12. 1993 (BGBl. I, S. 2288, 2291). [2] Int. J. Food Sci. Technol. **24**, 111–114 (1989).

allg.: Belitz-Grosch (4.), S. 664 f. ▪ Ullmann (4.) **12**, 266 ▪ Zipfel, C 310. – *[HS 1902 11, 1902 19]*

Nudinsäure [(*E*)-7-Cyan-2-hepten-4,6-diinsäure, Nudinsäure B, Diatretyn II]. HOOC–CH=CH–C≡C–C≡C–CN, $C_8H_3NO_2$, M_R 145,11, antibiot. wirksame Krist., Schmp. 179–180 °C (Zers.). N. kommt in verschiedenen Höheren Pilzen wie *Clitocybe*, *Lepista*, *Tricholoma* u. *Camarophyllus* vor. – ***E*** nudic acid – ***F*** acide nudique – ***I*** acido nudico – ***S*** ácido núdico

Lit.: J. Chem. Soc. **1958**, 950 ▪ J. Chem. Soc., Perkin Trans. 1 **1975**, 434; **1977**, 1886 ▪ Phytopathology **59**, 411 (1969) ▪ Science **121**, 607 (1955). – *[CAS 463-15-0]*

nü (ny) s. *ν* (vor n).

Nürnberger Gold. Kupfer-Silber-Gold-Leg. mit 6% Ag u. 5% Au, die in der Schmuck-Ind. Verw. findet.

Nürnberger Kupferrot. Hochkupfer-haltiges *Messing (enthält nur 1,2% Zn) mit bevorzugter Anw. in der Schmuck-Industrie.

Nürnberger Rot s. Rötel.

Nürnberger Violett s. Manganviolett.

Nüsse (von latein.: *nux = Nuß). In der Botanik werden N. als eine Gruppe von trockenen Schließfrüchten definiert, bei denen die Fruchtwand in der Reife zu einem harten, dickwandigen Gehäuse wird, das meist nur einen Samen umschließt. Ein bekanntes Beisp. ist die Haselnuß, aber auch Kastanien, Bucheckern, Eicheln, Grasfrüchte (also auch Getreidekörner) etc. gehören botan. gesehen zu den Nüssen. In der Praxis werden unter den Begriff N. auch nußähnliche, botan. jedoch anders definierte Fruchtformen einbezogen; so gehören beispielsweise von den bekanntesten wie *Hasel-, *Para-, *Cashew-, *Erd-, Kokos-, *Wal- u. *Muskatnuß die 3 letzteren ebenso wie Mandeln u. Pistazien zu den Steinfrüchten (doppelte Fruchthülle: Außen fleischig od. lederig-faserig mit innerem Steinkern) u. die Erdnuß zu den Hülsenfrüchten. N. sind eiweiß- u. v. a. fettreich (Fettgehalt etwa zwischen 45 u. 70%). Im Vgl. mit Obst u. Gemüse enthalten N. relativ viel Vitamine der B-Gruppe, dagegen wenig A u. C. Viele N. sind durch den Befall mit *Mykotoxine produzierenden Mikroorganismen gefährdet. Wichtige Aromastoffe bei N. sind die *Pyrazine; als *Geschmacksverstärker für Nußaromen hat sich das sog. *Ahornlacton* (2-Hydroxy-3-methyl-2-cyclopenten-1-on, $C_6H_8O_2$, M_R 112,13) erwiesen.

Verw.: Die Hauptverw. liegt in der Gewinnung von Speisefetten (Erdnußöl, Kokosfette) u. im Verzehr als Nahrungsmittel u. a. auch in Back- u. Konditoreiwaren; vielfach werden sie auch in Bleich-, Salz- u. Röstprozessen aufbereitet. Unter den zahlreichen (ca. 80) Nußarten der Erde finden sich auch medizin. genutzte (vgl. Nux). Andersartige Verw. finden z. B. Behennüsse, die man in den Tropen zur Wasserreinigung nutzt, Kola- u. *Betelnüsse, die berauschende u./od. stimulierende Wirkung besitzen, u. die sog. Elfenbeinnüsse der Steinnußpalme, die man früher als „vegetabil. Elfenbein" zu Knöpfen verarbeitete. Genutzt werden auch die Abfälle der N., z. B. als Tierfutter u. gemahlene Nußschalen als Füllstoffe in der Kunststoff-Ind. u. zur Herst. von Aktivkohle. – ***E*** nuts – ***F*** noix – ***I*** noci – ***S*** nueces

Lit.: Franke, Nutzpflanzenkunde, 6. Aufl., Stuttgart: Thieme 1997.

Nüsslein-Volhard, Christiane (geb. 1942), Prof. für Molekularbiologie, Univ. Tübingen, Direktorin am MPI für Entwicklungsbiologie in Tübingen u. Leiterin der Abteilung Genetik. Zusammen mit E. F. *Wieschaus arbeitete sie von 1978 bis 1981 an der Taufliege *Drosophila* über die Aufklärung der Gestaltbildung u. der Funktion von Entwicklungskontrollgenen, womit Erkenntnisse zur Krebstherapie sowie Mißbildungen bei Neugeborenen gewonnen wurden. Dafür erhielt sie 1995 den Nobelpreis für Physiologie od. Medizin zusammen mit E. B. *Lewis u. E. F. Wieschaus.

Lit.: Lexikon der Naturwissenschaftler, S. 312 ▪ Nachr. Chem. Tech. Lab. **40**, Nr. 11, 1288 (1992).

Nugat (von provencal.: noga = Nuß). Nach *Lit.*[1] werden *N.-Massen*, die mit höchstens 50% Zucker angewirkt sind, als N. od. *Noisette bezeichnet. Ein Teil des Zuckers kann durch *Sahne od. *Milchpulver ersetzt sein. Für die Erzeugnisse *Sahne-N.* u. *Milch-N.* sind Mindestgehalte an Milchfett (5,5% bzw. 3,2%) u. fettfreier Milchtrockenmasse gefordert. *N.-Massen* sind weiche schnittfeste Erzeugnisse, die höchstens 2% Feuchtigkeit enthalten u. aus geschälten Nußkernen od. *Mandeln durch Feinzerkleinerung unter Zusatz von *Zucker u. *Kakao-Erzeugnissen hergestellt werden. N.-Massen können geringe Mengen geschmacksgebender Stoffe (*Vanillin) u. *Lecithin enthalten. Nach den verwendeten Rohstoffen werden die folgenden N.-Massen unterschieden (s. Tab.).

Tab.: Einteilung von Nugatmassen.

	Höchstgehalt an Zucker	Mindestfettgehalt	Rohstoffe
Nußnugatmasse	50%	30%	Nüsse
Mandelnugatmasse	50%	28%	Mandeln
Mandel-Nuß-Nugatmasse	50%	28%	Mandeln, Nußkerne
gesüßtes Nußmark(-mus)	50%	32%	geschälte Nußkerne, Zucker

N.-Creme (N.-Krem) wird aus den oben genannten Massen hergestellt u. enthält mind. 10% geschälte Haselnußkerne, Mandeln od. entbitterte bittere Mandeln sowie höchstens 67% Zucker u. 2% Feuchtigkeit. Die Verarbeitung von Speisefetten u. -ölen ist erlaubt. Der Zusatz von Sojamehlerzeugnissen ist ohne Kenntlichmachung bis zu 3% möglich. N.-Cremes erfreuen sich als Brotaufstrich großer Beliebtheit. Der Zusatz von *Farbstoffen u. *Konservierungsmitteln ist bei N. im Gegensatz zu *Marzipan u. *Persipan nicht erlaubt. *Französ. N.* aus der Gegend von Montélimar ist eine gekochte u. aromat. Masse aus Zucker, *Glucose-Sirup, *Honig u. Eiweiß, der Mandeln, *Haselnüsse od. *Pistazien zugesetzt werden. Französ. N. wird häufig mit *türkischem Honig gleichgesetzt. Nach der *Zusatzstoff-Zulassungs-VO ist der Zusatz der *Süßstoffe Aspartam (bis 2000 mg/kg) u. Acesulfam (bis 600 mg/kg) zu N.-Erzeugnissen erlaubt[2].

Ernährungsphysiologie: Nuß-N.-Cremes weisen in Relation zum Kakaogehalt relativ hohe *Oxalsäure-Gehalte auf. Dies kann beim Verzehr großer Mengen Kakao u. Kakaoprodukte bei Kindern die Gefahr der Bildung von Calciumoxalat-*Harnsteinen[3] vergrößern. Die Gehalte an *trans*-Fettsäuren[4] schwanken zwischen 0,9% u. 12,3%.

Analytik: Der Anteil an Haselnußkernen ist in N.-Creme ein qualitätsbestimmender Parameter. Zur Quantifizierung von Haselnuß- u. Molkenprotein steht eine ELISA-Meth.[5] u. ein Verf., das auf Elektro-*Immundiffusion beruht[6], zur Verfügung (s. a. Methode nach § 35 LMBG 18.00–2). Untersuchungen zur Authentizität von Haselnuß-N.-Creme anhand des Enantiomerenverhältnisses des Hauptaromastoffs der Haselnuß [Filberton (s. Haselnußaroma)] sind *Lit.*[7] zu entnehmen. Jahresproduktion an N.-Creme (BRD,

1994): ca. 2600 Tonnen. – ***E*** = ***F*** = ***I*** nougat – ***S*** praliné, nougat

Lit.: [1] Leitsätze für Ölsamen u. daraus hergestellte Massen u. Süßwaren vom 9.6.1987 (Bundesanzeiger Nr. 140 a), abgedruckt in Zipfel, C 355 e. [2] ZZulV vom 22. 12. 1981 in der Fassung vom 08.06.1996 (BGBl. I, S. 460) § 6, Anlage 7 Liste A Nr. 2 u. Liste B Nr. 5. [3] Dtsch. Lebensm. Rundsch. **81**, 140 f. (1985); Z. Ernährungswiss. **32**, 46–55 (1993). [4] Z. Ernährungswiss. **27**, 266–271 (1988); Ernähr.-Umsch. **41**, 120 (1994); AID Verbraucherdienst **41**, 225–229 (1996). [5] Dtsch. Lebensm. Rundsch. **81**, 137 ff. (1985). [6] Z. Lebensm. Unters. Forsch. **180**, 30–35 (1985). [7] Z. Lebensm. Unters. Forsch. **191**, 28–31 (1990).
allg.: Belitz-Grosch (4.), S. 795 ▪ Process Magazin **1070**, 52 ff. (1992) ▪ Ullmann (5.) **A 7**, 416 ▪ Zipfel, C 350, C 355, C 355. – *[HS 1704 90, 1806 20, 1806 90]*

Nu-Iron-Verfahren. Wirbelschichtverf., bei dem Eisen durch Direkt-Red. gewonnen wird. Es ist eine Variante des *H-Iron-Verfahrens. – ***E*** Nu-iron-process – ***F*** procédé fer Nu – ***I*** processo Nu-iron – ***S*** procedimiento hierro Nu

Lit.: s. Eisen.

NUKEM. Kurzbez. für die 1960 als Nuklear-Chemie u. Metallurgie GmbH gegr. NUKEM GmbH, 63754 Alzenau, eine 100%ige Tochterges. der RWE AG, Essen. *Daten* (1995/96): 490 Beschäftigte, 257 Mio. DM Umsatz. *Produktion:* Verfahrenstechnik, Umwelttechnik, Syst. u. Anlagen, Handel u. Dienstleistungen im Kernbrennstoffkreislauf, Mineralöltechnik, Kerntechnik, Petrochemie.

Nuklearchemie s. Kernchemie.

Nuklearmedizin. Medizin. Teilgebiet, das sich mit der Anw. von offenen *radioaktiven Stoffen zu diagnost. u. therapeut. Zwecken befaßt. In der Diagnostik werden *Radionuklide zur Markierung bestimmter Verb. verwendet, deren Verteilung, Anreicherung od. Ausscheidung mit Gammakamera, Szintigraphie, durch Messung der Radioaktivität von Körperflüssigkeiten od. mit *Radioimmunoassays bestimmt werden können. Die Auswertung der Meßdaten ermöglicht Aussagen über den Funktionszustand des betreffenden Organs. Man benötigt in Abhängigkeit von der Untersuchungsdauer Radionuklide geeigneter Halbwertzeit (HWZ), die man meist am Ort der Anw. aus Isotopengeneratoren durch „Melken" von Mutternukliden od. durch Einsatz von *Teilchenbeschleunigern gewinnt. Geeignete Radionuklide für diagnost. Zwecke sind (in Klammern die HWZ): ^{18}F (110 min), ^{51}Cr (27,8 d), ^{59}Fe (45,1 d), ^{57}Co (270 d), ^{111}In (2,8 d), ^{133}Xe (5,3 d), ^{197}Hg (65 h), ^{201}Tl (73 h); am häufigsten verwendet werden ^{99m}Tc (6 h), ^{123}I (13,3 h) u. ^{131}I (8,1 d). Zu therapeut. Zwecken werden, wie z. B. bei der Radioiod-Therapie, Radionuklide in den Körper eingebracht, wo sie an Stoffwechselvorgängen teilnehmen. Dabei führt ihre β-Strahlung zur Zerstörung des Gewebes. Andere Strahler werden zur interstitiellen Strahlentherapie von *Krebs-Erkrankungen als Körnchen, Kugeln od. Nadeln in od. an die Tumoren gebracht. – ***E*** nuclear medicine – ***F*** médecine nucléaire – ***I*** medicina nucleare – ***S*** medicina nuclear

Lit.: Büll et al., Nuklearmedizin, 2. Aufl., Stuttgart: Thieme 1996.

Nuklearreinheit (Kernreinheit). Begriff für die *chemische Reinheit von Kernbrennstoffen u. Kernwerkstoffen, der den Gehalt an *Neutronengiften* (meist in Bor-Äquivalent angegeben, s. Neutronen) ausdrückt. Ein Werkstoff ist „nuklearrein", wenn bei seiner Verw. im *Reaktor die Kettenreaktion als Folge von Spaltprozessen nur in einem techn. vertretbaren Maße behindert wird. – ***E*** nuclear purity – ***F*** pureté nucléaire – ***I*** purezza nucleare – ***S*** pureza nuclear

Nuklearwaffen s. Kernwaffen.

Nukleationsmittel. Fachsprachliche Bez. für Substanzen, die bei Zusatz zu *Polymeren (*Kunststoffen) Krist.-Keime generieren, die die Bildung einer größeren Anzahl kleinerer Krist. begünstigen u. den Kristallisationsprozeß der Kunststoffe beschleunigen. Typ. N. sind Salze organ. Säuren, z. B. Natriumbenzoat. – ***E*** nucleating agents – ***F*** agents nucléants – ***I*** agenti nucleanti – ***S*** agentes nucleantes

Lit.: Elias (5.) **2**, 344.

Nukleonen. Sammelbez. für die als Bausteine des Atomkerns fungierenden u. zur Familie der *Baryonen gehörenden *Elementarteilchen* *Protonen u. *Neutronen (u. ihre Antiteilchen) mit Spin ½, deren Gesamtzahl im Atomkern die *Massenzahl eines *Nuklids ergibt u. die sich beim *Beta-Zerfall ineinander umwandeln können. Proton u. Neutron unterscheiden sich in der dritten Komponente des *Isospins u. lassen sich als zwei verschiedene Ladungszustände eines Teilchens, nämlich des N., betrachten. N. unterliegen der *starken Wechselwirkung* u. zählen damit zu den *Hadronen; ihr Aufbau aus *Quarks ist bei Elementarteilchen in Tab. 2 (S. 1136) dargestellt; s. a. Kernreaktionen. – ***E*** nucleons – ***F*** nucléons – ***I*** nucleoni – ***S*** nucleones

Nukleonenzahl s. Massenzahl.

Nuklide. Bez. für Atomarten (Atome einschließlich Elektronenhülle), die charakterisiert sind durch die Anzahl der *Protonen u. *Neutronen im Kern, d. h. durch *Ordnungszahl u. *Massenzahl (Zahl der Neutronen = Massenzahl – Ordnungszahl). N. mit gleicher Ordnungszahl bezeichnet man auch als *Isotope; zur Schreibweise bei N. s. a. chemische Zeichensprache, Kernreaktionen u. markierte Verbindungen. Bei den *Radionukliden kennt man auch angeregte (metastabile) N. wie z. B. ^{99m}Tc od. ^{113m}In (s. Kernisomerie). Durch *Kernumwandlungen können neue Radionuklide (s. das Schema dort) erzeugt werden, wobei insbes. die neutronenreichen od. neutronenarmen N. extrem kurze HWZ haben. Von den N. mit gleich großer Protonen- u. Neutronenzahl ist das schwerste stabile $^{40}_{20}$Ca, das schwerste radioaktive $^{72}_{36}$Kr. Zur besseren Übersicht über die Vielzahl der N. u. ihrer Kernreaktionen hat man ein Koordinationssyst. entwickelt (sog. *Nuklidkarten*), das auf der Abszisse die Neutronenzahl, auf der Ordinate die Protonenzahl zeigt (*Lit.* [1–3]). *Isotope* N. stehen in waagrechten Reihen, *isotone* N. in senkrechten Reihen u. *isobare* N. in Diagonalreihen der Nuklidkarte. – ***E*** nuclides – ***F*** nucléides – ***I*** nuclidi – ***S*** nucleidos

Lit.: [1] Chem.-Ztg. **102**, 419 (1978); **104**, 78 f. (1980). [2] Bucka, Chart of Nuclides, Berlin: de Gruyter 1984. [3] Seelmann-Eggebert et al., Nuklidkarte, Karlsruhe: KFK 1974.

allg.: Lieser, Einführung in die Kernchemie, 3. Aufl., Weinheim: VCH Verlagsges. 1991.

Nuklidkarte s. Nuklide.

Nullemission. Umweltpolit. Begriff, der häufig so verstanden wird, daß bei chem. Prozessen Abluft u. Abwasser anfallen u. emittiert werden dürfen, sie aber abs. frei von einzelnen od. mehreren Stoffen („*Schadstoffen") sein sollen. Gemäß dem *Massenwirkungsgesetz sind Ausgangsstoffe jedoch nicht vollständig in Endprodukte umsetzbar, ebensowenig wie vermischte Stoffe, gemäß dem *Nernstschen Verteilungssatz, nicht vollständig zu trennen sind. Die unerwünschten Stoffe, die aufgrund der Naturgesetze bei chem. Prozessen entstehen od. in den Rohstoffen bereits vorliegen, sind demnach als *Emissionen unvermeidbar. So werden bei allen chem. Umwandlungen, wie sie in Kraftwerken, der Metallverhüttung, Raffinerien, Kokereien, in der chem. Ind. u. im Haushalt typischerweise ablaufen, unerwünschte Stoffe gebildet u. emittiert. In der chem. Ind. u. a. Bereichen können Emissionen oft durch den Einsatz reiner Rohstoffe, emissionsarmer Prozeßführung (Katalysator, Temp., Druck etc.) u. nachgeschalteter Maßnahmen stark vermindert werden. Dennoch bleibt eine N. nicht realisierbar; eine Forderung nach N. kommt einer Forderung nach Verbot des betreffenden Prozesses gleich. Auch die Auffassung von N. als „Schadstoffkonz. unter der Nachweisgrenze" entspricht wegen der rapiden Fortschritte der Analytik u. der damit verbundenen, gesteigerten Nachweisempfindlichkeit im Spurenbereich, in den prakt. Auswirkungen denen der ersteren Definition. – ***E*** zero emissions – ***F*** émission nulle, émission zéro – ***I*** emissione zero – ***S*** emisión nula, emisión cero

Lit.: Handelskammer Hamburg (Hrsg.), Auf dem Wege zur Nullemission? Hamburg: Selbstverl. 1989.

Null-Emulsionen. Wenig gebräuchliche Bez. für solche W/O-*Emulsionen, die ohne Zuhilfenahme von Emulgatoren erhalten werden.

Nullgas. Stickstoff-armes *Wassergas.

Nullpunktsenergie. Auch am *absoluten Nullpunkt haben Mol. eine endlich große Schwingungsenergie, die N. genannt wird. Sie ist eine Konsequenz der Heisenbergschen Unschärferelation (s. Unschärfebeziehung). Die N. eines eindimensionalen *harmonischen Oszillators beträgt $\frac{1}{2}\hbar\omega$, wobei ω seine Kreisfrequenz u. $\hbar$ die *Plancksche Konstante geteilt durch 2π sind. Die N. eines mehratomigen Mol. in harmon. Näherung beträgt entsprechend $\hbar/2\sum_i \omega_i$, wobei die Summation über die verschiedenen Schwingungsmoden des Mol. durchzuführen ist. Das HCN-Mol. hat in dieser Näherung z. B. eine N. von 42,0 $kJ\,mol^{-1}$; s. a. Morse-Potential. – ***E*** zero-point energy – ***F*** énergie de point zéro – ***I*** energia di punto zero – ***S*** energía del punto cero

Nullpunktsvolumen. Vol. von einem Mol eines Stoffes am *absoluten Nullpunkt. Das N. sollte nach dem Gasgesetz für *ideale Gase $p \cdot V = n \cdot R \cdot T$ eigentlich Null sein. Da sich Atome aber nicht beliebig nahe kommen können, bleibt ein endliches Vol.; dieses beträgt z. B. für Cu_2O: 23,1 cm^3, Ag_2O: 31,6 cm^3, PbO: 23,1 cm^3 u. PbO_2: 24,6 cm^3. – ***E*** zero point volume – ***F*** volume au zéro absolu – ***I*** volume di punto zero, volume allo zero assoluto – ***S*** volumen en el cero absoluto

Numerische Apertur s. Elektronenmikroskop.

NUP. Nach DIN 7723: 1987-12 Kurzz. für *N*onyl*u*ndecyl*p*hthalat als *Weichmacher.

Nur-Spin-Formel s. Magnetochemie.

Nußbeize, Nußbraun s. Kasseler Braun.

Nußöle s. Cashew-Nüsse (Cashew-Nußschalenöl), Erdnüsse (Erdnußöl), Haselnüsse (Haselnußöl), Muskatnußöl u. Walnußöl.

Nutramine. Veraltete Bez. für *Vitamine.

Nutrasweet®. Marke für einen Süßstoff auf der Basis von L-Aspartyl-L-phenylalaninmethylester (APM), der in Kombination mit komplementären Füllstoffen wie Polydextrose od. Sojakonzentraten für die Herst. kalorienarmer Lebensmittel verwendet wird. ***B.:*** Nutrasweet Kelco.

Nutra Sweet. Kurzbez. für The Nutra Sweet Kelco Company, San Diego, CA 92123-1718, USA, eine Tochterges. der Monsanto Company. *Produktion:* Zusatzstoffe für Lebensmittel u. Pharmazeutika.

Nutrilan®. Proteinhydrolysate auf der Basis von *Collagen, *Keratin u. *Elastin; Additiv zur Verbesserung der Haut- u. Haarqualität sowie der Haut- u. Schleimhautverträglichkeit von Tensid-Präparaten. ***B.:*** Henkel.

Nutrimalt®. Malzextrakt-Pulver zur geschmacklichen Verbesserung von Backwaren u. Getränken. ***B.:*** Grünau.

Nutrisoft®. Monoglycerid, wasserdispergierbar, mit speziellem Fettsäure-Spektrum, zur Herst. von Brot u. feinen Backwaren. ***B.:*** Grünau.

Nutsche s. Filter.

Nutzpflanzen s. Pflanzen.

Nutzungskonkurrenz. Die Nutzbarkeit einer Ressource für verschiedene Zwecke, vgl. Sustainable Development. Z. B. kann Erdöl sowohl als Brenn- u. Kraftstoff als auch als Rohstoff für die Kunststoff- u. Chemikalien-Herst. verwendet werden. Man unterscheidet *intra*temporale N., die sich auf gleichzeitig bestehende Nutzmöglichkeiten bezieht u. auf die Marktpreise wirkt, von *inter*temporaler N., die sich auf die Beeinträchtigung zukünftiger Nutzung durch derzeitige Nutzung (Erdöl, das heute verbrannt wird, ist unwiederbringlich verloren) bezieht. *Inter*temporale N. wirkt sich nicht (erkennbar) auf Marktpreise aus. *Intra*temporale N. bzw. hohe Marktpreise setzen Ressourcen-Substitutionen in Gang. – ***E*** competition of benefits – ***F*** concurrence d'intérêts – ***I*** competizione di beneficio – ***S*** competencia de aprovechamientos

Lit.: Schütz u. Wiedemann (Hrsg.), Technik kontrovers, S. 168–174, Frankfurt: IMK 1993.

Nuvalon-Verfahren. Ein techn. nicht angewandtes Verf. zum HNO_3-Aufschluß von Tonen für die Aluminium-Herstellung. – ***E*** Nuvalon process – ***F*** procédé Nuvalon – ***I*** processo Nuvalon – ***S*** procedimiento Nuvalon

Nux. Latein. Wort für Nuß (Plural: nuces), auch in offizinellen Präp. verschiedener *Nüsse; *Beisp.:* N. Colae (Kolanuß, s. Cola), N. moschata (*Muskatnuß), N. vomica (Brechnuß, s. Strychnin).

Nva. Kurzz. für L-*Norvalin, das nach Empfehlung der *IUPAC/*IUBMB zugunsten von Ape (für L-2-Aminopentansäure) aufgegeben werden sollte.

NW-Säure. Abk. für Nevile-Winther-Säure, eine *Naphtholsulfonsäure.

ny s. ν (vor n).

Nyerereit s. Karbonatit.

Nyholm, Sir Ronald Sydney (1917–1971), Prof. für Anorgan. Chemie, London. *Arbeitsgebiete:* Komplexverb., bes. der Übergangsmetalle, mit tert. Phosphinen u. Arsinen, Magnetochemie, Stereochemie, Metall-Metall-Bindungen, Entwicklung des VSEPR-Modells (*Gillespie-Modell) zusammen mit Gillespie.
Lit.: Chem. Br. **4**, 146 (1968).

Nyktinastene. Bez. für *Leaf Movement Factors (*Turgorine), die bei *Mimosen u. a. Pflanzen Schlafbewegungen (vgl. Nastien) auslösen. – ***E*** nyctinastenes – ***F*** nyctinastènes – ***I*** nictinasteni – ***S*** nictinastenas

Nyktinastie s. Nastien.

Nylanders Reagenz. Von dem schwed. Chemiker C. W. G. Nylander (1835–1907) entwickeltes Reagenz aus einer Lsg. von 4 g *Kaliumnatrium-(*R,R*)-tartrat-Tetrahydrat u. 2 g Bismutnitrat [$Bi(NO_3)_3 \cdot 5\,H_2O$] in 100 g 8%iger Natronlauge. Es dient zum Nachw. von Glucose z. B. im Harn (Schwarzfärbung von Bismut). Da es jedoch nicht streng spezif. ist, wird es heute nur noch wenig benutzt. – ***E*** Nylander's solution – ***F*** réactif de Nylander – ***I*** reattivo di Nylander – ***S*** reactivo de Nylander

nylocoat®. Photopolymere Druckplatten für die Druckveredelung von Verpackungen, Kalendern, Werbebroschüren etc.; im Trockenoffset, in Lackiermaschinen u. Lacktürmen von Bogenoffsetmaschinen. Geräte u. Zubehör für die Verarbeitung von nylocoat Lackplatten. ***B.:*** BASF.

nylocoat®. Auswaschmittel für photopolymere Flexodruckplatten. ***B.:*** BASF.

nyloflex®. Photopolymere Druckplatten für den Flexodruck. Geräte u. Zubehör für die Verarbeitung von nyloflex Druckplatten. ***B.:*** BASF.

nylograv®. Photopolymere Druckplatten für den (Bogen-)Tiefdruck u. den Tampondruck. Geräte u. Zubehör für die Verarbeitung von nylograv Druckplatten. ***B.:*** BASF.

Nylon. Erste 100%ige *Synthesefaser, die 1939 von *Du Pont auf den Markt gebracht wurde. N. ist vielfach – bes. in den USA – als Gattungsbez. für lineare, aliphat. *Polyamide übernommen worden, doch sollten die in diesem Sinne als N. 4, N. 11 etc. bezeichneten Produkte chem. korrekter als PA 4, PA 11 geführt werden. Das ursprüngliche N. ist chem. ein PA 66, d. h. ein Polykondensationsprodukt von *1,6-Hexandiamin u. *Adipinsäure. Diese bilden – oft als sog. *AH-Salz* eingesetzt – beim Zusammenschmelzen u. Erhitzen unter Wasserabspaltung niedermol. Polyamide (α- u. β-Form), s. die schematisierte Reaktions-Gleichung.

$$H_2N{-}(CH_2)_6{-}NH_2 \;+\; HOOC{-}(CH_2)_4{-}COOH \xrightarrow[-\,H_2O]{}$$

$$HOOC{-}(CH_2)_4{-}CO{\left[NH{-}(CH_2)_6{-}NH{-}CO{-}(CH_2)_4{-}CO\right]}_n NH{-}(CH_2)_6{-}NH_2$$

Nach dem ursprünglichen Verf. wurde das Wasser durch einen Stickstoff-Strom abgeführt. Bei höherer Temp. (200–300 °C) erfolgte im Vak. od. in einer indifferenten Gasatmosphäre die Polykondensation zu Makromol.; der Polymerisationsgrad n lag im allg. bei 80 bis 100. Dieses Produkt wurde auch *Superpolyamid* (ω-Form) genannt. Die hohe Elastizität von N. ist auf die langen Polymethylen-Ketten zurückzuführen, der hohe Schmp. (251 °C) u. die Festigkeit auf starke Wasserstoff-Bindungen zwischen dem Carbonyl-Sauerstoff einer Kette u. dem Imino-Wasserstoff der Nachbarkette. Die Weiterverarbeitung des festen Polymerisats erfolgte durch Aufschmelzen (285 °C) über sog. Spinnrosten, Filtration durch Sandfilter u. Auspressen (Spinntemp. ca. 280 °C) durch Düsen mit ca. 50 Öffnungen (Monofile) bzw. 200–500 Öffnungen (Stapelfaser). Beim Schmelzspinnverf. läßt man die Fasern in einem Luftstrom erstarren (s. die Abb. bei Spinnen). Auch Verarbeitung durch Extrudieren, Gießen, Pressen etc. ist möglich. Auf Einzelheiten zur Verw. in der Textil-Ind., Werkstofftechnik, Haushaltswaren-Ind. etc. u. auf Marktfragen wird bei *Polyamide eingegangen.
Geschichte: N. wurde in den Laboratorien von *Du Pont entwickelt, u. zwar im Rahmen von Grundlagenforschungen über Polymerisationen unter Leitung von Wallace Hume *Carothers* (1896–1937), so daß das spätere N. eine Zeitlang auch als *Carothers Seide* bezeichnet wurde. Das N.-Patent wurde am 21. Sept. 1938 veröffentlicht. Mit der 1938 begonnenen Produktion u. dem Verkauf seit 1939 wurde schon bald ein sensationeller Erfolg (nicht nur mit Damenstrümpfen, amerikan.: Nylons) erzielt, so daß die Entwicklungskosten von ca. 27 Mio. $ bald wieder erwirtschaftet waren. Das Wort „Nylon" wurde nach rein werbetechn. Gesichtspunkten ausgewählt. – ***E*** = ***F*** nylon – ***I*** nailon, nylon – ***S*** nylon, nilón, nailon
Lit.: Hounshell u. Smith, Science and Corporate Strategy: Du Pont R&D, 1902–1980, S. 249–274, Cambridge: Univ. Press 1988 ▪ s. a. Polyamide. – *[HS 5503 10, 5506 10; CAS 9011-55-6, 32131-17-2]*

Nylon-Block-Copolymer-Reaction Injection Moulding s. NBC-RIM-Verfahren.

nyloprint®. Photopolymere Druckplatten für den Hochdruck u. Trockenoffset (z. B. den Druck von Prospekten, Tuben u. Blechdosen, Bechern, Lochkarten, Verpackungen). Photopolymere Druckplatten für den allg. Akzidenzdruck, Etiketten- sowie Wertpapier- u. Endlosformulardruck. Geräte u. Zubehör für die Verarbeitung von nyloprint Druckplatten. ***B.:*** BASF.

Nylosan®. *Säurefarbstoffe zum Einfärben von Wasch- u. Reinigungsmitteln. ***B.:*** Clariant.

Nystaderm. Creme, Paste, Mundgel, Suspension, Vaginal- u. Film-Tabl. mit dem *Antimykotikum *Nystatin. *N. comp.:* Paste enthält zusätzlich *Hydrocortisonacetat gegen Windeldermatitis u. Infektionen im Analbereich. ***B.:*** Dermapharm.

Nystalocal® (Rp). Salbe mit dem *Antimykotikum *Nystatin, *Chlorhexidin-Dihydrochlorid u. *Dexamethason gegen infizierte Hauterkrankungen. ***B.:*** Nourypharma.

Nystatin (Fungicidin, Mycostatin). *Polyen-Antibiotika-Komplex mit D-Mycosamin als Amino-Zucker, wobei N. A_1 (Polyfungin A_1, $C_{47}H_{75}NO_{17}$, M_R 926,10, Zers. >160 °C) die Hauptkomponente darstellt.

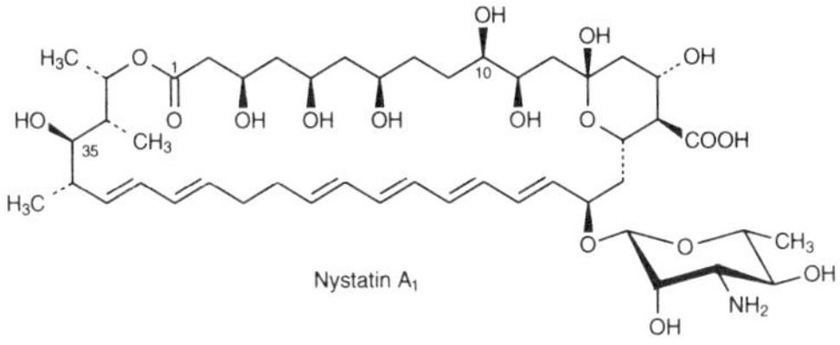

N. ist in Wasser u. polaren organ. Lsm. prakt. nicht, in niederen Alkoholen wenig u. in Dimethylformamid u. -sulfoxid, Pyridin u. Ethylen- sowie Propylenglykol gut löslich. N., das von *Streptomyces noursei* u. anderen *Streptomyces* spp. gebildet wird, ist als *Antimykotikum wirksam. Angriffspunkt sind die Membran-Sterine empfindlicher Eukaryonten, wobei es zu Änderungen der Membranpermeabilität kommt.
Anw.: In der Medizin vorwiegend gegen *Candida*-Infektionen sowie bei *Leishmaniosen. – ***E*** nystatin – ***F*** nystatine – ***I*** = ***S*** nistatina

Lit.: Beilstein E V **18/10**, 524 ▪ Can. J. Chem. **63**, 77 (1985) ▪ J. Antibiot. **38**, 181 (1985), **41**, 1289 (1988) ▪ Martindale (30.), S. 330 ▪ Tetrahedron Lett. **30**, 4517, 4521 (1989). – *[HS 2941 90; CAS 1400-61-9 (N.); 34786-70-4 (N. A_1)]*

Nytrilfasern. In den USA benutzte Kurzbez. für Synthesefasern aus alternierend aufgebauten Copolymeren von Vinylidendinitril u. Vinylacetat. – ***E*** nytril fibers – ***F*** fibres nytriliques – ***I*** fibre nitriliche – ***S*** fibras nitrílicas

Nz., NZ. Abk. für *Neutralisationszahl.

O

ω (omega). 24. u. letzter Buchstabe im *griechischen Alphabet. A. v. *Baeyer führte für das Ende einer C-Kette den *Lokanten ω ein, der heute noch für Polymer-Endgruppen, Stoffklassenbez. u. terminale N-Atome von *Arginin (IUPAC-Regel 3-AA-2.2.1) systemat. benutzt wird; *Beisp.:* ω-*Bromacetophenon, α,ω-Alkandiole $HO–(CH_2)_n–OH$, α-Chlor-ω-(trichlormethyl)polyethylen $Cl–(CH_2–CH_2)_n–CCl_3$, N^{ω},$N^{\omega'}$-Diethyl-L-arginin. In der Physik ist ω Symbol für Winkelgeschwindigkeit (ω_L: *Larmor-Frequenz), Raumwinkel u. Schwingungswellenzahl.

Ω (Omega). Großschreibungsform von *ω; Symbol der Einheit *Ohm u. für den Raumwinkel. Ω^- ist Symbol für Omega-minus, $\bar{\Omega}^-$ für anti-Omega-minus (s. Elementarteilchen).

o. Kursives *o*- bedeutet 1,2-Disubstitution am Benzol-Ring, s. Ortho-.

O. 1. Chem. Elementsymbol für Oxygen(ium) = *Sauerstoff. – 2. Kursives *O*- ist *Lokant für Substituenten an O-Atomen; *Beisp.:* *O,O'*-Diethyl-thiocarbonat, O^4,O^6-Benzyliden-D-glucose. – 3. Symbol für Orotidin (s. Orotsäure) in der Ein-Buchstaben-Notation der *Nucleinsäuren (seltenes *Nucleosid; IUPAC-Regel N-3.2.1). – 4. In IUPAC- u. DIN-Abk. für Polymere u. Weichmacher kann O für *Octyl... (meist 2-Ethylhexyl!), -oxid od. -oxy- stehen; *Beisp.:* *DOP (*Di*o*ctyl*p*hthalat), PEO (*P*oly*e*thylen*o*xide), POM (**P*oly*o*xy*m*ethylene). – 5. Kennz. für *brandfördernd (*E* oxidizing) nach *Gefahrstoffverordnung.

OAc. In chem. Formeln Kurzz. für $–O–CO–CH_3$ (*Acetoxy...) od. Acetato-Ligand $H_3C–COO^-$ (auch *ac od. irreführend: *Ac); *Essigsäure ($H_3C–COOH$) wird oft HOAc od. AcOH abgekürzt.

O-Antigene s. Lipopolysaccharide.

OAPEC. Abk. für Organization of Arab Petroleum Exporting Countries, s. OPEC.

OAS. Abk. für optoakustische Spektroskopie, s. photoakustische Spektroskopie.

O(c)BB. Abk. für Octabrombiphenyl(e), s. PBB.

OBDE. Abk. für Octabromdiphenylether, s. PBDE.

Obéché s. Abachi.

Oberer Heizwert s. Brennwert u. Heizwert.

Oberfläche s. Oberflächenchemie u. Grenzflächen.

Oberflächenaktive Eigenschaften (grenzflächenaktive Eigenschaften). Eigenschaften von Stoffen, die in der Lage sind, die *Grenzflächenspannung zu beeinflussen. In der Regel handelt es sich bei diesen grenzflächenaktiven Stoffen um *Tenside, die die *Oberflächenspannung des Wassers herabzusetzen vermögen. – ***E*** surface active properties – ***F*** propietés tensio-actives – ***I*** proprietà delle attività in superficie – ***S*** propiedades tensioactivas

Oberflächenaktive Stoffe s. Tenside u. grenzflächenaktive Stoffe.

Oberflächenanalysemethoden. Verf. zur Charakterisierung von Festkörperoberflächen u. *Dünnen Schichten. Alle O. beruhen im Prinzip darauf, daß man den Festkörper mit Photonen, Elektronen od. Ionen anregt u. Informationen durch emittierte Ionen, Neutralteilchen, Elektronen u. Photonen od. durch von der Festkörperoberfläche rückgestreute Elektronen u. Ionen erhält. Die z. Zt. wichtigsten u. am meisten angewandten Verf. für die prakt. Oberflächenanalyse sind die *Auger-Spektroskopie, die Röntgenphotoelektronen-Spektroskopie (s. ESCA), die Sekundärionen-Massenspektrometrie (*SIMS) u. als relativ junges, aber vielversprechendes Verf. die Sekundärneutralteilchen-Massenspektrometrie (*SNMS). Die beiden erst genannten Verf. analysieren direkt die Oberfläche, während bei den beiden letztgenannten die Teilchen analysiert werden, die von der Oberfläche emittiert werden. Der Beschuß der Probenoberfläche mit Ionen ist ferner bedeutungsvoll um diese zu reinigen u. um Tiefenprofile (*Sputtertiefenprofile*) aufzunehmen.

Je nach Art der verwendeten Partikel zur Anregung od. Auslösung u. in Abhängigkeit von der Art der detektierten Partikel u. ihrer eventuellen Energieanalyse, haben sich eine Reihe von Kurzbezeichnungen (meist auf engl. Ausdrücken basierend) für die verschiedenen Meth. eingebürgert. Eine detaillierte Beschreibung ist im jeweiligen Stichwort gegeben:

AES *Auger-Elektronen-Spektroskopie
BIS Bremsstrahlungsisochromaten-Spektroskopie
DAPS Austrittspotential-Spektroskopie (Disappearance Potential Spectroscopy, s. Elektronenspektroskopie)
EDAX *Energiedispersive Röntgenspektroskopie (Energy Dispersive Analysis of X-rays)
EELS Elektronen-Energieverlustspektroskopie (Electron Energy Loss Spectroscopy, s. Elektronenspektroskopie)
ELS Elektronen-Verlustspektroskopie (Electron Loss Spectroscopy)
*EID Elektronenstoßinduzierte Desorption
*ESCA Elektronen-Spektroskopie zur chem. Analyse
ESMA *Elektronenstrahl-Mikroanalyse
*EXAFS Röntgenabsorptionsfeinstruktur-Analyse (Extended X-ray Absorption Fine Structure Analysis)
HEED Beugung schneller Electronen (High Energy Electron Diffraction, s. LEED)
*HEIS Streuung hochenerget. Ionen (High Energy Ion Scattering)
INS *Ionenneutralisations-Spektroskopie

ISMA *Ionenstrahl-Mikroanalyse
ISS *Ionen(rück)streu-Spektroskopie (Ion Surface Scattering)
LAMMA, LASMA, LIMA Laser-Mikroanalyse, *Laser-Mikrosonde
*LEED Beugung langsamer Elektronen (Low Energy Elektron Diffraction)
*LEIS Streuung langsamer Elektronen (Low Energy Ion Scattering)
*PIXE Photoneninduzierte Röntgenemission (Photon induced X-ray Emission)
*RBS Hochenergie-Ionenrückstreu-Spektrometrie (Rutherford Backscattering Spectrometry)
RFA *Röntgenfluoreszenzspektroskopie
RHEED Reflexionsbeugung schneller Elektronen (Reflection High Energy Electron Scattering)
SEM Sekundär-Elektronen-Mikroskopie
*SIMS Sekundärionenmassenspektrometrie
*SNMS Sekundärneutralteilchenmassenspektrometrie
*SXAPS Röntgenaustrittspotentialspektroskopie (Soft X-ray Appearance Potential Spectroscopy)
TXRF Röntgenreflexionsspektroskopie (Total X-Ray Reflection Fluorescence)
UPS Ultraviolett-Photo-Elektronen-Spektroskopie
*XPS Röntgen Photo-Elektronen-Spektroskopie (X-ray Photon Electron Spectroscopy)

Tab.: Verschiedene Oberflächenanalysemethoden.

	Anregung durch		
	Photonen	Elektronen	Ionen
Information über			
Photonen	RFA PIXE EDAX EXAFS	SXAPS DAPS BIS ESMA	SCANIIR
Elektronen	ESCA XPS UPS	AES ELS EELS LEED HEED RHEED	INS
Ionen + Neutralteilchen	LAMMA LISMA LASMA	 EID	ISMA SIMS SNMS ISS RBS

In der Tab. (s. a. *Lit.*[1]) sind die verschiedenen Meth. in einer Matrix nach ihren Anregungs- u. Detektionspartikeln zusammengestellt.

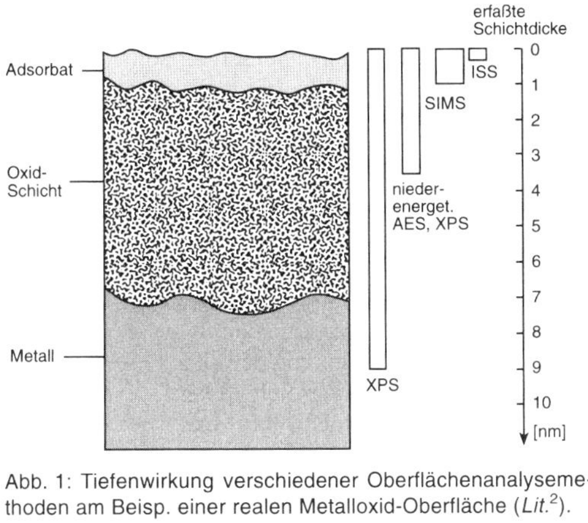

Abb. 1: Tiefenwirkung verschiedener Oberflächenanalysemethoden am Beisp. einer realen Metalloxid-Oberfläche (*Lit.*[2]).

Die verschiedenen O. proben unterschiedliche Tiefen der Oberfläche, wie in Abb. 1 u. 2 dargestellt.

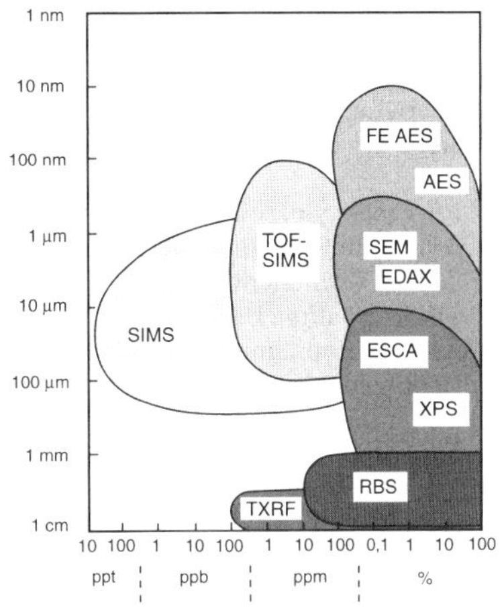

Abb. 2: Empfindlichkeit u. Tiefenwirkung verschiedener Oberflächenanalysemethoden.

Demzufolge wird die Lasermikroanalyse (mit einer Tiefe von 1 – 10 µm) nicht mehr zu den O. gezählt, sondern zu den Meth. der Vol.-Untersuchung. – ***E*** surface analysis – ***F*** analyses de surfaces – ***I*** analisi di superficie – ***S*** análisis de superficies

Lit.: [1] Nachr. Chem. Techn. Lab. **37**, M 3 (1989); Kohlrausch, Praktische Physik 2, S. 717 ff., Stuttgart: Teubner 1996. [2] Ullmann (4.) **5**, 566.
allg.: Henzler u. Göpel, Oberflächenphysik (2.), Stuttgart: Teubner 1994 ▪ Madelung, Oberflächenanalyse, Verfahren, Anwendung, Anbieteradressen, Düsseldorf: VDI 1989.

Oberflächenantigene. Allg. Bez. für *Antigene, die an der Oberfläche von Zellen lokalisiert sind. Von bes. Bedeutung sind tumorspezif. O. (s. Tumormarker). – ***E*** surface antigens – ***F*** antigènes de surface – ***I*** antigeni di superficie – ***S*** antígenos de superficie
Lit.: Hennig, Genetik, S. 44 f., Berlin, Heidelberg: Springer 1995.

Oberflächenarbeit s. Oberflächenspannung.

Oberflächenbehandlung s. Oberflächenchemie, Beschichtung u. Korrosionsschutz(mittel).

Oberflächenbehandlungsmittel. Häufig verwendete Sammelbez. für die nach *Zusatzstoff-Zulassungs-VO[1] Anlage 3 Liste A zugelassenen *Konservierungsmittel *Biphenyl (E 230), *o*-Phenylphenol (2-*Biphenylol, E 231; Natriumsalz E 232) u. *Thiabendazol [2-(4-Thiazolyl)-benzimidazol, E 233]. ***Zulassung***: Nach Anlage 3 Liste B Nr. 38 u. 39 (*Lit.*[1]) dürfen O. nur Citrusfrüchten sowie in geringer Menge getrockneten Citrusschalen, die zur Herst. von Zitronat (*Sukkade) u. Orangeat (s. Pomeranzen) verwendet werden, in bestimmten Höchstmengen zugesetzt werden. Die Höchstmengen schwanken je nach Lebensmittel u. O. zwischen 2 u. 70 mg/kg Lebensmittel. Zur Oberflächenbehandlung von *Bananen (Nr. 40) ist im Gegensatz zu oben genannten Lebensmitteln nur Thiabendazol bis zu einer Höchstmenge von 3 mg/kg zugelassen. Anforderungen an die Beschaffenheit der Wirkstoffe sowie Höchstgehalte an Nebenbestandteilen u. Verunreinigungen sind Anlage

2 Liste 2 der Zusatzstoff-Verkehrs-VO[2] zu entnehmen. Nach § 1 Absatz 2 u. Anlage 3 Liste A der Pflanzenschutzmittel-Höchstmengen-VO[3] sind für Thiabendazol auf gewaschenen Kartoffeln (4 mg/kg), Kernobst (3 mg/kg), Kohl (1 mg/kg), Getreide (0,2 mg/kg) u. anderen pflanzlichen Lebensmitteln außer *Citrusfrüchten u. Bananen die angegebenen Höchstwerte einzuhalten.

Anw.: Biphenyl u. 2-Biphenylol sollen den beim Transport von Citrusfrüchten häufig auftretenden Befall mit Grün- u. Blauschimmel verhindern. Dazu werden die Früchte meist in wirkstoffhaltige Bäder getaucht u./od. das Verpackungsmaterial imprägniert. Obwohl nur als O. zugelassen, dringt häufig ein kleiner Wirkstoffanteil in die Früchte ein[4]. Die Anw. von 2-Biphenylol als Biozid in Kühlschmiermitteln[5] u. kosmet. Mitteln[6] ist beschrieben. Thiabendazol schützt hauptsächlich Bananen vor fungizidem Befall. In der Humanmedizin wird Thiabendazol als *Anthelmintikum eingesetzt. Darüber hinaus wird es auch im Obst- u. Gemüsebau als Pflanzenbehandlungsmittel angewendet.

Wirkungsmechanismus: Biphenyl u. 2-Biphenylol hemmen die mikrobielle Carotinoid-Synth. u. greifen die Zellmembran an. Die Hemmung einiger mikrobieller Enzymsyst. (NAD-Oxidase, s. Nicotinamid-Adenin-Dinucleotid) ist beschrieben.

Toxikologie: Für Biphenyl sind im Gegensatz zu 2-Biphenylol keine gentox. Effekte[7,8] beschrieben. Für eine mögliche carcinogene Wirkung von 2-Biphenylol an der Ratte soll der Metabolit 2-Phenyl-1,4-benzochinon verantwortlich sein[7]. 2-Biphenylol wurde von der MAK-Komission 1989 in die Liste IIb (Stoffe, die noch ohne MAK-Wert sind) eingestuft u. als erbgutverändernder Arbeitsstoff beschrieben[9], wobei als Anw.-Bereich „Kühlschmierstoffe" angegeben wird; zur Begründung s. *Lit.*[10]. Thiabendazol ist als nephrotox.[11] u. teratogen[12] beschrieben. Eine zusammenfassende Darst. zu Metabolismus u. Toxikologie gibt *Lit.*[13]. Untersuchungen zum Übergang von Thiabendazol auf das Fruchtfleisch u. die Hände beim Schälen von Citrusfrüchten u. Bananen gehen von einer Übertragungsrate von 5–14% aus. Einfaches Waschen reduziert den Übergang erheblich[14].

Tab.: *ADI-Wert [mg/kg Körpergew.].

Thiabendazol	0–0,3
2-Biphenylol	0–1
Biphenyl	0–0,125

Analytik: Zum Nachw. der O. existiert eine *HPLC-Meth.[15], die alternativ mit UV- od. Fluoreszenzdetektor arbeitet. Ein gaschromatograph. Verf. zum Nachw. von Thiabendazol schlägt *Lit.*[16] vor. Zum Nachw. von 2-Biphenylol in kosmet. Mittel s. *Lit.*[6]. – ***E*** surface treatment agents – ***F*** agents de traitement des surfaces – ***I*** agente di trattamento superficiale – ***S*** agentes de tratamiento de superficies

Lit.: [1] ZZulV vom 21. 12. 1981 in der Fassung vom 08. 06. 1996 (BGBl. I, S. 460). [2] ZVerkV vom 20. 7. 1984 in der Fassung vom 14. 12. 1993 (BGBl. I, S. 2092). [3] Pflanzenschutzmittel-Höchstmengen-VO (PHmV) in der Neufassung vom 16. 10. 1989 (BGBl. I, S. 1862). [4] Food Add. Contam. **4**, 317–324 (1987). [5] Staub-Reinhalt. Luft **50**, 3–6 (1990). [6] Z. Lebensm. Unters. Forsch. **176**, 95–101 (1983). [7] Carcinogenesis **13**, 1593–1597 (1992); **16**, 837–840 (1995). [8] Mutat. Res. **223**, 23–33 (1989). [9] MAK-Werte-Liste 1995. [10] Henschler (Hrsg.), Toxikologisch-arbeitsmedizinische Begründung der MAK-Werte, Weinheim: VCH Verlagsges., Loseblattsammlung seit 1972. [11] Food Chem. Toxicol. **28**, 169–177 (1990). [12] Food. Chem. Toxicol. **27**, 117–123 (1989). [13] Classen et al., Toxikologisch-hygienische Beurteilung von Lebensmittelinhalts- u. -zusatzstoffen sowie bedenklicher Verunreinigungen, S. 102–106, Berlin: Parey 1987. [14] Dtsch. Lebensm. Rundsch. **86**, 251 f. (1990); **89**, 384 f. (1993). [15] J. AOAC Int. **78**, 642–646, 815–820, 1651–1654. [16] J. Chromatogr. Sci. **25**, 84–87 (1987).
allg.: Baltes, Lebensmittelchemie (4.), Berlin: Springer 1995 ▪ Belitz-Grosch (4.), S. 411 ▪ Fülgraff, Lebensmitteltoxikologie, S. 76 f., Stuttgart: Ulmer 1989 ▪ Lindner, Toxikologie der Nahrungsmittel (4.), S. 188, Stuttgart: Thieme 1990 ▪ Lück u. Jager, Chemische Lebensmittelkonservierung, S. 198–215, Berlin: Springer 1995 ▪ Ullmann (5.) **A 2**, 341; **A 8**, 557; **A 11**, 567 ▪ Zipfel, C 100, C 120.

Oberflächenbelüfter. Einrichtung zur *biologischen Abwasserbehandlung in Kläranlagen (s. a. aerobe Biologie), die einen Luft- bzw. Sauerstoff-Eintrag in das *Abwasser durch mechan. Einwirkungen auf die Wasseroberfläche bewirkt. Man unterscheidet zwischen Aggregaten mit vertikal (Kreiselbelüfter) u. horizontal (Walzenbelüfter) rotierender Achse. Durch starke Verwirbelung des Abwassers im Bereich des Belüfters werden Umwälzströmungen erzeugt, die eine intensive Durchmischung des Abwassers mit dem Belebtschlamm bewirken sowie ein Absetzen des Schlamms verhindern sollen. Für die üblichen O. ergibt sich ein Sauerstoff-Eintrag näherungsweise proportional der aufgewendeten Leistung (bis 2 kg O_2/kWh). Nachteile der O. sind, daß sie nur in flachen Becken (Höhe ≤ 5 m) eingesetzt werden können, u. daß sie geruchsintensive Aerosole erzeugen, gegen die man sich nur durch eine kostspielige Abdeckung schützen kann; vgl. a. Volumenbelüfter. – ***E*** surface aerator – ***F*** aérateur de surface – ***I*** aeratore di superficie – ***S*** aireador de superficie

Lit.: Abwassertechnische Vereinigung (Hrsg.), ATV-Handbuch Biologische u. weitergehende Abwasserreinigung (4.), S. 351–355, Berlin: Ernst 1997 ▪ Brauer (Hrsg.), Handbuch des Umweltschutzes u. der Umweltschutztechnik, Bd. 4, S. 272–278, Berlin: Springer 1996.

Oberflächenchemie. Bez. für denjenigen Wissenschaftszweig, der sich mit der Bildung, der chem. Struktur, den chem. Veränderungen u. dem physikal. Verhalten von *Oberflächen* befaßt; als solche bezeichnet man üblicherweise die *Grenzflächen von festen Stoffen od. Flüssigkeiten gegenüber Gasen. Dabei gelten die beobachteten Gesetzmäßigkeiten prinzipiell nicht nur für krist., sondern auch für amorphe *Festkörper, da im Nahbereich fast alle amorphen Stoffe eine ähnliche Ordnung wie ihre krist. Modif. zeigen. Nach allg. Vorstellung sind die an der Oberfläche krist. Stoffe befindlichen Atome u. Ionen valenzmäßig nicht abgesätt. *(Restvalenzen)* u. haben daher die Tendenz, weitere Atome od. Ionen von der gleichen Art (Wachsen des Krist.) od. – falls solche fehlen – auch fremde Teilchen anzulagern, z. B. unter *Epitaxie. Da für die Absättigung der freien Valenzen normalerweise nur die Bestandteile der umgebenden Atmosphäre od. Lsg.

(vorwiegend also Sauerstoff, Kohlendioxid u. Wasser) zur Verfügung stehen, sind die meisten Festkörper infolge von *Chemisorption mit einer Schicht von Oxiden, Carbonaten u. Hydroxiden bedeckt. Bei Krist., die aus in sich abgesätt. Mol. aufgebaut sind, die nur durch *Van-der-Waals-Kräfte zusammengehalten werden, können Fremdmol. nur durch (physikal.) *Adsorption (sog. *Physisorption*) gebunden werden. Die sorbierten Teilchen bilden zunächst *monomolekulare Schichten aus, danach bimol. (*E* bilayer, vgl. Membranen) u. schließlich multimol. Schichten (*E* multilayer). Bekannte Phänomene der O. sind *Grenz- u. *Oberflächenspannung. In der Halbleiter-O. ist die *Ionenimplantation ein nützliches Verfahren. Eine Übersicht über die verschiedenen Meth., mit denen eine Oberfläche untersucht werden kann, findet sich beim Stichwort Oberflächenanalyse-Methoden. Die Kenntnis des Zustandes der Oberfläche u. ihrer Reaktionsfähigkeit ist für viele techn. Anw. äußerst wichtig, z. B. für die heterogene Katalyse, für Flotation, Adhäsion, Flockung u. Sedimentation, Korrosion, Erosion u. Passivität, Metallbearbeitung u. -reinigung, Galvanotechnik, aber auch für Ionenaustausch od. Anw. von Adsorptionsmitteln u. Molekularsieben. Die Abb. gibt einen Überblick über wichtige Oberflächenphänomene in Abhängigkeit von der Materialtiefe (*Lit.*[1]).

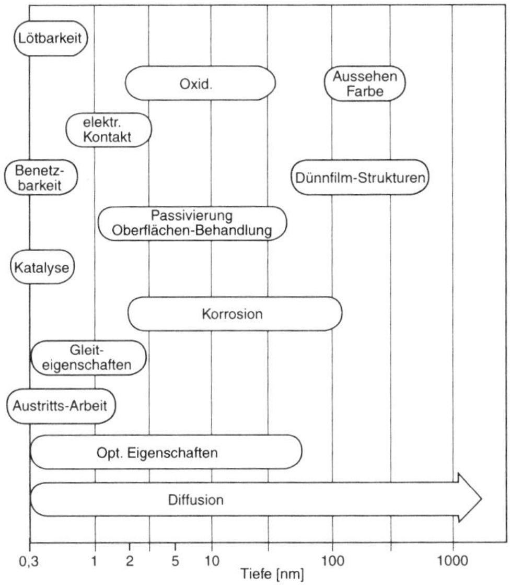

Abb.: Oberflächenphänomene in Abhängigkeit von der Materialtiefe.

Das Verhalten von Füllstoffen in Kautschuk u. Kunststoffen wird ebenso von der Beschaffenheit ihrer Oberflächen beeinflußt wie die Eigenschaft von Pigmenten in Kunstfasern, Farben, Lacken u. Druckfarben od. die Wirksamkeit pulverförmiger Feuerlöschmittel. Auch im Ackerboden spielen Grenzflächenreaktionen eine wichtige Rolle, u. in der Biochemie sind Beschaffenheit von u. Vorgänge an Membranen u. anderen biolog. Oberflächen von *Zellen von bes. Bedeutung, z. B. für das Immungeschehen. Letztlich schließt die O. auch die *Oberflächenbehandlung* mit ein, worunter man bei Werkstoffen Reinigen, Polieren, Ätzen, Dekapieren, Beizen, Sandstrahlen, Erosion etc., aber auch Härten, Beschichten, Vergüten, Überziehen mit Schutzhäuten *(Oberflächenschutz)* etc. verstehen kann. Bei mechan. Einwirkung können aus Metalloberflächen Elektronen (*Exoelektronen) freigesetzt werden. – ***E*** surface chemistry – ***F*** chimie des surfaces – ***I*** chimica delle superfici – ***S*** química de superficies

Lit.: [1]Madelung, Oberflächen-Analyse, Düsseldorf: VDI 1989.
allg.: Bare u. Somorjai, Surface Chemistry, Encyclopedia of Physical Science and Technology, Vol. 16, S. 337–390, San Diego: Academic Press 1992 ▪ Henzler u. Göpel, Oberflächenphysik (2.), Stuttgart: Teubner 1994 ▪ s. a. Festkörper, Grenzflächen, Katalyse, Korrosion, Mikroanalyse u. monomolekulare Schichten.

Oberflächenergie s. Oberflächenspannung.

Oberflächenkultur (Emerskultur, Deckenkultur). Meth. zur Züchtung von *Mikroorganismen auf der Oberfläche von flüssigen, halbfesten od. festen Substraten. In vielen Fällen bilden die Mikroorganismen dabei auf der Oberfläche eine zusammenhängende Haut (Film). O. werden im Laborbetrieb wegen ihrer einfachen Handhabung sehr viel angewendet. Geeignete Kulturgefäße sind Petrischalen, Schrägagarröhrchen od. Fernbach-Kolben. An ihren natürlichen Standorten wachsen Mikroorganismen in den meisten Fällen als Oberflächenkultur. Die ersten techn. Prozesse zur Herst. von *Essigsäure, *Citronensäure od. *Penicillin waren Oberflächenkulturen. Auch in der Abwasserreinigung haben O. Bedeutung erlangt. Inzwischen sind Oberflächenverf. allerdings meist durch *Submersverfahren abgelöst worden, da O. eine Reihe von Nachteilen aufweisen. So erfolgt der Stofftransport ausschließlich durch *Diffusion u. die auftretenden Konzentrationsunterschiede können nicht durch Mischen od. Rühren aufgehoben werden. Insbes. zur Bildung von Sporen, z. B. als Impfmaterial für techn. Prozesse zur Gewinnung von Pilz-Inhaltsstoffen, werden O. nach wie vor eingesetzt. – ***E*** surface culture – ***F*** culture de surface – ***I*** coltura di superficie – ***S*** cultivo de superficie

Lit.: Präve et al. (4.), S. 629.

Oberflächenreaktor. Speziell entwickelte *Bioreaktoren, die zur Kultivierung von *Mikroorganismen in *Oberflächenkulturen geeignet sind. – ***E*** surface reactor – ***F*** réacteur de surface – ***I*** reattore di superficie – ***S*** reactor de superficie

Lit.: Präve et al. (4.), S. 292 f.

Oberflächenrektifikatoren s. Destillation.

Oberflächenschutz s. Oberflächenchemie.

Oberflächenspannung (Symbol σ od. γ). Unter O. versteht man die *Grenzflächenspannung von *Festkörpern u. *Flüssigkeiten gegenüber der Dampfphase bzw. Luft. Die Abb. (vgl. a. die Abb. bei Tenside) veranschaulicht die Bedeutung der O. für Flüssigkeiten. Während in der Flüssigkeit (a) auf die Mol. gleiche Anziehungskräfte (*zwischenmolekulare Kräfte) aus allen Richtungen wirken, sind diese Kräfte an der Grenzfläche Flüssigkeit/Dampf (b) nicht ausgeglichen. Es besteht eine in das Flüssigkeitsinnere gerich-

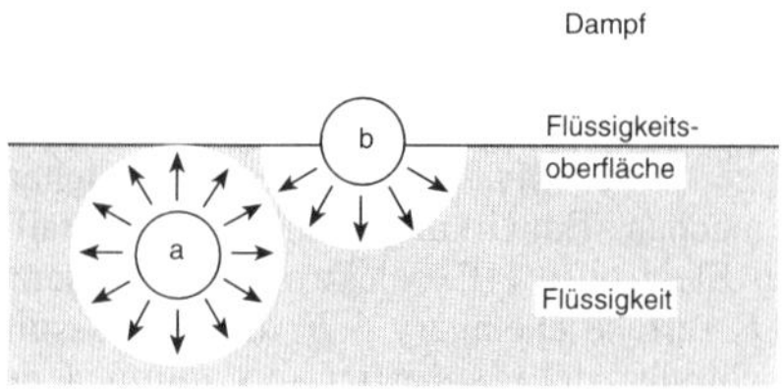

tete Kraft, die Mol. aus der Oberfläche in die Flüssigkeit zu treiben versucht. Die Flüssigkeit ist daher bestrebt, ihre Oberfläche zu verkleinern, weshalb Tröpfchen u. Gasblasen Kugelgestalt anzunehmen versuchen.

Die O. ist definiert als Kraft in der Oberfläche pro Längeneinheit u. hat die Dimension mN/m (10^{-3} Newton/Meter). Mit *Oberflächenarbeit* bezeichnet man die Arbeit, die nötig ist, um unter reversiblen Bedingungen u. bei isothermem Verlauf die Oberfläche zu bilden od. zu vergrößern. Unter bestimmten Voraussetzungen entspricht die O. (*Oberflächenenergie*) der **Freien* od. *Helmholtz-Energie* der Oberfläche pro Flächeneinheit. Unmittelbar nach der Ausbildung der Oberfläche erhält man Werte für die O., die vom Gleichgewichtszustand abweichen. Man bezeichnet diesen Effekt als *dynam.*, den Gleichgewichtswert als *stat.* Oberflächenspannung. Die O. kann u. a. mit folgenden Meth. bestimmt werden [1]: (a) *Meniskus-Bildung u. Steighöhe in *Kapillaren, (b) Blasendruck einer in die Flüssigkeit austretenden Gasblase, (c) Ring-Meth., (d) *Wilhelmy-Methode, (e) Gestalt liegender od. hängender *Tropfen. Für die Prüfung von Tensiden ist Meth. c nach DIN 53914: 1980-03 genormt. Eine Apparatur zur Messung der dynam. O. wird bei Miller (*Lit.* [2]) beschrieben. Die Werte für die O. von organ. Flüssigkeiten liegen bei 20 °C im allg. zwischen 15 u. 40 mN/m, für Wasser dagegen bei ca. 73 mN/m, für Quecksilber bei 435 mN/m, u. noch höhere Werte erreichen Salzschmelzen, vgl. *Lit.* [3]. Die O. insbes. von Lsm. ist von techn. Bedeutung in der Waschmittel- u. Textil-Ind., im Haushalt, bei der Flotation u. Adhäsion, in Emulsionen etc., d. h. überall dort, wo die *Benetzung eine Rolle spielt – in „entspanntem Wasser" andererseits würden Enten od. Wasserläufer versinken. Die O. weist nicht nur Zusammenhänge mit der Konz., sondern auch mit Dichte u. Temp., elektr. Ladungen u. mit der Kompressibilität von Flüssigkeiten auf; über die Dichte u. den *Parachor ist sie auch mit der Molmasse verknüpft; weitere Aspekte zum Thema s. bei Micellen, Kapillarität, Netzmittel, Tenside u. grenzflächenaktive Stoffe sowie bei Oberflächenchemie. – ***E*** surface tension – ***F*** tension superficielle – ***I*** tensione superficiale – ***S*** tensión superficial

Lit.: [1] Kohlrausch, Praktische Physik 1, S. 200 ff., Stuttgart: Teubner 1996. [2] Int. Lab. **14**, 28 (1984). [3] Handbook **56**, F 23–46.
allg.: Bare u. Somorjai, Surface Chemistry, Encyclopedia of Physical Science and Technology, Vol. 16, S. 337–390, New York: Academic Press 1992 ▪ Spektrum Wiss. **1984**, Nr. 1, 124; **1984**, Nr. 3, 142 ▪ Winnacker-Küchler (3.) **4**, 428–432.

Oberflächenverfahren. Verf. in der Biotechnologie, die mit *Oberflächenkulturen zur Biomasse-Herst. arbeiten.

Oberflächenverfestigung. *Fertigungsverfahren zur Verbesserung von metall. Bauteileigenschaften wie Schwingfestigkeit u. Korrosionsbeständigkeit als Folge einer Verfestigung der Werkstückoberfläche durch plast. Verformung. Bes. Bedeutung hat das *Verfestigungsstrahlen* erreicht (shot peening, *Kugelstrahlen*). Hierbei steht das Einbringen von Druckeigenspannungen im Vordergrund. Unter Eigenspannungen versteht man allg. mechan. Spannungen in Festkörpern, die auch dann noch wirksam sind, wenn keine äußeren Belastungen vorliegen. Beim Strahlprozeß, dessen Anw. aufgrund der zahlreichen, zu beachtenden Einflußgrößen erhebliche Erfahrung voraussetzt, werden in Kugelstrahlanlagen insbes. Stahl-, Glas- od. Keramikkugeln mit einem Durchmesser von 0,2–3 mm durch Druckluft od. Schleuderräder mit Geschw. zwischen 20 u. 150 m/s auf die zu verfestigenden Oberflächen gestrahlt. Hierbei wird eine Umformung oberflächennaher Randzonen mit seitlicher Dehnung erzielt, in deren Folge sich *Druckeigenspannungen* parallel zur Oberfläche einstellen. Diese Schicht kann bis ca. 1 mm dick sein. In tiefer gelegenen Bereichen treten dagegen *Zugeigenspannungen* auf. Bei derart behandelten Oberflächen werden betriebsbedingte Zugspannungen durch die vorhandenen Druckeigenspannungen aufgehoben, so daß ein entsprechend veredeltes Bauteil erst bei deutlich höherer Belastung mit Rißbildung reagiert. Eine O. ist bes. in Bereichen erhöhter mechan. Beanspruchung (Kerben, Schweißnähte) von techn. Interesse. Daneben wird durch O. auch die Quasihomogenisierung eines inhomogenen, korrosionsanfälligen Gefüges erreicht, was pos. Auswirkungen auf die chem. Beständigkeit haben kann. Konkurrierende Verf. der O. wie Rollen, Walzen od. Hämmern haben im Vgl. zum Kugelstrahlen an Bedeutung verloren. – ***E*** shot peening – ***F*** traitement par jet de balles – ***I*** pallinatura – ***S*** tratamiento por chorro con perdigones

Lit.: Dahl, Kopp u. Pawelski, Umformtechnik, Plastomechanik u. Werkstoffkunde, S. 946 ff., Düsseldorf: Verl. Stahleisen 1993 ▪ Spur u. Schmoeckel (Hrsg.), Handbuch der Fertigungstechnik, Bd. 2/3, Umformen u. Zerteilen, S. 1357 ff., München: Hanser 1985.

Oberflächenwasser. Wasser aus natürlichen od. künstlichen oberird. Gewässern, z. B. das Wasser aus Flüssen, Seen od. Talsperren; vgl. Grundwasser. In der Umwelttechnik bezeichnet O. auch das von befestigten Oberflächen ohne Kanalisation abfließende Niederschlagswasser. – ***E*** surface water – ***F*** eau de surface, eau superficielle – ***I*** acqua superficiale – ***S*** agua superficial

Oberkorn s. Korngröße.

Obermayersche Reaktion. *Indican-Nachw. im Harn durch Spaltung u. Oxid. des entstehenden Indoxyls zu Indigo. Man benutzt als Reagenz ein Gemisch aus 1 mL Eisen(III)-chlorid (mit etwa 10% Fe) u. 50 mL rauchender Salzsäure, zur Indigo-Extraktion ggf. zusätzlich Chloroform u. mißt die Blaufärbung. – ***E*** Obermayer's test – ***F*** réaction d'Obermayer – ***I*** reazione di Obermayer – ***S*** reacción de Obermayer

Obesitas s. Fettsucht.

Obidoximchlorid.

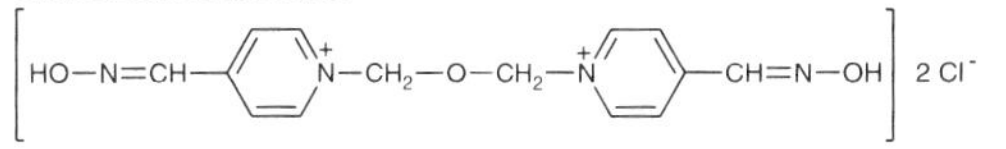

Internat. Freiname für den als Antidot bei *Phosphorsäureester- u.a. Organophosphat-Vergiftungen wirksamen *Acetylcholinesterase-Reaktivator 1,1'-(Oxybismethylen)bis[4-(*N*-hydroxyiminomethyl)pyridinium]-dichlorid, $C_{14}H_{16}Cl_2N_4O_3$, M_R 359,21, Schmp. 225 °C (Zers.), λ_{max} (H_2O) 283 nm ($A^{1\%}_{1cm}$ 965); LD_{50} (Maus oral) >2240 mg/kg; in Wasser leicht löslich. O. wurde 1963 u. 1964 von E. Merck (Toxogonin®) patentiert. – ***E*** obidoxime chloride – ***F*** chlorure d'obidoxime – ***I*** obidossima cloruro – ***S*** cloruro de obidoxima

Lit.: Beilstein E V **21/7**, 373 f. ▪ Hager (5.) **8**, 1221 ff. ▪ Martindale (31.), S. 988 f. – *[HS 2933 39; CAS 114-90-9]*

Oblat. Abgeplattete Abweichung von einer Kugelform, s. Molekülspektren u. Kernreaktionen.

Oblaten. Dünne, blattartige Dauerbackwaren, die durch Erhitzen eines dünnflüssigen Teiges aus Getreideerzeugnissen u./od. Stärke sowie Wasser, aber ohne Backtriebmittel (s. Backpulver) hergestellt werden. Das Erhitzen erfolgt zwischen heißen Metallflächen, sog. „Oblateneisen". Nach Anlage 7 Liste A u. B der *Zusatzstoff-Zulassungs-VO [1] ist der Zusatz der *Süßstoffe *Saccharin (bis 1000 mg/kg) u. *Acesulfam-K (bis 2000 mg/kg) zulässig.

Verw.:. Häufig als Unterlagen zur Herst. von Oblatenlebkuchen [2,3], Makronen u. Kleingebäck. Die Anforderungen an Oblatenlebkuchen sind *Lit.*[4] zu entnehmen. Daneben werden O. zu Oblatenkapseln geformt, die als Umhüllungen von Arzneimitteln dienen. Zu Kultzwecken werden O. häufig mit kirchlichen Prägungen versehen u. als Hostien ausgegeben [Name von latein.: (hostia) oblata = dargebrachtes (Opfer)]. *Karlsbader O.* werden aus Waffelmasse mit vanillierter Zuckercreme in runder Form zusammengebacken. – ***E*** wafers – ***F*** oublies – ***I*** cialde – ***S*** obleas

Lit.: [1] ZZulV vom 22. 12. 1981 in der Fassung vom 08. 03. 1996 (BGBl. I, S. 460). [2] Getreide Mehl Brot, **44**, 151–157 (1990). [3] Bundesverband der dtsch. Süßwarenind. (Hrsg.), Oblaten-Lebkuchen. Ein gar köstlich Backwerk, München: Bundesverband der dtsch. Süßwarenind. 1987. [4] Leitsätze für Feine Backwaren in der Fassung vom 06. 02. 1992 (BAnz. Nr. 86b vom 08. 05. 1992).
allg.: Getreide Mehl Brot **45**, 24–27 (1991) ▪ Vollmer et al., Lebensmittelführer, Bd. 1, Stuttgart: Thieme 1995 ▪ Zipfel, C 451, C 308. – *[HS 1905 90]*

Oblater Kreisel s. Molekülspektren.

Obligat aerobe Bakterien. *Bakterien, die nur bei Anwesenheit von Sauerstoff leben können, da sie zur Energiegewinnung auf Atmung angewiesen sind. Zu dieser Gruppe gehören taxonom. unterschiedliche Organismen; s.a. Aerobier. – ***E*** obligately aerobic bacteria – ***F*** bactéries aérobies strictes – ***I*** batteri aerobi obbligati – ***S*** bacterias aeróbicas obligadas

Lit.: Brock, Biology of Microorganisms (8.), S. 173, New Jersey, USA: Prentice-Hall 1997 ▪ Schlegel (7.), S. 99, 193, 197.

Obligat anaerobe Bakterien. *Bakterien, die nur unter vollständigem Ausschluß von Sauerstoff leben können. Ihnen fehlen die Enzyme *Superoxid-Dismutase u. *Katalase, die für die Entgiftung von beim Energie-Gewinn aus Sauerstoff entstehenden Superoxid-Radikalen sorgen.
Bei o. a. B. erfolgt der Energie-Gewinn durch *Gärung od. durch Elektronentransport-Phosphorylierung unter anaeroben Bedingungen mit Nitrat, Sulfat, Carbonat od. anderen Verb. als Sauerstoffträger.
Zu den o. a. B. gehören Bakterien unterschiedlicher taxonom. Gruppen; s.a. Anaerobier. – ***E*** obligately anaerobic bacteria – ***F*** bactéries anaérobies strictes – ***I*** batteri anaerobi obbligati – ***S*** bacterias anaeróbicas obligadas

Lit.: Brock, Biology of Microorganisms (8.), S. 173, New Jersey: Prentice-Hall 1997 ▪ Schlegel (7.), S. 193, 335.

OBM-Verfahren. Abk. für *O*xygen-*B*odenblasverf.-*M*axhütte. Von der Maxhütte, Sulzbach-Rosenberg, entwickeltes Verf. zur Erzeugung von *Stahl aus einer Schmelze von Roheisen u. Schrott in einem bodenblasenden Sauerstoff-*Konverter. Durch Düsen im Konverterboden wird techn. reiner Sauerstoff unter einem Druck von 6–10 bar eingeblasen. Die Düsen werden dabei im Mantelraum von gleichfalls in die Schmelze eingeblasenen Kohlenwasserstoffen (Methan, Propan) gekühlt. Durch Umsetzen dieses Kühlmittels in der Schmelze wird die Temp. in der Umgebung der Düse vermindert u. die Standzeit des Konverterbodens beträchtlich erhöht. Die Bez. *O-BOP-Verf.* ist gleichfalls gebräuchlich. – ***E*** OBM-process – ***F*** procédé OBM – ***I*** processo OBM – ***S*** procedimiento OBM

Lit.: s. Stahl.

O-BOP-Verfahren s. OBM-Verfahren.

Ob-Protein s. Leptin.

Obsidan® (Rp). Ampullen u. Tabl. mit dem Betarezeptorenblocker (s. Adrenozeptoren) *Propranolol-Hydrochlorid gegen tachykarde Herzrhythmusstörungen. ***B.:*** Isis Pharma.

Obsidian. Zu über 80% od. völlig aus Glas bestehendes vulkan. Gestein, dessen chem. Zusammensetzung überwiegend der von *Rhyolithen bis Daciten (s. Vulkanite) entspricht, mit bis zu 78% SiO_2 u. gewöhnlich <1% H_2O. O. sind meist glasig homogen, bisweilen auch schlackig-blasig, dunkelgrau bis tiefschwarz, rot od. dunkel mahagonibraun, haben Glasglanz u. zeigen einen scharfkantigen muscheligen Bruch. Blasenhohlräume in O., die mit konzentr. Schalen winziger Krist. (z.B. Quarz, Tridymit, *Feldspäte) gefüllt sind, werden als *Lithophysen* bezeichnet. *Sphärolithe* bestehen aus radialstrahlig angeordneten Mineralien (z.B. Feldspäte, Cristobalit).

Vork.: Insel Lipari/Italien, Island, Yellowstone National Park u. Oregon/USA, Mexiko.

Verw.: In der Steinzeit zur Herst. von Waffen u. Werkzeugen. Heute zur Herst. von kunstgewerblichen Gegenständen (u. a. Steinkugeln) u. Modeschmuck; hierfür werden auch „*Schneeflocken-O.*" aus Utah/USA, „*Regenbogen-O.*" aus Mexiko sowie „*Gold- od. Goldschein-O.*" verwendet. In Peru wird bräunlicher, klar durchsichtiger O. („*Makusanit*") gefunden [1], in Arizona/USA durchsichtiger, äußerlich schwarzer kugeliger O. („*Marekanit*"; in *Perlit) [2]. – ***E*** obsidian – ***F*** obsidienne – ***I*** ossidiana – ***S*** obsidiana

Lit.: [1] Z. Dtsch. Gemmol. Ges. **44**, 25–28 (1995). [2] Z. Dtsch. Gemmol. Ges. **45**, 83–89 (1996).
allg.: Dietrich u. Skinner, Die Gesteine u. ihre Mineralien, S. 185–189, Thun: Ott 1984 ▪ Francis, Volcanoes, A Planetary Perspective, S. 161–164, Oxford: Clarendon Press 1994 ▪ Wimmenauer, Petrographie der magmatischen u. metamorphen Gesteine, S. 178 f., Stuttgart: Enke 1985.

Obsilazin® N (Rp). Tabl. mit dem Betarezeptorenblocker (s. Adrenozeptoren) *Propranolol-Hydrochlorid u. dem Diuretikum *Dihydralazinsulfat gegen Hypertonie. ***B.:*** Isis Pharma.

Obst. Möglicherweise vom althochdtsch.: obaz = Beikost abgeleitete Sammelbez. für alle nicht als Grundnahrungsmittel geltenden Speisen, heute Bez. für die in rohem Zustand eßbaren Früchte *mehrjähriger*, wild od. in Kultur wachsender Bäume u. Sträucher. Die Früchte *einjähriger* Pflanzen sind *Gemüse od. *Getreide.
Rechtliche Beurteilung: Für die in Artikel 1 der VO (EWG) Nr. 1053/72 (Gemeinsame Marktordnung für O. u. Gemüse)[1] genannten Erzeugnisse sind EG-Qualitätsnormen festgelegt, die in den Artikeln 2–12 ausgeführt werden. Erzeugnisse, die nicht nach EG-Qualitätsnormen zu beurteilen sind, aber nach Handelsklassen abgegeben werden, müssen den in der VO über gesetzliche Handelsklassen für frisches O. u. Gemüse[2] angegebenen Anforderungen bezüglich Zusammensetzung u. Kennzeichnung genügen. Zur Beurteilung von *verarbeitetem* O. sind die Leitsätze des dtsch. Lebensmittelbuches in der Fassung vom 24. 4. 1978 heranzuziehen[3]. *Tiefgefrorenes* O. sollte nach den Leitsätzen für tiefgefrorenes O. u. Gemüse vom 14. 1. 1970[4] beurteilt werden.
Einteilung: O. wird häufig, wenn auch nicht unbedingt der botan. Systematik folgend, in *Steinobst*, *Kernobst*, *Beerenobst* u. *Schalenobst* unterteilt. Hinzu kommen noch *Südfrüchte* u. *Wildfrüchte*. Melonen (Familie der Kürbisgewächse) sind strenggenommen nicht zum O. zu zählen, da sie von einjährigen Pflanzen stammen.
Beim *Steinobst* umschließt das weiche, von einer dünnen Haut umgebene Fruchtfleisch einen sehr harten samenhaltigen Steinkern. Steinobst gehört zur Familie der Rosaceae, Unterfamilie Prunoideae (Steinobstgewächse). Vertreter: *Kirschen, *Pflaumen, Pfirsich, *Aprikose.
Beim *Kernobst* ist das häutige, pergamentartige Kerngehäuse, das Kern u. Samen enthält, von genießbarem Fruchtfleisch umschlossen. Kernobst gehört zur Familie der Rosaceae, Unterfamilie Pomoideae (Kernobstgewächse). Vertreter: *Apfel, *Birne.
Beerenobst ist dadurch gekennzeichnet, daß der Samen entweder direkt im Fruchtfleisch od. an dessen Oberfläche sitzt. Beerenobst gehört zu verschiedenen Pflanzenfamilien, so daß neben echten Beeren (*Johannisbeere, *Stachelbeere) auch Scheinbeeren (*Erdbeere) u. Sammelfrüchte (*Himbeere, *Brombeere) zum Beerenobst zu zählen sind.
Schalenobst wird von manchen Autoren nicht zum O. gerechnet, da nur der von einer verholzten Schale umgebene Samen genossen wird. Schalenobst (*Walnuß, *Haselnuß, Edel-*Kastanie, *Mandel) unterscheidet sich drast. in seiner chem. Zusammensetzung von oben genannten Obstsorten (ölhaltig, eiweißreich).
Südfrüchte gehören mehreren Pflanzenfamilien an u. gedeihen nicht in nordeurop. Klimazonen, sondern werden aus den Tropen u. Subtropen importiert. Vertreter: *Citrusfrüchte, *Datteln, *Feigen, *Bananen. Teilw. werden auch *exot. Früchte* (*Kiwi, *Papaya) zu den Südfrüchten gerechnet.
Wildfrüchte sind die fleischigen Früchte wildwachsender heim. Sträucher u. Bäume. Vertreter: *Sanddorn, *Schlehen.
Verw.: O., welches nicht direkt verzehrt wird, kann zu Obsterzeugnissen, z. B. Obstkonserven, *Fruchtsäften, Fruchtsaftkonzentraten, Pülpen, *Wein u. weinähnlichen Getränken u. Obstwässern (s. Obstbranntwein) sowie zu *Konfitüren, *Marmeladen u. *Gelee verarbeitet werden. Durch Trocknen u. Kandieren erhält man Trockenobst u. kandierte Früchte. Um die Haltbarkeit zu verlängern, kann O. tiefgefroren werden. Eine Erhöhung der Haltbarkeit durch Bestrahlung mit ionisierender Strahlung ist in der BRD nicht zulässig. Nach § 2 der Lebensmittel-Bestrahlungs-VO[5] darf die Oberfläche von O. mit ultravioletten Strahlen behandelt werden. Einen Überblick über die Bestrahlung von O. gibt *Lit.*[6,7]. Der Nachw. einer Bestrahlung kann mit der Meth. der Thermo-[8] od. Chemolumineszenz[9] erbracht werden. Weitere Meth. der Haltbarmachung von O. s. Ullmann (*Lit.*) u. zur Belastung mit *Mykotoxinen s. *Lit.*[10]. Die Haltbarkeit von verpacktem O. wird durch Lagerung in modifizierten Atmosphären (z. B. Kohlendioxid) erhöht[11].
Zusammensetzung u. Ernährungsphysiologie: Für die Farbgebung von O. sind häufig *Anthocyane, *Carotinoide, *Catechine u. *Flavone verantwortlich. Angaben zur Zusammensetzung des Aromas von O. sind *Lit.*[12–14] zu entnehmen. Daneben sind *Zucker (*Glucose u. *Fructose), Fruchtsäuren (*Weinsäure, *Citronensäure) sowie deren Ester für den Geschmack von O. verantwortlich. Das Braunwerden von angeschnittenem O. (z. B. Apfel) ist die Folge der Phenoloxidase-katalysierten Oxid. (enzymat. Bräunung) von phenol. Verb. zu Diphenolen u. *Chinonen. Als Gegenmaßnahmen sind eine Inaktivierung der *Phenoloxidasen durch Erhitzen, der Zusatz von Red.-Mitteln (*Ascorbinsäure), der Entzug von Sauerstoff od. das Komplexieren von katalyt. wirksamen Metallionen wie z. B. *Kupfer aus dem aktiven Zentrum der Phenoloxidasen (z. B. durch *Citronensäure) möglich. Aus diesem Grund läßt sich die enzymat. Bräunung von Äpfeln durch Aufträufeln von Zitronensaft einschränken.
O. ist bis auf wenige Ausnahmen (*Avocado, *Oliven, *Nüsse) fett- u. eiweißarm, aber reich an *Vitaminen u. *Mineralstoffen (v. a. *Kalium u. *Phosphor). Eine anticarcinogene Wirkung von O., die auf so unterschiedliche Faktoren wie Vitamin- u. Flavonoid-Gehalt zurückgeführt wird, ist beschrieben[15]. Mit der antimutagenen Wirkung von Obstdialysaten befaßt sich *Lit.*[16]. Einen umfassenden Überblick über die physiolog. Effekte der *Flavonoide, einer z. T. in ihrer Wirkung kontrovers diskutierten Stoffklasse, gibt *Lit.*[17]. Verw., Inhaltsstoffe (auch Aromastoffe), Produktionszahlen sowie Angaben über Veränderungen während der Reifung sind Belitz-Grosch (*Lit.*) zu entnehmen. Angaben zu tox. Inhaltsstoffen endogener Natur finden sich bei Lindner u. Fülgraff (*Lit.*). Die mikro-

skop. Analyse von O. kann nach Gassner (*Lit.*) erfolgen.

Analytik: Der Sulfit-Gehalt sowie der lösl. trockene Rückstand von Obsterzeugnissen kann nach den *Methoden nach § 35 LMBG 30.00-1 u. 2 bestimmt werden. Zum Nachw. von Pflanzenbehandlungsmitteln in O. s. *Lit.*[18]. Die zulässigen Höchstmengen an Pflanzenbehandlungsmitteln in O. sind der Pflanzenschutz-Höchstmengen-VO[19] zu entnehmen, Angaben zur Schadstoffbelastung von O. aus alternativem u. konventionellem Anbau *Lit.*[20]. Richtwerte für die Thallium-Belastung von O. sind 1987 vom Bundesgesundheitsamt veröffentlicht worden (0,1 mg *Thallium/kg Frischsubstanz)[21]. Dieser Wert wurde 1990 bestätigt[22], für Stein-, Beeren-, Kern- u. Schalenobst sowie Citrusfrüchte sind auch die Richtwerte für *Blei (0,5 mg/kg), *Cadmium (0,05 mg/kg) u. *Quecksilber (0,03 mg/kg) angegeben; s. a. Oberflächenbehandlungsmittel u. einzelne Obstsorten. – ***E*** fruit – ***F*** fruit(s) – ***I*** frutta – ***S*** fruta

Lit.: [1] VO (EWG) Nr. 1035/72 über eine gemeinsame Marktorganisation für Obst u. Gemüse vom 18. 05. 1972 in der Fassung vom 20. 03. 1989 (Amtsblatt der EG Nr. L 85/3). [2] VO über gesetzliche Handelsklassen für frisches Obst u. Gemüse vom 09. 10. 1971 in der Fassung vom 24. 04. 1984 (BGBl. I, S. 560). [3] Leitsätze für verarbeitetes Obst in der Fassung vom 24. 04. 1978, abgedruckt in Zipfel, C 334. [4] Leitsätze für tiefgefrorenes Obst u. Gemüse in der Fassung vom 14. 01. 1970, abgedruckt in Zipfel, C 332. [5] Lebensmittel-Bestrahlungs-VO vom 19. 12. 1959 in der Fassung vom 16. 05. 1975 (BGBl. I, S. 1281 u. 1859). [6] Z. Lebensm. Unters. Forsch. **180**, 357–368 (1985). [7] Ann. Fals. Expert. Chim. **82**, 183–190 (1989). [8] Bundesgesundheitsblatt **32**, 388 (1989). [9] Mitt. Geb. Lebensmittelunters. Hyg. **79**, 217–223 (1989). [10] J. Assoc. Off. Anal. Chem. **72**, 223–230 (1989). [11] Crit. Rev. Food Sci. Nutr. **28**, 1–30 (1989). [12] Chem. Unserer Zeit **19**, 22–36 (1985). [13] Z. Lebensm. Unters. Forsch. **190**, 228–231 (1990). [14] Z. Lebensm. Unters. Forsch. **188**, 330 ff. (1989). [15] Internat. J. Cancer **44**, 48–52 (1989). [16] Agric. Biol. Chem. **52**, 1369–1375 (1988). [17] Dtsch. Apoth. Ztg. **129**, 2561–2571 (1989). [18] J. Assoc. Off. Anal. Chem. **71**, 542–546 (1988). [19] Pflanzenschutz-Höchstmengen-VO (PHmV) in der Neufassung vom 16. 10. 1989 (BGBl. I, S. 1862). [20] Ind. Obst-Gemüseverwert. **71**, 51–54 (1986). [21] Bundesgesundheitsblatt **30**, 331 (1987). [22] Bundesgesundheitsblatt **33**, 224 ff. (1990).
allg.: Auswertungs- u. Informationsdienst für Ernährung, Landwirtschaft u. Forsten (AID) e. V. (Hrsg.), Heft 1002, Obst, Bonn: AID 1988 ▪ Baltes, Lebensmittelchemie (4.), Berlin: Springer 1995 ▪ Belitz-Grosch (4.), S. 723–775 ▪ Daßler u. Heitmann, Obst u. Gemüse, Berlin: Parey 1991 ▪ Fülgraff, Lebensmitteltoxikologie, S. 202–230, Stuttgart: Ulmer 1989 ▪ Gassner, Mikroskopische Untersuchung pflanzlicher Lebensmittel (5.), S. 178–216, Stuttgart: Fischer 1989 ▪ Götz, Obstsortenatlas, Stuttgart: Ulmer 1989 ▪ Lindner, Toxikologie der Nahrungsmittel (4.), Stuttgart: Thieme 1990 ▪ Schobinger, Frucht- u. Gemüsesäfte (2.), S. 39–88, Stuttgart: Ulmer 1987 ▪ Ullmann (4.) **16**, 53–65 ▪ Wirths, Lebensmittel in ernährungsphysiologischer Bedeutung (3.), S. 87–106, Paderborn: Schöningh 1985 ▪ Zipfel, C 330–C 334.

Obstbrand s. Obstbranntwein.

Obstbranntwein. Nach allg. Sprachgebrauch die *Spirituose, die ausschließlich durch alkohol. Gärung u. *Destillation einer frischen, fleischigen Frucht od. des frischen *Mosts dieser Früchte gewonnen wird. Korrekterweise sollte die Bez. für oben genannte Erzeugnisse nach VO (EWG) Nr. 1576/89[1] Artikel 1 Absatz 4 Buchstabe i *Obstbrand* lauten, da nach Buchstabe d die Verkehrsbez. *Branntwein* ausschließlich für Produkte aus *Wein od. Brennwein vorgesehen ist. Der O. sollte so hergestellt sein, daß der Gehalt an flüchtigen Bestandteilen mind. 200 g/hL, der Gehalt an *Methanol höchstens 1000 g/hL u. der *Blausäure-Gehalt (aus enzymat. abgebautem *Amygdalin) von Stein-O. höchstens 10 g/hL beträgt. Der Name der verwendeten Frucht ist dem Wort „-brand" voranzustellen (z. B. Kirschbrand), wobei an Stelle des Wortes „-brand" auch das Wort „-wasser" verwendet werden kann. Die Bez. „Williams" ist nur für Obstbrand aus Williamsbirnen zu verwenden[2]. Vom Obstbrand zu unterscheiden sind die Produkte, die als „-geist" bezeichnet werden müssen, u. zu deren Herst. ganze, nicht vergorene Früchte, die in *Ethanol landwirtschaftlichen Ursprungs eingelegt wurden, verwendet werden[1]. Zur Herst. von O. dürfen nach § 102 Branntweinmonopolgesetz[3] nur die angegebenen Obstarten verwendet werden. Geograph. Angaben in der Kennzeichnung von O. sind als Herkunftsbez. zu verstehen, so daß „Schwarzwälder Kirschwasser" aus dem Schwarzwald kommen muß. Der Alkoholgehalt von O., deren *Maische nicht gezuckert werden darf, muß für Stein-O. mind. 37,5% vol [Artikel 3 Absatz 1 der VO (EWG), s. *Lit.*[1]] u. für Kern-O. mind. 38% vol betragen. Vor Inkrafttreten der oben genannten VO (EWG) war ein Mindestalkoholgehalt von 40% vol gefordert.

Analytik: Die Beurteilung von Reinheit u. Authentizität ist v. a. durch Verkostung aber auch durch Analyse der flüchtigen Verb. u. Aromastoffe möglich[4–7]. Zur Bestimmung der Gesamt-Blausäure existiert ein an die Wasseranalytik angelehntes photometr. Verf.[8] mit *Barbitursäure.

Herst.: O. wird durch Dest. der vergorenen Maische, die die z. T. zerkleinerten Kerne enthalten kann, gewonnen. Die Dest. wird in kupfernen Brennblasen durchgeführt. Das Destillat besteht aus Vorlauf, Nachlauf u. dem sog. Mittellauf (Herz). Nur letzterer wird nach Einstellen auf 40–50% vol in den Verkehr gebracht.

Toxikologie: Neben der tox. Wirkung des Alkohols sind v. a. bei Steinobstdestillaten die z. T. recht hohen Gehalte an carcinogenem Ethylcarbamat, s. Urethan (Mittelwert um 1,5 mg/L, bis 9,5 mg/L; s. Maraschino), ungünstig zu beurteilen. Der in Kanada rechtsverbindliche u. vom Bundesgesundheitsamt empfohlene Richtwert von 400 µg/L wird z. T. erheblich überschritten[9]. Versuche, Ethylcarbamat-arme Steinobstbrände herzustellen, sind in *Lit.*[10] beschrieben. Mit der Bildung des Ethylcarbamates[11] in O. u. dem Einfluß von Tageslicht auf diese Reaktion beschäftigt sich *Lit.*[12–14]. Die Reglementierung des Methanol-Gehaltes ist aus toxikolog. Sicht begrüßenswert, steht aber im Widerspruch zu einigen traditionellen Herst.-Verf.[15]. Jahresproduktion (BRD, 1989): 13,25 Mio. Liter. – ***E*** fruit-brandy – ***F*** eau-de-vie de fruits – ***I*** acquavite di frutta – ***S*** aguardiente de fruta

Lit.: [1] VO (EWG) Nr. 1576/89 des Rates der EG zur Festlegung der allg. Regeln für die Begriffsbestimmung, Bez. u. Aufmachung von Spirituosen vom 29. 05. 1989 in der Fassung vom 22. 12. 1994 (ABl. der EG Nr. L 366/1). [2] Koch, Getränkebeurteilung, S. 231–254, Stuttgart: Ulmer 1986. [3] Gesetz über das Branntweinmonopol vom 08. 04. 1922 in der Fassung vom 09. 12. 1988 (BGBl. I, S. 2231). [4] GIT Fachz. Lab. Suppl. **7**, 44–54 (1987). [5] Dtsch. Lebensm. Rundsch. **81**, 350–356

(1985). [6]Lebensmittelchem. Gerichtl. Chem. **39**, 30 ff. (1985). [7]Alkohol Ind. **13**, 287 ff. (1982). [8]Mitt. Klosterneuburg **35**, 42–53 (1985). [9]Food Add. Contam. **7**, 477–496 (1990). [10]Branntweinwirtschaft **128**, 122 (1988). [11]Mitt. Geb. Lebensmittelunters. Hyg. **78**, 317–324 (1987). [12]Lebensmittelchem. Gerichtl. Chem. **41**, 67 (1987). [13]Lebensmittelchemie **44**, 55 (1990). [14]Mitt. Geb. Lebensmittelunters. Hyg. **79**, 175–185 (1988). [15]Food Add. Contam. **5**, 343–351 (1988).
allg.: Belitz-Grosch (4.), S. 841 ▪ Bund für Lebensmittelrecht u. Lebensmittelkunde (Hrsg.), Begriffsbestimmungen für Spirituosen, abgedruckt in Spirituosenjahrbuch 1990, Berlin: Versuchs- u. Lehranstalt für Spirituosenfabrikation 1990 ▪ Pieper, Buchmann u. Kolb, Technologie der Obstbrennerei (2.), Stuttgart: Ulmer 1993 ▪ Ullmann (4.) **8**, 127–130 ▪ Zipfel, C 415, C 419. – *[HS 2208 90]*

Obstdicksäfte. Synonyme Bez. für Fruchsaftkonzentrat, s. Fruchtsäfte.

Obstipantien. Bez. für *Stopfmittel* (vgl. Obstipation), d. h. Mittel zur Verhinderung größerer Wasser- u. Elektrolytverluste bei *Diarrhöen; s. Antidiarrhoika. – ***E*** antidiarrheals – ***F*** agents constipants – ***I*** costipanti – ***S*** agentes constipantes
Lit.: s. Antidiarrhoika u. Diarrhöen.

Obstipation (latein.: obstipare = voll-, verstopfen). Bez. für die verzögerte bzw. erschwerte Entleerung des Darmes (Verstopfung). O. kann ein Symptom verschiedener Erkrankungen sein, die zu Verengungen des Darmkanals od. Störungen der Darmbewegungen (Peristaltik) führen. Zur symptomat. Behandlung werden *Abführmittel (Laxantien) eingesetzt. – ***E*** obstipation – ***F*** constipation – ***I*** costipazione, stipsi, stitichezza – ***S*** obstipación

Obstsaft s. Fruchtsäfte.

Obst(schaum)wein. Im Sinne des Weingesetzes 1930 [1] sind O. weinähnliche bzw. schaumweinähnliche Getränke (Verkehrsbez.). Zu ihrer Herst. dürfen nach § 10 des Weingesetzes 1930 nur die Säfte von frischem Stein-, Kern- od. Beerenobst sowie von *Hagebutten, *Schlehen u. frischem *Rhabarber sowie *Malz-Auszüge u. *Honig verwendet werden. Nach § 75 Absatz 4 des Weingesetzes 1982 [2] gilt das alte Weingesetz 1930 nur noch für oben genannte Produktgruppen u. nicht mehr für *Wein. Die Zulassung technolog. wichtiger Stoffe zur Herst. von weinähnlichen Getränken regelt Artikel 7 Absatz 2 der VO [3] zur Durchführung des Weingesetzes 1930. Verbotene Stoffe sind in Artikel 13 aufgeführt. O. darf nach Artikel 14 mit *Sorbinsäure bis 200 mg/L konserviert werden. Auf dem Etikett sind das Land, in dem das Erzeugnis auf die Flasche gefüllt wurde, u. die Fruchtart anzugeben (z. B. „dtsch. Erdbeerschaumwein"). An die Stelle des Wortes „Schaumwein" darf bei O. nicht das Wort „Sekt" treten. Der Zusatz von fertiger Kohlensäure muß kenntlich gemacht werden [4].
Herst.: Die Obstmaischen werden gekeltert u. der abgepreßte *Most vergoren. Bei säurereichen Mosten wird Zucker zugesetzt, bei säurearmen (Birne) *Milchsäure bis 3 g/L. Ansonsten entsprechen die kellertechn. Maßnahmen denen der Sekt- u. Weinbereitung. Jahresproduktion, Obstwein (BRD, 1989): 56,02 Mio. Liter; Jahresproduktion Obstschaumwein (BRD, 1989): 11,9 Mio. Liter.
Analytik.: Anhand der chirospezif. Analyse enantiomerer δ-Lactone lassen sich natürliche von naturident. Aromastoffen im Fruchtwein trennen u. deren Authentizität überprüfen [5].
Bez.: Französ. Apfelwein = Cidre, französ. Birnenwein = Poiré; s. a. alkoholische Getränke. – ***E*** fruit (sparkling) wine – ***F*** vin (champagnisé) de fruits – ***I*** vino (spumante) di frutta – ***S*** vino (espumoso) de fruta
Lit.: [1]Weingesetz vom 25. 07. 1930 in der Fassung vom 02. 03. 1974 (BGBl. I, S. 469, 631). [2]Neufassung des Weingesetzes vom 17. 08. 1982 in der Fassung vom 08. 07. 1994 (BGBl. I, S. 1467, 1485). [3]VO zur Ausführung des Weingesetzes vom 16. 07. 1932 in der Fassung vom 22. 12. 1982 (BGBl. I, S. 1625). [4]VO (EWG) Nr. 2392/89 des Rates zur Aufstellung allg. Regeln für die Bezeichnung u. Aufmachung der Weine u. der Traubenmoste vom 24. 07. 1989 in der Fassung vom 26. 06. 1996 (ABl. der EG Nr. L 184/3). [5]Chem. Mikrobiol. Technol. Lebensm. **12**, 105–110 (1989).
allg.: Belitz-Grosch (4.), S. 837 ▪ Koch, Getränkebeurteilung, S. 145–151, Stuttgart: Ulmer 1986 ▪ Schanderl, Koch u. Kolb, Fruchtweine (7.), Stuttgart: Ulmer 1981 ▪ Vogt, Der Wein (9.), Stuttgart: Ulmer 1984 ▪ Würdig u. Woller (Hrsg.), Chemie des Weines, S. 746–773, Stuttgart: Ulmer 1989 ▪ Zipfel, C 407. – *[HS 2206 00]*

Obtusallen I.

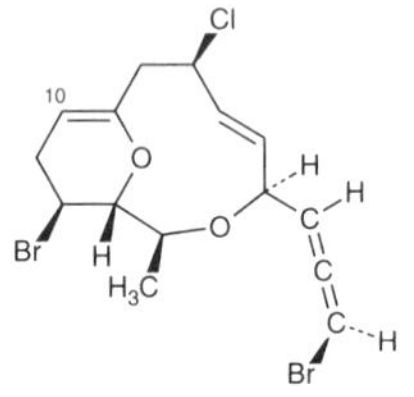

$C_{15}H_{17}Br_2ClO_2$, M_R 424,55, Krist., Schmp. 165–167 °C, $[\alpha]_D^{17}$ –250° ($CHCl_3$). Das Allen O. I wurde zunächst aus der Alge *Laurencia obtusa* isoliert, kommt aber auch in anderen *Laurencia*-Arten vor. Es wird von zahlreichen anderen halogenierten C_{12}–C_{20}-Fettsäure-Derivaten begleitet, die antifung. wirken. Durch Etherbrücken-Bildung liegt O. als 3,13-Dioxabicyclo[7.3.1]trideca-5,9-dien vor. – ***E*** = ***I*** obtusallene I – ***F*** obtusallène I – ***S*** obtusaleno I
Lit.: Acta Crystallogr. Sect. B **38**, 1386 (1982) ▪ Scheuer I **5**, 247 f. ▪ Tetrahedron **47**, 2273 (1991) (O. II) ▪ Tetrahedron Lett. **23**, 579 (1982). – *[CAS 81920-18-5]*

. . .ocan. Suffix für gesätt. achtgliedrige *heterocyclische Verbindungen im *Hantzsch-Widman-System (IUPAC-Regel R-2.3.3); *Beisp:* 1,3,5,7-Tetroxocan (*Tetraoxan, tetramerer *Formaldehyd), 1,3,5,7-Tetrazocan (vgl. Octogen; IUPAC bis 1983, Chemical Abstracts: Octahydro-1,3,5,7-tetrazocin). – ***E*** . . .ocane – ***F*** . . .ocan(n)e – ***I*** = ***S*** . . .ocano

OCB. Abk. für Octachlorbiphenyl(e), s. PCB.

Occidental Petroleum. Kurzbez. für den 1920 gegr. (oft kurz *Oxy* genannten) amerikan. Konzern Occidental Petroleum Corp., Occidental Tower, Dallas, Texas 75240, USA. *Tochter- u. Beteiligungsges.:* Canadian Occidental Petroleum, Ltd., Kanada (30%); Mid-Con Corp., USA; Natural Gas Pipeline Company of America, USA; Occidental Chemical Corp. USA; Occidental Oil and Gas Corp., USA. *Daten* (1995): 12 380 Beschäftigte, 10,7 Mrd. $ Umsatz. *Produktion:* Erdöl u. Erdgas, Kohle, Ind.-Chemikalien, Basischemikalien, Polymere, Kunststoffe, bes. PVC. *Vertretung* in der BRD (für chem. Produkte): Occidental Chemical Deutschland GmbH, 45143 Essen.

Occupational Safety and Health Act s. NIOSH.

Occupational Safety and Health Administration s. OSHA.

OCDD, OCDF s. Dioxine.

OCDE. Abk. für Octachlordiphenylether, s. PCDE.

Océ. Kurzbez. für die 1871 gegr. Océ N. V., NL-5900 MA Venlo. *Daten* (1996): 1,3 Mrd. Gulden Umsatz. *Produktion:* Chemikalien u. Geräte für die Reprographie u. Kopierer, Druck etc. *Vertretung* in der BRD: Océ-Deutschland GmbH, 45481 Mühlheim/Ruhr.

...ocen. An Namensstämme der Metalle angehängtes Suffix für Bis(η^5-cyclopentadienyl)-Komplexe (IUPAC-Regel I-10.9.3), s. Cobalt-organische Verbindungen, Ferrocen, Metallocene. – ***E*** **=*I*** ...ocene – ***F*** ...ocène – ***S*** ...oceno

Ochoa, Severo (1905–1993), Prof. für Biochemie, New York. *Arbeitsgebiete:* Vitamin B_1, Molekularbiologie, Nucleinsäuren, Biosynth. von Ribonucleinsäure, Enzyme, Isolierung von Polynucleotid-Phosphorylase, Translation, genet. Code; zusammen mit A. *Kornberg 1959 Nobelpreis für Physiologie od. Medizin.
Lit.: Annu. Rev. Biochem. **49**, 1–30 (1980) ▪ Lexikon der Naturwissenschaftler, S. 313 ▪ Nachmansohn, S. 275f., 288ff., 354f. ▪ Pötsch, S. 326.

Ochotensin.

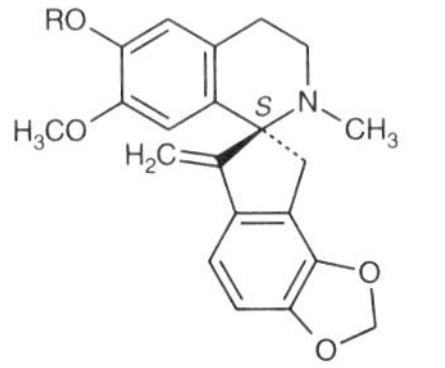

$C_{21}H_{21}NO_4$, M_R 351,40, Prismen, Schmp. 252 °C, $[\alpha]_D^{24}$ +51,7° ($CHCl_3$). Spiro-*Benzylisochinolin-Alkaloid aus *Corydalis*-Arten (Lerchensporn, Papaveraceae), vgl. Corydalis-Alkaloide. Der 6-Methylether *Ochotensimin* kommt ebenfalls im Lerchensporn vor ($C_{22}H_{23}NO_4$, M_R 365,43, Öl). Racem. O. ist synthet. mittels Pictet-Spengler-Synth. hergestellt worden. – ***E*** **=*F*** ochotensine – ***I*** **=*S*** ochotensina
Lit.: ApSimon **3**, 49ff. ▪ Beilstein EV **27/25**, 126 ▪ Can. J. Chem. **47**, 2501 (1969) (Synth.); **52**, 2818 (1974) (Biosynth.); **56**, 383 (1978) (Isolierung) ▪ J. Chem. Soc. C **1968**, 3051 ▪ Ullmann (5.) **A 1**, 376. – *[HS 2939 90; CAS 4959-88-0 (O.); 4829-36-1 (Ochotensimin); 21008-78-6 ((±)-O.)]*

Ochracin s. Mellein.

Ochratoxin A.

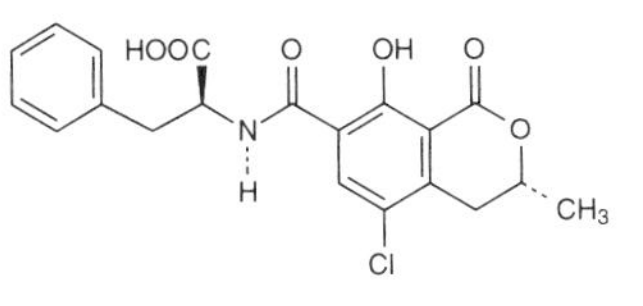

$C_{20}H_{18}ClNO_6$, M_R 403,82, Schmp. 169–173 °C. Ein *Mykotoxin aus *Aspergillus ochraceus* od. a. *Aspergillus*- sowie *Penicillium*-Arten in verwelkenden Pflanzen, feuchtem Getreide u. vielen Lebensmitteln; ein Nachw. gelang auch in Nahrungsmitteln aus Tieren, an die verseuchtes Getreide verfüttert worden war. O. A zeigt eine hohe akute Toxizität (LD_{50} 22 mg/kg bei Ratten oral), bei chron. Aufnahme wirkt es nierenschädigend sowie krebserregend bei Ratten u. Mäusen. Die akute Toxizität kann durch Phenylalanin aufgehoben werden. O. A hemmt die Beladung der tRNS mit Phe durch die Phe-tRNS-Synthase u. gilt als ein Auslöser der „endem. Balkan-Nephropathie", einer Nierenerkrankung des Menschen in Bulgarien, Jugoslawien u. Rumänien. Mit der Krankheit wird auch eine hohe Krebsrate im Bereich des Nierenbeckens, der Harnleiter u. Blase assoziiert. Biogenet. entstehen die O. aus Phenylalanin u. einem Dihydroisocumarin-Teil (Pentaketid). Einige Länder haben bereits Höchstmengenregelungen wie Dänemark, Rumänien, Brasilien. O. A zeigt einen hohen „carry-over". Bei der Verfütterung von O. A-haltigem Getreide an Schweine od. Hühner findet man es bes. in den Nieren, aber auch im Blut u. im Muskel, Rindfleisch enthält kein O. A, da es im Pansen metabolisiert wird. – ***E*** ochratoxin A – ***F*** ochratoxine A – ***I*** ocratossina A – ***S*** ocratoxina A
Lit.: Beilstein EV **18/9**, 56 ▪ Bioact. Mol. **10**, 57 (1989) ▪ Mycotoxins **1974**, 345 ▪ Pure Appl. Chem. **54**, 2220 (1982); **64**, 1029 (1992). – *[CAS 303-47-9]*

Ochronose s. Homogentisinsäure.

Ochsengalle (Rindergalle, Fel Tauri). Bräunlichgrüne, schleimige Masse od. gelbliches, feinkörniges, hygroskop. Pulver mit typ. Gallegeruch, erst süßlichem, später bitterem Geschmack; in Wasser löslich. O. enthält Natriumsalze von *Taurocholsäure u.a. *Gallensäuren sowie *Gallenfarbstoffe, *Cholesterin, *Lecithin, *Cholin usw. O. wird v.a. in Präp. zur Behandlung von Störungen der Leber- u. Gallenfunktion (s. Galle) u. aufgrund ihrer emulgierenden u. Netzmittel-Wirkung für techn. Emulsionen, Aquarellfarben, Seifen u. in bakteriolog. Spezialnährböden verwendet. – ***E*** ox gall – ***F*** fiel de boeuf – ***I*** bile di bue – ***S*** hiel de buey
Lit.: DAB **6** Ergänzungsbuch ▪ Hager (4.) **4**, 920ff. – *[HS 0510 00]*

Ocimen [3,7-Dimethyl-1,3,6(7)-octatrien]. Ungesätt. acycl. Monoterpen, das meist als Isomeren-Gemisch vorliegt. $C_{10}H_{16}$, M_R 136,23, Öl, Sdp. ca. 60 °C.

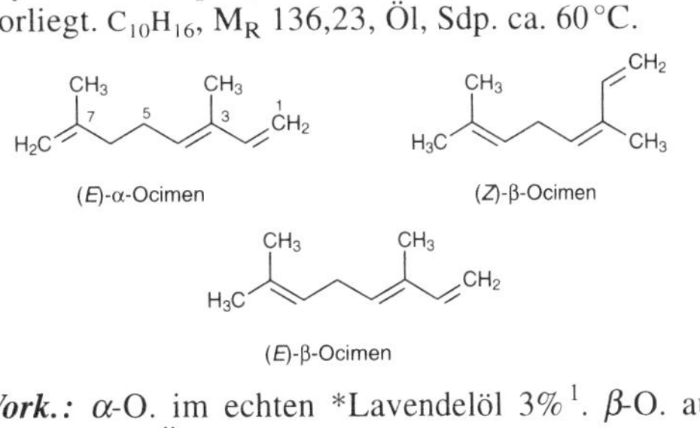

(*E*)-α-Ocimen (*Z*)-β-Ocimen

(*E*)-β-Ocimen

Vork.: α-O. im echten *Lavendelöl 3%[1]. β-O. aus *Basilikum-Öl (*Ocimum basilicum*) u. aus dem ether. Öl der Studentenblume (*Tagetes minuta*, Asteraceae) 41%[2]. – ***E*** **=*I*** ocimene – ***F*** β-ocimène – ***S*** ocimeno
Lit.: [1] Helv. Chim. Acta **43**, 1619 (1960). [2] Phytochemistry **10**, 1359 (1971).
allg.: Beilstein EIV **1**, 1108 ▪ Karrer, Nr. 30 ▪ Merck-Index (12.), Nr. 6837 ▪ Ullmann (5.) **A 11**, 154. – *[CAS 6874-10-8 ((E)-α-O.); 3779-61-1 ((E)-β-O.); 3338-55-4 ((Z)-β-O.)]*

Ocimenon [(*E*)- u. (*Z*)-2,6-Dimethyl-2,5,7-octatrien-4-on].

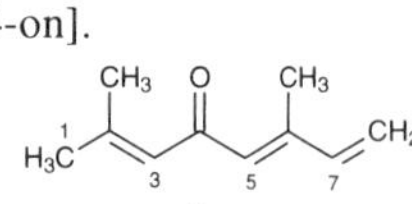
E

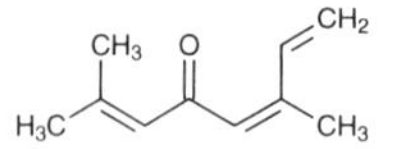
Z

Ungesätt. acycl. Monoterpen-Keton, das in *E*- u. *Z*-Konfiguration vorkommt. $C_{10}H_{14}O$, M_R 150,22, Öl, Sdp. 72–74 °C (2 kPa, Isomeren-Gemisch).
Vork.: Mischung von (*E*)- u. (*Z*)-O. im ether. Öl der Studenten-Blume (*Tagetes minuta*, Asteraceae) [1]. Die 2,3-Dihydro-Derivate von O., das (*E*)- u. (*Z*)-*Tageton* ($C_{10}H_{16}O$, M_R 152,24), sind neben O. u. *Ocimenen die charakterist. Naturstoffe in den ether. Ölen der Tagetes-Arten [2]. (*Z*)-O. ist im ether. Öl von *Lippia asperifolia* (Verbenaceae) zu ca. 5% enthalten [3]. Zur Synth. s. *Lit.* [4]. – ***E*** = ***I*** ocimenone – ***S*** ocimenona
Lit.: [1] Phytochemistry **10**, 1359 (1971). [2] Hegnauer, Chemotaxonomie der Pflanzen, Bd. III, S. 457, Basel: Birkhäuser 1983. [3] Helv. Chim. Acta **31**, 29 (1948). [4] Tetrahedron Lett. **1976**, 1625.
allg.: Karrer, Nr. 438. – *[CAS 33746-72-4 ((E)-O.); 33746-71-3 ((Z)-O.); 6752-80-3 ((E)-Tageton); 3589-18-9 ((Z)-Tageton)]*

...ocin. Suffix für ungesätt. achtgliedrige *heterocyclische Verbindungen im *Hantzsch-Widman-System (IUPAC-Regel R-2.3.3); für partiell gesätt. Derivate fügt man *Hydr(o)-Präfixe zu; gesätt. Verb.: s. ...ocan. Engl. Namen für Stickstoff-haltige Ringe enden auf ...ocine (i lang), für übrige Ringe oft, z. B. in Chemical Abstracts, auf ...ocin (i kurz), analog im Französ. u. Spanischen. – ***E*** ...ocine (...ocin) – ***F*** ...ocine (...ocinne) – ***I*** ...ocina – ***S*** ...ocina (...ocín)

Ocker. Von griech.: ochra abgeleiteter Name für natürlich vorkommende Verwitterungsprodukte von Eisenerzen (*Eisenocker*), als *Kalkocker* auch mit Silicaten, Kalk, Gips od. Schwerspat, die wegen ihres hohen Gehaltes an Eisenoxiden, Eisenhydroxiden od. bas. Eisensulfaten (12–60%) u. ihrer im Gegensatz zu *Umbra geringen Mangan-Gehalte hellgelbe bis gelbbraune u. rote Farbtöne aufweisen u. daher nach feiner Zermahlung, Schlämmung usw. als *Pigment mit Leinöl, Lacken, Kalk, Casein, Leim od. Wasserglas angerührt u. verstrichen werden. D. 2,1–3,4; beim Erhitzen nehmen die nicht von Natur aus roten O. infolge Bildung von Fe_2O_3 eine rote Farbe an. O.-Anstriche widerstehen der Einwirkung von Licht, Luft u. Alkalien. Der Begriff O. ist auch Bestandteil der Namen einiger erdiger gelber Mineralien, z. B. *Wismutocker, Uran-O., Antimonocker.
Vork.: O. werden abgebaut auf Zypern (gelber O.; s. *Lit.* [1]), in Spanien („Spanisch Rot" u. gelber O.; s. *Lit.* [2]), England, Frankreich, Italien (brauner O., *Terra di Siena), in den USA, in der Republik Südafrika (brauner u. roter O.) u. in Indien (roter O.).
Verw.: In verschiedenen Farbtönen u. unter histor. Namen wie Chamois, Chines. od. Engl. Ocker, Dän., Span. od. Berliner Rot sind gelber, roter, brauner O. usw. seit altersher (Höhlenzeichnungen von Altamira!) als anorgan. Pigmente (*Eisenoxid-Pigmente) im Gebrauch. – ***E*** ochre – ***F*** = ***S*** ocre – ***I*** ocra
Lit.: [1] Ind. Miner. (London) **207**, 21–35 (1984). [2] Ind. Miner. (London) **217**, 23–63 (1985).
allg.: Harben u. Bates, Industrial Minerals, Geology and World Deposits, S. 141–144, London: Industrial Minerals Division of Metal Bulletin Plc 1990 ▪ Ind. Miner. (London) **229**, 21–31 (1986) ▪ Ullmann (5.) **A 3**, 145 ▪ s. a. Eisenoxid-Pigmente u. Pigmente. – *[HS 2530 90; CAS 1343-81-3]*

Ocrat-Verfahren. Verf., bei dem Betonfertigteile im Vak. od. unter Druck mit gasf. SiF_4 behandelt werden. Dabei geht das CaO des Zements in ziemlich tiefer Schicht in unlösl., säurebeständiges CaF_2 über u. es entstehen gleichzeitig porenverstopfende, härtende Kieselsäurehydrate:

$$SiF_4 + 2\,Ca(OH)_2 \rightarrow 2\,CaF_2 + SiO_2 \cdot 2\,H_2O.$$

Der so behandelte Beton hat höhere Festigkeit u. ist sogar gegen Salzsäure beständig. – ***E*** ocratation – ***F*** procédé d'Ocrat – ***I*** processo Ocrat – ***S*** procedimiento Ocrat

Oct(a)... Von latein.: octo (griech.: oktō) = acht abgeleitetes *Multiplikationspräfix. – ***E*** oct(a)... – ***F*** = ***S*** octa... – ***I*** ott(a)...

Octabrombiphenyle s. PBB.

Octacain.

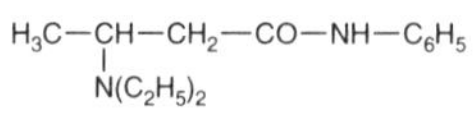

Internat. Freiname für das *Lokalanästhetikum (±)-3-(Diethylamino)-butyranilid, $C_{14}H_{22}N_2O$, M_R 234,34, Schmp. 46–47 °C, Sdp. 200 °C (1,3 hPa). Verwendet wird meist das Hydrochlorid, M_R 270,80, Schmp. 132–134 °C, in Wasser löslich. O. ist in Kombination mit *Bacitracin u. *Neomycin-sulfat in Batrax® Nasensalbe (Gewo) enthalten. – ***E*** octacaine – ***F*** octacaïne – ***I*** ottacaina – ***S*** octacaína
Lit.: Beilstein EIV **12**, 1024 ▪ Martindale (29.), S. 1224. – *[HS 2924 29; CAS 13912-77-1 (O.); 59727-70-7 (Hydrochlorid)]*

Octachlorbiphenyle s. PCB.

Octadec(a)... Von latein.: octodecim (griech.: oktokaídeka) = achtzehn abgeleitetes *Multiplikationspräfix. – ***E*** = ***F*** = ***S*** octadec(a)... – ***I*** ottadec(a)...

(*Z,Z*)-9,12-Octadecadiensäure s. Linolsäure.

Octadecan. $H_3C\text{–}(CH_2)_{16}\text{–}CH_3$, $C_{18}H_{38}$, M_R 254,50. Farbloses Wachs, D. 0,7822, Schmp. 28–30 °C, Sdp. 317 °C, unlösl. in Wasser, lösl. in organ. Lsm.; dient als Eichsubstanz in der Gaschromatographie u. Spektroskopie. – ***E*** octadecane – ***F*** octadécane – ***I*** ottadecano – ***S*** octadecano
Lit.: Beilstein EIV **1**, 553 ▪ Ullmann (5.) **A 13**, 229 ff. ▪ s. a. Alkane. – *[HS 2901 10; CAS 593-45-3]*

1-Octadecanamin (Octadecylamin, Stearylamin). $H_3C\text{–}(CH_2)_{17}\text{–}NH_2$, $C_{18}H_{39}N$, M_R 269,51. Wachsartiges, hautreizendes, nahezu weißes Produkt, Schmp. 37–39 °C, Siedegrenzen 150–170 °C (5 hPa), unlösl. in Wasser, lösl. in Alkohol u. Ether. – ***E*** 1-octadecanamine – ***F*** 1-octadécanamine – ***I*** 1-ottadecanammina – ***S*** 1-octadecanamina
Lit.: Beilstein EIV **4**, 825 ▪ s. Fettamine. – *[CAS 124-30-1]*

Octadecandiensäure s. Linolsäure.

1-Octadecanol (Octadecylalkohol, Stearylalkohol). $H_3C\text{–}(CH_2)_{17}\text{–}OH$, $C_{18}H_{38}O$, M_R 270,50. Farblose Blättchen, D. 0,8124, Schmp. 59 °C, Sdp. 211 °C, unlösl. in Wasser, lösl. in Alkohol u. Ether. Zur Herst. wird vor-

wiegend von Palmöl od. Rindertalg ausgegangen, die über die Stufe der Methylester zu den *Fettalkoholen veredelt werden. Auf diesem Wege werden techn. Gemische von O. u. 1-Hexadecanol erhalten, die destillativ aufgetrennt werden können.
Verw.: In der Textil-Ind. als *Schmälzmittel, zum *Schlichten, zur *Avivage, zur Herst. von *Tensiden, kosmet. Präp., Schmiermitteln, Schaumverhütungsmitteln u. dgl. – ***E*** = ***S*** 1-octadecanol – ***F*** 1-octadécanol – ***I*** 1-ottadecanolo
Lit.: Ullmann (5.) **A 10**, 277–296 ▪ s. a. Fettalkohole. – *[HS 2905 17; CAS 112-92-5]*

Octadecansäure s. Stearinsäure.

Octadecatriensäure s. Elaeostearinsäure u. Linolensäure.

9-Octadecen-1-ol. $H_3C–(CH_2)_7–CH=CH–(CH_2)_8–OH$, $C_{18}H_{36}O$, M_R 268,48. *cis*-O. (Oleylalkohol) ist eine farblose Flüssigkeit, D. 0,849, Schmp. 6–7 °C, Sdp. 205–210 °C (20 hPa), unlösl. in Wasser, lösl. in Alkohol u. Ether.
Herst.: Man geht vorzugsweise von Ölsäure-reichen *Fetten u. Ölen aus, wie z. B. *Rapsöl, *Olivenöl od. *Sonnenblumenöl. Die Säuren werden zunächst in die Methylester überführt u. dann in Ggw. von Cu/Zn/Cr- od. Cu/Cd/Cr-Katalysatoren unter Erhalt der Doppelbindung zu den Alkoholen hydriert. Hierbei fällt O. als techn. Gemisch mit anderen *Fettalkoholen (*1-Hexadecanol, Stearylalkohol, Linolylalkohol, Linoleylalkohol) an, aus dem der Oleylalkohol durch fraktionierte Dest. rein gewonnen werden kann. Techn. O. kann bis zu 50% *trans*-O. [Elaidylalkohol, D. 0,834, Schmp. 34–37 °C, Sdp. 198 °C (13 hPa)] enthalten.
Verw.: Zum *Imprägnieren, als *Schmälzmittel, zum *Schlichten sowie zur Herst. von *Tensiden, Antischaummitteln, kosmet. Präp. u. dgl. – ***E*** = ***S*** 9-octadecen-1-ol – ***F*** 9-octadécen-1-ol – ***I*** 9-ottadecen-1-olo
Lit.: Ullmann (5.) **A 10**, 277–296 ▪ s. a. Fettalkohole. – *[HS 2905 29; CAS 143-28-2]*

Octadecensäure s. Elaidinsäure [= (*E*)-9-O.], Ölsäure [= (*Z*)-9-O.], Petroselinsäure [= (*Z*)-6-O.] u. Vaccensäure [= (*E*)-11-O.].

Octadecylisocyanat (veraltet: Stearylisocyanat). $H_3C–(CH_2)_{16}–CH_2–N=C=O$, $C_{19}H_{37}NO$, M_R 295,51. Farblose, hochtox., tränenreizende Flüssigkeit, Schmp. 15–16 °C, Sdp. 170 °C (3 hPa). Die Herst. erfolgt aus Octadecylamin durch Direktphosgenierung (s. Phosgen). Das techn. Produkt enthält oft etwas Hexadecylisocyanat. O. wird zur Herst. von Hydrophobiermitteln für die Papier- u. Textil-Ind., als Weichmacher in Verb. mit Knitterfestausstattung u. dgl. verwendet. – ***E*** octadecyl isocyanate – ***F*** isocyanate d'octadécyle – ***I*** ottadecilisocianato – ***S*** isocianato de octadecilo
Lit.: Beilstein EIV **4**, 834 ▪ Giftliste ▪ s. a. Isocyanate. – *[HS 2929 10; CAS 112-96-9; G 6.1]*

Octadehydrocorrin s. Corrin.

Octadon®. Schmerztabl. mit *Salacetamid, *Paracetamol, *Ethenzamid u. *Coffein, auch gegen Fieber, *O. N* nur mit Paracetamol. ***B.:*** Chefaro (Vertrieb)/Thiemann (Herst.).

Octafluorcyclobutan s. Fluorkohlenwasserstoffe.

Octafluorpropan s. Fluorkohlenwasserstoffe.

Octaketide s. Polyketide.

Octamer-Transkriptionsfaktoren (OTF, Oct-Proteine). Bez. für eine Gruppe von *Transkriptionsfaktoren, die im Zellkern an eine spezielle *Desoxyribonucleinsäure-Sequenz aus 8 Basenpaaren (das „Octamer": ATGCAAAT) bzw. an verwandte Sequenzen binden u. dadurch die Differenzierung verschiedener Zelltypen regulieren. Während der Faktor OTF-1 (Oct-1-Protein) in allen bisher darauf untersuchten Zelltypen vorkommt u. für die Biosynth. des *Histons 2B notwendig ist, finden sich OTF-2A u. -2B hauptsächlich in B-*Lymphocyten u. sind für die Synth. von *Immunglobulinen zuständig. Weitere Oct-Proteine sind an der Embryogenese u. postnatalen Entwicklung verschiedener Gewebe beteiligt. Die OTF sind untereinander in ihrer Primärstruktur verwandt u. besitzen eine 150–160 Aminosäure-Reste lange Sequenz, die in ähnlicher Weise auch im Hypophysen-spezif. Transkriptionsfaktor Pit-1 u. im Unc-86-Protein, einem Differenzierungsfaktor bei dem Fadenwurm *Caenorhabditis elegans*, vorhanden ist. Nach den Anfangsbuchstaben von Pit, Oct u. Unc nennt man diese Sequenz die *POU-Domäne*, die neben einer *POU-spezif. Domäne* auch die *Homöo-Domäne* (vgl. dort) enthält. Erstere wird durch einen *POU-Box* genannten Genabschnitt codiert, für letztere ist die sog. *Homöo-Box* zuständig. – ***E*** octamer transcription factors – ***F*** facteurs de transcription octamère – ***I*** fattori di trascrizione ottamero – ***S*** factores de transcripción octámero
Lit.: Mol. Biol. **30**, 296–302 (1996) ▪ Nature (London) **362**, 852–855 (1993).

Octamylamin.

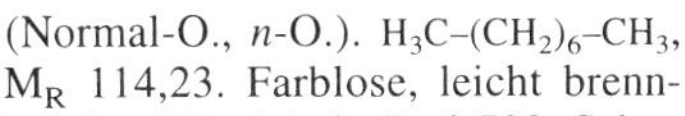

Internat. Freiname für das muskulotrope *Spasmolytikum (±)-*N*-Isopentyl-6-methyl-2-heptanamin, $C_{13}H_{29}N$, M_R 199,37, Sdp. 100–101 °C (9,3 hPa). O. wurde 1942 von Knoll patentiert. – ***E*** = ***F*** octamylamine – ***I*** ottamilammina – ***S*** octamilamina
Lit.: Beilstein E III **4**, 387 ▪ Hager (5.) **8**, 1225. – *[HS 2921 19; CAS 502-59-0]*

Octan (Normal-O., *n*-O.). $H_3C–(CH_2)_6–CH_3$, C_8H_{18}, M_R 114,23. Farblose, leicht brennbare, flüchtige Flüssigkeit, D. 0,703, Schmp. –57 °C, Sdp. 126 °C, FP. 13 °C, unlösl. in Wasser, lösl. z. B. in Benzin, Benzol, Alkohol. Die Dämpfe wirken in hohen Konz. narkot. u. führen zu Herzrhythmusstörungen. Kontakt mit der Flüssigkeit führt zu Reizung der Augen u. der Haut, MAK 500 ppm bzw. 2350 mg/m^3, WGK 1. O. ist ein Bestandteil des Erdöls u. Benzins, es gibt im Gegensatz zu verzweigtkettigen O. mit Harnstoff *Einschlußverbindungen (Trennungsmöglichkeit).

F 

Verw.: Bezugssubstanz in der GC; Aromatisierung zu Xylolen u. Ethylbenzol; hauptsächlich als Lsm. u. bei azeotropen Destillationen. Zur Bestimmung der *Octan-Zahl dient nicht O., sondern eines der 18 Isomeren (*Isooctan). – ***E*** = ***F*** octane – ***I*** ottano – ***S*** octano
Lit.: Beilstein E IV **1**, 412–418 ▪ Brauer, Gefahrstoff-Sensorik, Landsberg: ecomed 1988–1990 ▪ Braun-Dönhardt, S. 277 f. ▪ Hommel, Nr. 447 ▪ Merck-Index (12.), Nr. 6847 ▪

Ullmann (5.) **A 13**, 229 ▪ s. a. Alkane. – *[HS 2901 10; CAS 111-65-9; G 3]*

Octanal (Octylaldehyd, Caprylaldehyd). $H_3C–(CH_2)_6–CHO$, $C_8H_{16}O$, M_R 128,21. Angenehm fruchtartig riechende, farblose Flüssigkeit, D. 0,827, Sdp. 168 °C, FP. 52 °C, WGK 1 (Selbsteinst.). O. wird durch *Hydroformylierung von 1-Hepten od. durch Oxid. von 1-Octanol hergestellt u. zur Herst. von synthet. Rosenöl, Citronenöl u. dgl. verwendet. – ***E*** = ***F*** = ***S*** octanal – ***I*** ottanale

Lit.: Beilstein E IV **1**, 3337 f. ▪ Gildemeister **3a**, 471; **3c**, 23 ▪ Merck-Index (12.), Nr. 1809 ▪ Ullmann (5.) **A 1**, 323, 329 f.; **A 11**, 149. – *[HS 2912 19; CAS 124-13-0; G 3]*

Octanamine (Octylamine).

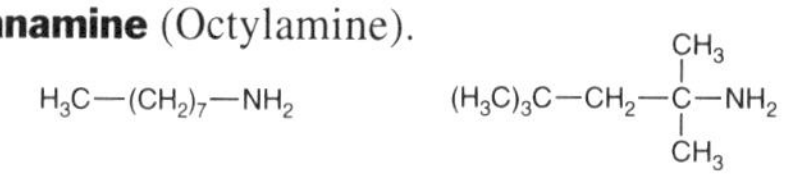

a b

$C_8H_{19}N$, M_R 129,25. Von Bedeutung sind nur das *1-O.* (1-Aminooctan, Caprylamin) (a), D. 0,775, Schmp. –1 °C, Sdp. 179 °C, FP. 63 °C, WGK 2 u. das sog. *tert.-Octylamin* (1,1,3,3-Tetramethylbutylamin, 2,4,4-Trimethyl-2-pentanamin) (b), D. 0,794, Sdp. 137–143 °C, FP. 51 °C. Die O. sind farblose, Amin-artig riechende Flüssigkeiten, wenig lösl. in Wasser, lösl. in den üblichen organ. Lösemitteln.

Verw.: Als Zwischenprodukte für Weichspülmittel, Korrosionsinhibitoren, Vulkanisationsbeschleuniger, Insektizide, Fungizide, Bakterizide, Pharmazeutika, Farbstoffe, Bezugssubstanz in der Gaschromatographie. – ***E*** = ***F*** octanamines – ***I*** ottanammine – ***S*** octanaminas

Lit.: Beilstein E IV **4**, 751 f. ▪ Ullmann (5.) **A 2**, 8 ff. ▪ s. a. Amine. – *[HS 2921 19; CAS 111-86-4 (a); 107-45-9 (b); G 8]*

Octanate s. Octanoate.

1,8-Octandicarbonsäure s. Sebacinsäure.

Octandisäure s. Korksäure.

Octanoate. Sammelbez. für die auch *Octanate* genannten, hier jedoch unter der in der Technik gebräuchlichen Bez. Octoate behandelten Salze u. Ester der *Octansäure (*Caprylsäure*) u. der *2-Ethylhexansäure. – ***E*** = ***F*** octanoates – ***I*** ottanoati – ***S*** octanoatos

Octanole (Octylalkohole). $C_8H_{18}O$, M_R 130,23. Die unverzweigten O. sind angenehm riechende, farblose Flüssigkeiten; die beiden wichtigsten Vertreter sind: (a) *1-O.* (Caprylalkohol), $H_3C–(CH_2)_7–OH$, D. 0,827, Schmp. –17 °C, Sdp. 195 °C, WGK 1; Kontakt mit der Flüssigkeit führt zu Reizung der Augen u. der Haut. – (b) *2-O.*, $H_3C–(CH_2)_5–CH(OH)–CH_3$; *RS*-Form (Racemat): D. 0,8193, Schmp. –38 °C, Sdp. 178 °C, WGK 1 (Selbsteinst.); (*R*)-Form: $[\alpha]_D^{20}$ –9,5° (unverd.). Die O. sind nicht wasserlösl., leicht lösl. dagegen in Ethanol u. Ether.

Verw.: (*R*)-2-O. u. (*S*)-2-O. finden in der stereoselektiven Synth. Verwendung. So lassen sich z. B. mit ihrer Hilfe opt. aktive 1-Methylheptyl-Verb. aufbauen od. racem. Carbonsäuren durch Bildung diastereomerer Carbonsäure-(1-methylheptyl)-ester trennen (s. Racemattrennung). Sie sind auch Bausteine für die Herst. von *flüssigen Kristallen. 1-O. ist Modellverb. in der *Hansch-Analyse, bei der es um die Ableitung von quant. Struktur-Wirkungsbeziehungen aus physikal.-chem. Eigenschaften, wie z. B. dem 1-Octanol/Wasser-Verteilungskoeff. für interessante Verb. in der medizin. Chemie, geht. Weitere Verw. finden O. in der Parfümerie u. Kosmetik, als Lsm. (für Fette u. Wachse) u. Weichmacher, als Schaumverhütungsmittel, zur Herst. von Netzmitteln u. Mineralöladditiven.

Als *Octylalkohole* werden oftmals auch verzweigte Isomere bezeichnet, die z. B. über Oxo-Synth. od. Aldol-Addition zugänglich sind u. zur Herst. von Weichmachern verwendet werden; wichtigstes dieser Isomeren ist *2-Ethyl-1-hexanol. – ***E*** = ***F*** octanols – ***I*** ottanoli – ***S*** octanoles

Lit.: Beilstein E IV **1**, 1756 ff., 1770 f., 1779 ▪ Giftliste ▪ Gildemeister **3a**, 469 ff. ▪ Hommel, Nr. 152 ▪ Janistyn **2**, 223 f. ▪ McKetta **6**, 402–410 ▪ Merck-Index (12.), Nr. 6590, 6595, 6849 ▪ Ullmann (5.) **A 1**, 290 f.; **A 10**, 279, 294. – *[HS 2905 16; CAS 111-87-5 (1-O.), 123-96-6 (2-O. allg.); 4128-31-8 ((RS)-2-O.); 5978-70-1 ((R)-2-O.); 6196-06-8 ((S)-2-O.); G 3]*

Octanol/Wasser-Verteilungskoeffizient s. P_{OW}.

Octanone. $C_8H_{16}O$, M_R 128,21. Die unverzweigten O. sind farblose Flüssigkeiten: (a) *2-O.* (Hexylmethylketon), $H_3C–(CH_2)_5–CO–CH_3$, D. 0,8202, Schmp. –16 °C, Sdp. 173 °C, FP. 56 °C, WGK 1 (Selbsteinst.); nach Äpfeln duftend. – (b) *3-O.* (Ethylpentylketon), $H_3C–(CH_2)_4–CO–C_2H_5$, D. 0,8221, Sdp. 168 °C, FP. 46 °C, WGK 1; Ameisen-Alarmpheromon. – (c) *4-O.* (Butylpropylketon), $H_3C–(CH_2)_3–CO–(CH_2)_2–CH_3$, D. 0,8146, Sdp. 163 °C. Die nicht od. kaum wasserlösl., mit Ethanol u. Ether mischbaren O. finden als Lsm., in der organ. Synth., in der Parfümerie, als Zusatz zu Nitrocellulose-Lacken usw. Verwendung. – ***E*** = ***F*** octanones – ***I*** ottanoni – ***S*** octanonas

Lit.: Beilstein E IV **1**, 3339–3342 ▪ Giftliste ▪ Gildemeister **3c**, 169 f. ▪ Hommel, Nr. 449 ▪ Merck-Index (12.), Nr. 4749 ▪ Ullmann (5.) **A 11**, 151. – *[HS 2914 19; CAS 111-13-7 (a), 106-68-3 (b), 589-63-9 (c); G 3]*

Octanoyl... Bez. für die Atomgruppierung $–CO–(CH_2)_6–CH_3$ in chem. Namen (IUPAC-Regel C-403.1, R-5.7.1.1); veraltet: Capryloyl... – ***E*** = ***F*** octanoyl... – ***I*** ottanoil... – ***S*** octanoil...

Octansäure (veraltet Caprylsäure). $H_3C–(CH_2)_6–COOH$, $C_8H_{16}O_2$, M_R 144,21. Klares, farbloses Öl mit schwach ranzigem Geruch (vgl. Capr...) u. brennendem Geschmack, Dämpfe reizen Augen u. Atemwege, Kontakt mit der Flüssigkeit bewirkt sehr starke Reizung der Augen u. der Haut; D. 0,91, Schmp. 17 °C, Sdp. 237 °C, WGK 1 (Selbsteinst.), schlecht lösl. in Wasser, lösl. in organ. Lösemitteln.

Vork.: Als Glycerinester in Ziegenbutter u. Kokosnußöl, ferner in Weinfuselöl. O. wirkt ähnlich wie Hexansäure in wäss. Emulsionen insektentötend; so werden z. B. Blattläuse schon bei einer Verdünnung von 1:1000 vernichtet.

Verw.: Zur Herst. von Farbstoffen, Metallseifen (Sikkativen), Antiseptika, Fungiziden, Flotationsmitteln usw., als Bezugssubstanz für die Gaschromatographie. In der techn. Chemie werden oft die *2-Ethylhexansäure ebenfalls als O. u. ihre Salze u. Ester als Octanoate bezeichnet. – ***E*** octanoic acid – ***F*** acide octanoïque – ***I*** acido ottanoico – ***S*** ácido octanoico

Lit.: Beilstein E IV **2**, 982–986 ▪ Hommel, Nr. 594 ▪ Merck-Index (12.), Nr. 1808 ▪ Ullmann (5.) **A 5**, 236, 243. – *[HS 2915 90; CAS 124-07-2; G 8]*

1-Octanthiol (*n*-Octylmercaptan).
H_3C–$(CH_2)_6$–CH_2–SH, $C_8H_{18}S$, M_R 146,29. Farblose, brennbare, unangenehm riechende Flüssigkeit, D. 0,843, Schmp. –49 °C, Sdp. 199 °C, FP. 68 °C, WGK 3. *1-O.* ist haut- u. schleimhautreizend, wird durch die Haut resorbiert, Sensibilisierung ist zu erwarten. Es wird in organ. Synth., zur Polymerisationssteuerung, als Rohstoff zur Herst. von Insektiziden u. Pharma-Wirkstoffen verwendet.
Von ähnlichen Eigenschaften ist das isomere sog. *tert*-Octylmercaptan (2,4,4-Trimethyl-2-pentanthiol), eine übelriechende, brennbare, giftige Flüssigkeit, Sdp. 155,5 °C, WGK 3. Wird als Zwischenprodukt für Hochdruckadditive auf Polysulfid-Basis für Schmieröle verwendet. – ***E*** 1-octanethiol – ***F*** 1-octanethiol – ***I*** 1-ottantiolo – ***S*** 1-octanotiol
Lit.: Beilstein E IV **1**, 1767 ▪ Giftliste ▪ Ullmann (5.) **A 26**, 771 ▪ s. a. Thiole. – *[HS 2930 90; CAS 111-88-6]*

Octan-Zahl (Abk. OZ). Die OZ ist eine Maßzahl für die Klopffestigkeit von *Motorkraftstoffen für Ottomotoren, s.a. Benzin. Dem sog. *Klopfen* liegen unregelmäßige u./od. vorzeitige *Verbrennungs-Vorgänge – explosionsartige *Selbstentzündungen außerhalb der Flammenfront – zugrunde, die zu einer erheblichen therm. u. mechan. Mehrbelastung des Motors u. zu Leistungsabfall führen. Dem Autofahrer begegnet das Klopfphänomen als kurzfristiges u. daher relativ ungefährliches Beschleunigungsklopfen (oft auch als *Klingeln* bezeichnet) u. als wesentlich länger dauerndes u. daher gefährlicheres Hochgeschw.-Klopfen, das zudem im allg. Fahrgeräusch oft überhört wird u. ggf. zu einer abrupten Zerstörung verschiedener Motorteile führen kann. Während kurzkettige Alkane wie Propan, Butan, Methan u. Ethan sehr klopffest sind, klopfen längerkettige Alkane mit unverzweigter Kette stark (s. Tab. 1).

Tab. 1: Ausgewählte Motor (MOZ)- u. Research-Octan-Zahlen (ROZ).

	ROZ	MOZ
Paraffine		
n-Butan	93,4	90,1
n-Pentan	61,8	63,2
n-Hexan	24,8	26,0
n-Heptan	0	0
2-Methylbutan	92,3	90,3
2-Methylpentan	73,4	73,5
2-Methylhexan	42,4	46,4
Olefine		
2-Methyl-2-buten	97,3	85,5
1-Penten	90,9	77,1
1-Hexen	76,4	63,4
1-Hepten	54,5	50,7
Aromaten [a]		
Benzol	99	91
Toluol	124	112
o-Xylol	120	102
m-Xylol	145	124
p-Xylol	146	127
Ethylbenzol	124	107
Propylbenzol	127	129
O-haltige Verb.		
Ethanol	130	96
tert-Butylmethylether (MTBE)	118	100
tert-Butylethylether (ETBE)	118	102
tert-Amylmethylether (TAME)	111	98

[a]) Die OZ der Aromaten wurde mit einer 20%igen Lsg. in 2,2,4-Trimethylpentan u. n-Heptan (60:40) bestimmt.

Durch den Einbau von Seitenketten (z.B. Methyl-Gruppen) werden sie klopffest; daher ist Isooctan viel klopffester als z.B. *n*-Heptan od. *n*-Octan. Man ist übereingekommen, dem reinen, unvermischten, sehr klopffreudigen *n*-*Heptan die OZ 0 u. dem reinen *Isooctan (2,2,4-Trimethylpentan) die OZ 100 zuzuordnen. Mischungen aus diesen beiden Kohlenwasserstoffen haben dann OZ zwischen 0 u. 100, eine Mischung aus 74 Vol.-Tl. Isooctan u. 26 Vol.-Tl. *n*-Heptan hat somit die OZ 74. Jeder beliebig zusammengesetzte Motorkraftstoff, der im internat. anerkannten *CFR-Motor* (CFR = Cooperative Fuel Research Committee) od. im *BASF-Motor* die gleiche Klopffestigkeit wie das obige Gemisch mit 74 Vol.-Tl. Isooctan aufweist, erhält dann die OZ 74 als Kennziffer.
In der Praxis sind verschiedene Bestimmungs-Meth. für die O. üblich, die unterschiedliche OZ-Werte für denselben Kraftstoff ergeben. Man unterscheidet (in Klammern die üblichen dtsch. u. engl. Abk.): *Motor-O.* (MOZ, MON), *Research-O.* (ROZ, RON) u. *Frontend-O.* [FOZ od. ROZ_{100}, FON od. RON (100)]. Sie werden nach DIN ISO 5164: 1990-12 u. 5163: 1990-12 (s.a. Tab. 2) im Prüfmotor, aber bei unterschiedlichen Betriebsbedingungen festgestellt, wobei die MOZ-Bedingungen dem Verhalten bei hohen Motordrehzahlen u. hoher Last, die ROZ-Bedingungen eher dem Klopfverhalten bei Beschleunigung entsprechen; die FOZ ist die ROZ des bis 100 °C siedenden Anteils am Benzin.
Die den tatsächlichen Arbeitsbedingungen näher kommende Straßen-O. (SOZ), deren Bestimmung nicht nach DIN genormt ist, muß für jedes einzelne Fahrzeug gemessen werden; als Faustformel gilt: Sie liegt gewöhnlich zwischen ROZ u. MOZ. Der Unterschied zwischen ROZ u. MOZ wird als *Kraftstoffempfindlichkeit* (*E* sensitivity) bezeichnet. Im allg. wird (z.B. an Tankstellen) für Motorkraftstoffe die (höherliegende) ROZ angegeben.
Die Herst. von Kohlenwasserstoffen mit hoher OZ gelingt durch *Reformieren od. andere Maßnahmen beim *Kracken von Erdöl; dagegen besitzt Benzin aus der *Fischer-Tropsch-Synthese nur niedrige OZ. Durch Zusatz von Antiklopfmitteln (zu deren Wirkungsweise s. dort u. bei Kettenreaktionen) kann man Motorkraftstoffe sogar noch klopffester als reines Isooctan machen; diese erhalten dann OZ über 100. Beispielsweise hätte ein Kraftstoff mit 0,74 mL Bleitetraethyl/L eine ROZ von 115. Der Einsatz von Bleialkylen ist aber seit 1988 nur noch für Super-Kraftstoff zulässig; Anfang 1997 nahm die Mineralöl-Ind. in der BRD auch den verbleiten Super-Kraftstoff freiwillig vom Markt.
O. können auch für nicht od. nur z.T. aus Kohlenwasserstoffen bestehende Treibstoffe angegeben werden, z.B. für Methanol od. *Gasohol.
Die Qualität von Benzin ist in der BRD durch DIN

Tab. 2: Allg. anwendbare Anforderungen an u. Prüfverf. für unverbleiten Ottokraftstoff Super nach DIN EN 228: 1993-05.

Eigenschaften	Grenzwerte		Prüfverf.
	min.	max.	
Klopffestigkeit ROZ	95,0	–	ISO 5164
Klopffestigkeit MOZ	85,0	–	ISO 5163
Blei-Gehalt angegeben als Massenkonz. [g/L]	–	0,013	EN 237
Benzol-Gehalt angegeben als Vol.-Anteil [%]	–	5,0	EN 238
Dichte bei 15 °C [kg/m^3]	725	780	ISO 3675/ ASTM D 4052
Schwefel-Gehalt angegeben als Massenanteil [%]	–	0,05	EN 24260/ ISO 8754
Oxidationsstabilität [min]	360	–	ISO 7536
Abdampfrückstand (gewaschen) angegeben als Massenkonz. [mg/100 mL]	–	5	EN 5
Korrosionswirkung auf Kupfer (3 h bei 50 °C)	1		ISO 2160
Aussehen	frei von sichtbarem Wasser u. festen Stoffen		visuell

51600: 1988-01 für verbleiten Kraftstoff wie folgt festgelegt: Blei-Gehalt ≤ 0,15 g/L
Super verbleit: 98 ROZ, 88 MOZ.
DIN 51607 wurde durch EN 228: 1993-05 ersetzt u. legt im nationalen Anhang für unverbleite Kraftstoffe fest: Blei-Gehalt ≤ 0,013 g/L
Super unverbleit: 95 ROZ, 85 MOZ
Normal unverbleit: 91 ROZ, 82,5 MOZ.
Superplus unverbleit: ROZ 98, MOZ 88.
In beiden DIN-Normen sind die OZ jeweils Mindestwerte. Die zur Verminderung der Schadstoffkonz. in den *Kraftfahrzeugabgasen notwendigen Katalysatoren werden durch in verbleiten Motorkraftstoffen vorhandene Blei-Verb. desaktiviert (s. Katalysatorgift). Für *Flugbenzin liegen die ROZ-Anforderungen bei 80–145, während die OZ für *Düsenkraftstoffe ohne Belang ist, da hier keine explosionsartige, sondern kontinuierliche Verbrennung stattfindet. Ein analog zur OZ ermittelbarer Kennwert bei *Dieselkraftstoffen ist die *Cetan-Zahl. – ***E*** octane number (ON), cetane number (CN) – ***F*** indice d'octane, indice de cétène – ***I*** numero di ottano – ***S*** índice de octano

Lit.: Chem. Unserer Zeit **18**, 37–45 (1984) ▪ Endeavour NS **8**, 135–144 (1984) ▪ Kirk-Othmer (4.) **12**, 160, 346, 347 ▪ McKetta **4**, 474–478 ▪ Naturwiss. Rundsch. **37**, 398–401 (1984) ▪ Ullmann (4.) **17**, 53 ▪ Winnacker-Küchler (3.) **3**, 195–198, 232, 241 f., 248, 308–320; (4.) **5**, 137–144.

Octene. C_8H_{16}, M_R 112,22. Die unverzweigten O. sind farblose, brennfähige Flüssigkeiten; von den 7 möglichen Isomeren sind wichtig:
(a) *1-O.*, $H_3C–(CH_2)_5–CH=CH_2$, D. 0,7149, Schmp. –102 °C, Sdp. 121 °C, FP. 8 °C, WGK 1. – (b) *2-O.*, $H_3C–(CH_2)_4–CH=CH–CH_3$, als *cis*-2-O. (in Klammern Werte für *trans*-2-O.) D. 0,7243 (0,7199), Schmp. –100 °C (–88 °C), Sdp. 126 °C (125 °C). Die O. sind unlösl. in Wasser, lösl. in Alkohol, Ether, Aceton u. Benzol.
Verw.: In der organ. Synth., z. B. zur Oxo-Synth. (dort aber bes. verzweigte O.), zur Herst. von Weichmachern, oberflächenaktiven Substanzen, Schmierstoffen. Bezugssubstanz für die Gaschromatographie. – ***E*** octenes – ***F*** octènes – ***I*** otteni – ***S*** octenos

Lit.: Beilstein E IV **1**, 874–881 ▪ Hommel, Nr. 529 ▪ Merck-Index (12.), Nr. 1807 ▪ Ullmann (5.) **A 13**, 239 ff. ▪ s. a. Alkene. – *[HS 2901 29; CAS 111-66-0 (1-O.), 13389-42-9 (trans-2-O.), 7642-04-8 (cis-2-O.); G 3]*

Octenidin-dihydrochlorid (Rp).

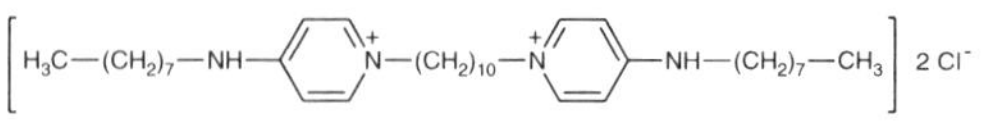

Internat. Freiname für das bakteriostat. wirkende *Desinfektionsmittel 1,1′-(1,10-Decandiyl)bis[4-(octylamino)pyridinium]-dichlorid, $C_{36}H_{64}Cl_2N_4$, M_R 623,83; Schmp. 215–217 °C; in Wasser unlöslich. Es gehört in die Gruppe der quartären Ammonium-Verb. u. enthält im Unterschied zu den anderen Substanzen dieser Verb.-Klasse (z. B. *Benzalkoniumchlorid, *Cetylpyridiniumchlorid) zwei kationenaktive Zentren. Eine ähnliche Struktur hat *Dequaliniumchlorid. O. ist zugelassen zur Hautdesinfektion vor Operationen, zur einmaligen Wund- u. Nahtversorgung sowie zur hygien. u. chirurg. Händedesinfektion. Die Wirkung tritt rasch ein u. hält lange an. O. wurde 1977 u. 1980 von Sterling patentiert u. ist in Kombination mit Alkoholen von Schülke u. Mayr (Neo Kodan®, Octenisept®) im Handel. – ***E*** octenidine dihydrochloride – ***F*** dichlorhydrate d'octénidine – ***I*** octenidina idrocloruro – ***S*** dihidrocloruro de octenidina

Lit.: Beilstein E V **22/9**, 154 ▪ Dtsch. Apoth. Ztg. **130**, 1117 (1990) ▪ Hager (5.) **8**, 1225 f. ▪ Martindale (31.), S. 1139 f. – *[HS 2933 39; CAS 70775-75-6]*

(–)-(*R*)-1-Octen-3-ol (Matsutake-Alkohol).

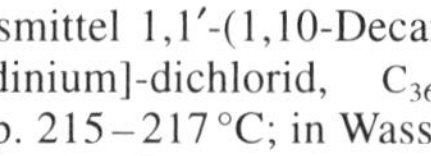

$C_8H_{16}O$, M_R 128,21, Sdp. 175 °C, $[\alpha]_D^{20}$ –20,2°; LD_{50} (Ratte oral) 340 mg/kg. Typ. Pilzgeruchsstoff (Geruchsschwelle 1 ppb, s. *Lit.* [1]) mit erdig-pilzigem Geruch; *impact compound im Champignon- u. Camembertaroma (s. Käse-Aroma), aber auch in vielen *etherischen Ölen u. Aromen enthalten[2], z. B. in *Lavendel-, *Pfefferminz-, *Rosmarin- u. *Thymianöl, sowie in Seafoodaromen. Nur das in 90–97% Enantiomerenüberschuß auftretende (*R*)-Enantiomere zeigt den reinen Pilzgeruch, während die (*S*)-Verb. eher gemüseartig riecht.
Biosynth.: (–)-(*R*)-1-O. entsteht im Kultur-Champignon (*Agaricus bisporus*) durch Oxid. von *Linolsäure[3]; zur Analyse der (–)-(*R*)-Form in Pfifferlingen u. Champignons (78% bzw. 94% ee) s. *Lit.*[4] u. zur Wirkung als Insektenlockstoff für Tsetsefliegen, Moskitos u. Kornkäfer s. *Lit.*[5]. – ***E*** (–)-(*R*)-1-octen-3-ol – ***F*** 1-octène-3-ol – ***I*** (–)-(R)-1-otten-3-olo – ***S*** (–)-(R)-1-octen-3-ol

Lit.: [1] Chem. Rundsch. **1995**, Nr. 17, 3; Perfum. Flavor. **16** (1), 1–19 (1991). [2] Gildemeister **3a**, 485; Maarse u. Visscher (Hrsg.), Volatile Compounds in Food – Qualitative and Quantitative Data, S. 452, 6. Aufl., Suppl. 5, Zeist: TNO 1994. [3] Z.

Lebensm. Unters. Forsch. **175**, 186 (1982) (Biosynth.). [4]Z. Lebensm. Unters. Forsch. **186**, 417 (1988). [5]Bull. Entomol. Res. **75**, 209ff. (1985); J. Am. Mosqu. Control Assoc. **5** (3), 311 (1989); J. Chem. Ecol. **17** (3), 581–597 (1991).
allg.: Beilstein EIV **1**, 2163 ▪ J. Org. Chem. **58**, 718 (1993) ▪ SÖFW J. **120**, 577 (1994). – *[CAS 3687-48-7 (R)]*

1-Octen-3-on. $H_3C–(CH_2)_4–CO–CH=CH_2$, $C_8H_{14}O$, M_R 126,20. Metall.-pilzartig riechende Flüssigkeit, Sdp. 63–65 °C (1,8 kPa); Geruchsschwelle 0,1 ppb. O. ist ein Abbauprodukt der *Linolsäure [1] u. kommt als Pilzgeruchsstoff u. in *Lavendelöl vor, sowie in *Brot-, *Käse-, Seafood- u. *Teearomen [2]. – ***E*** 1-octen-3-one – ***I*** 1-otten-3-one
Lit.: [1] Belitz-Grosch (4.), S. 187. [2] Maarse u. Visscher (Hrsg.), Volatile Compounds in Food – Qualitative and Quantitative Data, S. 453, 6. Aufl., Suppl. 5, Zeist: TNO 1994.
allg.: Beilstein EIV **1**, 3488 ▪ J. Chem. Soc., Perkin Trans. 1 **1995**, 1525 ▪ SÖFW J. **120**, 577 (1994). – *[CAS 4312-99-6]*

Octhilinon.

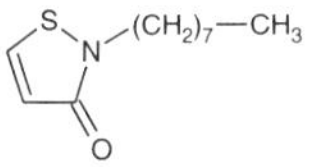

Common name für 2-Octyl-3(2*H*)-isothiazolon, $C_{11}H_{19}NOS$, M_R 213,33, LD_{50} (Ratte oral) 1470 mg/kg (WHO), von Rohm & Haas eingeführtes *Fungizid u. *Bakterizid zur Wundbehandlung bei Obstbäumen. – ***E*** = ***F*** octhilinone – ***I*** octilinone – ***S*** octilinona
Lit.: Beilstein EV **27/10**, 127 ▪ Pesticide Manual. – *[CAS 26530-20-1]*

Octoate. Unsystemat. Bez. für die *Octanoate (Octanate, Caprylate), d. h. Ester u. Salze der *Octansäure. In der Technik versteht man jedoch unter „O." im allg. die Metallsalze der *2-Ethylhexansäure. Die als *Metallseifen u. *Trockenstoffe verwendeten O. sind geruchschwach, leichter kontrollierbar als z. B. die Naphthenate u. beschleunigen auch die Trocknung in feuchter Atmosphere. Als Sikkative werden z. B. Ca-, Zn-, Mn-, Co- u. Pb-O. verwendet. Ba-O. ist ein Stabilisator für PVC, Li-, Mg-, Ca-, Al-O. dienen zur Herst. von Mineralöl-Schmierstoffen, Al-O. eignet sich auch zum Gelieren von leichten Kohlenwasserstoffen für Kosmetika u. Brandbomben. Ni-O. u. Cu-O. werden als öllösl. Fungizide empfohlen, Ca-O. als Bezugssubstanz in der Atomabsorptionsspektroskopie, Fe-O. als Verbrennungskatalysator für flüssige Brenn- u. Treibstoffe, Na- u. K-O. bei der Herst. wasserlösl. Penicilline. – ***E*** = ***F*** octoates – ***I*** ottoati – ***S*** octoatos
Lit.: Beilstein EIV **2**, 982–992 ▪ Kirk-Othmer (4.) **8**, 439–442 ▪ s. a. Metallseifen.

Octoate®. Kautschuk-Aktivator auf der Basis von Zinkdiethylhexoat. ***B.:*** Vanderbilt.

Octodrin.

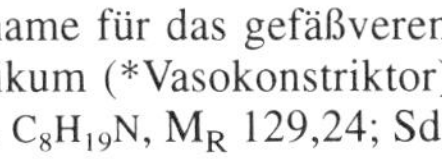

Internat. Freiname für das gefäßverengend wirkende *Antihypotonikum (*Vasokonstriktor) (±)-6-Methyl-2-heptanamin, $C_8H_{19}N$, M_R 129,24; Sdp. 154–156 °C, n_D^{24} 1,4200. O. ist als (+)-10-Camphersulfonat von Asche (Ordinal forte®) im Handel. – ***E*** = ***F*** octodrine – ***I*** ottodrina – ***S*** octodrina
Lit.: Beilstein EIV **4**, 764f. ▪ Hager (5.) **8**, 1226f. – *[HS 2921 19; CAS 543-82-8]*

Octogen (1,3,5,7-Tetranitro-1,3,5,7-tetrazocan, Cyclotetramethylentetranitramin, Homocyclonite, HMX).

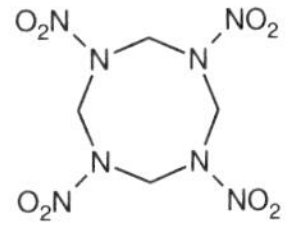

$C_4H_8N_8O_8$, M_R 296,15. Brisanter Sprengstoff, der als Nebenprodukt bei der Herst. von *Hexogen auftritt; farblose Krist., D. 1,87, Zers. bei 276–277 °C (weitere Daten s. Explosivstoffe). O. existiert in vier polymorphen Formen, von denen allein die *β*-Form prakt. Bedeutung besitzt. O. findet Verw. bei Sprengungen bei hoher Temp. u. in speziellen Hohlladungen. – ***E*** octogen – ***F*** octogène – ***I*** ottogene – ***S*** octógeno
Lit.: Beilstein EV **26/11**, 18–22 ▪ s. a. Explosivstoffe u. Sprengstoffe. – *[CAS 2691-41-0]*

Octopamin.

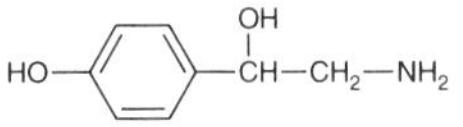

Internat. Freiname für das auch *Norsynephrin* genannte *Sympath(ik)omimetikum (±)-4-(2-Amino-1-hydroxyethyl)phenol, $C_8H_{11}NO_2$, M_R 153,18, Schmp. 156–158 °C. Verwendet wird meist das Hydrochlorid, Zers. bei 170 °C. Die natürliche D-(–)-Form, Schmp. >250 °C (Zers.), $[\alpha]_D^{20}$ –37,4° (H_2O), –56,0° (0,1 N HCl) ist ein neurosekretor. *biogenes Amin, das in mehreren Vertebraten u. Invertebraten vorkommt, z. B. in *Octopus*-Spezies. Bei Arthropoden wirkt O. als *Neurotransmitter, bei Glühwürmchen reguliert es das Leuchten. – ***E*** = ***F*** octopamine – ***I*** = ***S*** octopamina
Lit.: Beilstein EIV **13**, 2656 ▪ Hager (5.) **8**, 1227f. ▪ Martindale (31.), S. 1583f. ▪ Mosnaim u. Wolf, Noncatecholic Phenylethylamines, Bd. 2, New York: Dekker 1980. – *[HS 2922 50; CAS 104-14-3 (O. allg.); 1915-83-9 ((±)-O.); 770-05-8 ((±)-O. · HCl)]*

Octopin [N^2-((*R*)-1-Carboxyethyl)-L-arginin].

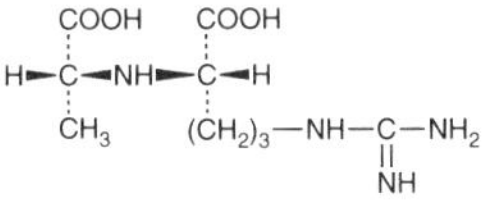

$C_9H_{18}N_4O_4$, M_R 246,26, Schmp. 281–282 °C. Von Arginin abgeleitete Guanidinoaminosäure. Wird durch Kondensation von Pyruvat u. Arginin u. anschließende Hydrierung in Wurzelhalsgallen von Pflanzen (s. Agrobakterien, Pflanzenkrebs) gebildet, die durch virulente Stämme des Bakteriums *Agrobacterium tumefaciens* verursacht werden. O. wird zusammen mit Kondensationsprodukten von Pyruvat mit Ornithin, Lysin od. Histidin, den sog. **Opinen*, gebildet. Andere Pflanzentumoren enthalten statt O. das ähnlich gebaute *Nopalin od. aber die anders zusammengesetzten Agrocinopine. Ursache der Opin-Bildung ist ein in *A. tumefaciens* enthaltenes großes *Plasmid, das sog. *Ti-(Tumor induzierende) Plasmid, das stabil in die chromosomale DNA der Pflanzen-Zelle integriert wird. Ti-Plasmide sind für das Tumorwachstum der Zellen verantwortlich u. codieren die Biosynth. u. Metabolisierung der Opine, die im Gegensatz zur Pflanze von *A. tumefaciens* als Energiequelle verwendet werden. In der *Gentechnologie wird das Ti-Plasmid zur Übertragung von Fremd-DNA auf Pflanzen als natürlicher

*Vektor genutzt. O. kommt außerdem im Muskelapparat einiger Weichtiere u. Kopffüßer vor. – ***E*** = ***F*** octopine – ***I*** = ***S*** octopina

Lit.: Beilstein E IV **4**, 2633 ▪ Bull. Chem. Soc. Jpn. **55**, 261 (1982) ▪ Methods Enzymol. **153**, 277 (1987). – *[HS 2925 20; CAS 34522-32-2]*

Octosylsäuren.

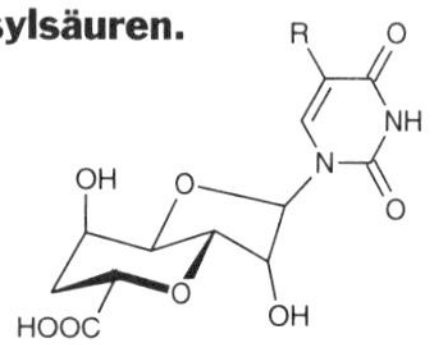

R = COOH : O. A
R = CH_2OH : O. B

*Nucleosid-Antibiotika aus *Streptomyces cacaoi asoensis*. Man unterscheidet u. a. *O. A* ($C_{13}H_{14}N_2O_{10}$, M_R 358,26, Schmp. 260–263 °C) u. *O. B*, [$C_{13}H_{16}N_2O_9$, M_R 344,28, Schmp. 200 °C (Zers.)]. O. stellen eine größere Gruppe antifung. wirkender *Polyoxin-ähnlicher Antibiotika dar. – ***E*** octosyl acids – ***F*** acides octosyliques – ***I*** acidi octosilici – ***S*** ácidos octosílicos

Lit.: J. Antibiot. **41**, 1711 (1988). – *Synth.:* ACS Symp. Ser. **386**, 64–92 (1989) ▪ J. Am. Chem. Soc. **110**, 7434–7440 (1988). – *[HS 2941 90; CAS 55728-21-7 (O. A); 55728-22-8 (O. B)]*

Octotiamin.

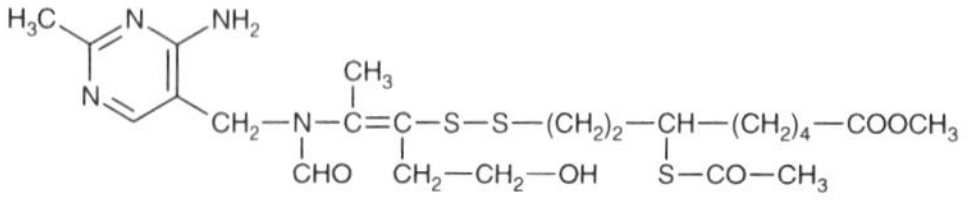

Internat. Freiname für das Vitamin-B_1-Derivat (±)-Thiamin-(6-*S*-acetyldihydroliponsäuremethylester)-disulfid, $C_{23}H_{36}N_4O_5S_3$, M_R 544,74; Schmp. 106–109 °C; λ_{max} 234, 277 nm ($A^{1\%}_{1cm}$ 297, 107). O. ist fettlösl. u. wirkt als neurotropes *Analgetikum. Es wurde 1963 von Fujisawa patentiert. – ***E*** = ***F*** octotiamine – ***I*** ottotiammina – ***S*** octotiamina

Lit.: Beilstein E V **25/12**, 164 ▪ Hager (5.) **8**, 1228 f. ▪ Martindale (31.), S. 1382 f. – *[HS 2933 59; CAS 137-86-0]*

Oct-Proteine s. Octamer-Transkriptionsfaktoren.

Octreotid.

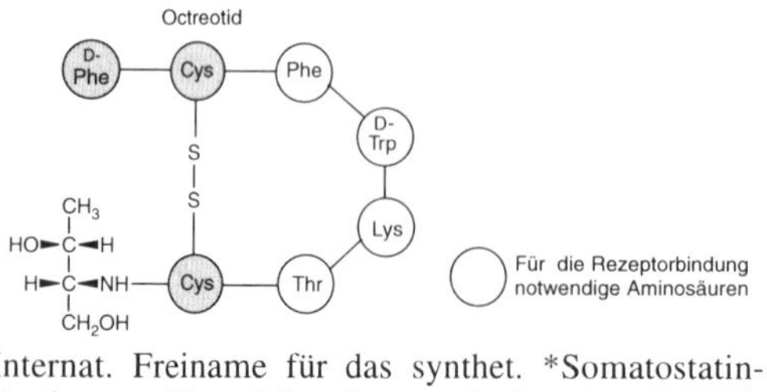

Internat. Freiname für das synthet. *Somatostatin-Analogon D-Phenylalanyl-L-cysteinyl-L-phenylalanyl-D-tryptophyl-L-lysyl-L-threonyl-L-cysteinyl-L-threoninol-2→7-cyclodisulfid, $C_{49}H_{66}N_{10}O_{10}S_2$, M_R 1019,24, $[\alpha]_D^{20}$ –42° (c 0,5/Essigsäure). O. hat eine deutlich längere Wirkungsdauer als Somatostatin, Näheres zur Wirkung s. dort. O. wurde 1981 u. 1983 von Sandoz (Sandostatin®, Novartis) patentiert. – ***E*** = ***I*** octreotide – ***F*** octréotide – ***S*** octreotida

Lit.: Martindale (31.), S. 1287 ff. – *[HS 2934 90; CAS 83150-76-9]*

Octyl... a) Bez. für die Atomgruppierung $-(CH_2)_7-CH_3$ in systemat. chem. Namen (IUPAC-Regel A-1.2). – b) In techn. Namen übliche, aber wie *Isooctyl... irreführende Bez. für den 2-Ethylhexyl-Rest $-CH_2-CH(C_2H_5)-(CH_2)_3-CH_3$, seltener für den **tert*-Octyl-Rest. – ***E*** = ***F*** octyl... – ***I*** ottil... – ***S*** octil...

tert*-Octyl...** Mehrdeutige Bez. für an der Verknüpfungsstelle doppelt verzweigte C_8-Reste; in techn. Namen übliche Bez. für den 1,1,3,3-Tetramethylbutyl-Rest $-C(CH_3)_2-CH_2-C(CH_3)_3$, oft irreführend *Isooctyl... od. (selten) *Octyl... genannt. – ***E = ***F*** *tert*-octyl... – ***I*** *tert*-ottil... – ***S*** *tert*-octil...

Octylaldehyd s. Octanal.

Octylalkohole s. Octanole.

Octylamine s. Octanamine.

Octylbromid (1-Bromoctan). $H_3C-(CH_2)_7-Br$, $C_8H_{17}Br$, M_R 193,13. Farblose Flüssigkeit, D. 1,112, Schmp. –55 °C, Sdp. 198–200 °C, unlösl. in Wasser, mischbar mit Alkohol u. Ether. O. wird aus 1-Octanol u. Phosphortribromid gewonnen u. findet Verw. in organ. Synth., zur Einführung der Octyl-Gruppe, Synth. von Octylaminen, Herst. von quartären Ammoniumbromiden. – ***E*** octyl bromide – ***F*** bromure d'octyle – ***I*** bromuro di 1-ottile – ***S*** bromuro de octilo

Lit.: Beilstein E IV **1**, 422 ▪ Merck-Index (12.), Nr. 6861 ▪ Ullmann (5.) **A 4**, 406 – *[HS 2903 30; CAS 111-83-1]*

Octylgallat s. Gallussäureester.

1-Octyl-1*H*-imidazol.

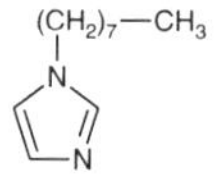

$C_{11}H_{20}N_2$, M_R 180,29. Farblose Flüssigkeit, D. 0,91 (20 °C), Sdp. 145 °C (1 kPa). Ligand für den Mangan-Katalysator in der *Jacobsen-Epoxidierung (vgl. a Sharpless-Epoxidierung). Mit dem so modifizierten Katalysator werden hohe Enantiomerenüberschüsse erreicht; vgl. enantioselektive Synthese. 1-O. zeigt außerdem antibakterielle u. antifungizide Wirksamkeit [1] u. ist ein wirksamer Inhibitor der *Thromboxan-Synthase [2]. – ***E*** 1-octyl-1*H*-imidazole – ***I*** 1-ottil-1*H*-imidazolo – ***S*** 1-octilimidazol

Lit.: [1] Eur. J. Med. Chem. Chim. Ther. **25**, 449 (1990). [2] J. Med. Chem. **24**, 1139 (1981).
allg.: Beilstein E V **23/4**, 264 ▪ Chem. Lett. **1994**, 527 ▪ s. a. Azole u. Imidazol – *[CAS 21252-69-7]*

Octylmercaptane s. 1-Octanthiol.

4-*tert*-Octylphenol [4-(1,1,3,3-Tetramethylbutyl)-phenol, internat. Freiname: Octylphenol].

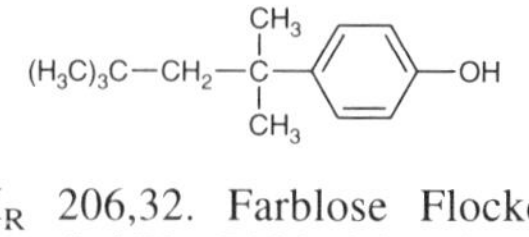

$C_{14}H_{22}O$, M_R 206,32. Farblose Flocken, D. 0,89 (90 °C), erstarrt bei 72–74 °C, Sdp. 280–283 °C, wasserunlösl., lösl. in Alkalien, Alkohol, Aceton, Benzol, Ether, Tetrachlormethan. Die Herst. erfolgt aus *2,4,4-Trimethyl-1-penten u. Phenol.

Verw.: Als Desinfektionsmittel, zur Herst. von Kunstharzen, grenzflächenaktiven Stoffen, Korrosionsverhütungsmitteln, Weichmachern, Schmierölzusätzen, Arzneimitteln, Antioxidantien usw., stabilisiert Ethylcellulose gegen Ultravioletteinwirkung. – ***E*** 4-*tert*-octylphenol – ***F*** 4-*tert*-octylphénol – ***I*** 4-*terz*-ottilfenolo – ***S*** 4-*terc*-octilfenol

Lit.: Beilstein EIV **6**, 3484 ▪ Ullmann (4.) **18**, 195, 209, 214 ▪ s. a. Alkylphenole. – *[HS 2907 13; CAS 140-66-9 (p-Isomer); 27193-28-8 (handelsübliches o/p-Gemisch)]*

Octylphthalat s. Phthalsäureester.

Ocuflur® (Rp). Augentropfen mit dem *Antiphlogistikum *Flurbiprofen-Natrium-Dihydrat gegen Entzündungen des Auges. ***B.:*** Pharm-Allergan.

Oculosan® N. Augentropfen mit Zinksulfat-Heptahydrat u. *Naphazolin-nitrat gegen Konjunktivitis. ***B.:*** CIBA Vision.

Oculotect®. Augentropfen u. -Gel mit *Retinol-palmitat als Adjuvans bei Horn- u. Bindehautstörungen, *O. fluid* enthält *Polyvidon zur symptomat. Therapie des trockenen Auges. ***B.:*** CIBA Vision.

Ocytocin s. Oxytocin.

ODA. Nach DIN 7732: 1987-12 Kurzz. für *O*ctyl*d*ecyl*a*dipat als *Weichmacher.

Odda-Verfahren. Ein 1928 durch die Firma Odda-smelteverk in Odda (Norwegen) entwickeltes Verf. zur Herst. von hochprozentigen Volldüngern durch Aufschluß von Rohphosphat mit Salpetersäure, das heute in mehreren Varianten betrieben wird, so im *Kampka-Nitro-Verf.*, im *Norsk-Hydro-Verf.*, im *Kaltenbach-Verf.* u. a. – ***E*** Odda process – ***F*** procédé Odda – ***I*** processo Odda – ***S*** procedimiento Odda

Lit.: Kirk-Othmer (3.) **10**, 95 f. ▪ Ullmann (5.) **A 17**, 279; **A 19**, 448; **A 25**, 323 ▪ Winnacker-Küchler (4.) **2**, 357–361.

Odermennig. Auf der nördlichen Erdhalbkugel verbreitete, 0,5–1 m hohe Staude mit gelben Blütenähren, *Agrimonia eupatoria* L. (Rosaceae). Das Kraut enthält 4–10% Catechin-Gerbstoffe sowie Flavonoide u. wird wegen des Gehalts an ersteren in Form des Tees als mildes *Adstringens bei Rachenentzündungen u. Gastroenteritiden angewandt; die volksmedizin. Verw. bei Cholezytopathien konnte nicht belegt werden. – ***E*** agrimony herb, liverwort – ***F*** herbe d'aigremoine – ***I*** eupatoria, agrimonia – ***S*** agrimonia común, hepática

Lit.: Bundesanzeiger 50/13. 03. 86 u. 50/13. 03. 90 ▪ Deutscher Arzneimittel-Codex 1986, Frankfurt-Stuttgart: Govi-Verl., Deutscher Apotheker-Verl. 1986/1995 ▪ Wichtl (3.), S. 39 ff. – *[HS 1211 90]*

Odilin s. Imidazol-Alkaloide.

ODMR-Spektroskopie. Abk. für *E O*ptically *D*etected *M*agnetic *R*esonance Spektroskopie, ein spektroskop. Verf., das die Wechselwirkung zwischen den ungepaarten Elektronen eines Mol. im *Triplett-Zustand u. einem Magnetfeld untersucht, wobei – im Unterschied zu *EPR- u. *NMR-Spektroskopie – die empfindlicheren opt. Meth. zum Nachw. herangezogen werden. – ***E*** ODMR spectroscopy – ***F*** spectroscopie RMDO – ***I*** spettroscopia ODMR – ***S*** espectroscopía RMDO

Lit.: Clarke, Triplet State ODMR Spectroscopy, New York: Wiley 1982 ▪ Sci. Forum **38–41**, 59–66, 769–773 (1989).

Odol®. Erstmals 1893 produziertes Mundwasser (nach Hersteller-Angaben der älteste dtsch. Markenartikel), das in hochprozentigem Alkohol Menthol, Pfefferminz- u. Fenchelöl, Saccharin u. ein Antiseptikum enthält, auch O. med Zahncreme. ***B.:*** Lingner & Fischer.

Odontolit. Elfenbein von fossilen sibir. Mammuten.

Odontolith s. Türkis.

Odorierung s. Gasodorierung u. Parfümierung.

ODP. 1. Nach DIN 7732: 1987-12 Kurzz. für *O*ctyl*d*ecyl*p*hthalat als *Weichmacher.
2. Abk. für *E o*zone *d*epletion *p*otential = Ozon-Abbaupotential (gelegentlich auch RODP = relatives ODP), eine Maßzahl, die angibt, wie groß das Potential einer Menge eines Stoffes relativ zum Effekt der gleichen Menge der Bezugssubstanz (Trichlorfluormethan, FCKW R 11; ODP = 1) ist, den Ozon-Gehalt der Stratosphäre zu verringern. Dem ODP-Konzept liegt eine steady-state-Betrachtung zugrunde. ODP-Werte von Halogen-Verb. werden durch die Radikale bestimmt, die aus ihnen beim *Photoabbau in der Stratosphäre freigesetzt werden u. die die Ozon-abbauenden Reaktionen katalysieren (s. a. Ozon). Dazu gehören Brom- u. mit deutlich geringerer Wirkung Chlor-Radikale; Fluor-Verb. haben kein ODP. Hohe ODP-Werte finden sich naturgemäß bei bromreichen *Halonen u. vollhalogenierten Chlorfluorkohlenwasserstoffen (s. FCKW). Stoffe, die schnell z. B. durch Photoabbau aus der Atmosphäre entfernt werden, haben nur ein geringes ODP, da sie die Stratosphäre kaum erreichen. – ***E*** ozone depletion potential – ***F*** potentiel de déplétion d'ozone (PDO) – ***I*** potenziale di danneggiamento all'ozono – ***S*** potencial de agotamiento del ozono

Lit.: Science **263**, 71–75 (1994) ▪ Scientific Assessment of Ozone Depletion 1991, Kap. 6, WMO-Bericht Nr. 25, Washington: World Meteorological Organization 1992 ▪ Ullmann (5.) **B 7**, 124.

ODPN. Abk. für *3,3'-Oxydipropionitril.

ODTM. Nach DIN 7732: 1987-12 Kurzz. für n-*O*ctyl*d*ecyl*t*ri*m*ellitat als *Weichmacher.

OD-Verfahren. Nach *O*tto-*D*egussa benanntes Verf. zur Entschwefelung von *Synthesegas mit Na_2O enthaltenden Massen.

Oe. Kurzz. für *Oechsle-Grad (= Oe°) u. *Oersted.

OECD. Abk. für *O*rganization for *E*conomic *C*ooperation and *D*evelopment, 2, rue André Pascal, F-75775 Paris Cedex 16, die 1960 gegr. Nachfolgeorganisation der OEEC (*O*rganization for *E*uropean *E*conomic *C*ooperation, 1948–1961). Hauptaufgabe der OECD ist es, zur wirtschaftlichen Entwicklung der Mitgliedsstaaten beizutragen. Hierzu fördern die Mitgliedsstaaten auf wissenschaftlichem u. techn. Gebiet die Entwicklung ihrer Ressourcen u. die Forschung. Durch gemeinsame Programme mit den Ländern Mittel- u. Osteuropas soll der Umgestaltungsprozeß in diesen Ländern unterstützt werden. Mitglieder der OECD sind die EG-, EFTA- u. NAFTA-Staaten sowie Australien, Japan, Korea, Neuseeland, Polen, Türkei, Tschechien u. Ungarn. Das Direktorat für Wissenschaft, Technologie u. Ind. der OECD befaßt sich mit Informationsaustausch, Studien wissenschaftspolit. Charakters u. der Koordinierung in ausgewählten Bereichen. Selbständige Unterorganisationen der OECD sind die IEA (*I*nternational *E*nergy *A*gency) u. NEA (*N*uclear *E*nergy *A*gency).

Publikationen: OECD Observer, OECD Economic Outlook, OECD Economic Surveys. INTERNET-Adresse: http://www.oecd.fr.

Lit.: Lane, Political Data Handbook: OECD Countries, Oxford: Oxford University Press 1996.

Oechsle-Grad (Kurzbez. Oe°). Die Graduierung der vom Pforzheimer Goldschmied Ferdinand Oechsle (1774–1852) erfundenen Mostwaage, einem Saccharimeter zur Bestimmung des spezif. Gew. (Mostgew.) von Trauben- u. Obstsäften, erfolgt in sog. Oechsle Graden. Je zuckerreicher ein Saft od. *Most ist, desto weniger tief sinkt das *Aräometer in die Flüssigkeit ein. Erreicht die Oberfläche der Flüssigkeit z. B. die Marke 80, so hat der Saft od. Most 80° Oechsle, d. h. 1 Liter Most wiegt 1080 g. Oe° zeigen also an, wieviel mehr ein Liter Most im Vgl. zu einem Liter Wasser wiegt. Da das Aräometer bei 20 °C geeicht ist, muß für höhere od. niedrigere Mosttemp. eine Korrektur vorgenommen werden. Mithin ist die Dichte D. = 1 + (Oe°/1000). Der ungefähre Zuckergehalt des Mostes in % ist nach der Formel c = (Oe°/4) – 3 zu berechnen (80 Oe° ≙ 17% Zucker). Die Oe° eines Mostes können nach der in Anlage 1 zu § 1 der Wein-VO [1] angegebenen Tab. in % vol des natürlichen Alkohol-Gehalts umgerechnet werden, da normalerweise aus 1,7 g Zucker während der alkohol. Gärung 1 mL (0,794 g) Alkohol entsteht. In Weinbauzone A (alle bundesdtsch. Weinbaugebiete außer Baden) sind durchschnittliche Mostgew. um 100 Oe° zu erzielen; zur Berechnung des ursprünglichen Mostgew. s. *Lit.*[2]; die Zusammenhänge zwischen Oe°, Gewichtsverhältnis 20/20, Brix°, u. Baume° sind *Lit.*[3] zu entnehmen.
In Österreich wird das Mostgew. nicht in Oe°, sondern in Klosterneuburger Mostwaage-Graden (°KMW) angegeben. Die Umrechnung kann nach der Formel

$$Oe° = °KMW \cdot [(0{,}022 \cdot °KMW) + 4{,}54]$$

erfolgen. – ***E*** degree Oechsle – ***F*** degré Oechsle – ***I*** = ***S*** grado Oechsle

Lit.: [1] Wein-VO vom 4. 8. 1983 in der Fassung vom 24. 8. 1990 (BGBl. I, S. 1834). [2] Wein Rebe **56**, 883–886 (1973). [3] Schanderl, Koch u. Kolb, Fruchtweine (7.), S. 25 ff., 136, 140, Stuttgart: Ulmer 1981.
allg.: Belitz-Grosch (4.), S. 826 ▪ Troost, Technologie des Weines (6.), Stuttgart: Ulmer 1988 ▪ Ullmann (4.) **24**, 417 ▪ Vogt, Der Wein (9.), Stuttgart: Ulmer 1984 ▪ Würdig u. Woller, Chemie des Weines, S. 778 ff., Stuttgart: Ulmer 1989 ▪ Zipfel, C 404.

Oecotrophologe (Ökotrophologe). Haushalts- u. Ernährungswissenschaftler, deren Studium in der BRD an 18 Univ. u. 8 Fachhochschulen möglich ist. Der Anteil weiblicher Absolventen liegt über 92%. Die Zahl der erwerbstätigen Universitätsabsolventen hat zwischen 1985 u. 1993 um 93% zugenommen. Der öffentliche Dienst, u. hierbei insbes. der Lehrberuf, ist das wichtigste Tätigkeitsfeld der Oecotrophologen. Insgesamt sind vielseitige Einsatzmöglichkeiten gegeben, z. B.: Beratungsdienst, Hochschulbereich, Ernährungs-Ind., Haushaltsgeräte-Ind., pharmazeut.-chem. Ind., Forschung, Verbraucherberatung, Marketing, Gesundheitswesen, Management od. Journalismus. Die Diplom-O. sind in einem Verband mit Sitz in 50769 Köln, Geranienhof 2 organisiert. – ***E*** ecotrophologist – ***F*** oecotrophologiste – ***I*** ecotrofologo, sitologo – ***S*** ecotrofólogo

Lit.: Blätter zur Berufskunde, 3-VA 01, 3-VA 02, 3-VA 03, 2-VA 21, 2-VA 30, 2-VA 50, Bielefeld: Bertelsmann (aktualisierte Aufl.).

Ödem (Hydrops, Wassersucht, griech.: oidema = Schwellung). Ansammlung wäss. Flüssigkeit in den Gewebsspalten durch gestörten Flüssigkeitsaustausch zwischen Kapillaren u. Gewebe. Ein Ö. entsteht durch eine Störung des Gleichgew. zwischen der blutdruckbedingten Flüssigkeitsabgabe aus den Kapillaren u. der Flüssigkeitsresorption in die Gefäße aufgrund des onkot. Drucks des Plasmas. Demzufolge treten Ö. zum einen bei Zunahme des hydrostat. Drucks z. B. durch Blutstauung bei Thrombose, verminderter Pumpleistung des Herzens od. verminderter Natrium- u. Wasser-Ausscheidung durch die Niere auf. Zum anderen entstehen sie, wenn der plasmaonkot. Druck infolge einer herabgesetzten *Albumin-Konz. bei Erkrankungen von Nieren, Leber od. Darm abnimmt. Auch Störungen des Abflusses der *Lymphe führen zu einem Ö. (Lymph-Ö.). Die Behandlung richtet sich nach der Ursache des Ödems. – ***E*** oedema, edema – ***F*** oedème – ***I*** = ***S*** edema

Ödemase® (Rp). Tabl. mit dem *Diuretikum *Furosemid gegen Ödeme. ***B.:*** Azupharma.

OEEC s. OECD.

Öfen. Geräte zur Umwandlung chem. od. elektr. Energie in nutzbare Verbrennungs- bzw. Stromwärme. Industriell u. labormäßig betriebene Ö. dienen als wärmetechn. Apparate zur strukturellen Veränderung bestimmter Materialien, zur Ausführung von Reaktionen bei hohen Temp., zum Sintern u. Glühen (z. B. in Muffel-Ö.). Es gibt über 30 verschiedene O.-Konstruktionen u. Einsatzgebiete. – ***E*** furnaces, kilns – ***F*** fours, fourneaux – ***I*** forni – ***S*** hornos, estufas

Lit.: Ullmann (5.) **A 4**, 536; **A 16**, 383; **B 2**, 4-15, 4-31 ▪ s. a. Brenner, Drehrohröfen, Heizgeräte u. Hochofen.

Oekanal®. Hochreine Standards (Reinheit >99%) sowie hochreine Lsm. für die Spurenanalytik leichtflüchtiger Halogenkohlenwasserstoffe. ***B.:*** Riedel.

Ök(o).... Von griech.: oîkos = Haus, Haushalt abgeleitete Vorsilbe in Fremdwörtern (oft als Abk. für ökolog. od. *Ökologie).

Öko-Audit-Verordnung. Mit der Öko-Audit-VO der EU vom 29. 06. 1993 können sich gewerbliche Unternehmen seit 1995 freiwillig an einem Gemeinschaftssyst. für das Umweltmanagement u. die Umweltbetriebsprüfung beteiligen. Ziel ist die kontinuierliche Verbesserung des betrieblichen Umweltschutzes. Die Prüfung findet in regelmäßigen Abständen durch das Unternehmen selbst statt. Externe unabhängige Gutachter müssen die Wirksamkeit u. das Funktionieren der Untersuchungen bescheinigen. Die Dtsch. Akkreditierungsstelle für Umweltgutachter (DAU), die 1995 gegründet wurde u. in der auch der *VCI Gesellschafter ist, erteilt den Gutachtern die Zulassung.

Lit.: Römpp Lexikon Umwelt, S. 235 f. ▪ VO (EWG) Nr. 1836/93 des Rates vom 29. 06. 93, ABl. der EU Nr. L 168/1 (1993).

Ökobilanz (Ökobilanz-Studie). Bez. für die „Lebensweganalyse" (*E* Life Cycle Assessment, Abk.: LCA) von Produkten (u. Dienstleistungen). Die Ö. gehört wie

die Risikoabschätzung, das Umweltaudit u. die Umweltverträglichkeitsprüfung zu den Umweltmanagementmeth. u. umfaßt: 1. *Festlegung des Ziels u. Untersuchungsrahmens*; – 2. *Sachbilanz* (Input-Output); – 3. *Wirkungsabschätzung* aufgrund der Zurodnung, von Sachbilanzdaten zu Umweltwirkungen; – 4. *Auswertung*: Die Ergebnisse der Sachbilanz u. der Wirkungsabschätzung werden entsprechend dem festgelegten Ziel u. dem Untersuchungsrahmen der Ö. zusammengefaßt. In der Praxis wird unter einer Ö. häufig noch immer nur einer *Sah-Ökobilanz-Studie* (*E* Life Cycle Inventory Study, Abk.: LCI) ohne Wirkungsabschätzung verstanden, d. h. die Datensammlung u. -gegenüberstellung der Mengeneinheit eines definierten Produkts bzw. einer „Dienstleistungseinheit" bezogen auf den Ressourcenverbrauch (Input von Rohstoffen u. Energien) u. die Emissionen in Luft, Wasser u. Boden (Output) einschließlich der zugehörigen Berechnungsverfahren. Eine wesentliche Voraussetzung für die Vergleichbarkeit von solchen Ö., die inzwischen für das – interne – Benchmarking von Unternehmen erhebliche Bedeutung gewonnen haben, ist die genaue Festlegung der Systemgrenzen. Eine Ö. „von der Wiege bis zur Bahre" (*E* cradle-to-grave) bezieht den – anteiligen – Ressourcenverbrauch auch für die Rohstoff- u. Energiegewinnung bzw. alle Aufwendungen für Kreislaufführung od. Abproduktverwertung mit ein, während für eine Ö. „cradle-to-gate" die Analyse beim marktfähigen Produkt endet. Zu einer Ö. im umfassenden Sinne gehören aber als weitere Schritte die Bewertung des Ressourcenverbrauchs u. der Immissionen (*E* impact assessment) im Hinblick auf Veränderungen in der Umwelt, wie Ressourcenbedarf im Sinne von Erschöpfung, Treibhauseffekt, Versauerung von Böden, Eutrophierung von Gewässern, Photooxidantienbildung u. Ozon-Abbau, u. die Erarbeitung von Empfehlungen für mögliche Verbesserungen (*E* improvement analysis) von Produkten, für strateg. Planungen, polit. Entscheidungsprozesse, Marketing.
Während für die Sachbilanzen inzwischen internat. anerkannte Prinzipien, allg. Anforderungen, Regeln u. Qualitätskriterien vorliegen (vom Europ. Komitee für Normung u. von der *Society of Environmental Toxicology and Chemistry, SETAC, erarbeitet), steht die Konsensfindung bei der Wirkungsabschätzung („Bewertung") noch am Anfang, da die Rangfolge von „Werten" von polit. Entscheidungen abhängig ist, die sich auch ändern können. Sachbilanzen liegen inzwischen für *Kunststoffe, Packstoffe, *Tenside u. viele andere Produktgruppen vor. – ***E*** life cycle assessment – ***F*** analyse du circle de vie

Lit.: EN 14042 u. EN 14043, Umweltmanagement – Ökobilanz – Wirkungsabschätzung bzw. Auswertung, in Vorbereitung ▪ EN ISO 14040, Umweltmanagement – Ökobilanz – Prinzipien u. allg. Anforderungen, Brüssel, 1997 ▪ Proc. 3rd CESIO Intern. Surf. Congr. & Exhib. – A World Market, Sect. E, F, & LCA Seminar, London, 1–5 June, 1992, Bd. 4, S. 200–260 ▪ Schmidt u. Häuslein (Hrsg.), Ökobilanzierung mit Computerunterstützung, Berlin: Springer 1996 ▪ Society of Environmental Toxicology and Chemistry (SETAC) (Hrsg.) Guidelines for Life Cycle Assessment: A „Code of Practice", Brüssel: Pensacola 1993 ▪ Tenside Surf. Det. **32**, Nr. 2 u. 5 (1995). – *Zeitschrift*: The International Journal of Life Cycle Assessment, Landsberg: ecomed, seit 1994.

Ökochemie (ökolog. Chemie, Umweltchemie). Die Ö. ist eine fächerübergreifende Wissenschaft mit engen Beziehungen zu *Biologie, *Ökologie, *Ökotoxikologie, *Chemie, *Hydrologie, Meteorologie, *Geochemie u. *Technik. Die Untersuchung des Verhaltens von Chemikalien in der Umwelt ist einer der Forschungsgegenstände der Ökochemie. Ö. im weiteren Sinne umfaßt alle Stoffe, unabhängig davon, ob sie aus der Natur od. anthropogen beeinflußten Prozessen entstammen. Forschungsschwerpunkte der Ö. sind Stofftransport, -verteilung u. -transformation in Bio-, Hydro-, Pedo- u. Atmosphäre sowie die physikal. u. chem. Wechselwirkungen zwischen chem. Stoffen, insbes. *Umweltchemikalien u. unbelebten Bestandteilen der Umwelt. Die Ö. ist eng verknüpft mit der *Ökotoxikologie*. Ergebnisse ökochem. Untersuchungen sind maßgebliche Grundlage für die Ermittlung von Umweltexpositionen, u. damit für die *Risikoanalyse von *Chemikalien. Hierfür wurden Substanz-, Medien- u. Anw.-bezogene Konzepte entwickelt, während sich die Ökotoxikologie auf wirkungsbezogene Konzepte u. Kriterien gründet. Die Ö. untersucht:
– Stoffeintragspfade, -mengen u. -muster;
– Stofftransport u. -verteilung in Umweltkompartimenten (*Flüchtigkeit, Geo-*Akkumulation, *Biokonzentration, *Deposition, Desorption, *Auslaugung, Grundwasser usw.);
– abiot. Transformation (Oxid., Red., Hydrolyse, *abiotischer Abbau, *Photoabbau);
– biot. Umwandlung (*biologischer Abbau, *Biotransformation, *anaerober Abbau);
– biogeochemische Kreisläufe.
Im Gegensatz zur Ö. untersucht die *chem. Ökologie* v. a. die chem. Grundlagen ökolog. Vorgänge u. Beziehungen; die chem. Ökologie wird oft zur Ö. gerechnet. – ***E*** environmental chemistry – ***F*** chimie de l'environnement – ***I*** ecochimica, chimica ecologica – ***S*** química del medio ambiente

Lit.: Harborne, Ökologische Biochemie, Heidelberg: Spektrum 1995 ▪ Schlee (2.) ▪ Ullmann (4.) **6** (ganzer Bd.). – *Zeitschriften u. Serien:* Chemistry in Ecology, New York: Gordon & Breach (seit 1983) ▪ Chemoecology, Stuttgart: Thieme (seit 1990) ▪ Chemosphere, Oxford: Pergamon (1990–1993), Basel: Birkhäuser (seit 1993) ▪ Ecological Abstracts, Bethesda: Cambridge Scie. Abstracts ▪ Environmental Toxicology and Chemistry, Elmford: Pergamon ▪ Hutzinger.

Öko-Ethologie. Verhaltensökologie, ein junges Teilgebiet der Verhaltensforschung, das die Zusammenhänge zwischen dem Verhalten einer Tierart u. den Bedingungen ihrer belebten u. unbelebten Umwelt untersucht (Adaptation). Sie ist u. a. an parallelen Verhaltensanpassungen interessiert, die in bestimmten Lebensräumen selbst bei nicht näher miteinander verwandten Tierarten zu beobachten sind (sog. Konvergenz). So haben Blüten-besuchende Insekten aus nicht näher miteinander verwandten Gruppen (z. B. Schmetterlinge, Hautflügler u. Zweiflügler) unabhängig voneinander die Fähigkeit zum Schwirrflug auf der Stelle entwickelt u. können dadurch zur Nahrungsaufnahme vor der Blüte in der Luft „stehen".
Während bei der Ö.-E. mehr das Verhalten im Vordergrund steht, liegt bei der *Etho*-Ökologie der Schwerpunkt mehr auf der Ökologie. – ***E*** behavioural ecology,

eco-ethology – *F* écoéthologie – *I* etologia ecologia, ecoetologia – *S* comportamiento ecológico, eco-etología

Lit.: Krebs u. Davies, Einführung in die Verhaltensökologie, 3. Aufl., Berlin: Blackwell 1996.

Ökofaktoren (ökolog. Faktoren, Umweltfaktoren). Die von der Umgebung ausgehenden Einwirkungen (Umweltkräfte) auf ein Lebewesen (s. a. Tab.).

Tab.: Beisp. für Ökofaktoren.

abiot. Ö. (Abiozön)	
klimat.:	Wärme, Licht, Wind, Feuchtigkeit, Niederschläge
chem.:	Sauerstoff, Kohlendioxid, Wasser, Spurengase, Nährstoffe
mechan.:	Wind, Strömung, Wellenschlag, Sedimentation
orograph.:	Höhenlage, Oberflächenstruktur, Hangneigung, Exposition
edaph.:	physikal. u. chem. Bodenbeschaffenheit
biot. Ö. (Biozön)	
troph.:	Art, Menge, Verteilung der Nahrung, Nahrungskette, Nahrungsnetz
chem.:	niedermol. Signalstoffe (z. B. Allomone, Kairomone u. a.), Ökomone, Pheromone, Toxine, Inhibitoren
interspezif. u. intraspezif.:	synergist. wie Symbionten, antagonist. wie Parasiten, Predatoren, Allelopathie, Konkurrenz, Kannibalismus, Antibiose

Man unterscheidet außerdem natürliche Ö. (d. h. ohne Zutun des Menschen vorhandene Ö.), anthropogene Ö. (die es ohne den Menschen nicht gibt, z. B. Kahlschlag, Flußkanalisation, Talsperren) u. Ö., die durch den Menschen beeinflußt werden, z. B. die Konz. an Kohlendioxid, Schwefeldioxid, Stickstoffoxiden u. a. in der Atmosphäre. Die Auswirkungen eines Ö. auf ein Lebewesen hängen u. a. von dessen genet. Anlagen (Dispositionen) ab; durch *Evolution werden diese verändert u. führen u. a. zur verbesserten Anpassung (*Adaptation) an Ö., die langfristig selektiv wirken. – *E* ecofactors, ecological factors, environmental factors – *F* facteurs écologiques (de l'environnement) – *I* ecofattori, fattori ecologici – *S* factores ecológicos (ambientales)

Lit.: Römpp Lexikon Umwelt, S. 507 f. ▪ Schlee (2.), S. 15–24.

Ökogeographische Regeln s. Klimaregeln.

Öko-Institut e. V. Das Ö.-I. mit Sitz der Geschäftsstelle in 79038 Freiburg, Im Binzengrün 34 a, u. Büros in Berlin u. Darmstadt wurde 1977 gegründet u. beschäftigt 80 Mitarbeiter. Es ist ein gemeinnütziger, von ca. 5000 Mitgliedern getragener u. durch 80 Städte u. Gemeinden unterstützter Verein, der es sich zur Aufgabe gemacht hat, frei von ökonom. Interessen angewandte Umweltforschung zu ermöglichen. Die Mitarbeiter unterstützen die Arbeit von Bürgerinitiativen u. Kommunen, erarbeiten Konzepte, erstellen Gutachten u. beraten als Sachverständige auch Verantwortliche in Politik, Verwaltung u. Wirtschaft.

Publikationen: Öko-Mitteilungen. INTERNET-Adresse: http://www.oeko.de.

Ökokat's®. Quellfähiger *Bentonit als Heimtier-Einstreu. *B.:* Süd-Chemie.

Ökologie. Die Lehre vom Haushalt der Natur (Ökonomie der Natur), mit dem Ziel, die Erscheinungen der belebten Natur als Mittel zum Zweck (Überleben) zu erkennen. Dementsprechend begreift man heute Ö. als Umweltwissenschaft, die Wechselwirkungen zwischen Lebewesen u. *Umwelt untersucht, wobei nicht nur die *Biologie, sondern zunehmend auch andere Wissenschaften Bedeutung erlangen, z. B. *Ökochemie, *Ökotoxikologie u. *Geologie. Das Präfix „Öko" wird heute auch in anderen Bereichen zur Kennzeichnung einer Umweltbezogenheit bzw. Umweltrelevanz verwendet.

Im Mittelpunkt der Ö. steht das *Ökosystem, eine funktionelle Einheit, die eine Lebensgemeinschaft von Organismen, die *Biozönose, u. ihren Lebensraum, das *Biotop, umfaßt. Auf Ökosysteme wirken *Ökofaktoren ein, welche die Lebensbedingungen, die spezif. *ökologischen Nischen, für die Organismen definieren, die ihrerseits an das Wirkungsgefüge der Ökofaktoren adaptieren (s. Adaptation, Coevolution u. Evolution).

Als Teilgebiete der Ö. unterscheidet man Autökologie, Demökologie u. Synökologie, je nachdem, ob Einzelindividuen, einzelne Populationen od. die gesamte Biozönose Untersuchungsobjekt sind. Die *Autökologie* (manchmal mit Ökophysiologie gleichgesetzt) betrachtet morpholog., physiolog. u. biochem. Anpassungen (*Adaptationen) von Organismen an Ökofaktoren, so die Biotopwahl, Ernährung, neurolog. Steuerungsmechanismen u. Lebenscyclen (Rhythmik, Überdauerung ungünstiger Lebensbedingungen etc.). Im Mittelpunkt der *Demökologie* (Populationsökologie) stehen Veränderungen der Populationsgröße (*Abundanz, Demographie) u. Populationsstruktur (*Populations-Genetik, Wachstumsstrategien) in Abhängigkeit von Ökofaktoren, die letztlich die Populationsdichte beeinflussen od. regulieren. Die *Synökologie* analysiert, charakterisiert u. klassifiziert Ökosyst., ihre Entwicklungen (s. Sukzession u. Klimax) u. Vernetzungen (z. B. *Nahrungskette u. Nahrungsnetz), bewertet Populationen hinsichtlich ihrer Bedeutung für das Ökosyst., schafft abstrakte, mathemat. od. konkrete Modelle (z. B. Modell-Ökosyst. für ökotoxikolog. Untersuchungen) u. beschäftigt sich letztendlich mit der Beeinflussung u. dem Management von Ökosyst.; damit in Zusammenhang stehen z. B. biolog. Schädlingsbekämpfung (s. Pflanzenschutz) u. *Umweltschutz. – *E* ecology – *F* écologie – *I* ecologia – *S* ecología

Lit.: Aber u. Melillo, Terrestrial Ecosystems, Philadelphia: Saunders 1991 ▪ Bick, Ökologie (2.), Stuttgart: Fischer 1993 ▪ Hay, Chemie für Ökologen, Stuttgart: Enke 1983 ▪ Odum, Grundlagen der Ökologie (3.), Stuttgart: Thieme 1998 ▪ Ricklefs, Ecology (3.), New York: Freeman 1990 ▪ Steubing u. Schwantes, Ökologische Botanik (2.), Heidelberg: Quelle u. Meyer 1987 ▪ Trepl, Geschichte der Ökologie vom 17. Jahrhundert bis zur Gegenwart, Frankfurt: Athenäum 1994 ▪ Tudge, Global Ecology, New York: Oxford University Press 1990 ▪ Ullmann (4.) **6**, 9–30 ▪ Walter u. Breckle, Ökologie der Erde (z. T. 2. Aufl.), 4 Bd., Stuttgart: Fischer 1983–1991 ▪ Wissel, Theoretische Ökologie, Heidelberg: Springer 1989. – *Zeitschriften u. Serien:* Annual Review of Ecology and Systematics, Palo Alto: Annu. Rev. Inc. ▪ Ecological Monographs, Washington: Ecol. Soc. Am. ▪ Ecology, Washington: Ecol. Soc. Am. ▪ Evolutionary Ecology, London: Chapman & Hall ▪ Global Ecology and Biogeography Letters, Oxford: Blackwell ▪ Journal of Applied Ecology, Oxford: Blackwell ▪ Journal of Ecology, Oxford: Blackwell ▪ Journal of Tropical Ecology, Cambridge: Cambridge University Press ▪ Marine Ecology – Progress Series, Amelinghausen: Inter-Research ▪ Microbial Ecology, Berlin: Springer ▪ Oecologia, Berlin: Springer ▪ Revue d'Ecologie, Paris: Soc. Natl. Protection Nature.

Ökologische Chemie s. Ökochemie.

Ökologische Effizienz (ökolog. Wirkungsgrad). Das Verhältnis (Quotient) zwischen 1. verschiedenen Nahrungs-, *Biomassen- od. *Energie-Bilanzen von Individuen, *Populationen, Organismengruppen innerhalb einer troph. Ebene (s. die Abb.) od. zwischen 2. solchen Bilanzen von Individuen, Populationen od. Organismengruppen in verschiedenen troph. Ebenen einer *Nahrungskette od. eines Nahrungsnetzes. Innerhalb einer troph. Ebene bezeichnet die ö. E. z. B. das Verhältnis Respiration zu Assimilation (R/A; Abk. s. Abb.-Legende).

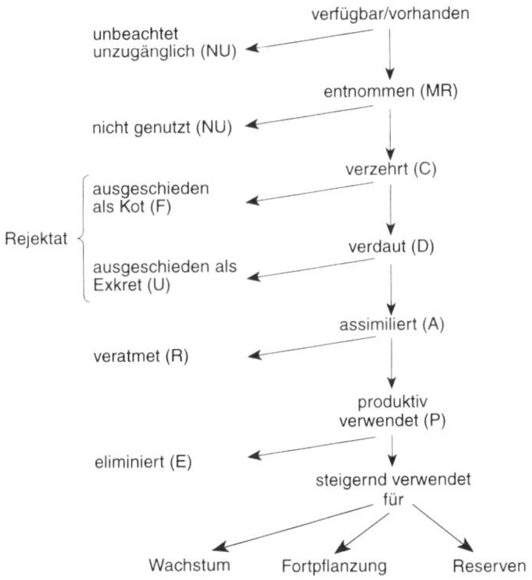

Abb.: Material- u. Energiefluß bei Nahrungsverwertung u. Produktion von Tieren od. anderen heterotrophen Organismen sowie Bilanzierungen. Abk.: A: Assimilation (Assimilat); C: Konsumption (Consumption) = Ingestion; D: Digestion; E: Verluste (z. B. Häutung, Todesfälle); F: Egestion (F von Faeces); MR: Entnommenes Material (von *E* material removed); NU: Nicht genutzt (von *E* not used); P: Produktion; R: Respiration = Atmung; U: Exkret (z. B. Urin).

Beim Vgl. ökolog. Produktionsleistungen zwischen verschiedenen troph. Ebenen unterscheidet man Quotienten gleicher Größen (z. B. C_2/C_1; Nahrungsketten- od. Lindemansche Effizienzen) von Quotienten, die verschiedene Größen vergleichen (z. B. der ökotroph. Koeff. C_2/P_1; Nutzungseffizienzen).

Das Verhältnis R/A liegt bei vielen Pflanzen bei 0,5. Von den Pflanzen werden max. 5% der eingestrahlten Sonnenenergie durch Photosynth. in chem. Verb. gespeichert, das sind max. ein Viertel der absorbierten Strahlung (bei *C_4-Pflanzen; photosynthet. Effizienz). – ***E*** ecological efficiency – ***F*** efficacité écologique – ***I*** efficienza ecologica – ***S*** eficacia ecológica

Tab.: Ökologische Effizienzen.

Bez.	Definition
photosynthet. Effizienz	Energie von A/eingestrahlte (od. absorbierte) Energie
Assimilationseffizienz, -grad-, -quotient, Assimilations-Ingestions-Index	A/C
Bruttoproduktionseffizienz, Bruttowirkungsgrad der Produktion	P/C
Futterkoeff., troph. Koeff.	C/P
Nettoproduktionseffizienz, Nettowirkungsgrad der Produktion, Wachstumsgrad, Nettowachstumsleistung, Aufbaueffizienz, Wachstumseffizienz (ö. E. im engeren Sinne)	P/A
ökonom. Koeff. der Photosynth., ökonom. Koeff. der Produktivität	A/R
Produktion-zu-Respiration-Verhältnis	A/R P/R
Respiration-zu-Produktion-Verhältnis	R/A R/P
Produktion-zu-Biomasse (B)-Verhältnis	P/B

Lit.: Bick, Ökologie (2.), Stuttgart: Fischer 1993 ▪ Odum, Prinzipien der Ökologie, S. 79–119, Heidelberg: Spektrum 1991.

Ökologische Nische. Das durch *Ökofaktoren u. die *ökologische Potenz einer Organismen-*Art geschaffene Wirkungsgefüge, das die Existenz der Art bestimmt. Ursprünglich konkret als Standort-Nische verstanden[1], wird ö. N. heute meist im Sinne von Elton[2] als funktionelle Rolle einer Art im *Ökosystem od. nach Kühnelt[3] als ökolog. Planstelle in der *Nahrungskette (troph. Nische, Nahrungsnische) verwendet. Das *Konkurrenz-Ausschluß-Prinzip* (Gause-Volterra-Prinzip, Gausesches Prinzip, Monardsches Prinzip, Exklusions-Prinzip) besagt, daß in einem Ökosyst. eine spezif. ö. N. stets nur von einer Art gebildet werden kann, weil Konkurrenten durch die am besten angepaßte Art (s. Adaptation) aus der gemeinsamen ö. N. verdrängt werden. Umgekehrt wird abgeleitet, daß Arten in einem Ökosyst. koexistieren, wenn sich ihre ö. N. unterscheiden. Dabei ist die realisierte ö. N. kleiner als die Fundamentalnische, die als eine den Potenzen der Art entsprechende, nicht durch Anwesenheit von Konkurrenten eingeschränkte ö. N. verstanden wird; die Verkleinerung bei der Realisierung geht auf die Nischenüberlappung der konkurrierenden Arten zurück. Einnischung bildet im Laufe der *Evolution neue ö. N. aus, wobei durch Konkurrenzdruck Nischenüberlappungen kleiner, Kontraste stärker u. die Arten-Diversität größer wird. Mit Stellenäquivalenz (Vikarianz) wird die Erscheinung bezeichnet, daß in gleichwertigen, aber räumlich getrennten *Biotopen bzw. Ökosyst. gleiche ö. N. durch verschiedene Arten gleicher *Lebensform gebildet werden; man nennt solche ö. N. auch *ökolog. Planstellen.* – ***E*** ecological niche – ***F*** niche écologique – ***I*** nicchia ecologica – ***S*** nicho ecológico

Lit.: [1] Am. Nat. **51**, 115–128 (1917). [2] J. Ecol. **42**, 460–492 (1954). [3] Kühnelt, Grundriß der Ökologie (2.), Stuttgart: Fischer 1970.

allg.: Diamond u. Case (Hrsg.), Community Ecology, S. 381–405, New York: Harper & Row 1986 ▪ Endeavour **12**, 66–70 (1988) ▪ Odum, Prinzipien der Ökologie, S. 62–68, Heidelberg: Spektrum 1991 ▪ Whittaker u. Levin, Niche, Theory and Application, Stroudsburg: Dowden, Hutchinson u. Ross 1975.

Ökologische Planstelle s. ökologische Nische.

Ökologische Potenz (ökolog. Plastizität, Reaktionsbreite, ökolog. Toleranz). Das Vermögen eines Lebewesens od. einer *Art, Einwirkungen von (abiot.) *Ökofaktoren zu tolerieren u. (nach einer strengeren Definition) sich dabei fortzupflanzen. Die ö. P. geht auf genet. Anlagen (*Gene) zurück (Disposition), verändert sich im Laufe der Ontogenese (Inidividualentwicklung) u. kann z.B. durch *Adaptation verändert werden. Da sich die genet. Anlagen der Individuen einer Population u. damit auch die ö. P. in der Regel unterscheiden, kann eine Art in einem Lebensraum (*Habitat) auf Dauer nur überleben, wenn dort für mind. einen Teil der Population alle Ökofaktoren im Toleranzbereich sind (Toleranzgesetz). Dabei wird das Überleben durch den Faktor begrenzt, der dem Pessimum am nächsten kommt (limitierender Faktor); s.a. ökologische Nische u. ökologische Valenz. – ***E*** ecological potency, range of tolerance – ***F*** puissance écologique – ***I*** potenza ecologica – ***S*** potencia ecológica, tolerancia ecológica

Lit.: Stugren, Grundlagen der Allgemeinen Ökologie (4.), S. 24–30, Stuttgart: Fischer 1986.

Ökologische Rassen s. Ökotypen.

Ökologische Valenz. Synonym für *ökologische Potenz [1]. Manchmal wird jedoch ö.V. als Eigenschaft (Amplitudenbreite, „Wertigkeit") von *Ökofaktoren aufgefaßt u. der ökolog. Potenz als Eigenschaft (Toleranzvermögen für Ökofaktoren) von Organismen gegenübergestellt. – ***E*** ecological valency – ***F*** puissance écologique – ***I*** valenza ecologica – ***S*** potencia ecológica

Lit.: [1] Schäfer u. Tischler, Ökologie (2.), S. 186, Stuttgart: Fischer 1983.

Oekolp® (Rp.). Vaginalzäpfchen u. -creme mit *Estriol gegen Kolpitis u. Fluor. ***B.:*** Kade.

Ökomone s. Pheromone.

Ökosystem. Funktionelle Einheit von Lebewesen u. ihrer *Umwelt; diese Einheit umfaßt die Gesamtheit der Organismen (Lebensgemeinschaft, *Biozönose) in einem Lebensraum (*Biotop) u. schließt Stoff- u. Energieflüsse sowie mannigfaltige biolog. Beziehungen ein. Ö.-Parameter sind physikal., chem. u. biolog. Kenngrößen, Strukturen u. Prozesse eines Ö., die seine strukturellen u. funktionellen Grundlagen u. Zusammenhänge charakterisieren.

Das Beziehungsgefüge eines Organismus mit seiner Umwelt wird als *Monosyst.* bezeichnet. Terrestr. Ö. werden auch als *Biogeozönose* (s. Biozönose), aquat. als *Biohydrozönose* bezeichnet. Ö. sind z.B. Wald, Steppe, Wüste, Moor, Wattenmeer, See.

Energie- u. Materialfluß: Die Hauptfunktion eines Ö. liegt im Energie- u. Materialfluß (Stoffkreislauf, biogeochemischer Kreislauf; Abb.), der *Produzenten u. *Destruenten einschließt.

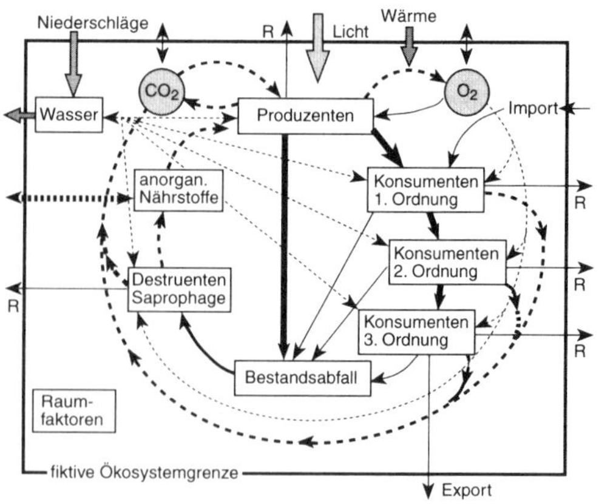

Abb.: Schemat. Darst. eines Ökosystems mit Energiefluß (durchgezogene Linien) u. ausgewählten Stoffflüssen bzw. Stoffkreisläufen. R = Respiration (Atmung) bedeutet Verlust an verfügbarer Energie für das Ökosystem. Export u. Import von organ. gebundener Energie kann z.B. durch Aus- u. Zuwanderung von Organismen erfolgen [1].

Im sog. kurzen Kreislauf synthetisieren Produzenten wie grüne Pflanzen od. autotrophe Bakterien organ. Stoffe aus anorgan. Substanz. Die von den Produzenten nicht selbst verbrauchten organ. Substrate werden von Saprophagen u. Destruenten wieder in anorgan. Substanz überführt (*Mineralisierung). Ein kleiner Teil der Synth.-Produkte wird von Konsumenten, z.B. von Tieren (Phytophagen) u. deren Räubern (Zoophagen), verbraucht u. teilw. mineralisiert, ehe deren Reste letztendlich durch Destruenten abgebaut werden (langer Kreislauf). Die vielfältige (gesetzmäßige) Ausnutzung verschiedener Energie- u. Materiequellen durch Organismen bezeichnet man üblicherweise als *Nahrungskette.

Natürliche Ö. sind offene Syst., die untereinander in Verbindung stehen, z.B. durch Verluste (Laubfall u. Verfrachtung), über die Atmosphäre, Gewässer etc.

Ö. weisen meist eine deutliche Dynamik auf. Auf kleine Störungen reagieren sie mit *Elastizität, größeren folgen deutlich wahrnehmbare *Sukzessionen. Ö., die enge Beziehungen zueinander aufweisen, bilden große, charakterist. Lebensräume, die *Biome. Teilbereiche der Ö. sind die *Synusien* u. die **Ökotone*.

Aus funktioneller Sicht kann man in einem Ö. folgende Komponenten unterscheiden: 1. Energieflüsse, – 2. Nahrungsketten, – 3. Mannigfaltigkeitsmuster in Raum u. Zeit, – 4. biogeochem. Nahrungscyclen, – 5. Entwicklung u. Veränderung, – 6. Regulation u. Informationsfluß. In bezug auf die im Ö. betrachtete Wirkungsrichtung unterscheidet man *Aktion* (Wirkung der Umwelt auf die Organismen), *Reaktion* (Wirkung der Organismen auf die Umwelt) u. *Interaktion* (Wirkungen zwischen Organismen; zur Ö.-Analyse-Dynamik u. -Abgrenzung s. *Lit.*[2]). – ***E*** ecosystem – ***F*** écosystème, biogéocénose – ***I*** ecosistema – ***S*** ecosistema, biogeocenosis

Lit.: [1] Bick, Ökologie, S. 22–42, Stuttgart: Fischer 1989. [2] Römpp Lexikon Umwelt, S. 514f.

allg.: Ecology **16**, 204–207 (1935); **23**, 399–418 (1942) ▪ Ellenberg (Hrsg.), Ökosystemforschung, Berlin: Springer 1973 ▪

Klötzli, Ökosysteme (3.), Stuttgart: Fischer 1993 ▪ Odum, Grundlagen der Ökologie (3.), 2 Bd., Stuttgart: Thieme 1998 ▪ O'Neill et al. (Hrsg.), A Hierarchical Concept of Ecosystems, Princeton: Princeton University Press 1986 ▪ Pomeroy u. Alberts (Hrsg.), Concepts of Ecosystem Ecology, Berlin: Springer 1988 ▪ Stugren, Grundlagen der Allgemeinen Ökologie (4.), S. 76–237, Stuttgart: Fischer 1986 ▪ Tischler, Einführung in die Ökologie (3.), S. 129–174, Stuttgart: Fischer 1984 ▪ Uhlmann, Künstliche Ökosysteme, Berlin: Akademie 1980 ▪ Walter u. Breckle, Ökologie der Erde (2.), Bd. 1, S. 15–85, Stuttgart: Fischer 1991. – *Serien:* Ecosystems of the World, Amsterdam: Elsevier (seit 1977).

Ökoton (Übergangsstreifen, Saumbiotop). Übergangszone zwischen Pflanzengemeinschaften od. *Ökosystemen. Da im Ö. mannigfaltigere *Ökofaktoren herrschen als in seiner Nachbarschaft, ist das Ö. oft artenreicher als die angrenzenden *Biotope („Randeffekt"), z. B. Waldrand, Seeufer, Hecken, Eingangsbereich von Höhlen, Feldrand. – ***E*** ecotone – ***F*** écotone – ***I*** = ***S*** ecotono

Lit.: Lexikon der Biologie (7.), Bd. 6, S. 225, Freiburg: Herder 1988 ▪ Stugren, Grundlagen der Allgemeinen Ökologie (4.), S. 87 ff., Stuttgart: Fischer 1986.

Ökotoxikologie (ökolog. Toxikologie). Fächerübergreifende Wissenschaft (*Biologie, *Toxikologie, *Ökochemie u. *Ökologie), die sich mit den Auswirkungen von Stoffen auf die belebte Umwelt befaßt. Untersuchungsschwerpunkte sind die Effekte auf den Organisationsebenen Organell, Zelle, Organ, Organismus, *Population u. *Ökosystem, soweit daraus direkte od. indirekte, reversible u. irreversible Veränderungen od. Schäden entstehen. Das Ziel ökotoxikolog. Untersuchungen ist die Ermittlung von strukturellen u. funktionellen Veränderungen im Ökosyst. unter der Einwirkung von Chemikalien. Die Ergebnisse der Untersuchungen sind Grundlage für das Erkennen u. Bewerten ökolog. *Risiken für Lebewesen u. Lebensgemeinschaften in ihrer natürlichen Umwelt. Das ökotoxikolog. Wirkungspotential ist eine stoffinhärente Eigenschaft. Ausmaß u. Ausprägung ökotoxikolog. Effekte sind jedoch abhängig von Expositionsdosis u. -dauer der ökolog. Organisationsebenen. Damit besteht eine direkte Beziehung zu ökochem. Kriterien wie Stoffeintrag, -transport, -verteilung u. -transformation, zu *Persistenz u. *Akkumulations-Verhalten von Chemikalien u. zu den Ökosyst.-Eigenschaften. Wirkungspotential u. Exposition sind Grundlagen der ökotoxikolog. *Risikoanalyse (Risikoermittlung u. -bewertung). Die dazu notwendigen Daten werden im Rahmen von Labor-, Feld- u. Modellökosyst.-Untersuchungen sowie bei quant. Struktur-Wirkungs-Analysen (*QSAR) ermittelt, ebenso *Art-spezif. Stoffwirkungen bei aquat. u. terrestr. Organismen (z. B. *Bakterientest, *Algentest, *Daphnientest, *Fischtest); die dazu notwendigen Verf. sind genormt[1]. – ***E*** ecotoxicology – ***F*** écotoxicologie – ***I*** ecotossicologia – ***S*** ecotoxicología

Lit.: [1] ABl. der EG Nr. 35, L 383 A, S. 163–235 (1992).
allg.: Calow, Handbook of Ecotoxicology, London: Blackwell Sci. Publ. 1993 ▪ Levin et al. (Hrsg.), Ecotoxicology: Problems and Approaches, Berlin: Springer 1989 ▪ Nachr. Chem. Tech. Lab. **38**, 85–114 (1990) ▪ Rippen, Handbuch Umweltchemikalien: Stoffdaten – Prüfverfahren – Vorschriften (2.), Landsberg: ecomed seit 1987 (Loseblattsammlung) ▪ Schlottmann (Hrsg.), Prüfmethoden für Chemikalien, Stuttgart: Hirzel, seit 1994 (Loseblattsammlung) ▪ Steinberg et al., Ökotoxikologische Testverfahren, Landsberg: ecomed 1995. – *Zeitschriften:* Ecotoxicology and Environmental Safety, New York: Academic Press (seit 1977) ▪ Environmental Toxicology and Chemistry, Oxford: Pergamon (seit 1982) ▪ IPCS (International Programme of Chemical Safety), Environmental Health Criteria, Genf: WHO (ca. 190 Bd.; seit 1976) ▪ Journal of Toxicology and Environmental Health, Bristol: Taylor and Francis.

Ökotrophologe s. Oecotrophologe.

Ökotypen (ökolog. Rassen). Populationen einer *Art, die sich in Anpassung (s. Adaptation) an unterschiedliche Lebensbedingungen hinsichtlich ihrer *ökologischen Potenzen genet. unterscheiden u. die Art in verschiedenen Lebensräumen vertreten. *Clines* (engl. Bez. für graduelle Übergänge innerhalb einer Art) u. geograph. Rassen sind in der Regel ebenfalls Ökotypen. Je nach Bindung an *Habitat, Mikroklima od. Wirt (bei *Parasiten), können Ö. auch im gleichen *Biotop bzw. *Ökosystem vorkommen. Gelegentlich wird von Ö. gesprochen, wenn durch period. Änderung von *Ökofaktoren wie Temp., Licht od. Nahrungszusammensetzung Farb- u. Formvarietäten einer Art auftreten, insbes. bei Insekten, die im Laufe eines Jahres mehrere Generationen bilden (Saisondimorphismus, eine Cyclo- bzw. „Öko"-morphose) u. in allen Generationen genet. (weitestgehend) ident. sind. – ***E*** ecotypes – ***F*** écotypes – ***I*** ecotipi – ***S*** ecotipos

Lit.: Lexikon der Biologie (7.), Bd. 6, S. 224 f., Freiburg: Herder 1988 ▪ Tischler, Einführung in die Ökologie (3.), S. 20 ff., 50 ff., Stuttgart: Fischer 1984.

Ökozonen s. Klimazonen.

Oel, Heribert J. (geb. 1925), Prof. Dr. rer. nat. Dr. h.c., Vorstand des Inst. für Werkstoffwissenschaften III (Glas u. Keramik) der Univ. Erlangen-Nürnberg/Techn. Fakultät; Aufsichtsrat der Hoechst Ceram Tec, Selb. *Arbeitsgebiete:* Glas u. Keramik.

Lit.: Kürschner (16.), S. 2647 ▪ Wer ist wer? (35.), S. 1055.

Ölabscheider. Einrichtung zur Entfernung von Öl od. ölhaltigen Emulsionen aus dem *Abwasser (s. a. mechanische Abwasserbehandlung).

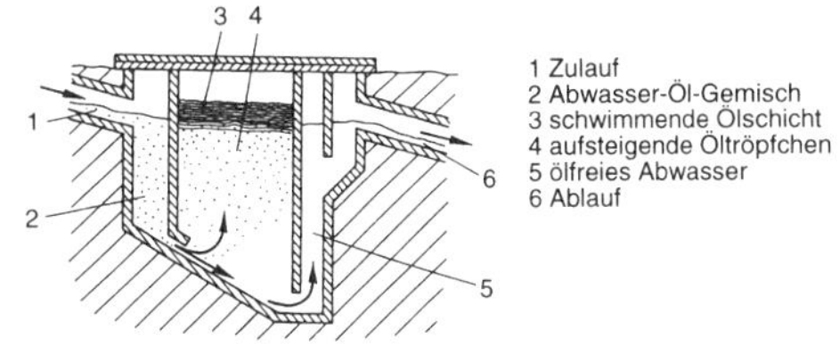

Abb.: Ölabscheider (schemat. Darst.[1]).

Ö. alter Prägung sind Einbauten der Grundstücksentwässerung zur Zurückhaltung von Mineralölen z. B. von Tankstellen, Kfz-Werkstätten u. a. Stellen, bei denen mit Ölanfall zu rechnen ist. Durch Verringerung der Fließgeschw. treibt das im Abwasser enthaltene Öl an die Oberfläche u. wird durch Tauchwände zurückgehalten. Notwendig ist die laufende Kontrolle u. Entleerung des Ö. sowie die ordnungsgemäße *Abfallentsorgung des Ölschlamms. – ***E*** oil separator, oil remover – ***F*** déshuileur, séparateur d'huile; séparation d'huile – *I* separatore di olio – *S* separador de aceite; separación de aceite

Lit.: [1] Leo, Ölwehrhandbuch, Hamburg: K. O. Storck 1983. *allg.:* Abwassertechnische Vereinigung (Hrsg.), ATV-Handbuch Mechanische Abwasserreinigung (4.), S. 114–158, Berlin: Ernst 1997 ▪ Birr et al., Umweltschutztechnik (5.), 125 ff., Leipzig: Verl. für Grundstoffind. 1992.

Ölabweisende Ausrüstung s. Oleophobierung.

Öladditive s. Mineralöladditive.

Ölbäder s. Heizbäder.

Ölbindemittel. Substanzen, die Wasser abstoßen (hydrophober Charakter) u. *Öl adsorbieren od. absorbieren (oleophiler od. lipophiler Charakter). Sie bestehen aus Kunststoffgranulaten (z. B. aus Polypropylen), Kunststoffflocken u. Würfeln (z. B. aus Polyurethan-Schaum), aber auch aus natürlichen Materialien wie getrockneter Baumrinde, Torf u. Stroh, ggf. nach einer hydrophobierenden Oberflächenbehandlung. Sie werden auf das Öl gestreut u. nach einer Einwirkungszeit abgeräumt.
Dünnflüssige Öle wie z. B. leichtes Heizöl werden gut aufgenommen. Ö. sind daher unentbehrlich für dünne Ölschlieren auf Gewässern od. an Land. Bei großen u. dicken Ölschichten nützen sie allerdings wenig. Bei zähflüssigen Ölen, wie z. B. bei *Schweröl u. verwittertem Rohöl, ist ihre Wirkung gering, da sich ihre Poren rasch verstopfen, wodurch ihre Saugwirkung stark eingeschränkt wird. Bei der Wahl des geeignetsten Ö. ist nicht nur seine Saugfähigkeit u. sein Preis, sondern insbes. seine spätere Entsorgung zu berücksichtigen. – *E* sorbents – *F* agents absorbants d'huile – *I* assorbenti di olio, leganti di olio – *S* aglutinante aceitoso

Öl der holländischen Chemiker s. Dichlorethane.

Öl-Diffusionspumpen s. Diffusionspumpe.

Öle. Von *Oleum abgeleitete Sammelbez. für wasserunlösl., bei 20 °C flüssige organ. Verb. mit relativ niedrigem Dampfdruck, deren gemeinsames Merkmal nicht die übereinstimmende chem. Konstitution, sondern die ähnliche physikal. Konsistenz ist. Man unterscheidet 3 Hauptgruppen der Ö.: 1. *Mineralöle aus *Erdöl sowie vollsynthet. Ö. wie z. B. Siliconöle (s. Silicone);
2. pflanzliche u. tier. fette Ö., bei denen es sich um Triglyceride mittlerer od. ungesätt. Fettsäuren handelt, s. Ölpflanzen u. Fette u. Öle;
3. *etherische Öle, bei denen es sich um duftende, flüchtige Ö. u. *Riechstoffe aus verschiedenen Pflanzenteilen handelt, die im Gegensatz zu fetten Pflanzenölen auf Papier keinen bleibenden Fettfleck hinterlassen. – *E* oils – *F* huiles – *I* oli – *S* aceites

Ölfarben. Ältere Bez. für Anstrichfarben auf der Basis trocknender pflanzlicher Öle (meist *Leinöl) mit od. ohne Trockenstoff-Zusatz. Ölfarbstoffe s. Fettfarbstoffe. – *E* oil paints – *F* peinture á l'huile – *I* colori ad olio – *S* pinturas al aceite

Ölfrüchte s. Ölpflanzen.

Öl-in-Wasser-Emulsionen s. Emulsionen.

Ölkäfer. Bez. für eine Familie (Meloidae) der Käfer (Coleoptera), die über 2500 Arten enthält, davon in Europa nur etwa 140, aber auch allg. Bez. für die größte Art dieser Familie in Mitteleuropa, *Meloe proscarabaeus* (Ö. od. Maiwurm). Verbreitet u. namengebend ist die Fähigkeit (wie bei *Marienkäfern), bei Störung v. a. aus Poren in den Beingelenken Hämolymphe zur Abwehr od. Abschreckung austreten zu lassen. Diese Blutflüssigkeit enthält bei vielen Arten das hochgiftige, von den Käfern selbst synthetisierte *Cantharidin, das allerdings nur gegen einen Teil der Freßfeinde (Ameisen, Laufkäfer) schützt. Die hohe Eizahl (2000–10 000 pro Weibchen) hängt mit der hoch spezialisierten parasit. Lebensweise der Larven zusammen. Das 1. Larvenstadium, die je Bein mit 3 Klauen ausgestattete Triungulinus-Larve, gelangt aktiv od. passiv (durch *Phoresie) in das Nest solitärer Bienen, wo mehrere Maden-artige Stadien durchlaufen werden. – *E* oel beetle – *F* coléoptères – *I* meloe, coleottero – *S* carraleja

Lit.: Jacobs u. Renner, Biologie u. Ökologie der Insekten, 2. Aufl., Stuttgart: Fischer 1988.

Ölkautschuk s. Faktisse.

Ölkohle. Feste, kohleartige, verschleißfördernde Abscheidung in Verbrennungsmotoren bei Verw. minderwertiger Schmieröle. – *E* carbon – *F* calamine – *I* carbone d'olio – *S* carbonilla

Ölkreiden. Ähnlich wie *Wachsstifte* (s. Buntstifte) zusammengesetzte, gezogene, runde od. eckige Farbstifte. Ö. enthalten als Füllmaterial hauptsächlich Ton od. Kreide, als Farbbestandteil anorgan. od. organ. Pigmente bzw. Farbstoffe, als Bindemittel pflanzliche Öle, Wachse, Harze od. deren Seifen u. ermöglichen infolge des Ölgehaltes eine weiche, angenehme, wischfeste Flächenbemalung. – *E* oil chalks – *F* craies grasses – *I* gessi d'olio – *S* tizas de aceite, tizas grasas

Lit.: Ullmann (4.) **8**, 602 f.; (5.) **A 9**, 45 f. – *[HS 9609 90]*

Öllacke. In dem Maße, wie die Bedeutung von *Lacken auf Lsm.-Basis wegen ihres hohen Preises, der Arbeits- u. Umweltschutz-Problematik u. den nicht optimalen Eigenschaften sinkt, nimmt das Interesse an Lsm.-armen Lack-Syst. zu. Klass. Beisp. hierfür sind die „*trocknenden Öle", d. h. oxidativ vernetzende Ö. auf Leinöl-, Holzöl- od. Sojaöl-Basis. Diese bilden zähharte, relativ wetterbeständige Überzüge, dringen in Rost ein u. werden daher beispielsweise zum Grundieren von Eisen-Oberflächen verwendet. Allerdings härten sie nur langsam, vergilben u. verseifen leicht. Bei den neueren Syst. dominieren daher solche auf *Epoxid- u. *Urethan-Basis. Weiterhin bedeutend sind *Polybutadien-Öle, Oligoacrylate u. ölfreie *Polyester mit *Melamin-Formaldehyd-Harzen. – *E* oil varnishes, oleoresinous varnishes – *I* vernici a olio – *S* barnices grasos o al aceite

Lit.: Elias (5.) **2**, 695.

Ölpalme. Eine im trop. Westafrika heim. u. in den meisten Tropenländern (Brasilien, Sri Lanka, Westindien, Java u. a.) kultivierte, 15–30 m hohe Palme (*Elaeis guineensis*, Palmae). Als ausgesprochen trop. Gewächs benötigt die Ö. zur Entwicklung mittlere Temp. von 24–28 °C (nicht unter 15 °C) u. Niederschläge von 100 mm/Monat bei max. 3 Monaten Trockenheit. Die Ö. bringt nach etwa 3 Jahren hühner- bis taubeneigroße

Früchte hervor, die zu 1000 bis 2000 in den Fruchtständen vereinigt sind u. 60–72% Fett enthalten. Das weiche, gelbe bis scharlachrote, leicht verderbliche Fruchtfleisch liefert das *Palmöl u. dient außerdem zur Gewinnung von Carotin – manche afrikan. Palmen enthalten bis zu 3,5% pro Frucht! Aus den von einer sehr harten Schale umgebenen lagerfähigen Samen – eine Nuß enthält im allg. 1–2 Kerne – gewinnt man das *Palmkernöl. Der Palmsaft wird in einigen Gegenden Afrikas als Laxans verwendet od. zu *Palmwein vergoren bzw. zu Arrak destilliert, die Asche der Blätter zu einem Würz- u. Arzneisalz verarbeitet. Die Ö. liefert etwa 50 a lang Erträge, im Durchschnitt ca. 120 kg Fruchtstände pro Palme u. Jahr; der Hektarertrag liegt bei 3–5 t/a. – ***E*** oil palm – ***F*** palmier à l'huile – ***I*** palma da olio – ***S*** palm(er)a de aceite

Lit.: Bruchholz, Die Ölpalme, Wittenberg: Ziemsen 1975 ▪ Franke, Nutzpflanzenkunde, 6. Aufl., S. 153ff., 181f., Stuttgart: Thieme 1997.

Ölpapiere. Ölimprägnierte u. anschließend verharzte od. mit Wachs od. Paraffin getränkte Spezialpapiere für Verpackungszwecke u. als Isolationsmaterial für die Elektro-Industrie. – ***E*** oil papers – ***F*** papiers huilés – ***I*** carte oleate – ***S*** papeles aceitados

Lit.: DIN 6730: 1996-05 ▪ s. a. Papier. – *[HS 481140]*

Ölpest. Bez. für die massive Verschmutzung von Oberflächengewässern u. a. Umweltbereichen durch Mineralöl (-Produkte). Häufigste Ursache spektakulärer Ölkatastrophen sind Öltankerunfälle [1]. Die bisher größte Ö. war im Golfkrieg auf die willentliche Einleitung von Öl in den Arab. Golf zurückzuführen [2]. In Sibirien u. einigen anderen Gebieten sind Landstriche durch marode Erdölförderung u. Pipelines verölt.

Die bei einer Ö. freigesetzten leichtflüchtigen Mineralölbestandteile verdunsten meist innerhalb weniger Tage, während der Rest eine zähe Masse bildet, die nur langsam verwittert, z. T. zum Gewässerboden absinkt u. an den Küsten angespült wird. Zum Rückgang einer Ö. tragen der *biologische Abbau sowie der *Photoabbau wesentlich bei, selbst in den Gewässern Alaskas [3]. Zur Bekämpfung einer Ö. werden Ölsperren, *Ölbindemittel, Ölabschöpfgeräte, -schiffe u. a. Hilfsmittel eingesetzt. U. U. ist es sinnvoll, entstandene Ölbrände nicht zu löschen. Küstenabschnitte werden nach einer mechan. Öl-Beseitigung häufig mit Dampf, Heißwasser u. Detergenzien behandelt, wobei allerdings Schadstoffe mobilisiert u. überlebende Kleinlebewesen getötet werden. Eine Ö. schadet den Gewässerbewohnern durch tox. Wirkungen der Mineralölbestandteile (s. PAH) u. ihrer Oxidationsprodukte, durch Verminderung des Sauerstoff-Gehalts in der Wassersäule sowie durch Verkleben von Federn, Kiemen, Lebensraum u. Nahrung.

Zur Vermeidung von Ölkatastrophen auf Meeren sind in MARPOL u. a. Abkommen zum Schutz der Meere [4] Vereinbarungen zur Konstruktion u. zur Ausrüstung von Schiffen getroffen worden. Für Tankerneubauten werden doppelte Außenwandungen od. horizontal unterteilte Tanks (Mitteldeckbauweise) gefordert [5]. – ***E*** oil pollution, oil contamination – ***F*** pollution par des huiles, marée noire – ***I*** inquinamento da petrolio – ***S*** contaminación por aceites, marea negra

Lit.: [1] Römpp Chemie Lexikon Umwelt, S. 518f. (Ölkatastrophe); Veröffentlichung der jährlichen IMO-Unfallstatistik, z. B. in Gefährliche Ladung. [2] Umweltwiss. Schadstoff-Forsch. **3**, 354–361 (1991). [3] J. Water Pollut. Control Fed. **61**, 1175–1185 (1989). [4] Römpp Lexikon Umwelt, S. 18f. (Abkommen zum Schutz der Meere), S. 453 (MARPOL). [5] Umwelt (BMU) **1992**, 255.
allg.: Environ. Sci. Technol. **31**, 2375–2384 (1997).

Ölpflanzen. Natürliche Fette u. Öle stellen Nähr- bzw. Reservestoffe dar u. unterscheiden sich daher in ihrer biolog. Aufgabenstellung von den *etherischen Ölen. Je nach ihrer Herkunft unterscheidet man zwischen Samenfetten (z. B. Palmkernöl) u. Fruchtfleischfetten (z. B. Palmöl). Wichtige Ö. für die Gewinnung von natürlichen Fetten u. Ölen sind die Ölfrüchte der Ölbäume (Oliven), der Ölpalme u. die Avocado, während die Samen u. Kerne von Raps, Lein (Flachs), Soja, Baumwolle, Erdnuß, Sonnenblume, Kürbis, Koriander, Ricinus, Mohn, Sesam, Kokosnuß, Kakao u. Mandeln zu den Ölsaaten zählen. Neuerdings ist eine – rasch wachsende – Vielzahl von gentechn. veränderten Ö., darunter v. a. Raps u. Sonnenblume, verfügbar, deren Fettsäurespektrum im Samenöl an spezif. Marktanforderungen (bes. an den industriellen Einsatz der Ö.) angepaßt ist.Auch aus Wal- u. Haselnuß sowie Traubenkernen werden Öle gewonnen, die jedoch ausschließlich der menschlichen Ernährung zugeführt werden. Die Gewinnung der Fette u. Öle erfolgt durch Auspressen u./od. Extrahieren mit organ. Lsm. (z. B. Hexan) od. Wasser. Die Rückstände (Ölkuchen, Preßkuchen) sind häufig als Futtermittel nutzbar, enthalten aber nicht selten Pflanzengifte (z. B. *Gossypol, *Ricin) od. eingeschleppte Mykotoxine (z. B. *Aflatoxine). – ***E*** oil plants, oleaginous plants – ***F*** oléinées, plantes oléifères – ***I*** piante oleifere – ***S*** plantas oleaginosas

Lit.: s. Fette u. Öle.

Ölrot. Bisazofarbstoffe für Elektrophorese, Mikroskopie u. Fettfärbung.

Ölsaaten s. Ölpflanzen.

Ölsäure [(*Z*)- od. *cis*-9-Octadecensäure, Oleinsäure].

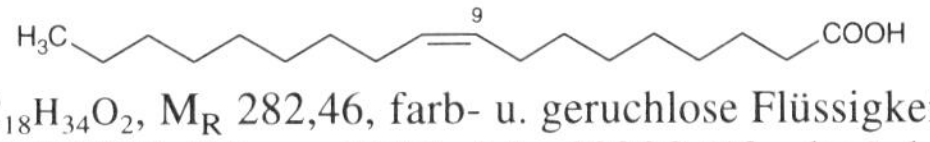

$C_{18}H_{34}O_2$, M_R 282,46, farb- u. geruchlose Flüssigkeit, D. 0,8935, Schmp. 16 °C, Sdp. 223 °C (13 mbar), bei Normaldruck Zers. zwischen 80 u. 100 °C, unlösl. in Wasser, in organ. Lsm. gut löslich. An der Luft geht Ö. infolge Autoxid. in eine gelbliche bis braune, ranzige Flüssigkeit über. Ö. wird im wesentlichen aus ihren natürlichen Vork. in pflanzlichen u. tier. Fetten u. Ölen (*Olivenöl, *Rapsöl, *Sonnenblumenöl, *Rindertalg) gewonnen. Dazu werden die Triglyceride zunächst einer Druckspaltung unterworfen u. die resultierenden Gemische der verschiedenen Fettsäuren durch das Verf. der *Umnetzung in einen gesätt. Anteil (*Stearin) u. einen ungesätt., weitgehend aus Ö. bestehenden Anteil (*Olein) separiert. Durch Hydrierung kann die Ö. in Stearinsäure überführt werden, bei Erhitzen in Ggw. von Selen geht sie in das (*E*)- od. *trans*-Isomere (*Elaidinsäure) über. Unter Einwirkung von Perchlorsäure od. Schwefelsäure cyclisiert Ö. zu Stearolacton, die Umsetzung mit Schwefelsäure od.

Schwefeltrioxid führt zu Ölsäuresulfaten u. Ölsäuresulfonaten, die als *Aniontenside Bedeutung besitzen. Ester u. Salze der Ö. werden als *Oleate bezeichnet. Die Bildung des Ether-lösl. Bleioleats kann bei der Herst. von Ö. benutzt werden, um die Ö. von den begleitenden Fettsäuren abzutrennen, deren Blei-Salze nicht Ether-lösl. sind.
Verw.: Zur Hydrophobierung von Textilien, Herst. von Oleaten, Schmiermitteln, Kosmetika, Salben, Metallputzmitteln, Nahrungsfetten, Futtermittelzusätzen. – ***E*** oleic acid – ***F*** acide oléique – ***I*** acido oleico – ***S*** ácido oleico
Lit.: Beilstein E IV **2**, 1641 ▪ Ullmann (5.) **A 10**, 245 ▪ s. a. Fette u. Öle. – *[HS 3823 12; CAS 112-80-1]*

Ölsäureamid [(*Z*)-9-Octadecensäureamid].

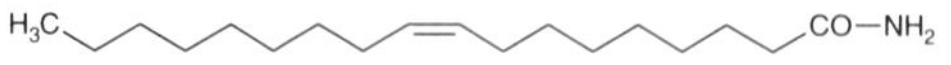

$C_{18}H_{35}NO$, M_R 281,48, Schmp. 75–76 °C. Weiche, fettartige, schwach bräunliche Substanz. Techn. Ö. enthält 20% gesättigte Amide als Nebenbestandteile. Ö. wird durch Erhitzen von Ammoniumoleat gewonnen. Zur Verw. s. Fettsäureamide.
Durch Injektion von Ö. können Tiere künstlich in Schlaf versetzt werden („*Schlaflipide*"). Ö. wird im Gehirn durch enzymat. Hydrolyse in Ölsäure überführt u. auf diese Weise inaktiviert. – ***E*** oleamide, oleic amide – ***F*** oléamide, amide de l'acide oléique – ***I*** ammidi oleiche – ***S*** oleamida, amida del ácido oleico
Lit.: Angew. Chem. **107**, 2559 (1995) ▪ J. Am. Chem. Soc. **118**, 5938 (1996). – *[HS 2924 10; CAS 301-02-0]*

Ölsäureester. Die meist als Oleate der Alkohole (*Beisp.:* Butyl-, Ethyl-, Oleyloleat) benannten Ester der Ölsäure (Formel s. dort) sind im allg. farblose bis gelbliche, relativ hochsiedende, ölige Flüssigkeiten, die in Wasser unlösl., in organ. Lsm. u. pflanzlichen u. mineral. Ölen lösl. u. z. B. als Schmiermittel einsetzbar sind. Da Ö. leicht in die Haut eindringen u. nicht fetten, können sie gelegentlich Öle in kosmet. Zubereitungen ersetzen (*Cera liquida*) – insbes. das *Oleyloleat* dient als auffettende Komponente u. als Trägersubstanz für Lipid-lösl. Arzneimittel in der Dermatologie. *Glycerinmonooleat u. *Triolein sind Ö. des Glycerins. – ***E*** oleic acid esters, oleates – ***F*** esters de l'acide oléique, oléates – ***I*** esteri dell'acido oleico
Lit.: Beilstein E IV **2**, 1649 f. ▪ DAB **8**, 344 f., Komm.: 570 f. ▪ Hager **7 b**, 510 ▪ Janistyn **1**, 39, 146, 498, 673. – *[HS 2916 15]*

Ölsäureoleylester (Oleyloleat).

$H_3C—(CH_2)_7—CH{=}CH—(CH_2)_7—CO—O—CH_2—(CH_2)_7—CH{=}CH—(CH_2)_7—CH_3$

$C_{36}H_{68}O_2$, M_R 532,94. Farbloser bis schwach gelblicher flüssiger Wachsester. Dient als Fettungsmittel in kosmet. u. pharmazeut. Produkten. – ***E*** oleyl oleate – ***F*** oléate d'oleyle – ***I*** oleato di oleile – ***S*** oleato de oleilo – *[CAS 3687-45-4]*

Ölsande (Teersande). Schwarze, vorwiegend aus dem Erdmittelalter stammende, weltweit verbreitete Sandformationen, die einen Mineralölgehalt von ca. 5–18% aufweisen. Im Gegensatz zum flüssigen *Erdöl sind die Ö. zähflüssig-viskos (bituminös) u. müssen erst vom Sand getrennt u. zu Rohöl aufgearbeitet werden. Abgesehen von diesen Schwierigkeiten u. den damit verbundenen Rentabilitätsfragen stellen die Ö. zusammen mit den *Ölschiefern ein mehrfach größeres Ölreservoir als alle bekannten Erdölvork. dar. Allein das Ö.-Vork. am *Athabasca-Fluß* in Alberta (Kanada) mit einer Ausdehnung von etwa 34000 km² (entspricht etwa Nordrhein-Westfalen) wird auf 870 Mrd. Barrel (138 Mrd. m³) Bitumen = ca. 50 Mrd. t Rohöl geschätzt. Insgesamt sollen in Alberta 1350 Mrd. Barrel (215 Mrd. m³) Bitumen lagern, deren Ölgehalt etwa der doppelten Menge aller gewinnbaren Erdölvorräte der Welt entspricht. Große Vork. sind außer in Kanada in Venezuela u. den USA, der ehemaligen UdSSR, Madagaskar u. Italien, kleinere in Zaire, Albanien, Peru, Trinidad u. Rumänien gefunden worden, doch wurden bisher nur die Athabasca-Lagerstätten [1] in größerem Umfang – tägliche Materialbewegungen ca. 450000 t, weitgehend im Tagebau – erschlossen. Die Abtrennung des Öls von den Sanden (19 t Ö. geben 1 t Rohöl) erfolgt durch Heißwasserflotation od. Zentrifugalseparatoren, bei tiefer liegenden Ö.-Schichten auch durch Heißdampfinjektion, bei der an der Abbaustelle Heißdampf eingeblasen wird u. die entstehende W/O-Emulsion abgepumpt u. wieder getrennt wird. Das auf diese Weise gewonnene Öl kann nur bei entsprechend hohen *Erdöl-Preisen konkurrenzfähig sein. – ***E*** tar sands – ***F*** sables bitumineux – ***I*** sabbia bituminosa – ***S*** arenas bituminosas
Lit.: [1] Annu. Rev. Energy **8**, 137–163 (1983).
allg.: Kirk-Othmer (3.) **22**, 601–627 ▪ Ullmann (4.) **17**, 423–436; (5.) **A 26**, 129–162.

Ölschiefer. Gebirgsbildende Formationen aus Mergel od. a. tonig bituminösen Sediment-Gesteinen aus verschiedenen *Erdzeitaltern, die reich an organ. Materie (*Kerogen) aus fossilisierten Mikroorganismen (meist Algen) od. aus Blütenstaub (*Tasmanit) sind. Zur petrograph. Klassifikation s. *Lit.* [1]. Aus dem schon vor über 60 a von A. *Treibs beobachteten Vork. von sog. *Petroporphyrinen*, die als Ni- od. V-Komplexe vorliegen u. aus Chlorophyll entstanden sind, läßt sich auf die Beteiligung methanogener Bakterien an der Ölbildung schließen. Aus den Ö. läßt sich ein Gemisch von flüssigen Kohlenwasserstoffen (*Schieferöl*) gewinnen, das zu Rohöl u. Mineralölprodukten aufgearbeitet werden kann; der Gehalt an Schieferöl liegt zwischen 5 u. 30%. Das Schieferöl soll als Carcinogen wirken [2]. Da die Gewinnung von (ohnehin häufig stark Schwefel-haltigem) Mineralöl aus Ö. im Vgl. zur derzeit (noch) möglichen Erdölförderung ähnlich unrentabel ist wie die aus *Ölsanden, sind Ö. bisher als Rohstoff- od. Energiequellen wenig in Erscheinung getreten. Andererseits können beide Formationen in Hinblick auf ihr weltweites u. reichliches Vork. als die zukünftigen Ölreservoire angesehen werden. Man schätzt die gesamte in Ö. enthaltene Ölmenge global auf nahezu 340 Mrd. t, von denen nach dem derzeitigen Stand der Technik unter wirtschaftlichen Bedingungen etwa 46 Mrd. t gefördert werden könnten.
Zur Gewinnung des Öls werden z. Z. 2 Meth. diskutiert: 1. Oberird. Verschwelung des im Tagebau gewonnenen Ö. mit anschließender Hydrierung des Kerogens zu synthet. Rohöl; als Rückstand verbleiben *Schieferteer* u. – ggf. Schwermetall-haltige u. daher wirtschaftlich interessante – Asche, die zu Zement verarbeitet werden kann od. muß [3]. – 2. Unterird. Gewin-

nung (*in situ*) durch Einpressen eines Dampf-Luft-Gemisches in das zuvor durch Sprengung gelockerte Gestein u. Entzünden einer Flammenfront, die das Öl austreibt. Zur Polymerisation neigende Pyrrol-Derivate als Begleitstoffe im gewonnenen Rohöl beeinträchtigen dessen Lagerfähigkeit erheblich.
Vork.: Zu den größten bekannten Einzelvork. gehört die amerikan. Green River Formation in Colorado, Utah u. Wyoming, die eine Fläche von 43000 km^2 umfaßt u. bei einem Kerogen-Gehalt von 15% eine Reserve von ca. 0,5–1,1 Mrd. m^3 (3–7 Mrd. Barrel) Ö. darstellt. Die USA verfügen über mehr als 60% der als gewinnbar angesehenen Ö.-Reserven. In Europa geht der vereinzelt betriebene, heute aus Rentabilitätsgründen meist ruhende Ö.-Abbau bis auf das vorige Jh. zurück. In Schottland, Spanien, Schweden, Estland, ehemaligen UdSSR, Frankreich, Österreich, in der BRD z. B. in Dotternhausen (Württemberg) u. in Messel bei Darmstadt wurde Ö. in Gruben u. Tagebaubetrieben abgebaut u. meist nach verschiedenen Schwelverf. aufgearbeitet. Die Ö.-Vork. bei Braunschweig werden z.Z. nicht genutzt. Dagegen spielt der Schwefel-arme estnische *Kuckersit* mit 30–35% organ. Substanz, der schon in den 20er Jahren dieses Jh. industriell verwertet wurde, auch heute noch eine gewisse Rolle. Daneben wird Ö. z.Z. wirtschaftlich nur noch bei Leningrad u. in der VR China[4] ausgebeutet, wenn auch – bei fortschreitender Verbesserung der Technologien u. in Abhängigkeit vom Erdöl-Preis – selbst in den USA u. anderwärts der Ö.-Abbau rentabel werden könnte. Neben der Nutzung als Quelle für Motorkraftstoffe sind Einsatzmöglichkeiten bei der Stromerzeugung, im Bauwesen, in der Metallurgie, Landwirtschaft u.a. denkbar[5]. Aus dem Ö. von Seefeld (Tirol) werden seit langem *Bituminosulfonate als antisept. Heilmittel gewonnen (*Ichthyol) – ***E*** oil shale – ***F*** schistes bitumineux – ***I*** scisto bituminoso, ardesia oleica – ***S*** esquistos bituminosos

Lit.: [1] Oil Shale Symp. Proc. **19**, 27–37 (1986). [2] IARC Monogr. **35**, 161–217 (1985). [3] Zem.-Kalk-Gips, Ausg. B **40**, 393–398 (1987). [4] Erdöl Kohle, Erdgas, Petrochem. **40**, 245–252 (1987). [5] Oil Shale Symp. Proc. **20**, 217–231 (1987).
allg.: Kirk-Othmer (3.) **16**, 333–357; (4.) **17**, 674–701 ■ Ullmann (4.) **17**, 437–450; (5.) **A 18**, 101–126.

Oelschläger, Herbert Adolf Heinrich (geb. 1921), Dr. rer. nat. Dr. h.c., Prof. für Pharmazeut. Chemie, Hamburg, Frankfurt a.M., Inst. für Pharmazeut. Chemie Univ. Frankfurt a.M. *Arbeitsgebiete:* Entwicklung neuer Arzneistoffe, Elektroanalytik, Pharmakokinetik, insbes. Biotransformation. Präsident der Dtsch. Pharmazeut. Ges. (1982–1985). Korr. Mitglied der Tschechoslowak. Medizin. Akademie J. E. Purkyne (1969) u. der Akademie der Wissenschaften u. der Literatur Mainz (1986).

Lit.: Kürschner (16.), S. 2649 ■ Wer ist wer? (35.), S. 1055.

Ölschwarz s. Schieferschwarz.

Ölsteine s. Abziehsteine.

Ölsüß s. Glycerin.

Ölsyndrom, spanisches (TOS). Ursache für dieses Vergiftungssyndrom[1–4] waren Reaktionsprodukte mit Öl-Inhaltsstoffen (z.B. *Glucosinolaten), v.a. des *Anilins, das zur Vergällung dem *Rapsöl zugesetzt wurde. Dabei entstand u.a. das *N*-(5-Vinyl-2-thiazolidinyliden)anilin ($C_{11}H_{12}N_2S$, M_R 204,29, s. Abb.) u. dessen 4-Vinyl-Isomer[5,6], denen neben Anilin u. Fettsäureaniliden ein entscheidender Beitrag zur tox. Wirkung zugeschrieben wird.

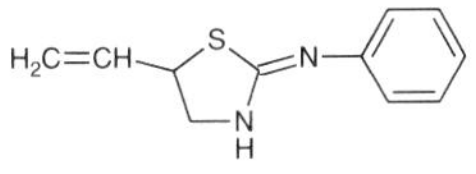

N-(5-Vinyl-2-thiazolidinyliden)anilin

Neben den als *Giftölsyndrom* beschriebenen tox. Effekten[7] ist in jüngster Zeit eine Häufung von Sklerodermiefällen bei den Opfern des TOS beschrieben worden[8]. Details zur Toxikologie s. *Lit.*[9–11].
Analytik: Neben den oben genannten Indikatorsubstanzen erlaubt 4-Hydroxy-2-nonenal die Identifizierung der kontaminierten Öle[12].

Lit.: [1] Nature (London) **298**, 608 (1982). [2] N. Engl. J. Med. **309**, 1408–1414 (1983). [3] Am. J. Epidemiol. **119**, 250–260 (1989). [4] Food Chem. Toxicol. **25**, 87–90 (1987). [5] Food Chem. Toxicol. **27**, 165–171 (1989). [6] Food Chem. Toxicol. **26**, 119–127 (1988). [7] Food Chem. Toxicol. **26**, 759–765 (1988). [8] Die Zeit, Nr. 9, S. 90, vom 22.02.1991. [9] Chem. Res. Toxicol. **8**, 911–916 (1995). [10] J. Agric. Food Chem. **42**, 2525–2530 (1994). [11] Food Chem. Toxicol. **34**, 251–257 (1996). [12] Arch. Environ. Contam. Toxicol. **14**, 261–271 (1985).
allg.: WHO (Hrsg.), Toxic Oil Syndrome, European Series No. 42, Genf: WHO 1992.

Öltröpfchen-Versuch s. Millikan.

Öl/Wasser-Emulsionen s. Emulsionen.

Ölzahl. Nach DIN ISO 785-5 die Menge Lackleinöl, die unter festgelegten Bedingungen von einer Pigment- od. Füllstoffprobe absorbiert wird. Die Ö. ist eine übliche Kennzahl zur Charakterisierung des Ölbedarfs von *Pigmenten u. *Füllstoffen. Einheit: mg/100 g od. g/100 g. Verf. zur Bestimmung sind in DIN EN ISO 787-5: 1995-10 bzw. ISO 787-5: 1980 genormt. – ***E*** oil number – ***F*** prise d'huile, absorption d'huile – ***I*** numero di olio – ***S*** índice de absorción de aceite

Lit.: Ullmann (4.) **18**, 565; (5.) **A 20**, 269.

Önanthaldehyd s. Heptanal.

Oenanthate s. Oenanthsäure.

Oenanthether. Synonym für *Weinhefeöl.

Oenanthsäure (Heptansäure).
$H_3C–(CH_2)_5–COOH$, $C_7H_{14}O_2$, M_R 130,19, ätzendes, talgig-ranzig riechendes Öl, Sdp. 222–245 °C (115–116 °C bei 1,5 kPa), Schmp. –9 °C, lösl. in Ethanol u. Ether, wenig lösl. in Wasser.
Vork.: Im Lavendelblätteröl, Palmöl, Flechteninhaltsstoff. O.-Ester sind Bestandteile der sog. *Fuselöle (Name O. von griech.: oinánthē = Weinrebe), z.B. der Methylester ($C_8H_{16}O_2$, M_R 144,21, Sdp. 172 °C) u. der Ethylester ($C_9H_{18}O_2$, M_R 158,24, Sdp. 189 °C).
Verw.: Aromastoffe in Fruchtaromen (Oenanthate, Freiname Enantate), als Stabilisator in Schmiermitteln u. als Hydraulik-Flüssigkeit. – ***E*** enanthic acid – ***F*** acide oenanthique – ***I*** acido enantico – ***S*** ácido enántico

Lit.: Beilstein E IV **2**, 958ff. ■ Karrer, Nr. 693 ■ Merck-Index (12.), Nr. 4695 ■ Ullmann **5**, 113. – *[HS 2915 90; CAS 111-14-8 (O.); 106-73-0 (O.-Methylester); 106-30-9 (O.-Ethylester)]*

Oen(id)in s. Malvidinchlorid.

Önologie. Lehre vom Weinbau u. der kellertechn. Behandlung des Weines. Eine Übersicht über die zugelassenen önolog. Verf. ist der *Lit.* zu entnehmen. – ***E*** oenology – ***F*** oenologie – ***I*** enologia – ***S*** enología
Lit.: Zipfel, A 402, A402.

Oersted (Kurzz. Oe). Veraltete Einheit der magnet. Feldstärke, benannt nach Hans Christian Ørsted (dän. Physiker, 1777–1851), der *Aluminium, *Piperin u. elektromagnet. Gesetze entdeckte [1]. Umrechnung ins *SI: 1 Oe = (1000/4π) A/m = 79,577 A/m.
Lit.: [1] Chem. Unserer Zeit **15**, A 85 (1981).

Oesch, Franz (geb. 1938), Prof. für Pharmakologie u. Toxikologie, Direktor des Inst. für Toxikologie, Univ. Mainz. *Arbeitsgebiete:* Elektrophil reaktive Metabolite (v. a. Epoxide); Mechanismus-basierende toxikolog. Risikoevaluierung für den Menschen.
Lit.: Kürschner (16.), S. 2651.

Oesterhelt, Dieter (geb. 1940), Prof. für Biochemie, München, MPI für Biochemie, Martinsried. *Arbeitsgebiete:* Retinal- u. Chlorophyll-abhängige Photosynth.; biolog. Signaltransduktionsketten, Membranbiochemie, Bioenergetik, Enzymologie.
Lit.: Kürschner (16.), S. 2652 ▪ Wer ist wer? (35.), S. 1056.

Österreichische Mineralölverwaltung Aktiengesellschaft, Sitz in A-1090 Wien. Mineralölkonzern der Austrian Industries AG (AI): *Daten* (1996): 78,3 Mrd. öS Umsatz. *Tätigkeitsbereich:* Erdöl u. Erdgas; Mineralöl-Verarbeitung u. -Marketing; Kunststoffe, Chemie u. Werkstoff.

Östradiol s. Estradiol.

Östran s. Estran.

Östriol s. Estriol.

Östrocorticoide s. Corticosteroide.

Oestrofeminal® (Rp). Kapseln mit *Estrogenen zur Substitution bei Estrogen-Mangel in der Menopause. *B.:* Mack, Illert.

Östrogene s. Estrogene.

Oestro-Gynaedron® M (Rp). Vaginalcreme mit dem *Estrogen *Estriol gegen entzündliche Veränderungen der Scheidenschleimhaut mit Gewebeschwund. *B.:* Klosterfrau.

Östron s. Estron.

Ofen s. Öfen.

Ofensau. Bez. für nichtschmelzende, häufig Mo, Ni, Co, Au etc. enthaltende Massen, die sich bei der Metallverhüttung in Schachtöfen auf dem Ofenboden während einer Ofenreise ansammeln. Kleinere, ebenso unerwünschte Gußstücke nennt man *Bären.* Bei der Beseitigung störender Bären od. O. haben sich sog. Sauerstoff-Lanzen u. Pulver-Schneidbrenner bewährt.

Offener Leseraster (ORF, open reading frame). Eine zwischen einem *Start- u. einem *Stop-Codon liegende fortlaufende längere Reihe von Nucleotid-Tripletts, die in eine Polypeptid-Kette übersetzt werden kann. Meistens leiten sich o. L. bereits von der DNA-Sequenz ab.

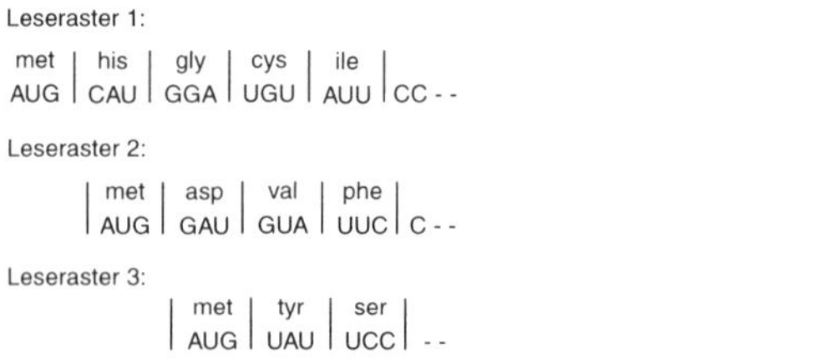

Abb.: Drei verschiedene Leseraster, die durch Verschieben des Rasters um jeweils ein Nucleotid nach rechts entstehen.

Durch Nutzung des Prinzips von o. L. können im Genom mehr Proteine codiert werden als es die Anzahl der vorhandenen Nucleotide vermuten läßt: Die einzelsträngige DNA des Phagen Phi X174 besteht z. B. aus 5386 Nucleotiden. Diese codieren jedoch für 11 verschiedene Proteine mit insgesamt 2327 Aminosäuren, entsprechend einer Gesamtzahl von 3×2327 Nucleotiden. Die geringere Anzahl von 5386 Nucleotiden reicht für die Codierung aus, weil der Phage sog. überlappende Gene besitzt; d. h. ein Gen kann ein Polypeptid bilden unter Nutzung von Nucleotid-Sequenzen eines anderen Gens, indem die Ablesung auch in unterschiedlichen Leserastern, also um ein od. zwei Nucleotide verschoben, erfolgt (s. Abb.). In allen drei abgebildeten Leserastern beginnt die Polypeptid-Synthese mit einem Startcodon u. endet mit dem Erreichen eines Stopcodons. – ***E*** open reading frame – ***I*** fase di lettura aperta, ORF, griglia di lettura aperta – ***S*** estructura de lectura abierta
Lit.: Ibelgaufts, Gentechnologie von A bis Z, S. 310ff., Weinheim: VCH Verlagsges. 1993.

Offene Systeme s. thermodynamische Systeme.

Offenlegung s. Patente.

Offermanns, Heribert (geb. 1937), Prof. Dr. rer. nat., Vorstandsmitglied der Degussa AG, Frankfurt, Ressort Chemie, Honorarprof. für Chemie, Univ. Frankfurt/Main; Mitglied des Präsidiums der GDCh.
Lit.: Kürschner (16.), S. 2655 ▪ Nachr. Chem. Tech. Lab. **43**, Nr. 12, 1388 (1995); **44**, Nr. 6, 651 (1996).

Off-flavour. Aus dem Engl. stammender Fachterminus für „Fehlaroma", wobei unter dem Wort „flavour" nicht nur das Aroma (Geruchseindruck), sondern auch der Geschmack verstanden wird, so daß mit dem Begriff o.-f. Fehltöne in Lebensmitteln bezeichnet werden, die geruchlich u./od. geschmacklich relevant sind. *Beisp.*: *Reversionsgeschmack des *Sojaöls, *Sonnenlichtgeschmack der *Milch. Zu Fehlaromen des *Weines (Foxton, Muffton, *Mäuseln) s. *Lit.*, s. a. Wein. – ***E*** off-flavo(u)r – ***F*** arôme étranger – ***I*** aroma estraneo – ***S*** aroma extraño
Lit.: Charalambous (Hrsg.), Off-flavours in Food and Beverages, Amsterdam: Elsevier 1992 ▪ Int. Food Ingr. **4**, 35–39 (1994) ▪ Würdig u. Woller (Hrsg.), Chemie des Weines, S. 611, Stuttgart: Ulmer 1989.

Office International de la Vigne et du Vin s. OIV.

Offizin s. Apotheke.

Offizinell. Bez. für Arzneimittel, die in das DAB aufgenommen sind u. in jeder Apotheke (latein.: officina) erhältlich sind. – ***E*** = ***F*** officinal – ***I*** officinale – ***S*** oficinal

Offretit. $KCaMg[Al_5Si_{13}O_{36}] \cdot 36\,H_2O$, zu den *Zeolithen u. hier zur *Chabasit-Gruppe gehörendes Mineral, Kristallklasse $\bar{6}2m$-D_{3h}. Struktur s. *Lit.*[1] u. Gottardi-Galli (*Lit.*). Prismat., oft tönnchenförmig gewölbte od. nadelige, häufig zu Büscheln, igelartigen Gruppen od. Rasen verwachsene, glasglänzende, farblose bis weiße Krist., die stets Verwachsungen von O. mit dem faserigen, oft watteähnlich aggregierten, weißlich durchscheinenden Zeolith *Erionit*, $NaK_2MgCa_{1,5}[Al_8Si_{28}O_{72}] \cdot 28\,H_2O$, u. dem Zeolith *Levyn darstellen; H. 4,5, D. 2,13.
Vork.: In Hohlräumen in *Basalten, z.B. im Vogelsberg/Hessen u. Kaiserstuhl/Baden (mit Erionit) am Mont Semiol (Loire)/Frankreich (Orginalfundort) u. mehrorts in den USA. Erionit überwiegend in *Sedimentgesteinen, z.B. Nevada/USA, u. in umgewandelten *Tuffen, z.B. westliche USA. – ***E*** = ***I*** offretite – ***F*** offrétite – ***S*** ofretita
Lit.: [1] Acta Crystallogr. Sect. B **28**, 825–834 (1972).
allg.: Am. Mineral. **61**, 853–863 (1976) ▪ Anthony et al., Handbook of Mineralogy, Vol. II, Tl. 1, S. 221 (Erionit), Tl. 2, S. 593 (O.), Tucson (Arizona): Mineral Data Publishing 1995 ▪ Gottardi u. Galli, Natural Zeolites, S. 200–214 (Erionit + O.), Berlin: Springer 1985 ▪ Lapis **7**, Nr. 12, 5 ff. (1982) („Steckbrief") ▪ s. a. Zeolithe. – *[CAS 12417-81-1]*

Offsetdruck. Aus der *Lithographie entwickeltes *indirektes *Druckverfahren*, bei dem der Druck nicht unmittelbar auf das Papier, sondern vom (seitenrichtigen) Druckträger zunächst auf einen mit einem Gummituch versehenen Zylinder erfolgt (seitenverkehrt), der seinerseits das Druckbild seitenrichtig auf das Papier überträgt. Da der O. ein *Flachdruck*-Verf. ist, liegen druckende u. nicht druckende Teile in einer Ebene. Erstere werden oleophil präpariert, so daß sie Druckfarbe aufnehmen, Wasser hingegen abstoßen; bei den nichtdruckenden Teilen des Druckträgers ist es umgekehrt. Eine O.-Maschine arbeitet mit einem Farb- u. einem Feuchtwerk. Als Druckträger dienen Papierfolien od. Zn-, Al- u. Mehrmetallplatten. Die Druckvorlagen lassen sich mit der Schreibmaschine od. photograph. aufbringen (*Offsetkopie*). Benutzte man früher für letzteren Zweck Druckplatten mit Eiweiß-, Gummi arabicum- od. Polyvinylalkohol-Schichten, die unter dem Einfluß von in ihnen enthaltenen Chrom-Salzen im Licht erhärteten (ungehärtete Anteile wurden ausgewaschen), so liefert die Ind. heute vorsensibilisierte Druckplatten mit lichtempfindlichen Schichten aus Naphthochinondiaziden (s. Chinondiazide) für Positivsyst. u. aus *Diazonium-Verbindungen od. Arylaziden für Negativsysteme. Letztere lassen sich auch aus Photopolymer-Verb. auf der Basis von Zimtsäure- u. Acrylsäure-Derivaten herstellen.
Die Abb. zeigt den prinzipiellen Unterschied zwischen *Positiv-* u. *Negativ-Kopierverf.*, wie sie auch bei *Chemigraphie u. *Photoresists praktiziert werden. Zur Herst. von O.-Folien ohne Film als Vorlage eignen sich das *Silbersalz-Diffusionsverf.* (s. Photographie) u. die **Elektrophotographie*, wobei mit unbeschichteten Papierfolien (Xerographie), mit Zinkoxid-Sensibilisator, Cadmiumsulfid- od. mit organ. Halbleiter-Beschichtung auf Al-Platten gearbeitet werden kann. Die Auflagenhöhe, die hergestellt werden soll, bestimmt neben der Art der Vorlage das Kopierverf.; sie ist prakt. unbegrenzt. – ***E*** offset printing – ***F*** impression offset – ***I*** stampa offset – ***S*** impresión offset
Lit.: Chem. Unserer Zeit **17**, 10–20, 33–40 (1983) ▪ DIN 16529: 1982-11 ▪ Kirk-Othmer (3.) **19**, 110–163; **20**, 161–166 ▪ Ullmann (5.) **A 13**, 621; **A 22**, 146 ▪ Winnacker-Küchler (4.) **5**, 515 ff.

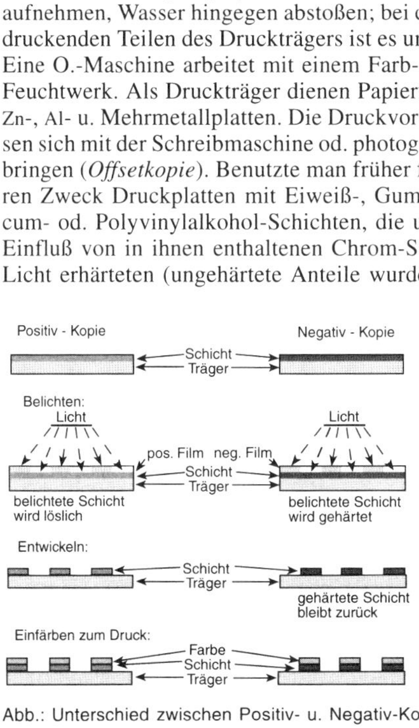

Abb.: Unterschied zwischen Positiv- u. Negativ-Kopierverfahren.

Offsetkopie s. Offsetdruck.

Off-shore s. Erdöl, S. 1197.

Ofloxacin (Rp).

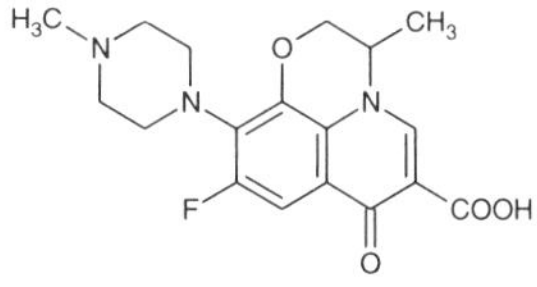

Internat. Freiname für den *Gyrase-Hemmer ((±)-9-Fluor-2,3-dihydro-3-methyl-10-(4-methyl-1-piperazinyl)-7-oxo-7*H*-pyrido[1,2,3-*de*]-1,4-benzoxazin-6-carbonsäure, $C_{18}H_{20}FN_3O_4$, M_R 361,37, Schmp. 250–257 °C (Zers.); λ_{max} (CH_3OH) 228, 298, 326 nm ($A^{1\%}_{1cm}$ 470, 1023, 359); LD_{50} (Maus oral) >5000, (Maus i.v.) 208, (Maus s.c.) >10000 mg/kg. Die (–)-(3*S*)-Form (*Levofloxacin) ist das wirksamere Isomer. O. wurde 1982 u. 1983 von Daiichi patentiert u. ist von Hoechst (Tarivid®) u. Mann (Floxal®) im Handel. – ***E*** ofloxacin – ***F*** ofloxacine – ***I*** = ***S*** ofloxacina
Lit.: ASP ▪ Drugs **33**, 346–391 (1987) ▪ Hager (5.) **8**, 1230–1233 ▪ Martindale (31.), S. 258 f. – *[HS 2934 90; CAS 82419-36-1]*

Oftanol®. Insektizid auf der Basis von *Isofenphos gegen bodenbewohnende Schädlinge sowie Gemüsefliegen u. einige blattfressende u. saugende Insekten in Gemüse, Mais, Raps, Bananen u.a. Kulturen. ***B.:*** Bayer.

Ofurac.

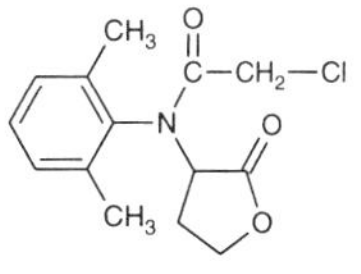

Common name für (±)-α-[2-Chlor-*N*-(2,6-xylyl)acetamido]-γ-butyrolacton, $C_{14}H_{16}ClNO_3$, M_R 281,73, Schmp. 145–146 °C, LD_{50} (Ratte oral) 2600 mg/kg (WHO), von Chevron entwickeltes system. *Fungizid

mit protektiver u. kurativer Wirkung, das in Kombination mit anderen *Fungiziden zur Bekämpfung von Oomyceten, speziell Mehltau, im Wein-, Hopfen- sowie Kraut- u. Knollenfäule im Kartoffel- u. Gemüseanbau eingesetzt wird. – ***E*** = ***F*** = ***I*** ofurace – ***S*** ofurac
Lit.: Beilstein EV **18/11**, 316 ▪ Farm ▪ Perkow ▪ Pesticide Manual. – *[CAS 58810-48-3]*

...ogen. Suffix in Namen für Proenzyme u. Prohormone, die durch spezif. biolog. Abbau aktive *Enzyme u. *Peptidhormone liefern; *Beisp.:* *Trypsinogen u. a. *Zymogene, Angiotensinogen; vgl. ...gen u. ...genin. – ***E*** ...ogen – ***F*** ...ogène – ***I*** ...ogene – ***S*** ...ógeno

OHB. Abk. für die *Otto-Hahn-Bibliothek.

OH-Gruppe s. Hydroxy-Gruppe.

Ohm (Symbol Ω). Abgeleitete *elektrische Einheit für den elektr. Widerstand, benannt nach dem dtsch. Physiker Georg Simon Ohm (1789–1854). Seit 1946 gilt internat. (seit 1960 auch im *SI) die folgende Definition des *abs. O.*:
$1\ \mathrm{Ohm} = 1\ \mathrm{Volt}/1\ \mathrm{Ampere} = 1\ \mathrm{m^2\ kg\ s^{-3}\ A^{-2}}$.
Als 1908 (1911 in Deutschland) eingeführtes *internat. O.* galt der Widerstand, den ein konstanter elektr. Strom durch eine Quecksilber-Säule der Masse 14,4521 g von konstantem Querschnitt u. der Länge 106,300 cm bei der Temp. des schmelzenden Eises erfährt: $1\ \Omega_{int} = 1{,}00049\ \Omega$. Das CIPM (Comité International des Poids et Mesures) empfahl im Herbst 1988 den staatlichen Eichinst. (in Deutschland: PTB in Braunschweig), die Widerstandseinheit O. auf der Basis des *Quanten-Hall-Effektes zu bewahren u. dabei folgende vereinbarte von-Klitzing-Konstante zugrunde zu legen: $R_{K-90} = 25\,812{,}807\ \Omega$. Das so realisierte O. stimmt innerhalb von $2 \cdot 10^{-7}$ mit dem SI-O. überein (*Lit.*[1]). Die Einheit des elektr. Leitwertes, das reziproke O., hat den Namen *Siemens* ($1\ \mathrm{S} = 1\ \Omega^{-1}$), im amerikan. auch *mho* (O. rückwärts gelesen).
Lit.: [1] Phys. Bl. **46**, 58 (1990).
allg.: Kohlrausch, Praktische Physik 1, Stuttgart: Teubner 1996 ▪ Phys. Bl. **43**, 227 (1987).

Ohmsches Gesetz. Physikal. Gesetz, wonach bei Stromfluß durch einen Leiter das Verhältnis aus dem Spannungsabfall U über den Leiter u. der Stromstärke I konstant ist. Der Quotient R = U/I wird elektr. Widerstand genannt. Das O. G. ist im allg. sowohl in Leitern 1. Art (z. B. Metalle) als auch Leitern 2. Art (z. B. Elektrolytlsg.) gut erfüllt (s. a. elektrische Leiter). – ***E*** Ohm's law – ***F*** loi d'Ohm – ***I*** legge di Ohm – ***S*** ley de Ohm

OHZ, OH-Zahl s. Hydroxylzahl.

...oid. Von griech.: ...oeidēs (...ōdēs) = ...-ähnlich, ...-artig abgeleitete, für chem. Stoffklassenbez. oft benutzte Endung; *Beisp.:* benzoid, chinoid, Alkaloide, Lanthanoide, Opioide. – ***E*** ...oid – ***F*** ...oïde – ***I*** = ***S*** ...oide

Oiticicaöl. Fettes, *trocknendes Öl aus den Nüssen des brasilian. Oiticica-Baumes (*Licania rigida*, Chrysobalanaceae), D_4^{20} 0,95–0,97, Schmp. 15 °C, VZ ≈190, IZ 205–220. Die Nüsse enthalten 55–63% O., das gewöhnlich durch Auspressen gewonnen wird. Das frische Öl ist gelblich u. verfestigt sich bis zu einer schmalzartigen Konsistenz. An der Luft tritt Autoxid. ein. Für den Export bestimmtes O. wird erhitzt u. bleibt dann flüssig, oberhalb von 280 °C tritt Gelatinierung ein. Hauptbestandteil des verseiften Öls mit ca. 73–83% ist *Licansäure* (4-Oxo-9,11,13-octadecatriensäure, $C_{18}H_{28}O_3$, M_R 292,41).

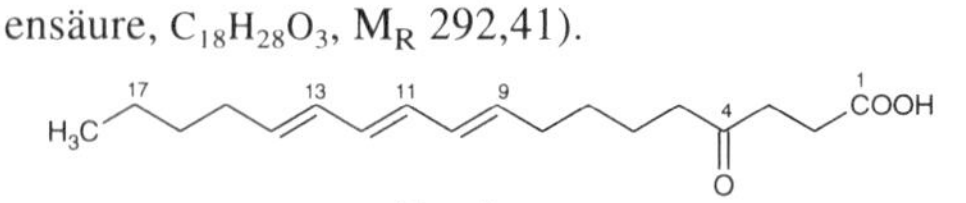

Licansäure

Verw.: Mit Holz- od. Leinöl kombiniert für dunkle Lacke u. als Kernbinderöl. – ***E*** oiticica oil – ***F*** huile d'oïticica – ***I*** olio oiticica – ***S*** aceite de oiticica
Lit.: Karrer, Nr. 830 ▪ Kirk-Othmer (3.) **8**, 132 ▪ Ullmann (5.) **A 10**, 232. – *[HS 1515 90; CAS 8016-35-1 (Öl)]*

OIV. Abk. für das *O*ffice *I*nternational de la *V*igne et du Vin (Internat. Weinamt, Paris), das sich v. a. mit der Erarbeitung von Analysenmeth. u. Richtlinien zur Beurteilung u. Bewertung von *Wein befaßt. Zur sensor. Bewertung von Wein bei internat. Wettbewerben wurde von der OIV ein allg. akzeptiertes Schema (OIV-Schema) erarbeitet. Darüber hinaus gibt das OIV Stellungnahmen zu önolog. Verf. heraus.
Lit.: Koch, Getränkebeurteilung, S. 161 ff., Stuttgart: Ulmer 1986 ▪ Würdig u. Woller (Hrsg.), Chemie des Weines, S. 660 f, Stuttgart: Ulmer 1989.

Okadainsäure (Phytoxin II).

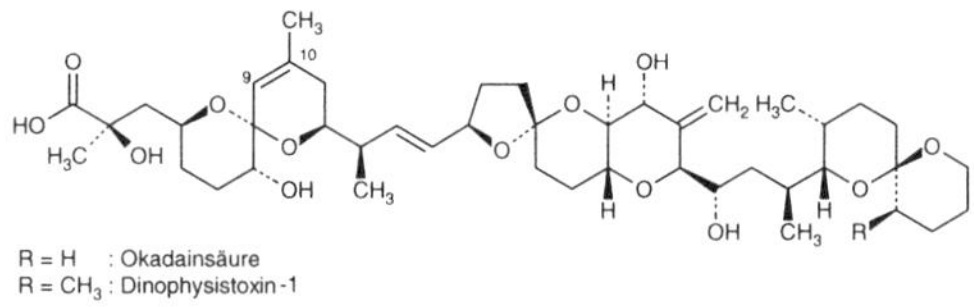

$C_{44}H_{68}O_{13}$, M_R 805,01, Krist., Schmp. 164–166 °C, $[\alpha]_D^{25}$ +28° ($CHCl_3$). Die Polyether-Fettsäure O. wurde zuerst aus den Meeresschwämmen *Halichondria okadai* u. *H. melanodocia*, später auch aus verschiedenen Dinoflagellaten (einzellige Algen, Meeresplankton) isoliert. Schwämme u. Muscheln als aktive Filtrierer reichern durch Aufnahme der Algen O. an. O. ist ein sehr starkes Gift [LD_{50} (Maus i.p.) 192 µg/kg] u. wird als eine Ursache des *Diarrhetic Shellfish Poisoning* (DSP) angesehen. Der Verzehr von Muscheln, die O. enthalten, verursacht starke Diarrhoe, zahlreiche Todesfälle sind bekannt. Neben O. wird die Krankheit wahrscheinlich noch durch andere Polyether-Toxine verursacht (z. B. *Dinophysistoxin-1*[1], $C_{45}H_{70}O_{13}$, M_R 819,04, Schmp. 128–130 °C; $[\alpha]_D^{20}$ +15,5° ($CHCl_3$) aus tox. Muscheln u. dem Kulturfiltrat von *Prorocentrum lima* sowie *Acanthifolicin*[1] (= O.-9*S*,10*R*-Episulfid, $C_{44}H_{68}O_{13}S$, M_R 837,08, Schmp. 167–169 °C, $[\alpha]_D$ +25,3°, amorph) aus dem Schwamm *Pandoras acanthifolium*.
Wirkung: O. wirkt als Tumorpromotor; im Gegensatz zu den Phorbolestern, die die Proteinkinase C aktivieren, hemmt O. die Proteinphosphatasen 1 (PP1) u. 2A (PP2A), was zu einem um das 2,5- bis 3fache gesteigerten Phosphorylierungsgrad von Proteinen in Leber- u. Fettzellen führt u. langanhaltende Kontraktionen der glatten Muskulatur verursacht. Als Konsequenz hieraus wird der Glucose-Ausstoß aus Leberzellen erhöht

u. die Fettsäure-Biosynth. gehemmt. Im Darm kommt es aufgrund des erhöhten Phosphorylierungsgrades (vgl. Choleratoxin) zu übermäßigen Ausscheidungen von Verdauungssäften, die nicht mehr resorbiert werden können, was zur Austrocknung des Körpers führt. Interessanterweise hat das Toxin *Calyculin A ähnliche Wirkung wie O.; PP1 wird von diesem sogar um das 10 bis 100fache stärker gehemmt. – ***E*** okadaic acid – ***F*** acide okadaïque – ***I*** acido okadaico – ***S*** ácido okadaico

Lit.: [1] J. Chem. Soc., Chem. Commun. **1992**, 39; J. Nat. Prod. **54**, 1487 (1991); Tetrahedron Lett. **35**, 1441 (1995).
allg.: J. Nat. Prod. **55**, 1441 (1992) ▪ Tetrahedron **41**, 1019 (1985); **47**, 7437 (1991); **50**, 9175 (1994); **51**, 12229 (1995). – *Pharmakologie:* Adv. Protein Phosphatases **4**, 253–267 (1987); **5**, 219–231, 579–592 (1989). – *Synth.:* Chem. Rev. **93**, 1897 (1993) ▪ Tetrahedron **43**, 4737–4776 (1987). – *[CAS 78111-17-8 (O.); 81720-10-7 (Dinophysistoxin 1); 77739-71-0 (Acanthifolicin)]*

Okara. Unlösl. Rückstand aus der Soja-Extraktion, der als Fermentationszusatz verwendet wird.

Okazaki-Fragmente. Nach ihrem japan. Entdecker Reiji Okazaki benannte kurze DNA-Fragmente (2000 Nucleotide bei *Bakterien, ca. 200 Nucleotide bei *Eukaryonten), die bei der *Replikation von Doppelstrang-DNA an der Replikationsgabel gebildet werden. An der Y-förmigen Gabel dienen beide Eltern-Stränge, also sowohl der in 5′→3′- als auch der in 3′→5′-Richtung verlaufende Strang, als Matrizen für die Neusynth. von DNA, obwohl die bekannten *DNA-Polymerasen nur in 5′→3′-Richtung zu synthetisieren vermögen.
Okazaki fand, daß ein großer Teil der neusynthetisierten DNA in kurzen Fragmenten entsteht. Diese O.-F. werden diskontinuierlich in 5′→3′-Richtung (von der Gabel weg) repliziert u. von der DNA-Ligase zu langen Tochtersträngen verbunden. Der aus O.-F. zusammengesetzte Strang heißt Verzögerungs- od. Folgestrang. – ***E*** Okazaki fragments – ***F*** fragments d'Okazaki – ***I*** frammenti di Okazaki – ***S*** fragmentos de Okazaki

Lit.: Brown, Moderne Genetik, S. 200ff., Heidelberg: Spektrum Akadem. Verl. 1993 ▪ Stryer 1996, S. 845.

Okenit. $Ca_{10}[Si_{18}O_{46}] \cdot 18\,H_2O$, farbloses bis weißes od. gelblichweißes, glas- bis perlmuttartig glänzendes triklines Mineral, Kristallklasse $\bar{1}$-C_i; erstes bekanntes Beisp. eines Ketten- u. Phyllo-*Silicates [1]. Nadelige bis faserige, durchsichtige bis durchscheinende Krist., die meist zu radialstrahligen, oft watteartig aussehenden Büscheln u. Kugeln gruppiert sind. H. 4,5–5, D. 2,3. O. schmilzt vor dem Lötrohr unter Aufblähen zu einem weißen Glas.
Vork.: Vorwiegend in Hohlräumen von *Basalten, z. B. Poona u. andernorts in Indien [2], auf den Faroer-Inseln u. Island. – ***E*** = ***I*** okenite – ***F*** okénite – ***S*** okenita

Lit.: [1] Am. Mineral. **68**, 614–622 (1983). [2] Lapis **9**, Nr. 5, 19f., 28f. (1984).
allg.: Anthony et al., Handbook of Mineralogy, Vol. II, Tl. 2, S. 596, Tucson (Arizona): Mineral Data Publishing 1995 ▪ Ramdohr-Strunz, S. 733.

Okklusion. Bez. für das Festhalten einer Fremdsubstanz durch ihre völlige Umschließung (vgl. dagegen Einschlußverbindungen). O. ist ein erwünschter Prozeß bei der *Ausflockung von Schadstoffen bei der Abwasserreinigung, unerwünscht dagegen bei der Analyse von *Niederschlägen wegen der sog. *Mitfällung einer an sich lösl. Substanz beim raschen *Ausfällen von Krist. sowie bei – ggf. mit *Gettern vermeidbaren – Gaseinschlüssen in Metallen. Ursachen der O. sind die Adsorption an den wachsenden Teilchen des Festkörpers od. Lsg.-Vorgänge. Ein häufiger Fall von O. ist der Einschluß des Dispersionsmittels bei der Gelbildung, der insbes. für die Erscheinung der *Thixotropie verantwortlich ist. – ***E*** = ***F*** occlusion – ***I*** occlusione – ***S*** oclusión

Oklo-Phänomen. Uranerze aus Oklo/Gabun zeigen eine ungewöhnliche Isotopen-Zusammensetzung auch in den Spurenelementen. Daraus schließt man, daß dort vor ca. 1,7 Mrd. a Kernreaktionen abgelaufen sein, d. h. „natürliche Kernreaktoren" existiert haben müssen, s. *Lit.* [1,2]. – ***E*** Oklo phenomenon – ***F*** phenomène d'Oklo – ***I*** fenomeno di Oklo – ***S*** fenómeno de Oklo

Lit.: [1] Acc. Chem. Res. **12**, 73ff. (1979). [2] Naturwissenschaften **70**, 536–539 (1983).
allg.: Kuroda, The Origin of the Chemical Elements and the Oklo Phenomenon, Berlin: Springer 1982 ▪ Naturwiss. Rundsch. **37**, 287ff. (1984) ▪ s. a. Kernenergie.

OKO®-Spray. Insektizid auf der Basis von *Dichlorvos gegen Hygiene- u. Vorratsschädlinge. ***B.:*** Bayer.

Okra (Gombo, Gumbo). Aus Afrika stammende, in den Subtropen u. Tropen kultivierte einjährige, strauchartige, bis 2,5 m hohe Pflanze (*Abelmoschus esculentus*, Malvaceae), deren noch unreife grüne Fruchtstände geerntet werden. Die Früchte sind 12–15 cm lang, fingerdick (engl. Bez. des Gemüses ist auch „ladyfinger") u. leicht gebogen. Je 100 g O. enthalten: 89 g Wasser, 8 g Kohlenhydrate, 2,4 g Eiweiß; mit 90 mg ist der Calcium-Gehalt sehr hoch. Reife Samen enthalten bis zu 25% fettes Öl.
Verw.: O. werden als Gemüse gekocht od. zu Suppen verarbeitet; die Samen der reifen Früchte werden geröstet als Kaffee-Ersatz genutzt, u. die Stengel der Pflanze liefern Fasern. Wasserlösl. Schleimstoffe aus O. werden in wäss. Syst. zur Herabsetzung der Reibung empfohlen, z. B. zu Feuerlöschzwecken. – ***E*** okra – ***F*** okra, gombo – ***I*** ocra – ***S*** ocra, gombo, quingombó

Lit.: Franke, Nutzpflanzenkunde, 6. Aufl., S. 235, Stuttgart: Thieme 1997.

Okt... s. a. Oct...

Oktaeder. Bez. für einen der fünf regelmäßigen *Platonischen Körper. – ***E*** octahedron – ***F*** octaèdre – ***I*** ottaedro – ***S*** octaedro

Lit.: Ramdohr-Strunz, S. 23, 31, 32, 35, 39.

Oktaedrite s. Meteorite.

Oktantenregel. Von Moffit et al. (*Lit.* [1]) aufgestellte halbempir. Regel, die einen Zusammenhang zwischen der Molekülgeometrie u. dem Vorzeichen des *Cotton-Effektes herstellt. Bei ihrer Anw. können bei bekanntem Cotton-Effekt Informationen über *Konfiguration u. *Konformation eines Mol. erhalten werden. Die O. wurde für Verb. mit CO-*Chromophor konzipiert; ähnliche Regeln existieren für andere Chromophore (*Lit.* [2,3]). *Beisp.:* Cyclohexanon mit CO-Chromophor. Gemäß Abb. 1 (S. 3004) wird das Mol. in einem dreidimensionalen, rechtwinkligen Koordinatensyst. so orientiert, daß das Zentrum des CO-Chromophors im

Schnittpunkt der 3 Ebenen A, B u. C liegt. Diese Ebenen sind Knotenflächen der n- u. π^*-Orbitale des CO-Chromophors; die Ebene A ist zudem Symmetrieebene des Moleküls. Die von den 3 Ebenen begrenzten 8 Teilräume bezeichnet man als *Oktanten.*

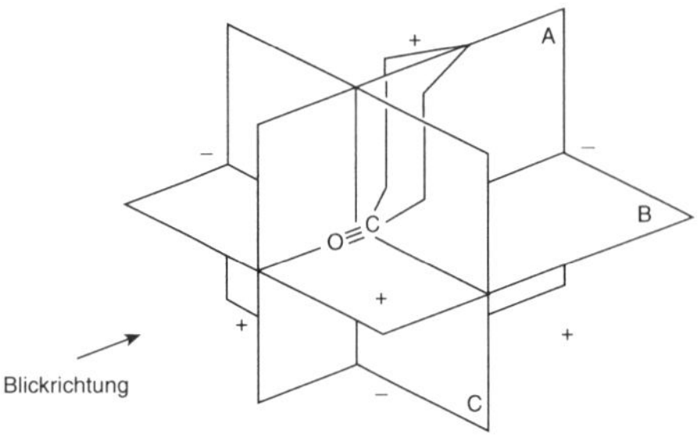

Abb. 1: Definition der Oktanten am Beisp. des Cyclohexanons.

Das Vorzeichen des Cotton-Effektes hängt davon ab, in welchen der Oktanten der überwiegende Teil des Mol. hineinragt. Hierbei gelten die folgenden Regeln:
1. Atome, die von Ebenen durchschnitten werden, erbringen keinen Beitrag.
2. Atome in den hinteren Oktanden rechts unten u. links oben leisten einen pos. Beitrag.
3. Atome in den hinteren Oktanden rechts oben u. links unten leisten einen neg. Beitrag.
4. Atome in den vorderen Oktanden tragen mit umgekehrten Vorzeichen bei wie in den entsprechenden hinteren.

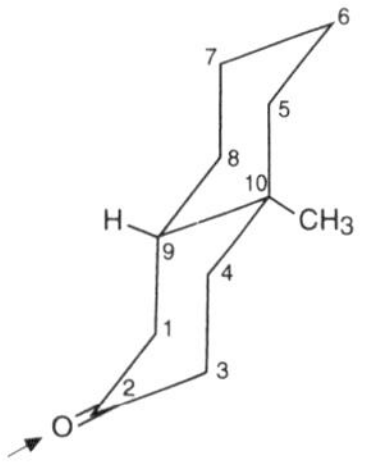

Abb. 2: (+)-*trans*-10-Methyl-decalon-(2).

Beim in Abb. 2 dargestellten (+)-*trans*-10-Methyl-decalon-(2) liegt der überwiegende Teil des Mol. im oberen, links hinten liegenden Oktanden, so daß – in Übereinstimmung mit dem Experiment – ein pos. Cotton-Effekt zu erwarten ist. – ***E*** octant rule – ***F*** règle des octants – ***I*** regola dell'ottante – ***S*** regla de los octantes

Lit.: [1] J. Am. Chem. Soc. **83**, 4013 (1961). [2] Crabbé, ORD and CD in Chemistry and Biochemistry, New York: Academic Press 1972. [3] Angew. Chem. **80**, 15–26 (1968).
allg.: Chem. Unserer Zeit **16**, 160–168 (1982) ▪ Eliel, Stereochemie organischer Verbindungen, Weinheim: VCH Verlagsges. 1997 ▪ s. a. die Textstichwörter u. Stereochemie.

Oktanzahl s. Octanzahl.

Oktett (von latein.: octum = acht). Bez. für das Vorliegen von einer mit 8 *Elektronen besetzten äußersten Elektronenschale eines isolierten Atoms od. eines Atoms in einem Molekül. Als *Oktettregel* bezeichnet man nach *Kossel das Bestreben, eine solche *Elektronenkonfiguration, die der bes. stabilen *Edelgaskonfiguration* entspricht, einzunehmen. *Beisp.:* Durch Ausbildung einer *chemischen Bindung können zwei Fluor-Atome jeweils die Elektronenkonfiguration eines Neon-Atoms erreichen. Die Oktettregel wird bei Verb. aus Atomen der ersten Langperiode befolgt; bei Verb. mit Atomen höherer Periode existieren zahlreiche Ausnahmen. – ***E*** = ***F*** octet – ***I*** ottetto – ***S*** octete

Lit.: Angew. Chem. **96**, 262–286 (1984) ▪ Struct. Bonding **19**, 45–83 (1974).

Oktett-Formel. Bez. für eine mesomere Grenzformel (s. Mesomerie), bei der alle beteiligten Atome ein Elektronenoktett in der Valenzschale besitzen u. die deshalb einen großen Beitrag zur Beschreibung des Mol. liefert; s. a. Oktett. – ***E*** octet formula – ***F*** fórmule de l'octet – ***I*** formula d'ottetto – ***S*** fórmula del octeto

Oktettregel s. Bindigkeit u. Oktett.

Oktett-Struktur. Bez. aus der Chemie der *1,3-dipolaren Cycloaddition, wonach 1,3-Dipole durch zwitterion. Grenzstrukturen mit Elektronen-*Oktett an jedem Atom beschrieben werden können, deren formale Ladungen bei der Cycloaddition aufgelöst werden. Am Beisp. eines Diazonium-Betains, den Diazoalkanen, sollen die möglichen O. aufgezeigt werden:

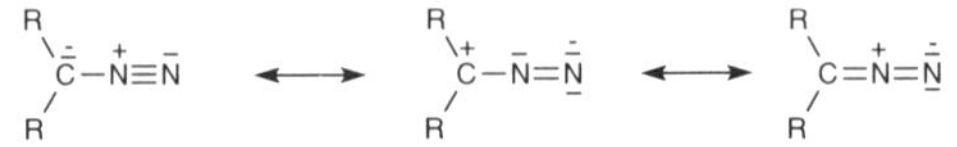

Die wichtige mittlere Grenzstruktur ist keine vollständige O.-S., da das C-Atom nur ein Elektronen-Sextett trägt, u. zeigt damit die geringe Aussagekraft des O.-S.-Modells verglichen mit modernen *Molekülorbital-Modellen. – ***E*** octet structure – ***F*** structure d'octette – ***I*** struttura d'ottetto – ***S*** estructura de octeto

Lit.: s. 1,3-dipolare Cycloaddition u. Oktett.

...ol. a) Suffix, wenn die Hydroxy-Gruppe (–OH) ranghöchste *funktionelle Gruppe ist (Alkoh*ol*-Funktion), für aliphat. u. cycl. *Alkohole, *Phenole u. *Silanole (IUPAC-Regeln C 201–204, R-5.5.1.1); *Beisp.:* Ethanol, Butandiole, Naphthole, Pyridinole. – b) Suffix für ungesätt. fünfgliedrige *heterocyclische Verbindungen im *Hantzsch-Widman-System (IUPAC-Regel R-2.3.3); *Beisp.:* *Oxadiazole. Namen für die gesätt. fünfgliedrigen Ringe ohne Stickstoff enden auf ...olan (*Beisp.:* 1,3-Dioxolan) u. mit Stickstoff auf ...olidin (*Beisp.:* 1,3,2-Diazaborolidin). Veraltet sind die Suffixe ...olen u. ...olin für die partiell hydrierten Ringe ohne u. mit Stickstoff, deren Doppelbindungsstelle man mit Delta u. Indexziffer od. ggf. mit Ziffer angab; *Beisp.:* Δ^3- od. 3-Arsolen (= 2,5-Dihydro-1*H*-arsol), Δ^1-1,2,4-Triazolin (= 4,5-Dihydro-3*H*-1,2,4-triazol). – c) Endung vieler Trivial- u. Handelsnamen (von latein.: oleum = Öl); *Beisp.:* aromat. Ether (Anisol, Phenetol), Heterocyclen (Imidazol, Indol, Pyrazol, Pyrrol). – d) Endung von Namen für aromat. Kohlenwasserstoffe (Benzol, Durol, Toluol, Xylol), nur noch in der BRD üblich, internat. durch die passendere Endung ...ene/...eno ersetzt. – ***E*** ...ol (a), ...ole (b, c), ...ene(d) – ***F*** 1. ...ol, 2.+3. ...ole – ***I*** ...olo – ***S*** 1.+3. ...ol, 2. ...eno, ...ol

Olaflur.

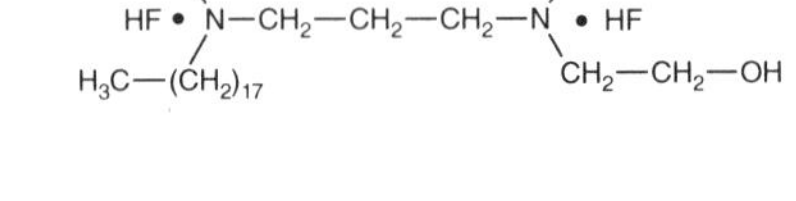

Internat. Freiname für das als Dihydrofluorid gegen Karies wirksame *N,N,N'*-Tris(2-hydroxyethyl)-*N'*-octadecyl-1,3-propandiamin, $C_{27}H_{58}N_2O_3$, M_R 458,76. O. ist in Kombination mit Dectaflur u./oder Natriumfluorid von Wybert (Elmex® Gelee, Lsg.) u. DMG (Multifluorid Gel®) im Handel. – ***E*** = ***F*** = ***I*** = ***S*** olaflur
Lit.: Martindale (31.), S. 1734. – *[HS 2922 19; CAS 6818-37-7]*

Olah, George A. (geb. 1927), Prof. für Organ. Chemie, Univ. of Southern California, Los Angeles (USA). *Arbeitsgebiete:* Reaktionsmechanismen, Substitutionsreaktionen, Carbokationen, nichtklass. Ionen, Onium-Verb., reaktive Zwischenstufen, Friedel-Crafts-Reaktionen, organ. Metall- u. Fluor-Verb., Supersäuren. Er wies als erster die Existenz von Verb. mit fünfbindigen Kohlenstoff-Atomen nach. 1994 erhielt er den Nobelpreis für Chemie für seine bereits in den 60er Jahren durchgeführten Arbeiten über Carbokationen.
Lit.: Lexikon der Naturwissenschaftler, S. 314 ▪ Neufeldt, S. 18 ▪ Pötsch, S. 328 ▪ Who's Who in America (50.), S. 3197.

Olamin® K. Eisenarmes Kombinationsprodukt von Eiweißhydrolysat-Fettsäure mit Fettalkoholpolyglykolethersulfaten u. a. zur Herst. von Dauerwellpräparaten u. Haarfarben. ***B.:*** Henkel.

. . .olan s. . . .ol (b).

Olanzapin (Rp).

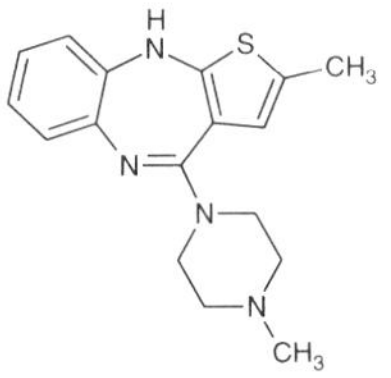

Internat. Freiname für den als *Neuroleptikum verwendeten *Dopamin-Antagonisten 2-Methyl-4-(4-methyl-1-piperazinyl)-10*H*-thieno[2,3-*b*][1,5]benzodiazepin, $C_{17}H_{20}N_4S$, M_R 312,43, Schmp. 195 °C. O. wurde 1991 u. 1993 von Lilly (Zyprexa®) patentiert. – ***E*** = ***F*** olanzapine – ***I*** = ***S*** olanzapina
Lit.: Drugs **53**, 281 – 298 (1997) ▪ Merck-Index (12.), Nr. 6959. – *[CAS 132539-06-1]*

Olaquindox s. Masthilfsmittel.

. . .olat s. Alkoholate.

Old yellow enzyme s. Nicotinamid-Adenin-Dinucleotid.

Olean (1,7-Dioxaspiro[5.5]undecan).

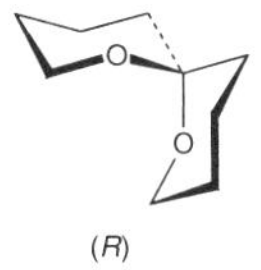

(*R*)

$C_9H_{16}O_2$, M_R 156,22, Sdp. 77 – 78 °C (1,73 kPa); blumig riechende Flüssigkeit. Von Weibchen der Olivenfliege *Dacus oleae* abgegebenes chirales Sexualpheromon[1]. Das Naturprodukt ist racem.[2]; das (*R*)-Enantiomer, $[\alpha]_D^{21}$ –121,6° (Pentan), lockt die Männchen an, das (*S*)-Enantiomer, $[\alpha]_D^{23}$ +109,3° (Pentan), wirkt attraktiv auf die Weibchen. Das Spiroacetal O. kommt auch in anderen Fruchtfliegen der Gattung *Dacus* vor[3]. – ***E*** olean – ***F*** oléane – ***I*** oleano – ***S*** oleán
Lit.: [1] J. Chem. Soc., Chem. Commun. **1980**, 52 ff. [2] J. Chem. Ecol. **12**, 1559 – 1568 (1986). [3] Chem. Rev. **95**, 789 – 827 (1995).
allg.: Synth.: ApSimon **9**, 462 – 470 ▪ Tetrahedron Lett. **33**, 1799 (1992). – *[CAS 180-84-7 (O.); 90839-16-0 ((R)-O.); 90839-15-9 ((S)-O.)]*

Oleanan.

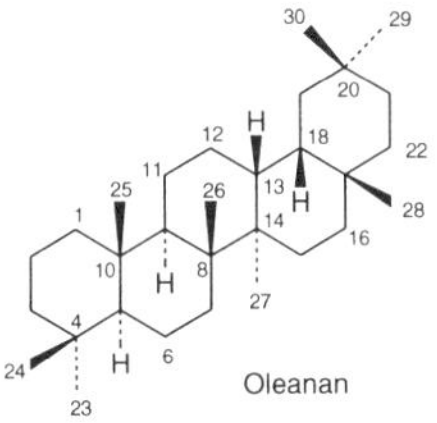

Oleanan

$C_{30}H_{52}$, M_R 412,74, Krist., Schmp. 210 °C, $[\alpha]_D$ +40,3° ($CHCl_3$). Pentacycl. Triterpen-Kohlenwasserstoff, er stellt das gesätt. Grundgerüst des *β*-*Amyrins dar. Von O. leiten sich zahlreiche verwandte Triterpene ab: z. B. die Kohlenwasserstoffe *11,13(18)-Oleanadien* ($C_{30}H_{48}$, M_R 408,71), *12-Oleanen* ($C_{30}H_{50}$, M_R 410,73) u. *18-Oleanen* aus Tüpfelfarngewächsen (*Polypo-*

Tab.: Daten zu Polyolen mit Oleanan-Grundgerüst.

	Trivialname	Summenformel	M_R	CAS	Vork.
12-Oleanen-1*α*,3*β*-diol	Castanopsol	$C_{30}H_{50}O_2$	442,73	66088-16-2	*Castanopsis indica*
12-Oleanen-3*β*,6*β*-diol	Daturadiol	$C_{30}H_{50}O_2$	442,73	41498-79-7	*Datura innoxia*
12-Oleanen-3*β*,16*β*-diol	Maniladiol	$C_{30}H_{50}O_2$	442,73	595-17-5	Manila-*Elemi
12-Oleanen-3*β*,29-diol	Paniculatadiol	$C_{30}H_{50}O_2$	442,73	58167-03-6	*Celastrus paniculatus*
12-Oleanen-3*β*,16*α*,28-triol	Primulagenin A	$C_{30}H_{50}O_3$	458,73	465-95-2	*Primula officinalis*
12-Oleanen-3*β*,19*α*,28-triol	19a-Hydroxyerythrodiol	$C_{30}H_{50}O_3$	458,73	65063-30-1	*Gardenia gummifera*
12-Oleanen-2*β*,3*β*,23,28-tetraol	Castanogenol	$C_{30}H_{50}O_4$	474,72	26553-62-8	*Castanospermum australe*
12-Oleanen-3*β*,15*α*,22*α*,28-tetraol	Acergenin	$C_{30}H_{50}O_4$	474,72	52591-07-8	*Acer caesium*
12-Oleanen-3*β*,15*α*,16*α*,22*α*,28-pentaol	Barrigenol A_1	$C_{30}H_{50}O_5$	490,72	15448-03-0	*Barringtonia asiatica* u.a.
12-Oleanen-3*β*,16*α*,22*α*,23,28-pentaol	Camelliagenin C	$C_{30}H_{50}O_5$	490,72	14440-27-8	*Camellia japonica*
12-Oleanen-3*β*,16*β*,21*β*,22*α*,23,28-hexaol	Gymnemagenin	$C_{30}H_{50}O_6$	506,72	22467-07-8	*Gymnema sylvestre*
12-Oleanen-3*β*,16*α*,21*β*,22*α*,24,28-hexaol	Protoaescigenin	$C_{30}H_{50}O_6$	506,72	20853-07-0	*Aesculus hippocastanum*

dium-Arten) sowie diverse Polyole (s. Tab. auf S. 3005), die als Glykoside (Saponine) weit verbreitet sind. – ***E*** oleanane – ***F*** oléanane – ***I*** = ***S*** oleanano

Lit.: Anal. Chem. **47**, 1617 (1975) ▪ Nature (London) **228**, 355 (1970) ▪ s. a. Oleanolsäure. – *[CAS 30759-92-3 (18α-O.); 471-67-0 (18β-O.); 54411-26-6 (11,13-Oleanadien); 471-68-1 (12-Oleanen); 432-11-1 (18-Oleanen)]*

Oleander s. Oleandrin.

Oleandomycin.

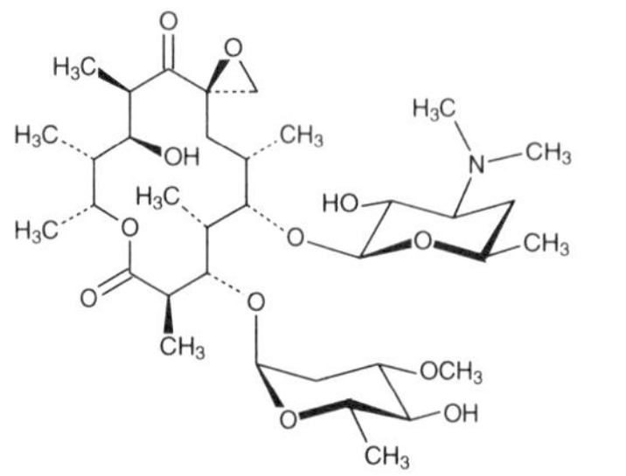

$C_{35}H_{61}NO_{12}$, M_R 687,86, Schmp. 110 °C, $[\alpha]_D^{25}$ –65° (c 2/CH_3OH). Internat. Freiname für ein aus Kulturen von *Streptomyces antibioticus* od. *S. olivochromogenes* isoliertes *Makrolid-Antibiotikum. O. ist gut lösl. in Methanol, Ethanol, Butanol, Aceton, weniger gut lösl. in Wasser, unlösl. in Hexan. Wirkungsspektrum u. Anw. in der Humantherapie u. als Futtermittelzusatz von O. u. seinem Triacetyl-Derivat (internat. Freiname *Troleandomycin*) entsprechen weitgehend *Erythromycin, wobei O. schwächer wirksam ist. – ***E*** oleandomycin – ***F*** oléandomycine – ***I*** = ***S*** oleandomicina

Lit.: Clin. Pharmacokinet. **16**, 193 (1989) ▪ J. Am. Chem. Soc. **100**, 6733 (1978); **116**, 3623 (1994) ▪ J. Pharm. Clin. **2**, 123 (1983). – *[HS 2941 90; CAS 3922-90-5]*

Oleandrin (Oleandrigenin-L-oleandrosid).

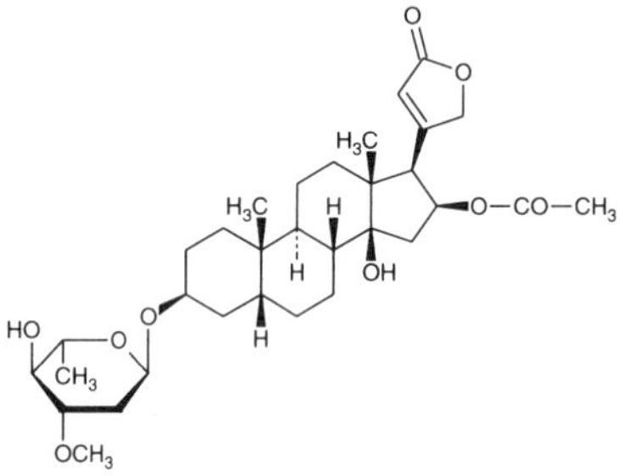

$C_{32}H_{48}O_9$, M_R 576,73, Krist., Schmp. 250 °C (Zers.), $[\alpha]_D^{18}$ –52,1° ($CHCl_3$), lösl. in Alkohol, Chloroform. Giftiges Glykosid aus den Blättern des Oleanders (*Nerium oleander*, Apocynaceae); LD_{50} (Katze i.v.) 0,30 mg/kg. Durch Hydrolyse von O. werden die Hexose *L-Oleandrose u. das Aglykon *Oleandrigenin* freigesetzt, das sich vom Aglykon des *Digitalis-Glykosids Gitoxigenin nur durch Acetylierung der OH-Gruppe an C-16 unterscheidet. – ***E*** oleandrin – ***F*** oléandrine – ***I*** = ***S*** oleandrina

Lit.: Beilstein E V **18/4**, 389 ▪ Karrer, Nr. 2194 ▪ Hager (5.) **3**, 891 ▪ Sax (8.), GEW 000, OHQ 000 ▪ Ullmann (5.) **A 5**, 276. – *[HS 2938 90; CAS 465-16-7]*

L-Oleandrose (2,6-Didesoxy-3-*O*-methyl-L-*arabino*-hexose). $C_7H_{14}O_4$, M_R 162,19, Krist., Schmp. 59–60 °C, $[\alpha]_D^{20}$ +13° (H_2O), lösl. in Wasser, Ethanol, Aceton. Desoxyzucker aus Oleandrin (Abb. s. dort) u. *Makrolid-Antibiotika wie den *Avermectinen u. *Oleandomycin. – ***E*** L-oleandrose – ***F*** L-oléandrose – ***I*** L-oleandrosio – ***S*** L-oleandrosa

Lit.: Beilstein E IV **1**, 4193 ▪ Carbohydr. Res. **222**, 173 (1991) ▪ Nachr. Chem. Tech. Lab. **32**, 798 (1984) ▪ Synth. Commun. **22**, 2459 (1992) ▪ Tetrahedron **38**, 3067 (1982) ▪ Ullmann (5.) **A 5**, 275. – *[CAS 87037-59-0]*

Oleanolsäure (3β-Hydroxy-12-oleanen-28-säure).

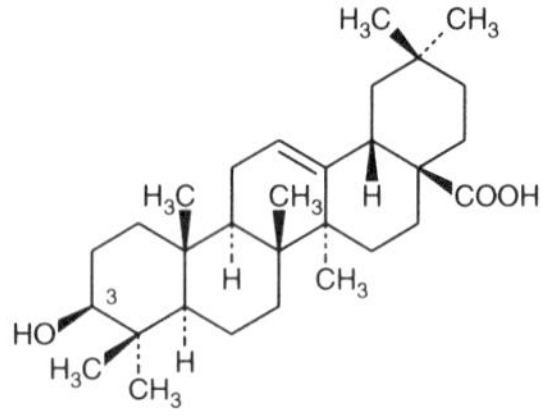

$C_{30}H_{48}O_3$, M_R 456,70, Krist., Schmp. 306–308 °C, $[\alpha]_D$ +79,5° ($CHCl_3$); unlösl. in Wasser, lösl. in Ether. Das Triterpen O. kommt in freier Form, acetyliert u. in zahlreichen Glykosiden in verschiedenen Pflanzen wie Misteln, Nelken, Zuckerrüben, Olivenblättern, Birken usw. vor. O. liegt das *Oleanan-Gerüst zugrunde, vgl. a. Amyrine. – ***E*** oleanolic acid – ***F*** acide oléanolique – ***I*** acido oleanolico – ***S*** ácido oleanólico

Lit.: Beilstein E IV **10**, 1164 ▪ Merck-Index (12.), Nr. 6964. – *Biosynth.:* J. Chem. Soc. Chem. Commun. **1986**, 1141. – *Synth.:* J. Am. Chem. Soc. **115**, 8873 (1993). – *[CAS 508-02-1 (3β-O.)]*

Olea pinguia. Latein. Bez. für fette Öle (s. Fette u. Öle).

Oleate. Sammelbez. für Salze der *Ölsäure u. für *Ölsäureester.

Olefin-Carbonmonoxid-Polymere. Carbonmonoxid (Kohlenstoffmonoxid) läßt sich mit bestimmten *Monomeren wie *Aziridin, *Vinylchlorid, *Phenolen, insbes. aber mit *Olefinen copolymerisieren. O.-C.-P. sind *Copolymere, die bei der radikal. initiierten *Polymerisation von Olefinen mit Carbonmonoxid nach folgender Gleichung (*Beisp.:* Ethylen/Carbonmonoxid-Copolymerisation) gebildet werden:

$$n\,CO + n\,H_2C{=}CH_2 \longrightarrow \left[\overset{\overset{\displaystyle O}{\|}}{C}-CH_2-CH_2\right]_n$$

Die *Copolymerisation der beiden Monomeren läßt sich als *Masse- od. *Lösungspolymerisation durchführen u. ermöglicht die Herst. von Produkten mit einem Molverhältnis von Carbonmonoxid:Ethylen bis nahezu 1:1, bei dem der Einbau der Monomeren in das entstehende *Makromolekül alternierend erfolgt. Die Copolymerisation kann bei Einsatz von Katalysatoren auf Palladium-Basis auch nach einem Insertionsmechanismus (s. Koordinationspolymerisation) verlaufen.

O.-C.-P. zeichnen sich gegenüber den Basis-*Polyolefinen durch erhöhte Schmp. u. damit verbesserte Wärmestandfestigkeit aus. Die mechan. Eigenschaften der Produkte ändern sich bis zum Einbau von ca. 40% Carbonmonoxid nicht; höhere CO-Gehalte bewirken eine Zunahme der Festigkeit bei Abnahme der Reißdehnung der Copolymeren. Nicht streng alternierend aufgebaute Copolymere, d. h. solche mit einem CO-Gehalt <50 mol-%, sind sehr empfindlich gegenüber UV-Strahlen, die ihre Depolymerisation nach dem Mechanismus des Norrish Abbau I u. II (s. Norrish-Reaktionen) bewirken.

Verw.: Als unter (Sonnen-)Lichteinfluß abbaubare Folien, Weichmacher für PVC usw. – ***E*** olefin-carbon monoxide polymers – ***F*** polymères d'oléfines-monoxide de carbone – ***I*** polimeri di olefina e monossido di carbonio – ***S*** polímeros de olefinas y monóxido de carbono

Lit.: Encycl. Polym. Sci. Eng. **10**, 369–373.

Olefine. Gruppenbez. für acycl. u. cycl. (s. Cycloalkene) aliphat. Kohlenwasserstoffe mit einer od. mehreren reaktiven C,C-*Doppelbindungen im Mol., die heute besser als *Alkene* bzw. *Cycloalkene* bezeichnet werden, in weiterem Sinne auch Bez. für deren substituierte Derivate, z. B. *Vinyl-Verb.; zur Geschichte des Namens „Olefine" s. Dichlorethane, Näheres zur Nomenklatur, den physikal. u. chem. Eigenschaften, den Herst.-Meth. u. den Reaktionen s. bei Alkene. An dieser Stelle sollen lediglich noch einige ergänzende Anmerkungen gemacht werden. In vielen Naturstoffen wie in Terpenen, Kautschuk, Carotinoiden u. Steroiden (*Isoprenoide) findet man olefin. Doppelbindungen. Auch Pheromone, trocknende fette Öle, bestimmte Algenarten enthalten größere Mengen an hochmol. Olefinen. Syst. mit *konjugierten* u. *kumulierten* Doppelbindungen sind für die intensive Farbe mancher Naturstoffe verantwortlich. Neben den bei den Alkenen genannten Herst.-Meth., hat die von dem Chemie-Nobelpreisträger des Jahres 1990, E. Corey, entwickelte stereospezif. Fragmentierung von Thiocarbonaten zur Herst. enantiomerenreiner (*E*)-Cycloalkene Eingang in die Synthesechemie gefunden (*Corey-Winter-Reaktion*) [1].

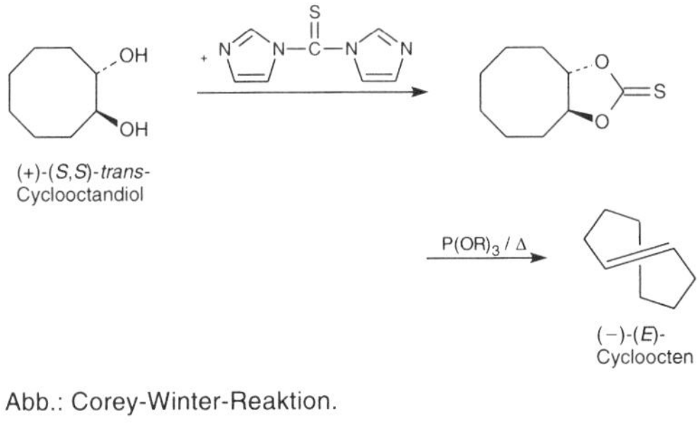

Abb.: Corey-Winter-Reaktion.

Die O. zählen zu den meistverwendeten Rohstoffen der chem. Ind.; einen Überblick über die wichtigsten Reaktionen findet man in *Lit.*[2]. So bilden die *Polyolefine* heute einen erheblichen Anteil der gesamten Kunststoff-Produktion; *Beisp.*: Polyethylen, Polypropylen, Buna, Synthesekautschuk, Styrol-Butadien-Copolymere, Acrylnitril-Butadien-Copolymere. – ***E*** olefins – ***F*** oléfines – ***I*** olefine – ***S*** olefinas

Lit.: [1] Org. React. **30**, 457 (1984) [2] Weissermel-Arpe (4.), S. 65 ff., 115 ff.

allg.: Williams, Preparation of Alkenes: A Practical Approach, Oxford: University Press 1996 ▪ s. a. Alkene

Olefin-Elastomere. Den Großteil der sog. O.-E. bilden unvernetzte, z. T. auch vernetzte *Blends aus isotakt. *Polypropylen u. den teilkrist. Ethylen-Propylen-Kautschuken *EPM od. *EPDM. Einige andere O.-E. basieren auf *interpenetrierenden polymeren Netzwerken. Das für die sog. thermoplast. Olefin-Elastomere (TPE-O, TPO) verwendete EP(D)M unterscheidet sich von den konventionellen, vernetzbaren EP(D)M dadurch, daß es keine statist. Verteilung der Ethylen- u. Propylen-Einheiten in den Ketten, sondern eine ausgeprägtere Block-Struktur mit langen Ethylen-Sequenzen aufweist. Deren Krist. führt zu einer *physikalischen Vernetzung u. damit zu den gewünschten *Elastomer-Eigenschaften. Die langen Ethylen-Sequenzen im EP(D)M werden durch pulsierendes Einspeisen der Comonomeren in den Reaktionskessel erzeugt. Thermoplast. O.-E. sind mengenmäßig die wichtigsten thermoplast. Elastomeren, da die benötigten Monomere billig u. die Polymerisation weniger aufwendig ist als die zu *Blockcopolymeren. – ***E*** olefin elastomers – ***F*** élastomeres oléfines – ***I*** elastomeri di olefine – ***S*** elastómeros de olefinas

Lit.: Elias (5.) **2**, 497.

Olefin-Fasern (Polyolefin-Fasern). Zu den O.-F. im engeren Sinne zählt man *Fasern aus *Polyethylen u. *Polypropylen. Sie werden wegen des sehr günstigen Preises dieser Polymeren u. dem einfach aus der Schmelze möglichen Verspinnen in größten Mengen hergestellt. Dabei dominiert isotakt. Polypropylen wegen seiner ausgezeichneten Reißfestigkeit, seiner höheren Kristallisationstendenz u. – in Verbindung damit – seines höheren Elastizitätsmoduls gegenüber dem Polyethylen. Allerdings kann auch Polyethylen hoher Dichte u. ultrahoher Molmasse hohe Elastizitätsmoduln zeigen (theoret. sogar höhere als Polypropylen). Alle diese O.-F. zeichnen sich durch gute Säure-, Alkali- u. Chemikalien-Beständigkeit aus. Diese geringe Affinität der O.-F. gegenüber Fremdverb. wirkt sich allerdings nachteilig z. B. auf deren Anfärbbarkeit aus, weshalb sie bereits in der Schmelze pigmentiert werden.

In vielen Statistiken werden zu den O.-F. weiterhin auch Fasern aus z. B. *Polystyrol, *Polyvinylchlorid sowie dessen *Copolymeren gezählt. Fasern aus Polymeren mit mehr als 50% Vinylchlorid- od. Vinylidenchlorid-Einheiten werden als Chlorofasern bezeichnet. Sie zeichnen sich durch Flammwidrigkeit u. gute Chemikalienbeständigkeit aus, zeigen jedoch niedrige Erweichungstemp. u. geringe Dimensionsstabilitäten. In den USA nennt man Fasern mit mehr als 85% Vinylchlorid-Einheiten „Vinyon", solche mit mehr als 80% Vinylidenchlorid-Einheiten „Saran". – ***E*** olefin fibers – ***F*** fibres oléfines – ***I*** resine olefiniche – ***S*** fibras de olefinas

Lit.: Elias (5.) **2**, 539.

Olefinische Doppelbindung s. Doppelbindung.

Olefinsulfonate (α-Olefinsulfonate, Alkensulfonate). Sammelbez. für Verb. der allg. Formel $R{-}CH{=}CH{-}(CH_2)_nSO_2{-}OM$, wobei R für einen – meist linearen, prim. – Alkyl-Rest u. M für ein einwertiges Kation, vorzugsweise Natrium, steht (n = 1 od. 2). O. werden durch Sulfonierung von α-*Olefinen mit trockenem Schwefeltrioxid im Gemisch mit Luft od. Stickstoff im Fallfilmreaktor u. anschließende Verseifung bzw. Neutralisation der intermediär gebildeten *Sultone u. *Sulfonsäuren gewonnen. Techn. O. bestehen herstellungsbedingt aus Hydroxyalkansulfonaten u. Alkensulfonaten im Verhältnis 2:1.

Verw.: O. mit linearen Alkenyl-Resten von C_{12} bis C_{18} finden als *Aniontenside mit ausgeprägter Schaumbildung u. -stabilität selbst bei hoher Wasserhärte, hervorragendem Fett- u. Öllösevermögen sowie günstigem Ökoprofil u. niedriger aquat. u. Humantoxizität Verw. in verschiedenen Einsatzgebieten, wie Waschen u. Reinigen, Entfetten, Emulsionspolymerisation, Konditionierung von Beton u. Mörtel, sowie bei der Formulierung von Pflanzenschutzmitteln. – ***E*** α-olefinsulfonates – ***F*** α-olefine-sulfonates – ***I*** solfonati di α-olefina – ***S*** α-olefinsulfonatos

Lit.: Cahn, Proc. 3rd World Conference on Detergents: Global Perspectives, S. 228–234, Champaign: AOCS Press 1993 ▪ Kosswig u. Stache, Die Tenside, München: Hanser 1993 ▪ Stache, Anionic Surfactants – Organic Chemistry, New York: Marcel Dekker 1996.

i*-Olefinsulfonate.** *Aniontenside, die durch Umsetzung von innenständigen *Olefinen mit gasf. Schwefeltrioxid hergestellt werden. Zum Mechanismus s. Olefinsulfonate. – ***E *i*-olefinsulfonates – ***F*** *i*-olefinesulfonates – ***I*** solfonati di *i*-olefina – ***S*** *i*-olefinsulfonatos

Lit.: C. R. CESIO, Int. World Congress, Vol. II, S. 32, Paris 1988 ▪ Stache, Anionic Surfactants – Organic Chemistry, New York: 1996 ▪ Tenside Surf. Deterg. **22**, 193 (1985).

Olein. Bez. für rohe *Ölsäure, die über die *Umnetzung von techn. Gemischen gesätt. u. ungesätt. Fettsäuren erhalten wird. Das rohe O. ist eine gelbbraune, ranzig riechende, schwach sauer reagierende Flüssigkeit, aus der sich bei 15–16 °C farblose Krist. ausscheiden, bei 8–10 °C tritt Erstarrung ein. O. enthält geringe Mengen *Palmitin- u. *Stearinsäure u. wird beispielsweise in der Textil-Ind. zur Avivage von Wollfäden eingesetzt. Als Oleine bezeichnet man die *Glycerinmono-, -di- u. -trioleate (Mono-, Di-, *Triolein). – ***E*** olein – ***F*** oléine – ***I*** oleina – ***S*** oleína

Lit.: s. Fette u. Öle.

Oleinsäure s. Ölsäure.

...olen s. ...ol (b).

Olenit s. Turmalin.

Oleochemie. Bez. für die stoffliche Umwandlung von vorwiegend pflanzlichen, aber auch tier. Ölen u. Fetten zu chem. Grundstoffen, Zwischen- u. Wertprodukten. Die O. ist heute Teil der Chemie der *nachwachsenden Rohstoffe. Die bedeutendsten oleochem. Grundstoffe u. Zwischenprodukte sind *Fettsäuren, *Fettsäuremethylester, *Glycerin u. *Fettalkohole. Wichtige Derivate sind *Tenside, *Emulgatoren, spezielle Öle, Hilfsmittel u. *Additive für eine Reihe von Anw.: Wasch- u. Reinigungsmittel, Kosmetika, Nahrungsmittel, Lacke u. Farben, Kunststoff-, Textil- u. Leder-Ind., Papierherst. u. Erdölförderung. – ***E*** oleochemistry – ***F*** oléochimie – ***I*** oleochimica – ***S*** oleoquímica

Oleogele s. Gele.

Oleophil/oleophob s. Kolloidchemie.

Oleophobierung. Von latein.: oleum = Öl u. *...phob abgeleitete Bez. für die *ölabweisende Ausrüstung* von Textil- u. Lederwaren, im weiteren Sinne auch von Materialien aller Art. Als O.-Mittel werden allg. Lsm.-haltige Zubereitungen von *Fluorkohlenwasserstoffen u. a. *perfluorierten Verbindungen verwendet, denen während der Anw. durch *Imprägnierung zusätzlich *Hochveredlungsmittel u./od. Stoffe zur *Hydrophobierung u./od. *Soil-Release-Ausrüstung beigegeben werden können. Auch *Hautschutzsalben können mit O.-Mitteln ausgestattet sein. – ***E*** oleophobizing, oil release – ***F*** oléophobisation – ***I*** oleofobo – ***S*** oleofobización

Lit.: Kirk-Othmer (3.) **24**, 442–465 ▪ Rouette, Lexikon für Textilveredlung, Bd. 2, S. 1390, Dülmen: Laumann-Verl. 1995 ▪ Ullmann (4.) **23**, 87; (5.) **A 26**, 329 f.

OLEOPHOBOL®. Mittel zur öl- u. wasserabweisenden Ausrüstung von Textilien auf Basis von Fluorpolymeren. ***B.:*** Pfersee.

Oleoresine. Mehrdeutiger Begriff, der einmal im Sinne von *Balsamen u. *Resinoiden, zum anderen für Extraktkonzentrate von *Gewürzen verwendet wird. – ***E*** oleoresins – ***F*** oléorésines – ***I*** oleoresine – ***S*** oleoresinas

Olestra®. *Fettersatzstoff aus der Gruppe der Saccharoseester (SPE, Abk. für Saccharosepolyester), Mischung von Hexa-, Hepta- u. Octaestern aus der Veresterung von *Saccharose mit den Fettsäuren aus Baumwollsaat-, Maiskeim- od. Sojaöl. Raffination, Bleichung, Desodorierung erfolgen wie bei konventionellem Fett. Die Viskosität ist im allg. höher als bei einem Triglycerid derselben Fettsäure-Zusammensetzung, ist jedoch in weiten Grenzen variierbar: Ungesätt. Fettsäuren liefern flüssige, langkettige, gesätt. feste Produkte, die natürlichen Fetten weitgehend gleichen. Die SPE werden enzymat. (*Lipasen) nicht gespalten u. sind deshalb unverdaulich u. nicht resorbierbar. O. wird deshalb zur Reduzierung der Fettaufnahme als Fettersatz bzw. als Fettzusatz vorgeschlagen. O. kann die intestinale Resorption von *Cholesterin[1] u. fettlösl. Vitaminen aus der Nahrung vermindern. Aus diesem Grunde wurde der Zusatz der Vitamine A u. E vorgeschlagen, für die Vitamine D u. K scheint dies nicht erforderlich[2]. Nach den bisher vorliegenden Daten aus Tierversuchen scheint O. keine signifikanten Einwirkungen auf die Darmflora zu haben. Ebensowenig scheinen Gallensäure-Status u. die enterohepat. Zirkulation beeinflußt zu werden. Ein anfänglich beobachtetes Problem war der Durchtritt geringer Mengen O. od. O.-haltigen Stuhls durch den geschlossenen Analsphincter (Afterschließmuskel; Anal leakage). Dies wurde durch entsprechende Viskositätserhöhung gelöst. Die Zulassung von O. als 100%igen Ölersatz für die Herst. von „savory snacks" (herzhaftes fettes Backwerk) wurde von Procter & Gamble in USA, Großbritannien u. Kanada beantragt. Für dieses Anw.-Gebiet liegt in USA seit Januar 1996 eine Zulassung vor.

Lit.: [1] Metabolism **39**, 848 (1990). [2] Am. J. Clin. Nutr. **53**, 943, 1281 (1991).

allg.: Bernhardt, Food Technology International-Europe 1988, Sterling Publ. England ▪ Food Chem. Toxicol. **32**, 789–798 (1994) ▪ J. AOAC Int. **76**, 1396–1400 (1993).

Oleum (latein.: Öl). 1. In der anorgan. Chemie versteht man unter O. „rauchende Schwefelsäure" (konz. *Schwefelsäure, die noch wechselnde Mengen von Schwefeltrioxid gelöst enthält). – 2. In der Pharmazie u. Medizin bezeichnet man mit O. (übliche Abk. Ol.) *etherische Öle u. fette Öle (s. Fette u. Öle). Die einzelnen Öle werden in Arzneibüchern, Hager u. z.T. auch in diesem Werk besprochen. – ***E*** 1. oleum, 2. (essential) oil – ***F*** 1. oléum, 2. essence, huile essentielle, huile – ***I*** 1. oleum, 2. essenza, olio essenziale – ***S*** 1. óleum, 2. esencia, aceite esencial, aceite

C

Oleum Amomi seu Pimentae s. Pimentöl.

Oleuropein s. Oliven.

Oleylalkohol s. 9-Octadecen-1-ol.

Oleyloleat s. Ölsäureester.

Olfaktion (Olfaktologie). Von latein.: olfacere = riechen abgeleitete Bez. für die Wissenschaft des Geruchssinns. Die *Olfaktometrie* dient der quant. Prüfung des *Geruchs-Sinns, die *olfaktor. Analyse* dem Nachw. u. der qual. Beschreibung von Gerüchen u. *Riechstoffen, ist also ein Zweig der *Sensorik. Ein Meßmeth. der Olfaktometrie ist die *Pupillometrie* [1]. Die *Olfaktometrie* wird u.a. bei der Emissions- u. Immissionsüberwachung zur Beurteilung von Geruchsbelästigung eingesetzt [2]. Mit dem gelegentlich gebrauchten Begriff „*olfaktor. Entstellung*" meint man störenden *Körpergeruch, dessen Entstehung man durch Anw. von Desodorantien u. Parfüms zu vermeiden sucht. – ***E*** = ***F*** olfaction – ***I*** olfazione – ***S*** olfacción

Lit.: [1] Parfüm. Kosmet. **58**, 189–196 (1977). [2] Geruchsstoffe, Düsseldorf: VDI-Verl. 1986; VDI Richtlinie 3881, Bl. 1 (1986).
allg.: Kirk-Othmer (4.) **17**, 594–603 ▪ Ohloff, Riechstoffe u. Geruchssinn, Berlin: Springer 1990 ▪ Ullmann (4.) **6**, 279.

Olfaktometrie s. Olfaktion.

Olibanum (Gummi Olibanum, Weihrauch). Gummiharz aus der Rinde der in Arabien u. Somalia beheimateten Bäume *Boswellia carteri* (*B. sacra*) u.a. *B.*-Arten (Burseraceae), das durch Einschnitte in die Rinde erhalten werden kann, gelbliche, rötliche od. braune Körner, von feinem Duft, der sich auf glühender Kohle intensiv entfaltet (Weihrauch), Geschmack bitter. Wasserdampfdest. des Harzes liefert *Olibanum-Öl* [1], ein schwach gelbes, leicht viskoses Öl mit balsam. Geruch (D_{25}^{25} 0,862–0,889, n_D^{20} 1,4650–1,4820, $[\alpha]_D^{20}$ –15° bis +35°), das in oriental. Parfümkompositionen wegen seines Duftes u. seiner guten Fixateur-Eigenschaft geschätzt wird. Im Harz sind 5–9% des Öls, 15–16% Harzsäuren, 25–30% etherunlösl. Verb. (neutrale u. saure Polysaccharide [2]) u. 45–55% etherlösl. Substanzen, insbes. die triterpenoiden *Boswellinsäuren* [3] {hauptsächlich *β*-Boswellinsäure: $C_{30}H_{48}O_3$, M_R 456,70, Schmp. 238–240 °C (228°–232 °C), $[\alpha]_D$ +119° ($CHCl_3$)} enthalten, s. Formel. Im Handel findet sich O. als kugelige od. längliche Körner, die schwach riechen u. bitter schmecken od. auch in Form eines ether. Öls *(Weihrauchöl)*.

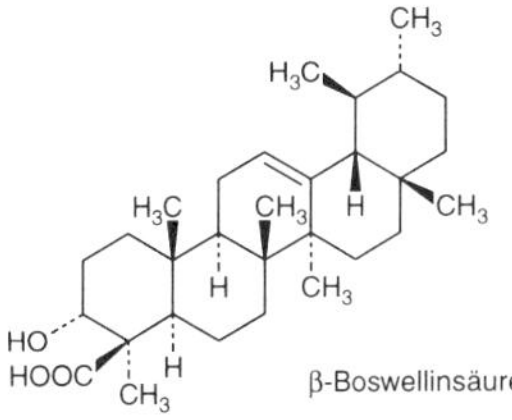

β-Boswellinsäure

Verw.: Harz als Weihrauch, Harz u. Öl in der Parfümerie, als Fixateur in Seifen. – ***E*** olibanum, frankincense – ***F*** oliban – ***I*** olibano, incenso – ***S*** olíbano

Lit.: [1] Dragoco-Rep. **25**, 55–60 (1978); Ullmann (5.) **A 11**, 235 f. [2] Smith u. Montgomery, The Chemistry of Plant Gum and Mucilages, S. 312 f., New York: Reinhold 1959. [3] Karrer, Nr. 1986, 2017 ▪ Phytochemistry **8**, 2083 (1969); **39**, 453 (1995).
allg.: ApSimon **7**, 373 ▪ Dragoco-Rep. **31**, 134–140 (1984) ▪ Hager (5.) **1**, 572 ▪ Janistyn **2**, 62 ▪ Kirk-Othmer (3.) **16**, 952 ▪ Monatsh. Chem. **112**, 341–358 (1981) ▪ Naturwiss. Rundsch. **36**, 97–102 (1983) ▪ Roth u. Kormann. – *[HS 1301 90; CAS 8050-07-5 (Harz); 68952-41-0 (O.-Öl); 631-69-6 (β-Boswellinsäure)]*

Olicard (Rp). Tabl. u. Retardkapseln mit *Isosorbidmononitrat gegen Angina pectoris. ***B.:*** Solvay Arzneimittel.

...olid. Suffix in Stoffklassen- u. Trivialnamen (s. Makrolide, Bufadienolide, Cardenolide, Erythronolid B) u. (halb)systemat. Namen von *Lactonen (IUPAC-Regeln C-472.2, 3-S-3.1/2); das Suffix ...olacton, das früher nur Lactonisierung trivial benannter Hydroxycarbonsäuren bezeichnete (z.B. D-Glucono-5-lacton), ist heute auch für systemat. Namen üblicher, wo es Hydroxylierung u. Lactonisierung bedeutet (Regeln R-5.7.5.1 u. 3-S-4.2); *Beisp.:*

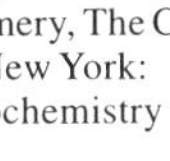

4-Penten-5-olid = 4-Penteno-5-lacton (in der Lit. bevorzugte alternative IUPAC-Bez.: 3,4-Dihydro-2*H*-pyran-2-on). – ***E*** = ***F*** = ***I*** ...olide – ***S*** ...olida

...olidin s. ...ol (b).

Oligo... Von griech.: olígoi = wenige abgeleitetes Präfix; vgl. die folgenden Stichwörter. – ***E*** = ***F*** = ***I*** = ***S*** oligo...

Oligodendrocyten s. Myelin.

Oligodynamie. Von *Oligo... u. griech.: dýnamis = Kraft abgeleitete u. durch von Nägeli 1893 eingeführte Bez. für die wachstumshemmende od. abtötende Wirkung von Schwermetall-Spuren auf Mikroorganismen (z.B. von Kupfer auf Algen, von Silber auf Schimmelpilze, Algen u. Bakterien). Der *oligodynam. Effekt* wird v.a. zur Desinfektion u. Konservierung von Flüssigkeiten, bes. zur *Entkeimung von Trink-, Bade- u. Brauchwasser (durch *Silberung, vgl. Argentox®-Verfahren) ausgenutzt. – ***E*** oligodynamics – ***F*** oligodynamie – ***I*** oligodinamia – ***S*** oligodinámica

Lit.: Chem. Rundsch. **34**, Nr. 8, 3, 5 (1981) ▪ Kirk-Othmer (3.) **7**, 805 f.

Oligoketide s. Polyketide.

Oligoklas. Zu den *Feldspäten der Plagioklas-Reihe mit 10–30% Anorthit-Anteil (s. Feldspäte); gewöhn-

lich körnig od. als spaltbare Massen. Farblos, weiß od. grünlich, D. 2,65. Die Abart Aventurin-Feldspat („*Sonnenstein*") ist durch eingelagerte Schüppchen von *Hämatit rot gefärbt u. goldgelb schillernd.
Vork.: In hellen *magmatischen Gesteinen, z. B. *Granit, *Diorit, *Rhyolith, *Andesit; in *Pegmatiten; in manchen *Gneisen. – ***E*** = ***F*** oligoclase – ***I*** oligoclasio – ***S*** oligoclasa
Lit.: s. Feldspäte. – *[HS 7103 10, 7103 99; CAS 12174-07-1]*

Oligo-Labelling. *In vitro*-Verf. zum Markieren von DNA-Fragmenten, die als Proben in Hybridisierungsexperimenten Verw. finden. Die Markierung erfolgt mit radioaktiven Isotopen wie ^{32}P od. zunehmend nicht-radioaktiv, z. B. mit Biotin (s. Biotin-Markierung) od. Digoxigenin. Zu Verfahrensweisen s. a. Nick-Translation. – ***E*** oligo label(l)ing – ***F*** oligomarquage – ***I*** oligomarcatura – ***S*** oligomarcado
Lit.: Hennig, Genetik, S. 257, 293, Berlin, Heidelberg: Springer 1995.

Oligomere (abgeleitet von griech.: olígos = wenig u. méros = Teil). Bez. für Verb., in deren Mol. nur wenige Atome od. Atom-Gruppen (konstitutionelle Einheiten) gleicher od. verschiedener Art wiederholt miteinander verknüpft sind u. deren physikal. Eigenschaften sich bei Änderung der Mol.-Größe durch Hinzufügen od. Wegnahme einer od. mehrerer der konstitutionellen Einheiten deutlich ändern. In diesem letzten Aspekt unterscheiden sich damit die O. von einem chem. ansonsten gleich aufgebauten *Polymeren. Der ursprünglich von *Helferich 1930 bzw. 1940 für entsprechende natürliche Verb. (*Oligosaccharide bzw. *Oligopeptide) geprägte Begriff wurde später auch für synthet. Produkte übernommen. O. werden gezielt entweder durch *Polyreaktionen (*Oligomerisation) aus einem *Monomer bzw. aus Mischungen unterschiedlicher Monomerer od. durch Abbau von *Polymeren gewonnen. Sie fallen aber auch als meist unerwünschte Nebenprodukte bei der Herst. von Polymeren an, von denen sie nur schwierig, z. B. durch chromatograph. Meth., abzutrennen sind u. deren Eigenschaften sie pos. (bei *Kautschuken) od. neg. (Färben von Polyester-Fasern) beeinflussen können. Während die Untergrenze der *Molmasse der O. relativ exakt definiert werden kann – Dimere u. Trimere, d. h. durch Verknüpfen von 2 od. 3 Monomer-Mol. entstandene Verb. werden bereits zu den O. gerechnet – existiert eine genaue Definition für ihre obere Molmassengrenze, für die häufiger 10 000 g/mol angegeben wird, nicht: Da die verschiedenen Eigenschaften eines O. bei sehr unterschiedlichen Molmassen vom Polymerisationsgrad unabhängig werden können, ist der Übergang von den O. zu den Polymeren fließend. Zwischen diesen beiden Verb.-Klassen stehende Produkte werden gelegentlich als Pleionomere (von griech.: pleíōn = mehr) bezeichnet. Je nach Anzahl der chem. verschiedenen Monomeren, die am O.-Aufbau beteiligt sind, kann man von Homo-O. oder Co-O. sprechen. Die Mol. der O. können wie *Makromoleküle linear, verzweigt od. ringförmig aufgebaut sein. O. sind sowohl als Modellsubstanzen für die Untersuchung von Polymerisationsmechanismen als auch als Ausgangs-Verb., z. B. als sog. *Makromonomere, für die Synth. von Polymeren mit bestimmten Strukturen (*Blockpolymere, *Kammpolymere, *Pfropfcopolymere) von Bedeutung. O. werden auch in großtechn. Maßstab produziert. Beisp. hierfür ist die Herst. von *Cyclodextrinen durch Behandlung von *Stärke mit Cyclodextringlykosyltransferasen. – ***E*** oligomers – ***F*** oligomères – ***I*** oligomeri – ***S*** oligómeros
Lit.: Encycl. Polym. Sci. Eng. **10**, 432–460 ▪ Entelis et al., Reactive Oligomers, Utrecht: VSP 1989 ▪ Uglea u. Negulescu, Synthesis and Characterization of Oligomers, Boca Raton: CRC Press 1991.

Oligomerisation. Bez. für Reaktionen zur Herst. von linearen, verzweigten od. cycl. (s. Cyclooligomerisation) *Oligomeren aus Monomer(mischung)en. Als Katalysatoren für die O. können *Initiatoren für Polymerisationsreaktionen fungieren; bei der katalysierten O. von Olefinen spielen Übergangsmetalle wie Palladium, Cobalt u. Nickel eine bes. Rolle. O., z. B. zu Proteinen führende, können auch mit Enzymen wie α-Chymotrypsin u. Papain katalysiert werden. – ***E*** oligomerization – ***F*** oligomérisation – ***I*** oligomerizzazione – ***S*** oligomerización

Oligonucleotide. Polymerisate aus etwa 2 bis 10 (od. 20) Mono-*Nucleotiden, die – ebenso wie bei Polynucleotiden u. Nucleinsäuren (vgl. dort) – durch Phosphorsäurediester-Brücken verknüpft sind. O. entstehen bei der Spaltung von Polynucleotiden u. Nucleinsäuren mit Ameisensäure bzw. Hydrazin od. mit Endonucleasen (s. Nucleasen) od. durch Synth., z. B. nach der *Festphasen-Technik. Anw. finden sie z. B. als *primer* bei der *polymerase chain reaction, als *Hybridisierungs-Reagenzien*, z. B. bei der Isolierung spezif. Nucleinsäuren od. in diagnost. Kits, zur *gezielten Mutagenese* od. als *Antisense-Inhibitoren* der *Genexpression (s. Antisense-Nucleinsäuren; zu deren therapeut. Anw. s. *Lit.*[1]). Qual. u. quant. Bestimmungen von O. können u. a. durch Fluoreszenz- od. Radiomarkierungs-Meth., durch *HPLC u. Gel-*Elektrophorese erfolgen[2]. Zur *Massenspektrometrie von O. s. *Lit.*[3]. – ***E*** oligonucleotides – ***F*** oligonucléotides – ***I*** oligonucleotidi – ***S*** oligonucleótidos
Lit.: [1] Crooke, Therapeutic Applications of Oligonucleotides, Berlin: Springer 1995. [2] J. Pharmaceut. Biomed. Anal. **15**, 857–873 (1997). [3] Mol. Biol. **30**, 444–452 (1996).
allg.: Prog. Nucl. Acid Res. Mol. Biol. **57**, 95–143 (1997) ▪ de la Vega u. Guarneros, Synthetic Oligonucleotides. Preparation, Analysis and Applications, Berlin: Springer 1996.

Oligonucleotid-gerichtete Mutagenese (site-directed Mutagenese). *In vitro*-Meth. zur gezielten Einführung von *Mutationen in DNA. In einem chem. synthetisierten kurzen DNA-Einzelstrang wird durch gezielten Basenaustausch die gewünschte Mutation vorgegeben. Durch Hybridisierung mit einer einzelsträngigen Kopie des zu verändernden Gens wird ein als *Primer zu nutzender Doppelstrang mit einer Basenfehlpaarung im Bereich der Mutation erhalten. Das aufgefüllte doppelsträngige DNA-Mol. kann dann in eine geeignete Wirtszelle wie *Escherichia coli* eingebracht u. vermehrt werden. Es entstehen so nach Replikation doppelsträngige Kopien des Wildtyps sowie der Mutante (s. Abb.). Mit Hilfe der O.-g. M. lassen sich auch Veränderungen einführen, die mehr als ein Basenpaar betreffen. Durch Nutzung geeigneter Expressionssyst. lassen sich mittels der O.-g. M. Proteine mit neuen Strukturen u. veränderten Eigenschaften, verglichen mit dem Wildtyp, erhalten.

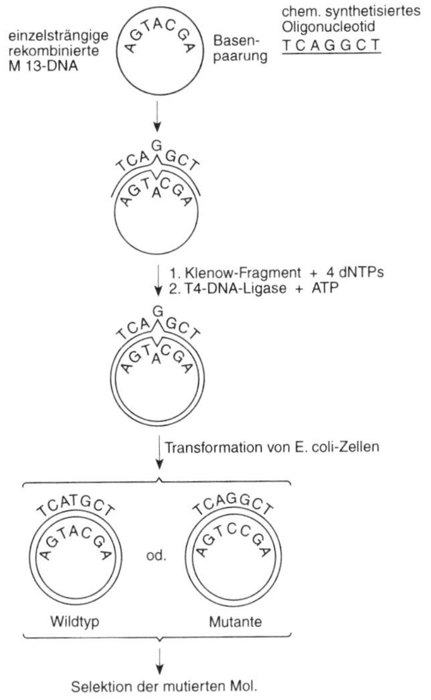

Abb.: Prinzip der gerichteten Mutagenese (nach Primrose, *Lit.*).

– ***E*** oligonucleotide-directed mutagenesis – ***F*** mutagenèse oligonucléotidique – ***I*** mutagenesi sito-diretta, mutagenesi sito-specifica – ***S*** mutagénesis dirigida hacia oligonucleótidos

Lit.: Nicholl, Gentechnische Methoden, S. 132f., Heidelberg: Spektrum Akadem. Verl. 1995 ▪ Primrose, Biotechnologie, Heidelberg: Spektrum Akadem. Verl. 1990.

Oligopeptide. *Peptide, die sich aus etwa 2 bis 10 *Aminosäure-Einheiten zusammensetzen. O. entstehen entweder beim Abbau von *Polypeptiden hydrolyt. auf chem. od. enzymat. Weg bzw. durch enzymat. Synth. od. Festphasen-Technik. Beisp. für solche meist als Einzelstichwörter behandelten O. – mit sehr unterschiedlichen physiolog. Funktionen – sind: Releasing-Hormone, Neurohormone, Enkephaline, Angiotensine, Caerulein u. a. Hormone (*Peptidhormone*), Eledoisin u. a. Kinine, Amanitine u. a. Toxine, chemotakt. wirkende Substanzen u. die Peptid-Antibiotika, die oft *Cyclopeptide sind u. sich durch den Gehalt an seltenen u./od. D-Aminosäuren auszeichnen. Nicht selten können O. die physiolog. Funktionen originär höhermol. Peptide wahrnehmen; s. a. Peptide. – ***E***=***F*** oligopeptides – ***I*** oligopeptidi – ***S*** oligopéptidos

Lit.: s. Peptide.

Oligophenyle. Therm. sehr beständige, mehrkernige Verb. aus zwei u. mehr über einzelne C,C-Einfachbindungen aneinandergeketteten Benzol-Ringen (z. B. *p*-*Terphenyl, Quaterphenyl), deren höhere Vertreter (*Polyphenylene), wenn sie in *o*- od. *m*-Stellung miteinander verknüpft sind, Helicität (s. Helix) zeigen können. O. finden Verw. als Kühlmittel u. Moderatoren in Reaktoren od. als Szintillatoren. – ***E*** oligophenyls – ***F*** oligophényles – ***I*** oligofenili – ***S*** oligofenilos

Lit.: Angew. Chem. **76,** 484–494 (1964); **80,** 932–942 (1968) ▪ Kirk-Othmer (3.) **7,** 782–793 ▪ s. a. Polyphenylene.

Oligophosphate s. Phosphate, Polyphosphate u. kondensierte Phosphate.

Oligosaccharide (veraltete Bez.: Oligosen). Allg. Bez. für Mol., die durch Kondensation von 2 bis ca. 10 *Monosacchariden entstehen. Hierbei können lineare, verzweigte u. cycl. O. gebildet werden. Im Gegensatz zu den *Polysacchariden entsprechen die Eigenschaften der O. noch weitgehend denen der Monosaccharide. Man unterscheidet *Disaccharide, *Trisaccharide, Tetrasaccharide (z. B. *Stachyose, *Acarbose) usw., früher auch als Biosen, Triosen, Tetraosen, Pentaosen usw. bezeichnet (nicht zu verwechseln mit *Tetrosen, *Pentosen usw.!). Die Oligomerisierung der Zucker führt theoret. zu einer sehr großen Zahl von möglichen Stereoisomeren, von denen jedoch nur sehr wenige natürlich vorkommen. Zur Nomenklatur der O. s. *Lit.*[1] u. Kohlenhydrate. Man unterscheidet O., die Fehlingsche Lsg. reduzieren, von solchen, deren anomere C-Atome alle durch glykosid. Bindungen blockiert sind. O. mit freiem anomerem C-Atom sind sehr selten, bes. wichtig ist *Lactose. Andere reduzierende O. wie *Maltose u. *Cellobiose sind Spaltprodukte der *Polysaccharide *Amylose, *Cellulose u. *Amylopektin u. deshalb nicht als native O. aufzufassen.

Vork.: O. kommen in freier Form hauptsächlich im Pflanzenreich vor. Sie bestehen vorwiegend aus Hexosen, selten aus Pentosen od. Aminozuckern. Tier. Quellen sind bes. Milch u. Honig.

In Kuhmilch sind große Mengen Lactose, in Frauenmilch ist auch *allo*-Lactose (6-*O*-β-D-Galactopyranosyl-D-glucose) enthalten. Die häufigsten nicht reduzierenden O. sind Saccharose, Raffinose u. Trehalose. O. verfügen teilweise über antibiot. Wirkung, wichtigste Gruppe dieser Antibiotika sind die Aminozucker enthaltenden *Aminoglykoside (s. a. Gentamicin, Kanamycin, Neomycine, Streptomycine). O. kommen häufig als Bestandteile verschiedener Glykoside im Tier- u. Pflanzenreich vor: z. B. *Strophanthine, *Herzglykoside, *Glykolipide, *Glykoproteine (hierzu zählen zahlreiche Serumproteine, Hormone, Membranproteine wie Blutgerinnungssubstanzen u. Collagen), Glykohämoglobine. Der O.-Anteil ist in diesen Substanzen für die Zell-Zell-Erkennung u. -Wechselwirkung essentiell. Er fungiert als Rezeptor für Proteine, Hormone u. Viren u. determiniert die Immunreaktion. Die O. werden durch *Glykosidasen, eine Untergruppe der Hydrolasen gespalten.

Biosynth. u. Synth.: Aufgrund der Strukturvielfalt der O. (Verknüpfungsstellen, Verzweigungsstellen, α- od. β-Verknüpfung der Glykosid-Einheiten) sind „Reißverschlußverf." wie bei der Protein-Biosynth. für die O.-Biosynth. unmöglich. Die Bildung einer Saccharid-Bindung erfordert im allg. ein eigenes Enzym, eine Glykosyltransferase. In gleicher Weise ist die chem. Synth. der O. sehr anspruchsvoll, sie wurde erst durch die Koenigs-Knorr-Meth. ermöglicht, bei der Halogenosen (Glykosylhalogenide) in Ggw. von Schwermetall-Salzen mit nucleophilen Gruppen verknüpft werden. In den vergangenen Jahren sind weitere, größtenteils selektive Verf. entwickelt worden (z. B. Fluorzucker, Trichloracetimidat-Meth., Radikal-Reaktionen etc.). Weiterhin kommen direkte 1-*O*-Alkylierungen, -Acetylierungen u. -Phosphorylierungen zur Anw., s. *Lit.*[2]. – ***E*** = ***F*** oligosaccharides – ***I*** oligosaccaridi – ***S*** oligosacáridos

Lit.: [1] Pure Appl. Chem. **54**, 1517–1522 (1982); **55**, 605–622 (1983); **56**, 1031–1048 (1984). [2] ACS Symp. Ser. **560**, 2–18 (1994); Adv. Carbohydr. Chem. Biochem. **42**, 193–226 (1984); Angew. Chem. **94**, 184–201 (1982); **98**, 213–236 (1986); **99**, 591 f. (1987); **107**, 1562 (1995); **108**, 1482–1522 (1996); Chem. Eng. News (23.9) **1996**, 62–66; Chem. Rev. **92**, 1167–1195 (1992); Collins u. Ferrier, Monosaccharides, Their Chemistry and Roles in Natural Products, S. 415–430, Chichester: Wiley 1995; Contemp. Org. Synth. **3**, 173–200 (1996); Drug Discovery Today **1**, 331–342 (1996); Fuhrhop u. Penzlin, Organic Synthesis: Concepts, Methods, Starting Materials, 2. Aufl., S. 269 ff., Weinheim: VCH Verlagsges. 1994; Modern Synthetic Methods **1995**, 283–330; Nachr. Chem. Tech. Lab. **32**, 6–16 (1984); Science **260**, 1307 (1993) (Festphasensynthese); Tetrahedron **52**, 1095–1121 (1996).
allg.: Adv. Carbohydr. Chem. Biochem. **50**, 21–24 (1994) ▪ Angew. Chem. (Int. Ed. Engl.) **25**, 212–234 (1986) ▪ Chem. Soc. Rev. **13**, 15–36 (1984); **18**, 347–374 (1989) ▪ El Khadem, Monosaccharides and Their Oligomers, New York: Academic Press 1988 ▪ Ginsburg u. Robbins, Biology of Complex Carbohydrates, Bd. 2, New York: Wiley 1984 ▪ Front. Nat. Prod. Res. **1996** (Mod. Meth. in Carbohydr. Synth.) ganzer Band ▪ Kirk-Othmer (3.) **2**, 986–990 ▪ Nuhn, Naturstoffchemie (2.), S. 199 ff., Stuttgart: Wissenschaftliche Verlagsges. 1990 ▪ Progr. Nucl. Magn. Res. Spec. **27**, 445–474 (1995) (NMR) ▪ Shallenberger, Advanced Sugar Chemistry, Chichester: Horwood u. Westport: AVI 1982 ▪ Ullmann (5.) **A 5**, 83.

Oligosaccharine. Pflanzliche komplexe *Oligosaccharide, die an der Regulation von Wachstum, Entwicklung u. als Elicitoren (Auslöser-Mol.) an Pathogen-Abwehrreaktionen beteiligt sind. O. entstehen bei partieller Hydrolyse von Zellwandbestandteilen wie z. B. Xyloglucan, *Chitin, *Cellulose u. *Pektinen. – ***E*** oligosaccharins – ***F*** oligosaccharines – ***I*** oligosaccarine – ***S*** oligosacarinas

Lit.: Biochem. Soc. Symp. **60**, 89–94 (1994) ▪ Biochem. Soc. Trans. **22**, 398–407 (1994) ▪ Plant Cell **9**, 1211–1223 (1997) ▪ Plant Mol. Biol. **26**, 1379–1411 (1994).

Oligosen. Synonyme Bez. für *Oligosaccharide.

Oligozän s. Erdzeitalter.

...olin. a) Aus latein.: oleum = Öl u. *...in zusammengefügte Endung; *Beisp.:* *Carbolin, *Chinolin, *Picolin. – b) Veraltete Endung für partiell gesätt. fünfgliedrige Stickstoff-Heterocyclen, s. ...ol (b). – ***E*** = ***F*** ...oline (*aber* Chinolin: ***F*** quinoléine) – ***I*** = ***S*** ...olina

Olin Corporation. Kurzbez. für den 1892 gegr. amerikan. Konzern Olin Corporation (früher Olin-Mathieson), Norwalk, CT 06856-4500 (USA). *Daten* (1995): 13 000 Beschäftigte, 3,15 Mrd. $ Umsatz. *Produktion:* Kupfer, Nickel u. deren Leg., rostfreie Stähle, Düngemittel, Agrochemikalien, Futterzusätze, Pflanzenschutzmittel, Ind.-Chemikalien, Bleichmittel, Reinigungsmittel, Feuerwaffen, Munition. *Vertretung* in der BRD: Olin GmbH, 40880 Ratingen.

Olinor®-Marken. Sortiment von Textilhilfsmitteln für Schlichten u. Avivage, die als wirksame Bestandteile natürliche u. synthet. Wachse sowie Fett-Derivate enthalten, ferner Papierhilfsmittel für die Aufbereitung von Altpapier nach dem Deinking-Verfahren. ***B.:*** Henkel.

Oliphant, Sir Mark Laurence Elwin (geb. 1901), Prof. für Physik, Univ. Birmingham u. Canberra. *Arbeitsgebiete:* Elektrizitätsleitung in Gasen, Oberflächenchemie, Atomkern, Elementarteilchen, Sonnenenergie. Er stellte zusammen mit Sir E. *Rutherford erstmals künstlich Tritium her.

Lit.: Lexikon der Naturwissenschaftler, S. 314 ▪ Neufeldt, S. 186 ▪ The International Who's Who (16.), S. 1157.

Olivansäuren. Gruppe von *β-Lactam-Antibiotika, die zu den *Carbapenemen gehören u. dem *Thienamycin strukturell ähnlich sind. Am β-Lactam-Ring hängt eine α-Hydroxyethyl-Gruppe, die bei einigen Vertretern mit Schwefelsäure verestert ist. Die *cis*-Verb. sind alle (5*R*,6*R*,8*S*)-, die *trans*-Verb. (5*R*,6*S*,8*S*)-konfiguriert. Am Fünfring ist über eine Thioether-Brücke ein *N*-acetyliertes Amin angehängt (s. Abb.).

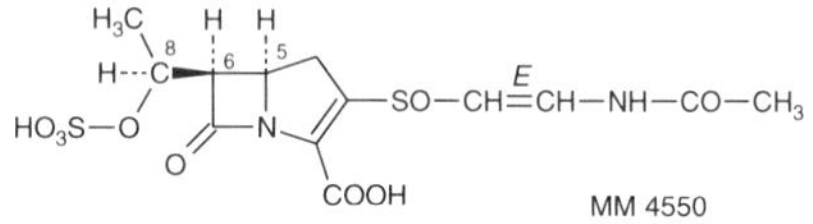

MM 4550

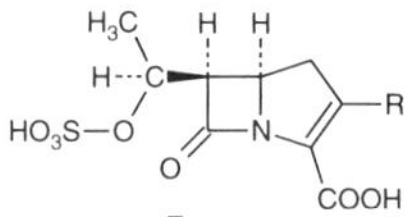

R = S—CH$\overset{E}{=}$CH—NH—CO—CH$_3$: MM 13902 (Epithienamycin E)
R = S—CH$_2$—CH$_2$—NH—CO—CH$_3$: MM 17880 (Epithienamycin F)

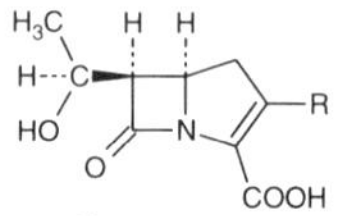

R = S—CH$\overset{E}{=}$CH—NH—CO—CH$_3$: MM 22382 (Epithienamycin B)
R = S—CH$_2$—CH$_2$—NH—CO—CH$_3$: MM 22380 (Epithienamycin A)

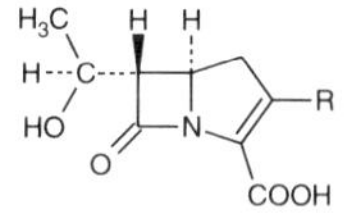

R = S—CH$\overset{E}{=}$CH—NH—CO—CH$_3$: MM 22383 (Epithienamycin D)
R = S—CH$_2$—CH$_2$—NH—CO—CH$_3$: MM 22381 (Epithienamycin C)

Tab.: Daten zu den Olivansäuren.

	Summenformel	M_R
MM 4550	$C_{13}H_{16}N_2O_9S_2$	408,39
MM 13902	$C_{13}H_{16}N_2O_8S_2$	392,39
MM 17880	$C_{13}H_{18}N_2O_8S_2$	394,41
MM 22380	$C_{13}H_{18}N_2O_5S$	314,35
MM 22381	$C_{13}H_{18}N_2O_5S$	314,35
MM 22382	$C_{13}H_{16}N_2O_5S$	312,34
MM 22383	$C_{13}H_{16}N_2O_5S$	312,34

Bildung: O. werden aus der Kulturflüssigkeit von *Streptomyces olivaceus* od. *S. fulvoviridis* isoliert, wo-

bei bei ausreichendem Sulfat-Angebot im Nährmedium die Sulfat-haltigen O., ansonsten die Sulfat-freien Hydroxy-Analoga gebildet werden.
Wirkung: O. sind *β-Lactamase-Inhibitoren mit z.T. breiter antibakterieller Wirkung auch gegen Gram-neg. Bakterien. – ***E*** olivanic acids – ***F*** acides olivaniques – ***I*** acidi olivanici – ***S*** ácidos olivánicos

Lit.: Gräfe ▪ Houben-Weyl **E 16 b**, 31–869 ▪ J. Antibiot. **43**, 847–857, 1137–1149 (1990) ▪ Morin u. Gorman, Chemistry and Biology of β-Lactam Antibiotics, Vol. 2, S. 227–313, New York: Academic Press 1982.

Oliven. 1. Die Steinfrüchte des im Mittelmeerraum heim. u. bes. in Spanien, Portugal, Italien, Griechenland u. Tunesien kultivierten *Oliven-* od. *Ölbaums* (*Olea europaea*, Oleaceae) sind ca. 1–20 g schwer, bis 3,5 cm lang u. je nach Reifezustand grün, später rot u. schließlich blauschwarz. Außer zur Gewinnung des *Olivenöls dienen sie, in Öl od. Salzlsg. eingelegt, auch als Nahrungsmittel. O. enthalten ein hypotensiv wirkendes α-Pyron-Derivat (*Elenolid,* $C_{11}H_{12}O_5$, M_R 224,21, Schmp. 155 °C)

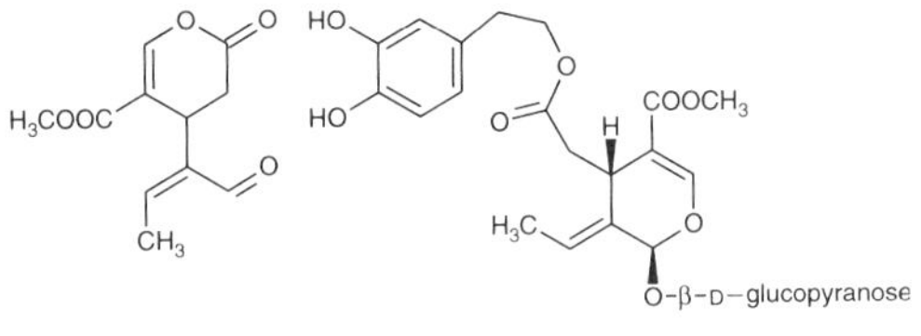

Elenolid Oleuropein

u. einen *iridoiden Bitterstoff (*Oleuropein,* $C_{25}H_{32}O_{13}$, M_R 540,53, hygroskop. Krist., Schmp. 87–89 °C), der vor dem Einlegen der Früchte in Salzwasser entfernt wird, u. zwar meist durch Behandeln mit verd. Natron- od. Kalilauge (wobei sich die Farbe vertieft) od. durch Milchsäure-Gärung. Span. (grüne) O. sind unreif, amerikan. (rötliche) halbreif u. griech. (schwarze) vollreif geerntete Früchte.
2. Im chem. Laboratorium zur Befestigung bzw. Verbindung von Schläuchen gebräuchliche Ansatzstücke bzw. aus Glas, Kunststoffen od. Metall bestehende Verbindungsstücke, die ihren Namen aufgrund ihrer O.-ähnlichen Form tragen: meist mehrere hintereinanderliegende, annähernd olivenförmige Verdickungen, vgl. die Schlauchansatzstücke auf den Abb. bei Kühler, Kolonnen u. Destillation. – ***E*** = ***F*** olives – ***I*** 1. olive, 2. impugnatura a forma d'oliva – ***S*** 1. aceitunas, olivas, 2. olivas

Lit. (zu 1.): Franke, Nutzpflanzenkunde, 6. Aufl., S. 155 ff., Stuttgart: Thieme 1997. – *[HS 0711 20]*

Olivenit. $Cu_2[OH/AsO_4]$, olivgrünes (Name!) bis grünlichschwarzes, grünlichbraunes od. braunes Mineral, nach *Lit.*[1,2] (Struktur) nicht rhomb., sondern monoklin, Kristallklasse 2/m-C_{2h}; bildet *Mischkristalle mit *Libethenit u. *Adamin. Prismat. bis nadelige u. tafelige, diamantartig glänzende Krist., radialstrahlige Aggregate u. Krusten od. faserige bis erdige Massen; Strichfarbe olivgrün od. braun. H. 3, D. 4,1–4,4.
Vork.: In *Oxidationszonen Arsen-reicher Kupfer-Lagerstätten; z.B. in Cornwall/England, Tsumeb/Namibia u. Utah u. Nevada/USA. – ***E*** = ***I*** olivenite – ***F*** olivénite – ***S*** olivenita

Lit.: [1] Acta Crystallogr. Sect. B **33**, 2628–2631 (1977). [2] Can. Mineral. **33**, 885–888 (1995).
allg.: Lapis **8**, Nr. 7–8, 7 ff. (1983) („Steckbrief") ▪ Mineral. Mag. **47**, 51–57 (1983) ▪ Schröcke-Weiner, S. 620. – *[CAS 16102-94-6]*

Olivenöl. Fettes, nichttrocknendes Öl, das durch Pressen des Fruchtfleisches von *Oliven, den Steinfrüchten des v.a. im mediterranen Raum wachsenden Olivenbaumes *Olea europaea*, Oleaceae, gewonnen wird. Der Ölgehalt der Früchte liegt bei durchschnittlich 56%, wovon 75–80% bei der ersten Pressung erhalten werden. D. 0,914–0,919, SZ 0,2–2,8, IZ 79–80, *Hydroxylzahl 4–12, VZ 185–196, Trübungspunkt 6–10 °C, Erstarrungspunkt 0 °C, FP 225 °C, Farbe grün-bräunlich bis hellgelb, lösl. in Dichlormethan, schwerlösl. in Ethanol, unlösl. in Wasser.
Herst.: Richtet sich nach der gewünschten Qualitätsstufe. O. höchster Qualität wird durch kaltes Kneten u. Pressen (20–50 bar) der zerkleinerten Oliven, evtl. unter Zugabe von Salz, erhalten u. gelangt ohne Raffinationsschritte in den Handel (*natives O.*). *Raffiniertes O.* wird durch Raffination von nativem O. erhalten. Die Mischung von beiden wird als „*O.*" od. „*reines O.*" bezeichnet. *Oliventresteröl* kann durch *Extraktion der Preßrückstände erhalten werden u. wird durch Raffination genußtauglich.
Rechtliche Beurteilung: Grundlage der Klassifizierung ist das internat. Olivenölabkommen[1], dem die EG 1979 beigetreten ist. Nach Artikel 10 ist die Bez. O. dem Öl vorbehalten, das ausschließlich aus Oliven hergestellt ist. In Artikel 11 werden die verbindlichen Kennzeichnungen der einzelnen Qualitätsstufen von O. u. deren Herst. angegeben:

- *natives O., das ohne weiteres zum Verbrauch geeignet ist (Jungfernöl)*
  a) *extra (extra vierge):* Einwandfreier Geschmack, höchstens 1% freie Fettsäuren (berechnet als *Ölsäure)
  b) *fein (fin vierge):* Anforderungen wie a), jedoch bis zu 1,5% freie Fettsäuren
  c) *mittelfein (semi fin vierge):* Guter Geschmack, höchstens 3% freie Fettsäuren
- *raffiniertes O.*
- *O. (reines O.):* Verschnitt von nativem u. raffiniertem O.
- *Oliventresteröl*
- *natives O., das nicht ohne weiteres zum Verzehr geeignet ist (Lampantöl, Lampenöl):* Unangenehmer Geruch, freie Fettsäuren >3,3 %.

Auf dem O.-Abkommen baut auch die Einteilung von O. nach den Leitsätzen für Speisefette u. Speiseöl (*Lit.*) auf. Im Anhang dieser Leitsätze ist die Fettsäure-Zusammensetzung von O. wiedergegeben, wobei witterungsbedingte Schwankungen jährlich im nat. O.-Index der einzelnen Erzeugerländer veröffentlicht werden.
Zusammensetzung: Genaue Angaben zum Fettsäure-Spektrum s. *Lit.*[2] u. die Leitsätze. Unverseifbarer Anteil 0,5–1,3%, davon *Sterine 0,15% (O. extra) bzw. 0,37% (Oliventresteröl), s.a. *Lit.*[3–6]. *Squalen 0,1–0,7%, wobei der Gehalt vom Reifezustand abhängt[7]; 0–10 ppm *Chlorophyll, Spuren von *Phospholipiden, *Carotinoiden u. α-*Tocopherol[8], 300 IE *Vitamin A.
Ernährungsphysiologie: Nährwert (100 g): 3880 kJ. O., v.a. der ersten Pressung, ist sowohl unter sensor.

als auch unter ernährungsphysiolog. Aspekten (hoher Anteil *Ölsäure, daher Einteilung in die Klasse der Öle, die reich an Monoensäuren sind) sehr pos. zu bewerten[9,10]. Der Gesamt-Sterin-Gehalt ist im Vgl. zu anderen pflanzlichen Speiseölen (*Sonnenblumenöl, *Maiskeimöl) gering[3].

Toxikologie: Natives O. ist höher mit *PAH u. *Halogenkohlenwasserstoffen belastet[11] als raffiniertes Olivenöl. Eine ungünstige Beeinflussung der *Phagocytose des Menschen durch große Mengen O. ist nach *Lit.*[12] gegeben. Da O. häufiger mit dem gesundheitlich bedenklichen Lsm. *Tetrachlorethylen (Per) belastet ist[13], wurde in der VO (EWG) Nr. 1860/88[14] ein Höchstwert von 0,1 mg/kg festgelegt. Höchstmengen für Per sowie *Trichlorethen u. Trichlormethan (s. Chlormethane) in Lebensmitteln (Einzelwert 0,1 mg/kg, Summenwert 0,2 mg/kg) sind der Lösungsmittel-Höchstmengen-VO[15] zu entnehmen. Der Verkauf von O., das mit techn., durch *Anilin-Zusatz vergälltem *Rapsöl gestreckt worden war, führte im Jahre 1981 in Spanien zu ca. 350 tödlichen Vergiftungen (s. Ölsyndrom, spanisches).

Verw.: Als Speiseöl u. in der Humanmedizin als *Cholagogum. Im kosmet. (*Sonnenschutzmittel) u. pharmazeut. Bereich sowie in der Textil-Ind. ist O. ein hochwertiger Rohstoff.

Analytik: Die Authentizität von O. kann sowohl anhand des Fettsäure-Spektrums[16] als auch anhand des Gehaltes an *Alkanolen[17], polaren Bestandteilen[18] u. der Struktur der *Diglyceride überprüft werden. Eine Zusammenfassung gibt *Lit.*[19]. Die Verfälschung mit *Sansaöl (Oliventresteröl) ist über den Gehalt an Erythrodiol[20] (12-Oleanen-3β,28-diol) erkennbar. Zur Bestimmung der Belastung mit Tetrachlorethylen existiert eine EG-einheitliche GC-Headspace-Meth. (s. *Lit.*[21]). Die für den Bittergeschmack von Jungfern-O. verantwortlichen Komponenten[22] lassen sich über *HPLC identifizieren. Der Reifegrad, der zur Ölgewinnung verwendeten Oliven, läßt sich anhand der phenol. Verb.[23] im O. erkennen.

Lagerung: O. der höchsten Qualität ist bei nicht zu kühler Lagerung 2–3 a haltbar. Gefrorenes O. sollte bei geöffneten Gefäßen langsam unter Klärung bei 15–20 °C auftauen. *Olivenkernöl* wird durch Pressen u. *Extraktion der gereinigten Olivenkerne erhalten. Es ist dem O. ähnlich, aber weniger intensiv im Geschmack. – ***E*** olive oil – ***F*** huile d'olive – ***I*** olio d'oliva – ***S*** aceite de oliva

Lit.: [1] VO (EWG) Nr. 2568/91 vom 11.07.1991 in der Fassung vom 27.10.1995 (ABl. der EG Nr. L 258/49). [2] Lebensmittelchem. Gerichtl. Chem. **39**, 112 ff. (1985). [3] Fat Sci. Technol. **91**, 23–27 (1989). [4] Riv. Ital. Sostanze Grasse **64**, 131–136 (1987). [5] Riv. Ital. Sostanze Grasse **61**, 69–89 (1984). [6] Riv. Ital. Sostanze Grasse **61**, 205–213 (1984). [7] Riv. Ital. Sostanze Grasse **62**, 423–426 (1985). [8] J. Sci. Food Agric. **46**, 503–509 (1989). [9] Fette, Seifen, Anstrichm. **86**, 606–613 (1984). [10] Riv. Ital. Sostanze Grasse **65**, 559–599 (1988). [11] Riv. Ital. Sostanze Grasse **65**, 447 ff. (1988); Z. Lebensm. Unters. Forsch. **200**, 266–272 (1995). [12] Lindner, Toxikologie der Nahrungsmittel (4.), S. 53, Stuttgart: Thieme 1990. [13] Dtsch. Apoth. Ztg. **128**, 711 f. (1988). [14] VO (EWG) Nr. 1860/88 vom 30.06.1988 (Amtsblatt der EG Nr. L 166/16 vom 01.07.1988) Artikel 1. [15] VO über Höchstmengen an bestimmten Lsm. in Lebensmitteln (LHmV) vom 26.07.1989 (BGBl. I, S. 1568). [16] J. Assoc. Off. Anal. Chem. **67**, 721–727 (1984). [17] Riv. Ital. Sostanze Grasse **62**, 287–293 (1985). [18] Riv. Ital. Sostanze Grasse **62**, 281–286 (1985). [19] Mitt. Geb. Lebensm. Hyg. **84**, 99 ff. (1993). [20] Riv. Ital. Sostanze Grasse **64**, 359–363 (1987). [21] VO (EWG) Nr. 1858/88 vom 30.06.1988 (Amtsblatt der EG Nr. L 166/10 vom 01.07.1988) Anlage X. [22] J. Food Sci. **54**, 68 ff. (1989). [23] Riv. Ital. Sostanze Grasse **64**, 255–262 (1987).

allg.: Auswertungs- u. Informationsdienst für Ernährung, Landwirtschaft u. Forsten (AID) e. V., Speisefette, Nr. 1032, Bonn: AID 1988 ▪ AID-Verbraucherdienst **38**, 139–144 (1993) ▪ Belitz-Grosch (4.) S. 584 f. ▪ Dtsch. Lebensm. Rundsch. **91**, 214 ff. (1995) ▪ Leitsätze für Speisefette u. Speiseöl vom 09.06.1987, (Bundesanzeiger Nr. 140 a) abgedruckt in Zipfel, C 296 ▪ Merck-Index (12.), Nr. 6973 ▪ Ullmann (5.) **A 10**, 176, 215, 219, 255 ▪ Vollmer et al., Lebensmittelführer, Bd. 1, Stuttgart: Thieme 1995 ▪ Zipfel, C 296. – *[HS 1509 10, 1509 90]*

Olivenölsyndrom, spanisches s. Ölsyndrom, spanisches.

Olivin. (α)$(Mg,Fe)_2[SiO_4]$, zu den Insel-*Silicaten gehörendes Mineral, Bez. für Glieder einer lückenlosen *Mischkristall-Reihe zwischen den Endgliedern *Forsterit* $Mg_2[SiO_4]$ (mit bis zu 10 Mol-% Fe_2SiO_4) u. *Fayalit* $Fe_2[SiO_4]$; *Chrysolith* enthält 10–30 Mol-% Fe_2SiO_4. O. krist. rhomb., Kristallklasse mmm-D_{2h}; in der Struktur (s. die Abb. u. Deer et al., *Lit.*; für Forsterit *Lit.*[1]) werden inselartige $[SiO_4]$-Tetraeder durch $[MgO_6]$- u. $[FeO_6]$-Oktaeder verbunden; zur Verteilung von Mg u. Fe in O. s. *Lit.*[2,3]. Im gleichen Strukturtyp krist. z.B. *Tephroit, $Ni_2[SiO_4]$, $Co_2[SiO_4]$, $(Ni,Mg)_2[SiO_4]$ (s. *Lit.*[4]) u. *Germanat-O.*, z.B. $CaMg[GeO_4]$ (*Lit.*[5]).

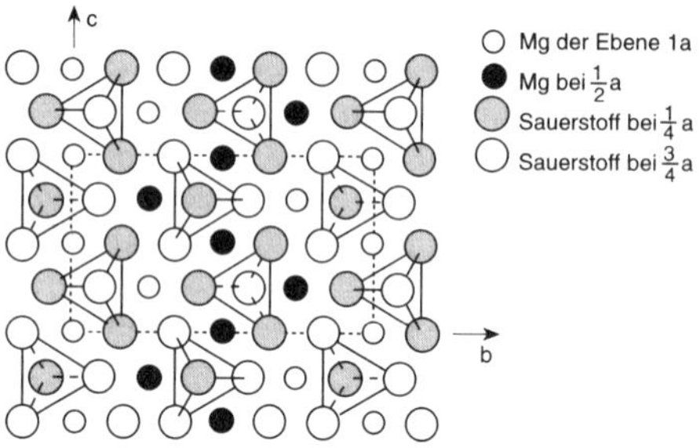

Abb.: Schemat. Projektion der Kristallstruktur von Olivin (Forsterit) in Richtung der kristallograph. a-Achse auf die b–c-Ebene (*Kristallsysteme). Die unterschiedlichen Signaturen für Mg u. Sauerstoff bedeuten unterschiedliche Höhenlagen gegenüber der Projektionsebene. Si in den Tetraedern ist nicht eingezeichnet; nach Matthes, *Lit.*, S. 114.

Eigenschaften: O. bildet prismat. bis tafelige olivgrüne (Name!), auch geblichbraune bis rotbraune Krist., Körner od. körnige Aggregate; glasglänzend durchsichtig bis durchscheinend, Bruch muschelig, spröde, H. 6,5–7, D. je nach Fe-Gehalt 3,22–4,39. Schmp. von Forsterit 1885 °C. Chem. Analysen s. Deer et al. (*Lit.*); Spurenelement-Gehalte an Ni, Mn, Zn, Ca u. Ti in O. s. *Lit.*[6].

Umwandlungen: Unter Drücken, die einer Erdtiefe von ca. 400 bis 670 km entsprechen, wandelt sich Mg-reicher O. in die dichter gepackten Modif. *Wadsleyit* (*β-Phase*, modifizierter *Spinell) u. *Ringwoodit*[7] γ-$(Mg,Fe)_2[SiO_4]$ (mit Spinell-Struktur) um, s. *Lit.*[8]. Zu Wasser-Gehalten in den α-, β- u. γ-Phasen von

$(Mg,Fe)_2[SiO_4]$ s. *Lit.*[9,10]. Bei extrem hohen, nicht hydrostat. Drücken geht O. in den *amorphen Zustand über[11]. Bei Einwirkung hydrothermaler Lösungen wandelt sich O. in *Serpentin-Minerale, *Talk u.a. Mineralien um; bei *Verwitterung von O. entstehen u.a. Limonit (*Brauneisenerz), *Quarz, *Nontronit u. Carbonate.
Vork.: In *Mondgesteinen u. vielen *Meteoriten. Mg-reicher O. ist Hauptgemengteil im oberen Erdmantel (*Erde) u. in ultrabas. *magmatischen Gesteinen wie Dunit, *Peridotite (hierher auch die „Olivinknollen" in Basalten, z.B. in der Eifel) u. *Kimberlit. In bas. magmat. Gesteinen, z.B. *Gabbros u. Alkali-*Basalte.
Verw.: O. für die Ind. wird v.a. aus dem Gestein Dunit (36–42% MgO) gewonnen u. enthält ca. 45–51% MgO, 40–43% SiO_2, 5–7% FeO u. 0,2–0,8% CaO (*Lit.*[12]) u. Ullmann, *Lit.*); Hauptförderländer[12] sind Norwegen, Österreich, Japan, die USA, Italien, Spanien, Pakistan u. Mexiko. 75% der Weltförderung werden in Hochöfen als Flußmittel für Schlacken eingesetzt. Weitere Verw.: Herst. von feuerfesten Forsterit-Steinen, gesägten Ofensteinen u. O.-Ziegeln für elektr. Wärmespeicher-Einheiten; als Strahlmittel u. Formsand in Gießereien; s.a. *Lit.*[12]. Als *Peridot bezeichneter klarer olivgrüner O. als Edelstein. – ***E*** = ***F*** olivine – ***I*** olivina – ***S*** olivino

Lit.: [1] Am. Mineral. **82**, 663–671 (1997). [2] Am. Mineral. **71**, 127–135 (1986); **80**, 197–200 (1995). [3] Am. Mineral. **80**, 1089–1092 (1995). [4] Am. Mineral. **81**, 1519–1522 (1996). [5] Phys. Chem. Miner. **24**, 77–84 (1997). [6] Mineral. Mag. **61**, 257–269 (1997). [7] Phys. Chem. Miner. **21**, 351–359 (1994). [8] Nature (London) **338** (6218), 753–756 (1989). [9] Contrib. Mineral. Petrol. **123**, 345–357 (1996). [10] Am. Mineral. **82**, 270–275 (1997). [11] Phys. Chem. Miner. **22**, 99–107 (1995). [12] Ind. Miner. (London) **1995**, Nr. 329, 23–31.
allg.: Deer et al. (2.), S. 3–13 ▪ Matthes, Mineralogie (5.), S. 113–116, Berlin: Springer 1996 ▪ Ribbe (Hrsg.), Orthosilicates (2.) (Reviews in Mineralogy, Vol. 5), S. 275–381, Washington (D. C.): Mineralogical Society of America 1982 ▪ Ullmann (5.) **A 23**, 686ff. – *[CAS 1317-71-1]*

Ololiuqui (Badoh Negro). Extrakt aus Samen der mittelamerikan. Trichterwindenarten *Turbina corymbosa* (L.) Raf. synonym *Rivea corymbosa* (L.) Hallier f. u. *Ipomoea violacea* L. (Convolvulaceae), die von Indianerstämmen als *Rauschgift u. zu kult. Zwecken mißbraucht werden. Die Samen enthalten insgesamt etwa 0,012 (*Turbina*) bzw. 0,06% (*Ipomoea*) Alkaloide, die als *Halluzinogene wirken. Hauptverantwortlich dafür sind Lysergsäureamid u. Lysergsäure-2-hydroxyethylamid, die beide ca. 100× schwächer wirksam sind als LSD. *Ergot-Alkaloide fand man sonst bisher nur bei niederen Pilzen (Mutterkorn). – ***E*** = ***I*** ololiuqui – ***F*** = ***S*** ololiqui

Lit.: Hager (5.) **5**, 548ff. ▪ Planta Med. **1961**, 354–367 ▪ Schultes u. Hofmann, The Botany and Chemistry of Hallucinogens, S. 143–158, Springfield (Ill.): Ch. C. Thomas 1973 ▪ s.a. Ipomoea-Harz. – *[HS 1211 90]*

Olsalazin (Rp).

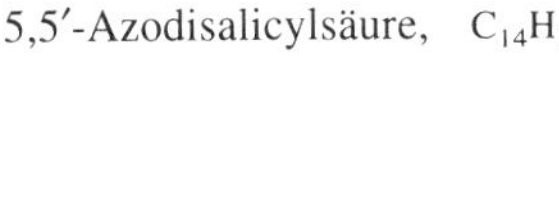

Internat. Freiname für das nichtsteroidale *Antiphlogistikum 5,5′-Azodisalicylsäure, $C_{14}H_{10}N_2O_6$, M_R 302,24. Verwendet wird das Dinatrium-Salz. O. wurde 1914 u. 1915 von Geigy als Beizenfarbstoff (*Eriochromflavin A*) für Wolle, 1981 u. 1985 von Pharmacia (Dipentum®) zur Therapie von Darm-Ulcera patentiert. – ***E*** = ***F*** olsalazine – ***I*** = ***S*** olsalazina

Lit.: Am. J. Gastroenterol. **80**, 203 (1985) ▪ Beilstein EIV **16**, 374 ▪ Gastroenterol. **90**, 1024 (1986) ▪ Martindale (31.), S. 1231f. ▪ Scand. J. Gastroenterol. **22**, 326 (1987). – *[HS 2927 00; CAS 15722-48-2 (O.); 6054-98-4 (Dinatriumsalz)]*

Olynth®. Gel, Sprüh- od. Tropflsg. mit *Xylometazolin-hydrochlorid gegen Schnupfen u. Entzündungen der Nase. ***B.:*** Warner Lambert.

OMA. Abk. für *o*ptical *m*ultichannel-*a*nalyzer, s. Monochromator.

Omadine®. Derivate des *Pyrithions als bakterizide u. fungizide Zusätze für Schneid- u. Bohröle, Lackfarben, Vinyl-Folien, Kautschuk, Textilien, Kosmetika etc. ***B.:*** Olin.

OMC®. Marke für Bergbauchemikalien (Flotationshilfsmittel, Sammler für Apatit, Baryt, Flußspat, Kohle, Scheelit, Silicate, Casserit, Schwermetalloxide u. andere), Entwässerungsmittel sowie Additiv für Bohrspülungen u. Produktionschemikalien für den Pipelinetransport u. Raffinerieanw. in der Erdöl- u. Erdgas-Industrie. ***B.:*** Henkel.

Omega s. ω u. Ω (Anfang von Buchstabe O).

Omeprazol (Rp).

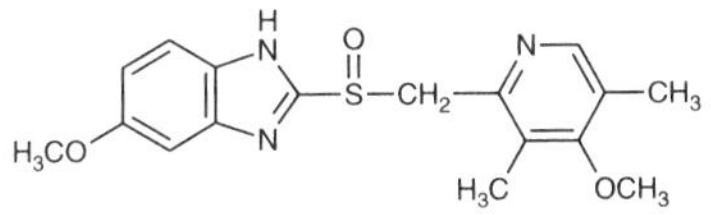

Internat. Freiname für das die Magensäure-Sekretion hemmende *Ulcus-Mittel 5-Methoxy-2-(4-methoxy-3,5-dimethyl-2-pyridylmethylsulfinyl)-1*H*-benzimidazol, $C_{17}H_{19}N_3O_3S$, M_R 345,41, Schmp. 156 °C; pK_a 4; LD_{50} (Maus i.v.) >50, (Maus oral) >4000 mg/kg. O. wurde 1979 u. 1981 von AB Hässle patentiert u. ist von Astra (Antra®) u. pharma-stern (Gastroloc®) im Handel. – ***E*** = ***S*** omeprazol – ***F*** oméprazole – ***I*** omeprazolo

Lit.: Aliment. Pharmacol. Ther. **9**, 1–9 (1995) ▪ Ann. Pharmacother. **29**, 1252–1262 (1995) ▪ ASP ▪ Drugs **32**, 15–47 (1986) ▪ Hager (5.) **8**, 1234f. ▪ Martindale (31.), S. 1232f. – *[HS 2933 39; CAS 73590-58-6]*

Omethoat. T

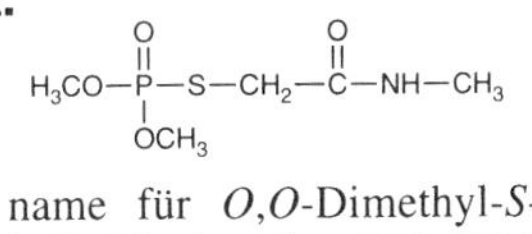

Common name für *O,O*-Dimethyl-*S*-[(methylcarbamoyl)methyl]-thiophosphat, $C_5H_{12}NO_4PS$, M_R 213,18, LD_{50} (Ratte oral) 50 mg/kg (GefStoffV), von Bayer 1965 eingeführtes system. *Insektizid u. *Akarizid mit Kontakt- u. Fraßgiftwirkung mit breitem Wirkungsspektrum gegen saugende Insekten im Obst-, Getreide-, Reis-, Hopfen- u. Rübenanbau. – ***E*** = ***F*** omethoate – ***I*** = ***S*** ometoato

Lit.: Beilstein EIV **4**, 251f. ▪ Farm ▪ Perkow ▪ Pesticide Manual. – *[HS 2930 90; CAS 1113-02-6]*

Ommatine s. Ommochrome.

Ommi(di)ne s. Ommochrome.

Ommochrome. Gruppe von sauren gelben u. roten *Phenoxazon-Farbstoffen, die in den Augen, Flügeln, Schlupfsekreten u. der Haut von Gliederfüßlern, bes. Krebsen u. Insekten sowie anderen Invertebraten vorkommen. Die O. sind oft mit Proteinen assoziiert (*Chromoproteine) u. kaum in Wasser u. neutralen Lsm. löslich. Sie wurden trotz ihrer weiten Verbreitung erst relativ spät entdeckt (*Butenandt 1957). Die O. sind eine heterogene Substanzklasse, die in zwei Gruppen eingeteilt werden kann: Die gelben u. roten Alkali-labilen niedermol. *Ommatine* u. die rotvioletten Schwefel-haltigen *Ommine*, die normalerweise als Gemisch von fünf bis sechs Substanzen vorkommen [1]. Am besten charakterisiert sind die Ommatine *Xanthommatin* ($C_{20}H_{13}N_3O_8$, M_R 423,34, Schlupfsekret des Kleinen Fuchses, *Vanessa urticae*), *Rhodommatin* ($C_{26}H_{25}N_3O_{13}$, M_R 587,50) u. *Ommatin D* ($C_{20}H_{15}N_3O_{11}S$, M_R 505,41).

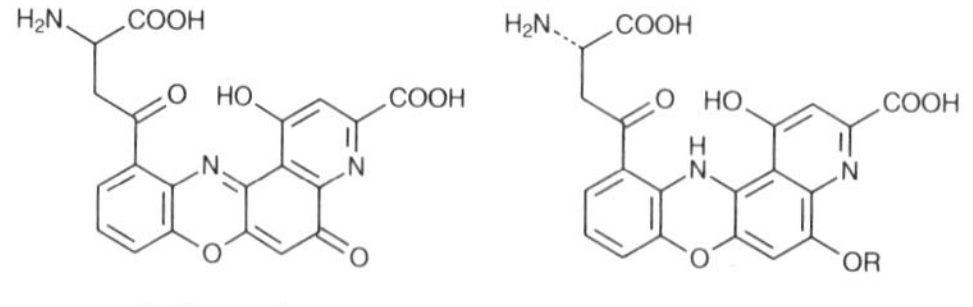

Xanthommatin

R = SO_3H : Ommatin D
R = β-D-Glucosyl : Rhodommatin

Die Ommine sind hauptsächlich Seh-Pigmente von Insekten u. Crustaceen sowie Haut-Farbstoffe von Arthropoden u. Cephalopoden, für deren schnellen Farbwechsel sie verantwortlich sind, vgl. hierzu die Sehpigmente der Vertebraten: Melanine, Opsin, Rhodopsin. Biogenet. leiten sich die O. von Tryptophan ab [2]. – ***E*** = ***F*** ommochromes – ***I*** ommocromi – ***S*** omocromos

Lit.: [1] Scheuer I **3**, 148 ff. [2] Adv. Insect. Physiol. **10**, 117–246 (1974).
allg.: Beilstein E III/IV **27**, 8216 ff.; E V **27/35**, 332 ▪ Biol. Crustaceae 9 ▪ J. Heterocycl. Chem. **25**, 1243–1246 (1988) ▪ Prax. Naturwiss. Biol. **44**, 1–7 (1995). – *[CAS 521-58-4 (Xanthommatin); 28991-26-6 (Ommatin D)]*

Omniflora® N. Kapseln mit Kulturlyophilisat von *Lactobacillus gasseri* u. *Bifidobacterium longum* gegen unspezif. Darmerkrankungen verschiedener Symptomatik. ***B.:*** Zyma.

Omnisept®. Kapseln mit *Lactobacillus acidophilus*-Kultur-Lyophilisat u. Trockensubstanz aus Stoffwechselprodukten von *Lactobacillus acidophilus* gegen Durchfallerkrankungen. ***B.:*** Synthelabo.

Omnival®. Multivitamin-Präparat. ***B.:*** Nordmark.

Omoconazol (Rp).

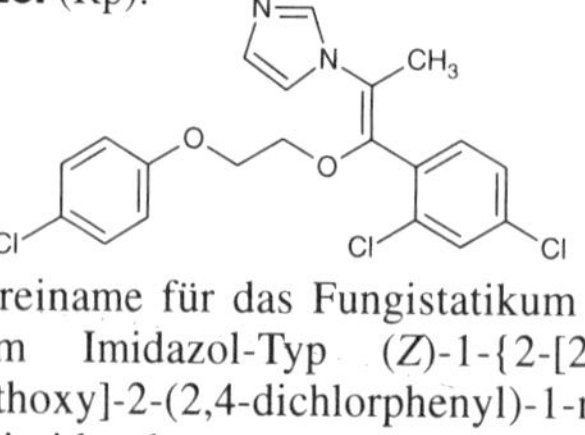

Internat. Freiname für das Fungistatikum (s. Fungizide) vom Imidazol-Typ (*Z*)-1-{2-[2-(4-Chlorphenoxy)ethoxy]-2-(2,4-dichlorphenyl)-1-methylvinyl}-1*H*-imidazol, $C_{20}H_{17}Cl_3N_2O_2$, M_R 423,72, Schmp. 89–90 °C. O. wurde 1980 von Siegfried patentiert u. ist als Nitrat von Galderma (Fungisan® Creme) im Handel. – ***E*** omoconazole – ***F*** omoconazol – ***I*** omoconazolo – ***S*** omoconazola

Lit.: Jpn. J. Antibiot. **49**, 818–823 (1996) ▪ Merck-Index (12.), Nr. 6978. – *[HS 2933 29; CAS 74512-12-2 (O.); 83621-06-1 (O.-nitrat)]*

OMP s. Orotsäure.

Omphacit s. Eklogite u. Pyroxene.

OMV. Abk. für die *Österreichische Mineralölverwaltung Aktiengesellschaft.

...on. a) Endung von Trivial- u. systemat. Namen für *Ketone (IUPAC-Regeln C 311–315 u. R-5.6.2), abgeleitet von *Aceton; *Beisp.:* *Benzophenon, *2-Butanon, *Chinone, *2-Pyrrolidon. – b) Endung von Bez. für Derivate der Ketone (z. B. *Hydrazone, *Nitrone, *Osazone) u. für Verb., die mit Ketonen verwandt sind (z. B. *Chinone, *Lactone, *Silicone, *Sulfone). – c) Von griech.: ...ōnē = ...tochter (z. B. Anemone = Windtochter) abgeleitete, heute sächliche Endung, die eine Herkunftsbeziehung ausdrückt; *Beisp.:* Aceton (Essigtochter), *Histone, *Peptone, *...onsäure. – d) Endung für Partizip Präsens in griech. Fremdwörtern (...ōn); *Beisp.:* Ozon (griech.: ozōn = das Riechende, das Stinkende). – e) Griech. sächliche Endung: ...on [kurzes o, anders als a)–d)!]; *Beisp.:* *Edelgase, *Elementarteilchen u. a. Partikel (z. B. *Prion; Plural: ...onen), Begriffe der mol. Genetik (Cistron, *Codon, *Intron, *Exon, *Operon; Plural: ...ons). – ***E*** ...one (a–d), ...on (e) – ***F*** = ***I*** ...one – ***S*** ...ona

ON. Abk. für *Osteonectin.

...onan. Suffix für gesätt. neungliedrige *heterocyclische Verbindungen im *Hantzsch-Widman-System (IUPAC-Regel R-2.3.3); vgl. ...onin. – ***E*** ...onane – ***F*** ...onan(n)e – ***I*** = ***S*** ...onano

Onc(h)om (Ontjom, Lontjom). Aus dem bei der Ölgewinnung aus *Erdnüssen verbleibenden Preßrückstand durch Fermentation erhältliches kuchenartiges Nahrungsmittel, das bes. in Indonesien sehr beliebt ist.
Lit.: Rehm-Reed **5**, 507 ff.

Onchozerkose (Onchocerciasis) s. Filariasis.

Onco... s. a. Onko...

On-Column Injektor. Probenaufgabesyst. für die Kapillar-Gaschromatographie, bei dem die Probe als verd. Lsg. direkt in die Kapillare eingebracht wird u. dann erst verdampft. Da dies bei einer Temp. nahe des Sdp. des Lsm. erfolgt, spricht man auch von „cold injection". Die Vorteile dieser Meth. liegen in einer besseren Reproduzierbarkeit gegenüber dem Verdampfungsinjektor bei quant. Messungen. – ***E*** (cold) on-column injector – ***F*** injecteur sur colonne – ***I*** iniettore su colonna – ***S*** inyector en la columna

Lit.: Chromatographia **10**, 383 (1977) ▪ J. Chromatogr. **151**, 311 (1978); **178**, 387 (1979).

Oncomodulin s. Parvalbumine.

Oncostatin M (OSM). Aufgrund struktureller u. funktioneller Ähnlichkeit zur *Neuropoetin*-Familie der *neurotrophen Faktoren gehörendes *Glykoprotein (M_R 28 000, 209 Aminosäure-Reste), das von einer Reihe von Säugetier-Zelltypen abgegeben wird. Ursprünglich entdeckt als *Cytokin, das *in vitro* das Wachstum von Melanom- u. a. Tumor-Zellen hemmt (daher Name), reguliert OSM auch die Prduktion verschiedener Cytokine durch Endothelzellen u. verursacht *in vivo* entzündliche Reaktionen. Eine Untereinheit des OSM-Rezeptors ist mit der des *Interleukin-6-Rezeptors identisch. – ***E*** oncostatin M – ***F*** oncostatine M – ***I*** = ***S*** oncostatina M

Lit.: Ann. N. Y. Acad. Sci. **762**, 42–54 (1995) ▪ Prog. Growth Factor Res. **4**, 157–170 (1992).

Ondansetron (Rp).

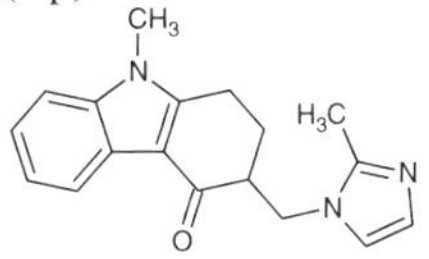

Internat. Freiname für den 5-HT_3-Antagonisten (s. Serotonin) (±)-1,2,3,9-Tetrahydro-9-methyl-3-(2-methyl-1*H*-imidazol-1-ylmethyl)-4*H*-carbazol-4-on, $C_{18}H_{19}N_3O$, M_R 293,36, Schmp. 231–232 °C. O. wurde 1986 u. 1987 von Glaxo patentiert u. ist in Form des Hydrochlorid-Dihydrats als *Antiemetikum nach Bestrahlungs- od. chemotherapeut. Behandlung von Krebs von Glaxo Wellcome (Zofran®) im Handel. – ***E*** ondansetron – ***F*** ondansétron – ***I*** ondansetrone – ***S*** ondansetrón

Lit.: Anticancer Drugs **2**, 343–355 (1991) ▪ Drugs **52**, 773–794 (1996) ▪ Merck-Index (12.), Nr. 6979. – *[CAS 99614-02-5 (O.); 99614-01-4 (O.-hydrochlorid)]*

...onia s. Onium-Verbindungen.

...onin. Suffix für ungesätt. neungliedrige *heterocyclische Verbindungen im *Hantzsch-Widman-System (IUPAC-Regel R-2.3.3); für partiell gesätt. Derivate fügt man *Hydr(o)...-Präfixe zu; gesätt. Verb.: s. ...onan. Engl. Namen für Stickstoff-haltige Ringe enden ...onine (i lang), für übrige Ringe oft, z. B. in Chemical Abstracts, ...onin (i kurz), analog im Französ. u. Span. – ***E*** ...onine (...onin) – ***F*** ...oninne – ***I*** ...onino – ***S*** ...onina

...onio s. Onium-Verbindungen.

Onium-Verbindungen. Sammelbez. für salzartige Verb. mit einem koordinativ gesätt. *Kation, das durch die Anlagerung von Protonen od. anderen pos. Gruppen an das Zentralatom eines neutralen Mol. gebildet wird (s. Abb. 1).

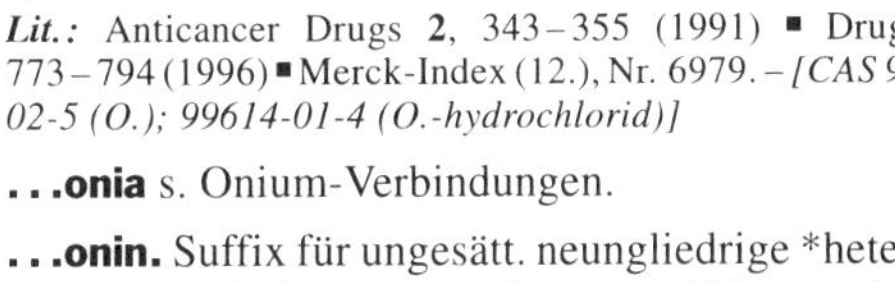

Abb. 1: Bildung von Onium-Verbindungen.

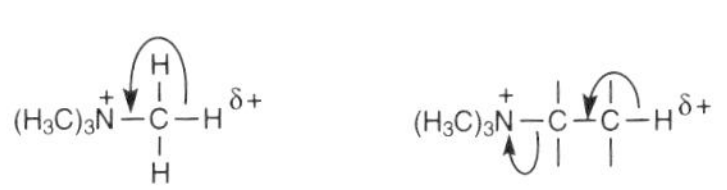

Abb. 2: Induktiver Effekt des pos. Zentralatoms.

Abb. 2 veranschaulicht, wie das pos. Zentralatom durch seinen *induktiven Effekt die Abspaltung von Protonen erleichtert, vgl. Hofmann-Eliminierung. Man vgl. die Abb. mit derjenigen der *at-Komplexe, die man als „Gegenspieler" der O.-V. ansehen kann; gemeinsam treten beide in *„onium-at"-Komplexen* auf ($R_3\overset{+}{N}-BR_3^- = R_3N \rightarrow BR_3$) auf, die aus der Vereinigung einer Lewis-Säure mit einer Lewis-Base hervorgehen. Bekannteste Beisp. der O.-V. sind – wenn man von den *Carbonium-Ionen (R_5C^+) absieht, die nach IUPAC-Regel R-5.8.2 eigentlich durch Anhängen der Endung -ium an das Stammhydrid (H_5C^+: *Methanium*) benannt werden sollten [1] (s. unten) – die Ammonium-Verb. mit dem Kation $[NH_4]^+$ (*Ammonium; nach IUPAC-Regel RC-82.1.2.1 u. Chem. Abstr. kann man die organ. Derivate auch mit der Endung *...aminium* benennen). Weiter gehören zu den O.-V. die ggf. in Einzelstichwörtern behandelten Salze der Kationen Oxonium (R_3O^+), Sulfonium (R_3S^+), Diazonium (RN_2^+), Halonium wie z. B. Bromonium (R_2Br^+) u. Iodonium (R_2I^+), Phosphonium (R_4P^+), Arsonium (R_4As^+) u. Analoga; in allen Fällen enden die nach IUPAC-Regel C-82 u. R-5.8.2 gebildeten Namen der Kationen auf *...onium*. Wenn die kation. Gruppe als Präfix benannt werden muß, ändert sich die Bez. in *...onio...*; *Beisp.:* 4-(Trimethylammonio)benzoat. Bei heterocycl. Verb., die mit *Austauschnamen belegt werden, gelten Präfixe mit der Endung *...onia...*; *Beisp.:* 9b-*Oxonia*phenalen-chlorid, 5-*Azonia*spiro[4.4]nonan-bromid. Kationen, die formal durch Anlagerung von H^+ an ein beliebiges Atom der Stammverb. entstehen, werden benannt, indem die Endung *...ium* an den Namen der Stammverb. angefügt wird; *Beisp.:* Hydrazinium ($[H_2N-NH_3]^+$), Anilinium ($[H_5C_6-NH_3]^+$), Pyridinium ($[C_5H_5NH]^+$) usw. mit Ableitungen wie Pyridinio... im Falle der Zitierung als Präfix. Unter den O.-V. finden sich viele präparativ nützliche Alkylierungs- u. Arylierungsreagenzien (*Meerwein-Salze). Aus Ammonium-, Phosphonium- u. Sulfonium-Salzen lassen sich durch Deprotonierung die präparativ wertvollen *Ylide herstellen, Ammonium- u. Phosphonium-Salze finden Verw. in der Phasentransfer-Katalyse. – ***E*** onium compounds – ***F*** composés onium – ***I*** onio-composti, composti d'onio – ***S*** compuestos de onio

Lit.: [1] IUPAC, Nomenklatur der Organischen Chemie, S. 164, Weinheim: VCH Verlagsges. 1997.

allg.: Angew. Chem. **91**, 798–812 (1979) ▪ March (4.), S. 260 ▪ Organomet. React. **4**, 73–162 (1972) ▪ Pure Appl. Chem. **51**, 1337–1346 (1979).

Onken, Ulfert (geb. 1925), Prof. für Techn. Chemie, Univ. Dortmund. *Arbeitsgebiete:* Reaktionstechnik, Bioverfahrenstechnik, therm. Trennverf., Mischphasenthermodynamik; zusammen mit J. Gmehling Aufbau der Dortmunder Datenbank für Flüssigkeitsgleichgew.; Mitautor von „Thermische Verfahrenstechnik", „Grundzüge der Verfahrenstechnik", „Chemische Prozeßkunde" u. „Vapor-Liquid Equilibrium Data Collection".

Lit.: Kürschner (16.), S. 2663.

Onko... (von griech.: ó[n]gkos = Masse, Größe, Schwellung). Bez. für Geschwulst (Tumor) od. *Osmose in Fremdwörtern.

Onko-fötale Antigene s. Tumormarker.

Onkogene. *Gene, die das Wachstum von Tumoren (s. a. Krebs) induzieren können (s. a. Carcinogenese).

Die Vorläufer der O. sind normale zelluläre Gene, die an der Regulation von verschiedenen Prozessen wie Wachstum, Verbreitung u. Differenzierung der *Zelle beteiligt sind, die *Proto-Onkogene*. Ihre Genprodukte finden sich in verschiedenen zellulären Kompartimenten wie Membran, Cytoplasma u. Zellkern. Es sind *Wachstumsfaktoren, *Rezeptor-Mol., *Enzyme (Protein-Kinasen) sowie *G-Proteine u. beeinflussen DNS-*Replikation u. *Transkription. So codiert z.B. das zelluläre homologe Gen von *sis*-O. für eine Kette des *Plättchen-entstammenden Wachstumsfaktors (PDGF), das von *erb*B für den Rezeptor des *epidermalen Wachstumsfaktors (EGF), u. die Produkte von *raf* u. *mos* haben Serin-Threonin-Kinase-Aktivität (s. Protein-Kinasen). Die Veränderung eines Proto-O. zum O. geschieht durch Punktmutation am Gen selbst, Veränderung der Lokalisation des gesamten Genes auf den *Chromosomen (chromosomale Translokation), Vervielfältigung der Kopien eines Genes (Gen-Amplifikation) sowie durch Störung der physiolog. Regulation seiner Aktivität. Derzeit wird angenommen, daß die genet. Veränderungen, die der *Carcinogenese unterliegen, zur Aktivierung von O. führen. O. codieren für Proteine (*Onkoproteine*), die sich von den Genprodukten der Proto-O. dadurch unterscheiden, daß sie nicht von außen aktiviert zu werden brauchen u. daß die Möglichkeit wichtiger regulator. Einflüsse verlorengegangen ist. Im Gegensatz dazu führen die *Tumor-Suppressor-Gene bei ihrem Funktions-*Ausfall* zu Tumorwachstum. – ***E*** oncogenes – ***F*** oncogènes – ***I*** oncogeni – ***S*** oncógenos

Lit.: Burck, Liu u. Larrick, Oncogenes: An Introduction to the Concept of Cancer Genese (2.), New York: Springer 1990 ▪ Kahn, Oncogenes and Growth Control, New York: Springer 1988 ▪ Riede u. Schaefer, Allgemeine u. Spezielle Pathologie, S. 346–352, Stuttgart: Thieme 1995.

Onkogenes Potential (griech.: onkos = Schwellung u. *...gen). Fähigkeit von biolog., chem. u. physikal. Faktoren, Geschwulste (*Krebs) zu erzeugen; vgl. a. Carcinogene u. Carcinogenese. – ***E*** oncogenic potential – ***F*** potentiel oncogène – ***I*** potenziale oncogeno – ***S*** potencial oncogénico

Onkologie. Lehre von den Geschwulsten (Tumoren) u. den durch sie verursachten Krankheiten, s.a. Krebs. – ***E*** oncology – ***F*** oncologie – ***I*** oncologia – ***S*** oncología

Onkotischer Druck s. kolloidosmotischer Druck u. Osmose.

Online-Recherchen. Eine rechnergestützte interaktive Suche nach Informationen zu einem Sach- od. Themengebiet in elektron. *Datenbanken. Im vergangenen Jahrzehnt haben Online-Lit.-Recherchen zur Bereitstellung von wissenschaftlicher Lit. u. zur Bewältigung der Informationsflut eine immer größere Bedeutung erhalten. Online-Datenbanken werden von Datenbankbetreibern (Hosts) wie *STN International, DIALOG, *DIMDI zu einer Vielzahl von Themenbereichen angeboten. Mit diesen Hosts schließt der Nutzer einen Nutzungsvertrag ab u. erhält eine persönliche Kennung (Password) als Zugangsberechtigung. Mit einem PC od. Datensichtgerät gelangt der Nutzer über Datennetze (Datex-P, T-Online, Compuserve, Internet, WIN) zum Hostrechner. Das Bindeglied zwischen Nutzer u. Datenbankmanagementsyst. ist das Informations-Retrievalsyst., das bisher unkomfortabel u. benutzerunfreundlich war. Mit neuen Suchoberflächen-Programmen (menügeführte Suchprogramme), die über die Retrievalsprache gelegt werden, können nun auch Ungeübte Suchen durchführen. Die Suchbegriffe für das zu recherchierende Thema müssen sorgfältig gewählt werden, damit das Ergebnis vollständig u. möglichst frei von Ballast ist. Aus diesem Grunde lassen sich die Suchbegriffe mittels Boolescher Operatoren (AND, OR, NOT) verknüpfen.

Trotz aller Fortschritte ist die Datenbankrecherche noch nicht zu einer Routinehandlung geworden. Kenntnisse über den Aufbau der jeweiligen Datenbank, Fehlermöglichkeiten u. Grenzen von Recherchen sowie ein Grundverständnis des Forschungsgebietes sind erforderlich. Da immer mehr Wissenschaftler O.-R. in externen Datenbanken durchführen, bietet die GDCh seit Juli 1994 das Projekt „Endnutzerförderung Chemiedatenbanken" an, in dem sich Doktoranden u. Diplomanden für selbständige Datenbankrecherchen qualifizieren können. Dem Bedarf an direkten Recherchen durch den Endnutzer, z.B. vom Arbeitsplatz aus, tragen einige Hosts schon Rechnung, indem sie diesen Nutzern den direkten Zugang zu ihren Datenbanken anbieten, ohne daß dieser einen Nutzungsvertrag abschließen muß. So bietet STN International seit Dezember 1996 STN*Easy* (http://www.stneasy.fiz-karlsruhe.de) an. Über das Internet hat man so direkten Zugriff auf Datenbanken ohne Nutzungsvertrag u. monatliche Grundgebühren. Gezielte u. schnelle Information via Internet bieten auch die 120 Datenbanken des Fachinformationszentrums Technik (http://www.fiz-technik.de).

Für die Recherche zu chem. Sachverhalten werden weltweit über 100 chemierelevante Datenbanken angeboten. Die größte u. wichtigste ihrer Art ist zweifelsfrei CA (Chemical Abstracts) mit über 13 Mio. Literaturhinweisen. Weitere wichtige Datenbanken, ohne Anspruch auf Vollständigkeit, sind Beilstein (Faktendatenbank zu ca. 6,8 Mio. organ. Verb.), Gmelin (Faktendatenbank zu ca. 1 Mio. anorgan. u. Metallorgan. Verb.), SPECINFO (Spektrendatenbank), DETHERM (thermophysikal. Daten), SCIENCE CITATION INDEX (fachübergreifende Literaturdatenbank u. die einzige Zitierungsdatenbank) sowie Patentdatenbanken. – ***E*** online searchs – ***F*** recherches on-line – ***I*** ricerche on-line, ricerche in linea – ***S*** búsquedas en línea, búsquedas on-line

Lit.: Barth, Datenbanken in den Naturwissenschaften, Weinheim: VCH Verlagsges. 1992 ▪ Horvath, Online-Recherche, Wiesbaden: Vieweg 1996 ▪ Keitz, Modernes Online-Retrieval, Weinheim: VCH Verlagsges. 1993 ▪ Kirk-Othmer (4.) **14**, 220–276 ▪ Klems, Professionelle Online-Recherche, Bonn: Thomson Publishing 1996 ▪ Kolke, Online-Datenbanken, München: Oldenbourg 1996 ▪ Schulz u. Georgy, Von CA bis CAS online, Berlin: Springer 1994.

Onnes s. Kamerlingh Onnes.

Onotobaum s. Orlean.

...onsäure. Suffix, das die Herkunft einer Säure von der im Namensstamm genannten Verb. anzeigt; vgl. ...on (c); *Beisp.:* *Aldonsäuren (←Aldosen), *Malonsäure (←Malat), *Boronsäuren, *Phosphonsäuren u. *Sulfonsäuren (←Borat, Phosphat u. Sulfat; organ. Rest an B, P u. S). – *E* ...onic acid – *F* acide ...onique – *I* acido ...onico – *S* ácido ...ónico

Onsager, Lars (1903–1976), Prof. für Theoret. Chemie, Yale University, New Haven (Connecticut), USA. *Arbeitsgebiete:* Diffusion, Isotopentrennung, Elektrolyte, Ionenbeweglichkeit, polare Flüssigkeiten, Feststoffe u. Kolloide, Superfluidität, Hydrodynamik, Reaktionskinetik, Dipolmomente, Phasenumwandlungen u. krit. Punkte. Für die Aufstellung der Reziprozitätssätze der Thermodynamik irreversibler Prozesse erhielt O. 1968 den Nobelpreis für Chemie.

Lit.: Lexikon der Naturwissenschaftler, S. 315 ▪ Nachr. Chem. Tech. **16**, 387 f. (1968) ▪ Neufeldt, S. 145, 173, 369 ▪ Nobel Prize Lectures Chemistry 1963–1970, Amsterdam: Elsevier 1972 ▪ Phys. Bl. **25**, 65–68 (1969) ▪ Pötsch, S. 328 f. ▪ Poggendorff **7 b/6**, 3731 ff.

Ontjom s. Onc(h)om.

Ontogenese (Ontogenie, von griech.: on = Wesen, Sein, Existenz, u. *...gen). In der Biologie Bez. für die Entwicklung des Einzelorganismus (Individualentwicklung) im Gegensatz zur Stammesentwicklung (*Phylogenie,* von griech.: phylon = der Stamm). – *E* ontogeny – *F* ontogénèse – *I* ontogenesi – *S* ontogénesis

Onyx. Schwarzer *Achat mit weißen Bändern, auch rein schwarz, bei **Sardonyx* sind die Lagen weißrot u. braun. O. wird seit alter Zeit vor der Verarbeitung zu Schmucksteinen, zu Gravuren für Siegelringe u. zum *Gemmen-Schneiden häufig gefärbt. Ein Großteil des O. des Handels ist lagig verschiedener *Aragonit od. Kalkspat (z. B. „Onyxmarmor", „Mexikan. Onyx"). – *E* = *F* onyx – *I* onice – *S* ónice

Lit.: Eppler, Praktische Gemmologie (5.), S. 275 f., 416, Stuttgart: Rühle-Diebener 1994 ▪ Rykart, Quarz-Monographie (2.), S. 401, 406 f., Thun: Ott 1995. – *[HS 2515 11, 7103 10, 7103 99]*

Oocyten-System. Lebende Oocyten (Eizellen) von *Xenopus laevis* (= Afrikan. Krallenfrosch) werden häufig für *in vitro*-*Translations- u. *in vitro*-*Transkriptionsstudien eingesetzt. Dabei wird die zu translatierende *RNA durch *Mikroinjektion in die Eizelle übertragen. – *E* oocyte system – *F* système d'oocytes – *I* sistema d'oocita (ovocita) – *S* sistema de oocitos

Lit.: Stryer 1996, S. 313.

Ooide s. Oolithe.

Oolithe (Eiersteine, Rogensteine, Erbsensteine). Bez. für *Gesteine u. *Erze, die überwiegend aus *Ooiden* bestehen, das sind kugelige bis ovale Körner, die aus einer od. mehreren konzentr. um einen organ. od. anorgan. Kristallisationskeim angeordneten Lamellen bzw. Schalen aufgebaut sind. O. mit über 2 mm Korndurchmesser werden als *Pisolithe* bezeichnet. Man unterscheidet *Kalk-O.* (aus *Calcit od. *Aragonit), *Kiesel-O.* (aus Kieselsäure), *Mangan-O.* (aus Manganoxiden) sowie *Eisen-O.* [aus Limonit (*Brauneisenerz), *Hämatit, *Siderit u. Chamosit (*Chlorite)]. Beisp. für letztere sind die Brauneisenerze (*Minette-Erze) in Elsaß-Lothringen u. Luxemburg, die Erze von Wabana/Neufundland (Ooide aus Hämatit u. Chamosit) u. viele Rasen- od. Sumpf-Eisenerze. Auch *Phosphorite können als O. ausgebildet sein. Das Aussehen mancher O. erinnert an Fischrogen (Name!). – *E* oolites – *F* oolithes – *I* ooliti – *S* oolitos

Lit.: Füchtbauer, Sedimente u. Sedimentgesteine (4.) (Sediment-Petrologie Tl. II), S. 327–336, Stuttgart: Schweizerbart 1988 ▪ Guilbert u. Park, The Geology of Ore Deposits, S. 705–708, New York: Freeman 1986 ▪ Tucker, Einführung in die Sedimentpetrologie, S. 102–106, Stuttgart: Enke 1985.

Oolong-Tee. Bes. in China u. Taiwan produzierter, halbfermentierter, sehr aromat. *Tee, der eine Mittelstellung zwischen schwarzem u. grünem Tee einnimmt; zur Bioverfügbarkeit von *Mineralstoffen (Eisen, Calcium, Magnesium) aus O.-T. s. *Lit.*[1]. – *E* Oolong tea – *F* thé d'Oolong – *I* tè Oolong – *S* té Oolong

Lit.: [1] J. Food Sci. **53**, 181–184 (1988).
allg.: Belitz-Grosch (4.), S. 862 ▪ Vollmer et al., Lebensmittelführer, Bd. 1, Stuttgart: Thieme 1995.

Ooporphyrin. Veraltetes Synonym für *Protoporphyrin IX.

Oosporein (Iso-Oosporein, Chaetomidin).

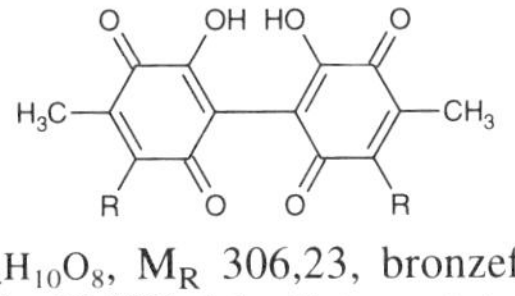

R = H : Phoenicin
R = OH : Oosporein

$C_{14}H_{10}O_8$, M_R 306,23, bronzefarbene Krist., Schmp. 290–295 °C (als Tetraacetat gelbe Nadeln, Schmp. 190 °C), giftiges Benzochinon-Pigment aus Pilzen (*Oospora colorans, Chaetomium aureum, C. trilaterale, Beauveria-, Penicillium-* u. *Acremonium*-Arten). Das entsprechende Didesoxy-Derivat *Phoenicin* ($C_{14}H_{10}O_6$, M_R 274,23) wurde in *Penicillium*-Arten gefunden. Aufgrund seiner weiten Verbreitung in Pilzen, die Nahrungsmittel besiedeln, kann O. als Verunreinigung in Tiernahrung vorkommen. Es hat allerdings keine chron. sondern nur akut tox. Wirkung [LD_{50} (Küken p.o.) 6,12 mg/kg]. – *E* oosporein – *F* oosporéine – *I* oosporeina – *S* oosporeína

Lit.: Agric. Biol. Chem. **48**, 1065 ff. (1984) ▪ Beilstein E IV **8**, 3742 f. ▪ Behrens u. Driesel, Dechema-Biotechnology Conferences, Bd. 5 B, S. 1073–1076, Weinheim: VCH Verlagsges. 1992 ▪ Merck-Index (12.), Nr. 6982 ▪ Poult. Sci. **63**, 251–259 (1984) ▪ Turner **1**, 105 f.; **2**, 71. – *[CAS 475-54-7]*

OP. Abk. für „Originalpackung" auf ärztlichen Verordnungen.

OPA. Abk. für *o*-Phthal(di)aldehyd (s. Phthalaldehyd).

Opak. Von latein.: opacus = schattig, dunkel abgeleitete Bez. für undurchsichtig, trübe, z. B. bei *Opakgläsern,* s. Glas (S. 1543). – *E* = *F* opaque – *I* = *S* opaco

Opal. $SiO_2 \cdot nH_2O$, eingetrocknete, oft stark verunreinigte *Kieselgele, deren Wassergehalt gewöhnlich zwischen 1 u. 10 Gew.-% schwankt. H. 5,5–6,5, D. 1,98–2,2; farblos, milchweiß, oft durch Beimengungen gefärbt, häufig mit buntem Farbenspiel *(Opalisieren)*; durchsichtig bis undurchsichtig, glas- bis wachsartiger Glanz, muscheliger Bruch, spaltet beim Erhitzen Wasser ab. O., die man austrocknen läßt, neigen zur Bildung von Rissen u. Sprüngen.

Struktur: Je nach dem Verhalten bei den Untersuchungen mit Röntgenstrahlen lassen sich verschiedene O.-Typen unterscheiden[1,2]: *O.-A* ist gelartig amorph;

er wird unterteilt in *O.-AN* (Glasopal, *Hyalit) u. *O.-AG* (Edel-O. u. Potch-O., s. unten). *O.-CT* besteht aus Wechsellagerungen von mehr od. weniger unregelmäßig gestapelten Schichten von *Cristobalit u. *Tridymit[3–5]. *O.-C* besteht aus stark fehlgeordnetem Tief-Cristobalit mit Anteilen von Tridymit-Stapelungen[4]. Elektronenmikroskop. Untersuchungen[6] haben gezeigt, daß die röntgenamorphen O. (O.-AG) aus schalig aufgebauten *Kieselgel-Kügelchen* mit Durchmessern von 150–400 nm aufgebaut sind. Bei *Edel-O.* sind die Kügelchen gleich groß; die Hohlräume dazwischen sind mit Luft, Wasser[7] od. etwas Kieselgel-Zement gefüllt. Das bunte Farbenspiel kommt durch Beugung, Streuung u. Reflexion des einfallenden Lichtes an den Kügelchen u. den dazwischen befindlichen Hohlraum-Füllungen zustande[8]. Bei dem grauen bis weißen *Potch-O.* sind die Kieselgel-Kügelchen uneinheitlich groß u. unregelmäßig geordnet u./od. die Hohlräume sind vollständig mit Kieselgel gefüllt. Wegen des makroskop. Aufbaus von Edel-O. aus Körnern von ≤1 mm bis zu mehreren mm Durchmesser zeigt sich die Oberfläche als Farbmosaik. An den Korngrenzen können sich Verunreinigungen wie -Si-OH (Silanol-Gruppe), Fe^{3+}, Al^{3+}, Ti^{3+} u. mit diesen verbundene *Defekt-Zentren* befinden[9].

Varietäten: Der als Schmuckstein geschätzte *Edel-O.* tritt in mehreren Abarten auf, z. B. *Heller O.* (*Weißer O.*, weiße od. weißliche Grundfarbe; v. a. von Südaustralien u. Brasilien), *Schwarz-O.* (tiefschwarze Körperfarbe; von Australien u. Mexiko), *Boulder-O.* (von Queensland/Australien; mit kräftigem Farbenspiel), *Jelly-O.* (heller durchsichtiger O. mit verschwommenem Farbenspiel), *Hydrophan* (Milch-O., überwiegend durchscheinend u. von milchiger Erscheinung) u. *Mexiko-O.* (einschließlich dem roten bis bernsteinfarbigen, auch in der Türkei u. Brasilien vorkommenden *Feuer-O.*). O. ohne Farbenspiel wird allg. als *Gemeiner O.* bezeichnet. *Synthet. O.* werden in Frankreich („Gilson-O."), Japan („Inamori-O."), Rußland u. China hergestellt; dazu u. zu *O.-Imitationen* (z. B. aus Plastik u. Glas) u. zu *„zusammengesetzten O."* (Dubletten, Tripletten) s. Weise (*Lit.*); zur *Behandlung* von O. (Regenerieren, Färben, Imprägnieren) s. *Lit.*[10].

Vork.: Oft zusammen mit *Chalcedon. In vulkan. Gesteinen, z. B. in Czervenica/Slowakei, Mexiko, Honduras, Java, Kaiserstuhl/Baden (Hyalit). In *Sedimenten, z. B. in *Bentoniten u. *Kieselgur; in *Sandsteinen (z. B. Australien). O. ist Bestandteil der Schalen vieler Kieselsäuren-abscheidender Organismen u. tritt auch als Versteinerungsmittel auf. – ***E*** opal – ***F*** = ***I*** opale – ***S*** ópalo

Lit.: [1] J. Geol. Soc. Austr. **18**, 57–67 (1971). [2] Neues Jahrb. Mineral., Abhandl., **163**, 19–42 (1991). [3] Phys. Chem. Miner. **21**, 166–175 (1994). [4] Am. Mineral. **80**, 869–872 (1995). [5] Clays Clay Miner. **44**, 492–500 (1996). [6] Nature (London) **204**, 990 f. (1964); Z. Dtsch. Gemmol. Ges. **39**, 211–223 (1990). [7] Fortschr. Mineral. **52**, 17–51 (1974). [8] Lapis **13**, Nr. 2, 15–30 (1988). [9] Phys. Chem. Miner. **24**, 131–138 (1997). [10] Z. Dtsch. Gemmol. Ges. **45**, 129–133 (1996).

allg.: Eckert, Opals, New York: Wiley 1997 ▪ Eppler, Praktische Gemmologie (5.), S. 294–305, Stuttgart: Rühle-Diebener 1994 ▪ Rykart, Quarz-Monographie (2.), S. 408–416, Thun: Ott 1995 ▪ Weise (Hrsg.), Opal (extraLapis No. 10), München: C. Weise 1996.

Opaleszenz. Bez. für das charakterist., milchig-trübe bläuliche bis weißliche od. auch fast klare Aussehen vieler *Opale. Der durch den Opal durchfallende Anteil des Lichtes bekommt einen geblich-rötlichen Schimmer. O. wurde früher in der Glasproduktion nachgeahmt, z. B. in den „Opalgläsern" des Jugendstils. – ***E*** = ***F*** opalescence – ***I*** opalescenza – ***S*** opalescencia

Lit.: Schloßmacher, Edelsteine u. Perlen (5.), S. 62, Stuttgart: Schweizerbart 1969 ▪ Weise (Hrsg.), Opal (extraLapis No. 10), S. 24, München: C. Weise 1996.

Opalglas s. Glas (S. 1543).

Opalisieren s. Opal.

Oparin, Aleksandr Iwanowitsch (1894–1980), Prof. für Biochemie, Univ. Moskau sowie Direktor des Biochem. Inst. der Akademie der Wissenschaften der UdSSR. *Arbeitsgebiete:* Wirkungsmechanismen von Enzymen u. deren techn. Anw., abiogene Entstehung des Lebens auf der Erde aus Nitriden u. Carbiden.

Lit.: Lexikon der Naturwissenschaftler, S. 315 ▪ Pötsch, S. 329.

OPAZIL®. Aktivierte *Bentonite; in der Papierherst. zum Absorbieren von Störstoffen u. als Retentionshilfsmittel. ***B.:*** Süd-Chemie.

Opazität s. Densitometer, Transmission u. Lambert-Beersches Gesetz.

OPEC. Abk. für die am 14. 9. 1960 gegr. *O*rganization of the *P*etroleum *E*xporting *C*ountries mit Sitz in Obere Donaustraße 93, A-1020 Wien, der der Irak, Iran, Kuweit, Saudi-Arabien, Venezuela, Libyen, Algerien, Gabun, Indonesien, Nigeria, Katar u. die Vereinigten Arab. Emirate (Abu Dhabi, Dubai u. a.) angehören. Die Länder der OPEC bilden ein Rohstoff-*Kartell; sie besitzen 77,5% der Erdölreserven der Welt (138 Mrd. t) u. 38% der Welterdgasreserven. Algerien, Bahrein, Ägypten, Irak, Kuweit, Libyen, Katar, Saudi-Arabien, Syrien u. die Vereinigten Arab. Emirate gehören der 1968 gegr. OAPEC (*O*rganization of *A*rab *P*etroleum *E*xporting *C*ountries) mit Sitz in Kuweit an, die die Koordination der arab. Ölpolitik zum Ziel hat. Heute bemühen sich die OPEC-Länder, Erdöl selbst zu verarbeiten u. ggf. auch Erdölprodukte zu exportieren.

Publikationen: OPEC Bulletin, OPEC Review, OPEC Annual Report.

Operations-Research. Teilgebiet der Wirtschaftswissenschaften, bei dem mathemat. Meth. u. Modelle angewendet werden, um optimale Entscheidungen zu treffen, z. B. zur optimalen Auslastung von Maschinen- od. Transportkapazitäten, zur Minimierung von Transportkosten od. zur Maximierung von erzielbarem Gewinn. Die mathemat. Meth. entstammen der linearen Algebra, wie z. B. das Simplex-Verfahren. – ***E*** operations research – ***F*** recherche opérationnelle – ***I*** ricerca operativa – ***S*** investigación operacional

Lit.: Elmaghraby, Operations Research, Encyclopedia of Physical Science and Technology, Vol. 11, S. 559–582, New York: Academic Press 1992.

Operator(-Gen) s. Regulation.

Operment s. Arsensulfide.

Operon. Gruppe von benachbarten u. in ihrer Funktion meist eng verwandten Strukturgenen, die zusammen mit kontrollierenden Elementen (wie Promotor-*Gen, Operator-Gen) in einer Transkriptionseinheit auf dem Genom organisiert sind (s. a. Transkription). Insbes. in prokaryont. Zellen (s. Prokaryonten) haben O. wichtige Kontrollfunktionen im Hinblick auf Erhöhung u. Unterdrückung von Transkriptionsereignissen. Das erste Objekt zum Studium von O.-Modellen war das Lactose-O. (s. lac-Operon). – ***E*** operon – ***F*** opéron – ***I*** operone – ***S*** operón
Lit.: Stryer 1996, S. 997 ff.

Opferanode s. kathodischer Korrosionsschutz.

Opfermann. Abk. für die 1907 gegr. Opfermann Arzneimittel GmbH, 51674 Wiehl. Herst. u. Vertrieb von Arzneimitteln. *Daten* (1995): 171 Beschäftigte, 80 Mio. DM Umsatz.

Ophicalcit. Bez. für zu den Ophicarbonat-Gesteinen gehörende hellgrüne, kräftig grüne od. grüngelbe Serpentinite (*Serpentin), die *Calcit als Carbonat-Mineral enthalten. Farbverteilung gleichmäßig od. wolkig, schlierig, streifig od. gangförmig.
Vork.: Im Bayer. Wald bei Passau, in Norwegen, Schweden, Italien, China. Verw. als Naturwerkstein (*Natursteine) zu Dekorationszwecken. – ***E*** = ***F*** ophicalcite – ***I*** oficalcite – ***S*** oficalcita
Lit.: Bucher u. Frey, Petrogenesis of Metamorphic Rocks (6.), S. 163–166, Berlin: Springer 1994 ▪ Müller, Gesteinskunde (3.), S. 157, 162 f., Ulm: Ebner 1991 ▪ Wimmenauer, Petrographie der magmatischen u. metamorphen Gesteine, S. 343, Stuttgart: Enke 1985.

Ophiobolan s. Ophioboline.

Ophioboline. Phytotox. wirkende Sesterterpene, die sich von dem außergewöhnlichen tricycl. Grundgerüst *Ophiobolan* ($C_{25}H_{46}$, M_R 346,62) ableiten. Die O. werden von Pflanzen-pathogenen Pilzen wie *Ophiobolus-*, *Helminthosporium-*, *Cephalosporium-* u. *Drechslera*-Arten sowie *Aspergillus ustus* produziert. Die Tab. zeigt einige Beispiele.

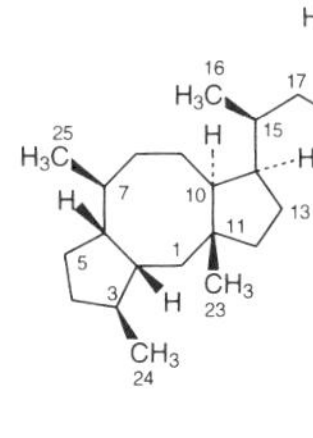

Ophiobolan

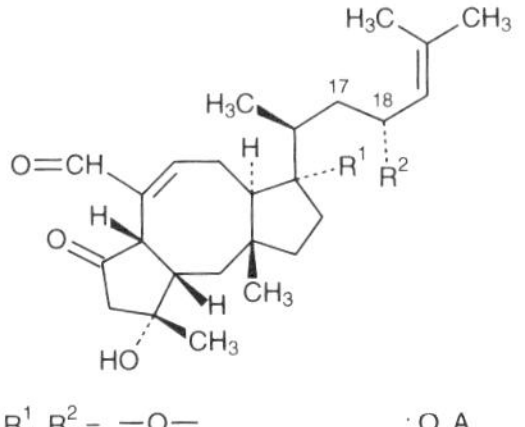

R¹, R² = —O— : O. A
R¹ = R² = H : O. C
R¹ = R² = H ; (*Z*)-17,18-C=C : O. K

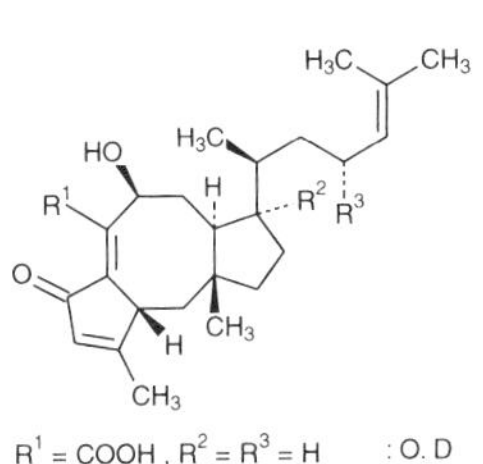

R¹ = COOH , R² = R³ = H : O. D
R¹ = CH_2OH , R², R³ = —O— : O. J

Tab.: Ausgewählte Ophioboline.

O. (Synonyma)	Summen-formel	M_R	Schmp. [°C]	$[\alpha]_D$ ($CHCl_3$)	CAS
O. A (Cochliobolin A)	$C_{25}H_{36}O_4$	400,56	182	+270°	4611-05-6
O. C (Zizanin)	$C_{25}H_{38}O_3$	386,57	121	+363°	19022-51-6
O. D (Cephalonsäure)	$C_{25}H_{36}O_4$	400,56	139		24436-08-6
O. J	$C_{25}H_{36}O_4$	400,56	Öl	+48°	114058-47-8
O. K	$C_{25}H_{36}O_3$	384,56	80–82		138057-90-6

– ***E*** ophiobolins – ***F*** ophiobolines – ***I*** ofioboline – ***S*** ofiobolinas
Lit.: Agric. Biol. Chem. **48**, 803 (1984) ▪ Beilstein E V **18/3**, 513 ▪ J. Am. Chem. Soc. **111**, 2737 (1989) ▪ J. Nat. Prod. **58**, 74 (1995) ▪ Phytochemistry **27**, 1653 (1988). – *Biosynth.:* Experientia **27**, 1403 (1971) ▪ Tetrahedron **47**, 6931 (1991). – *Struktur:* Chem. Pharm. Bull. **28**, 1035 (1980) ▪ J. Org. Chem. **53**, 2170 (1988).

Ophiocordin s. Balanol.

Ophiolithe. Sammelbez. für eine Abfolge von Gesteinen, bestehend aus: 1. *Peridotiten, 2. *Gabbros u. *Basalten u. 3. SiO_2-reichen Tiefwasser-*Sedimenten („Steinmann-Trinität"). Die O. sind Reste von Ozeanböden (ozean. Lithosphäre, Aufbau s. Erde, S. 1191 f.), die im Zuge von Vorgängen der *Plattentektonik „obduziert", d. h. an Land in entstehende Faltengebirge hinein verfrachtet wurden, s. dazu *Lit.*[1]. Sie wurden später meist durch *Metamorphose zu *Grünschiefern, *Kieselschiefern, *Serpentin-Gesteinen usw. verändert.
Vork.: Z. B. Zypern, Türkei, Oman (als *O.-Gürtel*), Schottland, Norwegen, Chile. O. können *Chromit-Lagerstätten (z. B. Vourinos/Griechenland) u. Kupfererz-Lagerstätten[2] (z. B. auf Zypern) enthalten. – ***E*** = ***F*** ophiolites – ***I*** ofioliti – ***S*** ofiolitas
Lit.: [1] Spektrum Wiss. **1982**, Nr. 10, 98–107. [2] Spektrum Wiss. **1983**, Nr. 11, 80–94.
allg.: Parson, Murton u. Browning (Hrsg.), Ophiolites and their Modern Analogues (Geol. Soc. Spec. Publ. No. 60), London: The Geological Society 1992 ▪ Richard et al. (Hrsg.), Magmatic Processes and Plate Tectonics (Geol. Soc. Spec. Publ. No. 76), S. 85–294, London: The Geological Society 1993 ▪ Spektrum Wiss. **1983**, Nr. 6, 74–87 ▪ s. a. metamorphe Gesteine. – *Zeitschriften:* Ofioliti, Florenz: Editioni ETS (seit 1976).

Ophtalmin®. Augentropfen mit Oxedrin-Tartrat, *Naphazolin- u. *Antazolin-Hydrochlorid gegen Entzündungen der Bindehaut. ***B.:*** Winzer.

Ophthalmika. Von griech.: ophthalmós = *Auge abgeleitete allg. Bez. für Arzneimittel der Augenheilkunde, z. B. *Miotika zur Glaukom-Behandlung, *Mydriatika, Mittel gegen Katarakt (grauer Star, s. a. Linsen), gegen Konjunktivitis (Bindehautentzündung), Keratitis (Hornhautentzündung), Blepharitis (Lidrandentzündung), gegen mechan. od. chem. ausgelöste Reizungen der Augen (z. B. durch *Tränenreizstoffe), gegen Xerophthalmie (Austrocknung der Augen) infolge verminderter Sekretion von *Tränenflüssigkeit usw., vgl. a. Auge. Zu den O. zählen auch Augentonika u. spezif. *Lokalanästhetika. Die gebräuchlichsten Applikationsformen sind Augentropfen, Salben u.

Sprays. – ***E*** ophthalmics – ***F*** remèdes ophthalmiques – ***I*** oftalmici – ***S*** medicamentos oftálmicos
Lit.: Dolder u. Skinner, Ophthalamika, Stuttgart: Wissenschaftliche Verlagsges. 1990 ▪ Pharm. Ztg. **139**, 567–576 (1994) ▪ Prog. Drug Res. **25**, 421–460 (1981) ▪ Ullmann (4.) **18**, 87–90.

Ophtol®-A. Augentropfen mit *Retinol-Palmitat als Adjuvans bei Horn- u. Bindehautstörungen. ***B.:*** Winzer.

Ophtopur®-N. Augentropfen u. Augenbad mit *Zinkborat u. *Naphazolin-Hydrochlorid gegen Entzündungen u. Reizungen der Bindehaut. ***B.:*** Winzer.

Opianin s. (–)-α-Narcotin.

Opiat-Antagonisten s. Opiate.

Opiate. Unter O. versteht man Arzneistoffe aus *Opium wie *Morphin, *Codein, *Thebain u. deren partialsynthet. Derivate wie *Buprenorphin, *Heroin, *Oxycodon u.a., nicht jedoch Opium-Alkaloide wie *Noscapin u. *Papaverin, die keine Morphin-artige Struktur u. Wirkung haben. Neuer u. weiter gefaßt ist der Begriff *Opioide*, der neben den Opiaten auch andere Wirkstoffe einschließt, die mit Opioid-Rezeptoren wechselwirken u. deren Effekte durch *Naloxon antagonisiert werden können. Diese Begriffsbestimmung wurde erst möglich, nachdem sowohl die endogenen Opioid-Rezeptoren als auch ihre endogenen Liganden, die *Endorphine, *Enkephaline u. Endomorphine, charakterisiert u. identifiziert wurden (erstmals 1973 bzw. 1975). Bei den Rezeptoren unterscheidet man derzeit (in Klammern endogener u. nicht-endogener, relativ selektiver Agonist): 1.) μ-Rezeptoren (β-Endorphin; Morphin); – 2.) κ-Rezeptoren (Dynorphin; *Pentazocin); – 3.) δ-Rezeptoren (Proenkephalin; D-Penicillamin-D-Penicillamin-Enkephalin); – 4.) σ-Rezeptoren zählen nicht zur Familie der Opioid-Rezeptoren, wahrscheinlich sind aber einige unerwünschte Nebenwirkungen auf ihre Stimulation zurückzuführen (endogener Ligand unbekannt; *Phencyclidin u. *Pentazocin).
O. werden als *Analgetika zur Behandlung starker u. sehr starker Schmerzen, z.B. in der Onkologie, eingesetzt. Am häufigsten wird Morphin verwendet, das ein typ. Vertreter der Vollagonisten ist, deren Wirkung durch Vollantagonisten wie Naloxon u. *Naltrexon aufgehoben werden kann, was in der Entzugshilfe genutzt werden kann. Partielle Antagonisten wie Buprenorphin, *Pentazocin u. *Tramadol sind per se auch partielle Agonisten; mit ihnen läßt sich auch bei höchster Dosierung nicht der *max. analget. Effekt* eines Vollantagonisten erreichen. Damit nicht zu verwechseln ist die *relative analget. Potenz*, die lediglich das Verhältnis einer Morphin- zu einer Opioid-Dosis angibt, aber nichts über die max. erreichbare Wirkung aussagt; *Beisp.:* *Fentanyl 50–100, Levo-*Methadon 2, Morphin 1, *Pethidin 0,15, *Codein 0,1.
Die unterschiedliche Selektivität zu den Rezeptor-Subtypen u. der sowohl agonist. als auch antagonist. Charakter der einzelnen Opioide bedingen die Haupt- u. Nebenwirkungen. Voll Rezeptorsubtyp-selektive Substanzen sind z.Z. nur für den μ-Rezeptor bekannt. Für die medikamentöse Therapie sind Obstipation u. Dysphorien schwerwiegendste Komplikationen. Abhängigkeit von O., die als *Rauschgifte mißbraucht werden, beruht auf ihrer euphorisierenden Wirkung, die seit der Antike bekannt ist [1]; dabei besteht die akute Gefahr der zentralen Atemlähmung bei Überdosierung, ein bei Schmerzpatienten geringeres Risiko, da der Schmerz das Atemzentrum stimuliert. Bisher hat sich die Hoffnung, Opioide ohne suchtverursachende Wirkung zu finden, nicht erfüllt, läßt sich wohl auch nicht erfüllen, da die dämpfend-euphorisierende Hauptwirkung der O. bei entsprechend gestimmten Personen ja gerade den Mißbrauch bedingt. – ***E*** opiates – ***F*** opiats – ***I*** oppiati – ***S*** opiáceos
Lit.: [1] Homer, Odysee IV, 219 ff.
allg.: Born et al., Opioides, New York: Springer 1992 (Handbook of Experimental Pharmacology, Vol. 104) ▪ Freye, Opioide in der Medizin, Springer: Berlin 1995 ▪ Hager (4.) **6a**, 404–451 ▪ Hammer, Neurobiology of Opiates, Boca Raton: CRC Press 1992 ▪ Martindale (31.), S. 75–79 ▪ Pharm. Ztg. **137**, 87–103 (1992) ▪ s.a. Analgetika, Betäubungsmittel, Neurochemie.

Opiat-Rezeptoren s. Opiate.

Opine. Sammelbez. für von Pflanzenpathogenen gebildete Stoffe (*Beisp.:* Agrocinopine, *Octopin, *Nopalin), die in den befallenen Pflanzen bestimmte Formen von *Pflanzenkrebs auslösen können. Möglicherweise entstehen die O. dadurch, daß natürliche Pflanzenmetabolite durch eine „unnatürliche" Bindung verknüpft werden, z.B. zwei Zucker durch eine Phosphat-Bindung (Agrocine). – ***E=F*** opines – ***I*** opine – ***S*** opinas
Lit.: Richter, Biochemie der Pflanzen, Stuttgart: Thieme 1996.

Opioide s. Opiate.

Opio(id)peptide s. Opiate u. Peptidhormone (*Opiomelanocortin*), vgl. a. Endorphine u. Enkephaline.

Opipramol (Rp).

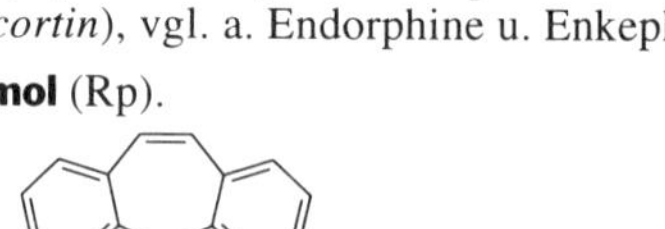

Internat. Freiname für das *Thymoleptikum (4-[3-(5*H*-Dibenz[*b,f*]azepin-5-yl)-propyl]-1-piperazinethanol, $C_{23}H_{29}N_3O$, M_R 363,50, Schmp. 100–101 °C. Verwendet wird meist das Dihydrochlorid, Schmp. 210 °C. O. wurde 1961 von Rhône Poulenc, 1962 von Geigy (Insidon®, Novartis) patentiert. – ***E=F=S*** opipramol – ***I*** opipramolo
Lit.: ASP ▪ Beilstein E V **23/1**, 475 f. ▪ Martindale (31.), S. 328. – *[HS 2933 59; CAS 315-72-0 (O.); 909-39-7 (Dihydrochlorid)]*

Opium. Nach DAB 10 ist O. „der aus angeschnittenen, unreifen Früchten von *Papaver somniferum* Linné gewonnene, an der Luft getrocknete Milchsaft, der mind. 9,5% Morphin enthält". Das aus dem *Schlafmohn* (s. Mohn) gewonnene Roh-O. (zur Gewinnung von O. s. *Lit.* [1]) kommt in Form rundlicher, brauner – oberflächlich oft hellerer – Stücke od. als dunkelbraunes Pulver in den Handel u. zeichnet sich durch eigenartigen Geruch, sehr bitteren u. etwas scharfen Geschmack aus. Chem. ist O. ein kompliziertes Gemisch aus ca. 30 verschiedenen Alkaloiden (s. Opium-Alkaloide), von denen *Morphin als Hauptalkaloid (ca. 12%) einen Anteil von 20–30% hat. Die Zusammensetzung schwankt je nach Herkunft, Jahrgang u. Vorbehandlung erheblich.

Nachw.: Mit Eisen(III)-chlorid-Lsg. färbt sich O. karminrot [Bildung von rotem Fe(III)-Mekonat]. Spezif. Nachw.-Reaktionen werden meist als *Morphin-Nachw. durchgeführt; darauf beruht auch die Rotfärbung mit Formaldehyd-Schwefelsäure (*Marquis-Test*).

Verw. u. Wirkung: Das rauchbare O. (*Tschandu, Chandu*) enthält etwa 30–36% Wasser, 6–8% Morphin, 1–3% Narcotin, 1–6% Zucker, 3–6% Aschenbestandteile usw. Dieses Produkt ist in Wasser u. 30–40%igem Alkohol fast vollständig löslich. Für medizin. Zwecke aus Roh-O. herstellbare Präp. sind[2]: *Eingestelltes O.* (mit Lactose auf 10% Morphin eingestelltes O.-Pulver), *O.-Extrakt* (mit Wasser extrahiert, 19,6–20,4% Morphin) u. *O.-Tinktur* od. *Laudanum* (von Paracelsus eingeführter Name für die Mazeration mit wäss. Alkohol, 0,95–1,05% Morphin). Das früher als Expectorans gebräuchliche *Doversche Pulver* (nach dem engl. Arzt u. Seeräuber Thomas Dover, 1660–1742) besteht aus einer Mischung von O.- u. *Ipecacuanha-Pulver mit Lactose. Roh-O. dient auch als Ausgangsprodukt für die Herst. von *Heroin u. anderen von Morphin abgeleiteten *Opiaten. Medizin. ist O. von altersher als starkes *Betäubungsmittel u. *Analgetikum (Morphin-Wirkung) u. als wirksames Mittel gegen starke Durchfälle bekannt, weiterhin wirkt es hustenstillend (Narcotin-Wirkung). Die UNO gibt regelmäßig Listen mit Schätzungen des jeweiligen Weltbedarfs u. der Produktion an O. heraus; z.Z. liegt die Welt-Jahresproduktion bei ca. 2000 t, wovon die BRD legal ca. 14 t hauptsächlich aus Indien, der Türkei u. Jugoslawien abnimmt. Erhebliche Mengen werden allerdings illegal für Rauschmittel verbraucht. Die Rauschmittel-Wirkung – O. wird gespritzt, geraucht, verzehrt od. als O.-Tinktur tropfenweise getrunken – entspricht der des Morphins (s. dort) u. vgl. Heroin, doch sind – wegen der geringeren Morphin-Konz. – alle Symptome etwas abgeschwächt. Zudem können auch zwischen den verschiedenen Alkaloiden synergist. u. antagonist. Beziehungen bezüglich ihrer Wirkungsspektren bestehen. Im menschlichen Körper kommen sogenannte endogene Opiate vor, peptid. Strukturen (vgl. Endorphine, Enkephaline), die im Schmerzgeschehen eine zentrale Rolle spielen. An deren Rezeptoren können Morphin u. andere Opiate binden, Schmerz unterdrücken u. Sucht auslösen[3]. Wegen seiner Gefahren als *Sucht-Gift unterliegt O. in der BRD dem früher *Opiumgesetz* genannten Betäubungsmittel-Gesetz u. der -Verschreibungs-VO (BtmVVO), die entsprechenden Gesetze gelten in den meisten anderen Ländern. Die Bundesopiumstelle des Bundesinst. für Arzneimittel u. Medizinprodukte befindet sich in der Seestr. 10–11 in 13353 Berlin. Die BRD ist Mitglied der Suchtstoffkommission der UNO, die Mißbrauch u. Schmuggel von O. u. a. Suchtmitteln z.B. durch Kontrolle von Mohnanbau u. O.-Handel einzudämmen versucht.

Geschichte: Der Gebrauch von *Mohn u. O. geht in die frühe Kulturgeschichte zurück. Schon in den über vier Jahrtausenden alten Pfahlbauten einiger Schweizer Seen fand man die Kapseln u. Samen des Schlafmohns, die zur Ernährung u. vielleicht auch zur Betäubung verwendet wurden. Schon vor 6000 Jahren wurde der Mohn auf sumer. Ideogrammen als Rauschmittel erwähnt („Pflanze der Freuden"). Vermutlich ist der Mohn zuerst in Ägypten kultiviert worden[4]; von dort hat er sich über Kleinasien, die Mittelmeerländer, Persien, Indien u. China ausgebreitet. Schon im 8. Jh. v. Chr. wird der Mohn von Hesiod beschrieben; er bezeichnete die griech. Stadt Sikyon als Mekone, die Mohnstadt (hiervon auch die alte Bez. *Mekonium* für Opium). Theophrastos (etwa 350 v. Chr.), ein Schüler des Aristoteles, erwähnt das O. der Kapseln. Zu Plinius' Zeiten wurde in Kleinasien u. Ägypten viel Mohn zur O.-Gewinnung angebaut; er schreibt um 50 n. Chr.: „O. erregt nicht nur den Schlaf, sondern kann, in größeren Mengen genommen, selbst den Tod nach sich ziehen." Die Griechen haben Morpheus, den Gott der Träume, mit einer Mohnkapsel abgebildet. Der von Homer verschiedentlich erwähnte Vergessenheitstrank „Nēpenthês" war vermutlich ein O.-Präparat. Die Griechen gaben der Mohnmilch ihren auch bei uns üblichen Namen Opium (opos = Saft). Mit der Eroberung Griechenlands durch Rom gelangte die Droge weiter nach Westen. Im 6. u. 7. Jh. brachten die Araber das O. (unter dem Namen *afyum*) nach Persien, Indien u. China. Wie Haschisch war ihnen die Mohndroge von Mohammed nicht verboten worden, im Gegensatz zu Alkohol. In Persien wurde das Rauchen von O. zu einer regelrechten Kunst erhoben. In China erlangte die Droge ihre größte Bedeutung als Rauschmittel für die Massen. Sie wurde jedoch zunächst nicht geraucht, sondern gegessen. Evtl. ist der Übergang zum Rauchen auf das Tabakrauch-Verbot des chines. Kaisers Tsung Cheng 1644 zurückzuführen. Im Jahre 1792 wurde der O.-Genuß in China verboten. Da europ. Kaufleute mit der Einfuhr von O. aus Indien nach China gute Geschäfte machten, kam es von 1839–1842 zum O.-Krieg. In der heutigen Volksrepublik sind Rauschdrogen streng verpönt. Im 19. Jh. hatte der O.-Konsum längst Europa erobert; in Apotheken wurden kleine Portionen zum Verzehr verkauft; um 1840 gab es in Paris zahlreiche Rauchsalons. Die erste Isolierung des Morphins aus O. gelang dem dtsch. Apotheker *Sertürner (1805), von dem der Name Morphium (nach Morpheus, dem griech. Gott der Träume) stammt. Die Bez. Morphin geht auf *Gay-Lussac zurück, die Konstitution wurde von Knorr, Sir R. *Robinson u. *Schöpf aufgeklärt; zur Kulturgeschichte des O. s. *Lit.*[5]. – ***E*** = ***F*** opium – ***I*** oppio – ***S*** opio

Lit.: [1] Chem. Ind. (London) **1988**, 146–153; Schmidtbauer u. vom Scheidt, Handbuch der Rauschdrogen, S. 297f., München: Nymphenburger 1988. [2] DAB **8**, 347–355; **9**, 1110–1113; **10**. [3] Kirk-Othmer (4.) **17**, 858–881. [4] Chem. Unserer Zeit **30**, 96–102 (1996). [5] Seefelder, Opium: Eine Kulturgeschichte (3. Aufl.), Landsberg: ecomed 1995.

allg.: Sax (8.), OJG 000 ▪ Trends Pharmacol. Sci. **4**, 475ff. (1983). – *Analytik:* Analysis **14**, 441–455 (1986) ▪ Chem. Rundsch. **37** (12), 3 (1984) ▪ s. a. Morphin, Opiate, Betäubungsmittel u. Rauschgifte. – *[HS 2939 10]*

Opium-Alkaloide. Sammelbez. für die in verschiedenen Mohn-Arten u. im *Opium vorkommenden Alkaloide. Es handelt sich um das Haupt-Alkaloid *Morphin u. die davon abgeleiteten *Morphin-Alkaloide sowie Alkaloide vom *Papaverin-Typ. Beide Alkaloid-Gruppen sind *Isochinolin-Alkaloide. Aufgrund ihrer

starken analget. Wirkung dienten die Morphin-Alkaloide als Leitstrukturen für die synthet. hergestellten *Morphinane. – *E* opium alkaloids – *F* alcaloïdes de l'opium – *I* alcaloidi dell'oppio – *S* alcaloides del opio
Lit.: Geschichte der Pharmazie **47**, 55–60 (1995) ▪ Pharm. Unserer Zeit **15**, 33–46 (1986) ▪ Phillipson et al. (Hrsg.), Chem. Biol. Isoquinoline Alkaloids, S. 38–46, Berlin: Springer 1985 ▪ R. D. K. (4.), S. 353, 869f. ▪ Recl. Trav. Chim. Pays-Bas **109**, 353–357, 413–418 (1990). – *[HS 2939 10]*

Opiumsäure s. Mekonsäure.

OPLC. Abk. für *Over*pressure *L*ayer *C*hromatography, ein Trennverf., das die Vorzüge von *DC, *HPTLC u. *HPLC vereinigen soll.
Lit.: Int. Lab. **15**, Nr. 5, 22–33 (1985).

Opodeldok. Ein möglicherweise auf *Paracelsus [der den Namen aus *Opo*panax, *Bdel*lium (Palmenharz) u. Aris*tolochi*a (Osterluzei) gebildet haben soll] zurückgehendes, heute nicht mehr gebräuchliches Hauteinreibemittel mit durchblutungsfördernder Wirkung, das bei Rheumatismus, Entzündungen etc. verwendet wurde. Die feste, schon bei Handwärme schmelzende Masse enthält medizin. Seife, Campher, Ethanol, wäss. Ammoniak, Thymian- u. Rosmarinöl. – *E* opodeldoc – *F* = *I* = *S* opodeldoch
Lit.: DAB 6 u. Komm. (Linimentum saponato-camphoratum) ▪ Hager (4.) **7 a**, 339.

Opopanax. Braune od. rötlichgelbe, kräftig riechende mit *Myrrhe verwandte Gummiharze von *Commiphora*-Arten (Burseraceae), bes. *C. kataf*, aus Ägypten, Somalia, Iran, Arabien.
Zusammensetzung: O. enthält ether. Öle, Harze, Gummi, Ferulasäure (s. Kaffeesäure). Wasserdampfdest. des Harzes von *C. erythraea* var. *glabrescens* ergibt das essentielle Öl, *O.-Öl*, eine gelblich-grüne Flüssigkeit von angenehm balsam. Geruch (D_{25}^{25} 0,865–0,932, n_D^{20} 1,488–1,504). O. u. O.-Öl werden in Parfümkompositionen für oriental. Duftnoten u. als Fixateur sowie Räuchermittel verwendet. – *E* = *F* = *S* opopanax – *I* opoponaco
Lit.: Dragoco-Rep. **20**, 16 ff. (1973) ▪ Gildemeister **6**, 492 f. ▪ Hager (5.) **4**, 962 ▪ Janistyn **2**, 62, 100, 358 ff. ▪ Kirk-Othmer (3.) **16**, 952 ▪ Ullmann (5.) **A 11**, 236. – *[HS 1301 90; CAS 9000-78-6 (O.-Harz); 8021-36-1 (O.-Öl)]*

Opotherapie s. Organotherapie.

OPP. Kurzz. für orientiertes *Polypropylen.

Oppanol®. Sortiment von *Polyisobutenen (O. B) mit je nach Molmasse zähklebriger bis Kautschuk-artiger Konsistenz. Sie sind lösl. in unpolaren Lsm., in polaren nur wenig, werden jedoch angequollen, u. zwar um so stärker, je weniger polar das Lsm. ist. Gegen Säuren u. Alkalien sowie gegen Oxid.-Mittel sind die O. B-Marken weitgehend beständig, nach Füllung mit Ruß auch gegen UV-Licht.
Verw.: Für Haftkleber, Dichtungsmassen, Wachs- u. Paraffin-Abmischungen, zur Bitumen- u. Mineralöl-Veredlung; die hochmol. Typen auch zur Herst. von Schutzfolien zum Bauten- u. Korrosionsschutz. *B.:* BASF.

Oppasin® Präparationen. Präparationen anorgan. u. organ. Pigmente; zur Einfärbung von Kautschuk-Mischungen u. Kautschuk-Lösungen. *B.:* BASF.

Oppenauer-Oxidation. Eine 1937 entdeckte Meth. zur schonenden Oxid. von sek. Alkoholen zu Ketonen. Als Oxid.-Mittel dienen in großem Überschuß eingesetzte einfache Ketone wie Aceton u. Cyclohexanon, die in Ggw. von *Aluminiumisopropylat selbst zu Alkoholen reduziert werden.

$$1. \quad \underset{R^2}{\overset{R^1}{>}}CH-OH + Al[OCH(CH_3)_2]_3 \rightleftharpoons \underset{R^2}{\overset{R^1}{>}}CH-O-Al[OCH(CH_3)_2]_2 + (H_3C)_2CH-OH$$

$$2. \quad \underset{R^2}{\overset{R^1}{>}}\underset{H}{\overset{C-O-Al[OCH(CH_3)_2]_2}{|}} \rightleftharpoons \underset{R^2}{\overset{R^1}{>}}C=O + Al[OCH(CH_3)_2]_3$$
$$(H_3C)_2C=O$$

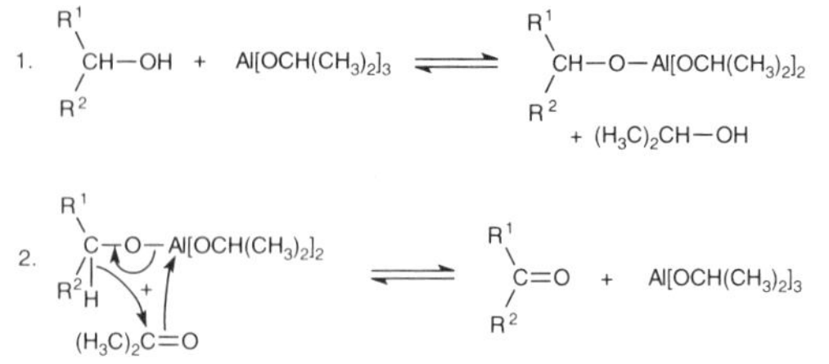

Abb.: Oppenauer-Oxidation mit Aluminiumisopropylat u. Aceton als Oxid.-Mittel. Das gebildete Isopropanol wird aus dem Gleichgew. entfernt.

Die O.-O. läßt sich formal als Umkehrung der Meerwein-Ponndorf-Verley-Reduktion (s. dort) auffassen. – *E* Oppenauer oxidation – *F* oxydation de Oppenauer – *I* ossidazione di Oppenauer – *S* oxidación de Oppenauer
Lit.: Hassner-Stumer, S. 280 ▪ Krauch u. Kunz, Reaktionen der Organischen Chemie, 6. Aufl., S. 70, Heidelberg: Hüthig 1997 ▪ Org. React. **6**, 207–273 (1951).

Oppenheimer, J. Robert (1904–1967), Prof. für Atomphysik, Univ. California, Caltech, Los Alamos, Princeton. Wissenschaftlicher Leiter des amerikan. Atomenergieprojektes. *Arbeitsgebiete:* Entwicklung der Atombombe, Höhenstrahlung, Kernphysik, Atomenergie, Elementarteilchen, Relativitätstheorie. Er sprach sich aus techn. u. moral. Gründen gegen den Bau der Wasserstoffbombe aus. Nachdem ihm 1954 die Erlaubnis entzogen wurde, an geheimen Projekten mitzuarbeiten, wurde er 1963 wieder rehabilitiert.
Lit.: Kant, Robert Oppenheimer, Leipzig: Teubner 1985 ▪ Kunetka, Oppenheimer. The Years of Risk, Englewood Cliffs: Prentice-Hall 1982 ▪ Lexikon der Naturwissenschaftler, S. 316 ▪ Metropolis, Julius Robert Oppenheimer. Uncommon Sense, Basel: Birkhäuser 1984 ▪ Poggendorff **7 b/6**, 3753–3759.

OPS. Kurzz. für orientiertes *Polystyrol.

Opsine. Gruppe von artspezif. Membran-*Proteinen, die wie viele *Rezeptoren zur Familie der 7-Trans-

Tab.: Photosensitive Retinal-Opsin-Pigmente (*Lit.*[1]).

Retinal	Opsin-Typ	Pigment	λ_{max} [nm]
11-*cis*-Retinal	Stäbchen-O.	*Rhodopsin	510
11-*cis*-Retinal	Zapfen-O.	*Iodopsin	562
3-Dehydro-11-*cis*-retinal	Stäbchen-O.	*Porphyropsin	522
3-Dehydro-11-*cis*-retinal	Zapfen-O.	*Cyanopsin	620
9-*cis*-Retinal	Stäbchen-O.	Iso-Rhodopsin	487
9-*cis*-Retinal	Zapfen-O.	Iso-Iodopsin	515
3-Dehydro-9-*cis*-retinal	Stäbchen-O.	Iso-Porphyropsin	507
3-Dehydro-9-*cis*-retinal	Zapfen-O.	Iso-Cyanopsin	575
13-*cis*-Retinal	Bakterio-O.	*Bakteriorhodopsin	560

membran-Helix-Familie gehören u. durch Ausbildung einer *Schiffschen Base zwischen einem Lysin-Rest u. *Retinal die Sehpigmente der Retina bilden. Die verschiedenen Sehpigmente unterscheiden sich erheblich in ihren Absorptionsmaxima (s. Tab. auf Seite 3024). In den Augen der Vertebraten sind vier verschiedene Sehpigmente vorhanden. O.-Pigmente wirken bei Tieren als Lichtsensoren im Auge (vgl. Sehprozeß) u. der Zirbeldrüse[2], sie können aber auch bei bestimmten Bakterien als Licht-Energie-Umwandler dienen (*Halorhodopsin). – ***E*** opsins – ***F*** opsines – ***I*** opsine – ***S*** opsinas

Lit.: [1] Nuhn, Naturstoffchemie, 2. Aufl., S. 341 f., Stuttgart: Hirzel 1990. [2] Science **267**, 1502–1506 (1995).
allg.: Essays Biochem. **29**, 87–111 (1995) ▪ Genes Cells **1**, 787–794 (1996) ▪ Soc. Gen. Physiol. Ser. **49**, 235–238 (1994).

Opsonine. Von griech.: opson = Speise, Zukost abgeleitete Bez. für im Blutplasma u. a. Körperflüssigkeiten enthaltene *Glykoproteine, die an Bakterien od. Zellen binden [*Opson(is)ierung*] u. dadurch deren *Phagocytose durch *Leukocyten stimulieren. Als O. können *Antikörper („hitzestabile O."), Komponenten des *Komplements (z. B. C3b), *Collectine, *C-reaktives Protein, Serum-Amyloid P (s. Serum-Amyloid-Komponenten) u. a. Substanzen (z. B. *Fibronectin) wirken. – ***E*** opsonins – ***F*** opsonines – ***I*** opsonine – ***S*** opsoninas

Opson(is)ierung s. Opsonine.

Optal®. Sortiment von Etikettierklebstoffen auf der Basis von Kunstharz-Dispersionen od. -Lsg., Caseinleimen od. Stärke. ***B.:*** Henkel.

Optalidon®. Schmerztabl. mit *Ibuprofen; *O. N*-Dragées u. Suppositorien mit *Propyphenazon u. *Coffein, *O. special N* (Rp) zusätzlich mit *Dihydroergotamin-mesilat gegen vaskuläre Kopfschmerzen. ***B.:*** Novartis.

Optalin®. Verschiedene Tapetenkleister für alle Tapeten, auch zur Verarbeitung im Tapeziergerät u. in Instantqualitäten auf der Basis von Methylcellulose. ***B.:*** Henkel, Sichel.

OPTIBENT®. Aktiviertes Schichtsilicat-Produkt zum Einsatz in mineral. abbindenden Putzen, Mörteln u. Estrichsystemen. ***B.:*** Süd-Chemie.

Opticlean. Reinigungsmittel insbes. für Glas u. opt. Gläser. ***B.:*** Roth.

Opticrom®. Augentropfen mit dem Natriumsalz der *Cromoglicinsäure gegen Bindehautentzündung. ***B.:*** Rhône Poulenc Rorer.

Optiderm®. Creme mit *Harnstoff u. *Polidocanol gegen Neurodermitis, Exsikkationsekzem. ***B.:*** Hermal.

Optigel®. Geliermittel für Farben, Lacke, Bauchemikalien, Schmierfette, Kunststoffe u. Kosmetika. ***B.:*** Süd-Chemie AG.

Optigran®. Leg. unedler Metalle zum Impfen von Gußeisenschmelzen. ***B.:*** SKW Trostberg.

Optik. Teilgebiet der Physik, das sich ursprünglich mit dem sichtbaren Licht befaßte, heute allg. auf elektromagnet. Wellen, auch außerhalb des sichtbaren Spektralbereiches (z. B. *Infrarotoptik), sowie auf die Führung u. Abb. von bewegten neutralen od. geladenen Teilchen (Atomoptik[1], Ionenoptik, s. a. Elektronen- bzw. Ionenmikroskop) erweitert ist. Die *physikal. O.* beschreibt die Lichtausbreitung, die Emission bzw. Absorption von Licht, sowie allg. deren Wechselwirkung mit Materie. Bei der *geometr. O.* stellt man die Lichtausbreitung in Form von geometr. Linien (Lichtstrahlen) dar, deren Richtungen durch Brechung (*Refraktion) od. *Reflexion verändert werden (*refraktive O.*), im Gegensatz zur *binären O.*, bei der durch *Interferenz ein Lichtstrahl abgelenkt od. aufgespalten wird.
In opt. anisotropen Medien, z. B. Krist., hängt der Brechnungsindex n von der Polarisationsrichtung u./od. der Ausbreitungsrichtung des Lichtes ab; d. h. bei der Lichtausbreitung kann die Polarisationsebene eines Lichtstrahls gedreht (s. optische Aktivität, Circulardichroismus) od. beim Eintritt in das Material in einen ordentlichen, d. h. dem Snelluisschen Brechungsgesetz (s. Refraktion) gehorchenden, u. einen außerordentlichen Strahl aufgespalten werden.
Solange der Brechungsindex n unabhängig von der Lichtintensität ist, spricht man von *lineare O.;* bei höheren Lichtintensitäten, die mit heutigen *Lasern leicht erreichbar sind, wird der Brechungsindex von der Intensität abhängig (*nichtlineare O.*), wodurch *Frequenzverdopplung u. Frequenzmischung sowie spezielle Techniken der Spektroskopie, die Polarisations- u. *Sättigungsspektroskopie, bzw. allg. *Mehrphotonen-Spektroskopie möglich sind.
Die *Quanten-O.* beschreibt die Phänomene, bei denen die Teilchennatur des Lichtes (Lichtquanten, Photon) hervortritt, wie *Photoeffekt, Absorptions- u. Emissionsspektren von Atomen u. Mol., Raman-Effekt, *Compton-Effekt u. die Verstärkung von Licht durch stimulierte Emission in einem Laser. Unter *digitaler O.* versteht man schließlich den Einsatz opt. Verf. zur digitalen Informationsübertragung, -speicherung u. -verarbeitung[2]. – ***E*** optics – ***F*** optique – ***I*** ottica – ***S*** óptica

Lit.: [1] Phys. Bl. **50**, 45 (1994). [2] Phys. Bl. **53**, 529 (1997).
allg.: Hecht, Optik, New York: McGraw-Hill 1987 ▪ Lerner u. Trigg, Encyclopedia of Physics, Weinheim: VCH Verlagsges. 1991.

Optimierung. Teilgebiet der Mathematik, das für einen beliebigen Vorgang das Auffinden derjenigen Bedingungen bedeutet, für welche die gefragten Größen die bestmöglichen Werte annehmen. Die O. kann auf verschiedene Weise erfolgen: 1. Durch Aufstellen eines *mathemat. Modells,* d. h. von Gleichungen, die einen Vorgang vollständig beschreiben, somit die verschiedenen Einflußgrößen berücksichtigen u. miteinander in Beziehung setzen; – 2. durch *statist. Untersuchungen*, wobei alle Variablen eines Vorgangs unter den verschiedensten, auch extremen Bedingungen simuliert werden (*Stochastik, vgl. a. Monte-Carlo-Methode) u. dann mit Hilfe der Korrelationsrechnung Beziehungen zwischen den abhängigen u. unabhängigen Variablen aufgestellt u. zur O. des Vorgangs ausgewertet werden; – 3. *auf experimentellem Wege* durch systemat. Abändern gewisser, durch geeignete *Instrumentation erfaßter Parameter eines Vorgangs, bis für diesen ein od. mehrere stabile Optima erfaßt wor-

den sind. Letztere Meth. kann sehr zeitaufwendig sein; sie ähnelt dem Weg der biolog. *Evolution.
Die O. von industriellen Verf. bedeutet die Herst. eines Endproduktes von bestmöglicher Qualität in größtmöglicher Menge mit einem Minimum an Kosten in bezug auf Rohmaterial, Energieverbrauch, Arbeitskraft usw. (d.h. unter weitestgehender *Automation) bzw. die Lösung eines Problems durch Auffinden der techn. u. wirtschaftlich optimalen Kombination der Betriebsvariablen. – ***E*** = ***F*** optimisation – ***I*** ottimizzazione – ***S*** optim(iz)ación
Lit.: s. Operations-Research.

Optipect®. *Hustengetränk Citro:* Brausetabl. mit dem *Mucolytikum *Acetylcystein; *O. Kodein Forte* (Rp): Tropfen mit dem *Antitussivum *Codein-Monohydrat gegen Reizhusten; *O. Neo/N:* Dragées u. Tropfen mit *Campher, *Levomenthol u. *Pfefferminzöl gegen Husten u. Bronchitis. ***B.:*** Thiemann.

Optipur®. Sortiment hochreiner Chemikalien für die Züchtung von Einkrist. u. zur Herst. von Heißpreßlingen für opt. u. elektroopt. Zwecke sowie von Lichtleitfasern. ***B.:*** Merck.

Optisch aktive Polymere. Das Auftreten von opt. Aktivität bei einem *Polymeren setzt das Vorhandensein von *Chiralitäts-Zentren od. chiralen Segmenten in den enthaltenen *Makromolekülen voraus. Auch dürfen in den Makromol. die Zentren entgegengesetzter Chiralität nicht zu etwa gleichen Anteilen vorliegen, da das Polymer sonst – wie auf niedermol. Gebiet ein *Racemat – opt. inaktiv bleibt. Erst wenn in den Makromol. eine Enantiomeren-Form im Vgl. zur anderen deutlich überwiegt, kann opt. Aktivität beobachtet werden. Während mit wenigen Ausnahmen (z. B. *Naturkautschuk od. *Guttapercha) alle natürlichen Polymere (*Biopolymere) opt. aktiv sind, sind o. a. P. unter den synthet. Polymeren die Ausnahme. Dies ist zunächst erstaunlich, da z.B. alle Makromol., die durch *Polymerisation einer Vinyl-Verb. CH_2=CHX erhalten werden, in jeder Repetiereinheit ein asymmetr. Kohlenstoff-Atom enthalten. Im Falle geeigneter *Taktizität der Ketten sollte daher opt. Aktivität zu beobachten sein.

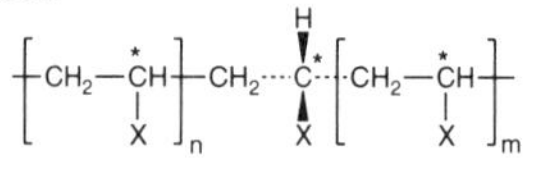

Konfiguration 1

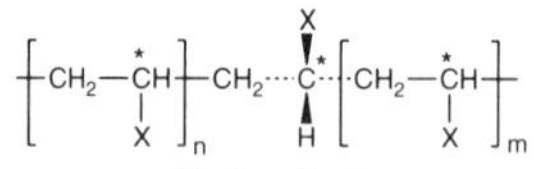

Konfiguration 2

Dies ist jedoch nicht der Fall, da die Asymmetrie der in obiger Abb. mit einem Stern gekennzeichneten Kohlenstoff-Atome lediglich auf der unterschiedlichen Länge n bzw. m der beiden von diesen weiterführenden Ketten-Fragmente beruht. Dieser äußerst geringe Unterschied ist aber am Ort des „Chiralitätszentrums" nicht mehr feststellbar. Man spricht daher in diesem Zusammenhang von „Pseudoasymmetrie". Dennoch gibt es Beisp. für synthet. opt. aktive Polymere. Diese umfassen z. B. Polymere mit Chiralitätszentren in den Seitengruppen, die durch Polymerisation Enantiomeren-reiner *Monomerer erhalten wurden, z. B.:

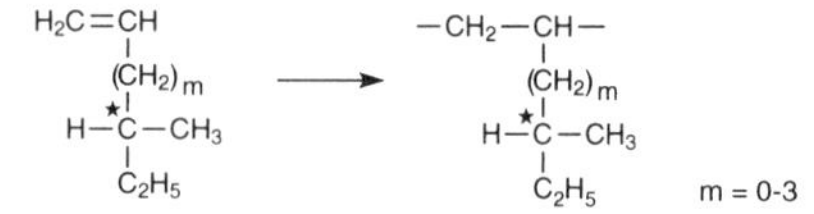

Unter Einsatz von opt. aktiven Katalysatoren als *Initiatoren können o. a. P. auch durch *stereoselektive* Polymerisation von racem. Monomeren gewonnen werden. Auch die asymmetr. Polymerisation prochiraler Monomerer, z. B.

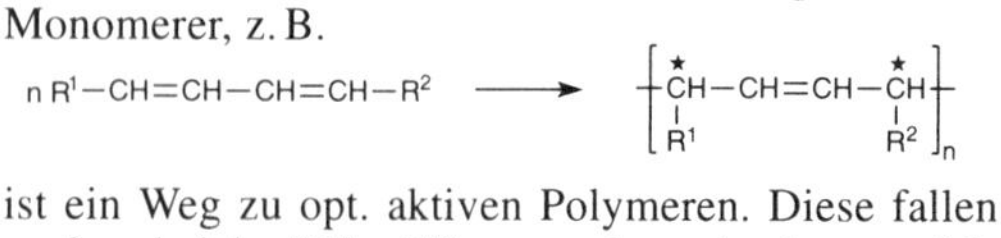

ist ein Weg zu opt. aktiven Polymeren. Diese fallen auch an bei der *Ringöffnungspolymerisation spezieller cycl. Monomerer – Beisp. hierfür ist die Synth. von Poly(2-methylaziridin) (III) durch Hydrolyse von aus (*S*)-4-Methyloxazolin (I) hergestelltem Poly(*N*-formyl-2-methylaziridin) (II) –,

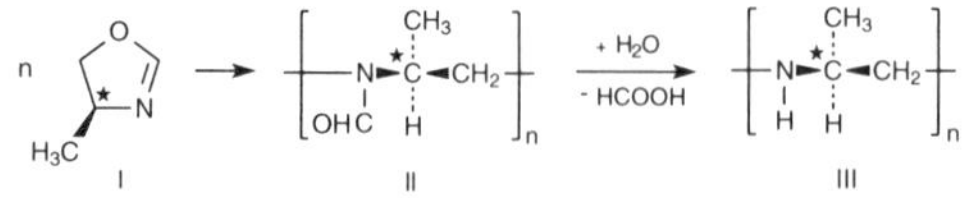

I   II   III

der *Polykondensation von chiralen Dicarbonsäuren mit Diaminen zu opt. aktiven *Polyamiden od. der Einführung opt. aktiver Gruppen in Makromol. durch *polymeranaloge Reaktionen.
Verw.: U. a. zur Aufklärung von Polymerisationsmechanismen, als Modellverb. für Strukturuntersuchungen kompliziert aufgebauter natürlicher Polymerer, als Katalysatoren für asymmetr. Synth. od. als Füllmaterial für Säulen zur chromatograph. Trennung von Enantiomeren. – ***E*** optically active polymers – ***F*** polymères optiquement actifs – ***I*** polimeri otticamente attivi – ***S*** polímeros ópticamente activos
Lit.: Compr. Polym. Sci. **1**, 561–571 ▪ Encycl. Polym. Sci. Eng. **10**, 463–493.

Optisch aktive Verbindungen. Bez. für Verb., die *optische Aktivität besitzen. Diese kann durch *asymmetrische Atome *(Chiralitätszentrum)* od. auch durch Chiralitätsachsen od. Chiralitätsebenen hervorgerufen werden. Synth., die zu o. a. V. führen, bezeichnet man als *asymmetrische Synthesen, wobei oft auch der Begriff stereoselektive (*enantioselektive, diastereoselektive*) Synth. verwendet wird; Näheres s. bei asymmetrische Synthese, stereoselektive Synth., Stereochemie. – ***E*** optically active substances – ***F*** substances d'activité optique – ***I*** composti di attività ottica, composti otticamente attivi – ***S*** compuestos con actividad óptica

Optisch anwendbare Kunststoffe. Sammelbez. für *Polymere, die hinsichtlich relevanter opt. Eigenschaften mit *Glas vergleichbar sind. Sie können z. T. vorteilhaft an dessen Stelle verwendet werden. Ihre Vorteile basieren auf niedrigerem spezif. Gew., höherer Flexibilität u. Bruchfestigkeit sowie besserer Verformbarkeit. Nachteile dieser Kunststoffe sind u. a. die gegenüber anorgan. Gläsern geringere Kratzfestigkeit u. Wärmestandfestigkeit. O. a. K. sind meistens Homopolymere. Ihre wichtigsten Vertreter sind *Poly(methylmethacrylate) (s. a. Acrylglas), *Poly-

styrol, *Polycarbonate, *Poly(diallyldiglykolcarbonate) u. *Poly(4-methyl-1-penten).
Zu den o. a. K. zählen prinzipiell auch die hydrophilen (*Homopolymere des 2-Hydroxyethyl-methacrylats u. dessen *Copolymere mit *N*-Vinyl-2-pyrrolidon od. Ethylenglykoldimethacrylat) u. hydrophoben [Poly(methylmethacrylate), *Celluloseacetobutyrat u. Poly(dimethylsiloxane) (s. Dimeticon)] Polymere, die zur Herst. von Kontaktlinsen gebraucht werden.
Verw.: Zur Herst. von transparenten Abdeckfolien, Lichtkuppeln, Abdeckungen von Gewächshäusern, Kunststofflinsen, Kontaktlinsen, *polymeren Lichtwellenleitern usw. – ***E*** optical plastics – ***F*** plastiques pour application en optique – ***I*** plastiche otticamente – ***S*** plásticos ópticos, plásticos para la aplicación en óptica
Lit.: Encycl. Polym. Sci. Eng. **10**, 493–540 ▪ Ullmann (5.) **A 18**, 191 ff., 204 ▪ s. a. polymere Lichtwellenleiter.

Optische Aktivität. Bez. für die Eigenschaft von nicht racem. Mischungen, Lsg. od. reinen Stoffproben chiraler Mol. od. von chiralen Krist. (s. Chiralität), die Polarisationsebene des durchtretenden linear polarisierten Lichtes zu drehen. Diese als *opt. Rotation* bezeichnete chiropt. Eigenschaft wird in einem Polarimeter gemessen. Der Rotationswinkel α wird als pos. Wert angegeben (Vorzeichen: +), wenn die Ebene des auf den Betrachter gerichteten Lichtes im Uhrzeigersinn gedreht wird. Geschieht die Drehung gegen den Uhrzeigersinn, wird sie als neg. Wert angegeben (Vorzeichen: –). α hängt von einer Reihe von Faktoren ab: 1. Von der Natur (Stereochemie) des im Polarisationsrohr befindlichen Stoffes selbst; es gibt stark u. schwach drehende Substanzen, u. das Ausmaß der Drehung ist für die einzelnen Verb. charakteristisch. – 2. Von der Konz. des im Polarisationsrohr eingefüllten, gelösten od. reinen flüssigen Stoffes: Je höher die Konz., um so stärker die Drehung. – 3. Von der Länge des Polarisationsrohres: Je länger das Rohr, um so mehr nimmt der Drehungswinkel zu. – 4. Von der Wellenlänge des Lichts: Die Polarisationsebene des kurzwelligen blauen Lichts wird wesentlich stärker gedreht als die des langwelligen roten; Näheres u. anomale Effekte bei lichtabsorbierenden Mol. s. bei Rotationsdispersion. – 5. Bis zu einem gewissen Grad kann auch die Temp. das Ausmaß der Drehung beeinflussen. – 6. Vom Lsm.; *Beisp.:* Die spezif. Drehung $[\alpha]$ von β-*Lumicolchicin beträgt für Licht der Wellenlänge $\lambda = 578$ nm in Chloroform +341°; in Methanol sind es +199,9°. Es ist daher unumgänglich, bei Angabe von $[\alpha]$ als Stoffcharakteristikum auch die Meßbedingungen genau anzugeben. Als *spezif. Drehung* $[\alpha]$ von reinen Flüssigkeiten u. Lsg. bezeichnet man den Drehwert α in Grad, den eine Substanz in einer Lsg. der Konz. c = 1 g/mL in einem Rohr von 10 cm Länge bewirkt; es gilt: $[\alpha] = \alpha/(l \cdot c)$ mit l = Länge des Polarimeterrohres in dm u. c = Konz. in g/mL (Biot'sches Gesetz). Die Formel gilt auch für reine Flüssigkeiten, wobei c die Dichte angibt. Die Einheit von $[\alpha]$ ist üblicherweise Grad (°); exakter wären Grad · cm^2/10 g (Konz.-Angabe in g/mL). Zu beachten ist, daß die Konz. in der Gleichung in g/mL einzusetzen ist, obwohl sie bei Drehwertangaben meist ohne Angabe der Einheit in g/100 mL angegeben wird, da auch $[\alpha]$ geringfügig von der Konz. abhängt. Die SI-Einheit ist rad · $m^2 \cdot kg^{-1}$. Dem Wert $[\alpha]$ werden als Indices die Meßtemp. u. die Wellenlänge des verwendeten Lichtes beigegeben; *Beisp.:* $[\alpha]_D^{25}$ od. $[\alpha]_{589}^{25}$. Wenn man also z. B. das Drehvermögen von Saccharose mit $[\alpha]_D^{20}$ +66,5° angibt, so heißt dies, daß eine wäss. Lsg., die in 100 mL 1 g Zucker gelöst enthält, in einem 10 cm langen Polarimeterrohr bei gelbem Natrium-Licht u. 20 °C die Polarisationsebene um 0,665° nach rechts dreht. Umgekehrt kann man aus dem Drehungsbetrag einer Lsg. Rückschlüsse auf deren Konz. ziehen. Wenn z. B. eine Rohrzuckerlsg. von unbekannter Konz. C_x bei 20 cm Rohrlänge eine Drehung von 5° ergab, so ist

$$C_x = \alpha/([\alpha] \cdot l) \frac{5}{6{,}5 \cdot 2} \text{ g/mL} = 3{,}76 \text{ g/100 mL.}$$

So bestimmt man in der *Saccharimetrie* die Konz. von Zuckerlösungen. Häufig gibt man an Stelle der spezif. Drehung auch die auf 1 Mol berechnete *molare Drehung* [M] od. $[\Phi]$ an, für die folgende Beziehung gilt: $[\Phi] = 0{,}01 \cdot [\alpha] \cdot M_R$; der Faktor 0,01 wurde willkürlich festgelegt, um handliche Werte für [M] zu erhalten. Diese auch *Molrotation genannte Beziehung hat in der durch *Barton eingeführten Meth. der *Molrotationsdifferenzen* eine interessante Anw. bei der Zuordnung von *Konfigurationen u. *Konformationen bei Steroiden gefunden. Analog zur spezif. u. molaren Drehung kann für eine andere chiropt. Eigenschaft von Mol., dem *Circulardichroismus, die *spezif. u. molare Elliptizität*

$$[\Psi] = \frac{\Psi}{c \cdot l} \quad (10^{-1} \cdot \text{grad} \cdot \text{cm}^2 \cdot \text{g})$$

bzw.

$$[\Theta] = \frac{[\Psi] \cdot M_R}{100} \quad (10 \cdot \text{grad} \cdot \text{cm}^2 \cdot \text{mol}^{-1})$$

definiert werden. Ausführlichere Definitionen der hier erwähnten u. anderer chiropt. Begriffe findet man in *Lit.*[1,2].
Zur Kennzeichnung der Drehrichtungen wurden verschiedene Konventionen eingeführt, die aber oft in unkrit. Weise nebeneinander gebraucht u. verwechselt wurden. Zur Kennzeichnung wurde früher allg. ein „*d*" (von latein.: dexter = rechts) od. „*l*" (von latein.: laevus = links), bei opt. inaktiven Racematen ein „*dl*" vorgesetzt. Um Verwechslungen zwischen den Lettern „1" u. „l" zu vermeiden, haben einige Autoren statt der kleinen Buchstaben d u. l die Großbuchstaben D u. L eingeführt. Andere Autoren führten die „Kapitälchen" D u. L ein zur Kennzeichnung der *abs. Konfiguration* der opt. aktiven *Aminosäuren u. *Kohlenhydrate u. folgten hierbei den Zuordnungen Emil *Fischers am D-(+)-Glycerinaldehyd. Wieder andere zogen die Kennzeichnung mit (+), (–) u. (±) vor. Die nomenklator. Verwirrung auf diesem Gebiet ist also beträchtlich. Die IUPAC-Nomenklatur (Sektion E: *Stereochemie) kennt „d" u. „l" überhaupt nicht mehr, sondern empfiehlt zur Kennzeichnung des Drehsinns ausschließlich die (auch früher schon benutzten) Zeichen (+) bzw. (–), woraus (±) für Racemate resultiert. Ist die *abs. Konfiguration* einer Verb. bekannt, so kann zur Bez. der chiralen Zentren, Achsen od. Ebenen die von *C*ahn, *I*ngold u. *P*relog eingeführte u. von latein.: rectus = rechts bzw. sinister = links abgeleitete (*R*)- u. (*S*)-Terminologie angewendet werden (s. CIP-Regeln).

Vork. u. Symmetriebedingungen für das Auftreten der o. A.: Bei reinen Flüssigkeiten, Lsg. von opt. aktiven Substanzen in inaktiven Lsm. u. bei Dämpfen ist die natürliche o. A. eine dem einzelnen Mol. zukommende Eigenschaft u. nicht an eine bestimmte Orientierung der Mol. od. an eine Wechselwirkung mit Nachbarmol. gebunden. Außer Gasen u. Flüssigkeiten können auch krist. Körper opt. aktiv sein; als Drehung [α] bezeichnet man hier den Drehungswinkel in Kreisgraden für 1 mm Kristalldicke, denn α ist auch hier der Schichtdicke (Plattendicke) proportional. Bei krist. Substanzen kann die o. A. durch den krist. Zustand bedingt sein u. beim Schmelzen od. Lösen des Stoffes verschwinden. Die isolierten Mol. sind hier also opt. inaktiv; das Drehvermögen wird erst durch Orientierung u. Wechselwirkung mit dem Nachbarn im Krist. erzeugt. Sind Substanzen (wie z. B. Campher) sowohl im festen als auch im flüssigen u. im gasf. Zustand opt. aktiv, so ist das Drehvermögen im Gas- u. Flüssigkeitszustand ausschließlich eine Eigenschaft des Mol., im krist. Zustand eine Überlagerung von Mol.- u. Kristalleigenschaften. Allg. kennt man eine ganze Reihe von Stoffen, die in Form von *Kristallen die Polarisationsebene von Licht nach rechts od. nach links drehen; hierher gehören z. B. Quarz, Weinsäure, Benzil u. Natriumchlorat, vgl. die Abb., die zugleich eine bildliche Darst. von *Enantiomorphie* (s. Enantiomerie) u. von *Bravais-Millerschen Indizes hkil* (s. Kristallgeometrie u. Millersche Indizes) ist.

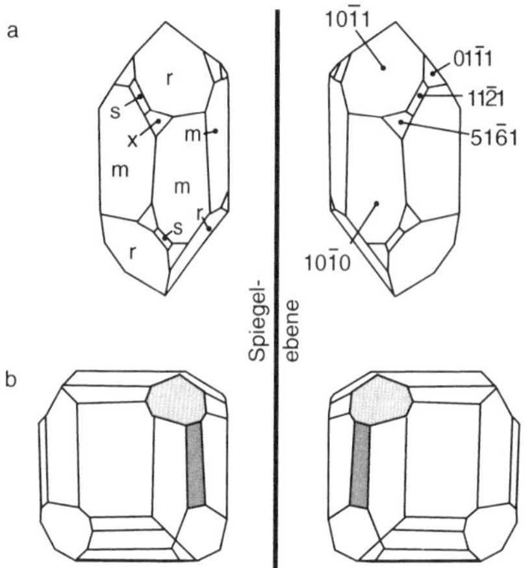

Abb.: Krist. von Links- u. Rechtsquarz (a, mit hikl-Angaben) u. von Natriumchlorat (b).

Man findet obige Abb. bei den Krist. der chiralen *Kristallklassen ohne Drehinversionsachse, ohne Inversionszentrum u. ohne Spiegelebene (s. Kristallklassen, 1. Spalte, „n", u. 4. Spalte, „n2 2", der Tab.); verbreitet sind Hemieder (s. Kristallmorphologie).
Die erste racem. Verb., die 1848 in die rechts- u. linksdrehende Form aufgetrennt werden konnte, war das von *Pasteur untersuchte Natriumammoniumtartrat, u. dieser Forscher gab dem Phänomen der o. A. auch eine richtige Deutung. Nach dem sog. *„Pasteurschen Prinzip"* sind solche Verb. opt. aktiv, bei denen Bild u. Spiegelbild eines Mol. nicht durch *Translation u. Drehung miteinander zur Deckung gebracht werden können, bei denen also *Spiegelbildisomerie* vorliegt; Näheres s. Chiralität, Diastereo(iso)merie u. Enantiomerie.
Viele Fortschritte bei der Untersuchung der Phänomene der o. A. sind erst mit der Entwicklung verfeinerter *chiropt. Meßtechniken* (CD u. ORD, MCD u. MORD; Näheres s. *Lit.*[1]) möglich geworden.
Geschichte: Die erste Beobachtung von o. A. gelang Arago 1811 an Quarz; 1815 fanden J.B. Biot (1774–1862, Prof. für Physik, Paris) u. Seebeck, daß auch Lsg. u. nichtwäss. Flüssigkeiten wie Zuckerwasser, Weinsäurelsg. u. Terpentinöl opt. aktiv sein können, u. schließlich stellte Biot 1817 fest, daß auch Dämpfe o. A. aufweisen können. Die Vermutungen *Pasteurs (1848) über die Spiegelbildisomerie als Ursache der o. A. konnten erst 1874 durch van't *Hoff u. *Le Bel mit der Vorstellung von den tetraedr. gerichteten Bindungen des vierwertigen Kohlenstoffs (*Kekulé, 1858) zu dem heutigen Bild der *Stereochemie organ. Verb. verknüpft werden. – ***E*** optical activity – ***F*** activité optique – ***I*** attività ottica – ***S*** actividad óptica

Lit.: [1]Chem. Unserer Zeit **15**, 78–87 (1981); **16**, 160–168 (1982). [2]Pure Appl. Chem. **57** (1985).
allg.: Bähr u. Theobald, Organische Stereochemie, Berlin: Springer 1973 ▪ Barron, Molecular Light Scattering and Optical Activity, Cambridge: University Press 1982 ▪ Eliel u. Wilen, Stereochemistry of Organic Compounds, S. 2f., 991ff., New York: Wiley 1994 ▪ Hauptmann u. Mann, Stereochemie, S. 68f., Heidelberg: Spektrum 1996 ▪ Mason, Molecular Optical Activity and the Chiral Discriminations, Cambridge: University Press 1982 ▪ Quinkert, Egert u. Griesinger, Aspekte der Organischen Chemie, S. 43f., Weinheim: VCH Verlagsges. 1995 ▪ Ullmann (5.) **A 18**, 177f.

Optische Antipoden. Synonyme Bez. für Enantiomere (Spiegelbildisomere), s. Enantiomerie. – ***E*** optical antipodes – ***F*** antipodes optiques – ***I*** antipodi ottici – ***S*** antípodas ópticas

Optische Aufheller (Weißtöner). Bez. für solche chem. Verb., die Vergrauungen u. Vergilbungen von Textilien, Papier, Kunststoffen usw. dadurch beseitigen, daß sie, wie Farbstoffe aus der Flotte auf der Faser aufgezogen bzw. in das betreffende Material eingearbeitet, eine Aufhellung bewirken u. gleichzeitig eine Bleichwirkung vortäuschen, indem sie (unsichtbare) *Ultraviolettstrahlung in (sichtbares) längerwelliges Licht umwandeln. Das aus dem Sonnenlicht absorbierte ultraviolette Licht wird als schwach bläuliche *Fluoreszenz wieder abgestrahlt, also in der Komplementärfarbe der Vergilbung. Diese organ. *Leuchtpigmente (*Fluoreszenzfarbstoffe*) wirken somit wie opt. Transformatoren. Als o. A. eignen sich v.a. Derivate von *4,4′-Diamino-2,2′-stilbendisulfonsäure (Flavonsäure), 4,4′-Distyryl-biphenylen, Methylumbelliferon, Cumarin, Dihydrochinolinon, 1,3-Diarylpyrazolin, Naphthalsäureimid, über CH=CH-Bindungen verknüpfte Benzoxazol-, Benzisoxazol- u. Benzimidazol-Syst. u. durch Heterocyclen substituierte Pyren-Derivate. An die Echtheit eines o. A. gegenüber Waschen, Schweiß, Bügeln, Sonnenlicht u. gegen gleichzeitig angewandte *Appreturen (*Textilhilfsmittel) werden hohe Anforderungen gestellt. Außerdem müssen für jeden Fasertyp spezif. o. A. eingesetzt werden. Man setzt die o. A. in kleinen Mengen (meist 0,1–0,3%) auch den Wasch- u. Spülmitteln zu; es genügt, wenn ein Liter Waschflotte 0,01–0,1 g o. A. enthält. Die Wirkung der o. A. ist verschieden von derjenigen, die bei den subtraktiven Meth. erzielt wird, wozu z.B. das *Bläuen der Wäsche gehört: Hier wird die Gilbe durch die Komplementärfarbe (z.B. durch Zusatz von kleinen Mengen von Ultramarin- od. Indanthrenblau) an der Rückstrahlung gehindert; dies erfolgt jedoch durch Auslöschung u. nicht durch Aufhellung u. hat deshalb eigentlich die Entstehung eines Grautons zur Folge. Die o. A. greifen außerdem die Fasern nicht an wie die Rasenbleiche od. chem. *Bleichen (deshalb wird hier auch der Begriff opt. Aufheller statt *opt. Bleichmittel* vorgezogen). Man verwendet heute o. A. zum *Weißtönen* von Baumwolle, Zellwolle, Papier, Wolle, Synthesefasern, Kunststoffen, Wachsen, Seifen, Wäschesteifen, Druckfarben, Photopapieren usw., während ihr Einsatz zur Lebensmittelschönung verboten ist. Die Verw. von o. A. in *Waschmitteln ist im Hinblick auf neue leistungsfähige Formulierungen bes. vom sog. Colorwaschmitteln rückläufig. Die vermutete Carcinogenität von o. A. hat sich im einzelnen nicht bestätigen lassen.

Geschichte: Um 1929 beobachtete Krais, daß Textilwaren nach Behandlung mit *Aesculin od. mit dem Lithiumsalz der Umbelliferonessigsäure weißer erschienen als sonst. Die zunächst benutzten o. A. waren jedoch wenig licht-, wasser- u. waschecht; die ersten gut auf der Faser haftenden o. A. waren die Derivate der Flavonsäure. – ***E*** optical brighteners, fluorescent whitening (brightening) agents (FWA) – ***F*** agents de blanchiment – ***I*** sbiancante (schiarante) ottico – ***S*** blanqueadores ópticos

Lit.: Cahn, Proc. 3rd World Conference on Detergents: Global Perspectives, S. 193–197, Champaign: AOCS Press 1993 ▪ Encycl. Polym. Sci. Technol. **2**, 606–613 ▪ Falbe (Hrsg.), Surfactants in Consumer Products, S. 279–284, Berlin: Springer 1987 ▪ Jacobi u. Löhr, Detergents and Textile Washing, S. 94–100, 186, 193, Weinheim: VCH Verlagsges. 1987 ▪ Kirk-Othmer (3.) **4**, 213–226 ▪ Ullmann (4.) **24**, 104ff.; (5.) **A 8**, 367–371, 420.

Optische Ausbeute. Unter der o. A. einer Reaktion, z.B. einer *enantioselektiven Synthese versteht man das Verhältnis des Enantiomeren-Überschusses des Produkts zum Enantiomeren-Überschuß der Ausgangsverbindung. Verläuft die Reaktion *stereospezif.* u. tritt keine Racemisierung auf, so beträgt die o. A. 100%. Die o. A. steht in keinem ursächlichen Zusammenhang mit der chem. *Ausbeute. – ***E*** optical yield – ***F*** rendement optique – ***I*** rendimento ottico – ***S*** rendimiento óptico

Lit.: s. optische Aktivität.

Optische Bistabilität. Opt. bistabile Bauelemente weisen für einen bestimmten Intensitätsbereich eines einfallenden monochromat. Lichtbündels zwei od. mehr stationäre Zustände opt. Transmission u./od. Reflexion auf. Welcher der Zustände vorliegt, hängt von der Vorgeschichte ab, d.h., ob man sich dem bistabilen Bereich von kleineren od. größeren Lichtintensitäten nähert. Anders ausgedrückt, die transmittierte u./od. reflektierte Lichtintensität durchläuft in Abhängigkeit von der Einfallsintensität eine stationäre Hystereseschleife. In der Abb. sind zwei Möglichkeiten dargestellt. In a wird die Hystereseschleife gegen den Uhrzeigersinn, in b im Uhrzeigersinn durchlaufen. Der bistabile Bereich ist durch die Markierung auf der x-Achse angegeben. Eine notwendige, aber nicht hinreichende Voraussetzung für o. B. ist die Kombination einer opt. Nichtlinearität (*nichtlineare Optik) mit einer geeigneten Rückkopplung. Ausbleichen der Absorption od. Änderungen der Brechzahl mit zunehmender Lichtintensität führen in Verbindung mit einem Fabry-Pérot-Resonator (*Fabry-Pérot-Interferometer) zur Rückkopplung u. zu Hystereseschleifen wie in Abb. a. Die anregungsinduzierte Zunahme der Absorption hat eine intrins. Rückkopplung u. führt zu Hystereseschleifen wie in Abb. b.

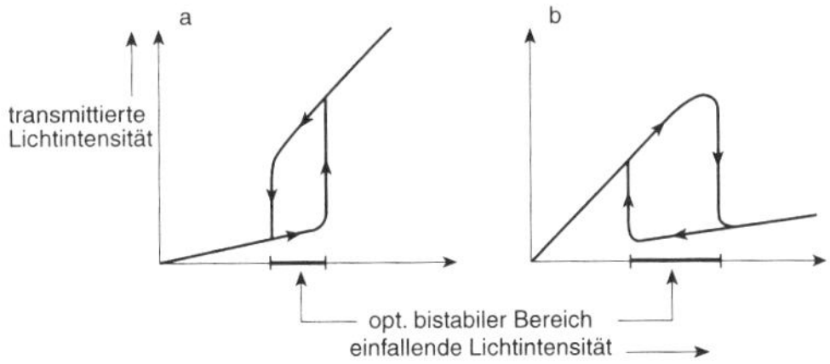

Abb.: Hystereseschleifen bei optischer Bistabilität.

Neben rein opt. Bauelementen gibt es auch hybride Bauelemente für opt. Bistabilität. Bei diesen wird neben dem einfallenden Lichtstrahl noch ein konstantes elektr. Feld angelegt, das die opt. Nichtlinearität verstärkt od. erst erzeugt. O. B. wird überwiegend mit *Halbleitern realisiert, aber auch in Dämpfen (z.B. Na-Dampf), in Isolatoren u. organ. Farbstoffen.

Die o. B. kann als binärer, digitaler Speicher (0 ≙ geringe Transmission, 1 ≙ hohe Transmission) verwendet werden, Schleifen mit geringer Breite können als log. Gates eingesetzt werden. Aufbauend auf dieser Erkenntnis, versucht man opt. Computer zu konstruieren.

Bringt man bistabile od. nur nichtlineare Bauelemente in Ringresonatoren, so kann man reguläre u. determinist. chaot. Selbstoszillationen erzeugen, d.h. eine zeitliche konstante Eingangsintensität führt zu Oszillationen der Intensität im Ringresonator (*Physik). – ***E*** optical bistability – ***F*** bistabilité optique – ***I*** bistabilità ottica – ***S*** biestabilidad óptica

Lit.: Gibbs, Optical Bistability, Controlling Light with Light, Orlando: Academic Press 1985 ▪ Haug (Hrsg.), Optical Nonlinearities and Instabilities in Semiconductors, Orlando: Academic Press 1988 ▪ Mandel, Smith u. Wherrett (Hrsg.), From Optical Bistability towards Optical Computing, North Holland: Elsevier 1987 ▪ Thomas (Hrsg.), Nonlinear Dynamics in Solids, Berlin: Springer (1992) ▪ Wherrett u. Tooley (Hrsg.), Optical Computing, SUSSP 34, Bristol: IPO Publishing 1989.

Optische Bleichmittel s. optische Aufheller.

Optische Dichte s. Densitometer, Transmission u. Lambert-Beersches Gesetz.

Optische Diode. Anordnung aus opt. Elementen, durch die Licht nur in einer Richtung hindurch treten kann. Die Abb. zeigt die Realisierung mit Hilfe eines Faraday-Rotators (s. Faraday-Effekt). Die Stärke des

Magnetfeldes ist so gewählt, daß die Polarisationsebene des Lichtes um 45° gedreht wird u. zwar im Uhrzeigersinn, falls sich das Licht in Magnetfeldrichtung ausbreitet, u. gegen den Uhrzeigersinn, falls es sich in entgegengesetzter Richtung ausbreitet. Durch Polarisatoren (z. B. Nicolsche Prismen) auf beiden Seiten des Faraday-Rotators wird zunächst unpolarisiertes Licht linear polarisiert u. dann je nach Ausbreitungsrichtung transmittiert od. abgeblockt.

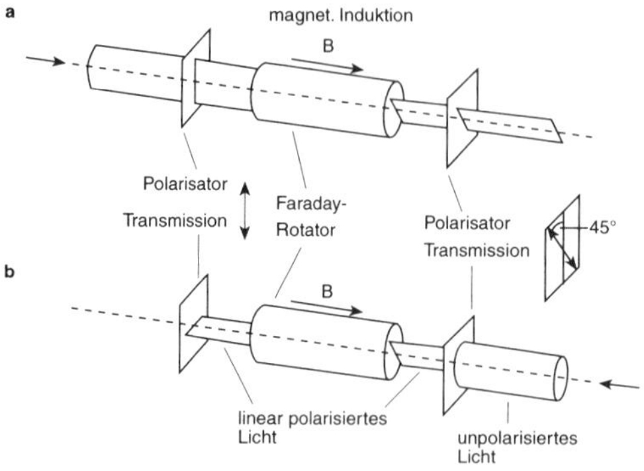

Abb.: Optische Diode realisiert mit einem Faraday-Rotator: a) in Durchlaßrichtung, b) in Sperrichtung.

O. D. werden u. a. in Verstärkerketten von gepulsten Hochleistungslasern benötigt. Da Reflexionen nie vollständig zu vermeiden sind, besteht sonst die Gefahr, daß ein Teil des Laserpulses vom Ende der Verstärkerkette diese in entgegengesetzter Richtung durchläuft, dabei verstärkt wird u. dann den Laserresonator zerstört. Weitere Anw. finden O. D. in Ringresonatoren von *Farbstofflasern, um nur einen Umlaufsinn zu gewährleisten, u. bei der *integrierten Optik. – ***E*** optical diode – ***F*** diode optique – ***I*** diodo ottico – ***S*** diodo óptico

Optische Filter s. Lichtfilter.

Optische Gläser. Sammelbez. für alle Sorten von *Glas, die in opt. Geräten Anw. finden können; *Beisp.:* *Lichtfilter, *Linsen für z. B. Brillen, Ferngläser u. Teleskope, Prismen, *Faseroptiken, Lichtleiter usw., ggf. auch gefärbte od. phototrope Gläser. Im engeren Sinn sind o. G. Klargläser mit bes. Reinheit u. festgelegten Werten für Dispersion, Absorption u. Brechungsindex. Außerdem müssen o. G. frei von Blasen, Knoten, Steinchen, Schlieren u. Spannungen sein. Die o. G. werden grob in *Flintglas u. *Kronglas unterschieden u. unabhängig von ihrer chem. Zusammensetzung nach ihren opt. Eigenschaften charakterisiert u. mit bestimmten Kurzz. gekennzeichnet (Näheres s. Glas, S. 1543). – ***E*** optical glasses – ***F*** verres optiques – ***I*** vetri ottici – ***S*** vidrios ópticos

Lit.: DIN 58925-1/2: 1965-09; DIN 58927: 1970-02 ▪ Kirk-Othmer (4.) **12**, 589–592 ▪ Pfaender, Schott-Glaslexikon, 4. Aufl., München: mvg Moderne Verlags GmbH 1989 ▪ Ullmann (4.) **12**, 353–358; (5.) **A 12**, 401–405 ▪ Winnacker-Küchler (4.) **3**, 108 f., 149 f.

Optische Informationsspeicherung. Bez. für die Speicherung von Daten auf sog. opt. Disks, die mit Hilfe von Licht ein- u. ausgelesen werden können. Die Datenspeicherung erfolgt üblicherweise (a) durch ablatives Lochbrennen, – (b) Blasenbildung, – (c) Strukturveränderungen od. – (d) unter Verw. mol. Doppelschicht-Legierungen. Von diesen Alternativen wird heute die Technik des ablativen Lochbrennens am häufigsten verwendet. Die Disks müssen dabei aus Materialien produziert werden, die hohe Dimensionsstabilität, Isotropie, opt. Reinheit u. geringe Doppelbrechung aufweisen. *Polymere haben sich daher als Basismaterialien für die o. I. bes. bewährt. Eine typ. ablativ arbeitende Disk auf Polymer-Basis zeigt die Abbildung.

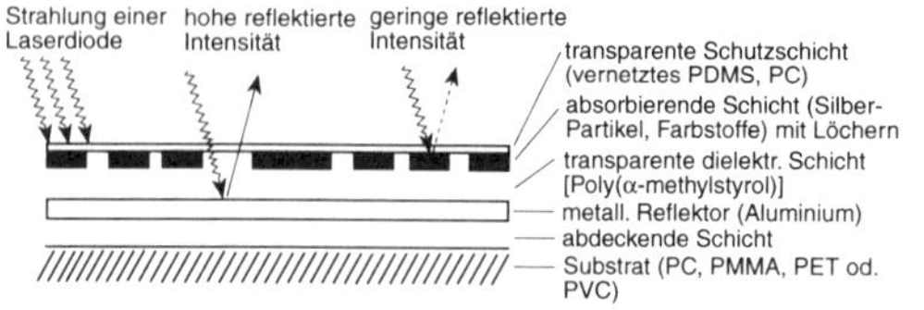

Abb.: Dreifachschichtstruktur einer typ. ablativ, d. h. durch Lochbrennen in die Absorptionsschicht hergestellten opt. Disk.

Als Substrat dienen opt.-transparente Materialien wie z. B. Polycarbonat, PMMA, PET od. PVC. Durch eine Abdeckschicht getrennt wird hierauf ein metall. Reflektor (z. B. Aluminium), ein transparentes dielektr. Medium [z. B. Poly(α-methylstyrol)] u. schließlich eine Absorptionsschicht aufgebracht. Bei letzterer handelt es sich entweder um einen Metall-Polymer-Verbundwerkstoff (Silber-Partikel in einem Gel) od. um Farbstoff-Mol. in einer Polymer-Matrix (z. B. Squaryllium-Farbstoffe für GaAs-Laser). Schließlich wird die absorbierende Schicht durch einen transparenten Überzug aus vernetztem Poly(dimethylsiloxan) geschützt. Das Einlesen von Informationen auf eine solche Disk erfolgt dadurch, daß auf der Polymer-Oberfläche eine Abfolge kleiner Vertiefungen unterschiedlicher Längen u. Häufigkeiten gebildet wird, in denen die Absorptionsschicht beseitigt ist. Die so eingeschriebene Information läßt sich wieder auslesen, indem man die Intensität u. Modulation von Licht, das von dem Muster der Vertiefungen auf der Scheibenoberfläche reflektiert wird, mißt. Dabei erhält man eine „direct read after write" od. DRAW-Disk, die nicht wieder gelöscht werden kann; s. a. optischer Computer. – ***F*** stockage optique de l'information – ***I*** memorizzazione ottica dell' informazione

Lit.: Cowie, Chemie u. Physik der synthetischen Polymeren, S. 476, Braunschweig: Vieweg 1997 ▪ Lechner, Gehrke u. Nordmeier, Makromolekulare Chemie, S. 372, Basel: Birkhäuser 1993.

Optische Isomerie s. Enantiomerie u. Stereoisomerie.

Optische Pinzette. Anordnung, bei der durch intensive Laserstrahlung kleine Partikel, Zellen, Zellorganellen od. auch Chromosomen im Zentrum der Strahlung festgehalten werden. Hierzu werden Laserstrahlen auf einen kleinen Fleck von nur wenigen Mikrometer Durchmesser bei Leistungsdichten von ~10^6 W/cm^2 fokussiert. Da Licht eine elektromagnet. Welle ist, herrscht im Fokus des Laserstrahls ein starkes elektr. Feld, durch das in den elektr. neutralen Partikeln ein elektr. Dipolmoment $\vec{\mu}$ induziert wird. In der Umgebung des Laserfokus existiert ein stark inhomogenes elektr. Feld $\vec{E}$, was zur Folge hat, daß auf das Teilchen eine Kraft $\vec{F} = \vec{\mu} \cdot \text{grad}\,\vec{E}$ in Richtung der max. elektr. Feldstärke wirkt, d.h. das Teilchen wird in den Laserfokus „gesaugt" u. dort festgehalten. Beim räumlichen Verschieben des Laserfokus wandert das Teilchen mit u. kann so an einen gewünschten Ort verschoben werden. Das Verf. hat den Vorteil, daß die einzufangenden Partikel nicht mit mechan. Instrumenten berührt werden. Bei Verw. einer kurzbrennweitigen Linse ist es sogar möglich, Organellen, wie z.B. Mitochondrien, in einer Zelle zu verschieben, ohne die Zellmembrane zu öffnen od. zu schädigen. – ***E*** optical tweezer – ***F*** pincette optique – ***I*** pinzetta ottica – ***S*** pinzas ópticas

Lit.: Phys. Unserer Zeit **24**, 171 (1993).

Optischer Computer. Mit Hilfe von *nichtlinearer Optik u. von *optischer Bistabilität lassen sich digitale opt. Speicher u. log. Gates [AND, OR, NOT (Inverter)] realisieren. Das sind im Prinzip alle Funktionen, die man braucht, um einen Computer zu bauen. Daher erwartet man, in Zukunft o. C. bauen zu können, die mit Lichtpulsen arbeiten statt wie konventionelle elektron. Computer mit elektr. Strom- u. Spannungspulsen. Der große Vorteil der o. C. ist die Möglichkeit paralleler Datenverarbeitung, da die bits (Informationselemente) von einer log. Ebene (z.B. $10^3 \times 10^3$ bits) mit einer Linse parallel auf die nächste Ebene abgebildet werden können. Im Gegensatz dazu kann durch einen Verbindungsdraht in einem elektron. Computer zu einer Zeit nur ein Signal übertragen werden. Diese Maschinen arbeiten also im wesentlichen seriell. Das führt zu Begrenzungen in der Rechengeschw., dem sog. von Neumann-Bottleneck, das durch o. C. überwunden werden könnte.
Nach einer euphor. Phase in der ersten Hälfte der 80er Jahre zeigte sich, daß rein o. C. nur schwer zu realisieren sind. Die wesentlichen Gründe dafür sind, daß opt. bistabile Schalter entweder langsam sind od. sehr hohe Lichtintensitäten od. tiefe Temp. benötigen. Weiter reicht das Ausgangssignal eines bistabilen Bauelementes im allg. nicht aus, mehrere Bauelemente in der nächsten Ebene zu schalten (fan out). Derzeit geht die techn. Entwicklung daher zu Hybridbauelementen (*optische Bistabilität), die die Vorteile opt. Datenübertragung u. elektron. Schaltens miteinander verbinden; s. a. optische Informationsspeicherung. – ***E*** optical computer – ***F*** ordinateur optique – ***I*** computer ottico – ***S*** ordenador óptico

Lit.: s. optische Bistabilität, nichtlineare Optik.

Optische Reinheit (übliche engl. Abk.: o.p.). Die o. R. eines Enantiomerengemisches definiert man als seine gemessene spezif. Drehung $[\alpha]$ dividiert durch die spezif. Drehung des reinen Enantiomeren $[\alpha]_{pur}$: O. R. = $[\alpha]/[\alpha]_{pur}$. Ein racem. Gemisch hat hiernach die o. R. 0, ein reines Enantiomeres den Wert 1 (100%). Die o. R. eines Produktgemischs ist dem Zahlenwert nach ident. mit dem bei einer Reaktion erzielten *Enantiomerenüberschuß* (ee = enantiomeric excess; s. enantioselektive Synthese), der oft mit nicht-polarimetr. Meth. bestimmt wird, z.B. durch NMR-Spektroskopie mit chiralen *Verschiebungsreagenzien od. durch *HPLC der diastereomeren, mit einem opt. reinen Reagenz gebildeten Derivat (z.B. *MTPA). – ***E*** optical purity – ***F*** pureté optique – ***I*** purezza ottica – ***S*** pureza óptica

Lit.: s. Optische Aktivität.

Optischer Maser s. Laser.

Optische Rotation s. optische Aktivität.

Optische Rotationsdispersion s. Rotationsdispersion u. MORD.

Optisches Pumpen. Änderung der Besetzung von Energieniveaus durch Lichtabsorption u. Lichtemission; s. Laser u. Photochemie. – ***E*** optical pumping – ***I*** pompaggio ottico – ***S*** bombeo óptico

Lit.: Lerner u. Trigg, Encyclopedia of Physics, S. 866, Weinheim: VCH Verlagsges. 1991.

Optisch nichtlineare Effekte s. nichtlineare Optik.

Optisch parametrischer Oszillator, Verstärker s. parametrische Verstärkung.

OPTLC. Abk. für *E* *o*ver *p*ressure *t*hin *l*ayer *c*hromatography, s. Dünnschichtchromatographie.

Optoelektrische Modulatoren. Unter o. M. versteht man Bauelemente, in denen entweder ein zeitlich veränderlicher, einfallender Lichtstrahl ein entsprechend zeitlich variierendes elektr. Strom- bzw. Spannungssignal hervorruft od. bei denen ein angelegtes elektr. Signal einen Lichtstrahl entsprechend moduliert. Zu der ersten Gruppe von Bauelementen gehören die unter *Photoeffekte dargestellten, insbes. Photoleiter u. Photodioden. In der zweiten Gruppe von Bauelementen sind bes. Pockels- u. Kerr-Zellen zu erwähnen, akustoopt. Modulatoren u. Halbleiterlaser.
Beim Pockels- u. *Kerr-Effekt (vgl. elektrooptische Effekte) ändert sich die Brechzahl eines Krist. od. einer Flüssigkeit durch Anlegen eines elektr. Feldes. Bringt man einen Krist. so orientiert zwischen gekreuzte Polarisatoren, daß er keine Doppelbrechung zeigt, so läßt diese Kombination kein Licht durch. Durch Anlegen einer elektr. Spannung wird das Material doppelbrechend od. es dreht die Polarisationsebene, so daß je nach Länge der Zelle u. elektr. Feldstärke mehr od. weniger Licht durchgelassen wird. Diese Effekte sind sehr schnell u. erlauben eine Lichtmodulation bis in den GHz-Bereich.
Bei den akustoopt. Modulatoren wird über ein Piezoelement eine hochfrequente stehende Ultraschallwelle in einem Krist. erzeugt. Da die opt. Brechzahl in den Knoten u. Bäuchen der stehenden Welle unterschiedlich ist, entsteht ein Brechzahl- od. Phasengitter, an dem ein einfallender (Laser-)Lichtstrahl abgebeugt wird. Der Beugungswinkel hängt von der Licht- u. der Schallwellenlänge ab, die Beugungsintensität von der Amplitude der Ultraschallwelle.
Das opt. Ausgangssignal von Halbleiterlasern u. Lumineszenzdioden (*Halbleiter) läßt sich durch die Stromstärke verändern, die durch den pn-Übergang fließt.
Weiterhin können zur Modulation *flüssige Kristalle herangezogen werden od. nichtlinear opt. (s. nichtlineare Optik) od. opt. bistabile (s. optische Bistabilität) Bauelemente. – ***E*** optoelectronic modulators – ***F*** modulateurs optoélectroniques – ***I*** modulatori optoelettronici – ***S*** moduladores optoelectrónicos

Lit.: Hecht u. Zajac, Optics, Reading MA: Addison-Wesley Publ. Comp. 1987 ▪ Paul, Elektronische Halbleiterbauelemente, Studienskripte 112, Stuttgart: Teubner 1986 ▪ Paul, Optoelektronische Halbleiterbauelemente, Studienskripte 96, Stuttgart: Teubner 1985 ▪ Sze, Physics of Semiconductor Devices, 2. Aufl., New York: Wiley 1981.

Optoelektronik (Elektrooptik). Sammelbegriff für Erscheinungen, bei denen entweder das Anlegen elektr. Felder od. das Fließen von elektr. Strömen die opt. Eigenschaften (d. h. die Spektren der Transmission u. Reflexion, der komplexen Brechzahl, der dielektr. Funktion od. der *Lumineszenz) reversibel verändert od. bei denen das Einstrahlen von Licht die elektr. Eigenschaften ändert, wie z. B. die elektr. Leitfähigkeit. In weiterem Sinne kann man auch analoge Einflüsse magnet. Felder miteinbeziehen (*Magnetooptik*). Typ. Effekte sind z. B. die Änderungen der Brechzahl u. der Absorption durch elektr. Felder (Pockels-, *Stark-, *Kerr- u. Franz-Keldysch-Effekt) u. der innere u. äußere *Photoeffekt. Die Bauelemente der O. basieren oft auf *Halbleitern. Typ. *Beisp.* sind: Photoleiter, Vak.- u. Halbleiter-*Photodioden, *Photomultiplier zum Nachw. von Licht, Lumineszenz- u. Laserdioden sowie Elektrolumineszenz-Bauelemente, Flüssig-Kristallanzeigen (LCD), *Photoelemente u. Solarzellen zur Umwandlung von opt. in elektr. Energie, digitale elektroopt. Speicher u. Schalter (*nichtlineare Optik) für die elektroopt. Datenverarbeitung u. *optoelektrische Modulatoren. – ***E*** optoelectronics – ***F*** opto-électronique – ***I*** optoelettronica – ***S*** optoelectrónica

Lit.: Ebeling, Integrierte Optoelektronik (2.), Heidelberg: Springer 1992 ▪ Fraser, Halbleiterphysik, München: Oldenbourg 1981 ▪ Paul, Elektronische Halbleiterbauelemente (3.), Stuttgart: Teubner 1992 ▪ Paul, Optoelektronische Halbleiterbauelemente (2.), Stuttgart: Teubner 1992 ▪ Sze, Physics of Semiconductor Devices, 2. Aufl., New York: Wiley 1981.

Optogalvanische Spektroskopie. Verf. der *Spektroskopie, bes. der *Laserspektroskopie, mit dem kurzlebige atomare u. mol. Zustände untersucht werden. Meist werden die zu untersuchenden Spezies, z. B. Radikale od. Ionen, in einer *Gasentladung erzeugt, durch die der Strahl eines durchstimmbaren *Lasers (*Farbstofflaser) geleitet wird. Stimmt die Laserlichtfrequenz mit der Anregungsfrequenz eines Übergangs überein, so ändert sich (geringfügig) die elektr. Leitfähigkeit des Gases, was über eine Änderung des Spannungsabfalles an dem Lastwiderstand detektiert wird. Zur Verbesserung des Signal/Rausch-Verhältnisses wird oft ein *Lock-In-Verstärker eingesetzt (*Modulationsspektroskopie). Doppler-freie Spektren werden aufgezeichnet, indem der Laserstrahl in zwei Teilstrahlen aufgespalten wird, die dann antiparallel die Entladungszelle durchlaufen (genannt POLINEX, von *E* *po*larization *in*termodulation *ex*citation). – ***E*** optogalvanic spectroscopy – ***F*** spectroscopie optogalvanique – ***I*** spettroscopia optogalvanica – ***S*** espectroscopia optogalvánica

Lit.: Demtröder, Laserspektroscopy, Berlin: Springer 1996 ▪ Rev. Mod. Phys. **62**, 603 (1990).

Optosil®. Abformmaterial auf der Basis kondensationsvernetzender *Silicone für zahnärztliche Zwecke. ***B.:*** Heraeus Kulzer GmbH.

Opturem® (Rp). Tabl. u. Suppositorien mit *Ibuprofen gegen Rheumatismus u. Schmerzen. ***B.:*** Kade.

Oral (latein.: os = Mund). Adjektiv mit der Bedeutung „zum Munde gehörig, durch den Mund". In der Pharmazie bezeichnet o. die Applikation von Medikamenten in Form von Flüssigkeiten, Dragées, Tabl., Pulvern usw. (s. a. Arzneiformen) durch den Mund (peroral, per os, p.o.). Die o. (od. *enterale) Zufuhr wird wegen ihrer Einfachheit am häufigsten praktiziert. Ist sie unzweckmäßig od. unmöglich, sind *rektale od. *parenterale Applikationsformen anwendbar. – ***E*** = ***F*** = ***S*** oral – ***I*** orale

Oral-B. a) *Zweifarb-Plaque-Indikator*, Kautabl. mit *Erythrosin u. Patentblau V (s. Patentblau-Farbstoffe) zur Anfärbung u. Unterscheidung alter u. neuer mikrobieller Zahnbeläge. – b) *Fluor Gel* mit 48%iger Flußsäure, Natriumfluorid, Phosphorsäure u. Gelborange S zur Kariesprophylaxe u. Desensibilisierung empfindlicher Zahnhälse. ***B.:*** Cooper.

Oralithgrün B [Natrium-Tris(1,2-naphthochinon-1-oximato)ferrat(1–), Pigment Grün B, C. I. Pigment Green 8, C. I. 10006].

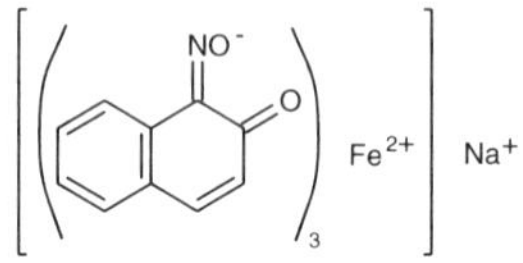

$C_{30}H_{18}FeN_3NaO_6$, M_R 595,32. O. darf zur Herst. kosmet. Mittel verwendet werden, die nur kurze Zeit mit der Haut in Berührung kommen; vgl. a. Naphtholgrün B unter Naphthol-Farbstoffe. – ***E*** pigment green B – ***F*** vert de pigment B – ***I*** verde al pigmento B – ***S*** verde al pigmento B

Lit.: Blaue Liste, S. 176 ▪ Zollinger, Color Chemistry, 2. Aufl., S. 108, Weinheim: Verl. Chemie 1991. – *[CAS 16143-80-9]*

Oralpädon®. Pulver zum Auflösen in Wasser mit Glucose, Kalium-, Natriumchlorid u. Natriumhydrogencitrat gegen Mineralverlust bei Kindern nach Durchfall u. Erbrechen. ***B.:*** Fresenius.

Oral Rehydration Salts s. ORS.

Orange. Bez. für verschiedene orangefarbene synthet. Farbstoffe: *O. I, II* u. *IV* sind die *Tropäoline OOO 1, OOO 2 u. OO; *O. III* ist *Methylorange u. *O. G* ist ein Azofarbstoff aus diazotiertem Anilin u. G-Säure (s. Naphtholsulfonsäuren), der in der Mikroskopie in wäss. od. alkohol. Lsg. als saurer Plasmafarbstoff verwendet wird. Daneben sind eine Reihe von Lebensmittel- bzw. Kosmetikafarbstoffen (L- bzw. C-O.) bekannt, von denen allerdings L-O. 1 (O. GGN) 1977 verboten wurde. – ***E*** = ***F*** orange – ***I*** arancione – ***S*** anaranjado

Orangeat s. Pomeranzen.

Orangeit s. Kimberlit.

Orangemennige (Saturnrot). Aus Bleiweiß gewonnene *Mennige* (s. Bleioxide). – *[HS 2824 20]*

Orangen. Wichtige Vertreter der *Citrusfrüchte, zu denen die O. selbst u. die *Pomeranzen gerechnet werden. 1. *Orange* (Apfelsine, gelegentlich auch als Süß-

orange od. Süßpomeranze bezeichnet), latein.: *Citrus sinensis*, französ.: orange, engl.: sweet orange, italien.: arancio dolce, span.: Naranjo dulce; 2. **Pomeranze* (Bitterorange), latein.: *C. aurantium* ssp. *aurantium*, französ.: bigarade, orange amère, engl.: bitter orange, sour orange, italien.: arancio amara.
Je 100 g genießbare Apfelsinenanteile enthalten durchschnittlich 85,7 g Wasser, 1,0 g Eiweiß, 0,26 g Fett, 9,50 g Kohlenhydrate, 0,53 g Rohfaser, 0,5 g Mineralstoffe, 3 mg Na, 170 mg K, 44 mg Ca, 0,14 mg Carotin, 50 mg C-Vitamin, 1,28 g Citronensäure; der Nährwert liegt bei 210 kJ (50 kcal). Der typ. O.-Geruch u. -Geschmack wird vornehmlich durch *α*- u. *β*-*Sinensal bedingt, die Bitterkeit hängt ggf. mit dem *Limonin-Gehalt zusammen. Die Schalen von O. enthalten 3,5–5,5% Pektine sowie Hesperidin (s. Hesperetin) u. *α*-*Tocopherol, das ein natürliches Antioxidans ist. Die O. werden frisch gegessen, zu *Orangensaft u. *Marmelade (aus Pomeranzen!) verarbeitet; aus den Zweigspitzen, Blättern, Blüten u. Schalen gewinnt man ether. Öle. Die sog. *Osage-O.* sind keine Orangen sondern Moraceae, s. Morin. – ***E*** = ***F*** oranges – ***I*** arance – ***S*** naranjas

Lit.: Franke, Nutzpflanzenkunde, 6. Aufl., S. 290f., Stuttgart: Thieme 1997 ▪ s.a. Citrusfrüchte, Obst u. die hier folgenden Stichwörter. – *[HS 0805 10]*

Orangenblüten(-Absolue, -Öl). Beide Produkte werden aus frisch gepflückten Blüten des Bitterorangenbaumes (Pomeranze), *Citrus aurantium* ssp. *aurantium* [s.a. Orangenöle (bitteres)] gewonnen. Herkunft: Südfrankreich, Spanien, Marokko, Tunesien.
1. ***Orangenblütenabsolue:*** Rotbraune bis dunkelbraune Flüssigkeit. Intensiver schwerer, warmer Blütenduft mit bitteren u. herbwürzigen Akzenten; Geschmack: bitter-aromatisch.
Herst.: Extraktion mit geeigneten Lsm. (meist Hexan) gibt das Concret (Ausbeute 0,2%), dessen Extraktion mit Ethanol das Absolue (Gesamtausbeute ca. 0,1%).
Zusammensetzung[1]***:*** Die Hauptbestandteile u. wichtigsten Geruchsträger sind *Linalool (ca. 50%), Linalylacetat (ca. 20%, s. Linalool), *Nerolidol (4–8%), *Farnesol (7–12%), *Indol (2–5%) u. Methylanthranilat (s. Aminobenzoesäureester) (2–5%).
Verw.: Wegen der mühsamen Art der Gewinnung gehört O.-Absolue zu den kostbarsten Parfümerierohstoffen. Es wird daher nur in kleinsten Mengen in wertvollen Eaux de Toilette u. blumigen Parfüms eingesetzt.
2. ***Orangenblütenöl*** (Neroliöl): Gelbliche Flüssigkeit mit schwacher blauer Fluoreszenz; süßer terpenig-würziger, leicht bitterer Blütenduft. Geschmack: bitter-aromatisch. Herst. durch Wasserdampfdestillation.
Zusammensetzung[1]***:*** Im Vgl. zum Absolue enthält das dest. Öl wesentlich mehr Monoterpenkohlenwasserstoffe wie *β*-*Pinen (7–15%), *Limonen (11–13%) u. andere. Hauptbestandteil ist Linalool (30–40%). Die übrige Zusammensetzung ähnelt qual. der des Absolues.
Verw.: Essentieller Bestandteil der klass. Eaux de Toilette („Kölnisch Wasser"), wegen seiner Kostbarkeit jedoch nur in kleinsten Mengen verwendet. Das bei der Dest. von O.-Öl als Nebenprodukt anfallende Destillationswasser („O.-Wasser") ist ebenfalls ein populäres Aromatisierungsmittel. Die Extraktion mit Hexan ergibt das sog. *Orangenwasser-Absolue* (orange flower water absolute, absolue de l'eau de fleurs d'oranger), das hauptsächlich zum Aromatisieren von Lebensmitteln, z.B. Likören, verwendet wird. – ***E*** 1. orange flower absolute, 2. neroli oil – ***F*** absolu de fleurs d'oranger – ***I*** 1. estratto assoluto di zagara, 2. essenza di neroli – ***S*** 1. esencia absoluta de azahar, 2. esencia de azahar

Lit.: [1] Perfum. Flavor. **16** (6), 1 (1991); Chromatographia **39**, 529 (1994).
allg.: Bauer, Garbe u. Surburg, Common Fragrance and Flavor Materials, 2. Aufl., S. 166, Weinheim: VCH Verlagsges. 1990 ▪ Gildemeister **5**, 608. – *Toxikologie:* Food Cosmet. Toxicol. **14**, 813 (1976); **20**, 785 (1982). – *[HS 3301 29; CAS 8030-28-2 (1.); 8016-38-4 (2.)]*

Orangenblütenwasser. Duftendes Destillationswasser, das sich bei der Gewinnung des Neroliöls durch Wasserdampfdest. abscheidet. O. findet Verw. zur Parfümierung von Cremes, Emulsionen, Gesichtswässern u. dgl. u. zur Likörbereitung. – ***E*** orange flower water – ***F*** eau de fleur d'orange(r) – ***I*** acqua di zagara – ***S*** agua de azahar

Lit.: Gildemeister **1**, 479; **5**, 618f. ▪ Ullmann (4.) **20**, 257; (5.) **A 11**, 234f.

Orangenhaut s. Haut.

Orangenöle. In der Parfüm- u. Aromen-Ind. werden zwei unterschiedliche Arten von O. verwendet.
1. ***Süßes Orangenöl:*** Gelbes bis rötlich-gelbes Öl mit einem hellen, frisch-fruchtigen, süßen Geruch nach frisch geriebenen Orangenschalen u. einem ebensolchen Geschmack.
Herst.: Durch mechan. Verf. („Pressen", *Citrusöle) aus den Schalen der süßen Orange, *Citrus sinensis*; Herkunft: Brasilien, USA (Kalifornien, Florida), Israel, Italien, Spanien. O. ist meist ein bei der Herst. von *Orangensaft anfallendes Nebenprodukt. Mit einer Weltjahresproduktion von ca. 20000 t ist O. nach Terpentinöl das mengenmäßig bedeutendste ether. Öl.
Zusammensetzung: Hauptinhaltsstoff ist (+)-*Limonen (meist >90%). Die organolept. Eigenschaften werden wesentlich von Komponenten wie *Octanal, *Decanal, *Citral (alle <0,5%), *α*- u. *β*-*Sinensal sowie *Nootkaton (alle <0,05%) bestimmt.
Verw.: Zur Parfümherst., zur Aromatisierung von Erfrischungsgetränken u. Backwaren, wofür meist konzentrierte O. (Citrusöle) mit einem geringeren Gehalt an Terpenkohlenwasserstoffen eingesetzt werden; zur Gewinnung von reinem (+)-Limonen.
2. ***Bitteres Orangenöl:*** Gelbes bis gelb-braunes Öl mit einem Geruch, der weniger aldehyd., aber herber, blumig-frischer ist als der des süßen Öls.
Herst.: Durch mechan. Verf. („Pressen", Citrusöle) aus der Schale der Bitterorange, *Citrus aurantium* ssp. *aurantium*. Herkunft z.B. Italien, Spanien. Die hergestellten Mengen sind im Vgl. zu süßem O. gering.
Zusammensetzung: Die Zusammensetzung ist der des süßen O. sehr ähnlich; Hauptbestandteil ist ebenfalls (+)-Limonen (>90%).
Verw.: Zur Parfümherst., z.B. für Eaux de Cologne u. frische Eaux de Toilette. Wegen eines geringen Gehaltes an *Furocumarinen, die phototox. Reaktionen

auslösen können, wird das bittere O. in Parfümölen aber nur in begrenzten Mengen eingesetzt. Zum Aromatisieren v. a. von Likören, aber auch von Süß- u. Backwaren. – ***E*** orange oils – ***F*** extrait d'écorce d'orange – ***I*** essenze d'arancia – ***S*** esencias de naranja

Lit.: Bauer, Garbe u. Surburg, Common Fragrance and Flavor Materials, 2. Aufl., S. 149: Weinheim: VCH Verlagsges. 1990 ▪ Flavour Fragr. J. **9**, 105 (1994); **10**, 33 (1995) ▪ Gildemeister **5**, 530 ▪ ISO 3140 (1990); 9844 (1991). – *Toxikologie:* Food. Cosmet. Toxicol. **12**, 733, 735 (1974). – *[HS 3301 12]*

Orangensaft (Apfelsinensaft). Nach § 1 der Fruchtsaft-VO[1] ein trüber, aus 100% Saft bestehender *Fruchtsaft, der nur aus dem Endokarp (inneres saftiges Fruchtfleisch) frischer *Orangen durch mechan. Verf. gewonnen wird. Zur Beurteilung u. Kennzeichnung von O. können neben der Fruchtsaft-VO[1] die Leitsätze für Fruchtsäfte[2] herangezogen werden. Nach Anlage II. A der Leitsätze sollte O. folgende Mindestwerte erreichen:

- relative Dichte 1,045 = 45 Oe°
- Gesamtsäure 8 g/L
- *Ascorbinsäure 200 mg/L.

Eine chem. *Konservierung von O. ist durch den Passus „gärfähig, aber nicht gegoren" in § 1 der Fruchtsaft-VO[1] ausgeschlossen. Der Zusatz von Zucker zum Zwecke der Süßung ist nicht zulässig.

Herst.: Der größte Teil des in der BRD auf dem Markt befindlichen O. wird aus O.-Konzentrat (s. Fruchtsäfte) durch Rückverdünnen mit entmineralisiertem Wasser hergestellt. Dazu wird der frisch gepreßte Saft unter Abtrennung des Aromas u. des *Orangenöls meist noch im Ursprungsland (z. B. Brasilien, Israel) durch Verdampfen des Wassers aufkonzentriert u. nach Europa verschifft. Hier erfolgt vor der Abfüllung (z. T. schon kalt, asept.)[3] eine Rückverdünnung auf Trinkstärke mit entsprechender Dosierung des Aromas u. Öls. Zur Haltbarmachung wird O. pasteurisiert, so daß Lagerzeiten von einem Jahr erreicht werden. Derart hergestellte Produkte müssen nach § 4 Absatz 4 Nr. 1 der Fruchtsaft-VO[1] mit dem Hinweis „aus . . .konzentrat" versehen sein. Neuerdings sind auch nicht aus Konzentrat hergestellte, unpasteurisierte, kühl zu lagernde, frisch gepreßte Säfte im Handel (Haltbarkeit ca. 2 Wochen)[4]. Das Entbittern von O. kann entweder enzymat. mit Naringinase[5] od. durch Adsorption des Bitterstoffs *Limonin an polymere Adsorbentien[6] (z. B. an Polymere gebundenes β-*Cyclodextrin) erfolgen.

Zusammensetzung: Um die Authentizität von O. beurteilen zu können sind detaillierte Kenntnisse über die Zusammensetzung notwendig[7,8]. Als Aromastoffe des O. sind v. a. *Linalool, 1-*Octanol, *Decanal, *Limonen, *Valencen, *Myrcen u. α-*Terpineol beschrieben[9]; vgl. a. *Lit.*[10]. Veränderungen während der Lagerung von O. beschreibt *Lit.*[11]. An der Entstehung von Aromafehlern sind neben der Oxid. des Limonens zum *Carvon u. Carveol (Terpen-Note) wahrscheinlich auch Fettsäuren[12] u. aromat. Carbonsäuren[13] (z. B. Ferulasäure, s. Kaffeesäure) beteiligt. Als Farbstoffe sind v. a. *Carotinoide (*Phytoen, Luteoxanthin, Auroxanthin)[14] u. *Flavonoide identifiziert worden. An Farbveränderungen während der Lagerung sind Umlagerungsreaktionen von Epoxycarotinoiden beteiligt[14]. Zur Analytik s. Fruchtsäfte u. *Lit.*[15–22]. Über den Nachw. mutagener Substanzen in erhitztem O. (92 °C, 2 min) berichtet *Lit.*[23]. – ***E*** orange juice – ***F*** jus d'orange – ***I*** succo d'arancia – ***S*** jugo de naranja, zumo de naranja

Lit.: [1] VO über Fruchtsaft, konz. Fruchtsaft u. getrockneten Fruchtsaft (Fruchtsaft-VO) vom 17.02.1982 in der Fassung vom 11.07.1990 (BGBl. I, S. 1400). [2] Leitsätze für Fruchtsäfte in der Fassung vom 09.12.1982. Abgedruckt in: Textsammlung Lebensmittelrecht, Anhang 2/31, München: Becksche Verlagsbuchhandlung, Stand 01.05.1990. [3] J. Agric. Food Chem. **34**, 402–405 (1986). [4] Flüss. Obst **57**, 112 ff. (1990). [5] Ullmann (5.) **A 11**, 578. [6] J. Agric. Food Chem. **38**, 1396–1400 (1990). [7] Verband der Dtsch. Fruchtsaftind. (Hrsg.), Richtwerte u. Schwankungsbreiten bestimmter Kennzahlen für Fruchtsäfte (RSK-Werte), S. 43–51, Bonn: Verl. Flüssiges Obst 1987. [8] Bundesgesundheitsblatt **31**, 398 (1988). [9] J. Agric. Food Chem. **38**, 1048–1052 (1990). [10] Dtsch. Lebensm. Rundsch. **83**, 180 ff. (1987). [11] Dtsch. Lebensm. Rundsch. **83**, 307–314 (1987). [12] J. Assoc. Off. Anal. Chem. **69**, 551–556 (1986). [13] J. Food Sci. **53**, 500–503 (1988). [14] Belitz-Grosch (4.), S. 223. [15] GIT Fachz. Lab. **34**, 306–312 (1990). [16] Labor Praxis **14**, 51–58 (1990). [17] Labor Praxis **13**, 874–880 (1989). [18] Z. Lebensm. Unters. Forsch. **189**, 212–215 (1989). [19] *Methode nach § 35 LMBG 31.00–9. [20] Flüss. Obst **44**, 241–245 (1977). [21] J. Assoc. Off. Anal. Chem. **71**, 798–802 (1988). [22] J. Assoc. Off. Anal. Chem. **68**, 1202–1206 (1985). [23] Food Chem. **36**, 11–18 (1990).

allg.: Ullmann (4.) **12**, 243 ▪ Zipfel, C 331, C 331. – *[HS 2009 11, 2009 19]*

Orangenwasser-Absolue s. Orangenblüten(-Absolue, -Öl).

Orange Pekoe s. Tee.

Orangequats s. Citrusfrüchte.

Orangit s. Thorit.

Orazamid (Rp).

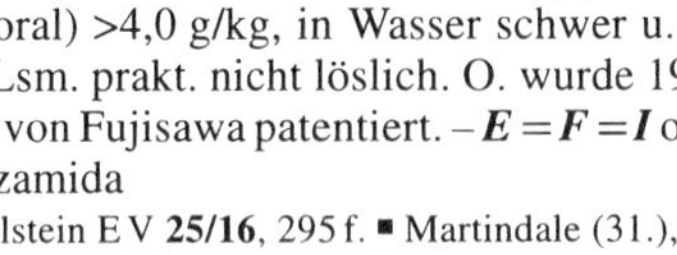

Internat. Freiname für das als Lebertherapeutikum wirksame 5-Amino-1*H*-imidazol-4-carboxamid-orotat, $C_9H_{10}N_6O_5$, M_R 282,21. Verwendet wird das Dihydrat, Schmp. ~280 °C unter Zers.; LD_{50} (Maus i.p.) 0,6, (Maus oral) >4,0 g/kg, in Wasser schwer u. in vielen organ. Lsm. prakt. nicht löslich. O. wurde 1964, 1965 u. 1966 von Fujisawa patentiert. – ***E*** = ***F*** = ***I*** orazamide – ***S*** orazamida

Lit.: Beilstein E V **25/16**, 295 f. ▪ Martindale (31.), S. 1735. – *[HS 2933 59; CAS 2574-78-9]*

Orbencarb. Common name für *S*-(2-Chlorbenzyl)-diethylthiocarbamat.

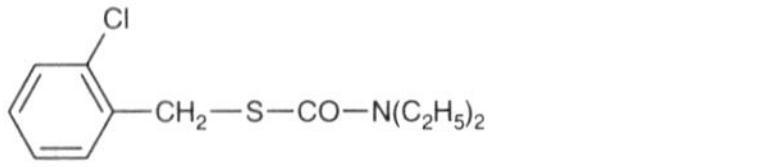

$C_{12}H_{16}ClNOS$, M_R 257,77, gelbliche Flüssigkeit, Sdp. 158 °C (133 Pa), LD_{50} (Ratte oral) 1420 mg/kg, von Kumiai entwickeltes *Herbizid gegen Unkräuter u. Ungräser im Getreide-, Mais-, Soja- u. Baumwollanbau. – ***E*** = ***F*** = ***I*** = ***S*** orbencarb

Lit.: Pesticide Manual. – *[CAS 34622-58-7]*

Orbitale (von latein.: orbis = Umkreis, Umlauf). Wellenmechan. Äquivalent der Bohr-Sommerfeldschen

Elektronenbahnen (s. Atommodelle); aufgrund der Heisenbergschen *Unschärfebeziehung muß der Bahnbegriff in atomaren Dimensionen aufgegeben werden. O. sind *Einelektronenfunktionen*, d.h. Funktionen ψ, die von 3 räumlichen Koordinaten (z.B. den kartes. Koordinaten x, y u. z) abhängen. ψ kann eine komplexe od. reelle Funktion sein; ihr Betragsquadrat $|\psi|^2 = \psi^* \psi$ läßt sich nach *Born als Aufenthaltswahrscheinlichkeitsdichte interpretieren. Man unterscheidet zwischen Atomorbitalen u. Molekülorbitalen; Näheres s. dort, s.a. Atombau, chemische Bindung, Hybridisierung (Hybridorbitale). – ***E*** orbitals – ***F = S*** orbitales – ***I*** orbitali

Lit.: s. Atombau, chemische Bindung, MO-Theorie u. Quantenchemie.

Orbitalenergie. Begriff aus der *Quantenchemie. Die O. entspricht der Energie eines Einelektronenzustandes. Ihre Berechnung bei Mol. erfolgt im allg. mit Hilfe der *MO-Theorie; s.a. Koopmans-Theorem u. Periodensystem. – ***E*** orbital energy – ***F*** énergie orbitale – ***I*** energia orbitale – ***S*** energía orbital

Orbitalsymmetrie s. Woodward-Hoffmann-Regeln.

Orcein.

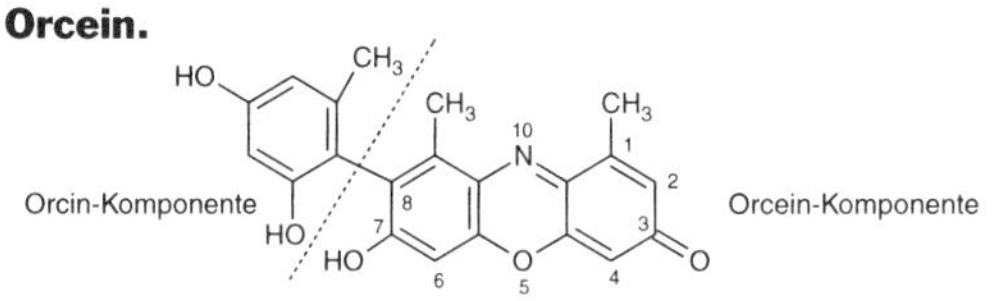

Farbgebendes Prinzip verschiedener *Flechten-Farbstoffe, die in den vergangenen Jh. unter Bez. wie Orseille, Archil, Cudbear, Persio, Pourpre Française, Tournesol etc. aus fast farblosen *Roccella-*, *Lecanora-* u. *Variola-*Flechten durch Behandeln mit Harn od. Ammoniak u. Luft gewonnen u. im Mittelalter neben *Alizarin u. *Indigo zum Färben von Seide u. Wolle verwendet wurden. Die nicht lichtechten Färbungen sind heute außer Gebrauch. Das aus Orseille od. *Orcinol herstellbare O. ist ein braunrotes, mikrokrist. Pulver, das in Wasser, Benzol, Chloroform, Ether prakt. unlösl., in Alkohol, Aceton od. Eisessig mit roter Farbe u. in verd. Alkali-Lsg. mit blauvioletter Farbe unlösl. ist. Chromatograph. lassen sich mind. 14 Komponenten isolieren, die sich von *Phenoxazon (*3H-Phenoxazin-3-on*, s. Abb.) durch Substitution in 8-Stellung durch einen Orcinol-Rest, in 2-Stellung ggf. durch einen zweiten solchen Rest, in 7-Stellung durch OH od. NH_2 u. in 3-Stellung durch NH (statt O) ableiten. Einige der O.-Komponenten ließen sich durch oxidative Phenol-Kupplung aus Orcinol in Ggw. von Ammoniak synthetisieren. Die Hauptkomponenten sind in neutraler Lsg. rotviolett, in saurer rot u. in alkal. tiefviolett, zeigen also ähnliche *Indikator-Eigenschaften wie die verwandten Farbstoffe aus *Lackmus. Als Lebensmittelfarbstoff ist O. seit dem 1. 1. 1977 nicht mehr zugelassen.

Verw.: Hauptsächlich für die Mikroskopie zur Färbung elast. Fasern, saurer Mucine, Knorpel etc. Die Bez. O., Orcin u. Orseille sollen sich über Orcela vom Namen der Florentiner Kaufmannsfamilie Rocela herleiten, die im 14. Jh. ein Monopol über die Flechtenfärberei besaß. – ***E*** orcein – ***F*** orcéine – ***I*** orceina – ***S*** orceína

Lit.: Beilstein E III/IV **27**, 2318, 2328, 5546 ff.; E V **27/14**, 514, **27/20**, 535 f., 540 f. ▪ Chem. Ber. **96**, 1936–1944 (1963) ▪ Endeavour **33**, 149–155 (1974) ▪ Merck-Index (12.), Nr. 6994 ▪ Zechmeister **45**, 103–234. – *[CAS 1400-62-0]*

Orchin, Milton (geb. 1914), Prof. (emeritiert) für Chemie, Univ. Cincinnati (Ohio), USA. *Arbeitsgebiete:* Mol.-Eigenschaften, Spektroskopie, *MO-Theorie, Quantenchemie, Chargetransfer-Komplexe, Katalyse durch Übergangsmetall-Komplexe, Hydroformylierung u. verwandte Reaktionen, Reaktionen u. Eigenschaften von Übergangsmetall-Carbonylen.

Orcin s. Orcinol.

Orcinol (Orcin, 5-Methylresorcin, 3,5-Dihydroxytoluol).

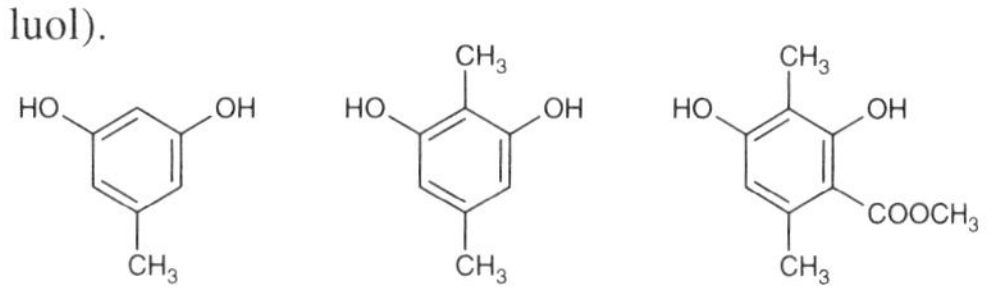

Orcinol (**1**) β-Orcinol (**2**) β-Orcincarbonsäure-methylester (**3**)

$C_7H_8O_2$, M_R 124,13, Krist., die sich an der Luft rötlich verfärben, von süßlichem, jedoch unangenehmem Geschmack, Schmp. 58 °C (Hydrat), 107 °C (wasserfrei), Sdp. 290 °C [147 °C (0,66 kPa)], lösl. in Wasser, Alkohol, Ether. Das Tetraketid O. kommt in Flechten (*Evernia-*Arten, z.B. *E. prunastri*, Eichenmoos, *E. furfuracea*), Niederen Pilzen (*Aspergillus fumigatus*) u. als Bestandteil von *Flechten-Farbstoffen (*Lackmus, Orseille, vgl. Orcein) natürlich vor. Neben O. kommen in den Flechten auch *β-O.* (2,5-Dimethylresorcin, $C_8H_{10}O_2$, M_R 138,17) sowie deren Monomethylether u. *β-Orcincarbonsäuremethylester* (2,4-Dihydroxy-3,6-dimethylbenzoesäuremethylester, Evernyl, $C_{10}H_{12}O_4$, M_R 196,20) vor, der synthet. aus *β*-O. gewonnen wird (Kolbe-Schmitt-Synth.) u. als Ersatz für Eichenmoos-Extrakt in der Parfüm-Ind. verwendet wird. O. selbst wird als Reagenz auf Pentosen (s. Bials Reagenz), Lignin, Saccharose, Arabinose, Diastase genutzt. – ***E = F = S*** orcinol – ***I*** orcinolo

Lit.: Beilstein E IV **6**, 5892 f., 5970 ▪ J. Chem. Soc., Perkin Trans. 1 **1988**, 755 ▪ Karrer, Nr. 198 ▪ Nuhn (2.), Chemie der Naturstoffe, S. 187, Berlin: Akademie-Verl. 1990 ▪ Turner **1**, 92; **2**, 59, 196 ▪ Ullmann (5.) **A 11**, 202, 235. – *[HS 2907 29; CAS 504-15-4 (1); 488-87-9 (2); 4707-47-5 (3)]*

Orciprenalin (Rp).

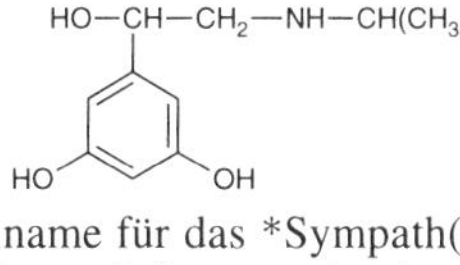

Internat. Freiname für das *Sympath(ik)omimetikum (±)-5-[1-Hydroxy-2-(isopropylamino)ethyl]resorcin, $C_{11}H_{17}NO_3$, M_R 211,26, Schmp. 100 °C. Verwendet wird meist das Sulfat, Schmp. 202–203 °C; λ_{max} (CH_3OH) 277 nm ($A^{1\%}_{1cm}$ 75); LD_{50} (Ratte oral) 42 mg/kg. O. wurde 1961 u. 1967 von Boehringer Ingelheim (Alupent®) patentiert. – ***E*** orciprenaline – ***F*** orciprénaline – ***I = S*** orciprenalina

Lit.: ASP ▪ Hager (5.) **8**, 1236 f. ▪ Martindale (31.), S. 1584 ▪ Ph. Eur. **1997** u. Komm. – *[HS 2922 50; CAS 586-06-1 (O.); 5874-97-5 (Sulfat)]*

Ord. Kurzz. für Orotidin, s. Nucleoside, Orotsäure.

ORD s. Rotationsdispersion.

Ording, Burchard (geb. 1936), Dr. rer. nat., Physiker. Seit 1972 Geschäftsführer des Fonds der Chem. Industrie. Seit 1987 zugleich auch stellvertretender Hauptgeschäftsführer des VCI.

Ordnungswidrigkeit. Vorsätzliche u. fahrlässige Verstöße gegen Unfallverhütungsvorschriften sind O., die Tatbestände dafür sind in den *Unfallverhütungsvorschriften einzeln angegeben. Von den Unfallversicherungsträgern können bei solchen Verstößen gegen von ihnen erlassene Unfallverhütungsvorschriften Bußgelder verhängt werden. Über Einsprüche haben die ordentlichen Gerichte zu befinden. Auch die staatlichen Ämter für Arbeitsschutz können Straf- u. Übertretungstatbestände staatlicher Arbeitsschutzbestimmungen weitgehend als O. behandeln. – ***E*** violation of regulations – ***I*** infrazione – ***S*** adversidades del orden

Lit.: Gesetz über Betriebsärzte, Sicherheitsingenieure u. andere Fachkräfte für Arbeitssicherheit (Arbeitssicherheitsgesetz) vom 12.12.1973 (BGBl. I, S. 1885) zuletzt geändert durch das Gesetz zur Umsetzung der EG-Rahmenrichtlinie Arbeitsschutz u. weiterer Arbeitsschutz-Richtlinien vom 07.08.1996 (BGBl. I, S. 1246).

Ordnungszahl (Symbol Z, auch OZ). Die auch *Atomnummer* od. *Protonenzahl*, meist aber *Kernladungszahl* genannte O. eines chem. Elementes gibt sowohl die Anzahl der *Protonen in seinem Atomkern, d.h. seine (pos.) Kernladung in Elementarladungseinheiten, als auch die Anzahl der Elektronen in der Elektronenhülle des ungeladenen Atoms an u. legt damit den Platz des betreffenden Elementes im *Periodensystem fest. Sie wird dem Elementsymbol als Subskript vorangestellt u. steht damit unter der *Massenzahl. *Beisp.:* $^{12}_{6}C$, d.h. das am häufigsten vorkommende Kohlenstoff-*Isotop hat die O. 6 u. die Massenzahl 12, enthält also 12–6=6 Neutronen; s.a. Moseleysches Gesetz u. Periodensystem. – ***E*** atomic number – ***F*** numéro atomique – ***I*** numero atomico – ***S*** número atómico

Ordovizium s. Erdzeitalter.

Oregano s. Origanum.

Orellanin.

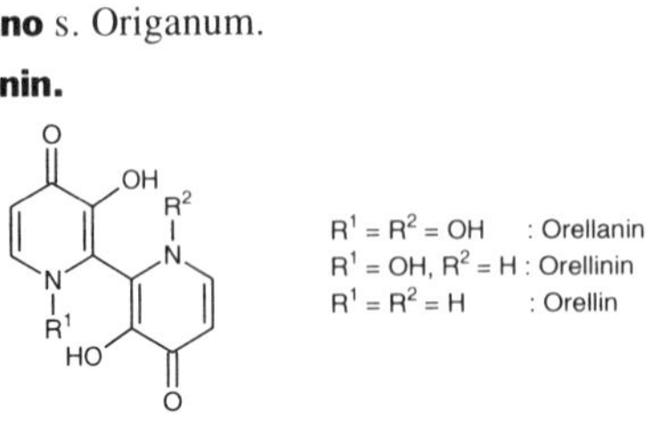

Tab.: Daten zu Orellanin u. der Mono- bzw. Didesoxy-Verbindung.

	Summenformel	M_R	CAS
Orellanin	$C_{10}H_8N_2O_6$	252,18	37338-80-0
Orellinin	$C_{10}H_8N_2O_5$	236,18	98726-96-6
Orellin	$C_{10}H_8N_2O_4$	220,18	72016-31-0

Krist., Zers. >150 °C, bei 267 °C explosionsartig unter O_2-Entwicklung, sehr giftiges *Pyridin-Alkaloid aus dem Orangefuchsigen Hautkopf od. Schleierling (*Cortinarius orellanus*), der im herbstlichen Laub- u. Mischwald Mitteleuropas vorkommt u. dem nordamerikan. *C. raineriensis* (Basidiomycetes). Wegen seines Gehalts an O. war der Pilz Ursache zahlreicher, teilw. tödlich verlaufener Vergiftungen. Die tödliche Giftmenge ist in 50–100 g Frischpilzen enthalten. O. ist ein starkes Nierengift [LD_{50} (Katze, Meerschweinchen, Maus p.o.) 3–5 mg/kg] mit langer Latenzzeit, je nach Schwere der Vergiftung 2–17 d[1]. O. ist zu ca. 3% (bezogen auf das Trockengew.) im Pilz erhalten[2]. Durch photochem. od. therm. Reaktionen werden aus O. die Mono- u. Didesoxy-Verb., die ebenfalls im Pilz vorkommenden *Orellinin* u. *Orellin*, gebildet[3]. – ***E*** = ***F*** orellanine – ***I*** = ***S*** orellanina

Lit.: [1] R. D. K. (3.), S. 716f., 940; Best u. Bresinsky, Giftpilze, S. 98–100, Stuttgart: Wissenschaftliche Verlagsges. 1985. [2] Mycopathologia **74**, 65 (1981); **108**, 155–161 (1989). [3] Experientia **41**, 769ff. (1985); **43**, 462 (1987); Tetrahedron **49**, 8373 (1993).

allg.: Beilstein E V **24/9**, 428 ▪ Helv. Chim. Acta **71**, 957 (1988) ▪ Turner **2**, 318f. – *Analytik:* J. Chromatogr. **478**, 231–237 (1989). – *Synth.:* Justus Liebigs Ann. Chem. **1987**, 857–861 ▪ Tetrahedron **42**, 1475–1485 (1986) ▪ Tetrahedron Lett. **26**, 4903–4906 (1985). – *Toxikologie:* Agents Actions **21**, 203–208 (1987) ▪ Arch. Toxicol. **62**, 81–88, 89–96, 242–245 (1988) ▪ Toxicon **25**, 195–199, 350–354 (1987). – *[HS 2939 90]*

Orelox® (Rp). Filmtabl. mit dem *Antibiotikum *Cefpodoxim-Proxetil (ein *Cephalosporin) gegen Hals- u. Ohren-, sowie Harnwegsinfektionen. ***B.:*** HMR.

Oreodin s. Rhoeadin-Alkaloide.

Orevac®. Modifizierte *Polyolefine, die insbes. als Haftvermittler für die Coextrusion eingesetzt werden. ***B.:*** Elf Atochem.

Orexigene. Von griech.: órexis = Streben, Begierde, Appetit u. *...gen abgeleitete wenig gebräuchliche Bez. für ggf. durch Stimulierung des *Hunger-Zentrums die Eßlust fördernde *Serotonin-Antagonisten u. *Antihistaminika wie z.B. *Cyproheptadin, *Pizotifen u. *Buclizin. Pflanzliche *Bitterstoffe wirken als *Stomachika in gleicher Richtung. *Neuropeptid Y wird auch als O. bezeichnet. Die gegensätzlich wirkenden Eßlusthemmer (*Appetitzügler) heißen entsprechend *Anorexigene* od. – gebräuchlicher – Anorektika. – ***E*** orexigens – ***F*** orexigènes – ***I*** oressigeni – ***S*** orexígenos

Lit.: Silverstone, Drugs and Appetite, New York: Academic Press 1982.

ORF. Abk. von engl. open reading frame, s. offener Leseraster.

Orfiril® (Rp). Ampullen, Dragées u. Saft mit *Valproinsäure-Natriumsalz gegen Epilepsie u. Fieberkrämpfe. ***B.:*** Desitin.

Orgalloy®. Hochleistungsthermoplast-Leg. auf *Polyamid (PA)-Basis. Sie zeichnen sich aus durch niedrige Dichte, leichte Verarbeitbarkeit, niedrige Feuchtigkeitsaufnahme, gute thermomechan. Eigenschaften, gute Schlagfestigkeit. ***B.:*** Elf Atochem.

Orgametril® (Rp). Tabl. mit *Lynestrenol gegen Endometriose (Ausbildung von Gebärmutterschleimhaut außerhalb des Uterus) u. Endometrium-Carcinom. ***B.:*** Organon.

Orgamide®. Marke der ATO Elf Atochem für *Polyamid 6.

Organellen s. Zellen.

Organextrakte s. Organotherapie.

Organfette s. Lipide.

Organic Reactions [Abk.: Org. React. (N. Y.)]. Seit 1942 im Verl. Wiley, New York, erscheinende Buchreihe, die in Übersichtsartikeln spezielle organ.-chem. Reaktionen u. Verb.-Klassen ausführlich abhandelt; 49 Bd. (Stand: 1997).

Organic Syntheses (Abk.: Org. Synth.). Seit 1921 im Verl. Wiley, New York, erscheinende Buchreihe, die ausgewählte u. geprüfte Labor-Meth. zur Herst. wichtiger organ. Verb. referiert; 73 Bd. (Stand: 1997). Die Bd. 1–69 wurden in 8 Sammelbänden vereinigt (Collective Volumes I–VIII); Gesamtregister: Bd. 1–49; Reaktionsindex: Bd. 1–68.

Organisationsverschulden. Treten Schäden infolge der Nichterfüllung od. der nicht ordnungsgemäßen Erfüllung der den Unternehmer treffenden Pflichten auf, kann der Vorwurf eines O. erhoben werden. Dieser Vorwurf kann zurückgewiesen werden, wenn die nach BGB § 31, 823 u. 831 resultierenden Pflichten erfüllt sind, z. B. sorgfältige Auswahl geeigneten Personals, ordnungsgemäße u. lückenlose Übertragung von Zuständigkeiten auf das Personal, fortlaufende Anleitung u. Überwachung des Personals. Die strafrechtlichen Ermittlungen beginnen zwar beim beteiligten Mitarbeiter, aber auch die Vorgesetztenkette wird hinsichtlich oben genannter Kriterien geprüft.

Lit.: Staub – Reinhalt. Luft **55**, 351 (1995).

Organisch-anorganische Hybridpolymere s. Metallorganische Polymere.

Organische Chemie. Als umfangreichstes Teilgebiet der *Chemie umfaßt die o. C. alle Verb. des *Kohlenstoffs mit Ausnahme der Wasserstoff-freien Chalkogenide (z. B. CO, CO_2, CS_2) u. ihrer Derivate (z. B. H_2CO_3, KSCN), der salzartigen u. metall. *Carbide sowie der *Metallcarbonyle. Zur *anorganischen Chemie rechnet man neben diesen außerdem alle Kohlenstoff-freien Verb. u. die chem. Elemente einschließlich Kohlenstoff (Grenzfall: *Fullerene). Etwa 90% der *organ. Verb.* bestehen aus C, H u. O in wechselnden Mengenverhältnissen; Verb., die nur aus C u. H bestehen, heißen *Kohlenwasserstoffe. Zahlreiche organ. Verb. enthalten auch noch N, während S, P u. die Halogene wesentlich seltener anzutreffen sind, doch kann grundsätzlich jedes Element in organ. Verb. eingebaut werden – beispielsweise weist das Gebiet der *Metallorganischen Chemie eine hohe Zuwachsrate auf. Die Vielfalt u. Vielzahl der organ. Verb. ist auf die bes. Fähigkeit der Kohlenstoff-Atome zurückzuführen, untereinander Ketten u./od. Ringe zu bilden; die übrigen Elemente sind hierzu u. auch zur *Isomerie nicht od. nur in bescheidenem Umfang befähigt (z. B. Bor, Silicium). Die Mannigfaltigkeit der organ. Verb. wird auch durch die *Tetraeder-Struktur des C-Atoms bedingt, die es zum idealen Baustein für komplizierte räumliche Gebilde macht (s. Stereochemie).
Bei der systemat. Einteilung der C,H-Grundkörper der organ. Verb. unterscheidet man zwischen solchen mit kettenförmiger u. solchen mit ringförmiger Anordnung (s. die Ausführungen bei Kohlenwasserstoffe). Eine weitere Unterteilung ergibt sich dadurch, daß auch Heteroelemente in reinen C,H-Strukturen eingebaut werden können, wie z. B. bei den *heterocyclischen Verbindungen. Zu weiteren Einteilungsprinzipien, v. a. durch die IUPAC sanktionierten, die auch die zahllosen *Naturstoffe erfassen wollen, s. bei Nomenklatur. Makromol. Kohlenstoff-Verb. (Eiweißstoffe, Nucleinsäuren, Polysaccharide u. a. *Biopolymere* sowie synthet. Polymere) sind natürlich auch organ. Verb. u. lassen sich jeweils in dieser Systematik unterbringen. Wegen der durch ihren makromol. Charakter bedingten Sonderstellung werden sie heute meist in Lehrbüchern u. Monographien (teilw. zusammen mit den anorgan. Polymeren) als *makromolekulare Stoffe behandelt. Im Jahre 1865 kannte man etwa 3000–4000 organ. Verb., 1880 waren es rund 15 000, 1910 150 000, 1935 ca. 350 000, 1965 ca. 1 300 000, u. 1997 schätzt man die Anzahl auf ≫ 15 000 000. Der Zuwachs spiegelt sich logischerweise auch im exponentiellen Anwachsen der zu bewältigenden *chemischen Literatur wieder, wobei v. a. *Chemical Abstracts, *Beilstein's Handbuch der Organischen Chemie u. Theilheimer's Synthetic Methods of Organic Chemistry in systemat. Weise versuchen, die Lit.-Flut zu erfassen; s. a. Datenbanken.
Geschichte: Die Bez. „Organ. Chemie" soll schon auf den Dichter u. Philosophen Novalis (1772–1801) zurückgehen; nach anderen Quellen wurde sie 1806 von *Berzelius geprägt. Verständlicherweise wurde die Bez. damals auf solche chem. Verb. beschränkt, die allein durch den lebenden Organismus aufgebaut werden konnten. Nachdem es jedoch schon seit 1816 (*Döbereiner, später Wöhler 1828: Harnstoff-Synth. aus Ammoniumcyanat) gelungen war, eine körpereigene Substanz aus anorgan. Material zu gewinnen, setzte sich allmählich die Erkenntnis durch, daß auch die o. C. einer breiten präparativen Bearbeitung zugänglich ist, zumal bald eine Reihe weiterer, aus organ. Materie isolierter Verb. synthet. hergestellt werden konnten. Bereits 1838 schrieben *Liebig u. Wöhler (zitiert nach Krätz [1]): „Die Philosophie der Chemie wird aus dieser Arbeit den Schluß ziehen, daß die Erzeugung aller organ. Materien, in so weit sie nicht mehr dem Organismus angehören, in unsern Laboratorien nicht allein wahrscheinlich, sondern als gewiß betrachtet werden muß." Dennoch setzte sich die Erkenntnis, daß der Kohlenstoff-Gehalt das wesentliche Charakteristikum einer organ. Verb. ist, erst in der Mitte des 19. Jh. allg. durch; zu Auffassungsunterschieden zwischen Organikern in Deutschland u. Frankreich s. *Lit.*[2]. Die Abtrennung der „Chemie der Kohlenstoff-Verb." (in der eingangs formulierten Einschränkung) als o. C., unter Einschluß auch solcher Verb., die nicht in organ. Material auftreten, also nur synthet. gewonnen werden können, von der Anorgan. Chemie geht v. a. auf L. *Gmelin, *Kolbe u. *Kekulé zurück. Letzterer etablierte dann mit seiner Erkenntnis von der 4-Wertigkeit des Kohlenstoffs u. von der Struktur des Benzols die o. C. endgültig als autonomes Forschungsgebiet; s. Geschichte der Chemie u. *Lit.*[3,4]. Tatsächlich weisen die organ. Verb. des Kohlenstoffs (im allg. kovalente Bindung) in der Zusammensetzung u. im chem. Ver-

halten so charakterist. Unterschiede gegenüber den meisten anorgan. Verb. (im allg. polare *chemische Bindung) auf, daß man die auf anorgan. Gebiet gewonnenen Erkenntnisse nicht ohne weiteres auf organ. Verb. übertragen darf u. umgekehrt. So haben sich im Laufe der letzten 100 Jahre Denkweise u. *Nomenklatur der anorgan. Chemie u. der o. C. (*Lit.*[5]) voneinander fortentwickelt. In letzter Zeit scheint sich jedoch eine Rückbesinnung auf die gemeinsamen Ausgangspunkte bemerkbar zu machen, was bes. an dem rasch wachsenden Gebiet der Metall-organ. Chemie, mit ihren fließenden Übergängen zwischen anorgan.- u. organ. Systematik u. Methodik, deutlich wird. Dies zeigt sich außerdem nicht nur an *Gmelins Handbook of Inorganic and Organometallic Chemistry, das in Syst.-Nr. 14, C, Tl. D auch Verb. wie Tetracyanoethylen, Cyanursäure, Melamin, Harnstoff, die Halogen-Verb. u. einfache C–H-Verb. sowie im Erg.-Werk Elementorgan. Verb. abhandelt, sondern auch am Entstehen u. Auftreten einfachster organ. Verb. im Weltraum aus anorgan. Vorstufen, s. Kosmochemie u. chemische Evolution; ein anderes Bindeglied könnte die o. C. der *Fossilien (organ. Geochemie) darstellen.

Die immer stärker vordringende dynam. Betrachtungsweise von organ.-chem. Reaktionen lehrt mittels moderner allg. Theorien wie z. B. der Elektronentheorie der chem. *Valenz (VB-Meth.), der *MO-Theorie u. quantentheoret. Betrachtungen nicht nur den Mechanismus chem. Umsetzungen zu verstehen, neue Reaktionen vorherzusagen od. die jeweils besten Versuchsbedingungen zu wählen, sie führt vielmehr auch den Lernenden vom „Symptomwissen" (Kenntnis von Einzelreaktionen) zum „Kausalwissen", indem sie die Vielfalt von Einzelreaktionen nach den ihnen innewohnenden Gesetzmäßigkeiten – den sog. *Reaktionsmechanismen – ordnet, überschaubar u. für die prakt. Arbeit verfügbar macht. In neuerer Zeit sind auf diesem Gebiet weitere Anstrengungen unternommen worden, zumal durch Eindringen des Computers in die chem. Laboratorien, verallgemeinerungsfähige *retrosynthet.* Betrachtungsweisen für eine strateg. Synth.-Planung zur Verfügung stehen, die durch mathemat. Algorithmen angegangen werden können[6]. Das Konzept der *Retrosynthese[7] wurde im Übrigen von *Corey entwickelt, der dafür u. für seine Leistungen auf dem Gebiet der Naturstoff-Synth. mit dem Chemie-Nobelpreis 1990 geehrt wurde[8]. Man muß in diesem Zusammenhang betonen, daß die *organ. Synth.*, d. h. der gezielte, oft mehrstufige Aufbau eines Zielmol., nach wie vor das Hauptarbeitsgebiet der o. C. darstellt u. ihre größte Herausforderung beinhaltet. Das Zielmol. kann ein komplexer Naturstoff[9], z. B. *Taxol sein od. ein ästhet. ansprechendes Mol., das interessante spektroskop. u. physikal. Eigenschaften besitzt. Einen aktuellen Überblick über neue Synthesemeth. gibt *Lit.*[10], u. a. mit Beiträgen zur Praktikabilität von organ. Synth. mit Kaskaden-, Domino- u. *Tandem-Reaktionen. Ein weites Feld der organ. Synth. wird von den *stereoselektiven Synth. eingenommen, mit ihren diastereoselektiven u. enantioselektiven Spielarten. Neuere method. Entwicklungen sind beispielsweise organ. Synth. mit Mikrowellen[11] od. an Festphasen[12] bzw. die *kombinatorische Synthese. Ausgezeichnete Übersichten bezüglich moderner Trends in der organ. Synth. vermitteln *Lit.*[13–17]. Auf einzelne Probleme, Aufgaben u. Fortschritte der o. C. im Detail weiter einzugehen, ist im Rahmen dieses Lexikons nicht möglich; es sei jedoch dem interessierten Leser empfohlen, den jährlich im Februarheft der Ztschr. Nachr. Chem. Tech. Lab. erscheinenden Jahresrückblick zu studieren, um einen Einblick in aktuellen Forschungsgebiete der o. C. zu gewinnen. Zum Studiengang des Organikers s. Chemie-Studium u. Chemiker; statist. Angaben lassen sich den Schriften des *Fonds der Chemischen Industrie entnehmen. – ***E*** organic chemistry – ***F*** chimie organique – ***I*** chimica organica – ***S*** química orgánica

Lit.: [1]Die BASF **23**, 51 ff. (1971). [2]Chem. Unserer Zeit **15**, 115–121 (1981). [3]Naturwissenschaften **67**, 1–6 (1980). [4]Löw, Pflanzenchemie zwischen Lavoisier u. Liebig, Straubing: Donau-Verl. 1977. [5]IUPAC, Nomenklatur der Organischen Chemie, Weinheim: VCH Verlagsges. 1997. [6]Angew. Chem. **102**, 1328–1338 (1990); **107**, 2807 (1995) u. die dort zitierte Lit. [7]Corey u. Cheng, The Logic of Chemical Synthesis, Chichester: Wiley 1989. [8]Chem. Unserer Zeit, **24**, 256 f. (1990). [9]Nicolaou u. Sorensen, Classic in Total Synthesis, Weinheim: VCH Verlagsges. 1995. [10]Chem. Rev. **96**, Nr. 1 (1996). [11]Tetrahedron **51**, 10403 (1995). [12]Angew. Chem. **108**, 19 (1996). [13]Angew. Chem. **102**, 1363 (1990). [14]Hudlicky, Organic Synthesis: Theory and Practice, Greenwich, Conn.: JAI-Press 1992. [15]Fuhrhop u. Penzlin, Organic Synthesis, 2. Aufl., Weinheim: VCH Verlagsges. 1993. [16]Mulzer et al., Organic Sythensis Highlights I, Weinheim: VCH Verlagsges. 1991. [17]Waldmann, Organic Synthesis Highlights II, Weinheim: VCH Verlagsges. 1997.

allg.: Übersichten, Handbücher u. Monographien (Auswahl): Barton-Ollis, Comprehensive Organic Chemistry, Bd. 1–6, Oxford: Pergamon Press 1979 (in diesem Werk als Barton-Ollis zitiert) ■ Beilstein Handbook of Organic Chemistry, Supplementary Series V/VI im Druck, Frankfurt/M.: Beilstein Verlagsges. (in diesem Werk als Beilstein zitiert) ■ Coffey, Rodd's Chemistry of Carbon Compounds, Amsterdam: Elsevier, seit 1964 ■ Ferri, Reaktionen der organischen Synthese, Stuttgart: Thieme 1978 ■ Fieser u. Fieser, Reagents for Organic Synthesis, mehrere Bd., New York: Wiley, seit 1967 ■ Ho, Tactics of Organic Synthesis, New York: Wiley 1994 ■ Houben-Weyl, Methoden der organischen Chemie, 4. Aufl., Bd. 1–16 u. Erg.-Bd. E1–24, Stuttgart: Thieme, seit 1952 (in diesem Werk als Houben-Weyl zitiert) ■ Katritzky, Meth-Cohn u. Rees, Comprehensive Organic Group Transformation. Vol. 1–7, Oxford: Elsevier Science 1995 (in diesem Werk als Katritzky et al. zitiert) ■ Kisakürek, Organic Chemistry: Its Language and Its State of the Art, Weinheim: VCH Verlagsges. 1992 ■ Larock, Comprehensive Organic Transformations, New York: VCH Publishers 1989 ■ Lee u. Robinson, Organische Synthese – vom Labor zum Technikum (Basistexte Chemie 15), Weinheim: Wiley-VCH 1997 ■ The Merck-Index, An Encylopedia of Chemicals, Drugs and Biologicals, 12. Aufl., Whitehouse Station N. J.: Merck & Co., Inc. 1996 (in diesem Werk als Merck-Index zitiert) ■ Methods of Organic Analysis (*Wilson-Wilson), Amsterdam: Elsevier 1983 ■ Norman u. Coxon, Principles of Organic Synthesis, Glasgow: Blackie Academic & Professional 1993 ■ Organic Reactions, mehrere Bände, New York: Wiley, seit 1942 ■ Organic Synthesis, mehrere Bände u. Sammelbände, New York: Wiley, seit 1921 ■ Paquette, Encyclopedia of Reagents for Organic Synthesis, Vol. 1–8, Chichester: Wiley 1995 (in diesem Werk als Paquette zitiert) ■ Patai, The Chemistry of Functional Groups, mehrere Bd., Chichester: Wiley, seit 1964 ■ Trost u. Fleming, Comprehensive Organic Synthesis, Vol. 1–9, New York: Pergamon Press 1991 (in diesem Werk als Trost-Fleming zitiert) ■ Weissermel u. Arpe, Industrielle organische Chemie, 4. Aufl., Weinheim: VCH Verlagsges. 1994 (in diesem Werk als Weissermel-Arpe zitiert). – *Lehrbücher: (Auswahl)* Beyer u. Walter, Lehrbuch der Organischen Chemie,

23. Aufl., Stuttgart: Hirzel 1997 ▪ Breitmaier u. Jung, Organische Chemie I, 3. Aufl., Stuttgart: Thieme 1994 ▪ Buddrus, Grundlagen der Organischen Chemie, 2. Aufl., Berlin: de Gruyter 1990 ▪ Carey u. Sundberg, Advanced Organic Chemistry, Organische Chemie, Weinheim: VCH Verlagsges. 1995 ▪ Christen u. Vögtle, Organische Chemie, Von den Grundlagen zur Forschung, Bd. 1–3, Frankfurt, Aarau: Salle, Sauerländer 1988, 1990, 1994 ▪ Eicher u. Tietze, Organisch-chemisches Grundpraktikum unter Berücksichtigung der Gefahrstoffverordnung, Stuttgart: Thieme 1995 ▪ Fox u. Whitesell, Organische Chemie, Heidelberg: Spektrum Akadem. Verl. 1995 ▪ Furnis et al., Vogel's Textbook of Practical Organic Chemistry, 5. Aufl., New York: Wiley 1989 ▪ Gattermann u. Wieland, Die Praxis des organischen Chemikers, 43. Aufl., Berlin: De Gruyter 1982 ▪ Hart, Organische Chemie, Weinheim: VCH Verlagsges. 1989 ▪ Hauptmann, Reaktion u. Mechanismus in der organischen Chemie, Stuttgart: Teubner 1991 ▪ March, Advanced Organic Chemistry, 4. Aufl., New York: Wiley 1992 (in diesem Werk als March zitiert) ▪ Morrison u. Boyd, Organic Chemistry, 6. Aufl., Englewood Cliffs, N. J.: Prentice-Hall 1992 ▪ Organikum, 20. Aufl., Heidelberg: Johann Ambrosius Barth 1996 (in diesem Werk als Organikum zitiert) ▪ Pine et al., Organische Chemie, 4. Aufl., Braunschweig: Vieweg 1987 ▪ Quinkert, Egert u. Griesinger, Aspekte der Organischen Chemie-Struktur, Weinheim: VCH Verlagsges. 1995 ▪ Streitwieser, Heathcock u. Kosower, Organische Chemie, 2. Aufl., Weinheim: VCH Verlagsges. 1994 ▪ Sykes, Reaktionsmechanismen in der Organischen Chemie, 9. Aufl., Weinheim: VCH Verlagsges. 1988 ▪ Tietze u. Eicher, Reaktionen und Synthesen im organisch-chemischen Praktikum, 2. Aufl., Stuttgart: Thieme 1991 ▪ Vollhardt u. Schore, Organische Chemie, 2. Aufl., Weinheim: VCH Verlagsges. 1995 – *Ausgewählte Zeitschriften, die Originalarbeiten u. Übersichtsarbeiten aus dem Gebiet der o. C. publizieren:* Accounts of Chemical Research, 1868–1997 ▪ Angewandte Chemie, seit 1888 ▪ Chemical Reviews, seit 1924 ▪ Chemische Berichte, seit 1868 ▪ European Journal of Organic Chemistry, seit 1998 ▪ Helvetica Chimica Acta, seit 1918 ▪ Journal of Organic Chemistry, seit 1936 ▪ Journal of the American Chemical Society, seit 1879 ▪ Journals of the Royal Chemical Society (Chemical Communications, Perkin Transactions 1 u. 2, Chemical Society Reviews, Contemporary Organic Synthesis), seit 1841 ▪ Justus Liebigs Annalen der Chemie, 1832–1997 ▪ Organic Preparations and Procedures International, seit 1969 ▪ Synlett, seit 1990 ▪ Synthesis, seit 1969 ▪ Synthetic Communications, seit 1971 ▪ Tetrahedron, seit 1958 ▪ Tetrahedron Letters, seit 1959.

Organische Elektrochemie. Bez. für einen Zweig der *Elektrochemie, der sich mit der Synth. von organ. Verb. mit Hilfe des elektr. Stromes befaßt. Lange Zeit als exot. angesehen, gewinnt die o. E. in jüngster Zeit infolge der verbesserten Ausrüstung immer mehr an Bedeutung. Viele organ. Synth. lassen sich auf elektrochem. Wege sauberer, effizienter, schneller, billiger u. in größerer Ausbeute als mit anderen Meth. durchführen. Einige Synth. sind sogar nur auf elektrochem. Wege durchführbar. Die Elektrochemie befaßt sich prim. mit Oxid.- bzw. Red.-Prozessen, die an der Anode bzw. Kathode stattfinden. Ein Vorteil der o. E. ist in diesem Zusammenhang, daß Reagenzien – z. T. giftige od. explosive – *in situ* erzeugt u. direkt umgesetzt werden können. Im Folgenden sind einige wichtige elektrochem. Reaktionen ohne Anspruch auf Vollständigkeit aufgelistet.

Die reduktive Spaltung einer Kohlenstoff-Heteroatombindung – meist einer Kohlenstoff-Halogen-Bindung – führt zur schonenden Erzeugung von *Carbanionen unter neutralen Bedingungen, die durch Elektrophile abgefangen werden können (s. Abb. 1 a). Die intramol. Variante liefert cycl. Verb. (s. Abb. 1 b).

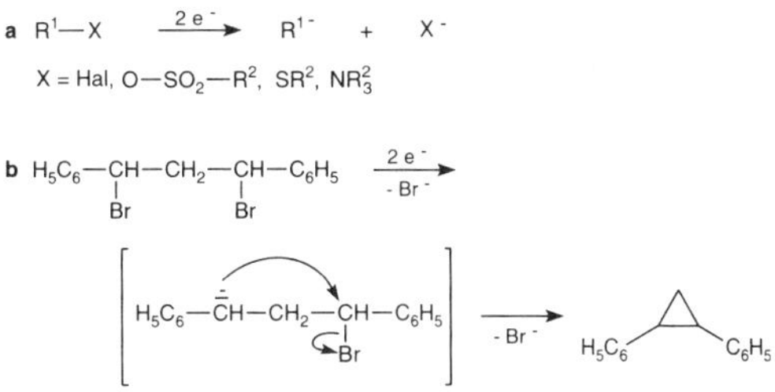

Abb. 1: Reduktive Spaltung einer Kohlenstoff-Heteroatombindung.

Weitere reduktive Anw. sind die Umwandlung von funktionellen Gruppen, z. B. von Nitro- in Amino-Gruppen, u. die Bildung von Radikal-Anionen aus elektronenarmen Alkenen, die wiederum mit Elektrophilen abgefangen werden können. In ihrer intramol. Variante ist diese Reaktion ebenfalls zum Aufbau cycl. Syst. geeignet.

Eine der ältesten Reaktionen der o. E. ist die anod. Oxid. von Carbonsäure-Anionen; s. Kolbe-Synthesen. Ein neuerer anod. Prozeß ist die α-Funktionalisierung von Stickstoff-, Sauerstoff- u. Schwefel-Verb., die sehr gut zur Synth. von Heterocyclen verwendet werden kann (s. Abb. 2).

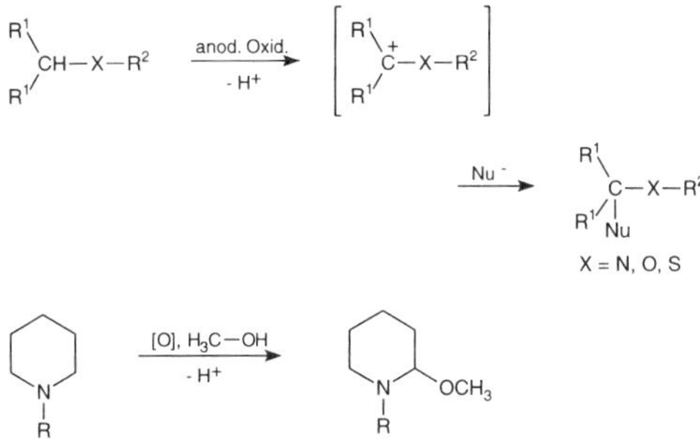

Abb. 2: Anod. Oxid. von Stickstoff-, Sauerstoff- u. Schwefel-Verbindungen.

– ***E*** organic electrochemistry – ***F*** électrochimie organique – ***I*** elettrochimica organica – ***S*** electroquímica orgánica

Lit.: Aldrichimica Acta **26**, 3 (1993) ▪ Chem. Soc. Rev. **26**, 157 (1997) ▪ Chem. Ind. (London) **1996**, 682 ▪ Fry, Synthetic Organic Electrochemistry, 2. Aufl., New York: Wiley 1989 ▪ Kyriacou, Modern Electroorganic Chemistry, Heidelberg: Springer 1994 ▪ Lund u. Baizer, Organic Electrochemistry, 3. Aufl., New York: Dekker 1991 ▪ Shono, Electroorganic Synthesis, Orlando: Academic Press 1990 ▪ Topic Curr. Chem. **170**, 1, 83 (1994); **185**, 49 (1997) ▪ Volke u. Liska, Electrochemistry in Organic Synthesis, Berlin: Springer 1994 ▪ s. a. Elektrochemie.

Organische Gläser. Bez. für amorphe *Kunststoffe, die aufgrund bes. opt. Eigenschaften (Transmission, Brechzahl, Dispersion, opt. Homogenität) *Glas in unterschiedlichen Anw.-Gebieten vorteilhaft substituieren können. Es handelt sich bei derartigen *Polymeren insbes. um *Thermoplaste, aber auch *Duroplaste, z. B. solche auf *Epoxidharz-Basis, sind prinzipiell für den Einsatz als Gläser geeignet.

Die wichtigsten o. G. sind *Polymethylmethacrylate (s. Acrylglas), *Polycarbonate u. *Polystyrole.

Eigenschaften: Zu den Vorteilen der o. G. gegenüber dem anorgan. Glas zählen die höhere Bruchfestigkeit, Flexibilität u. Zähigkeit, die bessere Verarbeitbarkeit u. das geringere spezif. Gewicht. Nachteilig sind die geringere Wärmeformbeständigkeit, Kratzfestigkeit u. chem. Resistenz sowie die verstärkte Tendenz zur elektrostat. Aufladung, zum kalten Fluß, zum Nachschwinden u. zur Wasseraufnahme.
Verw.: U.a. zur Herst. von opt. Linsen, *polymeren Lichtwellenleitern u. Schutzbrillenscheiben, s.a. Acrylglas. – ***E*** polymeric glasses – ***F*** verre organique, orgaverre – ***I*** vetri organici – ***S*** vidrios poliméricos, vidrios orgánicos
Lit.: Encycl. Polym. Sci. Eng. **1**, 289 f.; Suppl., 11 – 17 ▪ Kunststoffe **75**, 296 ff. (1985) ▪ s. a. Acrylglas.

Organische Photochemie. Die o. P. hat in den letzten 30 Jahren, im Hinblick auf präparativ nutzbare Reaktionen in der organ. Synth., eine rasante Entwicklung genommen. Die Grundlagen der o. P. liegen in den photophysikal. Prozessen Absorption ($n \rightarrow \pi^*$-, $\pi \rightarrow \pi^*$-Anregung; s.a. chemische Bindung u. MO-Theorie), Emission u. Energieübertragung, die in diesem Werk unter dem Stichwort *Photochemie behandelt werden. Die Dimerisierung u. Isomerisierung von Alkenen (*Photodimerisierung*) – die *cis-trans*-Photoisomerisierung von *Stilbenen ist hierfür ein Paradebeisp.[1] –, *elektrocyclische Reaktionen von Di- u. Trienen (s.a. pericyclische Reaktionen), die *Di-π-Methan-Umlagerung, die photochem. *Fries-Umlagerung u. Photoadditionen von *Singulett-Sauerstoff an Alkene u. Diene (s.a. Dioxetane u. Photooxidation) sind Beisp. für photochem. Reaktionen von Kohlenwasserstoffen. Einen großen Umfang nimmt die o. P. der Carbonyl-Verb. ein. *Norrish-Reaktionen, *Cycloadditionen von Carbonyl-Verb. mit Alkenen (s. Paterno-Büchi-Reaktion), die Sequenz Photocycloaddition/Retroaldol-Fragmentierung[2] (*de Mayo-Reaktion*, s. Abb. 1), Dienon- u. Enon-Umlagerungen, die Abstraktion α-ständiger Wasserstoff-Atome von Alkoholen durch Ketone, die letztlich zur Bildung von *Pinakolonen führt (Photored., s. Abb. 2) sowie die Photochemie der *Chinone sind an herausragender Stelle zu nennen.

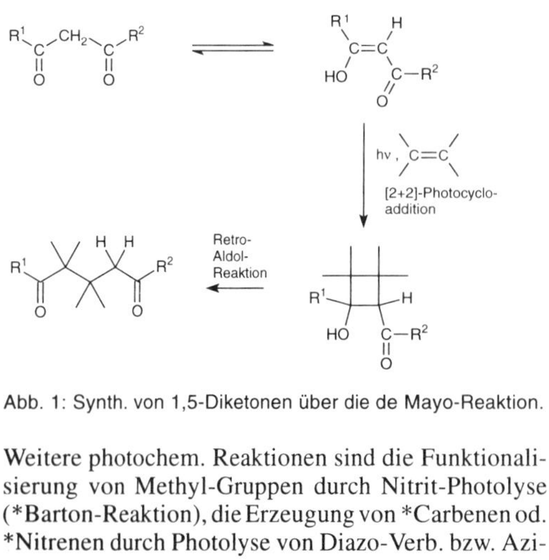

Abb. 1: Synth. von 1,5-Diketonen über die de Mayo-Reaktion.

Weitere photochem. Reaktionen sind die Funktionalisierung von Methyl-Gruppen durch Nitrit-Photolyse (*Barton-Reaktion), die Erzeugung von *Carbenen od. *Nitrenen durch Photolyse von Diazo-Verb. bzw. Aziden u. photochem. induzierte Elektronen-Übertragungsreaktionen.

$$2\ (H_5C_6)_2C{=}O + HO{-}CH(CH_3)_2 \xrightarrow{h\nu} (H_5C_6)_2C(OH){-}C(OH)(C_6H_5)_2 + (H_3C)_2C{=}O$$

Abb. 2: Abstraktion von α-ständigen Wasserstoff-Atomen von Alkoholen durch Ketone.

Die o. P. hat auch für industrielle Verf. Bedeutung erlangt. So sind die photolyt. initiierte radikal. Halogenierung (Chlorierung, Sulfochlorierung), Gasphasennitrierung, Nitrosierung (Oximierung; s. Cyclohexanonoxim) von Alkanen u. Cycloalkanen wichtige industrielle Grundverfahren. – ***E*** organic photochemistry – ***F*** photochimie organique – ***S*** fotoquímica orgánica
Lit.: [1] Adv. Photochem. **19**, 1 ff. (1995). [2] Chem. Rev. **95**, 2003 (1995).
allg.: Angew. Chem. **98**, 659 (1986); **99**, 849 (1987); **106**, 2093 (1994) ▪ Carey-Sundberg, S. 703 ff. ▪ Horspool u. Armesto, Organic Photochemistry – A Comprehensive Treatment, Chichester: Ellis Horwood 1992 ▪ Horspool u. Song, Handbook of Photochemistry and Photobiology, Boca Raton: CRC Press 1994 ▪ Klessinger u. Michl, Lichtabsorption u. Photochemie Organischer Moleküle, S. 301 ff., Weinheim: VCH Verlagsges. 1989 ▪ March (4.), S. 231 f. ▪ Mattay u. Griesbeck, Photochemical Key Steps in Organic Synthesis, Weinheim: VCH Verlagsges. 1994 ▪ Ninomiya u. Naito, Photochemical Synthesis, London: Academic Press 1989 ▪ Trost-Fleming **5**, 123 ff.

Organische Reaktionen, Synthese, Verbindungen s. organische Chemie.

Organismus. Bez. für ein tier. od. pflanzliches Lebewesen. Funktionell bedeutet O. das Gesamtsyst. der Organe eines lebenden Körpers, das aus dem Zusammenspiel der verschiedenen lebenserhaltenden Funktionseinheiten besteht. – ***E*** organism – ***F*** organisme – ***I*** = ***S*** organismo

Organization of Arab Petroleum Exporting Countries s. OPEC.

Organization of the Petroleum Exporting Countries s. OPEC.

Organkultur. Bez. für die *in vitro*-Kultivierung von ganzen Organen od. Teilen davon. Dabei behalten die Zellen der O., im Gegensatz zur Gewebe- od. *Zellkultur, ihre Differenzierung u. Funktion bei. O. können von tier. (z.B. ausgehend von Leber-, Herz-, Nieren-, Dünndarm-Fragmenten von Säugetieren) u. pflanzlichen Organen angelegt werden. Problemat. ist die Erhaltung der Lebensfähigkeit der Zellen tier. Organismen in der O.; pflanzliche Organe lassen sich dagegen über längere Zeiträume kultivieren.
Verw.: O. werden beispielsweise zur Untersuchung von pharmazeut. Produkten eingesetzt. Mit pflanzlichen O. lassen sich Massenvermehrungen von Pflanzen wirtschaftlich durchführen. – ***E*** organ culture – ***F*** culture d'organes – ***I*** coltura d'organo – ***S*** cultivo de órganos
Lit.: Lindl, Zell- u. Gewebekultur (3.), Stuttgart: Fischer 1993 ▪ Präve (4.), S. 215 ff.

Organogene Sedimente s. Sedimente.

Organohalogen-Verbindungen s. Halogen-organische Verbindungen.

Organoleptische Prüfung. Ältere Bez. für die sensor. Geruchs- u. Geschmacksanalyse zum einen mit analyt. Prüfverf. (Unterschieds-, Schwellen-, Rangordnungs- u. Qualitätsprüfungen), zum anderen mit subjektiven Beliebtheitsprüfungen (Bevorzugung, Marktforschung). – ***E*** organoleptic evaluation – ***F*** analyse organoleptique – ***I*** esame organolettico – ***S*** examen organoléptico

Lit.: Fricker, Lebensmittel – mit allen Sinnen prüfen, Berlin: Springer 1984 ▪ Jellinek u. Contact, Sensory Evaluation of Food, Chichester: Horwood 1985 ▪ Laming, Sensory Analysis, New York: Academic Press 1986.

Organolithium-Verbindungen s. Lithium-organische Verbindungen.

Organometallische Polymere s. Metall-organische Polymere.

Organometall-Verbindungen s. Metall-organische Verbindungen.

Organon. Kurzbez. für die 1923 gegr. niederländ. N. V. Organon, NL-5340 BH Oss, eine Tochterges. der *AKZO. *Daten* (1996): 8800 Beschäftigte. *Produktion:* Pharmazeut. Präparate, orale Kontrazeptiva (Marvelon®, Mercilon®). *Vertretung* in der BRD: Organon GmbH, 85764 Oberschleißheim.

Organophosphor-Polymere s. Phosphor-haltige Polymere.

Organosole. In Analogie zu *Hydrosole gebildete Bez. für *Sole, die organ. Lsm. als Dispersionsmittel enthalten. In der Technik versteht man unter O. *Dispersionen von *Polymeren (insbes. PVC) in organ. Lsm., die als Zusatzstoffe *Weichmacher, Stabilisatoren, Thixotropierungshilfsmittel, Pigmente u. Füllstoffe enthalten können. Sind die Lsm. selbst Weichmacher für die Polymeren, spricht man von *Plastisolen.

Verw.: Zum Beschichten von Fasern, Drähten, Geweben od. Metallen (als Korrosionsschutz), auf denen die Polymerteilchen nach Abdunsten des Lsm. beim Erwärmen, begünstigt durch den Weichmacher, zusammenschmelzen u. einen zähelast. Film bilden. – ***E*** = ***F*** organosols – ***I*** organosoli – ***S*** organosoles

Lit.: Ullmann (4.) **15**, 605, 657 ▪ Zorll u. Schütze, Kunststoffe in der Oberflächentechnik, S. 162, Stuttgart: Kohlhammer 1980.

Organotherapie. Behandlungsmeth. unter Verw. von tier. Organextrakten. Dabei werden zur Behandlung von Störungen eines bestimmten Organs Präp. aus entsprechenden Tierorganen verwendet. Die *Organotherapeutika*, die die betroffenen Organe u. Gewebe zu verstärkter Tätigkeit anregen sollen (sog. Biostimuline od. Biostimulantien), enthalten oft Hormone der Drüsen od. Gewebe, aus denen sie gewonnen wurden. Für solche *Organpräp.* u. *Organextrakte* verwendet man meist lyophilisierte Organtrockenpräp., z.B. von Pankreas, Schilddrüse u. Nebenschilddrüse, Nieren u. Nebennieren, Keimdrüsen (Ovarien, Testes), Placenta, Hypophyse, Epiphyse, Thymus, Knochenmark, Leber, Lunge, Bronchialdrüsen u. Milz. Bei der *Opotherapie* (griech.: opos = Saft) werden Gewebssäfte von Organen od. deren Sekrete verwendet.

Die Wirkung soll zum einen durch die Aufnahme (*Phagocytose) der im Präp. vorhandenen Zellbestandteile zu einer organspezif. Regeneration führen. Zum anderen kommt es über die allergen wirkenden Anteile von Fremd-Eiweißen des zugeführten Gewebes zu immunolog. Reaktionen. Dies wird als Umstimmung od. Immunstimulierung verstanden. Bei der *Frischzellentherapie* werden frische, kleingeschnittene Organ- u. Gewebeteilchen von Feten am Ende der Tragzeit od. von Jungtieren, meist von Schafen, ohne Konservierung durch intramuskuläre Injektion in den menschlichen Körper implantiert. Eine pos., über den Placeboeffekt hinausgehende Wirkung der Frischzellentherapie konnte bisher nicht nachgewiesen werden, dafür geht sie mit dem Risiko von allerg. Sofortreaktionen bis zum Schock (s. a. Allergie) aufgrund des hohen Allergengehalts sowie mit der Gefahr der Übertragung von Viren, bes. bei Verw. von Schafen od. Ziegen, einher. Deswegen wurde die Zulassung zelltherapeut. Fertigarzneimittel am 30.6.1988 durch das ehem. Bundesgesundheitsamt widerrufen. – ***E*** organotherapy – ***F*** organothérapie – ***I*** = ***S*** organoterapia

Lit.: Block, Praxis der Frischzellentherapie, Percha: Schulz 1982.

Organotrophie. Fähigkeit von Organismen, organ. Verb. als Wasserstoff-Donatoren zu nutzen (Gegensatz: *Lithotrophie). Je nach Energie-Quelle wird zwischen *photoorganotrophen* (Sonnenlicht als Energie-Quelle; z.B. bei Schwefel-freien Purpurbakterien) u. *chemoorganotrophen* Organismen (Energie-Gewinn durch Oxid. organ. Verb.; z.B. viele Mikroorganismen sowie alle Tiere) unterschieden. – ***E*** organotrophy – ***F*** organotrophie – ***I*** = ***S*** organotrofia

Lit.: Schlegel (7.), S. 201.

Organpräparate s. Organotherapie.

Orgasol®. Ein *Polyamid-Feinstpulver (5–80 µ), hergestellt in der anion. Lsm.-Polymerisation. Einsatz als Strukturmittel in Farben u. Lacken sowie als Pigment u. Parfümträger in der Kosmetik-Industrie. ***B.:*** Elf Atochem.

Orgel-Diagramme. Von L. E. Orgel (*Lit.*[1]) eingeführte Energieniveau-Diagramme für Koordinationsverb. (s. Koordinationslehre). Aufgetragen werden die relativen Energien verschiedener elektron. Zustände von

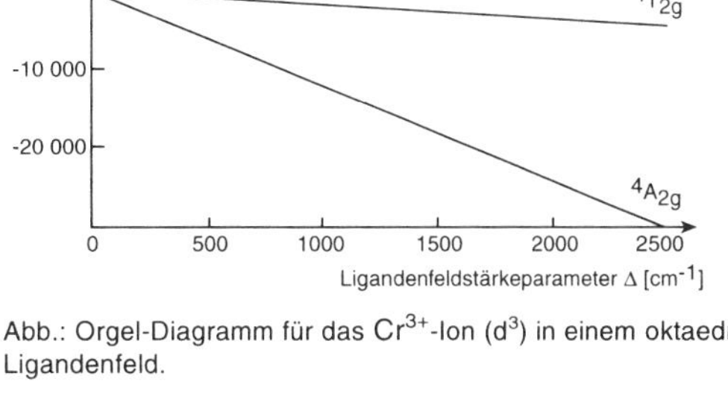

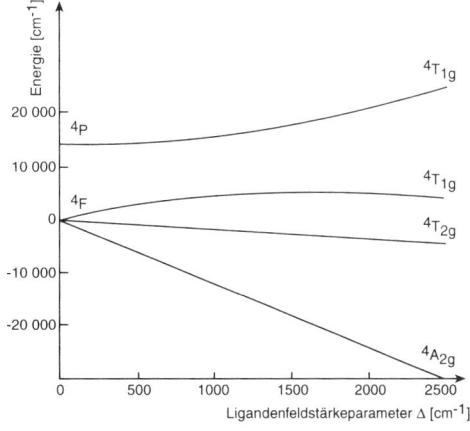

Abb.: Orgel-Diagramm für das Cr^{3+}-Ion (d^3) in einem oktaedr. Ligandenfeld.

Koordinationsverb. (KV) mit dem gleichen Zentralatom (od. -ion) in Abhängigkeit von dem Ligandenfeldstärkeparameter Δ (gemessen in Dq; s. Ligandenfeldtheorie).
Die Abb. (S. 3041) zeigt das O.-D. für KV mit Cr^{3+} (*Elektronenkonfiguration: d^3) als Zentralion. O.-D. behandeln nur den Fall des schwachen Ligandenfeldes; starke Ligandenfelder werden auch in den *Tanabe-Sugano-Diagrammen berücksichtigt. – ***E*** Orgel diagrams – ***F*** diagrammes d'Orgel – ***I*** diagrammi di Orgel – ***S*** diagramas de Orgel

Lit.: [1] J. Chem. Phys. **23**, 1004 (1955).
allg.: Huheey, Anorganische Chemie (2.), Berlin: de Gruyter 1995 ▪ s. a. Ligandenfeldtheorie.

Orgo®. Von Original Goldschmidt abgeleitete Marke für schweißtechn. Produkte, auch in Zusammensetzungen wie Orgotherm® u. Orgoweld®. ***B.:*** Goldschmidt.

Orgotein (Rp). Internat. Freiname für ein aus Erythrocyten, der Leber u. a. Geweben von Säugetieren isolierbares, Kupfer u. Zink enthaltendes Enzym, M_R ca. 34000. O. hat entzündungshemmende *Superoxid-Dismutase-Aktivität. – ***E*** orgoteine – ***F*** orgotéine – ***I*** orgoteina – ***S*** orgoteína

Lit.: Anticancer Res. **16**, 2025–2028 (1996) ▪ Arzneim. Forsch. **33**, 1199 (1983) ▪ Martindale (31.), S. 99. – *[HS 3002 10; CAS 9016-01-7]*

o-rhomisch s. orthorhombisch.

ori s. Origin.

Orientbeule s. Leishmaniosen.

Orientierte Polymere. Sammelbez. für *Polymere, bei denen durch bes. Maßnahmen bei der Verarbeitung hohe Orientierungsgrade der *Makromoleküle in bevorzugten Richtungen, bei Fasern z. B. parallel zur Faserachse, erreicht wurden. Zu entsprechenden Maßnahmen gehören u. a. das Strecken von aus der Schmelze od. Gelphase gezogenen Polymerfasern, die Druckextrusion, die Kolbenextrusion u. die Düsenabzugs-Methode. Die Verarbeitung von thermotropen u. lyotropen *flüssigkristallinen Polymeren ist ein weiterer Weg zur Herst. der orientierten Polymere.

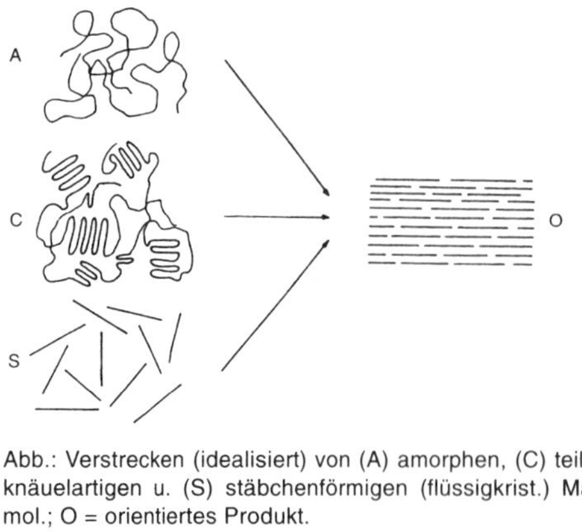

Abb.: Verstrecken (idealisiert) von (A) amorphen, (C) teilkrist. knäuelartigen u. (S) stäbchenförmigen (flüssigkrist.) Makromol.; O = orientiertes Produkt.

Der hohe Orientierungsgrad der o. P., die als Fasern, Folien od. Formkörper vorliegen können (*Beisp.:* verstreckte Folien aus Polypropylen – OPP – od. *Polystyrol – OPS –) vermittelt ihnen bes. Eigenschaften wie hohe Festigkeit u. Steifigkeit, therm. Leitfähigkeit, Dimensionsstabilität in der Wärme sowie gutes Barriereverhalten gegenüber Gasen u. Flüssigkeiten. Zur Verw. s. flüssigkristalline Polymere u. einzelne Polymere. – ***E*** oriented polymers – ***F*** polymères orientés – ***I*** polimeri orientati – ***S*** polímeros orientados

Lit.: Elias (5.) **1**, 759 ff. ▪ Makromol. Chem., Macromol. Symp. **22**, 59–82 (1988).

Orientierung. Unter O. versteht man die Fähigkeit eines Lebewesens, seine Körperlage u. seine Bewegungen – u. zwar sowohl die Fortbewegung (Lokomotion) als auch die Bewegungen einzelner Körperteile – im Reizfeld der Umwelt auszurichten. Es wird zwischen räumlicher u. zeitlicher O. unterschieden. Die räumliche O. erfolgt entweder mit Hilfe vorhandener Reizquellen (z. B. Gestirne, Landmarken, Duft- bzw. Lichtquellen) od. durch selbst ausgesandte Reize (Echo-Ortung, z. B. bei Fledermäusen). Dabei läßt sich zwischen einer Richtungs- u. einer Entfernungs-O. unterscheiden. Bewegungen der Richtungs-O. freibeweglicher Tiere werden als Taxien, Einstellbewegungen festsitzender Organismen als Tropismen (*...tropismen) bezeichnet. Wird zur räumlichen O. eine Reizquelle benutzt, die sich ihrerseits bewegt (z. B. Gestirne), so ist auch eine zeitliche O. erforderlich, die diese Eigenbewegung berücksichtigt. Sie erfolgt über eine „innere Uhr". Z. B. die Sonnenkompaß-O. findet man bei Zugvögeln wie auch bei Bienen (im Schwänzeltanz). – ***E*** = ***F*** orientation – ***S*** orientación

Lit.: Berthold, Vogelzug, 3. Aufl., Darmstadt: Wissenschaftliche Buchges. 1996 ▪ von Frisch, Tanzsprache u. Orientierung der Bienen, Heidelberg: Springer 1965 ▪ Wiltschko, Kompaßsysteme in der Orientierung von Vögeln, Stuttgart: Fischer 1995.

Orientierungspolarisation s. Polarisation u. Dipolmoment.

Orientierungswert s. Richtwerte.

Origanum. Mit *Majoran (*Origanum majorana*) verwandte, zu den Lamiaceae (Lippenblütler) gehörende Gruppe von krautigen Gewürzpflanzen, die je nach Art verschiedene ether. Öle liefern. Der weit verbreitete Braune Dost od. Wilde Majoran (*O. vulgare*) hat einen fein aromat., majoranähnlichen Geruch u. würzig-brennenden, leicht bitteren Geschmack u. enthält 0,25–4% ether. Öle sowie ca. 8% Gerbstoffe u. *Rosmarinsäure. Dost dient zusammen mit Majoran als Wurstgewürz, in Form von Aufgüssen als Stomachikum u. Diuretikum, als Zusatz zu Gurgelwässern u. zur Wundbehandlung. Kret. Dost od. Span. Hopfen (*O. vulgare* var. *creticum*, *O. onites* od. *Majorana onites*) riecht u. schmeckt ähnlich wie Dost, enthält 1,4–3% ether. Öl, Gerbstoffe u. Bitterstoffe u. wird bes. zum Einlegen von Fischen als sog. Gabelbissen- od. Anchovisgewürz verwendet, hauptsächlich aber zur Gewinnung des ether. Öls. Ähnlich, aber strenger u. beißender schmeckend u. von gleicher Verw. ist der sog. Falsche Staudenmajoran (*O. heracleoticum*, *O. hirtum*, *O. smyrnaceum*). Das unter der Bez. Oregano od. Oreganum gehandelte Gewürz, das bes. für Pizzas sehr beliebt ist, besteht z. T. aus *O. heracleoticum*, z. T. aus Mischungen dieser mit anderen O.-Arten (*O. onites*, *O. hirtum* usw.). Der sog. Amerikan. od. Mexikan. Oregano stammt von verschiedenen *Lippia*-Arten (Verbenaceae) u. ist z. B. auch Bestandteil des Chili-Pulver u. a. mexikan. Speisegewürze. Der Name O. ist aus dem Griech. abgeleitet u. bedeutet Bergzierde. – ***E*** pot marjoram – ***F*** origan – ***I*** origano – ***S*** orégano

Lit.: Franke, Nutzpflanzenkunde, 6. Aufl., S. 365, Stuttgart: Thieme 1997.

Origanumöle (Dostenöle). Sammelbez. für ether. Öle aus verschiedenen **Origanum*-Arten mit unterschiedlichem Gehalt an flüssigen Phenolen (bes. *Carvacrol) festen Phenolen (bes. *Thymol), letztere heißen *Thymianöle. Die Zusammensetzung der Öle ist stark abhängig von Sorte, Anbaubedingungen, Erntezeit usw.; Hauptbestandteile: Carvacrol 25–80%, Linalool 20–50%, Thymol 0–20%, lösl. in Ethanol. Verw. als Gewürzöl, Parfümzusatz, Expektorans. – ***E*** origanum oils, oils of wild marjoram – ***F*** essences d'origan – ***I*** essenze di origano – ***S*** esencias de orégano

Lit.: Dev. Food Sci. **34**, 439–456 (1994) ▪ Food Cosmet. Toxicol. **12**, 945 (1974) ▪ Ullmann (5.) **A 11**, 236. – *[HS 3301 29; CAS 8007-11-2]*

Origin (ori, Replikations-O., Replikations-Startpunkt). DNA-Sequenz, die der *DNA-Polymerase als Startpunkt für die *Replikation der DNA dient. Die gesamte DNA-Einheit, die von einem O. aus repliziert wird, bezeichnet man als Replikationseinheit od. *Replikon*. Bakterien, Viren u. Mitochondrien haben meist nur ein Replikon, auch *Plasmide werden in der Regel von nur einem O. aus repliziert. Das Eukaryonten-Chromosom dagegen besteht aus vielen kurzen Replikons. – ***E*** origin of replication – ***F*** origine de réplication – ***I*** origine, origine della replicazione – ***S*** origen de replicación

Lit.: Stryer 1996, S. 845.

Orizaba-Harz, Orizabin s. Ipomoea-Harz.

Orkla-Verfahren s. Schwefel.

Orlean (C. I. Natural Orange 4). Natürlicher, orangeroter Farbstoff, der aus der farbigen Außenschicht der in kapselartigen, pflaumengroßen Früchten befindlichen Samenkörner des trop. Onoto-, Ruku- od. Urucubaums (*Bixa orellana*, Bixaceae, einheim. in Zentralamerika, wird auch in Ostindien, Sri Lanka, Java, Borneo, Madagaskar u. Zaire angebaut) gewonnen wird u. als außen braunroter, innen lebhaft roter Teig od. in Form von Pulver bzw. Brocken in den Handel kommt. Der bes. im angloamerikan. Schrifttum meist als *Annatto* bezeichnete echte O. enthält neben 5–10% Aschenbestandteilen 3 verschiedene Pigmente, von denen das *Bixin am wichtigsten ist.

Verw.: Zum Färben von Nahrungsmitteln wie Margarine u. Käse (E 160 b), früher auch zur Textilfärberei u. bei zentralamerikan. Indianerstämmen zur Körperbemalung. – ***E*** annatto – ***F*** orléan – ***I*** orlean – ***S*** orleán

Lit.: Brücher, Tropische Nutzpflanzen, 6. Aufl., S. 462 f., Berlin: Springer 1997 ▪ Karrer, Nr. 1865 u. 1866 ▪ Zechmeister **18**, 320–333. – *[HS 3203 00; CAS 1393-63-1]*

Orlistat (Tetrahydrolipstatin, Rp).

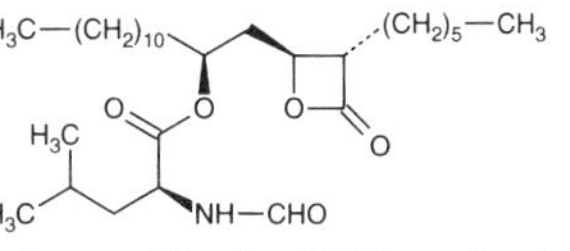

Internat. Freiname für den *N*-Formyl-L-leucin-(*S*)-1-((2*S*,3*S*)-3-hexyl-4-oxo-2-oxetanylmethyl)dodecylester, $C_{29}H_{53}NO_5$, M_R 495,74, farblose Krist., Schmp. 43 °C; $[\alpha]_D^{20}$ –32,0° (c 1/$CHCl_3$). O. ist ein sehr wirksamer Lipase-Inhibitor, der durch Hydrierung von *Lipstatin aus *Streptomyces toxytricini* gewonnen wird. O. bindet sich kovalent an das aktive Zentrum der Bauchspeicheldrüsen-Lipase u. führt damit zur Senkung der Fettaufnahme aus der Nahrung, der Triglycerid- u. Cholesterin-Konz. in Plasma u. Galle. N. wurde 1985 u. 1986 von Hoffmann-La Roche patentiert u. soll in Kürze in Europa zugelassen werden. – ***E*** = ***F*** = ***S*** orlistat – ***I*** orlistato

Lit.: Dtsch. Apoth. Ztg. **137**, 758 f., 2441–2444 (1997). – *Interaktionen mit Lipase:* Eur. J. Biochem. **222**, 395–403 (1994). – *Metabolismus:* J. Clin. Pharmacol. **36**, 1006–1011 (1996). – *Klin. Studien, Review:* Obes. Res. **3** (Suppl. 4), 6235–6255 (1995). – *[CAS 96829-58-2]*

Orn s. L-Ornithin.

Ornamentglas s. Glas (S. 1541).

Ornidazol (Rp).

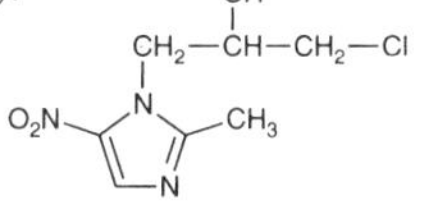

Internat. Freiname für das *Amöbizid (±)-1-Chlor-3-(2-methyl-5-nitro-1*H*-imidazol-1-yl)-2-propanol, $C_7H_{10}ClN_3O_3$, M_R 219,62, Schmp. 77–78 °C; λ_{max} (2-Propanol) 288, 312 nm ($A_{1cm}^{1\%}$ 169, 416); pK_a 2,4; LD_{50} (Maus oral u. i.p.) >2000 mg/kg; lösl. in Wasser. O. wurde 1966, 1969 u. 1970 von Hoffmann-La Roche patentiert. – ***E*** = ***F*** ornidazole – ***I*** ornidazolo – ***S*** ornidazol

Lit.: Beilstein E V **23/5**, 72 ▪ Hager (5.) **8**, 1237 ff. ▪ Martindale (31.), S. 626 f. ▪ s. a. Amöbizide. – *[HS 2933 29; CAS 16773-42-5]*

Ornipressin (Rp).

Cys—Tyr—Phe—Gln—Asn—Cys—Pro—Orn—Gly—NH_2

Internat. Freiname für das durchblutungshemmende (*Vasokonstriktor) synthet. Peptidhormon 8-L-Ornithinvasopressin, das sich von *Vasopressin durch Ersatz des Arginins durch Ornithin ableitet, $C_{45}H_{63}N_{13}O_{12}S_2$, M_R 1042,20. O. wurde 1965 u. 1967 von Sandoz (Por 8 Sandoz®) patentiert. – ***E*** ornipressin – ***F*** ornipressine – ***I*** ornipressina – ***S*** ornipresina

Lit.: ASP ▪ Hager (5.) **8**, 1239 f. ▪ Martindale (31.), S. 1289 f. ▪ s. a. Vasopressin. – *[HS 2937 99; CAS 3397-23-7]*

Ornithin (2,5-Diaminopentansäure, Kurzz. für die L-Form: Orn).

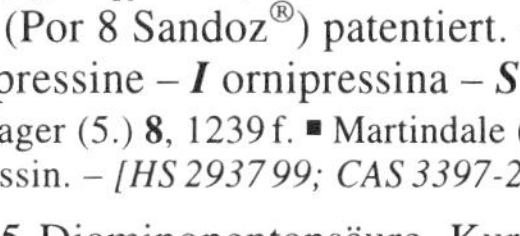

$C_5H_{12}N_2O_2$, M_R 132,16. Farblose, opt. aktive Krist., als L-(+)-O. (Orn) Schmp. 140 °C, häufig erhalten als farbloser Sirup, Schmp. des Hydrochlorids 245 °C, in Wasser mit alkal. Reaktion leicht löslich. Orn kommt zusammen mit L-Lysin u. L-Histidin in manchen Fischeiweißen vor u. wurde auch in niedermol. Peptiden (z. B. Peptid-Antibiotika wie *Tyrocidinen od. *Gramicidin S) u. Bakterien-Zellwänden nachgewiesen. Im allg. gilt Orn jedoch als nicht-Protein-bildende Aminosäure.

Biochemie: Für den Säugetierorganismus ist Orn als nicht-*essentielle *Aminosäure zu kennzeichnen; es entsteht bei der Ammoniak-Entgiftung des Körpers im sogenannten *Ornithin-* od. **Harnstoff-Cyclus* durch die Spaltung von L-Arginin unter Einwirkung von *Arginase u. wird durch Ornithin-Carbamoyltransferase [1] (EC 2.1.3.3) mit Carbamoylphosphat zu L-Citrullin u. Phosphat umgesetzt. Durch die – z. B. auch in Fäulnisbakterien vorkommende – *Ornithin-Decarboxylase* [2] (L-Ornithin-Carboxylyase, EC 4.1.1.17, enthält Pyridoxal-5-phosphat) wird Orn in das *Polyamin Putrescin (*1,4-Butandiamin) überführt. Dieser Abbau kann durch 2-(Difluormethyl)-L-ornithin gehemmt werden, was sich bei der Bekämpfung von (Putrescin benötigenden) *Trypanosomen (Erregern der Schlafkrankheit) als nützlich erwiesen hat. Aktivatoren der Ornithin-Decarboxylase wirken übrigens als *Krebspromotoren* (*Cocarcinogene). Durch δ-Transaminierung unter Wirkung von Ornithin-Oxosäure-Aminotransferase (EC 2.6.1.13) wird Orn aus L-Glutaminsäure-5-semialdehyd gebildet u. ist somit Zwischenprodukt der L-Arginin-Synth. aus L-Glutaminsäure (Abbau von L-Arginin u. L-Ornithin durch Umkehrung dieses Wegs). In Pflanzen verlaufen analoge Stoffwechsel-Wege über *N*-Acetyl-L-glutaminsäure-5-semialdehyd. Im Vogelkörper entgiftet Orn die bei Zers. aromat. Aminosäuren entstehende Benzoesäure durch Bildung von L-*Ornithursäure* (N^2,N^5-Dibenzoyl-L-ornithin, $C_{19}H_{12}N_2O_6$, M_R 364,31, Schmp. 189 °C) [3].

Herst. u. Verw.: Orn wurde erstmals von Jaffé 1877 aus Hühnerexkrementen hergestellt u. nach griech.: ornis, Genitiv ornithos = Vogel benannt. Die techn. Herst. von Orn erfolgt durch Hydrolyse von L-Arginin in alkal. Medium od. biotechnolog. mittels *Arginase od. unter Verw. von *Defektmutanten. In der Medizin wird Orn auch als 2-Oxoglutarat od. L-Aspartat (Salz der 2-Oxoglutarsäure bzw. L-Asparaginsäure) in Leberschutzpräp. gegen drohende Ammoniak-Vergiftung bei hepat. Koma eingesetzt sowie zur Förderung des Stickstoff-Stoffwechsels in der *Leber. – ***E*** = ***F*** ornithine – ***I*** = ***S*** ornitina

Lit.: [1] Trends Genet. **6**, 335–339 (1990); Metab. Brain Disease **12**, 171–182 (1997). [2] Biochem. J. **306**, 1–10 (1995); Trends Biochem. Sci. **21**, 27–30, 119 (1996). [3] Beilstein EIV **9**, 872

allg.: Beilstein EIV **4**, 2644 ▪ Stryer 1996, S. 668–671. – *[CAS 7006-33-9 (allg.); 348-66-3 (D); 616-07-9 (D,L); 70-26-8 (L)]*

Ornithin-Cyclus s. Harnstoff-Cyclus.

Ornithin-Decarboxylase s. Ornithin.

Ornithursäure s. Ornithin.

Oro. Kurzz. für *Orotsäure od. Orotate, s. a. Nucleoside.

Orobol s. Isoflavone.

Orographie. Ursprünglich die Gebirgskunde, später weiterentwickelt zur *Morphographie* – Beschreibung der Oberflächenformen der Erde – u. zur *Geomorphologie*, der Wissenschaft von den Oberflächenformen der Erde u. ihren gestaltenden Kräften u. Prozessen (*Morphogenese*). Die *Orogenese* od. *Tektogenese* ist die durch tekton. Bewegungen hervorgerufene, episod. Gebirgsbildung. – ***E*** orography – ***F*** orographie – ***I*** orografia – ***S*** orografía

Lit.: Brinkmann, Brinkmanns Abriß der Geologie, Bd. 1, Allgemeine Geologie (14.), Stuttgart: Enke 1990.

Orotan®. Dispergiermittel für wäss. Syst. in der Leder-, Lack- u. Farben-, Baustoff-, Textil-, Papier- u. Klebstoff-Industrie. ***B.:*** Rohm and Haas.

Orotate. Sammelbez. für Salze u. Ester der *Orotsäure.

Orotidin s. Orotsäure.

Orotidin-5′-monophosphat s. Orotsäure.

Orotidylat, Orotidylsäure s. Orotsäure.

Orotsäure (2,6-Dioxo-1,2,3,6-tetrahydropyrimidin-4-carbonsäure, Uracil-6-carbonsäure, Molkensäure, Kurzz.: Oro).

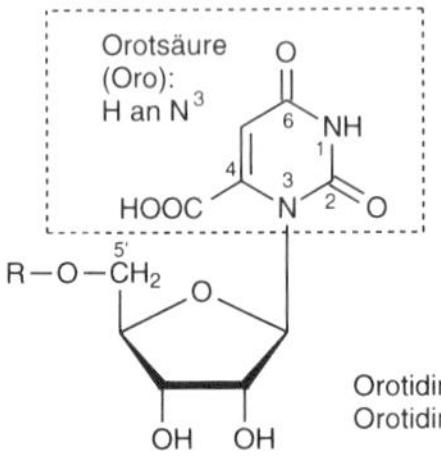

Orotidin (Ord) : R = H
Orotidin-5'-monophosphat (OMP): R = PO_3^{2-}

$C_5H_4N_2O_4$, M_R 156,10. Farblose Krist., Schmp. 345–346 °C, schwer lösl. in Wasser, leichter in Alkalihydroxid-Lsg., fast unlösl. in den gebräuchlichen organ. Lösemitteln. Oro wurde 1904 in Kuhmilch entdeckt (ca. 70 mg/L) u. soll in mehrfach höherer Konz. in Schafsmilch u. im Kolostrum (s. Humanmilch u. Milch) vorkommen, nicht aber in reifer *Humanmilch. Im Säugetierorganismus u. bei Bakterien hat Oro eine wichtige Funktion als Muttersubstanz der *Pyrimidin-*Nucleotide* u. damit auch der *Nucleinsäuren: Sie entsteht biosynthet. durch Ringschluß zwischen L-Asparaginsäure u. Carbamoylphosphat, katalysiert durch das Schlüsselenzym *Aspartat-Transcarbamoylase u. durch *Dihydroorotase* (EC 3.5.2.3) u. anschließende Dehydrierung durch *Orotat-Reduktase* u. NAD^+ od. $NADP^+$ (EC 1.3.1.14 bzw. 1.3.1.15; zu den Abk. s. Nicotinamid-Adenin-Dinucleotid); nach Reaktion mit 5-Phospho-α-D-ribofuranose-1-diphosphat in Anwesenheit von *Orotat-Phosphoribosyltransferase* (EC 2.4.2.10) bildet sich unter Abspaltung von Diphosphat *Orotidin-5′-(mono)phosphat* (Orotidylat, OMP, s. Abb.; als freie *Orotidylsäure* [1], $C_{10}H_{13}N_2O_{11}P$, M_R 368,19) u. aus diesem durch enzymat. Decarboxylierung mit Hilfe von *Orotidin-5′-phosphat-Decarboxylase* [2] (EC 4.1.1.23) die Schlüsselverb. Uridin-5′-monophosphat (s. Uridinphosphate). Die Aktivitäten der beiden letztgenannten Enzyme (der Transferase u. der Decarboxylase) sind bei höheren Eukaryonten in einem Protein vereinigt u. bei Patienten mit

Lesch-Nyhan-Syndrom (Hyperurikämie-Syndrom) erhöht.
Orotidin[3], das in OMP enthaltene *Nucleosid der Orotsäure (3-*β*-D-Ribofuranosylorotsäure, Kurzz.: Ord od. O, s. Abb., $C_{10}H_{12}N_2O_8$, M_R 288,21) tritt außer in einigen Pilzen (z. B. *Neurospora crassa*) nicht frei auf. Oro läßt sich techn. durch Kondensation von Harnstoff mit Oxobernsteinsäuremonomethylester od. auf mikrobiolog. Wege herstellen. Für manche Organismen zeigt Oro Wuchsstoff-Effekte; in diesem Zusammenhang wird sie auch zum Vitamin B-Komplex gerechnet u. gelegentlich als Vitamin B_{13} od. dessen Bestandteil bezeichnet.
Verw.: Oro, ihr Cholinester od. Oro-Metallsalze (*Orotate* von Ca, Cr, Fe, K, Co, Cu, Li, Mg, Mn, Na, Zn, Sn) werden als Urikosurika, zur Elektrolytsubstitution, in der Herz- u. Leberschutztherapie, in der Diätetik, in Multivitamin-Präp. (bes. Geriatrika) u. veterinär als Futterzusatz, z. B. in Kombination mit Lysin u. Methionin, angewendet. Oro bildet außerdem Komplexe, die zur Fällung von Alkali- u. Erdalkali-Ionen geeignet sind. – ***E*** orotic acid – ***F*** acide orotique – ***I*** acido orotico – ***S*** ácido orótico

Lit.: [1] Beilstein E V **25/8**, 239. [2] Science **276**, 942–945 (1997). [3] Beilstein E V **25/8**, 238 f.
allg.: Beilstein E V **25/8**, 224–228 ▪ Stryer 1996, S. 785 f. – *[HS 2933 59; CAS 65-86-1]*

Orphanin FQ s. Nociceptin.

Orphenadrin (Rp).

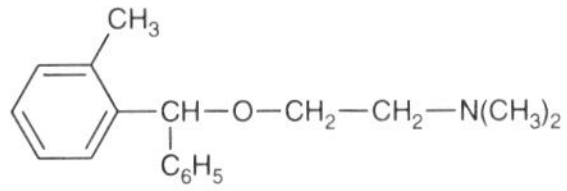

Internat. Freiname für das *Muskelrelaxans (±)-*N*,*N*-Dimethyl-2-(2-methylbenzhydryloxy)-ethylamin, $C_{18}H_{23}NO$, M_R 269,38, Sdp. 195 °C (1,6 kPa). Verwendet wird meist das Hydrochlorid, Schmp. 156–157 °C u. das Citrat. O. wurde 1951 von Parke Davis, 1961 von Brocades-Stheeman patentiert u. ist von 3 M Medica (Norflex®) im Handel. – ***E*** orphenadrine – ***F*** orphénadrine – ***I*** = ***S*** orfenadrina

Lit.: Beilstein E IV **6**, 4727 ▪ Martindale (31.), S. 503. – *[HS 2922 19; CAS 83-98-7 (O.); 4682-36-4 (Citrat); 341-69-5 (Hydrochlorid)]*

Orphol® (Rp). Lsg., Brausetabl. u. Tabl. mit *Dihydroergotoxin-mesilat gegen Durchblutungsstörungen, Altershochdruck u. Migräne. ***B.:*** Opfermann.

Orpiment s. Arsensulfide.

ORS. Abk. für *O*ral *R*ehydration *S*alts, ein von der WHO für Entwicklungsländer empfohlenes Gemisch aus 3,5 g NaCl, 1,5 g KCl, 2,5 g $NaHCO_3$ u. 20,0 g Glucose, das, in 1 L Wasser gelöst, lebensbedrohliche Austrocknungszustände bei Kleinkindern beheben kann, die z. B. wegen einer Cholera-Infektion an starkem Durchfall leiden. – ***E*** oral rehydration salts – ***I*** sali reidratanti orali

Lit.: The Management of Diarrhoea and Use of Oral Rehydration Therapy (WHO-UNICEF Statement), Genf: WHO 1985.

Orseille s. Orcein.

Orsellinsäure (2,4-Dihydroxy-6-methylbenzoesäure).

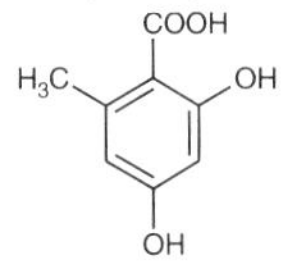

$C_8H_8O_4$, M_R 168,14, Nadeln, Schmp. 176 °C (wasserfrei), 186–189 °C (Monohydrat), lösl. in Wasser u. Alkohol. Weitverbreitetes wichtiges Zwischenprodukt bei der Biosynth. aromat. Naturstoffe aus *Polyketiden. – ***E*** orsellinic acid – ***F*** acide orsellinique – ***I*** acido orsellinico – ***S*** ácido orselínico

Lit.: Beilstein E IV **10**, 1526 ▪ J. Chem. Soc., Chem. Commun. **1992**, 646 (Biosynth.) ▪ J. Chem. Soc. Perkin Trans. 1 **1988**, 755 (Synth.) ▪ Nuhn, Chemie der Naturstoffe (2.), S. 525 ff., Berlin: Akademie-Verl. 1990 ▪ Turner **1**, 75, 87. – *[CAS 480-64-8]*

Ort des Anfalls. Nach § 2 Abwasserverordnung[1] (s. a. Rahmen-Abwasserverwaltungsvorschrift) der Ort, an dem *Abwasser vor der Vermischung mit anderem Abwasser behandelt worden ist, sonst an dem es erstmalig gefaßt wird.

Lit.: [1] VO über Anforderungen an das Einleiten von Abwasser in Gewässer (Abwasserverordnung, AbwV) vom 21.3.97, BGBl. I, S. 566 (1997).

Orthangin® N. Kapseln u. Tropfen mit standardisiertem Trockenextrakt aus Weißdornblättern mit Blüten gegen Altersherz; *O. novo:* Tropfen u. Filmtabl. enthalten den nativen standardisierten Extrakt. ***B.:*** Promonta Lundbeck.

Orthit s. Allanit.

Ortho- (von griech.: orthós = aufrecht, gerade, richtig, wahr). a) Teilw. veraltetes Präfix für Säuren mit max. Wassergehalt u. ihre Derivate (IUPAC-Regel C-464, I-9.4); *Beisp.:* *Orthoester, *Orthocarbonat, Orthosilicat, *Periodsäure.
b) Bez. für Elektronenkonfigurationen mit parallelen *Spins; s. Ortho-Helium, Ortho-Para-Isomerie.
c) *ortho-* (Kurzz.: *o*-) zeigt 1,2-Substitution am Benzol-Ring an (vgl. Meta..., Para...); *Beisp.:* *o*-*Xylol. Das kursive *o*- wird bei alphabet. Sortieren ignoriert. *ortho*-*Anellierung bedeutet für *kondensierte Ringsysteme Verschmelzen je zweier benachbarter Stellen zweier Ringe; vgl. Peri... – ***E*** = ***F*** ortho- – ***I*** = ***S*** orto-

Orthoacetate s. Orthoester.

Orthoameisensäureester s. Orthoester.

Orthocarbonate. Bez. für Salze (Anion CO_4^{4-}) u. Ester der im freien Zustand nicht existierenden Orthokohlensäure [$C(OH)_4$]; *Beisp.:* *Orthokohlensäuretetramethylester* [Tetramethoxymethan, Tetramethylorthocarbonat, $C(OCH_3)_4$, $C_5H_{12}O_4$, M_R 136,15, Sdp. 113 °C]; s. a. Orthoester u. Kohlensäureester. – ***E*** = ***F*** orthocarbonates – ***I*** ortocarbonati – ***S*** ortocarbonatos

Lit.: Beilstein E IV **3**, 4 f. ▪ Houben-Weyl **E 4**, 625–725 ▪ Synthesis **1977**, 73–90. – *[HS 2920 90; CAS 1850-14-2 (Tetramethyl-O.)]*

Orthocarbonsäuren s. Orthoester.

Orthochromatisch s. Photographie.

Ortho-Creme®. In Verb. mit Pessaren anzuwendende konzeptionsverhütende Creme mit *Nonoxinol. ***B.:*** Cilag.

Orthocyclophane. Bez. für *Cyclophane, deren Teilsyst. jeweils mit benachbarten Bindungsstellen im makrocycl. Gerüst verankert sind. Die *Cyclophan-Nomenklatur ist für O. weniger kompliziert als systemat. *Anellierungsnamen. – ***E*** = ***F*** orthocyclophanes – ***I*** ortociclofani – ***S*** ortociclofanos

Ortho-Effekt. Ein bei aromat. *elektrophilen Reaktionen an disubstituierten Benzol-Derivaten beobachtbarer Effekt. Wenn ein in die *meta*-Stellung dirigierender Substituent R^M [z. B. NO_2, CHO, $\overset{+}{N}(CH_3)_3$] zu einem in die *ortho-/para*-Stellung dirigierenden Rest R^{OP} (z. B. NH_2, OH, CH_3, OCH_3) in 1,3-Stellung steht (s. Abb.), so treten weitere Substituenten derart in das Mol. ein, daß überwiegend die Position 6, in geringerem Maße auch 2, aber kaum od. gar nicht 4 besetzt wird. Zur Erklärung des O.-E. kann die intramol. Hilfestellung der *meta*-dirigierenden Gruppe über dipolare, induktive u. mesomere Effekte herangezogen werden. Eine wirklich befriedigende Erklärung steht aber noch aus.

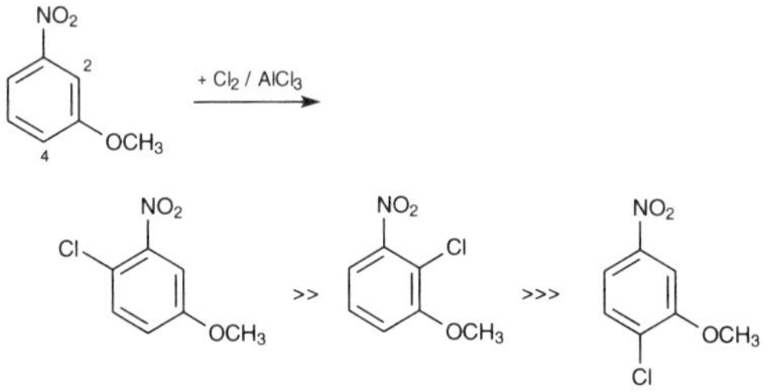

Dieser O.-E. darf nicht mit dem O.-E. verwechselt werden, wie er bei der Anw. der *Hammett-Gleichung auf ortho-substituierte Aromaten beobachtet wird [1]. – ***E*** ortho effect – ***F*** effet ortho – ***I*** effetto orto – ***S*** efecto orto

Lit.: [1] Prog. Phys. Org. Chem. **12,** 49–89 (1976); **8,** 235–317 (1971).
allg.: Newman, Steric Effects in Organic Chemistry, S. 164–200, New York: Wiley 1956 ▪ s. a. Substitution.

Orthoessigsäureester s. Orthoester.

Orthoester. Sammelname für Alkyl- u. Arylester der frei nicht bekannten *Orthocarbonsäuren*, also Verb. vom Typ R^1-$C(OR^2)_3$. Man spricht so von Orthoameisensäureestern od. Orthoformiaten (R^1 = H), Orthoessigsäureestern od. Orthoacetaten (R^1 = CH_3), Orthobenzoesäureestern od. Orthobenzoaten (R^1 = C_6H_5) u. von Orthokohlensäureestern od. *Orthocarbonaten (R^1 = R^2O). Auch cycl. O. wie 2-Alkoxy-1,3-dioxolan u. -1,3-dioxan, Lactonacetale, Zuckerorthoester [1] usw. gehören in diese Verb.-Klasse. Die O., für die zahlreiche spezif. Synth. ausgearbeitet worden sind, stellen nützliche Zwischenprodukte für präparative Reaktionen dar (z. B. für die Herst. von Aldehyden durch die Bodrouse-*Tschitschibabin-Synthese), eignen sich als Schutzgruppen für Carbonsäuren [2], lassen sich polymerisieren [3] u. eignen sich zum Abfangen von HCl- u. Wasserspuren in organ. Lsm. bzw. zur Entfernung von Reaktionswasser (vgl. Acetalisierung). Wichtige O. sind:

(a) *Orthoameisensäure-triethylester* (Triethylorthoformiat, Triethoxymethan, R^1 = H, R^2 = C_2H_5), $C_7H_{16}O_3$, M_R 148,20. Farblose, fichtennadelartig riechende u. süßlich schmeckende, brennfähige Flüssigkeit, D. 0,891, Schmp. –76 °C, Sdp. 146 °C, in den üblichen organ. Lsm. lösl., wird von Wasser u. Säuren zersetzt u. ist gegen Alkalien beständig.

Xi 

(b) *Orthoameisensäure-trimethylester* (Trimethylorthoformiat, Trimethoxymethan R^1 = H, R^2 = CH_3), $C_4H_{10}O_3$, M_R 106,12. Farblose Flüssigkeit, D. 0,969, Sdp. 100–102 °C, in Wasser kaum lösl., mit Alkohol u. Ether mischbar, entsteht durch Einwirkung von Natriummethoxid auf Chloroform. Vereinzelt kommen cycl. O. auch in der Natur vor, z. B. in *Tetrodotoxin, *Mezerein u. in 1,3,5-Stellung eines *Bufadienolids. – ***E*** = ***F*** ortho esters – ***I*** ortoesteri – ***S*** ortoésteres

Xi 
F 

Lit.: [1] Eur. J. Biochem. **21**, 472 f. (1971). [2] Helv. Chim. Acta **66**, 2294–2307 (1983). [3] Adv. Polym. Sci. **42**, 107–138 (1982).
allg.: Beilstein E IV **2**, 22–37 ▪ Houben-Weyl **E5**, 3–192 ▪ Merck-Index (12.), Nr. 7012 ▪ Patai, The Chemistry of Ethers, Crown Ethers, Hydroxyl Groups and their Sulphur Analogues, S. 881–902, Chichester: Wiley 1980. – *[CAS 122-51-0 (a); 149-73-5 (b)]*

Orthoformiate s. Orthoester.

Orthogonalität. Zwei komplexe Funktionen f(x) u. g(x) heißen *orthogonal*, wenn das Integral $\int f^*(x)g(x)dx$ gleich Null ist; f*(x) ist hierbei die zu f(x) konjugiert komplexe Funktion. Die O. spielt in der *Quantenchemie eine wichtige Rolle, da die Eigenfunktionen (s. Eigenwertproblem) der observablen Größen zugeordneten *hermiteschen Operatoren orthogonal sind. Die O. der Eigenfunktionen, z. B. der *Atomorbitale od. *Molekülorbitale, bestimmt maßgeblich die *Elektronenstruktur von Atomen u. Molekülen. – ***E*** orthogonality – ***F*** orthogonalité – ***I*** ortogonalità – ***S*** ortogonalidad

Ortho-Helium. Bez. für das *Triplett-Termsyst. des Helium-Atoms. In den hierzu gehörenden elektron. Zuständen besetzt eines der beiden *Elektronen das 1s-*Orbital, das zweite Elektron ein energet. höher liegendes Orbital. Hierbei sind die *Spins der beiden Elektronen parallel gerichtet, womit ein Triplett-Zustand resultiert (Quantenzahl des Gesamtspins: S = 1, *Multiplizität: 2S+1 = 3). Der tiefste Zustand des Triplett-Syst., mit 2^3S (Hauptquantenzahl n = 2) bezeichnet, hat eine verhältnismäßig lange Lebensdauer, da der Übergang zum elektron. Grundzustand spinverboten ist. Letzterer ist ein *Singulett-Zustand (S=0); das Singulett-Termsyst. wird auch als *Para-Helium* bezeichnet. – ***E*** orthohelium – ***F*** orthohélium – ***I*** elio orto – ***S*** ortohelio

Lit.: Haken u. Wolf, Atom- u. Quantenphysik, 6. Aufl., Berlin: Springer 1996 ▪ Kutzelnigg, Einführung in die Theoretische Chemie (3.), Bd. 1, Weinheim: VCH Verlagsges. 1992.

Orthokieselsäure s. Kieselsäuren.

Orthokinetische Flockung s. Flockung.

Orthoklas. $K[AlSi_3O_8]$, morpholog. monoklines, zu den Kali-*Feldspäten gehörendes Mineral, mit einer teilw. geordneten Verteilung der Al- u. Si-Atome auf die Tetraederplätze in der *Feldspat-Struktur. O. ist aufgebaut aus submikroskop., tweedartig zu *Zwillingen verwachsenen triklinen Teilbereichen („Domänen"). Krist. dicktafelig od. gestreckt; wichtigste Zwillinge zeigt die Abbildung.

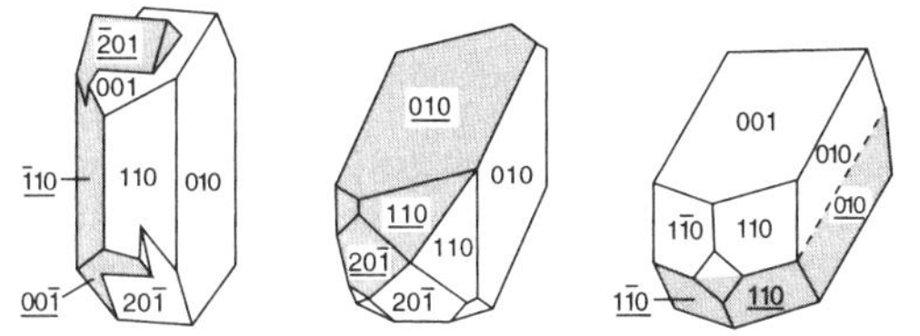

a b c

Abb.: Die wichtigsten Zwillinge von Orthoklas: (a) Karlsbader Zwilling; (b) Bavenoer Zwilling; (c) Manebacher Zwilling. Flächensymbole s. Kristallgeometrie; nach *Lit.*[1].

Gewöhnlich körnig-spätig, häufig auch idiomorph (*Gefüge) als Gesteinsgemengteil eingewachsen. Hellrosa, bräunlichgelb, rötlichweiß, bisweilen fleischrot u. gewöhnlich undurchsichtig trüb. H. 6, D. 2.54–2,57. Der Winkel zwischen den Spaltflächen beträgt 90°.

Vork.: Verbreitet in *Graniten, *Syeniten, *Trachyten, *Pegmatiten u. *Gneisen. In Edelstein-Qualität goldgelb durchsichtig von Betroka/Madagaskar. Zur Verw. s. Mikroklin u. Feldspäte. – ***E*** = ***F*** orthoclase – ***I*** ortoclasio – ***S*** ortoclasa

Lit.: [1] Deer et al. (2.), S. 408.
allg.: Deer et al., S. 396–401 ▪ Lapis **14**, Nr. 3, 5–9 (1989) („Steckbrief") ▪ Ramdohr-Strunz, S. 773–776 ▪ s. a. Feldspäte. – *[HS 7103 10, 7103 99; CAS 1302-64-3]*

Orthokohlensäure(tetramethylester) s. Orthocarbonate.

Orthokondensiert s. kondensierte Ringsysteme.

Orthopanchromatisch s. Photographie.

Ortho-Para-Isomerie. Hierunter versteht man eine Art von *Isomerie, die mit den *Spins der Atomkerne zusammenhängt u. sich in etwas abweichenden physikal. Eigenschaften der beiden isomeren Formen ausdrückt. Ein wichtiges Beisp. bildet der elementare Wasserstoff: Im *Ortho-Wasserstoff* (o-H_2) sind die Spins der beiden Kerne (jeweils I=½) gleichgerichtet (parallel) u. addieren sich zum Gesamtspin I=1 (Triplett). Im *Para-Wasserstoff* (p-H_2) sind die Spins einander entgegengerichtet (antiparallel) u. kompensieren sich zu I=0 (Singulett). Da die gesamte *Wellenfunktion für ein H_2-Mol. antisymmetr. bezüglich der Vertauschung der beiden *Protonen sein muß (s. a. Antisymmetrieforderung u. Fermionen), verhalten sich die die Mol.-Rotation beschreibenden Anteile der Wellenfunktion antisymmetr. im Falle des o-H_2 (der Spinanteil der Wellenfunktion ist hier symmetr.) bzw. symmetr. im Falle des p-H_2 (antisymmetr. Spinanteil). Zu p-H_2 gehört der energet. tiefste Rotationszustand mit Rotationsquantenzahl J = 0. Mit abnehmender Temp. verschiebt sich daher das Gleichgew. zwischen o-H_2 u. p-H_2 zugunsten der letzteren Form. Bei Zimmertemp. ist das Mengenverhältnis o-H_2 : p-H_2 etwa 3:1 (aufgrund der dreifachen Entartung des Triplett-Zustands; der Singulett-Zustand ist nicht entartet), was sich auch bei höheren Temp. nicht mehr wesentlich ändert. Da die Wechselwirkung der Kernspins mit den Elektronenspins außerordentlich schwach ist, ist die *Isomerisierung zwischen o-H_2 u. p-H_2 im allg. ein langsamer Prozeß. Die Einstellung des Gleichgew. geht nur in Ggw. von Katalysatoren wie Kohlenstoff od. Lanthanoid-Verb. mit vertretbarem Zeitaufwand vor sich – für Tieftemp.-Versuche u. zur Speicherung (z. B. in der Raumfahrt) benötigt man nämlich ausschließlich den energieärmeren p-H_2. Nahezu reinen o-H_2 kann man durch Tieftemp.-Adsorption an Aluminium gewinnen.

O.-P.-I. wird auch bei Deuterium beobachtet. Da *Deuteronen den Kernspin I=1 besitzen u. somit zu den Bosonen zählen, sind hier die Verhältnisse umgekehrt. Die ortho-Form ist die energieärmere u. somit im therm. Gleichgew. bei allen Temp. die häufigere. Allg. tritt O.-P.-I. bei Mol. auf, die 2 äquivalente Kerne besitzen, z. B. auch bei H_2O. – ***E*** ortho-para isomerism – ***F*** isomérie ortho-para – ***I*** isomeria orto-para – ***S*** isomería orto-para

Lit.: Adv. Catal. **27**, 23–57 (1978) ▪ Chem. Rev. **80**, 417–428 (1980) ▪ Chem. Unserer Zeit **10**, 74–83 (1976) ▪ Kirk-Othmer (3.) **12**, 938–944 ▪ Winnacker-Küchler (3.) **2**, 505 f.; (4.) **3**, 645 f.

ortho-peri- s. kondensierte Ringsysteme.

Orthoperiodsäure s. Periodsäure.

Orthophen®-Alterungsschutzmittel. Zusatzstoffe für Elastomere auf der Basis von *Phenol-Derivaten, die als Alterungsschutzmittel wirken. ***B.:*** Bakelite AG.

Orthophosphorsäure s. Phosphorsäure.

Orthopyroxene s. Pyroxene.

Orthorhombisch (o-rhomb.). Mit „rhomb." gleichbedeutende Bez. für eines der 7 *Kristallsysteme, nicht zu verwechseln mit *rhomboedrisch. – ***E*** orthorhombic – ***F*** orthorhombique – ***I*** ortorombico – ***S*** ortorrómbico

Lit.: Ramdohr-Strunz, S. 59 ff., 87.

Orthosäuren s. Ortho- u. Säuren.

Orthosilicate s. Kieselsäuren u. Silicate; organ. O. s. Kieselsäureester u. Silicium-organische Verbindungen.

Orthosiphon. Bez. für das im trop. Asien beheimatete ausdauernde Kraut *Orthosiphon aristatus* (Blume) Miq. (Lamiaceae), dessen Blätter in diuret. Tees bei Nierenerkrankungen verwendet werden. Die *Droge wird auch Javatee, ind. Nierentee od. Koemis koetjing (holländ.) genannt. Sie enthält ca. 0,04% eines komplex zusammengesetzten ether. Öls, 0,5–1% *Kaffeesäure-Derivate, Flavonoide, Diterpenester (Orthosiphole) u. ca. 3% Kaliumsalze. Die Wirkung konnte belegt, aber nicht auf einzelne Inhaltsstoffe zurückgeführt werden. – ***E*** Java tea – ***F*** thé de Java, feuilles de barbiflore – ***I*** tè di Giava – ***S*** té de Java

Lit.: Bundesanzeiger 50/13. 03. 86 u. 50/13. 03. 90 ▪ DAB **1997** u. Komm. ▪ Planta Med. **58**, 237 f. (1992) ▪ Wichtl (3.), S. 413–416. – *[HS 1211 90]*

Orthosterie s. Allosterie.

Ortho-Wasserstoff s. Ortho-Para-Isomerie.

Ortoton®/-K. I. S. (Rp). Tabl. u. Ampullen mit dem *Muskelrelaxans *Methocarbamol; *O. Plus* enthalten zusätzlich *Acetylsalicylsäure. ***B.:*** Bastian-Werk.

Oryzalin.

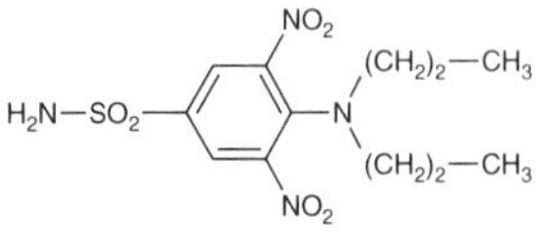

Common name für 3,5-Dinitro-N^4,N^4-dipropylsulfanilamid, $C_{12}H_{18}N_4O_6S$, M_R 346,35, Schmp. 141–142 °C, LD_{50} (Ratte oral) >10000 mg/kg (WHO), von Eli Lilly (jetzt Dow Elanco) 1968 eingeführtes selektives Vorauflauf-*Herbizid gegen Ungräser u. Unkräuter im Sojabohnen-, Luzerne-, Baumwoll-, Obst- u. Weinanbau. – ***E*** = ***F*** oryzalin – ***I*** orizalina – ***S*** orizalín

Lit.: Farm. ▪ Perkow ▪ Pesticide Manual. – *[HS 2935 00; CAS 19044-88-3]*

Os. Symbol für das Element *Osmium.

OSA. Abk. für *o*pt. *S*pektral-*A*nalysator, s. Monochromator.

Osage-Orangen s. Morin.

. . .osan. Endung von Namen für Polysaccharid-Klassen, wenn die Endung *. . .an (IUPAC-Regel 2-Carb-39) irreführend ist; *Beisp.:* Hexosane, *Pentosane (aber: *Glucane, *Xylane). – ***E*** . . .osan – ***F*** . . .osane – ***I*** . . .osano – ***S*** . . .osana

Osazone. Von *. . .ose u. *Hydr*azon* abgeleitete Gruppenbez. für 1,2-Bis(phenylhydrazone), d. h. für Reaktionsprodukte zwischen Phenylhydrazin u. 1,2-*Diolen, 1,2-*Diketonen, α-Hydroxy- od. α-Halogenketonen. O. sind für die Strukturermittlung der reduzierenden Monosaccharide von Bedeutung; sie lösen sich in Wasser schwer, können durch Umkrist. aus Pyridin gereinigt werden u. haben charakterist. Schmelzpunkte. Die Umwandlung einer Aldose in eine Ketose

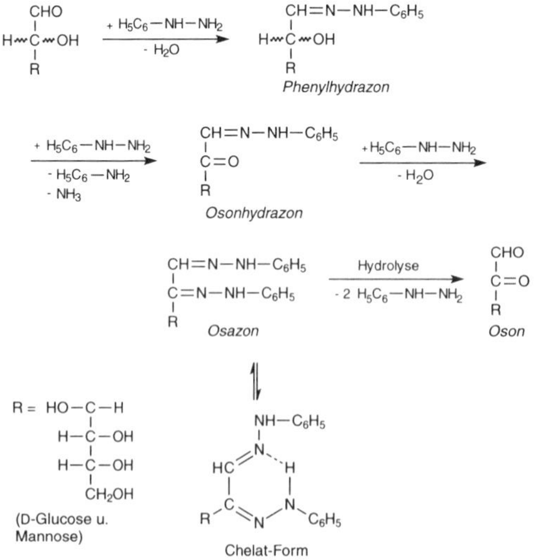

Abb.: Mechanismus der Osazon-Bildung.

kann über das O. erfolgen. Diese können daher auch zur Konfigurationsbestimmung herangezogen werden; z. B. geben die beiden epimeren Zucker D-Glucose u. D-Mannose das gleiche O. wie die D-Fructose. Allerdings vermögen die O. ebenso wie 1,2-Dioxime (vgl. Benzildioxim) in 3 verschiedenen stereoisomeren Formen (**cis-trans*-Isomere) zu existieren; die *cis-trans*-Form (*E,Z*-Form), die zur Ausbildung eines energet. günstigen *Chelats führt ist allerdings begünstigt [1].

Der Bildungsmechanismus der von Emil *Fischer erstmals hergestellten O. ist recht kompliziert u. verläuft nach Untersuchungen von F. Weygand über intramol. Redoxvorgänge u. Osonhydrazone als Zwischenstufen (s. a. Amadori-Umlagerung). Energ. Hydrolyse der O. liefert ggf. *Aldoketosen, deren früherer Gruppenname *Osone* war; ihr systemat. Name endet auf . . .*osulose*. – ***E*** = ***F*** osazones – ***I*** osazoni – ***S*** osazonas

Lit.: [1] Z. Chem. **18**, 23 f., 102 f. (1978).

allg.: Krauch u. Kunz, Reaktionen der Organischen Chemie, 6. Aufl., S. 666, Heidelberg: Hüthig 1997 ▪ Pigman u. Horton, Carbohydrates, Bd. 1, S. 929–988, New York: Academic Press 1980 ▪ s. a. Hydrazone.

Osborne-Fraktionen s. Mehl.

Oscin s. Scopolamin

. . .ose. a) Endung von Mono-, Di- u. Oligosaccharid-Namen (IUPAC-Regeln 2-Carb), gebildet analog zu *Glucose (griech.: gleũkos = Most, Traubensaft); *Beisp.:* s. Kohlenhydrate. Auch Endung von veralteten Namen veränderter Proteine; *Beisp.:* Albumose. – b) Von griech.: . . .ōsis = . . .sein, . . .heit, . . .keit abgeleitete Endung, z. B. in medizin. Bez. für Krankheiten; *Beisp.:* *Avitaminosen, *Hyperthyreose, *Silicose. – ***E*** . . .ose (a), . . .osis (b) – ***F*** . . .ose – ***I*** . . .osio – ***S*** . . .osa

OSEE s. Exoelektronen.

OSHA. Die *O*ccupational *S*afety and *H*ealth *A*dministration ist die amerikan. Arbeitsschutzbehörde, die auf dem Occupational Safety and Health Act von 1970 basiert. Die OSHA legt Regelungen für den *Arbeitsschutz sowie Standards für den Umgang, die Herst. u. den Import von Chemikalien fest u. ist zuständig für deren Durchsetzung u. Überwachung. *OSHA permissible exposure limits* (PEL) sind Grenzwerte für die Exposition von Arbeitnehmern durch gefährliche Arbeitsstoffe in der Luft am Arbeitsplatz (vergleichbar mit *MAK-Werten).

. . .osid. Endung der Namen von *Glykosiden (IUPAC-Regel 2-Carb-33), gebildet aus *. . .ose u. *. . .id. – ***E*** = ***F*** = ***I*** . . .oside – ***S*** . . .ósido

Osimol®. Dispergier- u. Egalisiermittel für die Textilveredelung auf der Basis von *Sulfonsäure-Kondensaten (O. DP; Dispergiermittel für die Polyester-Färberei), *quartären Ammonium-Verbindungen (O. EFA; Retarder für die Acryl-Färberei), Alkylarylsulfonaten (O. 109; Egalisiermittel für die Polyamid-Färberei), Fettsäurepolyglykolestern (O. PHT; Egalisiermittel für die Polyester-Färberei), modifizierten *Phosphorsäureestern (O. 728; Lauffaltenverhinderer für die Polyester-Färberei). ***B.:*** Grünau.

...osin. Endung von Namen für *Purin-*Nucleoside u. von Trivialnamen (z. B. *Carnosin, *Eosin, *Erythrosin, *Sarkosin, *Tyrosin). – ***E*** ...osine (N-freie Verb. oft ...osin) – ***F*** ...osine – ***I*** = ***S*** ...osina

Osladin. Natürlicher *Süßstoff, der aus dem *Rhizom (O.-Gehalt 0,03%) des einheim. Farns *Polypodium vulgare* (gemeiner Tüpfelfarn, Engelsüß) gewonnen werden kann. O. hat etwa die 500fache Süßkraft von *Saccharose, allerdings ist eine Zulassung aus toxikolog. Gründen (hämolyt. Wirkung) unwahrscheinlich.

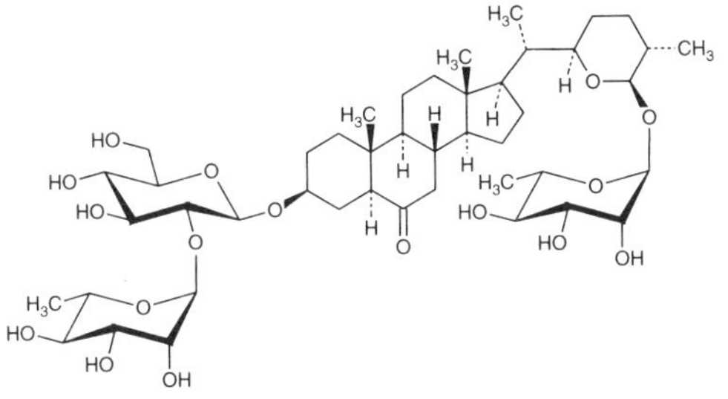

$C_{45}H_{74}O_{17}$, M_R 887,07, Schmp. 198–199 °C, Glykosid des 22,26-Epoxy-3,26-dihydroxycholestan-6-ons mit α-*L-Rhamnose u. Neohesperidose (2-*O*-α-L-Rhamnopyranosyl-β-D-glucopyranose). Die mol. Struktur des zur Klasse der bisglykosid. steroidalen *Saponine gehörenden O. erinnert an *Steviosid. – ***E*** osladin – ***F*** osladine – ***I*** = ***S*** osladina

Lit.: Beilstein E V **18/3**, 179 ▪ Belitz-Grosch (4.), S. 394 ▪ Dobbing, Sweetness, Berlin: Springer 1987 ▪ J. Org. Chem. **60**, 386 (1995) ▪ Nabors (Hrsg.), Alternativ Sweeteners, S. 314, New York: Dekker 1985 ▪ Synlett **1993**, 54 ff.; **1995**, 785–793 ▪ Tetrahedron Lett. **33**, 4009 (1992). – *[CAS 33650-66-7]*

osm. Kurzz. für Osmol, s. Osmose.

OSM s. Oncostatin M.

Osmarine, Osmate s. Osmium.

Osmiridium s. Iridium.

Osmium. Chem. Symbol Os. Metall. Element, Ordnungszahl 76, Atomgew. 190,23. Natürliche Isotope (in Klammern jeweils die prozentuale Häufigkeit): 184 (0,02), 186 (1,58), 187 (1,6), 188 (13,3), 189 (16,1), 190 (26,4), 192 (41,0). ^{186}Os ist radioaktiv (α-Strahler) mit einer HWZ von $2 \cdot 10^{15}$ a. ^{187}Os ist das stabile Tochternuklid des β-aktiven ^{187}Re. Daher kann das Verhältnis $^{187}Os/^{186}Os$ zur *Geochronologie in Lagerstätten mit hohem Re/Os-Verhältnis genutzt werden[1]. Ferner kennt man künstliche Isotope mit HWZ zwischen 0,2 s u. 6 a. Os ist 0- u. +2- bis +8-wertig; die 4- u. 6-wertigen Verb. sind am beständigsten. Os gehört in die 8. Gruppe des *Periodensystems u. zeigt enge Verwandtschaft zu Ruthenium, ferner zu Fe, Ir, Pt; man rechnet es zusammen mit den beiden letzteren zu den schweren *Platin-Metallen. Mit einer Dichte von 22,590 ist Os das schwerste Element unseres Lebensraumes, vor *Iridium, D. 22,560; vgl. hierzu *Lit.*[2]. Reines Os ist ein bläulichweißes, glänzendes, sehr hartes (H. 7), sprödes u. pulverisierbares Metall; das Pulver erscheint blauschwarz, Schmp. 3045±30 °C, Sdp. 5500 °C, im elektr. Lichtbogen destillierbar. Das feste Metall wird durch Luft bei Raumtemp. nicht angegriffen, bildet aber beim Erhitzen das flüchtige, sehr giftige, Chlor-artig riechende *Osmiumtetroxid (OsO_4), das ein starkes Oxid.-Mittel ist u. beim Vorliegen von Os in Pulver- od. Schwammform schon langsam bei Raumtemp. entsteht. Feinverteiltes Os adsorbiert beträchtliche Mengen H_2. Infolge seiner leichten Oxidierbarkeit wird Os durch Phosphorsäure, Königswasser, Salpetersäure, konz. Schwefelsäure, Natriumhypochlorit-Lsg., Natriumhydrogensulfat-Schmelzen u. oxidierende alkal. Schmelzen angegriffen, ferner durch HF u. Cl_2. Es bildet u. a. Oxide, Halogenide, Sulfide, Telluride, Phosphide u. Koordinationsverb., z. B. *Osmocen, u. eine Reihe von Komplexen (*Osmate*) sowie Carbonyl-Komplexe. Mit Kohlenhydraten entstehen ggf. hochmol. sog. *Osmarine*, die eine Bedeutung bei der Behandlung von Polyarthritis haben[3].

Nachw.: Photometr. z. B. mit Thioharnstoff, 1,5-Diphenylcarbonohydrazid od. Tetraphenylarsoniumchlorid, mit Dithizon u. Isotopenverdünnungsanalyse, qual. mit Pyrogallol, durch Röntgenfluoreszenzanalyse u. AAS, sehr empfindlich mit massenspektrometr. Methoden[4].

Vork.: Der Anteil des Os an der 16 km dicken, obersten Erdkruste wird auf 5 mg/t (eines der seltensten Elemente) geschätzt. Os findet sich in den Platin-Erzen meist in Form von *Osmiridium* (s. Iridium); Fundorte sind u. a. Südafrika, Ural, Nord- u. Südamerika, Tasmanien, Borneo, Japan u. die Kupfer- u. Nickelerze von Kanada, Sibirien u. Südafrika.

Herst.: Zusammen mit den anderen Platin-Metallen (s. dort); die Abtrennung des Os kann durch Oxid. zu OsO_4 erfolgen, das mit Formaldehyd zum Metall reduziert wird. Der Jahresbedarf an Os lag 1993 bei 0,2 t.

Verw.: In Leg. mit anderen Platin-Metallen u. in Form von Carbonyl- u. anderen Komplexen als Katalysator, als Hartmetallwerkstoff z. B. für Füllfederspitzen, Lagerzapfen von Instrumenten, elektr. Kontakte, früher auch in Glühfäden für Metallfadenlampen (heute durch Wolfram ersetzt, vgl. Osram). Von den O.-Verb. sind vornehmlich das *Osmiumtetroxid, ferner die Komplex-Verb. zu erwähnen. Os wurde 1907 von Haber als Katalysator für die Ammoniak-Synth. verwendet, bald darauf jedoch durch Fe-Katalysatoren ersetzt.

Geschichte: O. wurde im Jahre 1804 von Tennant zusammen mit Iridium aus dem in Königswasser unlösl. Rückstand von Platin-Rohmetall isoliert. Der Grund für die Namensgebung war der starke Geruch des OsO_4 (von griech.: osmé = Geruch). – ***E*** = ***F*** osmium – ***I*** = ***S*** osmio

Lit.: [1] Faure, Principles of Isotope Geology, New York: Wiley 1977. [2] Platinum Met. Rev. **33** (1), 14 ff. (1989). [3] Chem. Eng. News **60**, Nr. 14, 8 f. (1982). [4] Townshend, Encyclopedia of Analytical Science, S. 3662 ff., London: Academic Press 1995. *allg.:* Acc. Chem. Res. **16**, 67–72 (1983) ▪ Adv. Organomet. Chem. **25**, 121–198 (1986); **29**, 163–247 (1989) ▪ Brauer (3.) **3**, 1742–1746 ▪ Gmelin, Syst.-Nr. 66, Os, 1939, Suppl.-Bd. 1, 1980 ▪ Kirk-Othmer (4.) **19**, 347–407 ▪ Knox, Organometallic Compounds of Ruthenium and Osmium, London: Chapman & Hall 1985 ▪ Léonhard, in Seiler et al. (Hrsg.), Handbook on Toxicity of Inorganic Compounds, S. 501–504, New York: Dekker 1988 ▪ Smith u. Carson, Trace Metals in the Environment, Vol. 4, Palladium and Osmium, Ann Arbor: Ann Arbor Sci. 1977. – *[HS 711041, 711049; CAS 7440-04-2]*

Osmiumoxide, Osmiumsäure s. Osmiumtetroxid.

Osmiumtetroxid. OsO_4, M_R 254,20. Das auch *Osmiumsäure* genannte OsO_4 bildet sich beim Erhitzen von feingepulvertem *Osmium an der Luft od. im Sauerstoff-Strom od. durch Oxid. z. B. mit Salpetersäure. Farblose, monokline Nadeln, D. 4,906, Schmp. 40 °C, Sdp. 132 °C, mäßig lösl. in Wasser mit neutraler Reaktion, lösl. in Tetrachlormethan, Alkohol, Ether, Benzol. OsO_4 subl. schon bei 20 °C u. bildet Chlor-artig riechende, schleimhautreizende, sehr giftige Dämpfe, die gefährliche Bindehautentzündungen u. Hornhauttrübungen verursachen, MAK 2 μg/m³ = 0,2 nmol/mol Luft (0,2 ppb).

T 

Verw.: Bei mikroskop. Untersuchungen zum Anfärben von Gewebeschnitten, als Fixiermittel in der Elektronenmikroskopie von biolog. Material [1], zur selektiven Oxid. (allein od. zusammen mit anderen Oxid.-Mitteln) in flüssiger Phase zur Bildung von *cis*-Diolen u. als Katalysator z. B. für *Hydroxylierungen. Zur Wiedergewinnung aus Os-haltigen Abfällen s. *Lit.*[2].
Neben OsO_4 bildet Osmium die Oxide OsO (M_R 206,20), OsO_2 (M_R 222,20) u. OsO_3 (M_R 238,20). – ***E*** osmium tetroxide – ***F*** tétroxyde d'osmium – ***I*** tetrossido d'osmio – ***S*** tetr(a)óxido de osmio

Lit.: [1] Hanker, Osmiophilic Reagents in Electron Microscopic Histochemistry (Progr. Histochem. 12/1), Stuttgart: Fischer 1979. [2] Swiss Chem. **8** (12), 43 f., 46 (1986).

allg.: Brauer (3.) **3**, 1745 f. ▪ Braun-Dönhardt, S. 281 ▪ Gmelin, Syst.-Nr. 66, Os, 1939, S. 31–49, Suppl. Vol. 1, 1980, S. 74–95 ▪ Kirk-Othmer (4.) **19**, 382 ▪ Mijs u. Jonge (Hrsg.), Organic Synthesis by Oxidation with Metal Compounds, S. 633–693, New York: Plenum 1986 ▪ Platinum Met. Rev. **33** (4), 181–185 (1989) ▪ Ullmann (5.) **A 21**, 100 ▪ s. a. Osmium. – *[HS 2843 90; CAS 20816-12-0; G 6.1]*

Osmocen.

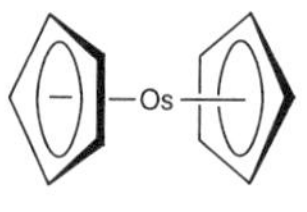

$C_{10}H_{10}Os$, M_R 320,39. Das systemat. als Bis(η^5-cyclopentadienyl)osmium zu bezeichnende O. (farblose Krist., Schmp. 230 °C) ist ein *Metallocen mit Osmium als Zentralatom. – ***E*** = ***I*** osmocene – ***F*** osmocène – ***S*** osmoceno

Lit.: Beilstein E IV **16**, 1835 ▪ s. a. Metallocene – *[CAS 1273-81-0]*

Osmodiuretika. Bez. für solche *Diuretika, die – anders als die *Saluretika – kaum einen natriuret. Effekt haben, sondern durch *Osmose wirksam sind. So läßt sich z. B. durch intravenöse Zufuhr einer *hypotonischen Lösung von *Mannit eine gesteigerte Harn-Ausscheidung erreichen, da dieses sich im extrazellulären Raum verteilt u. nicht in die Zellen eindringt u. auch nicht rückresorbiert wird. Derartige O. werden z. B. gegen die Entstehung von Nieren-Versagen im Schock od. zur Ausschwemmung von Organödemen wie etwa Hirnödemen verwendet. Auch bei Vergiftungen z. B. durch Barbiturate sind O. nützlich. Neben Mannit ist auch *Sorbit geeignet, während der früher verwendete Harnstoff nicht mehr eingesetzt wird. – ***E*** osmodiuretics – ***F*** osmodiurétiques – ***I*** osmodiuretici – ***S*** osmodiuréticos

Lit.: Mutschler (7.), S. 585.

Osmol s. Osmose.

Osmolalität, Osmolarität s. Osmose.

Osmolyse. Einengen von Lsg. durch *Dialyse gegen eine Lsg. mit hohem osmot. Druck.

Osmometer, Osmometrie s. Osmose.

Osmophilie s. Mikrobiologie u. Osmose.

Osmophore Gruppen (von griech.: osme = Geruch u. phorein = tragen). In der organ. Chemie bezeichnet man als *o. (geruchstragende) G.* meist *funktionelle Gruppen wie –CHO, >CO, $–CH_2OH$, –COOR, –OR, –CN, $–NO_2$ (sog. *Euosmophere,* von griech.: eu = wohl, gut) u. –SH, –SR, –CHS, –CSR, –NC (sog. *Kakosmophere,* von griech.: kakos = übel); auch Doppelbindungs- od. aromat. Syst. (z. B. Naphthalin) können o. G. sein. Man nimmt an, daß bei den o. G. deren freie Zugänglichkeit im Mol. Voraussetzung für das Zustandekommen eines *Geruchs-Eindrucks ist. Deshalb kommt der mol. Umgebung der o. G. eines *Riechstoffs u. insbes. der Stereochemie eine entscheidende Bedeutung für die Differenzierung sensor. Qualitäten zu. – ***E*** osmophoric groups – ***F*** groupements osmophores – ***I*** gruppi osmofori – ***S*** grupos osmóforos

Lit.: Brauer, Gefahrstoff-Sensorik, Landsberg: ecomed Verlagsges. 1988–1990 ▪ Ohloff, Riechstoff u. Geruchssinn, S. 11 ff., Berlin: Springer 1990.

Osmoregulation (von griech. osmos = Stoß u. latein. regulare = regeln). Unter O. versteht man die bei verschiedenen Tieren u. beim Menschen entwickelte Fähigkeit, ein stabiles inneres Milieu aufrechtzuerhalten, das die Organe u. Gewebe gegenüber Schwankungen des Außenmediums abschirmt. Die hierzu notwendigen physiolog. Mechanismen sind meist aktive, energieverbrauchende Transportprozesse, die zum einen den Ionenhaushalt, zum anderen den Wasserhaushalt regulieren (s. a. Osmose). – ***E*** osmoregulation – ***F*** osmorégulation – ***I*** osmoregolazione – ***S*** osmorregulación

Lit.: Richter, Stoffwechselphysiologie der Pflanzen, 6. Aufl., Stuttgart: Thieme 1997 ▪ Wehner u. Gehring, Zoologie, 23. Aufl., Stuttgart: Thieme 1995 ▪ s. a. Osmose.

Osmose. Von griech.: osmos = Schieben, Stoßen abgeleitete Bez. für die *Diffusion von *Lösemittel-Mol. durch eine semipermeable Trennwand (*Membran) hindurch. Befinden sich beiderseits der Trennwand verschieden konz. *Lösungen, so wird beim Vorliegen einer permeablen Trennwand, die *allen* Komponenten des Lsg.-Syst. den Durchtritt gestattet (vgl. Permeabilität), ein Konz.-Ausgleich nach Art der freien Diffusion erfolgen. Ist jedoch die Trennwand nur *semipermeabel* (halbdurchlässig), wie dies bei vielen natürlichen od. synthet. *Membranen* (*Diaphragmen) der Fall ist, so wird nur noch Teilen des Syst. (im allg. nur den Lsm.-Mol.) der Durchtritt gestattet. Um nun gleiche Konz. zu beiden Seiten der Trennwand herzustellen, wandern Lsm.-Mol. vom Raum niedrigerer in den Raum höherer Konzentration. Anschaulich spricht man auch von einem „Verdünnungsbestreben" der konzentrierteren Lösung. Der Wanderungsvorgang setzt sich so lange fort, bis jeweils gleich viele Lsm.-Mol. nach beiden Seiten der Trennwand diffundieren. Befand sich die höher konz. Lsg. in einem abgeschlossenen Syst., so wurde durch das Hereindiffundieren des Lsm. allmählich ein hydrostat. Überdruck erzeugt, der dem Verdünnungsbestreben entgegen wirkt. Diesen manometr. meßbaren Druck bezeichnet man als *osmot. Druck*. Näheres zu dessen Zustandekommen u. quant. Erfassung, zu den verschiedenen Membranmodellen – *Porenmembran* u. *Löslichkeitsmembran* – sowie zur Abgrenzung der O. gegenüber *Dialyse (mit ihrer sog. Diasolyse-Variante) u. *Ultra- sowie Membranfiltration s. *Lit.*[1].

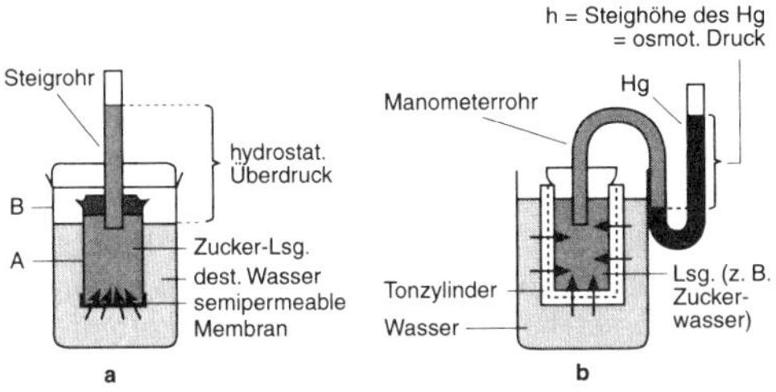

Abb. a: Demonstration des osmot. Druckes; b: Schemat. Aufbau der Pfefferschen Zelle.

In der Abb. a, die das O.-Prinzip veranschaulichen soll (eine schemat. Darst. s. a. bei umgekehrte Osmose), ist der mit einer semipermeablen Membran nach unten verschlossene u. oben mit einem Steigrohr versehene Zylinder A (*osmot. Zelle*) mit einer Zucker-Lsg. gefüllt u. außen von einem mit dest. Wasser gefüllten Gefäß B umgeben. Zu Beginn des Versuchs stehen die Flüssigkeiten in beiden Gefäßen gleich hoch, doch steigt dann der Flüssigkeitsspiegel in A wegen der Diffusion von Wasser von B nach A infolge des Verdünnungsbestrebens der Lsg. allmählich an, bis sich schließlich ein *stationärer Zustand einstellt, d. h. der Meniskus im Steigrohr unverändert bleibt. Dies ist dann erreicht, wenn der hydrostat. Überdruck in A (der dem Niveauunterschied zwischen Innen- u. Außenflüssigkeit entspricht) das Verdünnungsbestreben der Lsg. gerade kompensiert. Der gleiche Effekt (jedoch mit anderem Niveauunterschied) wäre zu beobachten, wenn es sich bei der Außenflüssigkeit nicht um das reine Lsm., sondern um eine gegenüber der Innenlsg. verdünntere Zucker-Lsg. handeln würde.

Die 1748 von dem französ. Physiker Nollet entdeckte Erscheinung der O. wurde erstmals 1877 von dem Botaniker W. F. P. *Pfeffer nach einem von M. Traube 1867 vorgeschlagenen Prinzip mit der in der Abb. b wiedergegebenen Anordnung (*Traubesche* od. *Pfeffersche Zelle*) quant. erfaßt. Als semipermeable Trennwand diente hier ein Tonzylinder, der nach weitgehender Entlüftung in eine wäss. Kupfersulfat-Lsg. gestellt u. innen mit einer wäss. Lsg. von Kaliumhexacyanoferrat(II) (gelbes *Blutlaugensalz) gefüllt wurde; durch Eindiffundieren der beiden Lsg. in die Poren des Zylinders bildete sich im Ton eine semipermeable Membran aus Kupfer(II)-hexacyanoferrat(II) nach der Gleichung:

$$2\,CuSO_4 + K_4[Fe(CN)_6] \rightarrow Cu_2[Fe(CN)_6] + 2\,K_2SO_4;$$

ähnliche Phänomene kann man übrigens auch an Metallsalzen in *Wasserglas beobachten, s. die Beschreibung eines „chem. Gartens auf O.-Basis“ in *Lit.*[2]. Die Ablesung des osmot. Druckes ermöglicht ein mit der Zelle verbundenes Quecksilber-Manometer. Auch sog. *Membran-Osmometer* funktionieren nach dem Prinzip der Pfefferschen Zelle.

Aus Versuchen mit *Osmometern* lassen sich verschiedene Schlüsse ziehen: 1. Der osmot. Druck ist direkt proportional der Konz.-Differenz. – 2. Äquimolare Lsg. von *Nichtelektrolyten* haben den gleichen osmot. Druck. – 3. *Elektrolyte (Säuren, Basen, Salze) haben einen höheren osmot. Druck als aufgrund von Regel 2 zu erwarten wäre, da Elektrolyte bei der Auflösung in Wasser in Ionen dissoziieren (s. elektrolytische Dissoziation); damit erhöht sich die Zahl der Teilchen. Der osmot. Druck hängt lediglich von der *Zahl* der Teilchen ab, ist also eine sog. *kolligative Eigenschaft. – 4. Bei verd. Lsg. ist der osmot. Druck umgekehrt proportional zum Vol. der Lsg. bei gleicher Zahl gelöster Teilchen. Es gilt eine dem *Boyle-Mariotteschen Gesetz analoge Gesetzmäßigkeit. – 5. Bei der Erwärmung um je 1 °C steigt der osmot. Druck um je 1/273,2, vgl. Gasgesetze. Die erwähnten Gesetzmäßigkeiten wurden 1887 von van't *Hoff in Form einer der *Zustandsgleichung der idealen Gase analogen Gleichung ausgedrückt, nach der für hinreichend verd. Lsg. (unendlich verd. Lsg. lassen sich nach der kinet. Gastheorie mit idealen Gasen vergleichen) gilt: $\Pi \cdot V = nRT$ mit Π = osmot. Druck, V = Vol. der Lsg. (in L), n = Stoffmenge (in Mol) der gelösten Substanz, R = Gaskonstante, T = abs. Temp. (in Kelvin). Diese Gleichung ermöglicht *Molmassenbestimmungen durch *Osmometrie*. Mit n = m/M, m = Masse der gelösten Substanz, M = molare Masse u. c = n/V, c = Konz. der gelösten Substanz (in mol/L), V = Vol., ergibt sich, daß der osmot. Druck bei konstanter Temp. u. konstanter Konz. umgekehrt proportional ist: $\Pi = cRT/M$. Die van't Hoff Gleichung für den osmot. Druck läßt sich aus den Gleichgewichtsbedingungen für das *chemische Potential unter der Annahme des Vorliegens ideal verd. Lsg. ableiten (s. chemische Gleichgewichte). Flüssige kolloide Dispersionen, wie die Lsg. von *makromolekularen Stoffen u. Sole, zeigen wegen der hohen molaren Masse einen sehr niedrigen osmot. Druck. Der osmot. Druck von Kolloiden u. realen Lsg. ist der Konz. nicht direkt proportional, sondern nimmt mit wachsendem Gehalt an Gelöstem stärker zu. Diese Abweichungen vom idealen Verhalten lassen sich beschreiben, wenn statt der Konz. die *Aktivitäten berücksichtigt werden. Der osmot. Druck kann somit nur nach Kenntnis eines spezif. Korrekturgliedes zur Molmassenbestimmung ausgenutzt werden. Mit Korrekturfaktoren (dem sog. *osmot. Koeff.*, der als $\varphi = \Pi_{real}/\Pi_{ideal}$ definiert ist) zu versehen ist v. a. die Berechnung des osmot. Druckes von Makromol. u. starken Elektrolyten, die in Lsg. der elektrolyt. Dissoziation unterliegen u. dadurch höhere osmot. Werte liefern als äquimolare Lsg. von Nichtelektrolyten. Jedoch wird der ideale osmot. Wert durch unvollständige Dissoziation, Ionen-Anziehung etc. meist nicht erreicht. Der osmot. Koeff., welcher derartige Aktivitäten berücksichtigt, findet je nach Ansatz verschiedene Formulierungen; zur Definition s. *Lit.*[3].

Mit handelsüblichen Membran-Osmometern können molare Massen zwischen 10 000 u. 1 000 000, mit speziellen Membranen auch bis 1000 herab bestimmt werden. Andere Osmometer nutzen die Zusammenhänge zwischen osmot. Druck u. Gefrierpunkts- u. Dampfdruckerniedrigung bzw. Siedepunkterhöhung (*Raoultsches Gesetz) aus; zur Untersuchung intermol. Assoziationsvorgänge durch Dampfdruckosmometrie s. *Lit.*[4].

Weitere Begriffe: *Endosmose*: Einstrom von außen nach innen; *Exosmose*: Austritt von innen nach außen; *Diosmose*: Zweiseitiger Austausch, wobei die Durchtrittsgeschw. für beide Stoffe unterschiedlich sind, tritt z. B. auf, wenn Wasser u. Alkohol durch eine Membran getrennt sind.

*Isotonische Lösungen sind Lsg. mit gleichem osmot. Druck (auch Tonus genannt); *anisoton. Lsg.* sind dagegen die *hypotonischen Lösungen mit niedrigerem u. die *hypertonischen Lösungen mit höherem osmot. Druck als eine Vergleichslösung. *Elektroosmose ist ein osmot. Vorgang unter dem Einfluß einer Potentialdifferenz. Umgekehrte Osmose (vgl. die Abb. dort) findet statt, wenn durch Anw. eines gegen den osmot. Druck gerichteten größeren Drucks der Verlauf der O. umgekehrt wird, so daß Lsm. aus der konzentrierteren Lsg. austritt u. somit gewonnen (vgl. Meerwasserentsalzung) bzw. entfernt werden kann (Konzentrieren von Fruchtsäften etc.).

Techn. Anw. finden *O.-Verf.* beim Einbringen bestimmter *Holzschutzmittel unter die Holzoberfläche, bei der Meerwasserentsalzung durch umgekehrte Osmose, bei Entwässerungsverf. durch Elektroosmose u. – versuchsweise – zur Stromgewinnung durch umgekehrte Elektrodialyse. O.-Vorgänge sind bes. sind auch die Basis für die Konservierung von Lebensmitteln durch Einsalzen, Pökeln u. Einzuckern od. von frisch abgezogenen Häuten durch Einsalzen, wobei der Wassergehalt von etwa 60% auf ca. 40% herabgesetzt wird. Osmot. Vorgänge beim Stofftransport durch Membranen lebender Organismen von Bedeutung. Der selektive *Transport von Protonen durch Zellmembranen hindurch dient z. B. zur Gewinnung von ATP (*chemiosmotische Theorie der *Phosphorylierung, s. a. *Lit.*[5]). Die Plasmamembranen der tier. u. pflanzlichen *Zellen sind z. B. annähernd semipermeabel. Der osmot. Druck in Pflanzenzellen (hier allg. als *Turgor od. Turgeszenz bezeichnet; zur Regulation s. *Lit.*[6]) bewirkt, daß Pflanzen feste aufrechte Gebilde darstellen; beim Welken werden die Zellmembranen für die im Zellsaft gelösten Stoffe durchlässig, sie sind nicht mehr semipermeabel. Die *Nastien genannten Bewegungen mancher Pflanzen werden durch Turgoränderungen bewirkt, die auf die Einwirkung von Turgorinen (vgl. Leaf Movement Factors) zurückgehen können. In den äußeren Wurzelzellen vieler *Pflanzen erreicht der Zellsaft osmot. Werte zwischen 5 u. 15 bar u. steigt bis zu den Blättern auf etwa 30 bis 40 bar. Extreme osmot. Werte treten z. B. bei stark salzliebenden Pflanzen (vgl. Halo...) an Meeresküsten u. Salzwüsten mit ca. 160 bar od. bei bestimmten Hefen u. Schimmelpilzen auf, die auf hochkonz. Zuckerlsg. od. Süßwaren wachsen u. sich mit osmot. Werten von über 200 bar an dieses Substrat anpassen (*Osmotoleranz*). Bei Organismen, die üblicherweise in od. auf Medien mit hoher osmot. Konz. leben, spricht man von *Osmophilie:* Sie schützen sich vor dem Austrocknen durch die Synth. von Polyalkoholen (z. B. Glycerin, s. *Lit.*[7]).

Die Aufrechterhaltung der osmot. Verhältnisse im menschlichen Körper (*Osmoregulation) geschieht über Rezeptoren im *Hypothalamus. Ißt man viel Salz od. Zucker, so stellt sich starker Durst ein, durch dessen Löschung die alte Konz. wieder hergestellt werden. Das menschliche Blut hat ebenso wie die anderen Körperflüssigkeiten bei 37 °C einen osmot. Druck von 7,55 bar; die zugehörige *osmot. Konz.* (s. unten) beträgt ca. 0,3 Mol/L. Der Anteil des kolloidosmot. Drucks der Plasmaproteine beträgt 33–40 mbar. Erythrocyten haben etwa den gleichen osmot. Druck wie eine 0,95%ige Kochsalz-Lösung. Bringt man sie in dest. Wasser, so wandert dieses rasch in die Blutkörperchen ein u. bringt sie zum Platzen (*Hämolyse); legt man sie in konz. Salz- od. Zuckerlsg., so wird aus ihnen Wasser herausgezogen, u. sie schrumpfen zu „Stechapfelformen" ein. Bei dem von Bürger u. Hagemann begründeten Verf. der sog. *Osmotherapie* spritzt man konz. Glucose- od. Mannit-Lsg. ins Blut, wobei auf osmot. Wege aus den Gewebezellen Wasser herausgezogen wird. Das Verf. wurde z. B. bei Kampfstoffvergiftungen im 1. Weltkrieg erfolgreich angewendet u. dient auch zur Behandlung von Lungen- u. Hirnödemen. In der biolog.-medizin. Lit. u. der *klinischen Chemie gibt es noch die Begriffe *Osmolalität* $\hat{m}$ u. *osmot. Konz.* $\hat{c}$ (früher *Osmolarität*). Sie stehen in Zusammenhang mit der *Aktivität des Lsm. (Wasser) in einer Lsg. u. sind definiert durch die Gleichungen: $\hat{m} = (-\ln a_A)/M_A$ u. $\hat{c} = (-\ln a_A)/V_A$, mit a_A = Aktivität, M_A = molare Masse u. V_A = Molvol. des reinen Lsm. A. Die Dimension der über die Gefrierpunktserniedrigung experimentell bestimmbaren Osmolalität (bzw. osmot. Konz.) ist das *Mol* pro kg (bzw. pro L) Lsm.; eine veraltete Einheit war das *Osmol* (Kurzz.: osm) = $6{,}02 \cdot 10^{23}$ osmot. wirksame Teilchen pro kg bzw. pro Liter. – ***E*** osmosis – ***F*** osmose – ***I*** osmosi – ***S*** ósmosis

Lit.: [1] Starzak, Membranes, Synthetic (Chemistry), S. 1, u. Lee, Membranes, Synthetic (Application), S. 20, in Encyclopedia of Physical Science and Technology, Vol. 8, New York: Academic Press 1987. [2] Kontakte (Merck) **1984**, Nr. 1, 23. [3] Pure Appl. Chem. **56**, 572 (1984). [4] Helv. Chim. Acta **59**, 235 (1976). [5] Nichols, Bioenergetics. An Introduction to the Chemiosmotic Theory, London: Academic Press 1982. [6] Annu. Rev. Plant Physiol. **27**, 485 (1976); **35**, 299 (1984); Annu. Rev. Physiol. **43**, 493 (1981). [7] Chem.-Ztg. **101**, 169 (1977).
allg.: Atkins, Physikalische Chemie, 2. Aufl., Weinheim: VCH Verlagsges. 1996 ▪ Kirk-Othmer (3.) **20**, 230–248 ▪ s. a. Dialyse, Membranen, umgekehrte Osmose, Meerwasserentsalzung.

Osmotherapie s. Osmose.

Osmotischer Druck s. Osmose, Molmassen-Bestimmung, hypertonische Lösungen.

Osmotischer Koeffizient s. Osmose.

Osmotische Zelle s. Osmose.

Osmotoleranz s. Osmose.

Osmundalacton [(5*R*)-*trans*-5,6-Dihydro-5-hydroxy-6-methyl-2*H*-pyran-2-on, (4*R*,5*S*)-4-Hydroxy-2-hexen-5-olid].

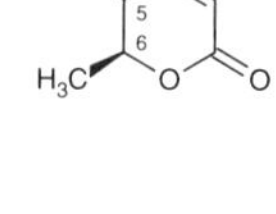

$C_6H_8O_3$, M_R 128,12, Blättchen, Schmp. 82 °C, $[\alpha]_D^{22}$ –71° (H_2O). O. kommt als β-D-Glucosid (ca. 1,5% der Trockenmasse) in den Blättern des Farns *Osmunda japonica* vor[1]: *Osmundalin*, $C_{12}H_{18}O_8$, M_R 290,27, Öl. Das enantiomere (+)-O. entsteht auch bei der Hydrolyse der *Leucomentine u. wirkt als Fraßhemmer auf Larven des Schmetterlings *Eurema hecarbe mandarina*[2]. – ***E*** = ***F*** osmundalactone – ***I*** osmundalattone – ***S*** osmundalactona

Lit.: [1] Phytochemistry **40**, 1251 (1995). [2] Appl. Entomol. Zool. **18**, 129 ff. (1983). – *Synth.:* Agric. Biol. Chem. **50**, 2347–2351 (1986) ▪ ApSimon **6**, 166 ▪ Beilstein E V **18/1**, 59 ▪ Justus Liebigs Ann. Chem. **1989**, 797–801, 803–810, 1153 ▪ s. a. Leucomentine. – *[CAS 54826-92-5 (O.); 54835-71-1 (Osmundalin)]*

Osmundalin s. Osmundalacton.

Osone. Früherer Gruppenname für die 2-*Aldoketosen [R–(CHOH)$_n$–CO–CHO, vgl. ...osulose), die durch Hydrolyse von *Osazonen hergestellt werden können. – ***E*** = ***F*** osones – ***I*** osoni – ***S*** osonas

O-spezifische Ketten s. Lipopolysaccharide.

Ospur®. *O. Ca:* Brausetabl. mit *Calciumcarbonat gegen Calcium-Mangel; *O. D3:* Tabl. mit *Colecalciferol gegen Vitamin-D_3-Mangel; *O. F:* Filmtabl. mit *Natriumfluorid gegen prim. Osteoporose. ***B.:*** Henning Berlin.

Osram. Marke (aus *Os*mium u. Wolf*ram*) u. Kurzbez. für die 1919 von AEG, Auergesellschaft u. Siemens AG (heute 100%) gegr. OSRAM GmbH, 81506 München. *Daten* (1995/96, in Klammern Daten der Gruppe): ca. 7900 (27000) Beschäftigte, 786 Mio. (5,4 Mrd.) DM Umsatz. *Produktion:* Glühlampen, Halogenglühlampen, Leuchtstoff- u. Kompaktleuchtstofflampen, Spektrallampen, Hochdruckentladungslampen, techn. Sondererzeugnisse, Foto/Optik-Lampen, Verkehr/Signal-Lampen.

Oss... (Ossi...). Von latein.: os (Genitiv: ossis) = Knochen abgeleitete Vorsilbe; vgl. Osteo... – ***E*** = ***F*** = ***I*** oss... – ***S*** os...

Ossein. Zu den *Collagenen gerechnetes *Skleroprotein (Gerüsteiweiß) der *extrazellulären Matrix der *Knochen, das wie alle Collagene leimgebend ist: Es hydrolisiert bei Erwärmung mit Wasser zu Glutin-Leim (Knochenleim, vgl. Leime) u. *Gelatine. Beim Erhitzen unter Luftabschluß wird *Knochenkohle gebildet. – ***E*** ossein – ***F*** osséine – ***I*** osseina, osteina – ***S*** oseína

Ossifikation s. Mineralisation.

Ossin® (Rp). Retarddragées mit *Natriumfluorid gegen prim. Osteoporose. ***B.:*** Grünenthal.

Ossiplex®. Retard-Dragées mit *Natriumfluorid u. *Ascorbinsäure gegen Osteoporose. ***B.:*** Synthelabo.

Ossofortin®. Tabl. mit *Calciumphosphat, *Calciumgluconat u. *Colecalciferol gegen Calcium- u. Vitamin-D_3-Mangel. ***B.:*** Strathmann.

Osspulvit® S. Pulver u. Dragées mit *Calciumphosphat u. *Colecalciferol bei erhöhtem Kalkbedarf während der Zahnung u. im Wachstumsalter; *O. S forte:* Kapseln enthalten Calciumhydrogenphosphat, *Retinol-Palmitat, *Ergocalciferol, α-*Tocopherolacetat, *Thiamin-nitrat, *Riboflavin, *Pyridoxin-Hydrochlorid, *Ascorbinsäure u. *Nicotinsäureamid gegen Calcium- u. Vitamin-Mangelzustände. ***B.:*** Madaus.

Ostac® (Rp). Kapseln, Filmtabl. u. Infusionlsg. mit dem Natrium-Salz der *Clodronsäuren als Calcium-Regulator bei Knochenmetastasen u. malignen Knochentumoren. ***B.:*** Boehringer-Mannheim.

Osteo... (Ost..., Oste...). Von griech.: ostéon = Knochen abgeleiteter Fremdwortvorsatz; vgl. Oss... – ***E*** = ***I*** = ***S*** osteo... – ***F*** ostéo...

Osteocalcin (von griech.: osteon = Knochen u. Calcium). Von Osteoblasten (Knochen-bildenden Zellen) produziertes Polypeptid der *extrazellulären Matrix des Knochens (50 Aminosäure-Reste, M_R 5800), das 10–20% des Gesamt-Knochen-Proteins ausmacht u. – wie Prothrombin u. die Faktoren IX u. X der *Blutgerinnung – 4-Carboxy-L-glutaminsäure-Reste enthält, die durch *Vitamin-K-abhängige Carboxylierung gebildet werden. Kurzz. für die so modifizierte L-Glutaminsäure ist Gla, daher auch die Bez. *bone gla protein* (BGP) für Osteocalcin. Die Gla-Reste befähigen es wahrscheinlich, an die im Knochen eingelagerten Krist. des Calcium-Minerals Hydroxylapatit (s. Apatit) zu binden. Gen-Deletions-Experimenten bei Mäusen zufolge scheint O. die Knochenbildung zu begrenzen[1]. – ***E*** osteocalcin – ***F*** ostéocalcine – ***I*** = ***S*** osteocalcina

Lit.: [1] Nature (London) **382**, 448–452 (1996); Nutr. Rev. **55**, 282 ff. (1997). – *[CAS 75757-02-7]*

Osteoklasten s. Makrophagen.

Osteolyse s. Parathyrin.

Osteomalazie s. Vitamine (D_3).

Osteonectin (ON, Basalmembran-Protein 40, BM-40, sezerniertes saures Cystein-reiches Protein, SPARC; Name von griech.: osteon = Knochen u. latein.: nectere = verknüpfen). Früher für Knochen-spezif. gehaltenes, jedoch in verschiedenen Geweben, die in der Gestalt-Entwicklung (Morphogenese), im Umbau od. in der Wundheilung begriffen sind, produziertes Phospho- u. *Glykoprotein (M_R 43000), das sezerniert wird u. sich in der *Basalmembran findet. Das ON-Mol. besitzt mehrere strukturelle *Domänen, mit Hilfe derer es unabhängig verschiedene andere Mol. bzw. Ionen binden kann: Calcium-Ionen (mit dem *EF-Hand-Motiv u. der sauren Domäne), Kupfer-Ionen, den Hydroxylapatit (s. Apatit) des Knochens, die *Collagene der *extrazellulären Matrix (Basalmembran), den *Plättchen-entstammenden Wachstumsfaktor. ON kann – wie *Tenascin u. *Thrombospondin – Zell-Matrix-Kontakte unterbrechen („Anti-Adhäsin") u. die Reaktion der Zellen auf *Cytokine beeinflussen. ON wurde in verschiedenen Krebsarten in erhöhter Konz. angetroffen. Eine eindeutige biolog. Funktion des ON ist noch nicht bekannt. – ***E*** osteonectin – ***F*** ostéonectine – ***I*** = ***S*** osteonectina

Lit.: Curr. Top. Microbiol. Immunol. **213**, 81–94 (1996) ▪ FASEB J. **8**, 163–173 (1994) ▪ North et al., The Neurohypophysis: A Window on Brain Function, New York: N. Y. Acad. Sci. 1993.

Osteopontin (Eta-1). In Knochen von Osteoblasten u. Osteoklasten (Knochen-bildende bzw. -abbauende Zellen) sezerniertes *Glykoprotein (M_R 54000, Protein-Anteil: M_R 32000) der *extrazellulären Matrix, das an den Grenzflächen zwischen Knochenzellen u. Mineralsubstanz (Hydroxylapatit) lokalisiert ist u. die zelluläre Dynamik, Mineralisation u. Kohäsion beeinflußt. Dadurch ist es von Bedeutung beim Umbau des Knochens, bei Wundheilung, aber auch bei der Bildung von *Nierensteinen[1]. Mit der Aminosäure-Sequenz Arg-Gly-Asp bindet O. wahrscheinlich an *Integrine. Als *Cytokin von aktivierten *Makrophagen produziert, induziert O. in *Lymphocyten *Chemotaxis od. Anheftung an andere Zellen, je nachdem, ob es in lösl. od. immobilisierter Form präsentiert wird. Rezeptor für O. ist das Lymphocyten-Oberflächenantigen CD44; die O./CD44-Wechselwirkung wird auch für die Metastasierung O.-sezernierender Krebsarten verantwortlich gemacht[2]. Kompetitiv an CD44 bindende *Hyaluronsäure verursacht Aggregation gleichartiger Zellen od. Anheftung, aber keine Chemotaxis. Makrophagen veranlaßt O. zur Wanderung u. Einstellung der Produktion von Sauerstoff-Radikalen, B-Lymphocyten zur Produktion von *Immunglobulinen u. zur Vermehrung[3]. – ***E*** osteopontin – ***F*** ostéopontine – ***I*** = ***S*** osteopontina

Lit.: [1] Connect. Tissue Res. **35**, 197–205 (1996). [2] Proc. Assoc. Am. Physicians **109**, 1–9 (1997). [3] Cytokine Growth Factor Rev. **7**, 241–248 (1996).
allg.: Denhardt et al., Osteopontin: Role in Cell Signalling and Adhesion, New York: N. Y. Acad. Sci. 1995 ▪ Microbiol. Immunol. **41**, 641–648 (1997) ▪ Science **271**, 509–512 (1996).

Osteoporose s. Parathyrin.

Ostereierfarben. Die in Anlage 6 Liste A Nr. 18 der *Zusatzstoff-Zulassungs-VO (ZZulV)[1] aufgeführten Farbstoffe sind nur zum Färben u. Bemalen der Schalen von *Eiern sowie zum Stempeln der Oberflächen von Lebensmitteln zugelassen. Darüber hinaus sind alle weiteren in der Zusatzstoff-Zulassungs-VO genannten *Lebensmittelfarbstoffe auch für diesen speziellen Zweck zugelassen; zur toxikolog. Bewertung der Lebensmittelfarbstoffe s. *Lit.*[2]. Die chem. Bez. der Farbstoffe sowie Reinheitsanforderungen sind der Zusatzstoff-Verkehrs-VO (ZVerkV)[3] zu entnehmen. – ***E*** colorants for Easter eggs – ***F*** colorants pour oeufs de Pâques – ***I*** coloranti per le uova pasquali – ***S*** colorantes para huevos de Pascua

Lit.: [1] ZZulV vom 22. 12. 1981 in der Fassung vom 08. 03. 1996 (BGBl. I, S. 460). [2] Bertram, Farbstoffe in Lebens- u. Arzneimitteln, Stuttgart: Wissenschaftliche Verlagsges. 1989. [3] ZVerkV vom 10. 07. 1984 in der Fassung vom 14. 12. 1993 (BGBl. I, S. 2092).

Osterluzei. Im Mittelmeerraum heim., in Mitteleuropa v. a. in Weinbergen wachsende, 50 cm hohe zweikeimblättrige Pflanze *Aristolochia clematitis* L. (Aristolochiaceae) mit pfeifenförmigen gelben od. grünlichen Blüten u. herzförmigen Blättern, die wegen ihres Gehalts an *Aristolochiasäure z. B. als Wundheilmittel medizin. verwendet wurde. Heute darf O. od. Aristolochiasäure wegen carcinogener Wirkungen nur noch in homöopath. Mitteln >D 11 angewendet werden. – ***E*** birthwort – ***F*** aristoloche – ***I*** aristolochia, stalloggi – ***S*** aristoloquia clematitis

Lit.: Frohne u. Pfänder, Giftpflanzen, S. 82f., Stuttgart: Wissenschaftliche Verlagsges. 1997 ▪ Hager (4.) **3**, 205 ▪ s. a. Aristolochiasäuren. – *[HS 1211 90]*

Ostochont®. Salbe, Gel u. *O. Thermosalbe* gegen rheumat. Erkrankungen mit *Heparin-Natrium, *Hydroxyethylsalicylat u. *Nicotinsäurebenzylester; *O. flüssig Liniment* enthält statt Heparin-Natrium *Nonivamid. ***B.:*** Gödecke.

Ostracitoxin s. Pahutoxin.

Ostwald, Walter (1886–1958), Sohn von Wilhelm u. Bruder von Wolfgang *Ostwald, Leiter der wissenschaftlich-techn. Abteilung des Benzol-Verbands Bochum. *Arbeitsgebiete:* Kraftstoffgemische, Analyse von Auspuffgasen, Unterscheidung von mol. u. kolloidalen Lsg., Verbrennungstechnik, Schmiermittel usw.

Lit.: Chem. Ztg. **80**, 352 (1956); **82**, 538 (1958).

Ostwald, Wilhelm (1853–1932), Vater von Walter u. Wolfgang *Ostwald, Prof. für Chemie, Riga u. Leipzig. *Arbeitsgebiete:* Chem. Gleichgew., metastabile Zustände, Reaktionsgeschw., Stufenregel, Verdünnungsgesetze, Katalyse, Ionenlehre, Elektrochemie, Thermodynamik, Perpetuum mobile 2. Art, Mol.-Begriff, Farbenlehre, Verbrennung von Ammoniak zu Salpetersäure; vgl. a. die folgenden Stichwörter. Für seine Arbeiten über die Katalyse erhielt O. 1909 den Nobelpreis für Chemie.

Lit.: Chem. Labor Betr. **33**, 172f. (1982) ▪ Chem. Unserer Zeit **16**, 186–192 (1982) ▪ Krafft, S. 262f. ▪ Lexikon der Naturwissenschaftler, S. 316f. ▪ Nachmansohn, S. 32, 171 ▪ Neufeldt, S. 85, 92, 110, 364, 396, 399 ▪ Pötsch, S. 330f. ▪ Rodnyj u. Solowjew, Wilhelm Ostwald, Leipzig: Teubner 1977 ▪ Strube **2**, 188f., 194. – Ein *O.-Museum* befindet sich in Großbothen bei Leipzig.

Ostwald, Wolfgang (1883–1943), Sohn von Wilhelm u. Bruder von Walter *Ostwald, Prof. für Chemie, Univ. Leipzig. *Arbeitsgebiete:* Kolloidchemie (als deren Mitbegründer er gelten kann), Konstruktion eines Viskosimeters, Ultrafiltration, Flotation, Adsorption u. Elektrophorese.

Lit.: Ber. Dtsch. Chem. Ges. **77**, A 43, (1944) ▪ J. Chem. Educ. **32**, 2f. (1955) ▪ Kolloid Z. **145**, 1 ff. (1956) ▪ Pötsch, S. 331 ▪ Strube **2**, 75.

Ostwald-Reifung. Wenn feste Partikel in ihrer eigenen gesätt. od. übersätt. Lsg. dispergiert sind, wachsen größere Partikel an, wogegen kleinere gelöst werden. Dadurch verschwinden die kleineren Partikel allmählich u. die *Dispersion verändert ihre Teilchengrößenverteilung zu einer einheitlichen Größe hin. Der Grund hierfür ist die Tendenz des festen Materials, ein Minimum der Oberflächenenergie einzustellen. Dieser Prozeß ist zuerst von Wilhelm *Ostwald (1900) entdeckt u. theoret. gedeutet worden. Prakt. Bedeutung findet er z. B. in der Salben- u. Emulsionstechnik. – ***E*** Ostwald ripening – ***F*** maturité d'Ostwald, maturation d'Ostwald – ***I*** maturazione di Ostwald, digestione di un precipitato cristallino – ***S*** maduración de Ostwald

Ostwaldsche Stufenregel. Diese von Wilhelm *Ostwald gefundene Regel besagt: Bei einem physikal. od. chem. Prozeß geht ein Syst. nicht direkt vom energiereichsten in den energieärmsten Zustand über, sondern durchläuft Zustände mit mittlerer Energie, falls diese „nächstliegend" sind. Kaliumnitrat z. B. kristallisiert bei Raumtemp. aus der wäss. Lsg. zunächst in der instabilen rhomboedr. Form, bevor es in die stabile rhomb. übergeht. Die Umwandlung erfolgt also in Stufen. Die von Max Volmer (1885–1965) erweiterte Regel (*Ostwald-Volmer-Regel*) besagt, daß sich bei Stoffumwandlungen zunächst immer die weniger dichte (u. meist weniger stabile) *Modifikation bildet. – ***E*** Ostwald rule – ***F*** règle d'Ostwald – ***I*** regola di Ostwald – ***S*** regla de Ostwald

Lit.: Physik abc, Leipzig: Brockhaus 1989.

Ostwaldsches Verdünnungsgesetz. Dieses von Wilhelm *Ostwald (1888) aus Untersuchungen über die *elektrische Leitfähigkeit abgeleitete Gesetz besagt: Schwache *Elektrolyte ändern ihre Äquivalentleitfähigkeit beim Verdünnen im Sinne des *Massenwirkungsgesetzes. Das O. V. läßt sich bei einem in 2 einwertige Ionen dissoziierenden Elektrolyten, wie z. B. der schwachen Säure Essigsäure, formulieren als

$$K_c = \frac{\alpha^2}{1-\alpha} \cdot c_0,$$

wobei α der *Dissoziationsgrad ist, c_0 die Ausgangskonz. des undissoziierten Elektrolyten u. K_c die Dissoziationskonstante. – ***E*** Ostwald dilution law – ***F*** loi de dilution d'Ostwald – ***I*** legge di diluzione di Ostwald – ***S*** ley de dilución de Ostwald

Lit.: Atkins, Physikalische Chemie, 2. Aufl., Weinheim: VCH Verlagsges. 1996 ▪ Barrow, Physikalische Chemie, Braunschweig: Vieweg 1984.

Ostwalds Klassiker. Kurzbez. für die von Wilhelm *Ostwald 1889 begründete, von Wolfgang *Ostwald fortgesetzte Buchreihe „Ostwalds Klassiker der exakten Naturwissenschaften" (Leipzig: Akadem. Verlagsges.), die deutschsprachige, für die Geschichte der Naturwissenschaften bedeutende Originalarbeiten enthält.

Ostwald-Verfahren s. Salpetersäure.

Ostwald-Volmer-Regel s. Ostwaldsche Stufenregel.

...osulose. Suffix in systemat. Namen für *Aldoketosen (IUPAC-Regel 2-Carb-12); *Beisp.:* Hexos-2-ulose (frühere Bez.: Hexoson, s. Osone) = $HOCH_2–(CHOH)_3–CO–CHO$. – ***E*** = ***F*** ...osulose – ***I*** ...osulosio – ***S*** ...osulosa

Osumilith. $(K,Na)(Fe,Mg)_2(Al,Fe)_3[(Si,Al)_{12}O_{30}]$, zur *Milarit-Gruppe gehörendes, dem *Cordierit sehr ähnliches hexagonales Mineral, Kristallklasse 6/mmm-D_{6h}; zu den Cyclo-*Silicaten (*Lit.*[1]), aber auch zu den Tecto-Silicaten (*Lit.*[2]) gerechnet. Die komplizierte Struktur (*Lit.*[3]) enthält wie Milarit Doppelringe aus je 6 $[(Si,Al)O_4]$-Tetraedern. Schwarze, blaue, braune, rote u. farblose, kurzsäulige bis dicktafelige Krist. u. Körner. Keine Spaltbarkeit, D. 2,58–2,68.

Vork.: In *Rhyolithen u. Daciten (*Vulkanite), z. B. Sardinien u. Japan. In Fremdgesteins-Einschlüssen in Vulkangesteinen der Eifel. In *Granuliten (z. B. Enderby Land/Antarktis) u. *Migmatiten (z. B. Rogaland/Norwegen). – ***E*** = ***F*** = ***I*** osumilite – ***S*** osumilita

Lit.: [1] Am. Mineral. **73**, 585–594 (1988). [2] Am. Mineral. **76**, 1836–1856 (1991). [3] Eur. J. Mineral. **5**, 439–445 (1993).
allg.: Anthony et al., Handbook of Mineralogy, Vol. II, Tl. 2, S. 609, Tucson (Arizona): Mineral Data Publishing 1995 ▪ Deer, Howie u. Zussman, Rock-Forming Minerals (2.), Vol. 1 B, Disilicates and Ring Silicates, S. 541–558, Burnt Mill (Harlow): Longman Scientific & Technical 1986 (mit zahlreichen Angaben von Speziallit.). – *[CAS 12420-38-1]*

Osyrol® (Rp). Ampullen mit *Kaliumcanrenoat, Dragées mit *Spironolacton als *Aldosteron-Antagonisten bei Störungen des Wasser- u. Elektrolythaushalts, *O. Lasix* zusätzlich mit *Furosemid als *Diuretikum. ***B.:*** Hoechst Marion Roussel.

Oszillatorenstärke. Maß für die Stärke eines Übergangs zwischen verschiedenen Zuständen eines Atoms od. Moleküls. Für einen dipolerlaubten Übergang zwischen den Zuständen i u. j ist die O. definiert als

$$f_{ij} |\underline{\mu}_{ij}|^2 \nu_{ij} [4\pi m_e c/(3 \hbar e^2)].$$

Hierbei ist $\underline{\mu}_{ij}$ das Übergangsdipolmonent, ν_{ij} die *Frequenz des Übergangs, m_e die Elektronen-Ruhemasse, c die Vak.-Lichtgeschw. u. $\hbar$ die *Plancksche Konstante geteilt durch 2π. Die O. ist eine dimensionslose Größe, die für sehr starke Übergänge einen Wert von $f \simeq 1$ aufweist. Die O. eines Farbstoffes kann man als grobes Maß für die Farbstärke ansehen. Mit ihrer Hilfe können Farbstärken miteinander verglichen werden. – ***E*** oscillator strength – ***F*** force oscillatoire – ***I*** forza dell' oscillatore – ***S*** fuerza del oscilador

Lit.: Haken u. Wolf, Molekülphysik u. Quantenchemie, Berlin: Springer 1992 ▪ Herbst u. Hunger, Industrielle organische Pigmente (2.), Weinheim: VCH Verlagsges. 1995.

Oszillierende Reaktionen. 1. Weit ab vom *chemischen Gleichgewicht rhythm. ablaufende Reaktionen, die in stark gekoppelten Mehrvariablensyst. auftreten, welche bezüglich der treibenden Kräfte u. der getriebenen Flüsse u. Reaktionen stark nichtlineares Verhalten zeigen. Die Nichtlinearität kann z. B. durch *Autokatalyse, Autoinhibition, Temp.-Änderung bei nicht-isothermen Reaktionen od. rhythm. Passivierung der Elektroden bei elektrochem. Prozessen verursacht werden. Entscheidend für o. R. sind *Rückkopplungsmechanismen*, d. h. die Ergebnisse bestimmter Teilschritte der Reaktionsfolge (z. B. Änderung der Konz. von Zwischenprodukten, Temp. od. Elektrodenzustand) wirken zurück auf die Reaktionsgeschw. von Anfangsreaktion od. Zwischenreaktionen. Man unterscheidet zwischen „nichtsystem." u. „system." Rückkopplung; Näheres s. *Lit.*[1].
Die ersten Beobachtungen einer o. R. mit period. Konz.-Schwankungen gelangen Auger 1911 u. Bray 1921 bei der Zers. von H_2O_2 zu H_2O u. O_2 mit HIO_3/I_2 als Katalysator, wobei die Konz. von O_2 u. I_2 period. schwankten (sog. *Bray-Liebhafsky-Reaktion*; Näheres s. *Lit.*[1,2]). Die am besten untersuchte o. R. ist die gut reproduzierbare **Belousov-Zhabotinskii-Reaktion* [Syst. $BrO_3^-/H_2C(COOH)_2/Ce^{4+}/H_2SO_4$], von der inzwischen verschiedene Varianten gefunden wurden (*Lit.*[1,3,4]) u. für deren Ablauf Field u. Noyes (*Lit.*[5]) mehr als 10 *Elementarreaktionen verantwortlich machen. In einem ähnlichen Syst. $[IO_3^-/H_2O_2/H_2C(COOH)_2/MnSO_4/HClO_4]$ läuft die sog. *Briggs-Rauscher-Reaktion* (*Lit.*[4,6]) ab, bei der die Iod-Konz. oszillator. zeitlich Schwankungen unterliegt.
Die aufgeführten Beisp. zählen zu den o. R. in homogenen Lösungen. Period. Reaktionsabläufe werden auch bei einigen Gasphasen-Reaktionen beobachtet,

so z. B. Temp.-Oszillationen bei der *Oxidation von Propan od. Kohlenmonoxid in Sauerstoff (*Lit.*[1]). Weit verbreitet sind o. R. in heterogenen Syst., v. a. in der *Elektrochemie. Über period. Elektrodenprozesse wurde bereits 1828 von Fechner (*Lit.*[7]) berichtet. Grundlegende Arbeiten über elektrochem. Oszillationen stammen von Wilhelm *Ostwald u. *Bonhoeffer (*Lit.*[8,9]). Oszillationen werden meistens an Elektroden beobachtet, auf denen sich anod. od. kathod. Deckschichten bilden. Elektrochem. Oszillationen können auch an ionenleitenden Membranen auftreten.
2. In der Biologie sind biochem. o. R. (ähnlich der Belousov-Zhabotinskii-Reaktion) bekannt, die auf die reaktionskinet. Eigenschaften von Multienzymkomplexen zurückzuführen sind. Enzymat. o. R. treten bei der Zellatmung, beim Kohlehydrat-Stoffwechsel, bei der Enzymsynth., der Mitose, der Morphogenese u. der Regeneration verletzter Zellen auf. Relativ gut untersucht ist die Glykolyse, d. h. der anaerobe Abbau der Glucose. In der Neuro- u. Zellphysiologie sind u. a. oszillierende Aktionspotentiale u. intrazelluläre Calcium-Wellen bekannt.
O. R. setzen als biolog. Uhr (Biorhythmik) geophysikal. Periodizitäten wie die *circadiane Rhythmik (Tag-Nacht-Rhythmus), lunare (29,5 d), *circannuale Periodik, tidale (Gezeitendauer 12,4 h) od. andere Perioden auch ohne Einwirkung von synchronisierenden *Ökofaktoren als physiol. Rhythmen fort. In einfachen Modell-Ökosyst. kann die *Abundanz einzelner Organismen-Arten, z. B. eines Räuber-Beute-Biosyst., oszillieren; in der Natur werden solche Oszillationen oft durch Klimaeinflüsse u. Jahreszeiten geprägt.
Die Untersuchung von o. R. kann mittels ionenselektiver Elektroden, photometr. über Chemilumineszenz od. durch EPR-Spektroskopie erfolgen. Häufig verwendete mathemat. Modelle sind der „Brüsselator" (*Lit.*[10,11]) u. der „Oregonator" (*Lit.*[12]). – ***E*** oscillating reactions – ***F*** réactions oscillantes

Lit.: [1] Angew. Chem. **90**, 1–16 (1978). [2] J. Am. Chem. Soc. **98**, 4345 ff. (1976). [3] Tyson, The Belousov-Zhabotinskii Reaction, Berlin: Springer 1976. [4] Top. Curr. Chem. **118** (1983). [5] Acc. Chem. Res. **10**, 214 ff. (1977). [6] J. Chem. Educ. **50**, 496 (1973). [7] Schweiggers J. Chem. Phys. **53**, 141 (1828). [8] Naturwissenschaften **31**, 270 (1943). [9] Z. Elektrochem. **51**, 24 (1948). [10] J. Chem. Phys. **46**, 3542 (1967). [11] J. Theor. Biol. **30**, 267 (1971). [12] J. Chem. Phys. **60**, 1877 (1974).
allg.: (zu 1): Field u. Burger, Oscillations and Traveling Waves in Chemical Systems, New York: Wiley 1985 ▪ Kuramoto, Chemical Oscillations, Waves, and Turbulence, Berlin: Springer 1984 ▪ Physical Chemistry of Oscillatory Phenomena (Faraday Symp. 9), London: Chem. Soc. 1975 ▪ Robertson, Biological Oscillations, New York: Halsted 1977.
(zu 2): Aschoff et al. (Hrsg.), Vertebrate Circadian Systems, Berlin: Springer 1982 ▪ Gwinner, Circannual Rhythms, Berlin: Springer 1986 ▪ Karlson, Kurzes Lehrbuch der Biochemie für Mediziner u. Naturwissenschaftler (14. Aufl.), S. 417–467, Stuttgart: Thieme 1994 ▪ Rensing, Biologische Rhythmen, Stuttgart: Fischer 1973. – *Zeitschriften:* Chronobiologia, Mailand: Il Ponte S. R. L.

Oszillograph s. Oszilloskop.

Oszillometrie s. Hochfrequenztitration.

Oszillometrisches Indikations-Verfahren s. Hochfrequenztitration.

Oszillopolarographie s. Polarographie.

Oszilloskop (Elektronenstrahl-Oszilloskop). Elektron. Meßgerät, das nach der Art einer Braunschen Röhre den zeitlichen Verlauf einer Spannung sichtbar macht, indem ein Elektronenstrahl auf einem *Leuchtstoff-tragenden Bildschirm eine nachleuchtende Spur erzeugt. Hierzu wird der Elektronenstrahl durch zwei senkrecht zueinander stehende Plattenpaare in horizontaler u. vertikaler Richtung abgelenkt; im allg. wird die Meßgröße vertikal dargestellt u. auf die horizontale Ablenkung eine Sägezahnspannung gegeben.
Mit modernen O. können elektr. Schwingungen mit Frequenzen bis zu einigen GHz dargestellt werden; diese Zeitauflösung kann durch punktweises Abtasten eines period. Vorgangs bei einem Sampling-O. noch um den Faktor 10–100 gesteigert werden. O., die zum Aufzeichnen von elektr. Vorgängen ausgerüstet sind, bezeichnet man als *Oszillographen.* – ***E*** = ***F*** oscilloscope – ***I*** oscilloscopio – ***S*** osciloscopio

Lit.: Lerner u. Trigg (Hrsg.), Encyclopedia of Physics, S. 884, Weinheim: VCH Verlagsges. 1991.

OT. Abk. für *Oxytocin.

Otalgan®. Ohrentropfen mit *Phenazon, *Procain-hydrochlorid u. Glycerin gegen Mittelohrentzündung. ***B.:*** Südmedica.

Otavi. Kurzbez. für die 1900 gegr. Otavi Minen AG, 65760 Eschborn, an der die Cookson Matthey Ceramics GmbH mit 85% beteiligt ist. *Daten* (1995/96): ca. 83 Beschäftigte, 61 Mio. DM Umsatz. *Produktion:* Rohstoffe für Feuerfest-Porzellan-, Keramik-, Glas-, Lack-, Farben-, Stahl- u. Gießerei-Ind., Perlit u. Perlit-Erzeugnisse.

OTC-Präparate s. Pharmazeutika.

OTF s. Octamer-Transkriptionsfaktoren.

Otisit®. Spezial-Finish-Appretur für Flach- u. Formteile mit speziellen Gleitbeschleunigern u. Avivagesubstanzen zur Verbesserung der Mangelgängigkeit der Wäsche. ***B.:*** Henkel-Ecolab.

Otobacid® (Rp). Ohrentropfen mit *Dexamethason u. *Cinchocain in 1,3-Butylenglykol. ***B.:*** Asche.

Otodolor®. Ohrentropfen mit *Phenazon, *Procain-Hydrochlorid u. *Glycerin wasserfrei gegen Entzündungen im Ohrbereich. ***B.:*** Ursapharm.

Otolitan® N farblos. Ohrentropfen mit *Dequaliniumchlorid, *Lidocain-Hydrochlorid u. *Glycerin gegen Entzündungen im Ohrbereich. *O. N mit Rivanol* enthält statt Dequaliniumchlorid *Ethacridin-lactat. ***B.:*** 3M Medica.

Otolithen (von griech. otos = Ohr, Gehör u. lithos = Stein). Gehörsteinchen aus Kalk in mehr grusig-sandiger bis artspezif. kompakter Form im Gleichgewichtsorgan von Tieren, auch als *Fossilien der entsprechenden Organe von Fischen. Die O. erzeugen im flüssigkeitserfüllten Labyrinth Druck auf Sinnesfelder u. ermöglichen so eine räumliche Orientierung od. Wahrnehmung von Beschleunigung. Bei Invertebraten spricht man statt von O. von *Statolithen.* – ***E*** otoliths – ***F*** otolithes – ***I*** otoliti – ***S*** otolitos

Lit.: Wehner u. Gehring, Zoologie, 23. Aufl., Stuttgart: Thieme 1995 ▪ Ziswiler, Wirbeltiere, Bd. I, Stuttgart: Thieme 1976.

Otowaxol®. Lsg. mit *Docusat-Natrium gegen Pfropfen von Ohrenschmalz. ***B.:*** Norgine.

Otriven®. Lsg., Gel u. Spray mit *Xylometazolin zum Abschwellen der Schleimhäute bei Schnupfen sowie Bindehautentzündung des Auges. ***B.:*** Ciba Vision, Novartis.

Otter s. Musteliden.

Otto-Hahn-Bibliothek (OHB). Eine 1946 gegr. Spezialbibliothek. Heute öffentlich zugängliche Institutsbibliothek des Max-Planck-Inst. für biophysikal. Chemie in 37077 Göttingen-Nikolausberg, Am Fassberg 11. Bestand ca. 70000 Zeitschriftenbände u. 36000 Monographien mit Schwerpunkten in den Gebieten Chemie, Physik, Biochemie u. Neurowissenschaften.

Ottokraftstoffe s. Benzin u. Motorkraftstoffe.

Ouaba(gen)in s. Strophanthine.

Ouchterlony-Test s. Immundiffusion.

Oudemansine. Stark antifung. wirksame Metabolite aus Kulturen bestimmter Basidiomyceten [Rüblinge: *Oudemansiella (Xerula) mucida, O. longipes, O. melanotricha*].

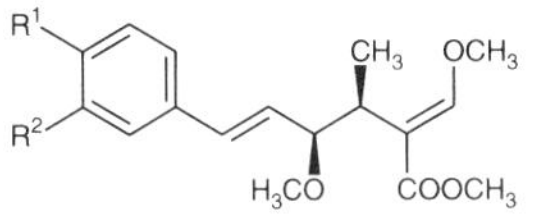

$R^1 = R^2 = H$: O. A
$R^1 = OCH_3$, $R^2 = Cl$: O. B

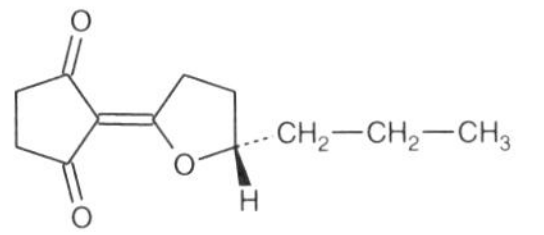

Oudenon

O. A: $C_{17}H_{22}O_4$, M_R 290,36, Schmp. 44 °C, $[\alpha]_D$ −17° (C_2H_5OH) aus *O. mucida* u. *O. B:* $C_{18}H_{23}ClO_5$, M_R 354,83, gelbliches Öl, $[\alpha]_D$ −8,3° ($CHCl_3$) aus *O. longipes u. O. melanotricha*[1]. Totalsynth. wurden beschrieben[2]. Die O. besitzen wie die strukturell eng verwandten *Strobilurine sowie das *Myxothiazol eine (*E*)-*β*-Methoxyacrylat-Struktur (Moa). Sie sind v.a. gegen pflanzenpathogene Pilze antifung. wirksam, weshalb die O. u. die Strobilurine der chem. Pflanzenschutzforschung auch weiterhin als Leitstrukturen dienen, nachdem die ersten beiden synthet. Breitspektrum-Fungizide aus dieser Substanzklasse: Brio® der BASF u. Amistar® der Zeneca den Markt erreicht haben[3]. Moa-Inhibitoren hemmen spezif. ein Enzym in der *Atmungskette von Pilzen: Die mitochondriale Ubihydrochinon-Cytochrom-C-Oxidoreduktase (bc_1 Komplex). In Ggw. der Inhibitoren wird Ubichinon zwar noch gebunden, aber seine Elektronen können nicht mehr auf das Fe-S-Reaktionszentrum übertragen werden[4]. Aus Kulturen von *O. radicata* (Wurzelnder Rübling) wurde auch das Cyclopentandion-Derivat *Oudenon* isoliert: $C_{12}H_{16}O_3$, M_R 208,26, Schmp. 78 °C, $[\alpha]_D$ −10,8° (C_2H_5OH)[5]. – ***E*** oudemansins – ***F*** oudemansines – ***I*** oudemansine – ***S*** oudemansinas

Lit.: [1] J. Antibiot. **32**, 1112–17 (1979); **36**, 661–6 (1983); Tetrahedron Lett. **27**, 5397–5400 (1986). [2] Chem. Lett. **1992**, 687; Chem. Pharm. Bull. **43**, 1111, 1162 (1995); J. Chem. Soc., Perkin Trans. 1 **1995**, 2159; Nachr. Chem. Tech. Lab. **38**, 1236 (1990); Synlett **1995**, 869. [3] Proc. Brighton Crop Prot. Conf. Pests Dis., Vol. 1, S. 403, 435, Brighton: The British Crop Protection Counsil 1992. [4] Bull. Mol. Biol. Med. **7**, 1–16 (1982); Eur. J. Biochem. **173**, 499–506 (1988); Instrum. Forsch. **9**, 26–35 (1982). [5] Chem. Pharm. Bull. **25**, 2775 (1977); Heterocycles **6**, 261 (1977); J. Org. Chem. **60**, 6922 (1995) (Biosynth.); Sax (8.), Nr. OKS 100. – *[CAS 73341-71-6 (O. A); 87081-56-9 (O. B); 31323-50-9 (Oudenon)]*

Ounce (dtsch.: Unze). Angloamerikan. Masseneinheiten: a) *Avoirdupois-Syst.: 1 oz avdp = 1/16 *pound avdp = 16 drams avdp = 28,349523 g. – b) *Troy-u. Apothecaries'-Syst. für Edelmetalle, Edelsteine u. Arzneien (Kurzz.: oz t, oz tr od. oz ap): 1 oz t = 1/12 pound t = 8 drams t = 24 scruples = 480 grains t = 31,1034768 g; s. a. Apothekergewicht.
Lit.: Handbook **67**, F-301.

Ounce (fl) (fluid ounce; Kurzz.: fl oz). Volumeneinheiten für Flüssigkeiten; 1 fl oz = 8 fl drams = 480 minims: a) Brit. Syst.: 1 fl oz = 1/20 *pint = 28,41306 mL. – b) USA-Syst.: 1 fl oz = 1/16 pint = 29,57353 mL.
Lit.: Handbook **67**, F-301.

Ourisson, Guy (geb. 1926), Prof. für Organ. Chemie, Univ. Louis Pasteur, Straßburg. *Arbeitsgebiete:* Polyterpene, biochem. Evolution der Membranen.
Lit.: Nachr. Chem. Tech. **17**, 355 (1969) ▪ The International Who's Who (16.), S. 1171.

Outer Orbital-Komplexe s. Koordinationslehre, S. 2244.

Outer-sphere-Mechanismus. Von *Taube (Nobelpreis 1983) aufgestellter Mechanismus des Elektronenübergangs, bei dem die Koordinationssphären der Metallionen (s. Koordinationslehre) nicht verändert werden; *Beisp.:*

$$[Fe(CN)_6]^{4-} + [Mo(CN)_8]^{3-} \rightarrow [Fe(CN)_6]^{3-} + [Mo(CN)_8]^{4-}.$$

Der Zusammenhang zwischen der Reaktionsgeschwindigkeitskonstante des Elektronenübergangs u. strukturellen u. energet. Eigenschaften der reagierenden Komplexe wird durch die *Marcus-Theorie* beschrieben.
Bei dem *Inner-sphere-Mechanismus* ist ein Ligand an der Elektronenübertragung von einem Metallatom od. -ion auf ein anderes unmittelbar beteiligt. Das erste von Taube u. Mitarbeitern gefundene Beisp.[1] ist die Reaktion

$$[(NH_3)_5CoCl]^{2+} + [Cr(H_2O)_6]^{2+} \rightarrow [(NH_3)_5Co]^{2+} + [ClCr(H_2O)_5]^{2+} + H_2O.$$

Hierbei bildet sich das zweikernige Zwischenprodukt $[(NH_3)_5Co\text{–}Cl\text{–}Cr(H_2O)_5]^{4+}$. Innerhalb dieses Komplexes findet der Elektronentransfer statt, bei dem Cobalt(III) durch Chrom(II) zu Cobalt(II) reduziert u. Chrom(II) entsprechend zu Chrom(III) oxidiert wird. – ***E*** outer-sphere-mechanism
Lit.: [1] J. Am. Chem. Soc. **75**, 4118 (1953).
allg.: Huheey, Keiter u. Keiter, Anorganische Chemie (2.), Berlin: de Gruyter 1995 ▪ Taube, Electron Transfer Reactions of Complex Ions in Solution, New York: Academic Press 1970.

Outokumpu. Kurzbez. für das 1930 gegr. finn. Bergbauunternehmen Outokumpu Oy, 02101 Espoo, Finnland. *Daten* (1996): ca. 16,0 Mrd FIM. *Produktion:* Erze u. Metalle wie Ni, Cu, Zn, Edelstahl. *Vertretung* in der BRD: Outokumpu Deutschland GmbH, 40031 Düsseldorf.

Ovalbumin. Hauptprotein des Eiklars, macht ca. 54% des Gesamtproteins aus. M_R 44500, Denaturierungstemp. 84,5 °C, isoelektr. Punkt pH 4,5.
Zusammensetzung: O. ist ein Glykophosphoprotein u. enthält 3,2% Kohlenhydrate (5 Mol *Mannose, 3 Mol *Glucosamin pro Mol Protein). Der Kohlenhydrat-Anteil ist an den Aminosäure-Rest Asn 292 gebunden, an Ser 68 u. Ser 344 können Phosphorsäure-Gruppen gebunden sein, wobei die Einteilung in O. A_1, A_2 u. A_3 von der Anzahl der Phosphorsäure-Gruppen abhängt (Verhältnis beim Huhn A_1:A_2:A_3 = 85:12:3). Der Protein-Anteil besteht aus 385 Aminosäuren, die 4 Thiol- u. eine Disulfid-Gruppe enthalten, wobei die Thiol-Gruppen an der Umwandlung von nativem O. in hitzestabiles O. (Koagulationstemp.: 92,5 °C) während der Lagerung beteiligt sind. Genauere Untersuchungen zur Struktur u. zu Veränderungen des O. während des Erhitzens sind in *Lit.*[1-3] publiziert. Die *Albumin-Fraktion des Eiklars, bestehend aus O., *Conalbumin u. Ovomucoid, läßt sich von der *Globulin-Fraktion durch fraktionierte Fällung mit Ammoniumsulfat-Lsg. trennen. Neben der Hitzedenaturierung ist O. relativ leicht durch Schütteln koagulierbar.
Ernährungsphysiologie: O. ist mit einer biolog. Wertigkeit von 91 ein ernährungsphysiolog. wertvolles Protein, das allerdings durch Reaktionen vom Maillard-Typ (s. Maillard-Reaktion) u. durch Polymerisationsreaktionen Verluste in der Bioverfügbarkeit[4-6] von Aminosäuren erleiden kann; zu den Einflüssen technolog. Maßnahmen [z.B. Sprühtrocknung (s. Trocknen)] auf O. s. *Lit.*[7]. Die Effekte von Dehydroascorbinsäure (s. Ascorbinsäure) auf die Polymerisation von Proteinen, wie sie bei der Herst. von *Surimi eine Rolle spielen, werden exemplar. an O. untersucht[8,9]. Die chem. Modif. von O. durch Kopplung an wasserlösl. Polysaccharide wie *Dextran stellen nach *Lit.*[10] eine elegante Meth. dar, um O. neue physikal. Eigenschaften (z.B. Emulgierfähigkeit) zu verleihen.
Analytik: Zum Nachw. von O. in erhitzten Fleischwaren existiert ein Elektro-Blotting-System[11]. Der Zusatz von O. zu Pilzkonserven kann immunolog. nachgewiesen werden[12]. Einen Überblick zur immunolog. Analytik von O. gibt *Lit.*[13]. – ***E*** ovalbumin – ***F*** ovalbumine – ***I*** ovalbumina – ***S*** ovalbúmina

Lit.: [1] J. Agric. Food Chem. **36**, 1156–1159 (1988). [2] J. Agric. Food Chem. **35**, 953–957 (1987). [3] J. Agric. Food Chem. **35**, 633–637 (1987). [4] J. Agric. Food Chem. **36**, 808 f. (1988). [5] J. Agric. Food Chem. **34**, 351–355 (1986). [6] J. Agric. Food Chem. **37**, 1077–1081 (1989). [7] J. Agric. Food Chem. **37**, 905–910 (1989). [8] J. Agric. Food Chem. **37**, 1539–1543 (1989). [9] J. Agric. Food Chem. **37**, 1544–1547 (1989). [10] J. Agric. Food Chem. **36**, 421–425 (1988). [11] J. Agric. Food Chem. **35**, 563–567 (1987). [12] J. Food Sci. **53**, 226–230 (1988). [13] J. Sci. Food Agric **47**, 311–325 (1989).
allg.: Belitz-Grosch (4.), S. 497 ▪ Ullmann (5.) **A 11**, 498 ▪ Merck-Index (12.), Nr. 7032. – *[HS 3501 10]*

Ovalit®. Dispersionsklebstoffe zum Kleben aller Wandbeläge, z.B. Gewebe aus Textil- u. Glasfaser, Kork, von Metall-Tapeten an Wand u. Decke. ***B.:*** Henkel.

Ovarien (latein.: ovum = Ei). Fachsprachliche Bez. für die Eierstöcke; s.a. Keimdrüsen u. Konzeption.

Overhauser-Effekt s. NMR-Spektroskopie.

Overlaypapier s. Papier.

Overlays. Transparent aushärtende *Kunstharzfilme zur Herst. von *Laminaten, zur Verpressung auf Dekorfilmen zur Erhöhung der Abriebfestigkeit u. zur Transparentbeschichtung von Furnierplatten.

Ovestin® (Rp). Creme, Ovula u. Tabl. mit *Estriol gegen Scheidenentzündungen u. klimakter. bedingte Beschwerden. ***B.:*** Organon.

Oviol® (Rp). Antikonzeptionsmittel (Tabl.) mit *Ethinylestradiol u. *Desogestrel. ***B.:*** Nourypharma.

Ovis® Neu. Pumpspray, Lsg. od. Creme mit *Clotrimazol gegen Hautmykosen. ***B.:*** Warner Lambert.

Ovizide (von latein.: ovum = Ei u. *...zid). Bez. für solche Schädlingsbekämpfungsmittel, die gegen die Eier von Insekten u. Milben wirksam sind. – ***E*** = ***F*** ovicides – ***I*** ovicidi – ***S*** ovicidas

Lit.: Farm. ▪ s.a. Insektizide, Pflanzenschutzmittel.

Ovothiole. Gruppe von 5-Mercapto-3-methyl-L-histidinen aus Seeigel- u. Seesterneiern (Daten s. Tab.).

Tab.: Daten zu Ovothiol A–C.

	Summenformel	M_R	CAS
O.A	$C_7H_{11}N_3O_2S$	201,24	108418-13-9
O.B	$C_8H_{13}N_3O_2S$	215,27	108418-14-0
O.C	$C_9H_{15}N_3O_2S$	229,30	105496-34-2

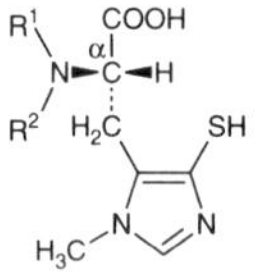

$R^1 = R^2 = H$: O.A
$R^1 = CH_3$, $R^2 = H$: O.B
$R^1 = R^2 = CH_3$: O.C

Die O. dienen in den befruchteten Eiern als nichtenzymat. Redox-System. Zur Ausbildung einer lackartigen Schutzschicht aus Dityrosyl-Resten durch radikal. Polymerisation werden in hoher Konz. Peroxid-Radikale erzeugt, die den Embryo gefährden. Die O. sind mit pK_a = 2,3 stärkere Nucleophile als *Glutathion (GSH) u. erleichtern die Red. der Peroxid-Radikale in Embryo-Nähe[1]. – ***E*** = ***F*** ovothiols – ***I*** ovotioli – ***S*** ovotioles

Lit.: [1] Chem. Unserer Zeit **23**, 34 (1989).
allg.: BIOFactors **1**, 85 (1988) (Review) ▪ J. Org. Chem. **54**, 4570 (1989) (*Synth.*).

Ovotransferrin s. Conalbumin.

Ovoverdin s. Krebse.

Ovovitellin s. Vitellin.

Ovula s. Suppositorien.

Ovulationshemmer. Bez. für vorwiegend oral, jedoch auch durch Injektion od. Implantation verabreichbare hormonelle *Antikonzeptionsmittel, die über die Hemmung der Eireifung (dies hat ein Ausbleiben der *Menstruation zur Folge) eine *Konzeption verhindern (Näheres zur *Ovulation* s. Konzeption). – ***E*** ovulation inhibitors – ***F*** anovulatoires – ***I*** inibitori dell'ovulazione – ***S*** anovulatorios

Lit.: s. Antikonzeptionsmittel u. Konzeption.

O/W. Abk. für „Öl in Wasser" bei *Emulsionen.

ox²⁻. In Komplexen (s. Koordinationslehre) übliches Kurzz. für das *Oxalat-Dianion [*Oxalato*(2-)-Ligand, $(COO)_2^{2-}$].

Ox(a)... Von Oxygenium = Sauerstoff abgeleitetes Präfix, das nach IUPAC-Regel R-2 in *Austauschnamen u. (vor Vokal zu Ox... gekürzt) im *Hantzsch-Widman-System den Ersatz einer CH_2-Gruppe durch ein O-Atom anzeigt [*Beisp.*: 4-Oxaestran, 3,6,9,12-Tetraoxa-1,14-tetradecandiol $H(-O-CH_2-CH_2)_5-OH$, Oxacycloundecan, *Oxadiazole, *Oxiran], in Namen für Ketten u. Ringe alternierender Heteroatome aber die Einheit -O-; *Beisp.*: Disiloxan ($H_3Si-O-SiH_3$), Cyclotriarsoxan [*cyclo*-$(-O-AsH-)_3$]. In *halbsystematischen Namen bedeutet Oxa... manchmal Ersatz eines N-Atoms durch ein O-Atom; *Beisp.*: 21,23-Dioxaporphin (IUPAC-Regel TP-1.5). Sauerstoff-Kettenmol. H_2O_3 u. H_2O_4 nennt man zur Unterscheidung von Hantzsch-Widman-Namen Trioxidan u. Tetr(a)oxidan (IUPAC-Regel R-2.2). Ersatz einer CH-Gruppe durch O^+ in Austauschnamen wird mit *Oxonia*... benannt; *Beisp.*: 1-Oxoniabicyclo[2.2.2]octan. Für kondensierte heterocycl. Verb. bevorzugt man möglichst *Anellierungsnamen. Ox(a)... nicht mit *Oxo... od. *Oxy... verwechseln! *Oxamid u. *Oxamoyl... sind von *Oxalsäure, nicht von Oxa... abgeleitet. – ***E*** ox(a)... – ***F*** = ***S*** oxa... – ***I*** oss(a)...

Oxabetrinil.

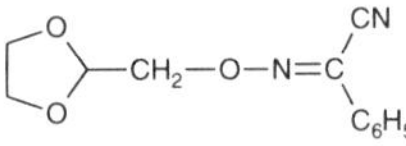

Common name für (1,3-Dioxolan-2-ylmethoxyimino)phenylacetonitril, $C_{12}H_{12}N_2O_3$, M_R 232,23, Schmp. 77,7 °C, LD_{50} (Ratte oral) >5000 mg/kg, von Ciba-Geigy 1982 eingeführtes Herbizid-Antidot (engl.: herbicide safener) (angewendet als Saatgutbehandlungsmittel) zum Schutz verschiedener *Sorghum*-Arten vor Schädigung durch Metolachlor. – ***E*** = ***F*** = ***S*** oxabetrinil – ***I*** ossabetrinile

Lit.: Pesticide Manual. – *[CAS 74782-23-3]*

Oxaboloncipionat (Rp).

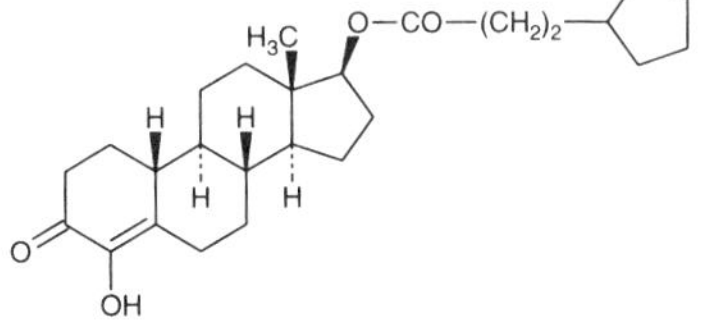

Internat. Freiname für das anabol. wirksame 17β-(3-Cyclopentylpropionyloxy)-4-hydroxy-4-estren-3-on, $C_{26}H_{38}O_4$, M_R 414,58, Schmp. 158–160 °C; $[\alpha]_D^{20}$ +30° (c 1/$CHCl_3$); λ_{max} (C_2H_5OH) 276 nm ($A^{1\%}_{1cm}$ 315), in Wasser prakt. unlösl., in Benzol, Chloroform u. Dioxan löslich. – ***E*** oxabolone cipionate – ***F*** cipionate d'oxabolone – ***I*** oxabolone cipionato – ***S*** cipionato de oxabolona

Lit.: Hager (5.) **8**, 1244f. ▪ Martindale (31.), S. 1503. – *[HS 2916 20; CAS 1254-35-9]*

Oxaceprol (Rp).

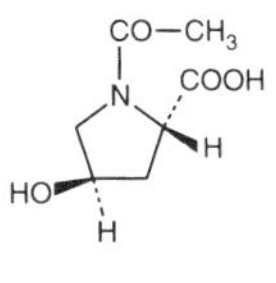

Internat. Freiname für das *Antirheumatikum *trans*-1-Acetyl-4-hydroxy-L-prolin, $C_7H_{11}NO_4$, M_R 173,16, Schmp. 133–134 °C; $[\alpha]_D^{20}$ –116,5° (c 3,2). O. wurde 1975 u. 1976 von Franco Chimie patentiert u. ist von Chephasaar (AHP 200®) im Handel. – ***E*** = ***S*** oxaceprol – ***F*** oxacéprol – ***I*** ossaceprolo

Lit.: ASP ▪ Beilstein E V **22/5**, 13 ▪ Martindale (31.), S. 1735. – *[HS 2933 90; CAS 33996-33-7]*

Oxacillin (Rp).

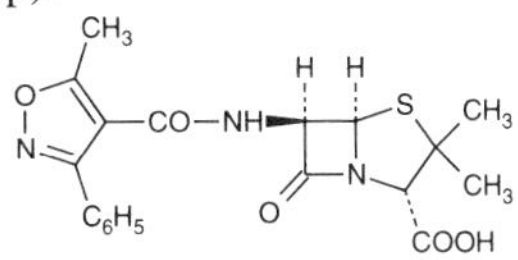

Internat. Freiname für das synthet. Antibiotikum (5-Methyl-3-phenyl-4-isoxazolyl)-penicillin, $C_{19}H_{19}N_3O_5S$, M_R 401,43, vgl. a. Penicillin; pK_a 2,8. Verwendet wird das Natrium-Salz-Monohydrat, Schmp. 188 °C (Zers.), $[\alpha]_D^{20}$+201° (c 1/H_2O); LD_{50} (Ratte oral) >8 g/kg. O. ist von Bayer (Stapenor®) im Handel. – ***E*** oxacillin – ***F*** oxacilline – ***I*** oxacillina – ***S*** oxacilina

Lit.: ASP ▪ Beilstein E V **27/21**, 508f. ▪ Hager (5.) **8**, 1245ff. ▪ Martindale (31.), S. 259. – *[HS 2941 10; CAS 66-79-5 (O.); 1173-88-2 (Natriumsalz); 7240-38-2 (Natriumsalz-Monohydrat)]*

Oxadiazole. Gruppe fünfgliedriger Heterocyclen, die 2 Stickstoff- u. 1 Sauerstoff-Atom im Ring enthalten. Es sind 4 Isomere möglich (s. Abb. 1).

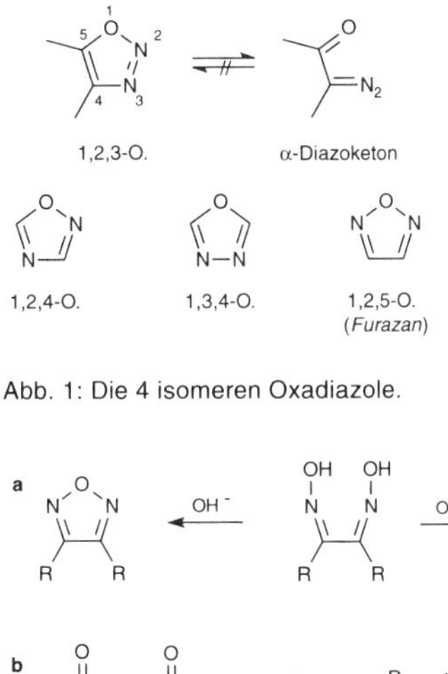

Abb. 1: Die 4 isomeren Oxadiazole.

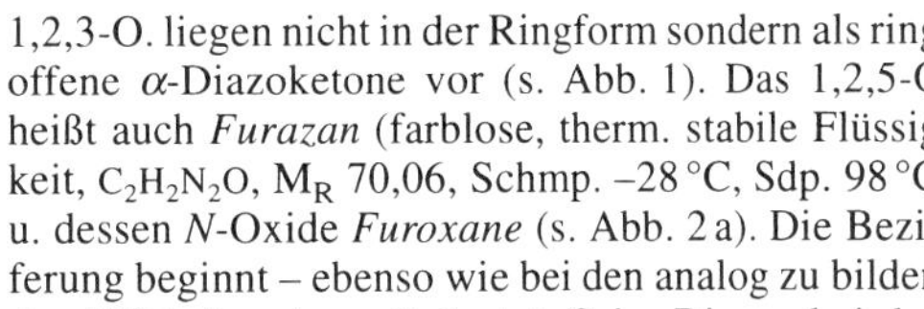

Abb. 2: Herst.-Meth. für Oxadiazole.

1,2,3-O. liegen nicht in der Ringform sondern als ringoffene α-Diazoketone vor (s. Abb. 1). Das 1,2,5-O. heißt auch *Furazan* (farblose, therm. stabile Flüssigkeit, $C_2H_2N_2O$, M_R 70,06, Schmp. –28 °C, Sdp. 98 °C) u. dessen *N*-Oxide *Furoxane* (s. Abb. 2a). Die Bezifferung beginnt – ebenso wie bei den analog zu bildenden *Thiadiazolen mit S statt O im Ring – bei dem Nicht-Stickstoff-Heteroatom. Die O. selbst sind weit weniger wichtig als ihre Substitutionsprodukte, wie die vom 1,2,3-O. abgeleiteten *Sydnone (s. a. mesoionische Verbindungen) u. a. Derivate, die in Pharmazeutika, Szintillatoren (z. B. PBD), Farbstoffen etc. Verw. finden. *Furazane* bzw. *Furoxane* können durch Cyclisierung von 1,2-Di-*oximen hergestellt werden (s. Abb. 2 a). Für 1,3,4-O. besteht die Möglichkeit der Synth. aus Diacylhydrazinen (s. Abb. 2 b). Aus dieser Vorstufe lassen sich auch andere 1,3,4-Fünfringheterocyclen mit N bzw. S anstelle von O aufbauen. Für andere O.-Derivate existieren z. T. recht spezielle Herst.-Methoden. – ***E*** = ***F*** = ***S*** oxadiazoles – ***I*** ossadiazoli

Lit.: Adv. Heterocycl. Chem. **7**, 183 (1966); **20**, 65–116 (1976); **29**, 251–340 (1981) ▪ Eicher u. Hauptmann, Chemie der Heterocyclen, S. 191 f., Stuttgart: Thieme 1994 ▪ Gilchrist, Heterocyclenchemie, S. 335 f., Weinheim: VCH Verlagsges. 1995 ▪ Heterocycles **3**, 651–690 (1975); **41**, 2095 (1995) ▪ Houben-Weyl **E 8c**, 409 ff., 526 ff., 648 ff. ▪ Katritzky-Rees **6**, 365–391, 427–446 ▪ s. a. heterocyclische Verbindungen. – *[CAS 288-37-9 (1,2,5-O.)]*

1,2,3-Oxadiazolidin-5-one s. Sydnone.

Oxadiazon.

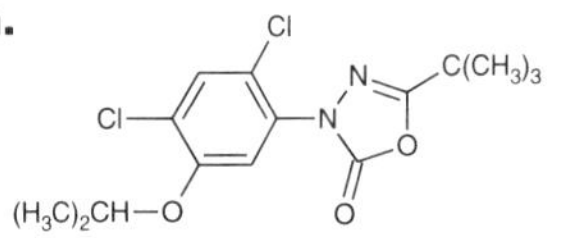

Common name für 5-*tert*-Butyl-3-(2,4-dichlor-5-isopropoxyphenyl)-1,3,4-oxadiazol-2(3*H*)-on, $C_{15}H_{18}Cl_2N_2O_3$, M_R 345,22, Schmp. ca. 90 °C, LD_{50} (Ratte oral) >8000 mg/kg (WHO), von Rhône-Poulenc 1969 eingeführtes selektives *Herbizid gegen Unkräuter u. Ungräser im Wein-, Obst-, Zierpflanzen-, Reis-, Baumwoll- u. Hopfenanbau. – ***E*** = ***F*** oxadiazon – ***I*** ossadiazone – ***S*** oxadiazón

Lit.: Beilstein E V **27/30**, 93 ▪ Farm. ▪ Perkow ▪ Pesticide Manual. – *[HS 2934 90; CAS 19666-30-9]*

Oxadixyl.

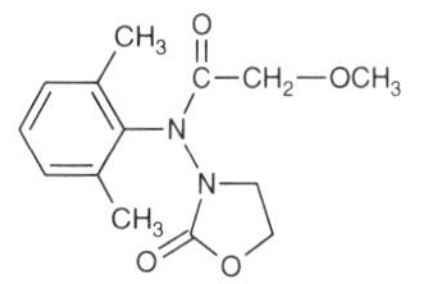

Common name für 2-Methoxy-2′,6′-dimethyl-*N*-(2-oxo-3-oxazolidinyl)acetanilid, $C_{14}H_{18}N_2O_4$, M_R 278,30, Schmp. 104–105 °C, LD_{50} (Ratte oral weiblich) 1860 mg/kg, (männlich) 3480 mg/kg, von Sandoz 1982 eingeführtes system. *Fungizid mit protektiver u. kurativer Wirkung gegen Oomyceten im Wein-, Kartoffel-, Tabak-, Hopfen-, Sonnenblumen-, Zitrus-, Obst- u. Gemüseanbau, vorwiegend in Kombination mit anderen Wirkstoffen. – ***E*** = ***F*** oxadixyl – ***I*** ossadixile – ***S*** oxadixil

Lit.: Farm. ▪ Perkow ▪ Pesticide Manual. – *[CAS 77732-09-3]*

Oxal... Alte Bez. für die Atomgruppierung –CO–COOH (IUPAC-Regel 405.2; fehlt in Regel R); *Beilstein's Handbuch:* Hydroxyoxalyl...; *Chemical Abstracts:* (Carboxycarbonyl)...; *Beisp.:* *Oxalessigsäure. – ***E*** oxalo... (vor Vokal meist oxal...) – ***F*** = ***S*** oxalo... – ***I*** ossal...

Oxalaldehyd s. Glyoxal.

Oxalate. Bez. für Salze der *Oxalsäure mit den Anionen $^-OOC–COO^-$ (*Oxalato-Ion*) bzw. Xn $HOOC–COO^-$ sowie für *Oxalsäureester der allg. Formel $R^1OOC–COOR^2$ bzw. ROOC–COOH (R,R^1,R^2 = organ. Reste). Alle einfachen Salze der Oxalsäure neigen zur Bildung von Doppel- u. Komplexsalzen. In Formeln kann das Oxalato-Ion (O.-Dianion) als ox^{2-} abgekürzt werden. O. sind mit Ausnahme der Alkali-O. in Wasser schwer lösl., durch Säuren werden sie zersetzt; zum natürlichen Vork. s. Oxalsäure. – ***E*** = ***F*** oxalates – ***I*** ossalati – ***S*** oxalatos

Lit.: Beilstein E IV **2**, 1822 f.

Oxalato- s. Oxalate.

Oxalessigester s. Oxobernsteinsäure.

Oxalessigsäure. Histor. Bez. für die hier unter *Oxobernsteinsäure behandelte Verbindung.

Oxalsäure (Ethandisäure, Kleesäure). Xn HOOC–COOH, $C_2H_2O_4$, M_R 90,04. O. krist. aus wäss. Medium in farblosen Prismen als Dihydrat, D. 1,653, Schmp. 101,5 °C, Sdp. 150 °C, WGK 1. Die Kristallwasser-freie O. entsteht, wenn man die Kristallwasser-haltige Säure vorsichtig auf etwa 100 °C erhitzt od. wenn man dieser über hochprozentiger Schwefelsäure das Kristallwasser entzieht; Schmp. 189,5 °C (Zers.). O. löst sich sehr gut in Wasser (120 g/L) u. in Ethanol, wenig dagegen in Ether u. gar nicht in Benzol, Chloroform, Petrolether. Bei raschem Erhitzen od. unter der Einwirkung von heißer, konz. Schwefelsäure zerfällt O. in CO_2, CO u. H_2O. O. besitzt ausgeprägte reduzierende Eigenschaft unter Bildung der harmlosen Endprodukte Kohlendioxid u. Wasser. Von dieser Eigenschaft wird bei der techn. Anw. hauptsächlich Gebrauch gemacht. Analyt. verwendet wird die quant. zu Kohlendioxid u. Wasser führende Oxid. mit Permanganat, die zweckmäßig bei 60 °C in schwefelsaurer Lsg. ausgeführt wird. O. läßt sich auch mit Luft u. zahlreichen anderen Oxid.-Mitteln bes. in Ggw. von Schwermetall-Salzen verhältnismäßig leicht zu Kohlendioxid oxidieren.

Vork.: O. zählt zu den verbreitetsten Pflanzensäuren u. findet sich v. a. im Sauerklee (*Oxalis acetosella* u. andere Arten) als saures Kalium-Salz (daher der Name Oxal- od. Kleesäure), im Sauerampfer u. Rhabarber; zum Oxalsäure-Gehalt verschiedener Lebensmittel s. *Lit.*[1]. O. u. ihre Salze finden sich ferner z. B. in *Salicornia*-Arten (Natriumoxalat), Rübenblättern (bis zu 12% des Trockengew.), einigen Gräsern (Magnesiumoxalat), in Blättern, Wurzeln u. Rinden vieler Pflanzen (Calciumoxalat), im Guano (Ammoniumoxalat).

Physiologie: Blut u. Harn der Tiere u. des Menschen enthalten stets kleine Mengen Oxalat; sie entstehen im Stoffwechsel aus Glycin, aus Ascorbinsäure u. aus Xylit[1,2]. Die vom Menschen im Urin ausgeschiedene Gesamtmenge an O. liegt bei 15–50 mg/d, die vermehrte Ausscheidung von Oxalat bezeichnet man als *Oxalurie*. O. wirkt ätzend auf Haut u. Schleimhäute, Einnahme kann zu schweren Gastroenteritiden mit Erbrechen u. Durchfall, Nierenschäden, Krämpfen, Koma u. Tod infolge Kreislaufkollaps führen. Die gefährliche Menge wird mit 1–5 g angegeben; Todesfälle sind schon durch 5–15 g aufgetreten[3]. O. fällt Calcium-Ionen in Form von Calciumoxalat aus; wahrscheinlich kommt es dadurch in der Niere zu einer Verstopfung der Nierenkanälchen mit Anurie od. Oligurie. Mehr als die Hälfte aller Harnsteine bestehen aus Calciumoxalat; zur enzymat. Oxalat-Bestimmung in biolog. Material (Obst, Gemüsesäfte, Körperflüssigkeiten) mit Oxalat-Oxidase od. mit Oxalat-Decarboxylase/Formiat-Dehydrogenase s. *Lit.*[4–6].

Herst.: Durch saure Hydrolyse von Dicyan (nur noch histor. interessant), durch Oxid. von Kohlenhydraten, Glykolen, Olefinen, Acetylenen od. Acetaldehyd mit konz. Salpetersäure in Ggw. von Katalysatoren od. durch Alkalischmelze von Natriumformiat.

Verw.: In der Analytik dient das Dihydrat der O. als Urtitersubstanz in der Alkali- u. Manganometrie sowie zur quant. Bestimmung des Calciums als Oxalat u. zur Trennung der Seltenen Erden. Als Red.-Mittel für Kaliumdichromat beim Beizen von Wolle, Verseifen von Küpenfarbstoffestern, Drucken von Säurefarbstoffen auf Wolle, Aufschließen von Stärke, als Hilfsmittel im Indigoätzdruck, zur Herst. von *Oxalaten, zum Weißen von Leder (wirkt reduzierend wie *Natriumdithionit), als Bleichmittel für Stearin- u. Strohgeflechte, zur Entfernung von Rost- u. Tintenflecken (gibt mit Fe^{3+} lösl. Komplexsalze), in der Photographie, zur Herst. von Tinten, Metallputzmitteln u. Farbstoffen, zur elektrochem. Herst. von Schutzschichten auf Aluminium, zu Galvanisierungen, im chem. Laboratorium als Katalysator, als Zwischenprodukt in organ. Synth., z. B. für Cyclisierungen u. für die *Acetalisierung mit Ethylenglykol. Die Verw. von O. (sowie ihrer Ester u. Alkali-Salze) in kosmet. Mitteln (Haarmitteln) ist mit Einschränkungen erlaubt (Kosmetik-VO Anl. 2, Nr. 3).

Geschichte: Die O. wurde 1769 erstmals von Wiegleb als bes. im Sauerkleesalz enthaltene Säure erkannt u. 1776 von Scheele (u. gleichzeitig auch von Bergman) durch Oxid. von Zucker mit Salpetersäure (daher der histor. Name *Zuckersäure,* der heute allerdings für Glucarsäure verwendet wird) erstmals hergestellt. Von Chemie-geschichtlicher Bedeutung ist die Synth. der O. durch Verseifung von *Dicyan, mit der Wöhler 1824 (noch vor seiner berühmten Harnstoff-Synth.) erstmals einen Naturstoff künstlich herstellte. – ***E*** oxalic acid – ***F*** acide oxalique – ***I*** acido ossalico – ***S*** ácido oxálico

Lit.: [1]Macholz u. Lewerenz, Lebensmitteltoxikologie, S. 212 f., Berlin: Akademie Verl. 1989. [2]Dtsch. Med. Wochenschr. **1980**, 997. [3]Moeschlin, Klinik u. Therapie der Vergiftungen, S. 324 ff., Stuttgart: Thieme 1986. [4]Clin. Chem. **29**, 700 ff. (1983); Lab. Med. **7**, 29–32 (1983). [5]Z. Anal. Chem. **301**, 186 f. (1980). [6]Ullmann (5.) **A 9**, 450.
allg.: Beilstein E IV **2**, 1819–1822 ▪ Blaue Liste, S. 235 ▪ Giftliste ▪ Gmelin, Syst.-Nr. 14, C, Tl. C 4, 1975, S. 198–236 ▪ Hager (5.) **3**, 899 ▪ Houben-Weyl **E 5**, 196 ff. ▪ Kirk-Othmer (3.) **16**, 618–636; (4.) **17**, 882 ff. ▪ Merck-Index (12.), Nr. 7043 ▪ Ullmann (5.) **A 8**, 525; **A 18**, 247 ▪ Winnacker-Küchler (4.) **6**, 104 f. – *[HS 2917 11; CAS 144-62-7 (O.); 6153-56-6 (Dihydrat)]*

Oxalsäure-bis(cyclohexylidenhydrazid) (Cuprizon I).

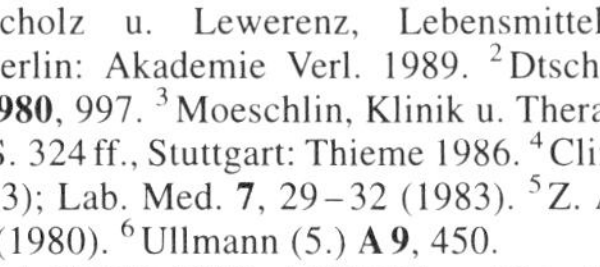

$C_{14}H_{22}N_4O_2$, M_R 278,35. Selektives, empfindliches Reagenz (Schmp. 208–212 °C) zur photometr., spektrometr. u. polarograph. Bestimmung kleiner Kupfer-Mengen z. B. in Stahl, Seren u. dgl. Bei der photometr. Bestimmung sind in der Reagenzlsg. noch etwa 0,01 ppm Cu erfaßbar. – ***E*** oxalic bis(cyclohexylidenehydrazide) – ***F*** bis(cyclohexylidène-hydrazide) oxalique – ***I*** bis(cicloesilidenidrazide) ossalica – ***S*** bis(ciclohexilidenhidrazida) oxálica

Lit.: Anal. Chem. **38**, 911 (1966) ▪ Beilstein E IV **7**, 25 ▪ Fries-Getrost, S. 195 ff. – *[HS 2928 00; CAS 370-81-0]*

Oxalsäurediamid s. Oxamid.

Oxalsäuredichlorid s. Oxalylchlorid.

Oxalsäuredinitril s. Dicyan.

Oxalsäureester. *Oxalsäure bildet sowohl neutrale (ROOC–COOR) als auch saure Ester (ROOC–COOH). Die sauren Ester sind nichtflüchtige, therm. instabile, starke Säuren, die aber stabile Salze bilden. Ihre wirtschaftliche Bedeutung ist gering. Von größerem Interesse sind die neutralen Ester, insbes. der Dimethylester, der Diethylester u. der Dibutylester.

(a) *O.-Dimethylester* (Dimethyloxalat, $R=CH_3$), $C_4H_6O_4$, M_R 118,09, farblose Krist., Schmp. 54 °C, Sdp. 163,5 °C. – b) *O.-Diethylester* (Diethyloxalat, $R=C_2H_5$), $C_6H_{10}O_4$, M_R 146,14, farbloses Öl, wenig lösl. in Wasser, mischbar mit Alkohol, Ether, Chloroform u. Benzol, D. 1,0785, Schmp. –40 °C, Sdp. 186 °C, WGK 1. Der O.-Diethylester u. der O.-Dimethylester reizen stark Augen, Haut u. Atemwege. – c) *O.-Dibutylester* (Dibutyloxalat, $R=n\text{-}C_4H_9$), $C_{10}H_{18}O_4$, M_R 202,25, farblose Flüssigkeit, D. 0,9873, Schmp. –31 °C, Sdp. 245,5 °C, unlösl. in Wasser, lösl. in Alkohol u. Ether.

Verw.: Die O. besitzen gute Lsm.-Eigenschaften für Celluloseether, Celluloseester (z. B. Nitrocellulose) u. für Harze; sie werden zur Herst. von Speziallacken verwendet. Die O. gehen leicht Kondensationsreaktionen ein, insbes. der O.-Diethylester findet vielseitige Verw. in organ. Synth., z. B. für Ester-Kondensationen. – ***E*** oxalic (acid) esters, oxalates – ***F*** esters de l'acide oxalique, oxalates – ***I*** esteri dell'acido ossalico, ossalati – ***S*** ésteres del ácido oxálico, oxalatos

Lit.: Beilstein E IV **2**, 1847–1852 ▪ Gildemeister **2**, 332, 337 ▪ Hommel, Nr. 846, 1043 ▪ Houben-Weyl **8**, 581–586 ▪ Kirk-Othmer (4.) **17**, 898 ▪ Merck-Index (12.), Nr. 3174 ▪ Ullmann (5.) **A 18**, 527 ▪ s. a. Oxalsäure u. Ester. – *[HS 2917 11; CAS 553-90-2 (a); 95-92-1 (b); 2050-60-4 (c); G 6.1]*

Oxalsuccinat s. Citronensäure-Cyclus (Abb.).

Oxalurie s. Oxalsäure.

Oxalyl... Bez. für die Atomgruppierung –CO–CO–, bes. in *Multiplikativnamen (IUPAC-Regel C-404.1/405.2, R-9.1.28a); *Chemical Abstracts:* (1,2-Dioxo-1,2-ethandiyl)...; vgl. Oxal... – ***E*** = ***F*** oxalyl... – ***I*** ossalil... – ***S*** oxalil...

Oxalylchlorid (Oxalsäuredichlorid). Cl–CO–CO–Cl, $C_2Cl_2O_2$, M_R 126,93. Farblose, an der Luft rauchende, Haut u. Schleimhäute ätzende, giftige Flüssigkeit, D. 1,4785, Schmp. –12 °C, Sdp. 63–64 °C, WGK 2 (Selbsteinst.). Techn. O. enthält oft etwas *Phosgen. O. reagiert mit Wasser heftig unter Hydrolyse, lösl. in Ether, Benzol u. Chloroform. O. entsteht bei der Einwirkung von PCl_5 auf Oxalsäure.

Verw.: O. ist ein Reagenz zur Herst. von Carbonsäurechloriden, das gegenüber den gewöhnlich verwendeten $SOCl_2$, PCl_3, $POCl_3$ u. PCl_5 Vorteile besitzt.

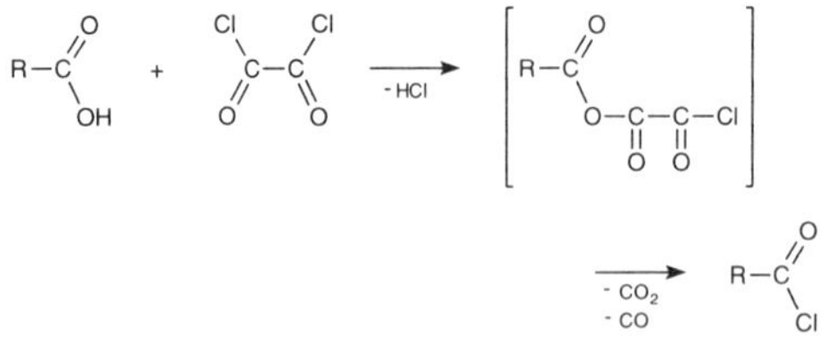

In Ggw. von NaI reduziert O. Sulfoxide zu Sulfiden. Weitere Verw. zur Herst. von Farbstoffen, im Laboratorium z.B. zur Synth. von Chlorcarbon-Derivaten, Anhydriden, heterocycl. Verb. u. *Oxalsäureestern u. -amiden. – ***E*** oxalyl (di)chloride – ***F*** clorure d'oxalyle – ***I*** cloruro d'ossalile – ***S*** cloruro de oxalilo

Lit.: Beilstein EIV **2**, 1853 f. ▪ Giftliste ▪ Merck-Index (12.), Nr. 7046 ▪ Paquette **6**, 3814 f. ▪ Ullmann (4.) **17**, 481 ▪ s.a. Oxalsäure. – *[HS 2917 19; CAS 79-37-8]*

Oxalylharnstoff s. Parabansäure.

Oxamid (Oxalsäurediamid, Oxalamid). $H_2N–CO–CO–NH_2$, $C_2H_4N_2O_2$, M_R 88,07. Farblose Nadeln, D. 1,667, Zers. bei 350 °C, WGK 2 (Selbsteinst.), in Wasser u. Alkohol kaum, in Ether nicht löslich.

Herst.: Durch Hydratisierung von Dicyan od. aus Blausäure u. Sauerstoff in Ggw. von $Cu(NO_3)_2$ (Hoechst) od. nach Ube durch Ammonolyse von Dialkyloxalaten.

Verw.: O. ist wegen seiner Schwerlöslichkeit in Wasser als Langzeitdünger einsetzbar, z.B. als Depotdünger im Reisanbau. – ***E*** = ***F*** oxamide – ***I*** ossammide – ***S*** oxamida

Lit.: Beilstein EIV **2**, 1860 ▪ Merck-Index (12.), Nr. 7050 ▪ Ullmann (5.) **A 8**, 182; **A 18**, 257. – *[HS 2924 10; CAS 471-46-5]*

Oxamniquin (Rp).

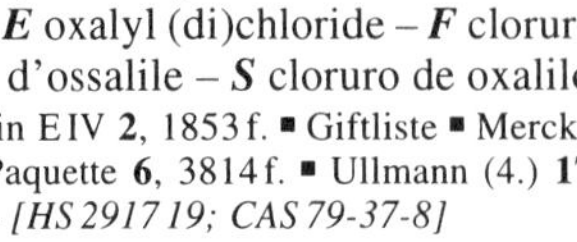

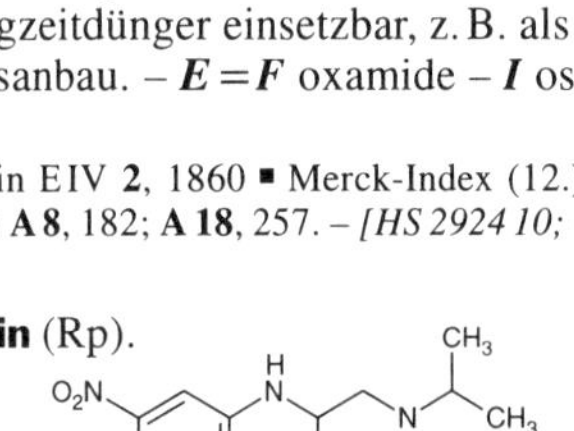

Internat. Freiname für das *Anthelmintikum (±)-1,2,3,4-Tetrahydro-2-[(isopropylamino)methyl]-7-nitro-6-chinolinmethanol, $C_{14}H_{21}N_3O_3$, M_R 279,33, Schmp. 147–149 °C; λ_{max} 205,5, 249,5, 389,5 nm ($A^{1\%}_{1\,cm}$ 486, 695, 62,5); LD_{50} (Maus oral) 1300, (Maus i.m.) >2000 mg/kg. O. wurde 1967 u. 1974 von Pfizer patentiert u. gegen Schistosomiasis eingesetzt. – ***E*** oxamniquine – ***I*** ossamnichina – ***S*** oxamniquina

Lit.: Beilstein E V **22/11**, 475 ▪ Hager (5.) **8**, 1247 f. ▪ Martindale (31.), S. 121 f. – *[HS 2933 40; CAS 21738-42-1]*

Oxamoyl... (Oxalamoyl...). Bez. für den Oxamidsäure-Rest $–CO–CO–NH_2$ (IUPAC-Regel C-431.2, R-9.1.28c); *Beilstein's Handbuch:* Aminooxalyl... (*aber:* Amino-oxo-acetylchlorid); *Chemical Abstracts:* (Aminooxoacetyl)... – ***E*** = ***F*** oxamoyl... – ***I*** ossamoil... – ***S*** oxamoil...

Oxamyl.

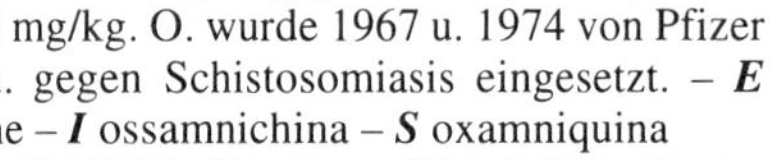

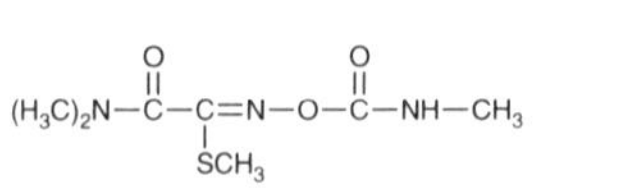

Common name für Methyl-2-(dimethylamino)-*N*-(methylcarbamoxyloxy)-2-oxo-thioacetimidat, $C_7H_{13}N_3O_3S$, M_R 219,25, Schmp. 100–102 °C (wandelt sich in eine dimorphe Form um, die bei 108–110 °C schmilzt), LD_{50} (Ratte oral) 5,4 mg/kg, von Dupont 1969 eingeführtes *Insektizid, *Akarizid u. *Nematizid mit system. u. Kontaktgiftwirkung gegen zahlreiche Schädlinge im Obst-, Gemüse-, Acker-, Zierpflanzen- u. Baumwollanbau. – ***E*** = ***F*** oxamyl – ***I*** ossamile – ***S*** oxamil

Lit.: Farm. ▪ Perkow ▪ Pesticide Manual. – *[HS 2930 90; CAS 23135-22-0]*

Oxan s. Tetrahydropyran.

Oxanthren s. Dibenzo[1,4]dioxin.

Oxapeneme. Gruppe von synthet., nicht-klass. *β-Lactam-Antibiotika, in denen das Schwefel-Atom der *Peneme durch ein Sauerstoff-Atom ersetzt ist. Das Grundgerüst der O. wird nach IUPAC als 7-Oxo-4-oxa-1-azabicyclo[3.2.0]hept-2-en-2-carbonsäure bezeichnet. Die erste Oxapenemcarbonsäure wurde 1978 synthetisiert. Die Verbindungsklasse ist durch außerordentliche Labilität gekennzeichnet, erste stabile Vertreter wurden erst seit 1983 synthetisiert.

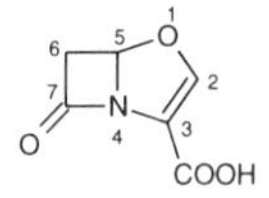

Oxapenem-3-carbonsäure (mit halbsystemat. Numerierung)

Wirkung: Die O. sind ausgezeichnete β-Lactamase-Inhibitoren (vgl. Clavulansäure) mit z.T. breiter antibakterieller Wirkung auch gegen Gram-neg. Bakterien. – ***E*** oxapenems – ***F*** oxapénème – ***I*** oxapenemi – ***S*** oxapenemos

Lit.: Morin u. Gorman, Chemistry and Biology of β-Lactam Antibiotics, Vol. 2, S. 361–402, New York: Academic Press 1982 ▪ Synthesis **1992**, 1179 ▪ Z. Naturforsch. Teil B **47**, 1037 (1992).

1,2,3-Oxathiazin-4(3)*H*-on-2,2-dioxid.

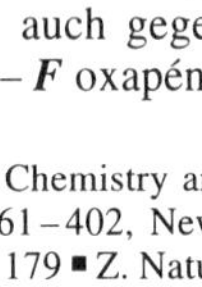

$C_3H_3NO_4S$, M_R 149,12. Stammverb., deren an C-5/C-6 Alkyl-substituierte Derivate *Süßstoff-Charakter besitzen (z.B. *Acesulfam-K). – ***E*** 1,2,3-oxathiazin-4(3*H*)-one 2,2-dioxides – ***F*** 2,2-dioxydes de 1,2,3-oxathiazin-4(3*H*)-one – ***I*** 2,2-diossidi di 1,2,3-ossatiaz-4(3*H*)-one – ***S*** 2,2-dióxidos de 1,2,3-oxatiazin-4(3*H*)-ona

Lit.: Beilstein E V **27/25**, 235 ff. ▪ s.a. Acesulfam-K, Süßstoffe. – *[CAS 51299-07-1]*

1,2-Oxathiolan-2,2-dioxid s. 1,3-Propansulton.

Oxatomid (Rp).

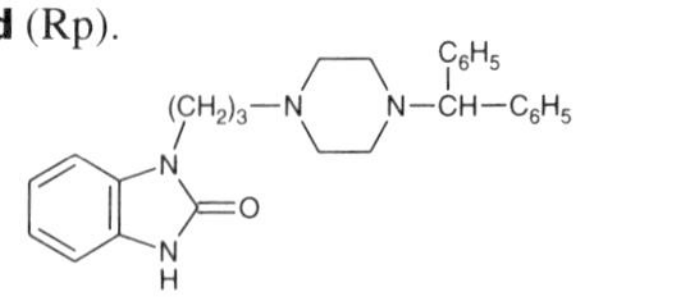

Internat. Freiname für das *Antihistaminikum 1-[3-(4-Benzhydryl-1-piperazinyl)-propyl]-1,3-dihydro-2-benzimidazolon, $C_{27}H_{30}N_4O$, M_R 426,56, Schmp. 153–155 °C, λ_{max} (CH_3OH) 225, 281 nm ($A^{1\%}_{1\,cm}$ 386, 158); LD_{50} (Maus oral) >2560, (Maus i.v.) 27 mg/kg. O. wurde 1977 u. 1981 von Janssen (Tinset®) patentiert. – ***E*** = ***F*** = ***I*** oxatomide – ***S*** oxatomida

Lit.: Drugs **27**, 210 (1984) ▪ Hager (5.) **8**, 1249 f. ▪ Martindale (31.), S. 448 f. – *[HS 2933 59; CAS 60607-34-3]*

1,3,2-Oxazaphosphinan-2-amin-2-oxide.

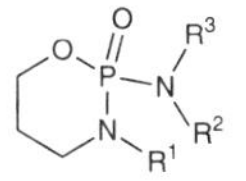

R^1 = H, R^2 = R^3 = CH_2—CH_2—Cl : *Cyclosphosphamid
R^1 = R^2 = CH_2—CH_2—Cl, R^3 = H : *Ifosfamid
R^1 = R^2 = R^3 = CH_2—CH_2—Cl : *Trofosfamid

Gruppenbez. für gesätt. cycl. *Phosphoramide, deren durch 2-Chlorethyl-Gruppen substituierte Vertreter wichtige *Cytostatika darstellen. – ***E*** 1,3,2-oxazaphosphinan-2-amine 2-oxides – ***F*** 2-oxydes de 1,3,2-oxazaphosphinan-2-amine – ***I*** 2-ossidi del 1,3,2-ossazafosfinan-2-ammina – ***S*** 2-óxidos de 1,3,2-oxazafosfinan-2-amina

Oxazepam (Rp; BtMVV, Anlage IIIC).

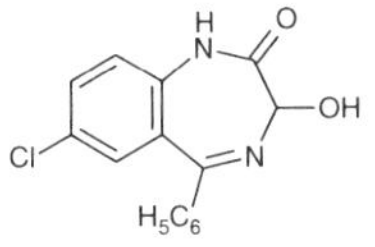

Internat. Freiname für den *Tranquilizer (±)-7-Chlor-1,3-dihydro-3-hydroxy-5-phenyl-2*H*-1,4-benzodiazepin-2-on, $C_{15}H_{11}ClN_2O_2$, M_R 286,71, Schmp. 200–205 °C; λ_{max} (C_2H_5OH) 230, 318 nm ($A^{1\%}_{1\,cm}$ 1260, 90); LD_{50} (Maus oral) >5 g/kg, in Wasser prakt. nicht, in Dioxan dagegen lösl.; vgl. a. 1,4-Benzodiazepine. O. wurde 1963 u. 1967 von Hoffmann-La Roche, 1965 u. 1967 von American Home Products patentiert, war zuerst von Thomae (Adumbran®), heute als Generikum im Handel. – ***E*** = ***S*** oxazepam – ***F*** oxazépam – ***I*** oxazepame

Lit.: ASP ▪ Beilstein EV **25/2**, 234 f. ▪ Florey **3**, 441–464 ▪ Hager (5.) **8**, 1250–1253 ▪ IARC Monogr. **13**, 57–73 (1977) ▪ Martindale (31.), S. 725 ▪ Ph. Eur. **1997** u. Komm. ▪ s. a. 1,4-Benzodiazepine. – *[HS 2933 90; CAS 604-75-1]*

Oxazine. Nach IUPAC-Regel RB-1.1 zusammengesetzter Gruppenname für zweifach ungesätt., je ein N- u. ein O-Atom im sechsgliedrigen Ring enthaltende heterocycl. Verb.; die Abb. zeigt von den insgesamt 8 möglichen Isomeren das *4H-1,3-Oxazin* u. dessen Herstellung.

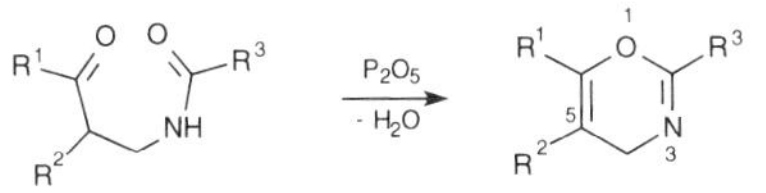

Abb.: Herst. von 4*H*-1,3-Oxazin.

Dessen in 5,6-Stellung gesätt. u. durch Alkyl- u./od. Aryl-Gruppen substituierte Derivate sind überaus nützliche Zwischenprodukte in vielen organ. Synth.; zu ihrer Herst. sind ebenso zahlreiche Meth. ausgearbeitet worden. Ein weiteres wertvolles Zwischenprodukt ist das *Isatosäureanhydrid. Einige *N*-substituierte, voll gesätt. 1,4-O.-Derivate zeichnen sich durch fungizide Eigenschaften aus, u. eine Reihe anderer O.-Derivate werden medizin. genutzt. Es sei darauf hingewiesen, daß jargonhaft früher auch *Phenoxazin (Dibenzo[*b,e*]oxazin) oft als Oxazin bezeichnet wurde; mithin sind auch Wortbildungen wie *Oxazin-Farbstoffe* falsch, denn es handelt sich bei diesen um Substitutionsprodukte des Phenoxazins od. des *Phenoxazons. – ***E*** = ***F*** oxazines – ***I*** ossazine – ***S*** oxazinas

Lit.: Adv. Heterocycl. Chem. **2**, 311–342 (1963); **23**, 1–53 (1978) ▪ Eicher u. Hauptmann, Chemie der Heterocyclen, S. 373, Stuttgart: Thieme 1994 ▪ Gilchrist, Heterocyclenchemie, S. 290, Weinheim: VCH Verlagsges. 1995 ▪ Heterocycles **14**, 1333–1403 (1980) ▪ Houben-Weyl **E 9a**, 92 ff. ▪ Katritzky-Rees **3**, 995–1038 ▪ Synthesis **1972**, 333–350.

Oxazin-Farbstoffe. Sachlich unrichtige Bez. für Farbstoffe auf der Basis von *Phenoxazin.

Oxazirane s. Oxaziridine.

Oxaziridine (Oxazirane). Nach IUPAC-Regel RB-1.1 Gruppenname für gesätt., dreigliedrige *heterocyclische Verbindungen, die sowohl ein O- als auch ein N-Atom im Ring enthalten, die als cycl. *O,N*-*Acetale aufgefaßt werden können. O. sind *Konstitutionsisomere der *Nitrone u. *Oxime. Substituierte O. sind entweder durch Epoxidierung von Iminen od. Schiffschen Basen mit Persäuren [wobei mit opt. aktiven Oxidantien ggf. opt. aktive O. (*Chiralität am Stickstoff-Atom aufgrund der rel. hohen Inversionsbarriere) erhalten werden] od. durch Addition von NH-haltigen Komponenten, z. B. *Chloramin, an Carbonyl-Verb. zugänglich (s. Abb. 1).

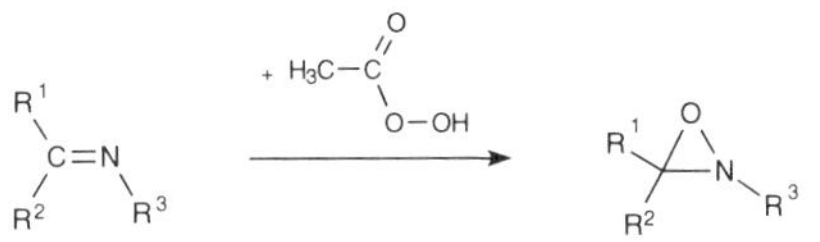

Abb. 1: Herst. von Oxaziridinen.

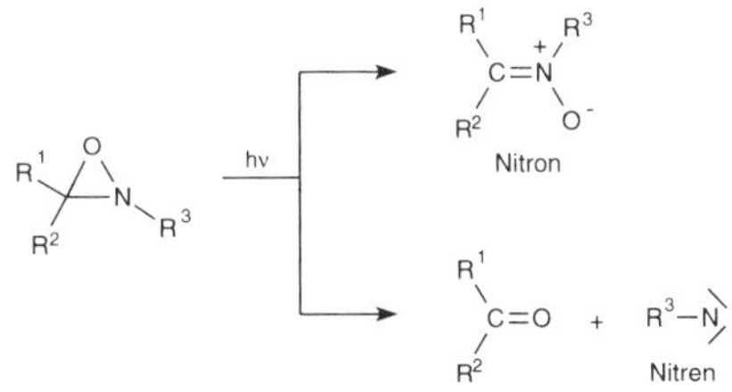

Abb. 2: Reaktionen von Oxaziridinen.

Aufgrund ihrer Ringspannung sind O. zu synthet. interessanten Reaktionen befähigt (s. Abb. 2); so isomerisieren sie z. B. photochem. zu den synthet. wichtigen *Nitronen od. fragmentieren in eine Carbonyl-Verb. u. ein *Nitren. Sie wirken darüber hinaus auch oxidierend. – ***E*** = ***F*** oxaziridines – ***I*** ossaziridine – ***S*** oxaziridinas

Lit.: Adv. Heterocycl. Chem. **2**, 83–130 (1963); **24**, 63–108 (1979) ▪ Eicher u. Hauptmann, Chemie der Heterocyclen, S. 32, Stuttgart: Thieme 1994 ▪ Gilchrist, Heterocyclenchemie, S. 368, Weinheim: VCH Verlagsges. 1995 ▪ Houben-Weyl **E 14b**, 1490–1494 ▪ Katritzky-Rees **7**, 195–236 ▪ Weissberger **42/3**, 283 ff.

Oxazolam (Rp; BtMVV, Anlage IIIC).

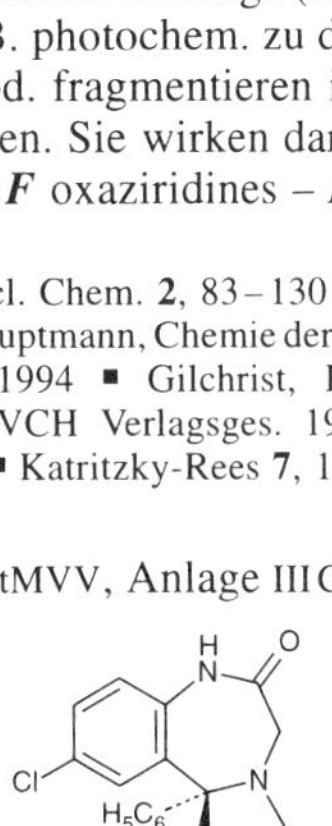

(±)-*trans*-Form

Internat. Freiname für den *Tranquilizer (±)-10-Chlor-2,3,7,11 b-tetrahydro-2-methyl-11 b-phenyloxazolo-[3,2-*d*][1,4]benzodiazepin-6(5*H*)-on, $C_{18}H_{17}ClN_2O_2$, M_R 328,79, Schmp. 186–188 °C; λ_{max} 254, 292 nm, in Wasser prakt. unlösl. u. in Chloroform löslich. Im Tautomerie-Gleichgew. überwiegt die *trans*-Form. O. wurde 1969 u. 1973 von Sankyo patentiert. – ***E*** = ***F*** = ***S*** oxazolam – ***I*** ossazolam

Lit.: ASP ▪ Beilstein E V **27/31**, 139 ▪ Hager (5.) **8**, 1253 f. ▪ Martindale (31.), S. 725 f. – *[HS 2934 90; CAS 24143-17-7]*

Oxazole. Nach IUPAC-Regel RB-1.4 fünfgliedrige *heterocyclische Verbindungen (*Azole), die je ein O- u. ein N-Atom in 1,3-Stellung zueinander enthalten; O. ist isomer mit *Isoxazol. Reines O. (C_3H_3NO, M_R 69,13, D. 1,4285, Sdp. 69–70 °C) ist techn. bedeutungslos, u. auch seine Derivate haben mit wenigen Ausnahmen (z. B. Szintillatoren wie *POPOP) kein Interesse erlangt. Präparativ wichtiger sind die Red.-Produkte der Oxazole, z. B. die Dihydro-O., die früher *Oxazoline* hießen. Insbes. die durch verschiedene Cyclisierungsreaktionen od. durch Kondensation von Aminoalkoholen (*Alkanolaminen) mit Fettsäuren zugänglichen *4,5-Dihydrooxazole* (s. Abb. 2) sind nützliche Ausgangsstoffe für die Synth. von Estern, Aminosäuren, heterocycl. Verb. usw.; chirale Carbonsäuren lassen sich aus einem chiralen O. (*Meyers-Reagenz*, s. Meyers-Reaktion, s. Abb. 3) in hohem Enantiomerenüberschuß erhalten; s. a. enantioselektive u. stereoselektive Synthese.

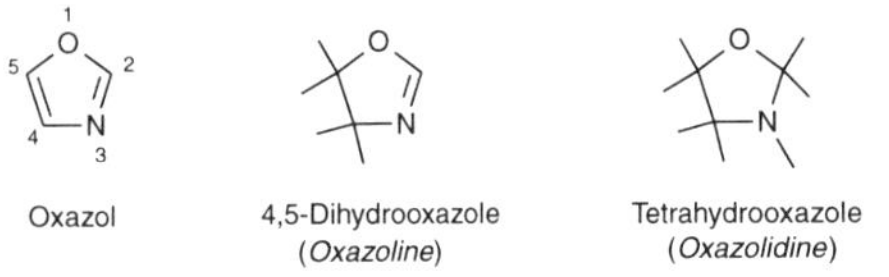

Abb. 1: Oxazol u. seine Red.-Produkte.

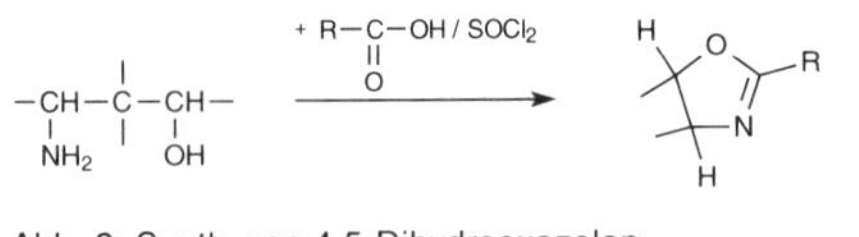

Abb. 2: Synth. von 4,5-Dihydrooxazolen.

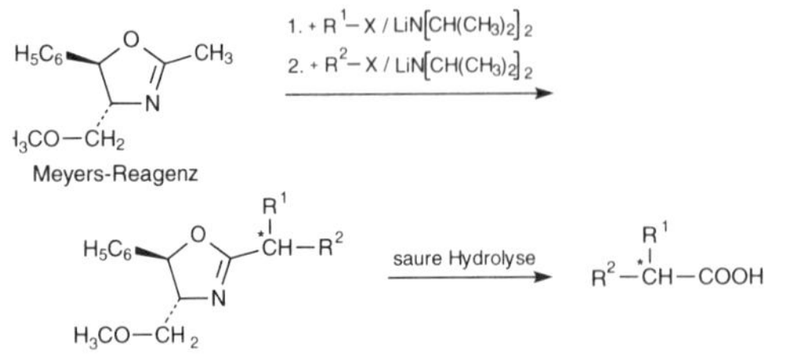

Abb. 3: Synth. von chiralen Carbonsäuren mittels Meyers-Reagenz.

Viele O.-Derivate lassen sich polymerisieren, wodurch Anw. auf den Gebieten der Kunst- u. Klebstoffe, Schmier- u. Treibstoffe, Schutzüberzüge, Korrosionsinhibitoren, Textilhilfsmittel, Schädlingsbekämpfungs- u. Arzneimittel erschlossen werden. Auf ähnliche Weise wie die Dihydro-O. sind die Tetrahydro-O. erhältlich, für die der Name *Oxazolidine* zulässig ist (IUPAC-Regel RB-1.2). Sie stellen ebenfalls nützliche Ausgangsprodukte z. B. für Kunststoffe, Herbizide, Repellents, Korrosionsinhibitoren u. Haftvermittler für Farbstoffe dar. Ein erhebliches präparatives Potential haben die Keton-Derivate des O. wie die *Oxazolidinone mit den Oxazolidindionen u. die *Oxazolone. In der Natur treten O. seltener in Erscheinung; *Beisp.:* *Salamander-Alkaloide, *Muscazon, *Goitrin (ein *Oxazolidin-2-thion*) sowie verschiedene Lebensmittel-Aromen [1]. – ***E*** = ***F*** = ***S*** oxazoles – ***I*** ossazoli

Lit.: [1] Zechmeister **36**, 258 f.

allg.: Acc. Chem. Res. **11**, 375–382 (1978) ▪ Adv. Heterocycl. Chem. **17**, 99–217 (1974) ▪ Beilstein E III/IV **27**, 960 ▪ Chem. Rev. **75**, 389–438 (1975) ▪ Eicher u. Hauptmann, Chemie der Heterocyclen, S. 122, Stuttgart: Thieme 1994 ▪ Gilchrist, Heterocyclenchemie, S. 319, Weinheim: VCH Verlagsges. 1995 ▪ Helv. Chim. Acta **68**, 584–605 (1985) ▪ Heterocycles **14**, 847–865 (1980) ▪ Houben-Weyl **E 8a**, 891 ff., 1020 ff. ▪ Katritzky-Rees **6**, 177–233 ▪ Weissberger **45** ▪ s. a. heterocyclische Verbindungen. – *[CAS 288-42-6]*

Oxazolidine s. Oxazole.

Oxazolidinone. Keton-Derivate der *Oxazolidine* (s. Oxazole), jargonhaft auch *Oxazolidone* genannt. 2-O. ($C_3H_5NO_2$, M_R 87,08) bildet farblose Krist., Schmp. 85–89 °C, Sdp. 220 °C (64 mbar), wird in organ. Synth. gebraucht; chirale 2-O. sind wichtige Hilfsstoffe (*Evans chirale Hilfsstoffe*) in der *stereoselektiven Synthese. 3-substituierte 2-O. sind aus Epoxiden u. Isocyanaten erhältlich (s. Abb. 1), während Diepoxide mit Diisocyanaten zu Polyoxazolidinonen reagieren [1]. Von den *Oxazolidindionen* haben einige 2,4-Dion-Derivate Bedeutung als Pharmaka gegen epilept. Anfälle [2]. Die sogenannten *Leuchs-Anhydride* sind 2,5-Dione (s. Abb. 2); sie bilden in Ggw. von Aziridin Piperazindione [3].

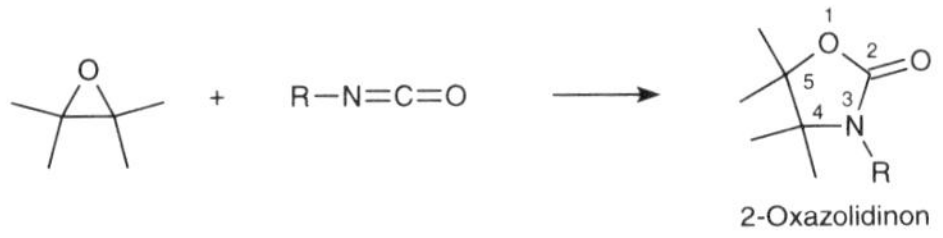

Abb. 1: Synth. von 2-Oxazolidinonen.

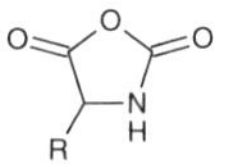

Abb. 2: Leuchs-Anhydrid.

Wichtiger sind sie als Zwischenprodukte der *Peptid-Synthese u. der Polymerisation von Aminosäuren. – ***E*** = ***F*** oxazolidinones – ***I*** ossazolidinoni – ***S*** oxazolidinonas

Lit.: [1] Chem. Ztg. **102**, 228 (1978). [2] Kirk-Othmer (4.) **13**, 1092. [3] Angew. Chem. **82**, 137 f. (1970).

allg.: Aldrichimica Acta **30**, 3 (1997) ▪ Beilstein E III/IV **27**, 2516 ▪ s. a. heterocyclische Verbindungen u. Oxazole. – *[CAS 497-25-6]*

Oxazolidone s. Oxazolidinone.

Oxazoline s. Oxazole.

Oxazolinone s. Oxazolone.

Oxazolone. Gruppenbez. für cycl. Ketone, die sich von *Oxazol ableiten (z. B. als Hydroxyoxazole); da man sie auch als Derivate der Dihydrooxazole (früher Oxazoline) auffassen kann, sind noch Namen wie *Oxazolinone* in Gebrauch, nach den IUPAC-Regeln aber nicht mehr zulässig. Von den Derivaten der 5 möglichen Isomeren sind die des 5(4*H*)-Oxazolons am wichtigsten, insbes. die von altersher *Azlactone* genannten Verb. (s. 4-Methylen-Δ^2-oxazolin-5-one u. Erlenmeyer-Synthese); zu der Addition von 5-O. an Mehrfachbindungen u. der daraus entwickelten Kettenverlängerungsmeth. für Carbonsäuren s. *Lit.*[1]. – ***E*** = ***F*** oxazolones – ***I*** ossazoloni – ***S*** oxazolonas

Lit.: [1] Angew. Chem. **83**, 725–728 (1971).
allg.: Adv. Heterocycl. Chem. **21**, 175–206 (1977) ▪ Fortschr. Chem. Forsch. **12**, 77–118 (1969) ▪ Heterocycles **16**, 1995–2032 (1981) ▪ Synthesis **1975**, 749–764 ▪ s. a. Oxazole.

Oxedrin s. Synephrin.

Oxeladin.

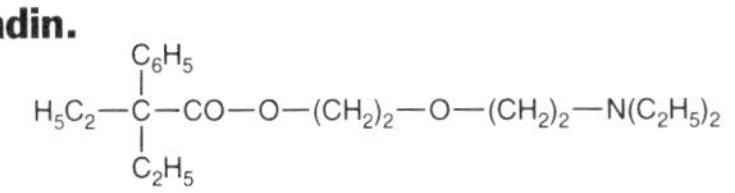

Internat. Freiname für das *Antitussivum 2-Ethyl-2-phenyl-buttersäure-{2-[2-(diethylamino)ethoxy]-ethyl}-ester, $C_{20}H_{33}NO_3$, M_R 335,48, Sdp. 150 °C (0,7 hPa), 140 °C (0,13 hPa). In Wasser prakt. unlösl., in Aceton, Ethanol, Ether u. verd. Salzsäure lösl.; stabil in sauren u. instabil in alkal. Lösungen. Verwendet wurde das Dihydrogencitrat, Schmp. 88–90 °C; λ_{max} (CH_3OH) 253, 259, 265 nm ($A^{1\%}_{1\,cm}$ 2,83, 3,49, 2,62). O. wurde 1959 von British Drug Houses patentiert. – ***E*** oxeladin – ***F*** oxéladine – ***I*** = ***S*** oxeladina

Lit.: ASP ▪ Beilstein E IV **9**, 1906 ▪ Hager (5.) **8**, 1256 ff. ▪ Martindale (31.), S. 1073. – *[HS 2922 50; CAS 468-61-1 (O.); 52432-72-1 (Dihydrogencitrat)]*

Oxepan s. Oxepine.

Oxepan-2-on s. ε-Caprolacton.

Oxepine. Nach IUPAC-Regel RB-1.2 Bez. für dreifach ungesätt., siebengliedrige Ringe mit einem O-Atom; gesätt. Derivate heißen *Oxepane* (früher: *Hexamethylenoxid*). Während Substitutionsprodukte der O. leichter zugänglich sind, konnte O. selbst nicht gefaßt werden. Substituierte O. liegen in einem Temp.-abhängigen Gleichgew. mit ihren *Valenztautomeren* („Benzoloxid" = 7-Oxabicyclo[4.1.0]hepta-2,4-dien, s. a. Arenoxide) vor.

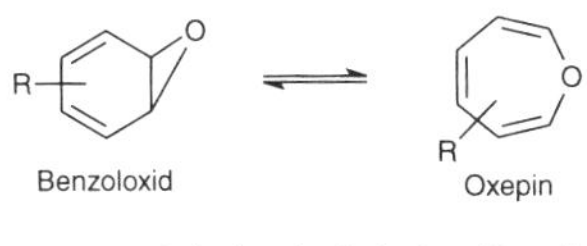

Abb.: Valenztautomerie bei substituierten Oxepinen.

Die O.-Benzoloxid-Isomerisierung ist ein Beisp. für *elektrocyclische Reaktionen, ebenso wie das Syst. *Norcaradien-Cycloheptatrien; die Isomerisierung läßt sich auch als *Cope-Umlagerung auffassen. – ***E*** oxepines – ***F*** oxépines – ***I*** ossepini – ***S*** oxepinas

Lit.: Angew. Chem. **79**, 429–304 (1967) ▪ Beilstein E V **17/1**, 475 ▪ Chem. Soc. Rev. **25**, 289 (1996) ▪ Eicher u. Hauptmann, Chemie der Heterocyclen, S. 459, Stuttgart: Thieme 1994 ▪ Gilchrist, Heterocyclenchemie, S. 382, Weinheim: VCH Verlagsges. 1995 ▪ Katritzky-Rees **7**, 547–592 ▪ Weissberger **26**, 1–572; **42,3**, 197 ff.

Oxetacain (Rp).

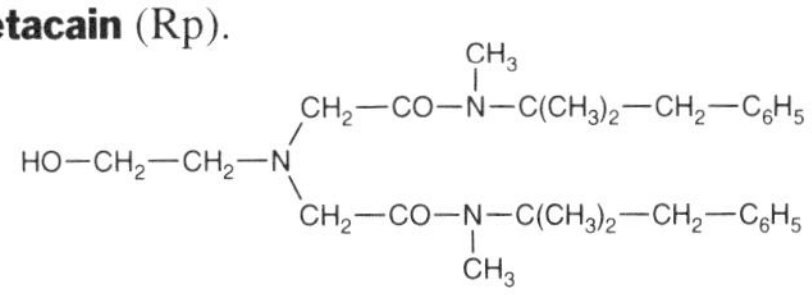

Internat. Freiname für das bei Speiseröhrenentzündung verwendete *Lokalanaesthetikum 2,2′-(2-Hydroxyethylimino)bis[*N*-(α,α-dimethylphenethyl)-*N*-methylacetamid], $C_{28}H_{41}N_3O_3$, M_R 467,65, Schmp. 104–104,5 °C; λ_{max} (C_2H_5OH) 252, 258, 264 nm; LD_{50} (Maus oral) 300, (Maus i.m.) 247, (Maus i.v.) 3,6 mg/kg, in Wasser unlösl., in Ethanol u. verd. Säuren löslich. Verwendet wird auch das Hydrochlorid, Schmp. 146–147 °C. O. wurde 1957 von Am. Home Products patentiert u. ist in Kombination mit Aluminium- u. Magnesiumhydroxid von Wyeth (Tepilta®) im Handel. – ***E*** oxetacaine, oxethazaine – ***F*** oxétacaïne – ***I*** oxetacaina – ***S*** oxetacaína

Lit.: ASP ▪ Beilstein E IV **12**, 2822 ▪ Hager (5.) **8**, 1258 ▪ Martindale (31.), S. 1337. – *[HS 2924 29; CAS 126-27-2 (O.); 13930-31-9 (Hydrochlorid); 78371-69-4 (O. in Al/Mg-Hydroxid-Gel)]*

Oxetane. Nach IUPAC-Regel RB-1.2 Bez. für gesätt., viergliedrige, ein O-Atom enthaltende Ringverb., s. heterocyclische Verbindungen u. vgl. die Abb. des Grundkörpers bei *...et. *Oxetan* selbst (C_3H_6O, M_R 58,08, halbsystemat. als *Trimethylenoxid* od. *1,3-Epoxypropan* bezeichnet) ist techn. unbedeutend. Die Cyclisierung von 1,3-Diolen u. v. a. die photochem. Cycloadditionen von Olefinen an die Carbonyl-Gruppen von Ketonen u. Chinonen (sog. Paterno-Büchi-Reaktion, s. Abb. dort) sind zur Herst. von O. geeignet. Die O. lassen sich z. B. durch Ringöffnungsreaktionen in Propanol-Derivate umwandeln od. auch polymerisieren, s. a. Oxetan-Polymere. – ***E*** oxetanes – ***F*** oxétanes – ***I*** ossetani – ***S*** oxetanos

Lit.: Beilstein E V **17/1**, 11 ▪ Eicher u. Hauptmann, Chemie der Heterocyclen, S. 38, Stuttgart: Thieme 1994 ▪ Gilchrist, Heterocyclenchemie, S. 372, Weinheim: VCH Verlagsges. 1995 ▪ Katritzky-Rees **7**, 363–402 ▪ Synthesis **1995**, 729 ▪ Weissberger **19,2**, 983–1068 ▪ s. a. heterocyclische Verbindungen u. Paterno-Büchi-Reaktion. – *[CAS 503-30-0 (Oxetan)]*

Oxetanocin {Oxetanocin A, 9-[(2*R*,3*R*,4*S*)-3,4-Bis(hydroxymethyl)-2-oxetanyl]adenin}.

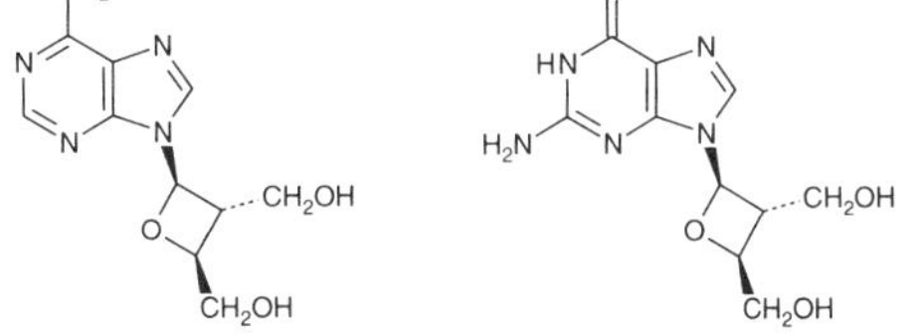

Oxetanocin A Oxetanocin G

$C_{10}H_{13}N_5O_3$, M_R 251,24, Nadeln (mit 1 mol Kristallwasser), Schmp. 197 °C, $[\alpha]_D^{20}$ −44,3° (Pyridin). *Nucleosid-Antibiotikum mit ungewöhnlichem verzweigtem Vierring-Zuckerrest aus Kulturbrühen von *Bacillus megaterium* mit antibakteriellen u. sehr guten antiviralen Eigenschaften. O. A (A steht für Adenin) u. synthet. Derivate (andere natürliche Basen u. carbocycl. Vierring) hemmen die reverse Transkriptase von Retroviren u. sind deshalb als Pharmaka gegen

AIDS, Cytomegalievirus (CMV), Hepatitis B-Virus u. Herpes-simplex-Virus (HSV) (*O. G*: $C_{10}H_{13}N_5O_4$, M_R 267,24) im Test. – ***E*** oxetanocin – ***F*** oxétanocine – ***I*** = ***S*** oxetanocina

Lit.: Antimicrob. Agents Chemother. **32**, 1053 (1988); **33**, 773 ff.; **34**, 287–294 (1990) ▪ DrugLic. Opport. J 2446 (24. April 1989); J 2508 (14. Aug. 1989) ▪ J. Antibiot. **42**, 644 ff., 1308–1311, 1854–1859 (1989) ▪ Pharma Projects a 686 (Mai 1989). – *Synth.:* Atta-ur-Rahman (Hrsg.), Studies in Natural Products Chemistry, Bd. 10, S. 585–627, Amsterdam: Elsevier 1992 ▪ Chem. Rev. **92**, 1745 (1992) ▪ J. Chem. Soc., Chem. Commun. **1989**, 1919 ▪ Tetrahedron: Asymmetry **1**, 527–530 (1990) ▪ Tetrahedron Lett. **31**, 5445, 6931 (1990); **32**, 3531 (1991). – *[HS 2941 90; CAS 103913-16-2 (O. A); 113269-46-8 (O. G)]*

Oxetanone. Keton-Derivate der *Oxetane; die 2-O. können auch als β-*Lactone aufgefaßt werden, der Grundkörper entsprechend als β-*Propiolacton. Als Leimungsmittel für Papiere finden O. vom Typ des *Diketens Verwendung. – ***E*** oxetanones – ***F*** oxétanones – ***I*** ossetanoni – ***S*** oxetanonas

Lit.: s. Oxetane u. Diketen.

Oxetan-Polymere. Bez. für *Polymere, die durch ringöffnende *Koordinationspolymerisation od. durch *anionische od. *radikalische Polymerisation von *Oxetanen zugänglich sind. Im Falle des unsubstituierten Oxetans als Ausgangsmonomer ist die Gruppierung,

$$—CH_2—CH_2—CH_2—O—$$

konstitutionelle Grundeinheit. O.-P. sind also prinzipiell *Polyether, meistens Polyetherdiole (*Polyglykole). Bei unsymmetr. substituierten Oxetanen kann die Herst. der O.-P. als Kopf/Kopf- od. *Kopf/Schwanz-Polymerisation erfolgen.
Oxetane sind homopolymerisierbar od. mit anderen cycl. Ethern (Oxirane, Tetrahydrofuran), Lactonen, Dioxan od. Dioxolanen copolymerisierbar. Vorübergehend techn. Bedeutung erlangt hat nur das Poly[3,3-bis(chlormethyl)oxetan]

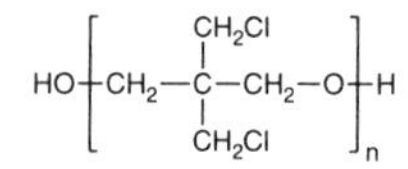

als Baustein für *Polyurethane mit ausgezeichneten elektr. Eigenschaften, hoher chem. Beständigkeit, Unbrennbarkeit, Wärme- u. Feuchtigkeitsbeständigkeit. – ***E*** oxetane polymers – ***F*** polymères d'oxétan(n)e – ***I*** polimeri di ossetano – ***S*** polímeros de oxetano

Lit.: Houben-Weyl **E 20/2**, 1374 ff. ▪ Ivin u. Saegusa, Ring-opening Polymerization, Vol. 1, S. 185 ff., London: Elsevier Appl. Polym. Sci. Publ. 1984.

Oxethyl... (Oxyethyl...). In chem. Handel u. Technik übliche Kurzbez. der Atomgruppierung $–CH_2–CH_2–OH$ [systemat. Bez.: (2-Hydroxyethyl)...]. Ihre Einführung, meist durch Reaktion mit *Ethylenoxid, nennt man *Oxethylierung* od. öfter *Ethoxylierung (irreführend, da auch Bez. für Einführen von *Ethoxy-Gruppen) u. die Produkte $R–(O–CH_2–CH_2–)_nOH$ folglich *Oxethylate* od. *Ethoxylate (wichtige techn. Rohstoffe). – ***E*** ox(y)ethyl... – ***F*** ox(y)éthyl... – ***I*** ossetil... – ***S*** oxietil...

Oxethylate s. Ethoxylate u. Oxethyl...

Oxethylcellulose. Im techn. Fachjargon häufiger gebrauchte Bez. für *Hydroxyethylcellulose.

Oxethylierung s. Ethoxylierung u. Oxethyl...

Oxetin [(2*R*,3*S*)-3-Amino-2-oxetancarbonsäure].

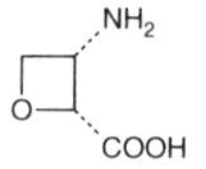

$C_4H_7NO_3$, M_R 117,10, Schmp. 185–190 °C (Zers.), $[\alpha]_D^{25}$ +56,4° (H_2O). Aminosäure aus Kulturbrühen einer *Streptomyces*-Art mit antibakteriellen u. herbiziden Eigenschaften. O. hemmt Glutamin-Synthetasen. – ***E*** oxetin – ***F*** oxétine – ***I*** = ***S*** oxetina

Lit.: Chem. Pharm. Bull. **34**, 3102–3110 (1986) (Synth.) ▪ J. Antibiot. **37**, 1324–1332 (1984). – *[CAS 94818-85-6]*

Oxicame.

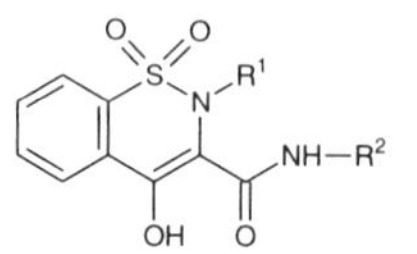

Sammelbez. für antirheumat. wirksame Derivate des 4-Hydroxy-2*H*-1,2-benzothiazin-3-carboxamid-1,1-dioxids; *Beisp.:* *Meloxicam, *Piroxicam, *Tenoxicam. Wirkungsweise u. -mechanismus entsprechen dem anderer nichtsteroidaler *Antirheumatika, z. B. des Arylpropionsäure-Typs; O. sind ebenfalls schwach sauer. – ***E*** oxicams – ***F*** = ***S*** oxicames – ***I*** oxicami

Lit.: Arthritis Rheum. **40**, 143–153 (1997) ▪ Clin. Pharmacokin. **26**, 107–120 (1994).

Oxicon®. Verf. von Messer Griesheim zur Verhinderung der Korrosion in Wasserdampf-Kreisläufen von Kraftwerken durch Einsatz von Sauerstoff u. Ammoniak.

Lit.: MG-Broschüre „Zukunft im Blickpunkt – Gase lösen Probleme" S. 18, Sachnummer 0.812.007, Ausg. 8018, Januar 1988.

Oxiconazol (Rp als Vaginal-Tabl.).

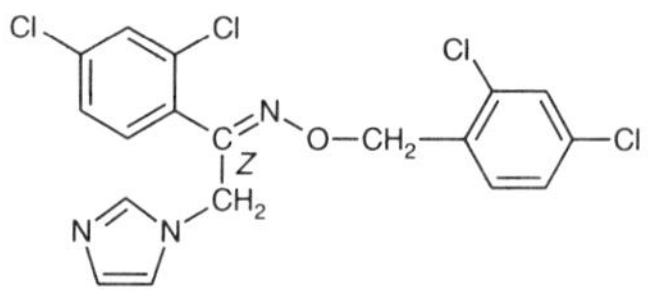

Internat. Freiname für das gegen Dermatophyten- u. Hefe-Infektionen wirksame *Antimykotikum 1-(2,4-Dichlorphenyl)-2-(1*H*-imidazol-1-yl)-ethanon-(*Z*)-*O*-(2,4-dichlorbenzyl)oxim, $C_{18}H_{13}Cl_4N_3O$, M_R 429,13. Verwendet wird das Mononitrat, Schmp. 137–138 °C. O. wurde 1978 u. 1979 von Siegfried patentiert u. ist von Yamanouchi (Oceral®) u. Wyeth/Brenner Efeka (Myfungar®) im Handel. – ***E*** = ***F*** oxiconazole – ***I*** osiconazolo – ***S*** oxiconazol

Lit.: ASP ▪ Beilstein E V **23/4**, 373 f. ▪ Hager (5.) **8**, 1262 f. ▪ Martindale (31.), S. 414. – *[HS 2933 29; CAS 64211-45-6 (O.); 64211-46-7 (Mononitrat)]*

...oxid s. Oxide u. Alkoholate.

Oxidantien (Oxidationsmittel; Singular: Oxidans). Ursprünglich wurden als O. nur solche Substanzen bezeichnet, die leicht Sauerstoff abgeben u. somit auf andere übertragen können [*Beisp.:* Kaliumpermanganat,

Kaliumchlorat, Blei(IV)-oxid], später auch solche, die *dehydrierend* wirken, also anderen Wasserstoff entziehen (z. B. Iod, Photo-O.). Heute versteht man unter O. allg. solche Elemente u. Verb., die bestrebt sind, durch die Aufnahme von *Elektronen unter Übergang in einen energieärmeren Zustand stabile Elektronenschalen auszubilden, vgl. a. Oxidation. Ein Maß für die Stärke eines O. ist das *Oxidationspotential*, s. Redoxpotential u. Redoxsysteme. – ***E*** oxidants – ***F*** oxydants – ***I*** ossidanti – ***S*** oxidantes
Lit.: Oxidation, Redoxsysteme.

Oxidaquate. In der älteren *Lit.* häufig als *Aquoxide* bezeichnete hydratisierte Oxide mit undefiniertem Wassergehalt. Heute faßt man jedoch umgekehrt die O. als eine Gruppe der *Aquoxide auf. – ***E*** oxidaquates – ***F*** oxydaquates – ***I*** acquate ossidriche – ***S*** oxidacuatos

Oxidasen. Früher allg. Bez. für *Enzyme, die *Oxidationen in biolog. Syst. ausführten. Nach begrifflicher Abtrennung der *Dehydrogenasen u. *Peroxidasen versteht man heute unter O. nur noch solche (z. T. in Einzelstichwörtern behandelten) Enzyme aus der Gruppe der **Oxidoreduktasen* (EC 1), die Redox-Reaktionen mit mol. Sauerstoff als Elektronenakzeptor bewirken, nach den Mustern:

$$\text{Donor-H}_2 + O_2 \xrightarrow{(O.)} \text{Donor} + H_2O_2 \text{ od.}$$
$$\text{Donor-H}_2 + O_2 \xrightarrow{(O.)} \text{Donor} + H_2O \text{ od.}$$
$$\text{Donor} + O_2 \xrightarrow{(O.)} \text{oxidierter Donor} + CO_2.$$

Wenn die Atome des Sauerstoffs in den Elektronendonor inkorporiert werden, spricht man von **Oxygenasen*, vgl. unten. Werden 4 Elektronen auf Sauerstoff übertragen, so entsteht Wasser od. Kohlendioxid, bei Transfer von nur 2 Elektronen bildet sich Wasserstoffperoxid, das durch *Katalase abgebaut werden muß. Die Übertragung eines einzelnen Elektrons (bei Xanthin-Oxidase) erzeugt das *Hyperoxid-Anion, das durch *Superoxid-Dismutase unschädlich gemacht wird.

O. oxidieren Alkohole (EC 1.1.3, z. B. Glucose-Oxidase), Aldehyde (EC 1.2.3, z. B. Aldehyd-Oxidase), gesätt. Kohlenstoff-Kohlenstoff-Bindungen (EC 1.3.3, z. B. Dihydroorotat-Oxidase), prim. u. sek. Amine (EC 1.4.3 bzw. 1.5.3, z. B. *Monoamin-Oxidase), andere Stickstoff-Verb. (EC 1.7.3, z. B. *Uricase), Schwefel-Gruppen (EC 1.8.3, z. B. Sulfit-Oxidase), *Häm-Gruppen (EC 1.9.3, z. B. *Cytochrom-c-Oxidase), Diphenole (EC 1.10.3, z. B. *Laccase), Metall-Ionen (z. B. *Caeruloplasmin, EC 1.16.3.1) u. Methylen-Gruppen (z. B. Pteridin-Oxidase, EC 1.17.3.1).

Die O. enthalten in ihren *prosthetischen Gruppen oft Metall-Ionen, die leicht ihre Wertigkeit ändern, z. B. Eisen, Kupfer, Mangan, Molybdän; viele sind Flavoproteine u./od. Hämproteine. O. wurden u. a. in Schlangengift, Serum (Caeruloplasmin), Mikrosomen u. Microbodies (*Peroxisomen) gefunden u. sind auch am *respiratory burst* (s. Makrophagen) beteiligt. Eine Untergruppe der O. sind die Oxygenasen, die Sauerstoff-*übertragende* Enzyme sind, u. zu denen auch die sog. *mischfunktionellen Oxygenasen* od. *O.* (MFO, s. Monooxygenasen) zählen. – ***E*** oxidases – ***F*** oxydases – ***I*** ossidasi – ***S*** oxidasas – *[CAS 9035-73-8]*

Oxidation (die Schreibweise „Oxydation" ist seit 1970 als veraltet abzulehnen). Ursprünglich verstand man unter O. ausschließlich die chem. Vereinigung von Elementen od. Verb. mit Sauerstoff, also die Bildung von Oxiden; *Beisp.:* Verbrennung von Kohlenstoff, Schwefel, Phosphor, Rosten des Eisens. Die erste Erweiterung des Begriffs O. erfolgte durch die Einbeziehung der unter Entzug von Wasserstoff-Atomen verlaufenden Reaktion, der Dehydrierung. Heute versteht man ganz allg. unter O. einen Prozeß, bei dem *Elektronen abgegeben* werden u. unter Red. folglich einen Prozeß, der die *Aufnahme von Elektronen* beschreibt. Der O.-Begriff ist damit eng an die *Oxidationszahl geknüpft. Weder O. noch Red. können für sich alleine auftreten, sondern sind vielmehr miteinander gekoppelt. Man spricht daher von *Redox-Reaktionen*; s. Formelbeisp. u. Definitionen für Oxid.- bzw. Red.-Mittel bei Redoxsysteme.

Eine Sonderstellung nehmen z. B. die Lsg. der Alkali, Erdalkalimetalle u. einiger Metalle der Seltenen Erden in flüssigem Ammoniak ein, in denen die Metallatome Valenzelektronen an das Lsm. abgeben, ohne dieses zu reduzieren („solvatisierte Elektronen"). Obgleich das Metall hierbei in das entsprechende Kation übergeht (Ionisation), spricht man erst dann von einer O., wenn die freiwerdenden Elektronen bei einem Oxid.-Mittel „angekommen" sind. In der Maßanalyse werden Redoxreaktionen bei der *Oxidimetrie angewendet, wobei die *Indikatoren im oxidierten u. reduzierten Zustand verschiedene Eigenschaften, z. B. Farben zeigen, vergleichbar den *Küpenfarbstoffen.

O.-Prozesse aller Art spielen bei biolog. Vorgängen (O. durch Enzyme) u. in der Technik eine außerordentlich wichtige Rolle, so z. B. bei Atmung (s. a. Atmungskette), Stoffwechsel, Gärung, Verwesung, Rostung, Korrosion, Verbrennung, Heizung (hier wird die bei O. freiwerdende Energie ausgewertet), Verbrennungsmotoren, bei chem. Synth., Feuerwerk; O. sind meist von Energieabgabe, autoxidative Prozesse häufig von Chemilumineszenz begleitet. Unter der inneren O. von Metallen versteht man die O. im Gefüge, die dadurch bedingt ist, daß Sauerstoff an den Korngrenzen u. anderen Zonen atomarer Fehlordnung in das Innere vordringen u. dort Oxide bilden kann. Spezielle Funktionen haben O.-Prozesse beim Entstehen von Smog (s. Photosmog u. Ozon), bei der Entgiftung von *Xenobiotika im Organismus (enzymat. bes. in der Leber), bei der Beseitigung übler Gerüche im Umweltschutz, beim mikrobiellen Klären von Abwässern u. bei der katalyt. Nachverbrennung der Autoabgase von Ottomotoren.

In der organ. Chemie sind zahllose Oxidantien im Gebrauch, die entweder auf die O. einer einzelnen Verb. speziell zugeschnitten od. als Gruppenreagentien zur O. funktioneller Gruppen geeignet sind. Manche O.-Meth. sind auch mit *Namensreaktionen verbunden u. als Einzelstichwörter behandelt wie z. B. die *Baeyer-Villiger- u. *Oppenauer-Oxidation. Als Oxidationsmittel kommen meist anorgan. Reagenzien, wie Permanganate, Mangandioxid, Bleidioxid, Bleitetraacetat, Cer(IV)-salze, Chromate, Chromsäure (im Laboratorium auch in Form des Pyridinium-Salzes), Osmiumtetroxid, Salpetersäure, Selendioxid, Wasserstoffperoxid u. andere Peroxo-Verb., Brom, Chlor, Hypohalogenide, Schwefel u. Sauerstoff (letzterer v. a. in der Ind. zusammen mit Metall-Katalysatoren) zum Einsatz. Zunehmendes Interesse finden elektrochem. Verf. zur O. organ. Verb., s. organische Elektrochemie. Typ. organ. Oxidantien sind Dimethylsulfoxid (s. Moffatt-Pfitzner-Oxidation), *N*-Bromsuccinimid, Chinone, hypervalente Iod-Verb. (Dess-Martin-Oxidation, s. 1,1,1-Triacetoxy-1,1-dihydro-1,2-benziodoxol-3-(1*H*)-on), Persäuren u. Perester, in neuerer Zeit auch Enzyme [1]. Unter dem Einfluß von Licht u. in Ggw. von Sensibilisatoren lassen sich viele, insbes. ungesätt. organ. Verb. oxidieren (*Photooxidation, Schencksche En-Reaktion) [2], wobei das eigentliche, oxygenierende Agens Singulett-Sauerstoff ist. – ***E*** = ***F*** oxidation – ***I*** ossidazione – ***S*** oxidación

Lit.: [1] Holland, Organic Synthesis with Oxidative Enzymes, Weinheim: VCH Verlagsges. 1992. [2] Angew. Chem. **108**, 519 (1996).
allg.: Büchner et al., S. 21 ff., 45 f., 52 f., 56 f., 78 f., 108 ff., 168 ff., 255 ff., 283 ff. ▪ Cainelli u. Cardillo, Chromium Oxidations in Organic Chemistry, Berlin: Springer 1984 ▪ Chem. Rev. **84**, 249–276 (1984); **96**, 877–910 (1996) ▪ Chem. Unserer Zeit **18**, 37–45 (1984) ▪ Emanuel et al., Oxidations of Organic Compounds, Oxford: Pergamon 1984 ▪ Golodets, Heterogeneous Catalytic Reactions Involving Molecular Oxygen, Amsterdam: Elsevier 1983 ▪ Hollemann-Wiberg (101.), S. 49, 212 ff. ▪ Houben-Weyl **4/1 a**, **4/1 b** ▪ March (4.), S. 1158 ff. ▪ Org. React. **39**, 297 ff. (1990) ▪ Powers u. Rodgers, Oxygen and Oxy-Radicals in Chemistry and Biology, New York: Academic Press 1981 ▪ Smith, Comparative Oxidation of Organic Compounds, Chichester: Ellis Horwood 1993 ▪ Trahanovsky, Oxidation in Organic Chemistry (4 Bd.), New York: Academic Press 1968, 1973, 1978, 1982 ▪ Trost-Fleming **7** ▪ Ullmann (5.) **A 18**, 261 ff. ▪ Weisermel-Arpe (4.), S. 157 ff., 288 ff., 415 ff. ▪ West, Basic Corrosion and Oxidation, Chichester: Ellis Horwood 1981 ▪ Winnacker-Küchler (4.) **6**, 228–239 ▪ Yoshida, Electro-Oxidation in Organic Chemistry: The Role of Cation Radicals as Synthetic Intermediates, New York: Wiley 1984. – *Zeitschrift:* Oxidation Communications, Amsterdam: Elsevier (seit 1979).

Oxidationsbitumen s. Asphalte.

Oxidationsfarbstoffe. Bez. für eine Gruppe von *Farbstoffen, die auf dem Substrat durch Oxid. von Aminophenolen, aromat. Diaminen od. a. aromat. Basen mit Peroxiden od. Permanganaten gebildet werden. Die O. dienen bes. zum Färben von Pelzen, Haaren (z. B. in der *Haarbehandlung) u. im Zeugdruck, z. B. *Anilinschwarz u. die Nako®-Farbstoffe. – ***E*** oxidation dyes – ***F*** colorants d'oxydation – ***I*** coloranti ossidanti – ***S*** colorantes de oxidación

Lit.: Kirk-Othmer (4.) **12**, 102 ▪ Ullmann (5.) **A 3**, 223; **A 12**, 140; **A 26**, 420 ▪ Venkataraman, The Chemistry of Synthetic Dyes, Bd. 5, New York: Academic Press 1971 ▪ Winnacker-Küchler (3.) **4**, 255, 403.

Oxidationsflamme s. Bunsenbrenner u. Lötrohranalyse.

Oxidationsinhibitoren s. Antioxidantien.

Oxidationsmittel s. Oxidantien.

Oxidationspotential s. Redoxpotential.

Oxidations-Reduktions-Titration s. Oximetrie.

Oxidationsstufe s. Oxidationszahl.

Oxidationsverfahren. In der Umwelttechnik Sammelbez. für Verf., in denen insbes. organ. Verb. mit Sauerstoff u. a. oxidiert werden, z. B. bei der *Abwasserbehandlung, *aerobe Biologie u. *Naßoxidation, bei der *Abluftreinigung *biologische Abgasbehandlung u. *Nachverbrennung. – ***E*** oxidative processes – ***F*** procédés d'oxidation – ***I*** processi ossidativi – ***S*** procedimientos de oxidación

Lit.: Ullmann (5.) **B 7**, 535–544, 570–576; **B 8**, 8–70, 105–119.

Oxidationszahl (Oxidationsstufe, -zustand, -wert, Ladungswert, Valenzzahl). Nach IUPAC-Regel 0.1 versteht man unter der O. eines Elements die Ladung, die ein Atom des Elements haben würde, wenn die Elektronen aller von diesem Atom ausgehenden Bindungen dem jeweils stärker elektroneg. Atom zugeordnet werden. Die O. ist somit eine vorzeichenbehaftete Kenngröße zur Charakterisierung der einzelnen Atome in einer Verbindung. Sie wird durch eine formale, grob vereinfachende Betrachtung ermittelt u. hat mit der tatsächlichen Ladungsverteilung in Mol. wenig gemein. So trägt z. B. das Re-Zentralatom in den völlig unterschiedlichen Komplex-Anionen $[ReO_4]^-$ u. $[ReH_9]^{2-}$ die gleiche O. (Re^{7+}). Hierarch. angeordente Regeln, die in dieser Reihenfolge anzuwenden sind, gestatten in den meisten Fällen die Bestimmung der O. eines Atoms in einer chem. Verbindung (s. Tab.).

Tab.: Regeln für die Zuordnung von Oxidationsstufen.

1. Elemente haben die O. Null.
2. Die O. einatomiger Ionen entspricht ihrer Ladung. Fluor hat als elektronegativstes Element in seinen Verb. die O. –I. Metalle besitzen meist pos. Oxidationsstufen.
3 Wasserstoff hat in seinen Verb. die O. +I.
4. Sauerstoff hat in seinen Verb. die O. –II.
5. Chlor, Brom u. Iod haben in ihren Verbindungen die O. –I.

In Formeln wird die O. nach IUPAC-Regeln 2.252 u. 7.22 in Klammern mit röm. Ziffern nachgestellt (s. Stock-System), *Beisp.:* Eisen(III)-chlorid, Natriumtetracarbonylferrat(–II). Die Kennzeichnung der O. von Ionen führt z. B. bei $K_4[Fe(CN)_6]$ nach Stock-Syst. (bzw. *Ewens-Bassett-System) zu Formulierungen wie Kaliumhexacyanoferrat(II) [bzw. -ferrat(4–)]. Metalle in den Gruppen I–III des Periodensyst. bilden Ionen mit pos. Ladungen, deren Zahl gleich der jeweiligen Gruppennummer ist. In diesem Fall ist die O. gleich der Gruppennummer. Die Summe der O. aller Atome in einem Mol. muß gleich der Ladung (in Einheiten der Elementarladung) sein, im elektr. neutralen Mol. also gleich Null (Neutralitätsregel, vgl. Abeggsche Regel). Die O. des Wasserstoffs in nichtion. Verb. beträgt I (Beisp.: NH_3); in ion. Metallhydriden ist sie –I (*Beisp.:* NaH). Die Anw. der Regeln ergibt bezogen auf H_2O_2 die korrekten O. +I für H u. –I für O, weil die dritte Regel von höherem Rang ist als die vierte. Dem elektronegativsten Element Fluor wird die O. –I zugeschrieben. Die O. des Sauerstoffs ist im allg. –II. Somit liegt im Cl_2O_7 Chlor in der O. +VII vor. Ausnahmen sind z. B. die Peroxide (–I) u. die Fluoroxide O_2F_2 bzw. OF_2 mit der O. +I bzw. +II für Sauerstoff. Nichtmetalle nehmen häufig eine von zwei charakterist. O. an, entweder einen Minimalwert von –(8–n), wobei n die Gruppennummer im Periodensyst. ist, od. einen Maximalwert von n. So hat Schwefel in H_2S die O. –II, in SO_3 hingegen +VI. Weitere *Beisp.:* S hat in der Dithionsäure ($H_2S_2O_6$) die O. V; dieses ergibt sich durch die formale Zerlegung in Atom-Ionen: $2H^+ + 6O^{2-} + 2S^{5+}$. Mn hat im Permanganat-Ion MnO_4^- die O. VII ($4O^{2-} + Mn^{7+}$), N im Ammoniumchlorid die O. –III ($4H^+ + Cl^- + N^{3-}$), H im Lithiumaluminiumhydrid die O. –I ($Li^+ + Al^{3+} + 4H^-$). Weitere Beisp.: mit Angaben der O.:

$$H_2\overset{-2}{S},\ \overset{+4}{S}O_2,\ \overset{+4}{S}O_3^{2-},\ K_2\overset{+6}{S}O_4,\ \overset{-3}{N}H_3,\ \overset{+2}{N}O,\ H_2\overset{+1}{P}(O)OH;$$

derartige Schreibweisen (statt der röm. Ziffern) findet man noch in der chem. Literatur. Probleme in der Zuordnung von O. ergeben sich manchmal bei Verb., die Atome desselben Elements in verschiedenen O. enthalten; *Beisp.:* $H_2S_2O_3 = H_2^IS^{-II}S^{VI}O_3^{-II}$, $Pb_3O_4 = 2Pb^{II}O \cdot Pb^{IV}O_2$, $CrO_5 = Cr^{VI}O^{-II}O_4^{-I}$.

Die sinnvolle Zuordnung einer O. ist v.a. in der Metall-organ. Komplexchemie nicht immer leicht. So ist die Protonierung des Carbonylat-Anions $[Co(CO)_4]^-$ zum Hydrid $[HCo(CO)_4]$ formal mit einer Red. des Protons zum Hydrid-Anion und einer Oxid. des Cobalt-Zentralatoms von Co^- zum Co^+ verbunden, obgleich es sich um eine reversible Säure-Basen-Reaktion handelt. Die Carbonyl-Liganden werden hier als Neutral-Mol. behandelt, die keinen Beitrag zur O. des Zentralatoms leisten. Über die O. ist eine Abschätzung der Reaktivität bzw. Stabilität von Verb. möglich. Bei chem. Reaktionen bleibt die Gesamt-O. erhalten. Dies bedingt, daß sich bei einer ausgewogenen chem. Reaktion Oxid. u. Red. genau kompensieren. Trotz seines formalen Charakters ist das Konzept der O. bes. bei den anorgan. Oxid.-Red.-Reaktionen (die auf Elektronenverschiebungen beruhen, s. Redoxsysteme), bei Elektronen-Reaktionen sowie bei Dis- u. Komproportionierungen sehr nützlich. Experimentelle Aussagen über die Oxid.-Stufe macht z.B. die Mößbauer-Spektroskopie. – ***E*** oxidation number – ***F*** nombre d'oxydation – ***I*** numero d'ossidazione – ***S*** número de oxidación

Lit.: Dickerson et al., Prinzipien der Chemie, 2. Aufl., Berlin: de Gruyter 1988 ▪ Greenwood u. Earnshaw, Chemie der Elemente, Weinheim: VCH Verlagsges. 1988 ▪ Mortimer, Chemie (6.), S. 223f., Stuttgart: Thieme 1996.

Oxidationszone. Bez. für den oberhalb des Grundwasserspiegels liegenden Bereich von Erzlagerstätten od. erzführenden Gesteinen, in den von der Erdoberfläche her Niederschläge als reichlich Sauerstoff u. häufig Kohlensäure enthaltende Sickerwässer eindringen, die prim. Erzmineralien (z.B. *Sulfide wie *Pyrit, *Kupferkies, *Bleiglanz) zerstören u. einen Teil der Metalle in Form wasserlösl. Sulfate nach unten abführen, z.T. unter Bildung von Schwefelsäure. Es entstehen oft auffällig bunte neue Mineralgesellschaften. Die in oberflächennahen Lagerstättenbereichen zurückgebliebenen dunklen Krusten von Eisenhydroxiden, *Hämatit u. Mineralien der *Braunstein-Gruppe werden als „*Eiserner Hut*" bezeichnet. Eiserne Hüte können heute z.B. durch Gold-Gehalte abbauwürdig werden. Eine der berühmtesten O. ist die von Tsumeb/Namibia. Unterhalb der Grundwasseroberfläche, in der *Zementationszone*, kommt es bei reduzierenden Bedingungen zur Abscheidung von metall. Kupfer u. Silber u. einer Reihe von Sulfid-Mineralien (z.B. *Chalkosin, *Bornit) – dies ist die „Reicherzzone" der alten dtsch. Bergleute. – ***E*** oxidation zone – ***F*** zone d'oxydation – ***I*** zona d'ossidazione – ***S*** zona de oxidación

Lit.: Baumann, Nikolskij u. Wolf, Einführung in die Geologie u. Erkundung von Lagerstätten, S. 73ff., Essen: Glückauf 1979 ▪ Pohl, Lagerstättenlehre (4.), S. 64ff., Stuttgart: Schweizerbart 1992 ▪ s.a. Lagerstätten, Erz.

Oxidativ. Bez. für einen Prozeß, bei dem (intermediär) eine *Oxidation abläuft, im allg. zusammen mit einem anderen Prozeß, der die Hauptreaktion darstellt. Im einzelnen spricht man daher von o. Desaminierungen, Decarboxylierungen, Dimerisationen (vgl. Dehydrodimerisation), Phosphorylierungen, Spaltungen u. Kupplungen (z.B. von Phenolen). – ***E*** oxidative – ***F*** oxydatif – ***I*** ossidativo – ***S*** oxidante

Lit.: s. Oxidation u. die Einzelprozesse.

Oxidative Desaminierung s. Desaminierung.

Oxidative Kupplung s. Oxidative Polymerisation.

Oxidative Phosphorylierung s. Phosphorylierung.

Oxidative Polymerisation. Bez. für ein Verf. zur Herst. von *Polymeren durch Behandlung von *Monomeren mit Oxid.-Mitteln. Insbes. die elektronenreicheren Aromaten lassen sich vielfach nicht nur elektrochem. (*elektrochemische Polymerisationen), sondern auch durch Oxid.-Mittel polymerisieren. Das techn. wichtigste Beisp. ist die o. P. von 2,6-Dimethylphenol zu Poly(2,6-dimethylphenylenoxid) (PPO). Die Reaktion erfolgt in organ. Lsm. in Ggw. von Kupfer-Salzen (z.B. $CuCl_2$) u. Aminen (z.B. Dibutylamin), wenn Sauerstoff durch die Reaktionslsg. geleitet wird:

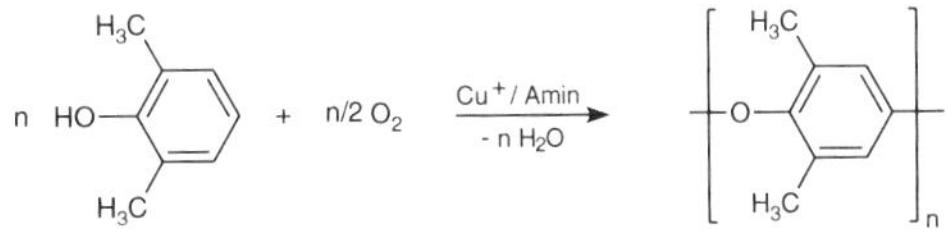

Nachdem der Mechanismus dieser Reaktion lange unklar geblieben war, weiß man heute, daß der aus dem Kupfer-Salz und dem Amin entstehende Kupfer-Amin-Komplex die Oxid. des Phenols durch Sauerstoff katalysiert. Dabei entstehen zunächst monomere Phenoxy-Radikale (I). Zwei dieser Radikale (I) kuppeln dann zum Dimer II, das seinerseits zum Phenoxy-Radikal III oxidiert wird. III kann nun mit einem weiteren Radikal I od. III kuppeln. Das entstehende Trimer-Radikal IV setzt sein Wachstum zum Polymer durch vielfache Wiederholung der Kupplungs-Oxidations-Sequenz fort:

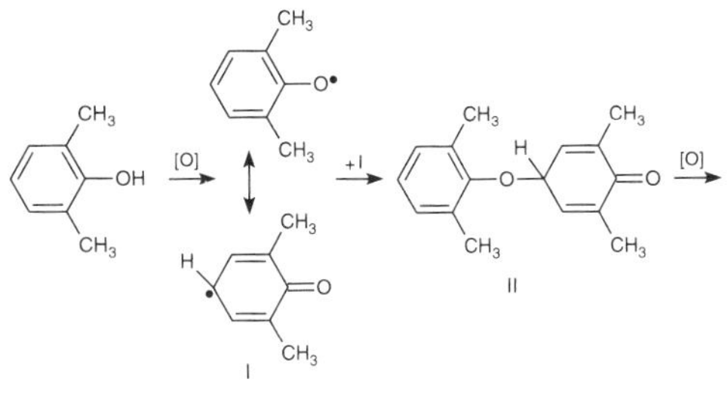

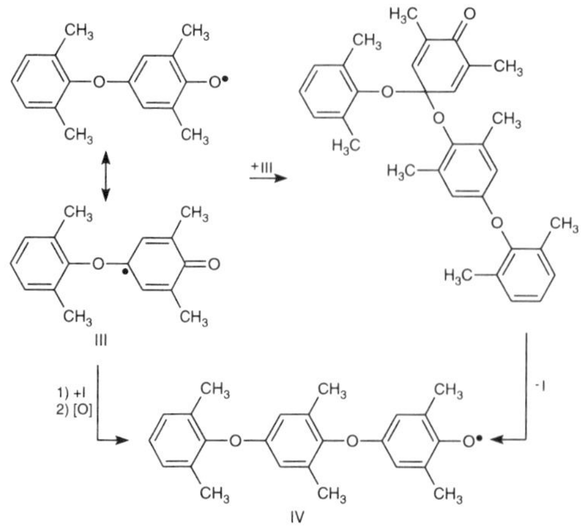

Neben Phenolen können z. B. *Pyrrole, *Thiophene, *Aniline (s. Polyanilin), *Furane, Carbazole u. *Azulene oxidativ gekuppelt werden. Bei Pyrrol verläuft die Polymerisation zu *Polypyrrol VI wie folgt:

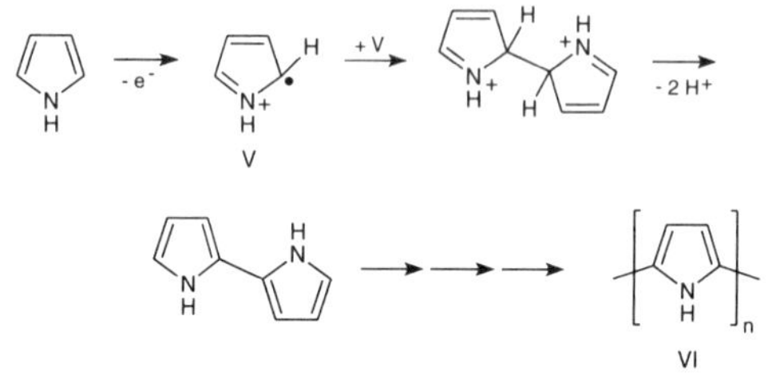

Eines der ersten Beisp. einer o. P. war die von Benzol zum Poly-*p*-phenylen, die in Ggw. einer *Lewis-Säure und eines Oxidationsmittels nach einem der Pyrrol-Polymerisation ähnlichen Mechanismus abläuft:

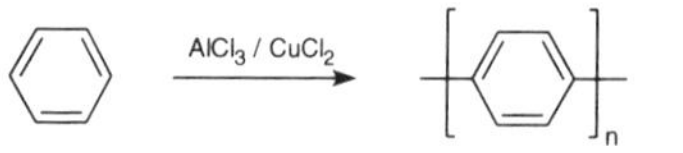

Das so erhaltene Polymer ist eine dunkelbraune Substanz, die in allen Lsm. unlösl. ist u. einen erheblichen Anteil an strukturellen Defekten aufweist. Weitere Monomere, die oxidativ polymerisiert werden können, sind u. a. Toluol, aromat. Halogenide od. Diine, z. B. *m*-Diethinylbenzol (VII), aus denen durch o. P. hoch ungesätt. Polymere zugänglich sind:

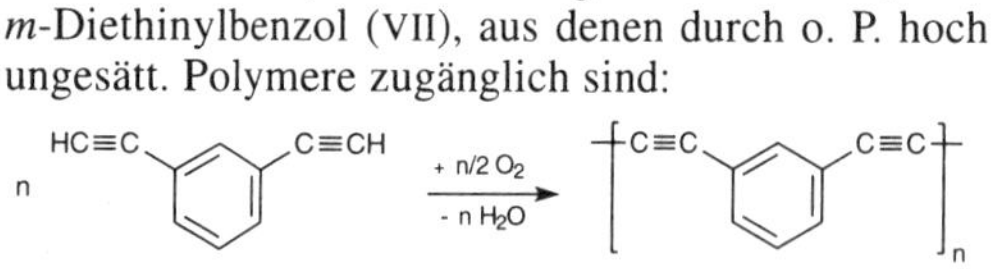

VII

Diese können unter Vernetzung weiter reagieren zu therm. stabilen Syst. mit potentieller Eignung als Halbleiter od. Photoleiter. *Initiatoren für die o. P. sind Katalysator/Oxidationsmittel-Syst., von denen Aluminiumchlorid/Kupferchlorid die größte Bedeutung erlangt hat. Die bekanntesten durch o. P. hergestellten Polymere sind Polyanilin u. Polyphenylenoxid; zur Verw. dieser Polymere s. dort. – ***E*** oxidative polymerization – ***F*** polymérisation oxydative – ***I*** polimerizzazione ossidativa – ***S*** polimerización oxidante

Lit.: Compr. Polym. Sci. **5**, 473–478 ▪ Encycl. Polym. Sci. Eng. **10**, 670–689 ▪ s. a. Polyanilin u. Polyphenylenoxid.

Oxidativer Streß. Bez. für die Belastung der lebenden *Zelle durch Anreicherung giftiger oxidierter Verb. (Lipid-Hydroperoxide, Wasserstoffperoxid, Singulett-Sauerstoff, Hydroxyl, Hyperoxid-Anion). Der o. S. kann z. B. durch Strahlungseinwirkung, Xenobiotika, Schwermetall-Ionen od. Ischämie/Reperfusion (zeitweise Unterbrechung der Blutzufuhr eines Organs, vgl. Xanthin-Oxidase) induziert werden u. spielt eine Rolle bei der Entstehung einer Reihe akuter u. chron. Erkrankungen (z. B. Entzündungen verschiedener Ursache, Mikroangiopathien, möglicherweise *Alzheimersche Krankheit[1]). Zur Abwehr des o. S. unterhält der Körper ein Reservoir unterschiedlicher reduzierter Verb. [Antioxidantien, z. B. L-*Ascorbinsäure, *Carotinoide, Dihydroliponsäure (s. Liponsäure), *Harnsäure, *Glutathion, α-*Tocopherol] u. vermeidet mit Hilfe verschiedener Enzym-Aktivitäten [z. B. Superoxid-Dismutase, Peroxidasen wie Glutathion-Peroxidase (s. Glutathion), Katalase, Caeruloplasmin] das Auftreten reaktiver Radikale. – ***E*** oxidative stress, oxidant stress – ***F*** pression de l'oxidation – ***I*** stress ossidativo, stress ossidante – ***S*** estrés oxidante

Lit.: [1] Free Radical Biol. Med. **23**, 134–147 (1997).
allg.: Scandalios, Oxidative Stress and the Molecular Biology of Antioxidant Defenses, Cold Spring Harbor: CSH Laboratory Press 1997.

Oxidbeschlag s. Lötrohranalyse.

Oxidchloride s. Oxidhalogenide.

Oxide. In Analogie zu Wortbildungen wie Sulfide, Nitride etc. anstelle des früher üblichen „Oxyde" (von griech.: oxýs = sauer) geprägter, seit 1959 verbindlicher Name für Verb. eines Elements (Metall od. Nichtmetall) mit *Sauerstoff, sofern darin der Sauerstoff der *elektroneg.* Bestandteil ist; die Sauerstoff-Verb. des Fluors sind deshalb nicht zu den O. zu rechnen, sondern als Sauerstoff-Fluoride zu bezeichnen. Da Sauerstoff zweiwertig ist, bilden die einwertigen Elemente (M^I) O. von der allg. Formel M^I_2O; entsprechend ist die Zusammensetzung der O. der zwei-, drei- u. vier-wertigen Metalle $M^{II}O$, $M^{III}_2O_3$, $M^{IV}O_2$. Das Sauerstoff-ärmere O. eines mind. zwei verschiedene O. bildenden Elements kennzeichnete man früher im Namen durch die Endung ...ul; also Kupferoxydul für Cu_2O gegenüber Kupferoxyd für CuO. Nach den stöchiometr. Mengenverhältnissen, d. h. der Anzahl der im Mol. bzw. in der Formeleinheit vorhandenen Sauerstoff-Atome, kann man Monoxide (z. B. CO = Kohlenstoffmonoxid), Dioxide (z. B. SO_2 = Schwefeldioxid), Trioxide (z. B. SO_3 = Schwefeltrioxid), Tetroxide (z. B. OsO_4 = Osmiumtetroxid), Pentoxide (z. B. P_2O_5 = Phosphorpentoxid, genaugenommen Diphosphorpentoxid) unterscheiden; früher bezeichnete man O. wie Fe_2O_3 als *Sesquioxide* (von *Sesqui... = 1½). Bei der exakten Benennung der O. werden entweder die Anteile aller Komponenten durch vorangestellte griech. Zahlwörter im Namen ausgedrückt (*Beisp.:* N_2O_5 = Distickstoffpentoxid), od. es wird das *Stock-System verwendet [z. B. OsO_4 = Osmium(VIII)-oxid]. Die zu den *Doppelsalzen gehörenden *Doppeloxide* bestehen aus den O. von zwei verschiedenen Elementen; hierzu gehören die sog. *Oxometallate* (s. Oxosäuren) u. *Spi-*

nelle (*Beisp.*: $MgAl_2O_4 = Al_2O_3 \cdot MgO$); eine bes. Form solcher Doppeloxide sind die sog. *valenzgemischten O.*, die aus zwei verschiedenen O. des gleichen Elements mit unterschiedlichen *Oxidationszahlen bestehen [*Beisp.*: Mennige = Pb_3O_4 ist Blei(II,IV)-oxid, also $2PbO \cdot PbO_2$]. Bes. Formen von O. sind die *Hyperoxide (s.a. Superoxid-Dismutase), *Peroxide, *Suboxide u. *Anhydride wie auch die *Iso- u. *Heteropolysäuren. Zu den *oxid. Verb.* muß man auch die *Aquoxide (mit Oxidaquaten), die *Oxidhalogenide u. -salze od. bas. *Salze (*Beisp.*: bas. Bismutcarbonat, -nitrat) rechnen. Neben den stöchiometr. zusammengesetzten O. gibt es auch *Nichtstöchiometrische Verbindungen mit Sauerstoff, in denen, wie bei den Alkalimetallsuboxiden vom Typ des Cs_7O ($Cs_{11}O_3Cs_{10}$), Cluster-Verb. vorliegen können.

Im Mittelalter bezeichnete man Verb., die heute als O. anzusprechen sind, als „Erden", woher sich histor. Bez. wie *Saure, Alkal.* od. *Seltene Erden* ableiten (vgl. Erdmetalle).

Unter den O. der Nichtmetalle sind einige gasf., die Metalloxide u. eine Reihe von Nichtmetall-O. sind fest, während flüssige O. Ausnahmen sind (z. B. Wasser od. Mangan(VII)-oxid]. Nach ihrer Reaktion mit Wasser od. im wäss. Medium unterscheidet man folgende O.:

Saure O. lösen sich unter Bildung von Säuren od. Anionen z. B. gemäß

$$N_2O_5 + H_2O \rightarrow 2H^+ + 2NO_3^- \text{ od.}$$
$$Sb_2O_5 + 2OH^- + 5H_2O \rightarrow 2Sb(OH)_6^-.$$

Hierzu gehören die meisten Nichtmetalloxide, wie SO_2, CO_2, P_2O_5, sowie O. von manchen Übergangsmetallen in deren höchsten Oxid.-Stufen, wie V_2O_5, CrO_3, Mn_2O_7.

Basische O. bilden Hydroxide od. lösen sich unter Bildung von Basen od. Kationen, z. B. gemäß

$$CaO + H_2O \rightarrow Ca(OH)_2,$$
$$O^{2-} + H_2O \rightarrow 2OH^- \text{ od.}$$
$$MgO + 2H^+ \rightarrow Mg^{2+} + H_2O.$$

Hierzu gehören die O. der meisten Metalle in deren niedrigen u. mittleren Oxid.-Stufen, wie Na_2O, CaO.

Amphotere O. bilden mit Säuren Kationen u. mit Basen Anionen, z. B. gemäß

$$ZnO + 2H^+ \rightarrow Zn^{2+} + H_2O \text{ u.}$$
$$ZnO + 2OH^- + H_2O \rightarrow Zn(OH)_4^{2-}$$

(*Beisp.*: Al_2O_3, As_2O_3).

Indifferente O. (*Beisp.*: CO, N_2O, NO).

Von den O. weisen einige ion. Bindung auf (z. B. CaO); in anderen Mol. liegt teilweise kovalente (z. B. BeO u. B_2O_3) bis ausschließlich kovalente Bindung vor (z. B. die C-, N- u. P-Oxide od. CrO_3 u. OsO_4), u. manche O. in niedrigen Oxid.-Stufen zeigen metall. Eigenschaften (z. B. NbO). Die Beständigkeit der Metalloxide ist um so größer, je unedler das Oxid-bildende Metall ist. Während die O. der Edelmetalle meist nur auf Umwegen herstellbar sind u. beim Erwärmen leicht zerfallen, ist Magnesiumoxid bei 2800 °C noch beständig; zu O. als Hochtemp.-Werkstoffe s. *Lit.*[1] u. Oxidkeramik. Unter den O. gibt es elektr. Leiter, Halbleiter u. Nichtleiter, die ihren Eigenschaften entsprechend als Elektrodenmaterial, in Brennstoffzellen (*Lit.*[2]) u. als Isolatoren verwendet werden, u. manche O. u. Misch-O. sind wegen ihrer mit der jeweiligen Kristallstruktur verknüpften magnet. Eigenschaften Werkstoffe für spezielle Anw. in der Elektrotechnik, Informationsspeicherung u. Datenverarbeitung (s. *Lit.*[1] u. Ferrite). Andere Eigenschaften von Metall-O., z.B. ihr Adsorptions- u. katalyt. Verhalten, werden wesentlich von der Chemie ihrer Oberflächen beeinflußt[3]. Viele O. der Übergangsmetalle sind farbig; sie finden Verw. insbes. als anorgan. Buntpigmente (s. *Lit.*[1] u. Pigmente). Bei *Vorproben in der analyt. Chemie erkennt man das Metall einer Metall-Verb. an der charakterist. Färbung, mit der sich die betreffenden O. (aber auch andere Salze) in Phosphor-Salz u./od. Borax unter Bildung von *Salzperlen lösen.

Die Bildung od. Herst. der O. erfolgt im allg. durch direkte Reaktion der Elemente mit Sauerstoff od. Sauerstoff abgebenden Substanzen (z. B. Verbrennung von Schwefel zu SO_2), durch *Oxidation von Wasserstoff-Verb. od. Chalkogeniden (z.B. Verbrennung von Erdöl zu CO_2, Herst. von Stickstoffoxiden aus Ammoniak, Rösten von Pyrit zu SO_2 u. Fe_2O_3), durch Erhitzen der Hydroxide od. anderer leichtzersetzlicher Sauerstoff-Verb., wie Carbonate od. Nitrate (z. B. beim Kalkbrennen), sowie durch chem. Dehydratisierung bestimmter Sauerstoffsäuren (z. B. Cl_2O_7 aus $HClO_4$ mittels P_2O_5). Auf Metalloberflächen können sich schon beim Liegen an trockener Luft zusammenhängende, unsichtbar dünne O.-Schichten bilden, wodurch eigentlich unbeständige Metalle (z. B. Eisen, Aluminium) vor Korrosion geschützt werden (s. Passivität). Im einzelnen sind Eigenschaften, Herst. u. Verw. der Metall- u. Nichtmetall-O. derart verschieden u. mannigfaltig, daß auf die jeweiligen Verb. verwiesen werden muß.

In übertragenem Sinne spricht man auch von *organ. Oxiden.*

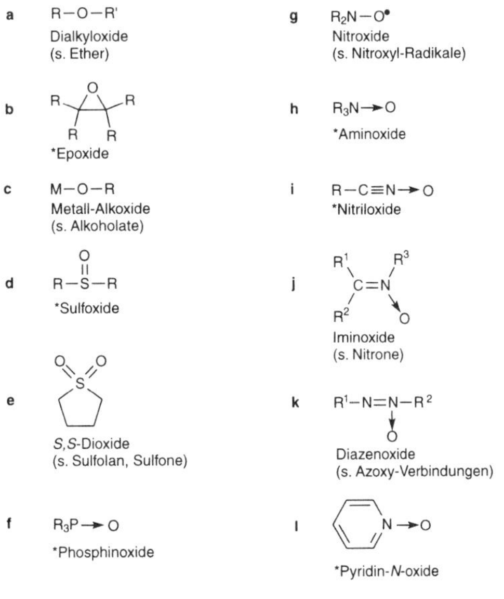

Abb.: „Organ. Oxide".

Verb. vom Typ h – l (s. Abb.) werden oft auch als *N-Oxide* mit semipolarer od. dipolarer Bindung ($\equiv\overset{+}{N}-\bar{O}$) zusammengefaßt. Sie sind von beträchtlichem präpa-

rativem Interesse; über natürlich vorkommende Vertreter s. *Lit.*[4].
In der *Lit.* trifft man gelegentlich O.-Namen für Verb., die sich in keine der vorerwähnten – u. in Einzelstichwörtern näher behandelten – Gruppen einordnen lassen; *Beisp.:* Mesityloxid (ein Keton), Linalooloxid (ein Tetrahydrofuran), Rosenoxid (ein Pyran), Benzoloxid (s. Oxepine u. Arenoxide). Derartigen Trivialnamen sind systemat. Benennungen vorzuziehen. – ***E*** oxides – ***F*** oxydes – ***I*** ossidi – ***S*** óxidos

Lit.: [1] Büchner et al., S. 439–449, 518–558. [2] Singhal (Hrsg.), Solid Oxide Fuel Cells, in: Proc. Electrochem. Soc. **1989**, 89–11, Pennington, N. J.: The Electrochemical Society Inc. 1989. [3] Kung, Transition Metal Oxides: Surface Chemistry and Catalysis, Amsterdam: Elsevier 1989; Nowotny u. Dufour (Hrsg.), Surface and Near Surface Chemistry of Oxide Materials, Amsterdam: Elsevier 1988. [4] Pharm. Unserer Zeit **9**, 64–88 (1981).
allg.: Chem. Rev. **84**, 73–88 (1984) ▪ Happel et al., Base Metal Oxide Catalysts for the Petrochemical, Petroleum, and Chemical Industries, New York: Dekker 1977 ▪ Hollemann-Wiberg (101.) ▪ J. Magn. Magnet. Mat. **7**, 1–372 (1978) ▪ *Landolt-Börnstein NS 3/4 a, b, 12 a–c ▪ Michelson et al., Superoxid and Superoxide Dismutases, London: Academic Press 1977 ▪ Rees, CVD of Nonmetallic Materials, Weinheim: VCH Verlagsges. 1996 ▪ Samson, The Oxide Handbook, New York: Plenum 1981 ▪ Sandler u. Karo, Organic Functional Group Preparations, Bd. 1, S. 129–146, New York: Academic Press 1983 ▪ Tanabe et al., New Solid Acids and Bases: Their Catalytic Properties, S. 27–128, Elsevier: Amsterdam 1989.

Oxidhalogenide. Bez. für ternäre Verb. von Elementen mit Sauerstoff u. Halogenen; *Beisp.:* $POCl_3$ (Phosphoroxidchlorid), BiOCl (Bismutchloridoxid), LaOF (Lanthanfluoridoxid). Bei der Bildung der Namen sollen diese Verb. wie *Doppelsalze behandelt werden, in denen O^{2-}-Ionen vorliegen (*Oxidsalze), außer wenn andere Ionen mit eigenen Namen vorhanden sind wie bei den Nitrosyl- u. Nitryl-, Sulfuryl- u. Thionylhalogeniden. Die frühere Bez. Oxyhalogenide u. die davon abgeleiteten Namen (z. B. Bismutoxychlorid) sollen nicht mehr verwendet werden. – ***E*** oxide halides – ***F*** oxyhalogénures – ***I*** ossialogenuri – ***S*** oxihalogenuros

Lit.: Adv. Inorg. Chem. Radiochem. **27**, 157–197 (1983); **28**, 73–100 (1984) ▪ Wells, Structural Inorganic Chemistry (5.), S. 477–493, Oxford: Clarendon Press 1984.

Oxidhydrate s. Aquoxide.

Oxidierte Stärken. Stärken lassen sich durch Behandlung mit unterschiedlichen Oxid.-Mitteln unter partiellem Abbau in Carbonyl- u. Carboxy-Gruppenhaltige Derivate, die sog. o. S., überführen. Techn. wichtigstes Oxid.-Mittel ist *Natriumhypochlorit, das im alkal. Milieu auf in Wasser suspendierte Stärke zur Einwirkung gelangt. Die dabei resultierenden dünnflüssigen Dispersionen werden hauptsächlich (mit abnehmender Tendenz) in der Papier- u. Textil-Ind. (z. B. als Schlichtemittel) eingesetzt. – ***E*** oxidized starches – ***F*** amidons oxydés – ***I*** amidi ossidati – ***S*** almidones oxidados

Lit.: Encycl. Polym. Sci. Eng. **7**, 608 ▪ Wurzburg, Modified Starches: Properties and Uses, S. 23–28, 245 f., Boca Raton, Florida: CRC Press Inc. 1986.

Oxidimetrie (Redoxtitration). Als Meth. der *Maßanalyse ist die O. eine Titration, bei der der Übergang von einem od. mehreren Elektronen von einem Donator-Ion od. -Mol. (Red.-Mittel) auf einen Akzeptor (Oxid.-Mittel) erfolgt. Die O. nutzt vollständig u. glatt ablaufende Oxid.- od. Red.-Reaktionen für die quant. Bestimmung aus, wobei entweder direkt titriert od. eine vorgelegte, überschüssiges Agenz enthaltende Lsg. zurücktitriert wird. Falls der *Endpunkt nicht visuell od. elektrochem. festgestellt werden kann, wird er mittels sog. *Redoxindikatoren* (s. Indikatoren) ermittelt. Je nach der Art der verwendeten Reagenzlsg. unterscheidet man bei der O. eine Reihe von Meth.:
– *Bromatometrie:* O. mit Bromat-Ionen als Oxid.-Mittel in saurer Lsg.; am Endpunkt tritt freies Brom auf, durch das die Lsg. schwach gelb gefärbt u. evtl. vorhandener Indikator (vgl. Bromometrie) entfärbt wird. Anw. v. a. zur Bestimmung von As^{3+}, Sb^{3+}, Sn^{2+}, Cu^{+}, Tl^{+} u. Hydrazin. Reaktion:

$$BrO_3^- + 6e^- + 6H^+ \rightarrow Br^- + 3H_2O$$
$$(\text{Endpunkt: } BrO_3^- + 5Br^- + 6H^+ \rightarrow 3Br_2 + 3H_2O).$$

– *Bromometrie:* O. mit Brom-Lsg. (unter Zusatz von KBr) als Oxid.-Mittel. Der Reaktionsverlauf ist analog der *Iodometrie bei Verw. von Iod-Lsg.; als Indikator eignen sich z. B. Methylrot od. Methylorange, die am Endpunkt durch den Brom-Überschuß (irreversibel) oxidativ zerstört werden.
– *Cerimetrie:* O. mit schwefelsaurer Cer(IV)-sulfat-Lsg. als Oxid.-Mittel (Red. zu Ce^{3+}); als Indikator dient die Farbänderung von Rot nach Blau zwischen den Komplexen des 2- bzw. 3-wertigen Eisens mit *1,10-Phenanthrolin (*Ferroin). Verw. u. a. zur Bestimmung von As, Sb, V, Ta, Hg sowie Nitrit- u. Thiosulfat-Ionen.
– *Chlorimetrie (*Chlorometrie*):* Heute kaum noch praktizierte O. mit NaOCl zur Bestimmung von As od. Sb bzw. Titration von aktives Chlor freisetzenden Substanzen od. von „wirksamem Chlor" mittels As_2O_3 u. Indigo als Indikator.
– *Chromatometrie:* O. mit saurer Kaliumdichromat-Lsg. als Oxid.-Mittel. Reaktion:

$$Cr_2O_7^{2-} + 6e^- + 14H^+ \rightarrow 2Cr^{3+} + 7H_2O.$$

Wird außer in der Bestimmung des *Blutalkohols nach Widmark nur sehr selten angewendet, z. B. zur Bestimmung von Fe u. Isonicotinsäurehydrazid.
– *Iodatometrie:* O. mit Iodat-Ionen als Oxid.-Mittel in saurer Lösung. Reaktion: Analog der Bromatometrie. Endpunktserkennung durch Zumischen von (in Wasser prakt. unlösl.) Tetrachlormethan od. Chloroform, in denen sich freies Iod violett löst.
– *Iodometrie*, s. dort u. bei Karl-Fischer-Reagenz.
– *Manganometrie* (Permanganometrie): O. mit Permanganat-Ionen in saurer (häufigster Fall) od. alkal. Lsg., wobei die folgenden Reaktionen ablaufen:

$$MnO_4^- + 5e^- + 8H^+ \rightarrow Mn^{2+} + 4H_2O \text{ bzw.}$$
$$MnO_4^- + 3e^- + 4H^+ \rightarrow MnO_2 + 2H_2O.$$

In alkal. Lsg. ist der Endpunkt wegen des Braunstein-Niederschlages nur schwer feststellbar. Anw. u. a. zur Bestimmung von Ca^{2+}, Fe^{2+} (s. Reinhardt-Zimmermann-Titration), Mn^{2+} (nach Vollhard-Wolff), H_2O_2, Nitrit, Oxalat u. Phosphat.
– *Titanometrie:* O. mit Titan(III)-Salzen als Red.-Mittel (Oxid. zu Ti^{4+}) in Ggw. von Methylenblau od. Thiocyanaten als Indikatoren. Die Titanometrie eignet sich zur Routinebestimmung von Fe^{3+} im Eisenhüttenwesen, ferner für Chromate, Chlorate, Peroxy-Verb.,

Nitro-Verb. u. Nitrate. – ***E*** oxidimetry – ***F*** oxydimétrie – ***I*** ossidimetria – ***S*** oxidimetría

Lit.: Funk, Analysentechnik: pH, Redox, LF, O2; Meßprinzip, Anwendung, Geräte, Problemlösung, Aachen: Mainz 1996 ▪ Lappin, Redox Mechanisms in Inorganic Chemistry, New York: Horwood 1994 ▪ Otto, Analytische Chemie, S. 101–113, Weinheim: VCH Verlagsges. 1995.

Oxidkeramik. Aus reinen, meist hochschmelzenden Oxiden gesinterte Werkstoffe mit einem glasphasenfreien Gefüge. Sie zeichnen sich durch ihre Hochtemperaturbeständigkeit, ihre Festigkeit u. Korrosionsbeständigkeit u. durch bes. elektr. bzw. magnet. Eigenschaften aus. Zu den oxidkeram. Werkstoffen zählen Aluminiumoxid, Zirconiumdioxid, Berylliumoxid, Magnesiumoxid, Uranoxid, Titanate u. Ferrite. Man unterscheidet folgende O.-Typen (s. a. Hochleistungskeramik):

Aluminiumoxid-Keramik: Die am weitesten verbreitete O. besteht aus α-Al_2O_3 (Korund). Dabei handelt es sich um einen polykrist. Sinterwerkstoff von hoher Härte u. hohem E-Modul, der beständig gegen Säuren u. Laugen ist. Der Aluminiumoxid-Werkstoff eignet sich deshalb bes. zur Herst. von Bauteilen mit komplizierter Formgebung, die mittels Werkzeugen gepreßt u. in verschiedenen Sinterstufen erarbeitet wird. Durch bes. Polierbearbeitungen werden zusätzlich hohe Oberflächengüten erzielt.

Ausschlaggebend für die Qualität der Keramik ist der Herst.-Prozeß, bei dem aus Gibbsit [Hydrargillit, γ-$Al(OH)_3$] durch starkes Glühen bei 1200 °C letztendlich α-Al_2O_3 entsteht. Hierbei wird das Material meist noch durch Zusätze von Mineralisatoren wie Alkaliverb. beaufschlagt. Das so erhaltene α-Al_2O_3 wird gemahlen u. anschließend die Kristallitgröße u. die Kristallform des Materials bestimmt. Das darauf folgende Formgebungsverf. für den Grünkörper hängt entscheidend von Größe u. Form der Partikel, der Oberflächenbeschaffenheit u. von den Additiven, die die Fließfähigkeit des Schlickers beeinflussen, ab. Neuerdings sind hier auch Verf. im Einsatz, die auf der Destabilisierung von elektrostat. stabilisierten Suspensionen durch Änderung des pH-Werts basieren (Direct Coagulation Casting, *DCC-Prozeß*). Im anschließenden Sinterprozeß wird die Temp. ebenfalls von der Größe u. Form der Partikel beeinflußt. Als letzter u. sehr oft teuerster Schritt ist die Nachbearbeitung des fertig gebrannten Werkteils zu nennen.

Umwandlungs- u. plateletverstärkte Aluminiumoxid-Matrixwerkstoffe (ZTA-Werkstoffe): ZTA-Werkstoffe (von *E* zirconia toughened alumina) sind zweiphasige Gemische aus Al_2O_3 u. ZrO_2. Gegenüber Aluminiumoxid-Keramiken beobachtet man in ZTA-Keramiken durch die Einlagerung von metastabilen tetragonalen Zircondioxid-Partikeln in die Aluminiumoxid-Matrix eine deutliche Zähigkeitssteigerung. Mit zunehmender Konz. an Zircondioxid steigt die Bruchzähigkeit. Damit verbunden ist jedoch ein deutlicher Härteabfall, der durch Zulegieren von Cr_2O_3 ausgeglichen werden kann. Der dadurch bedingte Versprödungseffekt wird durch den Einbau von $SrAl_{12}O_{19}$-Blättchen in die Gefügestruktur beseitigt (ZPTA-Werkstoff, zircon- u. plateletverstärktes Aluminiumoxid). Man erhält auf diese Weise eine O. mit hoher Bruchzähigkeit, hoher Härte u. mechan. Festigkeit. ZTA-Keramiken werden heute hauptsächlich in der Zerspanung von Guß- u. Stahlwerkstoffen verwendet.

Zirconiumdioxid-Keramik: Während α-Al_2O_3 ein einphasiges Syst. darstellt, das über einen sehr weiten Temp.-Bereich eingesetzt werden kann, liegt Zirconiumdioxid in drei Temp.-abhängigen Modif. vor. Die kub. Hochtemp.-Phase wandelt sich unterhalb 2300 °C in tetragonales ZrO_2 um, u. zwischen 1200 °C u. 950 °C beobachtet man den Übergang von tetragonalem in monoklines ZrO_2 (Name des Minerals: Baddeleyite). Das Sintern von Zirconiumdioxid erfolgt in einem Temp.-Bereich, der deutlich über der Temp. der reversiblen Phasenumwandlung (monoklin tetragonal) stattfindet. Um die Rückumwandlung zu vermeiden, bedarf es der Stabilisierung der Hochtemp.-Modif. mit Fremdoxiden. In Abhängigkeit von der Konz. an Verunreinigungen, Art u. Menge der Stabilisatoroxide u. der angewendeten Sinterbedingungen lassen sich maßgeschneiderte Zirconoxid-Werkstoffe mit erheblich verbesserten Eigenschaften herstellen, die als Konstruktions- u. Bauelemente im modernen Maschinenbau, in der Humanmedizin als Hüftgelenkskugel u. als Messer zum Schneiden abrasiver Produkte verwendet werden können.

Teilstabilisierte Zirconiumdioxid-Keramiken vom PSZ-Typ (von *E* partially stabilized zirconia): Die Stabilisatoroxide müssen mit dem ZrO_2 eine feste Lsg. ausbilden. Diese Forderung ist bei der Verw. von Erdalkalioxiden, Yttriumoxiden u. einigen Oxiden der Lanthanoiden u. Actinoiden erfüllt. Die Menge des erforderlichen Stabilisatorgehalts hängt von den gewünschten Eigenschaften u. der Art des Oxides ab. Die am besten untersuchten Syst. sind die Stabilisierung des ZrO_2 durch MgO (Mg-PSZ-Keramik), zusätzlich auch durch Yttrium (Y-Mg-PSZ). Das Sintern der Mischung aus ZrO_2 u. MgO findet bei sehr hohen Temp. (oberhalb 1700 °C) im kub. Einphasengebiet statt. Beim Abkühlen können im Zweiphasengebiet in den kub. Körnern Keime der tetragonalen Modif. gebildet werden. Im Temp.-Bereich zwischen 1400 °C u. 1000 °C zersetzt sich die kub. Matrix in die tetragonale Phase u. MgO. Basierend auf diesem Effekt kann man die tetragonale Phase innerhalb der kub. Matrix wachsen lassen, indem man dem Sintern einen Temperprozeß anschließt. Dabei dürfen die tetragonalen Ausscheidungen nicht zu klein sein, damit die optimalen mechan. Eigenschaften erreicht werden. Andererseits darf die Größe der tetragonalen Körner 200 nm nicht überschreiten, da sie sich sonst beim weiteren Abkühlen spontan nach monoklin umwandeln. Die tetragonalen Ausscheidungen stellen Druckspannungszentern im Gefüge dar, welche bei Rissen in der Keramik die Rißenergie absorbieren.

Zirconiumdioxid-Keramiken vom TZP-Typ (von *E* tetragonal zirconia polycrystals): Keramiken, die zu 100% aus der tetragonalen Phase des ZrO_2–Y_2O_3-Syst. bestehen, werden als TZP-Keramiken bezeichnet. Während sich für die Herst. von PSZ-Keramiken bereits Rohstoffe eignen, die nur mäßigen Anforderungen hinsichtlich der chem. Reinheit genügen, ist die extrem hohe Reinheit eine unabdingbare Forderung für tetragonal stabilisierte, polykrist. (TZP-)Keramiken.

Diese lassen sich bereits unter 1400 °C zur vollen Dichte sintern, u. man erhält eine feinkörnige tetragonale Keramik.

PZT-Keramik [Blei(Pb)-Zirconium(Zr)-Titan(Ti)-Oxid-Keramik, ferroelektr. Bleititanzirconate $Pb(Zr_xTi_{1-x})O_3$ mit ausgeprägten piezoelektr. Eigenschaften, Piezokeramik]: Der piezoelektr. Effekt dieser Verb. ergibt sich aus der Perowskit-verwandten Kristallstruktur u. den sich daraus ergebenden ferroelektr. Eigenschaften. Der Polarisationsmechanismus gestaltet sich komplizierter als bei $BaTiO_3$; er beruht in erster Linie auf der Polarisierbarkeit der (Ti,Zr)O- u. PbO-Ketten. Da der piezoelektr. Effekt auf eine bestimmte Kristallstruktur zurückzuführen ist, müssen die einzelnen Kristallite einer PZT-Keramik während des Abkühlens nach dem Sintern einem starken elektr. Feld ausgesetzt werden. Soweit die Gefügestruktur der PZT-Keramik es ermöglicht, können sich die einzelnen Kristallite entsprechend ihrer Polarisationsachsen parallel zu den elektr. Feldlinien ausrichten. PZT-Keramiken zeichnen sich im Vgl. zu $BaTiO_3$ durch eine höhere Curie-Temp. zwischen 190 u. 280 °C, durch eine höhere spontane Polarisation sowie durch eine höhere Koerzitivfeldstärke aus; s. a. Piezoelektrizität.

Magnesiumoxid-Keramik: Bes. Eigenschaften von MgO od. $MgAl_2O_4$ (Spinell) sind die gute Isolier- u. Wärmeleitfähigkeit. Typ. ist daher der Einsatz von MgO als Tiegelmaterial für bas. Schmelzen. Spinell-Keramiken werden für Leichtmetallschmelzen verwendet. Im Prinzip läßt sich aus jedem Oxidpulver durch Sintern ein Werkstoff synthetisieren, sofern ein geeigneter Temp.-Bereich unter Ausschluß von therm. Zersetzung gefunden werden kann.

Verw.: Wegen ihrer therm. u. chem. Beständigkeit, ihrer Bioverträglichkeit, ihrer Verschleißfestigkeit, ihrer Wärmeleitfähigkeit u. bes. elektr. Eigenschaften wird O. heute in der Analysentechnik (Ventilkugeln), in der Meßtechnik, in Endoprothesen (Gelenkkugeln) u. als Bestandteile von Lagern verwendet, aber auch in der Elektronik-Ind., der Textil- u. Schneidtechnik, der chem. Ind., dem Ofenbau u. der Metallziehtechnik. Weitere Beisp. s. bei Hochleistungskeramik. – ***E*** oxide ceramics – ***F*** céramique d'oxyde – ***I*** ceramica di ossidi – ***S*** cerámica del óxido

Lit.: Burger, Zirkondioxid in der Medizintechnik, in Kriegesmann (Hrsg.), Technische Keramische Werkstoffe, Kap. 8.7.2.0, S. 15–25, Köln: Verlagsgruppe Deutscher Wirtschaftsdienst 1996 ▪ Claussen, Rühle u. Heuer, Advances in Ceramics, Vol. 12, Science and Technology of Zirconia (2.), Columbus, Ohio: Am. Ceram. Soc. 1984 ▪ Keram. Z. **49**, 12, 1067 (1997); **50**, 1, 16 (1998) ▪ Kirk-Othmer (4.) **5**, 599 ff. ▪ Magnesium Electron Publication **113** (1986) ▪ Ullmann (4.) **13**, 711–735; **14**, 1–22; **17**, 515 ff.; **22**, 209–240; (5.) **A 6**, 1–92; **A 23**, 29 ff.; **A 28**, 256 ff. ▪ Winnacker-Küchler (4.) **1**, 478 f.; **3**, 159–213.

Oxido... a) Präfix für den anion. Rest $-O^-$ in organ. Verb., die noch ranghöhere Gruppen tragen (IUPAC-Regeln C-86.2, RC-83.4.7.2); *Beisp.:* 2-Oxidobenzoat. – b) Neben *Oxo... Bez. für den Liganden O^{2-} in Komplexen (IUPAC-Regel I-10.4.5.4). – c) Präfix in Trivialnamen für *Epoxide u. a. Oxid.-Produkte, z. B. von Naturstoffen; *Beisp.:* 2,3-Oxidosqualen. – d) Veraltetes Präfix für die *Epoxy-Brücke in überbrückten Ringsystemen. – ***E*** = ***S*** oxido... – ***F*** oxydo... – ***I*** ossido...

22,25-Oxidoholothurinogenin s. Holothurine.

Oxidoreduktasen (Redoxasen). Erste der 6 Hauptgruppen der *Enzyme, sie katalysieren Redox-Reaktionen. Die Untergruppe richtet sich meist nach der Art des Elektronendonors (z. B. EC 1.1: CH-OH-Gruppe als Donor; Ausnahmen: EC 1.13–1.15) u. ist in Untergruppen wiederum nach der Art des Elektronenakzeptors unterteilt (z. B. EC 1.1.1: NAD^+ od. $NADP^+$ als Akzeptoren, vgl. Nicotinamid-Adenin-Dinucleotid). Die systemat. Benennungen werden nach dem Muster: *Donor:Akzeptor-Oxidoreduktase* gebildet, die empfohlenen halbsystemat. Namen leiten sich überwiegend ab von Bez. wie *Dehydrogenase, *Reduktase, *Oxidase, *Peroxidase u. *Oxygenase. *Beisp.:* Alkohol-Dehydrogenase, Nitrat-Reduktase, Glucose-Oxidase, Glutathion-Peroxidase, Tyrosin-3-Monooxygenase. Viele O. sind (Häm- od. Nichthäm-) *Eisen-Proteine, andere sind *Kupfer-Proteine u./od. brauchen Zink, Molybdän, Mangan, Nickel od. Selen zur Wirkung. Als Coenzyme kommen Nicotinamid-Adenin-Dinucleotid, Flavinnucleotide, *Pyrrolochinolinchinon, *Ubichinon u. *Liponsäure in Frage. Zu den wichtigsten Aufgaben der O. gehören die Energiegewinnung in der *Atmungskette durch oxidative *Phosphorylierung in den Mitochondrien u. die *Entgiftung lipophiler Verb. in der Leber. – ***E*** oxidoreductases – ***F*** oxydo-réductases – ***I*** ossidoreduttasi, ossidoriduttasi – ***S*** oxidorreductasas

Lit.: Schomberg u. Stephan, Enzyme Handbook, Bd. 1–10, Berlin: Springer 1990–1995 ▪ Testa, Biochemistry of Redox Reactions, San Diego: Academic Press 1994. – *[CAS 9055-15-6]*

Oxidoreduktion s. Redoxsysteme.

Oxidsalze. Allg. Bez. für solche früher Oxysalze genannten *Salze, die (formal) aus *Hydroxidsalzen* durch Wasserabspaltung [$Bi(OH)_2NO_3 \rightarrow Bi(NO_3)O$] entstehen; weitere *Beisp.:* $CrO_2(NO_3)_2$, $TiOSO_4$, s. a. Salze. Die größte Gruppe der O. bilden die *Oxidhalogenide. – ***E*** oxide salts – ***F*** sels d'oxydes – ***I*** sali ossidrici, sali di ossido – ***S*** sales de óxidos

Lit.: s. Oxidhalogenide u. Salze.

Oxifrit-Test®. Fertigtest zur Kontrolle von Fritier- u. Siedefetten. ***B.:*** Merck.

Oxilofrin.

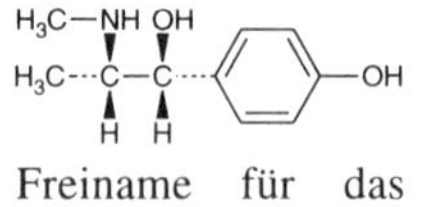

(Racemat)

Internat. Freiname für das adrenerge *Sympath(ik)omimetikum (±)-*p*-Hydroxyephedrin (Oxyephedrin), $C_{10}H_{15}NO_2$, M_R 181,23, Schmp. 152–154 °C. Verwendet wird meist das Hydrochlorid, Schmp. 209–211 °C. O. wurde 1932 von Winthrop patentiert u. ist von Hoechst Marion Roussel (Carnigen®) im Handel. – ***E*** = ***F*** oxilofrine – ***I*** = ***S*** oxilofrina

Lit.: Beilstein E IV **13**, 2684 f. ▪ Martindale (31.), S. 1584. – *[HS 2939 90; CAS 365-26-4 (O.); 942-51-8 (Hydrochlorid)]*

Oxime. Wahrscheinlich von „Oxyimine“ abgeleitete Bez. für Verb., die die Atomgruppierung $R^1R^2C{=}N{-}OH$ enthalten; man unterscheidet *Aldoxime* (R^2 = H) u. *Ketoxime* (R^2 = organ. Rest). Die Benennung erfolgt systemat. nach IUPAC-Regel C-842 bzw. R-5.6.6.1 [1]

durch Anhängen von „...oxim" an den Namen der Carbonyl-Verb. od. durch Voranstellen von „Hydroxyimino..." (veraltet: „Oximino..."). Aufgrund ihrer Stereochemie existieren Aldoxime u. unsymmetr. Ketoxime in 2 isomeren Formen, die früher als *syn- u. *anti-Form unterschieden wurden – heute wird die (*Z*)- u. (*E*)-Nomenklatur vorgezogen, vgl. a. Stereochemie. Die O. entstehen bei der Umsetzung der entsprechenden Carbonyl-Derivate mit Hydroxylamin (s. Abb. a).

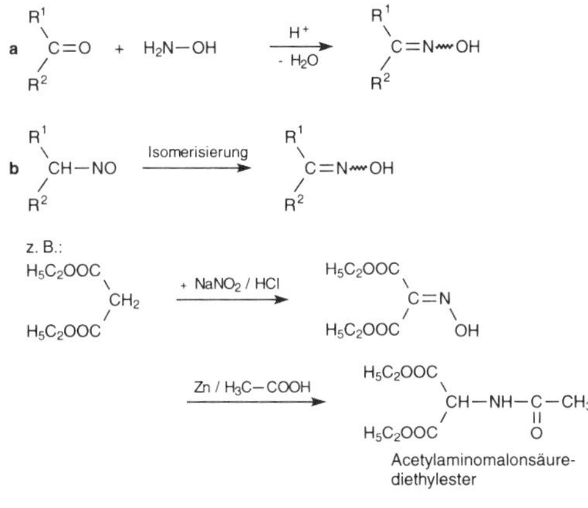

Abb.: Herst.-Meth. für Oxime.

Eine spezielle Herst.-Meth. für Ketoxime ist die über *Nitroso-Verbindungen, die sich zu O. isomerisieren (s. Abb. b); man sprach in diesem Zusammenhang deshalb nicht von O. sondern von *Isonitroso-Verb.*, doch sollte diese Bez. als veraltet nicht mehr benutzt werden. Wie in Abb. b gezeigt, läßt sich auf dem Nitroso-Weg über das O. *Acetylaminomalonsäurediethylester* herstellen, der eine wichtige Ausgangsverb. für die sog. *Malonester-Synth.*, z.B. zur Herst. von Aminosäuren, darstellt. Unter geeigneten Bedingungen kann die *Nitrosierung als *Oximierung* betrieben werden, z.B. in dem großtech. Verf. zur Cyclohexanonoxim-Synth. durch Photooximierung mit Nitrosychlorid (s. Nitroso-Verbindungen). Natürlicherweise treten O. nur selten in Erscheinung. Die meist gut kristallisierenden O. können zur Isolierung u. Identifizierung von Carbonyl-Verb. herangezogen werden, doch eignen sich für letzteren Zweck z.B. bei Zuckern die am Sauerstoff benzylierten Abkömmlinge ($R^1R^2C{=}N{-}O{-}CH_2{-}C_6H_5$) besser. Für die Rückspaltung der O. zu den Ausgangscarbonyl-Verb. kann man Hydrogensulfite, Thallium(III)-nitrat, wäss. Brom-Lsg., Pyridiniumchlorochromat u. andere Reagenzien benutzen. Aldoxime lassen sich leicht zu Nitrilen dehydratisieren, Ketoxime in α-Aminoketone (*Neber-Umlagerung), insbes. aber in Amide u. Lactame (*Beckmann-Umlagerung), umlagern: die Sequenz Cycloalkan → Nitrosocycloalkan → Cycloalkanonoxim → Lactam → Polyamid ist einer der wichtigsten Zugangswege für PA 6 bis PA 12.

Von spezieller Bedeutung sind *1,2-Dioxime* als Chelat-Bildner (*Beisp.:* *Benzildioxim, *Dimethylglyoxim, *Nioxim); als solche wirken auch Verb. wie *Violursäure. Techn. Anw. finden O. als *Antihaut- u. Antigeliermittel. *Butocarboxim wirkt insektizid, aphizid u. akarizid. Andere O., wie die als *Parasympathikolytika fungierenden *Obidoximchlorid u. *Pralidoximiodid, werden als *Oxim-Präp.* bei Vergiftungen durch Insektizide u. Nervengase auf Basis Phosphor- u. Phosphonsäureester zur *Cholin-Esterase- (genauer *Acetylcholin-Esterase-)Reaktivierung benutzt; gegen *Soman wirken allerdings nur die bes. von Hagedorn[2] untersuchten sog. *H-Oxime*[3]. – ***E*** = ***F*** oximes – ***I*** ossime – ***S*** oximas

Lit.: [1] IUPAC, Nomenklatur der Organischen Chemie, S. 125, Weinheim: VCH Verlagsges. 1997. [2] Chem. Br. **20**, 684 f. (1984). [3] Chem. Unserer Zeit **18**, 86–106 (1981).
allg.: Chem. Rev. **80**, 495–561 (1980) ▪ Houben-Weyl **10,4**, 180–190; **E 5**, 780 f.; **E 14b,1**, 287–433 ▪ Katritzky et al. **3**, 425 ff. ▪ Org. React. **35**, 1 ff. (1988) ▪ Patai, The Chemistry of Carbon Nitrogen Double Bonds, S 363 f., London: Wiley 1970 ▪ Synthesis **1986**, 704 f.; **1987**, 831.

Oximeter. Geräte zur Bestimmung des Sauerstoff-Partialdruckes unter Verw. von sog. polarisierten Membranelektroden. So besteht z.B. die *Clark-Zelle* aus einer Silber-Anode u. einer Gold-Kathode; sie enthält Kaliumchlorid-Lsg. als Elektrolyt u. ist mit einer Membran verschlossen. Die Anode wird mit einer konst. Gleichspannung von 400–900 mV polarisiert. Der durch die Membran diffundierende Sauerstoff wird an der Kathode reduziert, wodurch sich der Polarisationsstrom proportional zum Red.-Umsatz ändert. – ***E*** oximeters – ***F*** oxymètres – ***I*** ossimetro – ***S*** oxímetros

Lit.: Hulpe, Hartkamp u. Tölg (Hrsg.), Analytische Chemie für die Praxis, Umweltanalytik, S. 171 ff., Stuttgart: Thieme 1988.

Oximierung s. Oxime.

Oximino... s. Oxime.

Oxin s. 8-Chinolinol.

Oxindol (2-Indolinon, 1,3-Dihydro-2*H*-indol-2-on).

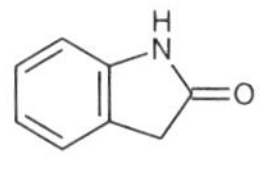

C_8H_7NO, M_R 133,14. Farblose Nadeln, Schmp. 127 °C, Sdp. 227 °C (30 hPa), in heißem Wasser, Alkohol, Ether löslich. O. ist ein Isomeres des *Indoxyls u. der Grundkörper der sog. Oxindol-Alkaloide. Das Auftreten von O. im Kinderharn läßt auf spezif. Erkrankungen schließen, vgl. *Lit.*[1]. O. wird aus Anilin u. Chloracetylchlorid hergestellt; weitere Meth. s. *Lit.* (allg.). – ***E*** oxindole – ***F*** = ***S*** oxindol(e) – ***I*** ossindolo (2-indolinone)

Lit.: [1] Nachr. Chem. Tech. **19**, 366 (1971).
allg.: Beilstein E V **21/8**, 7 f. ▪ Katritzky-Rees **4**, 112, 363, 366. – *[CAS 59-48-3]*

Oxirane. Aus *Oxa... u. *...iran (IUPAC-Regel RB-1.2) zusammengesetzter systemat. Name für gesätt. dreigliedrige, ein Sauerstoff-Atom enthaltende heterocycl. Verbindungen. Das einfachste O. ist *Ethylenoxid; das nächsthöhere Homologe (*Methyl-O.*, *Propylenoxid) ist bereits opt. aktiv[1]. Die O.-Nomenklatur wird nur für die einfachen Derivate herangezogen, während kompliziertere u. bes. kondensierte Ringsyst. als Epoxide bezeichnet werden (s.a. dort); zu Herst. u. Reaktionsweise s. Epoxidierung. – ***E*** = ***F*** oxiranes – ***I*** ossirani – ***S*** oxiranos

Lit.: [1] Angew. Chem. **90**, 993 ff. (1978).
allg.: Beilstein E V **17/1**, 3 ▪ Eicher u. Hauptmann, Chemie der Heterocyclen, S. 17, Stuttgart: Thieme 1994 ▪ Gilchrist, Heterocyclenchemie, S. 358, Weinheim: VCH Verlagsges. 1995 ▪ Houben-Weyl **6/3**, 367 ff. ▪ McKetta **20**, 274–318 ▪ Patai, The Chemistry of Ethers, Crown Ethers, Hydroxyl Groups and their Sulfur Analogues, Chichester: Wiley 1980 ▪ Pure Appl. Chem. **53**, 1745–1751 (1981) ▪ Tetrahedron **39**, 2323 (1983).

Oxiranone s. α-Lactone.

Oxiran-Verfahren s. Hydroperoxide.

Oxirene. Systemat. Name für dreigliedrige ungesätt. heterocycl. Verb. mit einem O-Atom im Ring, die als Antiaromaten (s. Antiaromatizität) aufzufassen sind u. bisher weder isoliert noch spektroskop. nachgewiesen werden konnten. O. werden als Zwischenstufen bei *Wolff-Umlagerungen von α-*Diazocarbonyl-Verbindungen aufgrund massenspektrometr. Untersuchungen diskutiert. – ***E*** oxirenes – ***F*** oxirènes – ***I*** ossireni – ***S*** oxirenos
Lit.: s. die erwähnten Textstichwörter.

Oxisorb®. Gasreinigungs-Verf. zur Entfernung von Sauerstoff-Spuren aus Edelgasen, Stickstoff u. a. Ind.-Gase durch Chemisorption unter Verw. eines Chrom-Katalysators. ***B.:*** Messer Griesheim.
Lit.: gas aktuell **20**, 26 ff. (1980) ▪ LABO **6**, 140 (1975).

Oxitriptan (Rp).

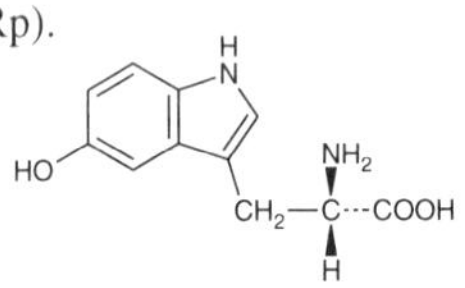

Internat. Freiname für das bei Schlafstörungen u. bestimmten neurolog. Erkrankungen eingesetzte *Antidepressivum 5-Hydroxy-L-tryptophan (L-5-HTP), $C_{11}H_{12}N_2O_3$, M_R 220,22, DL-Form: Zers. bei 298–300 °C, λ_{max} (H_2O) 278 nm. Verwendet wird die L-Form: $[\alpha]_D^{20}$ –32,5° (H_2O). O. ist eine biolog. *Serotonin-Vorstufe. Es wurde 1960 von May & Baker patentiert u. ist von Promonta Lundbeck (Levothym®) im Handel. – ***E*** = ***F*** oxitriptan – ***I*** oxitriptano – ***S*** oxitriptán
Lit.: Beilstein E V **22/14**, 278 f. ▪ Karch, Orphan Drugs, S. 13–31, New York: Dekker 1982 ▪ Martindale (31.), S. 328. – *[HS 2933 90; CAS 114-03-4 (DL-Form); 4350-09-8 (L-Form)]*

Oxitropiumbromid (Rp).

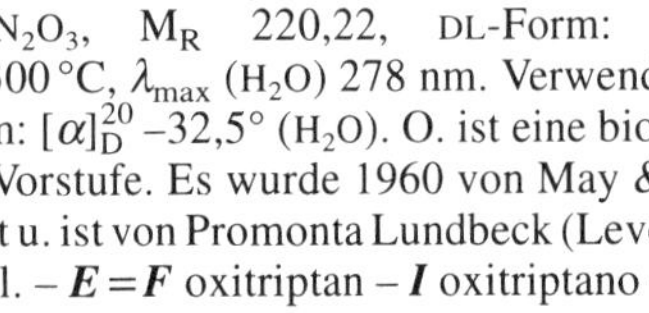

Internat. Freiname für das *Broncholytikum (8*RS*)-6*exo*,7*exo*-Epoxy-8-ethyl-3*endo*-(*S*)-tropoyloxy-1*αH*,5*αH*-tropaniumbromid, $C_{19}H_{26}BrNO_4$, M_R 412,32, Schmp. 203–204 °C (Zers.); $[\alpha]_D^{20}$ –25° (c 2/H_2O). O. wurde 1969 von Boehringer Ingelheim patentiert u. ist von Thomae (Ventilat®) im Handel. – ***E*** oxitropium bromide – ***F*** bromure d'oxitropium – ***I*** ossitropio bromuro – ***S*** bromuro de oxitropio
Lit.: ASP ▪ Beilstein E IV **27**, 1798 ▪ Hager (5.) **8**, 1264 f. ▪ Martindale (31.), S. 503 f. – *[HS 2939 90; CAS 30286-75-0]*

Oxo... a) Bez. für doppelt gebundene Sauerstoff-Atome (=O) in *Ketonen (früher *Keto...*), *Aldehyden u. organ. *Oxiden, die noch ranghöhere Gruppen enthalten (IUPAC-Regeln C-316, R-3.2.1, R-5.5.7, R-5.6); *Beisp.:* *Oxocarbonsäuren, 1-Oxo-1λ^4-thiophen-2-carbonsäure. In organ. *Oxo-Verb.* liegen stark polare kovalente *chemische Bindungen vor: $R_2C{=}O \leftrightarrow R_2\overset{+}{C}{-}O^-$, $R{-}N{=}O \leftrightarrow R{-}\overset{+}{N}{-}O^-$. Heteroatom-Oxide der 3.–6. Periode werden oft als *Zwitterionen gezeichnet, da die Existenz von p-d-*Pi-Bindungen fraglich ist, aber üblicher sind Formeln mit *Doppelbindungen: $R_3P{=}O \leftrightarrow R_3\overset{+}{P}{-}O^-$, $R_2S{=}O \leftrightarrow R_2\overset{+}{S}{-}O^-$. Dagegen sind *N*-*Oxide nur mit den Formeln $R_3\overset{+}{N}{-}O^-$, R_3NO od. $R_3N{\rightarrow}O$ korrekt abgebildet, da Stickstoff nicht fünfbindig sein kann (Benennung: Derivat-Bez. ...oxid; seltener: Präfix *Oxy...); die Formel $R_3N{=}O$ ist allenfalls zur Verarbeitung in Datenbanken sinnvoll. Oxo... nicht mit *Ox(a)... verwechseln!
b) Bez. für den Liganden O^{2-} in Komplexen (IUPAC-Regel I-10.4.5.4; auch *Oxido...) u. anorgan. *Oxosäuren (Regel I-9); *Beisp.:* Tetraoxomangan(2–)säure (s. Manganate). Viele sog. *Oxo-Kationen* der allg. Formel MO_x^{n+} ($1 \le x \le 3$; $1 \le n \le 5$) haben übliche Trivialnamen (IUPAC-Regel I-8.2.4); *Beisp.:* *Nitrosyl NO^+, *Nitryl... NO_2^+, *Titanyl... TiO^{2+}, *Zirconyl... ZrO^{2+}, *Vanadyl(IV)/(V) VO^{2+}/VO^{3+}, *Uranyl... UO_2^{2+} u. Permanganyl MnO_3^+; vgl. Peroxo... – ***E*** = ***F*** = ***S*** oxo... – ***I*** osso...

3-Oxoadipinsäure-Weg (β-Ketoadipinsäure-Weg, β-Ketoadipat-Weg). Biochem. Reaktionsfolge zum Abbau aromat. Verb. in Bakterien u. Pilzen.

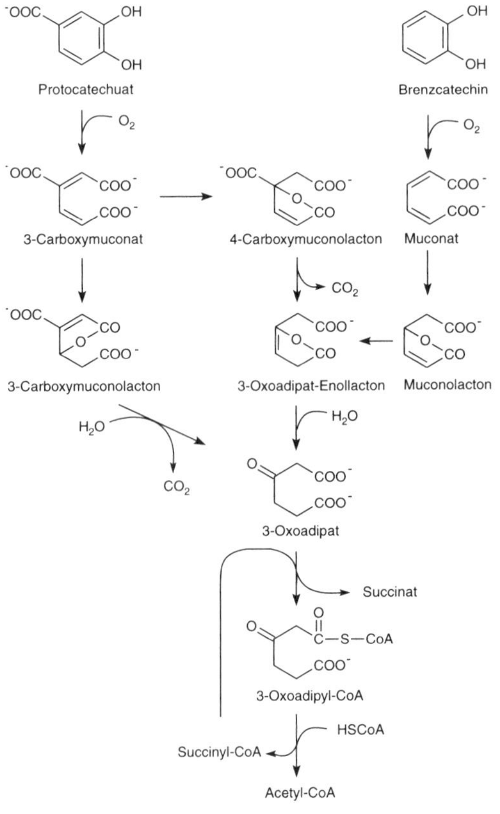

Dabei werden Protocatechussäure (3,4-*Dihydroxybenzoesäure, in der Abb. als Protocatechuat-Anion dargestellt, da bei physiolog. Verhältnissen überwiegend dissoziiert vorliegend) u. *Brenzcatechin konvergierend zu *Bernsteinsäure (Succinat), *Acetyl-CoA u. Kohlenstoffdioxid abgebaut; die beiden Ersteren können u.a. im *Citronensäure-Cyclus verwertet werden. Bei Bakterien verläuft der Abbau des Protocatechuats über 4-Carboxymuconolacton u. 3-Oxoadipat-Enollacton, während bei *Eukaryonten (hauptsächlich Pilzen) statt dessen nur 3-Carboxymuconolacton als Zwischenprodukt auftritt. Viele andere aromat. Verb. können zu Protocatechuat od. Brenzcatechin umgesetzt u. daher ebenfalls auf dem 3-O.-W. abgebaut werden. Der Abbau aromat. Verb., der im allg. aufgrund der dabei zu kompensierenden *Resonanz-Energie erschwert ist, hat für die Umwelt Bedeutung bei Fremdchemikalien u. bei Zersetzungsprodukten des *Lignins, das ca. 25% der ird. Biomasse ausmacht. – ***E*** 3-oxoadipic acid pathway – ***F*** voie d'acide 3-oxoadipique – ***I*** via 3-ossoadipica – ***S*** camino de ácido 3-oxoadípico

Lit.: Annu. Rev. Microbiol. **50**, 553–590 (1996).

Oxoaldehyde. Gattungsbez. für Aldehyde mit zusätzlichen *Ket(o)-Gruppen (nicht-endständigen *C*-Oxo-Gruppen); exaktere Bez.: Ketoaldehyde. – ***E*** oxoaldehydes – ***F*** oxoaldéhydes – ***I*** osso-aldeidi – ***S*** oxoaldehídos

Oxo-Aldehyde. Jargonbez. für aliphat. Aldehyd-Produkte der *Oxo-Synthese; exaktere Bez.: Hydroformylierungsaldehyde.

Oxo-Alkohole. Jargonbez. für prim., teilw. verzweigte höhere Alkohole, die bei der *Oxo-Synthese gewonnen werden. Gegenüber den linearen *Fettalkoholen zeigen sie Unterschiede im Hinblick auf Schaum- u. Netzvermögen sowie biolog. Abbaubarkeit.
Verw.: Zur Herst. von *Tensiden u. Weichmachern für PVC, als synthet. Schmiermittel, Hydraulikflüssigkeit, Entschäumer u. Verlaufsverbesserer für Lacke. – ***E*** oxo alcohols – ***F*** oxoalcools – ***I*** osso-alcol – ***S*** oxoalcoholes

Lit.: Cornils u. Herrmann, Applies Homogeneous Catalysis with Organometallic Compounds, Bd. 1, Weinheim: VCH Verlagsges. 1996.

Oxobernsteinsäure (Oxobutandisäure, Oxalessigsäure).

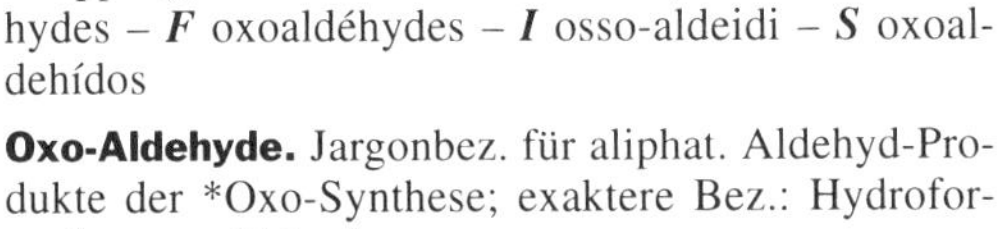

Oxobernsteinsäure — Hydroxymaleinsäure — Hydroxyfumarsäure

$C_4H_4O_5$, M_R 132,07. Von der dominierenden Enol-Form ist ein *cis*-Isomeres (*Hydroxymaleinsäure,* Schmp. 152 °C) u. ein *trans*-Isomeres (*Hydroxyfumarsäure,* Schmp. 184 °C) bekannt. Die *cis*-Form [= (*E*)-Enol-Form] ist in Alkohol, Aceton u. Essigester leicht, in Ether wenig lösl., die *trans*-Form [= (Z)-Enol-Form] dagegen ist in Ether, Wasser u. Alkohol löslich; beide sind unlösl. in Benzol u. Chloroform. Die O. ist ein wichtiges Zwischenglied (als *Oxosuccinat* = *Oxalacetat*) im *Citronensäure-Cyclus, in den sie in einer *anaplerotischen Reaktion auch über die Carboxylierung von Phosphoenolpyruvat od. Brenztraubensäure (mittels *Carboxylasen) eingeschleust werden kann. Sie ist auch Substrat für die *Citrat-Synthase u. die *Malat-Dehydrogenase. In Synth. wird allg. der Diethylester [*Oxalessigester,* $C_8H_{12}O_5$, M_R 188,16, Sdp. 131 °C, 32 hPa)] od. dessen Na-Enolat eingesetzt. – ***E*** oxosuccinic acid – ***F*** acide oxosuccinique – ***I*** acido ossosuccinico – ***S*** ácido oxosuccínico

Lit.: Beilstein EIV **3**, 1808 ▪ Merck-Index (12.), Nr. 7041 ▪ Ullmann (5.) **A 18**, 318. – *[HS 2918 30; CAS 328-42-7; G 6.1]*

Oxoborat s. Natriumperborat.

3-Oxobutansäurebzw. 3-Oxobuttersäure s. Acetessigsäure.

2-Oxobuttersäure (veraltet: α-Ketobuttersäure). H_5C_2–CO–COOH, $C_4H_6O_3$, M_R 102,09. D. 1,200, Schmp. 31–32 °C, Sdp. 80–82 °C (21 hPa), WGK 1; in Wasser u. Alkohol leicht, in Ether kaum löslich. 2-O. entsteht bei der Säurehydrolyse von *Threonin. – ***E*** 2-oxobutyric acid – ***F*** acide 2-oxobutyrique – ***I*** acidi 2-ossobutirrico – ***S*** ácidos 2-oxobutírico

Lit.: Beilstein EIV **3**, 1524 ▪ Ullmann (5.) **A 18**, 313. – *[HS 2918 30; CAS 600-18-0]*

Oxocarbenium-Salze. *Acyl-Kationsalze* des allg. Typs $[R-CO]^+X^-$ mit X = SbF_6, $SbCl_6$, $AlCl_4$ usw. u. R = CH_3, C_2H_5, C_6H_5 usw.; die pos. Ladung (Elektronenlücke) wird wie bei *Carbokationen dem C-Atom der Carbonyl-Gruppe zugeordnet. Die O.-S. spielen eine Rolle als reaktive Zwischenprodukte bei der *Friedel-Crafts-Reaktion u. bei anderen durch Lewis-Säuren katalysierten *Acylierungen; sie werden weiter als Zwischenstufen bei der sauren Verseifung von ster. gehinderten *Estern diskutiert. – ***E*** oxocarbenium salts – ***F*** sels d'oxocarbénium – ***I*** sali di ossocarbenio – ***S*** sales de oxocarbenio

Lit.: s. Friedel-Crafts-Reaktionen, Carbenium-Ionen u. Carbokationen.

Oxocarbonsäuren. Bez. für *Carbonsäuren, die außer der Carboxy-Gruppe als funktionelle Gruppe noch eine *Carbonyl...-Gruppe (C=O) enthalten, also *Aldehyd-* od. *Keto-carbonsäuren* darstellen. Falls beide Gruppen unmittelbar benachbart sind, liegt eine α-O. vor; sind sie durch eine CH_2-Gruppe getrennt, so handelt es sich um eine β-O., bei der Trennung durch zwei um eine γ-O. usw. Die wichtigste u. einfachste α-O. ist die *Brenztraubensäure (Pyruvinsäure, 2-Oxopropionsäure). Einfache β-O. sind *Acetessigsäure u. 3-*Oxoglutarsäure; β-O. sind therm. instabil u. unterliegen leicht einer *cis*-*Eliminierung von CO_2, die man sich im Falle der Acetessigsäure zur Synth. von Ketonen zu Nutze macht (sog. *Keton-Spaltung* von substituierten *Acetessigestern). Die einfachste γ-O. ist die *Lävulinsäure (4-Oxovaleriansäure, 4-Oxopentansäure). Die Namen solcher Säuren werden in der Regel aus denjenigen der zugehörigen einfachen Carbonsäuren durch Zusatz der Präfixe *Oxo..., Dioxo... usw. gebildet.
α-O. können aus α-*Aminosäuren durch oxidative *Desaminierung entstehen u. unter dem Einfluß von *Transaminasen auch in diese wieder übergehen. Sie spielen daher im Organismus eine Rolle als Bindeglieder zwischen Aminosäure-, Kohlenhydrat- u.

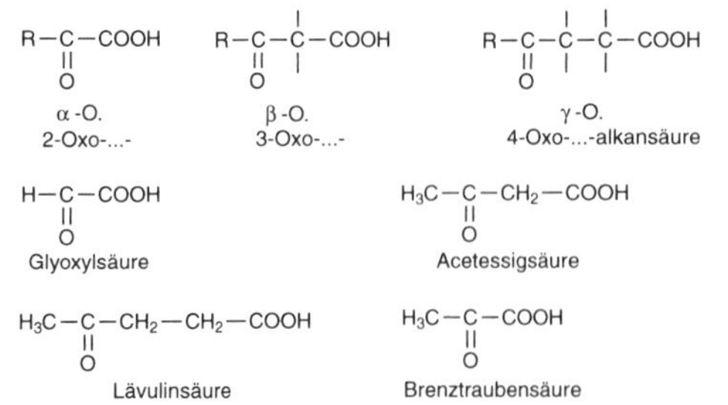

Fett-*Stoffwechsel, weshalb man sie medizin. auch gegen Urämie einsetzt. Bei bestimmten angeborenen Stoffwechselstörungen, z. B. *Phenylketonurie, treten andererseits α-O. im Harn auf. Unter der Einwirkung von Decarboxylasen gehen α-O. in Aldehyde über, unter der von Hydrogenasen in *Hydroxycarbonsäuren. Während β-O. leicht herzustellen sind, ist für die Synth. der α- u. γ-O. ein Umpolungsschritt erforderlich, für den z. B. nach Stetter die Verw. eines 1,3-Thiadiazolium-Salzes [1] als Umpolungsreagenz erforderlich ist (Näheres s. Umpolung) – ***E*** oxocarboxylic acids – ***F*** acides oxocarboxyliques – ***I*** acidi ossocarbossilici – ***S*** ácidos oxocarboxílicos

Lit.: [1] Angew. Chem. **88**, 695–704 (1976).
allg.: Ullmann (5.) **A 18**, 313 ff. ▪ s. a. Carbonsäuren.

9-Oxo-2-decensäure s. Königinnensubstanz.

Oxoester. Bez. für Ester, die außer der Ester-Gruppe eine *Carbonyl-Gruppe (C=O) als funktionelle Gruppe enthalten. Je nachdem wie weit beide voneinander entfernt sind, spricht man von α-, β-, γ-, usw. Oxo- (bzw. *veraltet* Keto-)ester (s. a. Oxocarbonsäuren). Bekanntester β-O. ist der *Acetessigester (3-Oxobutansäureethylester), der ebenso wie andere β-O., in vielfältiger Weise in der organ. Synth. eingesetzt wird. – ***E*** = ***F*** oxoesters – ***I*** ossoesteri – ***S*** oxoésteres

Lit.: s. Acetessigester, Ester u. Oxocarbonsäuren.

Oxoferrate s. Ferrate.

Oxoglurat s. Oxoglutarsäuren.

Oxoglutarat-Dehydrogenase-Komplex s. Oxoglutarsäuren, Pyruvat-Dehydrogenase.

Oxoglutarate s. Oxoglutarsäuren.

Oxoglutarsäuren (Oxopentandisäuren, Ketoglutarsäuren).

2-Oxoglutarsäure (α-Ketoglutarsäure) 3-Oxoglutarsäure (β-Ketoglutarsäure)

$C_5H_6O_5$, M_R 146,19. Die O. bilden farblose, in Wasser u. Alkohol gut, in Ether wenig lösl. Krist.; ihre – synthet. nützlichen – Ester u. Salze heißen *Oxoglutarate*.
2-O. (α-Ketoglutarsäure, internat. Freiname: *Oxoglurat*), Schmp. 116 °C, isomerisiert in wäss. Lsg. reversibel zu 2-Hydroxy-5-oxotetrahydrofuran-2-carbonsäure. 2-O. entsteht im Organismus als Glied des *Citronensäure-Cyclus aus *threo*-D_S-Isocitronensäure (vgl. dort) u. wird durch den *Oxoglutarat-Dehydrogenase-Komplex* zu Succinyl-CoA (Thioester aus Bernsteinsäure u. *Coenzym A) umgesetzt. Der Multi-Enzym-Komplex ähnelt in Struktur u. Katalyse-Mechanismen dem Pyruvat-Dehydrogenase-Komplex (vgl. dort). Über *Transaminierung u. reduktive Aminierung durch Glutamat-Dehydrogenasen ist 2-O. mit dem Stoffwechsel der L-*Glutaminsäure verknüpft u. dient als Akzeptor von Amino-Gruppen im Aminosäure-Abbau.
3-O. (β-Ketoglutarsäure, Acetondicarbonsäure), Schmp. 138 °C, ist wenig beständig, decarboxyliert leicht, ist im Exsikkator über P_4O_{10} haltbar. Die alkohol. Lsg. färbt sich bei Zusatz von Eisen(III)-chlorid weinrot.
Verw.: Zu organ. Synth., insbes. von heterocycl. Verbindungen. Der 3-O.-diethylester kann zusammen mit NH_3 zur ultraviolett-spektroskop. Bestimmung von aliphat. Aldehyden dienen. – ***E*** oxoglutaric acids – ***F*** acides oxoglutariques – ***I*** acidi ossoglutarici – ***S*** ácidos oxoglutáricos

Lit.: Beilstein E IV **3**, 1813 f., 1816 f. – *[HS 2918 30; CAS 328-50-7 (2-O.); 542-05-2 (3-O.)]*

Oxoisovalerat-Dehydrogenase-Komplex s. Pyruvat-Dehydrogenase.

Oxo-Kationen s. Oxo...

Oxokohlenstoffe. Von R. West [1] geprägte Bez. für *nichtbenzoide aromatische Verbindungen der allg. Formel $C_nO_n^{2-}$, die eine homologe Reihe cycl. Verb. bilden, in denen jedes C-Atom ein O-Atom trägt u. 2 Elektronen gleichmäßig über das gesamte Syst. delokalisiert sind (s. Abb., Dreiecksäure-Dianion). Die den Dianionen zugrunde liegenden, z. T. in Einzelstichwörtern mit Abb. behandelten Säuren (*Oxokohlenstoffsäuren*) heißen: *Delta-* od. **Dreiecksäure* (2,3-Dihydroxy-2-cyclopropen-1-on), *Quadratsäure*, *Krokonsäure* (von griech.: krokos = Safran wegen der Farbe) u. *Rhodizonsäure* [von *Rhod(o)...].

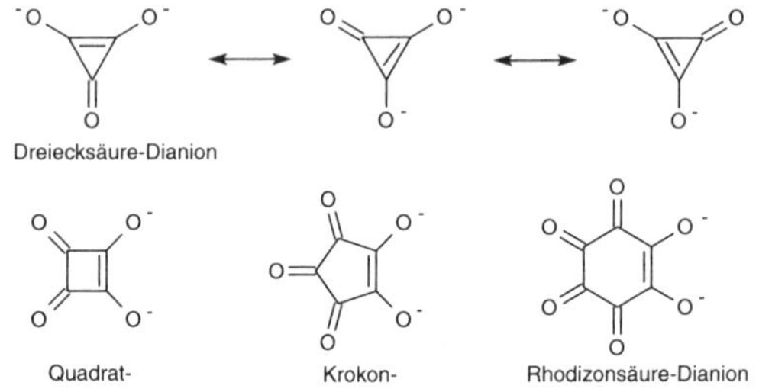

Während der dreigliedrige O. erst 1975 beschrieben wurde, sind die Derivate der Krokon- u. Rhodizonsäure schon seit 1825 bekannt (L. *Gmelin), u. auch als Naturstoffe können einige O. od. ihre Derivate auftreten (z. B. *Moniliformin). Wenn man die Sauerstoff-Atome in den O. durch X = S, Se, NR od. CR_2 ersetzt, gelangt man zu analog aufgebauten Verb., die man *Pseudo-O.* ($C_nX_n^{2-}$) nennt [2]. – ***E*** oxocarbons – ***F*** oxocarbones – ***I*** ossocarboni – ***S*** oxocarbonos

Lit.: [1] West, Oxocarbons, New York: Academic Press 1980. [2] Nachr. Chem. Tech. Lab. **28**, 804–807 (1980).
allg.: Acc. Chem. Res. **16**, 170–176 (1983) ▪ Angew. Chem. **78**, 927–931 (1966) ▪ Chem. Unserer Zeit **16**, 57–67 (1982) ▪ Isr. J. Chem. **20**, 300–307 (1980) ▪ Patai, The Chemistry of the Carbonyl Group, Bd. 2, S. 241, New York: Wiley 1970 ▪ Patai, The Chemistry of the Quinoid Compounds, Bd. 2, S. 1501, Chichester: Wiley 1988 ▪ Synthesis **1980**, 961 ▪ s. a. einzelne Textstichwörter.

Oxokohlenstoffsäuren s. Oxokohlenstoffe.

Oxolan. Von der IUPAC *nicht* empfohlener systemat. Name für *Tetrahydrofuran. – ***E*** = ***F*** oxolane – ***I*** ossolano – ***S*** oxolano

Oxolinsäure (Rp).

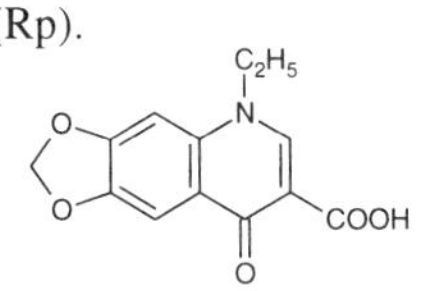

Internat. Freiname für den *Gyrase-Hemmer 1-Ethyl-1,4-dihydro-6,7-methylendioxy-4-oxo-3-chinolincarbonsäure, $C_{13}H_{11}NO_5$, M_R 261,23, Schmp. 314–316 °C (Zers.); LD_{50} (Maus oral) >6 g/kg. O. wurde 1966 von Warner Lambert patentiert. – ***E*** oxolinic acid – ***F*** acide oxolinique – ***I*** acido ossolinico – ***S*** ácido oxolínico

Lit.: Beilstein E V **27/26**, 298 ▪ Hager (5.) **8**, 1266 f. ▪ Martindale (31.), S. 259. – *[HS 2934 90; CAS 14698-29-4]*

Oxomalonsäure s. Mesoxalsäure.

Oxomemazin (Rp).

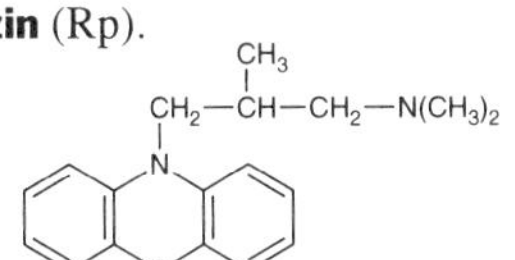

Internat. Freiname für das *Antihistaminikum (±)-10-[3-(Dimethylamino)-2-methylpropyl]-phenothiazin-5,5-dioxid, $C_{18}H_{22}N_2O_2S$, M_R 330,44, Schmp. 115 °C, in Wasser prakt. unlösl., in Chloroform u. Ether lösl., vgl. a. Phenothiazin. Verwendet wird meist das Hydrochlorid, Schmp. 250 °C. O. wurde 1961 von Rhône Poulenc patentiert. – ***E*** oxomemazine – ***F*** oxomémazine – ***I*** ossomemazina – ***S*** oxomemazina

Lit.: Beilstein E V **27/6**, 308 ▪ Martindale (31.), S. 449. – *[HS 2934 30; CAS 3689-50-7 (O.); 4784-40-1 (Hydrochlorid)]*

Oxometallate s. Oxosäuren.

Oxonia... s. Oxa...

Oxonium. Bez. für das Monohydrat des Protons, H_3O^+, u. dessen Alkyl-Derivate (s. Oxonium-Salze). Für mehrfach hydratisierte Protonen (z. B. $H^+ \cdot 4H_2O = H_9O_4^+$), wie sie in krist. Säure-Hydraten od. in wäss. Lsg. vorliegen, sollte die Bez. *Wasserstoff-Ion gebraucht werden. Das O.-Ion im O.-Perchlorat $[H_3O^+]$ $[ClO_4^-]$ besitzt pyramidale Struktur mit einem H–O–H-Winkel von 112°. – ***E*** = ***F*** oxonium – ***I*** ossonio – ***S*** oxonio

Lit.: Chem. Unserer Zeit **16**, 173 (1982) ▪ Shriver, Atkins u. Langford, Anorganische Chemie (2.), Weinheim: VCH Verlagsges. 1997 ▪ Wells, Structural Inorganic Chemistry (5.), S. 690 ff., Oxford: Clarendon Press 1984. – *[CAS 13968-08-6 (H_3O^+); 22206-74-2 ($H_5O_2^+$); 12501-73-4 ($H_9O_4^+$)]*

Oxonium-Ionen s. Oxonium-Salze.

Oxonium-Salze. Bez. für solche salzartigen *Onium-Verbindungen, die *Oxonium als Kation enthalten; *Beisp.:* $[H_3O^+][ClO_4^-]$ (Oxoniumperchlorat). Bes. stabil sind die O.-S. mit den Hexafluoroantimonat- bzw. -arsenat-Anionen (Zers. bei 257 °C bzw. 193 °C; *Lit.*[1]). In der organ. Chemie sind die 1937 von *Meerwein entdeckten u. als Tetrafluoroborate, Hexachloroantimonate, Hexafluorophosphate od. -antimonate isolierbaren alkylierten O.-S. von bes. Bedeutung bei Alkylierungsreaktionen; *Beisp.:* $[(H_3C)_3O^+][PF_6^-]$ (Trimethyloxonium-hexafluorophosphat, wird typmäßig als tert. O.-S. bezeichnet), $[(H_3C)_2\overset{+}{O}H][SbF_6^-]$ (Dimethyloxonium-hexafluoroantimonat, ein sek. O.-S.) u. $[H_3C\text{–}\overset{+}{O}H_2][BF_4^-]$ (Methyloxonium-tetrafluoroborat, ein prim. O.-S.). Während prim. u. sek. O.-S. nur in Lsg. auftreten, sind die tert., auch **Meerwein-Salze* genannten O.-S. stabile Verb., die zu einer Vielzahl von *Alkylierungen an O, N, S, P etc. befähigt sind. Zu den tert. O.-S. kann man auch die schon lange bekannten *Pyrylium-Salze rechnen, wie sie z. B. bei Anthocyanidinen (s. Abb. dort) vorliegen. *Carboxonium-Ionen wie in dem Salz $[H_5C_6\text{–}CH{=}\overset{+}{O}\text{–}CH_3][FSO_3^-]$ entstehen z. B. bei der Methylierung von Benzaldehyd mit Fluoroschwefelsäuremethylester od. als Lewis-Addukte bei der Etherat-Bildung (vgl. Lewis-Säuren). – ***E*** oxonium salts – ***F*** sels oxonium – ***I*** sali di ossonio – ***S*** sales de oxonio

Lit.: [1] Inorg. Chem. **14**, 2224, 2230 (1975).
allg.: Houben-Weyl **6/3**, 325–365 ▪ Olah u. Schleyer, Carbonium Ions, Bd. 5, Miscellaneous Ions, Theory and Structure, New York: Wiley 1976 ▪ s. a. Meerwein-Salze u. Onium-Verbindungen.

Oxonol-Farbstoffe s. Polymethin-Farbstoffe.

Oxopentandisäuren s. Oxoglutarsäuren.

4-Oxopentansäure s. Lävulinsäure.

Oxoprolin s. Pyroglutaminsäure.

2-Oxopropanal s. Methylglyoxal.

2-Oxopropionsäure s. Brenztraubensäure.

5-Oxopyrrolidin-2-carbonsäure s. Pyroglutaminsäure.

Oxorbon®. Imprägnierte Aktivkohle, die im O.-Verf. zur Gasentschwefelung eingesetzt wird u. H_2S zu elementarem Schwefel oxidiert. ***B.:*** Lurgi.

Oxo-Reaktion s. Oxo-Synthese.

Oxosäuren (Sauerstoffsäuren). Von *Oxo... abgeleitete Bez. für *anorgan.* Säuren, die im Anion semipolar (koordinativ) gebundenen Sauerstoff enthalten; *Beisp.:* $HClO_3$ (Chlorsäure), HNO_3 (Salpetersäure), H_2SO_4 (Schwefelsäure), H_2MnO_4 [Tetraoxomangan(VI)-säure], H_3MnO_4 [Tetraoxomangan(V)-säure]. Die *Oxometallate* (*Beisp.:* Li_3AuO_3, Bi_2CuO_4) könnten ebenso wie die **Hetero-* u. bes. die **Isopolysäuren* (Pope, *Lit.*) statt als O.-Derivate auch als *Doppeloxide* („*gemischte* *Oxide") aufgefaßt werden. Unter *organ.* O. werden fachsprachlich die *Oxocarbonsäuren verstanden sowie (als „Oxo-Säuren") verzweigte, höhere Carbonsäuren aus der *Oxo-Synthese wie Isooctan- u. Isononansäure. Diese finden Verw. für die Modifizierung von Alkydharzen u. zur Herst. von Peroxiden, PVC-Stabilisatoren, Spezialweichmachern für PVC-Polymerisate u. von Trockenstoffen für Lacke. – ***E*** oxo acids – ***F*** oxo-acides – ***I*** ossoacidi – ***S*** oxoácidos

Lit.: Pope, Heteropoly and Isopoly Oxometallates, Berlin: Springer 1983 ▪ Shriver, Atkins u. Langford, Anorganische Chemie (2.), Weinheim: VCH Verlagsges. 1997 ▪ Wells, Structural Inorganic Chemistry (5.), S. 367–376, Oxford: Clarendon Press 1984 ▪ s. a. Textstichwörter.

Oxo-Synthese. Von *Roelen, dem Entdecker der Reaktion bei der Fa. *Ruhrchemie (1938) geprägte Kurzbez. für einen später auch von *Reppe (*I. G. Farben) weiterentwickelten u. heute *Hydroformylierung genannten Prozeß [1]. Bei der O.-S. lagern sich Kohlenoxid u. Wasserstoff (häufig als sog. *Synthesegas aus der *Kohlevergasung zugeführt) an olefin. Doppelbindungen derart an, daß um ein C-Atom reichere Aldehyde (*Oxo-Aldehyde*) entstehen, die ggf. im gleichen Arbeitsgang mit Wasserstoff zu den entsprechenden Alkoholen (*Oxo-Alkohole*) hydriert werden können.

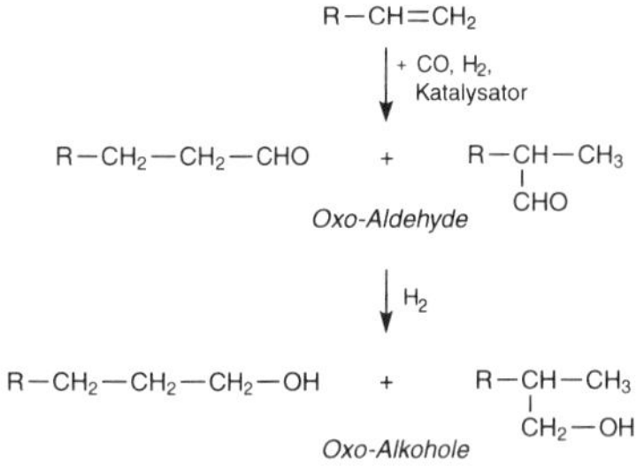

Abb. 1: Schemat. Ablauf der Oxo-Synthese.

Die Reaktion ist exotherm (117–147 kJ/mol Olefin) u. läuft unter Druck bei erhöhter Temp. in Ggw. von Katalysatoren ab. Gebräuchlich sind Reaktionsdrücke von 30–300 bar u. Temp. zwischen 100 u. 180 °C; katalyt. wirksam sind Co, Rh u. Ru sowie *Metallcarbonyl-Verb. dieser Metalle. In der Technik verwendet man aus wirtschaftlichen Gründen heute bevorzugt Cobalt-Verb., aus denen sich unter den Bedingungen der O.-S. der wirksame Katalysator $HCo(CO)_4$ bildet; auch Liganden-modifizierte Rhodium-Komplexe des Typs $HRh(CO)L_3$ (L = z. B. Triphenylphosphin) kommen in Niederdruckverf. zum Einsatz. Mechanist. läßt sich die Cobalt-katalysierte O.-S. wie in Abb. 2 dargestellt zusammenfassen (s. a. Metall-organische Reaktionen).

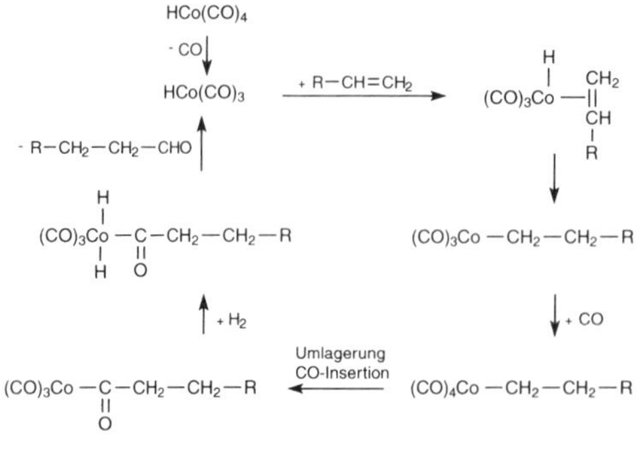

Abb. 2: Mechanismus der Oxo-Synthese.

Die O.-S. verläuft also als *Einschiebungsreaktion (*Insertionsreaktion*) wie auch andere *Carbonylierungen; sie kann von Isomerisierungsreaktionen begleitet sein, wobei die Aldehyd-Gruppe an C-Atome tritt, die ursprünglich nicht an der Doppelbindung beteiligt waren. Der Oxo-Reaktion (*Hydroformylierung) zugänglich sind nahezu alle Olefine, isolierte Diene od. Polyene sowie eine Vielzahl von olefin. Verb. mit funktionellen Gruppen, wie z. B. ungesätt. Ester, Alkohle u. Nitrile. Auch einige reaktive gesätt. Verb. wie z. B. Epoxide lassen sich hydroformylieren. Da die Formyl-Gruppe an beiden C-Atomen der Doppelbindung angelagert werden kann, entstehen in den meisten Fällen Gemische isomerer Aldehyde bzw. Alkohole (*Oxo-Aldehyde* bzw. *-Alkohole*). Varianten des Verf. führen zu analog gebauten Carbonsäuren („Oxo-säuren") u. Estern. Hauptprodukte der eigentlichen O.-S. sind die Butanole, Methylheptanol, 2-Ethylhexanol u. a. Alkohole mit 8 bis 13 C-Atomen (s. Abb. 3).

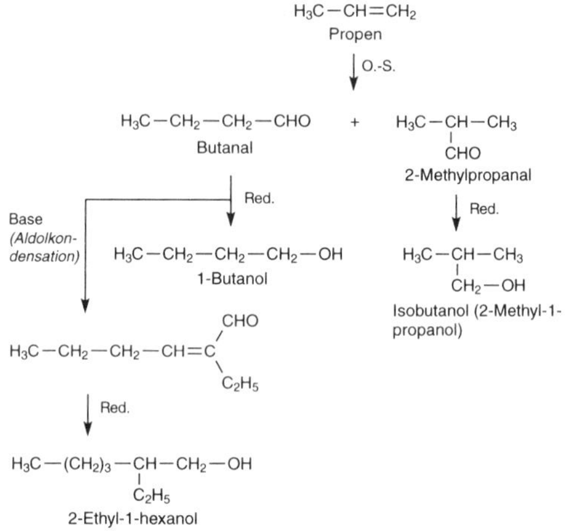

Abb. 3: Mögliche Produkte der Oxo-Synthese von Propen.

Die Alkohole finden Verw. als Lsm., als Alkohol-Komponenten in Ester-Weichmachern, Rohstoffe für Waschmittel usw., die Aldehyde auch zur Synth. höherer Alkohole u. Säuren. Das mit ca. 20–25% als unerwünschtes Nebenprodukt der Propen-Hydroformylierung – Propen ist das wichtigste Einsatz-Olefin – anfallende 2-Methylpropanal kann in einer Retro-O.-S. in die wieder verwertbaren Ausgangskomponenten gespalten werden (*Decarbonylierung). Das bei der Dest. der linearen u. verzweigten Alkohole verbleibende sog. *Dicköl* ist wegen seiner Ether-Anteile hervorragendes Entschäumungsmittel. Die Weltjahreskapazität an Oxo-Produkten wurde 1990 auf ca. 7,0 Mio. t/a geschätzt. – ***E*** oxo process – ***F*** synthèse oxo – ***I*** processo oxo – ***S*** proceso oxo, síntesis oxo

Lit.: [1] Ruhrchemie 1927–1977, Düsseldorf: Econ 1978.
allg.: Adv. Organomet. Chem. **17**, 1 f. (1979); **20**, 1–39 (1982) ▪ Chem. Ind. (London) **1982**, 737–741 ▪ Elchenbroich u. Salzer, Organometallics, 2. Aufl., S. 434, Weinheim: VCH Verlagsges. 1992 ▪ Hydrocarbon Process **59**, Nr. 11, 93–102 (1980) ▪ Kirk-Othmer (3.) **1**, 747–754; **16**, 637–653; (4.) **17**, 902 ff. ▪ McKetta **2**, 474–477; **20**, 366–387 ▪ Ullmann (5.) **A 18**, 321 ff. ▪ Weissermel-Arpe (4.), S. 137 f. ▪ Wilkinson-Stone-Abel II **12**, 27 ff. ▪ Winnacker-Küchler (4.) **5**, 537–559 ▪ s. a. Carbonylierung u. Hydroformylierung.

Oxotremorin.

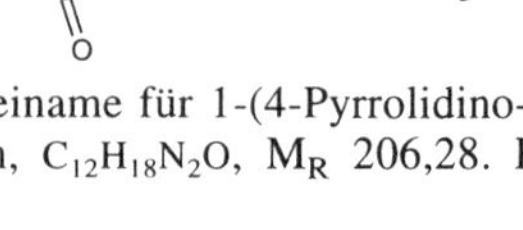

Internat. Freiname für 1-(4-Pyrrolidino-2-butinyl)-2-pyrrolidinon, $C_{12}H_{18}N_2O$, M_R 206,28. Farbloses bis

schwach gelbes, giftiges Öl, D. 1,064, Sdp. 124 °C (13,33 Pa); 150–155 °C (79,8 Pa); n_D^{25} 1,5156. Das Muscarin-ähnlich *cholinerg wirksame O. ruft wie sein gleichfalls vollsynthet. Sauerstoff-freier Vorläufer *Tremorin* (1,4-Dipyrrolidino-2-butin, $C_{12}H_{20}N_2$, M_R 192,30) *Parkinsonismus-ähnliche Erscheinungen hervor (Tremor, Verwirrungszustände, Spasmen) u. diente deshalb zur experimentellen Untersuchung dieser Krankheit u. von Antiparkinsonmitteln. – ***E*** oxotremorine – ***F*** oxotrémorine – ***I*** = ***S*** oxotremorina

Lit.: Beilstein EV **21/6**, 370 f. ▪ Chirality **4**, 463–468 (1992). – *[HS 2933 79; CAS 70-22-4 (O.); 51-73-0 (Tremorin)]*

Oxo-Verbindungen s. Oxo... u. Oxo-Synthese.

Oxprenolol (Rp).

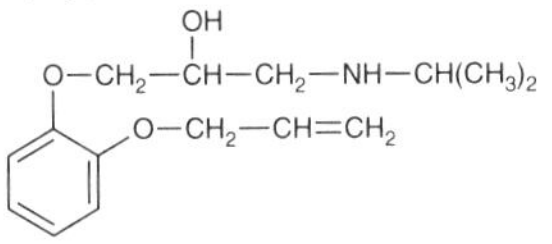

Internat. Freiname für den *adrenerg wirkenden β-Rezeptorenblocker (±)-1-(2-Allyloxyphenoxy)-3-(isopropylamino)-2-propanol, $C_{15}H_{23}NO_3$, M_R 265,35. Weißliches, krist. Pulver, Schmp. 78–80 °C; λ_{max} (0,1 N NaOH) 272 nm ($A_{1cm}^{1\%}$ 80), lösl. in Wasser. Verwendet wird meist das Hydrochlorid, Schmp. 107–109 °C. O. wurde 1966 von Ciba (Trasicor®, Novartis) patentiert. – ***E*** = ***S*** oxprenolol – ***F*** oxprénolol – ***I*** oxprenolo

Lit.: ASP ▪ Hager (5.) **8**, 1268 ff. ▪ Julius, A Comprehensive Guide to the Therapeutic Use of Trasicor®, Basel: Karger 1984 ▪ Martindale (31.), S. 925 ▪ Ph. Eur. **1997** u. Komm. – *[HS 2922 50; CAS 6452-71-7 (O.); 22972-98-1 ((±)-O.); 22972-97-0 ((±)-O. × HCl)]*

Oxy. Kurzbez. für die *Occidental Petroleum Corp.

Oxy... [von griech.: oxýs = scharf, spitz, stechend, sauer, heftig, rasch od. von Oxygen(ium) = *Sauerstoff]. a) Veraltete Bez. für *Hydroxy..., in Trivialnamen oft auch allg. für Oxid.-Produkte od. Sauerstoff-haltige Verb. (s. folgende Stichwörter).
b) Endung der Präfixe für *Alkoxy-, Aryloxy-, *Acyloxy-, *Siloxy-Reste etc., auch für mehrbindige Reste (*Beisp.:* *Ethylendioxy..., *Methylendioxy...); Silbe „yl" entfällt bei Methoxy..., Ethoxy..., (Cyclo-, Iso-) Propoxy..., (Cyclo-, Iso-, *sec*-, *tert*-)Butoxy..., Phenoxy... u. Acetoxy...; *Benzoxy... statt *Benzoyloxy... od. *Benzyloxy... ist zweideutig, daher unzulässig. Verwandte Präfixe sind *Dioxy..., *Epoxy..., *Hydroperoxy... u. *Peroxy...; dagegen haben *Ox(a)... u. *Oxo... ganz andere Bedeutungen.
c) Präfix für Ether-Brücken in *Multiplikativnamen (s. Oxydi...) u. Polymer-Namen (*Beisp.:* s. Polyoxy...). In der *y-Nomenklatur für komplizierte anorgan. Mol.-Gerüste (IUPAC-Vorschlag 1997)[1] werden Gerüst-Sauerstoff-Atome mit Oxy... benannt.
d) Veraltete Bez. für Oxid in *Oxidhalogeniden u. *Oxidsalzen (*Oxysalzen*); *Beisp.:* Phosphoroxychlorid $POCl_3$ (s. Phosphoroxidtrichlorid), Bismutoxychlorid BiOCl (s. Bismutchloride).
e) Von griech. Urbedeutung abgeleitete Lehnwortsilbe; *Beisp.:* *Oxytocin, *Oxyuren. – ***E*** = ***F*** oxy... – ***I*** ossi... – ***S*** oxi...

Lit.: [1] Pure Appl. Chem. **69**, 1659–1692 (1997).

Oxybenzon.

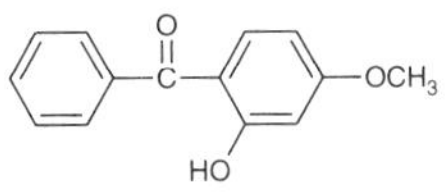

Internat. Freiname für den *UV-Absorber 2-Hydroxy-4-methoxybenzophenon, $C_{14}H_{12}O_3$, M_R 228,24, Schmp. 66 °C, leicht lösl. in organ. Lsm., LD_{50} >12,8 g/kg. – ***E*** = ***F*** oxybenzone – ***I*** ossibenzone – ***S*** oxibenzona

Lit.: Blaue Liste, S. 200, Code UV 613. – *[HS 2915 50; CAS 131-57-7]*

Oxybis... s. Oxydi....

Oxybis(dimethylarsin) s. Kakodyloxid.

Oxybuprocain (Rp zur Anw. am Auge).

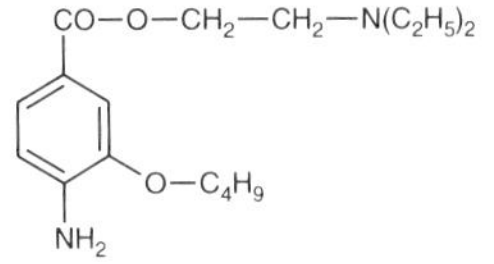

Internat. Freiname für das *Lokalanästhetikum 4-Amino-3-butoxybenzoesäure-2-(diethylamino)ethylester, auch *Benoxinat* genannt, $C_{17}H_{28}N_2O_3$, M_R 308,42, Sdp. 215–218 °C (2,7 hPa). Verwendet wird meist das Hydrochlorid, weißliches, krist. Pulver, Schmp. 157–160 °C; λ_{max} (wäss. Säure) 235 nm ($A_{1cm}^{1\%}$ 437), lösl. in Wasser (1:0,8). O. wurde 1951 von Wander (Novesine®) patentiert u. ist als Generikum im Handel. – ***E*** oxybuprocaine – ***F*** oxybuprocaïne – ***I*** oxybuprocainum, oxibuprocaina – ***S*** oxibuprocaína

Lit.: ASP ▪ Beilstein EIV **14**, 2076 f. ▪ Hager (5.) **8**, 1271 f. ▪ Martindale (31.), S. 1337 f. – *[HS 2922 50; CAS 99-43-4 (O.); 5987-82-6 (Hydrochlorid)]*

Oxybutynin (Rp).

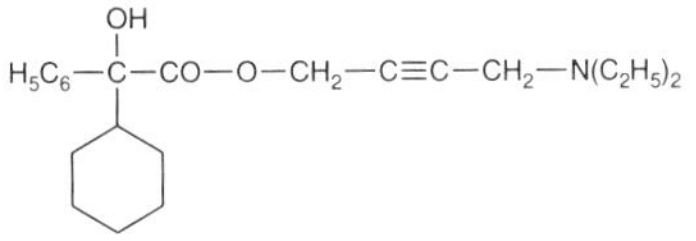

Internat. Freiname für das spasmolyt. wirkende Anticholinergikum (±)-α-Cyclohexyl-α-hydroxyphenylessigsäure-4-(diethylamino)-2-butinylester, $C_{22}H_{31}NO_3$, M_R 357,49. Verwendet wird das Hydrochlorid, Schmp. 129–130 °C; LD_{50} (Ratte oral) 1220 mg/kg. O. wurde 1963 von Mead Johnson patentiert u. ist von Pharmacia & Upjohn (Dridase®) gegen Blasenschwäche im Handel. – ***E*** oxybutynin – ***F*** oxybutynine – ***I*** oxybutyninum, oxibutinina – ***S*** oxibutinina

Lit.: ASP ▪ Martindale (31.), S. 504. – *[HS 2922 50; CAS 5633-20-5 (O.); 1508-65-2 (Hydrochlorid)]*

Oxycain. Ältere Bez. für *Hydroxyprocain.

Oxycarboxin.

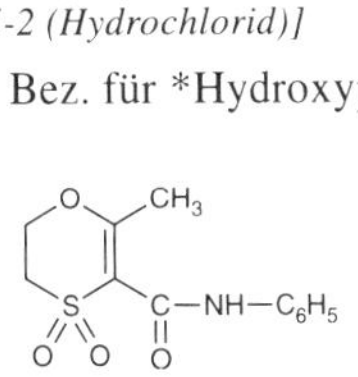

Common name für 5,6-Dihydro-2-methyl-1,4-oxathiin-3-carboxanilid-4,4-dioxid, $C_{12}H_{13}NO_4S$, M_R 267,29, Schmp. 127,5–130 °C, LD_{50} (Ratte oral)

2000 mg/kg (WHO), von Uniroyal 1966 eingeführtes system. *Fungizid mit kurativer Wirkung gegen Rostkrankheiten im Zierpflanzen- u. Getreideanbau sowie in Baumschulen. – *E* oxycarboxin – *F* oxycarboxine – *I* ossicarbossina – *S* oxicarboxina

Lit.: Beilstein E IV **19**/7, 251 ▪ Farm. ▪ Perkow ▪ Pesticide Manual. – *[HS 2934 90; CAS 5259-88-1]*

Oxycellulosen. Fachsprachliche Bez. für polymere Abbauprodukte der *Cellulose, die bei der Einwirkung von Oxid.-Mitteln auf dieses *Polysaccharid anfallen. In Abhängigkeit von der Art des Oxid.-Mittels u. dem pH-Wert, bei dem die Oxid. erfolgt, resultieren Produkte mit unterschiedlichem Gehalt an reduzierenden (Carbonyl-) u. sauren (Carboxy-) Gruppen. O. fallen u. a. bei der Reaktion von *Alkalicellulosen mit (Luft-) Sauerstoff im sog. Reifeprozeß bei der Herst. von *Celluloseethern u. *Cellulosexanthogenaten an. Sie sind bei ausreichend hohem Carboxy-Gruppengehalt in schwach alkal. Flüssigkeiten, z. B. in Blut, löslich. Aus dieser Eigenschaft resultiert ihre Verw. als blutstillende Watte, die wegen ihrer vollständigen Resorbierbarkeit in Wunden verbleiben kann. – *E* = *F* oxycelluloses – *I* ossicellulose – *S* oxicelulosas

Lit.: Fengel, Wood: Chemistry, Ultrastructure, Reactions, S. 276 ff., Berlin: Walter de Gruyter 1984 ▪ Houben-Weyl E **20**/3, 2124 f.

Oxychlorierung. Ein spezieller Prozeß zur *Chlorierung von organ. Verb. in Ggw. von O_2.

$$H_2C=CH_2 \xrightarrow[-H_2O]{+ HCl \,;\, O_2 \,;\, CuCl_2} Cl-CH_2-CH_2-Cl$$

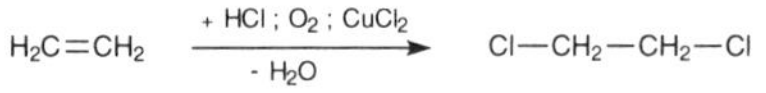

Das wichtigste O.-Produkt ist 1,2-Dichlorethan. Dabei wirkt $CuCl_2$ als Chlor-Überträger; auch die direkte O. zu Vinylchlorid ist möglich. Acetylen liefert bei O. 1,2-Dichlorethylen, Benzol Chlorbenzol (*Raschig-Verf.* zur *Phenol-Herst.*). – *E* oxychlorination – *F* oxychloration – *I* ossiclorurazione – *S* oxicloración

Lit.: Hydrocarbon Process **55** (3), 85–89 (1976) ▪ Kirk-Othmer (4.) **6**, 15 f. ▪ McKetta **8**, 16–20, 33–53, 202–231 ▪ Ullmann (5.) A **6**, 266 f. ▪ Weissermel-Arpe (4.), S. 235 f., 378 f. ▪ Winnacker-Küchler (4.) **6**, 2–20, 158, 193.

Oxycodon (BtMVV, Anlage II).

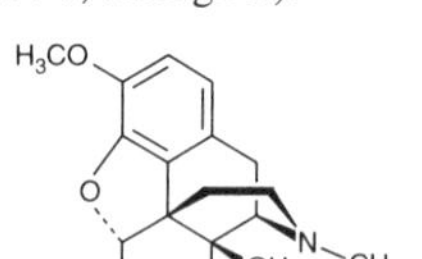

Internat. Freiname für das *Morphin-ähnlich wirksame, starke *Analgetikum 4,5α-Epoxy-14β-hydroxy-3-methoxy-17-methylmorphinan-6-on (Dihydro-14-hydroxycodeinon), $C_{18}H_{21}NO_4$, M_R 315,36, Schmp. 218–220 °C; in Wasser prakt. nicht, in Ethanol u. Chloroform dagegen lösl. Verwendet wird das Hydrochlorid, Schmp. 270–272 °C (Zers.); $[α]_D^{20}$ –125° (c 2,5/H_2O); $λ_{max}$ (CH_3OH) 262, 283 nm ($A_{1cm}^{1\%}$ 18,4, 36,8); vgl. a. Morphin. – *E* = *F* oxycodone – *I* oxicodone – *S* oxycodona

Lit.: ASP ▪ Beilstein E V **27**/14, 353 ▪ DAB **1996** u. Komm. ▪ Hager (5.) **8**, 1273–1276 ▪ Martindale (31.), S. 80. – *[HS 2939 10; CAS 76-42-6 (O.); 124-90-3 (Hydrochlorid)]*

Oxyd... s. Oxide.

Oxydemeton-methyl (Demeton-S-methyl-sulfoxid). T

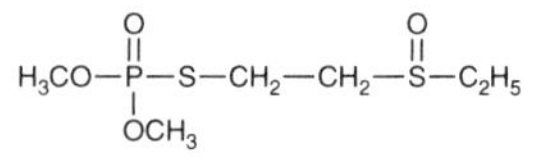

Common name für *S*-[2-(Ethylsulfinyl)ethyl]-*O*,*O*-dimethyl-thiophosphat, $C_6H_{15}O_4PS_2$, M_R 246,27, Schmp. <–20 °C, Sdp. 106 °C (1,3 Pa), LD_{50} (Ratte oral) ca. 50 mg/kg, von Bayer 1960 eingeführtes system. *Insektizid u. *Akarizid gegen Spinnmilben, Blattläuse, Sägewespen, Psylliden u. a. saugende Insekten im Obst-, Gemüse-, Getreide-, Rüben- u. Zierpflanzenanbau sowie im Forst. O. entsteht auch bei der Metabolisierung von *Demeton-S-methyl. – *E* oxydemeton-methyl – *F* oxydéméton-méthyle – *I* ossidemeton-metile – *S* oxidemeton-metil

Lit.: Beilstein E IV **1**, 2464 ▪ Farm. ▪ Perkow ▪ Pesticide Manual. – *[HS 2930 90; CAS 301-12-2]*

Oxydi... Präfix in *Multiplikativnamen für Verb. mit zentraler Ether-Bindung (s. Oxy...; IUPAC-Regeln C-72/73, C-212.1, R-1.2.8; Beilstein's Handbuch u. Chemical Abstracts: Oxybis...); *Beisp.:* Oxydiessigsäure (s. Diglykolsäure), 2,2′-Oxydiethanol (s. Diethylenglykol), 3,3′-Oxydipropionitril. – *E* = *F* oxydi... – *I* ossidi... – *S* oxidi...

3,3′-Oxydipropionitril [Bis(2-cyanoethyl)-ether, ODPN]. $NC-CH_2-CH_2-O-CH_2-CH_2-CN$, $C_6H_8N_2O$, M_R 124,14. Klare, hellgelbe, viskose, geruchsfreie Flüssigkeit, D. 1,05–1,055, Sdp. 110–112 °C (0,66 hPa), lösl. in aromat. Kohlenwasserstoffen u. Chloroform. ODPN findet in der Gaschromatographie als stationäre Phase mit ausgeprägter Selektivität für Paraffine, Olefine, Ether, Ester, Aldehyde, Ketone, Alkohole Verwendung. – *E* = *F* 3,3′-oxydipropionitrile – *I* 3,3′-ossidipropionitrile – *S* 3,3′-oxidipropionitrilo

Lit.: Beilstein E IV **3**, 720 f. – *[HS 2926 90; CAS 1656-48-0]*

Oxydul. Veraltete Bez. für die *Oxide niedriger Wertigkeitsstufe, d. h. das jeweils Sauerstoff-ärmste Oxid eines Elements; *Beisp.:* Kupferoxydul (Cu_2O).

Oxyethyl... s. Oxethyl...

Oxyfedrin.

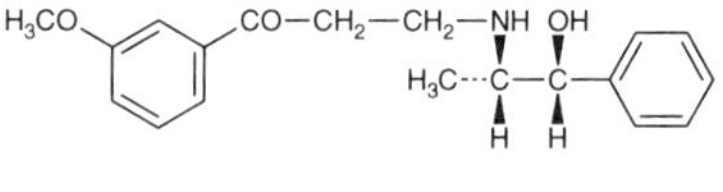

Internat. Freiname für das Cardiakum (ein Coronardilatator) 3-((αS,βR)-β-Hydroxy-α-methylphenethylamino)-3′-methoxypropiophenon, $C_{19}H_{23}NO_3$, M_R 313,39. Verwendet wird das Hydrochlorid, Schmp. 192–194 °C; $[α]_D^{20}$ –15,6° bis –16,6°; LD_{50} (Maus i.v.) 29 mg/kg. O. wurde 1963 u. 1965 von Degussa patentiert u. ist von Asta Medica [Ildamen®, (–)-Hydrochlorid] u. Apogepha [Myofedrin®, (±)-Hydrochlorid] im Handel. – *E* oxyfedrine – *F* oxyfédrine – *I* = *S* oxifedrina

Lit.: Hager (5.) **8**, 1276 f. ▪ Martindale (31.), S. 925. – *[HS 2922 50; CAS 15687-41-9 (O.); 14223-94-0 ((±)-Hydrochlorid); 16777-42-7 ((–)-Hydrochlorid)]*

Oxyfluorfen.

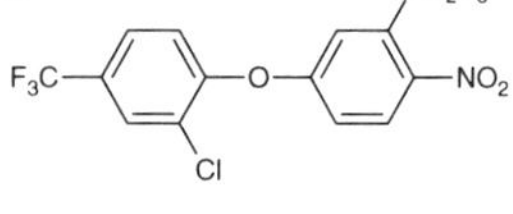

Common name für [2-Chlor-4-(trifluormethyl)-phenyl]-(3-ethoxy-4-nitrophenyl)-ether, $C_{15}H_{11}ClF_3NO_4$, M_R 361,70, Schmp. 84–85 °C, LD_{50} (Ratte oral) >5000 mg/kg (WHO), von Rohm & Haas 1974 eingeführtes selektives Kontakt-*Herbizid gegen Unkräuter u. Ungräser im Soja-, Getreide-, Reis-, Baumwoll-, Wein- u. Zitrusanbau. – ***E*** oxyfluorfen – ***F*** oxyfluorfène – ***I*** ossifluorfene – ***S*** oxifluorfeno

Lit.: Farm. ▪ Perkow ▪ Pesticide Manual. – *[CAS 42874-03-3]*

Oxygen. Internat. Bez. für *Sauerstoff.

Oxygenasen. Gruppe von Enzymen, welche den Einbau von mol. Sauerstoff in Substratverb. (*Oxygenierung) katalysieren. Die O. gehören zu den *Oxidoreduktasen u. enthalten oft Eisen, z. T. auch Kupfer. Man unterscheidet *Monooxygenasen (mischfunktionelle O.) u. *Dioxygenasen.* Letztere katalysieren den Einbau von *beiden* Atomen des Sauerstoff-Mol. in organ. Verb. (Dioxygenierung), wobei im allg. Doppelbindungen oxidativ gespalten werden. Derartige O. sind u. a. am Stoffwechsel der aromat. Aminosäuren beteiligt, z. B. die sog. *Homogentisat-1,2-Dioxygenase* (EC 1.13.11.1) am oxidativen Abbau der Homogentisinsäure im L-Phenylalanin- bzw. L-Tyrosin-Stoffwechsel. Eine ähnlich wichtige Rolle in metabol. Prozessen spielen die *Lipoxygenasen, die den oxidativen Abbau von ungesätt. Fettsäuren über Hydroperoxide katalysieren u. die zum Aufbau der *Leukotriene benötigt werden, sowie die an der *Prostaglandin- u. *Thromboxan-Biosynth. beteiligte *Cyclooxygenase. Als *intermol.* wirksame Dioxygenasen, die die Atome des mol. Sauerstoff auf 2 verschiedene Substrat-Mol. übertragen, gelten *2-Oxosäure-Dioxygenasen* wie z. B. Procollagen-Prolin-Dioxygenase (EC 1.14.11.2), die für die Reaktion noch zusätzlich L-Ascorbinsäure benötigt u. die an der Collagen-Biosynth. beteiligt ist. – ***E*** oxygenases – ***F*** oxygénases – ***I*** ossigenasi – ***S*** oxigenasas

Lit.: Annu. Rev. Microbiol. **46**, 565–601 (1992). – *[CAS 9038-14-6 (Mono-O.); 37292-90-3 (Di-O.)]*

Oxygenierung. Von latein.: oxygenium = Sauerstoff abgeleiteter Begriff, unter dem man – im Gegensatz zur unselektiven *Autoxidation – die gezielte Einführung von O-Atomen (*Monooxygenierung,* *Hydroxylierung) od. von O_2-Mol. (*Peroxy-* od. *Dioxygenierung, Peroxidation*) in organ. Verb. versteht. Im ersten Fall entstehen in einer formal als *Einschiebungsreaktion erscheinenden, aber komplizierter verlaufenden Reaktion Hydroxyl-Verb., im zweiten *Hydroperoxide, seltener *Peroxide u. *Dioxetane. O. lassen sich in Ggw. von Übergangsmetall-Peroxokomplexen (*Lit.*[1–3]), organ. Supersäuren od. Basen als homogene *Katalyse durchführen. Techn. genutzt werden die *mikrobiolog. Hydroxylierung* durch *Oxygenasen, die *Photooxygenierung* mit O_2 in Ggw. von *Sensibilisatoren u. die O. mit auf anderem Wege erzeugtem sog. *Singulett-Sauerstoff, die beide ggf. als *En-Synthese ablaufen können; Näheres s. bei Oxidation, Photooxidation u. Hydroperoxide. – ***E*** oxygenation – ***F*** oxygénation – ***I*** ossigenazione – ***S*** oxigenación

Lit.: [1] Pure Appl. Chem. **53**, 2389–2399 (1981). [2] Angew. Chem. **94**, 750–766 (1982). [3] Helv. Chim. Acta **67**, 392–398 (1984). *allg.:* s. die einzelnen Textstichwörter.

Oxygenium. Von griech.: *Oxy... u. *...gen abgeleiteter latein. Name für *Sauerstoff.

Oxygen walk s. Walk-Umlagerung.

Oxyhämoglobin s. Hämoglobin u. Häm-Derivate.

Oxyliquit. Früher gelegentlich im (Salz-)Bergbau verwendete *Flüssig-Luft-Sprengstoffe,* die aus einem brennbaren Stoff (Kohlepulver, Ruß, Holzmehl, Korkmehl, Torfpulver, Al-Staub, Petroleum, Paraffin, Naphthalin od. dgl.) u. flüssigem Sauerstoff od. Sauerstoff-reicher flüssiger Luft bestanden. – ***E*** oxyliquit – ***F*** oxyliquite – ***I*** preparato esplosivo con aria liquida – ***S*** oxiliquita

Lit.: Köhler u. Meyer, Explosivstoffe, 8. Aufl., Weinheim: VCH Verlagsges. 1995 ▪ Ullmann (4.) **21**, 645 ▪ Winnacker-Küchler (4.) **7**, 348. – *[HS 3602 00]*

Oxymercurierung. Bez. für die gleichzeitige Einführung eines Sauerstoff- u. Quecksilber-Restes in eine organ. Verb.; s. Oxymetallierung. – ***E*** oxymercuriation – ***F*** oxymercuration – ***I*** metallizzazione ossimercurico – ***S*** oximercuración

Oxymesteron (Rp).

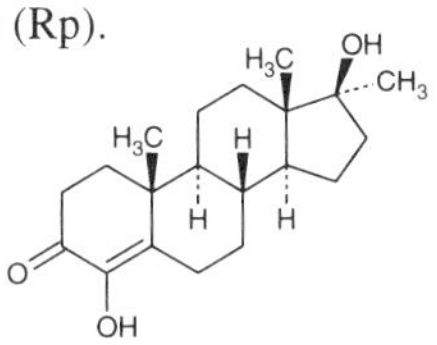

Internat. Freiname für das anabole Steroid 4,17β-Dihydroxy-17α-methyl-4-androsten-3-on, $C_{20}H_{30}O_3$, M_R 318,45, Schmp. 169–171 °C; $[\alpha]_D^{20}$ +69° (C_2H_5OH); λ_{max} 278 nm ($A^{1\%}_{1cm}$ 406), in Wasser prakt. nicht, in Aceton, Chloroform u. Ethanol dagegen löslich. O. wurde 1960 u. 1962 von Farmitalia patentiert. – ***E*** oxymesterone – ***F*** oxymestérone – ***I*** oximesterone – ***S*** oximesterona

Lit.: Hager (4.) **2**, 146 ff. ▪ Martindale (29.), S. 1410. – *[HS 2937 99; CAS 145-12-0]*

Oxymetallierung. Die *Hydroxylierung von Alkenen kann mit Quecksilber(II)-acetat u. anschließender Umsetzung mit Natriumboranat durchgeführt werden.

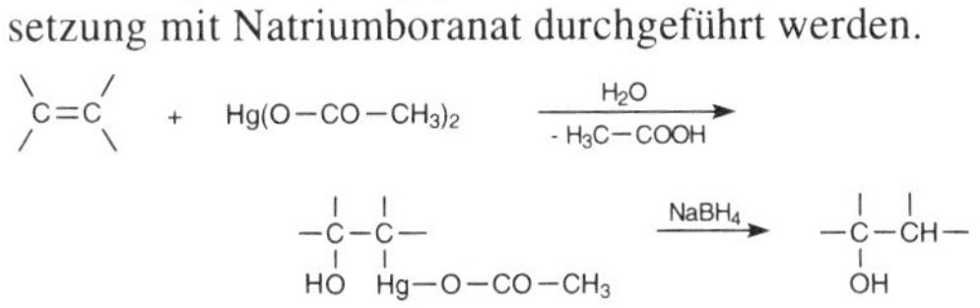

Der erste, als *Oxymercurierung* zu bezeichnende Reaktionsschritt, ist ein illustratives Beisp. für O.-Reaktionen, die auch mit anderen Metallen durchgeführt werden können; s. a. Metall-organische Reaktionen. – ***E*** oximetallation – ***F*** oxymétallation – ***I*** ossimetallizzazione – ***S*** oximetalación

Lit.: s. Metall-organische Chemie u. Reaktionen.

Oxymetazolin.

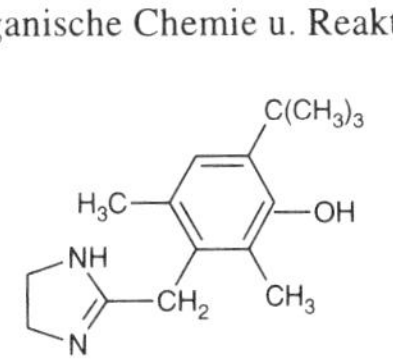

Internat. Freiname für den *Vasokonstriktor 6-*tert*-Butyl-3-(4,5-dihydro-1*H*-imidazol-2-ylmethyl)-2,4-dimethylphenol, $C_{16}H_{24}N_2O$, M_R 260,37. Weißliches, krist., hygroskop. Pulver, Schmp. 181–183 °C; lösl. in Ethanol (1:3,6) u. Wasser (1:6,7). Verwendet wird das Hydrochlorid, Zers. bei 300–303 °C; LD_{50} (Maus oral) 10 mg/kg. O. wurde 1961 von E. Merck (Nasivin®) patentiert u. ist als Generikum im Handel. – ***E*** oxymetazoline – ***F*** oxymétazoline – ***I*** = ***S*** oximetazolina

Lit.: Beilstein E V **23/11**, 424 ▪ Hager (5.) **8**, 1277 f. ▪ Martindale (31.), S. 1584 f. ▪ Ph. Eur. **1997** u. Komm. – *[HS 2933 29; CAS 1491-59-4 (O.); 2315-02-8 (Hydrochlorid)]*

Oxymetholon (Rp).

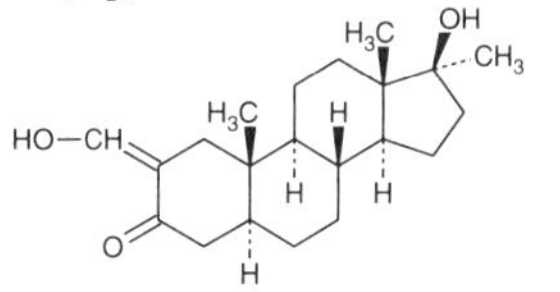

Internat. Freiname für das anabol. wirksame *Androgen 17β-Hydroxy-2-(hydroxymethylen)-17α-methyl-5α-androstan-3-on, $C_{21}H_{32}O_3$, M_R 332,48. Weißliches, geruchloses, krist. Pulver, Schmp. 178–180 °C; $[\alpha]_D$ +38°; λ_{max} (CH_3OH) 285 nm ($A^{1\%}_{1cm}$ 244); in Wasser prakt. unlösl., in Chloroform, Dioxan u. Ethanol löslich. O. wurde 1959 von Syntex patentiert. – ***E*** oxymetholone – ***F*** oxymétholone – ***I*** ossimetolone – ***S*** oximetolona

Lit.: ASP ▪ Beilstein E IV **8**, 2097 ▪ Hager (5.) **8**, 1278 ff. ▪ IARC Monogr. **13**, 131–139 (1977); Suppl. **4**, 203–205 (1982) ▪ Martindale (31.), S. 1504. – *[HS 2937 99; CAS 434-07-1]*

Oxymorphon (BtMVV, Anlage I).

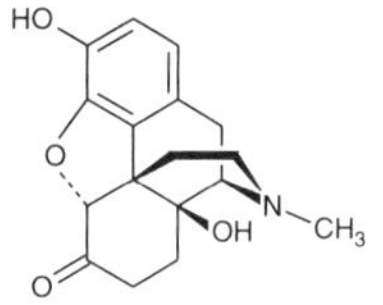

Internat. Freiname für das stark analget. wirksame 4,5α-Epoxy-3,14β-dihydroxy-17-methyl-6-morphinanon, $C_{17}H_{19}NO_4$, M_R 301,34, Krist., Schmp. 248–249 °C (Zers.). Eingesetzt wird das Hydrochlorid, weißliches, geruchloses Pulver, das sich unter Lichteinfluß dunkel verfärbt, Schmp. 172–180 °C; $[\alpha]^{20}_D$ –145° bis –155°; λ_{max} (wäss. Säure) 281 nm ($A^{1\%}_{1cm}$ 34); lösl. in Wasser (1:4), Methanol (1:25) u. Ethanol (1:100). Lagerung: vor Licht u. Luft geschützt; vgl. a. Morphin. – ***E*** = ***F*** oxymorphone – ***I*** oximorfone – ***S*** oximorfona

Lit.: Beilstein E V **27/14**, 352 f. ▪ Hager (5.) **8**, 1280 ff. ▪ Martindale (31.), S. 81. – *[HS 2939 10; CAS 76-41-5 (O.); 357-07-3 (Hydrochlorid)]*

Oxynervon s. Hydroxynervon.

Oxynex®. Sortiment von Antioxidantien zur Verw. in Fetten u. Ölen auf der Basis von Synergisten zusammen mit α-*Tocopherol (für Lebensmittel) bzw. *BHT (für pharmazeut. u. kosmet. Präp.) bzw. Alkylphenol (für techn. Produkte). ***B.:*** Merck.

Lit.: Janistyn **1**, 683 f.

Oxynitrilase s. Mandelonitril-Lyase.

OXYPER®. Bleichmittel Natriumpercarbonat-Peroxyhydrat zur Verw. in Pulvern. ***B.:*** Solvay Interox.

Oxypertin (Rp).

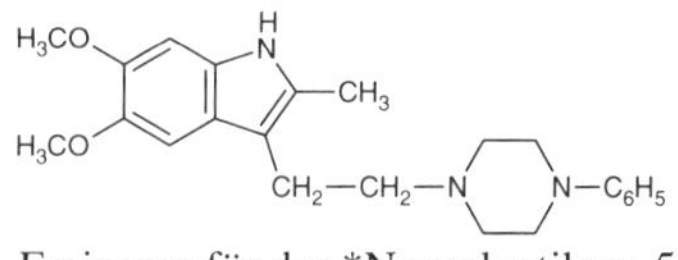

Internat. Freiname für das *Neuroleptikum 5,6-Dimethoxy-2-methyl-3-[2-(4-phenyl-1-piperazinyl)-ethyl]-indol, $C_{23}H_{29}N_3O_2$, M_R 379,50, in Wasser schwer löslich. – ***E*** = ***F*** oxypertine – ***I*** ossipertina – ***S*** oxipertina

Lit.: Beilstein E V **23/3**, 112 ▪ Martindale (31.), S. 726. – *[HS 2933 59; CAS 153-87-7]*

Oxyphenbutazon (Rp).

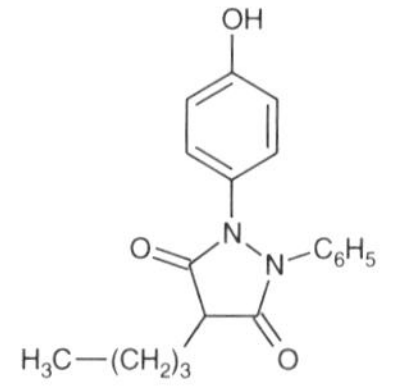

Internat. Freiname für das *Antirheumatikum u. *Antiphlogistikum (±)-4-Butyl-1-(4-hydroxyphenyl)-2-phenyl-3,5-pyrazolidindion, $C_{19}H_{20}N_2O_3$, M_R 324,37, s.a. Phenylbutazon. Weißes bis gelblichweißes, krist. Pulver, Schmp. 124–125 °C, Monohydrat Schmp. 96–112 °C; λ_{max} (C_2H_5OH) 242 nm ($A^{1\%}_{1cm}$ 564), prakt. unlösl. in Wasser, lösl. in Ethanol, sehr leicht lösl. in Aceton. Lagerung: vor Luft geschützt. O. wurde 1956 von Geigy patentiert u. ist von Azupharma (Phlogont®) im Handel. – ***E*** = ***F*** oxyphenbutazone – ***I*** ossifenbutazone – ***S*** oxifenbutazona

Lit.: ASP ▪ Beilstein E V **24/5**, 404 f. ▪ Florey **13**, 330–360 ▪ Hager (5.) **8**, 1282–1285 ▪ IARC Monogr. **13**, 183–199 (1977) ▪ Martindale (31.), S. 81 ▪ Ph. Eur. **1997** u. Komm. – *[HS 2933 19; CAS 129-20-4 (O.); 7081-38-1 (Monohydrat)]*

Oxyphencyclimin (Rp).

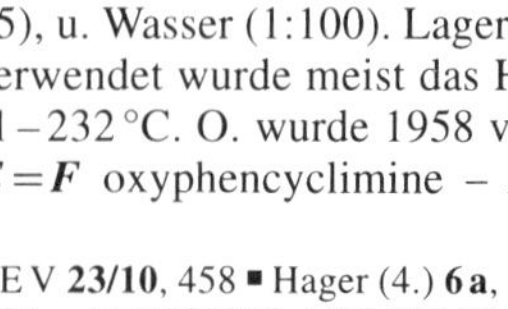

Internat. Freiname für das anticholinerg. wirksame (±)-(1-Methyl-1,4,5,6-tetrahydro-2-pyrimidinylmethyl)-α-cyclohexyl-α-hydroxy-phenylacetat, $C_{20}H_{28}N_2O_3$, M_R 344,45. Weißes, geruchloses, krist. Pulver, lösl. in Ethanol (1:75), u. Wasser (1:100). Lagerung: vor Luft geschützt. Verwendet wurde meist das Hydrochlorid, Zers. bei 231–232 °C. O. wurde 1958 von Pfizer patentiert. – ***E*** = ***F*** oxyphencyclimine – ***I*** = ***S*** oxifenciclimina

Lit.: Beilstein E V **23/10**, 458 ▪ Hager (4.) **6a**, 376 f. ▪ Martindale (31.), S. 504. – *[HS 2933 59; CAS 125-53-1 (O.); 125-52-0 (Hydrochlorid)]*

Oxyphenisatin (Rp). Internat. Freiname für das *Abführmittel 1,3-Dihydro-3,3-bis(4-hydroxyphenyl)-2*H*-indol-2-on (*Diphenolisatin*), $C_{20}H_{15}NO_3$, M_R 317,34, Schmp. 260–261 °C, lösl. in Chloroform u. Ether. O. wird jedoch ebenso wie seine Di- u. Triacetyl-Derivate u. ä. *Phenolisatin*-Derivate wegen seiner leberschädigenden Wirkung nicht mehr eingesetzt.

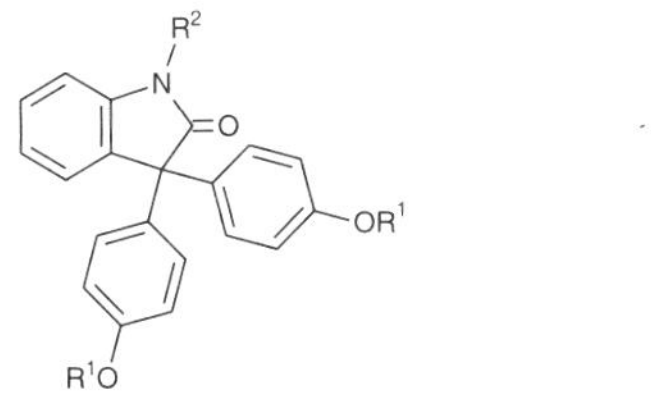

$R^1 = R^2 = H$: Oxyphenisatin
$R^1 = CO{-}CH_3$, $R^2 = H$: Diphesatin
$R^1 = R^2 = CO{-}CH_3$: Triacetyloxyphenisatin

– ***E*** oxyphenisatine – ***F*** oxyphénisatine – ***I*** ossifenisatina – ***S*** oxifenisatina

Lit.: Beilstein E V **21/13**, 398 ▪ Hager (5.) **8**, 1285 f. ▪ Henning, Die Leberschädigung durch Phenolisatine, Stuttgart: Thieme 1978 ▪ Martindale (31.), S. 1234. – *[HS 2933 79; CAS 125-13-3 (O.); 115-33-3 (Diphesatin)]*

Oxyphenoniumbromid.

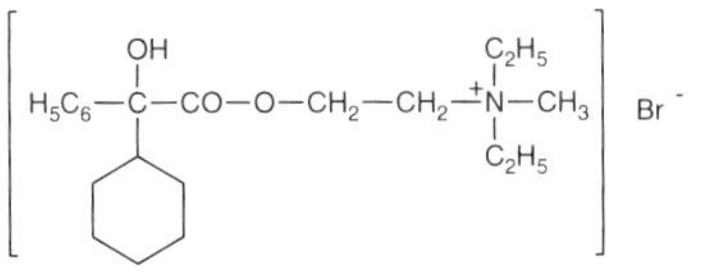

Internat. Freiname für das *Spasmolytikum (±)-[2-(α-Cyclohexyl-α-hydroxy-phenylacetoxy)ethyl]-diethyl-methyl-ammonium-bromid, $C_{21}H_{34}BrNO_3$, M_R 428,40, Schmp. 189–194 °C; λ_{max} (C_2H_5OH) 257,5 nm ($A^{1\%}_{1cm}$ 5,35), in Wasser leicht löslich. O. wurde 1949 von Ciba patentiert. – ***E*** oxyphenonium bromide – ***F*** bromure d'oxyphénonium – ***I*** ossifenonio bromuro – ***S*** bromuro de oxifenonio

Lit.: Beilstein E III **10**, 911 ▪ Hager (5.) **8**, 1286 f. ▪ Martindale (31.), S. 504. – *[HS 2923 90; CAS 50-10-2]*

Oxysäuren. Mißverständliche Bez. für *Hydroxycarbonsäuren u. für *Oxosäuren.

Oxytetracyclin [(4*S*)-4α-Dimethylamino-1,4,4aα,5,5aα,6,11,12aα-octahydro-3,5α,6β,10,12,12a-hexahydroxy-6α-methyl-1,11-dioxo-2-naphthacencarboxamid]. $C_{22}H_{24}N_2O_9$, M_R 460,44, Schmp. 184,5–185,5 °C. Hydroxy-Derivat des Tetracyclins (vgl. die Abb. dort), hellgelbe Krist., im Sauren stabil, rasche Inaktivierung im alkal. Bereich. Das *Antibiotikum, das Mitarbeiter von Pfizer 1950 isolierten, wird durch Fermentation des *Actinomyceten *Streptomyces rimosus* hergestellt. O. ist ein Breitband-Antibiotikum, das bei geringer Toxizität bakteriostat. gegen Gram-pos. u. Gram-neg. Bakterien, Rickettsien, Mycoplasmen, Leptospiren, Spirochaeten u. einige große Viren wirkt. O. ist ein Inhibitor der Proteinsynth., Angriffspunkt ist das 70S Ribosom, wobei die Bindung von Aminoacyl-tRNA an die ribosomale A-site gehemmt wird. Daneben wurde eine cytostat. Wirkung im Tumormodell festgestellt. Zwischen verschiedenen Tetracyclinen besteht ausgeprägte Kreuzresistenz (s. Resistenz).

Anw.: Nach *Cephalosporinen u. *Penicillinen sind *Tetracycline derzeit die meistgebrauchten Antibiotika. Nebenwirkungen sind Schleimhautreizungen, Beeinflussung der Leberfunktion, Einlagerung in Calcium-reiches Gewebe (z. B. Zähne), Photosensibilisierung. Neben der human- u. veterinärmedizin. Anw. werden v. a. O. u. *Chlortetracyclin trotz der Gefahr der Resistenzentwicklung noch immer in vielen Ländern in großem Umfang als nutritive *Antibiotika in der Geflügel- u. Schweinezucht eingesetzt, in einigen Ländern (nicht in der BRD) außerdem zur Konservierung von Fisch, Fleisch u. Geflügel. Eine spezif. Anw. findet O. als *Fluorochrom [1] in der Histochemie. – ***E*** oxytetracycline – ***F*** oxytétracycline – ***I*** ossitetraciclina, oxitetraciclina – ***S*** oxitetraciclina

Lit.: [1] Zeiss Inf. **22**, 36 (1976).
allg.: J. Am. Chem. Soc. **90**, 6534 (1968); **99**, 1117 (1977) ▪ J. Chem. Soc., Chem. Comm. **1985**, 802 ▪ Martindale (30.), S. 190. – *[HS 2941 30; CAS 79-57-2]*

Oxythalliierung s. Thalliumacetate.

Oxythioquinox. Synonym für *Chinomethionat.

Oxytocin (Ocytocin, Abk. OT).

$C_{43}H_{66}N_{12}O_{12}S_2$, M_R 1007,19. Weißes, in Wasser u. Butanol lösl. Pulver. Heterodet cycl. Peptid (s. Cyclopeptide) aus 9 Aminosäuren mit einer Disulfid-Brücke (s. Abb.). OT ist ein dem *Vasopressin (VP) ähnliches *Peptidhormon (*Neurohormon*); beide werden als Teilsequenzen von Vorläufer-*Polyproteinen (Präprooxytocin bzw. Präprovasopressin) im *Hypothalamus gebildet u. im *Hypophysen-Hinterlappen gespeichert. Den Transport dorthin innerhalb der Nervenfasern besorgen die ebenfalls in diesen Polypeptid-Vorläufern enthaltenen u. später enzymat. freigesetzten *Neurophysine. Im Blut hat das Hormon OT eine HWZ von nur wenigen min; OT u. VP werden durch *Oxytocinase abgebaut, die zwischen Cys u. Tyr spaltet.

OT, das auch im Gelbkörper u. Hoden gebildet wird, wirkt im Säugetierorganismus kontraktionsauslösend auf die glatte Muskulatur des Uterus [Wehenauslösung; daher Name von griech.: oxys bzw. okys = schnell u. tokos = Gebären, *nicht* etwa auf Sauerstoff (oxygenium) hindeutend] u. ebenso auf die Muskulatur der laktierenden Milchdrüse (fördert die *Milch-Ejektion, woher der frühere Name *Lactagogin* stammt); ferner wirkt es blutdrucksenkend. Im Gehirn hat O. – im Zusammenwirken mit Steroiden, bes. *Estrogenen – vielfältige Auswirkungen auf Verhaltensweisen [1], z. B. verstärkt O. das soziosexuelle u. reproduktive Verhalten [2] u. reguliert Nahrungsaufnahme, Körperpflege u. Streßreaktionen. Die O.-*Rezeptoren besitzen 7 Membran-durchspannende α-Helices (s. Helix) u. signalisieren über *G-Proteine [3].

Aus Fröschen wurde ein OT-Analogon, das *Mesotocin* (enthält Ile statt Leu), aus Fischen das *Isotocin* (Ser statt Gln, Ile statt Leu) u. aus anderen Vertebraten das [Arg^8]-OT (Vasotocin; Arg statt Leu) isoliert; möglicherweise ist letzteres eine gemeinsame entwicklungsgeschichtliche Vorstufe zu OT u. VP, denn auch VP unterscheidet sich in nur 2 Aminosäuren von OT (vgl. die Abb. bei Vasopressin).

Anw.: Nach der Konstitutionsaufklärung (1953 unabhängig voneinander durch die Arbeitsgruppen von *Tuppy u. *Du Vigneaud, der auch die Konstitution durch Synth. bestätigte) wurden zahlreiche z. T. erheblich wirksamere OT-Analoga synthetisiert, wie z. B. das $[Thr^4]$-OT mit erhöhter Uterus-Wirksamkeit od. a. Derivate mit spezif. Wirkung auf die Laktation. OT u. seine Analoga werden human- u. veterinärmedizin. als Wehenmittel in der Geburtshilfe u. zur Förderung der Milchentleerung therapeut. genutzt. – ***E*** oxytocin – ***F*** oxytocine – ***I*** ossitocina, oxitocina – ***S*** oxitocina

Lit.: [1] Mol. Med. Today **3**, 269–275 (1997). [2] Ann. N. Y. Acad. Sci. **807**, 126–145, 287–301 (1997). [3] Baillieres Clin. Endocrinol. Metab. **10**, 75–96 (1996).
allg.: Birth Gaz. **13**, 28–30 (1996). – *[HS 2937 99; CAS 50-56-6]*

Oxytocinase (Cystyl-Aminopeptidase, EC 3.4.11.3). Im Serum schwangerer Frauen auftretendes Enzym, das im letzten Schwangerschaftsdrittel vermehrt vorkommt u. sowohl *Oxytocin als auch *Vasopressin abbaut. Die Aktivitätsbestimmung kann z. B. mit *S*-Benzyl-L-cystein-4-nitroanilid als Substrat erfolgen. – ***E*** = ***F*** oxytocinase – ***I*** ossitocinasi, oxitocinasi – ***S*** oxitocinasa

Lit.: Acta Pharm. Suec. **7**, 75 ff. (1970) ▪ Can. J. Biochem. **52**, 60–66 (1974).

Oxyuren. Von griech. Oxys = spitz u. oura = Schwanz abgeleitete Fachbez. für *Madenwürmer* (Familie Oxyuridae, Nemathelminthes), eine Gruppe der *Nematoden. Parasiten im Dick- u. Blinddarm des Menschen; relativ verbreitet, aber harmlos; Beseitigung durch Hygiene möglich. Zur Bekämpfung human- u. tierpathogener O. dienen *Anthelmintika. – ***E*** oxyurina – ***F*** oxyurs – ***I*** ossiuri – ***S*** oxiuros

Lit.: Dönges, Parasitologie, 2. Aufl., Stuttgart: Thieme 1988 ▪ Mehlhorn u. Piekarski, Grundriß der Parasitenkunde (4.), Stuttgart: Fischer 1995.

...oyl. Endung der Namen für *Säurereste von *Carbonsäuren (IUPAC-Regeln C-403/404, R-9.1.28); *Beisp.:* *Hexanoyl..., *Phthaloyl...; *Ausnahme:* Trivial benannte Reste der gesätt. acycl. Mono- u. Dicarbonsäuren mit ≤5 C-Atomen enden auf ...yl (Formyl, Acetyl, Propionyl, Butyryl, Valeryl, Carbonyl, Oxalyl, Malonyl, Succinyl u. Glutaryl). – ***E*** = ***F*** ...oyl – ***I*** ...oile – ***S*** ...oílo, ...oilo

oz. Abk. für *Ounce; s. a. Avoirdupois u. Troy.

OZ. Abk. für *Ordnungszahl u. *Octan-Zahl

Ozalid-Verfahren s. Photographie.

Ozeane s. Meerwasser.

Ozeanographie s. Meerwasser.

Ozokerit. Von griech.: ozein = nach etwas riechen u. keros = Wachs abgeleitete Bez. für *Erdwachs*, hellgelbe, braune, grauschwarze od. schwarze, amorphe, salbenartig weiche bis spröde, harte Massen, D. 0,87–0,97, Schmp. 50–100 °C. Die harten, hochschmelzenden Sorten sind nahezu geruchlos, die weicheren riechen teils angenehm aromat. (daher der Name *Riechwachs*), teils Erdöl-artig. In Alkohol, Ether, Benzin, Benzol, Erdöl, Schwefelkohlenstoff u. Terpentinöl ist O. lösl., in verschiedenen Lsm. quellbar. Die O. bilden den festen Rückstand bei der Verdunstung von Paraffin-reichen Erdölen u. gehören damit zu den wenigen „organ. Mineralien"; in Kohlelagerstätten u. Mooren findet sich gelegentlich das O.-ähnliche *Hatchettin*. Die Zusammensetzung der O. ist uneinheitlich; typ. Bestandteile sind Paraffine (z. B. *Evenkit* = *Tetracosan) u. Isoparaffine ($<C_{35}$), niedere u. polycycl. Aromaten, mono- u. bicycl. Naphthene mit od. ohne Seitenketten sowie geringe Mengen an Alkoholen, Estern, Porphyrinen u. Spurenelementen. Das natürlicherweise in Polen (Galizien), den USA (Utah, Texas) u. der ehemaligen UdSSR (Kasp. Meer, Baikalsee) vorkommende u. früher in 250–450 m Tiefe bergmänn. abgebaute O. wurde auf *Ceresin verarbeitet. Heute ist O. weitgehend durch Erzeugnisse der Erdölraffination (*Mikrowachs) ersetzt od. damit verschnitten, weshalb der Name „O." oftmals über die Herkunft eines heutigen Wachses nicht viel aussagt. – ***E*** ozocerite, ozokerite – ***F*** ozokérite, ozocérite – ***I*** ozocerite – ***S*** ozoquerita, ozocerita

Lit.: Kirk-Othmer (3.) **24**, 472 ▪ Ullmann **4**, 432–438 ▪ s. a. Wachse. – *[HS 2712 90; CAS 8001-75-0]*

Ozon (Trisauerstoff, Trioxygen). O_3, M_R 48,00. T+ Blaßblaues, äußerst giftiges Gas, D. 2,142 g/L (1,65fache Luftdichte), dunkelblaue Flüssigkeit, D. 1,571 g/mL (–183 °C), Sdp. –111,9 °C, od. schwarzblaue Krist., Schmp. –192,5 °C, krit. Temp. –12,1 °C, krit. Druck 55,32 bar; 100 mL Wasser lösen bei 0 °C 49,4 mL Ozon. Der Geruch des O. (Name von griech.: ózein = duften, stinken, riechen) wird je nach Konz. als Nelken-, Heu-, Chlor-ähnlich od. als nach Stickoxiden riechend beschrieben u. ist etwa ab 0,01 ppm wahrnehmbar. Eine irrige Annahme ist, daß Waldluft bes. O.-haltig sei – dort ist der Gehalt an O. nicht, wohl aber derjenige an (oxidierten) Terpenen höher als in anderer Freilandluft.

Der Bindungswinkel im O. beträgt 116,8°, die Bindungslänge 127,8 pm; die Bindungsverhältnisse lassen sich durch mehrere Resonanzstrukturen beschreiben:

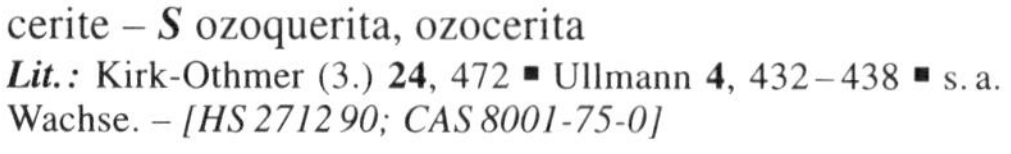

O. ist therm. instabil u. explosiv in allen Aggregatzuständen. So kann O_2-Gas mit einem O.-Gehalt von 9,2 Mol-% od. mehr bei 25 °C durch Schockwellen, flüssiger Sauerstoff bei –183 °C ab 18,6 Mol-% O. durch Funken zur Explosion gebracht werden. O. zerfällt spontan nach $O_3 \rightarrow O_2 + \frac{1}{2} O_2$ + 284 kJ mit HWZ von 3 d (20 °C), 8 d (–15 °C), 18 d (–25 °C) od. 3 Monaten (–50 °C). In 20 N NaOH beträgt die HWZ bei Raumtemp. 83 h gegenüber 2 min in 1 N NaOH. Konzentrierte Lsg. können auch bei niedriger Temp. in Ggw. von Spuren oxidierbarer Stoffe explodieren, natürlich auch bei *Ozonolysen u. *Ozonisierungen. In den Handel gelangt O. als Lsg. in Chlortrifluormethan (R 13), die 20 Vol.-% O. enthält, in bei Trockeneistemp. zu lagernden, rostfreien Stahlflaschen.

O. ist eines der stärksten bekannten Oxidationsmittel. Es bildet mit einigen Metallen *Ozonide, oxidiert fast alle Metalle zu ihrer höchsten Oxid.-Stufe (Ausnahme Au, Pt, Ir), Sulfide zu Sulfaten, Ammoniak zu Salpetersäure, Kohle schon bei gewöhnlicher Temp. zu Kohlendioxid, Iodkalium-Lsg. zu Iod, Silber zu Silber(II)-oxid, Indigo zu gelbem Isatin – hierauf beruht der Nachw. in *Dräger-Prüfröhrchen. Viele organ. Farbstoffe werden durch O_3 gebleicht, Gummischläuche zerstört, Ether, Alkohol, Schliff-Fette ggf. entflammt. Mit ungesätt. organ. Verb. reagiert O_3 unter *Ozonolyse*, wobei zunächst Ozonide gebildet werden. Diese *Ozonisierungs*-Reaktion macht O. zu einem präparativ u. analyt. (zum Nachw. von Doppelbindungen) sehr nützlichen Reagenz im chem. Laboratorium. Andererseits müssen deshalb vielen Produkten *Antiozonantien zum Schutz vor *Alterung zugesetzt werden. Zum Nachw. u. zur Bestimmung von O. eignen sich *Chemilumineszenz, UV-Spektroskopie, Messung der Wärmeleitfähigkeit od. der Druckänderung bei O.-Zersetzung, Amperometrie, Kalorimetrie u. kolorimetr. Meth. (*Lit.*[1]); für mehrere der Meth. existieren VDI-Richtlinien (2468 von 1978 u. 1979). Die Reaktion mit KI ist sehr empfindlich, die Stöchiometrie allerdings pH-abhängig; für Schnelltests (z. B. zur Lecksuche) werden Kaliumiodid-Stärkepapier (s. Iodstärke-Reaktion) od. Thallium(I)-oxid-Papier verwendet; über Meth. zur Bestimmung der O.-Gehalte u. -Verteilung in der Erdatmosphäre s. Ozonschicht u. Dobson-Einheit.

Physiologie.: Auf Augen u. Schleimhäute wirkt O. reizend (MAK 0,2 mg/m^3 bzw. 0,1 ppm), doch werden die Hauptschädigungen in den Atemwegen verursacht, wobei Atembeschwerden mit Abnahme des Respirationsvol., später auch Nasenbluten, Bronchitis, Lungenödeme auftreten können. Chron. Exposition (z. B. bei Flugpersonal) kann auch bei niedrigen O_3-Konz. Brust- u. Kopfschmerzen sowie Schwindel zur Folge haben. Die Toxizität des O. wird z. T. auf die oxidative Zers. ungesätt. Fettsäuren im Organismus zurückgeführt, u. dieser Effekt kann durch Vitamin E-Mangel potenziert, durch -Zufuhr jedoch gemildert werden. Ist die schädigende Wirkung des O. auf Niedere Organismen wie Viren, Bakterien u. Pilze für *Desinfektions-Zwecke erwünscht u. bezweckt, so ist sie bei Pflanzen, wo sie als Folge der *Luftverunreinigung auftreten kann, unerwünscht, da direkte Einwirkung des O. Chlorophylle zerstört.

Vork.: Der Vol.-Anteil des O_3 an der Lufthülle beträgt etwa 10^{-8} bis 10^{-7} (0,01–0,1 ppm). Rund 90% davon befinden sich in der *Stratosphäre*, wobei eine bes. hohe Konz. von 10 ppm in etwa 30 km Höhe anzutreffen ist. Die Konz. schwanken mit der Tages- u. Jahreszeit sowie mit den Sonnenaktivitäten. Die Sonnenstrahlung, insbes. im energiereichen UV-Bereich, ist die treibende Kraft der Ozonchemie: Nach der Theorie von Chapman (1930) erfolgt die O.-Bildung durch Photodissoziation von Sauerstoff-Mol. gemäß

$$O_2 + h\nu \rightarrow O + O$$

bei Wellenlängen <242 nm u. Rekombination gebildeter Sauerstoff-Atome mit weiteren Sauerstoff-Mol.

$$O + O_2 + M \rightarrow O_3 + M^*,$$

wobei M der zur Aufnahme frei werdender Energie notwendige dritte Stoßpartner ist (M* = Mol. in angeregtem Zustand). Der O.-Entstehung entgegen wirkt insbes. die photolyt. Spaltung gemäß

$$O_3 + h\nu \rightarrow O + O_2$$

bei Wellenlängen <310 nm (vgl. Photoabbau).

Im dynam. Gleichgew. zwischen O.-Entstehung u. -Spaltung ist die Wirkung des O_3 als *UV-Absorber begründet, d. h. als *Lichtfilter für die kurzwellige, bes. schädliche UV-Strahlung u. damit als Schutz für das Leben auf der Erde. In die O.-Spaltung greifen auch noch andere Prozesse ein, bei denen Abbauprodukte von Spurengasen mitwirken, die in der Troposphäre freigesetzt werden, in den letzten Jahrzehnten verstärkt durch menschliche Aktivitäten. So entstammen *Stickstoffoxide (NO_x) teilw. dem *Lachgas (N_2O), das bei der *Denitrifikation – vermehrt bei verstärkter Stickstoff-Düngung – entsteht. Zusätzliche NO_x werden von hochfliegenden Überschallflugzeugen, Raketen u. atmosphär. Kernwaffentests geliefert. *Chloroxide (ClO_x) können nach starken Vulkanausbrüchen entstehen, bei denen HCl emittiert wird, u. aus Methylchlorid, das in den Ozeanen gebildet wird; die wichtigsten Quellen sind allerdings die *FCKW (fluorierte Chlorkohlenwasserstoffe) sowie Methylenchlorid u. andere Chlor- u. Brom-haltige *Halone. Die in den unteren Luftschichten relativ reaktionsträgen Substanzen gelangen nach zunächst rascher Verteilung durch Luftströmungen langsam in die Stratosphäre. Dort werden sie durch harte (kurzwellige) UV-Strahlung unter Mitwirkung von angeregtem Sauerstoff u. OH-Radikalen in NO-, Cl- u. Br-Radikale gespalten, die ihrerseits die O.-Spaltung katalysieren, z. B. gemäß

$$\begin{aligned} Cl + O_3 &\rightarrow ClO + O_2 \\ ClO + O &\rightarrow Cl + O_2 \\ \text{netto: } O_3 + O &\rightarrow 2\,O_2. \end{aligned}$$

Diese von Rowland u. Molina (*Lit.*[2]) 1974 formulierte „erste O.-Hypothese" löste wegen der befürchteten Beeinträchtigung der Schutzfunktion des stratosphär. O. vor kurzwelliger UV-Strahlung nicht nur Überlegungen u. Maßnahmen zur Reduzierung bis zum Verbot der Verw. von FCKW in *Sprays u. dgl. aus, sondern regte auch weltweit zahlreiche Untersuchungen über die meteorolog. u. anthropogenen Einflüsse auf die O_3-Chemie in der Atmosphäre an; vgl. *Lit.*[3], antarktisches Ozon-Loch, Ozon-Schicht.

Crutzen, Rowland u. Molina erhielten 1995 den Nobelpreis für ihre bahnbrechenden Untersuchungen auf dem Gebiet des O.-Abbaus. Danach sind die Katalysecyclen

$$\begin{aligned} O_3 + NO &\rightarrow O_2 + NO_2 \\ NO_2 + O &\rightarrow NO + O_2 \\ \text{netto: } O_3 + O &\rightarrow 2\,O_2 \end{aligned}$$

u.

$$\begin{aligned} O_3 + NO &\rightarrow O_2 + NO_2 \\ NO_2 + O_3 &\rightarrow NO_3 + O_2 \\ NO_3 &\xrightarrow{h\nu} NO + O_2 \\ \text{netto: } 2\,O_3 &\xrightarrow{h\nu} 3\,O_2 \end{aligned}$$

für bis zu 20% des O.-Verlustes in der unteren Stratosphäre mittlerer nördlicher Breite verantwortlich, während OH-Radikale nach

$$\begin{aligned} O_3 + OH &\rightarrow O_2 + HO_2 \\ HO_2 + O_3 &\rightarrow OH + 2\,O_2 \\ \text{netto: } 2\,O_3 &\rightarrow 3\,O_2 \end{aligned}$$

30–50% des O.-Verlustes bedingen. Die wichtige Rolle des halogenkontrollierten (X = Cl, Br) O_3-Abbaus ist ebenfalls auf Katalysatoren zurückzuführen:

$$OH + O_3 \rightarrow HO_2 + O_2$$
$$X + O_3 \rightarrow XO + O_2$$
$$HO_2 + XO \rightarrow HOX + O_2$$
$$HOX \xrightarrow{h\nu} OH + X$$
$$\text{netto: } 2\,O_3 \xrightarrow{h\nu} 3\,O_2$$

u. (M = Mediator)

$$BrO + ClO \rightarrow Br + ClOO \xrightarrow{M} Br + Cl + O_2$$
$$Br + O_3 \rightarrow BrO + O_2$$
$$Cl + O_3 \rightarrow ClO + O_2.$$
$$\text{netto: } 2\,O_3 \xrightarrow{M} 3\,O_2$$

Rund 10% des atmosphär. O. befinden sich in der bis 10 km Höhe reichenden Troposphäre. Am Erdboden beträgt die Konz. in ländlichen Gebieten 0,02–0,03 ppm, über Meeren 0,05 ppm, in Städten weit weniger – außer im Falle von Smog (über 0,25 ppm). Für die Entstehung von Smog kann die photolyt. O_3-Bildung aus *Kraftfahrzeug- u. Kraftwerksabgasen bei bestimmten Witterungsverhältnissen eine Ursache sein; vgl. Smog. Nach WHO (*Lit.*[4]) sollte der O_3-Gehalt im 8 h-Mittel den Richtwert von 0,05 bis 0,06 ppm (100–120 µg/m³) nicht überschreiten. Auch eine Beteiligung des O_3 am „Waldsterben" wird diskutiert („zweite Ozon-Hypothese", s. *Lit.*[5]). Die mittlere stratosphär. O.-Abnahme im Trend der 90er Jahre beträgt bis zu 8% pro Dekade in der Nordhemisphäre u. erreicht ihren Höchstwert mit mehr als 10% pro Dekade über der Antarktis.

Herst.: O_3 entsteht in geringen Mengen bei vielen chem. u. physikal. Vorgängen, so z. B. bei der Erhitzung von Sauerstoff-Gas auf 2000 °C u. nachheriger sehr rascher Abkühlung (Ausbeute 0,13%), bei der Verbrennung eines Knallgas-Gemisches u. beim Schweißen, beim Einblasen von Luft in Brenngas, in der Nähe von Hochspannungsleitungen, bei Elektrolysen (z. B. von Schwefelsäure od. Perchlorsäure), Gewitterblitzen, elektr. Funkenentladungen, beim Auftropfen von konz. Schwefelsäure auf Bariumperoxid, beim Erhitzen einer Kaliumchlorat-Braunstein-Mischung, beim Zerfall von Manganheptoxid, bei der Einwirkung ionisierender od. ultravioletter Strahlen (185 nm) auf Luftsauerstoff (die Luft in der Nähe einer Elektronenstrahlquelle, einer Quecksilber-Quarzlampe od. Höhensonne riecht nach O_3), bei der langsamen Oxid. von weißem Phosphor, bei der Einwirkung von elementarem Fluor auf Wasser. Zur O_3-Gewinnung in präparativen Mengen eignet sich neben der UV-Bestrahlung unter den genannten Bildungsweisen als einzig wirtschaftliche Meth. nur die stille elektr. Entladung (s. Gasentladung) im *Ozonisator.* Dabei werden aus trockenem Sauerstoff O_3-Ausbeuten bis zu 90 g/m³, aus Luft bis zu 40 g/m³ (bei Kühlung) gewonnen; für 1 kg O_3 aus Sauerstoff (im Bereich von 1–6 Gew.-%) sind 7–14 kWh elektr. Arbeit u. 1,8 m³/h Kühlwasser nötig, für Luft sind die entsprechenden Zahlen 15–22 kWh u. 3,6 m³/h (für 0,5–3 Gew.-% O.). Man wendet Spannungen zwischen 5000 u. 20000 V an u. arbeitet bei Netzfrequenz od. 500–800 Hz; Näheres s. bei Kirk-Othmer (*Lit.*). Neben Großgeräten, die 20 kg/h u. mehr erzeugen, sind für Laboratoriumszwecke kleiner dimensionierte Apparaturen für 1–16 g O_3/h verfügbar, vgl. *Lit.*[6]. Für *Ozonolyse-Untersuchungen gereinigtes O. in Stickstoff erhält man, indem man das aus der elektr. Entladung stammende Roh-O. bei –78 °C an grobem Kieselgel adsorbiert (Blaufärbung) u. dann mit N_2 unter Erwärmenlassen wieder austreibt.

Verw.: Im Laboratorium zur Ozonisierung, zur Produktion von Duft- u. Aromastoffen, Antibiotika, Hormonen u. Vitaminen durch selektive Oxid., in der Technik zum Bleichen von Ölen, Fetten, Wachsen, Synthesefasern, Papieren, Zellstoff, Textilien usw., zur Verbesserung der Klebfähigkeit von Kunststoff-Oberflächen, als „Luftverbesserungs-" u. Desinfektionsmittel in Brauhäusern, Kühlräumen u. dgl., zur künstlichen Alterung von Weinbrand, zur Reinigung von Trinkwasser (wichtigstes O.-Anw.-Gebiet mit weltweit über 2000 Anlagen, v. a. in Europa), zur Entkeimung von Schwimmbadwasser, zur Desodorierung übler Gerüche u. als Biozid für Kühlwasser. Abwässer mit Cyaniden, Sulfiden, Sulfiten, Phenolen, Ölen u. anderen organ. Verunreinigungen können durch O_3 gereinigt od. zumindest entgiftet werden, wobei sich durch Kombination mit UV-Belichtung, H_2O_2 u./od. festen Katalysatoren wie TiO_2 die Aktivität des O. noch deutlich erhöhen läßt. In der chem. Ind. wird O. auch zur Ozonolyse von Ölsäure zu Azelain- u. Pelargonsäure verwendet (Unilever Emery). Seit 1989 wird Glyoxylsäure durch Ozonolyse von Maleinsäuredimethylester, Hydrierung des Ozonids u. nachfolgende Esterhydrolyse hergestellt (Chemie Linz). Eine O.-Behandlung von vernetzten Elastomeren gestattet die Entfernung verbliebener Doppelbindungen u. ergibt lösl. Latex-Materialien (Goodyear, 1991). Neuere Untersuchungen befassen sich mit medizin. O.-Anwendungen[7].

Geschichte: Ozon wurde 1839 von Schönbein entdeckt u. durch *Harries, *Staudinger, *Rieche u. *Criegee in der organ. Chemie als Reagenz etabliert. – ***E = F*** ozone – ***I = S*** ozono

Lit.: [1]Townshend, Encyclopedia of Analytical Science, S. 3689–3697, London: Academic Press 1995. [2]Nature (London) **249**, 810 (1974). [3]Angew. Chem. **108**, 1878–1921 (1996). [4]Air Quality Guidelines for Europe, Kopenhagen: WHO 1987. [5]Naturwiss. Rundsch. **37**, 271–277 (1984); Waldschäden in der Bundesrepublik Deutschland (LIS-Ber. 28), S. 47–71, 79 f., 110–117, 123–128, Essen: LIS 1982; Umschau **84**, 544–549 (1984). [6]Brauer (3.) **1**, 350–355. [7]Ozone Sci. Eng. **12**, 65 ff. (1990); Blood **78**, 1882 ff. (1991).

allg.: Encycl. Gaz, S. 1131–1137 ▪ Houben-Weyl **4/1 a**, 3–58 ▪ Kirk-Othmer (4.) **17**, 953–994 ▪ Lee et al. (Hrsg.), The Biomedical Effects of Ozone and Related Photochemical Oxidants (Advances in Modern Environmental Toxicology, Vol. 5), Princeton, N. J.: Princeton Sci. Publ. 1983 ▪ Rice u. Netzer, Handbook of Ozone Technology and Applications (4. Bd.), Ann. Arbor: Ann. Arbor Sci. (seit 1982) ▪ Ullmann (5.) **A 18**, 349–357 ▪ Zerefos u. Ghazi, Atmospheric Ozone, Dordrecht: Reidel 1985. – *Zeitschriften u. Serien:* Ozone Data for the World, Downsview (Ont., Kanada): Atmosph. Environm. Service (seit 1960) ▪ Ozone Layer Bulletin, Nairobi: UN Environment Programme, Div. Comm. (seit 1978) ▪ Ozone, Science and Engineering, Oxford: Pergamon (seit 1979). – *[CAS 10028-15-6]*

Ozon-Abbau s. Ozon.

Ozonide. 1. Bez. für Salze mit dem Anion O_3^-; *Beisp.:* KO_3, entsteht bei der Reaktion zwischen Ozon u. trockenem Kaliumhydroxid. Bekannt sind anorgan. O. v. a. von Alkalimetallen.

2. Bez. für Reaktionsprodukte des *Ozons mit ungesätt. organ. Verb., die durch direkte Addition des Ozons an die Doppelbindung (Primär-O.) u. nachfolgende Umlagerung entstehen, vgl. die Abb. bei Ozonisierung. Manche organ. O. zerfallen unter Bildung von *Singulett-Sauerstoff. – ***E*** **=*F*** ozonides – ***I*** ozonidi – ***S*** ozónidos

Lit.: Acc. Chem. Res. **16**, 42–47 (1983) ▪ Kirk-Othmer (4.) **17**, 959; **18**, 225 ▪ Volnov, Peroxides, Superoxides and Ozonides of Alkali and Alkaline Earth Metals, New York: Plenum 1966.

Ozonierung s. Ozonisierung.

Ozonisatoren s. Ozon.

Ozonisierung. 1. Bez. für die Anlagerung von Ozon an C,C-Doppelbindungen unter Bildung von *Ozoniden. Diese Reaktion verläuft wahrscheinlich über die prim. Bildung eines unstabilen *cis*-Cycloadditionsproduktes, dem sog. Primärozonid (*Molozonid*). Nach *Criegee [1] wird es als *1,2,3-Trioxolan* formuliert, d. h. als Cycloaddukt von Ozon (als 1,3-Dipol) an die olefin. Doppelbindung (s. 1,3-dipolare Cycloaddition). In Substanz isolierbar sind ggf. die Umlagerungsprodukte vom Typ der 1,2,4-*Trioxolan*-Derivate (*Ozonid*), die aus dem Primärozonid durch Cycloreversion – zu einer Carbonyl-Verb. u. einem Carbonyloxid, das ebenfalls einen 1,3-Dipol darstellt – u. erneuter 1,3-dipolarer Cycloaddition entstehen sollen.

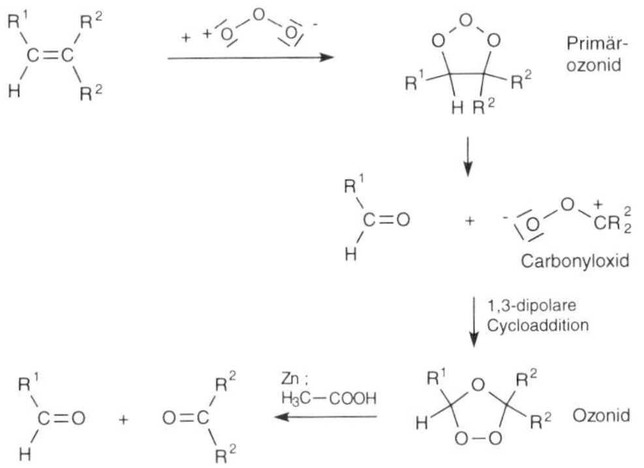

Abb.: Mechanismus der Ozonisierung.

Bei präparativen O. od. *Ozonolysen verzichtet man wegen der Explosivität der Ozonide – bes. Vorsicht ist bei konjugierten Dienen geboten [2] – im allg. auf die Isolierung der Zwischenprodukte. Statt dessen wandelt man die in inerten Lsm. wie Pentan, CCl_4, Essigester bei möglichst niedrigen Temp. (–78 °C) gebildeten Ozonide mit Red.-Mitteln in die gewünschten Produkte um. Ozonisieren lassen sich nicht nur Verb. mit C,C-Doppelbindungen, sondern auch gesätt. Kohlenwasserstoffe [3], Amine, Schwefel-Verb., Metall-organ. Verb. u. a., vgl. a. Ozonolyse. Bei der O. von pulverförmigen Stoffen zur Erhöhung der Klebrigkeit (*Beisp.:* Gummimehl) ist mit Explosionsgefahr zu rechnen [4].

2. Als O. od. *Ozonierung* bezeichnet man auch die Behandlung des Wassers (Trink-, Brauch-, Abwasser) mit O_3 z. B. zum Zweck der *Entkeimung. – ***E*** **=*F*** ozon(is)ation – ***I*** ozonizzazione – ***S*** ozon(iz)ación

Lit.: [1] Angew. Chem. **87**, 765–771 (1975). [2] Nachr. Chem. Techn. Lab. **30**, 34 (1982). [3] Nachr. Chem. Techn. Lab. **27**, 177–192 (1979). [4] Sichere Chemiearbeit **36**, 103 (1984).
allg.: Acc. Chem. Res. **1**, 313–320 (1968); **16**, 42–47 (1983) ▪ Angew. Chem. **93**, 934 (1981); **94**, 750–766 (1982) ▪ Bailey, Ozonization in Organic Chemistry, 2 Bd., New York: Academic Press 1978, 1982 ▪ Chem. Rev. **58**, 925 f. (1958); **84**, 437–470 (1984) ▪ Laue-Plagens, S. 243 ▪ March (4.), S. 1177 ▪ Razumovskii u. Zaikov, Ozone and its Reactions with Organic Compounds, Amsterdam: Elsevier 1984.

Ozonit®. Bleichend wirkendes Wäschedesinfektionsmittel auf der Basis von Aktiv-Sauerstoff (Peressigsäure bzw. Perborat) für Krankenhaus- u. Anstaltswäschereien, zur Bekämpfung nosokomialer Infektionen mittels chemotherm. Desinfektion. ***B.:*** Henkel-Ecolab.

Ozon-Loch. Bez. für die drast. Abnahme der Ozon-Konz. in der *Ozon-Schicht. Neben der jahreszeitlichen Schwankung der Ozon-Konz. wurde in den letzten Jahren eine globale, weltweite Abnahme um ~2% festgestellt. Die Abnahme über den Polen ist bes. ausgeprägt: Arktis ~30% (*Lit.* [1]) u. Antarktis ~50%, jeweils in den Frühlingsmonaten (s. antarktisches Ozon-Loch).

Die dominante Rolle von Chlor beim Abbau der Ozon-Schicht ist nachgewiesen (*Lit.* [2]). Hierbei wird von *FCKW, die in der Troposphäre nicht abgebaut werden u. in die Stratosphäre innerhalb von ca. 10 Jahren gelangen, durch Absorption solarer UV-Strahlung atomares Chlor abgespalten (s. Abb., S. 3090), welches dann mit Ozon reagiert:

$$Cl + O_3 \rightarrow ClO + O_2.$$

Da durch UVB-Strahlung auch Ozon direkt zerlegt wird

$$O_3 \xrightarrow{h\nu} O + O_2,$$

entsteht atomarer Sauerstoff, durch den das ClO-Mol. wieder aufgebrochen wird

$$ClO + O \rightarrow Cl + O_2.$$

Bei der Chloraktivierung mit nachfolgendem Ozon-Abbau unterscheidet man vier Cyclen: ClO-ClO-Cyclus, ClO-BrO-Cyclus, ClO_x-HO_x-Cyclus und $ClNO_3$-Cyclus. Die ersten drei sind mit dem relativen Anteil 6:3:1 an der Bildung des antarkt. Ozon-Lochs beteiligt [2]. Die Ozon-Zerstörung durch Brom verläuft analog; zusätzlich ist auch eine Reaktionskette im Dunkeln möglich, s. a. Ozon. Die Desaktivierung von Cl u. anderer katalyt. wirksamer Spezies erfolgt durch Abbaureaktionen, durch die stabile, katalyt. unwirksame Stoffe entstehen (z. B. HCl). Die Hauptquelle für die Desaktivierung von Chlor-Atomen rührt von der Reaktion des ebenfalls in die Stratosphäre eindiffundierten Methans CH_4 mit Cl her, die zu HCl führt. Weitere Abbaureaktionen der katalyt. wirksamen Radikale sind z. B.:

$$Cl + HO_2 \rightarrow HCl + O_2$$
$$NO + HO_2 \rightarrow HNO_3$$
$$ClO + OH \rightarrow HCl + O_2$$
$$NO_2 + OH \rightarrow HNO_3$$
$$ClO + NO_2 \rightarrow ClONO_2.$$

Die bes. starke Abnahme des Ozon-Gehalts v. a. über der Antarktis hängt mit einer sehr geringen Durchmischung von Luftmassen u. weiteren komplexen Reaktionen auf Eiskrist. zusammen. Über der Arktis bildet sich die Abnahme nicht so drast. aus, da stets Ozon-haltige Luftmassen nachströmen.

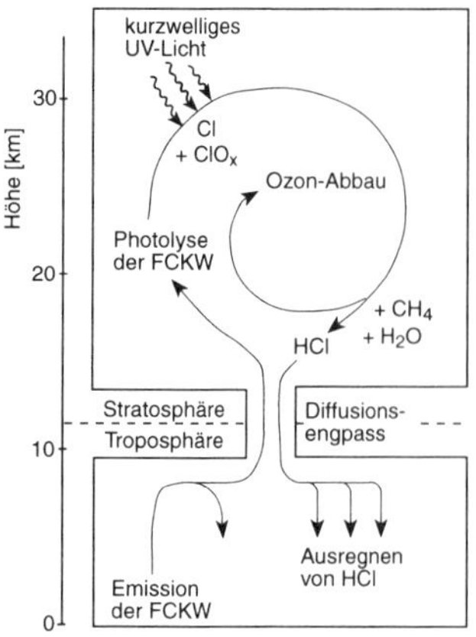

Abb.: Aufstieg in die Stratosphäre, Reaktion u. Auswaschung von FCKW.

Bei den verschiedenen Programmen, die z. Z. auch im polit. Bereich diskutiert werden, wie u. in welchem Zeitraum FCKW durch andere Stoffe ersetzt werden sollen (*Lit.*[3], *Kältetechnik), muß beachtet werden, daß der heute beobachtete Ozon-Abbau durch jene FCKW-Mol. verursacht wird, die vor vielen Jahren am Erdboden freigesetzt wurden. – ***E*** ozone hole – ***F*** trou (de la couche) d'ozone – ***I*** buco nello strato di ozono, buco nell'ozonosfera – ***S*** agujero de (la capa) de ozono

Lit.: [1] Phys. Unserer Zeit **26**, 116 (1995). [2] Phys. Unserer Zeit **25**, 264 (1994). [3] Phys. Unserer Zeit **21**, 175 (1990); Nature (London) **344**, 729 (1990).

allg.: Enquete-Kommission „Vorsorge zum Schutz der Erdatmosphäre" des Deutschen Bundestages (Hrsg.), Schutz der Erdatmosphäre, Bonn: Economia 1990 ▪ Enquete-Kommission „Vorsorge zum Schutz der Erdatmosphäre" des Deutschen Bundestages (Hrsg.), Schutz der Erde, Bd. 1,2, Bonn: Economia 1991 ▪ Graedel u. Crutzen, Chemie der Atmosphäre, Heidelberg: Spektrum 1994.

Ozonolyse (Ozon-Spaltung). Bez. für die Spaltung von Alkenen durch *Ozonisierung* u. anschließende Hydrolyse des gebildeten *Ozonids* (vgl. Abb. bei Ozonisierung) mit Wasser od. verd. Säuren in Ggw. eines Red.-Mittels, wobei zwei Carbonyl-Verb. (Aldehyde od. Ketone) entstehen; bei der Hydrolyse ohne Red.-Mittel werden Carbonsäuren gebildet. Die Spaltung des Ozonids wird auch durch Red. mit Wasserstoff erreicht. Werden Olefine in Alkoholen ozonisiert, entstehen Ester. Die O. wird u. a. industriell ausgenutzt bei der Spaltung von Ölsäure in *Pelargonsäure u. *Azelainsäure. Ihre erste bedeutende analyt. Anw. fand sie bei der Strukturaufklärung des *Kautschuks durch Staudinger, der auf die Polyisopren-Struktur des Naturkautschuks aus dem ausschließlichen Vorliegen von 4-Oxovaleraldehyd nach der O. schloß. – ***E*** ozonolysis – ***F*** ozonolyse – ***I*** ozonolisi – ***S*** ozonólisis

Lit.: s. Ozon, Ozonisierung.

Ozon-Schicht. Bez. für die Ozon-Anreicherung in der *Atmosphäre in der Höhe zwischen 10 u. 35 km. Etwa 90% des atmosphär. Ozons befindet sich dort, mit einem max. Vol.-Anteil von 10^{-5} bzw. einer Teilchendichte von bis zu ~5 · 10^{12} cm^{-3}. Die O.-S. absorbiert die UVB- u. UVC-Strahlung der Sonne ab der Wellenlänge $\lambda \leq 320$ nm (s. Abb.).

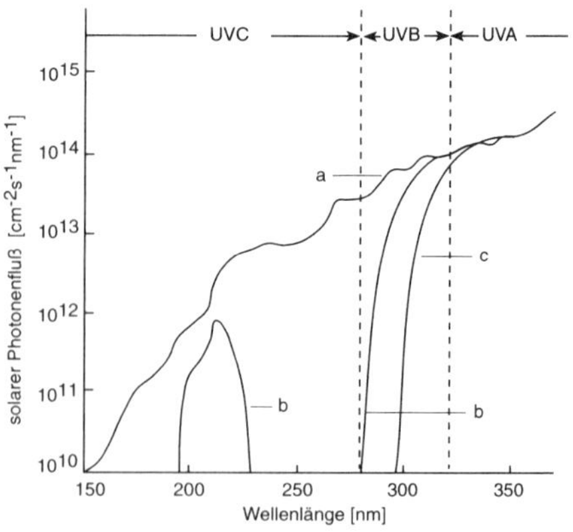

Abb.: Absorption der UV-Strahlung der Sonne durch die Atmosphäre. Dargestellt ist der solare Photonenfluß außerhalb der Atmosphäre (a), in 30 km Höhe (b) u. auf Meereshöhe (c) (nach *Lit.*[1]).

Schon die Photonen der UVB-Strahlung sind energiereich genug, um bei ihrer Absorption elektron. Anregungsprozesse im menschlichen Körper auszulösen. Eine Abnahme der O.-S. wird zur Zeit weltweit beobachtet (s. Ozon-Loch) u. hat zur Folge, daß die UVB-Strahlung auf der Erdoberfläche zunehmen wird (Wellenlängen λ<240 nm werden von O_2 stark absorbiert). Zu erwarten ist eine Zunahme von Hautkrebserkrankungen (*Lit.*[1]).

Die Ozon-Konz. in der O.-S. wird in *Dobson-Einheiten (Kurzz. D. U. von *E* Dobson unit) gemessen: 1 D. U. = 1 · 10^{-3} cm O.-S. reduziert auf Normalbedingungen.

Die Messung der O.-S. erfolgt nach fünf Verf.:

1) *Dobson-Spektralphotometer.* Von der Erde aus wird mit der Sonne als Lichtquelle die Absorption im UV-Bereich gemessen. Man benutzt jeweils zwei internat. festgelegte Wellenlängenpaare zwischen 305 u. 340 nm, wobei die Wellenlängen λ_1 u. λ_2 so gewählt werden, daß die *Absorptionskoeffizienten $\alpha(\lambda_1)$ u. $\alpha(\lambda_2)$ möglichst unterschiedlich sind, damit sich die Streuverluste $\beta(\lambda_1)$ u. $\beta(\lambda_2)$, deren Wellenlängenabhängigkeit man theoret. kennt, herausmittelt:

$$\frac{I(\lambda_1)}{I(\lambda_2)} = \frac{I_0(\lambda_1)}{I_0(\lambda_2)} \cdot \exp\{-[\alpha(\lambda_1) - \alpha(\lambda_2)] \cdot N(O_3) - [\beta(\lambda_1) - \beta(\lambda_2)]\}$$

$N(O_3)$ ist hierbei die Gesamtzahl der Ozon-Mol. auf dem Lichtweg pro Flächeneinheit u. I bzw. I_0 die am Dobson-Spektrometer gemessene Intensität bzw. die Sonnenintensität außerhalb der ird. Atmosphäre.

2) *Ballonmessungen*, bei denen während des Auf- u. Abstieges des Ballons mit Hilfe einer elektron. od. Chemilumineszenz-Meth. direkt der Ozon-Gehalt gemessen wird, aus dem Ozon-Höhenprofile ermittelt werden.

3) *Satellitenmessungen*, bei denen die Reflexion von Sonnenstrahlung bestimmter Wellenlängen zwischen 250 nm u. 310 nm an der Atmosphäre bestimmt wird.

4) *Mikrowellen-Radiometrie*, mit der die Absorptionslinien des Ozons bei 142,175 GHz gemessen werden. Die Apparatur kann am Boden, im Flugzeug u. in Satelliten betrieben werden.

5) *LIDAR-Messungen (*E* Abkürzung für *Li*ght *D*etection *a*nd *R*anging), bei denen vom Boden aus kurze Laserpulse ausgesendet werden u. über die Intensität u. die Laufzeit des rückgestreuten Lichtes die Dichte von Mol. mit einer Empfindlichkeit bis in den ppm-Bereich bestimmt wird. Hierbei werden, wie bei dem Dobson-Spektrometer, mind. zwei Wellenlängen benutzt, um den Einfluß der Lichtstreuung durch Aerosole u. andere Gasteilchen zu eliminieren. Zur Ozon-Messung war ein solches Gerät u. a. von 1982–1987 auf der Zugspitze im Einsatz, in der jüngsten Zeit auf dem Forschungsschiff „Polarstern" u. bei der dtsch. Antarktisstation „Georg von Neumayer". Eine Übersicht über die verschiedenen Meßmeth. ist in *Lit.*[2] gegeben. – ***E*** ozone layer, ozonosphere – ***F*** couche d'ozone, ozonosphère – ***I*** strato di ozono, ozonosfera – ***S*** capa de ozono, ozonosfera

Lit.: [1] Phys. Unserer Zeit **20**, 65 (1989). [2] Phys. Bl. **52**, 435 (1996); Phys. Unserer Zeit **25**, 264 (1994).
allg.: Graedel u. Crutzen, Chemie der Atmosphäre, Heidelberg: Spektrum 1994 ▪ Kaye u. Schoeberl, Ozone, Atmospheric, in Encyclopedia of Physical Science and Technology, Vol. 12, 125–136, San Diego: Academic Press 1992 ▪ s. a. Ozon-Loch.

Ozon-Schutzmittel. Meist wachsartige Mittel, die aus Ozon-resistenten Paraffinkohlenwasserstoffen bestehen u. insbes. Natur- u. Synthesekautschuk-Vulkanisate gegen *Ozon schützen sollen (*Antiozonantien). – ***E*** ozone protecting agents, antiozonants – ***F*** agents antiozone, antiozones – ***I*** protettore d'ozono – ***S*** agentes antiozono, antiozonos

Lit.: Kirk-Othmer (4.) **3**, 448–456 ▪ Ullmann (5.) **A 3**, 92; **A 23**, 384 f., 386–389.

Ozon-Schwellenwert. In der VO über Immissionswerte[1] vom 27. 5. 1994 (22. BImSchV, s. a. Bundes-Immissionsschutzgesetz) sind entsprechend Anhang I der EU-Ozon-Richtlinie[2] Schwellenwerte für die Ozon-Konz. der Luft festgesetzt:
Zum Schutz der menschlichen Gesundheit 110 $\mu g/m^3$ als Mittelwert während 8 h;
für den Schutz der Vegetation: 200 $\mu g/m^3$ als Mittelwert während 1 h u. 65 $\mu g/m^3$ als Mittelwert während 24 h;
für die Unterrichtung der Bevölkerung über mögliche begrenzte u. vorübergehende gesundheitliche Auswirkungen bei bes. empfindlichen Gruppen der Bevölkerung 180 $\mu g/m^3$ als Mittelwert während 1 h (Informationswert);
für die Auslösung des Warnsyst. zum Schutz vor Gefahren für die menschliche Gesundheit im Falle einer kurzen Exposition 360 $\mu g/m^3$ als Mittelwert während 1 h.
Fahrverbot kann ab 240 $\mu g/m^3$ Ozon verhängt werden. Ausgenommen von Fahrverboten sind Fahrzeuge mit der G-Kat-Plakette (geregelter Katalysator-Plakette nach der ehem. Wintersmog-VO), andere Fahrzeuge mit geringem Schadstoffausstoß mit Ozon-Plakette, Fahrzeuge von Urlaubern, Pendlern u. des Wirtschaftsverkehrs, die der Aufrechterhaltung des Produktionsablaufs dienen; zur Ozon-Immissionssituation s. *Lit.*[3]. – ***E*** ozone threshold – ***F*** seuil critique d'ozone – ***I*** soglia dell'ozono – ***S*** valor umbral del ozono

Lit.: [1] BGBl. I, S. 1095 (1994). [2] Richtlinie 92/72/EWG des Rates der Europäischen Gemeinschaften über die Luftverschmutzung durch Ozon vom 21. 9. 1992 (ABl. der EG Nr. L 297, S. 1). [3] Umweltbundesamt (Hrsg.), Daten zur Umwelt 1997, S. 156–164, Berlin: E. Schmidt 1997.
allg.: Umwelt kommunale ökol. Briefe **1997**, Nr. 15, 7.

Ozon-Spaltung s. Ozonolyse.

Ozothin®. Verschiedene Präp. gegen Atemwegsinfektionen mit Terpentinöl-Oxid.-Produkten als Hauptbestandteil; zusätzlich enthalten ist in Ampullen *cis-p*-Menthan-1,8-diol, in Suppositorien Paracetamol u. Kiefernnadelöl, in Dragées Diprophyllin. ***B.:*** Beecham-Wülfing.

OZV s. Zinn-organische Verbindungen.

P

π (pi). 16. Buchstabe im *griechischen Alphabet.
a) Symbol für eine *chemische Bindung, deren *Molekülorbital entlang der Hauptachse eine Nullebene der *Elektronendichte hat u. aus überlappenden p-*Atomorbitalen od. seltener durch p-d- od. d-d-π-Wechselwirkung entsteht; vgl. auch Aromatizität, Benzol-Ring u. Konjugation. *Pi-Komplexe nennt man in der *Koordinationslehre Verb., in denen Liganden-π-Orbitale u. Metall-Atomorbitale Bindungen bilden (exakte Benennung: *η), od. organ. *Molekülverbindungen, an deren intermol. Bindung π-Orbitale mitwirken, z. B. *Charge-transfer-Komplexe.
b) Veraltete Stellungsbez. für das 16. Atom in Alkyl-Ketten, 7*anti*-Methyl-Gruppe in *Campher [1], *pros*-N-Atom (N^3) in *Histidin.
c) *Elementarteilchen-Symbol für π-*Meson (Pion).
d) Symbol für Oberflächendruck $\pi = \gamma_0 - \gamma$ (Differenz der *Oberflächenspannung von Lsm. u. Lsg.), reduzierten Druck $\pi = p/p_k$ (s. kritische Größen) u. Differenz der Hydrophobie-(Lipophilie-)Parameter in der *Hansch-Analyse.
e) Mathemat. Symbol für das Umfang : Durchmesser-Verhältnis des Kreises: $\pi = 3{,}141592653589793\ldots$
Lit.: [1] J. Am. Chem. Soc. **91**, 1416 (1969).

Π (Pi). Großschreibform von *π; Symbol für osmot. Druck (s. Osmose), Peltier-Koeffizient (s. Peltier-Effekt) u. mathemat. Produkt $\prod_{i=1}^{n} a_i = a_1 \cdot a_2 \cdot \ldots \cdot a_n$.

φ (ϕ; phi). 21. Buchstabe im *griechischen Alphabet. a) Bez. für 2,3,6-Trimethylphenyl-Endgruppe in *Carotinoid-Namen. – b) Symbol für *Phenyl... ($-C_6H_5$, –Ph) in chem. Formeln. – c) Symbol für physikal.-chem. Größen: chem. Fluß (Chemiflux) in der *Kinetik, Durchmesser (ϕ), ebener Winkel (im sphär. Polarkoordinatensyst.), elektr./elektrochem. Potential, Fluidität (reziproke *Viskosität $\varphi = 1/\eta$), *Fugazitäts-koeff. (auch γ), *Molekülorbital-Wellenfunktion, osmot. Koeffizient (s. Osmose), photochem. *Quantenausbeute (meist: Φ), reduziertes Vol. $\varphi = V/V_k$ (s. kritische Größen), Schwingungskraftkonstante, Vol.-*Konzentration (Vol.-Anteil $\varphi_x = V_x/V$).

Φ (Φ; Phi). Großschreibform von *φ (ϕ). a) *Elementarteilchen-Symbol für Φ-*Meson. – b) Symbol für physikal.-chem. Größen: dielektr. *Polarisation (meist *P*), Durchmesser (∅), Elektronen-Austrittsarbeit bei *Photoeffekten, Magnet. Fluß, molare opt. Drehung (=[M], α_m; s. Molrotation, optische Aktivität), photochem. Quantenausbeute (auch ϕ), potentielle Energie (auch E_p, V), Strahlungsleistung (auch P), Wärmeleistung.

ψ (psi). 23., vorletzter Buchstabe im *griechischen Alphabet. a) Kurzz. für *Pseudo... (=*ps*-) in chem. Trivialnamen; Bez. für 2,6-Dimethyl-1,5-heptadienyl-Endgruppe in *Carotinoid-Namen; *Beisp.:* ψ,ψ-Carotin (*Lycopin). – b) Symbol für äußeres elektrochem. Potential, spezif. Elliptizität (s. optische Aktivität), quantenchem. (zeitabhängige) *Wellenfunktion (s. Atombau, Orbitale), Volumenverhältnis von Mischungen.

Ψ (Psi). Großschreibform von *ψ. a) Symbol für *Pseudouridin in der Ein-Buchstaben-Notation der *Nucleoside. – b) *Elementarteilchen-Symbol für Ψ-*Meson (=J-Meson). – c) Symbol für elektr. Fluß u. quantenchem. Wellenfunktion, selten für osmot. Druck (Π) u sog. Wasseraufnahmepotential.

p. a) Kursives *p*- bedeutet 1,4-Disubstitution am *Benzol-Ring, s. Para-. – b) Kursives ...*p* in Notationen für *Kohlenhydrate: *p*yranoside *Monosaccharide (IUPAC-Regel 2-Carb-38/39); *Beisp.:* αDGlc*p* (α-D-Glucopyranose). – c) -p- in Notationen für *Nucleinsäuren: Phosphat-Brücke, -Rest. – d) p in Gleichungen für *Kernreaktionen: Symbol für *Proton. – e) p-*Elektronen (Nebenquantenzahl $l = 1$) s. Atombau. – f) Symbol *p* (od. p) für physikal. Größen: Defektelektronendichte in *Halbleitern (p-Leiter, pn-Übergang), Druck u. Dampfdruck (auch *P*), elektr. *Dipolmoment (meist μ), Impuls, Massenanteil (meist *w*), quantenchem. Bindungsordnung; p^* od. $\tilde{p}$: *Fugazität (meist *f*). – g) Symbol für neg. dekad. Logarithmen („Potenzen", s. pH, pK-Wert), veraltete Krafteinheit *Pond; Vorsatzzeichen für *Piko... (10^{-12}) bei Einheiten. – h) p. = *E* page = Seite.

p34*cdc2* s. p34-Kinasen.

p53. Im Zellkern an *Desoxyribonucleinsäuren (DNA) bindendes Phosphoprotein (M_R 53 000), das eine wichtige Rolle bei der Reaktion der Zelle auf Schädigung der Erbsubstanz spielt. Indem es (z. B. durch *Mutagene) geschädigte Zellen an der Teilung hindert (*growth arrest*) od. zur *Apoptose veranlaßt, wirkt p53 als *Tumor-Suppressor-Protein* (vgl. Tumor-Suppressor-Gene). Jedoch können bestimmte Mutanten auch die Zellteilung fördern; in diesen Fällen od. auch nur bei Ausfall der Suppressor-Funktion dieses Proteins kommt es häufiger zu Tumoren – im Tierversuch auch zu fötalen Mißbildungen [1]. Umgekehrt weisen Tumoren oft (beim Mensch in ca. der Hälfte aller Fälle) Mutationen im *p53*-Gen auf; Krebs-Erkrankungen mit *p53*-Mutationen korrelieren zudem pos. mit ungünstigen medizin. Prognosen.

p53 bewirkt den growth arrest, indem es als *Transkriptionsfaktor einen Inhibitor *Cyclin-abhängiger Kinasen ($p21^{WAF1/CIP1}$) induziert. Die p53-aktivierte Apoptose wird ebenfalls durch Stimulation der *Transkription bestimmter Gene (z.B. *bax*) sowie wahrscheinlich durch Produktion reaktiver Sauerstoff-Spezies in den *Mitochondrien bewirkt[2]. Über ein dem p53 funktionell u. strukturell ähnliches Protein (p73) aus menschlichen Tumoren berichtet *Lit.*[3]. Der intrazelluläre Abbau des p53 soll durch das Protein Mdm2 geregelt werden[4]. – ***E*** = ***F*** = ***I*** = ***S*** p53

Lit.: [1] Curr. Biol. **7**, R 144 – R 147 (1997). [2] Nature (London) **389**, 237f., 300–305 (1997). [3] Nature (London) **389**, 191–194 (1997). [4] Trends Biochem. Sci. **22**, 372 ff. (1997).
allg.: Biochim. Biophys. Acta **1333**, F1 – F27, M1 – M8 (1997) ▪ Biochem. Mol. Med. **62**, 3–10 (1997) ▪ Bull. Cancer **84**, 741–751 (1997) ▪ Cell **88**, 323–331; **90**, 829–832 (1997) ▪ FASEB J. **11**, 443–448 (1997) ▪ Methods Enzymol. **283**, 245–256 (1997) ▪ INTERNET: http://www.iarc.fr/p53/homepage.htm, http://bioinformatics.weizmann.ac.il/hotmolecbase/entries/p53.htm.

p55*c-Fos* s. Fos.

P. a) Chem. Elementsymbol für *Phosphor; kursives *P*-: Stellungsbez. für P-Atome, bes. in Namen für *Nucleotide. – b) Biochem. Abk.: $-P=-Ⓟ\approx-PO_3H^-$, „Phosphat-Reste"; $P_i \approx H_2PO_4^-/HPO_4^{2-}$, „anorgan. Phosphat"; IUB-Peptid-Notation: P = *Prolin; *Porphyrin-Formeln: $-P=-CH_2-CH_2-COOH$, Propionsäure-Seitenkette; *P*igmentsysteme der *Photosynthese: z.B. P_{680}, P_{700}, s.a. Phytochrom. – c) *Polymerisationsgrad eines Mol.: *P* od. *X* (statist. Mittelwert: $\bar{P}$, $\bar{X}$); P in polymerchem. Stoff-Kurzbez.: -phenol-, -phenyl(en)-, -phthalat, Poly-, -polyester, -propionat-, -propylen-, -pyrrolidon; *Beisp.:* s. Kunststoffe u. Weichmacher. – d) Symbol *P* od. P für physikal.-chem. Größen: dielektr. *Polarisation (auch Φ), *Druck (meist *p*), *Leistung, *Parachor, statist. Wahrscheinlichkeit, Strahlungsfluß, Verteilungskoeffizient in der *Hansch-Analyse. – e) Symbol P: veraltete Einheit *Poise (*Viskosität); Vorsatzzeichen für *Peta... (10^{15}) bei physikal. Einheiten. – f) Kennzeichen P für Chemisch-Reinigen s. Textilien; Kennzeichen P für *Holzschutzmittel: gegen Pilze wirksam.

P3®. Gruppe von Reinigungsmitteln für die metallverarbeitende Ind., das Verkehrsgewerbe, die Milchwirtschaft, das Nahrungsmittelgewerbe u. die Getränke-Industrie sowie Wasserbehandlungsmittel. Die P3-Typen enthalten je nach Verw. außer Tensiden u. Buildern noch Emulgatoren, Korrosionsschutzmittel u. Inhibitoren, Abrasivstoffe, Bakterizide u. Desinfektionsmittel (z.B. quartäre Ammonium-Verb., Aktiv-Sauerstoff u. -chlor) u. ggf. Lsm.: Sie können alkal., sauer od. neutral eingestellt u. für manuelle od. maschinelle Anw. geeignet sein. Spezif. Anw., Eigenschaften u./od. Zusammensetzungen sind durch Namenszusätze gekennzeichnet; *Beisp.:* P3-manuvo, -metalla, -oxonia, -emalan, -dix, -asepto, -neutrapon, -stabilon etc. P3 ist als Marke seit 1929 auf dem Markt. ***B.:*** Henkel-Ecolab.

Lit.: Aus der Geschichte von P3, Düsseldorf: Henkel 1970 ▪ P3, Reinigen, Entfetten, Beizen, Düsseldorf: Henkel 1974.

P-170 s. P-Glykoprotein.

p. a. Abk. von latein.: a) per annum od. pro anno = im (laufenden) Jahr, pro Jahr; – b) pro analysi = zur Analyse (analysenrein; s. chemische Reinheit).

Pa. Kurzz. für das chem. Element *Protactinium u. für die Einheit des Drucks *Pascal.

PA. 1. Kurzz. (nach DIN 7728-1: 1988-01) für *Polyamide. Das Kurzz. PA wird sehr häufig in Kombination mit Zahlen verwendet, die kennzeichnend sind für die Anzahl der Kohlenstoff-Atome in den Edukten, aus denen die Polyamide hergestellt wurden, z.B. PA 6 für Polyamide aus ε-Caprolactam, PA 66 für solche aus Hexamethylendiamin u. Adipinsäure od. PA 6/12 für Copolymere aus ε-Caprolactam u. ω-Dodecanolactam.
2. Abk. für Plasminogen-Aktivator, s. Plasminogen.

PA 6. Kurzz. für aus ε-Caprolactam hergestellte *Polyamide.

PAAG-Verfahren. Die Begrenzung von Risiken umfaßt drei aufeinander folgende Schritte: Erkennen von Gefahrenquellen; – Bewerten von Gefahrenquellen u. – Entwickeln von Maßnahmen zur Gewährleistung der Arbeits- u. Betriebssicherheit, des Umweltschutzes u. der Verfügbarkeit der Anlagen. Zum Erkennen von Gefahrenquellen wird als leistungsfähiges Verf. das PAAG-V. angewandt: *P*rognose von Störungen, *A*uffinden der Ursachen, *A*bschätzen der Auswirkungen, *G*egenmaßnahmen. Das PAAG-V. ist eine systemat. Vorgehensweise zum Auffinden nicht offensichtlicher Störungs- u. Gefahrenquellen in techn. Anlagen u. organisator. Abläufen, z.B. Produktionsbetriebe, aber auch Betriebsvorschriften. Charakterist. für PAAG ist die Einrichtung einer Arbeitsgruppe von Experten verschiedener Fachrichtungen, die in einer Prüfungssitzung auf Basis ausführlicher Beschreibungen der Arbeitsverf. systemat. alle wichtigen Teile eines bestehenden od. geplanten Syst. auf Störmöglichkeiten abfragen u. entscheiden, ob sich diese Störmöglichkeiten zu Gefährdungen entwickeln können. – ***E*** „PAAG" process – ***F*** procédé „PAAG" – ***I*** processo „PAAG" – ***S*** procedimiento „PAAG"

Lit.: Internationale Sektion der IVSS (Internationale Vereinigung für Soziale Sicherheit) für die Verhütung von Arbeitsunfällen u. Berufskrankheiten in der chemischen Industrie (Hrsg.), Broschüre „Risikobegrenzung in der Chemie – PAAG-Verfahren (HAZOP) – Ausgabe 5/1990.

Paarbildung. 1. In der *Halbleiter-Technik Bez. für die Bildung eines Paares von beweglichen Ladungsträgern (Elektron u. Defektelektron) z.B. durch therm. Energie od. durch Strahlungsenergie. Die *Excitonen-Wanderung kann durch *Rekombination unter Strahlungsemission (s. LED) beendet werden.
2. In der Physik der *Supraleitung spricht man von P. bei der Entstehung der sog. *Cooper-Paare.*
3. In der Kernphysik versteht man unter P. od. *Paarerzeugung* die Bildung eines Elektron-Positron-Paares aus einem Lichtquant, bzw. im allg. Sinn die Wechselwirkung hochenerget. (~GeV-Bereich) Elementarteilchen wie Photonen, Prionen od. Protonen mit Materie, wobei ein Teilchen-Antiteilchen-Paar entsteht. Gemäß der Einsteinschen Formel $E = m \cdot c^2$ muß die Energie des hochenerget. Teilchens größer als die Summe der Ruhemassen der neu gebildeten Teilchen sein. Im Fall des Elektron-Positronpaares mit

$m_e \cdot c^2 = 511$ keV muß die Energie des Photons $E = h \cdot \nu = 1{,}022$ MeV od. größer sein. Die Umkehrung dieses Vorganges, bei der ein Elektron u. ein Positron aufeinandertreffen u. unter Freisetzung zweier Gammaquanten zerfallen (*Zerstrahlung), nennt man *Paarvernichtung*. Dabei werden zwei Photonen mit je E = 511 keV Energie erzeugt.
4. Als bes. chromatograph. Verf. kennt man die *Ionenpaar-Chromatographie. – ***E*** pair production – ***F*** production (création formation) de paires – ***I*** produzione di coppie – ***S*** producción (bzw. creación formación) de pares

Paarungstyp (Kreuzungstyp). Polarität innerhalb einer von einem Individuum gebildeten Gametenpopulation, die die Fusionsfähigkeit der Gameten betrifft, ohne Einfluß auf die *Morphologie zu haben. Nur zwischen Individuen mit entgegengesetztem P. sind Sexualprozesse möglich. Der P. ist genet. fixiert (1 Genort mit den *Allelen + u. –). – ***E*** mating type – ***F*** type d'appariement – ***I*** tipo d'accoppiamento – ***S*** tipo de apareamiento

Lit.: Singer u. Berg, Gene u. Genome, Heidelberg: Spektrum Akad. Verl. 1992.

Paarvernichtung s. Paarbildung.

PAB(A). Abk. für *p*-*Aminobenzoesäure.

PABM. Kurzz. für Poly(aminobismaleimid).

PAC. Kurzz. für Fasern aus *Polyacrylnitrilen.

PACAP s. pituitary adenylate cyclase-activating polypeptide.

Packpapier s. Papier.

Packungsdichte. Raumfüllung der Atome in der Elementarzelle. Bei der quant. Beschreibung von *Kristallgittern ist die Vorstellung von den Atomen als starren, sich gegenseitig berührenden Kugeln hilfreich. Für einen gegebenen Gittertyp bestehen dann zwischen *Atomradius u. Gitterabmessungen einfache geometr. Zusammenhänge. In einem derartigen Modell wird die P. definiert als Maß des von Atomen im Gitter belegten Raums u. ergibt sich als Quotient aus gesamtem Atomvol. je Elementarzelle u. Zellvolumen. Die Tab. stellt die P. der drei häufigsten Gittertypen für Metalle zusammen.

Tab.: Packungsdichte bei den häufigsten Metall-Gittertypen.

	kub.-flächen-zentriert	kub.-raum-zentriert	hexagonal dichtest gepackt
Atome pro Zelle	4	2	6
Packungsdichte	74%	68%	74%
Koordinationszahl	12	8	12

Zusätzlich angeführt ist die *Koordinationszahl*, die Zahl der nächsten Nachbarn, die ein Atom im Gitter berührt. Beide Kennzahlen sind vom Gittertyp abhängig u. stehen in engem Zusammenhang mit bestimmten Eigenschaften des jeweiligen Gitters u. des Werkstoffs wie z.B. Festigkeit u. Verformbarkeit. – ***E*** packing density – ***F*** densité de confinement – ***I*** densità di impaccamento – ***S*** densidad de empaquetamiento

Lit.: Barrett u. Massalski, Structure of Metals, Oxford: Pergamon 1980.

Packungseffekte s. Röntgenstrukturanalyse.

Paclitaxel (Rp). Internat. Freiname für 4,10β-Diacetoxy-13α-((2*R*,3*S*)-3-benzamido-2-hydroxy-3-phenylpropionyloxy)-2α-benzoyloxy-5β,20-epoxy-1,7β-dihydroxy-11-taxen-9-on (*Taxol*); Näheres s. Taxol(e). Es hemmt die Depolymerisation von *Tubulin u. ist als Infusionslösungskonzentrat von Bristol-Myers Squibb (Taxol®) zur Behandlung metastasierender Ovarial- u. Mammakarzinome zugelassen. – ***E*** = ***F*** = ***I*** = ***S*** paclitaxel

Lit.: Drugs **48**, 794–847 (1994) ▪ Merck-Index (12.), Nr. 7117 ▪ Suffness (Hrsg.), Taxol®: Science and Applications, Boca Raton: CRC Press 1995. – *[CAS 33069-62-4]*

Paclobutrazol.

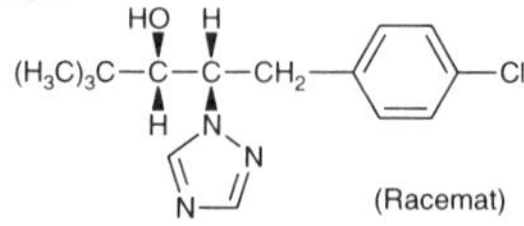

(Racemat)

Common name für (2*RS*,3*RS*)-1-(4-Chlorphenyl)-4,4-dimethyl-2-(1*H*-1,2,4-triazol-1-yl)pentan-3-ol, $C_{15}H_{20}ClN_3O$, M_R 293,79, Schmp. 165–166 °C, LD_{50} (Ratte oral weiblich) 1300 mg/kg, (männlich) 2000 mg/kg, von ICI 1980 eingeführter Pflanzen-*Wachstumsregulator zur Anw. im Obst-, Zierpflanzen-, Reis- u. Nutzrasenanbau. – ***E*** = ***F*** = ***S*** paclobutrazol – ***I*** paclobutrazolo

Lit.: Beilstein E V **26/1**, 164 ▪ Farm. ▪ Perkow ▪ Pesticide Manual. – *[CAS 76738-62-0]*

Pacol-Olex-Verfahren (von *p*araffin *c*ataytic *o*lefin manufacture + *o*lefin *ex*traction). Von der UOP (Universal Oil Products Co.) entwickeltes Verf. zur Gasphasen-*Dehydrierung von *n*-Paraffinen zu entsprechenden Olefinen (400–600 °C, Katalysatoren: Pt auf Al_2O_3) mit nachfolgender selektiver Olefin-Abtrennung mit *Molekularsieben. Als Nebenprodukt entsteht sehr reiner Wasserstoff. – ***E*** Pacol-Olex process – ***F*** procédé Pacol-Olex – ***I*** processo Pacol-Olex – ***S*** procedimiento Pacol-Olex

Lit.: Kirk-Othmer (3.) **16**, 492 ▪ Ullmann (5.) **A 13**, 242 ▪ Weissermel-Arpe (3.) (engl.), S. 79 ▪ Winnacker-Küchler (4.) **5**, 203.

Padang-Zimt. Aus der Rinde des auf Sumatra angebauten Zimtcassiabaumes (*Cinnamomum burmanii*, Lauraceae) durch Abschaben bis zum Sklerenchym gewonnener Zimt, der auch als *Padang-Cassia* od. *Cassia vera* bezeichnet wird.
Geschmack: Würzig, süßlich, angenehmer u. kräftiger als Ceylon- od. chines. *Zimt.
Analytik: Die Differenzierung zwischen P.-Z. u. anderen Zimtarten kann mikroskop. erfolgen. – ***E*** Padang cinnamon – ***F*** cannelle de Padang – ***I*** cannella Padang – ***S*** canela de Padang

Lit.: Gassner, Mikroskopische Untersuchung pflanzlicher Lebensmittel (5.), S. 335–345, Stuttgart: Fischer 1989 ▪ Herrmann, Exotische Lebensmittel (2.), S. 141, Berlin: Springer 1987.

Padparadscha. Rötlich- bis orangegelber *Saphir (s. a. Korund), dessen Farbe durch einen geringen Gehalt an Chrom (0,02%), Eisen (0,04%) u. etwas Vanadium sowie durch Gitterbaufehler hervorgerufen wird (s. *Lit.*[1]). Vork. in Sri Lanka (Ceylon) u. Tansania/Ostafrika.

Lit.: [1] Neues Jahrb. Mineral., Monatsh. **1981**, 59–68.
allg.: Eppler, Praktische Gemmologie (5.), S. 90f., Stuttgart: Rühle-Diebener 1994 ▪ s. a. Edelsteine u. Schmucksteine. – *[HS 7103 10, 7103 99]*

Pad-Roll-, Pad-Steam-Verfahren. Fachsprachliche Bez. für textiltechn. Verf. zum *Klotzen.
Lit.: Routte, Lexikon für Textilveredlung, S. 1418–1422, Dülmen: Laumann-Verl. 1995.

PAE. Kurzz. für *Poly(arylether).

Paedialgon®. Saft, Suppositorien u. Tabl. mit *Paracetamol gegen Fieber u. Schmerzen. ***B.:*** MIP.

Paediathrocin® (Rp). Trockensaft, Tropfen u. Suppositorien mit *Erythromycin-ethylsuccinat gegen Infektionen, bes. der Atemwege, bei Kindern. ***B.:*** Abbott.

Paedisup®. Suppositorien mit *Paracetamol u. *Doxylamin-Succinat gegen Fieber u. Schmerzen. ***B.:*** MIP.

PAEK. Kurzz. für Poly(aryletherketon)e, s. Polyetherketone.

Päonidinchlorid s. Päoninchlorid.

Päoninchlorid. [Peonin, 3,5-Bis(β-D-glucosyloxy)-4′,7-dihydroxy-3′-methoxyflavylium-chlorid]. $C_{28}H_{33}ClO_{16}$, M_R 661,0, purpurrote Nadeln, Schmp. 165–167 °C (Zers.). P. ist der Farbstoff der roten Pfingstrosen (*Paeonia officinalis*), Alpenveilchen, Stiefmütterchen, Fuchsien, Magnolien u. Preiselbeeren. In einer Grünalge fungiert es als Andro-*Termon. P. ergibt bei Hydrolyse 2 Mol Glucose u. 1 Mol des Aglykons *Päonidinchlorid*:

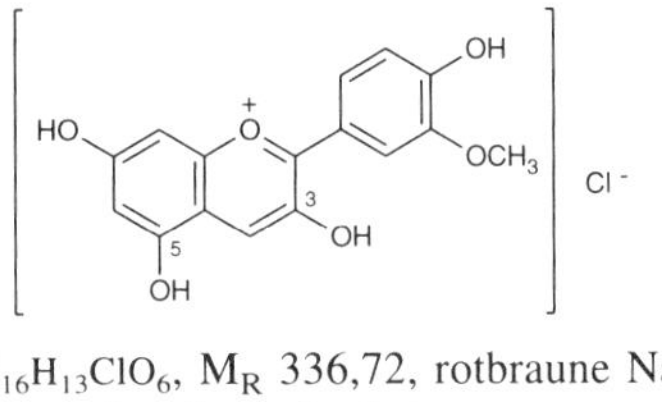

Päonidinchlorid

$C_{16}H_{13}ClO_6$, M_R 336,72, rotbraune Nadeln, bildet ein dimorphes Sesquihydrat.

Verw.: P. u. sein Aglykon sind zur Färbung von Lebensmitteln (L-Rot 9c, E 163) u. Kosmetika (C-Rot 52) zugelassen. – ***E*** peonin chloride – ***F*** chlorure de péonine – ***I*** cloruro di peonina – ***S*** cloruro de peonina

Lit.: Beilstein E V **17/8**, 474, 477 ▪ Karrer, Nr. 1723, 1725 ▪ Phytochemistry **13**, 1001 (1974); **14**, 2363 (1975) ▪ Schweppe, S. 398 ▪ Tetrahedron **39**, 3005 (1983) ▪ s. a. Anthocyane. – *[CAS 132-37-6 (P.); 134-01-0 (Päonidinchlorid)]*

Pärchenegel s. Schistosomiasis u. Trematoden.

Paetzold, Peter (geb. 1935), Prof. für anorgan. Chemie, TH Aachen. *Arbeitsgebiete:* Borchemie: Mol. mit zweifach koordiniertem Bor; cycl. Bor-Stickstoff-Verb.; Boran- u. Azaboran-Cluster.
Lit.: Kürschner (15.), S. 3369 ▪ Wer ist wer (36.), S. 1066.

PAF [Plättchenaktivierende(r) Faktor(en)]. Gruppe von strukturell verwandten Lipid-ähnlichen neutralen Mol., die als Grundstruktur ein Glycerin-Mol. mit einer Alkyl-Gruppe in Etherbindung an C1, eine Acetyl-Gruppe in Esterbindung an C2 u. eine Phosphorylcholin-Gruppe als Phosphodiester an C3 haben. PAF werden in Granulocyten, Makrophagen, Mastzellen, Eosinophilen (s. a. Leukocyten) u. Endothelzellen gebildet u. bei Entzündungen, Sauerstoffmangel im Gewebe u. bei der *Blutgerinnung freigesetzt. Sie führen bei *Thrombocyten zur Aktivierung u. Zusammenlagerung (Aggregation) u. Enzymfreisetzung, rufen eine Verengung der Bronchien hervor u. sind Mediatoren der Entzündung. – ***E*** platelet activating factor – ***F*** facteur activateur des plaquettes – ***I*** PAF, fattore attivante le piastrine – ***S*** factor activador de las plaquetas
Lit.: Greiling u. Gressner, Lehrbuch der Klinischen Chemie u. Pathobiochemie, S. 1284, Stuttgart: Schattauer 1995 ▪ Lab. Invest. **69**, 639–650 (1993).

PAGE. Abk. für *P*oly*a*crylamid-*G*el-*E*lektrophorese, s. Elektrophorese.

Pagetsche Krankheit. 1. Nach Sir James Paget (1814–1899) benannte Erkrankung des *Knochen-Gewebes (Osteodystrophia deformans, Osteitis deformans), die zu Verkrümmungen u. Verdickungen einzelner Knochen mit Neigung zu spontanen Brüchen führt. Die Ursache der Krankheit ist unbekannt, man vermutet eine virale Infektion. Die Behandlung geschieht symptomat. sowie mit *Calcitonin, Diphosphonaten u. Vitamin D.
2. Krebsekzem der Brust. Ausbreitung von Krebszellen der Milchdrüsenausführungsgänge in der Haut der Brustwarze u. ihrer Umgebung, die einem Ekzem ähnliche Veränderungen herbeiführen. Die Behandlung geschieht chirurgisch. – ***E*** Paget's disease – ***F*** maladie de Paget – ***I*** morbo (malattia) di Paget – ***S*** enfermedad de Paget
Lit.: Riede, Schaefer u. Wehner, Allgemeine u. spezielle Pathologie, Stuttgart: Thieme 1995.

paH. Auf die Wasserstoff-Ionen-*Aktivität bezogener pH-Wert; Näheres s. pH.

PAH (PAK). Abk. für *E* polycyclic aromatic hydrocarbons (polycycl. aromat. Kohlenwasserstoffe, PAK), Sammelbez. für aromat. Verb. mit *kondensierten Ringsystemen, z. B. *Naphthalin, Acenaphthylen, *Acenaphthen, *Fluoren, *Phenanthren, *Anthracen, *Fluoranthen, *Pyren, *Benz[*a*]anthracen, *Chrysen, Benzo[*b*]fluoranthen, Benzo[*k*]fluoranthen, *Benzo[*a*]pyren, Dibenz[*a,h*]anthracen, Benzo[*ghi*]perylen, Indeno[1,2,3-*cd*]pyren (in der Reihenfolge der *EPA-Liste der 16 häufigsten in der Umwelt vertretenen PAH), *Triphenylen, *Rubren, *Picen, *Perylen, *Coronen, *Kekulen, 3-Methylcholanthren, 7,12-Dimethylbenzo[*a*]anthracens, *Pleiaden. Sdp. oft bei 300–500 °C, Dampfdruck bei 20 °C 10^{-2}–10^{-8} Pa; kaum wasserlösl., lösl. in apolaren organ. Lösemitteln. Typ. Verteilungskoeff. Octanol/Wasser [1] $K_{OW} = 10^3$ bis 10^8. Viele kleine, nur aus Benzol-Ringen zusammengesetzte PAH sind planar (s. Aromatizität). Substituenten od. Überbrückungen können zu Torsionen führen, z. B. bei *Cyclophanen od. Polyphenyl-Naphthacenen [2]. Ebenso wie bei einfacheren *aromatischen Verbindungen sind die Elektronen-Syst. für die Eigenschaften u. Reaktionen der PAH (Farbigkeit, Bildung von Charge-Transfer-Komplexen) verantwortlich zu machen. An lokalisierten Doppelbindungen werden die PAH in der Regel schnell mit Elektrophilen umgesetzt. Photochem. werden Dimerisierungen eingeleitet. Im weiteren Sinne rechnet man den PAH auch deren substituierte Derivate zu (z. B. *Aldehyde, *Chinone, *Carbonsäuren, *Nitro-PAH) sowie benzoanellierte Heterocyclen, vgl. die Abb. derartiger polycycl. Verb. bei Indanthren®-Farbstoffe. Die Ringsyst. der PAH, z. B. von Naphthalin, Anthracen, Phenanthren u. Picen, finden sich – meist reduziert u. mit funktionellen Gruppen u. weiteren Resten – in tausenden *biogener *Naturstoffe.

Bildung: PAH werden bei unvollständiger Verbrennung aus prakt. allen organ. Stoffen gebildet, z. B. durch Waldbrand[3], Großfeuerungsanlagen, Hausbrand, Verbrennungsmotoren, Grillen, Räuchern u. Rauchen. Auch beim Erhitzen von Nahrungsmitteln im Kochtopf, beim Verschmelzen von Kohle (Kokereien), bei der Aluminium-Produktion, Eisen- u. Stahlerzeugung bilden sich PAH. Sie entstehen außerdem aus *Huminsäuren durch Kondensations-Reaktionen[4]. Biogene (Sauerstoff-haltige) PAH entstehen in Mikroorganismen, Pilzen, Pflanzen u. Tieren z. B. über den Isopren-Stoffwechselweg, aus Aminosäuren durch Ringschluß, Umlagerungen, Alkylierung, Oxid. etc., bes. über Polyketide. Die biogenen PAH werden im folgenden außer acht gelassen.

Vork: In Mineralölen, Bitumen, Pech, Teer, Ruß u. daraus hergestellten Produkten, im Tabakrauch, in Flugasche, in Abgasen u. darin enthaltenen feinen Stäuben aus prakt. allen Verbrennungsvorgängen u. folglich auch in der Atmosphäre[3]. Auf den Boden, in Gewässer, auf Oberflächen von Pflanzen u. a. Organismen gelangen PAH durch *Deposition aus der Luft. Bodenbelastungen durch PAH finden sich zudem häufig auf Altstandorten von Mineralöllagern, Kokereien, Teer- u. Pech-verarbeitenden Betrieben sowie unter alten Deponien. Im Boden zeigen PAH aufgrund geringer Wasserlöslichkeit, niedrigem Dampfdruck u. starker Adsorption an organ. u. anorgan. Material geringe Mobilität u. verbleiben weitgehend in den Bodenschichten, in die sie bei der Deposition gelangt sind. Transport erfolgt dort meist nur mit Bodenverunreinigungen (Mineralöle, Detergenzien, Lösemittel) od. an Partikeln adsorbiert. Wie *Dioxine u. *PCB werden PAH in den Fein-*Sedimenten von Boden u. Gewässern, parallel zur organ. Substanz, angereichert. Geräucherte Nahrung kann hohe PAH-Gehalte aufweisen[5]. Tiere u. der Mensch können PAH über die Lunge u. die Nahrung aufnehmen; bei Nichtrauchern (weder Aktiv- noch Passiv-Rauchern) spielt die Aufnahme über die Luft in der Regel eine geringe Rolle. Es kann eine *Bioakkumulation bes. in fettreichen Geweben, Membranen u. Exkreten (Milch) erfolgen; allerdings werden die PAH im Säugetier schnell metabolisiert.

Wirkungen: Die PAH induzieren die Synth. der sie abbauenden Enzyme (z. B. Dioxygenase u. mischfunktionelle Oxygenase) u. bewirken Änderungen physiolog. Parameter (z. B. des Leber-Fettgehaltes). Der Abbau wird im Säuger durch die Cytochrom P-450-abhängige mischfunktionelle Oxidase eingeleitet. Die dabei gebildeten Epoxide od. Phenole werden größtenteils als Sulfate, Glucuronide od. Glutathion-Konjugate über Harn u. Faezes ausgeschieden. Einige der Epoxide werden zu Dihydrodiolen u. Diol-Epoxiden metabolisiert, die als *Carcinogene wirken (Mechanismus der Krebsentstehung u. *Lit.* s. Carcinogene). Einige carcinogene PAH weisen u. a. sog. Bay-Regionen auf[6]. Die im Tierversuch carcinogenen PAH wie Benzo[*a*]pyren, Benz[*a*]anthracen, Benzo[*b*]fluoranthen, Chrysen u. a. (die MAK-Liste 1997 nennt 12 PAH) sind in Abschnitt III A 2 der *MAK-Liste; Pyrolyseprodukte aus organ. Material wie Braunkohlen- u. Steinkohlenteere wegen epidemiolog. Beobachtungen am Menschen in Abschnitt III A 1 aufgenommen worden. Manche PAH sind auch *Mutagene u. können vererbbare Schäden verursachen. Sie stehen unter Verdacht, teilw. als estrogene Modulatoren (s. Estrogene) zu wirken u. *endokrine Effekte[7] verursachen zu können. Benzo[*a*]pyren beeinträchtigt die Fortpflanzungsfähigkeit (Fruchtbarkeit) des Menschen u. ist fruchtschädigend (entwicklungsschädigend; EU/Richtlinie 67/548/EWG: R_E2 bzw. R_F2). Benzo[*a*]pyren u. seine Zubereitungen (>0,005%) sind als giftig zu kennzeichnen. Viele PAH wirken (bes.) in Ggw. von UV-Licht tox.[8], möglicherweise aufgrund des *photodynamischen Effekts. PAH bestimmen die Gefährlichkeit vieler Produkte, Emissionen, v. a. Stoffgemische, in denen sie vorkommen, z. B. von *Bitumen, Teeren, Räucherrauch, Zigarettenrauch (s. a. Passivrauchen), Ruß u. Dieselmotor-Emissionen. Schon 1775 wurde über das (durch PAH verursachte) Auftreten von Schornsteinfegerkrebs berichtet. Zum Schutz vor Gesundheitsgefahren sind Grenzwerte festgelegt u. es bestehen Herst.- u. Verwendungsverbote (Tab. auf Seite 3097).

Die *WHO hat 1987 aus Risikobetrachtungen für die lebenslange Exposition mit Benzo[*a*]pyren (1 $\mu g/m^3$) eine sehr hohe Eintrittswahrscheinlichkeit von Lungenkrebs (0,09 = 9 von 100 Exponierten) abgeschätzt. Das hohe Krebsrisiko, das von PAH in der Luft ausgeht, wird durch neuere Studien bestätigt[9]. Ein Vgl. von PAH-Grenzwerten mit natürlichen PAH-Hintergrundwerten findet sich in *Lit.*[10].

Abbau: PAH werden sowohl *abiotisch wie biot. in der Umwelt abgebaut. Direkte Photolyse kann durch UV-Strahlung wie teilw. auch durch sichtbares Licht verursacht werden; für Pyren u. Anthracen wird in Wasser bei vollem Sonnenlicht eine Lebensdauer von ca. 1 h angegeben[12]. PAH reagieren mit vielen Oxid.-Mitteln. Die Reaktionen mit Radikalen wie OH, RO, HO_2, RO_2 (R = organ. Rest), NO, NO_2, NO_3 (s. Photooxidantien) beginnen mit der Addition des Radikals an eine Doppelbindung, worauf in der Atmosphäre die Addition von Sauerstoff od. eine Eliminierungsreaktion folgt. Bes. wichtig für den Abbau sind in der Atmosphäre u. im Wasser die Hydroxyl-Radikale[13]. In der Atmosphäre wird für Benzol eine mittlere Lebensdauer von einigen Wochen, für Naphthalin von wenigen Tagen u. von Anthracen von weniger als einem Tag errechnet. Die Bedeutung der Ozonolyse steigt stark mit der Ringzahl, wobei z. B. bei der Ozonisierung von Trinkwasser mit einem mg Ozon/L die Halbwertszeit von Benzol mit ca. 3 h, von Naphthalin mit 10 s, von Phenanthren mit ca. 2 s u. von Pyren u. Benzo[*a*]pyren mit weniger als 1 s angegeben werden[14].

Tab.: Beisp. für Regelungen u. Empfehlungen zum Schutz vor PAH.

Kurzbez. für Regelwerk u. Herausgeber	geregelte Stoffe Begrenzung (max. Grenzwert)
Wasser	
Richtlinie Trinkwasser EU	PAH (Summe) 0,2 µg/L
Richtlinie Trinkwasser WHO (1984)	Benzo[*a*]pyren 0,01 µg/L
Richtlinie Oberflächenwasser für Trinkwassergewinnung EU (1975)	PAH 0,001 mg/L (bei weitgehender Aufbereitung)
Techn. Regeln DVWG W 151	PAH 0,003 mg/L (bei weitgehender Aufbereitung)
Luft	
TRK-Werte (MAK- u. BAT-Werte-Liste 1997)	Benzo[*a*]pyren – Strangpech-Herst. u. -Verladung, Ofenbereich von Kokereien 0,005 mg/m^3 – im übrigen 0,002 mg/m^2 Naphthalin 50 mg/m^3 Bitumen, Dämpfe u. Aerosol bei der Heißverarbeitung – Verarbeitung im Innenräumen 20 mg/m^3 – im übrigen 15 mg/m^3 Dieselmotor-Emissionen – Nichtkohlebergbau unter Tage u. Bauarbeiten unter Tage 0,3 mg/m^3 – im übrigen 0,1 mg/m^3
Boden[11]	
Niederländische Liste 1993 (Hollandliste 1993)	für 10 PAH u. ihre Summe werden verschiedene Interventionswerte angegeben
EPA-Liste	16 PAH
Produkte	
*Chemikalienverbotsverordnung Anhang, Abschnitt 17	Holzschutzmittel, die Teeröle wie Kreosot, Naphthalinöle u., Anthracenöl od. andere Bestandteile aus Teerölen enthalten, sowie damit behandelte Erzeugnisse, dürfen nicht in Verkehr gebracht werden. Ausnahmen bestehen z. B., wenn nur geringe Benzo[*a*]pyren-Gehalte vorliegen
*Gefahrstoffverordnung § 35	Zubereitungen mit einem Massengehalt von 0,005% Benzo[*a*]pyren gelten als krebserzeugend, ebenso Pyrolyseprodukte aus organ. Materialien sowie Dieselmotor-Emissionen.
Anhang III, Nr. 10+15	Zusätzliche Kennzeichnungsvorschriften
Anhang IV, Nr. 13	Herst.- u. Verwendungsverbote für Teeröle Benzo[*a*]pyren
Fleischverordnung	1 µg/kg Fleischerzeugnis

Mikrobieller Abbau von PAH ist nachgewiesen, sowohl unter aeroben Bedingungen[15] als auch unter anaeroben[16] u. denitrifizierenden[17]. Abbauwege s. z. B. *Lit.*[18]. Voraussetzung ist wahrscheinlich, daß PAH in die wäss. Phase übergehen[19]. In Hafensedimenten wurde beobachtet, daß innerhalb von 8 bis 82 Tagen Naphthalin, Phenanthren u. Benzo[*a*]pyren abgebaut werden konnten. Der PAH-Gehalt von Austern u. a. Muscheln kann vermindert werden, indem diese in sauberem Wasser gehalten werden[20]. Viele PAH lassen sich durch eine Behandlung mit Wasserdampf aus Nahrungsmitteln u. durch Chlordioxid aus Trinkwasser entfernen. Die Bildung von PAH kann bei der Verbrennung durch einen mäßigen Sauerstoff-Überschuß u. a. techn. Maßnahmen vermindert werden[21].

Nachw.: Einzelne PAH lassen sich nach Trennung aus komplexen Gemischen durch HPLC, Gas- od. Dünnschichtchromatographie mittels Fluoreszenz-, UV- od. Massenspektroskopie nachweisen u. bestimmen[22]. Da die Mengenverhältnisse der verschiedenen PAH (sog. PAH-Profile) v. a. von der Bildungstemp. abhängen, werden meist nur wenige PAH od. allein Benzo[*a*]pyren als Leitsubstanz gemessen. – ***E*** PAH, polycyclic aromatic hydrocarbons, polynuclear aromatic hydrocarbons – ***F*** hydrocarbures aromatiques polycycliques – ***I*** abbr. per idrocarburi aromatici policiclici – ***S*** hidrocarburos aromáticos policíclicos, HAP, PAH

Lit.: [1] Chemosphere **23**, 199–213 (1991). [2] Nachr. Chem. Tech. Lab. **45**, 588 (1997). [3] Chemosphere **21**, 1285–1301 (1990). [4] Hutzinger **1 C**, 1–24. [5] Reichl, Taschenatlas der Toxikologie, S. 94 f., 148–151, 212 f., Stuttgart: Thieme 1997. [6] Appl. Environ. Microbiol. **53**, 2560–2566 (1987); De Serres (Hrsg.), Chemical Mutagens, Bd. 10, S. 73–127, New York: Plenum Press 1986; Forth et al. (7.). [7] Chemosphere **34**, 835–848 (1997). [8] Chemosphere **28**, 567–582 (1994); **30**, 2129–2142 (1995). [9] Gefahrstoffe Reinhalt. Luft **57**, 71–74 (1997). [10] Rippen, Bd. 3 u. 4. [11] Altlasten Spektrum **1995**, 302–310; Franzius et al., Handbuch der Altlastensanierung (2.), 4.1.8, Heidelberg: C. F. Müller Verl. (Loseblattsammlung), seit 1995. [12] Fresenius Z. Anal. Chem. **319**, 119–125 (1984). [13] Environ.

Sci. Technol. **31**, 2252–2259 (1997). [14] Naturwissenschaften **73**, 129–135 (1986). [15] Appl. Microbiol. Biotechnol. **43**, 521–528 (1995); Hurst et al. (Hrsg.), Manual of Environmental Microbiology, S. 766–775, Washington: ASM Press 1997. [16] Microbiol. Rev. **45**, 180–209 (1981). [17] Appl. Environ. Microbiol. **54**, 1182–1187 (1988). [18] Appl. Microbiol. Biotechnol. **34**, 528–535, 671–676 (1991). [19] Appl. Environ. Microbiol. **58**, 1142–1152 (1992). [20] Chemosphere **35**, 487–502 (1997). [21] VDI-Ber. (Ver. Dtsch. Ing.) **888** (1991). [22] DIN 38407-8: 1995-10 (PAK in der Originalprobe); DIN 38414 -21: 1996-02 (Bestimmung von 6 PAK mittels HPLC u. Fluoreszenzdetektion).
allg.: ACS Symp. Ser. **283** (1985) ▪ Dohmann (Hrsg.), Gewässerschutz, Wasser, Abwasser 153, Aachen: Ges. zur Förderung der Siedlungswasserwirtschaft 1995 ▪ Garrignes u. Lamotte (Hrsg.), Polycyclic Aromatic Compounds, Philadelphia: Gordon & Breach 1993 ▪ Polynuclear Aromatic Compounds, 4 Bd., IARC Monogr. 32–35, Lyon: IARC 1983–1985 ▪ Polynuclear Aromatic Hydrocarbons (mehrbändig, verschiedene Verl.), seit 1976.

Pahoehoe-Lava s. Lava.

Pahutoxin [Ostracitoxin, *O*-((*S*)-3-Acetoxyhexadecanoyl)cholinchlorid].

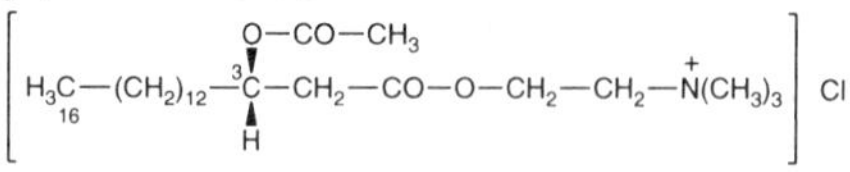

$C_{23}H_{46}ClNO_4$, M_R 436,07, Nadeln, Schmp. 74–75 °C, lösl. in Wasser, Methanol, $[\alpha]_D^{22}$ +3° (CH_3OH). Ein aus dem blauen Kofferfisch (*Ostracion lentiginosus*, auf Hawaii Pahu genannt) gewonnenes *Fischgift, das von dem Fisch auf Berührung u. a. Reize zusammen mit einer schleimigen Absonderung durch die Haut ausgeschieden wird u. auf kleinere Fische – auch auf die Kofferfische selbst – außerordentlich tox. wirkt. – ***E*** pahutoxin – ***F*** pahutoxine – ***I*** pahutossina – ***S*** pahutoxina

Lit.: Agric. Biol. Chem. **53**, 37 (1989) (Synth.) ▪ Chem. Labor Betr. **30**, 53 ff. (1979) ▪ Scheuer II **2**, 119 f. ▪ Zechmeister **27**, 325–328. – *[CAS 27742-14-9]*

PAI. Kurzz. (nach DIN 7728-1: 1988-01) für *Poly(amidimid)e.

PAK. Abk. für polycyclische aromatische Kohlenwasserstoffe; s. PAH u. kondensierte Ringsysteme.

Pakfeng. In China entwickelte Kupfer-Nickel-Zink-Leg. mit ca. 26–40% Cu, 32–41% Ni, 16–37% Zn u. max. 3% Fe für Haushaltswaren u. Schmuckgegenstände, s. Neusilber.

Palacos®. Knochenzement zur Befestigung von Gelenkprothesen im Knochen, insbes. zur Verankerung von Hüftendoprothesen, ferner zur ergänzenden Befestigung von Metallosteosynthesenteilen bei patholog. Knochenfrakturen u. zur Fusion von Knochenteilen, z. B. in der Wirbelsäulenchirurgie. ***B.:*** Heraeus Kulzer GmbH.

Palade, Georg Emil (geb. 1912), Prof. für Medizin u. Zellbiologie, Bukarest, New York u. Yale. *Arbeitsgebiete:* Cytologie, Elektronenmikroskopie, Ultrazentrifuge, endoplasmat. Retikulum, Entdeckung der Ribosomen; Nobelpreis für Medizin od. Physiologie 1974 (zusammen mit G. *Claude u. C. R. de *Duve).

Lit.: Lexikon der Naturwissenschaftler, S. 318 ▪ Nachr. Chem. Tech. Lab. **22**, 452 (1974) ▪ Who's Who in America (50.), S. 3251.

Paladent® 20. Zahntechn., kurzzeit-heißpolymerisierender, frei dosierbarer Prothesenbasiskunststoff zur Herst. von totalen u. partiellen Prothesen im Stopf/Preßverfahren. ***B.:*** Heraeus Kulzer GmbH.

Paladisc® LC. Lichthärtendes Einkomponenten-Composite in Form vorgefertigter Platten zur Herst. von Basisplatten für Bißschablonen u. Wachsaufstellungen sowie von individuellen Meßschablonen für Röntgenübersichtsaufnahmen. ***B.:*** Heraeus Kulzer GmbH.

Paladon® 65. Zahntechn., heißpolymerisierender Kunststoff auf Methacrylat-Basis zur Herst. von totalen u. partiellen Prothesen im Stopf/Preßverfahren. ***B.:*** Heraeus Kulzer GmbH.

Paladur®. Kaltpolymerisierender, zahntech. Kunststoff auf Methacrylat-Basis für Prothesenreparaturen u. -unterfütterungen. ***B.:*** Heraeus Kulzer GmbH.

Paläobiochemie (von griech.: palaios = alt). Wissenschaftliches Grenzgebiet zwischen *Biochemie u. *Paläontologie, das die Aufklärung paläontolog. Sachverhalte mit biochem. Meth. u. die Beantwortung entwicklungsbiolog. Fragen anhand von biochem. relevantem paläontolog. Material betreibt. Die Charakterisierung fossiler Biomol., z. B. *Proteine aus Muschelschalen (80 Mio. a) [1] od. *Chitin (25 Mio. a) [2] sowie ihrer Abbauprodukte liefert Informationen zu Alter u. Erhaltungszustand der Fossilien u. zur Herkunft organ. Materials. Die vergleichende *Sequenzanalyse fossiler u. rezenter Biopolymere trägt zum Verständnis der mol. Evolution, der Verwandtschaft ausgestorbener Arten [3] u. der Entwicklung der Artenvielfalt bei [4]. So konnte aus der Analyse von *Desoxyribonucleinsäuren (DNA) aus Neandertalerknochen (30 000 – 100 000 a) auf eine frühere Divergenz des Neandertalmenschen von unseren eigenen Vorfahren geschlossen werden als bisher angenommen [5]. Von der Unsicherheit *mol. Uhren* berichtet allerdings *Lit.* [6].
V. a. DNA werden zu vergleichenden Untersuchungen herangezogen, da ihre Vervielfältigung mit Hilfe der *polymerase chain reaction (PCR) u. ihre anschließende Sequenzanalyse im Prinzip sehr einfach ist; die Probleme liegen bei der Vermeidung von Artefakten, da auch kontaminierende DNA verstärkt wird u. die PCR nicht immer fehlerfrei verläuft. Die u. a. von der Unterhaltungs-Ind. aufgeworfene Frage der Rekonstruktion von Dinosaurier-DNA stößt zudem auf die Schwierigkeit des schlechten Erhaltungszustands dieser Erbsubstanz [7]. Am besten scheint sich in Bernstein eingeschlossenes Material konserviert zu haben [7,8]. Aber auch hier wird die Existenz intakter mehrere zehn Mio. a alter DNA in Frage gestellt [9]. – ***E*** pal(a)eobiochemistry – ***F*** paléobiochimie – ***I*** paleobiochimica – ***S*** paleobioquímica

Lit.: [1] Proc. Natl. Acad. Sci. USA **73**, 2541–2545 (1976). [2] Science **276**, 1541 ff. (1997). [3] Naturwissenschaften **83**, 178–182 (1996). [4] Science **271**, 470–477 (1996); **275**, 1109–1113 (1997). [5] Cell **90**, 1–3, 19–30 (1997); Nature (London) **388**, 255 f. (1997). [6] Curr. Biol. **7**, R 71 – R 74 (1997). [7] Science **272**, 810, 864 ff. (1996). [8] Spektrum Wiss. **1996**, Nr. 6, 80–88. [9] Nature (London) **386**, 764 f. (1997); Proc. R. Soc. London Ser. B **264**, 467–474 (1997).

Paläontologie. Von griech. palaios = alt, to on = das Wesen u. logos = Lehre abgeleitete Bez. für die Wissenschaft vom Leben der Vorzeit. Die P. verfolgt das Ziel, anhand von *Fossilien die Geschichte der vorzeitlichen Tier- u. Pflanzenwelt zu erforschen u. daraus die Entwicklungsgeschichte des Lebens auf der Erde, d.h. den Ablauf der *Evolution, zu rekonstruieren u. Aussagen zur Stammesgeschichte (Phylogenie) zu machen. Sie gliedert sich analog zur Biologie in *Paläobotanik* (P. der Pflanzen) u. *Paläozoologie* (P. der Tiere); letztere wird weiter unterteilt in *P. der Vertebraten* (Wirbeltiere) u. *P. der Invertebraten* (wirbellose Tiere).
Arbeitsgebiete: *Taxonomie* (Erfassung, Beschreibung u. systemat. Einordnung fossiler Lebewesen); *Cladistik*[1] [phylogenet. Systematik; durch Merkmals-Vgl. wird die Position eines Fossils im Verwandtschaftsschema (*Cladogramm*) erhalten], *Bio-*Stratigraphie, Funktions-Morphologie* (Rekonstruktion fossiler Tiere u. Pflanzen), *Pal(äo)ökologie* (Wissenschaft von der Beziehung der fossilen Lebewesen untereinander u. zu ihrer Umwelt), *Paläoklimatologie, Astropaläobiologie, Taphonomie* (Beschäftigung mit den Umständen, die einen Organismus zum Fossil werden ließen; zur Qualität der fossilen Überlieferung s. *Lit.*[2]), *Palichnologie* (Untersuchung von Spurenfossilien), *Mikro-P.* (Untersuchung mikroskop. kleiner Fossilien, bes. im Zusammenhang mit der Erdöl-Prospektion) u. *Palynologie* (*Sporen- u. *Pollen-Analyse). Ein aktuelles Forschungsthema der P. sind die *Massenaussterbe-Ereignisse* im Verlauf der Erdgeschichte[3–5], vgl. Fossilien. – ***E*** pal(a)eontology – ***F*** paléontologie – ***I*** paleontologia – ***S*** paleontología

Lit.: [1] Annu. Rev. Earth Planet. Sci. **22**, 63–91 (1994). [2] Annu. Rev. Earth Planet. Sci. **24**, 433–464 (1996). [3] Science **268** (5207), 52–58 (1995). [4] Nature (London) **381** (6578), 146ff. (1996). [5] Spektrum Wiss. **1996**, Nr. 9, 72–79.
allg.: Benton u. Harper, Basic Paleontology, Harlow (U. K.): Addison Wesley Longman 1997 ▪ Briggs u. Crowther (Hrsg.), Paleobiology, A Synthesis, Oxford: Blackwell 1990 ▪ Doyle, Understanding Fossils, An Introduction to Invertebrate Palaeontology, Chichester: Wiley 1996 ▪ Etter, Palökologie, Eine methodische Einführung, Basel: Birkhäuser 1994 ▪ Lehmann, Paläontologisches Wörterbuch (4.), Stuttgart: Enke 1996 ▪ Müller, Lehrbuch der Paläozoologie (3.), Allgemeine Grundlagen, Jena: G. Fischer 1992 ▪ Vogellehner, Paläontologie (6.), Freiburg: Herder 1981 ▪ Wissing u. Herig, Arbeitstechniken der Mikropaläontologie, Stuttgart: Enke 1997 ▪ Ziegler, Allgemeine Paläontologie (Einführung in die Paläobiologie Tl. 1) (4.), Stuttgart: Schweizerbart 1986 ▪ s. a. Evolution, Fossilien, Geologie, Stratigraphie.

Paläozän s. Erdzeitalter.

Paläozoikum s. Erdzeitalter.

Palamid®. Präparationen organ. u. anorgan. Farbmittel in Polyamid; für die Polyamid-Spinnfärbung (Fasern/Fäden). ***B.:*** BASF.

Palamoll® Marken. Polymerweichmacher für öl-, fett-, benzin- u. bitumenbeständige Weich-PVC-Erzeugnisse mit geringer Migrationsneigung bei Kontakt mit anderen Kunststoffen. Verw. u.a. für bitumenbeständige Dachbeläge, öl- u. benzinbeständige Steuerungskabel, Selbstklebe-Folien, Schutzkleidung u. Verpackungsfolien. ***B.:*** BASF.

Palanil®. Dispersionsfarbstoffe zum Färben u. Bedrucken von Polyester-Fasern, ferner von Acetat, Triacetat, Polyamid u. Polyacrylnitril-Fasern. *P. CF:* Bes. Eignung für Schnellfärbe-Verf., hohe Naßechtheiten, auch im Anschluß an therm. Behandlungen. *P. P:* Spezieller Finish für den Druck, bes. in Kombination mit synthet. Verdickungsmitteln vom Typ *Lutexal®. *P.* ***B.:*** BASF.

Palapress®. Kaltpolymerisierende Prothesen-Kunststoffe auf Methacrylat-Basis zur Komplettierung von Modellgußprothesen u. zur Wiederherstellung d. Funktion von Zahnprothesen. ***B.:*** Heraeus Kulzer GmbH.

Palaseal®. Lichthärtender Einkomponenten-Lack zur Oberflächenversiegelung von Zahnprothesen. ***B.:*** Heraeus Kulzer GmbH.

Palatinit®. Markenname für den auch als *Isomalt* bezeichneten, nach Anlage 2 der *Zusatzstoff-Zulassungs-VO[1] (Abschnitt: Verschieden wirkende Stoffe) für Lebensmittel allg., ausgenommen Getränke, bis zu 100 g/kg Erzeugnis zugelassenen *Zuckeraustauschstoff. Für die Herst. von Zuckerwaren, *Kaugummi, *Marzipan u. *Nugat-Erzeugnissen u. als Trägerstoff für Tafelsüßen ist P. ohne Mengenbegrenzung zugelassen. Nach der Zusatzstoff-Verkehrs-VO[2] Anlage 2 Liste 9 ist P., für das keine E-Nr. existiert, eine hydrierte Isomaltulose, die aus etwa gleichen Teilen 6-*O*-α-D-Glucopyranosyl-D-glucit (1-*O*-α-Glucosylsorbit, GPS, Isomaltit) u. 1-*O*-α-D-Glucopyranosyl-D-mannit-dihydrat (GPM) besteht. P. ist ein weißes, geruchloses Pulver von süßem Geschmack mit mind. 98% Trockenmasse. $C_{12}H_{24}O_{11}$, M_R 344,31, Schmp. 145–150 °C. P. muß zwischen 43 u. 57% GPS u. GPM enthalten.

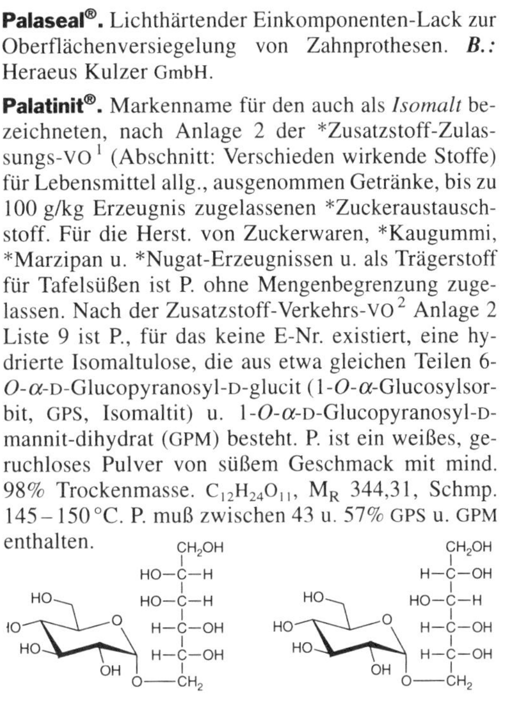

GPM GPS

Die Reinheitsanforderungen sind *Lit.*[2] zu entnehmen.
Herst.: Die enzymat. Umlagerung von *Saccharose durch ein immobilisiertes Zellsyst. führt zu Isomaltulose (90% Ausbeute) in krist. Form, die in Wasser gelöst u. hydriert wird, wobei ein Gemisch der isomeren Verb. GPS u. GPM entsteht.
Verw.: Der Disaccharid-Alkohol P. kann an Stelle von Saccharose od. Zuckeraustauschstoffen in nahezu alle Lebensmittel mit süßem Geschmack eingearbeitet werden[3,4]. Aufgrund der geringen *Hygroskopizität bietet P. in der Herst. von Hart-*Karamellen[5] u. Getreide-Extrudaten[6–8] sensor. u. technolog. Vorteile im Vgl. zu Saccharose. Textur u. Körper der P.-haltigen Lebensmittel werden pos. beurteilt. Beim industriellen Tiefgefrieren von Lebensmitteln (z.B. *Surimi) kann P. zur Protein-Stabilisierung beitragen[9].
Ernährungsphysiologie: P. ist aufgrund der weitgehend Insulin-unabhängigen Metabolisierung für Diabetiker (s. Diabetes) geeignet, nicht kariogen u. besitzt einen geringen *physiologischen Brennwert[1,2], der nach der Nährwert-Kennzeichnungs-VO[10] mit 10 KJ/g

bzw. 2,4 kcal/g anzugeben ist (§ 2 Absatz 2). Aufgrund der Stabilität der Disaccharid-Bindung ist P. über den gesamten pH- u. Temp.-Bereich der Lebensmitteltechnologie stabil. Es kommt zu keiner *Maillard-Reaktion mit anderen Lebensmittelinhaltsstoffen. P. besitzt die 0,45fache Süßkraft von Saccharose, schmeckt rein süß u. verstärkt in manchen Lebensmitteln den arttyp. Geschmack[4]. Synergist. Effekte mit anderen Zuckeralkoholen sind beschrieben[4].
Toxikologie: Zu Untersuchungen zur chron. Toxizität u. Carcinogenität (s. Carcinogene) von P. s. *Lit.*[11-14]. P. wurde in den USA in der *GRAS-Liste als unbedenklich eingestuft u. ist in der Schweiz u. in Großbritannien seit 1983 zugelassen. Eine gesundheitliche Bewertung des P. u. anderer Zuckeraustauschstoffe ist *Lit.*[15] zu entnehmen.
Analytik: Die analyt. Charakterisierung von P. ist ausführlich in *Lit.*[16] beschrieben. Zum Nachw. von P. in Lebensmitteln existieren ein gaschromatograph.[17], ein dünnschichtchromatograph.[18] u. ein *HPLC-Verf.[19]. Jahresbedarf 1990: ca. 20000 Tonnen, s. Zuckeraustauschstoffe.

Lit.: [1] ZZulV vom 22. 12. 1981 in der Fassung vom 08. 03. 1996 (BGBl. I, S. 460). [2] ZVerkV vom 10. 7. 1984 in der Fassung vom 14. 12. 1993 (BGBl. I, S. 2092). [3] Lebensmittelchem. Gerichtl. Chem. **41**, 49–55 (1987). [4] Alimenti **19**, 5–16 (1980). [5] Zucker Süßwaren Wirtsch. **38**, 216–221 (1985). [6] Zucker Süßwaren Wirtsch. **42**, 48–53 (1989). [7] Getreide Mehl Brot **43**, 53–58 (1989). [8] Getreide Mehl Brot **44**, 24–28 (1990). [9] J. Food Sci. **55**, 356–359 (1990). [10] Nährwert-Kennzeichnungs-VO vom 25. 8. 1988 in der Fassung vom 25. 11. 1993 (BGBl. I, S. 3526). [11] Food Chem. Toxicol. **28**, 243–251 (1990). [12] Food Chem. Toxicol. **28**, 1–9 (1990). [13] Food. Chem. Toxicol. **28**, 11–19 (1990). [14] Food Chem. Toxicol. **27**, 631–637 (1989); **35**, 309–314 (1997). [15] Bundesgesundheitsblatt **33**, 578–581 (1990). [16] Z. Lebensm. Unters. Forsch. **168**, 125–130 (1979). [17] Lebensmittelchem. Gerichtl. Chem. **41**, 113 (1987). [18] Merck Spektrum **1989**, Nr. 2, 25. [19] Lebensmittelchemie **44**, 61 (1990).
allg.: Grenly (Hrsg.), Advances in Sweeteners, London: Blackie 1995 ▪ Ullmann (5.) **A 5**, 80; **A 11**, 565 ▪ WHO/FAO Expert Committees on Food Additives (Hrsg.), 20. Toxicological Evaluation of Certain Food Additives and Contaminants, Cambridge: Cambridge University Press 1987.

Palatinol®-Marken. Phthalsäureester; Weichmacher für Kunststoffe – insbes. für PVC u. Vinylchlorid-Copolymerisate – u. a. für die Herst. von Folien, Kabeln, Fußbodenbelägen, Profilen u. Schläuchen, Beschichtungen sowie für Lacke, Polymerdispersionen u. Klebstoffe. ***B.:*** BASF.

Palavit®. Gruppe schnellhärtender zahntechn. Kunststoffe für die Kronen- u. Brückentechnik sowie zur Herst. von Abformlöffeln u. Dauermodellen. Palavit HV u. LV sind Knochenzemente. ***B.:*** Heraeus Kulzer GmbH.

PalaXpress®. Kaltpolymerisierender zahntechn. Universalprothesenwerkstoff auf Methacrylat-Basis zum Injizieren u. Gießen. ***B.:*** Heraeus Kulzer GmbH.

Pale crepe. Bez. für rohen *Naturkautschuk, der durch Koagulation des Latex-Saftes mit Essigsäure od. Ameisensäure erhalten u. zur Konservierung durch Riffelwalzen geschickt u. gewaschen wurde. P. c. besteht aus ca. 90% Kautschuk, 2–3% Aceton-extrahierbaren Anteilen, weiterhin 2–4% Proteinen, 2–4% Wasser u. 0,1–0,5% Asche. Er enthält damit weniger Begleitstoffe als die sog. „smoked sheets“, die zusätzlich in Kreosot-Dampf aus Teeröl-Fraktionen geräuchert werden. – ***E*** **=*I*** pale crepe

Lit.: Elias (5.) **2**, 143.

Palegal®. Egalisierungsmittel für Färbungen mit Dispersionsfarbstoffen auf Polyester-Fasern u. deren Mischungen mit anderen Substraten. ***B.:*** BASF.

Palindrome s. Desoxyribonucleinsäuren, S. 912.

Paliogen® Pigmente. Organ. Pigmente für hochwertige Anstrichmittel, zum Einfärben von Kunststoffen, für Blechdruckfarben, Künstlerfarben, Bunststifte. ***B.:*** BASF.

Paliotan® Pigmente. Co-finish-Pigmente; für hochwertige Ind.-Lacke u. Polymerdispersionen. ***B.:*** BASF.

Paliotol® Pigmente. Organ. Pigmente für spezielle Lacksyst., zur Einfärbung von Kunststoffen (nicht universell einsetzbar), zur Herst. von Künstlerfarben u. Buntstiften, für Blechdruckfarben. ***B.:*** BASF.

Palite. Chlorameisensäure-chlormethylester ($Cl–CO–O–CH_2–Cl$, $C_2H_2Cl_2O_2$, M_R 128,94) als französ. *Kampfstoff aus dem 1. Weltkrieg. – *[CAS 22128-62-7]*

Palladium (chem. Symbol Pd). Edelmetall der Platin-Gruppe, Ordnungszahl 46, Atomgew. 106,42. Isotope aller Massenzahlen von 94 bis 120 sind bekannt, von denen die Isotope der Massenzahlen (Häufigkeit in Klammern) 102 (1,02%), 104 (11,14%), 105 (22,33%), 106 (27,33%), 108 (26,46%) u. 110 (11,72%) stabil sind u. in natürlichem P. vorkommen. Die übrigen Isotope (26) sind radioaktiv mit HWZ zwischen 0,5 s u. 6,5 Mio. a u. wurden wie die metastabilen Isomeren der Massenzahlen 95, 107, 109, 110 u. 113 künstlich hergestellt. In seinen Verb. ist Pd 0-, 2-, 3- u. 4, im PdF_6^--Ion auch 5-wertig; die meist intensiv farbigen 2-wertigen Verb. sind am beständigsten u. häufigsten. Pd glänzt heller als Silber u. ist etwas härter u. zäher als Platin. D. 12,02, Schmp. 1554 °C, Sdp. 3125 °C. Pd erweicht vor dem Schmelzen u. ist daher schmiedbar; es kann zu Folien von 0,1 μm Dicke ausgeschlagen werden. Sauerstoff oxidiert Pd bei dunkler Rotglut zu PdO, u. in konz. Salpetersäure löst es sich in der Hitze zu gelbbraunem Palladiumnitrat. Höhere Lösegeschw. werden bei Königswasser, Salzsäure/Chlor, Salzsäure/Brom u. Bromwasserstoffsäure/Brom erreicht. Salzsäure u. Schwefelsäure greifen kaum an, deutlich hingegen Bromwasserstoffsäure, Iodwasserstoffsäure, NaOCl-Lsg., KCN-Lsg. sowie Cl_2 u. Br_2. *Palladium-organische Verbindungen existieren in großer Anzahl. Pd kann bei gewöhnlicher Temp. unter Aufweitung des Kristallgitters Wasserstoff bis zum 350–380fachen, in kolloider Lsg. sogar bis zum ca. 3000fachen seines Vol. aufnehmen: Pd-Mohr nimmt in fester Form das 870fache, in wäss. Suspension das 12000fache seines Vol. an H_2 auf. Dünne Pd-Bleche sind zwar H_2-durchlässig (vgl. Permeabilität), blähen sich jedoch merklich auf u. werden spröde u. rissig. Daher ist für die Wasserstoff-Diffusions-Reinigung eine Leg. mit 25% Ag wegen ihrer Dimensionsstabilität besser geeignet. Die Spaltung der H–H-Bindung unter Bildung reaktionsfähiger Pd-Hydride (vgl. Metallhydride) macht fein-

verteiltes Pd zu einem nützlichen *Hydrierungs-Katalysator. Hier wie auch in anderen Eigenschaften zeigt Pd Ähnlichkeit mit Ni. Zur Aktivitätsbremsung kann man den Katalysator gezielt „vergiften" (s. Katalyse), z. B. mit Blei-Verb. (*Lindlar*-Katalysator). Als Trägermaterial für Pd-Katalysatoren standen früher Asbest u. Bimsstein im Vordergrund, heute sind es γ-Al_2O_3, α-Al_2O_3, Aktivkohle, Kieselsäure u. Silicate wie z. B. Zeolithe mit Molekularsieb-Eigenschaften; zu Beisp. für zahlreiche Publikationen über Pd-katalysierte Synth. s. *Lit.*[1].
Über die Toxikologie des Pd u. seiner Verb. ist nur wenig bekannt, s. *Lit.*[2]. Für Nachweis u. Bestimmung des Pd eignen sich *Dimethylglyoxim u. a. Oxime, 2-Chinolincarbonsäure, Nitroso-Verb., z. B. 1-*Nitroso-2-naphthol, u. Thiole (*Lit.*[3]). Sehr empfindlich sind Atomabsorptionsspektrometrie u. massenspektroskop. Methoden[4].
Vork.: Der Anteil des Pd an der obersten, 16 km dicken Erdkruste wird auf 10 mg/t geschätzt; damit steht Pd in der Häufigkeitsliste der Elemente an 71. Stelle zwischen Argon u. Platin. Der Gehalt der silicat. Lithosphäre der Erde an Pd beträgt ca. 0,5 g/t, der Pd-Gehalt der gesamten Erdkugel wahrscheinlich ca. 10 g/t. In den wichtigsten Pd-Vork. wie den Nickelmagnetkies-Lagern von Sudbury (Kanada) u. Norilsk (Mittelsibirien) ist Pd v. a. als Pd-haltiger **Sperrylith* (Pt,$PdAs_2$, D. 10,6, H. 6–7) u. *Stibiopalladinit* (Pd_3Sb, ca. 70% Pd-Gehalt, D. 9,5, H. 4,5) in die Schwermetallsulfide eingelagert. Pd kommt, z. T. gediegen, in fast allen Pd-Erzen, so in den Vork. des Merensky-Reef (Südafrika) u. in manchen Goldseifen vor.
Herst.: Zur Herst. des Pd wird das nach Abtrennung von den anderen *Platin-Metallen erhaltene Ammoniumhexachloropalladat(IV) in *trans*-Diammindichloropalladium(II) überführt u. dieses durch therm. Zers. in Ggw. von H_2 zu luftstabilem Pd-Schwamm calciniert. Durch chem. Red., z. B. mit Hydrazin od. Natriumformiat, erhält man pyrophores Pd-Mohr. Für das Jahr 1993 wird die Bergwerksproduktion an Pd weltweit mit 128,6 t ausgewiesen, wovon 71,5 t auf die ehemalige Sowjetunion, 11,5 t auf die USA u. 43,4 t auf Südafrika entfielen. Außerdem wird Pd zu einem erheblichen Teil aus industriellen Abfällen u. Altmaterial zurückgewonnen.
Verw.: Als Leg.-Bestandteil in Schmuckmetallen zusammen mit Pt (96% Pt+4% Pd), Ag u. Au, für Dentalleg., zur Herst. von Spinndüsen in der Textil-Ind., Schreibfedern u. Kontaktmetallen in der Elektrotechnik, für Elektroden in Brennstoffzellen, in Wasserstoff-Diffusionszellen zur Herst. von hochreinem H_2. Pd-Katalysatoren (s. oben) finden in Laboratorium u. Technik vielseitigen Einsatz, z. T. gemeinsam mit Platin, v. a. beim Hydro-*Kracken (sog. *Fluid Catalytic Cracking*, FCC) u. Reformingprozessen zur Veredlung von Mineralölfraktionen zu Heizöl u. Benzin, zur Red. von Acetylen zu Ethylen. Bei der Synth. von *Wasserstoffperoxid nach dem Anthrachinon-Verf. werden Pd-Mohr od. Pd-Festbettkatalysatoren eingesetzt, bei der hydrierenden Desoxygenierung von Brauchwasser Pd/Kunstharz. Auch *Katalysatoren für *Kraftfahrzeugabgase enthalten teilw. Pd. Die pharmazeut. Ind. verwendet in großem Umfang Pd/Kohle-Katalysatoren. Mit $Pd(OH)_2$/Kohle (*Pearlman-Katalysator*) lassen sich bequem *N*-Benzyl-Gruppen abspalten. Verschiedene Salze u. bes. Koordinationsverb. des Pd werden bei der homogenen Katalyse von Oxid., Telomerisationen (Tsuji, s. *Lit.*) u. a. verwendet. Das aus radioaktiven Spaltprodukten anfallende Pd hat wegen seiner schwachen Radioaktivität (es besteht zu 15,7% aus ^{107}Pd mit $6{,}5 \cdot 10^6$ a HWZ) bisher noch keine Nutzanw. gefunden.
Geschichte: Pd wurde 1803 von *Wollaston entdeckt u. nach dem 1802 aufgefundenen Planetoiden Pallas genannt; zur Entdeckungsgeschichte s. *Lit.*[5]. – ***E*** = ***F*** palladium – ***I*** palladio – ***S*** paladio

Lit.: [1] Acc. Chem. Res. **13**, 385–393 (1980); **15**, 340–348 (1982); **16** 335–342 (1983); Adv. Organomet. Chem. **17**, 141–149 (1979); Angew. Chem. **96**, 565–573 (1984); Chem. Tech. (Leipzig) **32**, 531 ff. (1980); Pure Appl. Chem. **51**, 1235–1241 (1979); **53**, 2323–2332, 2371–2378 (1981); **55**, 1669–1676, 1845–1852 (1982); Synthesis **1984**, 369–384; [2] Bradford u. Chase, in: Seiler u. Sigel, Handbook on Toxicity of Inorganic Compounds, S. 517–520, New York: Dekker 1988. [3] Fries-Getrost, S. 281–287. [4] Townshend, Encyclopedia of Analytical Science, S. 3730–3734, London: Academic Press 1995. [5] Chem. Prod. Chem. News **1953**, 465 f.; Chem. Tech. (Amsterdam) **23**, 691 f. (1968).
allg.: Brauer (3.) **3**, 1726–1733 ▪ Gmelin, Syst.-Nr. 65, Pd, 1941, 1942, Suppl. Vol. B 2 (Compounds), 1989 ▪ Heck, Palladium Reagents in Organic Synthesis, London: Academic Press 1985 ▪ Kirk-Othmer (4.) **19**, 347–407 ▪ Smith u. Carson, Trace Metals in the Environment, Vol. 4, Palladium and Osmium, Ann Arbor: Ann Arbor Sci. 1977 ▪ Synthetica **1**, 372–380 ▪ Tsuji, Organic Synthesis with Palladium Compounds, Berlin: Springer 1980 ▪ Ullmann (5.) **A 21**, 75–131. – *[HS 711021, 711029; CAS 7440-05-3]*

Palladium(II)-acetat. $Pd(O\text{–}CO\text{–}CH_3)_2$, M_R 224,51. Gelbe Krist., Schmp. 205 °C (Zers.), in organ. Lsm. lösl., in warmem Wasser hydrolysierend. Die Herst. erfolgt aus Pd-Schwamm u. Eisessig in Ggw. von konz. Salpetersäure. P. katalysiert die aromat. Substitution von Olefinen, intramol. Cyclisierungen, Acetoxylierungen von Olefinen, aromat. u. hydroaromat. Kohlenwasserstoffen u. oxidative Umsetzungen. – ***E*** palladium(II) acetate – ***F*** acétate de palladium(II) – ***I*** acetato di palladio(II) – ***S*** acetato de paladio(II)

Lit.: J. Org. Chem. **40**, 1365 (1975) ▪ Synthesis **1973**, 524–533, 594–598. – *[HS 293100; CAS 3375-31-3 $Pd(C_2H_3O_2)_2$; 531-89-26-7 $Pd_3(C_2H_3O_2)_6$]*

Palladium(II)-chlorid. $PdCl_2$, M_R 177,33. C
Wasserfreies, braunviolettes Pulver subl. bei 590 °C, >600 °C Zers., ist unlösl. in Wasser, leicht lösl. in Salzsäure. Es besitzt eine Bänderstruktur $(PdCl_2)_n$, s. die Abb. bei *catena-*. Das Dihydrat bildet dunkelrotbraune, zerfließliche Prismen, D. 4,0, die in Wasser, HCl u. Aceton lösl. sind.
Herst.: Durch vorsichtiges Eindampfen einer salzsauren Lsg. von $H_2[PdCl_4]$. Diese nur in Lsg. beständige *Tetrachloropalladium(II)-säure*, die man aus Pd-Schwamm mit Chlor-gesätt. Salzsäure erhält, dient zur Herst. fast aller techn. genutzten Pd-Präparate. Von der Säure leitet sich auch das fleischrote *Vauquelinsche Salz* ab ($[Pd(NH_3)_4][PdCl_4]$). Wäss. $PdCl_2$-Lsg. werden durch Kohlenoxid, Ethylen u. a. reduzierende Gase unter Abscheidung von metall. Pd entfärbt. Diese Reak-

tion dient auch zum Nachw. von Spuren von Leuchtgas od. Kohlenoxid.
Verw.: Als Homogenkatalysator beim *Wacker-Verfahren zur Olefin-Oxid. u. a. Synth., Ausgangsprodukt für andere Pd-Verb. u. Pd-Katalysatoren. – *E* palladium(II) chloride – *F* chlorure de palladium(II) – *I* cloruro di palladio(II) – *S* cloruro de paladio(II)
Lit.: Brauer (3.) **3**, 1728 f. ▪ Chem.-Ztg. **108**, 251 – 253 (1984) ▪ Gmelin, Syst.-Nr. 65, Pd. 1942, S. 272 – 285, Suppl. Vol. B 2, 1989, S. 66 – 175 ▪ Kirk-Othmer (4.) **19**, 390 ▪ Synthesis **1977**, 773 ▪ Synthetica **1**, 381 f. ▪ Ullmann (5.) **A 21**, 107 ▪ Winnacker-Küchler (4.) **6**, 67 – 70, 75. – *[HS 2843 90; CAS 7647-10-1]*

Palladium(II)-nitrat., $Pd(NO_3)_2$, M_R 230,43. Braungelbe, zerfließliche Krist., in Wasser beim Erwärmen hydrolysierend. Bei schwachem Glühen entsteht PdO. P. wird zur quant. Trennung von Chlor u. Iod verwendet. – **E** palladium(II) nitrate – **F** nitrate de palladium(II) – **I** nitrato di palladio(II) – **S** nitrato de paladio(II)

O

C

Lit.: Brauer (3.) **3**, 1730 f. ▪ Gmelin, Syst.-Nr. 65, Pd. 1942, S. 269 f., Suppl. Vol. B 2, 1989, S. 40 – 43. – *[HS 2843 90; CAS 10102-05-3]*

Palladium-organische Verbindungen. Diese Verb. gehören zu den am häufigsten eingesetzten Übergangsmetall-Verb. in Metall-organ. Reaktionen. Allerdings werden P.-o. V. selten stöchiometr., sondern fast ausschließlich in katalyt. Mengen verwendet. Einerseits erzwingt der hohe Preis für Palladium prakt. dieses Vorgehen u. andererseits ist Palladium, wie kein anderes Übergangsmetall in der Lage, oxidative Additionen u. reduktive Eliminierungen, d. h. den Wechsel zwischen den Oxidationszahlen 0 u. +2, einzugehen (Näheres s. Metall-organische Reaktionen), so daß Katalysecyclen leicht realisierbar sind. Palladium(0)-Komplexe, z. B. $Pd[(C_6H_5)_4]$, sind – wegen ihrer gefüllten Elektronenschale – nucleophil, während Pd(II)-Verb., z. B. $PdCl_2$, elektrophile Eigenschaften besitzen. P.-o. V. können deshalb die unterschiedlichsten Reaktionen, z. B. regio- u. stereoselektive Umwandlungen, katalysieren, die auf anderem Wege nicht durchführbar sind. Die Alkenylierung (Vinylierung) u. Arylierung von Alkenen (*Heck-Reaktion), die spezif. Substitution an Allyl-Verb. (*Tsuji-Trost-Reaktion), die [3 + 2]-Cycloaddition eines, in freier Form nicht zugänglichen Trimethylenmethans an elektronenarme Alkene (s. Abb. bei Metall-organische Reaktionen) sind ausgewählte, repräsentative Beispiele. P.-o. V. gehören damit zu den populärsten Reagenzien in der organ. Synth., wobei fortlaufend neue Anw.-Möglichkeiten gefunden werden. P.-o. V. haben auch Eingang in die industrielle organ. Synth. gefunden. An herausragender Stelle ist hier die Herst. von Acetaldehyd u. Vinylacetat nach dem *Wacker-(Hoechst-)Verfahren zu nennen. – *E* organopalladium compounds – *F* composés d'organo-palladium – *I* composti organici di palladio – *S* compuestos de organopaladio
Lit.: Adv. Organomet. Chem. **13**, 273 – 352, 363 – 452 (1975); **19**, 155 – 182 (1981) ▪ Angew. Chem. **97**, 279 – 291 (1985); **107**, 2830 (1995) ▪ Heck, Palladium Reagents in Organic Synthesis, London: Academic Press Hartcourt Brace & Co. 1990 ▪ Houben-Weyl **13/9 b**, 701 – 999 ▪ Krause, Metallorganische Chemie, S. 201 f., Heidelberg: Spektrum Akadem. Verl. 1996 ▪ Malleron, Fiaud u. Legros, Handbook of Palladium-Catalysed Organic Reactions, Oxford: Pergamon 1997 ▪ Pure Appl. Chem. **62**, 713 – 722 (1990); **69**, 471 (1997) ▪ Synthesis **1985**, 233 – 252 ▪ Top. Curr. Chem. **91**, 29 – 74 (1980) ▪ Tsuji, Palladium Reagents and Catalysis: Innovations in Organic Synthesis, New York: Wiley 1995 ▪ Wilkinson-Stone-Abel **6**, 233 – 469; II **9**, 193 ff. ▪ s. a. Palladium u. Metall-organische Chemie.

Palladium(II)-oxid. PdO, M_R 122,42. Schwarzes, in Wasser, Laugen u. Säuren (außer HBr) unlösl. Pulver, D. 8,70, Schmp. 870 °C, das entsteht, wenn man Pd-Pulver im Sauerstoff-Strom erhitzt. Bei stärkerem Erhitzen auf ca. 800 °C zerfällt es wieder in das Metall u. Sauerstoff u. wirkt dadurch oxidierend. Durch Red. läßt sich P. leicht in einen sehr aktiven Hydrierkatalysator überführen. – *E* palladium(II) oxide – *F* oxyde de palladium(II) – *I* ossido di palladio(II) – *S* óxido de paladio(II)
Lit.: Brauer (3.) **3**, 1728 ▪ Gmelin, Syst.-Nr. 65, Pd. 1964, S. 259 – 268, Suppl. Vol. B 2, 1989, S. 1 – 14 ▪ Kirk-Othmer (4.) **19**, 390 ▪ Synthetica **1**, 383 ▪ Ullmann (5.) **A 21**, 107. – *[HS 2843 90; CAS 1314-08-5]*

Pallaplat®. Edelmetall-Leg. für Thermoelementdrähte. *B.:* Heraeus Sensor-Nite GmbH.

Pallasite s. Meteoriten.

Palliag®. Weiße Edelmetall-Leg. auf der Basis von Silber-Palladium. *B.:* Degussa.

Palliative. Von latein.: palliare = verhüllen, bemänteln abgeleitete Bez. für Arzneimittel, die lediglich die Symptome einer Krankheit bekämpfen u. in diesem Sinne Linderungsmittel sein können, nicht aber gegen die eigentliche Krankheitsursache angehen. Die Anw. von P. ist z. B. angezeigt bei unheilbaren u. schmerzhaften Erkrankungen. – *E* palliatives – *F* palliatifs – *I* palliativi – *S* paliativos

Palmarosaöl. Schwach gelbliches Öl; süß-blumiger, rosenartiger Duft mit krautigem u. brotartigem Unterton.
Herst.: Durch Wasserdampfdest. aus der trop. Grasart *Cymbopogon martinii* var. *motia*. Hauptproduzent ist Indien, kleinere Anbaugebiete gibt es in Guatemala, Brasilien u. Madagaskar.
Zusammensetzung [1]*:* Hauptbestandteil ist *Geraniol mit 75 – 85%. Die Guatemala-Qualität enthält abweichend ca. 60% Geraniol u. 15% Nerol (s. Geraniol), das in den anderen Ölen kaum vorhanden ist. Eine weitere wichtige Komponente ist Geranylacetat (s. Geranylester) (ca. 10%).
Verw.: Bei der Parfümherst. für blumige, rosige Noten in allen Anw.-Bereichen. In kleineren Mengen dient P. auch zur Herst. eines geruchlich hochwertigen Geraniols für die Feinparfümerie. – *E* palmarosa oil – *F* essence de palmarosa – *I* essenza di palmarosa – *S* esencia de palmarosa
Lit.: [1] Perfum. Flavor. **19** (2), 29 (1994).
allg.: ISO 4727 (1988) ▪ Ullmann (4.) **20**, 260 f. – *[HS 3301 29; CAS 8014-19-5]*

Palmendrachenblut s. Drachenblut.

Palmfett s. Palmöl.

Palmitate. Bez. für die Ester u. Salze der *Palmitinsäure. Während die Ester z. B. in der Kosmetik Verw. finden, sind die Salze vorwiegend in ihrer Eigen-

schaften als *Metallseifen von Bedeutung, so z. B. als Zusatz zu Schmierfetten (Al-, Ba-, Ca-P.), als Imprägniermittel (Ca-, Cu-, Mg-, Mn-, Zn-P.), Druckfarbenbestandteile (Ca-, Mg-P.), als Katalysatoren (Fe-, Ni-P.), als Hilfsmittel in der Gummi-Ind. (Pb-, Zn-P.), als Gleitmittel in der Kunststoff-Ind. (Zn-P.). Traurige Bedeutung hat Aluminiumpalmitat als Verdickungsmittel in Brandstoffen (*Napalm) erlangt. – ***E*** = ***F*** palmitates – ***I*** palmitati – ***S*** palmitatos
Lit.: Beilstein E IV **2**, 1161–1174 ▪ s. a. Metallseifen. – *[HS 2915 70]*

Palmitin. Glycerinester der *Palmitinsäure, z. B. *Tripalmitin. – ***E*** palmitin – ***F*** palmitine – ***I*** = ***S*** palmitina – *[CAS 3486-67-7]*

Palmitinsäure (Hexadecansäure, Cetylsäure). $H_3C–(CH_2)_{14}–COOH$, $C_{16}H_{32}O_2$ M_R 256,43. Farblose krist. Plättchen, D. 0,8577, Schmp. 63 °C, Sdp. 390 °C, 267 °C (133 mbar), unlösl. in Wasser, wenig lösl. in kaltem Alkohol od. Petrolether, gut lösl. in heißem Alkohol, Ether, Propanol u. Chloroform. P. findet man neben *Stearin- u. *Ölsäure als Bestandteil der Fettsäure-Komponente von Fetten u. fetten Ölen. Die höchsten P.-Gehalte finden sich im *Stillingiaöl (60–70%) u. im *Palmöl (30–40%), während die übrigen Pflanzenöle in der Regel deutlich weniger P. enthalten. In Form des Myricylesters ist P. darüber hinaus im Bienenwachs, als Cetylester im *Walrat enthalten.
Verw.: Herst. von *Palmitaten, Schmierölen, Seifen, Imprägnierungen etc. sowie als Futterzusatzmittel. Der Name P. wurde nach der Isolierung aus Palmöl durch Frémy (1840) vergeben. – ***E*** palmitic acid – ***F*** acide palmitique – ***I*** acido palmitico – ***S*** ácido palmítico
Lit.: Beilstein E IV **2**, 1157 ▪ Ullmann (5.) **A 10**, 245–276 ▪ s. Fettsäuren. – *[HS 1519 19, 2915 70; CAS 57-10-3]*

Palmitinsäurechlorid (Palmitoylchlorid). $H_3C–(CH_2)_{14}–CO–Cl$, $C_{16}H_{31}ClO$, M_R 274,87. Farblose Krist. od. farblose Flüssigkeit, Schmp. 12 °C, Sdp. 195 °C (23 mbar), zersetzlich in Wasser u. Alkohol, lösl. in Ether.
Verw.: Zur Herst. von Anion- u. Kationtensiden. – ***E*** palmitoyl chloride – ***F*** chlorure de palmitoyle – ***I*** cloruro palmitico – ***S*** cloruro de palmitoilo
Lit.: Beilstein E IV **2**, 1182. – *[HS 2915 90; CAS 112-67-4]*

Palmitinsäureethylester (Ethylpalmitat). $H_3C–(CH_2)_{14}–COOC_2H_5$, $C_{18}H_{36}O_2$, M_R 284,49, D. 0,85577, Schmp. 19 °C u. 24 °C (zwei Formen), Sdp. 191 °C (13 mbar), weiße Kristalle. P. dient zur Herst. pharmazeut. Cremes, Salben, Haut- u. Haaröle. – ***E*** palmitic acid ethylester – ***F*** palmitate d'éthyle – ***I*** palmitato di etile – ***S*** palmitato de etilo
Lit.: Beilstein E IV **2**, 1165. – *[HS 2915 70; CAS 628-97-7]*

Palmitinsäureisopropylester (Isopropylpalmitat). $H_3C–(CH_2)_{14}–CO–O–CH(CH_3)_2$, $C_{19}H_{38}O_2$, M_R 298,52, D. 0,852, Schmp. 14 °C, Sdp. 160 °C (26 mbar). Wasserhelle, geruchlose Flüssigkeit, unlösl. in Wasser. P. ist hautfreundlich u. hat ein gutes Lösevermögen für *Lanolin. – ***E*** palmitic acid 2-propylester, isopropyl palmitate – ***F*** palmitate de 2-propyle – ***I*** palmitato di 2-propile – ***S*** palmitato de 2-propilo
Lit.: Beilstein E IV **2**, 1167. – *[HS 2915 70; CAS 142-91-6]*

Palmitinsäuremethylester (Methylpalmitat). $H_3C–(CH_2)_{14}–COOCH_3$, $C_{17}H_{34}O_2$, M_R 270,46, Schmp. 28–30 °C, Sdp. 148 °C (3 mbar), weiße wachsartige Masse.
Verw.: Bezugssubstanz in der Gaschromatographie, Konsistenzgeber in kosmet. Präparaten. – ***E*** palmitic acid methylester – ***F*** palmitate de méthyle – ***I*** palmitato di metile – ***S*** palmitato de metilo
Lit.: Beilstein E IV **2**, 1165. – *[HS 2915 70; CAS 112-39-0]*

Palmitoleinsäure (Physetölsäure, 9-Hexadecensäure). Begleiter der Palmitinsäure in Fetten u. fetten Ölen. – *[HS 1519 19, 2916 19]*

Palmitoleylalkohol. Ungesätt. *Fettalkohol, erhältlich durch Hochdruckhydrierung von Palmitoleylsäuremethylester. – ***E*** palmitoleic alcohol – ***F*** alcool palmitoléique – ***I*** alcol palmitoleico – ***S*** alcohol palmitoleico

Palmitoyl... s. Hexadecanoyl...

Palmitylalkohol s. 1-Hexadecanol.

Palmkernöl. Fettes, bei gewöhnlicher Temp. festes weißes bis gelbliches, angenehm schmeckendes Samenöl, das aus den zerkleinerten Fruchtkernen der *Ölpalme, in denen es zu 48–52% enthalten ist, gepreßt u. extrahiert wird. In seiner Zusammensetzung unterscheidet es sich deutlich vom *Palmöl, das aus dem Fleisch der Ölfrucht gewonnen wird. Die Tab. gibt die Zusammensetzung des P. wieder.

Tab.: Fettsäure-Zusammensetzung von Palmkernöl.

Fettsäure-Komponente	Anteil Gew.-%
Capron-/Capryl-/Caprinsäure	9
Laurinsäure	50
Myristinsäure	15
Palmitinsäure	7
Stearinsäure	2
Ölsäure	15
Linolsäure	1
Unverseifbares	0,6
Verseifungszahl	245–255
Iodzahl	14–23
Schmelzpunkt	24–26°C

Verw.: Zur Herst. von Margarine u. Leimseifen, wichtiger Rohstoff für die *Oleochemie. – ***E*** palm kernel oil, palm seet oil – ***F*** huile de palmiste – ***I*** olio del seme di palma – ***S*** aceite de pepita de palma
Lit.: Bundesanzeiger 140 a, Anhang, Anlage zu Abschnitt II (Fassung vom 9. 6. 87) ▪ Fette Seifen Anstrichm. **88**, 294 (1986) ▪ Ullmann (5.) **A 10**, 173–243. – *[HS 1513 21, 1513 29]*

Palmöl (Palmfett, Palmbutter). Aus dem Fruchtfleisch der *Ölpalme gepreßtes fettes Öl, das durch seinen hohen Carotin-Gehalt (bis 3,5%) gelb bis rot gefärbt ist. Rohes P. schmeckt unangenehm süßlich u. riecht veilchenartig. Die Zusammensetzung des P. ist in der Tab. auf S. 3104 wiedergegeben.
Bei der Raffination wird das P. mit Ozon od. Kaliumdichromat gebleicht, für Nahrungsfette jedoch nur mit Bleicherden. Durch *Härtung steigt der Schmp. des P. auf 58 °C.
Verw.: Zu Margarine, Seifen u. Kerzen, in der Pharmazie u. Kosmetik, zu Schmierfetten, als Baumwollfinish-Material sowie als wichtiger Rohstoff für die

Tab.: Fettsäure-Zusammensetzung von Palmöl.

Fettsäure-Komponente	Anteil Gew.-%
Myristinsäure	2
Palmitinsäure	42
Stearinsäure	5
Ölsäure	41
Linolsäure	10
Unverseifbares	0,5
Verseifungszahl	195–205
Iodzahl	44–54
Schmelzpunkt	30–40°C

*Oleochemie. – ***E*** palm oil – ***F*** huile de palme – ***I*** olio di palma – ***S*** aceite de palma

Lit.: Bundesanzeiger 140a, Anhang, Anlage zu Abschnitt II (Fassung vom 9. 6. 87) ▪ Chem. Ind. (London) **1989**, 244 ▪ Fette Seifen Anstrichm. **88**, 213, 250 (1986). – *[HS 1511 10, 1511 90]*

Palmwein (anglo-ind. Bez.: Toddy). Ein *alkoholisches Getränk (3–4,5% vol), das durch Vergären der zuckerreichen Säfte verschiedener Palmenarten in vielen trop. Ländern hergestellt wird. Die nach Anzapfen des Blütenstandes ausfließenden Säfte werden in geringem Maße auch zu Arrak (s. Spirituosen) verarbeitet. P. schmeckt leicht süß u. moussiert lebhaft. – ***E*** palm wine – ***F*** vin de palme – ***I*** vino di palma – ***S*** vino de palma

Lit.: Hermann, Exotische Lebensmittel (2.), S. 128, Berlin: Springer 1987 ▪ Würdig u. Woller (Hrsg.), Chemie des Weines, S. 768, Stuttgart: Ulmer 1989. – *[HS 2206 00]*

Palmzucker. Durch Eintrocknen des konz. Saftes (ca. 14% *Saccharose) der Blütenstände verschiedener Zuckerpalmen (*Phoenix sylvestris, Borassus flabelliformis*), die hauptsächlich in Indien u. Burma, weniger in Indonesien angebaut werden, u. anschließende Krist. erhält man Palmzucker.

Verw.: P. wird z. T. zu Arrak vergoren u. als *Saccharose-Quelle genutzt. Weltjahresproduktion (1988): 200 000 Tonnen. – ***E*** palm sugar – ***F*** sucre de palme – ***I*** zucchero di palma – ***S*** azúcar de palma

Lit.: Belitz-Grosch (4.), S. 787 ▪ Hoffmann, Zucker u. Zuckerwaren, S. 75, Berlin: Parey 1985 ▪ Ullmann (4.) **24**, 739.

Paludrine®. Tabl. mit dem Malaria-Mittel *Proguanil-Hydrochlorid. ***B.:*** Zeneca.

Palustrin s. Schachtelhalm.

Palustrinsäure.

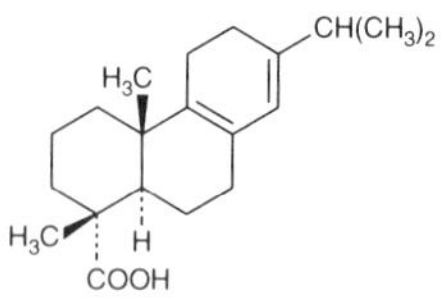

$C_{20}H_{30}O_2$, M_R 302,45, Schmp. 162–167 °C. Zu den Diterpen-Derivaten gehörende opt. aktive *Harzsäure, die vornehmlich aus Kiefernbalsam-, Balsam- u. Wurzelharz gewonnen wird. – ***E*** palustric acid – ***F*** acide palustrique – ***I*** acido palustrico – ***S*** ácido palústrico

Lit.: Beilstein E IV **9**, 2174 ▪ Ullmann (4.) **12**, 531; (5.) **A 23**, 73 ff. ▪ s. a. Harzsäuren. – *[HS 3806 10; CAS 1945-53-5]*

Palygorskit s. Attapulgit.

Palynologie s. Pollen, Sporen u. Paläontologie.

Palytoxin (PTX). $C_{129}H_{223}N_3O_{54}$, M_R 2680,18, hygroskop. Feststoff, Zers. >300 °C, unlösl. in Chloroform, Aceton, lösl. in Wasser, Pyridin, DMSO. P., das zuerst von Moore u. Scheuer aus der pazif. Krustenanemone *Palythoa toxica* (Ordnung Zoanthidae) isoliert wurde [1] u. vermutlich einem bakteriellen Symbionten von *Palythoa* entstammt, gehört zu den giftigsten Naturstoffen, die man kennt. Es ist die giftigste Verb. aus Meeresorganismen u. ist mit einer LD_{50} (Maus i.v.) von 0,15 µg/kg bzw. Taschenkrebs: 0,06 µg/kg, Kaninchen 0,025 µg/kg etwa 25mal giftiger als *Tetrodotoxin. Lediglich wenige peptid. Naturstoffe wie z. B. Botulinustoxin (s. Botulismus) sind noch höher tox. als Pa-

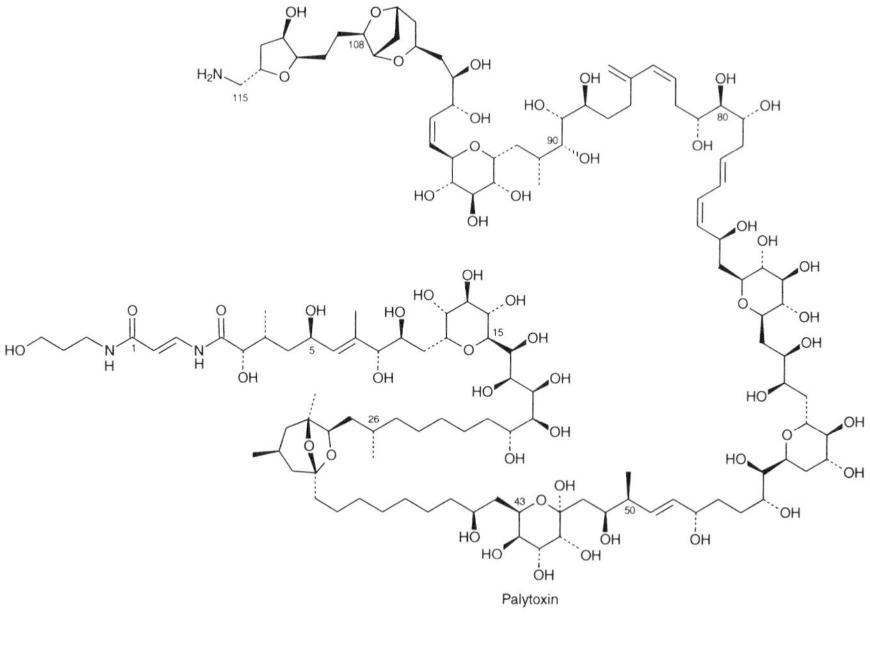

Palytoxin

lytoxin. P. enthaltende *Palythoa*-Extrakte wurden von hawaiian. Ureinwohnern zur Vergiftung von Speerspitzen für die Jagd u. zur Kriegsführung verwendet. Die Strukturaufklärung des mit 64 Asymmetriezentren u. nur geringen Teilstrukturwiederholungen äußerst komplexen Mol. gelang unabhängig voneinander den Gruppen von Moore u. Hirata[2]. Die abs. Konfiguration der Stereozentren wurde von Kishi et al. durch enantioselektive Synth. von Spaltprodukten des Naturstoffs bestimmt[3]. Die Totalsynth. von P. gelang schließlich 1989 ebenfalls der Arbeitsgruppe von Kishi[3].
Aus *Palythoa toxica*, *P. tuberculosa* u. *P. mammilosa* wurden 4 ähnlich giftige Nebenkomponenten isoliert: Homopalytoxin, Bishomopalytoxin, Neopalytoxin, Deoxypalytoxin.
Wirkung: P. u. die Nebenkomponenten bilden Poren in der Zellmembran (Zytolysine). Nanomol. Konz. an P. erhöhen die Membranpermeabilität von Gefäßmuskelzellen für Na^+ u. K^+-Ionen. Bei höheren Konz. wird die Membran auch für Mol. wie z. B. ATP durchlässig. Durch die gesteigerte Na^+-Permeabilität kommt es zur Depolarisation u. Kontraktion jedes dazu befähigten Organs[4]. P. ist die am stärksten koronarkontrahierend wirkende Substanz, die man kennt. P. ist Modellsubstanz für die Untersuchung von Membranvorgängen, u. a. für die Genese von Angina pectoris[5]. P. wurde auch als Krebstherapeutikum u. Lokalanästhetikum geprüft, fand jedoch aufgrund seiner hohen Toxizität keine Anwendung.
Biogenet. ist P. vermutlich ein *Polyketid. – ***E*** palytoxin – ***F*** palytoxine – ***I*** palitossina – ***S*** palitoxina

Lit.: [1]Tetrahedron **41**, 1007 (1985). [2]J. Am. Chem. Soc. **103**, 2491 (1981); **104**, 3776 (1982); Tetrahedron Lett. **22**, 2781 (1981). [3]Nicolaou-Sorensen, S. 711–730. [4]Toxicon **27**, 1171–1187 (1989). [5]Pure Appl. Chem. **54**, 1963 (1982).
allg.: ACS Symp. Ser. **418**, 202–255 (1990) ▪ Adv. Cancer Res. **49**, 223–264 (1987) ▪ Chem. Rev. **93**, 1897 (1993) ▪ J. Toxicol. Toxin Rev. **6**, 159–187 (1987) ▪ Pure Appl. Chem. **61**, 313–324 (1989) ▪ Sax (8.), PAE 875, PAF 000 ▪ Scheuer II **1**, 109 f.; **2**, 25 f. ▪ Zechmeister **48**, 81–202. – *[CAS 77734-91-9]*

PAM. Abk. für 2-*P*yridin*a*ldoxim-1-*m*ethiodid (s. Pralidoximiodid), **P*yridox*am*in u. *Melphalan (*E* L-*p*henyl*a*lanine *m*ustard).

Pamaquin.

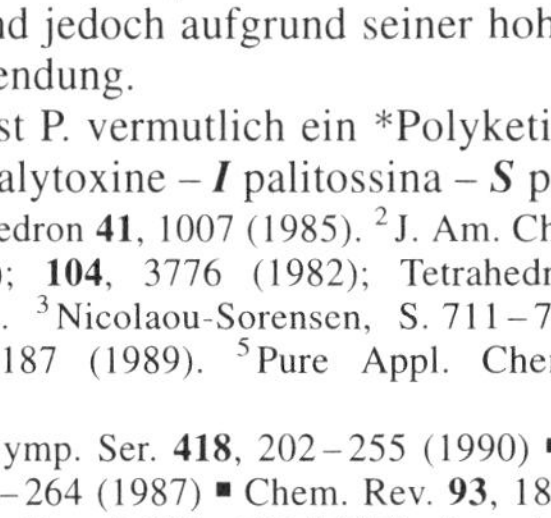

Internat. Freiname für das *Malaria-Mittel {(*RS*)-8-[(4-Dimethylamino-1-methylbutyl)amino]-6-methoxychinolin}, $C_{19}H_{29}N_3O$, M_R 315,45, Sdp. 175–180 °C (39,9 Pa), 182–194 °C (133 Pa), das in Form seines Embonats, $C_{42}H_{45}N_3O_7$, M_R 703,84, gelborangefarbenes, geruch- u. geschmackfreies Pulver, unlösl. in Wasser, lösl. in Alkohol u. Aceton, zur Anw. kam. – ***E*** = ***F*** pamaquine – ***I*** pamachina – ***S*** pamaquina

Lit.: Hager (5.) **9**, 2 f. ▪ Martindale (29.), S. 514 ▪ s. a. Malaria. – *[HS 2933 40; CAS 491-92-9 (P.); 635-05-2 (Embonat)]*

PAMELA-Verfahren s. radioaktive Abfälle.

Pamidronsäure.

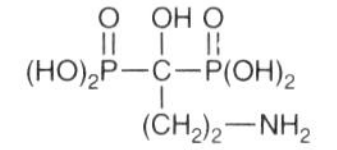

Internat. Freiname für (3-Amino-1-hydroxypropyliden)bisphosphonsäure, $C_3H_{11}NO_7P_2$, M_R 235,07, Schmp. 237–238 °C. P. reguliert den Calcium-Metabolismus. Sie wurde 1973 von Benckiser synthetisiert u. patentiert; s. a. *Lit.*[1]. Ihr Dinatriumsalz wird bei tumorinduzierter Hyperkalzämie injiziert u. ist von Ciba Cancer Care (Aredia®) im Handel. Das ^{99m}Tc-Salz kann diagnost. für Knochenszintigraphie verwendet werden. – ***E*** pamidronic acid – ***F*** acide pamidronique – ***I*** acido pamidronico

Lit.: [1]Z. Anorg. Allg. Chem. **457**, 214 ff. (1979).
allg.: ASP ▪ J. Clin. Oncology **14**, 2552–2559 (1996) ▪ Drugs **41**, 289–318 (1991) ▪ Hager (5.) **9**, 3 f. ▪ Merck-Index (12.), Nr. 7135. – *[CAS 40391-99-9 (P.); 57248-88-1 (Dinatriumsalz)]*

Pamoasäure s. Embonsäure.

Pamoate s. Embonsäure.

Pampelmusen s. Citrusfrüchte u. Grapefruit.

Pampus s. Norton.

PAMS. Kurzz. für Poly(α-methylstyrol)e.

PAN. Abk. für *Peroxyacetylnitrat, *Peroxyacylnitrate, *N*-Phenyl-α-naphthylamin (s. *N*-Phenyl-β-naphthylamin), *Phthalsäureanhydrid, *Polyacrylnitrile u. *1-(2-Pyridylazo)-2-naphthol (komplexometr. Indikator).

Panacen s. Ginseng.

Panamarinde (Quillajarinde, Seifenrinde, Waschholz). Schmutzigweiße, gelbe, flache od. nur wenig gebogene, verschieden lange, etwa 10 mm dicke u. bis zu 100 mm breite Stammrindenstücke von *Quillaja saponaria* Molina, einem in Chile, Peru u. Bolivien angebauten, baumartigen, immergrünen Rosengewächs. Die Rinde schmeckt zuerst fade, nachher scharf kratzend. Sie ist geruchfrei, doch reizt ihr Staub zu heftigem Niesen u. Husten. Es ist allerdings verboten (Spielwaren- u. Scherzartikel-VO vom 28. 2. 1984), Pulver der P. bzw. P.-Saponine in *Niespulver einzusetzen. P. enthält durchschnittlich 5, max. 10% *Saponine (vgl. Quillajasaponin), die mit Wasser stark schäumen u. etwa die dreifache Reinigungskraft von Schmierseife besitzen, ohne die Textilfasern u. Färbungen anzugreifen.
Verw.: Als Waschmittel für empfindlichere Gewebe, als *Expektorans, zur Entfettung von Wolle, als Bestandteil von Fleckwässern u. (alkohol.) Kopfwässern, als schaumbildender Zusatz zu Getränken, zur Herst. von Teeremulsionen, zur Reinigung von Ölgemälden usw. Diese Rinde wurde früher über Panama exportiert, daher der Name. – ***E*** Panama bark – ***F*** écorce de Panama, écorce de quillaya – ***I*** corteccia di Panama – ***S*** corteza de quilaya, leño de Panamá

Lit.: Hager (4.) **6a**, 1015–1019 ▪ Wichtl (3.), S. 476 ff. – *[HS 1211 90]*

Panama Rubber (Castilla Rubber). *Kautschuk der Mayas, gewonnen aus dem großen, in Mexiko kultivierten Baum *Castilla elastica*, chem. ident. mit gewöhnlichem Hevea-Kautschuk. – *E* Panama rubber – *F* caoutchouc de Panama – *I* caucciù Panama – *S* caucho Panamá

Panaxoside. Steroid-Saponinglykoside aus der *Ginseng-Wurzel (*Panax ginseng*). Man unterscheidet die Panaxoside I bis VIII. Die P. werden auch *Ginsenoside* (s. Ginseng) genannt. – *E*=*F* panaxosides – *I* panaxosidi – *S* panaxosidas

Lit.: Chem. Pharm. Bull. **27**, 88 (1979); **29**, 2844 (1981); **42**, 115 (1994) ▪ R. D. K. (4.), S. 531.

Panchelidon® N. Kapseln u. Tropfen mit standardisiertem Trockenextrakt aus *Schöllkraut gegen krampfartige Beschwerden im Bereich der Gallenwege. *B.:* Kanoldt.

Panchromatisch s. Photographie.

Panclastit (Panklastit). Flüssiges Gemisch aus z.B. 30% Nitrobenzol (od. Benzol, Toluol, Benzin) u. 70% Stickstofftetroxid, D. 1,38, Detonationsgeschw. ca. 8000 m/s, Detonationswärme 7440 kJ/kg. P. ist ein beschußsicherer, hochwirksamer, zertrümmernder *Explosivstoff, der erst kurz vor der Zündung aus den Bestandteilen zum explosionsfähigen Sprengstoff gemischt wird. P. wurde 1881 von dem französ. Chemiker Turpin erfunden. – *E*=*F*=*I* panclastite – *S* panclastita

Lit.: Köhler u. Meyer, Explosivstoffe, 8. Aufl., Weinheim: VCH Verlagsges. 1995. – *[HS 3602 00]*

Pancuroniumbromid (Rp).

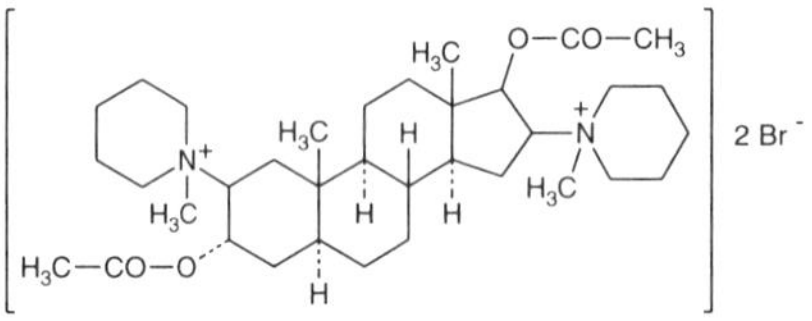

Internat. Freiname für das peripher wirkende *Muskelrelaxans 1,1-(3 *α*-17 *β*-Diacetoxy-5 *α*-androstan-2 *β*,16 *β*-diyl)-bis(1-methylpiperidiniumbromid), $C_{35}H_{60}Br_2N_2O_4$, M_R 732,68. Weißliches, geruchloses, hygroskop., krist. Pulver, Schmp. 215 °C, LD_{50} (Maus i.v., i.p., s.c., oral) 0,047, 0,152, 0,167, 21,9 mg/kg; lösl. in Wasser (1:1) u. Ethanol (1:5). Lagerung: Vor Luft geschützt bei 2–8 °C. P. wurde 1967 von Organon patentiert u. ist als Generikum im Handel. – *E* pancuronium bromide – *F* bromure de pancuronium – *I* pancuronio bromuro – *S* bromuro de pancuronio

Lit.: Beilstein E V **20/3**, 259 ▪ Drugs **4**, 163–226 (1972) ▪ Hager (5.) **9**, 5 ff. ▪ Martindale (31.), S. 1524 ▪ Ph. Eur. **1997** u. Komm. – *[HS 2933 39; CAS 15500-66-0]*

Pandel® (Rp). Creme, Salbe u. CreSa mit *Hydrocortison-Buteprat gegen entzündliche u. allerg. Hauterkrankungen, Ekzeme. *B.:* Basotherm.

Pandemie s. Seuchen.

Pandermit (= Priceit). $Ca_4B_{10}O_{19} \cdot 7\,H_2O$ (Formel nicht gesichert); triklines Borat-Mineral, das nur derb in sehr feinkörnigen, marmorähnlichen, weißen bis gelblichen Knollen od. unregelmäßigen Massen vorkommt; enthält 49,8% B_2O_3. H. 3–3,5, D. 2,4.

Vork.: Bigadiç/Türkei, Furnace Creek/Californien (in Borat-Seen); New Brunswick/Kanada, Inder/Kasachstan, Chetko/Oregon/USA. – *E*=*F*=*I* pandermite – *S* pandermita

Lit.: Grew u. Anovitz (Hrsg.), Boron (Reviews in Mineralogy, Vol. 33), S. 20, 263–298, Washington (D. C.): Mineralogical Society of America 1996 ▪ Ramdohr-Strunz, S. 589 ▪ Roberts, Campbell u. Rapp, Encyclopedia of Minerals (2.), S. 693 f., New York: Van Nostrand Reinhold Comp. 1990. – *[HS 2528 90; CAS 1319-10-4]*

Pandy-Reaktion. Nach dem ungar. Nervenarzt K. Pandy (1868–1944) benannte Reaktion zum qual. Nachw. von Eiweiß im *Liquor cerebrospinalis. Dazu werden einige Tropfen Liquor in ein schwarzes Uhrglasschälchen mit 2 mL Pandys Reagenz (wäss. Phenol-Lsg., 75 g/L) gegeben. Eine Eiweiß-Vermehrung verursacht eine Trübung durch Präzipitate. Deutlich pos. wird die P.-R. bei Werten um 500 bis 1000 mg/L. – *E* Pandy's test – *F* réaction de Pandy – *I* reazione di Pandy – *S* reacción de Pandy

Lit.: Thomas, Labor u. Diagnose, Marburg: Medizin. Verlagsges. 1995.

Pandys Reagenz s. Pandy-Reaktion.

Paneth, Friedrich Adolf (1887–1958), Prof. für Chemie, Königsberg, Durham, London u. Mainz. Emigration aus Deutschland 1933. *Arbeitsgebiete:* Metallhydride, Trennung von Helium u. Neon durch Diffusion, quant. Bestimmung von Edelgasen, radioaktive Altersbestimmung an Meteoriten, Adsorption der Radioelemente (Panethsche Fällungsregel), radioaktive Indikatoren (*Hevesy-Paneth-Analyse), Methyl- u. Ethyl-Radikale, Atomkern-Reaktionen.

Lit.: Dingle u. Martin, Chemistry and Beyond, A Selection of the Historical and Philosophical Writings of the late Professsor F. A. Paneth, London: Wiley 1965 ▪ Lexikon der Naturwissenschaftler, S. 318 ▪ Neufeldt, S. 133, 135, 169 ▪ Pötsch, S. 332 ▪ Phys. Bl. **1957**, 414 ▪ Österr. Chem.-Ztg. **1958**, 289–295 ▪ Z. Elektrochem. **1957**, 1121.

Pangrol®. Kapseln u. Filmtabl. mit *Pankreatin vom Schwein (standardisiert: Triacylglycerin-Lipase, Amylase, Protease) gegen Störungen der exokrinen Pankreasfunktion. *B.:* Berlin-Chemie.

Paniculatadiol s. Oleanan.

Panklastit s. Panclastit.

Pankreaplex® Neu. Lsg. u. Dragées mit Extrakt aus: Fruct. Cardui marianae, Cort. Syzygii Jambolani, Cort. Condurango, Rad. Sarsaparillae gegen Magen- u. Darmstörungen. *B.:* Schaper & Brümmer.

Pankreas (Bauchspeicheldrüse, griech.: pankreas = Gekrösedrüse). Drüse des Verdauungstrakts, die der äußeren u. inneren Sekretion dient. Das P. des Menschen ist 15–20 cm lang, wiegt 70–80 g u. befindet sich im oberen Bauchraum hinter dem Magen in Höhe des 2. Lendenwirbels. Der Hauptausführungsgang mündet, meist gemeinsam mit dem Ausführungsgang der Gallenblase, in den Zwölffingerdarm. Über diesen Gang gibt das P. in 24 h etwa 1–2 L eines alkal., Protein-reichen Sekrets in den Dünndarm ab. Die alkal. Reaktion ist durch einen hohen Gehalt an Bicarbonat-Ionen bedingt, wodurch der durch den *Magensaft saure Nahrungsbrei im Dünndarm neutralisiert werden kann. Die sezernierten Proteine sind u. a. wichtige Verdauungsenzyme in aktiver Form (*α*-*Amylase, *Li-

pase, Sterinesterhydrolase, *Ribonuclease, *Desoxyribonuclease) od. in Form inaktiver Vorstufen, der *Zymogene (Proteinasen, *Peptidasen, *Phospholipase A_2). Diese Vorstufen werden erst im Darm durch *Trypsin aktiviert. Die Sekretion des P.-Saftes wird durch nervale u. humorale Faktoren gesteuert. So stimulieren Reizung des Vagusnerven u. die von der Dünndarmschleimhaut freigesetzten Hormone *Secretin u. *Cholecystokinin-Pankreozymin die P.-Sekretion.
Die endokrine Funktion des P. wird von dem sog. Inselorgan getragen, das 2–3% des P.-Vol. ausmacht u. aus 1 Mio. Zellinseln aus je ca. 5000 hormonproduzierenden Zellen, den *Langerhansschen Inseln*, besteht. Die von unterschiedlichen Zelltypen gebildeten antagonist. wirkenden Hormone *Glucagon (aus den sog. A-Zellen) u. *Insulin (aus den sog. B-Zellen) regulieren wichtige Teile des Energieumsatzes. Ferner werden *Somatostatin von sog. D-Zellen u. das sog. *Pankreatische Polypeptid (PP) von PP-Zellen sezerniert. Erkrankungen des P. führen zu Störungen zum einen der endokrinen P.-Funktion, z. B. als *Diabetes mellitus, zum anderen der exokrinen P.-Funktion, die sich als Verdauungsstörungen äußern. – ***E*** = ***I*** = ***S*** pancreas – ***F*** pancréas

Lit.: Schmidt u. Thews, Physiologie des Menschen, S. 824–827, Berlin: Springer 1995.

Pankreastatin.

Ser-Glu-Ala-Leu-Ala-Val-Asp-Gly-Ala-Gly-Lys-Pro-Gly-
Ala-Glu-Glu-Ala-Gln-Asp-Pro-Glu-Gly-Lys-Gly-Glu-Gln-
Glu-His-Ser-Gln-Gln-Lys-Glu-Glu-Glu-Glu-Glu-Met-Ala-
Val-Val-Pro-Gln-Gly-Leu-Phe-Arg-Gly-NH_2

$C_{212}H_{334}N_{62}O_{81}S$, M_R 5079,4 (Mensch). *Polypeptid, das in Magen u. Pankreas sezerniert wird, aber auch extrazellulär aus seinem Vorläufer *Chromogranin A* (s. Granine) proteolyt. freigesetzt wird, welches hauptsächlich in den Nebennieren ausgeschüttet wird. P. hemmt im Pankreas die durch D-Glucose induzierte (endokrine) Sekretion von *Insulin sowie (die exokrine) der Verdauungssäfte dieses Organs u. inhibiert die *Parathyrin-Ausschüttung der Nebenschilddrüse. In der Leber bewirkt es den Abbau von *Glykogen. Die biolog. Aktivität des P. ist mit dem Carboxy-terminalen Teil des Mol. verbunden. – ***E*** pancreastatin – ***F*** pancréastatine – ***I*** = ***S*** pancreastatina

Lit.: Cell. Signal. **8**, 9–12 (1996) ▪ J. Mol. Endocrinol. **16**, 1–8 (1996). – *[CAS 106477-83-2]*

Pankreatan®. Kapseln mit *Pankreatin aus Schweinepankreas (entsprechend Triacylglycerin-Lipase, Amylase, Protease) gegen Störungen der exokrinen Pankreasfunktion. ***B.:*** Novartis.

Pankreatin. Bez. für das aus Säugetier-*Pankreas gewonnene Enzymgemisch; Lagerung: <15 °C u. vor Luft geschützt. P. wird zur Behandlung von *Verdauungs-Störungen u. spezif. Insuffizienzen eingesetzt. In Präp. wird der Gehalt bzw. die Aktivität an Lipase, Amylase u. Proteasen in I.E. od. F. I.P. – E. bzw. Ph. Eur.-E. angegeben. – ***E*** pancreatin – ***F*** pancréatine – ***I*** = ***S*** pancreatina

Lit.: Hager (5.) **9**, 10–14 ▪ Martindale (31.), S. 1736 f. ▪ Ph. Eur. **1997** u. Komm. – *[HS 3507 90; CAS 8049-47-6]*

Pankreatischer Trypsin-Inhibitor. Synonym für Aprotinin (s. dort u. Trypsin).

Pankreatisches Polypeptid (Abk.: PP).

$\overset{1}{\text{Ala}}$-Pro-Leu-Glu-Pro-Val-Tyr-Pro-Gly-Asp-$\overset{11}{\text{Asn}}$-Ala-Thr-
Pro-Glu-Gln-Met-Ala-Gln-Tyr-$\overset{21}{\text{Ala}}$-Ala-Asp-Leu-Arg-Arg-
Tyr-Ile-Asn-Met-$\overset{31}{\text{Leu}}$-Thr-Arg-Pro-Arg-Tyr-NH_2

Peptidhormon mit 36 Aminosäure-Resten (Abb.: menschliches PP, $C_{185}H_{287}N_{53}O_{54}S_2$, M_R 4181,76), das nach Verzehr von Protein-reichen Speisen aus dem *Pankreas u. Zwölffingerdarm freigesetzt wird u. wahrscheinlich die Sekretion von Säure u. *Pepsin im Magen stimuliert. Möglicherweise wirkt es auch als Sattheits-Faktor. Die Sekretion des PP wird durch *Galanin gehemmt. PP ist mit *Neuropeptid Y u. *Peptid YY verwandt u. benutzt wie diese einen *G-Protein-gekoppelten Rezeptor. PP ist zu Beginn der Evolution der Landwirbeltiere aus einem der beiden anderen Peptide entstanden u. entwickelt sich seither vergleichsweise schnell, ebenso sein Rezeptor. – ***E*** pancreatic polypeptide – ***F*** polypeptide pancréatique – ***I*** polipeptide pancreatico – ***S*** polipéptido pancreático

Lit.: Biochimie **76**, 283–287 (1994) ▪ Proc. Soc. Exp. Biol. Med. **202**, 44–63 (1993) ▪ Regul. Pept. **62**, 1–11; **65**, 165–174 (1996). – *[CAS 59763-91-6]*

Pankreatopeptidase s. Elastase.

Pankreon®. *Pankreatin-Präp. (Tabl., Pulver, Dragées u. Granulat) gegen funktionelle Verdauungsstörungen. ***B.:*** Solvay Arzneimittel.

Pankreozymin s. Cholecystokinin.

Pannarin s. Depsidone.

Panoral® (Rp). Trockensaft, Saft, Tropfen u. Kapseln mit *Cefaclor gegen Infektionen der Atemwege, Haut, Harnwege etc. ***B.:*** Eli Lilly.

Panosorb®. *Sorbinsäure in Spezialqualität zur Konservierung von Brot gegen Schimmel. ***B.:*** Nutrinova.

Panotile® (Rp). Ohrentropfen mit *Polymyxin-B-sulfat, *Neomycin-sulfat, *Fludrocortison-acetat u. *Lidocain-hydrochlorid gegen Entzündungen, Ekzeme u. Furunkel im Gehörgang. ***B.:*** Zambon.

PanOxyl®. Akne-Gel, -Creme u. -Lotion mit *Benzoylperoxid. ***B.:*** Stiefel.

Pantederm. Salbe mit *Zinkoxid u. *Dexpanthenol gegen Schürf-, Brandwunden u. Windeldermatitis. ***B.:*** Hexal.

Pantellerit s. Rhyolith.

Pantethein s. Pantothensäure.

Pantethein-4′-phosphat s. Coenzym A.

Panthenol. Internat. Freiname für (±)-2,4-Dihydroxy-*N*-(3-hydroxypropyl)-3,3-dimethylbutyramid (Formel s. bei Pantothensäure), $C_9H_{19}NO_4$, M_R 205,25, Schmp. 60–61 °C. Das racem. P. zeigt keine der Pantothensäure entsprechende Vitamin-Aktivität. Diese soll vielmehr ausschließlich der opt. aktiven D-(+)-Form (Freiname *Dexpanthenol) zukommen. Gelegentlich verwendete Synonyme wie *Pantothenol* u. *Pantothenylalkohol* können sich auf beide Formen beziehen.
Verw.: Zur Behandlung von Entzündungen des Magen-Darm-Kanals, des Auges u. der Haut, auch bei Wundheilungsstörungen sowie in Haarwässern u. a.

Kosmetika. – ***E*** panthenol – ***F*** panthénol – ***I*** pantenolo – ***S*** pantenol

Lit.: Beilstein E IV **4**, 1652 ▪ Hager (4.) **6 a**, 403 f. ▪ Janistyn **1**, 688 ▪ Martindale (31.), S. 1697 ▪ Ph. Eur. **1997** u. Komm. – *[HS 2936 24; CAS 16485-10-2]*

Pantherin s. Muscimol.

Pantherpilz. *Amanita pantherina*, Amanitaceae, ist die botan. Bez. für den P., der zwischen Juli u. Oktober in Europa u. Nordamerika in Laub- u. Nadelwäldern vorkommt u. als stark giftig einzustufen ist.

Toxikologie: Giftiges Prinzip des P. ist die *Ibotensäure u. deren Decarboxylierungsprodukt *Muscimol, die für *Atropin-ähnliche Vergiftungen sorgen. Die tödliche Giftmenge ist in ca. 100 g Frischpilzen enthalten. Ca. 6% aller Pilzvergiftungen sind auf den P. zurückzuführen, 1–2% davon verlaufen tödlich. Die Verwechslung des P. mit dem eßbaren Perlpilz ist leicht möglich. Nach einer Latenzzeit von 30 min treten gastrointestinale Beschwerden u. Rauschzustände auf, die nach 10–15 h abklingen. P. wird wegen seiner halluzinogenen u. psychotropen Wirkung auch willentlich genossen. – ***E*** panther cap – ***F*** amanite panthère – ***I*** tignosa bigia – ***S*** pantera amanita

Lit.: Bon, Pareys Buch der Pilze, Berlin: Parey 1988 ▪ Giftliste ▪ Roth u. Frank, Giftpilze, Pilzgifte, S. 43 f., Landsberg: ecomed 1990 ▪ Vollmer et al., Lebensmittelführer, Bd. 1, Stuttgart: Thieme 1995.

Panthesin s. Leucinocain.

Pantoinsäure s. Pantothensäure.

Pantolacton [Dihydro-3-hydroxy-4,4-dimethyl-2(3*H*)-furanon]. $C_6H_{10}O$, M_R 130,16. Das *R*-Stereoisomere {farbloser Feststoff, Schmp. 92 °C, Sdp. 120–122 °C (20 hPa), $[\alpha]_D^{25}$ –50,7° (c 2,05/H_2O), lösl. in Wasser, Alkoholen, Ethern, Benzol u. Chlorkohlenwasserstoffen} ist der effektivste, chirale Hilfsstoff für diastereoselektive *Diels-Alder-Reaktionen. *R*-P. wird durch Abbau von *Pantothensäure, durch enantioselektive Red. des 3-Oxo-lactons erhalten, während beide Stereoisomere zusammen durch *Racemattrennung mit *R*- u. *S*-Phenylethylamin entstehen.

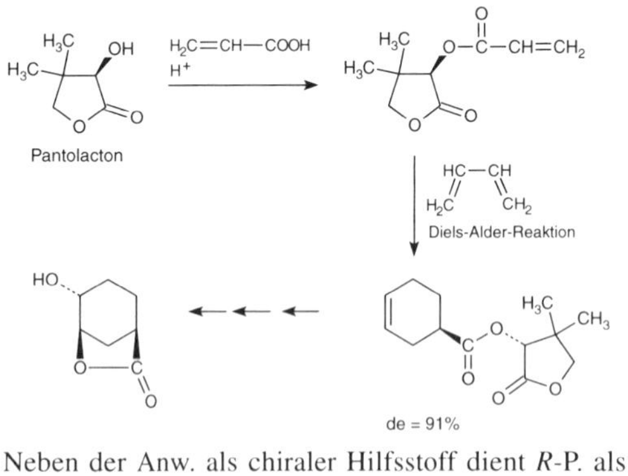

Neben der Anw. als chiraler Hilfsstoff dient *R*-P. als Synthesebaustein aus dem sog. „chiral pool" z. B. für die Synth. von *Bryostatin u. dem antibiot. wirkenden Elfamycin[1]. – ***E*** pantlactone – ***I*** pantolattone – ***S*** pantolactona

Lit.: [1] Römpp-Lexikon Naturstoffe, S. 344.
allg.: Beilstein E V **18/1**, 22 ▪ Paquette **6**, 3893 ▪ Pure Appl. Chem. **61**, 409 (1989) ▪ s. a. Lactone. – *[CAS 599-04-2]*

Pantoprazol (Rp).

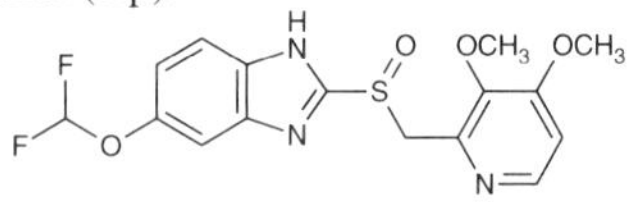

Internat. Freiname für den Protonenpumpenhemmer 5-(Difluormethoxy)-2-(3,4-dimethoxy-2-pyridylmethylsulfinyl)-1*H*-benzimidazol, $C_{16}H_{15}F_2N_3O_4S$, M_R 383,36, Schmp. 139–140 °C. P. wurde 1986 u. 1988 von Byk Gulden patentiert; s. a. *Lit.*[1]. Sein Natriumsalz ist von Byk Gulden (Pantozol®) u. Schwarz Pharma/Isis Pharma (Rifun®) im Handel u. wird bei Magen- u. Zwölffingerdarmgeschwüren gegeben. – ***E*** pantoprazole – ***F*** pantoprazol – ***I*** pantoprazolo – ***S*** pantoprazola

Lit.: [1] J. Med. Chem. **35**, 1049 ff. (1992).
allg.: Drugs **51**, 460–482 (1996) ▪ Merck-Index (12.), Nr. 7146. – *[CAS 102625-70-7 (P.); 138786-67-1 (Natriumsalz)]*

Pantothenol s. Panthenol.

Pantothensäure [(*R*)-(+)-*N*-(2,4-Dihydroxy-3,3-dimethylbutyryl)-*β*-alanin].

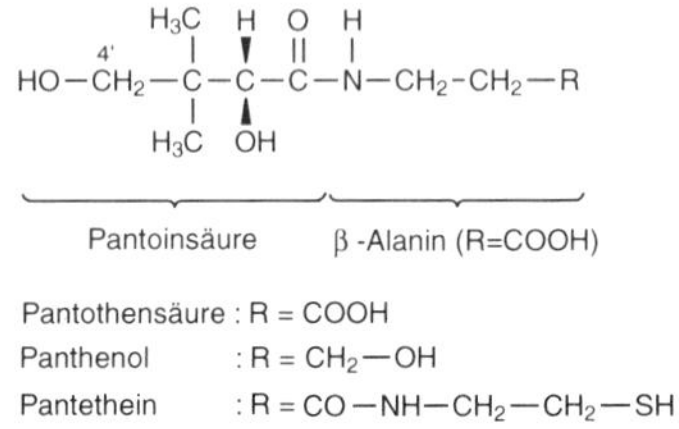

$C_9H_{17}NO_5$, M_R 219,20. Hellgelbes, instabiles, zähflüssiges, extrem hygroskop. Öl, lösl. in Wasser, Ethylacetat, Dioxan u. Eisessig, unlösl. in Benzol u. Chloroform, wird durch Säuren, Basen u. Hitzeeinwirkung leicht zersetzt. P. kommt in der Natur stets in der (*R*)-(+)-Form vor. Die durchschnittliche Gewebskonz. von (*R*)-P. erreicht ca. 0,1–1,0 mg/100 g, dabei sind Leber- u. Hefezellen, auch Nebenniere, Niere u. Hirn relativ reich an (*R*)-P.; das höchste Vork. wird mit 11–32 mg/100 g für *Gelée Royale angegeben.

Biolog. Funktion: Die bedeutendste biolog. Funktion der (*R*)-P. liegt darin, daß sie als Vorstufe für die Biosynth. des *Coenzyms A – sie liegt dort als *Pantethein* (s. Abb., $C_{11}H_{22}N_2O_4S$, M_R 278,37) in Bindung an *Cysteamin vor – für den generellen Zellstoffwechsel wesentlich ist. Darüber hinaus ist sie Bestandteil des *Acyl-Carrier-Proteins (s. Fettsäure-Biosynthese). Als *Vitamin werden rechtsdrehende P. bzw. ihr Calcium-Salz (*Calciumpantothenat) zum B-Komplex gezählt (Vitamine B_3 bzw. B_5); sie ist für Mikroorganismen vielfach Wuchsstoff, u. Hühner schützt sie vor *Pellagra u. Federausfall (*Kükenantidermatitisfaktor*). (*R*)-P.-Mangel resultiert bei Ratten in Haarausfall u. Haarergrauung, bei Schweinen u. Kälbern in Haut- u. Schleimhautveränderungen, Wachstumsverzögerungen u. Fortpflanzungsstörungen; beim Menschen sind keine spezif. Mangelsymptome bekannt; der Bedarf wird durch die Nahrung reichlich gedeckt. In Form des Natrium- (Schmp. 160–165 °C) od. Calcium-Salzes (Schmp. ca. 200 °C) od. als biolog. Vorstufe (*R*)-*Panthenol (vgl. Abb.) findet P. medizin. zur Wund-

heilung sowie in Haarbehandlungsmitteln u. Futterzusätzen Anwendung.
Biosynth.: Aus 2-Oxo-3-methylbutansäure entsteht in einem Nebenweg der L-Alanin-Biosynth. 4-Hydroxy-3,3-dimethyl-2-oxobutansäure, indem erstere durch Ketopantoaldolase (EC 4.1.2.12) an ein aus 5,10-Methylen-*Tetrahydrofolsäure stammendes Formaldehyd-Synthon addiert wird. Das Produkt wird unter Katalyse von 2-Dehydropantoat-2-Reduktase (EC 1.1.1.169, *Nicotinamid-Adenin-Dinucleotid-Phosphat als Coenzym) zu *(R)-Pantoinsäure* ($C_6H_{12}O_4$, M_R 148,16, s. Abb.) hydriert u. diese in Anwesenheit von Pantothenat-Synthetase (EC 6.3.2.1) u. *Adenosin-5′-triphosphat (ATP) mit *β*-Alanin zu (*R*)-P. kondensiert. Alternativ kann (*R*)-P. aus (*R*)-Panthenol gebildet werden. – Die Biosynth. von Pantethein u. Coenzym A aus (*R*)-P. wird durch deren ATP-abhängige Phosphorylierung in 4′-Pos. durch Pantothenat-Kinase (EC 2.7.1.33) eingeleitet.
Herst.: Calcium-(*R*)-pantothenat durch Racematspaltung von *Pantolacton u. Umsetzung von (*R*)-Pantolacton mit Calcium-*β*-alaninat (dieses aus Acrylnitril) unter Ringöffnung des Lactons.
Geschichte: P. wurde 1933 von R. J. *Williams als neuer Wuchsstoff erkannt u. – da sie sich in prakt. allen pflanzlichen u. tier. Geweben vorfindet – als P. bezeichnet, von griech.: pantothen = allenthalben. Erstmals wurde P. 1940 von R. *Kuhn u. Th. *Wieland synthetisiert. – ***E*** pantothenic acid – ***F*** acide pantothénique – ***I*** acido pantotenico – ***S*** ácido pantoténico
Lit.: Beilstein E IV **4**, 2569 f. ▪ J. Nutrit. Biochem. **7**, 312–321 (1996). – *[HS 2926 24; CAS 79-83-4]*

Pantothenylalkohol s. Panthenol.

Pantozol® (Rp). Tabl. mit dem Ulkustherapeutikum *Pantoprazol-Natrium. ***B.:*** Byk Gulden.

Panzerglas s. Sicherheitsglas.

Panzytrat®. Kapseln mit *Pankreatin aus Schweinepankreas (entsprechend Triacylglycerin-Lipase, Amlyse, Protease) gegen Störungen der exokrinen Pankreasfunktion. ***B.:*** Knoll.

PAP s. *Phytolacca*-Antivirus-Proteine.

PAPA. 1. Kurzz. für (Co-)Polymere aus Azelainsäureanhydrid (engl. *p*oly*a*zelaic *p*oly*a*nhydride). – 2. Abk. für engl.: *p*otassium 3-*a*mino*p*ropyl*a*mide = 1,3-*Propandiamin-Monokaliumsalz (eine *Superbase).

Papageiengrün s. Schweinfurter Grün.

Papain (Papaya-Peptidase I, EC 3.4.22.2). Aus dem Milchsaft (Latex) unreifer *Papayas gewonnene *Proteinase. Das auch als *Papayotin* bekannte Handelsprodukt, das durch Eintrocknen u. Pulverisieren des Latex vornehmlich in Sri Lanka u. Ostafrika im Plantagenbetrieb gewonnen wird, ist ein grauweißes bis blaßgelbliches, leicht hygroskop. Pulver von schwachem Eigengeruch, das in Wasser lösl. u. in den üblichen Lsm. unlösl. ist. Reines P. ist ein krist. Polypeptid mit einem M_R von 23 350, das aus einer Kette von 212 Aminosäure-Resten mit 4 *Disulfid-Brücken besteht. Neben P. u. *Kallase (Glucan-1,3-*β*-Glucosidase, EC 3.2.1.58) enthält der Latex des Roh-P. das in verschiedenen, chromatograph. unterschiedenen Formen auftretende *Chymopapain* (Papaya-Peptidase II, EC 3.4.22.6), das in Aufbau u. Wirkung dem P. ähnelt. Andere P.-ähnliche pflanzliche Enzyme sind *Bromelain (EC 3.4.22.32 u. 3.4.22.33, aus *Ananas), *Ficin (Ficain, EC 3.4.22.3, aus *Feigen) u. *Asclepain* (EC 3.4.22.7, aus *Asclepia speciosa*). P. zeigt starke proteolyt. Aktivität (pH-Optimum 4-7, Temp.-Optimum 40–70 °C) u. spaltet Proteine bis zu den Aminosäuren. Auch manche Ester u. Amide werden abgebaut, wobei die freie Sulfhydryl-Gruppe des Cysteins-25 sowie das Histidin-159 für die Enzymwirkung Voraussetzung sind (*Cystein-Protease).
Verw.: Aufgrund seiner Protein-spaltenden Eigenschaft als Fleischzartmacher od. Mürbesalz, zum Klären von Bier, zur Brot- u. Hartkeksherst., in der Lederzubereitung, in der Textil-Ind. zum Entbasten von Seide u. zur Verhinderung von Wollverfilzung, in der Tabak-Ind. zur Qualitätsverbesserung, zur Rückgewinnung von Silber aus verbrauchtem photograph. Material, ferner in der Bakteriologie zur Pepton-Gewinnung. In der Medizin dient P. zur Unterstützung der enzymat. Verdauung, zur enzymat. Wundreinigung u. als Zusatz zu Zahnprothese-Reinigungsmitteln. Für Spezialzwecke werden P.-Präp. auch an Kunststoffpolymere od. Agarose trägergebunden angeboten. P. ist auch als Katalysator zur Synth. von *Oligopeptiden verwendet worden. Chymopapain wird medizin. zur Behandlung von Bandscheibenschäden eingesetzt *(Chemonucleolyse)*. – ***E*** papain – ***F*** papaïne – ***I*** papaina – ***S*** papaína
Lit.: Biochem. Soc. Trans. **25**, 84 S, 88 S – 91 S (1997) ▪ Proc. Natl. Acad. Sci. USA **94**, 4285–4288 (1997) ▪ Ullmann (5.) **A 9**, 396. – *[HS 3507 90; CAS 9001-73-4]*

Papanicolaous Farblösung. Gruppe von Farbstofflsg. zur Erkennung von Krebszellen in der Frauenheilkunde etc., nach George Nicholas Papanicolaou (1883–1962, Cornell Univ., New York) benannt. Die Lsg. umfassen Harris *Hämatoxylin-Lsg. zur Kernfärbung, eine aus vier Farbstoffen bestehende sog. polychrome Farblsg. u. Orange-G-Lsg., mit denen das Zellplasma in verschiedenen Tönen angefärbt wird. – ***E*** Papanicolaou's dye solution – ***F*** solution de coloration de Papanicolaou – ***I*** soluzione di colorazione di Papanicolaou – ***S*** solución de coloración de Papanicolaou
Lit.: Romeis, Mikroskop. Technik, München: Urban & Schwarzenberg 1989.

Papaver-Alkaloide s. Papaverin, Mohn u. Opium-Alkaloide.

Papaverin [1-(3,4-Dimethoxybenzyl)-6,7-dimethoxy-isochinolin, 6,7-Dimethoxy-1-veratrylisochinolin]. Xn

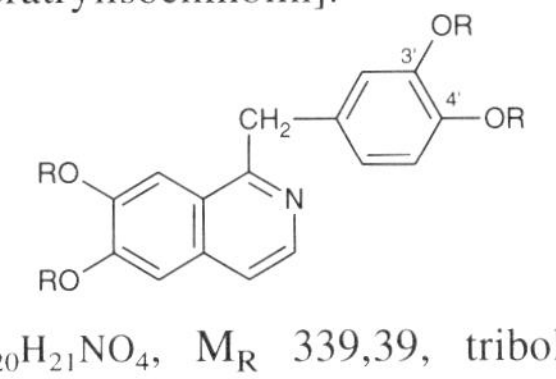

R = CH_3 : Papaverin
R = C_2H_5 : Ethaverin

$C_{20}H_{21}NO_4$, M_R 339,39, tribolumineszente, orthorhomb. Prismen, Schmp. 147 °C (Hydrochlorid: 220 °C), kaum wasserlösl., wenig lösl. in Chloroform, Petrolether, lösl. in heißem Aceton u. Eisessig. Das aus

Mohn-(*Papaver somniferum*) u. *Rauwolfia*-Arten (*R. serpentina*) isolierbare P. gehört zu den *Opium- u. diese ihrerseits zu den *Isochinolin-Alkaloiden. Zu der kleinen Gruppe von *Papaverin-Alkaloiden* rechnet man auch *Ethaverin, *Rhoeadin, Palaudin, Papaveraldin, *(–)-α-Narcotin, *Laudanosin u. die damit verwandten Laudanidine. Das früher aus *Mohn gewonnene P. (erstmals isoliert von G. F. Merck, 1848; Name von latein.: papaver = Mohn) wird heute weitgehend synthet. gewonnen.

Verw.: Im Gegensatz zu den *Opiaten wirkt P. kaum zentral analget. u. hypnot., führt also auch nicht zu Euphorie u. Sucht, fördert die cerebrale Durchblutung (Vasodilatation) u. wirkt als *Parasympathikolytikum relaxierend auf die glatte Muskulatur, weshalb es als oral wirksames Spasmolytikum mit Analgetika, Herz-Kreislauf-Präp. u. Antiasthmatika kombiniert eingesetzt wird. – ***E*** papaverine – ***F*** papavérine – ***I*** = ***S*** papaverina

Lit.: *Reviews:* Anal. Profiles Drug Subst. **17**, 367–447 (1988) ▪ Beilstein EV **21/6**, 182 ff. ▪ DAB **1997** ▪ Manske **12**, 333–454; **15**, 209–223 ▪ Ullmann (5.) **A 1**, 369. – *Biosynth.:* J. Chem. Soc. Perkin Trans. 1, **1975**, 1531. – *Pharmakologie u. Toxikologie:* Angiology **26**, 592 (1975); **34**, 257 (1983) ▪ Farmaco, Ed. Sci. **36**, 302 (1981) ▪ Hum. Retroviruses **5**, 183 (1989) ▪ J. Pharm. Pharmacol. **34**, 264 (1982) ▪ Martindale (28./29.), S. 5221–5224, 13076 ▪ Negwer (6.), S. 5642 ▪ Sax (8.), PAH 000, PAH 250. – *Synth.:* Heterocycles **26**, 675–684 (1987) ▪ Pharmazie **43**, 313 f. (1988); Tetrahedron Lett. **32**, 1775 (1991). – *[HS 2939 10; CAS 58-74-2]*

Papaya (Baummelone, Pawpaw). Melonenartig geformte, 400–1000, max. 6000 g schwere Beerenfrüchte des aus Mittel- u. Südamerika stammenden, in den Tropen allg. verbreiteten, bis zu 10 m hohen Melonenbaums (*Carica papaya*, Caricaceae). Der Melonenbaum (besser: baumförmiges Kraut) benötigt 22–26 °C u. 1500–2000 mm Niederschlag. Die Früchte haben eine grüngelbe bis orangefarbene dünne Schale u. hellgelbes bis lachsrotes, süß nach Himbeer/Waldmeister schmeckendes Fruchtfleisch, das die grauschwarzen Samen umgibt. Das Fruchtfleisch besteht aus 85–90% Wasser, ca. 10% Kohlenhydraten (Saccharose, Glucose, Fructose), 0,14% Fruchtsäuren u. 0,6% Protein. P. sind reich an Histidin u. a. Aminosäuren, Carotinoiden u. Vitamin C. Aus unreifen P. wird durch oberflächliche Ritzung ein Milchsaft (Latex) gewonnen (*Papayotin*), der zu *Papain u. Chymopapain aufgearbeitet wird. – ***E*** = ***S*** papaya – ***F*** papaye – ***I*** papaia

Lit.: Franke, Nutzpflanzenkunde, 6. Aufl., S. 278 ff., 449, Stuttgart: Thieme 1997. – *[HS 0807 20]*

Papaya-Peptidase s. Papain.

Papayotin s. Papain.

Papier. Der Name „Papier" leitet sich von der Papyrus-Staude (*Cyperus papyrus*, Cyperaceae) ab, die zu den Ried- od. Sauer-*Gräsern zählt u. deren entrindetes u. in Streifen geschnittenes Mark im Altertum (3000–4000 v. Chr.) in Ägypten als Rohmaterial zur Herst. von beschreibbaren, dünnen Bögen („*Papyrus*") verwendet wurde. Später verdrängte das *Pergament den Papyrus als Schreibmaterial. Das Grundprinzip der neuzeitlichen P.-Herst. wurde in China 105 n. Chr. durch den Hofbeamten *Ts'ai Lun* erfunden u. gelangte im 12. Jh. durch die Araber nach Spanien u. Sizilien. Seine Kenntnis breitete sich dann langsam weiter in Europa aus, so daß die ersten Papiermühlen im 14. Jh. gegründet wurden. Die Inbetriebnahme der „Gleismühle" bei Nürnberg durch Ulman Stromer am 24. Juni 1390 gilt als Geburtsstunde der dtsch. P.-Industrie. Zur Herst. dienten damals ausschließlich Lumpen bzw. Abfälle der Tuchherst., also die Fasern von Hanf, Jute, Leinen, Baumwolle (**Hadern*) usw., die mit Hilfe von Siebkästen von Hand – als einzelner Bogen – aus einer wäss. Fasersuspension geschöpft u. anschließend getrocknet wurden. Erst die Erfindungen des sog. Holländers (Mahlmaschine, 1670), der Langsieb- u. Rundsiebpapiermaschine (1799 u. 1809), des *Holzschliffs (1844), der Herst. von *Zellstoff (vgl. Cellulose) aus Holz nach dem Natron-, Sulfit- u. Sulfat-Verf. (1854, 1866, 1874) schufen die Voraussetzungen zur industriellen Herst. von pflanzlichen Faserstoffen u. damit zur Papierherst. im großen Maßstab (Maschinenpapiere), wie sie heutzutage gebräuchlich ist. Heute versteht man (vgl. DIN 6730: 1996-05) unter P. einen flächigen, im wesentlichen aus Fasern vorwiegend pflanzlicher Herkunft bestehenden Werkstoff, der durch Entwässerung einer Faserstoffaufschwemmung auf einem Sieb gebildet wird. Dabei entsteht ein Faserfilz, der anschließend verdichtet u. getrocknet wird. Das Flächengew. beträgt im allg. bis zu 225 g/m^2. Bei Flächengew. >225 g/m^2 spricht man von *Pappe; der Begriff *Karton (mit Flächengew. von 150–600 g/m^2) umfaßt sowohl Papier- als auch Pappe-Sorten.

Rohstoffe u. Hilfsmittel: Hauptbestandteile des P. sind Faserstoffe, deren Hauptquelle das *Holz ist. Nach den Gewinnungs-Meth. unterscheidet man *Holzstoff (mechan. aufbereitet) u. *Zellstoff (mit chem. Meth. aufbereitet). Bei Holzstoff wird unterschieden in *Holzschliff, erzeugt nach dem klass. *Steinschliff-* u. dem moderneren *Druckschliff-Verfahren.* Auf ca. 1 m abgelängte u. entrindete Holzstämme werden durch rotierende Schleifsteine unter Wasserzusatz bei Atmosphärendruck (SGW = Stone Groundwood) bzw. unter Überdruck (PGW = Pressure-Groundwood) zerfasert. Bei den neueren *Refiner-Verf.* kann auch Abfallholz in geschnitzelter Form eingesetzt werden, die Zerfaserung erfolgt mittels rotierender Mahlscheiben. Eine Variante ist das *TMP-Verf.*, bei dem die Holzschnitzel unter Dampfdruck bei ca. 130 °C in Druck-Refinern zu *TMP-Holzstoff* zerfasert werden (TMP = Thermo-Mechanical-Pulp). Bei Verw. von Chemikalien in der Hackschnitzel-Vordämpfung spricht man von *CTMP-Holzstoff* (= Chemo-Thermo-Mechanical-Pulp).

Bei Zellstoff wird nach den hauptsächlich angewendeten Verf. unterschieden in *Sulfat-* u. *Sulfit-Zellstoff*; *Natron-Zellstoff* hat als P.-Rohstoff nur noch histor. Bedeutung (Näheres s. Cellulose, S. 637 f.). Der in einem kombinierten chem.-mechan. Prozeß gewonnene *Halbzellstoff liegt in Eigenschaften u. Einsatzfähigkeit für die P.-Herst. zwischen Holzstoff u. Zellstoff. Weitere, mengenmäßig untergeordnete Rohstoffquellen für P.-Faserstoffe sind z. B. Getreide-*Stroh, *Esparto-Gras, *Bagasse, *Linters; auch die bis in das 19. Jh. hinein überwiegend verwendeten Textil-Abfälle (*Hadern) werden heute nur noch in geringer

Menge eingesetzt. Für spezielle P.-Sorten werden auch *Synthesefasern verwendet, bei bestimmten *Pappen auch *Mineralfasern. Zum mengenmäßig bedeutendsten Faser-Rohstoff hat sich in der dtsch. P.-Ind. das *Altpapier entwickelt. Alle für die P.-Herst. dienenden Faserstoffe werden unter dem Oberbegriff *Halbstoffe zusammengefaßt. Die nicht faserigen Einsatzstoffe für die P.-Herst. werden als *P.-Hilfsmittel* bezeichnet. Hierzu gehören:

- *Füllstoffe (z. B. Kaolin, Kreide, Titandioxid) zur Verbesserung von Glätte, Bedruckbarkeit u. Opazität des P., auch verwendet als *Streichpigmente* in Streichmassen zur Oberflächenvergütung;
- *Farbstoffe u. *Pigmente zur Einfärbung der P.-Masse od. zur Oberflächenfärbung in Streichmassen;
- *Bindemittel (z. B. Stärke, Casein u. a. Proteine, Kunststoff-Dispersionen, Harzleime u. a.) zur *Leimung* des P., d. h. zur Verfestigung des Fasergefüges, Bindung von Füllstoffen u. Pigmenten, Erhöhung der Wasserfestigkeit, Verbesserung der Beschreib- u. Bedruckbarkeit;
- *Optische Aufheller zur Erhöhung des Weißgrades;
- *Retentions-Mittel (z. B. Aluminiumsulfat, synthet. kation. Stoffe) zur Rückhaltung der Fein- u. Füllstoffe während der Herst. des P.;
- *De-Inking-Chemikalien zur Aufbereitung von Alt-P.;
- diverse weitere Stoffe, wie z. B. Netzmittel, Entschäumer, Konservierungsmittel, Schleimbekämpfungsmittel, Weichmacher, Antiblockmittel, Antistatika, Flammschutzmittel, Hydrophobierungsmittel usw. in Abhängigkeit von der zu fertigenden P.-Sorte u. dem Herst.-Verfahren.

Für die 1996 in der BRD produzierten ca. 14,7 Mio. t P. u. Pappe wurden ca. 17 Mio. t Roh- u. Hilfsstoffe verbraucht, s. Abb. 1.

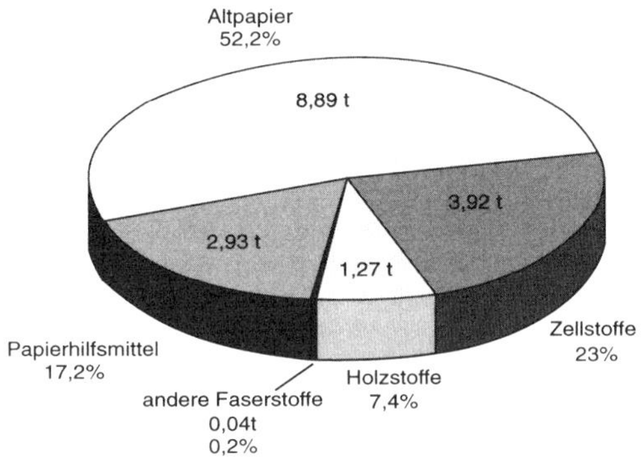

Abb. 1: Roh- u. Hilfsstoff-Verbrauch für die 1996 in der BRD produzierten ca. 14,7 Mio. t Papier u. Pappe[1].

Unverzichtbares Hilfsmittel für die P.-Herst. ist das Wasser. Während vor etwa 100 a noch ca. 800 L Wasser für die Herst. von 1 kg P. verbraucht wurden, waren es Anfang der 70er Jahre dieses Jh. noch ca. 50 L. Durch Einengung der Wasserkreisläufe innerhalb der P.-Herst. betrug der Wasserverbrauch in der BRD Anfang der 80er Jahre durchschnittlich 25 L u. Mitte der 90er Jahre nur noch ca. 14 L/kg P., für einzelne P.-Sorten u. Herst.-Verf. sogar <2 L/kg Papier.

Herst.: Die histor. Meth., aus der „Bütte" mittels Siebrahmen den P.-Faserbrei von Hand zu schöpfen, die nach Abtropfen noch nassen P.-Blätter zwischen Filzplatten stapelweise auszupressen (*Gautschen) u. dann zu trocknen, wird heute nur noch vereinzelt zur Herst. spezieller u. kostbarer Luxus-P. (z. B. „handgeschöpftes Bütten-P.") od. zu musealen Demonstrationszwecken angewendet. Die heutige P.-Herst. ist weitestgehend automatisiert u. läßt sich in Stoffaufbereitung, Papiermaschine, Veredelung, Ausrüstung untergliedern.

1. Stoffaufbereitung: *Holzstoffe werden meist in integrierter Fertigungsweise in der P.-Fabrik erzeugt u. gelangen als pumpfähiger Brei in die Stoffaufbereitung. *Zellstoffe werden überwiegend in trockener Form angeliefert u. im *Pulper (Stoffauflöser)* in Wasser zum pumpfähigen Faserbrei suspendiert. Die Faserstoff-Suspensionen durchlaufen dann verschiedene Stationen der Reinigung, Mahlung (*Fibrillieren u. Kürzen der Fasern auf erforderliche Länge) u. evtl. Klassieren (Trennen nach verschiedenen Faserlängen), bevor sie der „Stoffzentrale" zugeleitet werden. Alt-P. muß ebenfalls in Wasser dispergiert werden, zunächst wird von gröberen Verunreinigungen befreit u. nachfolgend einer Feinsortierung unterzogen. Im sog. *De-Inking-Prozeß werden dem Alt-P. durch *Flotations- od. Wasch-Verf. v. a. Druckfarben u. Füllstoffe weitgehend entzogen. In der Stoffzentrale werden die aufbereiteten Faserstoff-Suspensionen (*Halbstoffe) in der „Mischbütte" rezepturgerecht mit den – ggf. ebenfalls in wäss.-flüssiger Form vorbereiteten – *P.-Hilfsmitteln* zum sog. *Ganzstoff* zusammengemischt. Dieser besteht im allg. aus ca. 4% Feststoff u. 96% Wasser u. wird vor Aufgabe auf die P.-Maschine weiter verdünnt, je nach Maschinenkonstruktion u. zu fertigender P.-Sorte auf <0,5% Feststoff-Gehalt.

2. Papiermaschine: Je nach Art der zu erzeugenden P.- od. Pappen-Sorten unterscheiden sich die verschiedenen P.-Maschinen in ihren konstruktiven Details. Allen gemeinsam ist das Grundprinzip, aus dem hochverdünnten Ganzstoff eine flächige Bahn kontinuierlich zu erzeugen u. das Wasser mittels mechan. u. therm. Kräfte abzutrennen. Als Haupt-Aggregate einer P.-Maschine können definiert werden: *Stoffauflauf, Siebpartie, Pressenpartie, Trockenpartie, Kühlzylinder, Glättwerk, Aufrollung*. Die größten sog. Langsiebmaschinen erreichen heute Dimensionen von bis zu 10 m Bahnbreite u. bis zu 200 m Länge mit Bahngeschw. bis zu 2000 m/min. Vom *Stoffauflauf* wird der Ganzstoff in voller Maschinenbreite mit möglichst gleichmäßiger, an die Laufgeschw. der Siebpartie angepaßter Geschw. aufgegeben. Die *Siebpartie* besteht (bei Langsiebmaschinen) aus einem endlos um „Brustwalze" am Kopf u. „Saugwalze" am Ende umlaufenden Kunststoff-Gewebe, in das verschiedene Entwässerungselemente eingebaut sind. Am Ende der Siebpartie enthält die P.-Bahn noch ca. 80% Wasser u. ist fest genug für die Abnahme vom Sieb durch Abnahme-Filze od. Unterdruck. In der folgenden *Pressenpartie* wird die P.-Bahn durch mechan. Druck verdichtet u. weiter entwässert; dabei wird sie mittels eines endlos geführten Filztuches zwischen Walzen aus Stahl, Granit od. Hartgummi hindurchgeführt u. bis auf ca. 50–55% Restwassergehalt entwässert. Die in Sieb- u. Pressenpartie aus dem Ganzstoff abgeschiedenen Wassermengen (von 100 L Ganzstoff bis zu 98 L Wasser) werden – ggf. nach Durchlauf von Reinigungs-Aggregaten – in den Herst.-Prozeß zurückgeführt. Mittels

sog. Mehrlagen-Siebpartien können mehrere P.-Bahnen naß zusammengeführt u. in entsprechenden Pressenpartien zu stärkeren Bahnen vereinigt werden (*Gautschen) für die Herst. von *Karton u. *Pappe. Sog. Rundsiebmaschinen, bestehend aus großen, in Ganzstoff-Tröge rotierend eintauchenden Siebzylindern, werden heute nur noch selten verwendet.
In der anschließenden *Trockenpartie* wird die noch 50–55% Wasser enthaltende P.-Bahn zur weiteren Trocknung um bis zu 100 dampfbeheizte Trockenzylinder geführt, zunächst durch endlos umlaufende Filzbahnen gestützt, im letzten Teil der Trockenpartie meist freitragend. Mit Verlassen der Trockenpartie hat das P. seinen endgültigen Trockengehalt mit einer natürlichen Restfeuchte von ca. 5% erreicht. Seine Temp. von 75–85 °C wird durch Führen über *Kühlzylinder* auf 20–30 °C abgekühlt, bevor die P.-Bahn dem *Glättwerk* zugeführt werden kann, das aus mehreren übereinander angeordneten Hartgußwalzen besteht. Durch starken Druck wird bei „maschinenglattem" P. die Dicke der Bahn komprimiert, egalisiert u. die P.-Oberfläche geglättet. Jedes P. wird dann in der *Aufrollung* auf einen Stahlkern („Tambour") aufgewickelt. Je nach P.-Sorte kann ein solcher Tambour bis zu 25 t aufnehmen mit Bahnlängen bis zu ca. 60 km. In dieser Form steht das P. der Weiterverarbeitung, d. h. der *Veredelung* u./od. *Ausrüstung*, zur Verfügung.
Für spezielle Zwecke kann eine P.-Maschine mit Sondereinrichtungen versehen sein. Hierzu einige *Beisp.:* Vorrichtungen zur Herst. von *Wasserzeichen, wobei unterschieden wird in „echte" Wasserzeichen (durch Einprägungen in die nasse P.-Bahn innerhalb der Siebpartie), „halbechte" Wasserzeichen, sog. *Molette-Wasserzeichen* (durch Eindrücken von Prägerollen in die noch feuchte P.-Bahn kurz vor der Trockenpartie) u. „unechte" (imitierte) Wasserzeichen (nachträglich außerhalb der P.-Maschine durch Prägung unter hohem Druck od. Aufdrucken mit farblosem Lack erzeugt).
Kreppungen bei der Herst. von *Krepp-P.* werden mittels sog. Krepp-Zylinder erzeugt. Man unterscheidet die Naß- u. die Trocken-Kreppung. Die gebräuchliche Trockenpartie wird dabei teilweise od. ganz ersetzt durch einen bis zu 6 m Durchmesser großen dampfbeheizten Zylinder, auf welchem die P.-Bahn durch einen Krepp-Schaber gestaucht u. dabei wesentlich verkürzt wird. Bei der Naß-Kreppung erfolgt dieser Vorgang bei einem Feuchtegehalt von 20–40%, wobei die Kreppung in der anschließenden Nachtrocknung fixiert wird. Bei der Trocken-Kreppung (Restfeuchte 5–8%) wird der bereits erzielte Faserverbund mechan. gebrochen, die Kreppung erscheint „mikrofein" (s. a. weiter unten bei *P.-Sorten* unter *Krepp-P.* u. *Tissue*). In vielen P.-Maschinen befindet sich im letzten Drittel der Trockenpartie eine sog. *Leimpresse*, mit welcher die P.-Bahn mittels Walzen- u./od. Rakelauftrag ein- od. beiseitig zusätzlich od. alternativ zum Leimzusatz im Ganzstoff mit einer dünnflüssigen Leimflotte zur Oberflächenverfestigung beschichtet wird. Hier kann auch zur Vorbereitung des *Streichens* (s. weiter unten bei *Veredelung*) ein sog. „Vorstreichen" erfolgen.
3. Veredelung: Wesentliche Vorrichtungen zur Veredelung der aus der P.-Maschine kommenden „maschinenglatten" P. sind *Streichanlagen* u. *Kalander*. Unter *Streichen* von P. versteht man die ein- od. beidseitige Beschichtung der P.-Bahn mit einer aus Pigmenten u. Bindemitteln bestehenden „Streichfarbe". Je nach Art der Streichfarbe, zu erzielender Schichtdicke u. zu erzeugender P.-Sorte werden unterschiedliche Streichverf. eingesetzt, die im wesentlichen 4 Gruppen angehören: Walzen-, Rakel-, Luftbürsten- u. Guß-Streichverfahren. Die P.-Bahn wird von einer Abrollung über die Streichanlage durch Trocken-Stationen (Infrarot-, Heißluft- od. Zylinder-Trocknung) zur Aufrollung geführt. Im *Kalander wird der P.-Oberfläche bei der *Satinage mittels Durchlauf von mehreren Walzenspalten verschiedener Materialien u. Härten durch Druck u. leichte Friktion („Bügeleffekt") Glätte u. Glanz verliehen. Zur Veredelung werden auch verschiedene Verf. des *Kaschierens von P., Karton od. Pappe mit Kunststoff- od. Metallfolien gezählt.
4. Ausrüstung: Letzter Prozeßschritt der P.-Herst. ist die als Ausrüstung bezeichnete Zerteilung der von P.-Maschine od. Veredelung kommenden Groß-Rollen („Tamboure") in die für die Weiterverarbeitung od. den Endverbraucher benötigten Formate. Mittels *Rollenschneidern* wird die Bahn in Längsrichtung in die gewünschten Breiten aufgeteilt. Gewünschte Bogenformate werden mittels *Querschneidern* erzielt, wobei auf sog. Simplex-Querschneidern mehrere von verschiedenen Rollen zugeführte P.-Bahnen gleichzeitig in einheitliche Formate aufgeteilt werden. Meist ist der Ausrüstung eine automatisierte versandgerechte Verpackung nachgeschaltet.
Verw.: P. u. Pappe finden außerordentlich vielfältige Verwendung. 1995 wurden weltweit ca. 276 Mio. t P. u. Pappe verbraucht = ca. 49 kg/Einwohner. In der Rangfolge der 10 größten P.-Verbraucher nimmt der Bundesbürger mit 193 kg den 10. Rang ein (s. Abb. 2). 1989 lag die BRD einschließlich Westberlin mit 210 kg/Einwohner noch auf Rang 6.

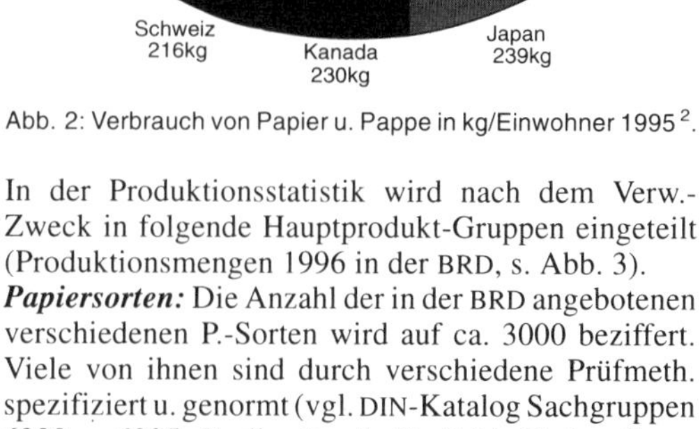

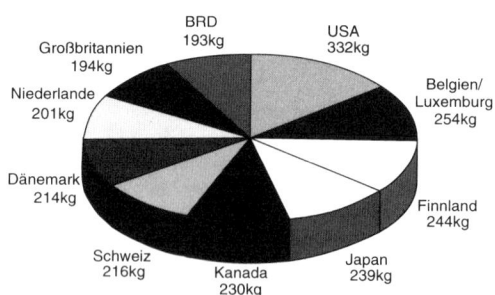

Abb. 2: Verbrauch von Papier u. Pappe in kg/Einwohner 1995 [2].

In der Produktionsstatistik wird nach dem Verw.-Zweck in folgende Hauptprodukt-Gruppen eingeteilt (Produktionsmengen 1996 in der BRD, s. Abb. 3).
Papiersorten: Die Anzahl der in der BRD angebotenen verschiedenen P.-Sorten wird auf ca. 3000 beziffert. Viele von ihnen sind durch verschiedene Prüfmeth. spezifiziert u. genormt (vgl. DIN-Katalog Sachgruppen 6390 u. 6395, Berlin: Beuth jährlich). Einige dieser Sorten werden nachfolgend in alphabet. Reihenfolge beschrieben:

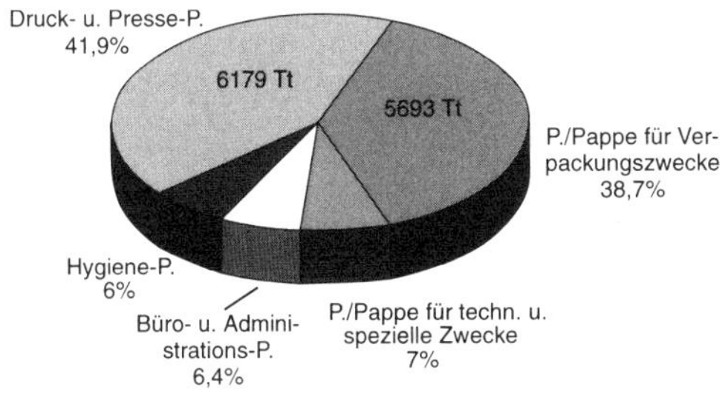

Abb. 3: Hauptprodukt-Gruppen Papier u. Pappe nach Verwendungszweck, Produktionsmengen BRD 1996 [1].

Banknoten-P.: Stark beanspruchbares, griff- u. falzfestes für Mehrfarbendruck geeignetes P. mit echtem mehrstufigem Wasserzeichen u. a. Fälschungssicherungen wie z. B. eingelegten Metallfäden.
Bankpost-P.: Stofflich hochwertiges Schreibmaschinen-P., häufig mit Wasserzeichen.
Baryt-P.: Mit *Bariumsulfat als Streichpigment ein- od. mehrfach meist einseitig gestrichenes P., bes. gut glättbar, zur Verw. als Kunstdruck-, od. Photopapier.
Bibeldruck-P.: Holzfreies, z. T. hadernhaltiges *Dünndruck-P.* niedriger flächenbezogener Masse (Flächen-Gew.).
Bütten-P.: a) *Echtes Bütten-P.:* Mit Schöpfform von Hand od. mit Rundsieb aus der Bütte geschöpftes Hadern-, hadernhaltiges od. holzfreies P., meist mit echtem Wasserzeichen, im unbeschnittenen Zustand mit echtem, faserigem Büttenrand. – b) *Imitiertes Bütten-P.:* Auf Langsiebmaschinen hergestelltes, hadernhaltiges, holzfreies od. holzhaltiges P., bei dem oft der Büttenrand durch Abspritzen, Abquetschen od. Stanzen nachgeahmt wird.
Bunt-P.: Sammelbegriff für farbige u. in der Oberfläche behandelte P., z. B. gestrichen, bedruckt, lackiert, marmoriert, velouriert, bronziert, ggf. zusätzlich geprägt.
Chromo-P.: Druckpapier, einseitig weiß od. farbig gestrichen, mit matter od. glänzender Oberfläche, lackierbar, bronzierbar, kaschierbar, z. T. naß- u. laugenfest; Verw. z. B. zur Herst. von Etiketten.
Dokumenten-P.: Bes. alterungsbeständiges P., bestimmt für Schriftstücke, die lange aufbewahrt werden müssen.
Druck-P.: Sammelbegriff für P., die ungestrichen od. gestrichen zum Bedrucken geeignet sind u. sich mit den verschiedenen *Druckverfahren störungsfrei verarbeiten lassen.
Dünndruck-P.: Dünnes, leichtgewichtiges, oft hohe Füllstoffanteile enthaltendes, opakes u. griffestes Druck-P., z. B. *Bibeldruck-Papier.*
Elektroisolier-P.: Festes, meist mit Kunstharzen imprägniertes, porenfreies Zellstoff-P., manchmal auch hadernhaltig, darf weder Füllstoffe noch Metall-Verunreinigungen, Salze od. Säuren enthalten.
Filtrier-P.: Ungeleimtes weiches Zellstoff-P., manchmal auch mit Hadern-Zusatz, z. T. naßfest ausgerüstet, zum Abscheiden von Teilchen aus Flüssigkeiten u. Gasen.
Fließ-P.: Sammelbegriff für meist ungeleimte P. mit hoher Saugfähigkeit, z. B. für *Küchenkrepp* od. *Löschpapier.*
Holzfreies P. (Abk. h'fr. P.): Aus Zellstoff hergestelltes P. mit einem zulässigen Massenanteil von max. 5% verholzter Fasern (Holzstoff).
Holzhaltiges P. (Abk. h'h. P.): P. mit Massenanteilen von >5% verholzter Fasern. Die Mengenanteile Zellstoff zu Holzstoff werden je nach Verw.-Zweck in weiten Grenzen variiert. Stark holzhaltige P. wie z. B. *Zeitungsdruck-P.* vergilben rascher als holzarme bzw. holzfreie Sorten.
Hygiene-P.: Sammelbegriff für überwiegend im Haushalt, in Gemeinschaftseinrichtungen u. zur persönlichen Hygiene verwendete P.-Sorten, wie z. B. Haushaltstücher (Küchenkrepp), P.-Handtücher, -Taschentücher, -Servietten, Toiletten-P., Kinderwindeln u. a., s. a. *Krepp-P.* u. *Tissue.*
Japan-P.: Handgeschöpftes in Japan hergestelltes *Seiden-P.* mit einem Flächen-Gew. von ca. 10 g/m^2 aus Pflanzenfasern von Maulbeerbaum u. Mitsumatapflanze.
Kondensator-P.: Bes. dünnes (Dicke 0,006–0,012 mm, Flächen-Gew. 6–7 g/m^2) Elektroisolier-P., gehört zu den teuersten P.-Sorten.
Kraft-P.: Bes. festes u. beständiges P., hergestellt aus mindestens 90% Sulfat-Zellstoff (Kraft-Zellstoff, s. Cellulose).
Krepp-P.: Durch Naß- od. Trocken-Kreppung (s. bei Herst.) dehnbar u. schmiegsam gemachte P.-Sorten; Verw. als Dekorations-P. (z. B. „Blumen"- od. „Gärtner-Krepp"), zu Verpackungszwecken („Packkrepp"), als Trägermaterial für *Abdeckbänder, als *Filtrier-P.*, für *Hygiene-P.* u. a.
LWC-P. (light weight coated): Leichtes, beidseitig gestrichenes holzhaltiges Druck-P. mit Flächen-Gew. bis zu 72 g/m^2, meist verwendet für Zeitschriften, Versandkataloge u. dgl.
Öl-P.: Wasserdichtes u. -abweisendes P., hergestellt aus holzfreiem P. durch Tränken mit Wachs od. Paraffin, früher auch mit trocknenden Ölen.
Overlay-P.: Roh-P. aus gebleichtem Zellstoff höchster Reinheit, ungefüllt, Flächen-Gew. 20–50 g/m^2, lichtecht, das als oberste Schicht in *Schichtpreßstoffen transparent ist (s. a. Laminate).
Pack-P.: Sammelbegriff für alle für Verpackungszwecke hergestellte P.-Sorten verschiedenster Faserstoff-Zusammensetzungen u. Eigenschaften.
Papiermaché (Pappmaché): Durch Zerfasern von P. in Wasser erzeugte knetbare Masse, zur Steigerung der Festigkeit meist mit Leim od. Kleister versetzt; Verw. als Formmaterial für plast. Gegenstände, die beim Trocknen erhärten.
Pergament-P.: a) *Echt Pergament* (vegetabil. Pergament, nicht zu verwechseln mit *Pergament aus Tierhäuten), durch Chemikalien (im allg. Schwefelsäure) weitgehend fettdicht u. naßfest gemachtes Zellstoff-P. – b) *Pergamentersatz,* aus holzfreiem P. durch entsprechende Mahlung u./od. Zusatz von Hilfsmitteln hergestellt, kommt in Bezug auf Fettdichtigkeit dem Echt Pergament nahe, ist jedoch nicht naßfest.
Pergamin: Ähnlich wie Pergamentersatz hergestellt, durch scharfe *Satinage* (s. Herst.) bes. transparent gemacht.
Photo-P.: Holzfreies P. mit gleichmäßiger Durchsicht u. Oberfläche, weitgehend naßfest u. dimensionsstabil, chem. neutral u. frei von Verunreinigungen, die die lichtempfindliche Schicht beeinträchtigen könnten.
Recycling-P.: Aus *Alt-P.* hergestelltes P., wegen nicht vollständig entfernter Druckfarbenreste meist nicht so hell wie h'haltiges P.; Verw. für Verpackungsmaterial, Hygiene-P., weniger anspruchsvolle Schreib-, Druck- u. Formular-Papiere.
Sanitär-P.: Synonym für *Hygienepapier.*
Saug-P.: Synonym für *Fließpapier.*
Schreib-P.: Allg. Begriff für P. beliebiger Stoff-Zusammensetzung, das zum beidseitigen Beschreiben mit Tinte geeignet ist, meist Füllstoff-haltig u. voll geleimt mit geglätteten Oberflächen.
Seiden-P.: Dünnes, weiches u. verhältnismäßig festes P. mit Flächen-Gew. <30 g/m^2, vorwiegend zum Verpacken empfindlicher Gegenstände, auch als Trägermaterial für *Kohlepapier, „Futterseide" für Briefumschläge od. kaschiert mit Al-Folie für Zigaretten-Verpackungen.
Spinn-P.: Bes. zugfestes P. zur Herst. von P.-Garn u. P.-Bindfäden.
Synthetisches P. (Synthesefaser-P.): Überwiegend aus *Synthesefasern wie Polyamid, Polyester, Zellwolle hergestelltes P., wegen hoher Strapazierfähigkeit verwendet zur Herst. von z. B. Landkarten od. wichtigen Dokumenten wie Führerschein, KFZ Brief u. a.
Tapetenroh-P.: Sammelbegriff für P., geeignet zur Herst. von Tapeten, ein- od. mehrlagig, holzfrei od. holzhaltig, ungestrichen od. gestrichen, auch beschichtet, vorgekleistert od. abziehbar.
Tissue: Bes. dünnes, weiches, überwiegend holzfreies Material mit feiner (Trocken-)Kreppung, aus einer od. mehreren Lagen, sehr saugfähig, Flächen-Gew. der Einzellage <25 g/m^2 vor der Kreppung; Verw. hauptsächlich für Toiletten-P., P.-Taschentücher, Kosmetik-Tücher u. ä.

Zeitungs(druck)-P.: Stark holz- od. altpapierhaltiges maschinenglattes P. mit Flächen-Gew. von 40 bis 57 g/m^2.
Zigaretten-P.: Leichtes ungeleimtes P. mit hohem Füllstoffanteil (>30%) u. Flächen-Gew. von 18–24 g/m^2; durch spezielle Zusätze wird die Brennbarkeit der des Tabaks angeglichen, die Glimmfähigkeit wird durch verwendungsgerechte Porosität erzielt.
Umweltaspekte: *1. Altpapier-Aufkommen:* Die Verw. von Alt-P. zur P.-Herst. erfolgt bereits seit langem. Während in den 20er Jahren dieses Jh. die Altpapier-Einsatzquote (*Recycling-Quote Altpapier-Einsatzmenge in % der Produktionsmenge) in Deutschland bei etwa 20% lag, wurde sie – v. a. nach dem 2. Weltkrieg – auf über 40% gesteigert. Seit 1964 stagnierte sie bis Mitte der 80er Jahre zwischen 42–46% u. ist bis 1996 auf 60% angestiegen (s. Abb. 4).

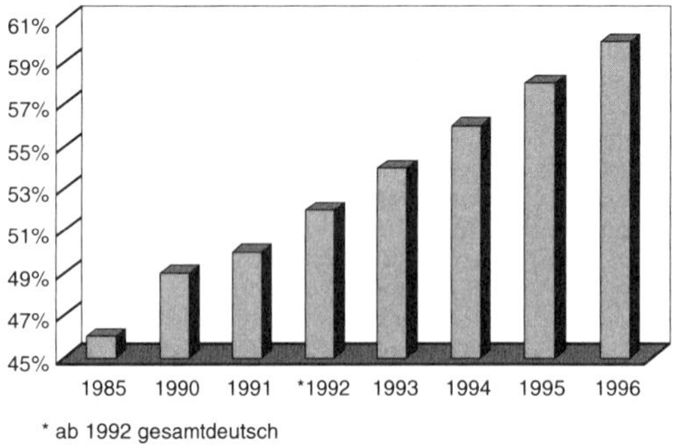

Abb. 4: Altpapier-Recyclingquote in der BRD [1].

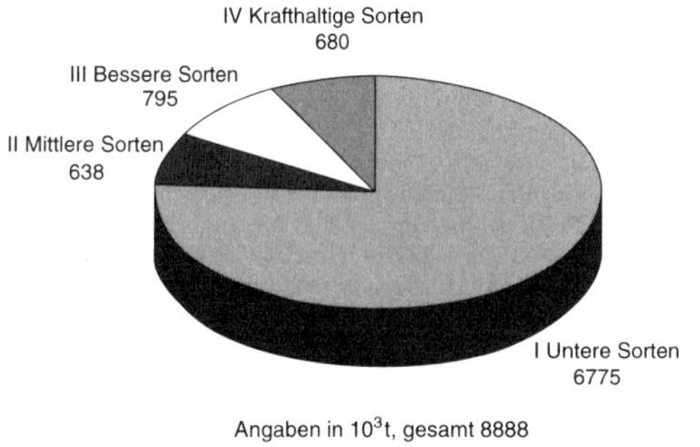

Abb. 5: Altpapier-Einsatz 1996 in der deutschen Papier-Industrie [1].

Trotz erheblicher Fortschritte in der Aufbereitungs- u. *De-Inking-Technik ist der Altpapier-Einsatz zur P.-Herst. nicht unbegrenzt möglich, da die Qualitätsanforderungen an viele P.-Sorten den Altpapier-Einsatz nicht oder nur begrenzt zulassen; die verschiedenen Altpapier-Sorten sind nur in unterschiedlichem Maße wiederverwendungsfähig. Man unterscheidet über 40 Sorten, die nach DIN-EN 643: 1994-08 in 4 Gruppen eingeteilt werden. Abb. 5 zeigt die Einsatzmengen dieser Gruppen 1996 in der BRD.
Während für die höherwertigen Gruppen II – IV die Nachfrage das Angebot übersteigt, besteht für die Gruppe I ein erhebliches Überangebot. Infolge flächendeckender Sammlung der vor allem aus den Haushalten stammenden unteren Sorten erhöhte sich, gefördert durch Verpackungsverordnung [3] u. *Duales System [4], die Altpapier-Rücklaufquote (= Altpapier-Aufkommen in % des Papier- u. Pappe-Verbrauchs) 1985–1996 von 43 auf 71% (s. Abb. 6).

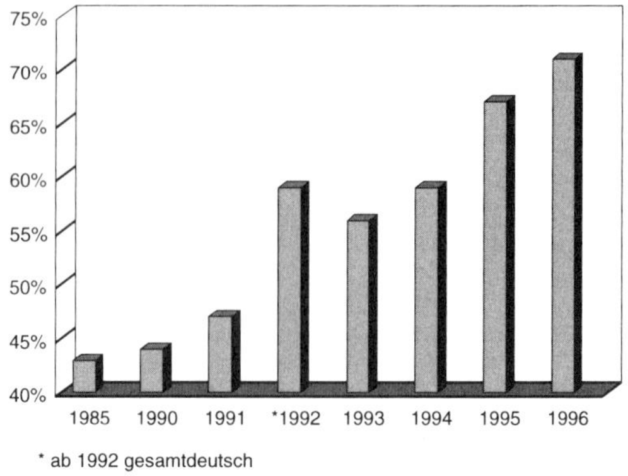

Abb. 6: Altpapier-Rücklaufquote in der BRD [1].

Zum aktuellen Stand der Altpapier-Erfassung u.- Verwertung in Deutschland u. Europa s. *Lit.*[5].
2. Abwasser: Während früher die bei der P.-Herst. verbrauchten großen Wassermengen ungereinigt in Gewässer abgelassen wurden u. damit erheblich zu deren Verschmutzung beitrugen, werden die heute durch ausgefeilte Rückführsyst. erheblich geminderten Abwassermengen sorgfältig gereinigt durch werkseigene mechan. u. z. T. auch biolog. Abwasser-Reinigungsanlagen, ehe sie, ggf. über kommunale Kläranlagen, in den natürlichen Wasserkreislauf zurückgeführt werden.
3. Abluft: Luft-Emissionen entstehen bei der P.-Herst. in erster Linie bei der Energie-Erzeugung. Wie allg. in der deutschen Ind. wurden auch bei den P.-Fabriken unter Beachtung der gesetzlichen Vorschriften insbes. für Kraftwerksbetreiber die Emissionen z. B. von SO_2 innerhalb der letzten Jahrzehnte erheblich reduziert.
4. Bleich-Verf.: Für verschiedene P.-Sorten müssen die eingesetzten Faserstoffe, v. a. Zellstoffe, gebleicht werden (Restgehalte von *Lignin bewirken Braunfärbungen). Die Bleiche der Zellstoffe gehört also nicht eigentlich zur P.-Herst. u. wird überwiegend beim Zellstoff-Produzenten durchgeführt. Wirksamste u. die Fasern schonendste Meth. ist die *Chlorbleiche* (mittels gasf. Cl_2), bei der als Nebenprodukte chlorierte organ. Verb. entstehen, wie z. B. *Dioxine, die mit den in den letzten Jahren verfeinerten Analysen-Meth. als minimale Rückstände in verschiedenen P.-Sorten entdeckt wurden. Obgleich die ermittelten Konz. als gesundheitlich unbedenklich angesehen werden, hat die Ind. innerhalb der letzten Jahre die Chlorbleiche weitestgehend durch andere Verf. ersetzt. Zur Zellstoffbleiche s. Cellulose (S. 637 f.). Für die Holzstoffbleiche wird überwiegend Peroxid u. Dithionit eingesetzt. Für eine beim Altpapier-De-Inking manchmal zur Erhöhung des Weißgrades nachgeschaltete Bleiche wird auch Formamidinsulfonsäure verwendet [6].
Wirtschaft: Weltweit wurden 1995 ca. 278 Mio. t P. u. Pappe hergestellt. Die deutsche P.-Ind. hat 1996 in 220 Betrieben mit ca. 47 000 Beschäftigten einen Umsatz

von ca. 18,3 Mrd. DM erzielt bei einer Produktionsmenge von ca. 14,7 Mio. t (*Lit.*[1]). In der Rangfolge der 10 größten P.-Erzeugerländer lag die BRD 1995 auf dem 5. Rang, s. Abb. 7.

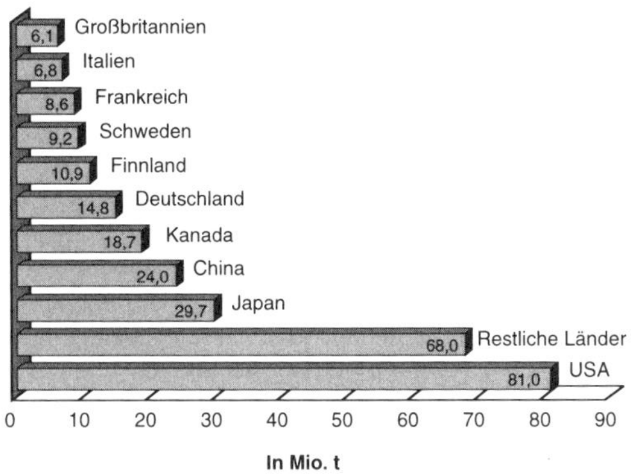

Abb. 7.

– ***E*** paper – ***F*** papier – ***I*** carta – ***S*** papel

Lit.: [1] Leistungsbericht der deutschen Zellstoff- und Papierindustrie 1997, Bonn: vdp 1997. [2] Papierkompaß 1997, Bonn: vdp 1997. [3] Römpp Lexikon Umwelt, S. 771 f. [4] Römpp Lexikon Umwelt, S. 199 f. [5] Wochenbl. Papierfabr. **124**, Heft 3, 74–79; Heft 14/15, 656–661 (1996). [6] Wochenbl. Papierfabr. **125**, Heft 7, 287 (1997).
allg.: Encycl. Polym. Sci. Eng. **10**, 720–786 ▪ Kirk-Othmer (4.) **18**, 1–60; **20**, 493–582; **21**, 10–22 ▪ Römpp Lexikon Lacke u. Druckfarben ▪ Sandermann, Die Kulturgeschichte des Papiers, 2. Aufl., Berlin: Springer 1992 ▪ Ullmann (4.) **17**, 531–635; (5.) **A 18**, 545–691 ▪ Winnacker-Küchler (4.) **5**, 597–642. – *Organisationen u. Inst.:* Confederation of European Paper Industries (CEPI), 306 Avenue Louise, B-1050 Bruxelles ▪ Institut für Papierfabrikation der TH, 64283 Darmstadt ▪ Papiertechnische Stiftung (PTS), 80797 München ▪ Technical Association of the Pulp and Paper Industry (TAPPI), 15 Technology Parkway S., Norcross, GA 30092, USA ▪ Verband Deutscher Papierfabriken e. V. (vdp), 53110 Bonn ▪ Verein der Zellstoff- u. Papier-Chemiker u. Ingenieure (ZELLCHEMING), 64295 Darmstadt. – *[HS 4802, 4807, 4809, 4810, 4811]*

Papierchromatographie (Abk. PC). Ein Trennverf. der *Planar-Chromatographie als Spezialfall der *Verteilungschromatographie, wobei Chromatographie-*Papier den Träger, die am Papier (Cellulose) adsorbierten Wasser- u. Fließmittel-Mol. die stationäre Phase u. organ. Lsm. bzw. deren Gemische die mobile Phase darstellen. Die Trennung der Stoffe beruht dabei auf deren unterschiedlichen Löslichkeit in den beiden Phasen. Adsorptions- u. Ionenaustausch-Vorgänge können zusätzlich eine gewisse Rolle spielen. Die angewandten Arbeitstechniken (Entwickeln der Chromatogramme, Charakterisierung der getrennten Substanzen über R_f-Werte sowie mittels UV-Licht od. Sprühreagenzien usw.) sind dieselben wie bei der Dünnschichtchromatographie (DC, TLC), vgl. die Beschreibung der Arbeitstechniken u. die Abb. dort. Die Fortschritte in der DC haben der P. den Rang abgelaufen, so daß sie zur Zeit kaum noch angewandt wird.
Geschichte: Schon Plinius der Ältere beschreibt in seiner Naturalis Historia einen Farbtest, bei dem man die gelösten Farben auf Papyros aufträgt[1]. Den Grundstein zur modernen P. legte *Runge mit seinen einfachen „Papierchromatogrammen“ auf Löschpapier[2] (Exemplare im Dtsch. Museum, München u. in der Senckenberg-Bibliothek, Frankfurt). Weitere Meilensteine setzten *Schönberg u. sein Schüler Goppelsröder (1837–1919). In ihrer heutigen Form wurde die P. im wesentlichen von den engl. Forschern Condsen, Gordon, A. J. P. *Martin u. *Synge (beide Chemie-Nobelpreis 1952) während des 2. Weltkrieges entwickelt. – ***E*** paper chromatography – ***F*** chromatographie sur papier – ***I*** cromotografia su carta – ***S*** cromatografía en (sobre) papel

Lit.: [1] Endeavour **31**, 2 (1972). [2] Runge, Der Bildungstrieb der Stoffe, Oranienburg: Selbstverl. 1835.
allg.: Anfärbereagenzien für Dünnschicht- u. Papier-Chromatographie, Darmstadt: Merck 1970 ▪ Engler, Papier-Chromatographie, Dünnschicht-Chromatographie u. Elektrophorese im naturwissenschaftlichen Unterricht, Stuttgart: Flad 1983 ▪ Townshend, Encyclopedia of Analytical Science, Bd. 6, S. 3734–3742, New York: Academic Press 1995.

Papierelektrophorese. Die auf Klobuzitzky u. König 1939 zurückgehende, heute kaum noch praktizierte P. ist das älteste Beisp. einer *Träger-*Elektrophorese.* Mit Papier als Trägermaterial erlaubt sie die Auftrennung eines Stoffgemisches in Einzelkomponenten, sofern diese in wäss. Elektrolyt-Lsg. Ionen bilden können, die nach Anlegen einer elektr. Spannung auseinander wandern. Zur Ausführung tränkt man einen Streifen od. Bogen Elektrophoresepapier mit einer geeigneten Pufferlsg., die dem *isoelektrischen Punkt der zu trennenden Komponenten angepaßt ist, u. läßt ihn in der feuchten Kammer mit den beiden Enden, die mit der Anode bzw. Kathode verbunden werden, in die Pufferlsg. eintauchen. Das zu trennende Gemisch wird auf dem Papierstreifen in gleicher Entfernung von beiden Elektroden im allg. strichförmig parallel zur Wanderungsrichtung aufgetragen. Beim Anlegen einer Spannung (100–400 V od. 2000–10000 V bei der *Hochspannungs-P.*) wandern die verschieden geladenen Komponenten zu den jeweils entgegengesetzt geladenen Elektroden, während die ungeladenen an der Auftragungsstelle zurückbleiben. Zur Sichtbarmachung u. Identifizierung der Komponenten bedient man sich der bei Dünnschichtchromatographie beschriebenen Methoden. – ***E*** paper electrophoresis – ***F*** electrophorèse sur papier – ***I*** elettroforesi su carta – ***S*** electroforesis en papel

Lit.: s. Elektrophorese u. Papierchromatographie.

Papierfaktor s. Juvabion.

Papierfarbstoffe. Zum Färben von Papier werden meist substantive Farbstoffe od. kation. Direktfarbstoffe eingesetzt. Während diese Farbstoffe oft nur geringe Lichtechtheit besitzen, werden zum Bedrucken von Plakaten, Illustrierten etc. Pigmente mit hohen Echtheiten eingesetzt. – ***E*** paper dyestuffs – ***I*** coloranti per carta – ***S*** colorantes para papel

Papierhilfsmittel s. Papier (S. 3111).

Papierkaolin. Feinstaufbereitetes *Kaolin für die Papier-Industrie.

Papiermaché s. Papier (S. 3113).

Papiertechnische Stiftung für Papiererzeugung und Papierverarbeitung (PTS). Die 1951 gegründete PTS mit Sitz in 80797 München, Heßstr. 134, hat die Förderung der Forschung u. Weiterbildung in Papier-

erzeugung u. Papierverarbeitung zum Ziel u. beschäftigt 155 Mitarbeiter. Die PTS, Trägerin des Papiertechn. Inst. (PTI) in München, des Inst. für Zellstoff u. Papier (PTS-IZP) in Heidenau u. der Wasser-, Abwasser- u. Reststofforschungsstelle (PTS-WAF) in München, ist auf den Gebieten Forschung, Entwicklung, Prüfung, Beratung, Weiterbildungs- u. Informationsdienste im Bereich Papiererzeugung u. Papierverarbeitung tätig. Die PTS ist Hersteller der Datenbank PAPERTECH des FIZ-Technik. PAPERTECH, in der direkt über das Internet (http://www.fiz-technik.de/papt.htm) recherchiert werden kann, liefert bibliograph. Hinweise auf die dtsch. u. internat. techn. wissenschaftliche Fachlit. der Papiererzeugung u. -verarbeitung von 1981 bis heute.
Publikationen: PTS-Manuskripte, PTS-Infopakete, PTS-Methoden. INTERNET-Adresse: http://ourworld.compuserve.com/homepages/PTS MUC.

Papilloma-Viren (Warzenviren). P. sind human- od. tierpathogene DNA-Viren aus der Familie der *Papova-Viren, die eine Ausbildung von *Warzen (Wachstumsstimulation von Basalzellen der Epidermis) hervorrufen. Unter spezif. Bedingungen ist eine maligne Entartung möglich. P. lassen sich bislang nicht in *Zellkultur vermehren (Gewinnung aus Biopsie-Material); s. a. Viren. – ***E*** papilloma virus – ***F*** virus du papillome – ***I*** papillomavirus – ***S*** virus del papiloma
Lit.: Singer u. Berg, Gene u. Genome, S. 296f., 844f., Heidelberg: Spektrum 1992.

PAP Immunkomplexe. Peroxidase-anti-Peroxidase-Immunkomplexe für Immuncytochemie u. Screening monoklonaler Antikörper in ELISAs. ***B.:*** Serva.
Lit.: J. Histochem. Cytochem. **32**, 172 (1984).

Papinscher Topf. Von dem französ. Physiker Denis Papin (1647–1712) entwickeltes, druckfest mit einem Ventil verschließbares u. mit Wasser teilw. zu füllendes Metallgefäß, das man als Vorläufer sowohl der heutigen Dampf-Schnellkochtöpfe u. Sterilisations-Autoklaven (vgl. Konservierung) als auch der Dampfmaschine ansehen kann. – ***E*** Papin's digester – ***F*** marmite de Papin – ***I*** pentola di Papin – ***S*** marmita de Papin

Papite. Tränengas aus *Acrolein u. Zinntetrachlorid (s. Zinnchloride).

p. a.-plus. Hochreine Reagenzien (Ammoniak-Lsg., Flußsäure, *ortho*-Phosphorsäure, Salpetersäure, Salzsäure, Schwefelsäure) für die Analytik im ppb-Bereich. ***B.:*** Riedel.

Papova-Viren. Viren-Familie, die in die Gattungen *Papilloma-Viren u. Polyoma-Viren (Miopapova-Viren) unterteilt wird. P.-V. sind ikosaedr. unbehüllte *Viren mit doppelsträngiger, ringförmig geschlossener DNA. – ***E*** = ***I*** papovavirus – ***F*** = ***S*** virus papova
Lit.: Gsell et al., Klinische Virologie, S. 217ff., München: Urban u. Schwarzenberg 1986 ▪ Singer u. Berg, Gene u. Genome, S. 846, Heidelberg: Spektrum 1992.

Pappe. Nach DIN 6730: 1996-05 ist P. ein aus Papierstoff bestehender flächiger Werkstoff von bes. Steifigkeit, dessen Flächengew. im allg. über 225 g/m^2 liegt, vgl. a. die Definitionen von Karton u. Papier. Bes. Formen sind u. a. Braunschliff-, Filz-, Grau-, Isolier-, Stark-, Voll-, Well-, Zieh-, Duplex-, Triplex- u. Multiplex- sowie imprägnierte P., bei denen sich die Bez. meist auf Eigenschaften, Verw. od. Herst.-Weise bezieht; *Beisp.:* *Dachpappe. **Mineralfaser-haltige P.* werden z. B. im Baugewerbe als isolierende u. feuerhemmende Materialien verwendet. *Asbest wird wegen seiner gesundheitsgefährdenden Wirkung in der früher viel verwendeten *Asbest-P.* nicht mehr eingesetzt. *Well-P.* besteht aus einer od. mehreren Lagen eines gewellten Papiers (Mittellage), die ein- od. beidseitig mit einer Papierbahn beklebt worden ist (Decklagen); sie wird vorwiegend als Packmaterial verwendet. Mehrbahnige *Voll-P.* gewinnt man durch Zusammenkleben od. -gautschen von Papierbahnen (Vereinigen von Papierbahnen unter Druck, aber ohne Klebstoffe). Vielfach führt man heute diesen Vorgang in einem Arbeitsgang auf modernen Mehrlagen-Langsiebmaschinen durch. Zur Produktion von P. vgl. Papier. – ***E*** paperboard – ***F*** carton – ***I*** cartone – ***S*** cartón
Lit.: s. Papier. – *[HS 4802, 4807 10, 4810 99, 4811 10]*

Pappenheim-Färbung. Nach A. Pappenheim (1870–1916, Internist in Berlin) benannte Meth.: 1. Für eine panopt. Blutfärbung durch Kombination von *May-Grünwald*-Färbung u. **Giemsa-Färbung* (vgl. Methylenblau), – 2. für eine Plasma-Zellkern-Färbung u. DNA/RNA-Differenzierung (*Unna-Pappenheim-Färbung*) u. die Lymphocyten-Färbung mit *Methylgrün u. *Pyronin. – ***E*** Pappenheim staining – ***F*** coloration de Pappenheim – ***I*** colorazione di Pappenheim – ***S*** coloración de Pappenheim
Lit.: Romeis, Mikroskop. Technik, München: Urban & Schwarzenberg 1989.

Pappmaché s. Papier.

Paprika (Spanischer Pfeffer). Sammelbez. sowohl für die Früchte der heute in über 50 verschiedenen Kulturformen angebauten P.-Pflanze als auch für das aus den Früchten durch Zermahlen gewonnene *Gewürz. Die meist einjährigen, 20–50 cm hohen P.-Pflanzen (*Capsicum annuum* var. *annuum*, Solanaceae = Nachtschattengewächse) entwickeln zwischen ca. 5 u. 15 cm lange Früchte (Trockenbeeren) von grüner, gelber, roter od. bunter Färbung u. mild süßem bis brennendem Geschmack. Mehr od. weniger scharf schmecken auch die zahlreichen gelblichen Samen im Innern der Frucht, deren Schärfe u. den Speichelfluß fördernde Wirkung auf die Anwesenheit von *Scharfstoffen wie *Capsaicin u. dessen Derivate zurückzuführen sind. Die rote u. gelbe Färbung beruht auf einem Carotinoid-Gemisch, in dem bis zu 35% *Capsanthin neben *Crypto- u. *Zeaxanthin, *Lutein u. Capsorubin enthalten ist; die grüne Färbung ist durch die Ggw. von Chlorophyll bedingt. Je 100 g eßbarer Substanz der Früchte enthalten durchschnittlich 92,8% Wasser, 1,2% Eiweiß, 0,2% Fett, 5,3% Kohlenhydrate, ferner 420 IE Vitamin A u. 128 mg Vitamin C (mehr als doppelt so viel wie Zitronen) sowie 0,3–0,5% Capsaicin u. 0,1–0,36% lipophile Carotinoide, Nährwert 100 kJ. Nach der Schärfe, d. h. dem Gehalt an Capsaicin, unterscheidet man allg. zwischen *Gemüse-P.* (rote Varietäten heißen auch *Pimiento*) u. *Gewürz-Paprika.* Aus den Früchten der letzteren Gruppe gewinnt man das gemahlene P.-Gewürz, das je nach Verw. der unterschiedlichen Fruchtteile in verschieden scharfen u.

aromat. Sorten im Handel ist. Bei den 5 handelsüblichen Sorten Delikateß-, Edelsüß-, Halbsüß-, Rosen- u. Scharf-P. steigt in der genannten Reihenfolge die Schärfe, während das Aroma zurückgeht. Ein extrem scharfes P.-Gewürz wird aus den bes. kleinen, als *Chillies* od. *Peperoni* bezeichneten Früchten von *Capsicum frutescens* hergestellt (Capsaicin-Gehalt 0,5–1,5%) u. als *Cayenne-Pfeffer* gehandelt. Weitere Produkte hieraus sind das indones. *Sambal Oelek,* eine pastöse Zubereitung aus zerstoßenen Chillies, u. die aus Louisiana (Avery Island) stammende *Tabasco*®-Soße. Hauptanbaugebiete des aus Süd- u. Mittelamerika stammenden P. sind u. a. Ungarn, Spanien, Frankreich u. Italien, für Chillies bes. die trop. Gebiete Amerikas, Afrikas, Indiens u. Ostasiens. Es sei darauf hingewiesen, daß das sog. „Chili-Pulver" nichts mit Chillies zu tun hat, sondern aus amerikan. od. mexikan. Oregano (s. Origanum), Knoblauchpulver, Piment, Röm. Kümmel etc. besteht. – ***E*** red pepper, bell pepper, pimiento – ***F*** paprika, piment – ***I*** peperone – ***S*** (Pflanze): pimiento, pebrera, guindilla, (Gewürz): pimentón

Lit.: Franke, Nutzpflanzenkunde, 6. Aufl., S. 238f., 381f., Stuttgart: Thieme 1997. – *[HS 0711 90, 0710 80]*

PAPS. Abk. für *3′-Phosphoadenosin-5′-phosphosulfat.

Papyrographie. Nach einem Vorschlag von Dent (1948) Bez. für *Papierchromatographie.

Papyrus s. Papier.

PAR.

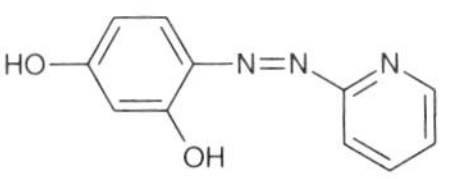

Abk. für 4-(2-Pyridylazo)-resorcin, $C_{11}H_9N_3O_2$, M_R 215,21, Schmp. 195–200 °C (Zers.). In Form des Natrium-Salzes dient es neben seiner Verw. als Indikator in der Komplexometrie als hochselektives u. empfindliches Reagenz für Kobalt u. Eisen. Es ermöglicht weiterhin die selektive Bestimmung von Cr(III) im Spurenbereich durch Ionenpaarchromatographie an Umkehrphasen.

Lit.: Anal. Chem. **44**, 1092 (1972); **57**, 625 (1985) ▪ Beilstein E III/IV **22**, 7074 ▪ Fries-Getrost, S. 70f., 263f., 384 ▪ Pure Appl. Chem. **55**, 1194–1202 (1983) ▪ Z. Anal. Chem. **260**, 289 (1972). – *[CAS 1141-59-9]*

Para- (von griech.: pará = neben, zur Seite, nahe, entlang, vorbei, gegen etc.). a) Bez. für Elektronenkonfigurationen mit antiparallelen *Spins; s. Ortho-Helium, *Ortho-Para-Isomerie.
b) *para-* (Kurzz.: *p-*), in Trivialnamen oft Para..., zeigt 1,4-Substitution am Benzol-Ring an (vgl. Meta..., Ortho...); *Beisp.: p-*Xylol, *Paracyclophane. Das kursive *p-* wird bei alphabet. Sortieren ignoriert.
c) Präfix, das in chem. Trivialnamen eine Abwandlung anzeigt; *Beisp.:* polymere Formen (Para-*Formaldehyd, *Paraldehyd), Demethylierung (*Parafuchsin), Methylierung (Paraxanthin = 1,7-Dimethyl-*xanthin).
d) Präfix in griech. Lehnwörtern, das oft Neben... bedeutet; *Beisp.:* *Paragenese, parallel (= nebeneinander), *parenteral. – ***E*** = ***F*** = ***I*** = ***S*** para-

Paraacetaldehyd s. Paraldehyd.

Parabansäure (Oxalylharnstoff, Imidazolidintrion).

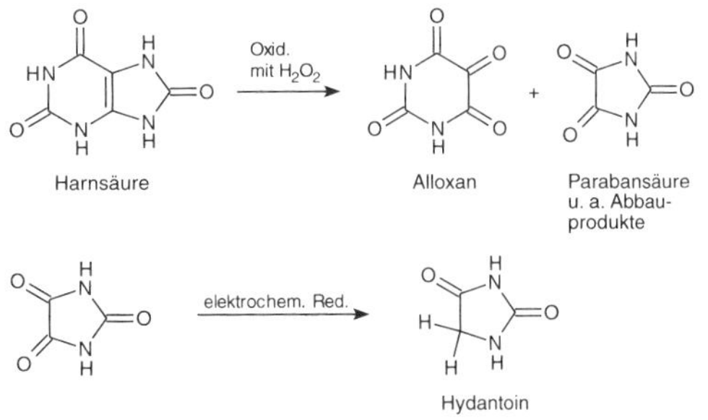

$C_3H_2N_2O_3$, M_R 114,06. Farblose Krist., Schmp. 230 °C, nach anderen Angaben Schmp. 243 °C (Zers.), subl. bei ca. 100 °C. P. ist lösl. in Wasser u. Alkohol, bildet instabile Salze.

Herst.: Aus Harnstoff u. Oxalylchlorid od. neben *Alloxan durch Oxid. von *Harnsäure mit 30%igem H_2O_2 [1]. Die Red. von P. führt zu *Hydantoin (*Imidazolidindion*), das als aktive Methylenkomponente in Kondensationsreaktionen eingesetzt wird (analog *Erlenmeyer-Synthese). – ***E*** parabanic acid – ***F*** acide parabanique – ***I*** acido parabanico – ***S*** ácido parabánico

Lit.: [1] Org. Synth., Coll. Vol. **2**, 21 (1944).
allg.: Beilstein E V **24/9**, 9 ▪ Kirk-Othmer (3.) **23**, 611 ▪ Merck-Index (12.), Nr. 7154 ▪ Ullmann (4.) **17**, 482. – *[HS 2933 21; CAS 120-89-8]*

Paraben(-ester) s. 4-Hydroxybenzoesäure(ester).

Parabiose s. Synökie.

Paracelsus, Theophrastus Bombastus von Hohenheim (1493–1541), dtsch. Arzt, Alchemist, Philosoph u. Schriftsteller. *Arbeitsgebiete:* Begründung der pharmazeut. Chemie (*Iatrochemie), prakt. Tätigkeit in Bergwerken u. Hüttenlaboratorien, Stadtarzt u. Prof. der Medizin in Basel. Paracelsus verfaßte mehr als 350 medizin., naturwissenschaftliche u. philosoph. Schriften, darunter etwa 120 mit chem. Bezug. Mit der Einführung chem. Heilmittel in die Medizin brach er mit der Tradition von C. Galen u. Avicenna, deren Werke er öffentlich verbrannte.

Lit.: Chem. Unserer Zeit **19**, A 5 (1985) ▪ Kästner, Bombastus Theophrastus von Hohenheim genannt Paracelsus (2.), Leipzig: Teubner 1989 ▪ Krafft, S. 264f. ▪ Lexikon der Naturwissenschaftler, S. 319f. ▪ Pötsch, S. 333 ▪ Strube **2**, 11, 22.

Paracetamol. Internat. Freiname für das antipyret. u. schwach analget. wirkende 4-Hydroxyacetanilid, das oft auch *Acetaminophen* genannt wird u. hier chem. als 4-*Acetylaminophenol behandelt ist. P. ist wohl der eigentliche Wirkstoff auch von *Acetanilid u. *Phenacetin u. wird, wenn auch in geringerem Maße als letzteres, mit der Entstehung von Nierenschäden in Verb. gebracht. Als Gegenmittel bei P.-Vergiftungen (Selbstmord-Versuch) dienen wie Thio-Verb. wie Cysteamin u. bes. *Methionin, das den Glutathion-Spiegel anhebt. P. ist als Generikum von vielen Firmen im Handel. – ***E*** = ***S*** paracetamol – ***F*** paracétamol – ***I*** paracetamolo

Lit.: ASP ▪ Beilstein E IV **13**, 1091 ▪ Florey **3**, 1–109; **14**, 551 ▪ Hager (5.) **9**, 18–22 ▪ Martindale (31.), S. 81–85 ▪ Meredith, Antidotes for Poisoning by Paracetamol, Cambridge: University Press 1995 ▪ Ph. Eur. **1997**, 1288 u. Komm. ▪ Prescott, Paracetamol: A Critical Bibliographic Review, London: Taylor & Francis 1996. – *[HS 2924 29; CAS 103-90-2]*

Parachor (von griech.: chora = Raum; Symbol: P). Von den engl. Physikochemikern Donald Bannerman MacLeod (1887–1972) u. Samuel Sugden (1892–1950) abgeleitete Beziehung zwischen der Molmasse M, der *Oberflächenspannung σ (od. γ) u. der Dichte von Flüssigkeiten (ρ_{fl}) bzw. deren Dämpfen (ρ_g):

$$P = M \cdot \sqrt[4]{\sigma}/(\rho_{fl} - \rho_g) \equiv M \cdot \gamma^{1/4}/(D_{fl} - D_g) = \sqrt[4]{\sigma} \cdot V_{mol},$$

wobei V_{mol} das *Molvolumen ist. Der P. ist für eine Substanz bei gegebener Temp. konstant u. charakterist., vorausgesetzt, daß die Mol. in der Flüssigkeit nicht assoziiert sind. Der P. kann auch als Maß für das Molvol. von Flüssigkeiten bei konstanter Oberflächenspannung betrachtet werden. Er setzt sich *additiv* (vgl. konstitutive Eigenschaften) aus *Atomparachoren* (z.B. B = 16,4, Br = 68,0, C = 4,8, Cl = 54,3, F = 25,7, I = 91,0, N = 12,5, O = 20,0, P = 37,7, S = 48,2) u. *Bindungsinkrementen* (z.B. Einfachbindung = 0,0, Doppelbindung = 23,2, Dreifachbindung = 46,6, Dreiring = 16,7, Fünfring = 8,8, Sechsring = 6,1) zusammen u. kann daher zur Konstitutionsaufklärung herangezogen werden. – ***E*** = ***F*** parachor – ***I*** paracoro – ***S*** paracor

Lit.: Kohlrausch, Praktische Physik 1, S. 201, Stuttgart: Teubner 1996.

Paracodin® (Rp). Tabl., Sirup u. Tropfen mit dem Hustenblocker *Dihydrocodein, in *P. retard* (Kapseln) an Kationenaustauscher (Polystyroldivinylbenzolsulfonsäure) gebunden. ***B.:*** Knoll.

Paracortex s. Haar.

Paracyclophane. Gruppenbez. für solche *Cyclophane, die in 1,4-(*Para)-Stellung überbrückt sind; als bisher kleinstes P. wurde [6]P. (s. Abb. 1) synthetisiert. Die meistuntersuchten P. sind die [2,2]P., für die eine Reihe von Synth. entwickelt worden sind.

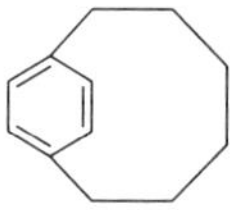

Abb. 1: [6]Paracyclophan.

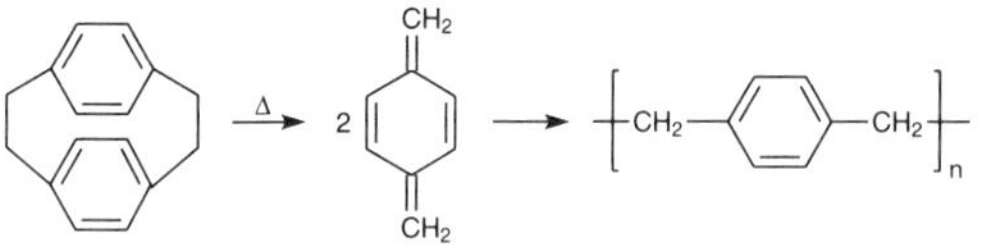

[2,2]P. 1,4-Chinodimethan

Abb. 2: Zerfall von [2,2]Paracyclophan bei höherer Temperatur.

[2,2]P. (zur Nomenklatur s. Phan-Nomenklatur u. *Lit.*[1]), $C_{16}H_{16}$, M_R 208,30, ist eine hochschmelzende Verb. (Schmp. 283–285 °C), die – als formales Dimeres des 1,4-*Chinodimethans – bei höherer Temp. in das „Monomere“ zerfällt, das dann linear polymerisiert, s.a. Parylene. Aus räumlichen Gründen sind bei den [2,2]P. die parallel zueinander liegenden *Benzol-Ringe nicht mehr planar, u. ihre Elektronen beeinflussen sich gegenseitig, weshalb bei Substitutionsreaktionen ggf. unerwartete Effekte auftreten u. auch die Spektren Anomalien aufweisen können[2]. Interessante Derivate des [2,2]P. sind die bes. von *Staab untersuchten Chinone, Dichinone u. Chinhydrone, die als Modellsubstanzen für biolog. Elektronentransfersyst. dienen können[3], u. die sog. Stapelstrukturen od. viellagigen Paracyclophane. – ***E*** = ***F*** paracyclophanes – ***I*** paraciclofani – ***S*** paraciclofanos

Lit.: [1] Angew. Chem. **94,** 485–496 (1982). [2] Top. Curr. Chem. **115,** 1–55 (1983). [3] Angew. Chem. **86,** 234 f. (1974); **89,** 406 ff., 839–842 (1977).
allg.: s. Cyclophane. – *[CAS 1633-22-3 ([6]P.)]*

Paradieskörner s. Pfeffer.

Paraffin. Bez. für ein festes od. flüssiges Gemisch gereinigter, gesätt. aliphat. Kohlenwasserstoffe (**Paraffine*), das farb-, geruch- u. geschmacklos ist, sich in Ether u. Chloroform leicht, in Wasser u. 90%igem Alkohol nicht löst u. das nicht fluoresziert (Abwesenheit von aromat. Verb., insbes. von carcinogenen polycycl. Aromaten). DAB 10 beschreibt zwei sog. medizin. Weißöle: *Dickflüssiges P.* (Paraffinum liquidum), ölige Flüssigkeit, D. 0,827–0,890, Viskosität 110–230 mPa · s, u. *dünnflüssiges P.* (Paraffinum perliquidum), ölige Flüssigkeit, D. 0,810–0,875, Viskosität 25–80 mPa · s. Außerdem kennt man *Hartparaffin* (Paraffinum solidum), feste krist. Masse, Erstarrungstemp. am rotierenden Thermometer 50–62 °C. Die flüssigen P.-Formen werden im techn. Bereich oft zu den *Mineralölen gestellt u. als *Paraffinöl* od. als *Weißöl* bezeichnet; D. mind. 0,88, Sdp. >360 °C. Für halbfeste P.-Qualitäten mit Schmp. 45–65 °C sind Namen wie *Weichparaffin*, für solche mit D. 0,820–0,880, Schmp. 38–60 °C u. Sdp. >300 °C Namen wie *Petrolatum* in Gebrauch; ein bekannte Marke für letztere ist *Vaseline. P. ist wasserabstoßend, mit Fetten, Wachs u. Walrat zu einheitlichen Massen zusammenschmelzbar, ungiftig, reaktionsträge, ziemlich beständig gegen Schwefelsäure, Brom u. kalte Salpetersäure u. wird im Gegensatz zu Fetten u. fetten Ölen nicht ranzig (d.h. es ist unverseifbar); es wird zum Unterschied von diesen mitunter fälschlicherweise auch als „*Mineralfett*“ bezeichnet – die Verw. als Brat- od. Backfett ist gesundheitsschädlich.

Herst.: Aus Rückständen der *Erdöl-Dest., aus bituminösen Schiefern, Torfkohlen u. den Produkten der Braunkohlenschwelerei, synthet. durch Mitteldrucksynth. aus CO u. H_2 unter Anw. von Katalysatoren nach einer abgewandelten *Fischer-Tropsch-Synthese. Aus dem hierbei u. bei der Erdöl-Dest. anfallenden, meist *Paraffin-*Gatsch* genannten Brei wird Hart-P. durch Abkühlen abgetrennt, entölt u. gebleicht; flüssiges P. wird destillativ gewonnen. Von der Herst. u. dem Verw.-Zweck her werden manche P.-Fraktionen auch als *Mikrowachs, *Ceresin, Petrolatum u. *Wachse gehandelt.

Verw.: In Medizin u. Kosmetik zu Salben, Cremes u. dgl., flüssiges P. als mildes Laxans, außerdem zur Herst. von Kerzen, Fußbodenpflegemitteln, Holz- u. Metallpolituren, Autopflegemitteln, Linoleum, gewachstem Papier, Obst- u. Käsewachsen, Hahnfetten, Baumwachs, Modelliermassen, Malstiften u. dgl., als Suspensionsmittel in der IR-Spektroskopie (Nujol®), Einbettungsmittel in der Mikroskopie usw., P.-Öle als Schmiermittel in der Feinmechanik. – ***E*** paraffin – ***F*** paraffine – ***I*** paraffina – ***S*** parafina

Lit.: Hager (5.) **9**, 22 f. ▪ Kirk-Othmer (3.) **24**, 473–476 ▪ Ullmann (4.) **24**, 22–36; (5.) **A 28**, 127–146 ▪ Winnacker-Küchler (4.) **5**, 154, 258 f., 488. – *[HS 2710 00, 2712 20, 2712 90]*

Paraffine. Histor., 1830 von C. L. von *Reichenbach geprägte Bez. für die von ihm im Buchenholzteer gefundenen gesätt. aliphat. *Kohlenwasserstoffe, die sich durch bes. geringe Neigung zur Bildung von Bindungen auszeichneten (latein.: parum = zu wenig u. affinis = verwandt); typ. *Beisp.:* *Paraffin. Als Verb.-Klasse, die die verzweigten (*Isoparaffine*) u. unverzweigten (*n-Paraffine*), nicht aber cycl. P. (*Cycloalkane) umfaßt, sind die *Paraffinkohlenwasserstoffe* unter ihrem systemat. Namen *Alkane näher behandelt, wo auch auf das frühere Synonym *Grenzkohlenwasserstoffe* eingegangen wird. – ***E*** paraffins – ***F*** paraffines – ***I*** paraffine – ***S*** parafinas

Lit.: Ferzak, Carl Freiherr von Reichenbach. Der größte, rechtschaffenste u. anständigste Wissenschaftler des 19. Jahrhunderts. Entdecker des Paraffins, Benzins etc., Entdecker des Ods, München: „Ferzak" 1987.

Paraffingatsch s. Paraffin.

Paraffinkohlenwasserstoffe s. Paraffine u. Alkane.

Paraffinöl s. Paraffin.

Paraffinwachse s. Paraffin u. Wachse.

PARAFLUID. Kurzbez. für die 1973 gegr. Parafluid Mineraloelgesellschaft mbH, 22220 Hamburg. *Produktion:* Paraffinöl, Mikrowachs, Vaseline, Mineralölspezialitäten, Weißöle, Fabrikationsöle, Mineralöle, Korrosionsschutzadditive.

Paraflutizid (Rp).

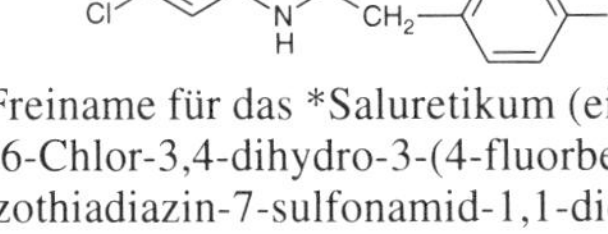

Internat. Freiname für das *Saluretikum (ein Thiazid-Derivat) 6-Chlor-3,4-dihydro-3-(4-fluorbenzyl)-2*H*-1,2,4-benzothiadiazin-7-sulfonamid-1,1-dioxid, $C_{14}H_{13}ClFN_3O_4S_2$, M_R 405,84, Schmp. 238–240 °C; vgl. a. Hydrothiazide. P. wurde 1962 von Lab. Dausse patentiert. – ***E*** = ***F*** = ***I*** paraflutizide – ***S*** paraflutizida

Lit.: Hager (5.) **9**, 23 f. ▪ Martindale (31.), S. 925. – *[HS 2935 00; CAS 1580-83-2]*

Paraformaldehyd s. Formaldehyd.

Parafuchsin [Bis(4-aminophenyl)(4-imino-2,5-cyclohexadien-1-yliden)methan].

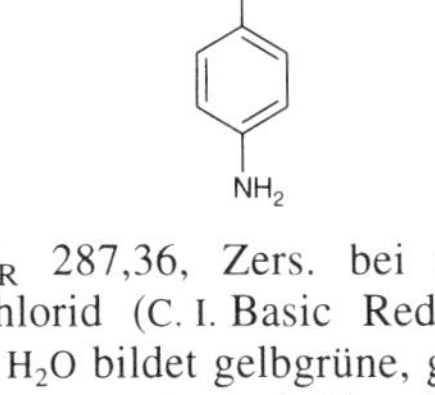

$C_{19}H_{17}N_3$, M_R 287,36, Zers. bei 250 °C, WGK 3. Das Hydrochlorid (C. I. Basic Red 9, C. I. 42 500), $C_{19}H_{18}ClN_3 \cdot 4\,H_2O$ bildet gelbgrüne, glänzende Krist., in kaltem Wasser wenig, in heißem leichter lösl.; die wäss. u. alkohol. Lsg. sind tiefrot.

Herst.: Durch Kondensation von 4-Aminobenzaldehyd, 4-Aminobenzylalkohol od. 4,4′-Diaminodiphenylmethan mit Anilin in Ggw. von Oxid.-Mitteln u. Eisen(II)-chlorid. In unzulässiger Weise wird P. häufig mit *Pararosanilin gleichgesetzt, vgl. a. Fuchsin. P. ist der Grundkörper vieler bekannter Triarylmethan-Farbstoffe, s. die Liste dort.

Verw.: In der Mikroskopie zum histolog. Kohlenhydrat- u. RNA-Nachweis. P.-Derivate gegen Trypanosomen u. Schistosomen u. als Sensibilisatoren in der Photographie. – ***E*** = ***F*** parafuchsine – ***I*** = ***S*** parafucsina

Lit.: Anal. Chem. **55**, 571–574 (1983) ▪ Beilstein E IV **13**, 2283 ▪ Kirk-Othmer (4.) **23**, 336, 400 ▪ Ullmann (5.) **A 24**, 569 ▪ Winnacker-Küchler (3.) **4**, 241 ▪ s. a. Triarylmethan-Farbstoffe. – *[CAS 569-61-9 (Hydrochlorid)]*

Paragenese. Bez. für gemeinsames, „vergesellschaftetes" Auftreten von *Mineralien in einer *Lagerstätte (z. B. *Bleiglanz u. *Fluorit) od. einem *Gestein (z. B. *Feldspäte, *Quarz u. *Glimmer im Granit). – ***E*** paragenesis – ***F*** paragenèse – ***I*** paragenesi – ***S*** paragénesis

Paragenosen s. Riechstoffe.

Paragneis s. Gneis.

Paragonimus s. Trematoden u. Parasiten.

Paragonit. Zu den hellen *Glimmern zählender Natronglimmer, $NaAl_2[(OH,F)_2/AlSi_3O_{10}]$; Struktur [1,2] wie *Muscovit, mit diesem aber bei Raumtemp. nur sehr beschränkt mischbar; häufigster Polytyp (*Glimmer) *P.-2M₁*. Feinschuppige bis dichte Aggregate u. eingewachsene Blättchen mit sehr vollkommener Spaltbarkeit; H. 2–2,5, D. 2,8–2,9. Weiß, gelblich, apfelgrün; Perlmutterglanz, z. T. seidig schimmernd; säurebeständig.

Vork.: In *metamorphen Gesteinen, z. B. in Glimmerschiefern u. P.-Schiefern in den Alpen; in Gesteinen der *Hochdruckmetamorphose.

Verw.: In Isoliermitteln u. Farben, als Dichtungsmittel für Hochdruckapparaturen (*Lit.* [3]). – ***E*** = ***F*** = ***I*** paragonite – ***S*** paragonita

Lit.: [1] Am. Mineral. **69**, 122–127 (1984). [2] Eur. J. Mineral. **4**, 283–297 (1992). [3] Ind. Miner. (London) **241**, 61–65 (1987). *allg.:* Bailey (Hrsg.), Micas (Reviews in Mineralogy, Vol. 13), S. 386 f., 393–401, Washington (D. C.): Mineralogical Society of America 1984 ▪ Deer et al. (2.), S. 294 f. ▪ Ramdohr-Strunz, S. 745 ▪ s. a. Glimmer. – *[HS 2525 10]*

Paraguay-Tee s. Mate.

Paragummi. Bez. für *Gummi auf der Basis von *Parakautschuk.

Para-Helium s. Ortho-Helium.

Paraherquamid, Paraherquein s. Marcfortine.

Parahopeit s. Hopeit.

Parahormone s. Paramone.

Parakautschuk. Nach dem Verschiffungshafen Para (Nordbrasilien) benannter *Naturkautschuk.

Parakresol s. Kresole.

Parakrin s. Hormone, Paramone.

Parakristalle. Seit 1935 bekannter, von Hosemann näher definierter (s. *Lit.* [1,2]) Begriff für einen Ordnungszustand der Mol., der dem krist. nahe ist, aber doch eine gewisse dort unbekannte Unordnung zuläßt. Das Konzept der P. ist interessant im Zusammenhang mit der Struktur von Hochpolymeren, z. B. Polyethylen, Katalysatoren u. biolog. Makromol.; zur Theorie der P. s. *Lit.*[3]. – ***E*** paracrystals – ***F*** paracristaux – ***I*** paracristalli – ***S*** paracristales

Lit.: [1]Ber. Bunsenges. Phys. Chem. **74**, 755–767 (1970). [2]Umschau **72**, 749–755 (1972); **79**, 362 f. (1979); **83**, 518 (1983); **84**, 446–449 (1984). [3]Z. Phys. **128**, 465 (1950).

Paraldehyd (Paraacetaldehyd, *cis*-2,4,6-Trimethyl-1,3,5-trioxan).

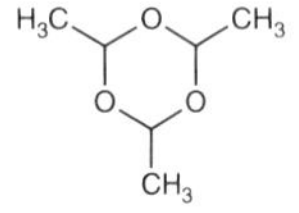

$C_6H_{12}O_3$, M_R 132,16. Farblose, charakterist. riechende Flüssigkeit, D. 0,998, Schmp. 12 °C, Sdp. 124 °C, in Wasser mäßig lösl., mit organ. Lsm. mischbar. Die Dämpfe reizen die Augen u. die Atemwege. In hohen Konz. wirken sie narkot. u. können durch Verdrängung der Luft erstickend wirken. Kontakt mit der Flüssigkeit reizt stark die Augen u. weniger stark die Haut. P. ist ein Trimeres von *Acetaldehyd (H_3C–CHO); ammoniakal. Silbernitrat-Lsg. wird nicht mehr reduziert, auch findet keine Verharzung (wie bei Acetaldehyd) durch Natronlauge statt. Durch Dest. mit verd. H_2SO_4 kann man monomeren Acetaldehyd zurückbilden.

Herst.: Aus Acetaldehyd durch Einwirkung katalyt. Mengen von Mineralsäuren, kontinuierlich an sauren Ionenaustauscherharzen.

Verw.: Lsm. für Fette, Öle, Wachs, Gummi, Harze, Zwischenprodukt für organ. Chemikalien, Farbstoffe u. dgl., als Sedativum, Acetaldehyd-Ersatz, Vulkanisationsbeschleuniger u. Kautschukantioxidans. – ***E*** paraldehyde – ***F*** paraldéhyde – ***I*** paraldeide – ***S*** paraldehído

Lit.: Beilstein E V **19/9**, 112 f. ▪ Hommel, Nr. 596 ▪ McKetta **1**, 118 ▪ Merck-Index (12.), Nr. 7160 ▪ Ullmann (5.) **A 1**, 41 ff.; **A 3**, 21; **A 13**, 538 ▪ s. a. Acetaldehyd u. Aldehyde. – *[HS 2912 50; CAS 123-63-7; G 3]*

Parallelreaktionen s. Simultanreaktionen u. vgl. Elementarreaktionen u. Reaktionsmechanismen.

Paraloid®. Verarbeitungshilfen u. Schlagzähmacher für die Kunststoff-Industrie. ***B.:*** Rohm and Haas.

Paramagnetika. Bez. für Stoffe, deren magnet. *Permeabilität größer als 1 ist (pos. magnet. Suszeptibilität χ), die also in ein inhomogenes magnet. Feld gezogen werden; *Beisp.:* Mangan, Palladium, Chrom, Sauerstoff, vgl. a. Ferromagnetika u. Curie-Temperatur. Bei chem. Verb. tritt *Paramagnetismus* (Näheres s. bei Magnetochemie) dann auf, wenn *ungepaarte Elektronen-Spins* vorliegen, z. B. bei Eisenchlorid, bei durch *EPR-Spektroskopie untersuchbaren organ. Radikalen u. Syst. mit *Antiaromatizität sowie bei zahlreichen Verb. der Übergangsmetalle u. der Seltenerdmetalle, von denen letztere zunehmende Bedeutung als sog. *Verschiebungsreagenzien in der NMR-Spektroskopie erlangen. – ***E*** paramagnetic substances – ***F*** substances paramagnétiques – ***I*** paramagnetici, sostanze paramagnetiche – ***S*** sustancias paramagnéticas

Lit.: s. Magnetochemie.

Paramagnetische Elektronenspin-Resonanz-Spektroskopie s. EPR-Spektroskopie.

Paramagnetisches Moment, Paramagnetismus s. Magnetochemie.

Paramagnetismus s. Magnetochemie.

Parameter. Bez. für veränderliche, d. h. nur unter bestimmten Bedingungen konstante *Größen im Unterschied zu abs. *Konstanten; *Beisp.:* In der Zustandsgleichung für ein ideales Gas $p \cdot V = R \cdot T$ sind p (Druck), V (Vol.) u. T (Temp.) P., während R eine abs. Konstante ist. – ***E*** parameter – ***F*** paramètre – ***I*** parametro – ***S*** parámetro

Paramethason (Rp).

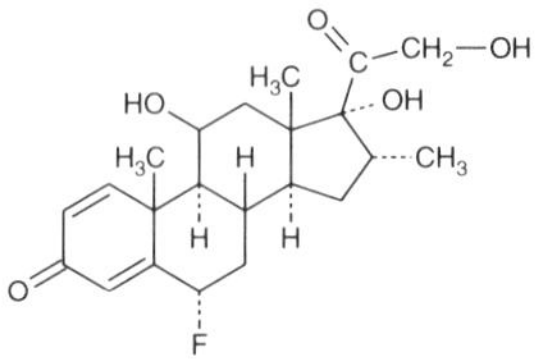

Internat. Freiname für das antiphlogist. u. antiallerg. wirksame Glucocorticoid (vgl. Corticosteroide) 6α-Fluor-11β,17α,21-trihydroxy-16α-methyl-1,4-pregnadien-3,20-dion, $C_{22}H_{29}FO_5$, M_R 392,46. Verwendet werden auch das 21-Acetat {$C_{24}H_{31}FO_6$, M_R 434,50, Schmp. 228–241 °C (Zers.), $[\alpha]_D$ +85°; λ_{max} (C_2H_5OH) 243 nm ($A^{1\%}_{1m}$ 333); LD_{50} (Ratte i.p.) 392 mg/kg} u. das 21-Hydrogenphosphat-Natriumsalz. – ***E*** paramethasone – ***F*** paraméthasone – ***I*** parametasone – ***S*** parametasona

Lit.: ASP ▪ Hager (5.) **9**, 28 f. ▪ Martindale (31.), S. 1054. – *[HS 2937 22; CAS 53-33-8 (P.); 1597-82-6 (21-Acetat)]*

Parametrische Verstärkung. Verstärkung von elektromagnet. Wellen durch nichtlineare Effekte (*nichtlineare Optik), ursprünglich im Hochfrequenzbereich, heute aber auch bis in den opt. Bereich. In dem Verstärker wird einer Pumposzillation der hohen Frequenz ν_p, die eine große Amplitude besitzt, eine Signalschwingung der Frequenz ν_s mit kleiner Amplitude überlagert. Neben den eingestrahlten Frequenzen wird Strahlung mit mehreren anderen Frequenzen emittiert, so z. B. die Differenzfrequenz $\nu_h = \nu_p - \nu_s$, genannt *Hilfs-* od. *Idlerfrequenz*.

Den opt. parametr. Verstärkern, auch opt. parametr. Oszillatoren (Kurzf. OPO) genannt, wird eine große Bedeutung bei der Erzeugung von Laserstrahlung vorhergesagt, die durchstimmbar vom IR- bis in den UV-Bereich ist. Hierzu wird ein frequenzverdoppelter (s. Frequenzverdopplung) bzw. frequenzverdreifachter (s. Frequenzverdreifachung) Nd:YAG-Laserstrahl (*Neodymlaser) in einem β-Bariumborat(BBO)-Krist. mit einem *Farbstofflaser-Strahl überlagert. – ***E*** parametric amplification – ***F*** amplification paramétrique – ***I*** amplificazione parametrica – ***S*** amplificación paramétrica

Lit.: Physik abc, Brockhaus, Leipzig: Brockhaus 1989 ▪ Koechner, Solid State Laser Engineering, Berlin: Springer 1996 ▪ Phys. Unserer Zeit **24**, 12 (1993).

Paramolybdate s. Molybdate.

Paramone. Von *Karlson geprägte u. von *para*krine Hor*mone* (Parahormone) abgeleitete Bez. für anderweitig **Gewebshormone* genannte Stoffe, die nicht (wie klass. endokrine *Hormone) durch die Blutbahn ihr Zielorgan erreichen, sondern durch Diffusion im *interstitiellen Raum, d.h. über kürzeste Entfernung vom Ausschüttungs- zum Wirkort gelangen; *Beisp.*: *Gastrin, *Motilin, *Cholecystokinin, *Secretin. – ***E*** = ***F*** paramones – ***I*** paramoni – ***S*** paramonas

Paramorphose. Eine Umlagerungs-*Pseudomorphose; in der Mineralogie Bez. für die *Modifikations-Änderung eines Minerals, bei der die äußere Form u. die chem. Zusammensetzung erhalten bleiben; *Beisp.:* *Umkristallisation von kub. *Leucit in tetragonalen Leucit unter Beibehaltung der äußeren (kub.) Form. – ***E*** paramorphism – ***F*** paramorphose – ***I*** paramorfosi, allomorfismo – ***S*** paramorfismo

Paramyosin. Stäbchenförmiges Protein-Mol. (2 nm · 13 nm, M_R 210000–230000), bestehend aus 2 ident. Polypeptid-Ketten in der Form zweier umeinander gewundener α-Helices, ähnlich dem helicalen Teil des *Myosins. P. bildet in den dicken Filamenten der *Muskeln der Wirbellosen (z.B. dem Fangmuskel der Muscheln) den inneren Kern, an den sich Myosin anlagert. – ***E*** paramyosin – ***F*** paramyosine – ***I*** = ***S*** paramiosina

Lit.: Comp. Biochem. Physiol. B **96**, 639–646 (1990). – *[CAS 125725-97-5]*

Paranatrolith s. Natrolith.

Paranüsse (Brasilnüsse). Braune, dreikantige Samenkerne, die zu 10–16 Stück im Innern der ca. 30 cm dicken u. 2–3 kg wiegenden Kapselfrüchte (botan. gesehen keine *Nüsse, sondern Schalenobst) des Paranußbaums (*Bertholletia excelsa*, Lecythidaceae) ruhen; ein Baum trägt 100–600 solcher Früchte. Hauptvork. in der nordbrasilian. Para-Provinz im Amazonasgebiet, Ausfuhrhafen Para (s. Name); 1633 erstmals in Europa eingeführt. Je 100 g genießbare Anteile der P. enthalten durchschnittlich 5,62 g Wasser, 14,0 g Eiweiß, 66,8 g Fett, 10,9 g Kohlenhydrate (davon 3,10 g Rohfaser), 3,65 g Mineralstoffe: 2 mg Na, 670 mg K, 130 mg Ca, 225 mg Mg, 3,4 mg Fe, 600 mg P, 200 mg S, 60 mg Cl; Nährwert 2740 kJ (654 kcal). Die P. enthalten ein Globulin (Excelsin, s. Edestin). Das aus den Nüssen gewonnene Feinöl (50–67%) enthält ca. 13,7% Palmitin, 5,45% Stearin, 42,8% Olein, 26,5% Linolein; es wird als Speiseöl u. in der Pharma- u. Kosmetik-Ind. verwendet. Die P. werden roh gegessen, sind allerdings recht anfällig gegen *Aflatoxine produzierende Schimmelpilze. Außerdem ist von dem P.-Baum bekannt, daß er bes. stark Radium speichert. – ***E*** Brazil nuts – ***F*** noix de Para, noix du Brésil – ***I*** noci del Parà – ***S*** nuez de Brasil, nuez de Pará

Lit.: Franke, Nutzpflanzenkunde, 6. Aufl., S. 171, 250, Stuttgart: Thieme 1997. – *[HS 0801 20]*

Parapepsine s. Pepsine.

Paraproteine. Nur bei bestimmten patholog. Prozessen (z.B. Myelomen) im Blutplasma u. im Urin auftretende homogene *Immunglobuline der IgG- od. IgM-Gruppe od. Proteine aus L-Ketten (*Bence-Jones-Proteine) od. H-Ketten von Antikörpern (vgl. die Abb. dort). – ***E*** paraproteins – ***F*** paraprotéines – ***I*** paraproteine – ***S*** paraproteínas

Paraquat-dichlorid (Methylviologen). T

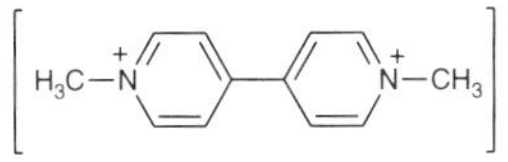

Common name für 1,1′-Dimethyl-4,4′-bipyridinium-dichlorid, $C_{12}H_{14}Cl_2N_2$, M_R 257,16, Zers. bei 300 °C, LD_{50} (Ratte oral) 150 mg/kg (WHO), MAK 0,1 mg/m^3. Von ICI 1958 eingeführtes Kontakt-*Herbizid gegen Ungräser u. Unkräuter mit relativ kurzer Wirkdauer zur Unkraut-Bekämpfung vor dem Anpflanzen u. unter Obstbäumen sowie in Forst u. Weinbau. – ***E*** paraquat dichloride – ***F*** dichlorure de paraquat – ***I*** paraquat-dicloruro, dicloruro di paraquat – ***S*** dicloruro de paracuat, paraquat-dicloruro

Lit.: Beilstein E V **23/8**, 30 f. ▪ Farm. ▪ Perkow ▪ Pesticide Manual. – *[HS 2933 39; CAS 1910-42-5 (P.-d.); 4685-14-7 (Paraquat-Dikation)]*

Pararammelsbergit s. Rammelsbergit.

Pararosanilin. Entgegen weitverbreiteter Auffassung nicht mit *Parafuchsin ident. Verb., sondern Tris(4-aminophenyl)methanol, $C_{19}H_{19}N_3O$, M_R 305,38, Schmp. 189 °C, Abb. s. bei Triarylmethan-Farbstoffe. P. dient zur Herst. von Triarylmethan-Farbstoffen. P. geht durch Dehydratisierung in Parafuchsin über. – ***E*** = ***F*** pararosaniline – ***I*** pararosanilina – ***S*** pararrosanilina

Lit.: Beilstein E IV **13**, 2283. – *[HS 2925 20; CAS 25620-78-4]*

Pararosolsäure s. Aurin.

Pararot [Nitroanilinrot, 1-(4-Nitrophenylazo)-2-naphthol].

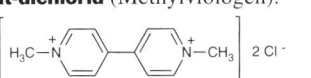

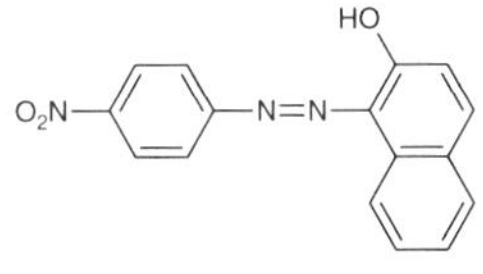

$C_{16}H_{11}N_3O_3$, M_R 293,28, Schmp. 251 °C. Bereits 1905 als erstes durch Kupplung von diazotiertem 4-Nitroanilin mit 2-Naphthol techn. hergestelltes Azo-Pigment (Eisfarbe) von guter Lichtechtheit, aber mäßiger Lsm.- u. Migrationsbeständigkeit. P. wird noch heute viel zum Färben von Wolle u. Baumwolle verwendet. – ***E*** parared – ***F*** pararouge – ***I*** pararosso – ***S*** pararrojo

Lit.: Beilstein E IV **16**, 231 ▪ Kirk-Othmer (4.) **3**, 430; **8**, 311 ▪ Ullmann (5.) **A 20**, 385; **A 26**, 417 ▪ Winnacker-Küchler (3.) **4**, 325. – *[HS 2927 00; CAS 6410-10-2]*

Parasiten (von griech.: parasitos = Tischfreund). Bez. für tier. od. pflanzliche *Schmarotzer*, die sich vorübergehend – z.B. im Laufe einer Entwicklungsstufe, auch mit Wirtswechsel verbunden – od. ständig in (*Endoparasiten*) od. an (*Ektoparasiten*) fremden Organismen aufhalten, sich von der Körpersubstanz od. den Nährsäften dieses Wirts ernähren u. ggf. für dessen patholog. Erscheinungen verantwortlich sind; im allg. sind die P. mit ihren spezif. Folgeerscheinungen in Einzelstichwörtern behandelt, z.B. die Tropenkrankheiten. Typ. *tier. P.* (in Klammern ggf. typ. Erkrankungen) sind: Bandwürmer = Cestoden, Spulwürmer = Askariden, Madenwürmer = Oxyuren, Nematoden (*Filariasis) u.a. Würmer, Protozoen wie Amöben (*Ruhr), Trypanosomen (*Chagas-Krankheit, *Schlafkrankheit), Plasmodien (*Malaria), Egel u. a. Saugwürmer (= Trematoden) wie Paragonimus u. Schistosomen (*Schistosomiasis = *Bilharziose), ferner Zecken u. a. Milben, Krebse, Schnecken u. a. Mollusken, viele Insekten wie Läuse, Flöhe, Blattläuse, Gall- u. Schlupfwespen etc., aber auch Fische wie Rundmäuler, verschiedene Nadelfische, Vögel (Brut- u. Nahrungsschmarotzer, z. B. Kuckuck, Milan) u. Säugetiere wie Vampyrfledermäuse. Bekannte *pflanzliche P.* sind: Misteln, viele Orchideen, Rost-Pilze u. Flechten, obwohl in den letztgenannten Fällen auch **Symbiose* – d. h. Zusammenleben zu gegenseitigem Nutzen – vorliegen kann. Die *Parasitologie* als Teilgebiet der Ökologie befaßt sich mit allen Aspekten der Wechselwirkungen der parasitierenden Organismen mit ihrer Umwelt (einschließlich Wirt), die medizin. insbes. mit Morphologie, Entwicklungscyclen, Epidemiologie, Symptomatologie, Physiologie, Biochemie, Genetik, Immunologie, Nachweisverf., Hygiene, Chemotherapie u. Schädlingsbekämpfung der bei Mensch u. Tier auftretenden parasit. Protozoen, Würmer u. Arthropoden (Zecken, Insekten).

Zur Bekämpfung der – teilw. auch von Tieren auf Menschen übertragbaren u. sog. **Zoonosen* hervorrufenden – P. sind spezif. Schädlingsbekämpfungs- u. -abwehrmittel entwickelt worden (*Antiparasitika, E* parasiticides). Bes. erfolgreich war seinerzeit das *DDT, dessen weltweite Anw. gegen Läuse, Flöhe bzw. Anopheles-Mücken Seuchen wie Fleckfieber u. Pest bzw. Malaria ausrottete bzw. stark eindämmte. Seitdem DDT Anw.-Beschränkungen bzw. -Verboten unterliegt, breiten sich die Seuchen wieder aus, weil den später entwickelten Pestiziden – Kupferoleat gegen Läuse, Propoxur gegen Flöhe, *Lindan, *Carbaryl, Bromociclen, Pyrethroiden usw. – die universelle Wirksamkeit des DDT fehlt. Möglicherweise trägt jedoch die Entdeckung bestimmter *Microbodies (Hydrogenosomen, Glykosomen) in einzelligen Blut-P. (*Protozoen) zur Entwicklung von Bekämpfungsmeth. der Krankheitserreger bei. Als hochaktiv gegen Endo-P. (bes. Würmer) bei Rindern, Pferden u. Hunden, aber auch gegen Milben, Fliegenlarven usw. haben sich die **Avermectine* (Makrolide aus Streptomyces-Arten) erwiesen. Gegen Pflanzen-P., insbes. gegen Rostpilze, wird der Einsatz sog. *Hyperparasiten* („P. der P.") erwogen. – ***E*** = ***F*** parasites – ***I*** parassiti – ***S*** parásitos

Lit.: Dönges, Parasitologie, 2. Aufl., Stuttgart: Thieme 1988 ▪ Hausmann u. Hülsmann, Protozoology, 2. Aufl., Stuttgart: Thieme 1996 ▪ Kaestner, Lehrbuch der Speziellen Zoologie, Stuttgart: Fischer 1969 ▪ Matthes, Tierische Parasiten, Braunschweig: Vieweg 1988 ▪ Mehlhorn u. Piekarski, Grundriß der Parasitenkunde (4.), Stuttgart: Fischer 1995 ▪ Osche, Die Welt der Parasiten, Berlin: Springer 1966.

Parasorbinsäure s. Sorbinsäure.

Parasympath(ik)olytika (von *Lyo...). Bez. für Substanzen, die *Acetylcholin von den *cholinergen, Muscarin-empfindlichen Rezeptoren des parasympath. Nervenstrangs durch *kompetitive Hemmung verdrängen u. die deshalb auch *Anticholinergika* genannt werden. Die P. wirken auf die glatte Muskulatur wie Gegenspieler der *Parasympath(ik)omimetika als *Spasmolytika, *Antihidrotika, *Mydriatika, Mittel gegen *Parkinsonismus etc. Die P. lassen sich nach *Lit.*[1] in vier Gruppen einteilen:
1. *Alkaloide*, z. B. *Atropin u. *Scopolamin. – 2. *Synthet. P.*, z. B. *Homatropin, *Ipratropiumbromid, *Pirenzepin u. *Tropicamid. – 3. *Quartäre Ammonium-Verb. mit Ganglien-blockierender Wirkungskomponente*, z. B. *Benziloniumbromid, Butylscopolamin, *Methantheliniumbromid, *N*-Methylatropin, *N*-Methylscopolamin, *Oxyphenoniumbromid, *Propanthelinbromid, *Trospiumchlorid u. *Valethamatbromid. – 4. *Verb. mit spasmolyt., myogener Wirkungskomponente*, z. B. *Adiphenin, *Camylofin, *Moxaverin, *Papaverin u. *Pramiverin.

Zu den P. werden manchmal auch solche Verb. gezählt, die die Acetylcholin-Synth. hemmen (z. B. Botulinustoxin, s. Botulismus) od. die die *Acetylcholin-Esterase – z. B. nach Vergiftungen durch Phosphorsäureester – reaktivieren: *Beisp.:* H-*Oxime[2]. – ***E*** parasympathicolytics – ***F*** parasympatholytiques – ***I*** parasimpaticolitici – ***S*** parasimpatolíticos

Lit.: [1]Forth et al. (7). [2]Chem. Unserer Zeit **18**, 96–106 (1984).
allg.: s. Parasympath(ik)omimetika.

Parasympath(ik)omimetika (von griech.: mimeisthai = nachahmen). Bez. für Substanzen, die auf das Nervensyst., insbes. auf den postganglionären *Parasympathikus (Nervenfaser) „ähnlich wie" *Acetylcholin, also *cholinerg wirken, weshalb man sie oft auch als *Cholinergika* bezeichnet. Ihre Wirkung äußert sich im Organismus durch Abnahme der Herzfrequenz, Verstärkung der Schweißsekretion (*Hidrotika), der Drüsensekretion u. der Magen-Darm-Peristaltik, Verengung von Pupillen u. Bronchien. Nach *Lit.*[1] lassen sich die P. in drei Gruppen einteilen:
1. *Cholinester*, z. B. *Acetylcholin, Bethanechol, *Carbachol u. Methacholin. – 2. *Alkaloide*, z. B. *Muscarin u. *Pilocarpin. – 3. *Hemmstoffe der Cholinesterase*, a) reversible, z. B. *Demecariumbromid, *Distigminbromid, *Neostigmin, *Physostigmin, *Pyridostigminbromid, u. b) irreversible, z. B. *Diisopropylfluorophosphat u. Tetrastigmin sowie eine Reihe von Schädlingsbekämpfungsmitteln (Alkylphosphate), die toxikolog. von Bedeutung sind. – ***E*** parasympathomimetics – ***F*** parasympathomimétiques – ***I*** parasimpaticomimetici – ***S*** parasimpatomiméticos

Lit.: [1]Forth et al. (7).
allg.: Auterhoff et al., Lehrbuch der pharmazeut. Chemie, S. 512–524, Stuttgart: Wiss. Verlagsges. 1994 ▪ Cuello, Cholinergic Function and Dysfunction, Amsterdam: Elsevier 1993 ▪ Mutschler (7.), S. 297–310 ▪ Ullmann (5.), **A18**, 693.

Parasympathikus. Anteil des vegetativen *Nervensystems, der anatom., funktionell u. biochem. vom *Sympathikus abgegrenzt wird. Funktionell wirkt der P. häufig als Antagonist des Sympathikus an von beiden Syst. innervierten Organen. Die parasympath. Zentren des Zentralnervensyst. (ZNS) befinden sich v. a. im Mittelhirn, im verlängerten Mark (s. a. Gehirn) u. im unteren Bereich des Rückenmarks. Der P. erreicht seine Zielorgane über eine Kette von zwei miteinander verschalteten Neuronen. Die vom ZNS ausgehenden Nervenfasern des ersten (präganglionären) Neurons lagern sich an andere periphere *Nerven an u. ziehen bis in die Nähe der von ihnen versorgten Organe. So verlaufen die Fasern aus dem Hirnstamm für das Auge, die Drüsen des Kopf-Halsbereiches u. die meisten inneren Organe in den Hirnnerven. Der aus dem verlängerten Mark entspringende *Nervus vagus* versorgt dabei die inneren Organe des Brust- u. Bauchraums. Die Nervenfasern für die Harnblase, den unteren Dickdarm u. die Genitalien ziehen mit den aus dem unteren Rückenmark entspringenden Nerven. In der Nähe der Organe bilden die parasympath. Fasern *Synapsen mit Neuronen (zweites od. postganglionäres Neuron), die in sog. Ganglien zusammengelagert sind u. mit ihren Fortsätzen die jeweiligen Zielorgane innervieren. Der *Neurotransmitter bei der Signalübertragung des P. ist sowohl im Ganglion als auch am Endorgan *Acetylcholin. Der Transmitter wirkt dabei auf zwei unterschiedliche Typen von *Rezeptoren. In den Ganglien befinden sich *nicotin. Acetylcholin-Rezeptoren*, auf die auch *Nicotin erregend wirkt. An den *muscarin. Rezeptoren* des Zielorgans wirkt auch *Muscarin erregend, das auf nicotin. Rezeptoren nicht wirkt. Diese Rezeptoren sind durch *Atropin hemmbar (s. a. Parasympath(ik)olytika). Substanzen, die den P. in seiner Wirkung imitieren, entweder durch Wirkung auf die Acetylcholin-Rezeptoren od. durch Hemmung der *Acetylcholinesterase, bezeichnet man als *Parasympath(ik)omimetika. Dagegen haben *Parasympath(ik)olytika eine hemmende Wirkung auf den P., meist durch Blockade der Acetylcholin-Rezeptoren. – ***E*** parasympathetic nervous system – ***F*** système nerveux parasympathique – ***I*** parasimpatico, sistema nervoso parasimpatico – ***S*** sistema nervioso parasimpático

Lit.: Forth et al. (7), S. 135–159 ▪ Schmidt u. Thews, Physiologie des Menschen, S. 340–369, Berlin: Springer 1995.

Parathion (Parathion-ethyl, Ethylparathion, E-605).

T 

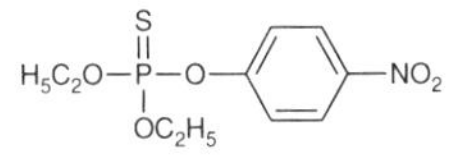

Common name für *O,O*-Diethyl-*O*-(4-nitrophenyl)-thiophosphat, $C_{10}H_{14}NO_5PS$, M_R 291,25, Schmp. 6 °C, Sdp. 150 °C (106 Pa), LD_{50} (Ratte oral) ca. 2 mg/kg (GefStoffV), MAK 0,1 mg/m³, von American Cyanamid 1947 u. Bayer 1948 eingeführtes nicht-system. *Insektizid u. *Akarizid mit Kontakt-, Fraß- u. Atemgiftwirkung gegen saugende u. beißende Insekten in zahlreichen Kulturen. – ***E = F*** parathion – ***I*** paratione – ***S*** paratión

Lit.: Beilstein EIV **6**, 1337f. ▪ Farm. ▪ Perkow ▪ Pesticide Manual. – *[HS 2920 10; CAS 56-38-2]*

Parathion-methyl (Methylparathion).

T 

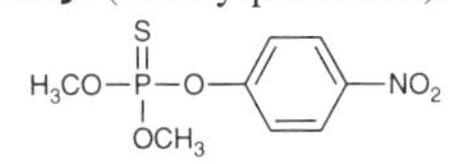

Common name für *O,O*-Dimethyl-*O*-(4-nitrophenyl)-thiophosphat, $C_8H_{10}NO_5PS$, M_R 263,20, Schmp. 35–36 °C, LD_{50} (Ratte oral) ca. 6 mg/kg, (GefStoffV), von Bayer 1949 eingeführtes nicht-system. *Insektizid u. *Akarizid mit Kontakt-, Fraß- u. Atemgiftwirkung gegen saugende u. beißende Insekten in zahlreichen Kulturen. – ***E*** parathion-methyl – ***F*** parathion-méthyle – ***I*** paration-metile – ***S*** paration-metil

Lit.: Beilstein EIV **6**, 1336 ▪ Farm. ▪ Perkow ▪ Pesticide Manual. – *[HS 2920 10; CAS 298-00-0]*

Parathormon s. Parathyrin.

Parathyr(e)oidhormon s. Parathyrin.

Parathyrin [Parathyr(e)oidhormon, Parathormon, PTH]. Das in den *Nebenschilddrüsen (Epithelkörperchen, latein./griech.: glandulae parathyreoideae, daher Name) gebildete Hormon ist ein lineares Polypeptid aus 84 Aminosäuren bekannter Sequenz (*Peptidhormon), M_R ca. 9500. Hinsichtlich der Aminosäure-Folge zeigt sich ein Unterschied an 5–6 Positionen zwischen menschlichem u. aus Rindern bzw. Schweinen gewonnenem PTH, außerdem erwiesen sich Teilsynth.-Produkte aus 34 Aminosäuren bereits als biolog. aktiv. Das PTH bewirkt eine Reihe von Prozessen: Eine Mobilisierung des in den Knochen gebundenen Calciums (*Demineralisation, Osteolyse od. *Osteoporose*), eine erhöhte Aufnahme des Elements aus dem Darm u. die Resorption aus den Nieren sowie eine erhöhte Phosphat-Ausscheidung im Harn. In knochenabbauenden Zellen (Osteoclasten) bewirkt PTH eine Stimulierung der membrangebundenen *Adenylat-Cyclase u. den Einstrom von Calcium-Ionen. Antagonist der PTH-Wirkung ist das Schilddrüsenhormon *Calcitonin; erst im physiolog. Zusammenspiel beider Hormone kommt es zu einem ausbalancierten Calcium- u. Phosphat-Ionen-Haushalt des Organismus. Überproduktion bzw. Defizite im PTH-Haushalt bringen charakterist. Symptome mit sich, vgl. Nebenschilddrüsen. Neben seinem direkten Einfluß auf die *Mineralisation bewirkt PTH in den Nieren die Bildung einer Hydroxylase (Calcidiol-1-Monooxygenase, EC 1.14.13.13), die 25-Hydroxycholecalciferol (*Calcifediol) in das 1α,25-Dihydroxy-Derivat umwandelt u. damit Vitamin-D_3 als ein Hormon aktiviert, das den Calcium-Spiegel im Blut reguliert (vgl. Calciferole, Vitamin D_3). Das von Tumoren freigesetzte *P.-verwandte Protein (parathyroid hormone-related protein*[1], PTHrP, 141 Aminosäure-Reste) kreuzreagiert mit den *Rezeptoren[2] des PTH in Knochen u. Niere u. verursacht dadurch erhöhte Blutcalcium-Spiegel (humorale Malignitäts-Hypercalzämie); zur Hypercalzämie u. Zwergenwachstum (Jansensche Chondrodysplasie) bei genet. verändertem Rezeptor s. *Lit.*[3]. PTHrP ist jedoch auch ein Produkt normaler erwachsener u. fötaler Gewebe, wo es den Tonus der glatten Muskulatur, den Calcium-Transport durch Epithelien (Niere, Uterus, Eileiter, Milchdrüse) u. die Organ-Entwicklung[4], z. B. das Knochenwachstum[5], zu regulieren scheint. Auch von PTHrP sind aminoterminale Teilpeptide aktiv, z. B. PTHrP(1–36).

Geschichte: Die Nebenschilddrüsen wurden 1880 durch Sandström entdeckt; die erste Reinherst. von PTH erfolgte 1924 durch Collip in Kanada (weshalb PTH gelegentlich auch als *Collip-Hormon* bezeichnet wird). Aus den Nebenschilddrüsen von 300 Rindern erhält man ca. 1 mg PTH. – ***E*** parathyrin – ***F*** parathyrine – ***I = S*** paratirina

Lit.: [1]Am. J. Pathol. **150**, 779–785 (1997); Int. Rev. Cytol.-Surv. Cell Biol. **166**, 231–280 (1996). [2]M. S. Méd. Sci. **12**, 183–188 (1996). [3]Science **268**, 98ff. (1995). [4]Am. J. Med. Sci. **312**, 287–294 (1996); Physiol. Rev. **76**, 127–173 (1996).

[5] Curr. Biol. **6**, 1577–1580 (1996); Science **273**, 579, 613–622, 663–666 (1996).
allg.: Ann. Endocrinol. **55**, 127–131 (1994) ▪ Clin. Invest. Med. **16**, 58–77 (1993) ▪ Crit. Rev. Biochem. Mol. Biol. **31**, 41–100 (1996) ▪ Nature (London) **367**, 22 (1994). – *[CAS 9002-64-6 (allg.); 68893-82-3 (Human-P.)]*

Parathyroid hormone-related protein s. Parathyrin.

Paratrop. Von anisotrop (s. Anisotropie) abgeleitete Bez. für die Eigenschaft von Mol., im Magnetfeld ungleiches magnet. Verhalten zu zeigen; z. B. haben einige *Annulene p. Eigenschaften. – ***E*** paratrope, paratropic – ***F*** paratrope – ***I*** paratropo – ***S*** parátropo

Para-Wasserstoff s. Ortho-Para-Isomerie.

Paraxin (Rp). Trockensubstanz mit *Chloramphenicol gegen Infektionen. ***B.:*** Boehringer Mannheim.

Paraxylylen. Bez. für zur Gruppe der *Parylene zählende *Polymere auf Basis von *p*-Xylol.

Parazoanthoxanthine. Die P. sind bei Tageslicht stark fluoreszierende gelbe Pigmente mit Cyclohepta[1,2-*d*; 4,5-*d'*]diimidazol-Struktur. Sie kommen in kolonienbildenden Anthozoen der Ordnung Zoanthidea warmer Meere vor. Neben den höher *N*-methylierten Palyzoanthoxanthinen A, B u. C unterscheidet man folgende P. A bis G, die aus *Parazoanthus axinellae adriaticus* u. *Zoanthus sociatus* sowie *Z. pacificus* isoliert wurden (P. E ist ident. mit *Zoanthoxanthin):

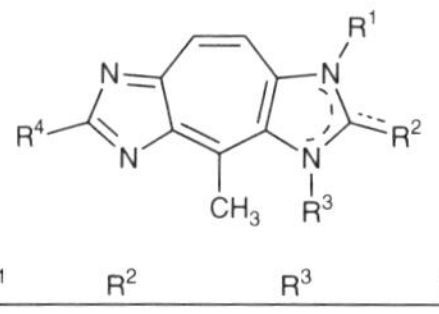

	R^1	R^2	R^3	R^4	
P. A	-	NH_2	H	NH_2	**(1)**
P. B	-	NH_2	CH_3	NH_2	**(2)**
P. C	Struktur unbekannt				**(3)**
P. D	-	NH_2	H	$N(CH_3)_2$	**(4)**
P. E	-	NH_2	CH_3	$N(CH_3)_2$	**(5)**
P. F	CH_3	=NH	CH_3	$N(CH_3)_2$	**(6)**
P. G	-	NH_2	CH_3	NH—CH_3	**(7)**

Tab.: Daten der Parazoanthoxanthine A–G.

Nr.	Summenformel	M_R	Schmp. [°C]	CAS
1	$C_{10}H_{10}N_6$	214,23	>310	53823-11-3
2	$C_{11}H_{12}N_6$	228,27		53571-91-8
3	Struktur unbekannt			
4	$C_{12}H_{14}N_6$	242,28	303–304 (Zers.)	53941-25-6
5	$C_{13}H_{16}N_6$	256,31	>310	40451-47-6
6	$C_{14}H_{18}N_6$	270,34	>310	55084-58-7
7	$C_{12}H_{14}N_6$	242,28		71827-19-5

– ***E*** = ***F*** parazoanthoxanthines – ***I*** parazoantoxantine – ***S*** parazoantoxantinas

Lit.: Beilstein E V **26/17**, 392 ff. ▪ Comp. Biochem. Physiol. B **63**, 77 (1979) ▪ J. Am. Chem. Soc. **98**, 3049 (1976) ▪ Scheuer I **4**, 74–78 ▪ s. a. Palytoxin.

Parazol®. Diazonium-Salz (hellgelbes Pulver), das mit bestimmten aromat. Verb. zu intensiv gefärbten Farbstoffen kuppelt. Der P.-Test dient zur Unterscheidung von aliphat. u. aromat. Isocyanaten in *Polyurethanen. ***B.:*** Bayer.

Parelektrische Polarisation s. Polarisation.

Parenchym (von *Para- u. griech.: enchyma = saftvoll, Gewebe). In der Zoologie Bez. für das *Gewebe der inneren Organe, das für deren Funktionen verantwortlich ist (Unterschied zu Stütz- u. *Bindegewebe), in der Botanik Bez. für das Grundgewebe von *Holz u. a. Höheren *Pflanzen, das ihnen zur Durchlüftung u. zum Stofftransport dient u. Festigkeit verleiht. – ***E*** parenchyma – ***F*** parenchyme – ***I*** parenchima – ***S*** parénquima

Parenteral (griech.: *Para- = neben u. entera = Eingeweide). Bei *Arzneiformen u. bes. Formen der *Ernährung versteht man unter *p.* – als Gegensatz zu *enteral od. *oral (per os) – die Einführung von system. wirkenden Stoffen in den Körper unter Umgehung des Magen-Darm-Trakts. Im engeren Sinne umfaßt die Bez. *Parenteralia* nur die *Injektionen u. *Infusionen (außer den rektalen), nicht aber Applikationsformen wie Salben, Gele, Implantate, Membranpräp., Aerosole u. dgl.; in amerikan. Publikationen werden dagegen top. (percutane) Anw. u. Inhalation auch als „p." betrachtet. – ***E*** = ***S*** parenteral – ***F*** parentéral – ***I*** parenterale

Parex®-Verfahren. 1. Ein Verf. der UOP zur Abtrennung von hochreinem *p*-Xylol aus Xylol-Gemischen u. von Ethylbenzol. Das P.-V. arbeitet in flüssiger Phase mit einem Festbettadsorbens, meist aus Zeolithen. – 2. Beim Gasphasen-P.-V. von Leuna werden *n*-Paraffine durch reversible Adsorption an Zeolithe isoliert. – ***E*** Parex processes® – ***F*** procédé Parex® – ***I*** processo Parex® – ***S*** procedimiento Parex®
Lit.: Chem. Techn. **37**, 107–112 (1985).

Parfenac®. Emulsion, Creme, Salbe u. Fettsalbe mit *Bufexamac gegen Ekzeme u. Dermatitiden verschiedener Genese, auch bei leichten Verbrennungen. ***B.:*** Lederle.

Parfümerie. Bez. für die Kunst der Komposition eines *Parfüms aus *etherischen Ölen, *Absolues, *Resinoiden u. *Riechstoffen durch Vermischen unter Abstimmung auf einen gewünschten Verw.-Zweck. In der P. muß bei der Komposition der Geruchsnoten (*Duftnoten*) die wissenschaftliche Methodik den „rein empir. Fähigkeiten" des Parfümeurs den Vorrang lassen. Der *Parfümeur* ist der Fachmann, der – vorausgesetzt, er besitzt einen bes. empfindlichen u. fein differenzierenden Geruchssinn (eine „Nase") u. verfügt über ein verläßliches Geruchsgedächtnis – die (künstler.) Begabung hat, durch Vereinigung von *Duftstoffen Geruchsvorstellungen zu realisieren. Wie der Maler aus visuell wahrnehmbaren Farben ein Bild, der Musiker aus hörbaren Tönen ein Musikstück, so komponiert der Parfümeur aus Riechstoffen ein Parfüm. Der Parfümeur von heute muß jedoch außerdem eingehende Kenntnisse aufweisen auf den Gebieten der Physiologie des Riechens u. Schmeckens (s. Geruch, Geschmack), der Psychologie, Soziologie u. Ethnologie, ggf. sogar ethn. Eigentümlichkeiten der Parfümbenutzer u. der mechan., chem. u. toxikolog. Eigenschaften der Rohstoffe, Verpackungsmaterialien u. der ggf. zu parfümierenden Produkte. Eine staatlich geregelte Ausbildung für Parfümeure gibt es (noch) nicht.
Frankreich ist nicht nur das klass. Land der Mode, son-

dern auch der Parfüms, ja der Kosmetika überhaupt, u. folgerichtig steht die P. auch in bes. enger Beziehung zur Haute Couture. Sicherlich hatte schon die Verw. von wohlriechenden Räuchermitteln im Altertum [latein.: per fumum=durch den (Opfer-)Rauch!] eine erot. Komponente, doch weiß man über die Bedeutung der Gerüche für die menschliche Sexualität erst seit Beginn des 20. Jh. etwas mehr, insbes. dank der Pionierarbeit P. Jellineks[1] über den psycholog. zu begründenden Zusammenhang zwischen *Körpergeruch, P. u. Erotik (das Parfüm als *Pheromon, als *Sexuallockstoff?). Im *Phäniatrie-Konzept Freytags[2] hat das Parfüm die Aufgabe, einerseits erogene Hautzonen bes. zu betonen u. andererseits evtl. „olfaktor. Entstellungen" (vgl. Olfaktion) zu beheben bzw. deren Entstehung zu verhindern (letzteres gilt auch für *Desodorantien). Im übrigen sei auf die Ausführungen zu den Stichwörtern *Geruch, *Haut u. *Kosmetika u. die dort angegebene Lit. verwiesen; zu techn. Einzelheiten der P. u. der Kompositionstechnik s. Parfüms. In der dtsch., engl. u. französ. Sprache versteht man unter „P." auch das Geschäft, in dem Parfüms zu kaufen sind – üblicherweise ist dies die Drogerie – u. manchmal auch die Parfüms selbst. – ***E*** perfumery – ***F*** parfumerie – ***I*** profumeria – ***S*** perfumería

Lit.: [1]Jellinek, Die psychologischen Grundlagen der Parfümerie (4.), Heidelberg: Hüthig 1994. [2]J. Soc. Cosmet. Chem. **23**, 811–822 (1972); Der informierte Arzt **7**, Nr. 5, 101–111, Nr. 6, 96–106 (1979).
allg.: s. Parfüms.

Parfümeur s. Parfümerie.

Parfümierung. *Duftstoffe werden vielen Haushalts- u. techn. Produkten zugesetzt, um deren unangenehmen Eigengeruch zu maskieren (**Geruchsverbesserungsmittel*) u./od. um den Warenkauf durch den suggestiv wirkenden, illusionsfördernden Duft zu stimulieren. So soll Wäsche wie im Freien unter blühenden Bäumen getrocknet, Kunstleder wie echtes Leder riechen. Bei der Auswahl der Parfümöle muß der Parfümeur zahlreiche Faktoren beachten, insbes. die Stabilität der *Riechstoffe im Medium, die durch Löslichkeits- u. Adsorptionseigenschaften, pH-Wert, Ggw. oxidierender od. reduzierender Stoffe, Katalysatoren, Luft, Licht u. Temp. beeinflußt wird; für die Untersuchung hat sich die *Headspace-Analyse bewährt. Weiter sind die Verweilzeit der Duftstoffe im Produkt, bei Körperpflegemitteln die Hautverträglichkeit, nicht zuletzt der Preis zu bedenken. Durch P. „veredelt" werden z. B. Mittel zur Haarbehandlung u. Hautpflege wie Puder, Cremes, Feinseifen, Sprays, aber auch techn. Produkte wie Waschmittel, Fußbodenpflegemittel, Desinfektionsmittel, Papier, Druckfarben, Textilien etc., wobei ether. Öle in höheren Konz. ggf. auch die Rolle von Konservierungsmitteln übernehmen können. Bei Lebensmitteln u. Arzneimitteln spricht man nicht von P., sondern von *Aromatisierung* mit *Aromen, bei Räumen von *Luftverbesserern* u. bei ansonsten geruchlosen techn. Produkten, die zur Warnung vor gefährlichen Eigenschaften mit unangenehm riechenden Stoffen markiert werden, von *Odorierung*, *Beisp.:* *Gasodorierung. – ***E*** perfuming – ***F*** parfumer – ***I*** profumamento – ***S*** perfumado

Lit.: s. Parfüms, Riechstoffe.

Parfüms. Das eingedeutschte Wort „Parfüm" u. das französ. Stammwort „parfum" leiten sich ab von latein. per fumum = durch (Opfer-)Rauch (s. Geschichte). Unter P. versteht man alkohol. Lsg. geeigneter *Riechstoffe (*Duftstoffe), aber auch den Duft selbst; in der deutschsprachigen Lit. wird gelegentlich auch *Parfümerie u. P. gleichgesetzt. Man unterscheidet nach dem Gehalt der P.-Öle in bes. reinem Ethanol, der ggf. mit Wasser auf bis zu 70% verd. sein kann: P. („*Extrait*") 10–25%; Eau de Parfum 8–10%; Eau de Toilette 5–8%; Eau de Cologne (Köln. Wasser) 2–5%. Grundstoffe der P.-Öle sind *etherische Öle, Blütenöle, Extrakte aus pflanzlichen u. animal. Drogen, aus Naturprodukten isolierte, chem. veränderte (halbsynthet.) sowie rein synthet. gewonnene Riechstoffe.

Aus der Vielzahl pflanzlicher Ausgangsmaterialien seien erwähnt: Blüten z. B. von Lavendel, Rosen, Jasmin, Neroli; Stengel u. Blätter z. B. von Geranium, Patchouli, Petitgrain; Früchte, z. B. Anis, Koriander, Kümmel, Wacholder; Fruchtschalen z. B. von Agrumen wie Bergamotte, Citronen, Orangen; Samen, z. B. Macis, Angelika, Sellerie, Kardamom; Wurzeln, z. B. Angelika, Costus, Iris, Calmus; Holz, z. B. Sandel-, Guajak-, Zedern-, Rosenholz; Kräuter u. Gräser, z. B. Estragon, Lemongras, *Salbei, *Thymian; Nadeln u. Zweige z. B. von Fichten, Tannen, Kiefern, Latschen; *Harze u. *Balsame z. B. aus *Galbanum, *Elemi, Benzoe, *Myrrhe, *Olibanum, *Opopanax.

Tier. Rohstoffe werden nur wenige verwendet, sie werden immer seltener u. sind z. T. extrem kostspielig: *Ambra, ein vom Pottwal ausgeschiedenes krankhaftes Stoffwechsel-Produkt; *Moschus, der Drüseninhalt eines zentralasiat. geweihlosen Hirsches; *Zibet, das Drüsensekret der Zibetkatze; Castoreum, ein Drüsensekret des kanad. Bibers.

Zur Isolierung der Duftstoff-Konzentrate aus den Rohstoffen werden verschiedene Verf. angewendet: Z. B. Auspressen der Fruchtschalen für Citrusöle, Extraktion von *Resinoiden aus Harzen, Balsamen, Flechten u. Moosen mittels flüchtiger Lsm. wie Alkohol od. Hexan, Wasserdampf-Dest. vorher aufbereiteter zerkleinerter Pflanzenteile zur Gewinnung der *etherischen Öle. Die bereits seit dem Altertum bekannte *Enfleurage (Extraktion der bes. empfindlichen Blütenduftstoffe mittels geruchsneutraler Fette) wird heute nur noch selten angewendet, dafür hat die bes. schonende *Destraktion mittels überkrit. Gase (z. B. CO_2) steigende Bedeutung erlangt.

Von den *halbsynthet.*, durch chem. Veränderung natürlicher Ausgangsstoffe gewonnenen Riechstoffen seien als Beisp. erwähnt: *Isoeugenol aus *Eugenol, dem Hauptbestandteil des Nelkenöls, Vanillin aus Isoeugenol, Hydroxycitronellal aus Citronellal, Citronellol aus Geraniol od. Citronellal, Geranylacetat aus Geraniol, Jonone u. Methyljonone aus Citral.

Bei den *vollsynthet.* Riechstoffen gibt es naturident. sowie solche, deren mol. Strukturen ohne natürliches Vorbild sind. Manche dieser Produkte geben die Geruchsnoten natürlicher Riechstoffe wieder, viele haben jedoch kein geruchliches Vorbild in der Natur. Sie erlauben dem Parfümeur (s. Parfümerie) die Schaffung verschiedener Phantasie-Kompositionen.

Als Lsm. für die P.-Öle dient fast ausschließlich reinster *Ethanol, ggf. verd. mit Wasser zur Einstellung der erforderlichen Konzentration.

Beim Aufbau einer P.-Komposition wird gegliedert in:

1. *Kopfnote* (Tête, Spitze, Angeruch), leicht flüchtige Riechstoffe meist frischen Charakters;
2. *Mittelnote* (Bouqet, Corps, Cœur, Herznote, Körper), mäßig flüchtige Riechstoffe oft blumigen Charakters;
3. *Basisnote* (Fond, Nachgeruch), wenig flüchtige Riechstoffe, die den Grundcharakter (Leitgeruch) des P. bestimmen.

Der Basisnote sind auch die *Fixateure zugeordnet, welche Bindung u. Haftfestigkeit der flüchtigen Riechstoffe erhöhen u. die Duftkomposition stabilisieren. Mit *Adjuvantien können Kopf-, Mittel- u. Basisnote enger miteinander verbunden u. der Duftablauf fließender gestaltet werden.

Es wird unterschieden nach linearem u. komplexem Aufbau eines Parfüms. Beim linearen Aufbau werden im wesentlichen definierte Riechstoffe zur Duftkomposition aus Kopf-, Mittel- u. Basisnote gemischt, während beim komplexen Aufbau überwiegend bereits vorkonstruierte, aus zahlreichen Einzelkomponenten bestehende, in sich abgerundete P.-„Basen" miteinander kombiniert werden. Ein P. komplexen Aufbaus kann dabei aus mehreren hundert Einzelkomponenten bestehen.

Für die Geruchsrichtungen gibt es keine allg. verbindliche Einteilung. Meist wird nach „Duftfamilien" bestimmter Noten unterschieden:

„Grün-Noten" sind herb-frische Düfte u. riechen nach Blättern, Gräsern, Wiesen usw.

„Citrus-Noten" bestehen meist aus den ether. Ölen der Citrus-Früchte mit erfrischendem Charakter u. finden sich u. a. in den klass. Eaux de Cologne.

„Lavendel-Noten" sind in vielen Kompositionen enthalten u. bilden den Hauptbestandteil der „Lavendel-Wässer".

„Blumige Noten" sind überwiegend zusammengesetzt aus mehreren Einzelblumen-Noten, z. B. der Richtungen Jasmin, Flieder, Rose, Maiglöckchen, Iris/Veilchen, Nelke.

„Aldehyd-Noten" basieren überwiegend auf synthet. Riechstoffen mit blumigem, z. T. auch holzigem, balsam. u. animal. Charakter; sie sind Bestandteil vieler Modeparfüms.

„Chypre-Noten" (Moos-Noten) bestehen überwiegend aus Eichenmoos-Extrakten, z. T. in Kombination mit Bergamotteöl u. haben herb-frischen Charakter.

„Fougère-Noten" (Farn-Noten) sind den Chypre-Noten verwandt.

„Gewürz-Noten" enthalten Gewürz-Extrakte von z. B. Thymian, Pfeffer, Muskat, Zimt, Nelken, Ingwer, Majoran, Kardamom, Koriander usw., z. T. auch synthet. Riechstoffe u. speziell kombinierte Gewürz-Basen.

„Oriental. Noten" kombinieren Gewürz-Noten mit schweren, süßen, balsam. od. animal. Noten zu Düften mit würzig-süßem bis süßlich-schwerem Charakter.

„Holz-Noten" basieren auf z. B. Zedern-, Sandel- u. a. Holz- u. Wurzel-Ölen u. variieren von herb-frisch bis holzig-herb.

„Tabak-Noten" gibt es in vielen Variationen von frisch-herbwürzig bis schwer-süß-honigartig, ursprünglich basierend auf dem Duft von Tabakblüten u. fermentiertem Tabak.

„Leder-Noten" erinnern an den Geruch feinster Lederwaren z. B. der Duftrichtung Juchten.

Die Geruchsrichtungen werden grob in „nachgebildete Noten" u. „Phantasie-Noten" eingeteilt. Bei ersteren wird versucht, durch Kombination natürlicher u. synthet. Duftstoffe möglichst naturgetreu eine Nachbildung des vorgegebenen Geruchs zu erreichen; bei letzteren sind der kreativen Phantasie in der Komposition eines P. keine Grenzen gesetzt. Ferner wird unterschieden zwischen Damen- u. Herren-Parfüms. Da stark an der Mode orientiert, sind die Bez. vieler bekannter P. verbunden mit den Namen bedeutender Modeschöpfer.

P. werden außer zur Anw. am menschlichen Körper vielfach verwendet zur Duftgestaltung zahlreicher Produkte (s. Parfümierung).

Geschichte: Die Beschäftigung mit Düften ist wohl so alt wie die Menschheit selbst. In der Frühzeit steht Wohlgeruch ausschließlich in mag.-sakralem Dienst. Das Rauchopfer gehört zu den ältesten Formen der Götterverehrung, das Verbrennen bestimmter Pflanzenteile u. Hölzer ist die älteste Meth., Wohlgerüche zu erzeugen. Der Duft entfaltet sich dabei „per fumum", durch den Rauch. Aus vielen Kulten der Frühgeschichte ist der Umgang mit Duftstoffen überliefert, dabei sind Wohlgerüche den guten, gnädigen Göttern, üble Gerüche den bösen Geistern zugeordnet (Weihrauch ↔ Teufelsgestank). Ägypter, Perser u. Skyten benutzten Harze u. mit Duftstoffen angereicherte Pflanzenöle zur Einbalsamierung ihrer Toten. Bald dienten Duftpräp. auch kosmet. Zwecken. Phönizier brachten die Parfümeriekunst in den Mittelmeerraum, wo sich bereits vor unserer Zeitrechnung auf der Insel Zypern eine Art Duftzentrum entwickelte (hiervon wird der parfümist. Begriff „Chypre" abgeleitet). Im antiken griech.-röm. Kulturkreis wurden Duftpräp. auch in der Heilkunde eingesetzt, wie die Schriften von Hippokrates u. Galenus beweisen. Eine systemat. Bearbeitung der über Venedig, Florenz u. Südfrankreich in den abendländ. Kulturkreis gelangten Kenntnisse über Duftstoffe beginnt in Mitteleuropa erst etwa ab dem 13. Jahrhundert. Später entwickelte sich Grasse in Südfrankreich zum noch heute bedeutendsten europ. Duftzentrum. Mit Beginn des 19. Jh. wurde auch die Herst. der ether. Öle industrialisiert; mit der Entwicklung der modernen Chemie waren etwa ab Mitte des 19. Jh. die Isolierung reiner Riechstoffe, ihre Strukturaufklärung u. gegen Ende des 19. Jh. die ersten Riechstoff-Synth. möglich. In der Folgezeit wurden zahlreiche weitere Riechstoffe in ihrer Struktur aufgeklärt u. viele neue Riechstoffe synthetisiert. Wesentliche Beiträge zur Strukturaufklärung natürlicher Riechstoffe stammen von Nobelpreisträger Leopold *Ružička.

Wirtschaft: Bei einem Gesamtmarkt für Körperpflegemittel (s. a. Kosmetika) 1996 in der BRD von ca. 16 Mrd. DM (Endverbraucherpreise) betrug der Anteil für Damen-P./-Düfte ca. 1,2 Mrd. DM = 7,5% [1]. – ***E*** = ***S*** perfumes – ***F*** parfums – ***I*** profumi

Lit.: [1] Tätigkeitsbericht 1996/97, Frankfurt: Industrieverband Körperpflege u. Waschmittel 1997.
allg.: Calkin u. Jellinek, Parfumery – Practice and Principles, New York: Wiley 1994 ▪ Kirk-Othmer (4.) **17**, 594–603; **18**, 171–201 ▪ Ohloff ▪ Ullmann (4.) **17**, 645–650; **20**, 199–287; (5.) **A 11**, 141–250 ▪ Umbach (Hrsg.), Kosmetik, 2. Aufl., S. 343–360, 408–417, Stuttgart: Thieme 1995 ▪ Vollmer u. Franz, Chemische Produkte im Alltag, S. 129–142, 433–449, Stuttgart: Thieme 1985.

Pargasit s. Amphibole.

Pariangips (Parianzement). Ein Gipszement aus teilw. dehydriertem Gips ($CaSO_4 \cdot \frac{1}{2}H_2O$) mit etwas Borax. –

E Parian cement – *F* plâtre à borax anhydre – *I* gesso (cemento) Parian – *S* cemento Parian
Lit.: Ullmann (3.) **8**, 117. – *[HS 2520 20]*

Parietin s. Physcion.

Pariser Blau s. Berliner Blau.

Pariser-Parr-Pople-Methode s. PPP-Methode.

Pariser Schwarz s. Knochenkohle.

Parish. Kurzbez. für die Firma Parish Chemical Company, 145 North Geneva Road, Orem UT 84058 (USA). *Produktion:* Feinchemikalien, Kronenether, Heterocyclen, Germanium- u. Schwefel-organ.-Verbindungen.

Parität. Eine physikal. Größe, die angibt, wie sich ein physikal. Syst. gegenüber räumlichen Spiegelungen verhält. Im allg. handelt es sich hierbei um Spiegelung an einem Punkt, häufig dem Ursprung des gewählten Koordinatensyst. (Inversion). Die P. ist gerade od. pos., wenn das Syst. bei der Spiegelung in sich selbst übergeht, u. ungerade od. neg., wenn es in sein Inverses übergeht. *Beisp.:* Die Eigenfunktionen des *harmonischen Oszillators zu geraden Schwingungsquantenzahlen haben gerade, solche zu ungeraden Schwingungsquantenzahlen ungerade Parität. Bei Spiegelung ändern sich im ersten Fall die Eigenfunktionen nicht, im zweiten ändern sie ihr Vorzeichen.
Die P. eines komplexeren Syst. setzt sich multiplikativ aus den Einzelparitäten zusammen. Im allg. bleibt die Parität erhalten; lediglich bei schwacher Wechselwirkung wird Paritätsverletzung gefunden. An solchen Prozessen sind *Neutrinos beteiligt, deren definierte Helizität für die Paritätsverletzung verantwortlich ist. Der erste experimentelle Beweis (theoret. Vorhersagen durch T. D. *Lee u. *Yang, Physik-Nobelpreis 1957) gelang 1957 Frau Wu u. Mitarbeitern bei der Untersuchung des *Beta-Zerfalls von ^{60}Co gemäß $^{60}Co \rightarrow {}^{60}Ni + e^- + \bar{\nu}_e$, wobei e^- ein Elektron u. $\bar{\nu}_e$ ein Elektron-Antineutrino symbolisieren; zur Bedeutung der *P.-Verletzung* in der Chemie s. *Lit.*[1]. – *E* parity – *F* parité – *I* parità – *S* paridad
Lit.: [1] Angew. Chem. **101**, 588–604 (1989).

Parke-Davis. Kurzbez. für die amerikan. Firma Parke Davis & Company, eine Tochterges. von Warner-Lambert mit Sitz in Morris Plains, N. J. 07950 (USA). *Daten* (1996): 38 000 Beschäftigte. *Produktion:* Pharmazeut. u. veterinäre Produkte, Feinchemikalien. *Vertretung* in der BRD: Parke Davis & Company, 79108 Freiburg i.Br.

Parkerisieren s. Parkes-Verfahren.

Parkers Neusilber. Kupfer-Nickel-Zink-Mangan-Leg. mit ca. 57–65% Cu, 7–10% Ni, 2–11% Zn u. max. 20% Mn mit bevorzugter Verw. für chem. beständige Kleinteile der Gebrauchsgüter-Ind., s. a. Neusilber. – *E* Parkers silver – *F* maillechort de Parkers – *I* alpacca di Parker, argentone di Parker – *S* alpaca de Parker – *[HS 74-03 23]*

Parkes Reagenz. Lsg. von 10 g Buttersäure u. 2 g Wasser in 90 g Eisessig zum Nachw. künstlicher Fettfärbung; P. R. ermöglicht nach Ansäuerung mit verd. Schwefelsäure die Extraktion von Farbstoffen aus Fetten. – *E* Parke's reagent – *F* réactif de Parkes – *I* reagente di Parke – *S* reactivo de Parkes

Parkes-Verfahren. Nach A. Parkes (1842) benanntes Verf. zur Abtrennung des Silbers aus Ag-haltigem Rohblei. Man gibt zum Ag-haltigen Pb wiederholt 1–2% des Blei-Gew. an geschmolzenem Zn. An der Oberfläche scheidet sich dabei ein Ag-haltiger Zn-Schaum mit 6–18% Ag ab, aus dem das Zn destillativ abgetrennt wird. Anschließend wird in Treiböfen durch Aufblasen von Luft das sog. *Blicksilber* (99,8% Ag) erhalten, auf dem die Bleiglätte (PbO) mit allen Verunreinigungen aufschwimmt. Nach dem P.-V. kann man Ag auch aus Bismut-Erzen gewinnen. – *E* Parkes process – *F* procédé de Parkes – *I* processo Parkes, zincaggio – *S* procedimiento de Parkes
Lit.: Kirk-Othmer (3.) **14**, 119 f. ▪ Ullmann (4.) **8**, 567; **21**, 324 ▪ Winnacker-Küchler (4.) **4**, 455 f.

Parkett-Gelbkiefer s. Pitchpine.

Parkettpolymere s. Flächenpolymere.

Parkettversiegelungsmittel. Bez. für Präp., welche die natürlichen Poren eines Holzparkettbodens gegenüber Schmutz verstopfen (versiegeln) u./od. das Parkett mit einer strapazierfähigen, beständigen, mit *Fußbodenpflegemitteln leicht zu reinigenden Kunstharzschicht überziehen. Die P. sind den *Lacken ähnlich; man unterscheidet folgende Hauptgruppen:
1. *Imprägniersiegel* aus ölmodifizierten Kunstharzen od. aus Öl-Kunstharz- bzw. Öl-Naturharz-Verkochungen; sie trocknen chem. durch Oxid. der Ölbestandteile u. physikal. durch Verdunstung der Lsm. (Kohlenwasserstoffe, Ester, Ketone, Alkohole, Glykole, Terpentinöl-Derivate usw.). Die schützende Wirkung beruht auf Füllung der Poren mit dem Präp., u. der Abnutzungswiderstand wird vom Fußbodenmaterial selbst u. nicht von einem Film geleistet.
2. *Säurehärter* u. 3. *DD-Siegel* legen sich zusätzlich filmbildend als Schutzschicht auf die Holzoberfläche: Der Abnutzungswiderstand wird nicht vom *Bodenbelag, sondern hauptsächlich von dem daraufliegenden Film geleistet. Die Säurehärter (Gruppe 2) sind Zweikomponenten-Reaktionslacke aus plastifizierten Harnstoff-, Melamin- od. Vinyl- bzw. Vinylbutyral-Harzen; man gibt kurz vor der Verarbeitung eine als Härter wirkende Säure dazu. Zweikomponenten-P. sind auch die Epoxidharz-P. u. die auf Polyurethan-Basis aufgebauten *DD-Lacke® (Gruppe 3), die größere Bedeutung erlangt haben. – *E* parquetry sealing – *F* agents de vitrification des parquets – *I* agenti sigillatori per parquet – *S* agentes para sellar o barnizar parket
Lit.: Encycl. Polym. Sci. Eng. **7**, 245 ▪ Gatz (Hrsg.), Lexikon der Anstrichtechnik, Bd. 1 (8. Aufl.), S. 199; Bd. 2 (4. Aufl.), S. 56 f., 322 f., 375; München: Callwey 1987, 1988.

Parkinsonismus (Parkinson-Syndrom). Sammelbez. für die *Parkinsonsche Krankheit u. ihr bezüglich der Symptome ähnlicher Erkrankungen mit unterschiedlichen Ursachen. – *E* parkinsonism – *F* parkinsonisme – *I* = *S* parkinsonismo

Parkinsonsche Krankheit (Schüttellähmung). Von J. Parkinson (1755–1824) im Jahre 1817 erstmals beschriebene Erkrankung der zentralnervösen Bewegungssteuerung. Sie tritt meist jenseits des 40. Lebensjahres auf, bei Männern häufiger als bei Frauen, u. äußert sich in charakterist. Symptomen wie grobschlägigem Zittern von Kopf u. Armen v. a. in Ruhe, erhöhter Muskelspannung mit rigider Erschwerung der Bewegungen, allg. Bewegungsarmut mit Verarmung der Ausdrucks- u. Mitbewegungen sowie vegetativen Begleiterscheinungen (z. B. Seborrhoe). Der Verlauf ist in der Regel langsam fortschreitend. Die Symptome kommen durch die Degeneration von bestimmten Melanin-haltigen Zellen in einem Kerngebiet des Hirnstammes (*Substantia nigra*) zustande. Die Funktion dieser Zellen wird durch den *Neurotransmitter *Dopamin vermittelt, ein Ausfall führt zu einem funktionellen Überwiegen gegenläufig wirksamer acetylcholinerger Neuronensysteme. Die Ursache dieser Zelldegeneration ist nicht bekannt. Die Behandlung erfolgt, abgesehen von der obligator. Heilgymnastik, medikamentös mit *Antiparkinsonmitteln*. Dabei wird zum einen das fehlende Dopamin durch seine Vorstufe L-*Dopa ersetzt – in der Regel kombiniert mit einem peripher angreifenden Dopa-Decarboxylase-Hemmer wie *Carbidopa u./od. *Benserazid – u./od. durch synthet. Agonisten (z. B. *Bromocriptin). Zum anderen wird das cholinerge Syst. durch Antagonisten des Acetylcholins wie *Biperiden u. *Metixen gehemmt. Seltener wird eine stereotakt. Operation durchgeführt; die Ergebnisse der in jüngerer Zeit versuchten Verpflanzung Dopamin-sezernierender Zellen aus dem *Nebennieren-Mark od. aus fetalem Hirngewebe in das Gehirn sind derzeit noch widersprüchlich. – ***E*** Parkinson's disease, shaking palsy – ***F*** maladie de Parkinson, paralysie agitante – ***I*** morbo di Parkinson – ***S*** enfermedad de Parkinson, parálisis agitante

Lit.: Kunze, Lehrbuch der Neurologie, Stuttgart: Thieme 1992 ▪ Mumenthaler u. Mattle, Neurologie, Stuttgart: Thieme 1997.

Parkopan® (Rp). Tabl. mit dem Parkinsonmittel *Trihexyphenidyl-Hydrochlorid. ***B.:*** Hexal.

Parkotil® (Rp). Tabl. mit dem Parkinsonmittel *Pergolid-Mesilat. ***B.:*** Lilly.

Parmanyl®. Der Geruchsstoff 3-(*cis*-3-Hexenyloxy)-propannitril mit grüner, blumiger Veilchen-Note wird in Körperpflege- u. Reinigungsmitteln eingesetzt. ***B.:*** Dragoco.

Parmeliasäure s. Lecanorsäure.

Parmentier. Kurzbez. für die 1880 gegr. Firma Gustav Parmentier, 60320 Frankfurt, u. die Deutsche Lanolin Gesellschaft Parmentier & Co., mit gleicher Adresse. *Produktion:* Lanolin u. a. Wollwachsprodukte, synthet. Walrat, Hausenblase, Celluloseacetatphthalat, Tocopherol, Tablettierungshilfsmittel.

Parodontose (Zahnfleischschwund, atroph.-degenerative Parodontopathie). Erkrankung des Zahnhalteapparates (*Parodontium*), die zu einem nicht entzündlichen Gewebeschwund des Zahnbetts führt. Dabei zieht sich das Zahnfleisch zurück, die Zahnhälse u. der Wurzelzement werden freigelegt. Die Ursache der P. ist ungeklärt. – ***E*** parodontosis – ***F*** paradontose – ***I*** paradentosi – ***S*** paradontosis

Lit.: Bartsch, Zahn-, Mund- u. Kiefererkrankungen, Stuttgart: Enke 1996.

Parökie. Nachbarschaftsverhältnis von Tieren verschiedener Arten, die sich dulden, (im Gegensatz zur *Synökie) aber nicht wie *Inquilinen die gleiche Wohnung teilen.

Lit.: Lexikon der Biologie (7.), Bd. 6, S. 308, Freiburg: Herder 1988.

Paromomycin (Aminosidin, Catenulin, Crestomycin, Estomycin, Hydroxymycin, Monomycin A, Neomycin E, Paucimycin, Rp).

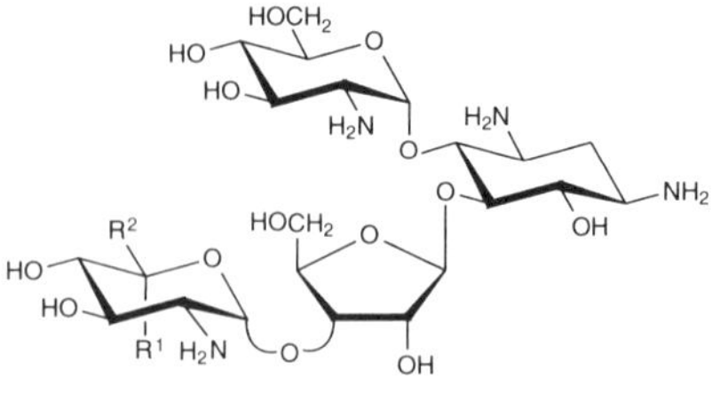

$R^1 = CH_2—NH_2$, $R^2 = H$: Paromomycin, Paromomycin I
$R^1 = H$, $R^2 = CH_2—NH_2$: Paromomycin II

$C_{23}H_{45}N_5O_{14}$, M_R 615,65. Internat. Freiname für das *Aminoglykosid-*Antibiotikum der *Neomycin-Gruppe, das aus den Bausteinen D-*Glucosamin, D-*Ribose, einer Diaminoaldohexose u. als *Aglykon aus einer Desoxystreptamin-Einheit aufgebaut ist. P. wird von *Streptomyces rimosus* var. *paromomycinus* u. anderen Streptomyceten gebildet. Das aus zwei Stereoisomeren bestehende P. (P. I u. P. II) ist eine amorphe weiße Substanz, leicht lösl. in Wasser, weniger gut lösl. in Methanol u. prakt. unlösl. in den üblichen organ. Lösemitteln. P. ist breit wirksam gegen Gram-pos. u. Gram-neg. Bakterien.

Anw.: Bei bakteriellen Darminfektionen (außer *Typhus u. Paratyphus), intestinaler Amoebiasis (*Amöben-Ruhr) u. zur präoperativen Darmdesinfektion. – ***E*** paromomycin – ***F*** paramomycine – ***I = S*** paromomicina

Lit.: ASP ▪ Beilstein E V **18/11**, 72, 73 ▪ Gräfe ▪ Hager (5.) **9**, 35 f. ▪ Martindale (31.), S. 260 ▪ Präve et al. (4.), S. 673–678. – *[HS 2941 90; CAS 7542-37-2 (P. I.); 51795-47-2 (P. II)]*

Parosmie (Parosphresie). Sinnestäuschung, die zur Wahrnehmung eines meist unangenehmen *Geruchs führt. – ***E = I*** parosmia – ***F*** parosmie – ***S*** parosmia, parosfresia

Paroxetin (Rp).

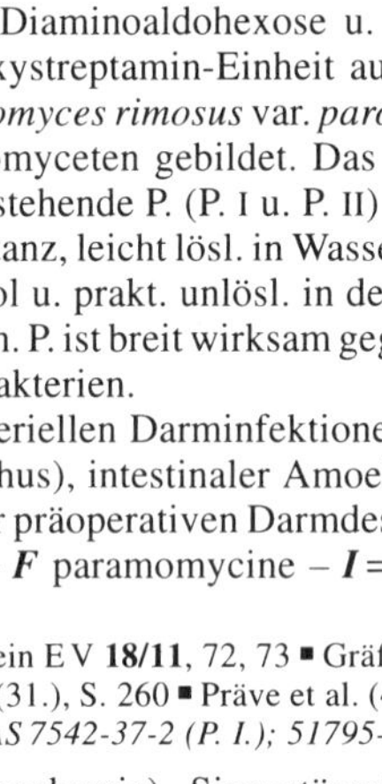

Internat. Freiname für das *Antidepressivum (3*S*-*trans*)-3-(1,3-Benzodioxol-5-yloxymethyl)-4-(4-fluorphenyl)piperidin, $C_{19}H_{20}FNO_3$, M_R 329,37. Verwendet wird meist das Hydrochlorid, Schmp. 118 °C. P. ist ein Serotonin(5-HT)-Wiederaufnahme-Hemmer. Es wurde 1987 u. 1988 von Beecham (Seroxat®, SmithKline Beecham) patentiert u. ist auch von Janssen-Cilag (Tagonis®) im Handel. – ***E*** paroxetine – ***F*** paroxétine – ***I = S*** paroxetina

Lit.: Ann. Pharmacother. **27**, 1212–1222 (1993) ▪ Drugs **41**, 225–253 (1991) ▪ Martindale (31.), S. 328f. – *[HS 2934 90; CAS 61869-08-7 (P.)]*

Paroxypropion.

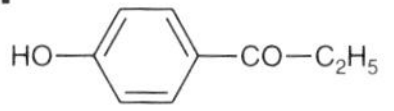

Internat. Freiname für den *Hypophysen-Hemmstoff 4′-Hydroxypropiophenon, $C_9H_{10}O_2$, M_R 150,17. Farblose Nadeln, Schmp. 149 °C, sehr schwer lösl. in kaltem Wasser, lösl. in Alkohol u. Ether. P. wird auch gegen Hyperthyreosen verwendet. Es ist ein Antagonist gonadotroper Hormone. – ***E*** = ***F*** paroxypropione – ***I*** parossipropione – ***S*** paroxipropiona

Lit.: Beilstein EIV **8**, 441 ▪ Martindale (31.), S. 1739. – *[HS 2914 50; CAS 70-70-2]*

Parsol® MCX. 4-Methoxyzimtsäure-2-ethylhexylester zur Verw. als UV-B-Lichtschutzfilter von Givaudan; in Kombination mit P. 1789 kann eine Ausweitung des Schutzbereichs gegen UV-A-Strahlen erzielt werden.

Parthenogenese (Jungfernzeugung). Eingeschlechtliche (unisexuelle) Fortpflanzung durch die Bildung eines Embryos aus einer weiblichen *Keimzelle ohne Beteiligung von männlichen Gameten (*Beisp.:* Einige Rund- u. Plattwürmer, einige Gliederfüßer, einige Pflanzen wie z. B. Mais, Reis, Tabak, Weizen, einige Algen u. einige Pilze). Man unterscheidet diploide P. aus Oocyten u. haploide P. aus haploiden Eizellen. Künstliche P. kann bei den meisten Tierstämmen (auch Wirbel- u. Säugetiere) durch mechan. od. chem. Reizung der Eizellen eingeleitet werden, führt aber häufig nicht zu lebensfähigen Nachkommen. – ***E*** parthenogenesis – ***F*** parthénogenèse – ***I*** partenogenesi – ***S*** partenogénesis

Lit.: Campbell, Biologie, Heidelberg: Spektrum Akadem. Verl. 1997.

Partialdichte s. Konzentration.

Partialdruck (Teildruck). Bei Gemischen verschiedener, nicht miteinander reagierender, idealer *Gase A, B, C, D usw. ist der Gesamt-*Dampfdruck der Mischung gleich der Summe der P. der Bestandteile. Der P. des Gases A ist derjenige Druck, den es ausüben würde, wenn es im Gesamtraum des Gasgemisches allein vorhanden wäre; mit Hilfe des *Molenbruches (Stoffmengenanteil x) läßt sich das *Daltonsche Gesetz ausdrücken durch $p_A = x_A \cdot p_{gesamt}$. Anders ausgedrückt: p_A ist der gleiche Bruchteil vom Gesamtdruck p_{gesamt} der Mischung, den das Vol. von A bei gleichen äußeren Drücken vor der Vermischung vom Gesamtvol. des fertigen Gemisches ausmacht. Bei *Lösungen von Gasen in Flüssigkeiten wird das P.-Verhalten vom *Henry-(Daltonschen) Gesetz beschrieben. Die *Duhem-Margulessche Gleichung gibt die für Dest.-Gleichgew., z. B. bei der *Wasserdampfdestillation, wichtige Beziehung der P. der Einzelkomponenten über einer flüssigen binären Mischung zu deren Molenbrüchen wieder, vorausgesetzt, daß statt p die *Fugazitäten eingesetzt werden. Ein Maß für den P. des Wasserdampfs in Luft ist die *relative Luftfeuchtigkeit. – ***E*** partial pressure – ***F*** pression partielle – ***I*** pressione parziale – ***S*** presión parcial

Lit.: s. Gase u. a. Textstichwörter.

Partialstrukturen (Teilstrukturen, Substrukturen). Bez. für gemeinsame *Struktur-Merkmale von Verb.-Klassen bzw. von deren allg. *Strukturformeln (Typ *Markush-Formeln); *Beisp.:*

Aryl–CO–CHCl–Alkyl.

In der maschinellen chem. *Dokumentation kann nach P. per Programm mittels spezif. *Fragment-Codes* (*GREMAS, Wiswesser Linearnotation u. a. *Notationen) gesucht werden. – ***E*** partial structures – ***F*** structures partielles – ***I*** strutture parziali – ***S*** estructuras parciales

Lit.: Nachr. Chem. Tech. Lab. **32**, 502–506 (1984) ▪ Pharm. Unserer Zeit **9**, 161–178 (1980) ▪ Z. Chem. **24**, 237–247 (1984) ▪ s. a. Dokumentation.

Partialsynthese s. Synthese.

Partialvalenzen. Das 1899 von J. *Thiele aufgestellte Konzept der P. besagt: Wenn 2 C-Atome miteinander durch eine Doppelbindung verbunden sind, so werden die beiden Wertigkeiten bei der Bindung nicht völlig aufgebraucht, sondern es bleibt an jedem C-Atom noch ein Rest von einer freien Valenz übrig (P., s. Abb. a, gestrichelte Linie),

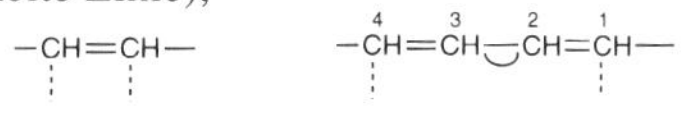

a b

welche neue Elemente od. Radikale addieren kann, die sofort die ganze Doppelbindung aufspalten. Bei konjugierten Doppelbindungen sättigen sich die 2 freien P. an den Kohlenstoff-Atomen 2 u. 3 untereinander ab (s. Abb. b, durch Bogen angedeutet), so daß das ganze Syst. nur noch 2 P. hat. Tatsächlich verhält sich ein solches Syst. von konjugierten Doppelbindungen häufig wie eine einfach ungesätt. Substanz, da nur an den beiden endständigen C-Atomen Additionen erfolgen, vgl. a. Dien-Synth. bei Diels-Alder-Reaktion. Die Theorie der P. erwies sich als bes. nützlich bei der Aufstellung der Benzol-Formel (s. Benzol-Ring), versagte aber beim *Cyclooctatetraen; sie findet heute eine teilw. Rechtfertigung durch die *MO-Theorie. – ***E*** partial valencies (GB), partial valences (USA) – ***F*** semivalences – ***I*** valenze parziali – ***S*** valencias parciales (secundarias, residuales)

Partikel s. Teilchen (partikuläre Materie) u. Staub.

Partikelschaumstoffe. Bez. für *Schaumstoffe, deren Herst. in 2 Stufen so erfolgt, daß in der 1. Stufe erzeugte vorgeschäumte, treibmittelhaltige Partikel in der 2. Stufe in geschlossenen Formen unter Hitzeeinwirkung ausgeschäumt werden u. dabei zu einem kompakten Schaumkörper verschweißen. P. aus expandierbarem *Polystyrol (z. B. das Styropor® der BASF) haben bes. Bedeutung erlangt. – ***E*** expandable foams – ***I*** espansi particellari – ***S*** espumas de partículas

Lit.: Ullmann (4.) **20**, 416, 424ff.; (5.) **A 11**, 435ff., 445.

Partobulin® s (Rp). Injektionslsg. mit Human-Immunglobulin gegen *Rhesusfaktor-D-Unverträglichkeit. ***B.:*** Immuno.

Parts per. . . billion (1: 10^9), million (1: 10^6), trillion (1: 10^{12}) s. ppb, ppm, ppt.

PartsReady®. Speziell entwickeltes, umweltfreundliches Entfettungsmittel für Eisen-haltige u. Nichteisen-haltige Substrate wie Aluminium. Rückstandsfreie

Reinigung ohne Substratschäden, durchdringt Ablagerungen von Kohle, Ruß, Fetten u. Poliermittelverbindungen. Geringe Verdunstungsrate, hoher Flammpunkt, wassermischbar, biolog. abbaubar. ***B.:*** ISP.

Partusisten® (Rp). Ampullen u. Tabl. mit *Fenoterol-Hydrobromid gegen vorzeitig od. zu stark u. unkoordiniert einsetzende Wehen. ***B.:*** Boehringer Ingelheim.

Parvalbumine. *Albumine vom M_R ca. 12 000, die – als P. α– hauptsächlich im *Muskel u. Gehirn von Wirbeltieren vorkommen u. eine hohe Affinität zu Calcium-Ionen besitzen, aber auch Magnesium-Ionen binden können. Die Aminosäuren Cystin, Cystein, Tyrosin u. Tryptophan fehlen meist. Die Sekundärstruktur des Proteins besteht aus 6 α-Helices, die durch Polypeptid-Schleifen miteinander verbunden sind u. das Motiv der *EF-Hand bilden. Neben den dort angegebenen Proteinen besteht Ähnlichkeit mit *Oncomodulin*, das jedoch nur in Tumor-, Plazenta- u. embryonalem Gewebe gefunden wurde u. auch als P. β bezeichnet wird. Die biolog. Funktion der P. ist noch weitgehend unbekannt. – ***E*** parvalbumins – ***F*** parvalbumines – ***I*** parvalbumine – ***S*** parvalbúminas

Lit.: Biochim. Biophys. Acta **1306**, 39 – 54 (1996).

Parylene. Gruppen-Bez. für thermoplast. *Polymere mit über Ethylen-Brücken in 1,4-Position verknüpften Phenylen-Resten.

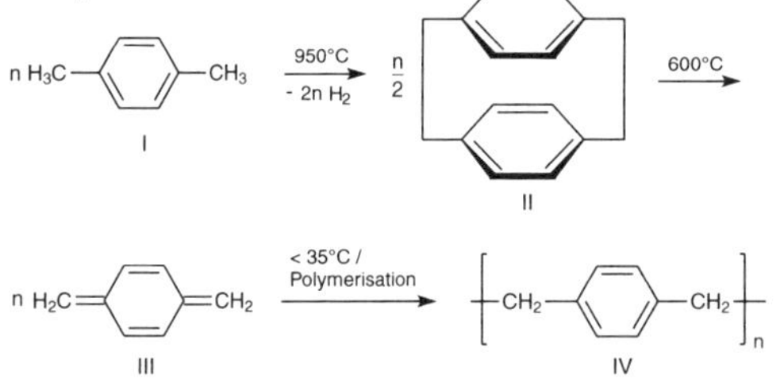

Diese werden im sog. Gorham-Prozeß gewonnen (s. Schema) durch dehydrierende Dimerisierung von *p*-Xylol (I) zum (käuflichen) *Paracyclophan (II) über intermediär sich bildendes 1,4-*Chinodimethan (III), das bei Kondensation aus der Gasphase auf geeigneten Substraten zu dünnen Filmen aus *Poly(p-xylylen)* (IV) polymerisiert. Neben Poly(*p*-xylylen) (Parylen N®) sind u. a. noch die aus den entsprechenden *p*-Xylol-Derivaten zugänglichen P. Poly(2-chlor-*p*-xylylen) (Parylen C®) u. Poly(dichlor-*p*-xylylen) (Parylen D®) bekannt.

P. sind krist. Polymere mit Molmassen bis zu 500 000, Schmp. bis ca. 430 °C u. Zers.-Temp. von ca. 490 °C. Ihre Dauergebrauchs-Temp. liegt bei etwa 220 °C. P. sind unterhalb ihrer Schmp. Lsm.-beständig, besitzen hervorragende dielektr. Eigenschaften u. sind ausgezeichnete *Barrierekunststoffe.

Verw.: Hauptsächlich als Zwischenschichten für Isolatoren, zur Passivierung von Halbleitern u. kraterfreien Beschichtung von gedruckten Leiterplatten. – ***E*** parylenes – ***F*** parylènes – ***I*** parileni – ***S*** parilenos

Lit.: Adv. Polym. Sci. **58**, 93 – 120 (1984) ▪ Encycl. Polym. Sci. Eng. **17**, 990 – 1025.

Pa·s. Symbol für Pascalsekunde, die abgeleitete *SI-Einheit der dynam. *Viskosität; 1 Pa s = 1 kg m^{-1} s^{-1} = 10 P (*Poise).

PAS. Abk. für *p*-*Aminosalicylsäure, *E* periodic acid Schiff = *Periodsäure-Schiff-Reaktion, *photoakustische Spektroskopie, Polyalkylensebacate, Polyalkylensulfone (s. Polysulfone; Copolymere aus Alkenen u. SO_2) u. *Positronen-Annihilationsspektroskopie.

Pascal (Symbol: Pa). Nach Blaise Pascal (1623 – 1662, französ. Mathematiker, Physiker u. Philosoph) benannte *SI-*Einheit für *Druck u. mechan. Spannung: 1 Pa = 1 N m^{-2} = 1 kg m^{-1} s^{-2}; 1 MPa = 1 N mm^{-2} = 100 N cm^{-2}. Umrechnung aus anderen, teilw. veralteten Einheiten: 1 *bar = 100 000 Pa = 0,1 MPa; 1 atm = 101 325 Pa; 1 at = 1 kp cm^{-2} = 98 066,5 Pa; 1 Torr = 1 mm Hg = 133,322 Pa; 1 lb in^{-2} (*psi) = 6894,757 Pa. Der *Luftdruck wird offiziell in Hektopascal angegeben (1 mbar = 1 hPa), der *Blutdruck in der Medizin in *mm Hg.

Lit.: Naturwiss. Rundsch. **37**, 227 ff. (1984).

PASCAL. 1. Abk. für *P*rogramme *A*ppliqué à la *S*élection et à la *C*ompilation *A*utomatique de la *L*ittérature. PASCAL ist ein vom Centre National de la Recherche Scientifique (CNRS) entwickeltes Syst. zur Eingabe, Erschließung u. selektiven Ausgabe von Dokumenten eines großen Bereiches aus Naturwissenschaft u. Technik. Die Automatisierung fand von 1968 bis 1972 statt; ein echtes multidisziplinäres Syst. wurde PASCAL ab 1977. Die Ergebnisse sind als Bulletin Signalétique in gedruckter od. Mikroform als Magnetbanddienst sowie über Online-Recherchen (PASCALINE) zugänglich. – 2. In der Datenverarbeitung Name einer prozeduralen Programmiersprache.

Lit.: Pelissier, 10th International Online Information Meeting (Dez. 1986, London), S. 113-21 of xiv+414 p., Oxford: Learned Inf. 1986.

Pascalsekunde s. Pa·s.

Paschen-Serie s. Atombau, S. 291, Abb. 4.

Pasiniazid (Rp).

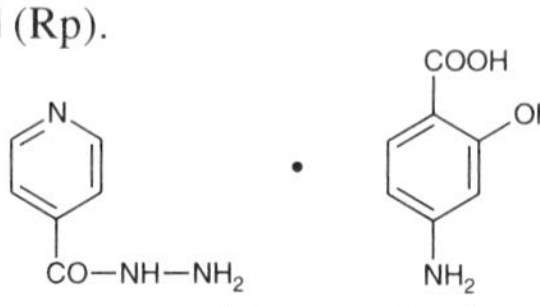

Von der WHO vorgeschlagener Freiname für das als *Tuberkulostatikum wirksame *p*-Aminosalicylsäure-Salz des Isonicotinsäurehydrazids, $C_{13}H_{14}N_4O_4$, M_R 290,27, Schmp. 142 – 144 °C; λ_{max} 272, 303 nm ($A^{1\%}_{1cm}$ 550, 445); in Wasser wenig löslich. – ***E*** = ***F*** = ***I*** pasiniazide – ***S*** pasiniazida

Lit.: Hager (5.) **9**, 38 ▪ Martindale (31.), S. 243. – *[HS 2933 39; CAS 2066-89-9]*

Paspalitreme.

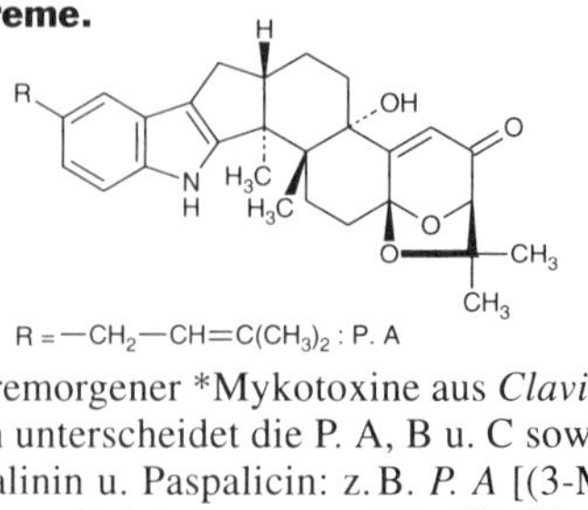

R = —CH_2—CH=C(CH_3)$_2$: P. A

Gruppe tremorgener *Mykotoxine aus *Claviceps paspali*. Man unterscheidet die P. A, B u. C sowie Paspalin, Paspalinin u. Paspalicin: z. B. *P. A* [(3-Methyl-2-butenyl)paspalinin], $C_{32}H_{39}NO_4$, M_R 501,67, amorph. –

E paspalitrems – *F* paspalitrèmes – *I* paspalitremi – *S* paspalitremas

Lit.: Beilstein E V **27/25**, 397, 599, 603 ▪ Cole u. Cox, Handbook of Toxic Fungal Metabolites, S. 390–409, New York: Academic Press 1981 ▪ J. Agric. Food Chem. **32**, 1069 (1984) ▪ J. Am. Chem. Soc. **112**, 8197 (1990) ▪ Ownby u. Odell, Natural Toxins, S. 23, Oxford: Pergamon Press 1989 ▪ Tetrahedron Lett. **1980**, 231, 235; **34**, 2569 (1993) ▪ Zechmeister **48**, 32–45. – *[CAS 63722-90-7 (P. A)]*

Paspertase® (Rp). Dragées mit *Pankreatin aus Schweinepankreas (entsprechend Triacylglycerin-Lipase, Amylase, Protease) u. *Metoclopramid-Hydrochlorid gegen funktionelle Oberbauchbeschwerden. *B.:* Solvay Arzneimittel.

Paspertin® (Rp). *Antiemetikum (Ampullen, Saft, Suppositorien, Tabl., Kapseln, Tropfen) mit *Metoclopramid-Hydrochlorid, auch bei Ulcus u. Gastritis, zur Röntgendiagnostik des Magen-Darm-Trakts. *B.:* Solvay Arzneimittel.

Passerini-Reaktion. Von dem italien. Chemiker Mario Torquato Luigi Passerini [1] 1921 erstmals beschriebene Reaktion, in deren Verlauf α-Hydroxycarbonsäureanilide aus Carbonyl-Verb. (Ketone, Aldehyde) u. aromat. *Isocyaniden gebildet werden; s.a. Ugi-Vierkomponenten-Reaktion.

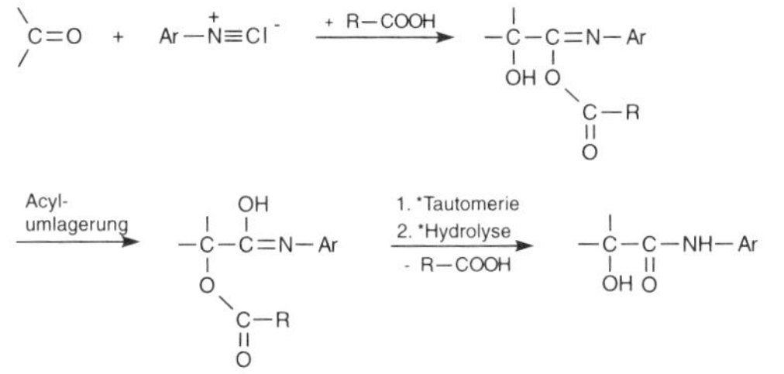

– *E* Passerini reaction – *F* réaction de Passerini – *I* reazione di Passerini – *S* reacción de Passerini

Lit.: [1] Poggendorff **7 b/6,** 3880 f.

allg.: Angew. Chem. **94,** 826–836 (1982) ▪ Hassner-Stumer, S. 289 ▪ Krauch u. Kunz, Reaktionen der Organischen Chemie, 6. Aufl., S. 390, Heidelberg: Hüthig 1997 ▪ March (4.), S. 980 ▪ Ugi, Isonitrile Chemistry, S. 133–143, New York: Academic Press 1971.

Passiflorin s. Harman.

Passionsblumen s. Passionsfrüchte.

Passionsfrüchte. Bis zu mehrere kg schwere, als eßbare Form auch Grenadille, Granadilla od. Maracuja genannte Früchte der in den Tropen u. Subtropen heim. Passionsblumen (Gattung *Passiflora*, Familie Passifloraceae), deren Name sich aus dem dornenkroneartigen, bizarren Bau der Blüten (s. *Lit.* [1]) herleitet. Die P. bzw. der daraus gewonnene, rein od. in alkohol. u. nichtalkohol. Mischgetränken verzehrte Saft schmeckt erfrischend süßsäuerlich. Im aromabestimmenden, flüchtigen, wasserunlösl. Öl fand man >165 Komponenten, bes. Ester, Alkohole, Lactone, Ketone, Carbonsäuren, Phenole, Jonon-Derivate, 1,3-Oxathiane u.a. organ. Schwefel-Verb.; bes. aromatragend sind außer letzteren die Ethyl- u. Hexylbutyrate bzw. -capronate. Die Zusammensetzung des P.-Aromas läßt Beziehungen zu anderen Fruchtaromen wie z.B. *Ananas u. *Himbeere erkennen. Arzneiliche Verw. findet das Kraut von *Passiflora incarnata* als *Sedativum. Das wirksame Prinzip konnte leider bisher noch nicht identifiziert werden. *Harman-Alkaloide konnten entgegen Angaben in Handbüchern höchstens in Spuren nachgewiesen werden [2]. – *E* passion fruits – *F* passiflore – *I* frutti della passione – *S* granadillas

Lit.: [1] GEO **1984**, Nr. 10, 56–63. [2] Rehwald, Dissertation Zürich 1995 (ETH, Nr. 10959).

allg.: Franke, Nutzpflanzenkunde (6.), S. 257 f., Stuttgart: Thieme 1997 ▪ Bundesanzeiger 223/30. 11. 85 ▪ Giftliste ▪ Hager (5.) **6**, 34–49 ▪ Wichtl (3.), S. 419–422. – *[HS 0810 90]*

Passivatoren s. Inhibitoren u. Passivität.

Passive Immunisierung s. Immunisierung.

Passive Korrosion s. Passivität.

Passiver Korrosionsschutz s. Korrosionsschutz(mittel).

Passiver Transport s. Transport.

Passivierung s. Passivität.

Passivität. Bez. für einen elektrochem. Zustand von Metalloberflächen, der durch ein stark verringertes Reaktionsvermögen in einem gegebenen Medium gekennzeichnet ist. Diese P., auch *passive *Korrosion* genannt, wird definiert als „geringfügiger elektrolyt. Metallabtrag im passiven Zustand der Werkstoffoberfläche bei Wirkung einer bes. Reaktionshemmung durch schützende Passivschichten" (DIN 50900-2: 1984-01). Der bei gewissen Metallen (Al, Sn, Fe, Cr, Pb, Co, Ni) auftretende Zustand der P. ist dadurch gekennzeichnet, daß die Metalle in diesem Zustand sich ähnlich wie Edelmetalle verhalten. Sie sind dann gegenüber Chemikalien, von denen sie im normalen (aktiven) Zustand angegriffen werden, beständig u. weisen ein höheres Lösungspotential auf. Die *Passivierung* einer Metalloberfläche (Überführen vom normalen aktiven in den passiven Zustand) kann durch deren Verw. als Anode u. damit auftretende anod. Polarisation od. Oxid. od. durch Behandlung mit oxidierend wirkenden Stoffen erreicht werden. Taucht man z.B. einen Eisen-Draht in reine, rauchende Salpetersäure, so wird dieser nicht angegriffen. Das „passivierte" Eisen scheidet nachher aus Silbersalz-Lsg. kein Silber mehr aus (es verhält sich also edler als Silber) u. wird von Schwefelsäure nicht mehr angegriffen. Taucht man Chrom od. Aluminium in Salpetersäure, so lösen sich die so passivierten Metalle sogar in heißer verd. Salzsäure od. Schwefelsäure nicht mehr auf. Chrom u. Aluminium werden schon beim Liegen an der Luft in gewissem Umfang passiviert. Man erklärt das P.-Verhalten der Metalle z. B. durch das Vorhandensein einer lückenlos zusammenhängenden, mind. *monomolekularen Schicht aus Oxiden auf dem Metall, die bei chem. od. *anodischer Oxidation gebildet u. bei chem. od. *kathodischer Reduktion wieder zerstört wird. Denkbar ist jedoch auch, daß Sauerstoff-Atome in die Oberflächenschichten geeigneter Metalle einwandern (*Chemisorption?) u. so das Normalpotential „veredeln". Das *Normalpotential des passiven Chroms erreicht +1,3 V (während das des normalen, aktiven Chroms –0,5 V beträgt, s. Spannungsreihe); es ist also fast so edel wie Gold, dessen Normalpotential bei +1,68 V liegt. Als *Passivierungs-* bzw. *Aktivierungs-*

potentiale bezeichnet man diejenigen Elektrodenpotentiale, bei deren Überschreiten die P. eintritt bzw. verlorengeht; beide liegen häufig ca. 100 mV auseinander. In den von Pourbaix (s. *Lit.*) eingeführten Potential-pH-Diagrammen (*Pourbaix-Diagramme*) wird das reversible Potential einer Metallelektrode als Funktion des pH-Wertes der Lsg. dargestellt, so daß die Bedingungen, unter denen das Metall sich thermodynam. stabil od. passiv verhält od. korrodiert wird, abgelesen werden können. Durch Behandeln mit Red.-Mitteln, Kochen mit Salzsäure, durch Einwirkung von wäss. Salzlsg., nascierendem Wasserstoff, Wasserstoff-Gas in der Hitze, durch kathod. Polarisation (Verw. des Metalls als Kathode), selbst durch mechan. Einwirkung wird das Metall wieder aktiv u. „unedel". Techn. u. wirtschaftlich ist die P. von Metalloberflächen von enormer Bedeutung: Sie ist bei selbstätig passivierenden Metallen wie Nickel, Chrom u. Leg. wie den *nichtrostenden Stählen ebenso ein Schutz vor Korrosion wie bei den durch *anodische Oxidation (*Beisp.:* *Eloxal-Verfahren) od. mittels Passivierungsmitteln (*Passivatoren* wie Chromate, Phosphate) geschützten Metallen; bei den letztgenannten Maßnahmen (*Chromatieren, *Phosphatieren) u. ä. *Korrosionsschutz(mittel)-Anw. sollte man jedoch eher von *Deck- od. Schutzschicht-Bildung u. *Inhibitoren-Wirkung sprechen als von Passivität. – ***E*** passivity – ***F*** passivité – ***I*** passività – ***S*** pasividad

Lit.: von Baeckmann, Schwenk u. Prinz (Hrsg.), Handbuch des kathodischen Korrosionsschutzes, Weinheim: VCH Verlagsges. 1989 ▪ Froment, Passivity of Metals and Semi-Conductors, Amsterdam: Elsevier 1984 ▪ Pourbaix, Atlas d'équilibres électrochimiques, Paris: Gauthier-Villars 1963.

Passivrauchen. Inhalation von *Tabakrauch durch Nichtraucher, insbes. in Innenräumen (s. Innenraumbelastung). Der von Nichtrauchern aufgenommene Rauch (Environmental Tobacco Smoke, ETS) besteht v. a. aus dem Nebenstromrauch, weniger aus dem von Rauchern ausgeatmeten Rauch. Im Nebenstromrauch befinden sich z. T. höhere Anteile an krebserregenden Schadstoffen als im Hauptstromrauch [1]. In Nichtrauchern u. ihren Ausscheidungen sind nach P. mutagene u. krebserzeugende Tabakrauchgifte sowie deren Stoffwechselprodukte nachweisbar, z. B. *Nicotin, *Nitrosamine, *PAH u. Eiweißpyrolyseprodukte. U. a. weisen epidemiolog. Studien eine Gefährdung von Nichtrauchern durch P. nach [2]. P. führt zu Gesundheitsschäden, z. B. Bronchial- u. a. Krebsarten, Atemwegserkrankungen, Schwindel, Kopfschmerz, Husten, Augenreizungen. P. erhöht das Risiko von Herz-Kreislauf-Erkrankungen u. verschlimmert bestehende Krankheiten wie Asthma u. Allergien. P. am Arbeitsplatz ist in Anhang III der MAK-Liste, krebserzeugende Arbeitsstoffe, aufgenommen; es sollen Präventivmaßnahmen an stark durch Tabakrauch kontaminierten Arbeitsplätzen ergriffen werden [3].

Lit.: [1] VDI-Berichte Nr. 888, Krebserzeugende Stoffe in der Umwelt, S. 479–545, Düsseldorf: VDI 1991. [2] Henschler u. DFG (Hrsg.), Passivrauchen am Arbeitsplatz, Weinheim: VCH Verlagsges. 1985. [3] MAK-Werte-Liste 1997, S. 113.
allg.: Reichl (Hrsg.), Taschenatlas der Toxikologie, S. 120 f., 148–151, Stuttgart: Thieme 1997.

Passungsrost. Korrosionsprodukt, das bei Bauteilen aus Stahl od. Eisen als Folge einer Beanspruchung durch *Schwingungsverschleiß entsteht. Der Begriff P. wird gelegentlich auch verwendet als Synonym für Schwingungsverschleiß. – ***E*** fretting corrosion – ***F*** rouille d'ajustage, de frappe – ***I*** fatica da corrosione a secco, fatica da sfregamento, fatica da contatto – ***S*** herrumbre de contacto

Pasta. Latein. Bez. für *Paste, vgl. a. Salben.

Pastason®. Kupferoxid zum Aufkleben von Schleifscheiben. ***B.:*** Merck.

Pastellkreiden, Pastellstifte s. Buntstifte.

Pasten (von latein.: pasta). Nicht scharf definierter Begriff für Festkörperdispersionen in Flüssigkeiten von teigiger *Konsistenz. Pastenartige Zubereitungen von Stoffen sind in der Textil-, Kunststoff-, Kosmetik-, Farben- u. Lebensmittel-Ind. u. a. Einsatzgebieten von Bedeutung. In der Medizin finden sie neben den *Salben u. *Cremes als top. anzuwendende *Arzneiformen Verw.; *Beisp.:* Pasta Cacao = Kakaomasse, P. Zinci = Zinkpaste, P. Zinci salicylata = Lassar-Paste mit Zinksalicylat. – ***E*** pastes – ***F*** pâtes – ***I*** paste – ***S*** pastas

Lit.: Hager (5.) **1**, 629 ff. ▪ s. a. Salben.

Pasteur, Louis (1822–1895), Prof. für Bakteriologie u. Chemie in Dijon, Straßburg, Lille u. Paris, Gründer u. Leiter des aus öffentlichen Sammlungen geschaffenen Institut Pasteur in Paris. *Arbeitsgebiete:* Gärungs- u. Fäulnisprozesse, Widerlegung der Urzeugungstheorie, Mikrobiologie, Hitzesterilisierung (*Pasteurisierung), Desinfektion, Schutzimpfung mit abgeschwächten Bakterien bzw. (den damals noch nicht ausdrücklich bekannten) Viren bei Milzbrand bzw. Tollwut, opt. Aktivität, Racemisierung, Enantiomorphie; s. a. die folgenden Stichwörter.

Lit.: Annu. Rev. Microbiolog. **32**, 143–154 (1978) ▪ Bugge, Das Buch der großen Chemiker, Bd. 2, S. 154–172, Weinheim: Verl. Chemie 1929 (1961) ▪ Krafft, S. 267 f. ▪ Lexikon der Naturwissenschaftler, S. 321 f. ▪ Nachmansohn, S. 295 f. ▪ Neufeldt, S. 38, 67 ▪ Pötsch, S. 335 ▪ Strube **2**, 16, 53 f., 132, 171.

Pasteur-Effekt. Von *Pasteur 1861 entdeckte Erscheinung, daß durch Sauerstoff (Luft) die *Glykolyse (Gärung durch Hefe u. a. Mikroorganismen) gehemmt wird. Der Effekt kommt durch die alloster. (s. Allosterie) Hemmung der Phosphofructo-1-kinase durch Citrat u. *Adenosin-5'-triphosphat (ATP) u. der *Pyruvat-Kinase durch ATP zustande u. bewirkt eine bessere Ausnützung der Nährstoffe durch den *Citronensäure-Cyclus u. die *Atmungskette. Hierbei wird aus derselben Menge D-Glucose das 18-fache an energiereichem ATP gebildet im Vgl. zur Glykolyse allein. – ***E*** Pasteur effect – ***F*** effet Pasteur – ***I*** effetto Pasteur – ***S*** efecto Pasteur

Lit.: Stryer 1996, S. 806.

Pasteurisierung. Durch *Pasteur eingeführte Wärmebehandlung von *Lebensmitteln, v. a. von *Fruchtsäften u. *Milch, bei Temp. unter 100 °C zur kurzzeitigen *Konservierung bei gleichzeitig möglichst geringer Schädigung des Lebensmittels. Neg. dabei ist der Verlust an *Aminosäuren (z. B. *Lysin) u. eine Verringerung der sensor. Akzeptanz (Kochton).

Durch Hitzeeinwirkung (60–80 °C) werden die Mikroorganismen teilw. geschädigt od. abgetötet. Ein Teil der Mikroorganismen u. v. a. deren Sporen überstehen die Behandlung, so daß das *Lebensmittel nicht keimfrei (steril), sondern nur keimarm ist. Von *Sterilisation spricht man dagegen bei einer Erwärmung des Lebensmittels auf Temp. von über 100 °C. In der Fruchtsaft-Technologie soll darüber hinaus durch P. eine Inaktivierung der *Phenol-Oxidasen erzielt werden; Näheres s. bei Milch u. Fruchtsäfte. Auch Bier sowie Fisch u. Fischerzeugnisse werden pasteurisiert. Nach § 1 Absatz 2 Nr. 5 der Speiseeis-VO [1] darf auch das Produkt mit der Verkehrsbez. „Eiskrem" pasteurisiert werden. – ***E*** pasteurizing – ***F*** pasteurisation – ***I*** pastorizzazione – ***S*** pasteurización

Lit.: [1] VO über Speiseeis vom 15. 07. 1933 in der Fassung vom 03. 12. 1987 (BGBl. I, S. 2443, 2453).
allg.: Belitz-Grosch (4.), S. 469, 768 ▪ Brauwelt **124**, 1826–1832 (1984) ▪ Heiss u. Eichner, Haltbarmachen von Lebensmitteln (3.), Berlin: Springer 1994 ▪ Kielwein, Leitfaden der Milchkunde u. Milchhygiene (4.), Berlin: Parey 1994 ▪ Schobinger, Frucht- u. Gemüsesäfte (2.), S. 275–291, Stuttgart: Ulmer 1987 ▪ Ullmann (4.) **16**, 47, 703, 709.

Pasteurpipetten s. Pipetten.

Pastillen (latein.: pastilli). Ältere Bez. für *Tabletten-ähnliche, gelegentlich auch als Plätzchen bezeichnete *Arzneiformen. Bei techn. Granulaten spricht man von *Pellets. – ***E*** medicated lozenges – ***F*** pastilles – ***I*** pastiglie – ***S*** pastillas

Pastinak (der P., die Pastinake). Zu den Umbelliferen (Doldenblütler) gehörende, in Europa heim., gelb blühende, zweijährige Pflanze *Pastinaca sativa*, deren möhrenartige, gelbliche, fleischige, aromat. riechende u. süßlich-würzig schmeckende Pfahlwurzel als Gemüse, in Suppen, Salaten usw. verzehrt wird. Bis in die Neuzeit angebaut, wurde P. durch den Kartoffelanbau u. Möhren verdrängt. Verwilderte Exemplare an Feldrainen erinnern an die frühere Kultivierung. Die P.-Wurzel enthält Pektine, Saccharose, Glucose (zusammen 17–18% Kohlenhydrate), etwas fettes Öl, Eiweiß, Phosphor, Calcium, Eisen u. Vitamin C. Beachtlich ist der Gehalt an *Furocumarinen (Psoralen, Xanthotoxin u. Bergapten), die nicht nur photosensibilisierend, sondern auch carcinogen wirksam sind. In den oberird. Teilen enthält P. ein ether. Öl u. bes. in den Samen ein fettes Öl mit dreifach ungesätt. Triglyceriden. Früchte u. Wurzel des P. werden auch als Hausmittel bei Magen-, Stein- u. Blasenleiden verwendet. – ***E*** parsnip – ***F*** panais – ***I*** pastinaca – ***S*** chirivía, pastinaca

Lit.: Franke, Nutzpflanzenkunde, 6. Aufl., S. 195 f., Stuttgart: Thieme 1997.

Pasting-Verfahren. Verf. zur Erzielung einer glatten Narbenfläche für *Leder nach dem *Gerberei-Prozeß. Dabei wird Leder in nassem Zustand auf große Glasplatten aufgeklebt u. mit Warmluft ohne stärkere Schrumpfung rasch getrocknet. – ***E*** pasting process – ***F*** procédé de pasting – ***I*** processo pasting – ***S*** procedimiento pasting

PAT. Kurzz. für *Polyaminotriazole.

Patat, Franz (1906–1982), Prof. für Techn. Chemie, TU München. *Arbeitsgebiete:* Techn. Chemie, Verf.-Technik u. -Entwicklung, Polymere u. Hochpolymere, Reaktionskinetik bei Hochpolymeren, enzymat. Reaktionen, Blutersatz u. Antikoagulantien.

Lit.: Nachr. Chem. Tech. **14**, 221 (1966); **19**, 183 f. (1971).

Patatin. Sammelbez. für eine Gruppe ähnlicher *Glykoproteine (M_R ca. 40 000) aus Kartoffelknollen, die dort bis zu 40% des lösl. Proteins ausmachen u. hauptsächlich in den Vakuolen der *Zellen vorkommen. P. gilt als Stickstoff-Speicherprotein, besitzt aber auch *Esterase-Aktivität, deren physiolog. Rolle im Bereich der Pathogen-Abwehr vermutet wird. – ***E*** patatin – ***F*** patatine – ***I*** = ***S*** patatina

Patch-Clamp-Technik. Aus dem Engl. übernommene Bez. für eine Arbeitsweise zur Untersuchung der Leitfähigkeit biolog. *Membranen. Dabei wird die Membran einer intakten *Zelle mit Hilfe einer Mikropipette angesaugt u. durch den verwendeten Unterdruck an deren Rand versiegelt. Das Membranstück kann aus der Zelle abgetrennt u. in ein geeignetes Elektrolytbad eingetaucht werden u. die Leitfähigkeit zwischen diesem u. einer Elektrolytlsg. innerhalb der Pipette gemessen werden. Im inaktiven Zustand der Membran werden Widerstände im Gigaohm-Bereich gefunden. In Abhängigkeit von den Elektrolytlsg. zugesetzten Agenzien können sich jedoch *Ionenkanäle öffnen, u. die Leitfähigkeit steigt sprunghaft an. Die Meth. ermöglicht die Messung einzelner Kanäle. Wird das Membran-Potential durch Anw. zusätzlicher Elektroden geregelt, z. B. zur Untersuchung spannungsabhängiger Ionenkanäle, so spricht man von der *Voltage-Clamp-Technik*. Die Entwickler der P.-C.-T., Neher u. Sakman, erhielten 1991 den Nobelpreis für Physiologie od. Medizin. – ***E*** patch clamp technique – ***F*** technique patch clamp – ***I*** tecnica patch clamp – ***S*** técnica patch clamp

Lit.: Numberger u. Draguhn, Patch-Clamp-Technik, Heidelberg: Spektrum 1996 ▪ Sakmann u. Neher, Single-Channel Recording, 2. Aufl., New York: Plenum 1995.

Patchoulen, Patchoulenol s. Patchouliöl.

Patchoulialkohol (Patchoulol, Patschulialkohol).

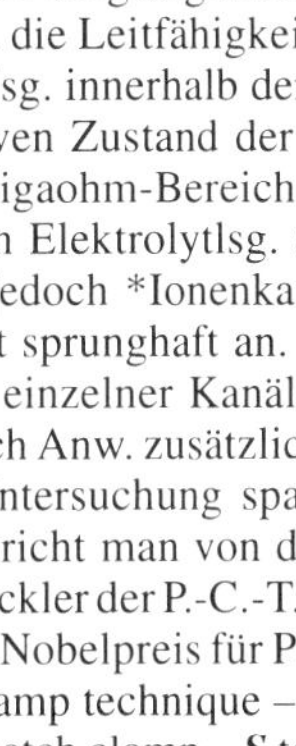

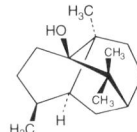

$C_{15}H_{26}O$, M_R 222,36. Große, angenehm riechende Krist., D. 1,0284, Schmp. 56 °C, Sdp. 266–271 °C (Zers.), $[\alpha]_D^{27}$ –129° ($CHCl_3$), lösl. in organ. Lsm., prakt. unlösl. in Wasser; die Dehydrierung führt zu *Guajazulen. P. ist ein tricycl. *Sesquiterpen-Alkohol aus *Patchouliöl u. stellt z. T. (ca. 40–50%) dessen Geruchsprinzip dar; er ist synthet. zugänglich u. wird in der Parfümerie verwendet. – ***E*** patchouli alcohol – ***F*** alcool de patchouli, patchoulol – ***I*** alcool di patchouli – ***S*** alcohol de patchoulí

Lit.: Beilstein E III **6**, 426 ▪ J. Essent. Oil Res. **1**, 1–8 (1989) ▪ Phytochemistry **27**, 2105–2108 (1988) ▪ Tetrahedron **35**, 293 (1979); **43**, 825–834 (1987) ▪ Tetrahedron Lett. **31**, 6839 (1990); **36**, 7607 (1995) (Synth.) ▪ Ullmann (5.) **A 11**, 237 ▪ s. a. Patchouliöl. – *[CAS 5986-55-0]*

Patchouliöl (Patschuliöl). Durch Wasserdampf-Dest. aus den Blättern des in Malaysia, Indonesien, China,

Brasilien u. Rußland angebauten *Pogostemon cablin* (*patchouli*) (Lamiaceae) in 1–4% Ausbeute gewonnenes, grünliches od. orangegelbes bis dunkelbraunes, dickflüssiges ether. Öl, D. 0,975–0,987, VZ 3,3–9,3, prakt. unlösl. in Wasser, lösl. in Alkohol u. Ether. P. besitzt einen würzig-holzigen, balsam., Campher-artig durchdringenden u. anhaftenden Geruch, der zwar teilw. auf den Gehalt (40–50%) an *Patchoulialkohol, Patchoulipyridin[1] u. Epiguaipyridin zurückzuführen ist, bes. aber durch den Gehalt an Norpatchoulenol[2] u. Patchoulenon bestimmt wird, die durch mikrobielle Reaktion zugänglich geworden sind[3] (s.a. die Tab.).

Tab.: Ausgewählte Inhaltsstoffe des Patchouliöls.

	Summenformel	M_R	Schmp. [°C]	CAS
Patchoulipyridin	$C_{15}H_{21}N$	215,33	24–27	6517-97-1
Norpatchoulenol	$C_{14}H_{22}O$	206,32	155–160 (subl.)	41429-52-1
Patchoulenol	$C_{15}H_{24}O$	220,35	74	17806-54-1
1,12-Patchoulandiol	$C_{15}H_{26}O_2$	238,37	132	
β-Patchoulen	$C_{15}H_{24}$	204,35	Sdp. 67 (79,8 Pa)	514-51-2

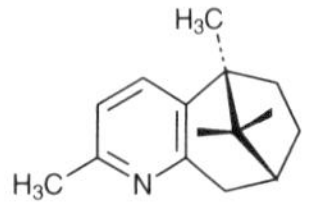

Patchoulipyridin

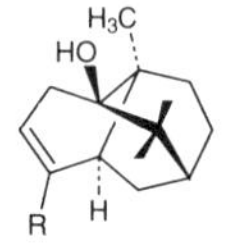

R = H : Norpatchoulenol
R = CH_3 : Patchoulenol

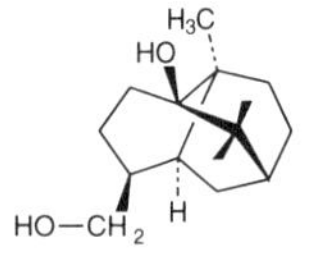

1,12-Patchoulandiol

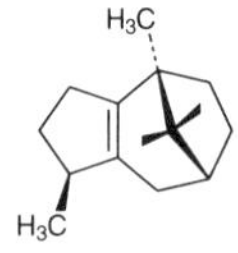

β-Patchoulen

An weiteren Inhaltsstoffen (insgesamt ca. 30 bekannt)[4] finden sich z.B. Guajen (ein bicycl. Sesquiterpen, das bei Dehydrierung *Guajazulen ergibt), Eugenol, Benzaldehyd, Ketone, Humulen u. Epoxide, *Seychellen, Patchoulenol[5], 1,12-Patchoulandiol[6] u. *β*-Patchoulen[7]. Die Weltjahresproduktion beträgt etwa 800 t. Lsm.-Extraktion der Patchoulibätter liefert das noch wertvollere Patchouli-Resinoid.

Verw.: Als fixierender Parfümrohstoff für oriental. Noten z.B. in Herrenparfüms, in der Kosmetik u. Seifenfabrikation. – ***E*** patchouli oil – ***F*** huile de patchouli – ***I*** essenza di patchouli – ***S*** aceite de patchoulí

Lit.: [1]Chem. Pharm. Bull. **39**, 481 (1991). [2]Tetrahedron Lett. **25**, 2797 (1984). [3]Rehm-Reed **6a**, 119ff. [4]Ohloff, S. 147. [5]Phytochemistry **40**, 125 (1995); J. Chem. Soc., Chem. Commun. **1990**, 997ff. [6]Phytochemistry **19**, 2467 (1980); Tetrahedron Lett. **25**, 2797 (1984). [7]Phytochemistry **26**, 2705 (1987). *allg.:* Curr. Res. Med. Aromat. Plants **6**, 38–54 (1984) ▪ Dragoco Rep. **30**, 128–133 (1983) ▪ Fitoterapia **55**, 363ff. (1984) ▪ Gildemeister **7**, 449–477 ▪ H&R Contact **24**, 10–15 (1979) ▪ Perfum. Flavor. **15** (2), 76 (1990); **20** (3), 67 (1995) ▪ Ullmann (5.) **A 11**, 237. – *[HS 3301 29; CAS 8014-09-3]*

Patchoulol s. Patchoulialkohol.

Patellamide.

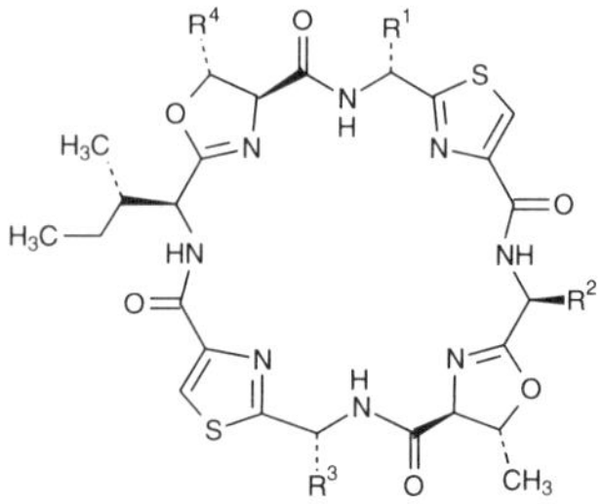

	R^1	R^2	R^3	R^4
P. A	$CH(CH_3)_2$	(*S*) $CH(CH_3)—C_2H_5$	$CH(CH_3)_2$	H
P. B	$CH_2—C_6H_5$	$CH_2—CH(CH_3)_2$	CH_3	CH_3
P. C	$CH_2—C_6H_5$	$CH(CH_3)_2$	CH_3	CH_3

Cycl. Tetrapeptide aus der marinen Tunicate *Lissoclinum patella* mit Antitumor-Eigenschaften. Die P. sind aus seltenen heterocycl. Aminosäuren aufgebaut, z.B. *P. A:* $C_{35}H_{50}N_8O_6S_2$, M_R 742,95, Schmp. 228–229 °C, $[\alpha]_D^{24}$ +141° ($CHCl_3$). – ***E*** = ***F*** patellamides – ***I*** patellammidi – ***S*** patelamidas

Lit.: Acta Cryst. Sect. C **50**, 432 (1994) ▪ Chem. Pharm. Bull. **41**, 1686 (1993) ▪ J. Nat. Prod. **58**, 594 (1995) ▪ J. Org. Chem. **54**, 3463 (1989) ▪ Tetrahedron Lett. **26**, 5155, 5159, 6501 (1985); **27**, 163, 179 (1986). – *[CAS 81120-73-2 (P. A); 81098-23-9 (P. B); 81120-74-3 (P. C)]*

Patentamt s. Deutsches Patentamt.

Patentanwalt s. Patente.

Patentblau-Farbstoffe. Gruppenbez. für *Säurefarbstoffe mäßiger bis guter Alkali- u. Lichtechtheit.

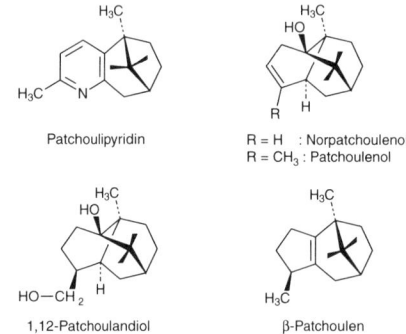

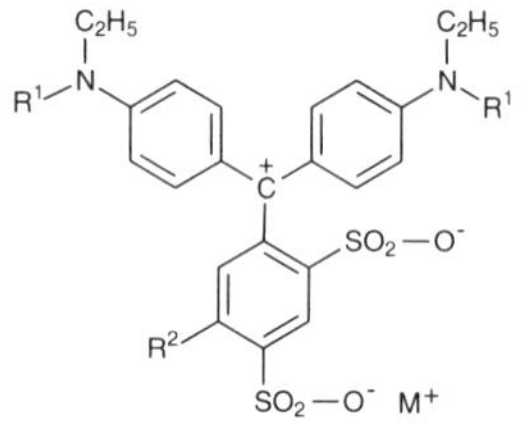

$R^1 = C_2H_5$, R^2 = OH, M = Ca/2 : P. V
$R^1 = C_2H_5$, R^2 = H, M = Na : P. VF
$R^1 = CH_2—C_6H_5$, R^2 = H, M = Na : P. AF
$R^1 = CH_2—C_6H_5$, R^2 = OH, M = Ca/2 : P. A

Es sei darauf hingewiesen, daß sich in der Lit. auch andere Zuweisungen der Buchstaben A, F, V zu den Strukturen finden. Man erhält die zum Färben u. Drucken von Wolle u. Seide mit Blau- u. Grüntönen wichtigen Triarylmethan-Farbstoffe (vgl. die Abb. dort) durch Kondensation von Sulfo- u. Disulfobenzaldehyden mit N-disubstituierten Anilinen (s. Tab. S. 3135). – ***E*** patent blues, acid blues – ***F*** bleus patentés – ***I*** coloranti blu di brevetto – ***S*** azules patente, azules ácidos

Lit.: Beilstein E II **14**, 513; E III **14**, 2298 ▪ Kirk-Othmer (4.) **23**, 403 ▪ Kosmetische Färbemittel, Weinheim: Verl. Chemie 1984 ▪ Ullmann (5.) **A 27**, 193f. ▪ s.a. Triarylmethan-Farbstoffe.

Patentbronzen s. Bronzepigmente.

Tab. Überblick über die wichtigsten Patentblau-Farbstoffe u. ihre Anwendung.

Bez.	C. I.-Name	Summenformel	M_R	Farbe		Anw.	CAS
P. V	Acid Blue 3 C. I. 42051	$C_{54}H_{62}CaN_4O_{14}S_4$	1159,42	dunkelblau/ violettes Pulver	bei pH 2,5 grün, bei pH 10 kräftig blau	Kosmetik-Farbstoff (C-Blau 20) u. als Lebensmittel-Farbstoff (L-Blau 3 =E 131) eingeschränkt zugelassen	3536-49-0
P. VF	Acid Blue 1, C. I. 42045 C-ext. Blau 13	$C_{27}H_{31}N_2NaO_6S_2$	566,69	violettes Pulver	verd. wäss Lsg. blau, bei Zusatz von konz. Salzsäure gelb	dient als Sulfan- od. Disulfinblau VN 150 zur Vitalfärbung u. als kosmet. Färbemittel	129-17-9
P. AF	Acid Blue 7, C. I. 42080 C-WR-Blau 11	$C_{37}H_{35}N_2NaO_6S_2$	626,68	violettes Pulver		eingeschränkt als Kosmetik-Farbstoff einsetzbar	3486-30-4
P. A	Acid Blue 5, C. I. 42052	$C_{74}H_{70}CaN_4O_{14}S_2$	1343,59	violettes Pulver		Kosmetik-Farbstoff (D & C-Blau 7)	3374-30-9

Patentdokumentation. In der Chemie hatte man den Wert der *Patente bereits im vorigen Jh. erkannt (*Chemisches Zentralblatt), auch das amerikan. Referate-Organ *Chemical Abstracts referierte bereits seit 1907. Die im Dtsch. Patentamt vor dem 2. Weltkrieg benutzte dtsch. Patentklassifikation umfaßte 89 Klassen mit 19777 Untergruppen, davon waren 25 Klassen auch der Chemie zuzuordnen. Seit 1974 wird vom Dtsch. Patentamt die Internat. Patentklassifikation benutzt (offizielle Abk. IPC), die von der WIPO in Genf erstmals 1968 herausgegeben wurde u. alle 5 Jahre revidiert wird. 1995 trat die 6. Ausgabe der WIPO in Kraft (IPC 6)[1], die 8 Sektionen mit 67000 Untergruppen enthält. Die Patentklassifikationen dienen der Verteilung der Patentanmeldungen auf die Prüfer des Amtes u. zur Unterteilung der Patentschriften für die Öffentlichkeit. Das europ. Patentamt benutzt mit ECLA (European Patent Classification) eine modifizierte Form der IPC, die zusätzliche Untergruppen besitzt. Andere Patentämter wie das US amerikan. Amt benutzen weiterhin eine nat. Klassifikation, drucken aber die IPC auf den Schriften auf. In der Chemie ist die Angabe von sog. *Markush-Formeln verbreitet, d.h. Formeln mit einem od. mehreren Alternativzentren, die in manchen Fällen Mrd. von Strukturformeln repräsentieren können. Die IPC ist hier kein zuverlässiges Suchinstrument. Während die seit langem zur Verfügung stehenden Referate des Chemischen Zentralblatts u. von Chemical Abstracts (heute auch als Online-Datenbank) den wissenschaftlichen Gehalt eines Patents darstellen, wurden Referate entwickelt, wie die des World Patent Index (WPI) von Derwent, die die Patentansprüche u. den in der Patentschrift herausgestellten Nutzen eines Verf. od. eines Stoffes berücksichtigen. *Derwents WPI* u. *Chemical Abstracts* sind im Chemiebereich unbestritten die wichtigsten Abstracts-Dienste, wobei für die aktuelle Information *Derwent* als bes. schnell (*Documentation Abstracts* weniger als 3 Monate nach Erscheinen eines Schutzrechts, die kürzeren *Alerting Abstracts* 2 Wochen früher, online in der Datenbank WPI bereits 6 Wochen früher). Dieser Dienst gilt auch im Erfassungsbereich als zuverlässig. Bei *Chemical Abstracts* ist die sorgfältige Vergabe von Deskriptoren u. die Speicherung neuer Strukturen wichtiger als das oft recht kurze Referat. Die Bearbeitung eines Patents kann aber manchmal länger als ein halbes Jahr auf sich warten lassen.

Heutzutage sind Patente im Volltext auch schon online abrufbar. Mit USPATFULL, die vollständige Texte amerikan. Patente von 1974 bis heute im Angebot hat, wurde 1994 die erste Volltext-Patentdatenbank bei *STN International angeboten. Seit 1996 bietet STN mit EUROPATFULL auch europ. Patente im Volltext an. Es gibt heute zahlreiche Verf., definierte Strukturen topolog. zu speichern, d.h. die Verb. jedes Atoms mit jedem anderen anzugeben (connection tables) u. in solchen topolog. Speichern auch Strukturen u. Partialstrukturen treffsicher zu finden, z.B. im *Registry File* von *Chemical Abstracts* (mehr als 10 Mio. Strukturen) od. in der **Beilstein-Datenbank*. Die Polymer-Codierung mit Hilfe von Fragment-Codes (bes. *Plasdoc* von *Derwent*) war bisher die Meth. der Wahl, aber nicht voll befriedigend. Mit dem 1993 von Derwent eingeführten WPI Markush Syst. konnte die Polymer-Codierung deutlich verbessert werden.

Bibliograph. Patentinformationen zu Schutzrechten sind v.a. für die Zusammenstellung von Patentfamilien wichtig, also für die bibliograph. Verknüpfung von Schutzrechten, die sich auf die gleiche Ursprungsanmeldung beziehen. In vielen Fällen erlaubt das Patentrecht eines Landes die Zusammenfassung analoger Erfindungen in einem kombinierten Schutzrecht. Auf den Titelseiten dieser Patentschriften wird die Beanspruchung von Prioritäten durch die Angabe der Anmeldedaten der Ursprungsanmeldungen u. der Prioritätsaktenzeichen deutlich. Dies geschieht speziell für den Chemie-Bereich seit 1973 im **INPADOC*-Syst. u. im *World Patent Index WPI* (beide online u. auf Mikrofiches) von *Derwent*. *INPADOC* kann aus einer separaten Datei (*PRS = Patent-Rechtsstands-Service*) auch Angaben z.B. über die Erteilung od. das Erlöschen eines Schutzrechts für einige wichtige Länder liefern. Das japan. Patentamt bietet seine Rechtsstandsdaten in einer öffentlich zugänglichen Datenbank *PATOLIS* (Daten ab 1955) an; andere Patentämter stellen ihre Patentrollen mit Rechtsständen ihrer Schutzrechte ebenfalls online zur Verfügung (u.a. die BRD, das Europ. Patentamt u. Frankreich). *Online-Datenbanken* erschließen nur selten Veröffentlichungen vor 1965.

Neben den bereits erwähnten Datenbanken sind bes. wichtig: *LEXPAT* (Volltexte von US-Patenten ab 1975), *IFICLAIMS* (Patentdatenbanken von *IFI* Plenum Data Corporation, die sich alle auf einen gemeinsamen Satz von US-Patenten beziehen), *IFIPAT* (alle chemierelevanten Patente ab 1950); *IFICDB* (Indexierungsbegriffe für chemierelevante Patente; *IFIUDB*, *IFIREF*, *IFIRXA*); *PATDPA* (DE-Patente u. -Gebrauchsmuster ab 1973 mit allen bibliograph. Daten einschließlich zitierter Lit. u. recherchierbarer Zusammenfassung ab 1981); *PATDD* (DDR-Patente von 1982 bis 1990); *PATOSDE* (Offenlegungs-, Patent-Gebrauchsmusterschriften seit 1968 des Dtsch. Patentamtes); *PATOSEP* (Kurzauszüge der veröffentlichten Patentanmeldungen u. Patenterteilungen des Europ. Patentamtes seit 1978); *PATOSWO* (bibliograph. Angaben u. Abstracts aller von der WIPO in der PCT-Gazette veröffentlichten internat. Patentanmeldungen seit 1983); *PATGRAPH* (Patentzeichnungen von DE-OS). *EDOC* enthält den Prüfstoff des Europ. Patentamts (einheitliche Klassifikation von mehr als 14 Mio. Patenten). DPCI von Derwent enthält sämtliche Zitierungen zu allen von 16 Patentorganisationen erteilten Patenten von 1994 bis heute. Bestand: 15 Mio. Zitate, jährlich werden 3 Mio. Zitate hinzugefügt. Es gibt ferner nat. Patentdatenbanken (z. B. *Italpat* für Italien, *Chinapat* für China, *FPAT* für Frankreich, *CIBEPAT* für Spanien, *BREV* für Belgien). Zusätzlich zu diesen Patent-Datenbanken gibt es viele weitere, die neben Literaturveröffentlichungen auch Patente referieren od. auswerten. Hinweise hierzu sind in Datenbankführern[2] zu finden.

Die Patentämter selbst leiden v. a. unter der großen Zahl der (oft mehrfach) zu archivierenden Dokumente (beim Dtsch. Patentamt mehr als 27 Mio. Schutzrechte, beim japan. Amt sogar weit über 39 Mio.). 85–90% des weltweit veröffentlichten techn. Wissens sind in der Patentlit. enthalten. Jedoch wird nur 5–10% in der sonstigen Lit. wiedergegeben. Internat. weisen große Ind.-Nationen wie die USA u. Japan eine höhere Patentdynamik als Deutschland auf. Das *BMBF hat deshalb unter dem Motto „Patente schützen Ideen – Ideen schaffen Arbeit" eine Patentinitiative mit dem Ziel gestartet, daß das hierzulande erarbeitete Wissen auch für die Wettbewerbsfähigkeit der dtsch. Wirtschaft wirksam wird. Wichtige Säulen dieser Initiative sind die *Patentinformationszentren u. *INSTI. Detaillierte Informationen sind auf dem BMBF-Patentserver abrufbar (http://www.patente.bmbf.de).

Seit 1989 erscheinen die Offenlegungsschriften des Europ. Patentamts wöchentlich auf CD-ROM (*ESPACE*). *ESPACE*-Serien gibt es z. B. zu europ., brit., dtsch. u. internat. Patentdokumenten. Die einzelnen Seiten der Schriften sind dabei als Bilder abgelegt. US-amerikan. Patentschriften sind dagegen im ASCII-Format (u. damit weit stärker verdichtet) auf CD-ROM verfügbar, wobei eine CD-ROM den vollen Text von 2 Monaten der publizierten US-Schriften enthält. Das US-Patentamt gibt außerdem die *CASSIS-CD-ROM* mit den bibliograph. Angaben (u. Zusammenfassung) von US-Patenten heraus, wobei die gesamte US-Klassifikation auf den *CASSIS-CD-ROMs* suchbar u. ausdruckbar ist. Auch kommerzielle Organisationen liefern bibliograph. Angaben der US-Schriften auf CD-ROMs, z. B. die Firma *Chadwyck-Healey* auf *APS* (*Automated Patent Search*); hier sind gegenüber *CASSIS* zusätzlich die auf US-Patenten genannten Zitate anderer Schutzrechte suchbar. Von der *WIPO* wird eine Ausgabe aller 5 Versionen der IPC auf einer CD-ROM herausgegeben. Durch supranat. Patentanmeldungen (vgl. PCT u. EPÜ bei Patente) ist das Verf. für Anmelder einfacher geworden, für die Patentdokumentation aber schwieriger, weil eine Reihe neuer Publikationen (Schriften, Amtsblätter, Dateien usw.) zu prüfen u. zu dokumentieren sind, die ihrerseits im Verlauf des Verf. zu weiteren Schriften, Teilschriften (z. B. Übersetzungen nur der Ansprüche), Registern u. (in den einzelnen Ländern uneinheitlichen) Verfahrensschritten u. Verwaltungsakten führen. Die bibliograph. Erfassung u. das korrekte Zitieren von Schutzrechten ist in den Normen DIN 1505 Tl. 1 u. 2 (Zitierregeln; auch im DIN-Taschenbuch 153 u. 154[3] abgedruckt) festgelegt. Dort wird auch auf die Mindestangaben (Ländercode, Nummer, Dokumenttyp, z. B. DE 3615909-OS, JP 55/123618-AS) hingewiesen. Fast alle auf den Titelseiten von Schutzrechten od. in Patentblättern zu findenden Kürzel, Codes u. Symbole sind in WIPO-Standards beschrieben u. festgelegt (zusammengefaßt im WIPO-Hdb.[4]).

Die Verw. einheitlicher Zweibuchstaben-Ländercodes (nach den Normen DIN 3166 bzw. ISO 3166) hat sich im Patentbereich weltweit durchgesetzt. Diese Ländercodes sind auch für alle Chemiker in der Praxis überall zu empfehlen. In der älteren Lit. findet man viele andere Abk., die nicht standardisiert sind (z. B. SW Schweden od. Schweiz, A. P. Amerikan. od. Austrian od. Australian Patent).

Die Chemie-Patentdokumentare haben Einfluß auf die Verf., Normen u. Projekte der Patentämter u. der großen Patentbearbeitungs-Inst. (wie *Derwent* od. *Chemical Abstracts*) v. a. durch Mitarbeit in Gremien wie *UNICE* u. FID/PD (das ist das Patentdokumentations-Kommittee der *FID*), die ihrerseits dann Beobachter zu den Arbeitssitzungen der Patentämter u. der *WIPO* entsenden (im *PCIPI* = Permanent Committee on Industrial Property Information). – ***E*** patent documentation – ***F*** documentation de brevets – ***I*** documentazione dei brevetti – ***S*** documentación de patentes

Lit.: [1]WIPO (Hrsg.), Internationale Patentklassifikation, 6. Aufl., 10 Bd. Köln: Heymann 1994. [2]Scientific Consulting Dr. Schulte-Hillen (Hrsg.), Handbuch der Datenbanken über Naturwissenschaft, Technik, Patente. Darmstadt: Hoppenstadt (erscheint period.). [3]DIN (Hrsg.), Publikation u. Dokumentation, 4. Aufl., Bd. 1 u. 2, Gestaltung von Veröffentlichungen, terminologische Grundsätze, Drucktechnik (DIN-Taschenbuch 153 u. 154), Berlin: Beuth 1996; Nature (London) **343**, 110 (1990); World Patent Inf. **3**, 154–159 (1981). [4]WIPO (Hrsg.), Patent Information and Documentation Handbook. 4 Bd., Genf: WIPO (Loseblattausgabe).

allg.: Fachwissen Patentinformation, Datenbanken strategisch genutzt, Essen: Klaes 1989 ▪ Höhne, Patentinformation im Internet, Proceedings der 18. DGD-Online-Tagung, Frankfurt: DGD 1996 ▪ 100 Years Protection of Industrial Property Statistics: Synoptic Tables on Patents, Trademarks, Designs, Utility Models and Plant Varieties 1883–1982, Geneva: WIPO 1983 ▪ Kaback, Patent Information, in Encyclopedia of Polymer Science, 2. Aufl., Bd. 10, S. 787–801, New York: Wiley 1987 ▪ Kirk-Othmer (4.) **18**, 61–156 ▪ Patente schützen Ideen

– Ideen schaffen Arbeit, Bonn: BMBF 1996 ▪ Patentinformation aus Online-Datenbanken, Karlsruhe: FIZ Karlsruhe 1996 ▪ Schmoch, Wettbewerbsvorsprung durch Patentinformation, Köln: TÜV Rheinland 1990 ▪ Szendy, Wörterbuch des Patentwesens in fünf Sprachen: Deutsch – Englisch – Französisch – Spanisch – Russisch, 2. Aufl., Düsseldorf: VDI 1985 ▪ Ullmann (5.) **B 1**, 12-1 – 12-120 ▪ Wild u. Wittmann, Patentinformation und gewerbliche Schutzrechte, 3. Aufl., Eschborn: RKW 1990 ▪ WIPO (Hrsg.), Internationale Patentklassifikation, 6. Aufl., 10 Bd., Köln: Heymann ▪ Wittmann, Grundlagen der Patentinformation und Patentdokumentation, Berlin: VDE-Verl. 1992

Patente. Ein Patent (von latein.: littera patens = offener Brief) ist ein Ausschließlichkeitsrecht zur gewerblichen Benutzung einer techn. Erfindung. Bes. im patentrechtlichen Sinne ist hier zu unterscheiden zwischen *Erfindung* u. *Entdeckung* – letztere genießt im P.-Recht keinen bes. Schutz; zu den Konsequenzen für Naturwissenschaftler s. Beier (*Lit.*). In der Sprache des BGH (GRUR 1969, 672) ist eine patentfähige Erfindung eine Lehre zum techn. Handeln unter Einsatz beherrschbarer Naturkräfte zur Erreichung eines kausal übersehbaren Erfolges, der die unmittelbare Folge des Einsatzes beherrschbarer Naturkräfte ist. P. können z. B. angemeldet werden: Für gewerblich anwendbare chem. Stoffe, mit Einschränkungen auch für Zwischenprodukte; für Verf. zur gewerblichen Anw. chem. Stoffe; für Verf. zu deren Herst.; für Arzneimittel, auch die Verw. von Stoffen als Arzneimittel, jedoch nicht Heilverf.; für mikrobiolog. Verf., mikrobiolog. hergestellte Erzeugnisse. Das P. wird aufgrund eines gesetzlichen Verf. von einer staatlichen Behörde (*Patentamt*, in der BRD vom *Deutschen Patentamt, DPA) od. einer internat. Behörde (*Europäisches Patentamt) erteilt. Die dtsch. P. hießen früher Deutsches Reichs-Patent (DRP), später Deutsches Bundes-Patent (DBP) u. heute Deutsches Patent (DE). Über das z. Z. (1997) vom DPA praktizierte Verf. informiert das in der Abb. wiedergegebene u. dem Patentgesetz von 1981 (zuletzt geändert 1993) angepaßte Schema; nähere Einzelheiten zu den formalen Voraussetzungen einer P.-Anmeldung sind den vom DPA herausgegebenen Anmeldebestimmungen für Patente u. dem Merkblatt für Patentanmelder zu entnehmen. Die Zitierweise für P. ist in DIN 1505-2: 1984-01 festgelegt.

Soweit das Ablaufschema (S. 3138) des sog. „Verfahrens der aufgeschobenen Prüfung“ nicht für sich selbst spricht, seien hier knappe Erläuterungen gegeben. *Offensichtlichkeitsprüfung:* Prüfung auf für den Prüfer ohne weiteres erkennbare formelle u. materiell-rechtliche Mängel, Sittenwidrigkeit, Fehlen des Erfindungscharakters u. der gewerblichen Verwertbarkeit. Patentfähig sind nur techn. *Erfindungen*, nicht aber Entdeckungen, wissenschaftliche Theorien u. mathemat. Meth., ästhet. Formschöpfungen (geschützt als Geschmacksmuster), Pläne, Regeln u. Verf. für gedankliche Tätigkeiten, für Spiele od. für geschäftliche Tätigkeiten sowie Computerprogramme, die Wiedergabe von Informationen, Pflanzensorten u. Tierarten sowie für im wesentlichen biolog. Verf. zur Züchtung von Pflanzen od. Tieren, Verf. zur chirurg. od. therapeut. Behandlung od. zur Diagnose. *Offenlegung*: Freigabe der Einsicht in die Anmeldungsakte für jedermann 18 Monate nach dem Erstanmeldetag; Herausgabe einer Druckschrift als Dtsch. Offenlegungsschrift (oft abgekürzt als DOS od. DE-OS). Vom Datum der Offenlegung der Anmeldung an genießt die Erfindung einen begrenzten Schutz (kein Verbietungsrecht, aber nach Verwarnung Anspruch auf Entschädigung gegen unbefugten Benutzer unter der Voraussetzung späterer Patenterteilung). *Prioritätsdatum:* Zeitpunkt der Erstanmeldung in einem der Mitgliedsstaaten der „Pariser Verbandsübereinkunft“ von 1883; das Prioritätsdatum kann also bis zu einem Jahr vor dem dtsch. Anmeldedatum liegen. *Recherche:* Ermittlung des Standes der Technik (*E* state of the art) auf dem Erfindungsgebiet durch das Patentamt auf (gebührenpflichtigen) Antrag des Anmelders od. von Dritten zur Prüfung der Erteilungsaussichten eines Patents. Derartige Recherchen werden bei Vorlage geeigneter Unterlagen vom Europ. Patentamt in Den Haag (Recherchen internat. Art), dem DPA u. a. Patentämtern angeboten. Die Firmen der chem. Großind. mit gut ausgebauter *Patentdokumentation führen sie jedoch routinemäßig vor der P.-Anmeldung selbst durch. *Prüfung:* Vom Anmelder od. von Dritten innerhalb von 7 Jahren nach Anmeldung zu beantragende Prüfung auf 1. *Neuheit* (keine schriftliche Vorveröffentlichung) u. 2. *Erfindungshöhe* (Vorliegen einer schöpfer. Leistung, Nicht-Naheliegen gegenüber dem schon Bekannten). Bei Patentfähigkeit folgte bis 1980 die *Bekanntmachung*, u. zwar als sog. Dtsch. Auslegeschrift (Abk. DAS od. DEAS), u. hierauf nach Ablauf der Einspruchsfrist bzw. des Einspruchsverf. die Ausgabe der Patentschrift. Heute erfolgt sofort die *Patenterteilung* u. Ausgabe der *Dtsch. Patentschrift* (DE-PS), auf die im Patentblatt (Amtsblatt des DPA) hingewiesen wird. Diese begründet den Schutz der Erfindung, doch kann innerhalb einer Frist von 3 Monaten nach der Bekanntgabe jeder Dritte durch *Einspruch* die Patentwürdigkeit durch das Patentamt überprüfen lassen. Dem Einspruchverf. kann auch ein Patentverletzer beitreten. Das Einspruchverf. endet mit dem Widerruf od. der (ggf. teilw.) Aufrechterhaltung des Patents. Für Beschwerden gegen Entscheidungen der Prüfungsstelle od. der Einspruchsabteilung ist das Bundespatentgericht München zuständig, dessen Entscheidungen in bestimmten, wenigen Ausnahmefällen mit der Rechtsbeschwerde beim Bundesgerichtshof Karlsruhe angegriffen werden können. Erteilte P. können nach Ablauf der Einspruchsfrist bei Vorliegen bestimmter Voraussetzungen vor dem Bundespatentgericht nichtig geklagt werden; gegen die Entscheidung des Bundespatentgerichts kann Berufung beim Bundesgerichtshof erhoben werden. Die gedruckten Offenlegungs- u. Patentschriften werden vom DPA an Interessenten verkauft; sie sind auch in Patentinformationszentren, z. Z. 19 (1997), u. Patentinformationsstellen, z. Z. 6 (1997), einzusehen. In Deutschland werden Patente für die Dauer von 20 Jahren (bis 1977 von 18 Jahren) erteilt, die mit dem auf die Anmeldung folgenden Tage beginnen; vom 3. Jahre an sind Gebühren zu entrichten, die vom 7. Jahr an in starker Progression ansteigen. Der erworbene Patentschutz gilt normalerweise nur für das Land, in dem der Patentinhaber das Patent erworben hat. Will man eine Erfindung auch in anderen Ländern schützen, so muß auch dort eine Anmeldung beim nat. Patentamt getätigt

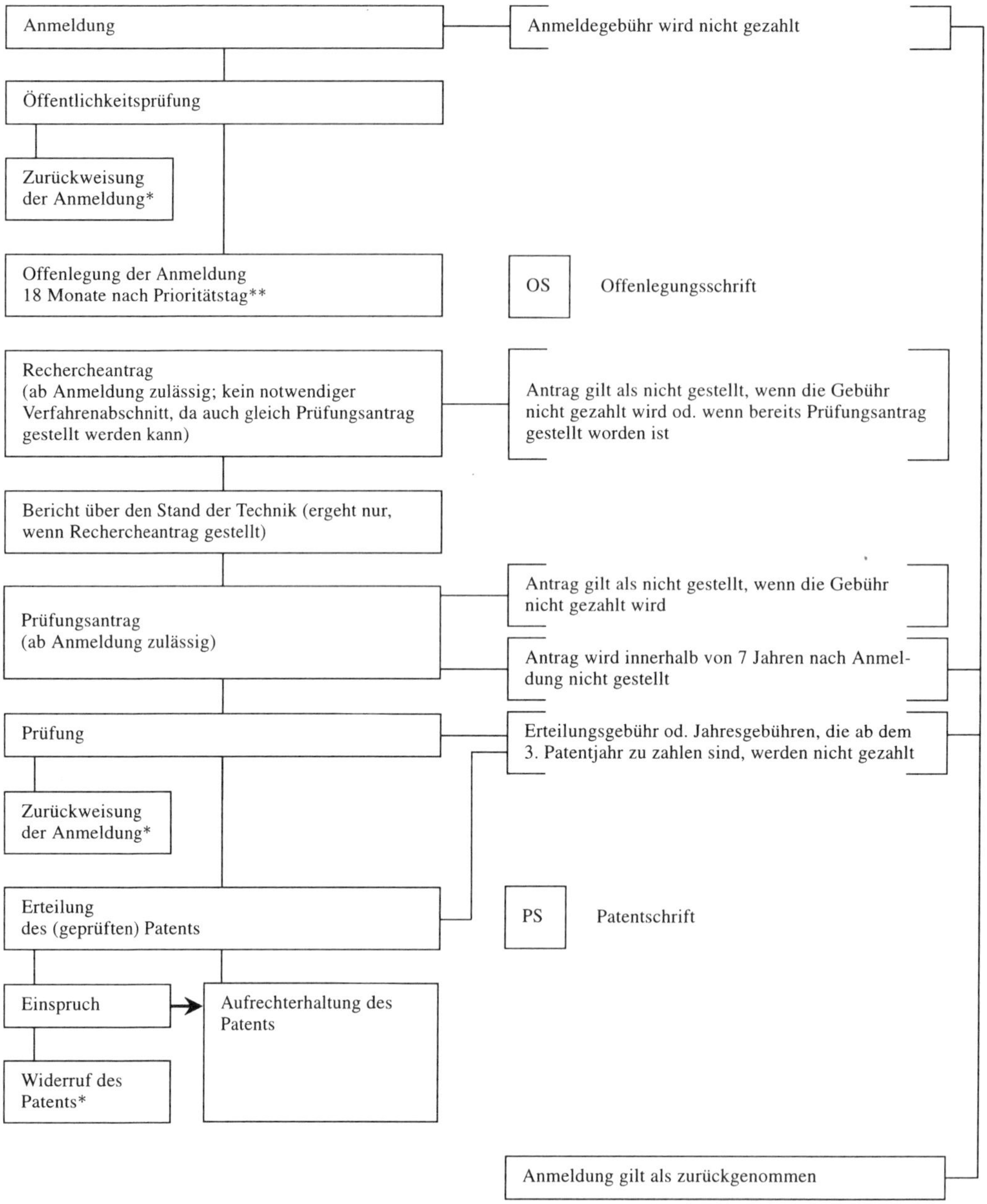

* Beschwerde an das Bundespatentgericht möglich
** Offenlegung erfolgt unabhängig vom Verfahrensstand, u. U. aber auch erst während des Prüfverfahrens

Abb.: Patentrecht in der BRD.

werden (vgl. jedoch unten zum Europa-P.). Im Fall der Anmeldung derselben Erfindung in mehreren Ländern spricht man oft von Patentfamilien, auch von korrespondierenden od. Äquivalenz-P., die heute leicht in Online-Datenbanken (z. B. INPADOC) auffindbar sind. Das P. gewährt dem Patentinhaber – sofern keine übergeordneten Rechte Dritter bestehen – folgende Rechte: Er kann das P. selber gewerblich auswerten, verkaufen od. gegen Inzahlungnahme einer einmaligen od. laufenden Gebühr (*Lizenzgebühr*) anderen Benutzern gewähren (**Lizenz-Erteilung*) od. ungenutzt lassen u. somit als Sperrpatent benutzen; die dem P. zugrunde liegende Erfindung darf von anderen, nicht ausdrücklich Ermächtigten, nicht ausgewertet werden. Wer ein P. widerrechtlich gewerblich benutzt (herstellt, anbietet, in Verkehr bringt, gebraucht, auch mittelbar, z. B. als Zulieferer), kann auf Antrag des rechtmäßigen Patentinhabers strafrechtlich verfolgt u. im Zuge eines *P.-Verletzungsprozesses* vor ausschließlich zuständigen Patentstreitkammern der Länder zur Unterlassung

u. ggf. zum Schadenersatz verurteilt werden. Es ist auch das unmittelbar hergestellte Erzeugnis eines Verf. geschützt, ein neues Erzeugnis gilt bis zum Beweis des Gegenteils als nach dem geschützten Verf. hergestellt. Nach spätestens 20 Jahren erlischt der Patentschutz, die dem P. zugrunde liegende Erfindung kann dann von jedermann gebührenfrei benutzt werden. Es ist übrigens nicht statthaft (unlauterer Wettbewerb), das Bestehen eines P.-Schutzes durch Formulierungen wie „DBP angemeldet", „DE beantragt" o. ä. vorzuspiegeln. Das Verf. der *aufgeschobenen Prüfung* ist in vielen Ländern eingeführt worden. Es hat sich herausgestellt, daß sich viele wenig aussichtsreiche Anmeldungen durch Liegenlassen von selbst erledigen, wodurch das Patentamt entlastet wird; nur ca. 30% der P.-Anmeldungen gelangen bis zum Ziel der Erteilung. Nach Schätzungen werden höchstens 10% aller P.-Anmeldungen während der P.-Laufzeit überhaupt wirtschaftlich verwertet. Die meisten P. erlöschen weit vor dem 20. Jahr, weil der Patentinhaber die Gebührenzahlung einstellt. Andererseits wird bes. von der *pharmazeutischen Industrie beklagt, daß für Pharmaka, die eine vieljährige Entwicklungs-, Prüfungs- u. Zulassungsprozedur durchlaufen müssen, die P.-Laufzeit zu kurz sei.

In vielen Ländern weicht das Patentrecht wesentlich vom dtsch. ab, z. B. gab es in Italien bis 1978 keinen Patentschutz für pharmazeut. Patente. In der BRD konnten bis 1967 neue, chem. hergestellte Stoffe nur durch Verfahrenspatente geschützt werden (Verfahrens- statt Stoffschutz). Auf chem. Gebiet war die P.-Gesetzgebung sehr unterschiedlich. Viele Entwicklungsländer lehnen auch heute noch jeden Patentschutz für chem., insbes. pharmazeut. Stoffe u. deren Herst.-Verf. ab, während in den Industriestaaten dafür Schutz gewährt wird. Deshalb u. aus Gründen der Vereinheitlichung sollen im zwischenstaatlichen Rahmen Erfindungen durch drei internat. Abkommen geschützt werden, u. zwar durch den PCT, das EPÜ u. GPÜ. Der *PCT* (*Patent Cooperation Treaty* = Internat. Patentzusammenarbeitsvertrag), dem bis Ende 1996 84 Ind.- u. Entwicklungsländer beigetreten sind. Der PCT bietet im wesentlichen ein vereinheitlichtes Anmeldeverf. für die in der Anmeldung bestimmten Länder. Dieses Anmeldeverf. dauert wahlweise 20 od. 30 Monate (PCT-Phase). Das Anmeldeamt bearbeitet die Internat. Patentanmeldung im Auftrag der WIPO für die in der Anmeldung bestimmten Länder. Die Anmeldung wird 18 Monate nach dem Erstanmeldetag von der WIPO veröffentlicht (WO-Publikation; WO = Ländercode für WIPO). Es kann auch eine internat., vorläufige Prüfung vorgenommen werden. Das weitere Patenterteilungsverf. geht auf die Patentämter der Länder über, die in der Anmeldung bestimmt worden sind (nat. Phase). Dem *EPÜ (Europ. Patentübereinkommen)* sind bis 1997 18 Länder beigetreten: Belgien, Dänemark, Deutschland, Finnland, Frankreich, Griechenland, Großbritannien, Irland, Italien, Liechtenstein, Luxemburg, Monaco, Niederlande, Österreich, Portugal, Schweden, Schweiz, Spanien. Nach EPÜ wird eine Europ. Patentanmeldung als Erst- od. Nachanmeldung beim Europ. Patentamt (EPA) in München unter Benennung der gewünschten Länder eingereicht. Es wird eine Recherche nach Dokumenten des Standes der Technik durchgeführt. Anmeldung u. Rechercheergebnis werden (im Prinzip gleichzeitig) 18 Monate nach dem Erstanmeldetag veröffentlicht. Oft erscheint Publikation unter gleicher Nr. mit Dokument-Code A 3 (s. Patentdokumentation). Nach Stellung des Prüfungsantrages (spätestens 6 Monate nach Veröffentlichung des Recherchenergebnisses) wird auf Neuheit u. Vorliegen erfinder. Tätigkeit geprüft, ähnlich wie beim Prüfungsverf. vor dem DPA. Nach Erteilung (Druck einer Patentschrift EP-PS) kann Einspruch erhoben werden (9 Monate Frist nach Veröffentlichung des Hinweises auf die Patenterteilung; Verletzer kann beitreten). Gegen die Entscheidung des Prüfers od. der Einspruchsabteilung kann Beschwerde vor Beschwerdekammern des Europ. Patentamtes erhoben werden. Nach der Erteilung entstehen aus dem EP-Patent die nat. Patente. Das EPÜ bietet also ein einheitliches Patenterteilungsverf. in einer der Amtssprachen (dtsch., engl., französ.) des Europ. Patentamtes für die in der Anmeldung benannten Länder. Das *GPÜ* (*Gemeinschafts-Patentübereinkommen*) hat zum Ziel, ein im gesamten Bereich der *EG gültiges einheitliches P. in einem Verf. vor dem EPA zu erteilen. Das Inkrafttreten des Übereinkommens verzögert sich, da bis 1996 erst 6 Signaturstaaten, darunter die BRD, das Abkommen ratifiziert haben u. da es die Abtretung von Souveränitätsrechten an eine überstaatliche Behörde voraussetzt. Das derzeit gültige dtsch. Patentgesetz ist weitgehend an das GPÜ angepaßt.

Jedermann kann bei Vorliegen der formalen u. sachlichen Voraussetzungen selbst ein P. anmelden, aber die mit evtl. Zurückweisungen, Einsprüchen, Nichtigkeitsklagen, Lizenzverträgen etc. verbundenen rechtlichen Probleme lassen sich im allg. nur mit Hilfe von Sachverständigen, den (freiberuflichen) *Patentanwälten* od. den im Angestelltenverhältnis stehenden Patentassessoren lösen. Die Ausbildung eines Patentanwalts baut auf einem abgeschlossenen naturwissenschaftlichen od. techn. Studium auf u. erfordert eine weitere Ausbildung zur Erlangung der rechtlichen u. patentrechtlichen Kenntnisse. Große Firmen unterhalten meist eine eigene Patentabteilung mit vielseitigen Aufgaben: Patent-, Gebrauchsmuster-, Geschmacksmuster-, ggf. auch *Marken-Anmeldungen im In- u. Ausland, Verkehr mit den in- u. ausländ. Patentbehörden, Überwachung der gewerblichen Schutzrechte auf den Arbeitsgebieten der Firma, Verteidigung eigener u. Bekämpfung störender fremder Schutzrechte (Einsprüche, Nichtigkeitsklagen), Mitwirkung bei der Verwertung eigener u. fremder Schutzrechte (Lizenzverträge), Gutachten u. die Bearbeitung der Vergütung von Diensterfindungen, d. h. Erfindungen, die aus der dem Arbeitnehmer im Betrieb od. in der öffentlichen Verwaltung obliegenden Tätigkeit entstanden sind od. maßgeblich auf Erfahrungen od. Arbeiten des Betriebs od. der öffentlichen Verwaltung beruhen. In diesem Fall kann der Arbeitgeber die Erfindung beanspruchen u. dann (als *Anmelder*) patentieren u. auswerten; der Erfinder hat das Recht auf Nennung seines Namens, seine Vergütungsansprüche sind gesetzlich geregelt (Gesetz über *Arbeitnehmererfindungen*).

Geschichte: Das 1. Dtsch. Reichspatent (DE 1) wurde am 2. Juli 1877 nach der Gründung des Reichspatentamtes in Berlin u. der Schaffung eines Dtsch. Patentrechtes erteilt; es betraf ein Verf. zur Herst. von rotem Ultramarin. Das 1. Patent im heutigen Sinne ist ein engl. Patent aus dem Jahre 1617. – ***E*** patents – ***F*** brevets – ***I*** brevetti – ***S*** patentes

Lit.: Beier, Crespi u. Straus, Biotechnology and Patent Protection: An International Review, Paris: OECD 1985 ▪ Boeters, Handbuch Chemiepatent: Anmeldung, Erteilung u. Schutzwirkung europäischer u. deutscher Patente, 2. Aufl., Heidelberg: Müller 1989 ▪ Cohauß, Patente & Muster, München: Wila 1993 ▪ Hellebrand, Patentanmeldung leicht gemacht, 8. Aufl., Bad Wörishofen: Holzmann 1990 ▪ Hirsch u. Hansen, Der Schutz von Chemie-Erfindungen, Weinheim: VCH Verlagsges. 1995 ▪ Internationale Patentklassifikation, Bd. 1–9, München: Heymanns 1994 ▪ Introducing Patents: A Guide for Inventors, London: Department of Trade and Industry 1990 ▪ Kirk-Othmer (4.) **18**, 61–156 ▪ Münch, Patentbegriffe von A bis Z, Weinheim: VCH Verlagsges. 1992 ▪ World Patent Inf. **12**, 102–120 (1990).

Patentex® Oval N. Schaumovula mit *Nonoxinol als intravaginal chem. wirkendes Antikonzeptionsmittel. ***B.:*** Patentex.

Patentgelb s. Veronesergelb.

Patentgrün. Malerfarbe aus Kupferacetat u. Gips; auch Bez. für *Schweinfurter Grün u. für einen organ. Farbstoff. – ***E*** patent green – ***F*** vert patenté – ***I*** verde di brevetto – ***S*** verde patente

Patentieren. 1. Eine in der Draht-Ind. angewandte therm. Vergütungstechnik, bei der Draht od. Band aus *Stahl nach starker Kaltverformung durch Ziehen im Blei-, Salz- od. Luftbad auf 400–550 °C erhitzt u. zur Erzielung eines günstigen Gefügezustands rasch abgekühlt wird. Dadurch entsteht ein dichtstreifiger *Perlit mit günstigen mechan. Eigenschaften.
2. Erlangung eines *Patent-Schutzrechtes für Verf. u./od. Stoffe. – ***E*** patenting – ***F*** 1. patentage, 2. breveter – ***I*** brevettare – ***S*** 1. patentado, 2. patentar

Lit. (zu 1.): Ullmann (4.) **22**, 31.

Patentinformationszentren (PIZ). Das BMWi hat in einem mehrjährigen Modellversuch ein Netz von 27 PIZ (1997) aus- u. aufgebaut, um v. a. die Information von kleinen u. mittleren Unternehmen über den Stand der techn. Entwicklung zu verbessern. Die Leistungen der PIZ umfassen die Beratung zur Nutzung von Online-Recherchen in Patent-, Wirtschafts- u. a. Datenbanken, die Ausführung von Patentrecherchen, kostenlose Erfinderberatung sowie weitere Informationsdienste. Nähere Informationen können bei der Arbeitsgemeinschaft Deutscher Patentinformationszentren e. V., 90014 Nürnberg, Postfach 3022, erfragt werden.

Patentkali s. Kalimagnesia.

Patentleder. Bez. für Gewebe, die mit Pyroxylin, einem *Cellulosenitrat mit Substitutionsgrad DS ≈ 2, beschichtet sind.

Lit.: Elias (5.) **2**, 291.

Patentnickel. Leg. aus 75–75,5% Cu u. 24,5–25% Ni, die als Widerstandsmaterial Verw. findet.

Patentschutz s. Patente.

Patentstelle für die Deutsche Forschung der Fraunhofer-Gesellschaft (PST). Die PST mit Sitz in 80636 München, Leonrodstr. 68, vertritt die Fraunhofer-Ges. in allen patent- u. lizenzrechtlichen Angelegenheiten. Gleichzeitig akquiriert, fördert u. vermarktet die PST qualifizierte Erfindungen, die aus der Hochschul- u. außeruniversitären Forschung, von Kleinunternehmen sowie aus dem privaten Bereich stammen. Die PST unterstützt u. berät außerdem Unternehmen bei der Planung neuer Produkte, bei der Vermittlung innovativer Technologien u. bei der Entwicklung u. Umsetzung von Patentstrategien. INTERNET-Adresse: http://mmfhg.de/german/profile/pst.html

Paternò (di Sessa), Emanuele (1847–1935), Prof. für Chemie, Univ. Palermo u. Rom. *Arbeitsgebiete:* Tetraedermodell bei vierwertigen Kohlenstoff-Verb. (1869), präparative photochem. Reaktion (vgl. folgendes Stichwort), Isomerisierungen, kryoskop. Molmassen-Bestimmung, Katalysatoren, Kolloide, Synth. von Phosgen, Crotonaldehyd, Fluorbenzol, Fluortoluol. Er gründete die „Gazetta di Chimica Italiana".

Lit.: Pötsch, S. 336.

Paternò-Büchi-Reaktion. Von *Paternò 1909 erstmals beschriebene u. später von G. Büchi 1954 aufgegriffene photochem., in der Regel über radikal. Zwischenstufen verlaufende [2+2]-*Cycloaddition, in der sich Carbonyl-Verb. an olefin. Doppelbindungen unter Bildung von *Oxetanen anlagern (s. a. organische Photochemie).

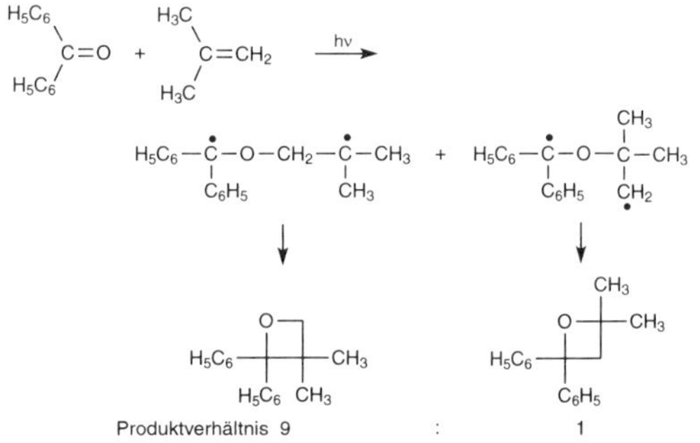

Je nach Orientierung der (unsymmetr.) Addenden werden verschiedene Konstitutions- u. Stereoisomere gebildet, wobei das stabilste Diradikal die Selektivität bestimmt. Die P.-B.-R. gelingt auch mit Dienen als olefin. Komponente u. mit 1,2- od. 1,4-Chinonen als Carbonyl-Verbindung. – ***E*** Paternò-Büchi reaction – ***F*** réaction de Paternò-Büchi – ***I*** reazione di Paternò-Büchi – ***S*** reacción de Paternò-Büchi

Lit.: Adv. Photochem. **6**, 301–423 (1968) ▪ Hassner-Stumer, S. 290 ▪ Krauch u. Kunz, Namensreaktionen in der Organischen Chemie, 6. Aufl., S. 557, Heidelberg: Hüthig 1997 ▪ Laue-Plagens, S. 246 ▪ Liebigs Ann./Recl. **1997**, 1627 ▪ March (4.), S. 977 ▪ Nachr. Chem. Tech. Lab. **33**, 213 f. (1985) ▪ Org. Photochem. **5**, 1–122 (1981) ▪ Trost-Fleming **5**, 151 ff. ▪ s. a. Oxetane u. organische Photochemie.

Paternostererbse s. Abrin(e).

Pathogen (griech.: pathos = Krankheit u. *...gen). Krankheiten erregend od. verursachend, als Eigenschaft von z. B. chem. Stoffen, Bakterien u. a. – ***E*** pathogenic – ***F*** pathogène – ***I*** patogeno – ***S*** patógeno

Patina. Nicht mit *Grünspan zu verwechselnde, dünne, hellgraugrüne, schützende Oberflächenschicht auf Kupfer od. Kupfer-Leg., die eine Korrosionserscheinung ist u. die in früheren Zeiten vorwiegend aus bas. Kupfercarbonaten bestand. An vorgeschichtlichen Kupfer- u. Bronze-Gegenständen wurde als Hauptbestandteil der grünen, beständigen P. *Malachit festgestellt; die blaue P. bestand aus Kupferlasur (s. Azurit). Daneben wurden gelegentlich noch andere Cu-Verb. wie *Atacamit u. ein Phosphat der Zusammensetzung $Cu_3(PO_4)_2 \cdot 3\,H_2O$ nachgewiesen, das in der Natur offenbar nicht vorkommt. Heute besteht die natürliche P. vorwiegend aus in Schichtgittern (Brucit-Typ) kristallisierenden bas. Salzen wie bas. Kupfersulfat, weniger -carbonat u. -chlorid. Sie entsteht allmählich an der Atmosphäre unter der Einwirkung von CO_2, SO_2 u. dgl., in Meeresnähe auch von Chloriden, die neben Wasserdampf in der Luft enthalten sind. Sie läßt sich künstlich durch *Patinieren* herstellen: Ein Kupfer-Stück abwechselnd 12 h lang in 10%ige Ammoniumsulfat-Lsg. tauchen u. an der Luft trocknen od. zusammen mit einer Schale, die Salzsäure u. Marmor (Kohlendioxid-Entwicklung) enthält, längere Zeit unter eine Glasglocke stellen od. mit einer Lsg., die in 1 L Wasser 12 g Ammoniumchlorid u. 5 g Kleesalz (s. Kaliumoxalate) enthält, bestreichen. Unerwünschte P.-Bildung läßt sich ggf. durch Laser-Einwirkung beseitigen. – ***E*** **=** ***I*** patina – ***F*** patine – ***S*** pátina

Lit.: Chemische Färbungen von Kupfer u. Kupferlegierungen, Berlin: Dtsch. Kupfer-Inst. 1974 ▪ DIN 50900-1: 1982-04 ▪ s. a. Kupfer u. Konservierung.

Patinieren s. Patina.

Patoran®. Herbizid auf der Basis von *Metobromuron gegen Samenunkräuter in Kartoffeln, Tabak, Tomaten u. Bohnen. ***B.:*** BASF.

Patrinit s. Aikinit.

Patronen s. Munition.

Patronit. VS_4, einziges als Mineral vorkommendes Vanadiumsulfid; sehr feinkörnige, dunkel bleigraue, matt anlaufende, *Graphit-ähnliche Massen. P. ist monoklin, die Kristallstruktur enthält S_2-Hanteln u. Ketten aus VS_4-Mol., s. *Lit.*[1]. H. 2, D. 2,81. Nach der Formel 28% V.

Vork.: In Asphalt-Vork. bei Minasraga/Peru. In bituminösen Schiefern als Träger des Vanadium-Spurengehaltes. – ***E*** **=** ***F*** **=** ***I*** patronite – ***S*** patronita

Lit.: [1] Neues Jahrb. Mineral., Monatsh. **1972**, 339–345.
allg.: Anthony et al., Handbook of Mineralogy, Vol. I, S. 390, Tucson (Arizona): Mineral Data Publishing 1990 ▪ Ramdohr, Die Erzmineralien u. ihre Verwachsungen, S. 946 ff., Berlin: Akademie-Verl. 1975. – *[HS 2615 90; CAS 12188-60-2]*

Patschuli... s. Patchouli...

PATSEE. Computerprogramm zur *Kristallstrukturanalyse, welches die Vorteile von direkten Verf. u. *Patterson-Synthese miteinander verbindet, wobei chem. Information u. Daten aus *Kraftfeld-Rechnungen (s. a. Molecular Modelling) eingesetzt werden.

Lit.: Acta Crystallogr. Sect. A **41**, 262–268 (1985) ▪ Nachr. Chem. Tech. Lab. **36**, 498–505 (1988).

Patterson-Synthese. Von A. L. Patterson 1934 eingeführte Meth. zur Bestimmung der *Elektronendichte in Krist. auf der Grundlage von Röntgenbeugungsexperimenten (s. a. Kristallstrukturanalyse). – ***E*** Patterson synthesis – ***F*** systhèse de Patterson – ***I*** sintesti di Patterson – ***S*** síntesis de Patterson

Lit.: Atkins, Physikalische Chemie (2.), Weinheim: VCH Verlagsges. 1996 ▪ Glusker et al., Patterson and Pattersons, Oxford: University Press 1987.

Pattex®. Sortiment von *Klebstoffen für Haushalt u. Handwerk, bestehend aus: *Kontaktkleber* für Kombinationsklebungen unterschiedlicher Materialien wie Metalle, Holz, Kunststoff, Leder usw. auf der Basis von *Polychloropren; – *Klebepistole* u. *-patronen* zum schnellen Heißkleben u. Fixieren unterschiedlicher Materialien auf der Basis von *Ethylen/Vinylacetat-Copolymeren u. Kohlenwasserstoff-Harzen; – *Sekundenkleber* zum sekundenschnellen Kleben, blitzschnell in Flüssig-Version, nicht tropfend u. kurzzeitig korrigierbar in der Gel-Version, auf Cyanacrylat-Basis (s. a. Cyanacrylat-Klebstoffe); – *Zweikomponentenkleber* für extrem kraftvolle Klebungen unterschiedlicher Materialien aus *Epoxidharzen od. *Polyurethanen; – *Spezialkleber* für Hobby u. Modellbau aus *Nitrocellulose; – *Montagekleber* als Befestigungssyst. für innen u. außen auf der Basis von Styrol-Butylacrylat. ***B.:*** Henkel.

Pattinson-Verfahren. Bei diesem von Pattinson 1833 erfundenen, heute kaum noch praktizierten Verf. wird geschmolzenes, Silber-haltiges Blei langsam abgekühlt, wobei zwischen 327 °C (Schmp. von reinem Blei) u. 303 °C (Schmp. eines *Eutektikums mit 2,6% Ag u. 97,4% Pb) reines Blei aufschwimmt, das abgeschöpft wird. Bei weiterer Abkühlung erstarrt das Silber-reiche Eutektikum mit >2% Silber; dieses wird langzeitig an offener Luft erhitzt; das Blei wird allmählich in pulverige, leicht entfernbare Bleiglätte (PbO, s. Bleioxide) umgewandelt u. reines Silber bleibt zurück; s. Silber u. Parkes-Verfahren. – ***E*** Pattinson process – ***F*** pattinsonage – ***I*** processo Pattinson, pattinsonaggio – ***S*** procedimiento Pattinson, pattinsonado

Lit.: Ullmann (4.) **21**, 324 ▪ Winnacker-Küchler (4.) **4**, 549.

Patulin {4-Hydroxy-4*H*-furo[3,2-*c*]pyran-2(6*H*)-on}.

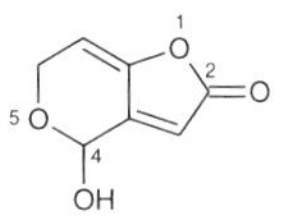

$C_7H_6O_4$, M_R 154,12, Schmp. 111 °C. Kompakte Prismen od. dicke Platten, lösl. in Wasser u. den üblichen organ. Lsm. (außer Petrolether). P. ist Stoffwechselprodukt (*Mykotoxin) verschiedener *Schimmelpilze wie *Penicillium patulum* (Name!). P. findet sich auf Getreide u. Backwaren u. Obst u. ist für einige *Lebensmittelvergiftungen verantwortlich. P. gilt als carcinogen u. wirkt außerdem als Antibiotikum gegen einige Bakterien u. Pilze. – ***E*** patulin – ***F*** patuline – ***I*** **=** ***S*** patulina

Lit.: Beilstein E V **18/3**, 5 f. ▪ Gräfe ▪ J. Environ. Pathol. Toxicol. Oncol. **10**, 254–259 (1990). – *[HS 2941 90; CAS 149-29-1]*

Paul-Ehrlich-Institut [Bundesamt für Sera u. Impfstoffe (PEI)]. Das Vorgängerinst. wurde am 1. April 1896 als Inst. für Serumforschung u. Serumprüfung in Berlin-Steglitz gegr. u. Prof. *Ehrlich zu dessen Leiter berufen. Schon 1899 wurde das Inst. als (Preuß.)

Königliches Inst. für Experimentelle Therapie nach Frankfurt/Main verlegt. Das 1920 daraus hervorgegangene PEI wurde am 01.11.1972 Bundesamt für Sera u. Impfstoffe u. hat seinen Sitz seit 1989 in 63225 Langen/Hessen, Paul-Ehrlich-Str. 51–69. Es ist eine selbständige Bundesoberbehörde im Geschäftsbereich des Bundesministers für Gesundheit. Dem Bundesamt obliegt die Zulassung u. chargenweise Prüfung von (immun)biolog. Human- u. Tierarzneimitteln. Diese umfassen nach § 77 des Arzneimittelgesetzes Sera, Impfstoffe, Blutzubereitungen, Testallergene, Testsera u. Testantigene. Das PEI überwacht die Sicherheit der betreffenden Arzneimittel u. legt Standardwerte für diese fest. Es unterstützt die zuständigen Länderbehörden bei der Erteilung der Erlaubnis für die Herst. der betreffenden Arzneimittel u. der Überwachung des Verkehrs dieser Mittel. Das PEI, das sich in die Abteilungen Bakteriologie, Virologie, Immunologie, Veterinärmedizin, Allergologie, medizin. Biotechnologie u. Hämatologie/Transfusionsmedizin sowie Verwaltung u. allg. Dienste gliedert, beschäftigt 500 Mitarbeiter u. betreibt Grundlagen- u. angewandte Forschung in der Bakteriologie, Virologie, Immunologie u. Allergologie. Es arbeitet eng mit nat. u. internat. Gremien wie der WHO, dem Europarat u. der Europ. Arzneimittelagentur zusammen u. ist gegenwärtig WHO Collaborating Centre für die Standardisierung u. Verteilung von Allergenen, für die Qualitätskontrolle von Impfstoffen u. WHO Collaborating Sub-Centre für AIDS. 1994 wurde seine Zuständigkeit auf die Prüfung aller Blutprodukte ausgedehnt, da das Risiko besteht, daß diese mit Viren belastet sind. *Publikationen:* Jahres-Berichte.

Lit.: 100 Jahre Paul-Ehrlich-Institut, Langen: Selbstverl. 1996. INTERNET-Adresse: http://www.pei.de

Paul-Falle. Von dem dtsch. Physiker Wolfgang Paul (Nobelpreis 1989) in den 50er Jahren entwickelte Quadrupolanordnung von Elektroden (die in ähnlicher Weise auch für ein Quadrupol-Massenspektrometer verwendet wird), um geladene Partikel, Elektronen od. Ionen, im Raum zu speichern. Der Aufbau (s. Abb. 1) ist zylindersymmetr. um die z-Achse; typ. Abmessung ~1 cm.

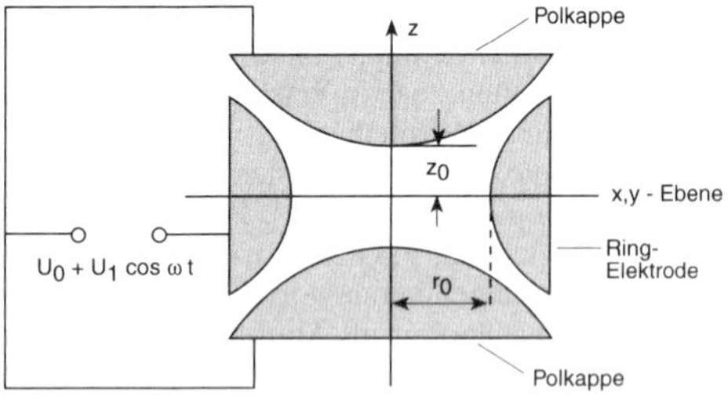

Abb. 1: Elektrodenanordnung einer Paul-Falle.

Die beiden Polkappen liegen auf gleichem elektr. Potential u. besitzen gegenüber der Ringelektrode die Gleichspannung U_0. Bei pos. geladenen Ionen sind die Polklappen z. B. mit pos. Spannung versehen, so daß die Ionen in z-Richtung eine stabile Schwingung ausführen. Damit sie nicht in der x-y-Ebene weglaufen, ist der Gleichspannung U_0 noch eine Wechselspannung $U_1 \sin \omega t$ überlagert, so daß durch das gesamte elektr. Feld auf die Ionen eine Kraft wirkt, die vergleichbar ist der Gravitationskraft auf eine Eisen-Kugel in der Mitte einer rotierenden Satteloberfläche (Abb. 2, *Lit.*[1]).

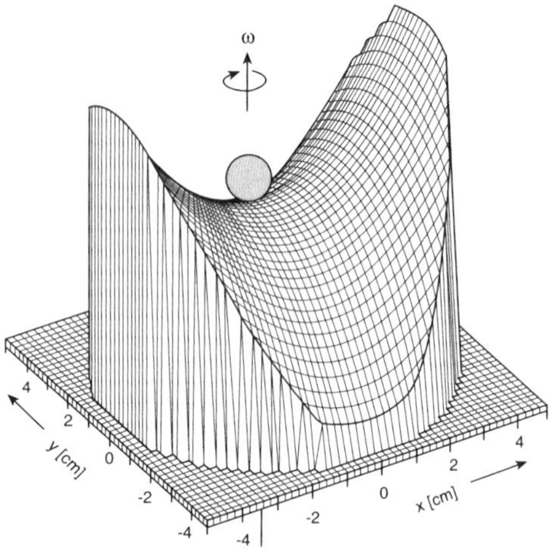

Abb. 2: Mechan. Analogmodell für den Ionenkäfig mit einer Stahlkugel als „Teilchen"; nach *Lit.*[1].

Da nun in allen drei Raumrichtungen Kräfte wirken, die die Ionen wieder in die Mitte zurücktreiben, können Ionen über lange Zeit räumlich festgehalten werden, ohne daß es zu Wandkontakten kommt. Durch Kühlen der Ionen (s. Laserkühlen, beschrieben bei Atomstrahlen) ist es möglich, die kinet. Energie der Ionen bis auf wenige mK zu reduzieren. Es ist nun möglich, sehr schmale Absorptionslinien zu beobachten, denn sowohl die Flugzeitverbreiterung als auch der *Doppler-Effekt (1. u. 2. Ordnung!) sind sehr klein. Da die Linienbreite oft nur noch durch die *natürliche Linienbreite bestimmt ist, werden P.-F. in der *hochauflösenden Spektroskopie eingesetzt. Ihre Anw. als atomare Uhr u. hochpräzise Wellenlängenstandards ist z. Z. Gegenstand laufender Forschungsprojekte.

Es ist möglich, in einer P.-F. ein einziges Ion zu speichern, eindeutig zu identifizieren u. einzelne Energiesprünge (*E* quantum jumps) zu beobachten (*Lit.*[2]). Werden in eine P.-F. mehrere Ionen gegeben u. diese stark abgekühlt, so nehmen sie relativ zueinander feste Plätze ein, d. h. sie verhalten sich wie ein Pseudo-Krist. (*Lit.*[3]); s. a. Penning-Falle. – ***E*** Paul trap – ***F*** piège de Paul – ***I*** trappola di Paul – ***S*** trampa de Paul

Lit.: [1] (Nobelvortrag von W. Paul); Phys. Bl. **46**, 227 (1990). [2] Phys. Bl. **45**, 465 (1989); **46**, 213 (1990). [3] Phys. Bl., **44**, 12 (1988).
allg.: Phys. Unserer Zeit **24**, 146 (1993); **25**, 8 (1994); **26**, 29, 233 (1995).

Pauli, Wolfgang (1900–1958), Sohn von W. *Pauli, Prof. für Physik, ETH Zürich. *Arbeitsgebiete:* Relativitätstheorie, Quantentheorie, Atombau, Wellenmechanik, Periodensyst., Entdeckung des *Pauli-Prinzips, Vorhersage des Neutrinos, Mesonen, Kernkräfte; Nobelpreisträger für Physik 1945.

Lit.: Chem. Labor Betr. **35**, 349 f. (1984) ▪ Krafft, S. 248 f. ▪ Lexikon der Naturwissenschaftler, S. 322 ▪ Nachmansohn,

S. 106 ff. ▪ Naturwissenschaften **69**, 564–573 (1982) ▪ Neufeldt, S. 148, 152, 182, 358 ▪ Richter, Wolfgang Pauli. Die Jahre 1918–1933, Frankfurt: Sauerländer 1977.

Pauli, Wolfgang (1869–1955), Vater von W. *Pauli, Prof. für Kolloidchemie, Wien. *Arbeitsgebiete:* Elektrochemie der Kolloide, Elektrophorese, Elektrodialyse, physikal. Chemie der Pflanzenkolloide, kolloider Eiweißstoffe usw.
Lit.: Krafft, S. 268 ▪ Lexikon der Naturwissenschaftler, S. 322.

Pauling, Linus Carl (1901–1994), Prof. für Chemie, Caltech, Pasadena (California), USA. *Arbeitsgebiete:* Chem. Bindung u. Atombau, Elektronegativität, Hybridisierung, VB-Meth., *MO-Theorie, Resonanz, Koordinationslehre, Krist.-Chemie, Strukturchemie, Immunität, Hämoglobin, Wirkungsweise von Vitamin C als Antioxidans in der Krebstherapie u. Prophylaxe, Entwicklung von Mol.-Modellen (CPK); 1954 erhielt er den Nobelpreis für Chemie für seine Arbeiten über die Natur der chem. Bindung. 1962 (verliehen 1963) erhielt er den Friedensnobelpreis. Sein Engagement für den Frieden begann unter dem Eindruck der ersten amerikan. Atombombe auf Hiroshima. Seine Bemühungen wurden verstärkt durch seine Verbindungen mit A. *Einstein u. weiteren Wissenschaftlern in dem Emergency Comittee der Atomwissenschaftler. Von den über 650 wissenschaftlichen Veröffentlichungen befassen sich ca. 200 Beiträge mit sozialen u. polit. Fragen. Pauling erhielt die Ehrendoktorwürde von 45 Univ., darunter Princeton Yale, Cambridge, Oxford u. Berlin.
Lit.: Chem. Eng. News **44**, Nr. 29, 69 (1966) ▪ Lexikon der Naturwissenschaftler, S. 322 f. ▪ Nachmansohn, S. 60, 90, 232, 257 ▪ Nachr. Chem. Tech. **2**, 220 (1954); **11**, 457 (1963) ▪ Neufeldt, S. 157, 177, 180, 230, 368 ▪ Pötsch, S. 336.

Pauli-Prinzip (Pauli-Verbot). Von W. *Pauli 1925, also noch vor der Entwicklung der modernen *Quantentheorie formuliertes Ausschließungsprinzip für Syst. aus mehreren ununterscheidbaren *Fermionen (z. B. *Elektronen in einem Atom od. Mol.). Ein durch eine räumliche Wellenfunktion (s. a. Orbitale) u. die Spinquantenzahl (s. Spin) beschriebener Quantenzustand kann nach dem P.-P. durch höchstens ein Teilchen besetzt werden. Die ursprüngliche Formulierung des P.-P. bezieht sich auf das Modell unabhängiger Elektronen in einem Atom. Danach kann ein durch die drei Quantenzahlen n, l u. m_l (s. Atombau) beschriebenes *Atomorbital höchstens von 2 Elektronen besetzt werden, die sich in ihrer Spinquantenzahl m_s unterscheiden. Die allgemeinere Formulierung des P.-P., die unabhängig von Modellvorstellungen ist, lautet: Die Wellenfunktion für ein Syst. aus mehreren Fermionen ändert ihr Vorzeichen, wenn man die Koordinaten (Ortskoordinaten u. Spinkoordinaten) zweier Fermionen vertauscht; sie verhält sich also *antisymmetr.* (s. a. Antisymmetrieforderung). Das P.-P. regelt maßgeblich die elektron. Struktur von Atomen, Mol. u. Festkörpern. – *E* Pauli principle – *F* principe d'exclusion de Pauli – *I* principio di esclusione di Pauli – *S* principio de exclusión de Pauli
Lit.: Kutzelnigg, Einführung in die Theoretische Chemie, Bd. 1, Weinheim: VCH Verlagsges. 1992.

Paulsen, Hans (geb. 1922), Prof. für Organ. Chemie, Univ. Hamburg. *Arbeitsgebiete:* Kohlenhydratchemie, Antibiotika, Enzymhemmer, Oligosaccharide, Glykoproteine.
Lit.: Kürschner (16.), S. 2713 ▪ Nachr. Chem. Tech. **22**, 666 (1980) ▪ Nachr. Chem. Tech. Lab. **41**, Nr. 12, 1418.

Pauly-Reaktion. Qual. Eiweiß-Nachw., bei dem mit Soda versetzte Eiweiß-Lsg. mit einer frisch bereiteten Lsg. von Diazobenzolsulfonsäure vermischt wird. Es entsteht eine kirschrote Färbung, die beim Ansäuern orangerot wird u. ein Kupplungsprodukt zwischen dem Reagenz u. den im Eiweiß vorhandenen Aminosäuren Tyrosin u. Histidin darstellt. – *E* Pauly reaction – *F* réaction de Pauly – *I* reazione di Pauly – *S* reacción de Pauly
Lit.: Zechmeister **12**, 291, 292, 370, 377.

Pauson-Khand-Reaktion. Bez. für eine *Metall-organische Reaktion, die sich zum Aufbau des Cyclopentenon-Ringsyst. hervorragend eignet. Cyclopentenone sind als Bausteine von Naturstoffen weit verbreitet, so daß an ihrer Synth. ein großes Interesse besteht. Beim Erhitzen eines Gemischs aus einem Alkin, einem Alken u. Dicobaltoctacarbonyl [$Co_2(CO)_8$] beobachtet man eine formale [2+2+1]-*Cycloaddition unter Einbeziehung eines Kohlenmonoxid-Liganden.

$$R^1-C\equiv C-R^2 \;+\; H_2C=CH-R^3 \xrightarrow{Co_2(CO)_8}$$

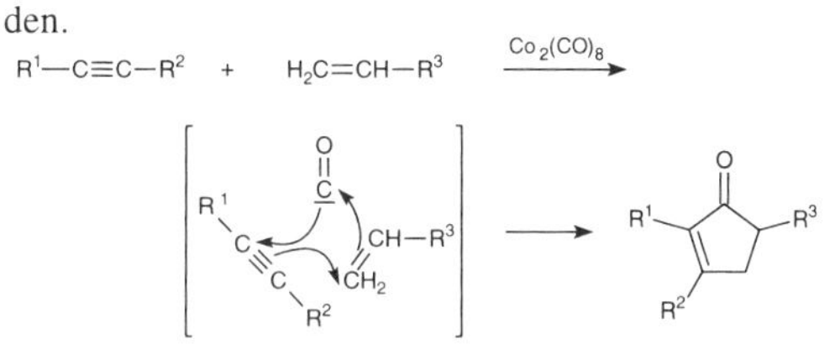

In mechanist. Hinsicht ist die P.-K.-R. wesentlich komplexer als in der Formel angedeutet. – *E* Pauson-Khand reaction – *F* réaction de Pauson-Khand – *I* reazione di Pauson-Khand – *S* reacción de Pauson-Khand
Lit.: Chem. Rev. **88**, 1081 (1988) ▪ Houben-Weyl **E 18**, 341 f. ▪ Krauch u. Kunz, Reaktionen der Organischen Chemie, 6. Aufl., S. 252, Heidelberg: Hüthig 1997 ▪ Laue-Plagens, S. 248 ▪ Org. React. **40**, 1 ff. (1991) ▪ Tetrahedron **51**, 6541 (1995) ▪ s. a. Metall-organische Chemie u. Metall-organische Reaktionen.

Paveriwern® (Rp). Lsg. mit ethanol.-wäss. Preßsaft aus unreifen Fruchtkapseln von *Papaver somniferum* (standardisiert auf 0,15 mg *Morphin/mL/25 Tropfen) gegen Spasmen des Magen-Darm-Traktes. *B.:* Pharma Wernigerode.

Pavin- u. Isopavin-Alkaloide. Die P.-A. sind Abkömmlinge von *Benzyl(tetrahydro)isochinolin-Alkaloiden, die in verschiedenen Species v. a. der Papaveraceae, Berberidaceae, Ranunculaceae, Lauraceae u. Menispermaceae vorkommen (s. Tab. u. Formeln S. 3144). Argemonin zeigt curarimimet. Eigenschaften. Die Biosynth. erfolgt durch Cyclisierung aus *Reticulin. – *E* pavine alkaloids – *F* alcaloïdes de pavine – *I* alcaloidi delle pavine – *S* alcoloides de pavina
Lit.: Hager (5.) **5**, 110–115 ▪ J. Chem. Soc., Chem. Commun. **1982**, 1113 (Argemonin) ▪ J. Nat. Prod. **49**, 922 (1986) (Eschscholtzin) ▪ Manske **17**, 433–439; **31**, 317–389 ▪ Nuhn (2.), S. 575 ▪ R. D. K. (4.), S. 331, 812 ▪ Ullmann (5.) **A 1**, 370. – [HS 293929]

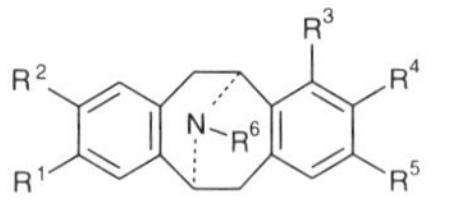

	R^1	R^2	R^3	R^4	R^5	R^6
Argemonin	OCH_3	OCH_3	H	OCH_3	OCH_3	CH_3
Dinorargemonin	OH	OCH_3	H	OCH_3	OH	CH_3
Eschscholtzin	O—CH_2—O		H	O—CH_2—O		CH_3
Munitagin	OH	OCH_3	OH	OCH_3	H	CH_3
Pavin	OCH_3	OCH_3	H	OCH_3	OCH_3	H

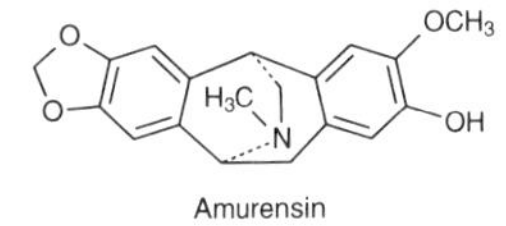

Amurensin

Tab.: Daten von Pavin- u. Isopavin-Alkaloiden.

Name, Summenformel, M_R	Schmp. [°C] $[\alpha]_D$ (Lsm.)	Vork.	CAS
Amurensin $C_{19}H_{19}NO_4$ 325,36	221–223 –178° (CH_3OH)	*Papaver-Arten*	10481-92-2
Argemonin, *N*-Methyl-P. $C_{21}H_{25}NO_4$ 355,43	155,5–156,5 –187,93° ($CHCl_3$)	*A. gracilenta, B. buxifolia, T. revolutum, T. strictum*	6901-16-2
Dinorargemonin $C_{19}H_{21}NO_4$ 327,38	254–255 –244° ($CHCl_3$)	*A. hispida, A. munita, C. longifolia, Eschsch., T. dasycarpum*	6808-63-5
Eschscholtzin $C_{19}H_{17}NO_4$ 323,35	128 –220,2° (C_2H_5OH)	*C. chinensis, Eschsch.*	4040-75-9
Munitagin $C_{19}H_{21}NO_4$ 327,38	167–169 –239° ($CHCl_3$)	*A. gracilenta, A. munita*	7691-07-8
Pavin $C_{20}H_{23}NO_4$ 341,41	224	*Papaver-Arten*	529-79-3

A. = Argemone; B = Berberis; C = Cryptocarya; Eschsch. = Eschscholtzia californica, douglasii, glauca; T. = Thalictrum

Pb. Symbol für das Element *Blei.

PB. 1. Nach DIN 7728-1: 1988-01 Kurzz. für *Polybuten. – 2. Kurzz. für *Polybutadien.

PBA. Kurzz. (nach DIN 7728-1: 1988-01) für Polybutylacrylate.

PBAN. Kurzz. (nach ASTM) für *1,3-Butadien/*Acrylnitril-Copolymere.

PBB. Abk. für polybromierte *Biphenyle, Verbindungsklasse $C_{12}H_{10-m-n}Br_{m+n}$ mit 209 verwandten Verb. (engl.: congeners) [BZ- (vgl. PCB) u. CAS-Nr., soweit bekannt, s. *Lit.*[1]].

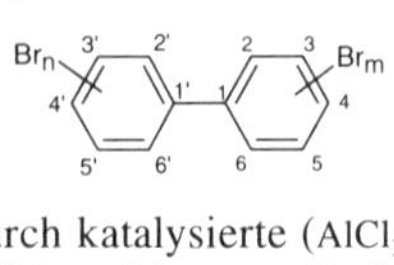

PBB wurden durch katalysierte ($AlCl_3$ od. $AlBr_3$) Bromierung von Biphenyl hergestellt (1994 nur noch in Frankreich als Adine 0102®).

Tab.: Polybromierte Biphenyle.

Anzahl Brom-Atome	Bez./Abk.	Summenformel	M_R	Anzahl Isomere
1	Monobrombiphenyle, MBB, MoBB	$C_{12}H_9Br$	233,10	3
2	Dibrombiphenyle, DiBB	$C_{12}H_8Br_2$	312,00	12
3	Tribrombiphenyle, TriBB, TrBB	$C_{12}H_7Br_3$	390,90	24
4	Tetrabrombiphenyle, TeBB	$C_{12}H_6Br_4$	469,79	42
5	Pentabrombiphenyle, PeBB	$C_{12}H_5Br_5$	548,69	46
6	Hexabrombiphenyle, HxBB	$C_{12}H_4Br_6$	627,58	42
7	Heptabrombiphenyle, HpBB	$C_{12}H_3Br_7$	706,48	24
8	Octabrombiphenyle, OcBB, OBB	$C_{12}H_2Br_8$	785,38	12
9	Nonabrombiphenyle, NoBB	$C_{12}HBr_9$	864,27	3
10	Decabrombiphenyl, DeBB	$C_{12}Br_{10}$	943,17	1

Verw. u. Eigenschaften: Unter den Markenbez. Bromkal 80-9D, Berkflam, HFO 101 Hexel, Flammex B 10 u.a. wurden v.a. HxBB, HpBB, OcBB u. DeBB als *Flammschutzmittel für Kunststoffe benutzt. Das wichtigste Produkt, FireMaster® BP-6, bestand aus mind. 60 identifizierbaren PBB (u. ca. 20 Nicht-PBB, s. PBN), davon ca. 63 Gew.-% 2,2′,4,4′,5,5′-HxBB u. ca. 14 Gew.-% 2,2′,3,4,4′,5,5′-HpBB. Die Flammschutzmittel sind weiße bis braune Pulver, die in Wasser kaum, in organ. Lsm. schlecht bis gut lösl. sind. Mit zunehmendem Bromierungsgrad nimmt die Löslichkeit u. die Flüchtigkeit ab. Der log $*P_{OW}$ wird für die MBB mit 4,59–4,96, für DeBB mit 8,58 angegeben[1]. PBB sind weniger stabil als die verwandten *PCB. Durch UV-Licht werden sie (mit zunehmendem Bromierungsgrad besser) photochem. reduktiv debromiert. Durch Pyrolyse bilden sich Bromwasserstoff, Brombenzole u. niedriger bromierte Biphenyle, in Ggw. von Sauerstoff auch Spuren von DiBDF (Dibromdibenzofuran) bis HpBDF (Heptabromdibenzofuran; s. Dioxine). Vorschriften u. Analytik s. PCB.

Toxikologie u. Ökotoxikologie: PBB sind biolog. kaum abbaubar. Sie werden v.a. mit dem Faeces ausgeschieden; die HWZ im Menschen wird mit 8–12 a angegeben.

Die im Fettgewebe akkumulierenden PBB sind tox., möglicherweise carcinogen u. können an Tieren z.B. Immundefekte, Leber- u. Nierenschäden, neuronale Fehlleistungen u. Muskelschwäche hervorrufen. In Fischen u.a. Umweltproben wurden Spuren von PBB nachgewiesen, die nach WHO[1] keinen Anlaß zur Besorgnis geben.

In Michigan wurden 1973 versehentlich große Mengen Viehfutter mit insgesamt 1 t FireMaster (statt NutriMaster®, einem MgO-haltigem Futtermittelzusatz) vermischt. Als dieser Fehler 1974 entdeckt wurde, mußten Tausende von Nutztieren getötet u. vernichtet werden. PBB waren in die *Nahrungskette eingetragen u. auch noch Jahre später im Menschen nachweisbar.

Man schätzt, daß stark kontaminierte Personen 5 – 15 g PBB über die Milch u. bis zu 1 g PBB beim Fleischkonsum aufgenommen hatten. Trotzdem ist kein Fall akuter Toxizität od. anderer Gesundheitsschäden bisher bekannt geworden. – ***E*** polybromobiphenyls – ***F*** biphényles polybromées – ***I*** bifenili polibromurati – ***S*** bifenilos polibromados

Lit.: [1] IPCS (Hrsg.), Environmental Health Criteria, Bd. 152, Polybrominated Biphenyls, Genf: WHO 1994.
allg.: Hutzinger **3B**, 89 – 116 ▪ IARC (Hrsg.), IARC Monographs on the Evaluation of the Carcinogenic Risk of Chemicals to Humans, Bd. 18, S. 38, 107 – 124, Genf: WHO 1978 ▪ Richardson u. Gangolli, Dictionary of Substances and their Effects, Bd. 6, S. 707 – 711, Cambridge: Royal Chemical Soc. 1994. – *[CAS 59080-40-9 (2,2′,4,4′,5,5′-HxBB); 67733-52-2 (2,2′,3,4,4′,5,5′-HpBB); 13654-09-6 (DeBB)]*

PBBO. 1. Abk. für 2-(Biphenyl-4-yl)-6-phenylbenzoxazol, $C_{25}H_{17}NO$, M_R 347,41, eine fluoreszierende Verb. für die Szintillationsmessung; s. Oxazole u. Szintillatoren.

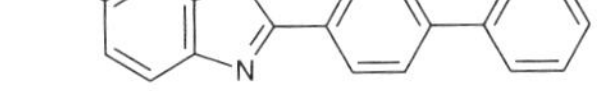

2. s. PBDE.

Lit. *(zu 1.)*: Beilstein E V **27/7**, 413. – *[HS 2934 90; CAS 17064-47-0 (1.)]*

PBD.

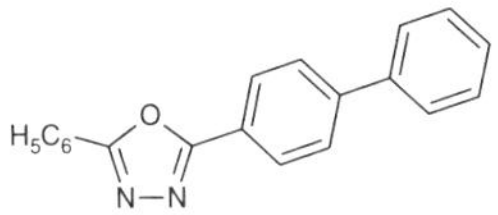

1. Abk. für 2-(Biphenyl-4-yl)-5-phenyl-1,3,4-oxadiazol, $C_{20}H_{14}N_2O$, M_R 298,34, Schmp. 165 – 167 °C. PBD dient wie sein Derivat *Butyl-PBD zur Fluoreszenzverstärkung bei der Szintillationsmessung; s. Oxadiazole u. Szintillatoren. – 2. Kurrz. für *Polybutadien.

Lit.: Beilstein E V **27/29**, 2 f. – *[HS 2934 90; CAS 852-38-0 (1.)]*

PBDD s. Dioxine.

PBDE (PBBO, PBDO). Abk. für polybromierte *Diphenylether (1), veraltete regelwidrige Bez.: Polybromierte Bi- od. Diphenyloxide (vgl. PCDE),

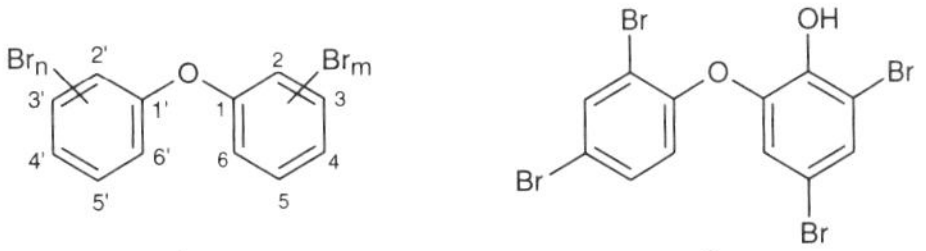

1 2

$C_{12}H_{10-m-n}Br_{m+n}O$, 209 verwandte Verb. (engl.: congeners, vgl. PCB). Unter den Markennamen Adine 505, Bromkal 82-0, 79-8 u. 70-5, Great Lakes DE-83, -83R, -79 u. -71 u.a. vertriebene *Flammschutzmittel für Kunststoffe. Globale Produktion (keine in der BRD) zunehmend, 1993 ca. 40 000 t/a PBDE-Isomerengemische, davon 30 000 t/a DeBDE, 6000 t/a OBDE, 4000 t/a PeBDE (Abk. s. Tab. unten).

Die physikal., chem. u. biolog. Eigenschaften sind ähnlich denen der *PBB. Bei der Pyrolyse werden PBDF u. PBDD (s. Dioxine) gebildet. Aufgrund der Induktion bestimmter Leberenzyme wurde für Bromkal 70-5 DE ein *TEF von 0,000001 vorgeschlagen. PBDE sind ubiquitär verbreitet, auch wenn ihre Konz. in der Regel unter denen der PCB liegen.

Als Naturstoffe kommen hydroxylierte PBDE vor, z. B. 2,4-Dibrom-6-(2,4-dibromphenoxyphenol (2) im Schwamm *Dysidea chlorea*, in dem es mehr als 5% des Trockengew. ausmacht[1]. – ***E*** polybrominated diphenyl ethers – ***F*** polybromodiphényléthers – ***I*** eteri polibromodifenilici – ***S*** polibromodifenilos

Lit.: [1] Tetrahedron **37**, 2335 – 2339 (1981).
allg.: ECETOC (Hrsg.), Technical Report, Bd. 30, Brüssel: ECETOC 1991 ▪ IPCS (Hrsg.), Environmental Health Criteria 162, Brominated Diphenyl Ethers, Genf: WHO 1994.

PBDF s. Dioxine.

PBDO s. PBDE.

PBG. Kurzz. für Poly(γ-benzylglutamat).

PBI. 1. Kurzz. für *Poly(benzimidazol). – 2. Kurzz. für Polybenzimidazol-Fasern, die ursprünglich als flammwidrige Textil-Faser für das Raumfahrt-Programm der USA entwickelt wurden. Sie eignen sich jedoch auch für den Einsatz in Rauchgasfiltern u. als Er-

Tab.: PBDE-Isomeren.

Anzahl Brom-Atome	Bez./Abk.	Summenformel	Anzahl Isomere	M_R	log P_{OW}[a]	CAS
1	MonoBDE, MBDE, MoBDE	$C_{12}H_9BrO$	3	249,10	4,08–4,94	101-55-3 (4-MBDE)
2	DiBDE	$C_{12}H_8Br_2O$	12	328,00	5,03 (4,4′-DiBDE)	2050-47-4 (4,4′-DiBDE)
3	TriBDE, TrBDE	$C_{12}H_7Br_3O$	24	406,90	5,47–5,58	49690-94-0
4	TetraBDE, TeBDE	$C_{12}H_6Br_4O$	42	485,79	5,87–6,16	40088-47-9
5	PentaBDE, PeBDE	$C_{12}H_5Br_5O$	46	564,69	6,64–6,97	32534-81-9
6	HexaBDE, HxBDE	$C_{12}H_4Br_6O$	42	643,58	6,86–7,92	36483-60-0
7	HeptaBDE, HpBDE	$C_{12}H_3Br_7O$	24	722,48		68928-80-3
8	OctaBDE, OBDE, OcBDE	$C_{12}H_2Br_8O$	12	801,38	8,35–8,90	32536-52-0
9	NonaBDE, NBDE, NoBDE	$C_{12}HBr_9O$	3	880,27		63936-56-1 (2,2′,3,3′,4,4′,5,5′,6-NBDE)
10	DecaBDE, DeBDE, Bis(pentabromphenyl)ether	$C_{12}Br_{10}O$	1	959,17	9,97	1163-19-5

[a] P_{OW} = Octanol-Wasser-Verteilungskoeffizient

satz für *Asbest in Schutzhandschuhen u. Arbeitsanzügen.
Lit.: Elias (5.) **2**, 541.

PBMA. Kurzz. für Poly(*n*-butylmethacrylat)e.

PBN. 1. Abk. für *N-Phenyl-2-naphthylamin.
2. Abk. für polybromierte *Naphthaline (vgl. 1-Bromnaphthalin). PBN sind in *PBB-*Flammschutzmitteln als Verunreinigung nachweisbar. Von den beiden wichtigsten, durch direkte Bromierung zugänglichen Hexabromnaphthalinen ist 1,2,3,4,6,7-HxBN metabolisierbar u. ausscheidbar, wohingegen 2,3,4,5,6,7-HxBN persistent ist. Diese PBN gelten als sehr tox. u. teratogen. – ***E*** polybrominated naphthalenes (2.) – ***F*** polybromonaphthalènes (2.) – ***S*** naftalenos polibromados (2.)
Lit.: IPCS (Hrsg.), Environmental Health Criteria 152, Polybrominated Biphenyls, S. 49f., Genf: WHO 1994.

PBO. 1. Abk. für *Piperonylbutoxid.
2. Abk. für 2-(Biphenyl-4-yl)-5-phenyloxazol (auch BPO).

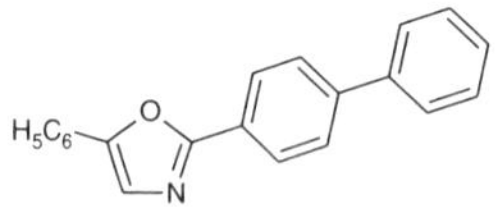

$C_{21}H_{15}NO$, M_R 297,35, Schmp. 115–118 °C, zur Verw. s. PBD.
3. Abk. für *Polybenzoxazole, bes. für ein aus 4,6-Diaminoresorcin u. Terephthaloyldichlorid hergestelltes Polymer.
Lit. (*zu 2*): Beilstein E V **27/7**, 373. – *[HS 2934 90; CAS 852-37-9 (2.); 60871-72-9 (3.)]*

pBR322. Künstlich hergestelltes Multicopy-*Plasmid u. einer der ersten Klonierungsvektoren für **Escherichia coli*, das sich aus drei unterschiedlichen DNA-Abschnitten natürlich vorkommender Plasmide zusammensetzt [je ein *Gen für DNA-Replikationsursprung (*Origin, ori), *Ampicillin-Resistenz (Amp^r) u. *Tetracyclin-Resistenz (Tet^r); s. Abb.]. P. ist 4363 kb groß, vollständig sequenziert u. wird als Standard-Klonierungsvektor häufig verwendet. Viele andere *Escherichia coli*-*Vektoren u. Pendelvektoren leiten sich von pBR322 ab.

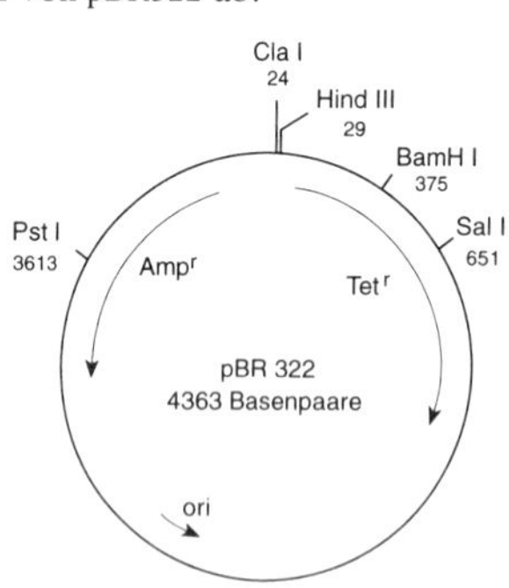

Abb.: Genkarte des Plasmids pBR322.

Lit.: Singer u. Berg, Gene u. Genome, S. 260–264, Heidelberg: Spektrum Akadem. Verl. 1992.

PBR. Kurzz. (nach DIN ISO 1629: 1981-10) für *Vinylpyridin-*1,3-Butadien-*Kautschuk.

PBS. Abk. für *Phenylboronsäure.

PBT. 1. Abk. für *E* *P*ersistent, *B*ioaccumulative, *T*oxic. Bez. für Chemikalien, die in der Umwelt *p*ersistent sind, ein *B*ioakkumulationspotential aufweisen u. Lebewesen od. Ökosyst. infolge *t*ox. Wirkungen schädigen können. – 2. Abk. für polybromierte Terphenyle (Bromterphenyle), vgl. PCT. – 3. Kurzz. (nach DIN 7728-1: 1988-01) für *Polybutylenterephthalate. – 4. Kurzz. für *Polybenzothiazole.

PB-Toxin (PB-1, Diphenyl-*N*-cyclooctylphosphoramidat).

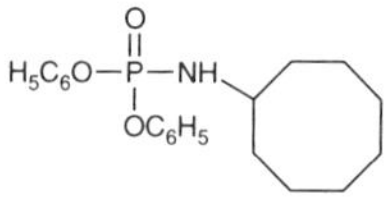

$C_{20}H_{26}NO_3P$, M_R 359,40. Toxin aus dem Dinoflagellaten *Ptychodiscus brevis*, einem Bestandteil der sog. *Roten Tide (red tide), einer Massenvermehrung von Dinoflagellaten, die gelegentlich zu ausgedehntem Sterben von Fischen u. Schalentieren führt.
Die Struktur des PB-T. wurde durch Synth. bestätigt. Die Toxizität von PB-T. für den Gemeinen Guppy, *Lebestes reticulatus*, beträgt 1 ppm (LD_{100}). PB-T. wirkt als Acetylcholin-Esterase-Hemmer u. gehört dem gleichen Strukturtyp an wie viele kommerzielle Insektizide od. *Neurotoxine (Nervengifte, Nervengase). – ***E*** PB-toxin – ***F*** PB-toxine – ***I*** tossina PB – ***S*** PB-toxina
Lit.: Nachr. Chem. Tech. Lab. **31**, 165 (1983) ▪ Science **257**, 1476 (1992) ▪ Tetrahedron Lett. **24**, 855 (1983) ▪ s. a. Brevetoxine, PSP. – *[CAS 86126-37-6]*

PBTP. Kurzz. (nach ASTM, alternativ zu *PBT) für *Polybutylenterephthalat.

PBzN. Abk. für Peroxybenzoylnitrat, s. Peroxyacylnitrate.

PC. Abk. für 1. *Polycarbonate auf der Basis von Bisphenol-A-Kohlensäure-Estern, die sich durch hohe Wärmefestigkeit u. Kerbschlagzähigkeit auszeichnen. – 2. *Polychloroprene. – 3. Propylencarbonat, s. 4-Methyl-1,3-dioxolan-2-on. – 4. Phosphatidylcholin, s. Lecithine. – 5. *Phthalocyanin, als Phthalocyaninato(2–)-Ligand meist pc, z. B. Cu(pc). – 6. *Papierchromatographie. – 7. *Physikalische Chemie. – 8. Personal Computer. – 9. Plast. Krist., s. PC-Glas.

PCA. Abk. für 5-Pyrrolidon-2-carbonsäure, s. Pyroglutaminsäure.

PCB.

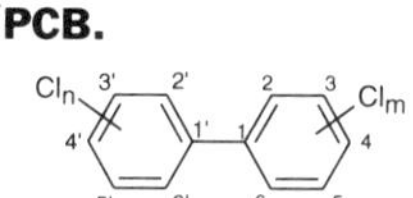

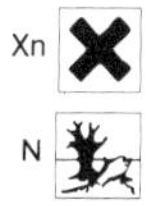

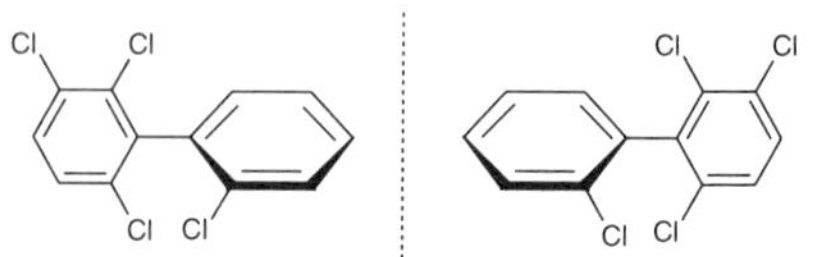

Enantiomerenpaar von 2,2',3,6-TeCB, ein Atropisomer[2]

Abk. für polychlorierte *Biphenyle (Chlorbiphenyle), Verb.-Klasse ($C_{12}H_{10-m-n}Cl_{m+n}$) mit 209 Isomeren (Congeneren, s. Tab. 1). Die Bez. nach Ballschmiter u. Zell mit der sog. BZ-Nummer (IUPAC-Nr.) s. *Lit.*[1]; analog werden auch die *PBB numeriert. Im Unterschied

Tab. 1: Isomeren der polychlorierten Biphenyle.

Anzahl Chlor-Atome	Bez./Abk.	Summenformel	M_R	Anzahl Isomere	Chlor [%]
1	Monochlorbiphenyle, MCB, MoCB	$C_{12}H_9Cl$	188,7	3	18,8
2	Dichlorbiphenyle, DiCB	$C_{12}H_8Cl_2$	223,1	12	31,8
3	Trichlorbiphenyle, TrCB	$C_{12}H_7Cl_3$	257,6	24	41,3
4	Tetrachlorbiphenyle, TeCB	$C_{12}H_6Cl_4$	292,0	42	48,6
5	Pentachlorbiphenyle, PeCB	$C_{12}H_5Cl_5$	326,4	46	54,3
6	Hexachlorbiphenyle, HxCB	$C_{12}H_4Cl_6$	360,9	42	58,9
7	Heptachlorbiphenyle, HpCB	$C_{12}H_3Cl_7$	395,3	24	62,8
8	Octachlorbiphenyle, OcCB, OCB	$C_{12}H_2Cl_8$	429,8	12	66,0
9	Nonachlorbiphenyle, NoCB	$C_{12}HCl_9$	464,2	3	68,7
10	Decachlorbiphenyl, DeCB	$C_{12}Cl_{10}$	498,7	1	71,2

zu den Dibenzodioxinen u. Dibenzofuranen sind die Phenyl-Ringe bei den PCB um die sigma-Bindung relativ frei drehbar. Liganden in den ortho-Positionen (2,2′,6,6′) schränken die freie Drehbarkeit um die sigma-Bindung ein u. bewirken eine Drehung der Biphenyl-Ringe aus der gedachten gemeinsamen Ebene (Aufhebung der Coplanarität). Es können 78 Rotationsisomere (Atropisomere) existieren, die Enantiomerenpaare bilden. Enantiomeren einiger Atropisomere mit 3 od. 4 Chlor-Substituenten in den ortho-Positionen konnten getrennt werden[2]. Die Enantiomeren unterscheiden sich hinsichtlich Reaktionen mit chiralen Reaktanten, z. B. bei der Bindung an Enzyme. Da man ursprünglich annahm, daß die PCB ohne ortho-Substituenten planar sind, werden diese Verb. oft als (co)planar bezeichnet, der Rest als nicht (co)planar.

Herst.: Von 1929 bis heute wurden rund 1,2 Mio. t PCB hergestellt; nach 1984 in der EG noch in Spanien u. Frankreich[1]. Marken waren z. B. Aroclor, Askarel, Clophen (heute nur PCB-freie Produkte), Chlorinated Diphenyl, Delor, Elaol, Kanechlor, Montar, Nepolin, Phenochlor, Pyroclor, Santotherm, Santovac u. Sovol. Kommerzielle Zubereitungen wurden nach physikal. Eigenschaften gehandelt. Sie waren schwer trennbare Gemische mit einem Chlor-Gehalt von ca. 30–60% u. bestanden stets aus einer Vielzahl von Isomeren. Einige Gemische enthielten *PCN u. PCDF (meist ≪15 mg/kg), wohingegen PCDD (s. Dioxine) nicht nachweisbar waren[1]. PCB wurden durch Einwirkung von elementarem Chlor auf Biphenyl in Ggw. von Eisen bzw. Eisenchlorid als Katalysator hergestellt. Individuelle PCB können mit Hilfe der *Ullmann- u. der Gomberg-Reaktion (s. Meerwein-Reaktion) hergestellt werden.

Eigenschaften: PCB sind farblose bis gelbe Flüssigkeiten (Siedebereiche zwischen 270 bis 420 °C) mit mäßiger bis hoher Viskosität, extrem niedriger elektr. Leitfähigkeit, D. 1,2–1,6. PCB sind in den meisten or-

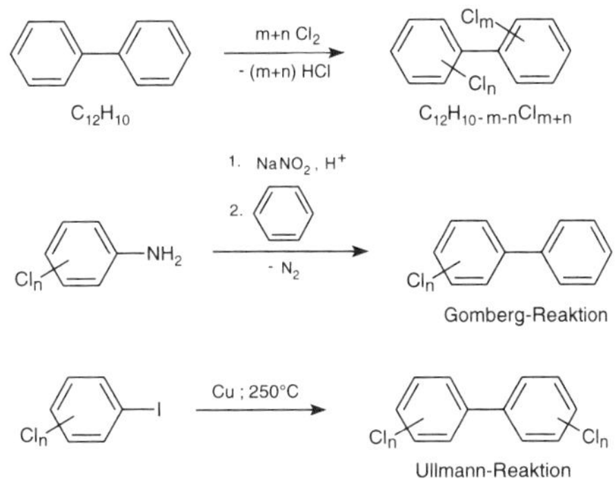

gan. Lsm. gut, in Wasser (bis 6 mg/L), Glycerin u. Glykolen nur in Spuren löslich. Mit zunehmendem Chlorierungsgrad nehmen Wasserlöslichkeit, Flüchtigkeit u. Reaktivität (Metabolisierungstendenz) ab, Lipoid-Löslichkeit, *Bio- u. Geo-Akkumulation u. *Persistenz zu. Der *P_{OW} steigt mit zunehmendem Chlor-Gehalt (log P_{OW} ca. 4,6 für Monochlorbiphenyle, log P_{OW}>8 für Decachlorbiphenyl).

PCB besitzen große chem. u. therm. Stabilität. Sie sind beständig gegenüber Oxidationsmitteln u. reagieren mit NaOH nur unter extremen Bedingungen zu phenol. Verbindungen. Die Pyrolyseprodukte (Brandruß) enthalten Spuren von PCDF u. keine od. sehr geringe Mengen an PCDD.

Verw.: Als flammfeste dielektr. Isolierflüssigkeiten in Hochspannungs-Transformatoren u. Kondensatoren, als Hydrauliköle im Bergbau, früher auch in Drucktinten, in Weichmachern u. Spezialklebstoffen, als Hochdruck-Schmiermittel-Additiv. In der BRD durften PCB seit 1972 nur noch in geschlossenen Syst. eingesetzt werden (s. *Lit.*[3]). Die *TRGS 616 (5/94) nennt Ersatzstoffe, Ersatzverf. u. Verwendungsbeschränkungen für PCB.

Vork.: PCB sind in Atmo-[4], Hydro-[5–7], Pedo-[6] u. Biosphäre[6,7] nachweisbar. Sie werden durch Organismen u. die Strömungen von Luft u. Wasser – gelöst, in Gasphase u. an Partikel gebunden – global verteilt[8]. Infolge weltweit rückläufiger Herst. u. Emissionen[8] zeigt sich als Trend eine Abnahme der Konz. von PCB in der Umwelt[6].

Bes. die hochchlorierten PCB werden in Nahrungsketten angereichert. Die Bioakkumulation erfolgt im Leber-, Muskel- u. Fettgewebe der Organismen. In einer Nahrungskette des Genfer Sees wurden folgende Konz. (in ppm bezogen auf Trockenmasse) bestimmt: Sediment 0,02; Wasserpflanzen 0,04–0,07; Plankton 0,39; Muscheln 0,60; Fische 3,2–4,0; Eier von Haubentauchern 5,6 (weitere Beisp. s. *Lit.*[8]).

Für Human-Fettgewebe wurden wiederholt Gehalte zwischen 0,1 u. 10 ppm publiziert. Die tägliche Aufnahme von PCB mit der Nahrung wurde mit etwa 0,1 mg/kg Körpergew. angegeben.

Warmblüter können bes. die niedrig halogenierten PCB metabolisieren. Die Ausscheidung erfolgt in Form polarer Metabolite, die in der Leber durch mischfunktionelle Oxidasen wie Cytochrom P-448 u. P-450 gebildet werden. Relativ schnell werden PCB mit freien 3,4-Positionen oxidiert, wobei *Arenoxide als Zwi-

schenprodukte auftreten, die für die Lebertoxizität u. Carcinogenität (s. unten) verantwortlich sind.
Toxizität: Die akute Toxizität der PCB ist, abhängig vom Chlorierungsgrad, relativ gering. Bei chron. Vergiftungsfällen durch PCB-Gemische wurden Chlorakne, Porphyrie (Ausscheidung großer Koproporphyrin-Mengen), Leberschäden, Nervensystemschäden, Blutbildveränderungen, Störungen des Immunsyst. sowie Veränderungen an Thymus u. Milz beobachtet. Da *2,3,7,8-Tetrachlor-dibenzo[1,4]dioxin die gleichen Krankheitsbilder verursacht, nimmt man an, daß bestimmte PCB-Isomeren über dieselben Rezeptoren wirken wie *Dioxine, allerdings in der Regel wesentlich schwächer. Für diese PCB-Isomeren sind *Toxizitätsäquivalentfaktoren (TEF) vorgeschlagen worden[9] (Tab. 2). Beim Menschen sind die meisten Symptome durch zwei Massenvergiftungen bekannt geworden, die durch den Verzehr von PCB-kontaminiertem Reisöl verursacht wurden: In Japan 1968 die Yusho-Krankheit u. in Taiwan 1979 Yu-Cheng[10]. Allerdings spielten dabei auch die Verunreinigungen der PCB-Gemische (s. oben) eine wesentliche Rolle.

Tab. 2: Toxizitätsäquivalentfaktoren (TEF) für PCB-Isomere[9].

PCB-Typ	IUPAC-Nr.	Struktur	TEF
keine ortho-Substitution	77	3,3′,4,4′-TeCB	0,0005
	126	3,3′,4,4′,5-PeCB	0,1
	169	3,3′,4,4′,5,5′-HxCB	0,01
eine ortho-Substitution	105	2,3,3′,4,4′-PeCB	0,0001
	114	2,3,4,4′,5-PeCB	0,0005
	118	2,3′,4,4′,5-PeCB	0,0001
	123	2′,3,4,4′,5-PeCB	0,0001
	156	2,3,3′,4,4′,5-HxCB	0,0005
	157	2,3,3′,4,4′,5′-HxCB	0,0005
	167	2,3′,4,4′,5,5′-HxCB	0,00001
	189	2,3,3′,4,4′,5,5′-HpCB	0,0001
zwei ortho-Substitutionen	170	2,2′,3,3′,4,4′,5-HpCB	0,0001
	180	2,2′,3,4,4′,5,5′-HpCB	0,00001

PCB passieren die Planzenta (Schwangerschaftsgruppe B); sie selbst wie auch ihre Ausscheidungsprodukte[11] sind in Muttermilch nachweisbar. PCB-Gemische mit einem Chlor-Gehalt von 60% verursachten bei Ratten Leberkrebs, solche mit einem Chlor-Gehalt von 42% zeigten im Rattenversuch keine carcinogene Wirkung. Epidemiolog. Untersuchungen erbrachten keine Anhaltspunkte für eine carcinogene Wirkung der PCB beim Menschen. PCB sind als Stoffe mit begründetem Verdacht auf krebserzeugendes Potential eingestuft (MAK: Anhang IIIB).
Abbau: Ein *biologischer Abbau[12-14] findet unter geeigneten Labor- als auch Umweltbedingungen statt (Schema zum Biphenyl-Abbau s. biologischer Abbau). Bes. die niedrig chlorierten PCB werden relativ schnell unter aeroben Bedingungen oxidiert, die höher chlorierten PCB unter anaeroben Bedingungen leicht reduktiv dehalogeniert. Die partiell dechlorierten PCB können nachfolgend unter aeroben Bedingungen weiter degradiert werden. In der Atmosphäre werden PCB photochem. – direkt od. indirekt – abgebaut. Eine rasche Photodechlorierung von PCB ist an Partikeloberflächen u. in Anwesenheit von Photosensibilisatoren (z. B. Natriummethylsiliconat) im UV- (u. sichtbaren) Licht möglich.
Entsorgung: Bei unvollständiger Verbrennung von PCB entstehen PCDF u. PCDD (s. Dioxine). Die Entsorgung von PCB-*Abfällen darf daher nur von dafür zugelassenen Entsorgungsunternehmen in zugelassenen Anlagen erfolgen[15]. In der BRD ist die Beseitigung der bekannten PCB-Bestände bis Ende 1999 vorgesehen, in der EU bis 2010[16].
Vorschriften: MAK-Werte: 1 bzw. 0,5 ppm (entspricht 1,1 bzw. 0,7 mg/m^3) bei einem Chlor-Gehalt von 42 bzw. 54%. Nach *Gefahrstoffverordnung bestehen Herst.- u. Verwendungsverbote (Anhang 4) u. bes. *Kennzeichnungs-Vorschriften (Anhang 3) für PCB mit mehr als 2 Chlor-Substituenten sowie *PCT. Das Inverkehrbringen ist früher nach PCB-Verbotsverordnung[2] (1993 aufgehoben), jetzt nach *Chemikalienverbotsverordnung (Ausnahme: Forschung, Entsorgung u. bestimmte befristete Anw. in Transformatoren) verboten. Dieses Verbot betrifft auch Zubereitungen mit Gehalten über 50 mg/kg, daraus hergestellte Erzeugnisse sowie Erzeugnisse, die in Verdacht stehen, oben genannte Stoffe zu enthalten; s. a. TRGS 518 WGK 3; s. Störfall-Verordnung Anhang II u. Schadstoff-Höchstmengen Verordnung.
Trinkwasser: max. 0,5 mg/L (Summe der PCB-Isomeren einschließlich *PBB).
Analytik: Bei Umweltproben sind meist aufwendige Extraktions- u. Anreicherungsverf. notwendig. Häufig erfolgt die Analyse durch Kapillargaschromatographie in Kombination mit Massenspektrometrie[1]. Zur Trennung von Enantiomeren s. *Lit.*[2]. – ***E*** polychlorinated biphenyls – ***F*** polychlorures de biphényle – ***I*** bifenili policlorurati – ***S*** policloruros de bifenilo, bifenilos policlorados

Lit.: [1] IPCS (Hrsg.), Environmental Health Criteria, Bd. 140, Polychlorinated Biphenyls and Terphenyls (2.), S. 19–479, 626 f., Genf: WHO 1993. [2] Chemosphere **32**, 2133–2140 (1966). [3] Römpp Lexikon Umwelt, S. 537 f. (PCB-Verbotsverordnung). [4] Environ. Sci. Technol. **30**, 1032–1037 (1996). [5] Environ. Sci. Technol. **29**, 2368–2376 (1995). [6] Chemosphere **29**, 2201–2208 (1994). [7] Environ. Sci. Technol. **29**, 2038–2046 (1995). [8] Koch, Umweltchemikalien (3.), S. 319–323, Weinheim: VCH Verlagsges. 1995. [9] Chemosphere **28**, 1049–1067 (1994). [10] Chemosphere **29**, 2395–2404 (1994); **34**, 1579–1586 (1997). [11] Chemosphere **33**, 559–565 (1996). [12] Appl. Environ. Microbiol. **60**, 2884–2889 (1994); **61**, 2166–2171, 2560–2565, 3353–3358 (1995); **62**, 4147–4179 (1996). [13] Chemosphere **32**, 1275–1286 (1996); **34**, 655–669 (1997). [14] Environ. Sci. Technol. **28**, 2054–2064 (1994). [15] Römpp Lexikon Umwelt, S. 535 ff. [16] Umwelt (BMU) **1995**, 157 f.
allg.: Hutzinger **3 A**, 157–179; **3 B**, 89–116 ▪ IARC (Hrsg.), IARC Monographs on the Evaluation of the Carcinogenic Risk of Chemicals to Humans, Bd. 18, S. 37–103, Genf: WHO 1978 ▪ Kuratsane u. Shapiro, PCB Poisoning in Japan and Taiwan, New York: Liss 1984 ▪ Richardson u. Gangolli, Dictionary of Substances and their Effects, Bd. 1, S. 383–403, Cambridge: Royal Chemical Soc. 1992.

PCBO s. PCDE.

PCBP.

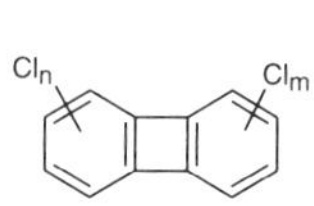

Abk. für polychlorierte Diphenylene, in Pyrolyse-Rückständen von *PCB-Bränden nachweisbare Stoffgruppe $C_{12}H_{8-m-n}Cl_{m+n}$.
Lit.: IPCS (Hrsg.), Environmental Health Criteria, Bd. 140, Polychlorinated Biphenyls and Terphenyls (2.), S. 89, Genf: WHO 1993.

PCD. Kurzz. für *Polycarbodiimide.

PCDBT s. Dibenzothiophen.

PCDD. Abk. für *p*oly*c*hlorierte *D*ibenzo*d*ioxine, s. Pentachlorphenol, 2,3,7,8-Tetrachlordibenzo[1,4]dioxin u. Dioxine, vgl. PCB.

PCDE (PCBO, PCDPE).

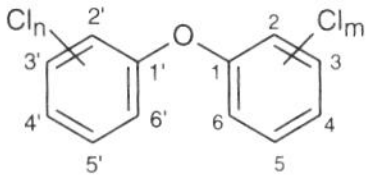

Abk. für Polychlorinated Diphenyl Ethers, polychlorierte *Diphenylether, veraltete Bez. polychlorierte Biphenyloxide, $C_{12}H_{10-m-n}OCl_{m+n}$. *Beisp.:* Octachlordiphenylether, Abk. OCDE. Chlor-Analoga zu *PBDE, Stoffgruppe mit 209 Isomeren u. Ähnlichkeiten zu *PCB. PCBO entstehen als Nebenprodukte bei der Herst. von Chlorphenolen u. bei unvollständiger Verbrennung. PCBO gelten als hepato- u. immunotoxisch. Der Abbau kann durch Hydroxylierung in der ortho-Position zur Ether-Bindung beginnen. Durch Photolyse können PCDF u. PCDD aus PCBO entstehen. In skandinav. Umweltproben nachgewiesene PCBO scheinen aus Holzbehandlungsmitteln (Chlorphenolen) zu stammen, wo sie als Verunreinigung (bis 1‰) vorliegen. – ***E*** polychlorinated diphenyl ethers – ***I*** eteri policlorodifenilici – ***S*** éteres difenilo policlorados
Lit.: Chemosphere **27**, 2365–2380 (1993) ▪ Hutzinger **3A**, 160.

PCDF. Abk. für *p*oly*c*hlorierte *D*ibenzo*f*urane, s. PCB, Dioxine u. Pentachlorphenol.

PCDPE s. PCDE.

PCDPS. Abk. für polychlorierte Diphenylsulfide, *PCDE-Analoga mit Schwefel anstelle von Sauerstoff, die ähnlich wie die entsprechenden Diphenyloxide wirken, aber deutlich schwächer tox. sind. – ***E*** polychlorinated diphenylsulfides – ***I*** difenilsolfuri policlorurati – ***S*** difenilsulfuros policlorados
Lit.: Environ. Toxicol. Chem. **13**, 1543–1548 (1994) ▪ Organohalogen Compounds **13**, 229–232 (1993).

PCDT s. Dibenzothiophen.

P-Cellulose s. Cellulose-Ionenaustauscher u. Phospho-Cellulose.

PC-Glas. Bez. für Gläser, die beim Erstarren *plastischer Kristalle (*E* *p*lastic *c*rystal, PC) entstehen: Während Stoffe, die keine Mesophasen (s. Flüssige Kristalle) ausbilden, beim Abkühlen aus der isotropen Schmelze entweder ein krist. Material od. amorphe Gläser ergeben, entstehen beim Abkühlen isotroper Schmelzen mesogener Stoffe zunächst flüssigkrist. Mesophasen. Bei weiterem Abkühlen gehen diese entweder in völlig geordnete Krist. od. in sog. „mesomorphe Gläser" über, in denen die zuvor im flüssigkrist. Zustand vorhandene Ordnung eingefroren wird u. somit erhalten bleibt. Da derartige Gläser keine allg. anerkannten Bez. besitzen, u. widersprüchliche Namen wie z. B. „flüssigkrist. Glas" zu vermeiden sind, werden sie als LC-Gläser (*E* „*l*iquid *c*rystal") bezeichnet, wenn sie aus einer flüssigkrist. Mesophase erstarrt sind, als PC-G., wenn durch Erstarren plast. Krist. gebildet, u. als CD-Gläser (*E* *c*onformationally *d*isordered), wenn aus *Condis-Kristallen entstanden. – ***E*** PC glasses – ***I*** vetri di cristalli plastici – ***S*** vidrios PC
Lit.: Elias (5.) **1**, 767.

PCI. Kurzbez. für die 1950 gegr. PCI Augsburg GmbH, 86012 Augsburg, einem Tochterunternehmen der SKW Trostberg AG. *Daten* (1996): ca. 800 Beschäftigte. *Produktion:* Herst. u. Vertrieb von chem. Baustoffen (PCI®).

PCI-Silcoferm® A, -S, -TW, -VE, -UW. Elast. Fugen-Dichtungsmassen auf Silicon-Basis, gebrauchsfertig. ***B.:*** PCI Polychemie.

PCN. 1. Abk. für Pentachlornitrobenzol (PCNB), s. Quintozen.
2. Abk. für polychlorierte Naphthaline[1] (*Chlornaphthaline), vgl. PBN u. Chloraromaten.
Lit.: [1] Chemosphere **35**, 1195–1198 (1997).

PCP. 1. Abk. für **P*enta*c*hlor*p*henol. – 2. Abk. für primär chron. Polyarthritis; s. rheumatoide Arthritis. – 3. Codename für *Phencyclidin.

PCPY.

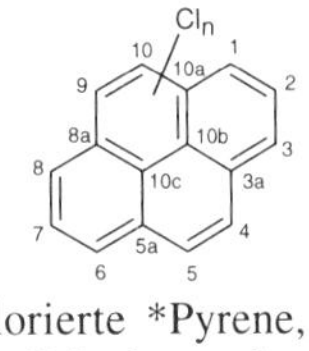

Abk. für polychlorierte *Pyrene, in Pyrolyse-Rückständen von *PCB-Bränden nachweisbare Stoffgruppe $C_{16}H_{10-n}Cl_n$.
Lit.: IPCS (Hrsg.), Environmental Health Criteria, Bd. 140, Polychlorinated Biphenyls and Terphenyls (2.), S. 90, Genf: WHO 1993.

PCR. Abk. für *polymerase chain reaction.

PCT. 1. Abk. für Patent Cooperation Treaty; s. Patente.
2. Abk. für 4- =*p*-*Chlortoluol.
3. Abk. für polychlorierte Terphenyle, Stoffgruppe $C_{18}H_{14-x-y-z}Cl_{x+y+z}$ mit 8149 Isomeren, die sich von den *PCB formal durch ortho-, meta- od. para-Substitution eines H-Atoms durch einen (chlorierten) Phenyl-Rest ableiten.

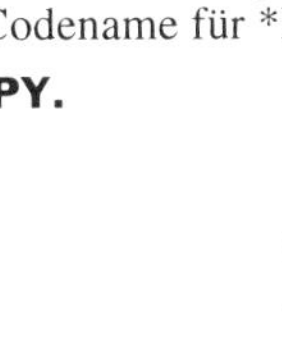

ortho

meta

para

Die PCT ähneln den PCB hinsichtlich physikal., chem. u. biolog. Eigenschaften u. wurden z. T. mit diesen im Gemisch verwendet. Handelsnamen waren z. B. Kanechlor KC-C u. Aroclor (5432, 5442, 5460), Py-

draul (Hydraulikflüssigkeit) u. Rigidax (Wachs). PCT wurden wie PCB 1929 beginnend zuerst von *Monsanto hergestellt. Die letzte bekannte Produktion wurde 1980 eingestellt. Zwischen 1955 bis 1980 wurden rund 60000 t PCT weltweit produziert u. als Flammschutzmittel, Insektizid u. a. genutzt. PCT sind global verbreitet, liegen aber in der Regel in wesentlich niedrigeren Konz. vor als PCB. WGK 3. Einzelne PCT-Produktgemische wirken durch Aktivierung des Androsteron-Abbaus an der Ratte estrogen. Sie gelten als Nervengifte u. sind im Anhang II der Störfallverordnung genannt. Weitere Vorschriften s. PCB. – *E* polychlorinated terphenyls – *F* polychloroterphényles – *I* terfenili policlorurati – *S* terfenilos policlorados
Lit.: ECETOC Technical Report, Bd. 30, Brüssel: ECETOC 1991 ▪ Hutzinger 3B, 89–116 ▪ IPCS (Hrsg.), Environmental Health Criteria, Bd. 140, Polychlorinated Biphenyls and Terphenyls (2.), S. 481–496, Genf: WHO 1993 ▪ Richardson u. Gangolli, Dictionary of Substances and their Effects, Bd. 6, S. 711f., Cambridge: Royal Chemical Soc. 1994. – *[CAS 61788-33-8]*

PCTA. Abk. für polychlorierte Thianthrene, PCDD-Analoga (s. Dioxine) mit Schwefel anstelle von Sauerstoff, die ähnlich wie die entsprechenden *Dioxine wirken, aber deutlich schwächer tox. sind. – *E* polychlorinated thianthrenes – *I* tiantreni policlorurati – *S* tiantrenos policlorados
Lit.: Environ. Toxicol. Chem. **13**, 1543–1548 (1994) ▪ Organohalogen Compounds **13**, 229–232 (1993).

PCTFE. Kurzz. (nach DIN 7728-1: 1988-01) für *Polychlortrifluorethylene.

pD s. Grenzkonzentration.

Pd. Symbol für das Element *Palladium.

PDAP. Kurzz. (nach DIN 7728-1: 1988-01) für *Poly(diallylphthalat)e.

PDB s. Protein Data Bank.

PDE. Abk. für *Phosphodiesterasen.

PDEA. Abk. für *N-Phenyldiethanolamin.

PD-ECGF s. Plättchen-entstammender Endothelzellen-Wachstumsfaktor.

PDGF s. Plättchen-entstammender Wachstumsfaktor.

PDMS s. Massenspektrometrie.

pe s. Redoxsysteme.

PE. 1. Kurzz. (nach DIN 7728-1: 1988-01) für *Polyethylene. – 2. Abk. für Phosphatidylethanolamin, s. Kephaline.

PEA. Kurzz. für *Polyethylacrylate.

Peak. Aus dem Englischen stammender Begriff, mit dem fachsprachlich die Kurvengipfel von Verteilungskurven od. auch die mehr od. weniger scharf abgesetzten Konz.-Profile getrennter Spezies bezeichnet werden, wie sie z. B. bei chromatograph. Trennungen u. allg. in der Spektroskopie vorkommen. – *E* peak – *F* pic – *I* picco – *S* pico

Pearl-Index. Nach dem amerikan. Biologen R. Pearl (1879–1940) benannter Ausdruck für die Wirksamkeit empfängnisverhütender Methoden. Der P.-I. wird errechnet aus der Zahl der Schwangerschaften trotz Empfängnisverhütung, die nicht auf Anw.-Fehlern beruhen, per 1200 Anw.-Monate (= 100 Frauenjahre, d. h. 100 Frauen wenden die Meth. 1 Jahr lang an). – *E* Pearl index – *F* indice de Pearl – *I* indice di Pearl – *S* índice de Pearl

Pearlman-Katalysator s. Palladium.

Pearson, Ralph G. (geb. 1919), Prof. für Physikal. Chemie, University of California, Santa Barbara (California), USA. *Arbeitsgebiete:* Allg. u. anorgan. Chemie, theoret. Chemie, Reaktionsmechanismen, chem. Kinetik, Koordinationslehre, harte u. weiche Säuren u. Basen (*HSAB-Prinzip).
Lit.: Who's Who in America (50.), S. 3304.

Pearson-Symbol. Zur Klassifizierung von *Kristallstrukturen kann das P.-S. herangezogen werden. Es besteht aus einem Buchstaben für das *Kristallsystem [A = triklin (von *E* anorthic), M = monoklin, O = orthorhomb., T = trigonal, H = hexagonal u. C = kub. (von *E* cubic)], einem Buchstaben für den Bravais-Typ (P, C, F, I od. R; s. Kristallgeometrie) u. einer Zahl für die Gesamtzahl der Atome in der Elementarzelle. *Beisp.:* MC24 bedeutet eine monokline, c-zentrierte Elementarzelle mit 24 Atomen. – *E* Pearson Symbol – *I* simbolo di Pearson – *S* símbolo de Pearson
Lit.: Pearson, A Handbook of Lattice Spacings and Structures of Metals and Alloys, Vol. 2, Oxford: Pergamon Press 1967.

PEBA. Kurzz. für Polyether-Block-Amide, s. Polyether.

Pebatex®. Atmungsaktive Membranfolie aus *Polyether-Blockamid. *B.:* Elf Atochem Deutschland GmbH.

Pebax®. *Polyether-Blockamide (PEBA), bestehend aus *Polyamid(PA)-Segmenten u. aus Polyether-Segmenten. Je nach Konz. der Polyether-Segmente ergeben sich flexible bis hochflexible u. schlagzähe Formmassen. Verarbeitung nach Extrusions- u. Spritzguß-Verfahren. *B.:* Elf Atochem.

PeBB. Abk. für Pentabrombiphenyl(e), s. PBB.

PeBDE. Abk. für Pentabromdiphenylether, s. PBDE.

Pebulat.

$$H_3C-(CH_2)_2-S-\overset{\overset{O}{\|}}{C}-N\overset{C_2H_5}{\underset{(CH_2)_3-CH_3}{}}\quad Xn\;\times$$

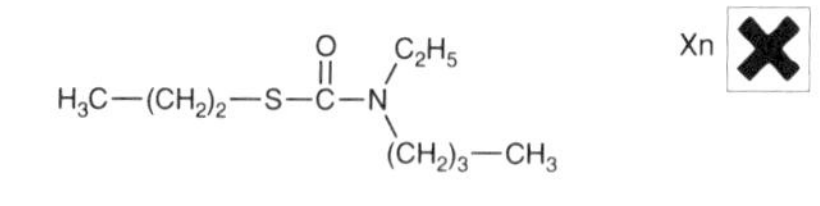

Common name für *S*-Propyl-butyl(ethyl)thiocarbamat, $C_{10}H_{21}NOS$, M_R 203,4, Sdp. 142 °C (2,7 kPa), LD_{50} (Ratte oral) 1120 mg/kg (GefStoffV), von Stauffer (jetzt Zeneca) 1954 eingeführtes selektives Vorauflauf-*Herbizid gegen Ungräser u. einige Unkräuter im Zuckerrüben-, Tomaten- u. Tabakanbau. – *E* = *F* pebulate – *I* = *S* pebulato
Lit.: Farm. ▪ Perkow ▪ Pesticide Manual. – *[HS 293090; CAS 1114-71-2]*

PEC. 1. Abk. für *E* predicted environmental concentration = vorhergesagte (höchste) Konz. eines Stoffs in der Umwelt; seltener auch EEC (estimated environmental concentration). Die Differenz zwischen dem kleinsten *Schwellenwert der unerwünschten Wirkung bei Organismen (s. PNEC) u. der PEC dient zur Abschätzung der Wahrscheinlichkeit einer Umweltbeeinträchtigung.

2. (PE-C). Kurzz. (nach DIN 7728-1: 1988-01) für *chloriertes Polyethylen. – ***E*** predicted environmental concentration – ***F*** prévision de concentration environnementale – ***I*** massima concentrazione prevista all'ambiente – ***S*** concentración ambiental predicha

Lit. *(zu 1.)*: ECETOC (Hrsg.), Technical Report 61, Environmental Exposure Assessment, Brussels: ECETOC 1994 ▪ Quint et al., Environmental Impact of Chemicals, Cambridge: Royal Soc. Chem. 1996 ▪ Ullmann (5.) **B 7**, 86–97.

PeCB. Abk. für Pentachlorbiphenyl(e), s. PCB.

PeCDD, PeCDF s. Dioxine.

PeCDE. Abk. für Pentachlordiphenylether, s. PCDE.

Pech (Plural: Peche). Von latein.: pix abgeleitete Bez. für zähflüssige bis feste, teerartige bzw. bituminöse, schmelzbare Rückstände, die bei der Dest. organ. Materie (Naturstoffe) od. von *Stein- bzw. *Braunkohlenteer zurückbleiben. Im einzelnen unterscheidet man neben Braunkohlenteer-P. u. dem bes. wichtigen Steinkohlenteer-P. u. a. Fett-, Harz-, Holz-, Knochen-, Ölgasteer-, Petrol-, Schuster-, Schieferteer-, Stearin-, Sulfat-, Säureharz- u. Tallöl-P., die z. T. in Einzelstichwörtern besprochen sind. Unter der pharmazeut. Bez. *Pix werden sowohl P. als auch *Teere verstanden. Je nach Erweichungspunkt (ein scharfer Schmp. existiert nicht) unterscheidet man Weich- (40 °C), Mittel- (70 °C) u. Hart-P. (85 °C). Die P. setzen sich aus hochmol. cycl. Kohlenwasserstoffen u. Heterocyclen zusammen; M_R bis zu 30000. Aus ^{13}C-NMR-spektroskop. Untersuchungen kann man auf einen Gehalt an aromat. Verb. von fast 100% schließen [1]. Wegen des Vork. von carcinogenen polycycl. aromat. Kohlenwasserstoffen (*PAH) ist Steinkohlenteer-P. in die Gruppe III A der MAK-Liste eingestuft worden, wobei eine Gefährdung hauptsächlich von Dämpfen aus erhitztem od. von der Dauereinwirkung von feinverteiltem P. ausgeht.

Verw.: Als Bindemittel für Briketts, Kunstkohlen, Elektroden, in Mischung mit Teerölen als präparierter Teer, Straßenteer, Dachpappenmaterial, zur Herst. von Pechkoks u. Kohlenstoff-Fasern, als wasserbeständiger, chem. widerstandsfähiger Bestandteil von Lacken u. Sperranstrichmitteln. Wegen des Gehalts an Phenolen wirken P. wie auch Teere antisept. u. antimykot.; sie fanden deshalb medizin. u. veterinärmedizin. Verw. bei Hautkrankheiten, als Desinfektionsmittel u. ä.

Die alte bergmänn. Bez. *Pechblende* für *Uranpecherz ist entstanden, weil man diese für eine pechähnliche Abart der *Zinkblende hielt, was sich später als Irrtum herausstellte [2]. – ***E*** pitch – ***F*** poix – ***I*** pece – ***S*** pez, brea

Lit.: [1] Fuel **57**, 345–352 (1978). [2] Lüschen, Die Namen der Steine, S. 128 f., 289, Thun: Ott 1968.
allg.: DIN 55946-1 u. 2: 1983-12 ▪ Kirk-Othmer (3.) **22**, 564–600 ▪ Ullmann (4.) **22**, 411–446; (5.) **A 26**, 91–127 ▪ Will u. Holl, Krebsgefährdung bei Verwendung von Pechbitumen im Straßenbau, Bremerhaven: Wirtschaftsverl. 1990. – *[HS 2708 10, 3807 00]*

Pechblende s. Uranpecherz u. Pech.

Pechiney. Kurzbez. für das 1855 gegr. französ. Unternehmen Pechiney S. A., F-75008 Paris. *Daten* (1996): ca. 35000 Beschäftige, 12,6 Mrd. US $ Umsatz. *Produktion:* Aluminium u. Aluminium-Produkte; Verpackungen u. Verpackungsmaterial; Handel. *Vertretung* in der BRD: Pechiney Deutschland GmbH, 40032 Düsseldorf.

Pechkoks. *Koks, der durch Erhitzen von *Steinkohlenteer-Pech unter Luftabschluß gewonnen wird u. infolge seines minimalen Aschengehaltes für Kohle-Elektroden für die Aluminium- u. Stahl-Gewinnung sowie als Rohstoff zur Herst. von Siliciumcarbid u. Kunstkohlen geeignet ist. – ***E*** pitch coke – ***F*** coke de poix, coke de goudron – ***I*** coke di pece – ***S*** coque de alquitrán, coque píceo

Pechmann, Hans von (1850–1902), Prof. für Chemie, Tübingen. *Arbeitsgebiete:* Entdeckung des Diazomethans u. der Tetrazolium-Verb., Synth. von Acetondicarbonsäure, Cumarinsäure u. substituierten Cumarinen, vgl. folgendes Stichwort.

Lit.: Ber. Dtsch. Chem. Ges. **36**, 4417–4511 (1903) ▪ Neufeldt, S. 92 ▪ Pötsch, S. 337 f.

Pechmann-Reaktion. Mit dem Namen von *Pechmann verbundene Reaktionen: 1. *Cumarin-Synth.* (1883) durch Kondensation von Phenolen mit 3-Oxocarbonsäureestern in Ggw. von Lewis-Säuren od. wasserentziehenden Mitteln wie H_2SO_4, P_2O_5, $AlCl_3$, $POCl_3$, HF.

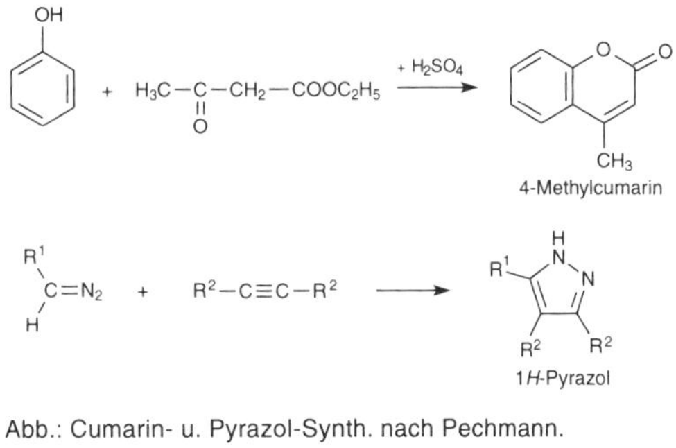

Abb.: Cumarin- u. Pyrazol-Synth. nach Pechmann.

2. *Pyrazol-Synth.* (1898) durch *1,3-dipolare Cycloaddition von Diazo-Verb. an Alkine. – ***E*** Pechmann reaction – ***F*** réaction de Pechmann – ***I*** reazione di Pechmann – ***S*** reacción de Pechmann

Lit. *(zu 1):* Hassner-Stumer, S. 291. – *(zu 2):* Hassner-Stumer, S. 291 ▪ Krauch u. Kunz, Reaktionen der Organischen Chemie, 6. Aufl., S. 9, Heidelberg: Hüthig 1997 ▪ Houben-Weyl **10/4**, 840 f.; **E 8d**, 63 f. ▪ Padwa, 1,3-Dipolar Cycloaddition Chemistry, S. 502 f., New York: Wiley 1984 ▪ s. a. 1,3-dipolare Cycloaddition.

Pechstein. Bez. für einen hydratisierten (mit 4–10% Wasser) u. teilw. entglasten *Obsidian, erkennbar an seinem harz- bis pechartigen Glanz; die Farbe ist grau, schwarz, olivgrün, braun od. rot. P. enthält häufig mikroskop. kleine, haarförmige, gekrümmte, besen- od. andersartig verzweigte od. skelettartige „*Mikrolithe*", v. a. von *Feldspäten, u. auch *Sphärolithe.

Vork.: Bei Meißen in Sachsen, auf der Insel Arran/Schottland u. in Colorado/USA. – ***E*** pitch-stone – ***F*** rétinite – ***I*** resinite – ***S*** retinita

Lit.: Dietrich u. Skinner, Die Gesteine u. ihre Mineralien, S. 191, Thun: Ott 1984 ▪ Wimmenauer, Petrographie der magmatischen u. metamorphen Gesteine, S. 175 f., Stuttgart: Enke 1985.

Pecilocin.

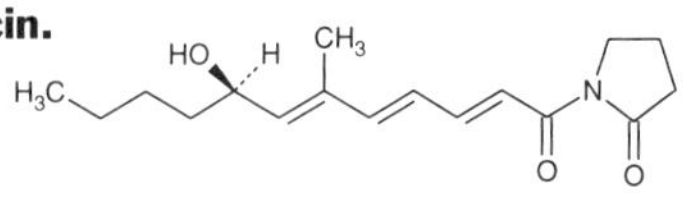

$C_{17}H_{25}NO_3$, M_R 291,39, Schmp. 41,5–42,5 °C (Monohydrat). Internat. Freiname für das auch als *Variotin* bezeichnete 1-((2*E*,4*E*,6*E*,8*R*)-8-Hydroxy-6-methyl-2,4,6-dodecatrienoyl)-2-pyrrolidinon, das aus Kulturen des Pilzes *Paecilomyces varioti* Bainier var. *antibioticus* isoliert wird. P. ist gegen eine Reihe pathogener Pilze aktiv u. wird zur top. Behandlung humaner Dermatomykosen eingesetzt. – ***E*** pecilocin – ***F*** pécilocine – ***I*** = ***S*** pecilocina

Lit.: Gräfe. – *[HS 2941 90; CAS 19504-77-9]*

Pect® Hustenlöser. Lsg., Saft u. Pastillen mit dem *Mucolytikum *Ambroxol-Hydrochlorid. ***B.:*** Rentschler.

Pectocor® N. Salbe mit racem. *Campher als Adjuvans bei Herzbeschwerden. ***B.:*** LAW.

Pederin.

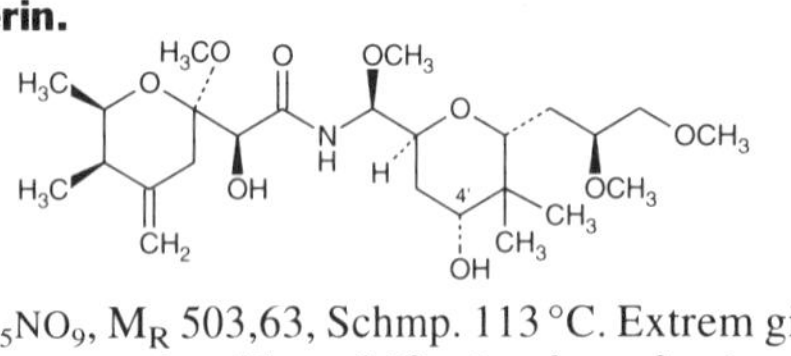

$C_{25}H_{45}NO_9$, M_R 503,63, Schmp. 113 °C. Extrem giftige Substanz aus dem Blasenkäfer *Paederus fuscipes*. Die LD_{50} (Maus i.v.) beträgt 2 µg/kg. P. ist ein Inhibitor der Protein-Biosynth. u. der Mitose, es wirkt cytostatisch. – ***E*** pederine – ***F*** pédérine – ***I*** = ***S*** pederina

Lit.: Beilstein E V **18/7**, 471 ▪ Synthesis **1991**, 1191 ▪ Tetrahedron **44**, 7063–80 (1988); **46**, 1757–1782 (1990) ▪ Tetrahedron Lett. **31**, 3433 (1990) ▪ s.a. Mycalamide. – *[CAS 27973-72-4]*

Pederson, Charles J. (1904–1989), Forschungschemiker bei DuPont von 1927–1969. *Arbeitsgebiete:* Cycl. Oligomere, Kronenether, Begründer der „Wirts-Gast-Chemie". Er synthetisierte 1967 als erster cycl. Oligomere mit einem Metall-Ion im Zentrum. Er zeigte die Möglichkeit auf, Fremdionen in den Hohlräumen von Mol. einzulagern. 1987 erhielt er zusammen mit D. J. *Cram u. J. M. *Lehn den Nobelpreis für Chemie für die Entwicklung u. Anw. von Mol. mit hochselektiven, strukturspezif. Wechselwirkungen.

Lit.: Lexikon der Naturwissenschaftler, S. 323.

Pedion s. Kristallmorphologie.

Pedologie s. Boden.

(–)-Peduncularin s. Aristotelia-Alkaloide.

PEEK. Kurzz. für Polyetheretherketon, ein aromat. *Polyetherketon der Strukturformel

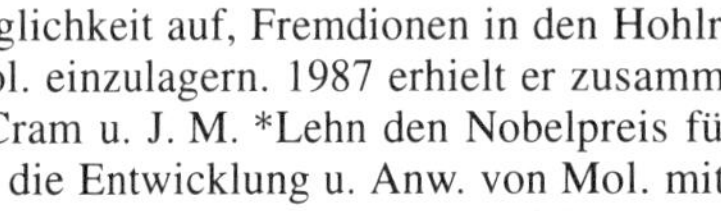

PEEKK. Kurzz. für Polyetheretherketonketon, ein aromat. *Polyetherketon nachfolgender Strukturformel.

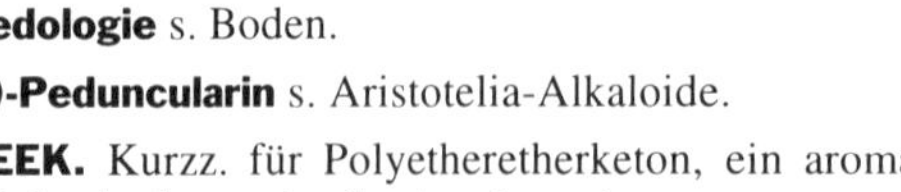

Peeling-Präparate s. Hautpflegemittel.

Peflacin® (Rp). Filmtabl. mit dem *Gyrase-Hemmer *Pefloxacin-Mesilat Dihydrat. ***B.:*** Rhône-Poulenc Rorer.

Pefloxacin (Rp).

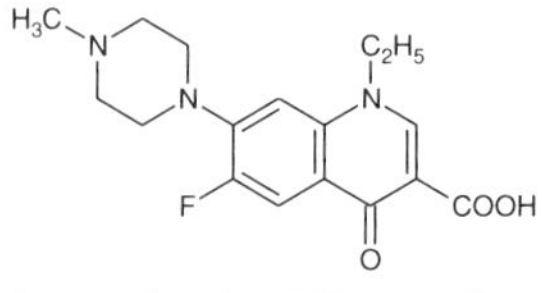

Internat. Freiname für den *Gyrase-Hemmer 1-Ethyl-6-fluor-1,4-dihydro-7-(4-methyl-1-piperazinyl)-4-oxo-3-chinolincarbonsäure, $C_{17}H_{20}FN_3O_3$, M_R 333,36, Schmp. 270–272 °C (Zers.); LD_{50} (Maus i.v.) 225, (Maus oral) 1000 mg/kg. Verwendet wird meist das Mesilat-Dihydrat. P. wurde 1979 u. 1981 von Roger Bellon/Dainippon patentiert u. ist von Rhône Poulenc Rorer (Peflacin®) im Handel. – ***E*** pefloxacin – ***F*** péfloxacine – ***I*** = ***S*** pefloxacina

Lit.: Beilstein E V **23/3**, 135 ▪ Hager (5.) **9**, 40–43 ▪ J. Pharm. Sci. **84**, 895–902 (1995) ▪ Martindale (31.), S. 260 f. – *[HS 2933 59; CAS 70458-92-3 (P.); 149676-40-4 (Mesilat-Dihydrat)]*

PEG. Kurzz. für *Polyethylenglykole.

Peganin (Linarin, Vasicin, 1,2,3,9-Tetrahydropyrrolo[2,1-*b*]chinazolin-3-ol).

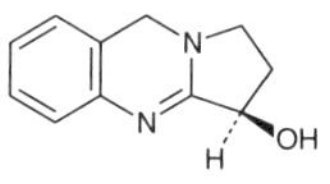

(*R*)-Form

$C_{11}H_{12}N_2O$, M_R 188,22; (+)-(*R*)-Form: Schmp. 211–212 °C, $[\alpha]_D^{24}$ +203° ($CHCl_3$). *Chinazolin-Alkaloid aus *Lunaria-* u. *Peganum*-Arten sowie der Geißraute (*Galega officinalis*, Fabaceae). Die enantiomere (–)-(*S*)-Form ist das Hauptalkaloid von *Anisotes sessiliflorus*, *Adhatoda vasica* u. anderen *Sida-* u. *Lunaria*-Arten, $[\alpha]_D^{14}$ –254° ($CHCl_3$). (–)-(*S*)-P. wirkt bronchodilatator. u. als Atmungsstimulans. Es besitzt schwach hypotensive Wirkung. P. racemisiert in saurer Lsg. od. bei therm. Belastung. Die abs. Konfiguration von P. wurde 1996 revidiert. – ***E*** peganine – ***F*** péganine – ***I*** = ***S*** peganina

Lit.: Beilstein E V **23/12**, 40 ▪ Manske **29**, 99–140 ▪ Tetrahedron: Asymmetry **7**, 25 (1996) ▪ Tetrahedron Lett. **32**, 7131 (1991) ▪ Zechmeister **46**, 158–229. – *[HS 2939 90; CAS 6159-55-3 ((S)-Form); 6159-56-4 (Racemat)]*

Pegaspargase (Rp). Internat. Freiname für das *Cytostatikum Polyethylenglykol-L-Asparaginase, M_R ~5000, das 1976 von Reserch Coop. patentiert wurde u. gegen akute lymphoblast. Leukämie 1997 von Medac (Oncaspar®) in den Handel gebracht wurde. – ***E*** = ***I*** pegaspargase – ***F*** pégaspargase – ***S*** pegaspargasa

Lit.: Ann. Pharmacother. **31**, 616–624 (1997). – *[CAS 130167-69-0]*

Pegmatite. Grob- bis riesenkörnige, zu den *Ganggesteinen gerechnete *magmatische Gesteine mit überwiegend entweder *Feldspäten, *Quarz ± *Glimmern od. Feldspäten, *Feldspat-Vertretern u. a. Alkali-Silicaten als Hauptmineralien. Die P. mit Quarz als einem Hauptmineral schließen sich in ihrer Zusammen-

setzung u. ihrem Vork. eng an *Granite an, während die zweite Gruppe den *Syeniten u. *Nephelinsyeniten zugeordnet ist. Auch von *Gabbros sind P. bekannt. Die P. sind überwiegend Kristallisate wasserreicher silicat. Restschmelzen; zu ihrer Bildung s. Matthes (*Lit.*); zur Entstehung u. Krist. von Granit-P. s. *Lit.*[1].
Ausbildung: Die P. treten überwiegend als *Gänge, Lagergänge u. Linsen, aber auch als Schläuche, Stöcke, Kuppeln od. unregelmäßige Gebilde auf; die Längen reichen meist von wenigen bis zu einigen 100 m u. die Breiten von wenigen cm bis zu 200 m. *Drusen u. *Miarolen sind häufig. Einzelne Krist. von Feldspat, Quarz, Glimmer, *Beryll u.a. können Metergröße erreichen.
Verw.: Die P. enthalten – oft in erheblicher Menge – Mineralien seltener Elemente wie Li (z. B. *Lepidolith, *Spodumen), Be (z. B. Beryll), Nb, Ta (z. B. Columbit), B (z. B. Turmalin), Seltene Erden (z. B. *Monazit, *Xenotim) Zr (z. B. *Zirkon). Viele P. sind wertvolle Lagerstätten solcher Elemente. Gewöhnlich werden sie jedoch auf Feldspat od. auf Glimmer abgebaut. P. sind auch die Muttergesteine vieler *Edelsteine u. Schmucksteine, z. B. Turmalin, Aquamarin, Topas u. Amazonit.
Einteilung: 1. Nach dem *Mineralbestand*, z. B. Feldspat-P., Glimmer-P. u. Phosphat-Pegmatit. – 2. Nach der *petrograph. Verknüpfung mit dem Muttergestein*, z. B. Granit-P., Nephelinsyenit- u. Syenit-Pegmatit. – 3. Einteilung in *einfache* (homogene) *P.* (nur mit den wenigen Hauptmineralien) u. *komplexe* (heterogene) *P.* (mit Zonarbau u. den akzessor. P.-Mineralien). – ***E = F*** pegmatites – ***I*** pegmatiti – ***S*** pegmatitas

Lit.: [1] Can. Mineral. **30**, 499–596 (1992).
allg.: Am. Mineral. **71**, 233–654 (1986) ▪ Guilbert u. Park, The Geology of Ore Deposits, S. 487–507, New York: Freeman 1986 ▪ Hall, Igneous Petrology (2.), S. 376–379, Harlow (U. K.): Longman 1996 ▪ Lapis **6**, Nr. 7–8 (1981) (P.-Heft) ▪ Matthes, Mineralogie (5.), S. 259–262, 266–270, Berlin: Springer 1996 ▪ Schneiderhöhn, Die Erzlagerstätten der Erde, Bd. II, Die Pegmatite, Stuttgart: Fischer 1961.

Pehanon®. Eine Serie von pH-Indikatorpapieren, bei denen Indikator u. Farbvergleichskala auf einem Streifen vereinigt sind. Dies gewährleistet eine schnelle u. sichere Ablesung des *pH-Werts, weil der Vgl. des Teststreifens mit einer separaten Vergleichskala entfällt. Die pH-Werte sind auf den inerten Farbvergleichfeldern aufgedruckt. Diese Anordnung ermöglicht es, auch bei gefärbten Lsg. u. Suspensionen den pH-Wert sicher zu bestimmen, da sich die Farbverschiebungen gleichermaßen auf Indikator u. Farbvergleichfelder auswirken. ***B.:*** Macherey-Nagel.

PE-HD. Kurzz. (nach DIN 7728-1: 1988-01) für *Polyethylen hoher Dichte; s. a. HDPE.

PEI. 1. Kurzz. (nach DIN 7728-1: 1988-01) für *Polyetherimide. – 2. Häufig gebrauchtes Kurzz. für *Polyethylenimin. – 3. Abk. für das *Paul-Ehrlich-Institut.

PEK. Allg. Kurzz. für *Polyetherketone.

Pekan-Nüsse. Steinfrüchte der in Nordamerika heim. Pekan-Nußbäume (= Hickorybaum, *Carya illinoinensis*; Juglandaceae, Walnußgewächse), die ausgewachsen v. a. als Lieferanten des *Hickoryholzes wertvoll sind. Die P.-N. u. die eng verwandten *Hickory-Nüsse* sind in Aussehen u. Geschmack den *Walnüssen ähnlich, äußerlich jedoch glatter, schlanker u. dünnschaliger als diese. Die geschälten Nüsse werden direkt verzehrt od. für die Ölgewinnung genutzt. Je 100 g eßbare Substanz der P.-N. [Nährwert 2880 kJ (687 kcal)] enthalten im Durchschnitt 3,4 g Wasser, 9,2 g Proteine, 71,2 g Fette u. 14,6 g Kohlenhydrate, an Mineralstoffen bes. K, Ca, Mg u. P u. an Vitaminen C, A u. geringe Mengen B-Vitamine. In den USA werden jährlich 80000–165000 t P.-N. geerntet. – ***E*** pecans, hickory nuts – ***F*** noix de Pécan, pacanes – ***I*** pecan, noci di pecan – ***S*** pacanas, nueces pecan

Lit.: Franke, Nutzpflanzenkunde, 6. Aufl., S. 252 f., Stuttgart: Thieme 1997. – *[HS 0802 90]*

PEKEKK. Kurzz. für Polyetherketonetherketonketon, ein aromat. *Polyetherketon der folgenden Strukturformel.

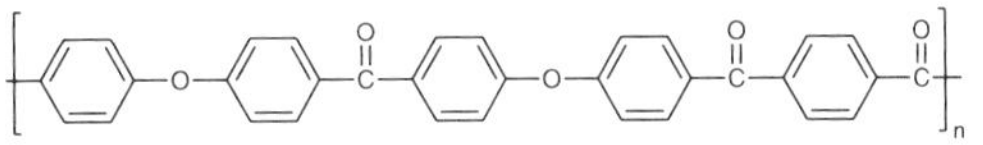

PEKK. Kurzz. für Polyetherketonketon, ein aromat. *Polyetherketon der folgenden Strukturformel.

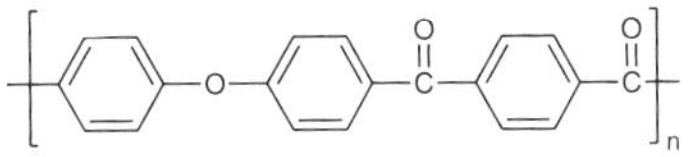

Pekoe s. Tee.

Pektase s. Pektin-spaltende Enzyme.

Pektate. Salze der *Pektinsäure.

Pektat-Lyase s. Pektin-spaltende Enzyme.

Pektinase s. Pektin-spaltende Enzyme.

Pektinate. Salze der *Pektine.

Pektin-Depolymerase s. Pektin-spaltende Enzyme.

Pektine (von griech.: pēktós = verfestigt, geronnen). Hochmol. glykosid. Pflanzeninhaltsstoffe, die in Früchten, Wurzeln u. Blättern sehr verbreitet sind. Die P. bestehen im wesentlichen aus Ketten von 1,4-α-glykosid. verbundenen *Galacturonsäure-Einheiten, deren Säuregruppen zu 20–80% mit Methanol verestert sind, wobei man zwischen *hochveresterten* (>50%) u. *niedrigveresterten* P. (<50%) unterscheidet. Durch Esterhydrolyse erhält man *Pektinsäure u. durch deren Salzbildung *Pektate*; die Salze, die aus den nativen P. durch Reaktion der noch freien Carboxy-Gruppen entstehen, nennt man hingegen *Pektinate*. Das Citrus-P. ist eine reine *Polygalacturonsäure* (Pektinsäure).

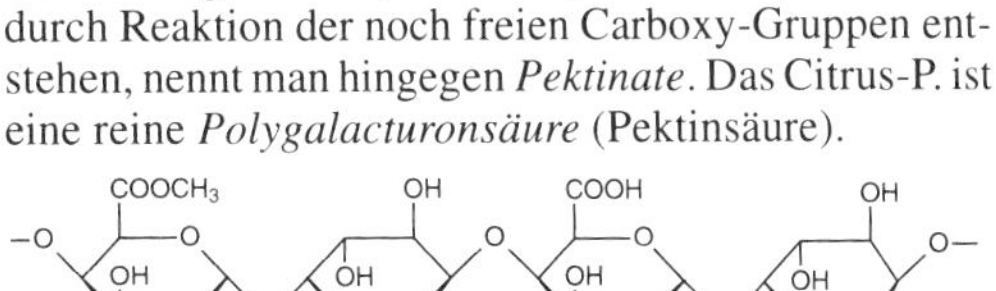

Obst-P. enthält 95%, Rüben-P. bis 85% Galacturonsäure. Die Molmasse der verschiedenen P. variieren zwischen 10000 u. 500000. Auch die Struktureigenschaften sind stark vom Polymerisationsgrad abhängig; so bilden z. B. die Obst-P. in getrocknetem Zustand asbestartige Fasern, die Flachs-P. dagegen feine, körnige Pulver.
Vork.: P. kommt in der Natur hauptsächlich in folgenden Formen vor: 1. Gelöst im Zellsaft, – 2. als unlösl.

Calciumpektat in der Mittellamelle der Zellwände, – 3. als unlösl., wahrscheinlich mit Calcium-, Magnesium- u. Phosphat-Ionen vernetztes *Protopektin* in der prim. Zellmembran. Die Hauptfunktion der P. scheint die von Gerüst- u. Kittsubstanzen zu sein, welche den Zusammenhalt der Zellen im Gewebsverband gewährleisten, denn werden die P. durch Einwirkung *Pektin-spaltender Enzyme lysiert, so resultiert ein Gewebszerfall. Der P.-Gehalt der Pflanzen ist großen Schwankungen unterworfen; am meisten P. enthalten die jugendlichen, unverholzten Pflanzenteile.

Herst.: Durch Extraktion mit verd. Säuren vorwiegend aus den inneren Anteilen von Citrusfruchtschalen, Obsttrestern od. auch Zuckerrübenschnitzeln.

Verw.: Die techn. wichtigste Eigenschaft der P. ist ihre Fähigkeit zur Bildung von *Gelen (sog. *Hydrokolloide*). Die hochveresterten P. liefern in saurer (pH 3–3,5) wäss. Lsg. nach Zusatz von ca. 60–65% Zucker (u. ggf. Säuren) klare, feste *Gelees. Man macht sich diese Eigenschaft zur Herst. von Obstgelees, *Marmeladen u. *Konfitüren u. beim Eindicken von Einmachgut aller Art zunutze, indem man während des Kochens durch Zusatz von P.-Extrakten (Gelierpulver) od. vorgemischtem Gelierzucker ein Gelieren herbeiführt. Bei niederveresterten P. ist die Gelbildung weitgehend unabhängig vom Zucker- u. Säure-Gehalt, erfordert dagegen die Anwesenheit von Ca-Ionen. P. werden – meist in amidierter Form – z. B. zur Herst. Nährstoff-reduzierter diätet. Konfitüren u. Marmeladen, für Tortenguß, zur Gelierung von Milchdesserts u. als *Verdickungsmittel u. Schutzkolloid für Emulsionen in der Lebensmittel-, in der Pharma- u. Kosmetika-Ind. verwendet. P. finden weiterhin Verw. als Stabilisatoren für Speiseeis sowie als Komplexbildner zur Entgiftung bei Schwermetallvergiftungen. Der ernährungsphysiolog. Nutzen der P. besteht in ihrer *Ballaststoff*-Funktion [1]. Nach der *Zusatzstoff-Zulassungs-VO sind P. (E 440a) in Mengen von 30 g pro kg Fertigprodukt für Lebensmittel allg. u. amidiertes P. (E 440b) für Gelierzucker u. Gelierhilfen zugelassen. Eine ausführliche Darst. zur P.-Herst., -Eigenschaften u. -Verw. findet man bei Gierschner [2]. – ***E*** pectins – ***F*** pectines – ***I*** pictine – ***S*** pectinas

Lit.: [1] Pharm. Unserer Zeit **14**, 1–7 (1985). [2] Chem. Rundsch. **34**, Nr. 45, 1,7; Nr. 48, 3–7 (1981); ZFL **1983**, 200–204, 207, 624–630.

allg.: ACS Symp. Ser. **310** (1986) ▪ Aspinall, The Polysaccharides **2**, S. 97–193, New York: Academic Press 1983 ▪ Belitz-Grosch (4.), S. 281 f. ▪ Carbohydr. Polym. **12**, 79–99 (1990) ▪ Elsenhans (Hrsg.), Pharmacology of Carbohydrate Gelling Agents, Stuttgart: Thieme 1982 ▪ Kirk-Othmer (4.) **11**, 812 f., 828, 1091 ▪ Lebensm.-Wiss. + Technol. **13**, 1–6 (1980) ▪ Methods Enzymol. **161** ▪ Merck-Index (12.), Nr. 7194 ▪ New Food Ind. **27**, 50–64 (1985); **28**, 3–8, 27–36 (1986); **30**, 68–79 (1988) ▪ Ullmann (5.) **A 5**, 88; **A 9**, 394; **A 11**, 570 f. ▪ Versteeg, Pectinesterases from the Orange Fruit, Wageningen: Pudoc 1979 ▪ Whistler u. BeMiller (Hrsg.), Industrial Gums (3.), S. 257 ff., San Diego: Academic Press 1993 ▪ Winnacker-Küchler (3.) **3**, 532 ff. ▪ Zechmeister **37**, 208–221. – *[HS 1302 20; CAS 9000-69-5]*

Pektin-Esterase, -Glykosidase, -Lyase s. Pektin-spaltende Enzyme.

Pektinsäure. Trivialname für die Poly-D-galacturonsäure, die aus Pektinen (s. dort) durch Demethylierung gewonnen werden kann, vgl. Formelbild bei Pektine. Die Salze heißen *Pektate*. – ***E*** pectic acid – ***F*** acide pectique – ***I*** acido pectico – ***S*** ácido péctico – *[CAS 9046-38-2]*

Pektin-spaltende Enzyme. Pekt(in)olyt. Enzyme, d. h. Hydrolasen u. Lyasen, die *Pektine spalten, werden in Höheren Pflanzen sowie Kleinpilzen u. a. Mikroorganismen gefunden. Es sind die Carboxyester-Hydrolasen von den Glykosid-Hydrolasen zu unterscheiden. Der Hauptvertreter der ersten Gruppe, die die Spaltung zwischen Carboxy- u. Methyl-Gruppen bewirkt, ist die weitverbreitete *Pektin-Esterase* (Pektase, EC 3.1.1.11). Sie ist häufig vergesellschaftet mit der *Pektinase* (Pektin-Depolymerase, Pektin-Glykosidase, EC 3.2.1.15), die die Glykosid-Bindung zwischen den D-Galacturonsäure-Mol. spaltet, weshalb sie nach Empfehlung der *IUBMB als *Polygalacturonase* bezeichnet wird. Gelegentlich findet man den Begriff „Pektinasen" auch als Sammelbez. für P.-s. E. allgemein. Neben der zu den Hydrolasen gehörigen Pektinase kennt man auch Pektin- u. Pektat-spaltende Lyasen (*Pektin-* bzw. *Pektat-Lyasen*, EC 4.2.2.10 bzw. 4.2.2.2), die an mikrobielle Welkeerreger gebunden sind u. durch ihre Tätigkeit zu Welkeerscheinungen an den betroffenen Pflanzen beitragen. Zur Struktur der Pektat-Lyase C aus *Erwinia chrysanthemi* s. *Lit.* [1]. Techn. P.-s. E. werden meist als Gemische aus *Aspergillus-* od. *Penicillium*-Arten gewonnen, u. zwar in Mengen von ca. 10 t/a.

Verw.: Zum Klären von Fruchtsäften u. Wein, zur Trubstabilisierung in naturtrüben Obst- u. Gemüsesäften, zur Verflüssigung von Maischen zwecks höherer Saftausbeute etc. Die enzymat. Pektinolyse spielt auch beim sog. Rösten von Flachs u. Hanf, bei der Fermentation von Kaffee- u. Kakaobohnen u. der Gewinnung von Citrusölen aus Schalen eine wichtige Rolle. – ***E*** pectolytic enzymes – ***F*** enzymes pectolytiques – ***I*** enzimi pectinolitici – ***S*** enzimas pectolíticos

Lit.: [1] Science **260**, 1444 f., 1503–1507 (1993).

allg.: Annu. Rev. Microbiol. **50**, 213–257 (1996) ▪ Kirk-Othmer (3.) **9**, 190–194.

Pektisation. Synonyme (veraltete) Bez. für *Koagulation.

Pektolith. $Ca_2NaH[SiO_3]_3$ od. $Ca_2Na[Si_3O_8OH]$, farbloses bis weißes, glas- bis seidenartig glänzendes, zu den *Pyroxenoiden mit Dreierketten $[Si_3O_9]^{6-}$ gehörendes, triklines Mineral, Kristallklasse $\bar{1}$-C_i; bildet *Mischkristalle mit *Serandit* [1], $Mn_2NaH[Si_3O_8(OH)]$. Zur Struktur von P. s. *Lit.* [2]. Durchscheinende nadelige u. tafelige Krist., kugelige Aggregate u. strahlige Massen; H. 5, D. 2,84–2,90.

Vork.: Überwiegend auf Klüften bas. *Vulkanite, z. B. in Maharaschtra/Indien, mehrorts in Schottland u. in New Jersey/USA. Gute Krist. in *Serpentin-Gesteinen in Thetford u. Asbestos/Kanada. In der Dominikan. Republik wird durch Spuren von Vanadium blauer bis türkisfarbiger, auch grünlicher bis weißer P. gefunden, der unter dem Namen *Larimar* zu Schmucksteinen verarbeitet wird [3,4]. – ***E*** = ***F*** = ***I*** pectolite – ***S*** pectolita

Lit.: [1] Am. Mineral. **61**, 229–237 (1976). [2] Z. Kristallogr. **125**, 298–316 (1967); **144**, 401–408 (1976); **146**, 281–292 (1977). [3] Neues Jahrb. Mineral., Monatsh. **1991**, 14–22. [4] Lapis **21**, Nr. 1, 39 ff. (1996).

allg.: Anthony et al., Handbook of Mineralogy, Vol. II, Tl. 2, S. 632, Tucson (Arizona): Mineral Data Publishing 1995 ▪ Deer, Howie u. Zussman, Rock-Forming Minerals (2.), Vol. 2 A, Single-Chain Silicates, S. 564–574, London: Longman 1978. – *[CAS 13816-47-2]*

PEL. Abk. für *E* *P*ermissible *E*xposure *L*imit, zulässiger Immissionsgrenzwert, von der *OSHA als Mittelwert für eine achtstündige Exposition am Arbeitsplatz festgelegt, vgl. MAK. – ***E*** permissible exposure limit

Pelagial s. Limnion.

Pelargonate. Salze u. Ester der *Pelargonsäure, z. B. Ethylpelargonat, $C_{11}H_{22}O_2$, M_R 186,29, Flüssigkeit, D. 0,866–0,867, Sdp. 227–228 °C, kommt in zahlreichen Pflanzenölen vor, wird in Aromen für alkohol. Getränke usw. verwendet. Gleichfalls parfümist. verwendete P. sind z. B. Methyl-, Propyl-, Allyl-, Butyl-, Isoamyl-, Hexyl-, Heptyl-, Nonyl- u. Benzylpelargonat. – ***E*** pelargonates – ***F*** pélargonates – ***I*** pelargonati – ***S*** pelargonatos

Lit.: Beilstein E IV **2**, 1019 ff. ▪ s. a. Pelargonsäure. – *[HS 2915 90; CAS 123-29-5 (Ethylester)]*

Pelargonidin s. Anthocyanidine, Fragarin u. Pelargonin.

Pelargonin (Punicin, Monardin, Salvinin). $C_{27}H_{31}O_{15}^+$, M_R 595,51. 3,5-Di-*β*-glucosid von *Pelargonidin* (3,4′,5,7-Tetrahydroxyflavylium, $C_{15}H_{11}O_5^+$, M_R 271,25, als Chlorid rotbraune Prismen, Schmp. >350 °C).

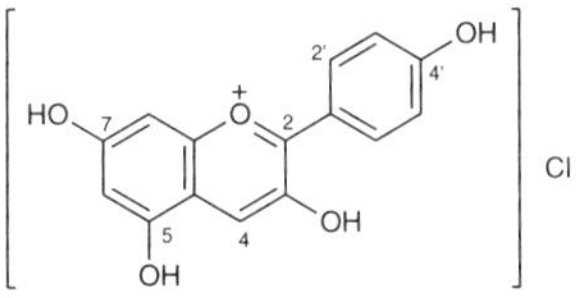

Pelargonidin

Anthocyanin-Farbstoff z. B. aus den Blüten von *Pelargonium zonale*, orangefarbenen Dahlien, Kornblumen u. Salbei. Dunkelviolettes, amorphes Pulver, wenig lösl. in Wasser, lösl. in Alkohol u. Alkali-Lösungen. Name von botan. Gattungsbez. *Pelargonium* (griech.: pelargós = Storch) hergeleitet. P. wird im allg. als Chlorid [feine scharlachrote Nadeln, Schmp. 180–184 °C (Zers.)] isoliert; $[\alpha]_D^{20}$ −291° (CH_3OH/HCl); es ist als Lebensmittelfarbstoff (E 163) zugelassen, wenn es als Naturstoff isoliert wurde. – ***E*** pelargonin – ***F*** pélargonine – ***I*** = ***S*** pelargonina

Lit.: Beilstein E V **17/6**, 552 ▪ Heterocycles **23**, 2709 (1985) (Struktur) ▪ Karrer, Nr. 1709 ▪ Merck-Index (12.), Nr. 7198 f. ▪ s. a. Anthocyane. – *[CAS 17334-58-6 (P.-Chlorid); 7690-51-9; 134-04-3 (Pelargonidin-Kation bzw. -Chlorid)]*

Pelargoniumöl s. Geraniumöl.

Pelargonsäure (Nonansäure, veraltet: Nonylsäure). $H_3C–(CH_2)_7–COOH$, $C_9H_{18}O_2$, M_R 158,24. Stark haut- u. schleimhautreizende, ölige Flüssigkeit von charakterist. Geruch, D. 0,907, Schmp. 12–15 °C, Sdp. 253–255 °C, pK_a 4,95; unlösl. in Wasser, lösl. in Alkohol, Ether, Chloroform.

Vork.: Meist als Ester (*Pelargonate), selten frei, in Blättern von *Pelargonium roseum*, *Ajania*, *Rubus*, *Rhamnus*, *Paulownia*, *Artemisia*, im Hopfenöl, Rosenöl, in der menschlichen Haut, in ranzigen Fetten, in denen sie bei der Oxid. von Ölsäure entsteht. Die Ozonolyse von *Erucasäure, Ölsäure u. *Elaidinsäure liefert P. u. langkettige Dimersäuren.

Verw.: Zur Herst. hydrotroper Salze (*Hydrotropie), zu Alkydharzen, Schmiermitteln, Weichmachern für Vinylharze etc., die P.-Ester in der Parfümerie. P. wirkt schwach bakterizid u. fungizid u. wird in Schlangen-Repellentien eingesetzt; LD_{50} (Maus i.v.) 225 mg/kg, (Maus p.o.) 15 g/kg [1]. – ***E*** pelargonic acid – ***F*** acide pélargonique – ***I*** acido pelargonico – ***S*** ácido pelargónico

Lit.: [1] Sax (8.), ENW 000, NMY 000.

allg.: Beilstein E IV **2**, 1018 f. ▪ J. Am. Chem. Soc. **101**, 371 (1979) (Synth.) ▪ J. Am. Oil Chem. Soc. **54**, 858 A (1977); **55**, 536 (1978) ▪ J. Org. Chem. **42**, 3749 (1977) ▪ Karrer, Nr. 695 ▪ Merck-Index (12.), Nr. 7198. – *[HS 2915 90; CAS 112-05-0]*

Pelargonsäurevanillylamid s. Nonivamid.

PE-LD. Kurzz. für *Polyethylen niedriger Dichte.

P-Elemente (P-Faktor). Bez. für eine Gruppe *transponierbarer Elemente in **Drosophila melanogaster* mit einer Größe von 2907 Basenpaaren. P.-E. besitzen 4 *offene Leseraster, die für zwei überlappende *Gene codieren: Eine Transponase u. einen Repressor der Transposition (s. a. Transposon). – ***E*** P elements – ***F*** éléments P – ***I*** elementi P, fattori P – ***S*** elementos P

Lit.: Singer u. Berg, Gene u. Genome, Heidelberg: Spektrum Akadem. Verl. 1992 ▪ Watson et al., Rekombinierte DNA (2.), Heidelberg: Spektrum Akadem. Verl. 1993.

Pelepon®. Marke von Merck für Reiniger für Doppelmäntel von Email-Kesseln.

Peleus-Ball s. Pipetierhilfen.

Pelite (von griech.: pelos = Schlamm, Ton). Bez. für klast. *Sedimente u. *Sedimentgesteine, deren Korngröße unter 0,02 mm liegt; sie umfaßt Staubsedimente (u. a. *Löß), Schlamm, *Tone, *Tonsteine u. Teile der Schluff-(Silt-)Fraktion (*Siltsteine). P. wird oft als Synonym für Tone gebraucht; Ton ist zwar ebenfalls ein Korngrößen-Begriff, wird jedoch nur für silicat. Material verwendet. – ***E*** pelites – ***F*** pélites – ***I*** peliti – ***S*** pelitas

Lit.: Matthes, Mineralogie (5.), S. 312, 325 f., Berlin: Springer 1996 ▪ s. a. klastische Gesteine.

Pellagra (italien.: pelle agra = trockene Haut). Vitaminmangelerkrankung (*Avitaminose), die auf Mangel an *Nicotinsäure (Niacin) bzw. ihrem Amid zurückzuführen ist. Ein Niacin-Mangel führt allerdings nur zu Symptomen, wenn auch der Tryptophan-Gehalt der Nahrung zu gering ist (wie beim *Mais) od. der Tryptophan-Stoffwechsel gestört ist, da Niacinamid vom Organismus aus Tryptophan synthetisiert werden kann. Die P. ist seit Jh. bekannt als eine schwere Hauterkrankung, die auch heute noch bes. bei Bevölkerungsgruppen, die sich vorwiegend von Mais ernähren (Südstaaten der USA, Balkanländer, Italien), vorkommt. Die Erkrankung äußert sich in lichtempfindlicher, trockener, rissiger Haut, Erythemen mit Blasen- u. Narbenbildung u. Pigmentierung, Entzündungen der Schleimhäute, Erbrechen, Durchfall sowie in Psychosen u. Erkrankungen der peripheren Nerven („Krankheit der drei D“: Dermatitis, Diarrhoe, Dementia). Als PP-Faktor (*p*ellagra *p*reventing factor) wurde 1937 das *Nicotinsäureamid (Niacinamid) aus

Leberextrakten rein dargestellt. Die Behandlung der P. erfolgt durch Verabreichung von Nicotinsäureamid. – ***E*** = ***I*** pellagra – ***F*** pellagre – ***S*** pelagra
Lit.: Biesalski et al., Vitamine, Stuttgart: Thieme 1995.

Pellagra-präventiver Faktor s. Nicotinsäure.

Pellan®-Marken. Wasseremulgierbare Spezialfettungsmittel für Leder u. Pelze auf der Basis komplexaktiver Emulgatoren, z. T. mit hydrophobierenden Eigenschaften. ***B.:*** Henkel.

Pellasan®-Marken. Wasseremulgierbare Fettungsmittel für hochwertige Leder u. Pelze auf der Basis natürlicher u. synthet. Fettstoffe. ***B.:*** Henkel.

PE-LLD. Kurzz. für lineares *Polyethylen niedriger Dichte.

Pellet-förmiger Kernbrennstoff s. Kernbrennstoffe u. Pellets.

Pelletier, Pierre Joseph (1788–1842), französ. Apotheker, der mehrere Alkaloide entdeckte, z. B. Strychnin u. Chinin. Unabhängig von *Berthollet entdeckte er das Chlorhydrat.
Lit.: J. Chem. Educ. **1932**, 1020 ▪ Lexikon der Naturwissenschaftler, S. 324 ▪ Pötsch, S. 339.

Pelletierin [1-((*R*)-2-Piperidinyl)-2-propanon, (*R*)-2-Acetonylpiperidin].

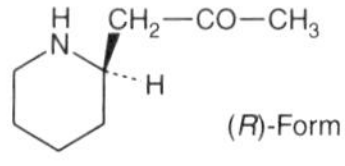

(*R*)-Form

$C_8H_{15}NO$, M_R 141,21, $[\alpha]_D^{23}$ −18° (C_2H_5OH), Öl, Sdp. 195 °C, D_4^{20} 0,988, lösl. in Ethanol, Ether, Chloroform, wenig lösl. in Wasser, LD_{50} (Kaninchen i.v.) 40 mg/kg. P. racemisiert leicht zu (±)-P. (sog. *Isopelletierin*). Giftiges *Piperidin-Alkaloid des *Granatapfel-Baumes (*Punica granatum*). P. ist hochgiftig für Bandwürmer u. wurde lange Zeit als Wurmmittel genutzt. P. ist das Keto-Derivat des *Coniins; Name nach *Pelletier. P. ist eine Vorstufe in der Biosynth. der *Lycopodium-Alkaloide. – ***E*** pelletierine – ***F*** pelletiérine – ***I*** pelletierina – ***S*** peletierina
Lit.: Beilstein E V **21/6**, 522 f. ▪ Heterocycles **29**, 155 (1989) ▪ Merck-Index (12.), Nr. 7200 ▪ Sax (8.), PAO 500 ▪ Ullmann (5.) **A 1**, 359. – *[HS 2939 90; CAS 539-00-4 (Racemat); 2858-66-4 ((R)-Form)]*

Pelleti(si)eren s. Pellets.

Pelletron s. Teilchenbeschleuniger.

Pellets (von engl.: pellet = Kügelchen, Pille, Pastille, Tabl.). Aus feinem, pulverförmigem Material (*Beisp.:* Erze, Kernbrennstoffe, Kohle, Medikamente, Düngemittel, Katalysatoren) durch Formung des angefeuchteten Guts in Trommeln od. auf rotierenden, geneigten Tellern hergestellte Kügelchen. Die P.-Herst. [*Pellet(is)ieren* od. *Kugelsintern*] ist eine Meth. des Agglomerierens, *Kompaktierens od. *Stückigmachens. Im Gegensatz zu P. sind *Granulate unregelmäßig geformt. – ***E*** = ***F*** pellets – ***I*** pallini, pastiglie, pillole – ***S*** pellets, pastillas
Lit.: Kirk-Othmer (3.) **21**, 93 ff. ▪ Ullmann (5.) **B 2**, 7–15 ▪ Winnacker-Küchler (4.) **3**, 488 f. ▪ s. a. Kompaktieren.

Pellotin s. Anhalonium-Alkaloide.

Pelogene Pflanzen s. Helophyten.

Peloide (von griech.: pelos = Schlamm). Sammelbez. für aus geolog. Vorgängen entstandene organ. u. anorgan. Stoffe, die u. a. wegen ihrer guten Wärmeeigenschaften in feinkörniger Form zu medizin. Packungen u. Bädern verwendet werden, z. B. Moor, *Torf, Schlamm, Schlick, *Fango, *Heilerden (bei äußerlicher Anw.). Kosmet. P. können auch mit entsprechenden Wirkstoffen versehen sein. – ***E*** peloids – ***F*** péloïdes – ***I*** peloidi – ***S*** peloides

Pelouze, Théophile-Jules (1807–1867), Prof. für Chemie, Lille u. Paris. *Arbeitsgebiete:* Organ. u. analyt. Chemie, Glasbereitung, Entdecker der Nitrile, Isolierung von Tannin, Gewinnung der Fumar- u. Maleinsäure aus Apfelsäure, Bestimmung der Zusammensetzung von Asparagin- u. Hippursäure. Daneben auch viele prakt. Untersuchungen über Zuckerrüben, die Herst. der Nitrocellulose, die Wirkung konz. Salpetersäure auf Holz od. Stärke. Betreiber mehrerer chem. Fabriken in Paris u. London.
Lit.: J. Chem. Educ. **1929**, 201, 1083, 1936 ▪ Pötsch, S. 339.

Peltier-Effekt. Ein 1834 von dem französ. Physiker J. C. A. Peltier (1785–1845) entdeckter thermoelektr. Effekt, der eine Umkehrung des *Seebeck-Effekts darstellt. Dabei führt der Stromfluß durch eine Kontaktstelle zwischen zwei unterschiedlichen Materialien in einer Richtung zu einer Abkühlung der Kontaktstelle, Umpolung des Stromflusses führt dagegen zu einer Erwärmung der Kontaktstelle. Zusätzlich zum P.-E. tritt stets Erzeugung von Joulescher Wärme auf, d. h. elektr. Energie wird an elektr. Widerständen in Wärme umgewandelt. Bei zu hohen Stromstärken überwiegt der Peltier-Effekt. – ***E*** Peltier effect – ***F*** effet Peltier – ***I*** effetto Peltier – ***S*** efecto Peltier
Lit.: Naturwissenschaften **53**, 373–379 (1966) ▪ s. a. Kältetechnik u. Thermoelektrizität.

Pelze (von griech.: pella u./od. latein.: pellis = Haut, Leder, Pelz, Fell). Auch *Rauchwaren* genannte, verarbeitete *Tierfelle* von Raub-, Nage-, Huftieren, Robben, Füchsen, Musteliden (Zobel, Nerz, Marder, Skunk), Bisamratten, Nutria, Chinchilla, Seehunden (Seal) u. a., aber auch Schafen, Ziegen, Fohlen, Kälbern u. dgl., die nach *Zurichtung* (Veredlung) bei der *Gerberei unter Schonung der Haare, Bleichen od. Färben (wenn erwünscht), Rupfen od. Scheren zu Bekleidungszwecken dienen. Zur *Mottenbekämpfung können P. mit entsprechenden *Insektenabwehrmitteln wie z. B. *Eulan® imprägniert werden. Sowohl ihrer guten Wärmeisolierung als auch ihres schönen Aussehens wegen erfreuen sich P. seit dem Altertum großer Beliebtheit. In neuerer Zeit werden vielfach Pelzimitationen aus Synthesefasern hergestellt, da tier. P. trotz der verbreiteten Zucht von Pelztieren vergleichsweise teurer od. aus (nur allzu berechtigten) Gründen des Artenschutzes nicht mehr verfügbar sind. – ***E*** furs – ***F*** fourrures – ***I*** pellicce – ***S*** pieles
Lit.: Kirk-Othmer (3.) **11**, 580–590 ▪ Ullmann (4.) **17**, 651–660; (5.) **A 12**, 135–142. – *[HS 4301, 4302]*

PE-MD. Kurzz. für *Polyethylen mittlerer Dichte.

Pemolin (Rp).

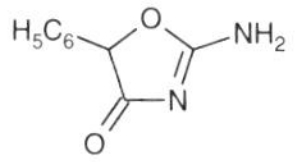

Internat. Freiname für das zentral anregend wirkende, auch als *Doping-Mittel mißbrauchte 2-Amino-5-phenyl-4(5*H*)-oxazolon, $C_9H_8N_2O_2$, M_R 176,17, Schmp. 256–257 °C; λ_{max} (0,05 M H_2SO_4) 250, 256, 261,5, 268 nm ($A^{1\%}_{1cm}$ 18, 18, 17, 11,5), prakt. unlösl. in Wasser, lösl. in heißem Ethanol. P. wird bei hyperkinet. Syndrom des Kindesalters im Rahmen einer therapeut. Gesamtstrategie als Mittel zweiter Wahl eingesetzt. Mittel erster Wahl ist *Methylphenidat u. Dexamphetamin. P. wurde 1959 von Boehringer Ingelheim patentiert u. ist von Beiersdorf Lilly (Tradon®) u. Strathmann (Senior 20®) im Handel. – ***E*** pemoline – ***F*** pémoline – ***I*** = ***S*** pemolina

Lit.: ASP ■ Drugs **46**, 863–871 ■ Hager (5.) **9**, 45 f. ■ Martindale (31.), S. 1555. – *[HS 2934 90; CAS 2152-34-3]*

Penam. Halbsystemat. Name für das (5*R*)-4-Thia-1-azabicyclo[3.2.0]heptan-7-on-Grundgerüst der *Penicilline (s. a. *β*-Lactam-Antibiotika). Die Abb. zeigt die in der Lit. übliche halbsystemat. Numerierung u. Orientierung.

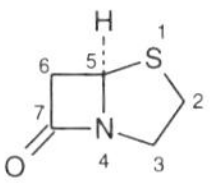

Penam

– ***E*** penam – ***F*** pénam – ***I*** penamo – ***S*** penama

Lit.: Gräfe.

Penbeta® Mega (Rp). Filmtabl. u. Trockensaft mit dem *Antibiotikum *Phenoxymethylpenicillin-Kalium. ***B.:*** Betapharm.

Penbutolol (Rp).

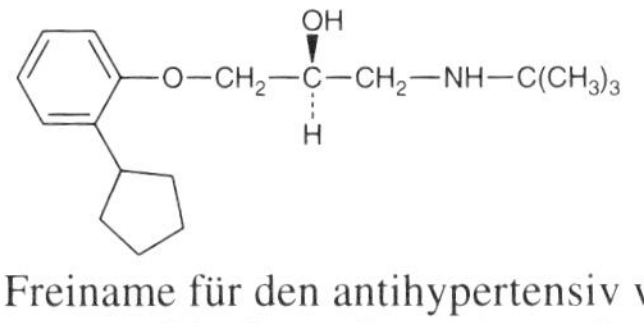

Internat. Freiname für den antihypertensiv wirkenden Beta-Rezeptoren-Blocker (*S*)-(–)-1-*tert*-Butylamino-3-(2-cyclopentylphenoxy)-2-propanol, $C_{18}H_{29}NO_2$, M_R 291,43, Schmp. 68–72 °C; $[\alpha]^{20}_D$ –11,5° (c 1/CH_3OH); λ_{max} (CH_3OH) 270 nm ($A^{1\%}_{1cm}$ 55), lösl. in Ethanol. Verwendet wird meist das Sulfat, Schmp. 216–218 °C; $[\alpha]^{20}_D$ –24,6° (c 1/CH_3OH). P. wurde 1969 u. 1970 von Hoechst (Betapressin®) patentiert. – ***E*** = ***F*** = ***S*** penbutolol – ***I*** penbutolo

Lit.: ASP ■ Betapressin®, Frankfurt: Hoechst AG 1980 ■ Drugs **22**, 1–25 (1981) ■ Hager (5.) **9**, 47 ff. ■ Martindale (31.), S. 926. – *[HS 2922 50; CAS 38363-40-5 (P.); 38363-32-5 (Sulfat)]*

Penciclovir (Rp).

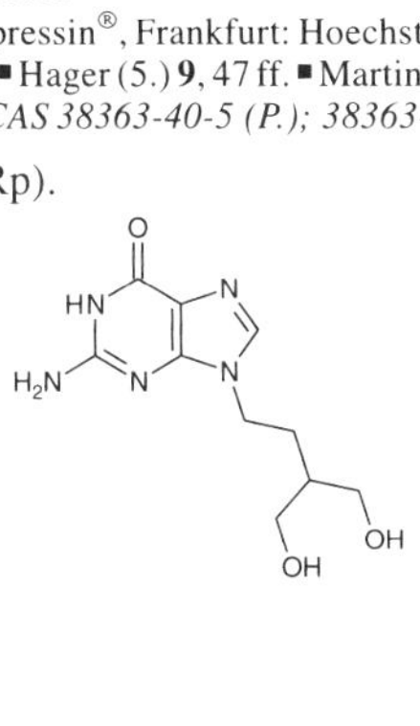

Internat. Freiname für das Virustatikum 2-Amino-1,9-dihydroxy-9-[4-hydroxy-3-(hydroxymethyl)butyl]-6*H*-purin-6-on, $C_{10}H_{15}N_5O_3$, M_R 253,26, Schmp. 272–275 °C, λ_{max} (H_2O) 215, 268 nm ($A^{1\%}_{1cm}$ 716, 423). P. wurde 1991 von SmithKline Beecham (Vectavir®) patentiert u. wird als Creme gegen Herpes labiales eingesetzt. – ***E*** = ***F*** = ***I*** = ***S*** penciclovir

Lit.: J. Am. Med. Assoc. **277**, 1374–1379 (1997) ■ Pharm. Ztg. **142**, 3934–3937 (1997). – *[CAS 39809-25-1]*

Penconazol.

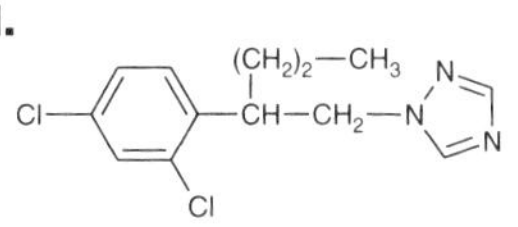

Common name für (±)-1-[2-(2,4-Dichlorphenyl)pentyl]-1*H*-1,2,4-triazol, $C_{13}H_{15}Cl_2N_3$, M_R 284,2, Schmp. 60 °C, LD_{50} (Ratte oral) 2125 mg/kg, von Ciba-Geigy 1986 eingeführtes system. *Fungizid mit protektiver u. kurativer Wirkung gegen Ascomyceten, Basidiomyceten u. Deuteromyceten im Wein-, Kürbis-, Kernobst-, Zierpflanzen- u. Gemüseanbau. – ***E*** = ***F*** penconazole – ***I*** penconazolo – ***S*** penconazol

Lit.: Beilstein E V **26/1**, 149 ■ Farm. ■ Perkow ■ Pesticide Manual. – *[CAS 66246-88-6]*

Pencycuron.

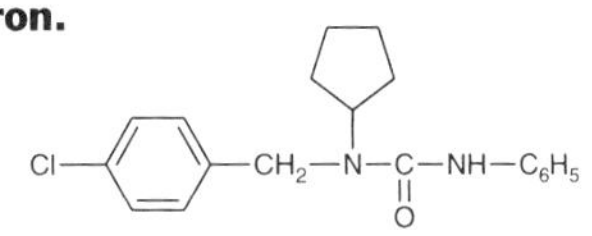

Common name für 1-(4-Chlorbenzyl)-1-cyclopentyl-3-phenylharnstoff, $C_{19}H_{21}ClN_2O$, M_R 328,8, Schmp. 129,5 °C, LD_{50} (Ratte oral) >5000 mg/kg, von Bayer 1986 eingeführtes nicht-system. protektives *Fungizid gegen *Rhizoctonia solani* im Kartoffel-, Reis-, Baumwoll-, Zuckerrüben-, Gemüse- u. Zierpflanzenanbau. – ***E*** = ***F*** pencycuron – ***I*** pencicurone – ***S*** pencicurón

Lit.: Farm. ■ Perkow ■ Pesticide Manual. – *[CAS 66063-05-6]*

Pendelhärte. Die P. ist ein Maß für die Härte lackierter Stahloberflächen. Zu deren Bestimmung verwendet man ein sog. Duroskop, bei dem ein Hämmerchen wie ein Pendel auf die Probe trifft. Bei der P. wie auch bei den vielen anderen genormten Meth. zur Härteprüfung beeinflussen die Materialdicke u. der Untergrund die Meßergebnisse entscheidend. – ***E*** pendulum hardness – ***I*** durezza del pendolo – ***S*** dureza pendular

Lit.: Elias (5.) **1**, 964.

Pendelvektoren s. Shuttle-Vektor u. Vektoren.

Pendimethalin. Xn

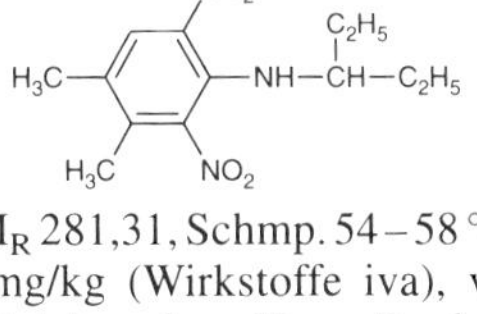

$C_{13}H_{19}N_3O_4$, M_R 281,31, Schmp. 54–58 °C, LD_{50} (Ratte oral) >5000 mg/kg (Wirkstoffe iva), von American Cyanamid (jetzt American Home Products) 1972 eingeführtes selektives *Herbizid gegen Ungräser u. einige Unkräuter im Getreide-, Sojabohnen-, Mais-, Baumwoll-, Tabak- u. Reisanbau. – ***E*** pendimethalin – ***F*** pendiméthaline – ***I*** = ***S*** pendimetalina

Lit.: Farm. ■ Perkow ■ Pesticide Manual. – *[HS 2921 49; CAS 40487-42-1]*

Pendletonit (Karpathit). $C_{24}H_{12}$, organ. Mineral, chem. Zusammensetzung ident. mit *Coronen. Weiße bis blaßgelbe, glasglänzende, dünntafelige Krist. u. plattige bis nadelige Körner; H. 1, D. 1,35.
Vork.: New Idria Mine/Kalifornien; in Steinkohlen u. bituminösen Schiefern. Nach *Lit.*[1] hat der Name Karpathit Vorrang vor Pendletonit. – ***E*** pendletonite, karpatite, carpathite – ***F*** pendlétonite, carpatite – ***I*** pendletonite, carpatite – ***S*** pendletonita, carpatita
Lit.: [1] Am. Mineral. **54**, 329 (1969).
allg.: Roberts, Campbell u. Rapp, Encyclopedia of Minerals (2.), S. 431, New York: Van Nostrand Reinhold Comp. 1990 ▪ Schröcke-Weiner, S. 923 ▪ s. a. Coronen. – *[CAS 22567-08-4]*

Penem. Halbsystemat. Name für das Grundgerüst (5*R*)-4-Thia-1-azabicyclo[3.2.0]hept-2-en-7-on, von dem sich ungesätt. *Penicilline (Peneme) ableiten (s. a. *β*-Lactam-Antibiotika). Das gesätt. Derivat heißt Penam (Formel s. dort). – ***E*** penem – ***F*** pénem – ***I*** penemo – ***S*** penema
Lit.: Gräfe.

Penetration (von latein.: penetrare = hinein-, durchdringen). 1. Ein- od. Durchdringen eines gasf., flüssigen od. festen Stoffes in einen anderen festen Stoff; *Beisp.:* P. von Farbstoffen od. Hilfsmitteln in Textilien od. Leder. Die P. derartiger Stoffe wird ggf. durch *Penetriermittel* gefördert, die in der Lederzurichtung u. Textilfärberei eine große Rolle spielen u. die ihre Eigenschaften aufgrund ihrer Lsm.-Qualitäten u. ihrer Einwirkung auf die *Oberflächenspannung der zu penetrierenden Stoffe entfalten. Bei der Einwirkung von kosmet. od. pharmazeut. Wirkstoffen auf die *Haut unterscheidet man verschiedene Stadien: *Adsorption* (Haftung an der Hautoberfläche), P. (*Eindringen* in die 1. Hautschicht), *Permeation* (Wanderung *durch* mehrere Schichten, vgl. Permeabilität) u. schließlich *Resorption* (*Aufnahme* des Wirkstoffs in die Blutgefäße).
2. Bei der Prüfung von halbplast. bis plast. Stoffen wie Bitumen (DIN 52010: 1983-12), Schmierstoffen (DIN 51804-2: 1978-06) od. Paraffinen (DIN 51579: 1989-05 bzw. 51580: 1989-04) wird unter P. das Eindringen eines Prüfkörpers in den zu prüfenden Stoff verstanden, ist also hier ein Maß für die *Konsistenz dieser Stoffe, aber im übertragenen Sinn auch von Nahrungsmitteln, Fetten etc. Derartige Prüfungen u. die Bestimmung der sog. *Penetrationszahl* werden mit zweckmäßig konstruierten *Penetrometern (Konsistometern)* vorgenommen.
3. Beim Ein- bzw. Durchdringen von Partikeln u./od. Strahlen durch Materie spricht man ebenfalls von Penetration. – ***E*** penetration – ***F*** pénétration – ***I*** penetrazione – ***S*** penetración

Penetrationsenzyme s. Konzeption, Hyaluronidasen, Neuraminidasen.

Penetrometer s. Penetration.

Penex®-Verfahren. Isomerisierungs-Verf. der UOP für C_5/C_6-*Paraffine bei niedrigen Temp. mit Platin-Katalysatoren, liefert *Benzine mit hoher *Octan-Zahl. – ***E*** Penex process – ***F*** procédé Penex® – ***I*** processo Penex® – ***S*** procedimiento Penex®
Lit.: Winnacker-Küchler (4.) **5**, 105.

Penflutizid (Rp).

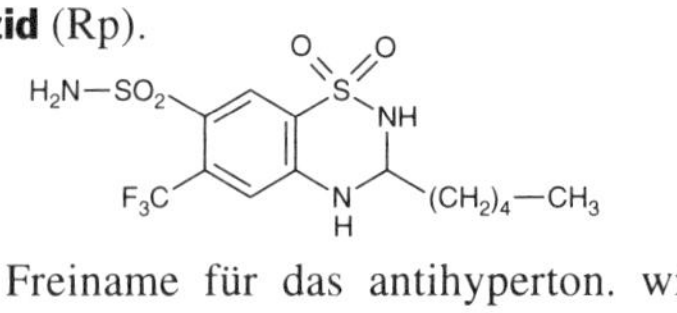

Internat. Freiname für das antihyperton. wirksame *Saluretikum 3,4-Dihydro-3-pentyl-6-(trifluormethyl)-2*H*-1,2,4-benzothiadiazin-7-sulfonamid-1,1-dioxid, $C_{13}H_{18}F_3N_3O_4S_2$, M_R 401,41; (+)-Form: Schmp. 194–197 °C, [*α*] +134°, amorph; (–)-Form: Schmp. 168–170 °C, [*α*] –133,5°, amorph. – ***E*** penflutizid – ***F*** = ***I*** penflutizide – ***S*** penflutizida
Lit.: Hager (5.) **9**, 49 f. ▪ Martindale (31.), S. 926. – *[HS 2935 00; CAS 1766-91-2]*

Pengitoxin (Rp).

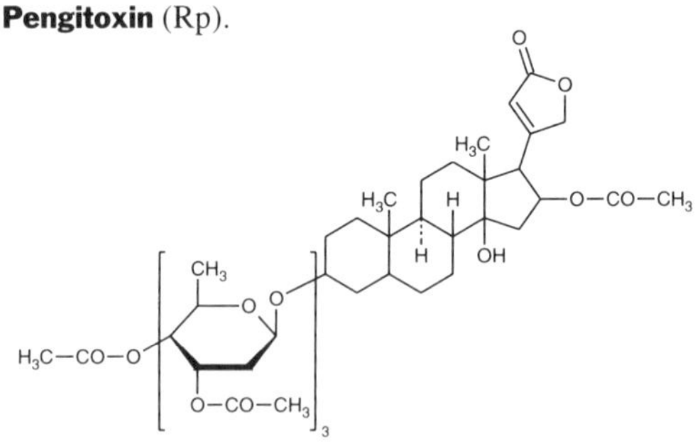

Internat. Freiname für das Pentaacetat des Gitoxins, $C_{51}H_{74}O_{19}$, M_R 991,13, Schmp. 151–155 °C; $[\alpha]_D^{20}$ +14°±1,5° (c 1,6/Pyridin); LD_{50} (Maus i.p.) 6,4 mg/kg; s. a. Digitalis-Glykoside. – ***E*** pengitoxin – ***F*** pengitoxine – ***I*** pengitossina – ***S*** pengitoxina
Lit.: ASP ▪ Hager (5.) **9**, 50 ff. ▪ Martindale (29.), S. 833. – *[HS 2938 90; CAS 7242-04-8]*

Penhexal® Mega (Rp). Film-, Trink-Tabl. u. Saft mit dem *Antibiotikum *Phenoxymethylpenicillin-Kalium. ***B.:*** Hexal.

Penicillamin (Rp).

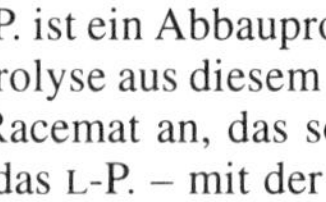

Internat. Freiname für D-2-Amino-3-mercapto-3-methylbuttersäure (*β*-Mercaptovalin, *β*,*β*-Dimethylcystein), $C_5H_{11}NO_2S$, M_R 149,20. Farblose Krist., Zers. bei 198 °C; $[\alpha]_D^{20}$ –63° (c 0,1/Pyridin), Schmp. des Hydrochlorids 177 °C (Zers.), lösl. in Wasser u. Ethanol. Die Aminosäure P. ist ein Abbauprodukt des *Penicillins u. durch Hydrolyse aus diesem zu gewinnen. Synthet. P. fällt als Racemat an, das sorgfältig gespalten werden muß, da das L-P. – mit der Konfiguration der natürlichen Aminosäuren – tox. ist. Als chelatbildendes Agens wird D-P. bei Morbus Wilson (s. Kupfer-Proteine) u. als Antidot bei Vergiftungen mit S-affinen Schwermetallen eingesetzt. Durch seine Thiol-Aktivität können Disulfid-Brücken gesprengt werden, was therapeut. bei Cystinurie u. zur Auflsg. von Cystin-Harnsteinen genutzt wird. D-P. hat eine depolymerisierende Wirkung auf verschiedene hochmol. Proteine, z. B. Immunglobuline. Es vermindert die Bildung von Bindegewebe durch Hemmung der Quervernetzung von Vorstufen der Faserproteine u. durch Hemmung der Bildung von Hydroxyprolin. Dabei wird der Reifungsprozeß von Tropocollagen zu unlösl. Collagen gebremst u. die Behandlung von Sklerodermien ermöglicht. Anw. findet D-P. bei prim. chron. Polyarthritis (PCP, vgl. Arthritis) als *Antirheumatikum, obwohl sein Wirkungsmechanismus dabei noch unbekannt ist. Angesichts seines großen Wirkungsspektrums hat D-P. auch unerwünschte Wirkungen im Gefolge, z. B. Nierenschädigungen, Veränderungen im Blutbild, Allergien, Autoimmunerkrankungen etc. – ***E*** penicillamine – ***F*** pénicillamine – ***I*** penicillamina – ***S*** penicilamina

Lit.: Beilstein E IV **4**, 3228 ▪ Brit. J. Rheumatol. **36**, 104–109 (1997) ▪ Florey **10**, 601–637 ▪ Hager (5.) **9**, 52 ff. ▪ J. Med. Chem. **35**, 2928–2938 (1992) ▪ Kreysel, D-Penicillamin, Stuttgart: Schattauer 1977 ▪ Martindale (31.), S. 989–992 ▪ Ph. Eur. **1997** u. Komm. – *[HS 2930 90; CAS 52-67-5 (P.); 2219-30-9 (Hydrochlorid)]*

Penicillansäure s. Penicilline.

Penicillinacylase, Penicillinamidase s. Penicilline.

Penicillinasen. Veraltete, aber noch weit verbreitete Sammelbez. für *β*-Lactamasen, die den *β*-Lactam-Ring von *Penicillinen u. *Cephalosporinen hydrolyt. spalten u. bereits 1940 entdeckt wurden. P.-Bildner finden sich unter **Bacillus*-Arten, vielen *Staphylokokken u. Gram-neg. (s. Gram-Färbung) Erregern. Die Gene für die Biosynth. der P. können chromosomal u. extrachromosomal lokalisiert sein. Das M_R der P. ist Species-abhängig: ca. 12 400 bis 49 000; pH-Optima: 6–8. Je nach Erreger sind P. in der Zelle vorhanden (konstitutive Bildung) od. werden erst in Ggw. des Substrats induziert. Durch die mit der Spaltung verbundene Inaktivierung der *β-Lactam-Antibiotika sind die Erreger resistent. Dies gilt auch für einen großen Teil der halbsynthet. *β*-Lactam-Antibiotika. Ein natürlicher Inhibitor der P. ist z. B. die *Clavulansäure, die in Kombination mit Penicillinen zur Unterdrückung der Resistenz-Bildung eingesetzt wird. Medizin. Anw. finden P. z. B. beim plötzlichen Auftreten von Penicillin-Überempfindlichkeiten. – ***E*** penicillinases – ***F*** pénicillinases – ***I*** penicillinasi, penicillasi – ***S*** penicilinasas

Lit.: Methods Enzymol. **43**, 69–100, 640–687 (1975) ▪ Präve et al. (4.), S. 663–702. – *[HS 3507 90; CAS 9001-74-5]*

Penicillin-Bindeproteine s. Penicilline.

Penicilline.

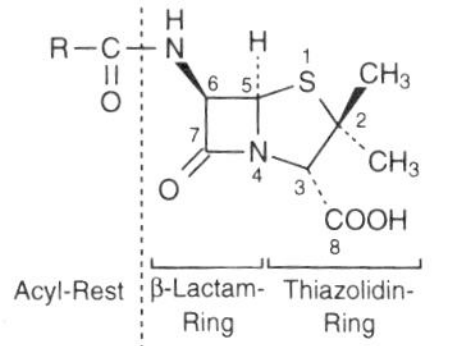

6β-Aminopenicillansäure (6-APA)

Sammelbez. für eine Gruppe von bakteriziden *Antibiotika aus den Kulturflüssigkeiten verschiedener *Schimmelpilz-Gattungen, bes. *Penicillium notatum* u. *P. chrysogenum* sowie halbsynth. u. totalsynth. hergestellte Homologe. P. waren die ersten industriell hergestellten Antibiotika u. werden auch heute noch am häufigsten eingesetzt. Das Grundgerüst der P. besteht aus dem 4-Thia-1-azabicyclo[3.2.0]heptan-7-on-Syst., einem bicycl. Syst. mit *β*-Lactam- u. ankondensiertem Thiazolidin-Ring (vgl. Abb.). Das Gerüst besitzt strukturelle Ähnlichkeit mit dem der *Cephalosporine, die mit den P. zur Gruppe der *β-Lactam-Antibiotika zusammengefaßt werden. Das eine 7-Oxo-Gruppe enthaltende Grundgerüst der P. wird *Penam, das in 2,3-Stellung eine zusätzliche Doppelbindung enthaltende Grundgerüst *Penem genannt (in Analogie zu Cepham/Cephem der Cephalosporine). Natürliche P. wirken gegen zahlreiche Gram-pos. *Bakterien (s. a. Gram-Färbung), sind säurelabil u. werden von *Penicillinasen durch Spaltung des *β*-Lactam-Rings inaktiviert. Salz-Bildung der P. mit *Procain od. *N,N'*-Dibenzylethylendiamin (s. Benzylpenicillin-Benzathin) führt zu Depot-P. (s. Depot-Präparate) mit verbesserter Halbwertszeit.

Tab.: Einteilung u. Nomenklatur der Penicilline.

	R	Name bzw. Freiname	Kurzbez. USA	Engl.
Natürliche P.	$H_3C-CH_2-CH=CH-CH_2-$	2-Pentenyl-P.	I	F
	$H_5C_6-CH_2-$	Benzyl-P.	II	G
	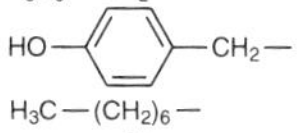	4-Hydroxybenzyl-P.	III	X
	$H_3C-(CH_2)_6-$	Heptyl-P.	IV	K
	$HOOC-\overset{R}{C}H(NH_2)-(CH_2)_3-$	Synnematin B		N
Biosynth. P.	$H_5C_6-O-CH_2-$	Phenoxymethyl-P.		V
	$H_2C=CH-CH_2-S-CH_2-$	Allylthiomethyl-P.	O	AT
	$H_3C-(CH_2)_3-S-CH_2-$	Butylthiomethyl-P.		BT
	$H_3C-\underset{Cl}{C}=CH-CH_2-S-CH_2-$	(3-Chlor-2-butenyl)-thiomethyl-P.		S
Halbsynth. P.	$H_5C_6-\overset{R}{C}H(NH_2)-$	Ampicillin		
	$H_5C_6-CH(COOH)-$	Carbenicillin		
	$H_5C_6-O-CH(CH_3)-$	Phenethicillin		
	$H_5C_6-O-CH(C_2H_5)-$	Propicillin		
	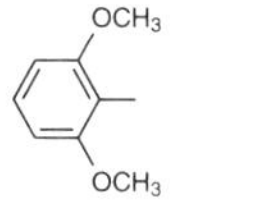	Meticillin		
	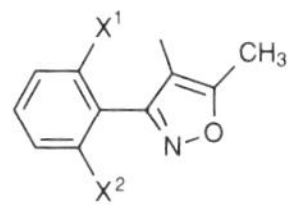	Oxacillin ($X^1 = X^2 = H$) Cloxacillin ($X^1 = H$, $X^2 = Cl$) Dicloxacillin ($X^1 = X^2 = Cl$) Flucloxacillin ($X^1 = Cl$, $X^2 = F$)		
	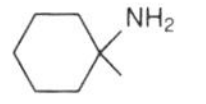	Ciclacillin		
	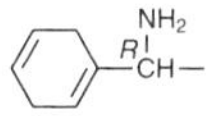	Epicillin		
	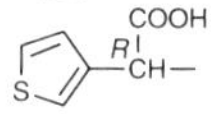	Ticarcillin		

Biosynth.: In einer nicht-ribosomalen Verknüpfung wird zunächst ein Dipeptid aus L-*α*-Aminoadipinsäure (L-*α*-AAS) u. *L-Cystein gebildet, an das die Aminosäure L-*Valin unter *Epimerisierung zum linearen Tripeptid *δ*-(L-*α*-Aminoadipyl)-L-cysteinyl-D-valin enzymat. gebunden wird. Dieser einleitende Schritt der Tripeptid-Bildung wird von der multifunktionellen ACV-Synthetase katalysiert, die vermutlich auch die Epimerisierung zum D-Valin ermöglicht. Es folgt der Ringschluß zum Intermediat Isopenicillin N (Isopenicillin-N-Syntethase, IPNS). Aus Isopenicillin N kann dann entweder durch Austausch des L-*α*-Aminoadipinsäure-Restes gegen einen Benzylessigsäure-Rest Benzyl-P. gebildet werden, od. Isopenicillin N kann zu

Penicillin N isomerisiert u. durch Ringerweiterung in Desacetoxycephalosporin C u. nach Hydroxylierung in Desacetylcephalosporin C überführt werden. Die Biosynth.-Enzyme u. -gene der P.- u. Cephalosporin-Biosynth. sind bekannt u. man hat hiermit z. B. *in vitro* Analoga der P. hergestellt.

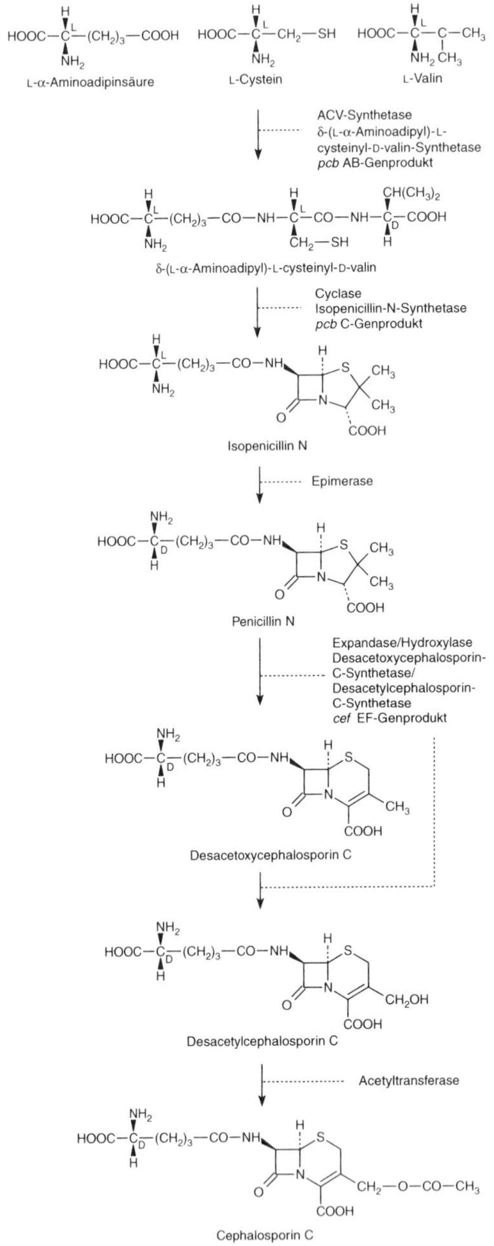

Abb.: Biosynth. der Penicilline u. Cephalosporine.

Herst.: Die *natürlichen* P. entstehen bei *Fermentationen ohne Zufütterung von Vorläufern der Seitenkette, z. B. P. G od. das von *Fleming ursprünglich entdeckte P. F. Die *biosynthet.* P. erhält man durch Zufütterung spezif. (auch artifizieller) Vorläufer (*Vorläufer-dirigierte Biosynthese) zum Nährmedium der Produzentenstämme, wobei möglichst nur ein bestimmtes (artifizielles) P. gebildet werden soll. Auf diese Weise wurden über 100 biosynthet. P. hergestellt. Wirtschaftlich genutzt werden jedoch nur P. G (Zufütterung von Phenylessigsäure; ca. 80% der Gesamt-P.-Produktion), P. V (Phenoxyessigsäure) u. P. O. Zur Bildung *halbsynthet.* P. wird vorwiegend P. G, weniger P. V, chem. od. enzymat. durch immobilisierte *Penicillinacylase* (Penicillinamidase) zu 6-Aminopenicillansäure (6-APS) gespalten u. chem. reacyliert.
Die Isolierung von P. aus den Kulturüberständen der Produzentenstämme erfolgt durch Extraktion mit organ. Lsm. im sauren Bereich, wobei die Lsg. wegen der P.-Instabilität nur kurz auf pH = 2–4 gehalten werden. Das P. wird dann in Puffer-Lsg. überführt u. ein zweites Mal mit geringerer Lsm.-Menge sauer extrahiert. Das nun bereits hochkonzentrierte P. wird aus Wasser umkristallisiert.
Halbsynthet. P. haben wegen ihrer verbesserten Eigenschaften [Säurestabilität, Resistenz gegen β-Lactamasen (s. Penicillinasen), erweitertes antimikrobielles Wirkungsspektrum] breite Anw. in der Therapie gefunden. 38% der hergestellten P. gehen in die Humantherapie, 12% werden für veterinärmedizin. Zwecke genutzt. 43% der hergestellten P. werden zu halbsynthet. P. weiterverarbeitet. Bei der fermentativen Herst. von P. erzielt man heute durch Einsatz von Hochleistungsstämmen (s. Stammentwicklung) u. optimierten Fermentationsbedingungen im *Submersverfahren in Großfermentern Ausbeuten von bis zu 200 m^3 (>50 kg/m^3), die bis zu 40000mal höher liegen als zu Flemings Zeit. Eine totalsynthet. Herst. von P. im techn. Maßstab ist z. Zt. nicht wirtschaftlich.
Wirkung: Der Wirkungsmechanismus von P. beruht im wesentlichen auf einer Blockierung der Zellwandsynth. bzw. daran beteiligter Enzyme in wachsenden Bakterien. Man fand, daß die P. an *Transpeptidasen u. *Carboxypeptidasen gebunden werden, so daß infolge *kompetitiver Hemmung die Quervernetzung des *Mureins – der Stützsubstanz der Bakterienzellwand – verhindert wird (P.-Bindeproteine, PBPs). Die Hemmung der PBPs ist möglich, da P. strukturelle Ähnlichkeit mit der terminalen D-Alanyl-D-Alanin-Einheit von Peptidoglykan-Ketten (Murein) besitzen u. daher das katalyt. Zentrum von PBPs blockieren. Viele Mikroorganismen sind jedoch gegen P. resistent. Die Resistenzen begründen sich auf PBPs mit verminderter Bindungsfähigkeit, verminderte Durchlässigkeit der Antibiotika durch die äußere Lipidmembran (bes. bei Gram-neg. Bakterien) u. der Bildung Antibiotika-inaktivierender Enzyme wie z. B. *Penicillinasen (β-Lactamasen). Von Antibiotika-Resistenz sind neuere, halbsynthet. P. mit raumfüllenden Seitenketten wie Oxacillin, Ciclacillin u. a. nur bedingt betroffen. Die Resistenz kann auch durch Ausweichen auf andere β-Lactam-Grundgerüste od. durch Kombinationstherapie mit β-Lactamase-Inhibitoren (z. B. *Clavulansäure) unterlaufen werden.
Anw.: Die P. werden in Form stabiler K- od. Na-Salze bzw. in Depotform in den Handel gebracht u. wirken bei einer Vielzahl von Infektionskrankheiten gegen deren mikrobielle Erreger, v. a. Kokken u. Spirochäten

(z. B. Syphilis u. Geschlechtskrankheiten, Lungenentzündung, Meningitis). P. können wegen ihrer geringen Toxizität hoch dosiert werden. Bei einigen Patienten (0,5–2%) kommt es jedoch zu allerg. Reaktionen.
Geschichte: Im Jahre 1927 bemerkte A. *Fleming in Schimmelpilz-infizierten Bakterienkulturen die Unterdrückung des *Staphylokokken-Wachstums in unmittelbarer Nähe der Pilze (Hemmzonenbildung). Er stellte 1928 einen Extrakt des hemmenden Prinzips her, das er P. (nach der Herkunft aus dem Schimmelpilz *Penicillium notatum*) nannte, u. publizierte seinen Befund 1929. Dieser fand zunächst wenig Beachtung, auch war die Instabilität des P. weiteren Untersuchungen hinderlich. Unter dem Eindruck der dtsch. *Sulfonamid-Erfolge in der bakteriellen Chemotherapie wurden die P.-Arbeiten 1935 in den Arbeitskreisen von *Florey u. *Chain wieder aufgenommen. 1941 erhielten sie das erste P.-Medikament, u. 1945 wurde den drei Hauptbeteiligten an Entdeckung u. Entwicklung des P. der Nobelpreis für Medizin od. Physiologie zuerkannt. Die weiteren Stationen waren: 1945 Aufstellung einer Konstitutionsformel durch *Woodward, seit 1944 Synth. von P. durch du Vigneaud, Süs u. Sheehan, 1948 erstes Depot-P., 1953 erstes Oral-P., 1957 Synth. der Aminopenicillansäure, seit den 60er Jahren Breitspektrum-P., die auch gegen Gram-neg. Bakterien wirksam u. z.T. Penicillinase-resistent sind. Anfang der 80er Jahre wurden monocycl. β-Lactam-Antibiotika in Bakterien entdeckt, die eine $N-SO_3H$-Gruppierung besitzen u. Monobactame genannt werden. Strukturell mit ihnen verwandt, aber nahezu ohne antibiot. Wirkung sind die *Nocardicine. Seit ca. 1990 sind eine Reihe von Verb. bekannt, die zwar an PBPs binden u. damit zu den P. analoge Wirkungen aufweisen, aber keine β-Lactam-Struktur mehr besitzen (β-Lactam-Mimetika). – ***E*** penicillins – ***F*** pénicillines – ***I*** penicilline – ***S*** penicilinas

Lit.: Gräfe ▪ Page, The Chemistry of β-Lactames, London: Blackie Academic & Professional 1992 ▪ Präve et al. (4.), S. 663–702 ▪ Rehm-Reed (2.) **7**, 247–276 ▪ Rimpler, Pharmazeutische Biologie, Stuttgart: Thieme 1990.

Penitreme (Tremortine). Gruppe tremorgener nona-, deca- u. undecacycl. Mykotoxine aus *Penicillium crustosum*, *P. glandicola* u. a. *Penicillium*-Arten. Die P. sind neurotox. durch ihre antagonist. Wirkung auf die Glycin-Biosynth. im Zentralnervensystem. Die LD_{50} für P. A bei Mäusen ist 20 µg/Tier. Die P. wurden im Arbeitskreis von P. S. Steyn gefunden. Die erste Totalsynth. eines Penitrems gelang 1989 [1]. Die Biosynth. geht von Tryptophan u. einem Triterpen-Rest aus. Folgende P. wurden bisher beschrieben (s. Abb. u. Tab.).

Tab.: Daten zu den Penitremen A–F.

P.	Summenformel	M_R	Schmp. [°C]	LD_{50} (Maus i.p.)	CAS
A	$C_{37}H_{44}ClNO_6$	634,21	237–239	1 mg/kg	12627-35-9
B	$C_{37}H_{45}NO_5$	583,77	185–195	5,8 mg/kg	11076-67-8
C	$C_{37}H_{44}ClNO_4$	602,21	amorph		37318-84-6
D	$C_{37}H_{45}NO_4$	567,77	>300		78213-64-6
E	$C_{37}H_{45}NO_6$	599,77	amorph		78213-66-8
F	$C_{37}H_{44}ClNO_5$	618,21	amorph		78213-65-7

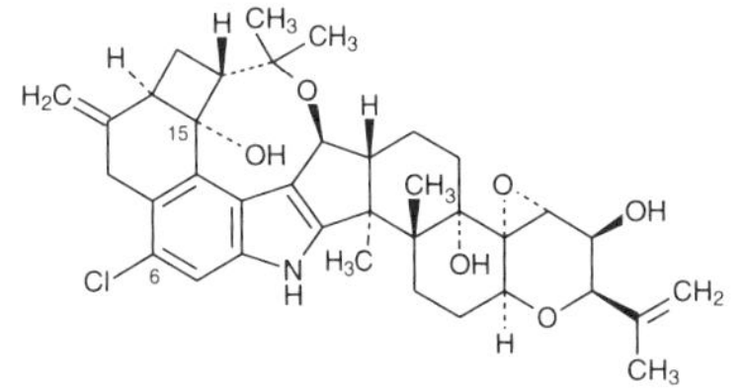

P. A
6-Dechlor-15-desoxy-P. A = P. B
6-Dechlor-P. A = P. E
15-Desoxy-P. A = P. F

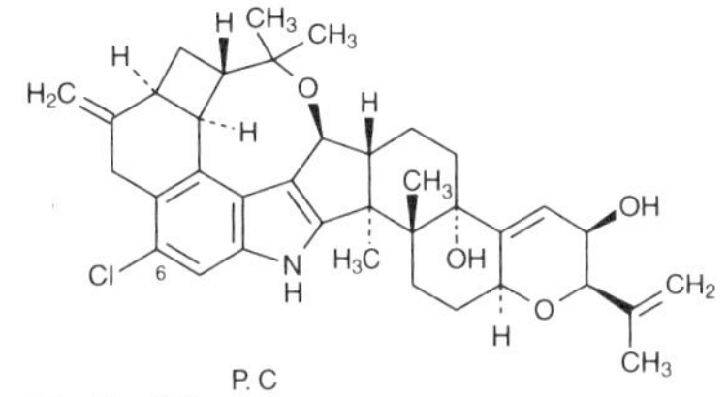

P. C
6-Dechlor-P. C = P. D

– ***E*** penitrems – ***F*** pénitrèmes – ***I*** penitremi (tremortine) – ***S*** penitremos

Lit.: [1] Tetrahedron **45**, 2431–2449 (1989).
allg.: Cole u. Cox, Handbook of Toxic Fungal Metabolites, S. 382–385, New York: Academic Press 1981 ▪ J. Chem. Soc., Perkin Trans. 1 **1983**, 1847, 1857; **1989**, 1539 f.; **1992**, 23 ▪ J. Neurochem. **34**, 33 (1980) ▪ J. Org. Chem. **53**, 6160 (1988) ▪ Sax (8.), PAR 250 ▪ Steyn u. Vleggar (Hrsg.), Mycotoxins and Phycotoxins, S. 501–511, Amsterdam: Elsevier 1986 ▪ Zechmeister **48**, 1–80.

Pennantit s. Chlorite.

Pennin s. Chlorite.

Penning-Effekt. Von dem niederländ. Physiker Frans Michel Penning (1894–1953) bei *Gasentladungen beobachtete Erscheinung, derzufolge die *Ionisation eines Gases (z. B. Neon) bei sehr viel niedrigeren Spannungen abläuft (180 V statt 750 V), wenn diesem geringe Anteile eines Fremdgases (z. B. 60 ppm Ar) zugemischt werden. Die Messung der druckabhängigen Stromstärke des Gasentladungsstromes läßt sich zur *Vakuum-Druckmessung (bis 10^{-5} Pa) nutzen (*Penning-Vakuummeter*). – ***E*** Penning effect – ***F*** effet Penning – ***I*** effetto Penning – ***S*** efecto Penning

Lit.: Kirk-Othmer (3.) **19**, 107 f.; **23**, 663–665 ▪ Yencha, in: Brundle u. Baker, Electron Spectroscopy, Bd. 5, New York: Academic Press 1984.

Penning-Falle. Käfig zur räumlichen Speicherung von elektr. geladenen od. neutralen Teilchen. Der Einsatzbereich u. der Aufbau sind ähnlich dem einer Paul-Falle (s. Abb. dort); zwischen den beiden Polschuhen (bei pos. geladenen Ionen: +-Pol) u. der Ringelektrode (dann: – -Pol) wird eine Gleichspannung angelegt. In dem Quadrupolfeld führen die Ionen eine stabile Schwingung in z-Richtung aus. Ein ebenfalls in z-Richtung verlaufendes Magnetfeld zwingt die Ionen aufgrund der *Lorentzkraft auf Kreisbahnen in der x,y-Ebene.
Zur Speicherung neutraler Teilchen wählt man inhomogene Magnetfelder, deren Feldstärke im Zentrum der Falle am niedrigsten ist u. mit der Entfernung vom Zentrum monoton ansteigt. Wird ein Atom in einem

Zeeman-Unterniveau (s. Zeeman-Effekt) präpariert, dessen Energie mit wachsendem Magnetfeld ansteigt, so kann es sich in dem inhomogenen Magnetfeld nur so weit bewegen, bis seine gesamte kinet. Energie E_{kin} (die es im Zentrum hat) in Zeeman-Energie umgewandelt ist (s. Abb.).

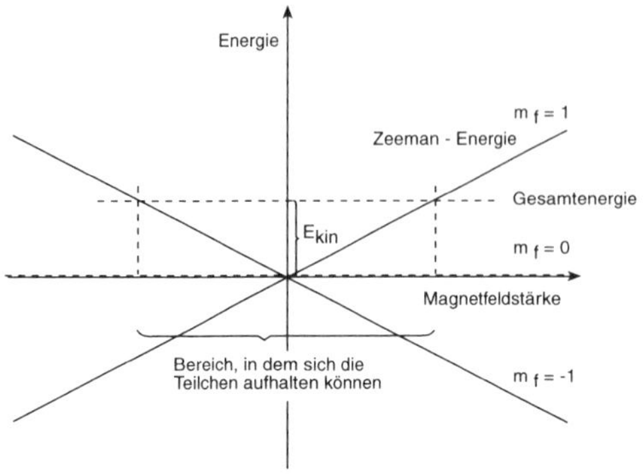

Abb.: Funktionsweise einer Penning-Falle für neutrale Teilchen. Dargestellt ist die Zeeman-Energie in Abhängigkeit vom Magnetfeld für die drei magnet. Quantenzahlen m_f = 1, 0, –1.

– ***E*** Penning trap – ***F*** piège de Penning – ***I*** trappola di Penning – ***S*** trampa de Penning
Lit.: s. Paul-Falle.

Penning-Ionisation. Stoßionisation, bei der die innere Energie des einen Stoßpartners, meist ein elektron. angeregtes Edelgas-Atom, auf den anderen Stoßpartner übertragen wird, was zur Freisetzung eines Elektrons führt; *Beisp.:*

$$Ar^* + N_2 \rightarrow N_2^+ + e^- + Ar.$$

P.-I wird u. a. zur Nachionisation zerstäubter Neutralteilchen bei der *Oberflächenanalysemethode (SNMS = Sekundärneutralteilchen-Massenspektrometrie) eingesetzt. – ***E*** Penning ionization – ***F*** ionisation de Penning – ***I*** ionizzazione di Penning – ***S*** ionización de Penning

Pennyroyalöl s. Poleiöle.

Pennyweight (Einheitszeichen dwt). In den USA u. Großbritannien noch gebräuchliche Gewichts- u. Masseneinheit für Edelmetalle u. Edelsteine: 1 p = 1 dwt = 24 grain = 1,555174 g.

Penoxalin s. Pendimethalin.

Pensky-Martens. Kurzbez. für nach DIN-EN 22719: 1993-12 genormte Verf. u. Apparate zur Bestimmung des *Flammpunkts von *Mineralölen u. a. brennfähigen Flüssigkeiten im geschlossenen Tiegel. Die P.-M.-Bestimmung wird bei Flüssigkeiten mit FP. 10–370 °C angewandt. – ***E*** Pensky-Martens closed tester – ***F*** appareil de Pensky-Martens – ***I*** apparecchio Pensky-Martens – ***S*** aparato de Pensky-Martens – *[HS 2708 20]*

Penta s. Pentaerythrit.

Pent(a)... *Multiplikationspräfix in chem. u. allg. Bez., von griech.: pénte = fünf. – ***E*** = ***F*** = ***I*** = ***S*** pent(a)...

Pentaacetylgitoxin s. Pengitoxin.

Pentaboran(9). B_5H_9, M_R 63,13. Farblose, reaktionsfähige Flüssigkeit mit hoher Verbrennungswärme, D. 0,62, Schmp. –46,7 °C, Sdp. 60,1 °C, entzündet sich spontan an Luft u. ist äußerst giftig, MAK 0,01 mg/m³ od. 0,005 ppm. P. ist ein *nido*-*Boran. Die Herst. erfolgt aus Diboran u. H_2 (1 : 5) bei 250 °C. – ***E*** = ***F*** pentaborane(9) – ***I*** = ***S*** pentaborano(9)

F T+

Lit.: Acc. Chem. Res. **6**, 416–421 (1973) ▪ Arch. Intern. Med. **114**, 364–374 (1964) ▪ Gmelin, Syst.-Nr. 13, B, Erg. Werk, Bd. 54 (1979) S. 11–46 ▪ Top. Curr. Chem. **100**, 169–206 (1982) ▪ Hollemann-Wiberg (101.), S. 1014. – *[HS 2850 00; CAS 19624-22-7]*

Pentabrombiphenyle s. PBB.

Pentabromdiphenylether s. PBDE.

Pentacarbonylhydridomangan s. Mangancarbonyle.

Pentacarbonylmethylmangan s. Mangan-organische Verbindungen.

Pentacarinat (Rp). Durchstech-Flaschen mit *Pentamidin-diisethionat gegen Infektionen durch *Protozoen, z. B. *Leishmaniosen, *Schlafkrankheit *(Trypanosomiasis)* u. Pneumocystis-carinii-Pneumonie. ***B.:*** Rhône-Poulenc Rorer/Glaxo Wellcome.

Pentacen.

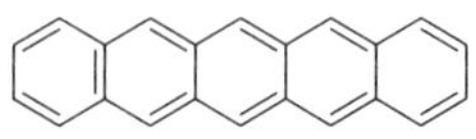

$C_{22}H_{14}$, M_R 278,35. Aromat. Kohlenwasserstoff (Acen) mit 5 linear kondensierten Benzol-Ringen. Tiefblaue, sehr oxidationsempfindliche Kristallnadeln, Schmp. 271 °C, in Luft Zers. >300 °C, unlösl. in Wasser, schwer lösl. in organ. Lösemitteln. – ***E*** = ***I*** pentacene – ***F*** pentacène – ***S*** pentaceno
Lit.: Beilstein E IV **5**, 2721 ▪ Merck-Index (12.), Nr. 7240. – *[HS 2902 90; CAS 135-48-8]*

Pentachlorbiphenyle s. PCB.

Pentachlorethan. $Cl_3C–CHCl_2$, C_2HCl_5, M_R 202,29. Farblose, zu den *Chlorkohlenwasserstoffen gehörende, Chloroform-ähnlich riechende u. wirkende, giftige Flüssigkeit, D. 1,685, Schmp. –29 °C, Sdp. 162 °C, in Wasser unlösl., mit Alkohol u. Ether mischbar. Die Dämpfe führen zu starker Reizung der Augen, der Atemwege sowie der Haut. P. wirkt lähmend auf das Zentralnervensyst. (Narkose) u. ruft v. a. Leberschäden, Störungen der Nieren- u. Herzfunktion sowie des Kreislaufs hervor; kann auch über die Haut aufgenommen werden, MAK-Wert 5 ppm od. 40 mg/m³.

T N

Herst.: P. fällt als Nebenprodukt bei vielen Produktionsprozessen für chlorierte Kohlenwasserstoffe an; eine gezielte Synth. ist möglich durch Addition von Chlor an Trichlorethen od. durch radikal. Chlorierung von 1,2-Dichlorethan.
Verw.: Zwischenprodukt bei der Herst. von Tetrachlorethen (rückläufige Bedeutung), Lsm. für Celluloseacetate u. -ether, Öle u. Fette, natürliches Gummi u. Harze. Metall-Entfettungsmittel, Flotationsmittel. Wegen der Giftigkeit des P. ist die Bedeutung als Lsm. nur noch gering; zu Beschränkungen des Inverkehrbringens s. *Lit.*[1]. P. darf beim Herstellen od. Behandeln von kosmet. Mitteln nicht verwendet werden (Kosme-

tik-VO Anl. 1, Nr. 264). – ***E*** pentachloroethane – ***F*** pentachloroéthane – ***I*** = ***S*** pentacloroetano

Lit.: [1] Chemikalien-Verbotsverordnung vom 19.07.1996.
allg.: Beilstein E IV **1**, 147 f. ▪ Giftliste ▪ Hommel (6.), Nr. 967 ▪ Kirk-Othmer (3.) **5**, 736 ff.; (4.) **6**, 29 ▪ TRGS 900 (BArbBl. 10/1996, S. 88, ber. BArbBl. 4/1997, S. 43 u. BArbBl. 11/1997, S. 27) ▪ Ullmann (5.) **A 6**, 280 ff., 368, 372 ▪ s. a. Chlorkohlenwasserstoffe. – *[HS 2903 19; CAS 76-01-7; G 6.1]*

Pentachlorfluorethan s. FCKW.

Pentachlornitrobenzol s. Quintozen.

Pentachlorphenol (PCP, Penta).

T 

N 

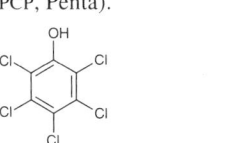

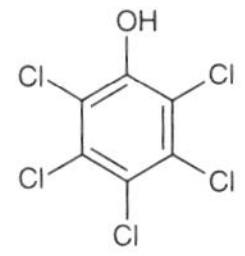

C_6HCl_5O, M_R 266,35. Beständige, geruchlose, weiße, nadelförmige, wasserfreie Krist., D. 1,978, Schmp. 190 °C, Sdp. 300 °C (Zers.), Dampfdruck $2 \cdot 10^{-3}$ Pa. PCP reagiert schwach sauer, ist lösl. in Wasser (2 g/L bei 20 °C, pH 7), gut lösl. in Laugen (Salzbildung, Na-PCP, 330 g/L), organ. Lsm. u. in Fetten, lg P_{OW} 3,3 (pH 7,2), pK_a 4,7. Techn. PCP kann Verunreinigungen enthalten wie *Chlorphenole, PCDF u. PCDD (s. Dioxine; Konz.: OCDD>HpCDD>HxCDD≫PeCDD≫TCDD), *PCDE, Polychlorphenoxyphenole, chlorierte Cyclohexenone u. Cyclohexadienone, *Hexachlorbenzol u. *PCB.

Herst.: Durch Chlorierung von Phenol, Hydrolyse von Hexachlorbenzol od. Chlorierung von 2,4,6-Trichlorphenol mit $AlCl_3$ als Katalysator. Produktion in den 70er Jahren: Ca. 30 000 t/a, weltweit stark rückläufig.

Verw.: P. wurde in Form des Phenols od. seines Na-Salzes (PCP-Na) als Fungizid in Holzschutzmitteln sowie als Konservierungsmittel, Algizid u. Desinfektionsmittel verwendet. Marken z. B. Dowicide, Pentacon u. Santophen. In der BRD ist die Herst., das Inverkehrbringen u. die Verw. von PCP u. seinen Verb. sowie daraus hergestellten Zubereitungen mit mehr als 0,01% PCP od. damit behandelten Erzeugnissen mit mehr als 5 ppm PCP seit 1989 durch die PCP-Verbots-VO [1] (PCP-V) untersagt, seit 1993 durch entsprechende Regelungen in *Chemikaliengesetz u. *Chemikalienverbotsverordnung. Die Anw. ist auch nach der Pflanzenschutzmittel-Anwendungs-VO verboten. In der übrigen EG ist PCP zugelassen zum Schutz von Holz im Freien, von schweren Textilien sowie zur Restaurierung von histor. Gebäuden.

Vork.: PCP wird in Hydro-, Atmo-, Pedo- u. Biosphäre durch Lebewesen u. Strömungen verbreitet. Es wird, sorbiert an Staubpartikel, absorbiert in Tröpfchen, gebunden an Trübstoffen od. Algen, aufgenommen in Organismen, gasf. od. gelöst transportiert. Biokonzentrationsfaktor bis ca. 1000, eingestuft als nicht bzw. kaum akkumulierend. Die PCP-Konz. betrugen in den 70er u. 80er Jahren in Oberflächengewässern typischerweise 0,1 – 1 µg/L, in kommunalem Abwasser bis 5 µg/L, in Grundwasser bis 800 µg/L u. in Flußsedimenten bis 1500 µg/kg. Die Konz. in der Umwelt gehen allg. zurück [2]. Die PCP-Gehalte lagen schon damals in der Regel in Trinkwasser weit unter 1 µg/L, in Nahrungsmitteln deutlich unter 10 µg/kg. Max. zulässige Konz. im Trinkwasser: 0,1 µg/L; in Lebensmitteln: 10 µg/kg (Rückstands-Höchstmengen-VO). Als *ADI sieht die *WHO 180 µg/d pro Person an [3].

Toxizität: Ebenso wie andere Chlorphenole ist PCP für Mikroorganismen (Bakterizid u. Fungizid), Pflanzen (Algizid u. Herbizid), Insekten, Mollusken, Fische u. Warmblüter toxisch. Es entkoppelt die oxidative Phosphorylierung in der Zelle. In Konz. von 10^{-5} mol/L hemmt es die Aufnahme von anorgan. Phosphat durch die Zelle vollständig. Bei Pflanzen inhibiert P. das Zellwachstum u. hemmt die Photosynth. einschließlich Sauerstoff-Produktion. Die LC_{50} bzw. EC_{50} für Mollusken, Crustaceen u. Daphnien liegen im allg. <1 mg/L, oft <0,1 mg/L, für Fische im Mittel bei 0,5 mg/L [2] (WGK 3).

PCP ist sehr giftig beim Einatmen, giftig bei Berührung mit der Haut u. beim Verschlucken. Akute Vergiftungserscheinungen bei Einnahme größerer Mengen [3,4]: Übelkeit, Schwächegefühl, Hyperthermie, evtl. Leberschäden. Die Ausscheidung erfolgt größtenteils über die Nieren [5]. Die Toxizität der techn. Produkte kann durch Verunreinigungen bestimmt werden. PCP gilt als fruchtschädigend u. carcinogen (MAK-Liste III A2, *EKA-Werte festgelegt), die Mutagenität ist nicht eindeutig belegt. PCP kann lokal starke Haut- u. Augenreizungen hervorrufen. Das analoge Pentabromphenol ist in der Schweizer Giftliste genannt (Kategorie 3) u. gilt als giftig u. reizend [6]. Das S-Analogon Pentachlorthiophenol gilt als Nerven- u. Umweltgift (WGK 3).

Abbau: PCP unterliegt dem *biologischen Abbau unter anaeroben, anox. u. aeroben Bedingungen. Bei der Metabolisierung im Boden sind die wichtigsten Reaktionen: Methylether-Bildung, Acetylierung der OH-Gruppe, reduktive Dechlorierung, Hydroxylierung u. Ringöffnung (Schema s. *Lit.* [3]). In Belebungsstufen von *Kläranlagen kann es durch adaptierte Mikroorganismen nahezu vollständig elimiert werden. PCP wird photochem. direkt u. indirekt schnell zerstört.

Nachw.: Zur Spurenanalyse wird PCP nach Lsm.-Extraktion z. B. als Methylether od. Essigsäureester gaschromatograph. bestimmt. – ***E*** pentachlorphenol – ***F*** pentachlorophénol – ***I*** pentaclorofenolo – ***S*** pentaclorofenol

Lit.: [1] BGBl. I 1989, S. 2235. [2] BUA-Stoffbericht 3, Pentachlorphenol, Weinheim: VCH Verlagsges. 1986. [3] IPCS (Hrsg.), Health and Safety Guide, Bd. 19, Pentachlorphenol, Genf: WHO 1989. [4] IPCS (Hrsg.), Environmental Health Criteria, Bd. 71, Pentachlorphenol, Genf: WHO 1987. [5] Richardson u. Gangolli, Dictionary of Substances and their Effects, Bd. 6, S. 448–452, Cambridge: Royal Chemical Soc. 1994. [6] Giftliste, P12. – *[CAS 87-86-5 (PCP); 131-52-2 (Na-PCP); 27735-64-4 (Na-PCP · H_2O); 608-71-9 (Pentabromphenol); 133-149-3 (Pentachlorthiophenol); G 6.1]*

Pentacos(a)... *Multiplikationspräfix in chem. Namen, von griech.: pentēkósioi = 25. – ***E*** = ***F*** = ***I*** = ***S*** pentacos(a)...

Pentacyclo... Präfix in systemat. Namen verbrückter Ringsyst. (*Käfigverbindungen u. a. *polycyclische Verbindungen) mit fünf Ringen; vgl. Bicyclo[...]... – ***E*** = ***F*** pentacyclo... – ***I*** = ***S*** pentaciclo...

Pentadec(a)... *Multiplikationspräfix in chem. Namen, von griech.: pentekaídeka = fünfzehn. – $E = F = I = S$ pentadec(a)...

Pentadecafluoroctansäure s. perfluorierte Verbindungen.

Pentadecan. $H_3C-(CH_2)_{13}-CH_3$, $C_{15}H_{32}$, M_R 212,42. Farblose Flüssigkeit, D. 0,773, Schmp. 9,7 °C, Sdp. 270 °C, unlösl. in Wasser, lösl. in Alkohol. P. findet als hochsiedendes Lsm. für organ. Synth. u. als Bezugssubstanz für die Gaschromatographie Verwendung. – E pentadecane – F pentadécane – $I = S$ pentadecano
Lit.: Beilstein E IV **1**, 529 f. ▪ Ullmann (5.) **A 13**, 229 f. ▪ s. a. Alkane. – *[HS 290110; CAS 629-62-9]*

15-Pentadecanolid (15-Hydroxypentadecansäurelacton, Pentadecano-15-lacton, Oxacyclohexadecan-2-on).

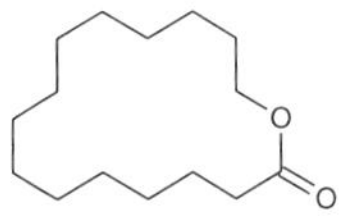

Von Ruzicka 1928 synthetisierter, zu den *Makroliden gehörender, nach Moschus riechender Duftstoff, $C_{15}H_{28}O_2$, M_R 240,37. Viskoses Öl od. Krist., D. 0,955, Schmp. 37–38 °C, Sdp. 169 °C (1,3–1,4 kPa). P. kommt in geringer Menge u. a. im Angelikawurzelöl vor.
Herst.: Durch Ringerweiterung von Cyclododecanon od. aus dem Polyester der 15-Hydroxypentadecansäure.
Verw.: P. wird in der Feinparfümerie in beträchtlicher Menge als Fixateur mit feinem Moschusgeruch verwendet (bekannte Marken: Exaltolid, Tibetolid). – $E = I$ 15-pentadecanolide – F 15-pentadécanolide – S 15-pentadecanolida
Lit.: Beilstein E V **17/9**, 106 f. ▪ Ullmann (5.) **A 11**, 207 ▪ s. a. Lactone. – *[HS 2932 29; CAS 106-02-5]*

1,3-Pentadien (Piperylen). $H_2C=CH-CH=CH-CH_3$, C_5H_8, M_R 68,12. Isomeres des *Isoprens, existiert in der *trans*-Form (Schmp. –87 °C, Sdp. 42 °C, FP. –28 °C, D. 0,676) u. der *cis*-Form (Schmp. –141 °C, Sdp. 44 °C, FP. –28 °C, D. 0,692), unlösl. in Wasser, lösl. in Alkohol, Ether u. anderen organ. Lsm., WGK 1 (Selbsteinst.). Verw. zur Herst. von Polymeren u. als 1,3-Dien für *Diels-Alder-Reaktionen. – $E = I$ 1,3-pentadiene – F 1,3-pentadiène – S 1,3-pentadieno
Lit.: Beilstein E IV **1**, 994 ff. ▪ Houben-Weyl **5/1 c** ▪ s. a. Diene u. Diels-Alder-Reaktion. – *[HS 290129; CAS 504-60-9 (cis/trans); 1574-41-0 (cis); 2004-70-8 (trans)]*

Pentadigalloylglucose s. Tannine.

Pentadin. Süßschmeckendes *Protein (M_R 12000) der Pflanze *Pentadiplandra brazzeana* (Pentadiplandraceae), das die 500fache Süßkraft von *Saccharose besitzt[1]. P. ist im Gegensatz zu anderen *Süßstoffen auf Protein-Basis hitzestabil[2]. Die Toxikologie des P. ist noch nicht geklärt. – E pentadin – F pentadine – $I = S$ pentadina
Lit.: [1] Chem. Senses **14**, 75–79 (1989). [2] Phys. Unserer Zeit **21**, 101–108 (1990).

Pentaerythrit [2,2-Bis(hydroxymethyl)-1,3-propandiol, Penta, PE]. Formel s. bei Herstellung. $C_5H_{12}O_4$, M_R 136,15. Weißes, krist. Pulver mit süßlichem Geschmack, nicht hygroskop., brennbar, D. 1,399, Schmp. 262 °C, Sdp. 276 °C (40 hPa), WGK 1; gut lösl. in siedendem Wasser, wenig lösl. in Alkohol, unlösl. in Benzol, Tetrachlormethan, Ether, Petrolether. Mischungen von Luft u. P.-Staub können bei Temp. über 400 °C u. Staubkonz. von mehr als 30 g/m³ Luft zur Explosion gebracht werden. Die 4 prim. OH-Gruppen des P. lassen sich leicht mit Säuren verestern, mit Aldehyden od. Ketonen acetalisieren u. gegen Halogene austauschen.
Herst.: Techn. wird P. durch Umsetzung von Formaldehyd mit Acetaldehyd in wäss. Lsg. von $Ca(OH)_2$ od. auch NaOH bei 15–45 °C hergestellt. Dabei findet zunächst eine gemischte Aldol-Reaktion statt, bei der Formaldehyd als Carbonyl-Komponente, Acetaldehyd als Methylen-Komponente reagiert. Aufgrund der hohen Carbonyl-Aktivität des Formaldehyds tritt die Reaktion des Acetaldehyds mit sich selbst fast gar nicht ein. Abschließend wird das so gebildete Tris(hydroxymethyl)acetaldehyd mit Formaldehyd in einer gekreuzten *Cannizzaro-Reaktion in P. u. Formiat umgewandelt.

$$3\,H_2C=O + H_3C-CHO \xrightarrow{\text{wäss. }Ca(OH)_2} \left[HOCH_2-\underset{CH_2OH}{\overset{CH_2OH}{C}}-CHO \right]$$

$$\xrightarrow[-\,HCOO^-]{+\,H_2C=O\,+\,OH^-} HOCH_2-\underset{CH_2OH}{\overset{CH_2OH}{C}}-CH_2OH$$

Pentaerythrit

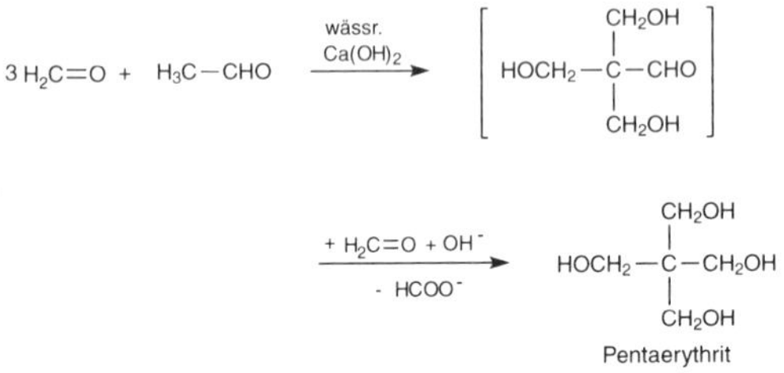

Abb.: Herst. von Pentaerythrit.

Theoret. werden 4 Mol Formaldehyd pro Mol Acetaldehyd benötigt. In der Praxis arbeitet man mit einem bis zu vierfachen Überschuß an Formaldehyd um die Bildung von Dipentaerythrit

$$HOCH_2-\underset{CH_2OH}{\overset{CH_2OH}{C}}-CH_2-O-CH_2-\underset{CH_2OH}{\overset{CH_2OH}{C}}-CH_2OH$$

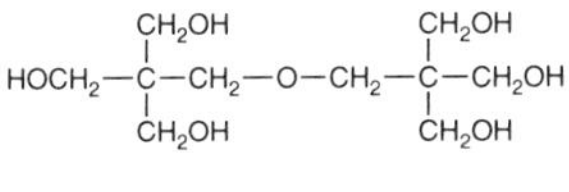

($C_{10}H_{22}O_7$, M_R 254,28, Schmp. 221 °C) u. die Selbstkondensation des Acetaldehyds gering zu halten. 1991 betrug die Herstellkapazität für P. in den USA, Japan u. der BRD etwa 152 000 t. Die quant. Bestimmung des P. erfolgt mit Benzaldehyd in Form der Dibenzyliden-Verbindung. P. wird durch eine Mutante von *Flavobacterium oxidans* fast quant. zur 3-Hydroxy-2,2-bis(hydroxymethyl)propionsäure oxidiert, was auf chem. Wege nur unvollkommen gelingt.
Verw.: P. wird überwiegend, z. B. in den USA zu etwa 90%, zur Herst. von Alkydharzen als Rohstoffe für die Lack-Ind. verbraucht. Ester mit höheren Fettsäuren dienen als Öladditive, Weichmacher u. Emulgatoren; in Form des Tetranitrats für Pharmazeutika (als *Vasodilatator) u. Sprengstoffe. P. dient ferner als therm. Inhibitor für Chlor-haltige Polymere. – E pentaerythritol – F pentaérythritol, pentaérythrite – I pentaeritrite, pentaeritritolo – S pentaeritritol, pentaeritrita
Lit.: Beilstein E IV **1**, 2812 ff. ▪ Brauer, Gefahrstoff-Sensorik, Landsberg: ecomed Verlagsges. 1988–1990 ▪ Bretherick, Handbook of Reactive Chemical Hazards, Nr. 1898, London: Butterworths 1990 ▪ Kirk-Othmer (3.) **1**, 778–789; (4.) **1**, 913 f.

▪ Merck-Index (12.), Nr. 7245 ▪ Ullmann (5.) **A 1**, 306, 316–320 ▪ Weissermel-Arpe (4.), S. 230 ▪ Winnacker-Küchler (4.) **6**, 43. – *[HS 2905 42; CAS 115-77-5]*

Pentaerythrittetranitrat (Nitropenta, Pentrit, PETN). E 

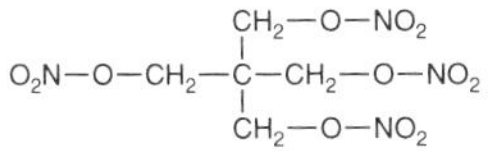

$C_5H_8N_4O_{12}$, M_R 316,13. Farblose Krist., D. 1,77, Schmp. 141 °C, unlösl. in Wasser, schwer lösl. in Alkohol, Ether, Benzol, lösl. in Aceton u. Methylacetat.
Herst.: Durch Nitrierung von *Pentaerythrit mit konz. Salpetersäure (kontinuierliches Biazzi-Verf.).
Verw.: Als brisantester aller prakt. anwendbaren krist. Explosivstoffe (Daten s. dort) bes. in Sprengkapseln u. Sprengschnüren, pharmazeut. als Mittel zur Gefäßerweiterung in Cardiaka, in kosmet. Mitteln verboten (Kosmetik-VO Anl. 1, Nr. 265). – ***E*** pentaerythritol tetranitrate – ***F*** tétranitrate de pentaerythritol – ***I*** tetranitrato di pentaeritritolo – ***S*** tetranitrato de pentaeritritol
Lit.: Beilstein E IV **1**, 2816 f. ▪ Giftliste ▪ Hager (5.) **9**, 56 ▪ Keith u. Walters, Compendium of Safety Data Sheets for Research and Industrial Chemicals, Part II, S. 1328 f., Deerfield Beach, Florida: VCH Publishers Inc. 1985 ▪ Kirk-Othmer (4.) **10**, 21 ▪ Merck-Index (12.), Nr. 7249 ▪ Mutschler (7.) ▪ Ullmann (5.) **A 8**, 5; **A 10**, 158 f. ▪ Winnacker-Küchler (4.) **7**, 364 ▪ s. a. Explosivstoffe u. Salpetersäureester. – *[HS 2920 90; CAS 78-11-5]*

Pentafluorethan s. Fluorkohlenwasserstoffe.

(Pentafluorphenyl)-dimethylsilyl... s. Flophemesyl.

Pentaformylgitoxin s. Gitoformat.

Pentafulven. Gelegentlich verwendete Bez. für *Fulven.

Pentaglycerin s. Trimethylolethan.

2,3′,4,4′,6-Pentahydroxybenzophenon s. Morin.

Pentahydroxyflavone s. Morin, Quercetin u. Flavone.

Pentaketide s. Polyketide.

Pentalen. Wie *Heptalen durch Verknüpfung zweier Ringe – hier zweier Fünfringe – gebildete Bicyclen, die im Gegensatz zu *Azulen nicht aromat., sondern in ihrem Reaktionsverhalten als Polyene aufzufassen sind.

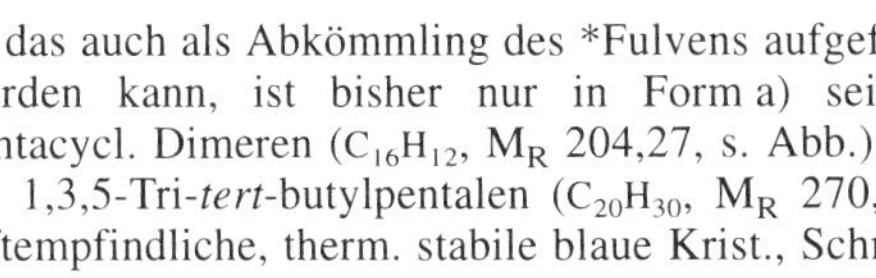

P., das auch als Abkömmling des *Fulvens aufgefaßt werden kann, ist bisher nur in Form a) seines pentacycl. Dimeren ($C_{16}H_{12}$, M_R 204,27, s. Abb.), b) als 1,3,5-Tri-*tert*-butylpentalen ($C_{20}H_{30}$, M_R 270,46, luftempfindliche, therm. stabile blaue Krist., Schmp. 59 °C) u. c) als Ligand in Metallcarbonyl-Komplexen charakterisiert worden. – ***E*** = ***I*** pentalene – ***F*** pentalène
Lit.: Acc. Chem. Res. **7**, 321 ff. (1974) ▪ Angew. Chem. **85**, 958 f. (1973) ▪ Nachr. Chem. Tech. Lab. **28**, 222–226 (1980) ▪ Top. Curr. Chem. **79**, 41–163 (1979). – *[CAS 250-25-9 (a); 50356-52-0 (b)]*

Pentalenen [(1*R*,8a*R*)-1,2,3,3a*α*,5a*β*,6,7,8-Octahydro-1*α*,4,7,7-tetramethylcyclopenta[*c*]pentalen].

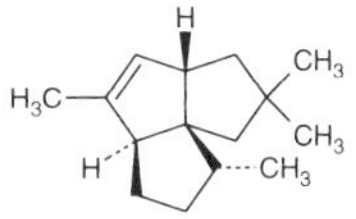

$C_{15}H_{24}$, M_R 204,35, Öl. Sesquiterpen-Kohlenwasserstoff vom *Triquinan-Typ aus Kulturen von *Streptomyces griseochromogenes*. – ***E*** = ***I*** pentalenene – ***F*** pentalenène – ***S*** pentaleneno
Lit.: Can. J. Chem. **67**, 160 (1989); **72**, 118 (1994) (Biosynth.) ▪ J. Am. Chem. Soc. **108**, 8015 (1986); **112**, 4513–4524 (1990) ▪ J. Chem. Soc., Chem. Commun. **1991**, 764 ▪ Tetrahedron **43**, 5637, 5685 (1987) ▪ Tetrahedron Lett. **31**, 7167 (1990); **32**, 5753 (1991); **33**, 3879 (1992) (Synth.) ▪ s. a. Pentalenolactone. – *[CAS 73306-73-7]*

Pentalenolactone. Gruppe von *Sesquiterpen-Antibiotika aus *Streptomyces chromofuscus*, *S. arenae* u. *S. omiyaensis*. Die P. wirken antineoplast. u. antiviral. P. hemmen spezif. die Glycerinaldehyd-3-phosphat-Dehydrogenase, ein Schlüsselenzym der *Glykolyse. Für das tricycl. Syst. wurden mehrere Synth. beschrieben. Bisher sind die P. A bis P bekannt, z. B.:

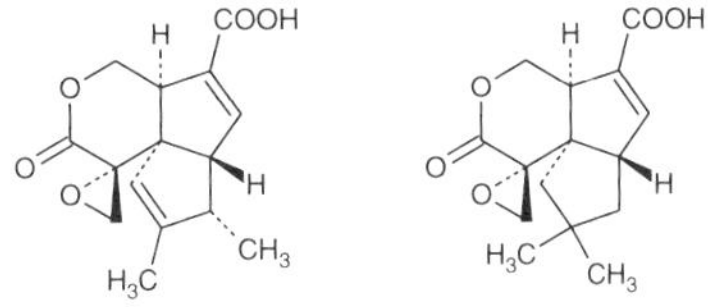

P. A P. F

P. A [Arenemycin E, $C_{15}H_{16}O_5$, M_R 276,28, Schmp. 61–62 °C (Krist.)] u. *P. F* ($C_{15}H_{18}O_5$, M_R 278,30, Öl). Die Biosynth. des tricycl. Syst. verläuft über *Pentalenen als erster isolierbarer Zwischenstufe. – ***E*** pentalenolactones – ***F*** pentalénolactones – ***I*** pentalenolattoni – ***S*** pentalenolactonas
Lit.: *Biosynth.:* Beilstein E V **19/8**, 62 ▪ J. Am. Chem. Soc. **112**, 4513–4524 (1990) ▪ J. Antibiot. (Tokyo) **37**, 816 f., 1076 ff. (1984); **39**, 266–271 (1986) ▪ Tetrahedron Lett. **1979**, 3639. – *Isolation, Struktur:* J. Antibiot. (Tokyo) **41**, 130 ff. (1988) ▪ J. Org. Chem. **57**, 844 (1992) ▪ Tetrahedron Lett. **1978**, 923, 4411. – *Synth.:* J. Am. Chem. Soc. **106**, 5295 (1984); **107**, 5289 (1985); **114**, 7387 (1992) ▪ J. Org. Chem. **52**, 4139 ff. (1987); **53**, 227–230 (1988) ▪ Synform **2**, 136–176 (1989) ▪ Tetrahedron **43**, 5677–5684 (1987); **44**, 2835–2842 (1988). – *Wirkungsmechanismus:* Arch. Biochem. Biophys. **270**, 50–61 (1989) ▪ J. Antibiot. (Tokyo) **38**, 1114 f. (1985) ▪ J. Bacteriol. **171**, 6696–6702 (1989). – *[CAS 31501-48-1 (P. A); 85416-36-0 (P. F)]*

Pentalong® (Rp). Tabl. mit dem Koronarmittel *Pentaerythrittetranitrat gegen Angina pectoris. ***B.:*** Isis Pharma.

1,2,3,4,5-Pentamethylcyclopentadien.

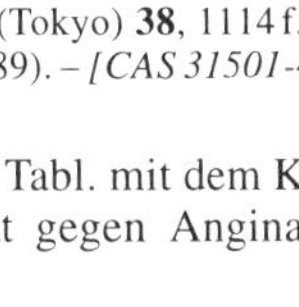

$C_{10}H_{16}$, M_R 208,35. Farblose Flüssigkeit vom Sdp. 50–52 °C (13 hPa). P. ist Ausgangsverb. für den Pentamethylcyclopentadienid-Liganden (Cp), der Übergangsmetall-Komplexen (s. Metallocene) eine größere Stabilität, Löslichkeit u. oft unterschiedliche Reaktivität im Vgl. zu Cyclopentadien-Komplexen verleiht. Er fördert zudem die Krist.-Neigung. – ***E*** 1,2,3,4,5-

pentamethylcyclopentadiene – ***F*** 1,2,3,4,5-pentaméthylcyclopentadiène – ***I*** 1,2,3,4,5-pentametilciclopentadiene – ***S*** 1,2,3,4,5-pentametilciclopentadieno

Lit.: Organometallics **4**, 97, 112, 172 (1985); **11**, 4231 (1992) ▪ s. a. Cyclopentadien u. Metallocene. – *[CAS 4045-44-7]*

Pentamethylen... Alte Bez. für die Atomgruppierung $-(CH_2)_5-$ nach IUPAC-Regel A-4.2 in *Multiplikativnamen, Polymer- u. a. Namen (neue Regel R-2.5: Pentan-1,5-diyl...). Alte P.-Bez. (u. systemat. Namen): P.-diamin (*1,5-Pentandiamin), P.-glykol (1,5-*Pentandiol), P.-oxid (*Tetrahydropyran), 1,5-P.-tetrazol (s. Pentetrazol), P.-tetramin (1,3,5,7-Tetraazabicyclo[3.3.1]nonan; hier: „P.“ = 5 getrennte CH_2-Gruppen!). – ***E*** pentamethylene... – ***F*** pentaméthylène... – ***I*** = ***S*** pentametilen...

Pentamethylendiamin s. 1,5-Pentandiamin.

Pentamethylenglykol s. Pentandiole.

Pentamethylenimin s. Piperidin.

Pentamethylheptan s. Isododecan.

Pentamidin (Rp).

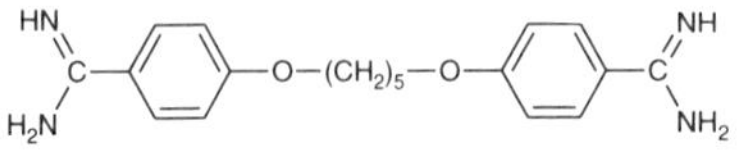

Internat. Freiname für das lokalanästhet. u. gegen *Trypanosomen, Leishmanien u. a. *Protozoen wirksame 4,4′-(Pentamethylendioxy)-dibenzamidin, $C_{19}H_{24}N_4O_2$, M_R 340,42, Schmp. 186 °C (Zers.). Verwendet werden das Diisethionat, $C_{23}H_{36}N_4O_{10}S$, M_R 560,62, Schmp. 188–192 °C, u. das Dimesilat, $C_{21}H_{32}N_4O_8S_2$, M_R 532,63, Schmp. 185–190 °C; λ_{max} (0,1 M HCl) 262 nm ($A^{1\%}_{1cm}$ 840). P. wurde 1939 von May & Baker patentiert u. ist von Rhône Poulenc Rorer/Glaxo Wellcome (Pentacarinat) im Handel. – ***E*** = ***F*** pentamidine – ***I*** = ***S*** pentamidina

Lit.: ASP ▪ Beilstein E IV **10**, 447 ▪ Drugs **33**, 242–258 (1987) ▪ Hager (5.) **9**, 58–62 ▪ Martindale (31.), S. 627 f. ▪ Ph. Eur. **1997** u. Komm ▪ s. a. Leishmaniosen u. Schlafkrankheit. – *[HS 2925 20; CAS 100-33-4 (P.); 140-64-7 (Diisethionat); 6823-79-6 (Dimesilat)]*

Pentan s. Pentane.

Pentanal (Valeraldehyd). $H_3C-(CH_2)_3-CHO$, $C_5H_{10}O$, M_R 86,14. Farblose, stechend riechende Flüssigkeit, D. 0,8095, Schmp. –92 °C, Sdp. 103 °C, FP. 1 °C, wenig lösl. in Wasser, lösl. in Alkohol u. Ether, WGK 2 (Selbsteinst.). Die Dämpfe reizen stark die Augen, die Atemwege u. die Haut, u. U. Kehlkopf- u. Lungenödem. Kontakt mit der Flüssigkeit bewirkt sehr starke Reizung der Augen u. der Haut. P. wird durch *Hydroformylierung von Buten hergestellt u. dient wie seine Isomeren (bes. *3-Methylbutyraldehyd) zur Herst. von Aromen u. Vulkanisationsbeschleunigern. – ***E*** = ***F*** = ***S*** pentanal – ***I*** pentanale

Lit.: Beilstein E IV **1**, 3268 f. ▪ Giftliste ▪ Hommel, Nr. 570 ▪ Merck-Index (12.), Nr. 10 040 ▪ Ullmann (5.) **A 1**, 323, 328 f. ▪ s. a. Aldehyde. – *[HS 2912 19; CAS 110-62-3; G 3]*

1-Pentanamin (Pentylamin, *n*-Amylamin). $H_3C-(CH_2)_4-NH_2$, $C_5H_{13}N$, M_R 87,16. Farblose, brennbare Flüssigkeit, D. 0,7547, Schmp. –55 °C, Sdp. 105 °C, FP. –1 °C, WGK 3, lösl. in Wasser, Alkohol, Ether. P. ätzt u. reizt Augen, Haut u. Schleimhäute, wird auch über die Haut aufgenommen u. kann allerg. Reaktionen auslösen. P. wird aus Ammoniak u. Pentylchlorid hergestellt u. findet Verw. z. B. in Gummichemikalien, Insektiziden, Tensiden, Flotationsmitteln, Lsm., Pharmazeutika. Daneben gibt es noch 2 lineare sowie 5 verzweigte Pentanamine. – ***E*** = ***F*** 1-pentanamine – ***I*** 1-pentanammina – ***S*** 1-pentanamina

Lit.: Beilstein E IV **4**, 674 f. ▪ Giftliste ▪ Hommel, Nr. 340 ▪ Merck-Index (12.), Nr. 639 ▪ Snell-Ettre **5**, 262 ▪ Ullmann (5.) **A 2**, 8 ▪ s. a. Amine. – *[HS 2921 19; CAS 110-58-7; G 3]*

Pentanatriumtriphosphat s. Natriumphosphate.

1,5-Pentandial s. Glutaraldehyd.

1,5-Pentandiamin (1,5-Diaminopentan, Pentamethylendiamin, Cadaverin, von latein.: cadaver = Leiche). $H_2N-(CH_2)_5-NH_2$, $C_5H_{14}N_2$, M_R 102,18. Sirupöse, rauchende, unangenehm riechende Flüssigkeit, D. 0,87, Schmp. 9 °C, Sdp. 178–180 °C, in Wasser u. Alkohol leicht, in Ether kaum löslich. P. wurde erstmals von Brieger 1885 aus Produkten der Leichenfäulnis isoliert. P. ist ein *biogenes Amin; es entsteht durch bakterielle Decarboxylierung aus L-Lysin. – ***E*** = ***F*** 1,5-pentanediamine – ***I*** 1,5-pentandiammina – ***S*** 1,5-pentanodiamina

Lit.: Beilstein E IV **4**, 1310 ▪ Merck-Index (12.), Nr. 1645 ▪ s. a. biogene Amine, Ptomaine. – *[HS 2921 29; CAS 462-94-2]*

1,5-Pentandicarbonsäure s. Pimelinsäure.

Pentandiole. $C_5H_{12}O_2$, M_R 104,15. Von *n*-Pentan leiten sich 6 isomere Diole ab, deren wichtigstes *1,5-P.* (Pentamethylenglykol) ist: $HO-(CH_2)_5-OH$. Ölige, brennbare, farblose Flüssigkeit, D. 0,9939, Schmp. –18 °C, Sdp. 239 °C, mischbar mit Wasser, Methanol, Ethanol, Aceton, Ethylacetat, wenig lösl. in Ether, unlösl. in Benzol, Dichlormethan, Petrolether. 1,5-P. wird durch katalyt. Hydrierung von Glutarsäure od. Glutarsäureestern hergestellt u. dient als Weichmacher in Cellulose-Produkten u. Klebstoffen, als Zwischenprodukt in Polyester-Harzen u. zur Synth. heterocycl. Verbindungen.

Xi 

1,2-P. [$H_3C-CH_2-CH_2-CH(OH)-CH_2-OH$, Sdp. 99–100 °C (4 hPa)] hat in neuerer Zeit Bedeutung als Ausgangsprodukt für system. Fungizide erhalten. Wichtig ist auch *2,4-P.* [$H_3C-CH(OH)-CH_2-CH(OH)-CH_3$, Sdp. 114–115 °C (33 hPa)]. Das (*R*,*R*)-Stereoisomere, Schmp. 48–51 °C, $[\alpha]^{20}_D$ –40° (c 10/$CHCl_3$), ist ein Hilfsreagenz in der *enantioselektiven Synthese [1] u. ein chirales Derivatisierungsreagenz für Carbonyl-Verbindungen. – ***E*** = ***F*** pentanediols – ***I*** pentandioli – ***S*** pentanodioles

Lit.: [1] Tetrahedron: Asymmetry **1**, 477 (1990).
allg.: Beilstein E IV **1**, 2538–2543 ▪ Giftliste ▪ Hommel, Nr. 533 ▪ Merck-Index (12.), Nr. 7256 ▪ Ullmann (5.) **A 1**, 306 f., 314. – *[HS 2905 39; CAS 111-29-5 (1,5-P.); 5343-92-0 (1,2-P.); 625-69-4 (2,4-P.); 42075-32-1 ((R,R)-2,4-P.); 72345-23-4 ((S,S)-2,4-P.)]*

2,4-Pentandion s. Acetylaceton.

2,4-Pentandionato... Systemat. Name des Anions von *Acetylaceton als *Ligand in *Metallacetylacetonaten; Abk.: *acac (IUPAC-Regel I-10.4.5). – ***E*** = ***F*** 2,4-pentanedionato... – ***I*** 2,4-pentandionato... – ***S*** 2,4-pentanodionato...

Pentandisäure s. Glutarsäure.

Pentane. C_5H_{12}, M_R 72,15. Es gibt drei isomere C_5-Alkane, die als farblose, brennbare Flüssigkeiten od. Gase aus Erdgas, Erdöl od. Krack-Produkten gewonnen werden. Alle 3 P. sind in Wasser unlösl., mit den meisten organ. Lsm. mischbar u. haben FP. unter –40 °C; die Explosionsgrenzen liegen zwischen 1,4 u. 8 Vol.-% in Luft. Eingeatmete Dämpfe wirken in hohen Konz. betäubend u. können Herzrhythmusstörungen auslösen. Kontakt mit der Flüssigkeit führt zu Reizung der Augen u. der Haut, WGK 1 (für *n*-Pentan), MAK 1000 ppm od. 2950 mg/m³ (für alle Isomere). Das Auftreten von P. in der Atemluft ist ein Hinweis auf peroxidative Prozesse im Körper [1].
n-Pentan [$H_3C–(CH_2)_3–CH_3$, D. 0,6262, Schmp. –130 °C, Sdp. 36 °C] wird als Lsm., zum Schäumen von Phenolharz u. Polystyrol, als Treibmittel für Aerosole, zur Füllung von Tieftemp.-Thermometern u. als Vergleichssubstanz in der Gaschromatographie verwendet. Die beiden anderen Isomeren sind *Isopentan* (*2-Methylbutan) u. *Neopentan* (*2,2-Dimethylpropan). – ***E*** pentanes – ***F*** pentane – ***I*** pentani – ***S*** pentano F

Lit.: [1] Free Radicals Biol. **4**, 1–48, bes. 19 ff. (1980).
allg.: Beilstein E IV **1**, 303–307 ▪ Brauer, Gefahrstoff-Sensorik, Landsberg: ecomed Verlagsges. 1988–1990 ▪ Bretherick, Handbook of Reactive Chemical Hazards (5.), London: Butterworths 1995 ▪ Hommel, Nr. 343 ▪ Kirk-Othmer (3.) **12**, 919–925; (4.) **13**, 823 ▪ Merck-Index (12.), Nr. 7255 ▪ Ullmann (5.) **A 13**, 229 ff. – *[HS 2901 10; CAS 109-66-0; G 3]*

Pentanole (Amylalkohole).

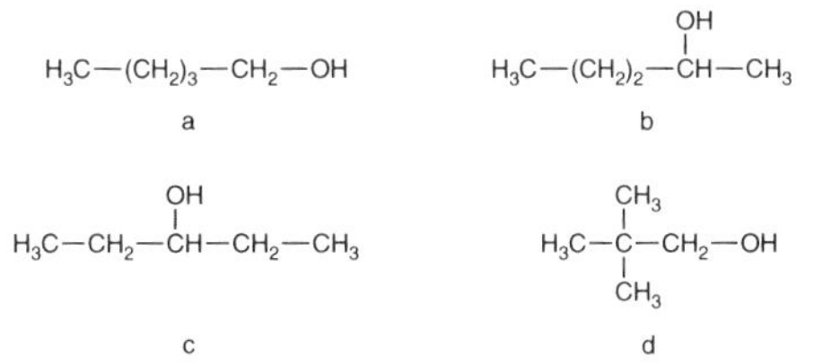

$C_5H_{12}O$, M_R 88,14. Es gibt 8 konstitutionsisomere C_5-Alkanole: 3(n-)P., 4 einfach verzweigte Iso-P. (s. Methylbutanole) u. das doppelt verzweigte Neo-Pentanol. Alle P. sind wenig lösl. in Wasser, dagegen mischbar mit Alkohol u. Ether. Sie reizen die Schleimhäute u. wirken narkot., Aufnahme über die Haut ist möglich.
(a) *1-P.* (*n*-Amylalkohol), klare, farblose, brennbare Flüssigkeit, Schmp. <–79 °C, Sdp. 138 °C, WGK 1; Emissionsklasse III (TA Luft 3.1.7). Verw. als Lsm., Rohstoff für Pharmazeutika u. in organ. Synthesen. Xn
(b) *2-P.* (sek. Amylalkohol), klare, farblose, brennbare Flüssigkeit, Schmp. –50 °C, Sdp. 119 °C; WGK 2 (Selbsteinst.); Emissionsklasse III (TA Luft 3.1.7). Verw. als Lsm. für Farben u. Lacke, pharmazeut. Zwischenprodukt, in organ. Synth., hier u. a. das enantiomerenreine (*R*)-2-P., $[\alpha]_D^{20}$ –12,2°, u. sein (*S*)-Antipode als chirale Referenzsubstanz in *enantioselektiven Synthesen. Xn
(c) *3-P.*, farblose, brennbare Flüssigkeit, Schmp. –8 °C, Sdp. 116 °C; WGK 2 (Selbsteinst.); Emissionsklasse III (TA Luft 3.1.7). Verw. als Lsm., Flotationsmittel u. in organ. Synthesen. Xn
(d) *2,2-Dimethyl-1-propanol* (Neopentylalkohol), Krist. mit pfefferminzartigem Geruch, Schmp. 53 °C, Sdp. 114 °C. Verw. als Lsm. u. in organ. Synthesen.
Herst.: Die P. können techn. nach folgenden Verf. hergestellt werden: Hydroformylierung von Butenen, Hydrolyse von Chlorpentanen, Gewinnung aus Fuselölen, Wasseranlagerung an Pentene; Näheres s. Herst. von *Alkoholen. – ***E***=***F*** pentanols – ***I*** pentanoli – ***S*** pentanoles

Lit.: Beilstein E IV **1**, 1640 ff., 1655 f., 1662 f., 1690 ▪ Brauer, Gefahrstoff-Sensorik, Landsberg: ecomed Verlagsges. 1988–1990 ▪ Hommel, Nr. 577, 578, 759 ▪ Kirk-Othmer (3.) **2**, 570–573 ▪ McKetta **3**, 278–289 ▪ Merck-Index (12.), Nr. 7257–7259 ▪ Ullmann (5.) **A 19**, 49. – *[HS 2905 15; CAS 71-41-0 (a); 6032-29-7 (b); 31087-44-2 ((R)-2-P.); 26184-62-3 ((S)-2-P.); 584-02-1 (c); 75-84-3 (d); G 3]*

Pentanone. $C_5H_{10}O$, M_R 86,13. Farblose, leichtbewegliche, feuergefährliche, Aceton-artig riechende Flüssigkeiten, wenig lösl. in Wasser, mischbar mit Alkohol u. Ether. Die Dämpfe reizen Augen u. Atemwege, Kontakt mit der Flüssigkeit führt zu Reizung der Augen u. der Haut; Aufnahme über die Haut ist möglich.
(a) *2-P.* (Methylpropylketon), $H_3C–(CH_2)_2–CO–CH_3$, D. 0,8089, Schmp. –78 °C, Sdp. 102 °C; WGK 1; MAK-Wert 200 ppm od. 700 mg/m³.
(b) 3-P. (Diethylketon), $H_5C_2–CO–C_2H_5$, D. 0,8138, Schmp. –40 °C, Sdp. 102 °C; MAK-Wert 200 ppm (US-Wert); WGK 1 (KBwS). F
Beide P. dienen als Lsm. u. als Ausgangsstoffe für die organ. Synthese.
(c) *Isopentanon* s. 3-Methyl-2-butanon. – ***E***=***F*** pentanones – ***I*** pentanoni – ***S*** pentanonas

Lit.: Beilstein E IV **1**, 3271 ff., 3279 ff. ▪ Brauer, Gefahrstoff-Sensorik, Landsberg: ecomed Verlagsges. 1988–1990 ▪ Bretherick, Handbook of Reactive Chemical Hazards (5.), London: Butterworths 1995 ▪ Hommel, Nr. 536, 734 ▪ Merck-Index (12.), Nr. 6193, 3170 ▪ Ullmann (5.) **A 15**, 83; **A 24**, 489. – *[HS 2914 19; CAS 107-87-9 (a); 96-22-0 (b); G 3]*

Pentansäure s. Valeriansäure.

Pentapharm. Kurzbez. für die 1948 gegr. Pentapharm AG, CH-4002 Basel, die pharmazeut. u. kosmet. Wirkstoffe herstellt.

Pentathiepan s. Lenthionin.

Pentavitin®. Kohlenhydrat-Komplex als Feuchtigkeitsregulator zur Verw. in Hautpflegemitteln. ***B.:*** Pentapharm.

Pentaxine s. Pentraxine.

Pentazocin (Rp; BtMVV, Anlage III B).

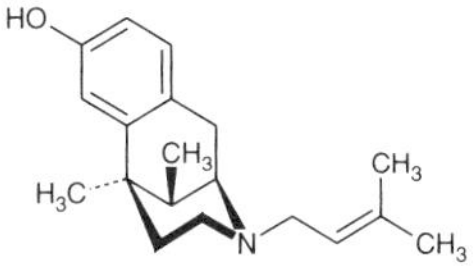

Internat. Freiname für das *Analgetikum (2*R**, 6*R**,11*R**)-1,2,3,4,5,6-Hexahydro-6,11-dimethyl-3-(3-methyl-2-butenyl)-2,6-methano-3-benzazocin-8-ol, $C_{19}H_{27}NO$, M_R 285,42. Weißliches Pulver, Schmp. 147–158 °C; $[\alpha]_D^{20}$ +135,5° [$CHCl_3$, Base (+)-Form, *cis*], $[\alpha]_D^{20}$ −138° [$CHCl_3$, Base (−)-Form, *cis*]; λ_{max} (wäss. Alkali) 240, 300 nm ($A_{1cm}^{1\%}$ 330, 106); LD_{50} (Ratte s.c.) 175±36 mg/kg; lösl. in Wasser (1:30−42) u. Ethanol (1:7−16). Lagerung: Vor Licht u. Luft geschützt. P. ist ein starkes *Analgetikum u. ein schwacher *Morphin-Antagonist. Verwendet werden auch das Hydrochlorid u. das Lactat. P. wurde 1962 von Sterling Drug patentiert u. ist von Sanofi Winthrop (Fortral®) im Handel. – ***E*** = ***F*** pentazocine – ***I*** = ***S*** pentazocina

Lit.: ASP ▪ Beilstein E V **21/3**, 155 ▪ Florey **13**, 361−416 ▪ Hager (5.) **9**, 63−66 ▪ Kubicki u. Neuhaus, Pentazocin im Spiegel der Erfahrungen, Berlin: Springer 1981 ▪ Martindale (31.), S. 85 f. – *[HS 2933 39; CAS 359-83-1 (P.); 64024-15-3 (Hydrochlorid); 17146-95-1 (Lactat)]*

Pentele s. Periodensystem.

Pentene (Amylene, Pentylene). C_5H_{10}, M_R 70,13. Alkene mit 5 C-Atomen, die als Isomerengemisch im Erdgas u. in Crackgasen vorkommen. Unangenehm riechende, niedrigsiedende, leicht brennbare Flüssigkeiten od. Gase, lösl. in Alkohol, unlösl. in Wasser. Die Dämpfe reizen die Augen u. die Atemwege. Sie haben in hohen Konz. geringe narkot. Wirkung u. lösen Herzrhythmusstörungen aus. Kontakt mit der Flüssigkeit führt zu Reizung der Augen u. der Haut, MAK-Wert 1000 ppm (US-Wert). P. finden Verw. in organ. Synth. u. zur Erhöhung der *Octan-Zahl im Benzin.

1-P. (α-Amylen), $H_3C–CH_2–CH_2–CH=CH_2$, D. 0,6410, Schmp. −165 °C, Sdp. 30 °C; WGK 1; Bezugssubstanz für die Gaschromatographie.

2-P. (β-Amylen), $H_3C–CH_2–CH=CH–CH_3$, D. 0,656, Schmp. −152 °C, Sdp. 37 °C (*cis*-Form) u. D. 0,6482, Schmp. −139 °C, Sdp. 36 °C (*trans*-Form), Polymerisations-Inhibitor.

Isopentene s. Methylbutene. – ***E*** pentenes – ***F*** pentènes – ***I*** penteni – ***S*** pentenos

Lit.: Beilstein E IV **1**, 808 ff., 814 f. ▪ Brauer, Gefahrstoff-Sensorik, Landsberg: ecomed Verlagsges. 1988−1990 ▪ Hommel, Nr. 457 ▪ Houben-Weyl **5/1 b** ▪ Kirk-Othmer (4.) **17**, 839 ▪ Merck-Index (12.), Nr. 7262, 7263 ▪ Ullmann (5.) **A 13**, 239 ff. ▪ s. a. Methylbutene. – *[HS 2901 29; CAS 109-67-1 (1-P.); 109-68-2 (2-P.); 627-20-3 (cis-2-P.); 646-04-8 (trans-2-P.); G 3]*

Pentenole. Einfach ungesätt. C_5-Alkohole, $C_5H_{10}O$, M_R 86,13, mit 13 Konstitutionsisomeren, von denen viele Stereoisomeren möglich sind (*E/Z* u./od. *R/S*); s. a. Methylbutenole. – ***E*** pentenols – ***F*** penténols – ***I*** pentenoli – ***S*** pentenoles

3-Penten-1,3,4-tricarbonsäure s. Hämatinsäure.

. . .pentetat. Kurzbez. für *Diethylentriaminpentaessigsäure-Anionen als Chelatbildner in Schwermetall-Antidoten; *Beisp.:* *Calciumtrinatriumpentetat. – ***E*** . . .pentetate – ***F*** . . .pentétate – ***I*** = ***S*** . . .pentetato

Pentetrazol.

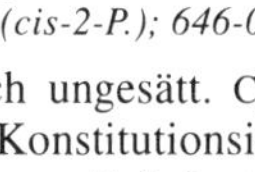

Internat. Freiname für das *Analeptikum 5,6,7,8-Tetrahydro-4*H*-tetrazolo[1,5-*a*]azepin (Pentamethylentetrazol), $C_6H_{10}N_4$, M_R 138,17. Scharf u. bitter schmeckende Krist., Schmp. 57−60 °C; LD_{50} (Ratte s.c.) 85±2 mg/kg, (Ratte i.p.) 62 mg/kg; leicht lösl. in Wasser u. den meisten organ. Lösemitteln. P. ist ein Carboanhydrase-Hemmer, in höheren Dosen Krampfgift.

Verw.: Früher bei Schlafmittelvergiftungen, zentralem Kreislaufversagen, Atemdepression, heute kaum noch verwendet. – ***E*** = ***S*** pentetrazol – ***F*** pentétrazol – ***I*** pentetrazolo

Lit.: ASP ▪ Beilstein E III/IV **26**, 1712 ▪ Hager (4.) **6 a**, 509 ff. ▪ Martindale (31.), S. 1555. – *[HS 2933 90; CAS 54-95-5]*

Pentifyllin.

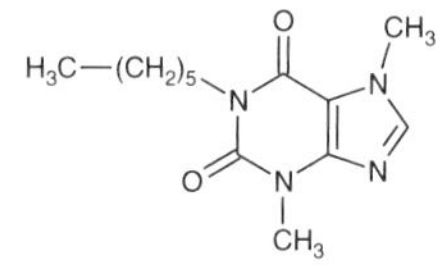

Internat. Freiname für den *Vasodilatator 3,7-Dihydro-3,7-dimethyl-1-hexyl-1*H*-purin-2,6-dion, $C_{13}H_{20}N_4O_2$, M_R 264,32, Schmp. 82−83 °C; λ_{max} (wäss. Säure) 275 nm ($A_{1cm}^{1\%}$ 335). Lagerung: Kühl u. vor Licht geschützt. P. wurde 1952 von Chem. Werke Albert (Cosaldon® retard mono) patentiert. – ***E*** = ***F*** pentifylline – ***I*** pentifillina – ***S*** pentifilina

Lit.: ASP ▪ Beilstein E III/IV **26**, 2351 ▪ Hager (5.) **9**, 68 f. ▪ Martindale (31.), S. 926. – *[HS 2939 90; CAS 1028-33-7]*

Pentite (Pentitole). Sammelbez. für die vier stereoisomeren 1,2,3,4,5-Pentanpentaole $HO–CH_2–(CHOH)_3–CH_2–OH$ (vgl. Polyole, Zuckeralkohole), die bei Red. der *Pentosen (s. Abb. bei Kohlenhydrate) entstehen: D(L)-*Arabit aus D(L)-*Arabinose od. L(D)-*Lyxose, *Ribit aus D- u. L-*Ribose, Xylit aus D- u. L-*Xylose. – ***E*** = ***F*** pentitols – ***I*** pentitoli – ***S*** pentitoles

Lit.: Beilstein E IV **1**, 2832−2836.

Pentlandit (Eisennickelkies). $(Fe,Ni)_9S_8$, wichtiges Nickelerz, bildet Körner u. Aggregate in massiven *Pyrrhotin-Erzen. P. krist. kub.-hexakisoktaedr., Kristallklasse m3m-O_h; Struktur von P. s. *Lit.*[1,2], von $(Fe,Ni)_8AgS_8$ *Lit.*[2]; zur Kationenverteilung in P. in Abhängigkeit von Druck u. Temp. s. *Lit.*[3]; zur thermodynam. Stabilität von P. im Syst. Fe–Ni–Co–S s. *Lit.*[4]. Metallglanz, Farbe bronzegelb mit Stich ins Bräunliche („tombakbraun"); gegenüber Pyrrhotin etwas heller u. nicht magnet.; Strich schwarz. H. 3,5−4, D. 4,6−5. In der Natur mit 15−45% Ni u. 25−45% Fe; zusätzlich können Cobalt (z. B. in P. von Outokumpu/Finnland) bis hin zum *Cobalt-P.* $(Fe,Co)_9S_8$, bis über 10% Ag u. Platin-Gruppenelemente (PGE) enthalten sein.

Vork.: In Lagerstätten in Verbindung mit ultrabas. bis bas. *magmatischen Gesteinen, zusammen mit *Kupferkies, Pyrrhotin u. Erzen der Platin-Metalle; z. B. Sudbury/Kanada, Noril'sk-Talnakh/Sibirien, Kotalahti/Finnland; in *Grünstein-Gürteln liegen Pechenga/Halbinsel Kola/Rußland u. Kambalda/West-Australien (im Verband mit *Komatiiten). In *Meteoriten (bes. in kohligen Chondriten) u. im interplanetaren Staub. – ***E*** = ***F*** = ***I*** pentlandite – ***S*** pentlandita

Lit.: [1] Can. Mineral. **12**, 169−177 (1973); Am. Mineral. **60**, 39−48 (1975). [2] Can. Mineral. **12**, 169−177 (1973). [3] Phys. Chem. Miner. **19**, 203−212 (1992). [4] Mineralium Deposita **21**, 169−180 (1986).

allg.: Anthony et al., Handbook of Mineralogy, Vol. I, S. 396, Tucson (Arizona): Mineral Data Publishing 1990 ▪ Pohl, Lagerstättenlehre (4.), S. 133−137, Stuttgart: Schweizerbart 1992 ▪ Ramdohr, Die Erzmineralien u. ihre Verwachsungen, S. 534−542, Berlin: Akademie-Verl. 1975 ▪ Ramdohr-Strunz, S. 424 ff. – *[HS 2604 00; CAS 12174-14-0]*

Pentoaldosen s. Aldopentosen u. Pentosen.

Pentobarbital (Rp; BtMVV, Anlage III B).

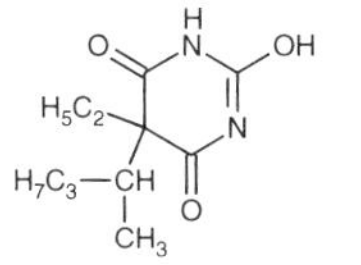

Internat. Freiname für das Hypnotikum (*RS*)-5-Ethyl-5-(1-methylbutyl)-barbitursäure, $C_{11}H_{18}N_2O_3$, M_R 226,27, Schmp. 133 °C; $[\alpha]_D^{20}$ −13,19° (*S*-Form), $[\alpha]_D^{20}$ +13,12° (*R*-Form); λ_{max} (CH_3OH) 210 nm ($A_{1cm}^{1\%}$ 420). Farbloses bis weißes, krist. Pulver, in Wasser sehr schwer, in Aceton u. Methanol sehr leicht löslich. Lagerung: Vor Luft geschützt. Verwendet wird meist das Natriumsalz, Schmp. 127 °C (Zers.); λ_{max} (0,1 M NaOH) 243 nm ($A_{1cm}^{1\%}$ 338). P. wurde 1916 von Bayer patentiert. Es wurde als *Schlafmittel eingesetzt, ggf. auch als *Geständnismittel mißbraucht. – ***E*** = ***F*** = ***S*** pentobarbital – ***I*** pentobarbitale

Lit.: ASP ▪ Beilstein E III/IV **24**, 1951 ▪ Hager (5.) **9**, 69–73 ▪ Martindale (31.), S. 727 ▪ Ph. Eur. **1997** u. Komm. – *[HS 2933 51; CAS 76-74-4 (P.); 57-33-0 (Natriumsalz)]*

Pentofuryl®. Kapseln u. Saft mit *Nifuroxazid gegen infektiösen Durchfall. ***B.:*** Linden.

Pentoketosen s. Ketosen u. Pentulosen.

Pento Puren®. Retardkapseln, Ampullen zur Injektion u. Infusion mit dem durchblutungsfördernden Mittel *Pentoxifyllin. ***B.:*** Isis Puren.

Pentorex (Rp).

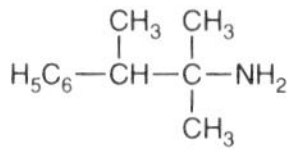

Internat. Freiname für den *Appetitzügler u. das Psychostimulans (*R,S*)-1,2-Dimethyl-3-phenylpropylamin (Phenpentermin), $C_{11}H_{17}N$, M_R 163,26, Sdp. 109–111 °C (2,7 kPa), n_D^{20} 1,5158. Verwendet wird auch das D-Hydrogentartrat, Schmp. 160–162 °C; $[\alpha]_D^{20}$ +13,4° (c 0,8/H_2O). P. wurde 1964 von Nordmark patentiert. – ***E*** = ***F*** = ***I*** = ***S*** pentorex

Lit.: Hager (5.) **9**, 74 f. – *[HS 2921 49; CAS 434-43-5 (P.); 22876-60-4 (Hydrogentartrat)]*

Pentosane. Aus *Pentosen aufgebaute **Polyosen* (*Hemicellulosen), die im Pflanzenreich weit verbreitet sind; Bestimmung mit *Barbitursäure. – ***E*** pentosans – ***F*** pentosanes – ***I*** pentosani – ***S*** pentosanas

Lit.: Food Technol. (Chicago) **38**, 114–117 (1984) ▪ Papier (Darmstadt) **40**, 619–626 (1986) ▪ Spec. Publ.-R. Soc. Chem. **56**, 42–61 (1986) ▪ Stärke/Starch **38**, 433–437 (1986) ▪ Ullmann (5.) **A 11**, 503.

Pentosen. Sammelbez. für *Monosaccharide mit 5 C-Atomen, in Abgrenzung gegen die seltenen *Pentulosen oft eingeengt auf *Aldopentosen (*Arabinose, *Lyxose, *Ribose u. *Xylose), die in *Pentosanen verbreitet sind (Ribose auch in *Nucleinsäuren). P. lassen sich an ihren Reaktionen mit 4-Nitrophenylhydrazin u. mit Bials Reagenz von *Hexosen unterscheiden; beim Erhitzen von P. in verd. wäss. Schwefel- od. Salzsäure entsteht *Furfural, das bei Zugabe von Anilin eine Rotfärbung gibt. – ***E*** = ***F*** pentoses – ***I*** pentosi – ***S*** pentosas

Lit.: Adv. Biochem. Eng. Biotechnol. **27**, 1–118 (1983) ▪ Beilstein E IV **1**, 4211–4258 ▪ Karrer, Nr. 580–586 ▪ Rehm-Reed **3**, 318–323.

Pentosephosphat-Weg od. **-Cyclus** (PP-Weg, Phosphogluconat-Weg, Warburg-Dickens-Horecker-Weg). Im Cytoplasma der *Zellen ablaufende Reaktionskette des Kohlenhydrat-*Stoffwechsels, durch deren oxidativen Zweig (s. Abb. 1) unter Kohlendioxid-Eliminierung D-Ribulose-5-phosphat (ein Pentosephosphat, daher Name) u. reduziertes *Nicotinamid-Adenin-Dinucleotid-Phosphat (NADPH, oxidierte Form: $NADP^+$) aus D-*Glucose-6-phosphat gebildet werden. D-Ribulose-5-phosphat wird – nach Isomerisierung zu D-Ribose-5-phosphat (durch Ribosephosphat-Isomerase, EC 5.3.1.6) für die Biosynth. von *Nucleotiden u. *Nucleinsäuren, NADPH dagegen für reduktive Biosynth. benötigt (z. B. der Fettsäuren; daher PP-Weg in Fettgewebe bes. aktiv).

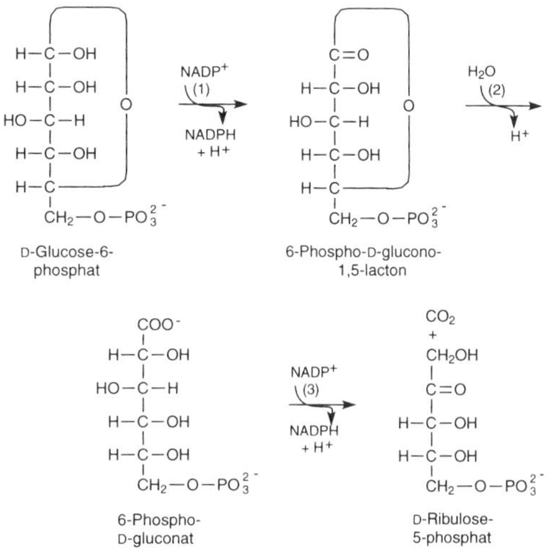

Abb. 1: Oxidativer Zweig des Pentosephosphat-Wegs. Enzyme: (1) = Glucose-6-phosphat-Dehydrogenase (EC 1.1.1.49), (2) = 6-Phosphogluconolactonase (EC 3.1.1.31), (3) = Phosphogluconat-Dehydrogenase (decarboxylierend) (EC 1.1.1.44)

Ist aufgrund der aktuellen Stoffwechsel-Situation der Bedarf an NADPH größer als der an Pentosephosphat, so können jeweils 6 Mol. des überschüssigen D-Ribulose-5-phosphats zu 5 Mol. D-Glucose-6-phosphat rekombinieren. Dabei werden unter Einwirkung von Ribulosephosphat-3-Epimerase (EC 5.1.3.1), Transketolase (EC 2.2.1.1) u. Transaldolase (EC 2.2.1.2) verschiedene Zuckerphosphate als Zwischenstufen durchlaufen (nichtoxidativer Zweig des PP-Wegs) u. außerdem Reaktionen der Gluconeogenese (s. Glykolyse) benutzt (Abb. 2).

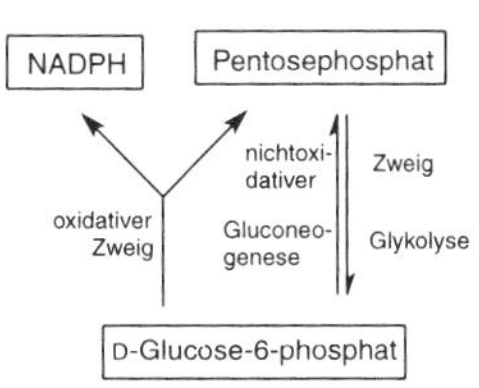

Abb. 2: Die Zweige des Pentosephosphat-Wegs.

Bei 6maligem Durchlaufen dieses Cyclus wird 1 Mol. D-Glucose-6-phosphat vollständig zu Kohlendioxid u. anorgan. Phosphat abgebaut. Bei hohen NADPH-Konz. wird Glucose-6-phosphat-Dehydrogenase u. somit der oxidative Zweig gehemmt. Ist dennoch Bedarf an Pentosephosphat gegeben, so kann dieses über Reaktionen der Glykolyse sowie den nichtoxidativen Zweig des PP-Wegs synthetisiert werden. – ***E*** pentose phosphate pathway, cycle – ***F*** voie, cycle des pentoses – ***I*** via pentosiofosfatica – ***S*** camino de pentosafosfatos

Lit.: Karlson et al., Kurzes Lehrbuch der Biochemie, 14. Aufl., S. 231 f., Stuttgart: Thieme 1994 ▪ Stryer 1996, S. 589–599.

Pentostatin (2′-Deoxycoformycin, Deoxycholmycin, Oncopent, Nipent).

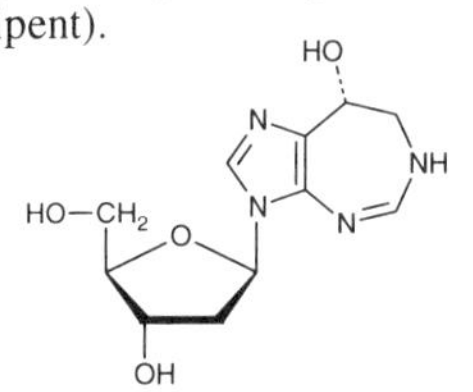

$C_{11}H_{16}N_4O_4$, M_R 268,27, Schmp. 220–225 °C, $[\alpha]_D^{20}$ +76,4° (H_2O). Antineoplast. Antibiotikum aus Kulturen von *Streptomyces antibioticus* u. *Aspergillus nidulans*. A. wirkt als Adenosin-Desaminase-Inhibitor u. wird in der Krebstherapie bei Haarzell-Leukämie, chron. lymphat. Leukämie u. Mycosis fungoides verwendet, allerdings zeigt es deutliche Nebenwirkungen auf ZNS, Nieren u. Lunge [1]. – ***E*** pentostatin – ***F*** pentostatine – ***I*** = ***S*** pentostatina

Lit.: [1] Dtsch. Apoth. Ztg. **130**, 2640 (1990); Cancer Treat. Rep. **17**, 213 (1990); Pharmacol. Rev. **44**, 459 (1992).
allg.: Ann. Int. Med. **108**, 733 (1988) ▪ Beilstein E V **26/12**, 357 ▪ Biochemistry **27**, 5790 (1988) ▪ Drugs of Today **25**, 458 (1989) ▪ J. Antibiot. **41**, 1711 (1988) (Review); **45**, 1914 (1992) (Herst.) ▪ J. Nat. Cancer Inst. **80**, 765 (1988) ▪ J. Org. Chem. **47**, 3457 (1982); **50**, 1651 (1985) ▪ Merck-Index (12.), Nr. 7277 ▪ Sax (8.), PBT 100. – *[HS 2934 90; CAS 53910-25-1]*

Pentoxifyllin (Rp).

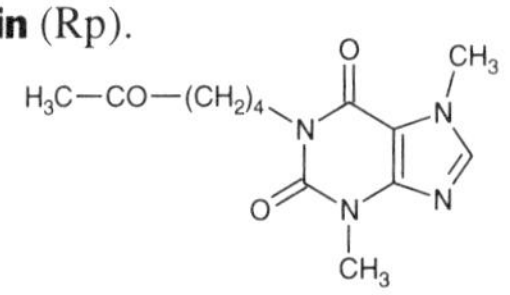

Internat. Freiname für den *Vasodilatator u. Thrombocyten-Aggregationshemmer 3,7-Dihydro-3,7-dimethyl-1-(5-oxohexyl)-1*H*-purin-2,6-dion, $C_{13}H_{18}N_4O_3$, M_R 278,31, Schmp. 102–105 °C; λ_{max} 208, 273 nm ($A^{1\%}_{1cm}$ 935, 365); pK_a 9,2; LD_{50} (Maus oral) 1385 mg/kg; lösl. in Wasser. P. wurde 1966, 1967 u. 1969 von Chem. Werke Albert (Trental®) patentiert u. ist als Generikum im Handel. – ***E*** = ***F*** pentoxifylline – ***I*** pentoxifillina – ***S*** pentoxifilina

Lit.: Curr. Med. Res. Opin. **7**, 253–263 (1981) ▪ Drugs **34**, 50–97 (1987) ▪ Hager (5.) **9**, 77 ff. ▪ Martindale (31.), S. 924 ▪ Ph. Eur. **1997** u. Komm. – *[HS 2939 50; CAS 6493-05-6]*

Pentoxyverin.

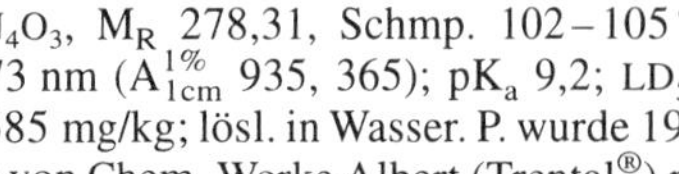

Internat. Freiname für das *Antitussivum 1-Phenylcyclopentancarbonsäure-[2-(2-diethylaminoethoxy)-ethyl]-ester, $C_{20}H_{31}NO_3$, M_R 333,47, Sdp. 165–170 °C (1,3 Pa); λ_{max} 258 nm. Verwendet werden meist das Dihydrogencitrat, $C_{26}H_{39}NO_{10}$, M_R 525,60, Schmp. 93 °C u. das Hydrochlorid. P. wurde 1956 u. 1958 von Union Chimique Belge (Sedotussin®) patentiert u. ist auch von Hommer (Petrix-L, -T, -Z®) u. Sanorania (Tussa-Tablinen®) im Handel. – ***E*** pentoxyverine, carbetapentane – ***F*** pentoxyvérine – ***I*** = ***S*** pentoxiverina

Lit.: ASP ▪ Hager (5.) **9**, 79 f. ▪ Martindale (31.), S. 1073. – *[HS 2922 50; CAS 77-23-6 (P.); 23142-01-0 (Dihydrogencitrat)]*

Pentraxine (Pentaxine). Familie von *Plasmaproteinen der Wirbeltiere mit Untereinheiten aus ca. 200 Aminosäure-Resten, die sich in 5-zähliger Symmetrie (zu fünft od. zu zehnt) zusammenlagern. Beim Menschen zählen das *C-reaktive Protein (CRP) u. das Serum-Amyloid P (SAP, s. Serum-Amyloid-Komponenten) zu den Pentraxinen. Bis auf das menschliche CRP sind die P. *Glykoproteine. Sie binden Cholinphosphat bzw. beim Mensch Ethanolaminphosphat in Anwesenheit von Calcium-Ionen, schwächer auch Polysaccharide wie *Agar u. a. *Galactane; die biolog. Aufgabe der P. ist jedoch unsicher. SAP komplexiert *Desoxyribonucleinsäuren u. solubilisiert *Chromatin; von CRP werden *in vitro* bestimmte *Lipoproteine erkannt.
Neben den erwähnten *klass. P.* kennt man als *lange P.* (ca. 400 Aminosäure-Reste, P.-typ. Domäne im *C*-terminalen Bereich) das *PTX3*, das wie die obigen P. zu den *Akutphasen-Proteinen gehört, die *neuronalen P. I–III*, die z. T. für die Funktion der *Synapsen von Bedeutung sind, u. das *Apexin*, das an der Verschmelzung des Spermiums mit der Eizelle beteiligt ist. – ***E*** pentraxins – ***F*** pentraxines – ***I*** pentrassine – ***S*** pentraxinas

Lit.: Biochem. Soc. Trans. **22**, 74–79 (1994) ▪ Cytokine Growth Factor Rev. **7**, 191–202 (1996) ▪ Curr. Opin. Immunol. **7**, 54–64 (1995).

Pentulosen (Ketopentosen, Pentoketosen). Sammelbez. für *Ketosen mit 5 C-Atomen (vgl. Pentosen); biochem. wichtigster Vertreter: D-*Ribulose (D-*erythro*-2-P.). – ***E*** = ***F*** pentuloses – ***I*** pentulosi – ***S*** pentulosas

Pentyl... Bez. der Atomgruppierung $-(CH_2)_4-CH_3$ in chem. Namen [IUPAC-Regel A-1.1, R-2.5; veraltet: (*n*-)Amyl...]; zur Bez. der unsubstituierten Isomeren s. Tab. auf Seite 3171 oben.
Die Ester der isomeren P.-Alkohole sind im allg. unter den Säuren zu finden; *Beisp.:* Pentylacetat s. Essigsäurepentylester, Pentylbutyrat s. Buttersäureester. – ***E*** = ***F*** pentyl... – ***I*** = ***S*** pentil...

Pentylamin s. 1-Pentanamin.

Pentylchlorid (*n*-Amylchlorid, 1-Chlorpentan). $H_3C-(CH_2)_4-Cl$, $C_5H_{11}Cl$, M_R 106,60. Farblose Flüssigkeit, D. 0,8818, Schmp. –99 °C, Sdp. 108 °C, WGK 2 (Selbsteinst.), unlösl. in Wasser, mischbar mit Alkohol u. Ether. Die Dämpfe reizen die Augen u. die Atemwege u. wirken in hohen Konz. narkotisch. Kontakt mit der Flüssigkeit bewirkt Reizung der Augen u. der Haut. Techn. Produkte enthalten auch 2- u. 3-Chlorpentan. P. findet Verw. als Lsm., zur Synth. anderer Pentyl-Verb., zur Bodendesinfektion, als Bezugssubstanz für die Gaschromatographie etc. – ***E*** pentyl chloride – ***F*** chlo-

Tab.: Namen isomerer C_5-Alkyl-Reste.

C_5- u. C_4-Hauptkette	C_3-Hauptkette
$-(CH_2)_4-CH_3$ Pentyl...[a], (*n*-)Amyl...[b]	$-CH(C_2H_5)_2$ (1-Ethylpropyl)...[c], Pentan-3-yl...[d]
$-CH(CH_3)-CH_2-C_2H_5$ (1-Methylbutyl)...[c], Pentan-2-yl...[d]	$-C(CH_3)_2-C_2H_5$ (1,1-Dimethylpropyl)...[c], *tert*-Pentyl...[e]
$-CH_2-CH(CH_3)-C_2H_5$ (2-Methylbutyl)...[c], Anteisoamyl...[b]	$-CH(CH_3)-CH(CH_3)_2$ (1,2-Dimethylpropyl)...[c], *sec*-Isoamyl...[b], *Siamyl...[f]
$-CH_2-CH_2-CH(CH_3)_2$ (3-Methylbutyl)...[c], *Isopentyl...[e], Isoamyl...[b]	$-CH_2-C(CH_3)_3$ (2,2-Dimethylpropyl)...[c], *Neopentyl...[e]

[a] IUPAC-Regeln A-1.1, R-2.5
[b] veralteter Trivialname
[c] IUPAC-Regeln A-2.25, R-2.5
[d] IUPAC-Regel R-2.5
[e] IUPAC-Regeln A-2.25, R-9.1.19b.3
[f] in der chem. Lit. übliche Kurzbez.

rure de pentyle – ***I*** cloruro di pentile – ***S*** cloruro de pentilo

Lit.: Beilstein E IV **1**, 309 ▪ Giftliste ▪ Hommel, Nr. 748 ▪ Merck-Index (12.), Nr. 647 ▪ s. a. Chlorkohlenwasserstoffe. – *[HS 2903 19; CAS 543-59-9; G 3]*

Pentylene s. Pentene.

α-Pentylzimtaldehyd (2-Pentyl-3-phenyl-2-propenal, Jasminaldehyd).

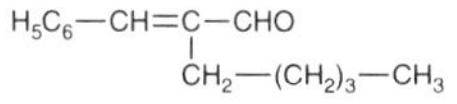

$C_{14}H_{18}O$, M_R 202,29, blaßgelbes Öl, Sdp. 174–175 °C (2,7 kPa). P. findet breite Verw. in der Parfüm-Ind. von Jasmin- u. a. Blumenkompositionen. – ***E*** α-pentylcinnamaldehyde – ***F*** α-pentylcinnamaldéhyde – ***I*** α-pentilcinnamaldeide – ***S*** α-pentilcinamaldehído

Lit.: Beilstein E IV **7**, 1077 f. – *[HS 2912 29; CAS 122-40-7]*

Penzias, Arno Allan (geb. 1933), Prof. für Physik, Vice President, Forschung, AT&T Bell Laboratories, Murray Hill (New Jersey), USA. *Arbeitsgebiete:* Radioastronomie, Entstehung der chem. Elemente, „Urknall", Entdeckung der kosm. Mikrowellen-Hintergrundstrahlung; hierfür Nobelpreis für Physik 1978 (zusammen mit P. L. *Kapitza u. R. W. *Wilson).

Lit.: Lexikon der Naturwissenschaftler, S. 324 ▪ Naturwiss. Rundsch. **36**, 335 (1983) ▪ Who's Who in America (50.), S. 3319.

PEO. Kurzz. (nach ASTM, ISO, alternativ zu *PEOX) für Poly(ethylenoxid), s. Polyethylenglykole.

Peonin s. Päoninchlorid.

PEOX. Kurzz. (nach DIN 7728-1: 1988-01) für Poly(ethylenoxid), s. Polyethylenglykole.

PEP. 1. Kurzz. für thermoplast. Ethylen/Propylen-Copolymere. – 2. Abk. für *Phosphoenolpyruvat.

PEPC. Abk. für *Phosphoenolpyruvat-Carboxylase.

PEPCK. Abk. für *Phosphoenolpyruvat-Carboxykinase.

Pepdul® (Rp). Tabl. u. Injektionslsg. mit *Famotidin gegen Magen- u. Zwölffingerdarm-Geschwüre. ***B.:*** MSD Chibropharm.

PEPECO. Abk. für Photoelektron-Photoelektron-Koinzidenz, s. Photoelektronen-Spektroskopie.

Peperoni s. Paprika.

PEPICO. Abk. für Photoelektron-Photoion-Koinzidenz, s. Photoelektronen-Spektroskopie.

PEPIPICO. Abk. für Photoelektron-Photoion-Photoion-Koinzidenz, s. Photoelektronen-Spektroskopie.

Pepset®. Schnellhärtendes No-Bake-Verf. (*Polyurethan-Harze) zur Herst. von Einzel- u. Serienkernen. ***B.:*** Ashland-Südchemie-Kernfest.

Pepsine. Von griech.: pepsis = Verdauung abgeleitete Bez. für von Schwann 1836 entdeckte proteolyt. Verdauungsenzyme im *Magensaft der Wirbeltiere (Ausnahmen: Magenlose Fische, z. B. Karpfen).

P. A (EC 3.4.23.1) ist ein Protein mit M_R 34 708 (Mensch), das aus 326 Aminosäuren bekannter Sequenz zusammengesetzt ist; außerdem findet sich pro Mol. P. ein Mol. Phosphorsäure (*Phosphoprotein*). Bei *P. D* handelt es sich um dephosphoryliertes P. A. *P. B* (auch: Para-P. I, EC 3.4.23.2) ist eine alkalistabile *Gelatinase*, M_R 36 000, aus 332 Aminosäuren. Das *P. C* (*Gastricsin*, Para-P. II, EC 3.4.23.3, M_R 35 461, 329 Aminosäure-Reste) hat dieselbe Wirkung wie *Lab.

P. werden mechanist. zu den Aspartat- od. Carboxy-Proteinasen gezählt, da an der Katalyse Asparaginsäure-Reste beteiligt sind. Die Enzyme werden durch proteolyt. Spaltung aus inaktiven Vorstufen (*Zymogenen, Proenzymen), den *Pepsinogenen gebildet. Sie sind *Proteinasen (Endopeptidasen, Peptidyl-Peptidhydrolasen) u. spalten demnach Peptid-Bindungen im Inneren von Proteinen u. Peptiden; Voraussetzung ist L-Konfiguration beiderseits der Spaltstelle. Bezüglich der Aminosäure-Reste besteht v. a. bei P. A keine ausgeprägte Spezifität; jedoch werden die Bindungen Phe-Phe, Phe-Tyr, Phe-Leu, Tyr-Leu u. Leu-Val bevorzugt gespalten. Temp.-Optimum 37 °C (Körpertemp.), pH-Optimum 1,5–4 (durch die Magen-Salzsäure gewährleistet). Nur wenige Proteine sind gegen Einwirkung von P. völlig resistent, so z. B. *Fibroin u. die *Mucine der Magenschleimhaut, die eine peptolyt. Selbstverdauung des *Magens normalerweise verhindern. Das Abbau-Endprodukt von P. ist ein Gemisch von Peptiden mit Molmassen zwischen 600 u. 3000. Früher wurden derartige Abbauprodukte als *Peptone bezeichnet, doch ist dieser Name heute wegen der ungenauen Definierung der betreffenden Stoffe nurmehr bei der Verw. als Kulturmedium für Bakterien in Gebrauch.

Die Aktivität des P. ist sehr hoch: Nach einer anschaulichen Darst. können 500 g P. in wenigen min etwa 20 t Fleisch verdauen od. rund 4 Mio. L Milch zum Gerinnen bringen. Die Aktivität von P. mißt man in *Protease-Einheiten* (PE) am Abbau geeigneter Protein-Standards, z. B. von denaturiertem Hämoglobin.

Aufgrund seiner Sulfit-Esterase-Aktivität kann P. auch mit Phenylsulfit bestimmt werden. Aktivitätshemmer für P. sind Gallensäure, Neutralsalze, Hydroxid-Ionen u. Peptide wie *Pepstatin A od. das beim Übergang Pepsinogen → P. abgespaltene Peptid. Denaturierung tritt bei pH >6 od. Erhitzung auf >70 °C ein. Die techn. Gewinnung von P. erfolgt durch Extraktion mit wäss. Alkohol od. Glycerin (5%) aus der Magenschleimhaut von Schlachttieren. Im Handel ist P. als weißes bis gelbliches Pulver von schwachem, charakterist. Geruch, das in Wasser sehr leicht, in organ. Lsm. kaum lösl. ist.

Verw.: In Form von Dragees, Tabletten, Saft od. als *P.-Wein* (P.-haltiger Dessertwein) bei Verdauungsschwäche u. Appetitlosigkeit infolge Unterfunktion der Magenschleimhaut; als weitere Bestandteile von P.-Präp. finden sich häufig Enzianwurzeln u. Glutaminsäure. – ***E*** pepsins – ***F*** = ***I*** pepsine – ***S*** pepsina

Lit.: Crit. Rev. Clin. Lab. Sci. **30**, 273–328 (1993) ▪ Int. J. Dev. Biol. **28**, 273–279 (1994) ▪ Karlson et al., Kurzes Lehrbuch der Biochemie, 14. Aufl., S. 170, Stuttgart: Thieme 1994 ▪ Stryer 1996, S. 240, 263. – *[HS 3507 90; CAS 9001-75-6 (Pepsin A); 9012-71-9 (Pepsin C)]*

Pepsinogen. Das *Zymogen (Proenzym) P. ist als inaktive Vorstufe des *Pepsins aus 373 bzw. 372 Aminosäure-Resten aufgebaut, M_R 40 306 bzw. 40 569 (P. A bzw. C des Menschen). Nach Stimulierung durch *Motilin wird es aus bes. Zellen der Magenschleimhaut sezerniert, im stark sauren Milieu des *Magensaftes durch Aufbrechen intramol. Salzbindungen aktiviert u. es spaltet sich selbst intramol. zunächst zwischen Aminosäure 16 u. 17. Insgesamt werden zwei Peptid-Fragmente mit zusammen 44 Aminosäuren abgespalten, von denen das größere als Inhibitor wirkt, der jedoch schließlich auch abgebaut wird. Da P. auch durch Pepsin gespalten werden kann, verläuft die Aktivierung autokatalytisch. P. wurde von Herriott u. *Northrop 1936 aus Schweinemagen isoliert. – ***E*** pepsinogen – ***F*** pepsinogène – ***I*** pepsinogeno – ***S*** pepsinógeno

Lit.: s. Pepsin.

Pepsin-Wein s. Pepsine.

Pepstatin A.

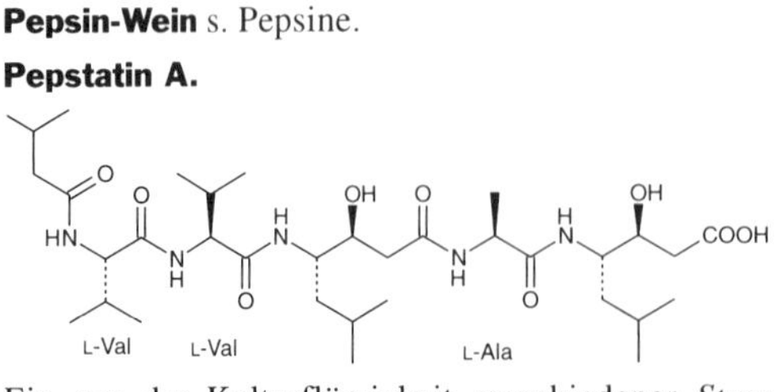

Ein aus der Kulturflüssigkeit verschiedener *Streptomyces*-Pilze isoliertes *N*-acyliertes Pentapeptid der Sequenz (3-Methylbutyryl)-L-valyl-L-valyl-[(3*S*,4*S*)-4-amino-3-hydroxy-6-methylheptanoyl]-L-alanyl-(3*S*,4*S*)-4-amino-3-hydroxy-6-methylheptansäure, $C_{34}H_{63}N_5O_9$, M_R 685,90. Farblose Nadeln, Schmp. 228–229 °C (Zers.). Die Substanz wirkt als Hemmstoff für *Aspartat-Proteinasen, z. B. *Pepsin, *Kathepsin D (eine lysosomale Protease), u. ist auch wirksam gegen *Renin, das bei bestimmten Nierenschäden übermäßig gebildet wird, dadurch neue Nierenschäden auslöst usw. u. einen circulus vitiosus in Gang setzt, der möglicherweise durch das wenig tox. P. A. zu durchbrechen ist. P. A aggregiert zu faserigen Strukturen u. copolymerisiert mit Proteinen der *intermediären Filamente [1]. – ***E*** pepstatin A – ***F*** pepstatine A – ***I*** = ***S*** pepstatina A

Lit.: [1] Micron **25**, 189–217 (1994).
allg.: Biochem. J. **289**, 363–371 (1993). – *[CAS 26305-03-3]*

Peptid-Alkaloide. Gruppe von *Alkaloiden, die einen nichtpeptid. Alkaloid-Teil u. durch Peptid-Bindungen verknüpfte Aminosäuren im Mol. enthalten; *Beisp.:* Die *Ergot-Alkaloide des Mutterkorns u. Spinnengifte vom *Argiopinin- u. *Argiotoxin-Typ. Nicht zu den P.-A. rechnet man die *β-Lactam-Antibiotika, die *Peptid-Antibiotika u. *Cyclopeptide wie die *Amanitine u. *Phallotoxine der *Knollenblätterpilze. – ***E*** peptide alkaloids – ***F*** alcaloïdes peptidiques – ***I*** alcaloidi peptidici – ***S*** alcaloides peptídicos

Lit.: Manske **26**, 299–326 ▪ Nat. Prod. Rep. **1**, 387 ff. (1984); **2**, 245–8 (1985); **3**, 587–590 (1986); **5**, 351–361 (1988) ▪ Pure Appl. Chem. **58**, 295–304 (1986) ▪ Zechmeister **28**, 162–203.

Peptid-Antibiotika. Antibiot. wirksame Oligo-, seltener Polypeptide, insbes. *Cyclopeptide, die von Bakterien u. Niederen Pilzen produziert werden. Im Unterschied zu normalen pflanzlichen u. tier. Proteinen weisen die P.-A. einige Besonderheiten auf: M_R nur ca. 500–1500; enthalten oft ungewöhnliche Aminosäuren (z. B. α-Aminoisobuttersäure), D-Aminosäuren od. Fettsäuren; sie sind Protease-stabil. Man unterscheidet die Gruppe der *Actinomycine, *Bacitracine, *Bleomycine, *Gramicidine u. *Polymyxine. Bacitracin, Polymyxin B u. E u. Tyrothricin werden wegen neuro- u. nephrotox. Nebenwirkungen nur äußerlich bei bakteriellen Infektionen angewandt. Actinomycine u. Bleomycine werden als *Cytostatika bei Krebs eingesetzt. Cyclopeptide mit großem Ring, die außerdem eine Lacton-Funktion aufweisen, werden zu den Makrolid-Antibiotika (s. Makrolide) gezählt. Glykopeptid-Antibiotika sind *Teicoplanin u. *Vancomycin. Antibiotika mit einfacherem chem. Bau, die strukturell hierherpassen (wie *Penicilline, *Cephalosporine od. *Lincomycin), werden traditionell nicht zu den eigentlichen P.-A. gerechnet. Verschiedene P.-A. wirken als Ionophore beim Ionen-Transport durch biolog. Membranen. Inzwischen wird versucht, die Biosynthese von P.-A. zu steuern, um bessere Ausbeuten od. bestimmte P.-A. zu erhalten [1]; auch ihr rationelles Design ist angegangen worden [2]. – ***E*** peptide antibiotics – ***F*** antibiotiques peptidiques – ***I*** antibiotici peptidici – ***S*** antibióticos peptídicos

Lit.: [1] Biochem. Pharmacol. **52**, 177–186 (1996). [2] Science **269**, 69–72 (1995).
allg.: Biotechnology **28**, 121–127 (1995) ▪ CIBA Found. Symp. **186**, 1–282 (1994) ▪ Kleinkauf, Biochemistry of Peptide Antibiotics, Berlin: de Gruyter 1990 ▪ Lancet **349**, 418–422 (1997) ▪ Rehm-Reed (2.) **7**, 277–322 ▪ Ullmann (5.) **A 2**, 497–501 ▪ s. a. Peptide, Cyclopeptide.

Peptidasen. Nach älterer Empfehlung der IUB [1] sich auf *Exopeptidasen (einschließlich Di-P.) beschränkende Bez., die heute laut *IUBMB [2] wieder gleichbedeutend mit „Proteasen" (s. dort) verwendet wird, also auch die Endo-P. (*Proteinasen) mit umfassen soll. – *E* = *F* peptidases – *I* peptidasi – *S* peptidasas

Lit.: [1] International Union of Biochemistry, Enzyme Nomenclature. Recommendations (1984) of the Nomenclature Committee of the IUB, San Diego: Academic Press 1984. [2] International Union of Biochemistry and Molecular Biology, Enzyme Nomenclature, Recommendations (1992) of the Nomenclature Committee of the IUBMB, San Diego: Academic Press 1992.

Peptid-Bindung. Carbonsäureamid-Gruppierung –CO–NH–, die bei der Kondensation von Aminocarbonsäuren entsteht, wenn die Carboxy-Gruppe (–COOH) einer Aminosäure mit der Amino-Gruppe (–NH$_2$) einer anderen Aminosäure unter Wasserabspaltung reagiert. Die P.-B. ist das strukturelle Charakteristikum der *Peptide (Oligo-, Polypeptide) u. *Proteine. Wie andere Amid-Bindungen auch, unterliegt die P.-B. folgender *Mesomerie:

$$\begin{array}{c}\text{O}\\\|\\\text{C}-\text{N}\\|\\\text{H}\end{array} \longleftrightarrow \begin{array}{c}\text{O}^-\\|\\\text{C}=\overset{+}{\text{N}}\\|\\\text{H}\end{array}$$

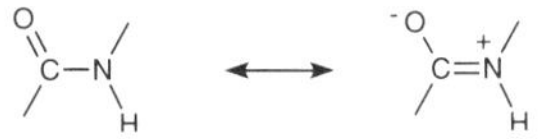

Daraus resultiert zum einen ihre relative chem. Stabilität u. zum andern eine eingeschränkte Drehbarkeit um die C–N-Achse infolge eines partiellen Doppelbindungscharakters; die 4 an der P.-B. beteiligten Atome sowie die direkt daran gebundenen α-Kohlenstoff-Atome liegen in einer Ebene – meist in *trans*-Konfiguration, außer Amino-seitig von L-Prolin, wo unter Mithilfe der *Peptidylprolyl-cis-trans-Isomerase* (PPIase, EC 5.2.1.8) *cis*-P.-B. gebildet werden können. Die Beschränkungen der Drehbarkeit sind von Bedeutung für die Sekundärstruktur der Proteine. Die Knüpfung der P.-B. erfolgt bei der Protein-Biosynth. in den *Ribosomen, kann aber auch durch andere Enzyme (z. B. normalerweise Peptid-spaltende wie z. B. *Papain) katalysiert werden. Sind an P.-B. andere Amino-Gruppen als α-Amino-Gruppen u./od. andere Carboxy-Gruppen als α-Carboxy-Gruppen beteiligt, spricht man von Isopeptid-Bindungen, s. Isopeptide. Diese werden nicht während der ribosomalen Protein-Synth., sondern in anderen Transferase-Reaktionen gebildet. Der Aufbau der P.-B. *in vitro* wird bei Peptid-Synthese erläutert. Die Spaltung der P.-B. kann chem. (z. B. durch halbkonz. Salzsäure, Hydrazin) od. enzymat. (durch *Peptidasen) erfolgen. – *E* peptide linkage – *F* liaison peptidique – *I* legame peptidico – *S* enlace peptídico

Peptide (von griech.: peptos = verdaulich). Bez. für durch *Peptid-Bindungen Säureamid-artig verknüpfte Kondensationsprodukte von *Aminosäuren.

$$\text{H}_2\text{N}-\underset{\underset{\text{R}^1}{|}}{\text{CH}}-\underset{\underset{\text{O}}{\|}}{\text{C}}-\text{NH}-\underset{\underset{\text{R}^2}{|}}{\text{CH}}-\underset{\underset{\text{O}}{\|}}{\text{C}}-\ldots-\text{NH}-\underset{\underset{\text{R}^n}{|}}{\text{CH}}-\underset{\underset{\text{O}}{\|}}{\text{C}}-\text{OH}$$

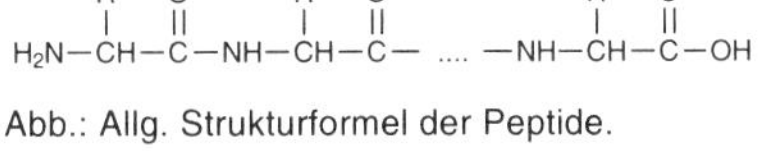

Abb.: Allg. Strukturformel der Peptide.

Bauen sich die Mol. aus 2 Aminosäure-Resten auf, so spricht man von *Dipeptiden*, bei 3 u. mehr von *Tri-, Tetra-, Pentapeptiden* etc.; P. mit 2–10 Aminosäure-Resten faßt man als *Oligopeptide, solche mit 10–100 als *Polypeptide zusammen, doch ist der Übergang von den letzteren zu den höhermol. *Proteinen (Eiweißstoffen) nicht genau definiert. P. mit Bindungen zwischen den seitenständigen Amino-Gruppen von Diaminocarbonsäuren (z. B. Lys) u. seitenständigen Carboxy-Gruppen von Aminodicarbonsäuren (z. B. Glu, Asp) statt der üblichen Peptid-Bindungen zwischen α-NH$_2$ u. -COOH nennt man *Isopeptide; die von mehrfunktionellen Aminosäuren wie Glu, Asp, Lys, Arg u. *Desmosin ausgehenden zusätzlichen Bindungen sind für die Entstehung von P.-Netzstrukturen verantwortlich. P., deren Aminosäure-Sequenz relativ zu einem bestimmten anderen P. die gegenläufige Reihenfolge an Aminosäuren aufweisen, werden als *Retropeptide* bezeichnet. Zur Schreibung von P.-Formeln benutzt man meist 1- od. 3-Buchstaben-Notationen für die Aminosäuren, s. die Liste dort. Z. B. stehen AG od. Ala-Gly für L-Alanylglycin [H$_2$N–CH(CH$_3$)–CO–NH–CH$_2$–COOH] u. GA od. Gly-Ala für isomeres Glycyl-L-alanin [H$_2$N–CH$_2$–CO–NH–CH(CH$_3$)–COOH]; falls nicht anders gekennzeichnet (etwa durch: Gly←Ala), steht links die (freie od. protonierte) Amino-Gruppe u. rechts die (freie od. deprotonierte) Carboxy-Gruppe.

Biolog. Bedeutung: Auf die Bedeutung der makromol. P. für pflanzliche u. tier. Organismen wird bei Proteine ausführlich eingegangen. Eine gleichermaßen spezif. Rolle spielen Oligo- u. Polypeptide im tier. Organismus z. B. als Hormone (*Peptidhormone), *Wachstumsfaktoren, *Cytokine, *Neurotransmitter u. Neuromodulatoren (*Neuropeptide). Für die physiolog. Wirkung der P. ist neben der Konfiguration die Konformation u. die mol. Dynamik von Bedeutung, u. natürlich benötigen die P., um als *Mediatoren wirksam werden zu können, spezif. *Rezeptoren. Bei der Zell-vermittelten *Immunantwort werden *Antigene (Fremd-Proteine) von Antigen-präsentierenden Zellen zu P. (*Antigen-Peptide*, T-Zell-Epitope) abgebaut, von *Histokompatibilitäts-Antigenen komplexiert u. so an der Zelloberfläche den T-Lymphocyten zum „Abtasten" dargeboten; von außen verabreichte P. (*peptide feeding*) werden ebenfalls präsentiert. Auch von körpereigenen Proteinen abgeleitete *Selbst-P.* werden präsentiert, was in der Frühphase der T-Zell-Entwicklung für die Entstehung von Selbst-Toleranz von Bedeutung ist. P.-Ester können für süßen (*Aspartame®) od. bitteren Geschmack verantwortlich sein, u. wieder andere P. treten als *Toxine pflanzlichen od. tier. Ursprungs in Erscheinung. Auch unter den Antibiotika finden sich eine Reihe von P. (*Peptid-Antibiotika[1]), die z. T. Aminosäuren der „unnatürlichen" D-Konfiguration enthalten, ggf. auch Hydroxycarbonsäuren, die über Esterbindungen verknüpft sind (*Peptolide). Viele der physiolog. aktiven P. liegen als homodete od. heterodete *Cyclopeptide vor.

Analytik[2]: Zum qual. Nachw. von P. sind einige der auch auf Aminosäuren anwendbaren Meth. geeignet, ferner die *Biuret-Reaktion, die zusammen mit Folins Reagenz (s. dort Punkt 4) auch zur quant. Bestimmung geeignet ist (*Lowry-Methode). Die Bestimmung der Aminosäure-Zusammensetzung von P. ist erst nach hydrolyt. Spaltung möglich, die chem. od. enzymat. mit *Proteasen vorgenommen werden kann. Hochauflösende Auftrennungen u. Charakterisierungen von P.-Gemischen können mit *HPLC, *Kapillarelektrophorese u. *Massenspektrometrie erfolgen. Zur Trennung der Aminosäuren bedient man sich chromatograph.

Meth. (Dünnschicht-, Gas- u. Ionenaustauschchromatographie, HPLC). Die Ionenaustauschchromatographie hat bes. breite Anw. gefunden u. ist als *Moore-Stein-Analyse automatisiert worden. Einen Aufschluß über den tatsächlichen Aufbau von P., d. h. über die Art der Verknüpfung der Aminosäure-Bausteine miteinander, erhält man aber erst durch die *Sequenzanalyse, denn schon 2 Aminosäuren (z. B. Glycin u. Alanin) können ja zu zwei verschiedenen Dipeptiden (s. oben) zusammentreten. Die Sequenzanalyse ist prinzipiell eine Meth. der *Endgruppenbestimmung, bei der die Peptid-Kette wiederholt an einem Ende (meist der freien Amino-Gruppe) um jeweils einen Aminosäure-Rest verkürzt wird (z. B. mit Aminopeptidasen). Zum Markieren der Endgruppe führte *Sanger 1945 bei der *Insulin-Analyse das 1-Fluor-2,4-dinitrobenzol ein, das sich mit den endständigen Aminosäuren zu 2,4-Dinitrophenyl(Dnp)-Aminosäuren umsetzt, die nach Hydrolyse einzeln nachweisbar sind. Eine Weiterentwicklung ist die Dansylchlorid-Meth., bei der *Dansyl-Aminosäuren anfallen. Da sich beim P.-Abbau die Reaktionsschritte wiederholen, sind schon früh Ansätze zur *Mechanisation u. *Automation der Abläufe gemacht worden. Insbes. für den *Edman-Abbau sind selbständig arbeitende Geräte in Benutzung, die den Zeit- u. Substanzbedarf für eine P.-Sequenzanalyse auf einen Bruchteil des früher benötigten reduzieren – Sequenzanalysen sind heute schon mit Nanogramm-Mengen (pmol-Bereich) möglich. Bei der Analyse der *Primärstruktur* der P., wie die Aminosäure-Sequenz auch bezeichnet wird, leistet auch die Massenspektrometrie gute Dienste. Die Untersuchung der Sekundär- bis Quartärstrukturen (Näheres s. Proteine) bedient sich vorwiegend physikal. Meth. wie des *Circulardichroismus, der *Röntgenstrukturanalyse od. *NMR-Spektroskopie.

Herst.: Auch bei der Synth. ist der zeitliche Aufwand aufgrund der Entwicklung automat. Verf. u. der *Festphasen-Technik (*Merrifield-Technik) ungleich geringer geworden. Für die Herst. biolog. aktiver u. pharmakolog. nutzbarer P. werden heute neben der chem. *Peptid-Synthese in zunehmendem Maße Meth. der *Biotechnologie[3] u. *Gentechnologie eingesetzt, was z. B. auf dem Gebiet der Peptidhormone bereits zu Erfolgen geführt hat.

Biosynth.: Meist durch enzymat. „Resektion" aus Proteinen, die nach Maßgabe des genetischen Codes (Näheres s. dort) u. der Sequenzinformation der Messenger-Ribonucleinsäuren in den *Ribosomen gebildet werden, vgl. Peptidhormone. In manchen Fällen findet jedoch durch nicht-ribosomale Enzyme eine Biosynth. von P. aus den Aminosäuren statt[4].

Verw.: Zur Hormonsubstitution (Insulin) bzw. als rezeptorselektive Medikamente, die man auch durch gezieltes *drug design* zu entwickeln hofft. Außerdem werden zur Identifizierung möglicher therapeut., antigener od. anderweitig biolog. aktiver P. mit Hilfe der kombinator. Chemie u. Gentechnologie Zufallsmischungen von P. hergestellt u. in verschiedener Form (z. B. lösl., Polymer-gebunden, auf *Phagen) als *P.-Bibliotheken* verwendet[5]. Der Anw. als Impfstoffe steht noch die mangelnde Reaktion des *Immunsystems v. a. auf monomere P. im Wege; zur erfolgreichen *Immunisierung müßten die betreffenden P. als B- u. T-Zell-Epitope geeignet sein (vgl. oben). Wegen ihrer Verdaulichkeit u. schlechten Resorption müssen P.-haltige Arzneimittel im allg. parenteral verabreicht, z. B. injiziert od. inhaliert[6], od. oral als Prodrugs[7] od. *Peptidomimetika*[8] (peptidähnliche Substanzen) appliziert werden. Zur parenteralen klin. Ernährung kommen synthet. Dipeptide in Betracht[9]. – ***E*** = ***F*** peptides – ***I*** peptidi – ***S*** péptidos

Lit.: [1] Lancet **349**, 418–422 (1997). [2] Anal. Chem. **69**, 29 R – 57 R (1997); Methods Enzymol. **270**, 3–26, 401–419; **271**, 3–68, 237–264, 427–448 (1996); Biopolymers **40**, 265–317 (1996). [3] Enzyme Microb. Technol. **18**, 162–183 (1996). [4] Amino Acids **10**, 201–227 (1996); Eur. J. Biochem. **236**, 335–351 (1996). [5] Clin. Immunol. Immunopathol. **79**, 105–114 (1996); Curr. Opin. Biotechnol. **7**, 616–621 (1996); Immunol. Lett. **57**, 113–116 (1997); Nachr. Chem. Tech. Lab. **45**, 1195 f. (1997); Trends Biochem. Sci. **21**, 7–11 (1996). [6] Adv. Drug Deliv. Rev. **26**, 3–15 (1997). [7] Drug Discov. Today **2**, 148–155 (1997). [8] Curr. Opin. Biotechnol. **8**, 435–441 (1997). [9] Ann. Nutrit. Metab. **41**, 1–21 (1997).

allg.: Basava et al., Peptides. Design, Synthesis, and Biological Activity, Basel: Birkhäuser 1994 ▪ Bodanszky, Peptide Chemistry – A Practical Textbook, 2. Aufl., Berlin: Springer 1993 ▪ Gutte, Peptides. Synthesis, Structures and Applications, San Diego: Academic Press 1995 ▪ Jakubke, Peptide. Chemie u. Biologie, Heidelberg: Spektrum 1996 ▪ Walker, Basic Protein and Peptide Protocols, Totowa: Humana Press 1994.

Peptidhormone. Physiolog. hochaktive *Peptide, die *Hormon- od. Hormon-ähnliche Wirkung entfalten. Im allg. handelt es sich bei den P. um *Oligo-, häufiger noch um *Polypeptide (mit bis zu 100 Aminosäuren), zuweilen auch um höhermol. *Proteine (*Proteohormone*). *Beisp.:* Die glandulären P. der *Hypophyse (*Corticotropin, *Follitropin, *Lutropin, *Melanotropin, *Prolactin, *Somatotropin, *Thyrotropin, *Oxytocin, *Vasopressin), die *Releasing-Hormone u. *inhibiting factors des *Hypothalamus, die P. aus *Pankreas, *Magen od. *Darm (*Glucagon, *Insulin, *Somatostatin, *Secretin, *Gastrin, *Cholecystokinin), aus *Schilddrüse (*Calcitonin, *Parathyrin). Einigen Oligopeptiden kommt sowohl klass. Hormonals auch *Wachstumsfaktor-, *Neurotransmitter- od. Neuromodulator-Wirkung zu (*Mediatoren*). *Beisp.:* Die endogenen *Opiate, *Enkephaline u. *Endorphine. Heute weiß man, daß viele P. der klass. endokrinen Drüsen u. gastrointestinalen Zellen auch in zentralen u. peripheren Bereichen des Nervensyst. gebildet werden, weshalb man sie zu den *Neurohormonen (*Neuropeptiden*) rechnet.

Biosynth.: Das zuerst bei *Angiotensin u. *Bradykinin aufgefundene Biosyntheseprinzip hat sich als allg. gültig erwiesen: Die Oligo- od. Polypeptide der P. werden aus inaktiven Vorstufen – Protein-Mol., die in ihren Aminosäure-Ketten die entsprechenden P.-Sequenzen „vorrätig" haben – durch eine limitierte enzymat. Proteolyse herausgelöst. Die Vorstufen benennt man unsystemat. durch Anhängen von *...ogen* (vgl. Zymogene u. ...gen) an od. Voranstellung von *„pro-"* vor den P.-Namen. Ist noch eine aminoterminale Signalsequenz enthalten, die die Vorstufe als sekretor. Polypeptid kennzeichnet, so ist zusätzlich das Präfix *„prä-"* anzuwenden. *Beisp.:* Angiotensinogen (s. Angiotensine) u. Bradykininogen sowie Proinsulin, -gastrin, -somatostatin, -glucagon, -opiomelanocortin,

-(Leu-)Enkephalin u. -parathormon, aus denen die P. bei Bedarf enzymat. abgespalten werden. Dabei enthalten die Vorläufer-Proteine od. *Propeptide* im allg. die Information für mehrere Hormone u. werden dann als *Polyproteine* bezeichnet. Z. B. kann Proopiomelanocortin als Speicherform für Corticotropin, α- u. β-Melanotropin, Met-Enkephalin, β- u. γ-Lipotropin u. die Endorphine angesehen werden.
Verw.: Da die P. mit den heutigen Meth. der *Peptid-Synthese u. der *Gentechnologie relativ gut zugänglich sind, können heute nicht nur viele therapeut. benötigte P. (z. B. Insulin) in ausreichenden Mengen bereitgestellt, sondern auch neuartige P.-Analoga mit z. T. verstärkter Wirkung synthetisiert u. einer medizin. Verw. zugeführt werden. – ***E*** peptide hormones – ***F*** hormones peptidiques – ***I*** ormoni peptidici – ***S*** hormonas peptídicas
Lit.: Biochem. Cell Biol. **74**, 1–7 (1996) ▪ Hutton u. Siddle, Peptide Hormone Action: A Practical Approach, Oxford: IRL Press 1991 ▪ s. a. bei den angeführten Peptidhormonen.

Peptid-Hydrolasen s. Proteasen.

Peptid-Kartierung. Bez. für die gezielte Spaltung (Fragmentierung) eines *Proteins in verschiedene *Peptide u. deren anschließende Auftrennung bzw. Analyse. Die Spaltungsreaktionen können durch enzymat. (z. B. *Trypsin, *Chymotrypsin, Endopeptidasen) od. durch chem. Reaktionen (z. B. *Bromcyan-, Säure-, Base-Spaltung) erfolgen. Die Auftrennung bzw. Analyse wird z. B. durch eindimensionale *SDS-PAGE (Cleveland-mapping), zweidimensionale *Papierelektrophorese (Fingerprinting) od. Hochdruck-Flüssigkeitschromatographie (*HPLC) an Reversed-phase- od. Ionenaustausch-Materialien durchgeführt. Die aufgetrennten Komponenten werden z. T. mit Hilfe eines Peptid- od. *Aminosäure-Sequenzers weiter analysiert. – ***E*** peptide mapping – ***F*** cartographie peptidique – ***I*** mappatura peptidica – ***S*** cartografía peptídica
Lit.: Lehninger et al., Prinzipien der Biochemie (2.), S. 160–171, 367–371, Heidelberg: Spektrum Akad. Verlag 1994 ▪ Needleman (Hrsg.), Advances in Protein Sequence Determination, Berlin: Springer 1977.

Peptid-Mimetika s. Peptidomimetika.

Peptid-Nucleinsäuren (PNA). Synthet. Makromol. mit Informationsgehalt, die den *Nucleinsäuren (NA) ähnlich sind u. mit diesen hybridisieren, statt eines Zucker-Phosphat-Grundgerüstes jedoch ein *Peptid-ähnliches Polymerisat aus Aminoethylglycin aufweisen. Da die PNA dieselben *Nucleobasen wie die NA enthalten u. diese im selben Abstand u. ähnlicher Winkelgeometrie an das Grundgerüst (Rückgrat) anknüpfen, ist die Bildung von hybrid. PNA/NA-Doppelhelices möglich, die sogar höhere Stabilität als die Hybride aus *Desoxyribonucleinsäuren (DNA) u. *Ribonucleinsäuren besitzen. Die Synth. von PNA erfolgt nach ähnlichen Prinzipien wie die *Peptid-Synthese. Anw. finden die PNA z. B. als Nuclease-stabile Antisense-Oligomere (s. Antisense-Nucleinsäuren), als Sonden bei der Isolierung von DNA-Sequenzen od. potentiell als Anti-Krebs-Mittel[1]. – ***E*** peptide nucleic acids – ***F*** acides nucléiques peptidiques – ***I*** acidi nucleici peptidici – ***S*** ácidos nucleicos peptídicos
Lit.: [1] Anti-Cancer Drugs **8**, 113–118 (1997).
allg.: Antisense Nucl. Acid Drug Devel. **7**, 431–437 (1997) ▪ Methods Enzymol. **267**, 426–433 (1996) ▪ Perspect. Drug Discov. Design **4**, 76–84 (1996).

Peptidoglykan s. Murein.

Peptidoglykan-Endopeptidase s. Lysostaphin.

Peptidomimetika (Peptid-Mimetika). Bez. für niedermol. Stoffe, die in Bau u./od. biolog. Wirkung Peptide nachahmen od. – anders ausgedrückt – Peptide in ihrer Interaktion mit einem Rezeptor ersetzen können. Peptide spielen als Hormone, Neurotransmitter, Neuro- u. Immunmodulatoren eine wichtige Rolle im Organismus, sind aber in der Applikation als Arzneimittel problemat., da sie vom Organismus verdaut, rasch abgebaut od. nicht aufgenommen werden. Daher hat insbes. die pharmazeut.-chem. Forschung Strategien zur Entwicklung von P. aufgestellt. Dazu muß die biolog. aktive Konformation des Peptides u. insbes. des für die Interaktion wichtigen Bereiches bekannt sein. Da solche strukturellen Kenntnisse oft noch fehlen, wurden weniger direkte Zugänge gesucht. Man hat erstens Mimetika von Strukturelementen von Proteinen mit eingeschränkter konformativer Beweglichkeit synthetisiert (z. B. β-Schleifen-Mimetika), die über die Strukturuntersuchung hinaus als Gerüst (*E* scaffold) für biolog. aktive Derivate dienen sollen. Insbes. bei Protease-Inhibitoren bietet sich als zweiter Weg an, die von der Protease erkannte Sequenz des Zielpeptids zu immer einfacheren Strukturen abzubauen, bis man einen bioverfügbaren, chem. u. metabolisch stabilen Inhibitor hat. Dieser Weg hat bei *ACE-Hemmern zum Erfolg geführt (*Captopril). Drittens wird durch Roboter-Screening versucht, Liganden für Peptide zu finden, die mit anderen Peptiden wechselwirken, um so zu P. zu gelangen. Als Basis-Strukturen für synthet. Substanzbibliotheken für P. werden oft *1,4-Benzodiazepine, *Hydantoine u. *Oligopeptide verwandt. Viertens werden Strukturen, die man als P. erkannt hat, abgewandelt, um hoffentlich andere Wirkqualitäten zu erhalten. Bekannte Arzneistoffe, deren Wirkung als P. man erst später erkannt hat, sind *Morphin u. *Lactam-Antibiotika. – ***E*** peptide mimetics – ***F*** équivalents peptidiques – ***I*** mimetici peptidici – ***S*** péptidos miméticos
Lit.: Abell, Advances in Amino Acid Mimetics and Peptidomimetics, London: JAI Press 1997 ▪ Angew. Chem. **106**, 1780–1802 (1994) ▪ J. Med. Chem. **36**, 3039–3049 (1993) ▪ Kontakte (Merck) **1991**, 3–12, 55–63 ▪ Tetrahedron **49**, 3433–3677 (1993) ▪ TIPS **15**, 124–129 (1994) ▪ Ullmann (5.) **A 2**, 497 ▪ s. a. Peptide.

Peptid-Sequencer (Peptid-Sequenator). Gerät zur automat. *Sequenzanalyse von *Proteinen u. *Peptiden auf Basis des *Edman-Abbaus (Abspaltung u. Identifizierung der N-terminalen Aminosäure). Man unterscheidet Fest-, Flüssig- u. Gasphasen-Peptid-Sequencer. Die Nachweisgrenze liegt z. Zt. bei <100 pmol Polypeptid. Es sind ca. 50 bis 60 Abbaucyclen möglich. – ***E*** peptide sequencer – ***F*** séquenceur de peptides – ***I*** sequenziatore di peptidi – ***S*** secuenciador de péptidos
Lit.: Allen, Laboratory Techniques, Oxford: Pergamon Press 1989 ▪ Darbre, Practical Protein Chemistry, Chichester: Wiley 1986 ▪ Stryer 1996.

Peptid-Synthese. *1. Chem. P.-S.:* Das Ziel der P.-S. ist der Aufbau von *Peptiden aus *Aminosäuren in der

Art, daß genau die gewünschte Reihenfolge (Sequenz) der Bausteine eingehalten wird, möglichst hohe Ausbeuten erzielt u. *Racemisierungen während der Reaktion vermieden werden.

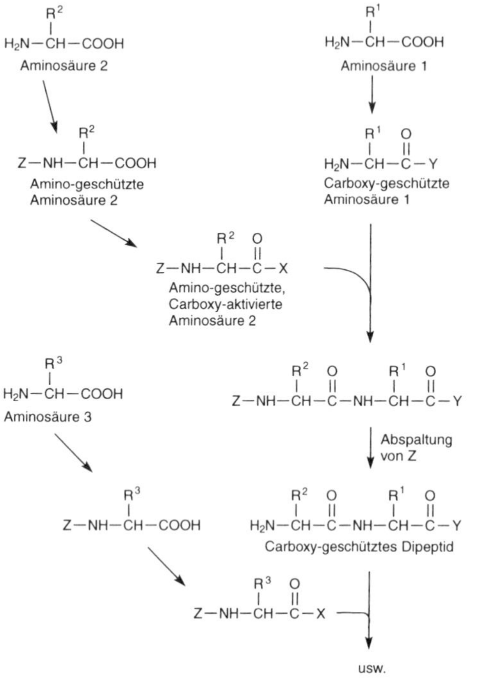

Abb. 1: Schema der Peptid-Synthese. Zur Natur der aktivierenden Gruppen X vgl. Abb. 2. Y, Z: *Schutzgruppen.

Erster Schritt ist die Synth. von Dipeptiden, wobei wie in allen folgenden Schritten darauf zu achten ist, daß von den beiden funktionellen Gruppen der Aminosäuren (bzw. der Peptide) jeweils nur die eine in Reaktion tritt. Durch Blockierung der jeweils anderen Gruppen mittels Schutzgruppen (hier symbol. als Z u. Y dargestellt) erreicht man, daß die Acylierung der freien Amino-Gruppe einer Aminosäure [im folgenden allg. als H_2N-$CH(R^n)$-COOH dargestellt] nur durch die Carboxy-Gruppe einer anderen Aminosäure erfolgen kann. Erste Stufe der P.-S. ist demnach die Synth. der partiell geschützten Aminosäuren Z-NH-$CH(R^2)$-COOH u. H_2N-$CH(R^1)$-CO-Y. Diese werden in der zweiten Stufe miteinander zur Reaktion gebracht, wozu freilich eine Aktivierung der Carboxy-Gruppe vonnöten ist; üblicherweise überführt man diese in eine labile u. bes. reaktionsfähige Form, s. Abb. 2.

Zur Aktivierung als Säurehalogenide s. *Lit.*[1]. Seltener dagegen beschreitet man den Weg einer Aktivierung der Amino-Gruppe, z. B. mit Hilfe von Tetraethyldiphosphit od. Phosphortrichlorid (Phosphoazo-Meth.). Die Umsetzung der partiell geschützten, aktivierten Komponenten in Ggw. von *Kondensationsreagenzien* führt schließlich zum gewünschten Dipeptid

$$Z\text{-}NH\text{-}CH(R^2)\text{-}CO\text{-}NH\text{-}CH(R^1)\text{-}CO\text{-}Y.$$

Die dritte Stufe der P.-S. besteht in der Abspaltung der Schutzgruppen, wofür sich spezif. Reagenzien eignen,

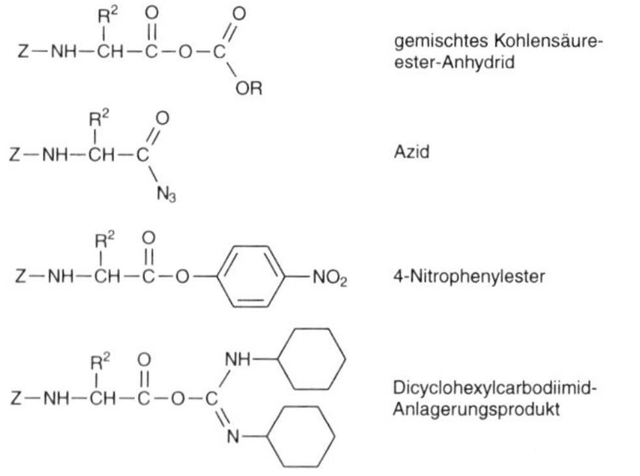

Abb. 2: Aktivierungsmöglichkeiten der Carboxy-Gruppe.

z. B. die Behandlung mit Halogenwasserstoffsäuren u./od. Trifluoressigsäure im Fall von Z-Schutzgruppen wie der *Benzyloxycarbonyl- (Z=Cbz), der **tert*-Butoxycarbonyl...- (Boc), der 9-Fluorenylmethoxycarbonyl- (Fmoc), der Triphenylmethyl- (Trt) u. der Nitrobenzolsulfenyl- (fälschlich: Nitrophenylsulfenyl)-Gruppe (Nps); die Y-Schutzgruppen der Carboxy-Gruppe (Methyl-, Ethyl-, Benzyl-, 4-Nitrobenzyl- u. *tert*-Butylester) werden ähnlich sowie durch alkal. Verseifung abgespalten. Geeignete Blockierungsgruppen können auch photochem. hydrolysiert werden. Auch für bestimmte Aminosäure-Seitenketten müssen Schutzgruppen verwendet werden, da einzelne Aminosäuren charakterist. Nebenreaktionen eingehen können.

Eine zur P.-S. schon länger bekannte, zuweilen auch für die Blockpolymerisation eingesetzte[2] Meth. bedient sich der sog. *Leuchs-Anhydride* (Leuchsschen Körper). Das sind 2,5-Oxazolidindion-Derivate, die als

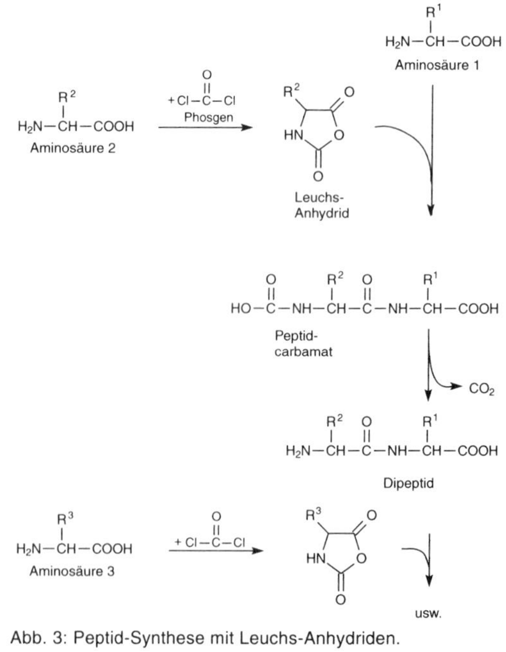

Abb. 3: Peptid-Synthese mit Leuchs-Anhydriden.

intramol. Anhydride von Aminosäuren aus diesen mit Phosgen zugänglich sind. Sie reagieren mit anderen Aminosäuren unter Ringöffnung zu Peptidcarbamaten, aus denen man durch Decarboxylierung Dipeptide erhält, die wiederum mit Leuchs-Anhydriden umgesetzt werden können. Bei diesen Reaktionen treten keine Racemisierungen auf, u. im allg. sind auch keine Schutzgruppen erforderlich. Eine ähnliche Funktion als Zwischenprodukte der P.-S. erfüllten früher Derivate von 2,5-Piperazindion, Hydantoin u. Oxazolon (*Azlactone*).

Das nach Entfernung einer od. beider Schutzgruppen isolierbare Dipeptid kann in analog durchzuführenden Reaktionsstufen als Basis für die Synth. höherer Peptide eingesetzt werden, doch kann es z. B. vorteilhafter sein, ein Dodecapeptid – statt konsekutiv in 11 Stufen – durch Verknüpfung dreier Tetrapeptide herzustellen, u. insbes. zur P.-S. von *Polypeptiden od. gar *Proteinen müssen spezielle Strategien entwickelt werden. Die method. Weiterentwicklung der P.-S. konzentriert sich zum einen auf die Suche nach neuen Schutzgruppen, die sich mit möglichst guten Ausbeuten einführen u. wieder entfernen lassen, wobei bes. darauf geachtet wird, daß Racemisierung nicht od. nur wenig eintritt. Zum anderen hat die von *Merrifield (Nobelpreis 1984) eingeführte u. inzwischen weitgehend automatisierte *Festphasen-Technik (Merrifield-Technik, Näheres s. dort) viele Anstöße zu neuen Entwicklungen gegeben. Verbesserungen ergaben sich nicht nur auf der apparativen Seite, sondern auch in der Wahl der Reagenzien, in der Analytik des Synth.-Verlaufs durch *Edman-Abbau od. durch IR-Spektroskopie, auch im Verzicht auf die *Immobilisierung u. den Übergang zur homogenen Phase (Polyethylenglykole als solubilisierende, Carboxy-terminale Schutzgruppen) od. in der Kombination von Fest- u. Flüssigphasen-Technik. Mit Hilfe der „manuellen" od. der mechanisierten P.-S. ist es nicht nur gelungen, die Konstitution natürlicher Peptide durch Synth. zweifelsfrei zu beweisen (z.B. von *Glucagon, *Insulin, *Endorphinen), sondern auch als *Peptidhormone physiolog. hochaktive, synthet. Peptide zu gewinnen, die keine Vorläufer in der Natur haben. Eine Marktübersicht für Peptid-Synthesizer findet sich in *Lit.*[3]. Bei der Produktion von Peptiden in größerem Maßstab sind gentechnolog. u. biotechnolog. Meth. wirtschaftlicher als die chem. P.-Synthese.

2. *Mikrobielle P.-S.:* Drei verschiedene Biosynthesewege für die Bildung von Peptiden sind bekannt:

a) In der *ribosomalen P.-S.* (Translation) wird die genet. Information aus der Messenger-*Ribonucleinsäure (mRNA) an *Ribosomen in einer Zelle in Peptide bzw. Proteine übersetzt (Details s. Translation). Hier werden ausschließlich proteinogene Aminosäuren verwendet.

b) Die *P.-S. an Multienzym-Komplexen* wurde bislang nur bei Bakterien u. Pilzen beobachtet. Jeder Enzym-Komplex trägt dabei u. a. Funktionen für die Aktivierung der Aminosäuren, die Erkennung u. für die Ausbildung der Amid-Bindung. Die Rolle der *tRNA bei der ribosomalen P.-S. wird hier von Thiol-Gruppen am Multienzym-Komplex übernommen. Die Aminosäuren werden durch Bildung eines Aminoacyl-Adenylates aktiviert. Alle Zwischenprodukte bleiben am Enzym-Komplex gebunden u. die Sequenz der Aminosäuren (auch nicht-proteinogene) wird durch die Reihenfolge der Bindungsstellen am Enzym bestimmt. Bislang sind lineare, verzeigte od. cycl. Peptide sowie *Peptolide mit bis zu 30 Aminosäuren bekannt. Ein wichtiges Beisp. für diesen Weg ist das Immunsuppressivum *Cyclosporin.

c) *Bildung von Peptiden durch einzelne Enzymschritte*, wobei ein Enzym zunächst zwei Aminosäuren miteinander verknüpft. Das freigesetzte Dipeptid kann dann von einem zweiten Enzym mit einer weiteren (dritten) Aminosäure verknüpft werden usw. Auf diese Weise werden kurze, lineare Peptide mit bis zu 5 Bausteinen gebildet. Bekannte Beisp. sind *Glutathion u. Pantethein. – ***E*** peptide synthesis – ***F*** synthèse des peptides – ***I*** sintesi dei peptidi – ***S*** síntesis peptídica, síntesis de péptidos

Lit.: [1] Acc. Chem. Res. **29**, 268–274 (1996). [2] Nature (London) **390**, 386–389 (1997). [3] Nachr. Chem. Tech. Lab. **45**, M 71 – M 80 (1997).
allg. (zu 1.): Bodanszky, Principles of Peptide Synthesis, 2. Aufl., Berlin: Springer 1993 ▪ Bodanszky u. Bodanszky, The Practice of Peptide Synthesis, 2. Aufl., Berlin: Springer 1994 ▪ Fields, Solid-Phase Peptide Synthesis, San Diego: Academic Press 1997 ▪ Houben-Weyl **15/1**; **15/2** ▪ Lloyd-Williams et al., Chemical Approaches to the Synthesis of Peptides and Proteins, Boca Raton: CRC Press 1997 ▪ Pennington u. Dunn, Peptide Synthesis Protocols, Totowa: Humana Press 1994. – *(zu 2.):* Annu. Rev. Microbiol. **41**, 259–289 (1987) ▪ Eur. J. Biochem. **192**, 1–15 (1990) ▪ Kleinkauf u. von Döhren (Hrsg.), Regulation of Secondary Metabolite Formation, S. 173–207, Weinheim: Verl. Chemie 1986 ▪ Rehm-Reed (2.) **7**, 277–322.

Peptid-Synthesizer. Gerät zur automat., an der Festphase (s. Festphasen-Technik) ablaufenden, chem. Synth. von *Peptiden, bei der beliebige *Aminosäuren miteinander verknüpft werden können. Das Verf. beruht auf der *Merrifield-Technik. Zur *Immobilisierung der Ausgangsmaterialien werden verschiedene Träger (z. B. *Polyacrylamid, *Polyethylenglykol) sowie unterschiedliche *Linker (zur reversiblen Verknüpfung des wachsenden Peptids mit dem Trägermaterial) verwendet.

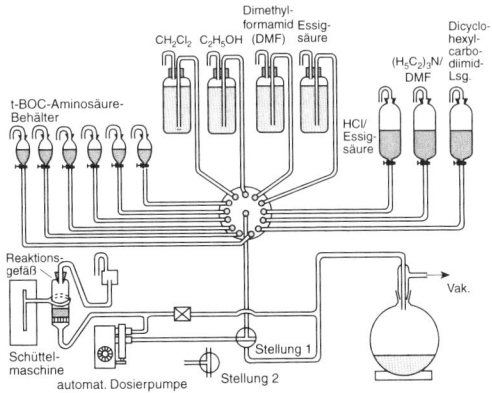

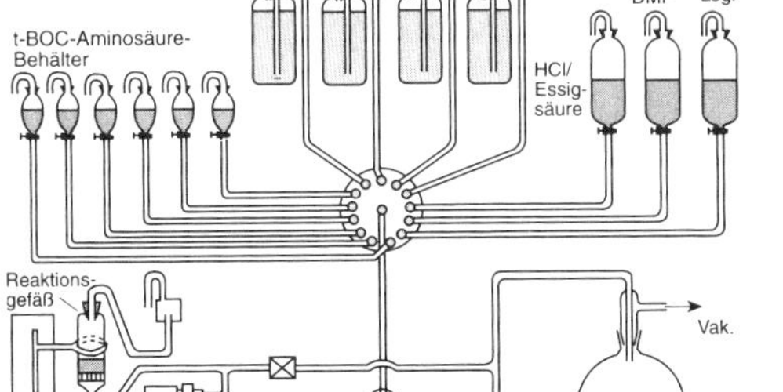

Abb.: Schemat. Darst. eines Peptid-Synthesizers.

– ***E*** peptide synthesizer – ***F*** synthétiseur de peptides – ***I*** sintetizzatore di peptidi – ***S*** sintetizador de péptidos

Lit.: Chem. Unserer Zeit **5**, 170–177 (1971) ▪ Lehninger et al., Prinzipien der Biochemie (2.), S. 140f., Heidelberg: Spektrum Akad. Verl. 1994 ▪ Römpp Lexikon Biotechnologie, S. 589 ▪ Stryer 1996, S. 47, 129.

Peptidylprolyl-*cis-trans*-Isomerase s. Cyclophilin u. Peptid-Bindung.

Peptid YY (PYY).

Tyr(1)-Pro-Ile-Lys-Pro-Glu-Ala-Pro-Gly-Glu-Asp(11)-Ala-Ser-
Pro-Glu-Glu-Leu-Asn-Arg-Tyr-Tyr(21)-Ala-Ser-Leu-Arg-His-
Tyr-Leu-Asn-Leu-Val(31)-Thr-Arg-Gln-Arg-Tyr-NH_2

$C_{194}H_{295}N_{55}O_{57}$, M_R 4309,81. Peptidhormon aus 36 Aminosäure-Resten, das aus dem Darm von Säugern isoliert wurde. Das Schweine-Peptid unterscheidet sich von dem in der Abb. gezeigten menschlichen in Position 3 (Ala) u. 18 (Ser) u. ist ident. mit dem der Ratte. PYY zeigt Struktur-Ähnlichkeit mit dem *pankreatischen Polypeptid u. *Neuropeptid Y. Ähnlich wie bei letzterem stammt der Name von den endständigen L-Tyrosin-Resten, die auch mit Y abgekürzt werden. PYY inhibiert die Sekretion der Magensäure u. des *Pankreas-Safts u. die Darm-Beweglichkeit u. bewirkt die Verengung der Blutgefäße. – ***E*** peptide YY – ***F*** = ***I*** peptide YY – ***S*** péptido YY

Lit.: Regul. Peptides **62**, 1–11 (1996). – *[CAS 106388-42-5]*

Peptisation, Peptisatoren s. Kolloidchemie, S. 2210f.

Peptolide (Depsipeptide). Natürliche od. synthet. Verb., die aus sowohl Ester- als auch Amid-artig (Peptid-artig) miteinander verknüpften Hydroxy- u. Aminocarbonsäuren bestehen, z.B.:

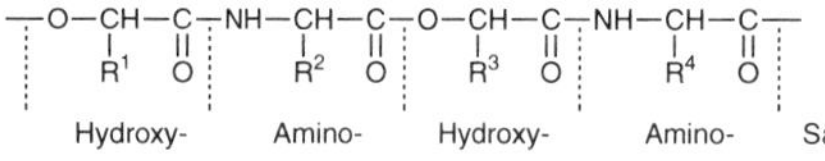

Die P. gehören daher zu den *heterodeten Peptiden*, bei denen Nicht-Peptid-Bindungen am Zusammenhalt der Kette beteiligt sind (Gegenteil: *Homodete Peptide*). Die oft cycl. P. (Cyclopeptolide, Cyclodepsipeptide) werden u.a. als antibiot. wirksame Stoffwechselprodukte von Pilzen gebildet (z.B. die *Enniatine, *Valinomycin). Die von Cyanobakterien synthetisierten *Cyanopeptoline* sind Protease-Inhibitoren od. wirken cytotoxisch [1]. – ***E*** = ***F*** peptolides – ***I*** peptolidi – ***S*** peptólidos

Lit.: [1] Syst. Appl. Microbiol. **19**, 133–138 (1996).

Peptone. Bez. für in Wasser lösl. Di-, Tri- u. *Polypeptide, die durch partielle enzymat. Spaltung (z.B. mit *Pepsin od. *Trypsin) od. Säurehydrolyse von Proteinen hergestellt werden (z.B. Fleisch-P. aus Rindfleisch, Casein-P. aus koagulierter Milch, Soja-P. aus Sojamehl). P. können daher auch *Vitamine, *Wachstumsfaktoren u. andere Begleitstoffe enthalten. P. koagulieren nicht unter Hitzeeinwirkung u. sind nicht durch Ammoniumsulfat fällbar. In der *Mikrobiologie werden P. als Aminosäuren-, Stickstoff- u. Kohlenstoff-Quellen den *Nährmedien zugesetzt, wobei der Gehalt an Salzen u. die durch die Ausgangsmaterialien schwer standardisierbare Qualität eine genaue Definition der Inhaltsstoffe nicht zuläßt. In der Medizin werden spezif. P. als Hemmstoffe der *Blutgerinnung u. als lymphtreibende Mittel eingesetzt. – ***E*** = ***F*** peptones – ***I*** peptoni – ***S*** peptonas

Lit.: Difco Manual, Detroit: Difco Lab. 1984 ▪ Handbuch der „Oxoid"-Erzeugnisse für mikrobiologische Zwecke, Wesel: Oxoid Deutschland GmbH 1983 ▪ Schlegel (7.), S. 194, 471.

Per. Gebräuchliche Abk. für Perchlorethylen, s. Tetrachlorethylen.

Per... (von latein.: per... = durch..., ringsum, ganz, sehr). a) Vorsilbe in Namen für anorgan. Verb. mit höchstem od. sehr hohem Sauerstoff-Gehalt; *Beisp.:* Perchlorsäure, Permanganate, Peroxide. T. *Thomson führte 1804 in „System of Chemistry" Per... in diesem Sinn ein [*Beisp.:* PbO_2 = „Bleiperoxid" u. PbO = „Bleiprotoxid"; vgl. Prot(o)...]. *Hyper... u. *Super... wurden in ähnlichem od. gleichem Sinn verwendet. – b) Veraltete Abk. für *Peroxo... u. *Peroxy... (Bez. für Ersatz der Gruppe OH durch –O–OH in Säuren); *Beisp.:* *Peroxybenzoesäure, *Persäuren. – c) Präfix für Substitution aller H-Atome einer organ. Verb. mit einer Substituentensorte (IUPAC-Regel C-105; *Beisp.:* s. Perchlor..., perfluorierte Verbindungen) u. für Hydrierung aller Doppelbindungen (s. Perhydro...). – ***E*** = ***F*** = ***I*** = ***S*** per...

Perameisensäure s. Peroxyameisensäure.

Peramin.

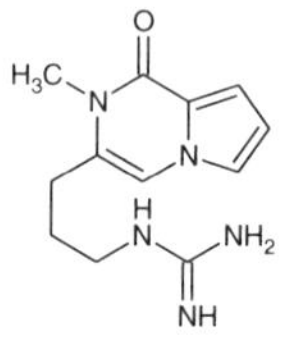

$C_{12}H_{17}N_5O$, M_R 247,29, Schmp. 242–243 °C. Mykotoxin-Alkaloid aus dem austral. Roggengras *Lolium perenne*, das mit dem Pilz *Acremonium lolii* infiziert ist. P. wirkt stark fraßhemmend auf bestimmte Insektenarten. Es enthält das ungewöhnliche Pyrrolo[1,2-*a*]pyrazin-1(2*H*)-on-Ringsystem. – ***E*** = ***F*** peramine – ***I*** perammina – ***S*** peramina

Lit.: J. Chem. Ecol. **12**, 647–658 (1986) ▪ J. Chem. Soc., Chem. Commun. **1986**, 935f.; **1988**, 978f. ▪ J. Chem. Soc., Perkin Trans. 1 **1990**, 311 (Synth.) ▪ J. Chromatogr. **463**, 133–138 (1989); **503**, 288–292 (1990) ▪ J. Nat. Prod. **52**, 193ff. (1989) (Isolierung) ▪ J. Org. Chem. **53**, 4650 (1988) ▪ Ullmann (5.) **A 2**, 136 ▪ s.a. Perlolin. – *[HS 2939 90; CAS 102482-94-0]*

Peranat®. (2-Methyl-pentyl)-2-methylpentanonat, $C_{12}H_{24}O_2$, M_R 200,32, zur Verw. als Riechstoff, Geruch fruchtig, Birnen-Note. ***B.:*** Henkel.

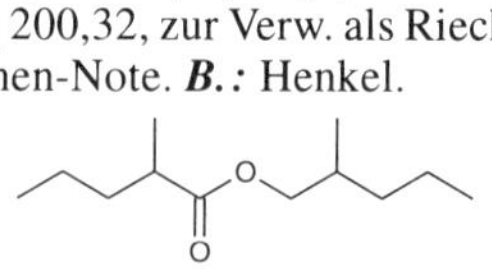

Perazin (Rp).

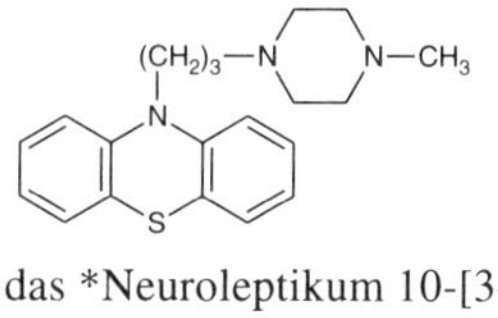

Kurzbez. für das *Neuroleptikum 10-[3-(4-Methyl-1-piperazinyl)-propyl]-phenothiazin, $C_{20}H_{25}N_3S$, M_R 339,49, Schmp. 51–53 °C, Sdp. 160–170 °C; λ_{max} (0,05 M H_2SO_4) 253, 304 nm ($A^{1\%}_{1cm}$ 500, 70). Verwendet wird meist das Bis(hydrogenmalonat), $C_{26}H_{33}N_3O_8S$, M_R 547,62, Schmp. 114–116 °C; λ_{max} (c

0,001 l/wäss. Säure) 252 nm ($A^{1\%}_{1cm}$ 530). P. wurde 1957 von Rhône-Poulenc (Taxilan®, Promonta Lindbeck) patentiert u. ist als Generikum im Handel. – ***E*** perazine – ***F*** pérazine – ***I*** = ***S*** perazina

Lit.: Hager (5.) **9**, 83 ff. ▪ Martindale (31.), S. 727. – *[CAS 84-97-9 (P.); 14777-25-4 {Bis(hydrogenmalonat)}]*

Perbamed®. Atmungsaktive, sterilisierbare Membranfolie aus Polyether-Blockamid. ***B.:*** Elf Atochem Deutschland GmbH.

Perbenzoesäure s. Peroxybenzoesäure.

Perborate. Geläufige Bez. für die hier unter der systemat. Bez. *Peroxoborate behandelten Verbindungen. – ***E*** peroxyborates – ***F*** perborates – ***I*** perborati – ***S*** perboratos

Perbromate. Im Gegensatz zu *Perchloraten u. *Periodaten erst seit 1968 bekannte Salze der Oxosäure des Br(VII). Für die Herst. wurde der β-Zerfall von ^{83}Se ausgenutzt:

$$^{83}SeO_4^{2-} \rightarrow {}^{83}BrO_4^- + \beta^-.$$

Der Nachw. des ebenfalls radioaktiven Produkts erfolgte durch Copräzipitation mit $RbClO_4$ [1].
Perbromsäure, $HBrO_4$, läßt sich aus Bromaten durch Oxid. mit F_2, XeF_2 od. elektrochem. über Alkali-P. herstellen; die Säure u. die P. sind techn. bedeutungslos. – ***E*** = ***F*** perbromates – ***I*** perbromati – ***S*** perbromatos

Lit.: [1] Acc. Chem. Res. **6**, 113 f. (1973).
allg.: Brauer (3.) **1**, 331–333 ▪ Chem. Unserer Zeit **12**, 27–31 (1978).

Perbromsäure s. Perbromate.

Perbunan® NT. Seit 1934 hergestellter Nitrilkautschuk der Bayer AG in verschiedenen Typen, die sich vornehmlich hinsichtlich des Acrylnitril-Gehalts (18 bis 48%) u. der Viskosität unterscheiden: Mit steigendem Gehalt an Acrylnitril nimmt die Öl- u. Benzin-Beständigkeit der Vulkanisate zu, die Elastizität dagegen ab; P. NT wird für die Gummi-Ind. in Ballen, Krümeln u. Pulvern geliefert. P. NT kann mit PVC verschnitten werden u. verleiht den daraus hergestellten Artikeln eine gute Ozon-Beständigkeit.
Verw.: Für Öl-, Benzin- u. Fett-beständige Dichtungen, Manschetten, Membranen, Schuhsohlen, Fördergurte, Schläuche, Walzen, Reibbeläge, Handschuhe etc. Die P. NT-Latices sind wäss. Dispersionen von Butadien-Acrylnitril-Copolymerisaten, die sich zum Imprägnieren u. Beschichten von Textilien u. Papieren, als Bindemittel zur Herst. flexibler Preßmassen, für Klebstoffdispersionen usw. eignen. P. NT ist aus dem ehemaligen Buna N hervorgegangen. ***B.:*** Bayer.

Percarbamid (Harnstoff-Wasserstoffperoxid-Additionsverb.), $H_2N\text{–}CO\text{–}NH_2 \cdot H_2O_2$, $CH_6N_2O_3$, M_R 94,07, weiße Krist., die sich in Ggw. von Feuchtigkeit oberhalb 40 °C zersetzen, leicht lösl. in Wasser, Alkohol, Ethylenglykol (teilw. Zers. in H_2O_2 u. Harnstoff); Schmp. 80–90 °C (Zers.); WGK 1. P. ist als starkes Oxid.-Mittel feuergefährlich, z. B. bei Berührung mit organ. Substanzen: Ether od. Aceton können durch Oxid. mit H_2O_2 explosive Lsg. bilden. Zusätze von Natrium- od. Ammoniumdihydrogenphosphat od. Zinksulfat verbessern die Wärmestabilität. P. kommt auch mit Stärke tablettiert in den Handel.
Verw.: Als sog. „festes Wasserstoffperoxid" in Haarbehandlungsmitteln zum Färben u. Bleichen, als Antiseptikum u. Desinfektionsmittel bei der Wundbehandlung, als Entwickler für Blaupausen. – ***E*** = ***F*** percarbamide – ***I*** percarbammide – ***S*** percarbamida

Lit.: Beilstein E IV **3**, 102 ▪ Bretherick, Handbook of Reactive Chemical Hazards (5.), London: Butterworths 1995 ▪ Merck-Index (12.), Nr. 10007 ▪ Synlett **1990**, 533 ▪ Ullmann (5.) **A 8**, 358; **A 13**, 443; **A 19**, 192 ▪ Umbach, Kosmetik, 2. Aufl., S. 281 f., Stuttgart: Thieme 1995 ▪ Winnacker-Küchler (4.) **2**, 592. – *[HS 2847 00; CAS 124-43-6]*

Percarbonate s. Natriumpercarbonat u. Peroxocarbonate.

Perchlor... Bez. für organ. Stammverb. u. organ. Reste, in denen alle substituierbaren H-Atome durch Chlor-Atome ersetzt sind (IUPAC-Regel C-105); im allg. werden aber die systemat. *Multiplikationspräfixe bevorzugt; *Beisp.:* s. Hexachlorbenzol, Hexachlorethan, Tetrachlorethylen, vgl. auch Chloraromaten u. Chlorkohlenwasserstoffe. Perchlor-Verb. gehören zur Klasse der polychlorierten Verb.; s. Polychlor(iert)... – ***E*** = ***F*** perchloro... – ***I*** = ***S*** percloro...

Perchlorate. Bez. für die Salze der *Perchlorsäure mit dem Anion ClO_4^-; *Beisp.:* Kaliumperchlorat ($KClO_4$), Calciumperchlorat [$Ca(ClO_4)_2$]. Die meisten P. sind in Wasser leicht lösl. u. *chaotrop wirkend; viele P. sind auch in polaren organ. Lsm. löslich. In 1 L Diethylether lösen sich bei 20 °C 532 g $LiClO_4$; diese Lsg. eröffnet als extrem polares Lsm. in der organ. Chemie interessante neue Synthesewege. $KClO_4$, $RbClO_4$ u. $CsClO_4$ sind in kaltem Wasser kaum lösl., was sich zur analyt. Bestimmung nutzen läßt. Im festen u. gelösten Zustand sind die P. bei Raumtemp. fast unbegrenzt haltbar; beim Erwärmen zerfallen sie unter Sauerstoff-Abspaltung in Chloride, eine Reaktion, die früher in den $KClO_4$ od. NH_4ClO_4 enthaltenden Perchlorat-Sprengstoffen u. -Rakententreibstoffen genutzt wurde.
Herst.: Durch Erhitzen der Chlorate ($4\,KClO_3 \rightarrow 3\,KClO_4 + KCl$), durch Elektrolyse von wäss. Chlorat-Lsg. (anod. Oxid.) od. durch Umsetzung der Metalloxide, Hydroxide od. Carbonate mit wäss. Perchlorsäure. Auch einige Ester der Perchlorsäure der allg. Formel $R\text{–}O\text{–}ClO_3$ sind bekannt. Sie sind hochexplosiv u. können z. B. durch Alkylierung von Silberperchlorat mit Alkylhalogeniden hergestellt werden. Ferner kennt man P. von Metall-organ. Verb., z. B. Methylquecksilberperchlorat (s. *Lit.* [1]), u. P. von organ. Basen (*Lit.* [2]), die meist gut krist. u. zur Reinigung u. Charakterisierung der Basen dienen.
Nachw.: Zur Bestimmung von P. eignen sich 1,2,4,6-Tetraphenylpyridiniumacetat [3] od. Tetraphenylarsoniumchlorid; letzteres kann auch zur potentiometr. Titration verwendet werden [4]. Ein einfacher qual. Nachw. gelingt mit 4,4′-Bis(dimethylamino)-thiobenzophenon auf einem Papierfilter [5]. – ***E*** = ***F*** perchlorates – ***I*** perclorati – ***S*** percloratos

Lit.: [1] Nachr. Chem. Tech. **22**, 277 (1974). [2] Z. Chem. **9**, 34 (1969); **17**, 344 (1977). [3] Anal. Chem. **48**, 1201 (1976). [4] Anal. Chem. **40**, 685–689 (1968). [5] Townshend, Encyclopedia of Analytical Science, S. 4747, London: Academic Press 1995.
allg.: Adv. Inorgan. Chem. Radiochem. **28**, 255–300 (1984) ▪ Brauer (3.) **1**, 329 f. ▪ Gmelin, Syst.-Nr. 6, Cl, 1927,

S. 391–409 ▪ Hommel, Nr. 226, 307 ▪ Kirk-Othmer (4.) **18**, 157–170 ▪ Schumacher, Perchlorates, New York: Reinhold 1960 ▪ Solymosi, Structure and Stabilities of Salts of Halogen Oxyacids in the Solid Phase, New York: Wiley 1978 ▪ Ullmann (5.) **A 6**, 516–521 ▪ Winnacker-Küchler (4.) **2**, 458–462 ▪ s. a. Perchlorsäure. – *[HS 2829 90; G 5.1]*

Perchlorbenzol s. Hexachlorbenzol.

Perchlorethan s. Hexachlorethan.

Perchlorethylen s. Tetrachlorethylen.

Perchlormethylmercaptan s. Trichlormethansulfenylchlorid.

Perchlorsäure (Überchlorsäure). $HClO_4$, M_R 100,46. Als einzige der Sauerstoffsäuren des Chlors wasserfrei erhältlich; farblose, ölige, hygroskop., an der Luft rauchende Flüssigkeit, wirkt stark ätzend u. oxidierend, D. 1,81 (0 °C), Schmp. –112 °C, nur unter vermindertem Druck unzersetzt destillierbar, Sdp. 100 °C (extrapoliert). P. kann sich beim Erwärmen explosionsartig zersetzen; schon bei 20 °C erfolgt die Zers. langsam. P. ist mischbar mit Wasser, Essigsäure, Chloroform, Nitromethan, Benzol, Dichlormethan, Dichlorethylen, Acetonitril, reagiert aber ggf. heftig in Ggw. vieler organ. Substanzen wie z. B. Dichlormethan [1] u. entzündet z. B. Papier u. Holz, s. die Berichte in *Lit.*[2]. Bei der Reaktion von P. mit Metallen kann der dabei gebildete Wasserstoff mit P. explodieren. Mit Wasser bildet P. mehrere krist. Hydrate; das Monohydrat, Schmp. 50 °C, ist ein *Oxonium-Salz, $[H_3O^+]$ $[ClO_4^-]$ (Oxoniumperchlorat). In wäss. Lsg. ist P. eine der stärksten Säuren u. selbst in hohen Konz. beständiger als die wasserfreie Verbindung. Mit 72,4 Gew.-% P. bildet sich ein azeotropes Gemisch (Sdp. 203 °C).

O 

C 

Herst.: Aus Natriumperchlorat-Lsg. u. Chlorwasserstoff od. durch anod. Oxid. von Chlor in 40%iger P.-Lsg. als Kreislaufelektrolyt bei –5 bis +3 °C. Gehandelt wird konz. P. als ca. 70- od. 60%ige Lösung. Die Salze werden *Perchlorate genannt.

Verw.: Analyt. zur Oxid. organ. Substanzen im Gemisch mit Salpeter- od. Schwefelsäure („Naßverbrennung"), als Aufschlußmittel für Stähle, Leg., Erze, keram. Erzeugnisse, Mineralien, bei der acidimetr. Titration als nicht ionisiertes, wasserfreies Lsm., in der Spurenanalytik, als Entwässerungsmittel, zur Herst. von Raketentreibstoffen (Ammoniumperchlorat), als Katalysator für Veresterungen, als Hilfsmittel beim Galvanisieren u. Elektropolieren, z. B. von Aluminium. – ***E*** perchloric acid – ***F*** acide perchlorique – ***I*** acido perclorico – ***S*** ácido perclórico

Lit.: [1] Angew. Chem. **82**, 46 (1970). [2] Sichere Chemiearbeit **35**, 85 f. (1983); **36**, 59, 121 (1984).

allg.: Brauer (3.) **1**, 327 ff. ▪ Gmelin, Syst.-Nr. 6, Chlor, 1927, S. 362–390, Erg.-Bd. B 2, 1969, S. 421–482 ▪ Hommel, Nr. 301 ▪ Houben-Weyl **4/1 a**, 440–477 ▪ Sprechsaal **1983**, 104–108, 408–413 ▪ s. a. Perchlorate. – *[HS 2811 19; CAS 7601-90-3; G 5.1]*

Perchromate. Veraltete Bez. für *Peroxochromate.

Perchromsäure s. Chromoxide.

Percutan (latein.: per = hindurch u. cutis = Haut, p.c.). Bez. für eine Wirkstoffapplikation durch die Haut hindurch, wie z. B. bei bestimmten Salben, Linimenten, Pasten, Emulsionen u. Pflastern einschließlich der sog. transdermalen therapeut. Syst. (TTS, als Depot-Präp.). – ***E*** percutaneous – ***F*** percutané – ***I*** percutaneo – ***S*** percutáneo

Lit.: ECETOC Monogr. 20, Percutaneous Absorption, Brüssel: ECETOC 1993.

Perdeuterierte Verbindungen s. deuterierte Verbindungen u. NMR-Spektroskopie.

Perdol®. Gerberhilfsmittel auf Basis anion. u. nichtion. Tenside. ***B.:*** Henkel.

Perenol®. Entlüfter, Slip- u. Verlaufsmittel für nichtwäss. Lacksyst. einschließlich Pulverlacke; Verlaufmittel für Lsm.-haltige u. -freie Lacke; Slipmittel für nichtwäss. Syst. u. für Wasserlacke. ***B.:*** Henkel.

Perenterol. Kapseln mit Bierhefe gegen Durchfall. ***B.:*** Thiemann.

Peressigsäure s. Peroxyessigsäure.

Perester s. Persäureester.

Perex-Kit®. Fertigtest zur Vernichtung von Peroxiden in Lösemitteln. ***B.:*** Merck.

Perex-Test®. Fertigtest zur Bestimmung von Peroxiden in Lösemitteln. ***B.:*** Merck.

Perey, Marguerite s. Francium.

Perfan® i.v. (Rp). Injektionslsg.-Konzentrat mit *Enoximon u. Ethanol zur Behandlung schwerer, akuter Herzinsuffizienz. ***B.:*** HMR.

Perfluor... s. perfluorierte Verbindungen.

Perfluoralkoxy-Polymere (Kurzz.: PFA, nach DIN 7728-1: 1988-01). Bez. für *Copolymere mit Gruppierungen wie

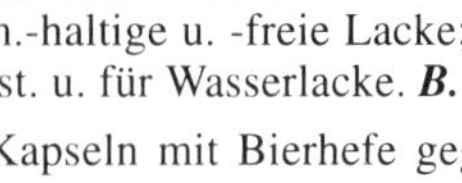

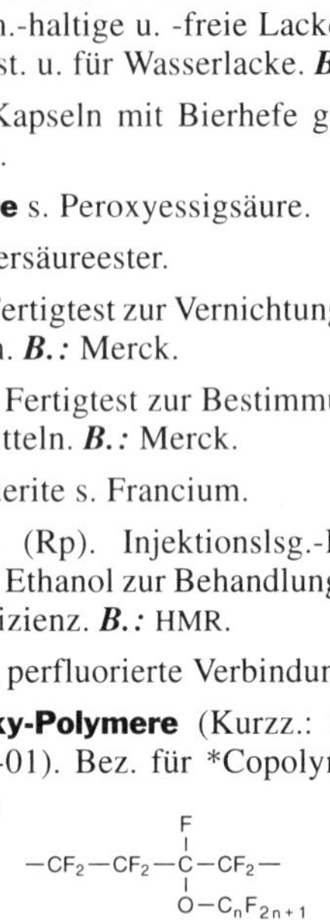

als Grundeinheiten. PFA resultieren aus der *Copolymerisation von Tetrafluorethylen u. Perfluoralkoxyvinylethern (z. B. Perfluorvinylpropylether, n = 3). Sie sind *Thermoplaste mit hohen Schmelz- (~305 °C) u. Dauergebrauchs-Temp. (~260 °C) u. können bei Temp. bis 425 °C durch Extrudieren, Spritzgießen, Formpressen od. Blasformen verarbeitet werden. PFA sind weitgehend beständig gegen Chemikalien (mit Ausnahme von z. B. Alkalimetall-Schmelzen) u. Lösemittel. Sie besitzen ausgezeichnete dielektr. Eigenschaften u. sind in einem sehr weiten Temp.-Bereich (ca. –200 °C bis 260 °C) einsetzbar.

Verw.: Im chem. Apparatebau, z. B. zur korrosionsfesten Auskleidung u. Beschichtung von Behältern, Rohrleitungen, Pumpen, Destillationskolonnen u. a.; in der Elektrotechnik u. der Elektronik zur Isolierung von Kabeln u. Drähten; in der Automobil-Ind. als Abriebanzeiger von Bremsbelägen. Limitierend für den Einsatz von PFA ist in vielen Fällen der hohe Preis (ca. 80–100 DM/kg). – ***E*** perfluoroalkoxy polymers – ***F*** perfluoroalcoxypolymères – ***I*** polimeri perfluoroalcossici – ***S*** perfluoroalcoxipolímeros

Lit.: Encycl. Polym. Sci. Eng. **16**, 614–626 ▪ Scheirs, Modern Fluoropolymers, New York: Wiley 1997 ▪ Ullmann (4.) **19**, 95 f.; (5.) **A 11**, 393 ff.

Perfluorethan s. Fluorkohlenwasserstoffe.

Perfluorethylenpropylen. Bez. für *Copolymere aus Tetrafluorethylen u. Hexafluorpropylen (Kurzz. FEP).

Perfluorierte Verbindungen. Organ. Verb., in denen alle Wasserstoff-Atome (außer in funktionellen Gruppen) durch Fluor-Atome ersetzt sind, wurden erst in den 60er Jahren leichter zugänglich, u. zwar entweder durch elektrochem. *Fluorierung od. durch *Telomerisation. Die Benennung der p. V. kann man nach IUPAC-Regel C-105.1 mit *Perfluor(o)...* vornehmen; *Beisp.:* Per- od. *Tetrafluorethylen, Perfluortripropylamin od. Tris(heptafluorpropyl)amin, Per- od. *Hexafluoraceton, Per- od. Octadecafluordecalin (manche Autoren schreiben statt dessen nur F-Decalin). Hat ein ansonsten perfluoriertes Mol. noch ein Wasserstoff-Atom, kann die H- mit der Perfluor...-Nomenklatur kombiniert werden; *Beisp.:* 1H-Perfluoroctan. In chem. Formeln wird ein Perfluoralkyl-Rest ($-C_nF_{2n+1}$) oft als R_f symbolisiert. Der Ersatz aller Wasserstoff-Atome eines organ. Mol. durch *Fluor bewirkt in der Verb. einerseits erhöhte Stabilität gegen Chemikalien u. andererseits eine Reaktivitätssteigerung der evtl. vorhandenen funktionellen Gruppen; so erhöht der Trifluormethyl-Rest drast. die Reaktivität von Carbonyl-Gruppen. Perfluoralkane sind chem. *inert. Zu den techn. wichtigen p. V. gehören die *Fluor-Elastomeren* u.a. *Fluorkunststoffe*; *Beisp.:* *Polytetrafluorethylen, FEP, *Perfluoralkoxy-Polymere, s.a. einzelne Verb. bei Fluorkohlenwasserstoffe (FKW).
Verw.: *Perfluoralkane* (Abk. PFA) od. *Perfluorkerosin* (PFK) dienen als Eichsubstanzen in der Massenspektroskopie. Wegen ihres hervorragenden Gaslösevermögens sind einige p. V. als *Blutersatzmittel im Gespräch. Perfluoroctylbromid ist als Röntgenkontrastmittel geeignet, perfluorierte aliphat. Ether u. Amine werden wegen ihrer guten elektr. Eigenschaften in der Elektro-Ind., die höheren Ether auch als Hydraulikflüssigkeiten verwendet. *Perfluorcarbonsäuren* der allg. Formel $F-(CF_2)_n-COOH$ [*Beisp.:* Per- od. Pentadecafluoroctansäure, $F_3C-(CF_2)_6-COOH$] können Proteine vor Denaturierung durch Hitze od. Chemikalien schützen. Ihre Salze zeigen starke oberflächenaktive Wirkungen u. sind Ausgangsstoffe für Netzmittel (*Fluor-Tenside) in Metallreinigern u. bei der Metallbehandlung. Die *Perfluorcarbonsäuren*, z.B. *Trifluoressigsäure, u.v.a. die *Perfluoralkansulfonsäuren* vom Typ R_f-SO_3H (mit $R_f=CF_3, C_4F_9, C_8F_{17}$) sind extrem starke Protonensäuren (stärker als Perchlorsäure), wirken jedoch nicht oxidierend u. sind als Katalysatoren in der organ. Synth. einsetzbar. Ihre Derivate werden als sehr wirksame Tenside sowie zur wasser-, öl- u. schmutzabweisenden Imprägnierung von Textilien, Papier u. Leder verwendet. Die Herst. erfolgt durch elektrochem. Fluorierung von Alkansulfonyl-Verb. in wasserfreier HF. Fluorpolymere mit Sulfonsäure u./od. Carboxy-Gruppen werden als ionomere Membranen in der Chloralkali-Elektrolyse verwendet. Einen sehr ausführlichen Überblick über Herst., Eigenschaften u. Verw. der p. V. findet der Leser in Kirk-Othmer. – *E perfluorinated compounds* – *F composés perfluorés* – *I composti perfluorurati* – *S compuestos perfluorados*
Lit.: Angew. Chem. **97**, 164–182 (1982) ■ Banks, Preparation, Properties, and Industrial Applications of Organofluorine Chemistry, Chichester: Horwood 1982 ■ Gmelin, Erg.-Werk, Bd. 9 u. 12: Perfluorhalogenorgano-Verbindungen der Hauptgruppenelemente (9 Tl. 1973–1981) u. Suppl., 1984, 1985 ■ Kirk-Othmer (3.) **10**, 829ff.; **11**, 1ff.; (4.) **11**, 467ff. ■ Houben-Weyl **5/3**, 1–502 ■ Knunyantsu u. Yakobson, Synthesis of Fluororganic Compounds, Berlin: Springer 1985 ■ Patai, The Chemistry of Halides, Pseudohalides and Azides, S. 604–656, Chichester: Wiley 1983 ■ Patai, The Chemistry of Halides, Pseudohalides and Azides, S. 629ff., Chichester: Wiley 1995 ■ Top. Curr. Chem. **192** u. **193** (1997) ■ Ullmann (5.) **A 11**, 349ff. ■ Weinberg u. Tilak, Electroorganic Synthesis (Techn. Chem. 5/3), S. 341–384, New York: Wiley 1982 ■ Winnacker-Küchler (4.) **6**, 407–411, 576f., 708f.

Perfluorpolyether. Hochmol. Perfluorether des Typs

$$F_3C-CF_2-CF_2-O-\left[CF(CF_3)-CF_2-O\right]_n-CF_2-CF_3$$

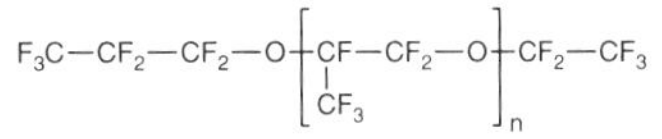

können durch Fluorid-Ionen-katalysierte Polymerisation von Hexafluorpropenoxid (HFPO) hergestellt werden (Näheres s. Lit.). Flüssige Perfluorpolyether mit Molmassen von ca. 500–6000 werden als Inertflüssigkeiten bzw. als Schmier- od. Hydrauliköle, bes. in Ggw. von stark korrosiv wirkenden Medien, verwendet. Perfluorpolyether-Öle zeichnen sich durch chem. u. therm. Beständigkeit, Verträglichkeit gegenüber Kunststoffen u. Unbrennbarkeit aus (Handelsnamen: Krytox, Aflunox, Fomblin). – *E high molecular mass perfluoroethers* – *F perfluoroéthers de poids moléculaire élevé* – *I perfluoropolieteri di alto peso molecolare* – *S perfluoroéteres de alto peso molecular*
Lit.: Ullmann (5.) **A 11**, 366f.

Perforation (von latein.: perforare = durchlöchern, durchbrechen). In der Chemie ein Verf. der kontinuierlichen, intensiven *Flüssig-Flüssig-Extraktion. Diese findet in verschieden ausgeführten Extraktionsapparaten (*Perforatoren*) prinzipiell so statt, daß Lsm. in einem Siedekolben laufend verdampft wird, in einem Rückflußkühler kondensiert, auf das (in einer mit dem Extraktionslsm. nicht mischbaren Flüssigkeit gelöste) Extraktionsgut tropft u. von dort mit den Extraktstoffen nach Maßgabe der *Verteilungs-Koeffizienten beladen durch einen Überlauf wieder in den Siedekolben gelangt.

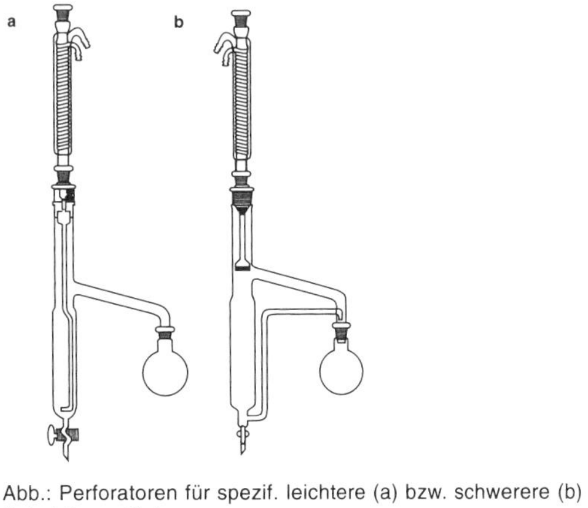

Abb.: Perforatoren für spezif. leichtere (a) bzw. schwerere (b) Extraktionsmittel.

Dabei kann – bei entsprechender Ausführung des Perforators – das Extraktionsmittel gegenüber der zu extrahierenden Lsg. spezif. leichter od. schwerer sein, was einen unterschiedlichen Aufbau der Perforatoren erfordert (s. Abb.). Im weiteren Sinn bezeichnet P. allg. die Durchlöcherung (z. B. von Folien) u. in der Medizin den Durchbruch eines Organs. – ***E*** = ***F*** perforation – ***I*** perforazione – ***S*** perforación

Lit.: Ullmann (5.) **B3**, 6.1.

Perforine (Cytolysine, Poren-formende Proteine, PFP). Proteine (M_R 70000), die von cytotox. T-*Lymphocyten (vgl. Immunsystem) u. *natürlichen Killerzellen zusammen mit *Granzymen in sekretor. Vesikeln gespeichert u. ausgeschieden werden, sobald diese an Zielzellen gebunden haben. Die P. bilden in der Plasma-*Membran der Zielzelle oligomere Porenformende Komplexe, die dem Membran-Angriffs-Komplex des Komplements (s. dort) vergleichbar sind u. zur *Cytolyse beitragen. Zur Wirksamkeit benötigen sie Calcium-Ionen. P. sind strukturverwandt mit der Komplement-Komponente C9. – ***E*** perforins – ***F*** perforines – ***I*** perforine – ***S*** perforinas

Lit.: Immunol. Today **16**, 194–201 (1995).

Perform. Kolonneneinbauten u. Füllkörper (P.-Kontakt-Boden u. P.-Grid-Packung) für den Stoffaustausch, die techn. Dest., Rektifikation, Ab-, De- u. Chemisorption, direkte Wärmeübertragung u. die Flüssigkeits-Abscheidung in der chem. u. verwandten Industrie.

Lit.: Chem. Tech. Leipzig **32**, 334–338 (1980); **34**, 350–357 (1982).

Perfusion (von latein.: perfundere = durchströmen). Durchströmen des Körpers od. einzelner Organe mit Flüssigkeit; häufig ist mit P. die Versorgung mit Blut gemeint. Zur medizin. Diagnostik können Substanzen mit dem Blutstrom in Organe gebracht werden, wie z. B. radioaktive Substanzen bei der Perfusionsszintigraphie (s. a. Nuklearmedizin). Die P. isolierter Organe od. Zellkulturen dient in der Physiologie u. Pharmakologie der experimentellen Untersuchung von Stoffwechselvorgängen u. pharmakolog.-toxikolog. Problemen. In der Anatomie wird die P. toter Körper od. Organe mit fixierenden Chemikalien (z. B. Formaldehyd) zur *Konservierung u. morpholog. Untersuchung angewandt. – ***E*** = ***F*** perfusion – ***I*** perfusione – ***S*** perfusión

Perfusionssystem. 1. Bez. für einen apparativen Versuchsaufbau, bei dem die Gefäße von isolierten od. *in situ*-Organen (z. B. Milz od. Leber) mit Perfusionsflüssigkeit (z. B. Blut) im Kreislauf durchströmt werden. Anw. sind Untersuchungen zum Stoffwechsel von Pharmaka od. Metaboliten unter *in vivo*-Bedingungen. Durch die Charakterisierung der Stoffwechselprodukte lassen sich mit Hilfe eines P. Stoffwechselstudien durchführen.

2. Für *Zellkulturen wurden bereits 1953 Perfusionskammern entwickelt, die zur mikroskop. Beobachtung von Zellen aus Glasplatten konstruiert wurden. Sowohl Medien als auch Sauerstoff wurden in den Kammern ausgetauscht. Moderne P. benutzen *Mikrocarrier od. *Hohlfaser-Module, an deren Oberfläche haftende Zellen wachsen können. Bei den Hohlfaser-Syst. wachsen Zellen an der Außenseite, während durch das Innere mit Sauerstoff u. Kohlendioxid angereichertes Nährmedium zirkuliert. V. a. die Hohlfaser-Syst., die auch für freie Zellsuspensionen genutzt werden, besitzen für toxikolog. Studien Bedeutung. – ***E*** perfusing system – ***F*** système de perfusion – ***I*** sistema di perfusione – ***S*** sistemas de perfusión

Lit.: Freshney, Culture of Animal Cells, New York: Alan R. Liss 1983 ▪ Spier u. Griffiths, Animal Cell Biotechnology, Bd. 1, London: Academic Press 1985 ▪ Thilly, Mammalian Cell Technology, Boston: Butterworth 1986.

Pergament. Von der antiken, kleinasiat. Stadt Pergamon abgeleitete Bez. für ein Beschriftungsmaterial, das in dieser Stadt erstmals im 4.–5. Jh. n. Chr. anstelle von *Papyrus* verwendet worden sein soll u. das bis zum 12.–14. Jh. vor der Einführung bzw. dem allg. Gebrauch des *Papiers als einziger Schreibstoff diente. P. wurde aus ungegerbten, geschabten u. geölten Esels-, Schweins- u. Kalbshäuten hergestellt. Es übertrifft die Haltbarkeit von Papier bei weitem, wenn auch beobachtet wurde, daß P. bei Aufbewahrung >22° C u. 65% Luftfeuchte zerfällt, weil aus dem Collagen der Häute enzymat. Gelatine entsteht (*Lit.*). P. wird heute im allg. nur noch für Bucheinbände, Trommeln, Lampenschirme etc. verwendet. Über *Pergamentersatz* u. *Pergamentpapier* s. Papier, S. 3113. – ***E*** parchment – ***F*** parchemin – ***I*** pergamena – ***S*** pergamino

Lit.: Nature (London) **287**, 820 (1980). – *[HS 4104 10; 4806 10]*

Pergamentersatz s. Papier (S. 3113).

Pergamentpapier s. Papier (S. 3113).

Pergamin s. Papier (S. 3113).

Pergolid (Rp).

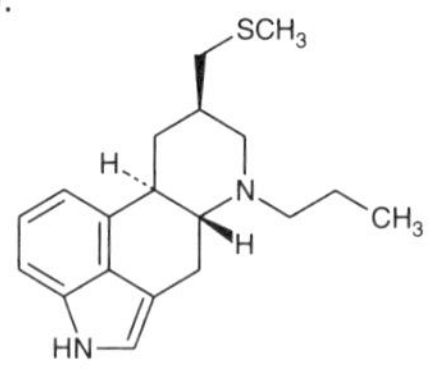

Internat. Freiname für das Antiparkinsonmittel D-6-*n*-Propyl-8*β*-methylmercaptomethylergolin, $C_{19}H_{26}N_2S$, M_R 314,48, Schmp. 206–209 °C. Verwendet wird das Mesilat, $C_{20}H_{30}N_2S_2O_3$, M_R 410,60, Schmp. 225 °C (Zers.), auch 258–260 °C angegeben; λ_{max} (CH_3OH) 280 nm ($A^{1\%}_{1\,cm}$ 170). P. wurde 1979 von Lilly (Parkotil®) patentiert. – ***E*** = ***F*** = ***I*** pergolide – ***S*** pergolida

Lit.: Arzneimittelforschung **44**, 278–284 (1994) ▪ Pharm. Ztg. **140**, 2460–2466 (1995). – *[HS 2939 69; CAS 66104-22-1 (P.); 66104-23-2 (Mesilat)]*

Pergonal®. Trockenampullen mit *Urogonadotropin u. *Lutropin gegen Fertilitätsstörungen bei Mann u. Frau. ***B.:*** Serono.

Pergotime® (Rp). Tabl. mit *Clomifen-dihydrogencitrat gegen Fertilitätsstörungen, Amenorrhoe, Corpus-Luteum-Insuffizienz. ***B.:*** Serono.

Pergut® S. Chlorkautschuk-Sortiment mit verschiedenen Viskositäten (P. S 5, S 10, S 20, S 40, S 90) zur Verw. als Bindemittel in Beschichtungsstoffen für den Korrosionsschutz u. in Schwimmbadanstrichen (ggf. kombiniert mit schwer verseifbaren Weichmachern u./od. Harzen), Straßenmarkierungsfarben, Druckfarben u. Klebstoffen. ***B.:*** Bayer.

Perhalogen-Verbindungen s. Perchlor... u. perfluorierte Verbindungen.

Perhexilin (Rp).

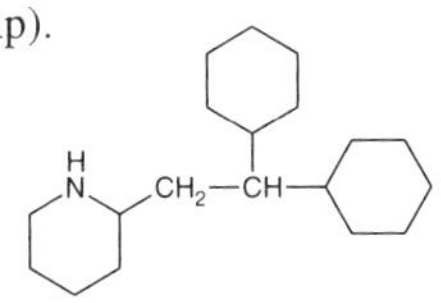

Internat. Freiname für den Coronar-*Vasodilatator 2-(2,2-Dicyclohexyl-ethyl)-piperidin, $C_{19}H_{35}N$, M_R 277,49, Schmp. 41 °C; λ_{max} (CH_3OH) 235 nm ($A^{1\%}_{1cm}$ 210). Verwendet wird meist das Maleat, Schmp. 188,5–191 °C; LD_{50} (Maus oral) >4,37 g/kg. P. wurde 1966 von Richardson-Merrell patentiert. – ***E*** = ***F*** perhexiline – ***I*** perexilina – ***S*** perhexilina

Lit.: Beilstein E V **20/5**, 160 ▪ Hager (5.) **9**, 85 ff. ▪ Martindale (31.), S. 927. – *[HS 2933 39; CAS 6621-47-2 (P.); 6724-53-4 (Maleat)]*

Perhydrit®. Marke von Merck für *Wasserstoffperoxid in fester Form.

Perhydro... Bez. für Hydrierung aller Doppelbindungen im Stammgerüst (Perhydrierung; IUPAC-Regel A-23.1, B-1.1; statt *Per... werden heute meist *Multiplikationspräfixe bevorzugt); *Beisp.:* Perhydrocyclopenta[*a*]phenanthren (*Gonan; s.a. Steroide), Perhydrochinolizin (s. Chinolizidin-Alkaloide), Perhydrosqualen (s. Squalan). *Hydrierungen kann man oft nur durch *Vergiften des Katalysators auf der Stufe partiell hydrierter Produkte (z.B. *hydroaromatische Verbindungen) stoppen. Perhydrierte Ringe wurden früher oft durch ein H in der Ringmitte symbolisiert. – ***E*** = ***F*** perhydro... – ***I*** peridro... – ***S*** perhidro...

Perhydrol®. Marke für *Wasserstoffperoxid-Lsg. von Merck.

Perhydrotriphenylen (Octadecahydrotriphenylen).

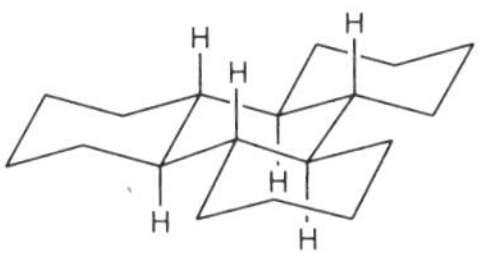

$C_{18}H_{30}$, M_R 246,43. Das vollständig gesätt. Derivat des *Triphenylens kann in verschiedenen stereoisomeren Formen vorliegen, je nach Verknüpfungsart der vier Cyclohexan-Ringe; die Abb. zeigt die *trans-anti-trans-anti-trans*-Verb. (Schmp. 124 °C; vgl. die stereochem. Zuordnung für das vergleichbare Perhydroanthracen [1]). Die abgebildete (*all-S*)-Form kann von der enantiomeren (*all-R*)-Form (s. Enantiomerie) durch Racemattrennung separiert werden. P. ist in der Lage, Kanal-*Einschlußverbindungen mit Carbonsäuren, Alkoholen, Ketonen etc. zu bilden. – ***E*** perhydrotriphenylene – ***F*** perhydrotriphenylène – ***I*** peridrotrifenilene – ***S*** perhidrotrifenileno

Lit.: [1] Quinkert, Egert u. Griesinger, Aspekte der Organischen Chemie, Bd. 1: Struktur, S. 105, Weinheim: VCH Verlagsges. 1995.
allg.: Beilstein E II **5**, 359 ▪ J. Am. Chem. Soc. **86**, 516 (1964); **89**, 5071 (1967). – *[CAS 15074-91-6]*

Perhydroxyl [Hydro(gen)peroxyl, Dioxidanyl]. Bez. für das Radikal HO–O• (IUPAC-Regel I-8.4.2); s. Hydroperoxy... – ***E*** hydroperoxyl – ***F*** hydroperoxyle – ***I*** idroperossile – ***S*** hidroperoxilo

Peri... (von griech.: perí = ringsherum). a) Bestandteil von griech. Fremdwörtern; *Beisp.:* Periode (períodos = Umlauf); vgl. folgende Stichwörter. – b) Kursives *peri-* ist ein veraltetes Präfix für 1,8-Disubstitution an *Naphthalin (1–8: „ringsherum gezählt"); *peri-* od. *ortho-peri-**kondensierte Ringsysteme sind definiert durch Atome, die je drei Anellierungskanten u. anellierten Ringen angehören; *Beisp.:* *Phenalen (Benzol *peri-* = 1,8-anelliert an Naphthalin), *Perylen. – ***E*** = ***F*** = ***I*** = ***S*** peri...

Periciazin (Rp).

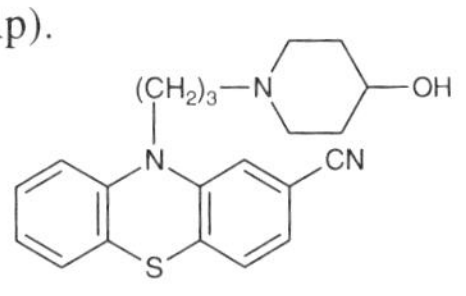

Von der WHO vorgeschlagener Freiname für das *Neuroleptikum 10-[3-(4-Hydroxypiperidino)-propyl]-phenothiazin-2-carbonitril, $C_{21}H_{23}N_3OS$, M_R 365,49, Schmp. 116–117 °C; λ_{max} (0,05 M H_2SO_4) 233, 268 nm ($A^{1\%}_{1cm}$ 684, 800); LD_{50} (Ratte oral) 395 mg/kg; in Wasser prakt. unlösl., in Ethanol löslich. P. wurde 1960 von Rhône-Poulenc patentiert. Es findet auch in der Spektrophotometrie als Reagenz für Palladium u. Ruthenium Verwendung. – ***E*** periciazine – ***F*** périciazine – ***I*** = ***S*** periciazina

Lit.: Hager (5.) **9**, 87 f. ▪ Martindale (31.), S. 727. – *[HS 2934 30; CAS 2622-26-6]*

Pericyclische Reaktionen. Von *Woodward u. R. *Hoffmann (*Lit.* [1,2]) geprägter Begriff für solche Reaktionen der organ. Chemie, bei denen ein Bindungswechsel *konzertiert* innerhalb einer geschlossenen Schale stattfindet, ohne daß zwischendurch ungepaarte Elektronen (*Radikale) od. Ionen in Erscheinung treten. Bei diesen Bindungsänderungen sind in der Regel 6 Elektronen beteiligt, was zu der Annahme führte, daß die *Übergangszustände aromat. Charakter haben [3,4]; vgl. Aromatizität. Die p. R. sind eng mit den *Woodward-Hoffmann-Regeln „*Von der Erhaltung der Orbitalsymmetrie*" verknüpft, die besagen, daß therm. er-

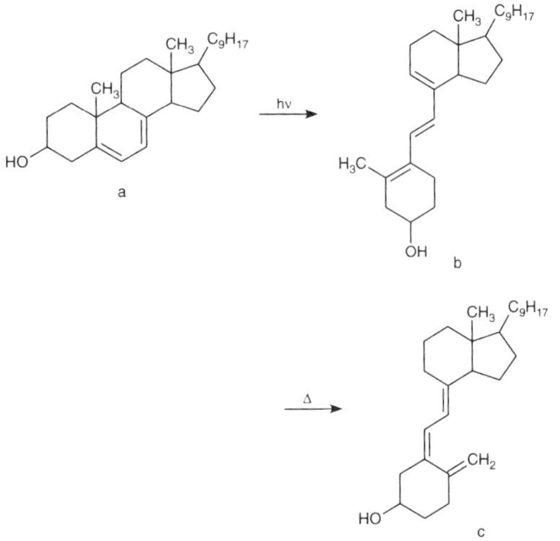

Abb.: Umwandlung von Ergosterin (a) über Präcalciferol (b) in Vitamin D_2 (c) unter Beteiligung pericyclischer Reaktionen.

laubte Reaktionen über einen *konzertierten* Mechanismus ablaufen können, da starke bindende Wechselwirkungen während der gesamten Reaktion vorhanden sind. Typ. therm. erlaubte p. R. sind die in Einzelstichwörtern behandelten Reaktionen (in Klammern wichtige *Beisp.*): *Cycloadditionen* (*Diels-Alder-Reaktion, *1,3-dipolare Cycloaddition, *En-Synthese), *elektrocycl. Reaktionen* (*kon- od. *disrotatorisch verlaufende *Cyclisierungen), *cheletrope Reaktionen, sigmatrope Reaktionen* (*Cope-Umlagerung, *Claisen-Umlagerung). Viele dieser Reaktionen treten per saldo als Isomerisierungen, Valenzisomerisierungen, Umlagerungen, Eliminierungen, Fragmentierungen od. Additionen in Erscheinung. P. R. finden auch in der Natur statt; so wird *Ergosterin in einer Sequenz photochem. u. therm. p. R. in Vitamin D_2 umgewandelt (s. Abb.). – ***E*** pericyclic reactions – ***F*** réactions pericycliques – ***I*** reazioni pericicliche – ***S*** reacciones pericíclicas

Lit.: [1]Angew. Chem. **81**, 797–869 (1969). [2]Woodward u. Hoffmann, Die Erhaltung der Orbitalsymmetrie, Weinheim: Verl. Chemie 1970. [3]Acc. Chem. Res. **4**, 272 (1971). [4]Angew. Chem. **83**, 859 (1971).
allg.: Angew. Chem. **92**, 989–1005 (1980); **104**, 711 ff. (1992); **106**, 261 (1994) ▪ Desimoni et al., Natural Products Synthesis Through Pericyclic Reactions (ACS Monogr. 180), Washington: ACS 1983 ▪ Fleming, Grenzorbitale u. Reaktionen organischer Verbindungen, 2. Aufl., Weinheim: VCH Verlagsges. 1988 ▪ Katritzky et al. **1**, 771 f. (1995) ▪ Trost-Fleming **6**, 1–898.

Peridinin (Sulcatoxanthin).

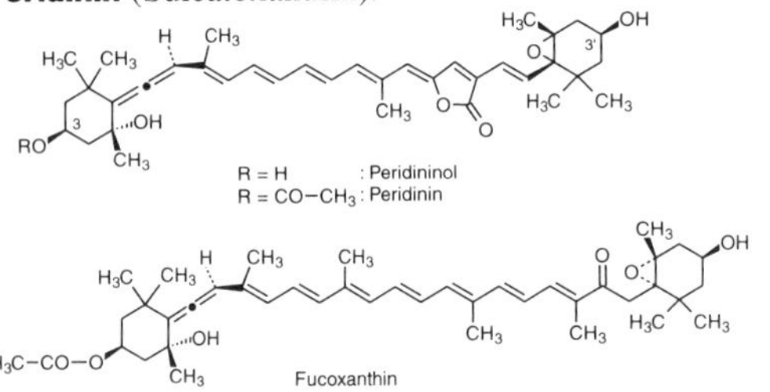

$C_{39}H_{50}O_7$, M_R 630,82, purpurfarbene Krist., Schmp. 128–132 °C. *Carotinoid aus einzelligen Meeresalgen (Dinoflagellaten, z. B. *Peridinium cinctum*, Pyrrophyta). Zusammen mit P. kommt *Peridininol* vor[1], $C_{37}H_{48}O_6$, M_R 588,78, purpurrote Krist., Schmp. 130 °C. Beide haben dasselbe Trinorcarotinoid-Gerüst mit drei fehlenden C-Atomen mitten in der Kette. Ebenfalls in vielen Algen, marinen Schwämmen u. Schnecken u. in Vogelfedern findet man *Fucoxanthin*[2], $C_{42}H_{58}O_6$, M_R 658,92, tiefrote Prismen od. Nadeln, Schmp. 168 °C. Fucoxanthin u. P. sind *Carotinoide mit ungewöhnlicher Allen-Struktur. Bei der Biosynth. von P. wird auf noch unbekannte Weise aus der C_{40}-Carotinoid-Vorstufe Zeaxanthin ein C_3-Fragment mitten aus der Kette entfernt. – ***E*** peridinin – ***F*** peridinine – ***I*** peridinina – ***S*** peridinín

Lit.: [1]Beilstein EV **19/6**, 696; Phytochemistry **21**, 2859 (1982). [2]Beilstein E V **18/4**, 673; J. Chem. Soc., Perkin Trans. 1 **1995**, 1895–1904.
allg.: Goodwin, The Biochemistry of the Carotenoids, 2. Aufl., London: Chapman u. Hall 1980 ▪ Scheuer I **2**, 2 ▪ Thomson, The Chemistry of Natural Products, S. 187, London: Chapman u. Hall 1985 ▪ Tetrahedron Lett. **35**, 2245 (1994) (abs. Konfiguration). – *Synth.:* J. Chem. Soc., Perkin Trans. 1 **1990**, 197; **1993**, 1599–1610. – *[CAS 33281-81-1 (P.); 54369-14-1 (Peridininol); 3351-86-8 (Fucoxanthin)]*

Peridininol s. Peridinin.

Peridot. Durchsichtige, glasartig u. etwas ölig glänzende, durch Eisen-Gehalte (12–15%) gelb- bis olivgrün (bei höheren Gehalten braungrün bis bräunlich) gefärbte, schon bei den alten Ägyptern hochgeschätzte Edelstein-Abart von *Olivin, die als Körner, Stücke od. Krist. in *Basalten, *Peridotiten u. in deren *Verwitterungs-Produkten vorkommt. H. 6,5, D. 3,25–3,35; bes. hohe *Doppelbrechung.
Vork.: Für schleifwürdigen P.: Insel Seberged (Zabargad)/Rotes Meer, Myanmar (Burma), San Carlos Apache Reservation/Arizona/USA (mit 0,44% NiO, *Lit.*[1]), Norwegen; von einem neuen Vork. in Kaschmir/Pakistan konnte ein P. von 309,9 *Karat geschliffen werden[2]. Als „interplanetarer Edelstein“ im Pallasit (*Meteoriten) von Esquel/Argentinien[3]; weitere Vork. u. Ratschläge zum Schleifen u. Polieren von P. s. *Lit.*[4]. – ***E*** peridot – ***F*** péridot – ***I*** = ***S*** peridoto

Lit.: [1]Am. Mineral. **80**, 1089-1092 (1995). [2]Z. Dtsch. Gemmol. Ges. **44**, Nr. 2/3, 33–42 (1995). [3]Gems & Gemmology **28**, 43–51 (1992). [4]Lapis **10**, Nr. 9, 31–40 (1985).
allg.: Eppler, Praktische Gemmologie (5.), S. 318–323, Stuttgart: Rühle-Diebener 1994 ▪ s. a. Olivin, Edelsteine u. Schmucksteine. – *[HS 7103 10]*

Peridotite. Gruppenbez. für ultramaf. (>90 Vol.-% dunkle Minerale) Plutonite (*magmatische Gesteine) mit mehr als 40 Vol.-% *Olivin u. *Pyroxenen als weitere Hauptmineralien; zur Nomenklatur s. die Abbildung. *Dunit* enthält >90% Olivin, *Harzburgit* neben Olivin 10–60% Orthopyroxen u. <5% Klinopyroxen; *Lherzolithe* enthalten Olivin, >5% Ortho- u. >5% Klinopyroxen. *Pyroxenite* enthalten weniger als 40% Olivin u. gemäß der Abb. wechselnde Anteile an Ortho- u. Klinopyroxenen. Wichtige Gehalte an weiteren Mineralien werden durch Namengebungen wie *Granat-P., *Spinell-P. u. Plagioklas-P. (*Feldspäte) berücksichtigt.

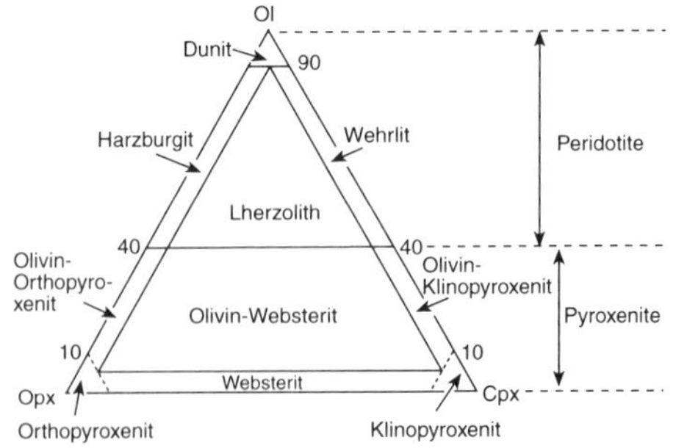

Abb.: Klassifikation u. Nomenklatur ultramaf. Plutonite im Dreiecksdiagramm Olivin (Ol) – Orthopyroxen (Opx) – Klinopyroxen (Cpx); nach *Lit.*[1].

Die P. sind hell- bis dunkelgrüne, fein- bis grobkörnige, massige, manchmal auch schichtige Gesteine; sie sind oft weitgehend od. völlig in Gesteine umgewandelt. *Serpentin-Pyroxenite sind braun, grünlichschwarz od. schwarz. *Chem.* sind die P. ultrabas. Gesteine mit 40–45% SiO_2, 30–50% MgO u. durch-

schnittlich 0,16–0,20% Chrom u. Nickel; die Gehalte an Fe, Al, Ca, Na u. K richten sich nach den vorhandenen zusätzlichen Mineralien. P. u. Pyroxenite können mit wichtigen *Lagerstätten von Chrom (Bushveld/Südafrika, Serbien, Türkei), Nickel u. Platin-Gruppen-Metallen (Sudbury/Kanada, Ural/Rußland) verbunden sein.
Vork.: 1. Als wesentlicher Bestandteil des Erdmantels (*Erde) als Granat-P., Spinell-P. u. Plagioklas-P. bzw. -Lherzolith, z.T. durch selektives Herausschmelzen von *Basalt zu Harzburgit verändert; durch Vorgänge der *Tektonik an die Erdoberfläche gebracht. – 2. In *Ophiolith-Komplexen od. selbständig in Faltengebirgen („Orogenen") als „alpinotype (orogene) P.", z.B. Ivrea-Zone/Italien, Ronda/Südspanien, Pyrenäen, Åheim/Westnorwegen. – 3. Als Bestandteil großer geschichteter bas. bis ultrabas. magmat. Gesteinskomplexe, z.B. Bushveld/Südafrika. – 4. P. u. Pyroxenite als Fremdgesteins-Einschlüsse (sog. Xenolithe, „Olivinknollen") in Alkali-*Basalten (z.B. Eifel, Rhön, Hess. Senke) u. (z.T. *Diamanten-führend) in *Kimberliten; solche Xenolithe können Anzeichen für Erdmantel-*Metasomatose zeigen[2]. – 5. In Stein-*Meteoriten, bes. in Chondriten; zur Sauerstoff-Isotopen-Zusammensetzung in P. des Erdmantels s. *Lit.*[3]. – ***E*** peridotites – ***F*** péridotites – ***I*** peridotiti – ***S*** peridotitas

Lit.: [1] Earth Sci. Rev. **12**, 1–34 (1976); Matthes, Mineralogie (5.), S. 189, Berlin: Springer 1996. [2] Eur. J. Mineral. **5**, 1073–1090 (1993). [3] Earth Planet. Sci. Lett. (EPSL) **128**, 231–241 (1994).
allg.: Hall, Igneous Petrology (2.), S. 459–482, Harlow (U. K.): Longman 1996 ▪ MacKenzie, Donaldson u. Guilford, Atlas magmatischer Gesteine in Dünnschliffen, S. 51, 111, 113, Stuttgart: Enke 1989 ▪ Matthes, Mineralogie (5.), S. 199 ff., 439 ff., Berlin: Springer 1996 ▪ Wimmenauer, Petrographie der magmatischen u. metamorphen Gesteine, S. 156 ff., Stuttgart: Enke 1985.

Perikarp. Von *Peri... u. griech.: karpos = Frucht abgeleitete Bez. für die Fruchtschalen von *Pflanzen, die man in Exokarp (außen), Endokarp (innen) u. das dazwischenliegende mehrschichtige Mesokarp unterteilt. – ***E*** pericarp – ***F*** péricarpe – ***I*** pericarpo – ***S*** pericarp(i)o

Periklas. MgO, kub. Mineral, Kristallklasse m3m-O_h, Struktur wie *Steinsalz. Durchsichtige, glasglänzende, farblose bis graugrüne Körner, selten kleine Krist., H. 6, D. 3,7–3,9. Schmp. 2800 °C. P. ist künstlich leicht aus *Magnesit herzustellen; er ist wichtiger Bestandteil hoch-feuerfester Keramik.
Vork.: P. entsteht bei der *Kontaktmetamorphose von *Dolomit, z.B. Vesuv/Italien; P. bzw. *Magnesiowüstit* (Mg,Fe)O sind Modellminerale im unteren Erdmantel (*Erde), entstanden bei der Dissoziation von γ-$(Mg,Fe)_2SiO_4$ (*Olivin) zu $MgSiO_3$+(Mg,Fe)O in 660–680 km Tiefe; zu Wärmeausdehnung u. Molvol. von P. zwischen 5 u. 2900 K s. *Lit.*[1]. – ***E*** periclase – ***F*** périclase – ***I*** periclasio – ***S*** periclasa

Lit.: [1] Eur. J. Mineral. **7**, 1039–1047 (1995).
allg.: Deer et al., S. 532 f. ▪ Schröcke-Weiner, S. 348. – *[CAS 1317-74-4]*

Periklin s. Feldspäte.

Perikondensierte Systeme s. kondensierte Ringsysteme.

Perillaaldehyd s. Perillaaldehydoxim.

Perillaaldehydoxim (Perillartin, Perilla-Zucker).

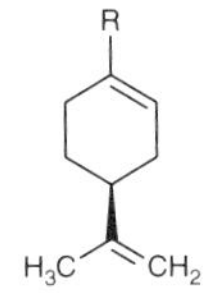

(*S*)-Form

R = (*E*)-CH=NOH : Perillaaldehydoxim (**1**)
R = CHO : Perillaaldehyd (**2**)
R = CH_2OH : Perillaalkohol (**3**)

$C_{10}H_{15}NO$, M_R 165,24, Schmp. 102 °C, Sdp. 147–148 °C (1,6 kPa). Das ether. Öl (*Perillaöl) von *Perilla frutescens* var. *crispa* u. *P. arguta* (Lamiaceae, Lippenblütler) enthält das (*S*)-*Perillaaldehyd* {(*S*)-*p*-Mentha-1,8-dien-7-al, $C_{10}H_{14}O$, M_R 150,22, Öl, Sdp. 236 °C (101,3 kPa), 104–105 °C (9 kPa), D_4^{20} 0,97, $[\alpha]_D$ −150,7°}. Das (*E*)- od. *syn*-Oxim des Aldehyds hat etwa die 2000fache Süßkraft von Saccharose u. wird in Japan als Süßstoff verwendet; LD_{50} (Ratte p.o.) 2,5 g/kg. *Perillaalkohol* {$C_{10}H_{16}O$, M_R 152,24, (–)-(*S*)- u. (+)-(*R*)-Form aus Pflanzen isoliert: D. 0,96, Sdp. 119–121 °C (1,1 kPa), $[\alpha]_D$ ±68°} ist in *Bergamott(e)- u. Basilikumöl (s. Basilikum) sowie, in der (+)-(*R*)-Form, im „Delftgras-Öl" (*Cymbopogon polyneuros*) zu finden. – ***E*** perillaldehyde oxime – ***F*** oxime du perillaaldéhyde – ***I*** ossime del perillaaldeide – ***S*** oxima del perillaldehído

Lit.: Beilstein E IV **7**, 316 f. ▪ Karrer, Nr. 314, 416 ▪ Merck-Index (12.), Nr. 7308 ▪ Sax (8.), Nr. DKX 100, PCI 550, PCJ 000 ▪ Science **197**, 573 (1977). – *[CAS 30950-27-7 (1); 2111-75-3 (racem. 2); 18031-40-8 ((S)-Form von 2); 18457-55-1 ((–)-Form von 3)]*

Perillaalkohol s. Perillaaldehydoxim.

Perillaketon [1-(3-Furanyl)-4-methyl-1-pentanon].

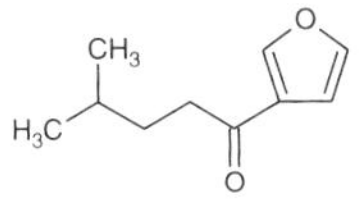

$C_{10}H_{14}O_2$, M_R 166,21, Öl, D^{15} 0,992, n_D^{20} 1,4781, Sdp. 196 °C. P. kommt in der Minze *Perilla frutescens* (Lamiaceae) vor u. kann schwere Lungenödeme sowie Emphysem bei Weidetieren verursachen; LD_{50} (Maus i.p.) 2,5–6 mg/kg, (Ratte i.p.) 10 mg/kg. – ***E*** perilla ketone – ***F*** perillacétone – ***I*** perillachetone – ***S*** perillacetona

Lit.: Beilstein E V **17/9**, 480 ▪ Sax (8.), Nr. PCI 750 ▪ Synthesis **1991**, 242 ▪ Tetrahedron Lett. **33**, 5245 (1992). – *[CAS 553-84-4]*

Perillaöl. Gelbliches, fettes, *trocknendes Öl, das in Korea, Indien u. Japan aus den Samen des Lippenblütlers *Perilla ocymoides* gewonnen wird u. als Leinölersatz Verw. findet, D. 0,935, VZ 191, IZ 200, enthält 41–46% *Linolensäure, 31–42% *Linolsäure u. 3–10% *Ölsäure, mit Glycerin verestert. Weiterhin sind Perillaaldehyd (s. Perillaaldehydoxim) u. *Perillaketon enthalten. Beim Anstrich mit P. entstehen schnelltrocknende, zähe, hochglänzende Filme, die sich aber leicht kräuseln u. die Farbtöne verändern (kann durch Kochen verhindert werden). – ***E*** perilla oil – ***F*** huile de perilla – ***I*** olio perilla – ***S*** aceite de perilla

Lit.: Ullmann (4.) **11**, 466f., 510; (5.) **A 10**, 228. – *[HS 1515 90]*

Perillartin s. Perillaaldehydoxim.

Perimate®. Extrudiertes *Polystyrol für Hartschaum-Dämmstoffe. ***B.:*** Dow.

Perimate® DI u. INS. Extrudierte *Polystyrol-Hartschaumplatten mit aufkaschiertem Filtervlies u. (P. DI) eingefrästen Drainage-Rillen für die Perimeterdämmung, zur Dämmung von Fußböden in Keller u. Wohnbereich sowie zur Fassadendämmung. ***B.:*** Dow.

Perimorphose (von *Peri... u. *...morph(o)...). Als *Umhüllungspseudomorphose* ein Spezialfall der *Pseudomorphose. Man spricht von P., wenn ein Krist. (z.B. von Kalkspat, s. Calcit) in der Natur zunächst von einer anderen Substanz (z.B. *Quarz) völlig umhüllt u. sodann völlig herausgelöst wird, so daß vom Krist. nur noch der regelmäßig begrenzte Hohlraum übrigbleibt, der gewissermaßen als Negativ der ursprünglichen Kristallform erscheint. – ***E*** perimorph – ***F*** périmorphose – ***I*** perimorfosi – ***S*** perimórfosis

Perindopril (Rp).

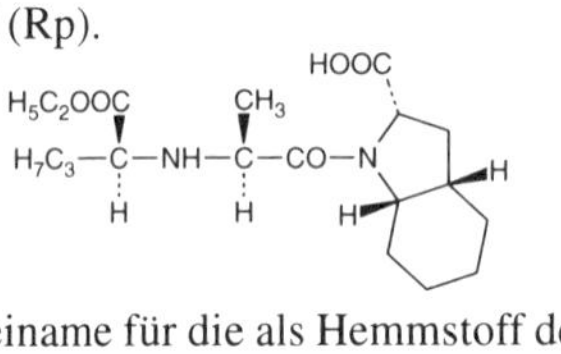

Internat. Freiname für die als Hemmstoff des *Angiotensin-II-Converting-Enzyms blutdrucksenkend wirkende (2*S*,3a*S*,7a*S*)-1-[*N*-(*S*)-1-(Ethoxycarbonyl)-butyl)-L-alanyl]-octahydro-2-indolcarbonsäure, $C_{19}H_{32}N_2O_5$, M_R 368,47. Verwendet wird meist das *tert*-Butylammoniumsalz, $C_{23}H_{43}N_3O_5$, M_R 441,6, Schmp. 154 °C; $[\alpha]_D^{20}$ –66° bis –69° (c 1/C_2H_5OH 90%); λ_{max} (H_2O) 205 nm ($A_{1cm}^{1\%}$ 195). P. wurde 1982 von Sci. Union et Cie. – Soc. Franc. Rech. Med., 1985 von ADIR patentiert u. ist von Servier (Coversum®) im Handel. – ***E*** = ***F*** = ***I*** = ***S*** perindopril

Lit.: ASP ▪ Hager (5.) **9**, 89 ff. ▪ Martindale (31.), S. 927. – *[HS 2933 90; CAS 82834-16-0 (P.); 107133-36-8 (tert-Butylammoniumsalz)]*

Periodate. Bei den Salzen der verschiedenen *Periodsäuren unterscheidet man in nichtsystemat. Benennung *Dimeso-P.* (Anion: $I_2O_9^{4-}$), *Meso-P.* (IO_5^{3-}), *Meta-P.* (IO_4^-) u. *Ortho-P.* (IO_6^{5-}). Die Ortho-P. wurden früher auch als *Para-P.* (s. Para-) bezeichnet; zur systemat. Benennung s. Natriumperiodate. Üblicherweise versteht man unter P. die *Ortho-P.* der allg. Formel $M_5^I[IO_6]$, die sich in Wasser unter hydrolyt. Spaltung verhältnismäßig schwer lösen u. beim Glühen Zers. erleiden. Die P., insbes. Natrium-P., $NaIO_4$, sind wie die Periodsäuren wichtige Oxid.-Mittel in der organ. Chemie; die wichtigste Reaktion ist die Spaltung von *Glykolen. – ***E*** = ***F*** periodates – ***I*** periodati – ***S*** peryodatos, periodatos

Lit.: Brauer (3.) **1**, 334–337 ▪ Gmelin, Syst.-Nr. 8, J, 1933, S. 533–542 ▪ Houben-Weyl **4/1a**, 440–477 ▪ Kirk-Othmer (3.) **13**, 666 f. ▪ Pizey, Mercuric Acetate, Periodic Acid and Periodates, and Sulphuryl Chloride (Synthetic Reagents 4), Chichester: Horwood 1981 ▪ Solymosi, Structure and Stabilities of Salts of Halogen Oxyacids in the Solid Phase, New York: Wiley 1978 ▪ Synthesis **1974**, 229–272 ▪ s. a. Natriumperiodat. – *[HS 2829 90]*

Periodensystem (Period. Syst. der chem. Elemente, Abk.: PSE). Bez. für die den Chemikern hilfreiche Tab., in der die Symbole der *chemischen Elemente in der Reihenfolge der *Ordnungszahlen (Kernladungszahlen) zeilenweise, d.h. „period." (griech.: periodos = Rundreise) angeschrieben sind. Bildliche Darst. des P. finden sich auf den folgenden Seiten u. in fast allen Nachschlagewerken u. als Wandtafeln mit zusätzlichen Informationen (Elektronenkonfigurationen, Quantenzahlen, photograph. Abb. der Element-Erscheinungsformen etc.); Näheres zur Geschichte des P. s. *Lit.*[1–6]. *Mendelejew, der seine Publikation über ein P. am 17.2.1869 eingereicht hatte, kannte zwar einige frühere Arbeiten ähnlicher Art von von *Pettenkofer (1850), William Odling (1857), *Dumas (1858) u. E. Lenssen (1857), nicht jedoch die Arbeiten des französ. Geologen Alexandre-Émile Béguyer de Chancourtois (1820–1886) aus dem Jahre 1862, von John Alexander Reina Newlands (1837–1898), der 1863/64 ein Oktaven-P. entwickelt hatte, von Gustavus Detlef Hinrichs (1836–1923) von 1866/67 u. erst recht nicht die unveröffentlichten Arbeiten aus den Jahren 1864 u. 1868 von J. L. *Meyer. Auf den von Chancourtois betonten Zusammenhang zwischen den *Atomgewichten u. den chem. Eigenschaften („Les propriétés des corps sont les propriétés des nombres") hatte schon viel früher *Döbereiner hingewiesen (s. *Lit.*[7]), der 1817 entdeckte, daß die Elemente Ca, Sr u. Ba außer ihrer chem. Verwandtschaft auch eine Regelmäßigkeit in den Atomgew. zeigen: Das Atomgew. von Sr (87,62) ist nämlich ziemlich genau das arithmet. Mittel zwischen dem Atomgew. von Ca (40,08) u. Ba (137,34). Eine Gruppe von 3 chem. derart verwandten Elementen nannte Döbereiner in seiner (allerdings erst 1829 erschienenen) Abhandlung *Triaden* („Dreiheiten"). Neben Ca-Sr-Ba formulierte Döbereiner später auch S-Se-Te, Li-Na-K u. Cl-Br-I als Triaden, u. von Pettenkofer erweiterte 1850 das Syst., indem er 4 Elemente (N-P-As-Sb) zu einer „chem. Familie" zusammenfaßte. Übrigens waren den Döbereinerschen Arbeiten ähnliche von J. L. Falckner (1787–1831) vorausgegangen, der 1824 ein Syst. natürlicher Elementfamilien ableitete (*Lit.*[8]). Eine tabellar. Anordnung für Elemente wählte auch L. *Gmelin 1843 (vgl. die Abb. bei *Lit.*[5]). Ähnliche Darst., in denen die „verwandten" Elemente ebenfalls in waagerecht angeordneten Gruppen zusammengefaßt waren, bevorzugten 1865 Odling bzw. 1864 Newlands, die allerdings ihren Syst. die Zunahme der Atomgew. als Ordnungsprinzip zugrundelegten. Diese Neuerung hatte vorher (1862) Chancourtois eingeführt, der die damals bekannten Elemente entsprechend ihren (1860 von *Cannizzaro korrigierten) Atomgew. derart in einer dreidimensionalen Schraube („vis telurique = tellur. Helix") angeordnet hatte, daß ähnliche Elemente untereinander zu stehen kamen. Newlands Syst. erwies sich als zu eng, da er annahm, daß jede Verwandtschaftsgruppe aus 8 Elementen bestehen müsse („Gesetz der *Oktaven*"). Die Suche nach Gesetzmäßigkeiten im Verhältnis der chem. Elemente zueinander schien in der ersten Hälfte des 19. Jh. weit verbreitet gewesen zu sein, woran möglicherweise die *Proutsche Hypothese (1815) als Ursache einen großen Anteil hatte. Viele der Chemi-

Tab. 1: „Versuche eines Syst. der Elemente nach ihren Atomgew. u. chem. Functionen“ (nach *Lit.*[10]).

			Ti=50	Zr=90	?=180
			V=51	Nb=94	Ta=182
			Cr=52	Mo=96	W=186
			Mn=55	Rh=104,4	Pt=197,4
			Fe=56	Ru=104,4	Ir=198
			Ni=Co=59	Pl=106,6	Os=199
H=1			Cu=63,4	Ag=108	Hg=200
	Be=9,4	Mg=24	Zn=65,2	Cd=112	
	B=11	Al=27,4	?=68	Ur=116	Au=197?
	C=12	Si=28	?=70	Sn=118	
	N=14	P=31	As=75	Sb=122	Bi=210?
	O=16	S=32	Se=79,4	Te=128?	
	F=19	Cl=35,5	Br=80	I=127	
Li=7	Na=23	K=39	Rb=85,4	Cs=133	Tl=204
		Ca=40	Sr=87,6	Ba=137	Pb=207
		?=45	Ce=92		
		?Er=56		La=94	
		?Yt=60	Di=95		
		?Ln=75,6	Th=118?		

ker, die der Gedanke der chem. Verwandtschaft der Elemente beschäftigte, wählten stern-, kreis-, spiral- od. fächerförmige Darst., um Verwandtschaftsbeziehungen wiederzugeben, vgl. die Abb. bei *Lit.*[9] u. die Darst. der Syst. von Hinrichs, Heinrich Adolf Baumhauer (1848–1926) von 1867 od. Julius Quaglio (1833–1899) von 1871 bei *Lit.*[5]. Viele der 1969 aus Anlaß des „100. Jubiläums des P.“ erschienenen Arbeiten bemühten sich, diesen u. a. Vorläufern gerecht zu werden. Die nahezu endgültige, auch heute im wesentlichen anerkannte Ausgestaltung erhielt das Syst. der Elemente im Jahre 1869 durch Meyer u. Mendelejew – über den jahrelangen Prioritätsstreit zwischen beiden informiert die Monographie von van Spronsen (*Lit.*[1]), wonach die ersten Publikationen von Meyer zwar erst im Dezember 1869 erfolgt sind, Meyer jedoch zu dieser Zeit die Arbeiten von Mendelejew noch nicht gelesen hatte. Insofern haben die Genannten, wie vielfach festgestellt wird, das P. unabhängig voneinander entwickelt. Mendelejews Tab. (s. Tab. 1) beruhte jedoch im Gegensatz zu der von Meyer streng auf der Klassifizierung nach „Atomgew.“ u. erlaubte zusätzliche Interpretationen.

Einige Atomgew. mußten überprüft u. in mind. einem Fall (Te/I) ein Standorttausch vorgenommen werden; man hatte „typ. Elemente“ (kleinere Atomgew.) von den schweren Elementen zu unterscheiden (später: Haupt- u. Nebengruppenelemente); die im Syst. mit Überlegung belassenen Lücken berechtigten zu der Annahme, daß sie durch die Entdeckung von derzeit noch unbekannten chem. Elementen gefüllt werden könnten.

Als die 1871 von Mendelejew bis in Einzelheiten vorausgesagten Elemente (Eka-Al = Gallium 1875, Eka-Bor = Scandium 1879 u. Eka-Si = Germanium 1886) tatsächlich isoliert u. charakterisiert worden waren, fand sein P. sehr bald Anerkennung. Nachdem H. G. J. *Moseley 1912 fand, daß die Quadratwurzeln der Frequenzen der von den Elementen ausgesandten Röntgenstrahlen linear von den Kernladungszahlen abhängen, wurden die Elemente im P. nach der Kernladungs- od. Ordnungszahl angeordnet. Dadurch konnten die früher beobachteten „Inversionen“ („Diskrepanzen“) Ar/K, Co/Ni, Te/I u. Th/Pa geklärt werden.

Hatten Mendelejew u. Meyer ihre Tab. noch – ebenso wie ihre Vorgänger – mit horizontaler Anordnung der chem. Familien geschrieben, so wählte man bald eine vertikale Anordnung mit zuerst sieben, dann (nach Entdeckung der Edelgase) acht senkrechten Gruppen. In dieser Form findet sich das P. noch heute in Wandtafeln als sog. *Kurzperiodensyst.*, welches z. B. die *Alkalimetalle mit den *Münzmetallen (Cu, Ag, Au) zu einer 1. Gruppe zusammenfaßt, weshalb eine Unterscheidung durch Indizes (a, b) zwischen *Hauptgruppenelementen u. Nebengruppenmetallen erforderlich wurde. Chem. Elemente der Hauptgruppen haben ausnahmslos homologe Elektronenkonfigurationen (s. Atombau, S. 295), aus welchen sich gewisse Regeln hinsichtlich *Wertigkeit u. *Oxidationszahl (vgl. Abeggsche Regel) ableiten lassen. Für die *Nebengruppenmetalle* gilt dies jedoch nur mit Einschränkungen.

Weil das Kurzperiodensyst. ziemlich unübersichtlich ist, hatte A. *Werner 1905 eine neue Anordnung vorgeschlagen, die als *Langperiodensyst.* bezeichnet wird u. sich rasch durchgesetzt hat.

Bei diesem in Tab. 2 dargestellten Vorschlag werden die Nebengruppenmetalle zwischen die 2. u. 3. Hauptgruppe eingeschoben u. damit die beiden ersten Kurzperioden getrennt; gelegentlich hatte Werner sogar die Symbole Be, Mg, Al auf die rechte Seite des Syst. geschrieben. Damit drückt sich das Prinzip der von links nach rechts ansteigenden *Elektronegativitäten aus, wobei die *Nichtmetalle, die *Halbmetalle, die Metametalle (s. Metalle) u. die Schwermetalle der sog. 8. Nebengruppe auf der rechten Seite des P. stehen. Schon Werner hatte versucht, die *Seltenerdmetalle (*Lanthanoide) in sein Syst. einzugliedern, doch hatte sich sein Vorschlag nicht durchsetzen können. Statt dessen wurden die Elementsymbole – u. später auch die der *Actinoiden-Reihe – als getrennte Tab. angehängt. Als Folge der Neuordnung wurde die aus dem Kurzperiodensyst. übernommene Indizierung nach Hauptgruppenelementen (*a-Gruppen*) u. Nebengruppenmetallen

Tab. 2: Langperiodensyst. nach Werner (1905, mit den heutigen Elementsymbolen).

	H																(H)	He
H	Li	Be										(Be)	B	C	N	O	F	Ne
Ne	Na	Mg	(Al)									(Mg)	Al	Si	P	S	Cl	Ar
Ar	K	Ca	Sc	Ti	V	Cr	Mn	Fe	Co	Ni	Cu	Zn	Ga	Ge	As	Se	Br	Kr
Kr	Rb	Sr	Y	Zr	Nb	Mo	–	Ru	Rh	Pd	Ag	Cd	In	Sn	Sb	Te	I	Xe
Xe	Cs	Ba	La*	–	Ta	W	–	Os	Ir	Pt	Au	Hg	Tl	Pb	Bi	Po	–	Rn
Rn	–	Ra	Ac	Th	–	U												
			(La*)	Ce	Pr	Nd	–	Sm	Eu	Gd	Tb	Dy	Ho	Er	Tm	Yb	Lu	

* Lanthanoiden-Reihe

(*b-Gruppen*, heute *Übergangsmetalle) über Bord geworfen. Die auch heute noch teilw. übliche Gruppeneinteilung nach A u. B entspricht älteren *IUPAC-Empfehlungen (Regel 1.21) u. hat mit den früheren a- u. b-Gruppen *nichts* zu tun. Als Gruppennamen stellte die IUPAC die Bez. *Triele* (B, Al, Ga, In, Tl), *Tetrele* (C, Si, Ge, Sn, Pb) u. *Pentele* (N, P, As, Sb, Bi) zur Diskussion. Toleriert werden Gruppennamen wie *Halogene, *Chalkogene, *Edelgase u. Alkali- bzw. Erdalkalimetalle, während Bez. wie *Erdmetalle mehrdeutig sind u. Pnicogene (N, P, As, Sb, Bi) gänzlich abgelehnt werden.

Einer Integration der Lanthanoiden- u. Actinoidenelemente in das Lang-P. standen insbes. auch graph. Probleme entgegen, weil die Tab. beim einfachen Einschieben der „f-Elemente" (vgl. *Lit.*[11]) sehr breit ausfällt. Dem trägt die in Tab. 3 wiedergegebene Langperiodendarst. Rechnung, die auf *Hardt (*Lit.*[12]), der einen Vorschlag von *Brauner (1908) aufgriff, zurückgeht.

Für die dort ablesbaren Periodizitäten bei den Seltenerdmetallen haben sich eine Reihe von Argumenten ergeben bezüglich der Atomvolumina, Elektronenkonfigurationen, Wertigkeiten, Metallstrukturen u. charakterist. Absorptionsspektren. Der „Einschub" der Seltenerdmetalle (die Auffüllung der inneren 4f-Schale) hat die bekannte *Lanthanoiden-Kontraktion zur Folge, die sich sogar noch in der ganz bes. engen Verwandtschaft der folgenden Metalle der 4d-Reihe u. 5d-Reihe auswirkt (Zr/Hf, Nb/Ta, Mo/W; Hafnium konnte erst 1922 isoliert werden!). Über die Einordnung der ersten *Transurane (Np, Pu, 1940/41) war man sich anfangs nicht schlüssig, bis der Vgl. von Ionenaustausch-Elutionskurven mit denjenigen von Lanthanoiden-Salzen den Ausschlag gab zugunsten einer Homologen-Reihe von Actinoidenmetallen.

Die moderne Langform des P. ist in Tab. 4 dargestellt. Hierbei ist die von der IUPAC empfohlene Notation, die inzwischen verbindlichen Charakter hat, oben aufgeführt. Gemäß der CAS-Version, die darunter angegeben ist, werden die Haupt- u. Nebengruppen in A- u. B-Untergruppen eingeteilt. In der modernen IUPAC-Version wird hingegen einfach durchnumeriert; so gehört hier Wasserstoff (H) zur 1., Helium (He) zur 18. Gruppe. Die 1. Periode umfaßt nur diese beiden Elemente. Daran schließen sich 2 Perioden mit jeweils 8 Elementen an; es handelt sich um *Hauptgruppenelemente, die den Gruppen 1 u. 2 sowie 13–18 zugeordnet werden. Die 4. u. 5. Periode haben jeweils 18 Elemente, wobei Scandium (Sc) – Zink (Zn) bzw. Yttrium (Y) – Cadmium (Cd) den *Übergangsmetallen zugerechnet werden; manche Autoren zählen allerdings die Elemente der 12. Gruppe zu den Hauptgruppenelementen. Jede Periode (bis auf die erste) beginnt mit einem Alkalimetall (Li, Na, K, Rb, Cs u. Fr) u. endet mit einem Edelgas (He, Ne, Ar, Kr, Xe, Rn). Die *Lanthanoide u. die *Actinoide, die zwischen Lanthan (La) u. Hafnium (Hf) bzw. Actinium (Ac) u. Rutherfordium (Rf) einzureihen sind, werden in separaten Reihen unten im P. aufgeführt; beide umfassen jeweils 14 Elemente. Die für die sich an Element 103 (Lawrencium) anschließenden Elemente 104–109 vom Committee on Nomenclature of Inorganic Chemistry vorgeschlagenen Bez. wurden 1997 von der IUPAC angenommen. Im einzelnen lauten sie:

104 Rutherfordium (Rf)
105 Dubnium (Db)
106 Seaborgium (Sg)
107 Bohrium (Bn)
108 Hassium (Hs)
109 Meitnerium (Mf).

Die Bez. für die bei der Gesellschaft für Schwerionenforschung (GSI) in Darmstadt entdeckten Elemente 110–112 wurden bisher noch nicht festgelegt

Tab. 3: Langperiodensystem nach Hardt.

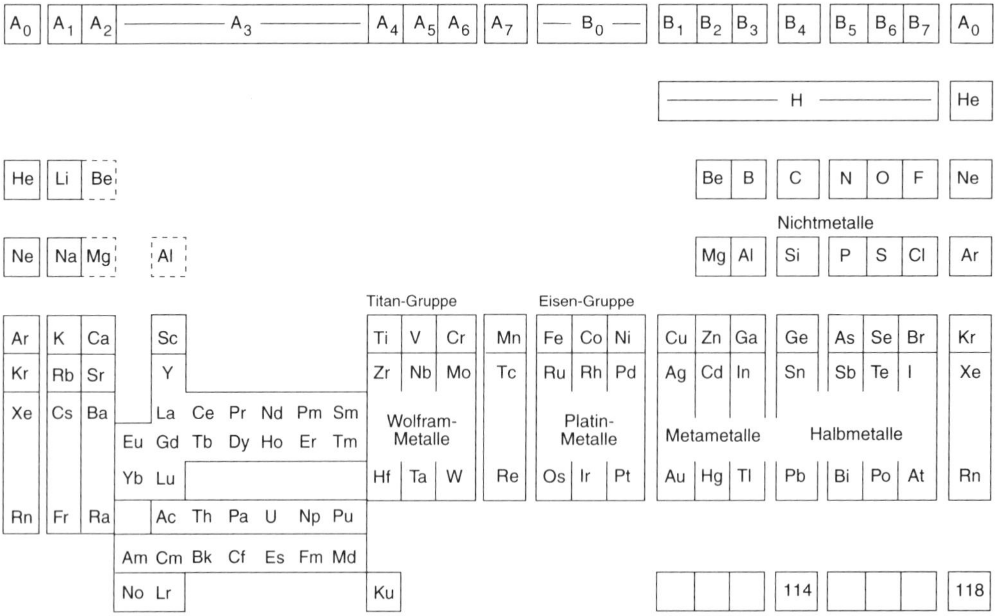

Tab. 4: Modernes Periodensystem mit Angabe der relativen Atommassen bzw. der Massenzahl des längstlebigen Isotops.

Periode	Hauptgruppen		Nebengruppen											Hauptgruppen					Edelgase
	1 IA	2 IIA	3 IIIB		4 IVB	5 VB	6 VIB	7 VIIB	8	9 VIIIB	10	11 IB	12 IIB	13 IIIA	14 IVA	15 VA	16 VIA	17 VIIA	18 0
1	1 **H** Wasserstoff 1,0079																		2 **He** Helium 4,002602
2	3 **Li** Lithium 6,94[c]	4 **Be** Beryllium 9,01218												5 **B** Bor 10,811	6 **C** Kohlenstoff 12,011	7 **N** Stickstoff 14,0067	8 **O** Sauerstoff 15,9994	9 **F** Fluor 18,998403	10 **Ne** Neon 20,180
3	11 **Na** Natrium 22,98977	12 **Mg** Magnesium 24,305												13 **Al** Aluminium 26,98154	14 **Si** Silicium 28,0855	15 **P** Phosphor 30,97376	16 **S** Schwefel 32,066	17 **Cl** Chlor 35,453	18 **Ar** Argon 39,948
4	19 **K** Kalium 39,0983	20 **Ca** Calcium 40,078	21 **Sc** Scandium 44,95591		22 **Ti** Titan 47,867	23 **V** Vanadium 50,9415	24 **Cr** Chrom 51,996	25 **Mn** Mangan 54,9380	26 **Fe** Eisen 55,845	27 **Co** Cobalt 58,9332	28 **Ni** Nickel 58,6934	29 **Cu** Kupfer 63,546	30 **Zn** Zink 65,39	31 **Ga** Gallium 69,723	32 **Ge** Germanium 72,61	33 **As** Arsen 74,9216	34 **Se** Selen 78,96	35 **Br** Brom 79,904	36 **Kr** Krypton 83,80
5	37 **Rb** Rubidium 85,4678	38 **Sr** Strontium 87,62	39 **Y** Yttrium 88,9059		40 **Zr** Zirconium 91,224	41 **Nb** Niob 92,9064	42 **Mo** Molybdän 95,94	43 ☢ **Tc** Technetium 98,906[b]	44 **Ru** Ruthenium 101,07	45 **Rh** Rhodium 102,9055	46 **Pd** Palladium 106,42	47 **Ag** Silber 107,8682	48 **Cd** Cadmium 112,41	49 **In** Indium 114,818	50 **Sn** Zinn 118,71	51 **Sb** Antimon 121,760	52 **Te** Tellur 127,60	53 **I** Iod 126,9045	54 **Xe** Xenon 131,29
6	55 **Cs** Cäsium 132,9054	56 **Ba** Barium 137,33	57 **La** Lanthan 138,9055	58-71 Lanthanoiden	72 **Hf** Hafnium 178,49	73 **Ta** Tantal 180,9479	74 **W** Wolfram 183,84	75 **Re** Rhenium 186,207	76 **Os** Osmium 190,23	77 **Ir** Iridium 192,217	78 **Pt** Platin 195,08	79 **Au** Gold 196,9665	80 **Hg** Quecksilber 200,59	81 **Tl** Thallium 204,3833	82 **Pb** Blei 207,2	83 **Bi** Bismut 208,9804	84 ☢ **Po** Polonium 209,98[a]	85 ☢ **At** Astat 209,99[a]	86 ☢ **Rn** Radon 222,02[a]
7	87 ☢ **Fr** Francium 223,02[a]	88 ☢ **Ra** Radium 226,0254[b]	89 ☢ **Ac** Actinium 227,0278[b]	90-103 Actinoiden	104 ☢ **Rf** Rutherfordium (261)[a]	105 ☢ **Db** Dubnium (262)[a]	106 ☢ **Sg** Seaborgium (266)[a]	107 ☢ **Bh** Bohrium (264)[a]	108 ☢ **Hs** Hassium (269)[a]	109 ☢ **Mt** Meitnerium (268)[a]	110 ☢ **Uun** Element 110 (271)[a]	111 ☢ **Uuu** Element 111 (272)[a]	112 ☢ **Uuu** Element 112 (277)[a]						

Metalle ← → Nichtmetalle

Lanthanoiden	58 **Ce** Cer 140,12	59 **Pr** Praseodym 140,9077	60 **Nd** Neodym 144,24	61 ☢ **Pm** Promethium 146,92[a]	62 **Sm** Samarium 150,36	63 **Eu** Europium 151,96	64 **Gd** Gadolinium 157,25	65 **Tb** Terbium 158,9253	66 **Dy** Dysprosium 162,50	67 **Ho** Holmium 164,9303	68 **Er** Erbium 167,26	69 **Tm** Thulium 168,9342	70 **Yb** Ytterbium 173,04	71 **Lu** Lutetium 174,967
Actinoiden	90 ☢ **Th** Thorium 232,0381	91 ☢ **Pa** Protactinium 231,0359[b]	92 ☢ **U** Uran 238,029	93 ☢ **Np** Neptunium 237,0482[b]	94 ☢ **Pu** Plutonium 239,05[b]	95 ☢ **Am** Americium 241,06[a]	96 ☢ **Cm** Curium 244,06[a]	97 ☢ **Bk** Berkelium 249,08[a]	98 ☢ **Cf** Californium 252,08[a]	99 ☢ **Es** Einsteinium 252,08[a]	100 ☢ **Fm** Fermium 257,10[a]	101 ☢ **Md** Mendelevium 258,10[a]	102 ☢ **No** Nobelium 259,10[a]	103 ☢ **Lr** Lawrencium 262,11[a]

[a] Rel. Atommasse eines gut bekannten Isotops

[b] Rel. Atommasse des am besten zugänglichen, langlebigen Isotops

[c] Für handelsübliches Lithium schwankt die rel. Atommasse zwischen 6,94 und 6,99

☢ kein stabiles Isotop bekannt

(s. *Lit.*[13]). Die zunächst empir. vorgenommene Einteilung der Elemente in die Perioden u. Gruppen ist größtenteils durch die elektron. Struktur der Atome (s. Atombau) bedingt; die wesentlichen physikal. Grundlagen sind hierbei das *Pauli-Prinzip u. die *Orthogonalität der *Atomorbitale. Der enge Zusammenhang zwischen den *Elektronenkonfigurationen der Atome wird durch Vgl. der Tab. im Stichwort *Atombau (S. 296) u. der folgenden Abb. klar.

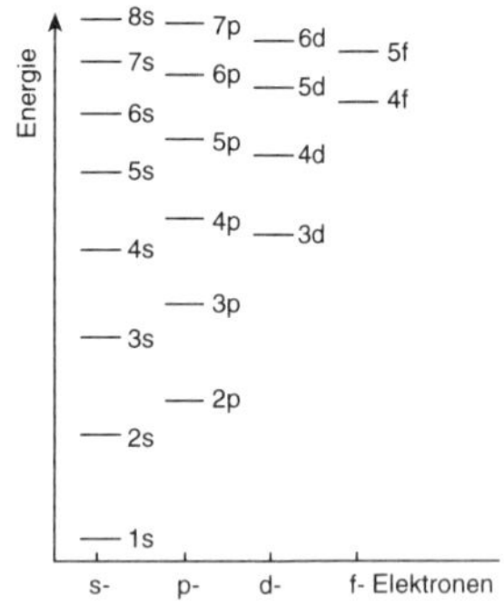

Abb.: Orbitalenergieniveaus der 1s- bis 8s-Elektronen (nicht maßstabgetreu).

In der 1. Periode wird das 1s-Orbital mit 1 Elektron (H) od. 2 Elektronen (He) besetzt; damit ist die sog. K-Schale aufgefüllt. Zur L-Schale gehören das 2s-Orbital u. die dreifach entarteten 2p-Orbitale; sie kann max. 8 Elektronen aufnehmen (2. Periode). Zur 3. Periode gehören ebenfalls 8 Elemente, bei denen die 3s- u. 3p-Orbitale sukzessive aufgefüllt werden. Danach wird nicht das 3d-Niveau aufgefüllt, sondern zuerst das energet. günstigere 4s-Niveau. Die Besetzung der 3d-Niveaus erfolgt im Anschluß an die Besetzung des 4s-Niveaus; sie können max. 10 Elektronen aufnehmen. Dann werden die 4p-Orbitale besetzt, bis beim Krypton (Kr) mit der Elektronenkonfiguration $1s^22s^22p^63s^23p^64s^23d^{10}4p^6$ die 4. Periode beendet ist. In der 5. Periode liegen ähnliche Verhältnisse vor wie in der 4. Periode. In der 6. Periode werden zunächst das 6s-Orbital (mit 1 Elektron beim Cäsium u. 2 Elektronen beim Barium) besetzt, dann wird beim Lanthan das 5d-Orbital mit einem Elektron besetzt. Ab dem Element Cer (Ce), dem ersten Element der Lanthanoiden, beginnt die Besetzung der 4f-Niveaus. Hier können max. 14 Elektronen untergebracht werden. In analoger Weise werden die 5f-Orbitale bei den Actinoiden besetzt. Nach Seaborg (*Lit.*[14]) schließen sich an die Actinoide die *Transactinoide (Z=104–120) an; mit dem Lawrencium beginnt die Besetzung der 6d-Niveaus. Es wird spekuliert, daß chem. Elemente mit Kernladungszahlen um 114 bzw. mit 184 Kernneutronen (*magische Zahlen) eine bes. hohe Stabilität aufweisen (s.a. Kernmodelle). Aber auch die Elemente zwischen Z=107 u. 112 sind aufgrund von Schalenstabilisierungseffekten wesentlich stabiler als dies früher angenommen wurde; Näheres s. *Lit.*[13]. Ab Z=121 beginnt dann eine sog. *Octadecanoiden*-Reihe (Auffüllung der 5g-Orbitale). Die Extrapolation auf die Eigenschaften derartiger noch unbekannter Elemente ist natürlich einigermaßen problematisch.

Zahlreiche physikal. u. chem. Eigenschaften der Elemente zeigen mit steigender Ordnungszahl period. Änderungen; hierzu zählen z. B. das Atomvolumen (s. die Abb. dort), die *Ionisationsenergien, *Elektronenaffinitäten, *Elektronegativitäten, therm. u. elektr. Leitfähigkeit, Schmp., opt. Spektren od. die am häufigsten vorkommenden *Oxidationszahlen. Die links u. in der Mitte des P. stehenden Elemente sind Metalle; nach rechts nimmt der Nichtmetallcharakter zu. Gleichzeitig ändert sich der Charakter der Oxide von ausgeprägten Basenbildnern (z. B. CaO) über *amphotere Stoffe (z. B. Al_2O_3) zu *Säureanhydriden (z. B. SO_3). Innerhalb einer Hauptgruppe existieren deutliche Unterschiede zwischen den Elementen der 2. Periode u. denen höherer Perioden, wobei letztere eher das typ. Verhalten zeigen. Z. B. liegen im chem. Verhalten von B u. Al od. C u. Si erhebliche Unterschiede vor. Die Hauptgruppenelemente der 2. Periode ähneln in ihren Eigenschaften eher den rechts darunter stehenden Elementen („Schrägbeziehungen“). So gibt es Ähnlichkeiten im chem. Verhalten von Li u. Mg, Be u. Al od. B u. Si. Bei den Nebengruppenelementen sind die Unterschiede in den Eigenschaften im allg. weniger stark ausgeprägt. Alle sind Metalle mit hoher Dichte u. guter therm. u. elektr. Leitfähigkeit. Die meisten zeigen elektropos. Verhalten u. lösen sich in nichtoxidierenden Säuren unter Wasserstoff-Entwicklung; Ausnahmen sind die *Edelmetalle (Cu, Ag, Au, Hg, Platin-Metalle). – ***E*** periodic table (of the elements) – ***F*** tableau périodique (des éléments) – ***I*** sistema periodico – ***S*** sistema periódico (de los elementos)

Lit.: [1] Van Spronsen, The Periodic System of Chemical Elements; A History of the First Hundred Years, Amsterdam: Elsevier 1969. [2] Meyer u. Mendelejew, Das natürliche System der chemischen Elemente (Ostwalds Klassiker 68), Leipzig: Akadem. Verlagsges. 1983. [3] Meyer, Doebereiner u. Pettenkofer, Die Anfänge des natürlichen Systems der chemischen Elemente (Ostwalds Klassiker 66), Leipzig: Akadem. Verlagsges. 1983. [4] Chem. Internat. **1984**, Nr. 6, 18–31. [5] Chem. Unserer Zeit **17**, 96–102 (1983). [6] Hardt, Die periodischen Eigenschaften der chemischen Elemente (2.), Stuttgart: Thieme 1987. [7] Z. Chem. **21**, 309–319 (1981). [8] Nachr. Chem. Tech. **20**, 459 f. (1972). [9] Chem.-Ztg. **80**, 195–203 (1956). [10] J. Prakt. Chem. **106**, 251 (1869). [11] Bild Wiss. **6**, 44–53 (1969); Chem. Labor Betr. **32**, 152 f. (1981). [12] Chem. Exp. + Didakt. **1**, 269–274, 299–302 (1975). [13] Spektrum Wiss. **1996**, Nr. 12, 54–65. [14] Chem. Unserer Zeit **3**, 131–139 (1969).
allg.: Dickerson et al., Prinzipien der Chemie, 2. Aufl., Berlin: de Gruyter 1988 ▪ Encyclopedia of Physical Science and Technology, New York: Academic Press 1987 ▪ Figurowski, Die Entdeckung der chemischen Elemente u. der Ursprung ihrer Namen, Köln: Deubner 1981 ▪ Greenwood u. Earnshaw, Chemie der Elemente, Weinheim: VCH Verlagsges. 1990 ▪ Richter, Periodensystem der Elemente, Leipzig: Verl. für Grundstoffind. 1983. – *Wandtafeln:* Periodensystem der Elemente, Bonn: Maey ▪ Reuber et al., Periodentafel der Elemente I: Elektronenkonfiguration bzw. II: Orbital-Energieniveau-Schema, Braunschweig: Westermann 1983 bzw. 1976.

Periodic Leaf Movement Factor s. Leaf Movement Factors, Nastien u. Turgorine.

Periodika s. chemische Literatur.

Periodsäure (Orthoperiodsäure). H_5IO_6 ($HIO_4 \cdot 2H_2O$), M_R 227,94. Farblose, an der Luft zerfließliche Krist., Schmp. ca. 130 °C (Zers.), leicht lösl. in Wasser, Alkohol u. Di-

C
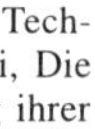
O
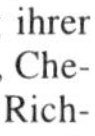

methylsulfoxid, wenig lösl. in Ether. Die giftige P. ist in saurer Lsg. ein starkes Oxid.-Mittel (Redoxpotential + 1,7 V für das Redoxpaar H_5IO_6/IO_3^-), nicht ungefährlich bei Berührung mit organ. Substanzen. Die Salze heißen *Periodate. Durch Dehydratisierung von P. bilden sich *Dimeso-P.* ($H_4I_2O_9$) u. *Meta-P.* (HIO_4), die aber in wäss. Lsg. nicht beständig sind.
Herst.: Durch Reaktion von Iod mit konz. Perchlorsäure, durch Elektrolyse von Iodsäure bei niedriger Temp. od. durch Oxid. von Iodaten mit Hypochlorit in alkal. Lösung.
Verw.: P. findet ebenso wie die Periodate (bes. *Natriumperiodat) Verw. als Oxid.-Mittel, wobei intermediär organ. (cycl.) *P.-Ester* gebildet werden; sie eignet sich zur Synth. von Chinonen aus Acenen od. Phenolen u. zur Spaltung von Glykolen, heterocycl. Verb., Epoxiden, Aminen usw. Von bes. Bedeutung ist P. in der analyt. Chemie der Kohlenhydrate (*Periodsäure-Schiff-Reaktion). – ***E*** periodic acid – ***F*** acide periodique – ***I*** acido periodico – ***S*** ácido peryódico, ácido periódico
Lit.: s. Periodate. – *[HS 2811 19; CAS 10450-60-9 (H_5IO_6); 13444-71-8 (HIO_4)]*

Periodsäure-Schiff-Reaktion (Abk.: PAS, von *E* periodic acid Schiff). In der mikroskop. *Histochemie übliche Nachw.-Reaktion für *Polysaccharide, neutrale *Glykosaminoglykane, *Glykoproteine, *Glykolipide usw.: *Periodsäure spaltet die 1,2-Diol-Gruppierungen von Kohlenhydraten unter Bildung von Aldehyd-Gruppen, die mit *Schiffs Reagenz anschließend eine Farbreaktion geben. – ***E*** periodic acid Schiff reaction – ***F*** réaction avec acide periodique et réactif de Schiff – ***S*** reacción con el ácido periódico y el reactivo de Schiff

Periost s. Knochen.

Periphere Membranproteine s. Membranen (biolog. Membranen).

Peripherin. 1. *Protein (M_R 58000) der *intermediären Filamente; strukturell u. funktionell ähnlich *Desmin, *Vimentin u. dem *sauren fibrillären Glia-Protein, bildet es zum *Cytoskelett gehörige polymere faserartige Strukturen (Filamente) in der Zelle aus u. spielt bei der Entstehung von Axonen (Nervenfasern) eine Rolle. – 2. Integrales Membran-Protein (s. Membranen; M_R ca. 40000; bildet Disulfid-verknüpfte Dimere) der Netzhaut, das wahrscheinlich zusammen mit dem verwandten Rom-1-Protein zur Stabilisierung der Gestalt der Stäbchenzellen beiträgt. Genet. bedingte Defekte in diesem *Glykoprotein führen zu langsam fortschreitenden Netzhaut-Degenerationen (z. B. Retinitis pigmentosa), daher auch die Bez. *RDS-Protein* (von *E* retinal degeneration slow protein). – ***E*** peripherin – ***F*** périphérine – ***I = S*** periferina
Lit. *(zu 1):* C. R. Acad. Sci. III **316**, 1124–1140 (1993). – *(zu 2):* Am. J. Med. Genet. **52**, 467–474 (1994) ▪ Hum. Mutat. **8**, 297–303 (1996) ▪ Science **264**, 1604–1608 (1994).

Periplanar s. cisoid (synperiplanar u. antiperiplanar).

Periplanone. Germacranoide Sexualpheromone von Weibchen der amerikan. Küchenschabe *Periplaneta americana*. Die P. finden sich vorwiegend in den Exkreten der Tiere, aus denen sie isoliert werden konnten (z. B. erhielt Persoons 0,2 mg P. B aus 75000 weiblichen Tieren). Die P. entfalten im Vgl. zu anderen Insekten-*Pheromonen ihre Wirkung nur über relativ kurze Entfernung, vermutlich erst bei Berührung. Die Strukturaufklärung u. Synth. der P. wurde insbes. in den Arbeitskreisen von Hauptmann, Persoons, Mori u. Still bearbeitet. Man unterscheidet heute die P. A, B, C, D u. J (neue Nomenklatur 1990), deren Struktur durch Synth. u. Vgl. mit Elektroantennogrammen (EAG) natürlichen Materials bewiesen werden konnte.

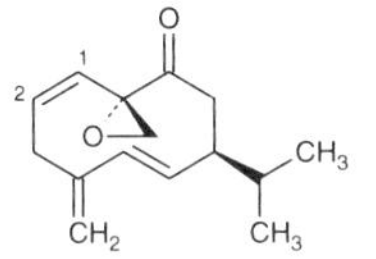

P. A
1,2-Dihydro : P. J

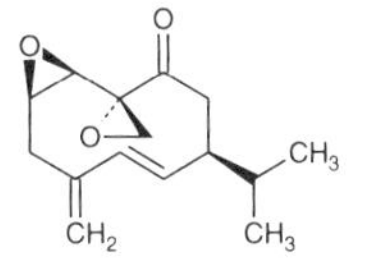

P. B

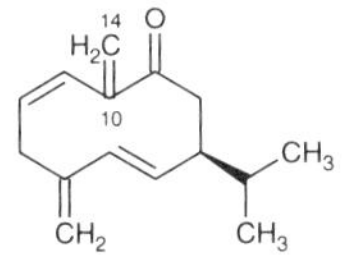

P. C (= P. D1)

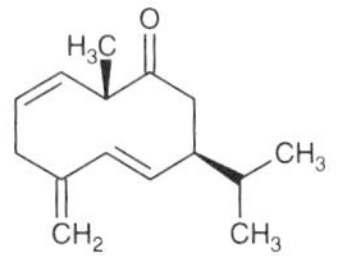

P. D (= P. D2)

Tab.: Daten von Periplanonen.

Verb.	Summenformel	M_R	Schmp. [°C]	CAS
P. A[a]	$C_{15}H_{20}O_2$	232,32	47–50	112608-82-9
P. B[b]	$C_{15}H_{20}O_3$	248,32	57–57,5	61228-92-0
P. C	$C_{15}H_{20}O$	216,32		123163-72-4
P. D	$C_{15}H_{22}O$	218,33	55–57	123062-72-6
P. J	$C_{15}H_{22}O_2$	234,34		125741-35-7

[a] $[\alpha]_D^{25}$ –290° (Hexan)
[b] $[\alpha]_D^{22}$ –553° (Hexan)

Für die Pheromonwirkung sind v. a. die P. A [das aktive (–)(7*S*,10*S*)-Enantiomer] u. B verantwortlich, die in Exkreten etwa im Verhältnis 1:10 vorkommen.
Verw.: Sie werden im Vorratsschutz insektiziden Formulierungen zugemischt[1]. Die P. C u. D (früher: P. D_1 u. D_2) sind etwa 100× schwächer wirksam als die P. A u. B. – ***E = F*** periplanones – ***I*** periplanoni – ***S*** periplanonas
Lit.: [1] Comp. Pharmacol. Toxicol. **92 C**, 193 (1989); Environ. Entomol. **13**, 448 (1984); Pest Control **54**, 40 (1986).
allg.: Agric. Biol. Chem. **54**, 575 f. (1990) ▪ Beilstein E V **19/4**, 275 ▪ Merck-Index (12.), Nr. 7314 ▪ Pure Appl. Chem. **62**, 1307 (1990) ▪ Tetrahedron Lett. **31**, 1747 (1990). – *Isolierung u. Strukturaufklärung:* Chem. Lett. **1988**, 517 ▪ J. Chem. Ecol. **8**, 439 (1982) ▪ J. Chem. Soc., Perkin Trans. 1 **1990**, 1769–1777 ▪ Tetrahedron Lett. **27**, 6189 (1986); **28**, 1791, 1795 (1987); **30**, 2367 f. (1989). – *Synth.:* ApSimon **9**, 336–344 ▪ Chem. Lett. **1995**, 1091 ▪ Heterocycles **28**, 167–170 (1989) ▪ Nicolaou u. Sorensen, Classics in Total Synthesis, S. 211–220, 333–343, Weinheim: VCH Verlagsges. 1996 ▪ Synlett. **1995**, 255 ▪ Synform **6**, 150–176 (1988) ▪ Tetrahedron **45**, 3253 ff. (1989); **46**, 5101–5112, 8083 (1990) ▪ Tetrahedron Lett. **33**, 369 (1992); **35**, 4505 (1994).

Periplasmatische Bindungsproteine (periplasmat. Rezeptoren). Im *periplasmat. Raum*, einem strukturlosen Zwischenraum zwischen der Plasmamembran u. der äußeren Membran Gram-neg. (s. Gram-Färbung) Bakterien, sind gewisse lösl. Transport-Proteine für

Nährstoffe sowie auch *Chemotaxis-Rezeptoren, die p. B., angesiedelt, die durch osmot. Schock freigesetzt u. dann isoliert werden können. Die Transport-Proteine arbeiten mit Membran-gebundenen *ABC-Transporter-Proteinen zusammen, den Schock-sensitiven, *periplasmat. Permeasen*, u. die Chemotaxis-Rezeptoren kommunizieren mit den *Methyl-akzeptierenden Chemotaxis-Proteinen* (MCP) der Innenseite der Plasma-Membran, die im Zug der Weiterleitung des chem. Signals (vgl. Signaltransduktion) von *S*-*Adenosylmethionin eine Methyl-Gruppe empfangen. – ***E*** periplasmic binding proteins – ***F*** protéines périplasmiques de liaison, desmoprotéines – ***I*** proteine leganti periplasmatiche – ***S*** proteínas periplásmaticas de unión
Lit.: Mol. Microbiol. **20**, 17–25 (1996).

Periplasmatischer Raum s. periplasmatische Bindungsproteine.

Perisäure s. Naphthylaminsulfonsäuren.

Periselektiv s. selektiv.

Perisorb®. Stationäre Phasen für die *HPLC; sphär., oberflächenporöse Teilchen. ***B.:*** Merck.

Perisperm s. Samen.

Peristaltik s. Darm.

Peristylane. Von Eaton[1] geprägter Trivialname für *Käfigverbindungen[2] mit mehreren Fünfringen. – ***E*** peristylanes – ***F*** péristylanes – ***I*** peristilani – ***S*** peristilanos
Lit.: [1] J. Am. Chem. Soc. **94**, 1014 ff. (1972). [2] Top. Curr. Chem. **119**, 81 ff. (1984).
allg.: Nickon u. Silversmith, The Name Game, S. 51, New York: Pergamon Press 1987.

Peritektikum (von griech.: peritekein = ringsherum schmelzen). Bez. für einen durch *Phasen-Zusammensetzung u. Temp. ausgezeichneten Punkt im Schmelzdiagramm solcher Zwei- od. Mehrstoff-Syst., bei denen sich aus den Komponenten eine Verb. mit sog. inkongruentem *Schmelzpunkt bildet. Peritekt. Schmelzen u. Krist. sind bei metall. u. keram. Werkstoffen u. Salzschmelzen häufig anzutreffen. – ***E*** peritectic point – ***F*** péritectique – ***I*** punto peritettico – ***S*** (punto) peritéctico
Lit.: Ullmann (4.) **2**, 684 ▪ s. a. Phasen, Schmelzpunkt.

Perivar Rosskaven®. Retardtabl. mit Trockenextrakt aus Roßkastaniensamen; *P. Venensalbe* enthält *Heparin-Natrium; *P. N/-forte* Filmtabl. enthalten *Troxerutin, *Heptaminol-Hydrochlorid u. *Ginkgo biloba* Trockenextrakt, zur Venentherapie. ***B.:*** Intersan.

Perkin, Sir William Henry (1838–1907), Vater von *Perkin jun., Chemiker u. Industrieller in England. Er gründete die erste Anilin-Fabrik bei London u. entwickelte 1856 den ersten künstlichen Farbstoff (Teerfarbstoff), das *Mauvein, auch Perkin-Violett genannt. *Arbeitsgebiete:* Synth. von Glycin, Alizarin, Weinsäure, Cumarin u. Zimtsäure; s. a. Perkin-Reaktion.
Lit.: Krafft, S. 178 ▪ Lexikon der Naturwissenschaftler, S. 324 ▪ Pötsch, S. 340 ▪ Strube **2**, 118 ff., 157.

Perkin, William Henry jun. (1860–1929), Sohn von Sir W. H. *Perkin, Prof. für Chemie, Edinburgh, Manchester u. Oxford. *Arbeitsgebiete:* Cycloaliphaten, Anthrachinon, Inden, Hydrinden, Terpineol, Harmin, Hämatoxylin, Alkaloide (Berberin, Narcotin usw.) u. Terpene.
Lit.: Lexikon der Naturwissenschaftler, S. 324 ▪ Pötsch, S. 341.

Perkin-Elmer. Kurzbez. für die 1937 gegr. Firma Perkin-Elmer Corp., Norwalk, Conn. 06859 (USA). *Daten* (1996): ca. 1,2 Mrd. $ Umsatz, 5700 Beschäftigte. *Produktion:* Geräte für die Spektroskopie, Thermo- u. Elementaranalyse, Polarimetrie, Gaschromatographie u. HPLC, Oberflächenanalyse, Analytik biolog. Syst., Labordatenverarbeitung sowie Mikrowaagen. *Tochterges.* in der BRD: Bodenseewerk Perkin-Elmer & Co. GmbH, 88662 Überlingen.

Perkin-Reaktion. 1. Von Sir W. H. *Perkin sen. 1868 entdeckte Reaktion zur Herst. α,β-ungesätt. Säuren durch Kondensation eines aromat. Aldehyds mit einem Säureanhydrid in Ggw. des Na-Salzes der dem Anhydrid zugrunde liegenden Säure; z. B. ergibt sich so mit Benzaldehyd u. Acetanhydrid die *Zimtsäure* (s. Abb. a), mit Salicylaldehyd u. Acetanhydrid das *Cumarin*.
2. Unter P.-R. od. *Perkin-Synth.* wird auch die Bildung von *Cycloalkanen, z. B. Cyclopropanen, aus Dibromalkanen R^1–CH(Br)–$(CH_2)_n$–CH(Br)–R^2 u. aktivierten Methylen-Gruppen (z. B. Malonester, s. Malonester-Synthese) unter dem Einfluß von Alkoholaten verstanden (s. Abb. b).

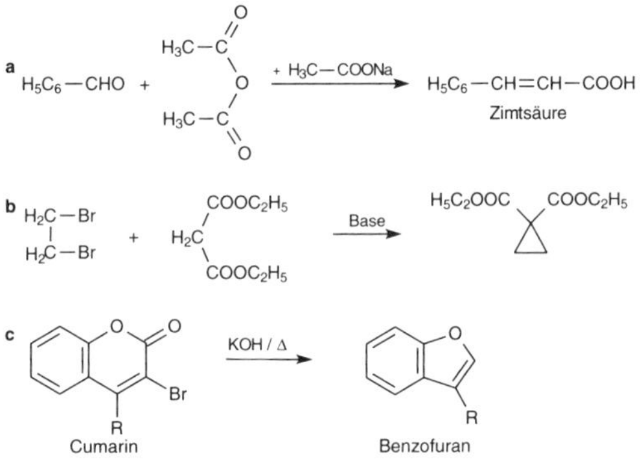

Abb.: Perkin-Reaktionen.

3. Als *Perkin-Umlagerung* wird die in Ggw. von KOH in der Hitze stattfindende Umlagerung von in 3-Stellung halogenierten Cumarin-Derivaten in Benzofuran-Derivate bezeichnet (s. Abb. c). Die P.-R. 2 geht auf *Perkin jun., die beiden anderen Reaktionen gehen auf den Vater zurück. – ***E*** Perkin reaction – ***F*** réaction de Perkin – ***I*** reazione di Perkin – ***S*** reacción de Perkin
Lit.: Hassner-Stumer, S. 293 ▪ Houben-Weyl **5/1c**, 540; **E5**, 402 ▪ Krauch u. Kunz, Reaktionen der Organischen Chemie, 6. Aufl., S. 239, 573, 662, Heidelberg: Hüthig 1997 ▪ Laue-Plagens, S. 251 ▪ March (4.), S. 953 ▪ Org. React. **1**, 210–265 (1942); **3**, 198 ff. (1946).

Perkin-Umlagerung s. Perkin-Reaktion.

Perkin-Violett s. Mauvein.

Perklar®. Reinigungsmittel für die Tauchreinigung von Geschirr, enthält Perborat, Polyphosphate u. Tenside. ***B.:*** Henkel-Ecolab.

Perkolation. Von latein.: percolare = durchseihen, durchsickern lassen abgeleitete Bez. (vgl. Kolieren) für ein Verf. zur Gewinnung von Auszügen, d. h. zur *Extraktion von Wirkstoffen aus zerkleinerten *Drogen mit Hilfe von langsam hindurchfließenden Lsm. wie Wasser u. Alkohol. Man bringt in den unteren, zylindr. Teil des sog. *Perkolators* (s. Abb.) die zerkleinerte Droge; durch den unteren, geöffneten Hahn tropft die Lsg. (*Perkolat*) langsam ab u. vom oberen Kugeltrichter strömt allmählich neues Lsm. zu.

Abb.: Perkolator.

Die ersten Anteile des *Extrakts enthalten häufig Kolloide, die späteren dagegen feinere, durch Membranen diffundierende Stoffe, da zunächst die Eiweißkolloide der verletzten Oberflächenzellen herausgewaschen werden u. später die niedermol. Zellstoffe durch die Wände der unverletzten Zellen diffundieren. Über ein Druck-P.-Verf. nach *Scholler-Tornesch* im Rahmen der Zuckergewinnung aus Holz s. Holzverzuckerung. – Vom gleichen Wortsinn leitet sich der Begriff *Perkolationstheorie* ab, mit dem man bestimmte „Durchbruchs"-Phänomene, Leitungsanomalien u. dgl. bei polymeren Strukturen u. amorphen Phasen beschreibt. – $E = F$ percolation – I percolazione – S percolación

Lit.: Kirk-Othmer (4.) **10**, 181–195 ▪ Ullmann (5.) **B3**, 7-1 ▪ s. a. Extraktion.

Perkow-Reaktion. Von Perkow 1952 entdeckte Reaktion von Trialkylphosphiten u. verwandten Verb. mit α-Halogencarbonyl-Derivaten, wobei Dialkylvinylphosphate entstehen.

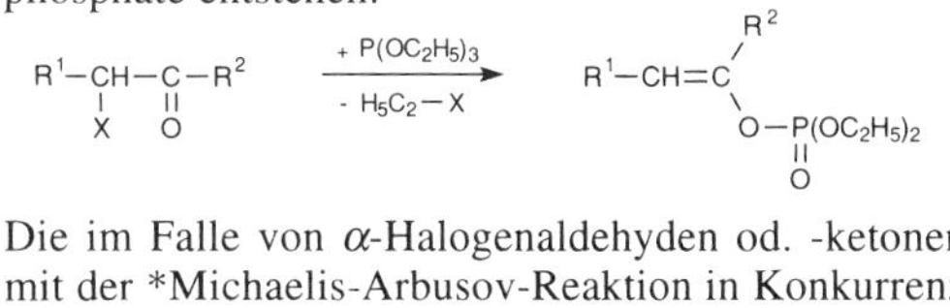

$$R^1-\underset{\underset{X}{|}}{C}H-\underset{\underset{O}{\|}}{C}-R^2 \xrightarrow[-H_5C_2-X]{+ P(OC_2H_5)_3} R^1-CH=\underset{\underset{\underset{O}{\|}}{O-P(OC_2H_5)_2}}{\overset{R^2}{C}}$$

Die im Falle von α-Halogenaldehyden od. -ketonen mit der *Michaelis-Arbusov-Reaktion in Konkurrenz stehende P.-R. führt zu Vinylphosphaten (*Phosphorsäure-dialkylvinylester*) u. ist zur Synth. von Insektiziden, Nucleotiden u. Desoxyzuckern nützlich. – E Perkow reaction – F réaction de Perkow – I reazione di Perkow – S reacción de Perkow

Lit.: Angew. Chem. **76**, 950 (1964) ▪ Chem. Rev. **61**, 607 (1961) ▪ Hassner-Stumer, S. 294 ▪ Houben-Weyl **6/1d**, 130; **12/2**, 348; **E2**, 579 ▪ Krauch u. Kunz, Reaktionen der Organischen Chemie, 6. Aufl., S. 636, Heidelberg: Hüthig 1997 ▪ Pure Appl. Chem. **9**, 307 (1964) ▪ Top. Phosphorus Chem. **1**, 57 (1964).

Perl, Martin L. (geb. 1927), Prof. für Physik, Stanford University. *Arbeitsgebiet:* Kernphysik. 1975 wies er u. sein Forscherteam ein bis dahin nicht erwartetes, neues Lepton, das τ-Lepton auch Tauon genannt, nach. Dafür erhielt er 1995 zusammen mit F. *Reines den Nobelpreis für Physik.

Lit.: Lexikon der Naturwissenschaftler, S. 324.

Perla®. Feinappretur für waschbare Textilien. *P.-Formspüler* ist eine wäss. Polyvinylacetat-Dispersion; *P.-Sprühstärke* enthält ein Stärke-Derivat; *P.-Bügelhilfe* ist eine wäss. Siliconemulsion. *B.:* Thomson.

Perlecan s. Proteoglykane.

Perlen (evtl. von latein.: pirula = Birnchen u./od. sphaerula = Kügelchen, od. von dtsch. Beerlein). Glänzende, glatte, meist weiße, kugelige Körper von wechselnder Größe u. konzentr. Aufbau, die sich meist im Mantel (fleischige Schicht, die den inneren Schalenseiten anliegt) der trop. u. subtrop. Meeresmuschelgattung *Pteria* (Seeperlmuschel) aus versprengt abgelagerter Schalensubstanz bilden. Chem. bestehen diese Natur-P. ebenso wie *Perlmutt(er) aus etwa 96% *Calciumcarbonat (*Aragonit, Calcit od. beides), die durch 2–4% organ. Bindemittel (*Conchagene) zusammengehalten werden. Kleinere, seltenere, weniger wichtige P. findet man auch noch in anderen *Mollusken, z. B. in der Flußperlmuschel *Margaritana*, in Austern, Seeohren, Riesen- u. Purpurschnecken od. Tintenfisch-Arten. Die P.-Bildung wird angeregt durch kleine Verletzungen od. durch Milbeneier, Plattwurmlarven u. a. Parasiten, Sandkörnchen usw., die zwischen Mantel u. Schale hineingeraten. Dieser Kern kann ins Bindegewebe wandern, wo ihn aus der Oberhaut des Mantels stammende, schalenbildende Epithelzellen als sog. Perlensack umhüllen. Diese Zellen sind reich an *endoplasmatischem Retikulum u. Mikrovilli sowie an den Enzymen alkal. *Phosphatase u. *Carboanhydrase. Sie scheiden im Lauf von 10–30 a um den Kern immer mehr Perlsubstanz [s. Perlmutt(er)] aus Aragonit u. Conchagenen in konzentr. Schichten ab. Es können aber auch wertlose P. aus Calcit-Prismen od. aus organ. Substanz entstehen.

Die natürliche P.-Bildung kommt nicht sehr häufig vor, u. die P.-Fischer im Arab. Golf, im Ind. Ozean u. der Südsee müssen Hunderte von Muscheln öffnen, bis sie eine größere, schöne *Natur-P.* (*Zufalls-P.*) finden. Man schätzt, daß z. B. an der Küste Sri Lankas jährlich 30–40 Mio. Muscheln auf P. geprüft wurden. Stellenweise hat man die gesammelten Muscheln auf P. durchleuchtet u. die P.-freien Exemplare wieder ins Meer geworfen. Die ersten Zucht-P. erhielten Chinesen schon im 13. Jh., doch begann die P.-„Zucht" erst Ende des 19. Jh., als der Japaner Kokichi Mikomoto in seiner am Meer gelegenen Muschelfarm *Zucht-P.* od. *Kultur-P.* dadurch „erzeugte", daß er gedrechselte Perlmutterkügelchen (auch kleine Natur-P.) in ein Stück von der Oberhaut des Mantels (Mantelepithel) einhüllte u.

ins Mantelinnere verlagerte. Der im Laufe von nur 4–6 a mit der glanzgebenden Schale überdeckte geringerwertige Kern macht bei diesen Zucht-P. 80–90% des P.-Durchmessers aus. Die Unterscheidung von Zucht-P. u. Natur-P. ist chem. überhaupt nicht möglich, da beide aus dem gleichen Material bestehen. Allerdings geben Natur-P. u. Zucht-P. verschiedene Röntgenbeugungsbilder u. zeigen verschiedenen Diamagnetismus, wie der 1920 von R. Nacken erfundene P.-Kompaß erkennen läßt. Japan. Zucht-P., deren Außenschicht im Süßwasser zustande kam, fluoreszieren im Röntgenlicht, weil sie aus dem Wasser Spuren von Mangan aufgenommen haben. Die im Pers. Golf gefundenen Natur-P. fluoreszieren nicht, weil das dortige Meerwasser zu wenig Mangan enthält.

Im Gegensatz zu *Edelsteinen u. Schmucksteine sind P. nicht sehr beständig: Sie verlieren nach 50 bis 150 Jahren durch langsame Zers. allmählich ihren Glanz. Die Bewertung der P. richtet sich nach Größe, Form, Glanz u. Farbe. Die größte bekannte Natur-P. wurde mit einer Größe von 24×14 cm u. einem Gew. von ca. 6,4 kg 1934 auf den Philippinen gefunden; die größte bekannte Zuchtperle hat einen Durchmesser von 15 mm. Nach der Form unterscheidet man (in der Reihenfolge ihres Wertes) runde *Kugel-P.*, tropfenförmige *Birnen-P.*, *ovale P.*, einseitig flache od. halbkugelförmige *Bouton-P.* u. unregelmäßig geformte *Barock-Perlen.* Den seidig-schimmernden Oberflächenglanz, der durch Lichtreflexion in den *dünnen Schichten der P. zustande kommt, bezeichnet man als *Lüster (*Perlglanz,* Orient). Während Natur-P. durchweg schimmernd weiß (*perlweiß*) sind, kommen Zuchtperlen in fast allen Farbtönen vor: Weiß, rosé, grünlich, gelblich bis goldfarben, mauve, hellgrau bis schwarz. Die Pflege von P., deren Qualitäten durch Hautabsonderungen (sehr empfindlich gegen Säuren; Schweiß!), Kosmetika (Sprays) etc. beeinträchtigt werden können, beschränkt sich auf ein Bad in lauwarmem Wasser mit leichtem Alkoholzusatz; chem. Reinigungsmittel sind nicht geeignet. – ***E*** pearls – ***F*** perles – ***I*** perle – ***S*** perlas

Lit.: Erben, Biomineralisation, Bd. 4, Stuttgart: Schattenauer 1972 ▪ Lüschen, Die Namen der Steine, Thun: Ott 1968. – *[HS 7101 10, 7101 21, 7101 22]*

Perlglanzpigmente. *Glanzpigmente, die aus farblosen, transparenten u. hochlichtbrechenden Blättchen bestehen. Nach Parallelorientierung in Lacken od. Kunststoffen wird durch Mehrfachreflexion ein „weicher" Glanzeffekt bewirkt, der als Perlglanz bezeichnet wird. Das erste Pigment dieser Art war das heute noch in Nagellacken verwendete *Guanin-haltige *Fischsilber. Inzwischen stehen zahlreiche synthet. Präp. mit teilw. besseren Eigenschaften zur Verfügung: Z. B. auf der Grundlage von bas. Bleicarbonat (in Spezialqualitäten das Fischsilber im Glanz übertreffend) od. a. Blei-Verb., Bismutoxidchlorid (in Lippenstiften u. Schminken häufig eingesetzt) od. Titandioxid-Glimmer. Diese *Muscovit-P. werden, weil mechan., chem. u. therm. sehr stabil, in dekorativen Kosmetika u. techn. Artikeln eingesetzt. P. bestimmter Teilchendicke erfüllen die *Interferenz-Bedingungen u. zeigen irisierende Farben (**Interferenzpigmente*, *Iris-* od. *Perlmuttpigmente*). Der Farbton ist vom Betrachtungswinkel abhängig; ein weiteres Kennzeichen ist, daß in Aufsicht u. Durchsicht komplementäre Farben zu sehen sind. – ***E*** nacreous pigments, pearlescent pigments – ***F*** pigments nacrés – ***I*** pigmenti di splendore perlaceo – ***S*** pigmentos de brillo perlino, pigmentos nacarados

Lit.: Encycl. Polym. Sci. Technol. **10**, 193 ff. ▪ Chem. Unserer Zeit **31**, 6–16 (1997) ▪ Maisch et al., Perlglanzpigmente, Hannover: Vincentz 1996 ▪ Zorll, Perlglanzpigmente – Die Technologie des Beschichtens, Hannover: Vincentz Verlag 1995. – *[HS 3203 00]*

Perlglimmer s. Margarit.

Perlit. Eutektoid (d. h. Eutektikum im Festkörperzustand) des instabilen Syst. Eisen – Eisencarbid (*Zementit*, Fe_3C), s. Stahl. P. entsteht beim Abkühlen Kohlenstoff-haltigen Eisens bei 723 °C als Festkörperumwandlung durch Zerfall des oberhalb dieser Temp. stabilen *Austenits* (kub.-flächenzentrierter γ-*Mischkristall) in α-*Ferrit* (kub.-raumzentrierter α-Mischkrist.) u. Zementit. Die γ-α-Umwandlung ist ein Klappprozeß, der als Folge der Bildung Kohlenstoff-reicher Zonen (Fe_3C) durch Kohlenstoff-Diffusion u. der daraus resultierenden Entstehung Kohlenstoff-armer Bereiche (α-Mischkrist.) ermöglicht wird. Das entstehende Gefüge weist Plattenstruktur α-Fe/Fe_3C/α-Fe/Fe_3C auf u. reflektiert im metallograph. Anschliff (s. Metallographie) auffallendes Licht wie *Perlmutter. Mit zunehmender Abkühlgeschw. werden die Diffusionswege des Kohlenstoffs geringer u. damit auch die Dicke der entstehenden Platten. Oberhalb einer krit. Abkühlgeschw. wird die Kohlenstoff-Diffusion weitgehend verhindert u. der γ-Mischkrist. klappt in einen hoch Kohlenstoff-haltigen u. dadurch tetragonal verzerrten α-Mischkrist. (s. Martensit) mit hoher Härte u. Sprödigkeit um. – ***E*** = ***F*** = ***I*** perlite – ***S*** perlita

Lit.: Schumann, Metallographie (13.), Leipzig: Verl. für Grundstoffind. 1991 ▪ s. a. Metallographie, Stahl, Martensit.

Perlit®. Hydrophobiermittel für die Textil-Ind. von Bayer.

Perlite (Perlsteine). Gewöhnlich hellgraue, auch schwarze vulkan. Gesteinsgläser von *Rhyolith-Zusammensetzung, mit 70–76% SiO_2, 11–18% Al_2O_3, 4–6% K_2O u. 2–7% Wasser. Der Name stammt von dem durch mm- bis cm-große konzentr.-schalige Glaskügelchen bedingten perlartigen Aussehen des schalig brechenden Gesteins. D. 2,2–2,4, Schmelztemp. 1260–1340 °C. Erhitzt man P. auf Temp. zwischen 850 u. 1200 °C, so *expandieren* sie zu einem federleichten (Vol.-D. 0,08 kg/L) *Bimsstein-ähnlichen weißen „Gesteinsschaum" vom 10–20fachen Vol., dem sog. *Bläh-P.* der D. ca. 0,03 (Schüttgew.). Dieses Produkt ist unbrennbar, witterungsbeständig, fault u. schimmelt nicht u. hat eine geringe Wärmeleitfähigkeit.

Verw.: Bläh-P. v. a. als Zuschlagstoff für Leichtbeton mit hoher Wärme- u. Schallisolation. Weitere Verw.: Füllstoff in Gipsfaserplatten, Farben u. Kunststoffen, Filterhilfsmittel, Zusatz zu Bohrschlamm, Isoliermittel für Flüssiggas-Behälter, Trägerstoff für Insektizide u. Düngemittel, Hydropon-Pflanzenkultur u.

als lose Füllung in Isolierungen u. Verpackungen. Zur Umwandlung von P. in *Zeolithe s. *Lit.*[1].
Vork.: Hauptförderländer sind die USA (v. a. New Mexico), Griechenland (Insel Milos), Armenien, Kasachstan, China; kleinere Produzenten sind Türkei, Ungarn, Slowak. Republik, Italien, Bulgarien u. Japan. – *E* = *F* perlites – *I* perliti – *S* perlitas
Lit.: [1] Mineral. Petrol. **48**, 275–294 (1993).
allg.: Harben u. Bates, Industrial Minerals, Geology and World Occurrence, S. 184–189, London: Industrial Minerals Division of Metal Bulletin Plc 1990 ▪ Pohl, Lagerstättenlehre (4.), S. 302 f., Stuttgart: Schweizerbart 1992 ▪ Ullmann (5.) **A 23**, 699 ff. – [HS 2530 10]

Perlite Gesellschaft. Kurzbez. für die 1945 gegr. Deutsche Perlite Gesellschaft mbH, 44147 Dortmund. *Daten* (1995): 100 Beschäftigte, 65 Mio. DM Umsatz. *Produktion:* Perlite u. andere expandierende Mineralien u. Dämmstoffe.

Perlka®. Granulierter Kalkstickstoff-Dünger mit ca. 20% Gesamt-Stickstoff-Gehalt, davon ca. 2% in rasch wirksamer Form. *B.:* SKW Trostberg AG.

Perlman, Isadore (geb. 1915), Prof. für Kernchemie, University of California, Berkeley, Direktor des Archäolog. Inst., University of Hebrew. *Arbeitsgebiete:* Kernspektroskopie, Chemie der schweren Elemente, Anw. von α- u. γ-Strahlenspektroskopie auf archäolog. u. geochem. Probleme.

Perlmutt(er). Bez. für die Innenschicht der Schalen einiger Meeresmuscheln u. der Gehäuse einiger großer Meeresschnecken. P. ist glatt u. weißlich bis grau, zeigt einen auch für die chem. ähnlich zusammengesetzten *Perlen charakterist. Glanz (*Lüster*) u. ein feines Farbenspiel (Regenbogenfarben), das durch Reflexion u. Interferenz an den 0,3–0,5 μm dünnen *Aragonit-Schichten entsteht („Farben dünner Blättchen"). P. besteht zu 96–98% aus *Calciumcarbonat (daher sehr säureempfindlich) u. zu 2–4% aus *Conchagenen. Die Härte der P. wird mit 3,5–4, die D. mit 2,7–2,8 angegeben.
Verw.: Zu Schmuckwaren, Fächern, Knöpfen, Messerschalen usw. P.-Glanz zeigen auch bestimmte synthet. Pigmente (*Perlmuttpigmente,* s. Perlglanzpigmente). – *E* mother-of-pearl – *F* nacre (de perles) – *I* madreperla – *S* nácar

Perlmuttpigmente s. Perlglanz-Pigmente.

Perlolin.

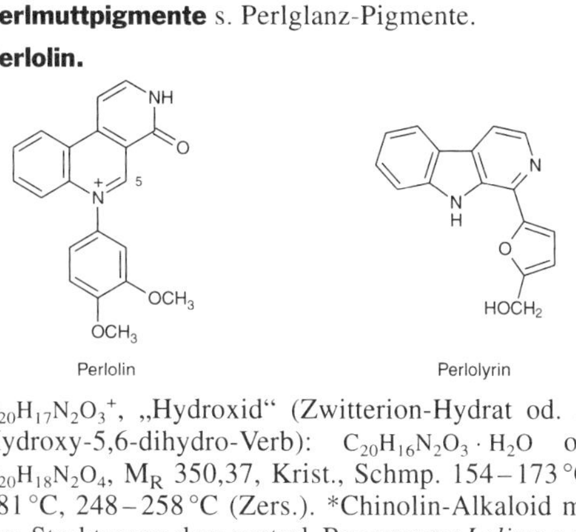

Perlolin   Perlolyrin

$C_{20}H_{17}N_2O_3^+$, „Hydroxid" (Zwitterion-Hydrat od. 5-Hydroxy-5,6-dihydro-Verb): $C_{20}H_{16}N_2O_3 \cdot H_2O$ od. $C_{20}H_{18}N_2O_4$, M_R 350,37, Krist., Schmp. 154–173 °C, 181 °C, 248–258 °C (Zers.). *Chinolin-Alkaloid mit ion. Struktur aus dem austral. Roggengras *Lolium perenne* (Poaceae). P. kommt zusammen mit dem *Harman-Derivat *Perlolyrin* ($C_{16}H_{12}N_2O_2$, M_R 264,28, gelbe Krist., Schmp. 183 °C) in den Pflanzen vor. *Lolium*-Gräser verursachen häufig Vergiftungen bei Weidetieren, die aber auf Corynetoxine (s. Tunicamycine) zurückzuführen sind, da verbreitet Infektionen der Pflanzen durch Corynebakterien erfolgen. – *E* = *F* perloline – *I* = *S* perlolina
Lit.: Aust. J. Chem. **40**, 631 (1987) ▪ Beilstein E V **25/2**, 140; E III/IV **25**, 628; E V **27/29**, 423 ▪ Justus Liebigs Ann. Chem. **1992**, 1315 (Perlolyrin) ▪ Tetrahedron Lett. **27**, 3399 (1986) ▪ Teuscher u. Lindequist, Biogene Gifte – Biologie, Chemie, Pharmakologie, 2. Aufl., S. 511, Stuttgart: G. Fischer 1994 ▪ s. a. Peramin. – [HS 2939 90; CAS 7344-94-7 (P.-Kation); 29700-20-7 (Perlolyrin)]

Perlon®. Marke der 1952 gegr. Schutzgemeinschaft „Perlon-Warenzeichenverband e. V." (51368 Leverkusen; Mitglieder: BASF, Bayer, Hoechst, Gesamtverband der Textil-Ind.) für eine *Synthesefaser aus PA 6 auf der Basis von ε-*Caprolactam. P. ist färbbar, hat sehr hohe Reiß-, Knickbruch- u. Scheuerfestigkeit, ist leichter als Naturseide, hochelast., strapazierfähig, mottensicher, fäulnisbeständig, laugenfest, gegen Mineralsäuren empfindlich, weniger gegen Essig- u. Milchsäure, schweißbeständig. P. erträgt Benzol, Benzin, Aceton, Alkohole, Ether, wird dagegen von Phenol, Kresol, Resorcin, Chloralhydrat, Trichlorethen u. Benzylalkohol angegriffen. P. ist zwar kochfest, doch kann auf Kochen verzichtet werden, da der Schmutz nicht in die Faser dringt. Es erweicht bei 170–180 °C u. schmilzt bei 215 °C. D. 1,14. Seine Wasseraufnahme beträgt bei 21 °C u. 65% relativer Luftfeuchte nur 3,5–4,5% (Schafwolle 14–15%), daher trocknen P.-Textilien rasch.

$$(n+2) \text{ Caprolactam} \longrightarrow (n+2) \text{ H}_2\text{N}-(\text{CH}_2)_5-\text{COOH}$$
$$\downarrow -(n+1) \text{H}_2\text{O}$$
$$\text{H}-[\text{NH}-(\text{CH}_2)_5-\text{CO}]_{n+2}-\text{OH}$$

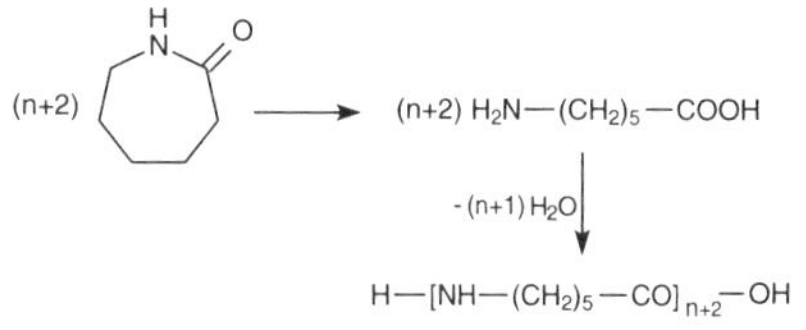

Herst.: Die Polykondensation von ε-*Caprolactam erfolgt nach einem komplexeren Mechanismus als hier dargestellt, u. zwar erst in Ggw. von Wasser (s. die *Lit.* bei Polyamide). Auch die Weiterverarbeitung beschreitet heute z. T. andere Wege als die im folgenden prinzipiell beschriebenen. ε-Caprolactam wird verflüssigt u. in Autoklaven unter Hitze, Luftabschluß u. Druck polykondensiert, wobei sich ca. 160–200 Caprolactam-Mol. zu fadenförmigen Polyamid-Ketten (s. Abb. u. vgl. damit Nylon) aneinanderreihen. Die Polykondensation kann auch langsam ohne Druck durch Zusatz wäss. Lsg. von Reaktionsauslösern in senkrechten Rohren ausgeführt werden. Das Polyamid (PA) wird nach verschiedenen Vorbehandlungen bei 260–270 °C in eine zähflüssige Schmelze umgewandelt u. bei ca. 250 °C durch Spinndüsen gepreßt, wobei P. an der Luft in meterhohen Spinnschächten zu feinen Filamenten erstarrt (vgl. die Abb. bei Nylon). Die Fäden streckt man auf das 4- bis 5fache ihrer ursprünglichen Länge, wobei sich die Fadenmol. parallel orientieren (Erhöhung der Reißfestigkeit). Zur Spinnfaser-Herst. werden die Filamente zerschnitten

u. gekräuselt. Sie werden allein od. in Mischung mit Naturfasern od. Zellwolle zu Spinnfasergarnen versponnen. Die Pigmentierung erfolgt durch Einarbeitung anorgan. Mattierungsmittel (Titandioxid) u. feinkörniger Farbstoffe (Spinnfärbung), wobei diese neben Farbechtheit auch gute Beständigkeit gegen die beim Schmelzspinn-Verf. auftretenden Temp. haben müssen. ***Verw.:*** Zu Heim- u. Ind.-Textilien; Näheres s. bei Polyamide. P. wurde 1938 bei der I.G. Farben von *Schlack erstmals hergestellt. Da es in seinen Eigenschaften dem ca. 2 a zuvor von *Carothers bei DuPont entwickelten Nylon sehr ähnlich war, schloß die I.G. Farben 1939 mit DuPont einen Vertrag über die Verwertung der Verf., der später einen vollständigen Patentaustausch sowie eine Aufteilung der Absatzgebiete mit sich brachte. Zur Entwicklungsgeschichte des P. s. die *Lit.* ***B.:*** Bayer; Nobel; Hoechst.

Lit.: Angew. Chem. **59 A**, 257–272 (1947) ▪ Chem. Labor Betr. **9**, 8–425 (1958) ▪ Chemiefasern, Beiträge zur hundertjährigen Firmengeschichte 1863–1963, S. 284–291, Leverkusen: Bayer 1963 ▪ Winnacker-Küchler (4.) **6**, 690–699.

Perlpigmente s. Perlglanz-Pigmente.

Perlpolymerisat. Synonyme Bez. für Suspensionspolymerisat, das Produkt einer *Suspensionspolymerisation.

Perlpolymerisation. Synonyme Bez. für *Suspensionspolymerisation.

Perlstein s. Perlite.

Perlwein. Nach der VO (EWG) Nr. 2391/89 Artikel 2 Buchstabe g [1] ist P. ein Erzeugnis mit einem Alkoholgehalt von mind. 8,5% vol u. einem auf endogenes gelöstes Kohlendioxid zurückzuführenden Druck von 0,2–0,25 MPa (2- bis 2,5-facher Atmosphärendruck). Im Gegensatz zu P. darf *P. mit zugesetzter Kohlensäure* Kohlendioxid zugesetzt werden; ansonsten gelten die gleichen Anforderungen wie an P., die bezüglich Kennzeichnung den §§ 10 Absatz 13 u. 20 des Wein-Gesetzes 1982 [2] zu entnehmen sind. P. darf nach § 15 des Wein-Gesetzes 1982 [2] nicht unter Angabe eines Gütesiegels od. ähnlicher die Qualität hervorhebender Zeichen in den Verkehr gebracht werden. P. wird aus Tafelwein, Qualitätswein od. aus zur Gewinnung von Tafelwein od. Qualitätswein geeigneten Erzeugnissen hergestellt [3] u. ist kein Schaumwein, sondern Kohlensäure-haltiger moussierender Wein. Er entsteht aus frühzeitig abgefülltem Jungwein durch Nachgärung. Einen Überblick zur Technologie der P.-Herst. gibt *Lit.* [4]. Die Flaschen dürfen in ihrer Ausstattung nicht zu einer Verwechslung mit Schaumweinflaschen führen (z.B. stanniolverkleideter Flaschenhals). Die Lebensmittel-Kennzeichnungs-VO [5] gilt nach § 1 Absatz 3 Nr. 6 nicht für P. u. P. mit zugesetzter Kohlensäure; s.a. Wein. – ***E*** semi-sparkling wine, perlwine – ***F*** vin pétillant – ***I*** vino spumante leggero – ***S*** vino chispeante, vino perlado

Lit.: [1] VO (EWG) Nr. 2391/89 vom 24.07.1989 (ABl. der EG Nr. L 232/10). [2] Gesetz über Wein, Likörwein, Schaumwein, weinähnliche Getränke u. Branntwein aus Wein vom 27.08.1982 in der Fassung vom 11.07.1989 (BGBl. I, S. 1424). [3] VO (EWG) Nr. 2333/92 vom 13.07.1992 in der Fassung vom 26.06.1996 (ABl. der EG Nr. L. 184/9). [4] Troost, Sekt, Schaum- u. Perlwein, S. 337–347, Stuttgart: Ulmer 1980. [5] Lebensmittel-Kennzeichnung-VO vom 06.09.1984 in der Fassung vom 09.12.1988 (BGBl. I, S. 2231).
allg.: Koch, Getränkebeurteilung, S. 174–204, Stuttgart: Ulmer 1986 ▪ Vogt, Der Wein (9.), S. 226 f., Stuttgart: Ulmer 1984 ▪ Würdig u. Woller (Hrsg.), Chemie des Weines, S. 724, Stuttgart: Ulmer 1989 ▪ Zipfel, C 402, C 403, C 404.

Perlweiß. Marke für das auch in Kosmetika als Weißpigment (*C*-Weiß 10) anwendbare Bismutchloridoxid, das wegen geringer Lichtstabilität nur begrenzte Verw. findet, z.B. für Knöpfe, Modeschmuck u. als Röntgenkontrastmittel für Katheter; Weltjahresproduktion ca. 500 t. – ***E*** pearl white – ***F*** oxychlorure de bismuth, blanc de perle – ***I*** bianco perla, essenza di oriente – ***S*** oxicloruro de bismuto, blanco perla, cerusa

Lit.: Blaue Liste, S. 82 ▪ Buxbaum, Industrial Inorganic Pigments, S. 213, Weinheim: VCH Verlagsges. 1993. – *[HS 2827 49; CAS 7787-59-9]*

Perm s. Erdzeitalter.

Permabond®. Fused Silica Kapillarsäulen mit immobilisierten Phasen; Käfigdurchmesser 0,15 u. 0,25 mm ID × ca. 0,4 mm AD, 0,32 mm ID × ca. 0,5 mm AD, 0,53 mm ID × ca. 0,8 mm AD; auch Zwischenlängen. ***B.:*** Macherey-Nagel.

Permabond® L-CHIRASIL-VAL. Von E. Bayer u. H. Frank zur Enatiomerentrennung von Aminosäuren entwickelte stationäre Phase für die Gaschromatographie. ***B.:*** Macherey-Nagel.

Permadine®. Phosphatierungsverf. zur Erzeugung von krist. Zinkphosphat-Schichten auf Eisen u. Stahl als Vorbehandlung vor dem Beölen zur Verbesserung des Korrosionsschutzes in Verbindung mit Rostschutzemulsionen od.- ölen. ***B.:*** Henkel.

Permanente Gase s. Gase.

Permanente Härte. Im Gegensatz zur temporären *Härte des Wassers, die vornehmlich der Carbonat-Härte zuzurechnen ist, wird die p. H. (bleibende od. *Nichtcarbonat-Härte*) auf Sulfat- u. Chlorid-Ionen zurückgeführt, deren Calcium- u. Magnesiumsalze durch Verschiebung des chem. Gleichgew. (z.B. durch Kochen) nicht ausgefällt werden, sondern in Form von *Kesselstein bei Erreichen des Löslichkeitsprodukts im Zuge des Eindampfens ausfallen. Die p. H. macht für alle industriellen Dampferzeuger u. häuslichen Heißwassererzeuger Anlagen zur *Wasserenthärtung notwendig. – ***E*** permanent hardness, non-carbonate hardness – ***F*** dureté permanente, duretée non-carbonatée – ***I*** crudezza permanente – ***S*** dureza permanente, dureza no carbonatada

Permanentmagnete s. magnetische Werkstoffe.

Permanent-Pigmente. Gruppenbez. für sehr farbkräftige u. lichtbeständige, teils anorgan. Farbpigmente wie Permanentgrün (s. Chrom-Pigmente) u. Permanentweiß (s. Bariumsulfat), teils organ. Farbstoffe, die den allg. Formeln auf S. 3197 entsprechen (s.a. die Tab. auf S. 3197).
Die P. werden als Buch- u. Offset-, als Verpackungstief- u. Flexodruckfarben, zur Herst. kosmet. Mittel u. Büroartikel sowie teilw. im Textildruck eingesetzt. *Permanentorange G* (C. I. Pigment Orange 13) $C_{32}H_{24}Cl_2N_8O_2$, M_R 623,50, ist heute nicht mehr zur Herst. kosmet. Mittel zugelassen.

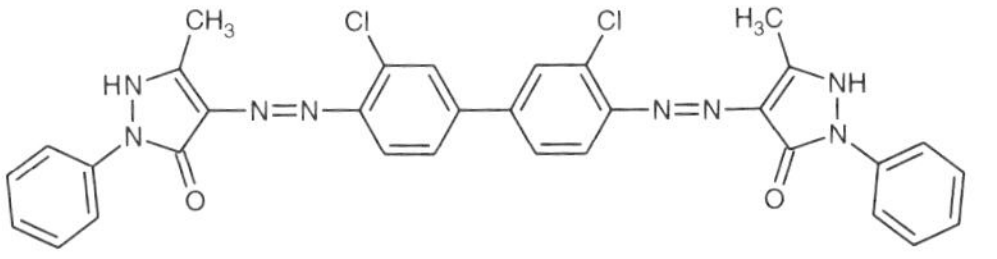

Permanentorange G

Tab.: Daten zu Permanent-Pigmenten (obere Formel).

Name (C.I.-Bez.)	Summenformel	M_R	CAS
Permanentbraun FG (Pigment Brown 1, C.I. 12480; **1**)	$C_{25}H_{19}Cl_2N_3O_4$	496,34	6410-40-8
Permanentkarmin FB (Pigment Red 5, C.I. 12490; **2**)	$C_{30}H_{31}ClN_4O_7S$	627,11	6410-41-9
Permanentrot F4RH (Pigment Red 7, C.I. 12420; **3**)	$C_{25}H_{19}Cl_2N_3O_2$	464,35	6471-51-8
Permanentrot FGR (Pigment Red 112; **4**)	$C_{24}H_{16}Cl_3N_3O_2$	484,76	6535-46-2

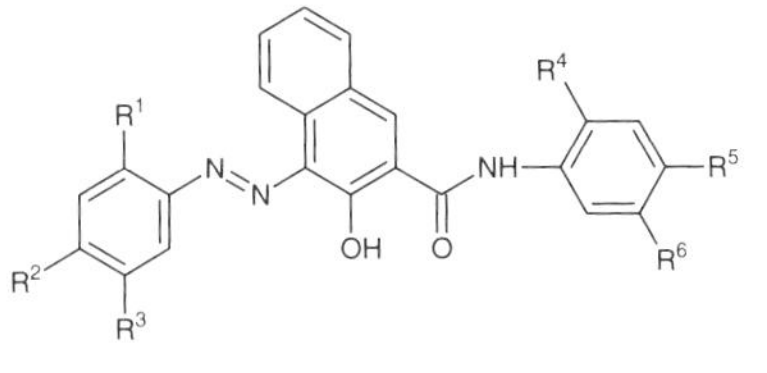

R^1	R^2	R^3	R^4	R^5	R^6	
Cl	H	Cl	OCH_3	H	OCH_3	**1**
OCH_3	H	$SO_2N(C_2H_5)_2$	OCH_3	OCH_3	Cl	**2**
CH_3	Cl	H	CH_3	Cl	H	**3**
Cl	Cl	Cl	CH_3	H	H	**4**

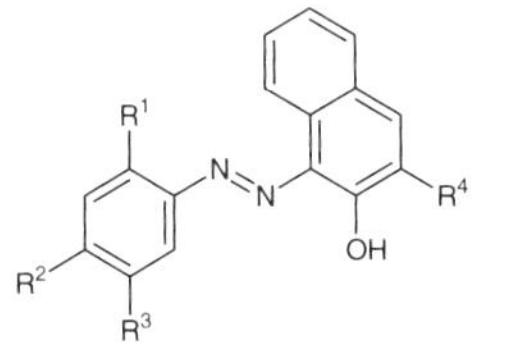

R^1	R^2	R^3	R^4		
SO_3H	CH_3	Cl	COOH	Ba-Salz	**1**
SO_3H	Cl	COOH	H	$Ca_{0,5}$Na-Salz	**2**
Cl	NO_2	H	H		**3**

Tab.: Daten zu Permanent-Pigmenten (untere Formel).

Name (C.I.-Bez.)	Summenformel	M_R	CAS
Permanentrot BB (Pigment Red 48:1, C.I. 15865; **1**)	$C_{18}H_{11}BaClN_2O_6S$	556,14	7585-41-3
Permanent-rottoner NCR (Pigment Red 68, C.I. 15525; **2**)	$C_{34}H_{18}CaCl_2N_4Na_2O_{12}S_2$	895,62	5850-80-6
Permanentrot R (Pigment Red 4, C.I. 12085; **3**)	$C_{16}H_{10}ClN_3O_3$	327,73	2814-77-9

– ***E*** permanent pigments – ***F*** pigments permanents – ***I*** pigmenti permanenti – ***S*** pigmentos permanentes

Lit.: Herbst u. Hunger, Industrielle organische Pigmente (2.), Weinheim: VCH Verlagsges. 1996. – *[CAS 3520-72-7 (Permanentorange G)]*

Permanent-Press-Verfahren. Ein Verf. der *Pflegeleicht-Ausrüstung für Cellulose- u. Synthesefaser/Cellulose-Mischtextilien mit „verzögerter Formfixierung", d.h., das applizierte *Hochveredlungsmittel (Kunstharz auf Aminoplast-Basis, *N*-Hydroxymethyl-Verb.) wird erst nach Konfektionierung der Kleidungsstücke ausgehärtet. Das P.-P.-V. erzeugt gute Formtreue z.B. bei Bügelfalten od. Plissee. – ***E*** permanent press process – ***F*** procédé d'empreinte permanente – ***I*** processo antipiega – ***S*** proceso de prensa permanente

Lit.: s. Pflegeleicht-Ausrüstung u. Textilveredlung.

Permanentsteifen s. Steifungsmittel.

Permanganate [*Manganate(VII)]. Bez. für Salze der allg. Formel M^IMnO_4, die sich von der hypothet. *Permangansäure* $HMnO_4$ bzw. deren Anhydrid Mangan(VII)-oxid (Mn_2O_7) herleiten. Die P. sind in Wasser meist lösl., u. die Lsg. sind wegen des violetten MnO_4^--Ions violett gefärbt.

Herst.: Auf elektrochem. Weg durch anod. Oxid. von Ferromangan od. zweistufig durch therm. Oxid. von MnO_2 mit Luftsauerstoff u. KOH zu K_2MnO_4 u. anschließende elektrochem. Oxid.:

$$4\,MnO_2 + 12\,KOH + O_2 \xrightarrow{400\,°C} 4\,K_3MnO_4 + 6\,H_2O$$

$$4\,K_3MnO_4 + O_2 + 2\,H_2O \xrightarrow{ca.\ 200\,°C} 4\,K_2MnO_4 + 4\,KOH$$

$$2\,K_2MnO_4 + 2\,H_2O \xrightarrow{Elektrolyse} 2\,KMnO_4 + 2\,KOH + H_2.$$

Verw.: In Ggw. von Kronenethern u. Kryptanden lassen sich manche P. auch in organ. Lsm. wie Chloroform in Lsg. bringen (*Phasentransfer-Katalyse); das MnO_4^--Ion liegt hier als sog. „nacktes", d.h. kaum solvatisiertes Anion vor u. kann zur selektiven Oxid. von organ. Verb. benutzt werden[1]. Als organ. P. ist das Benzyltriethylammonium-P. ebenfalls ein nützliches Reagenz, das bes. Arylmethyl-Gruppen selektiv oxidiert[2], doch ist es nicht ungefährlich[3]. Die wichtigsten P. sind *Kalium- u. Calciumpermanganat, beides starke Oxid.-Mittel, mit denen man z.B. C,C-Doppelbindungen über die Glykole bis zu Carbonsäuren oxidieren kann; vgl. a. Baeyer-Test. Allg. führt man in erheblichem techn. Umfang Oxid.-Prozesse, Reinigung organ. Flüssigkeiten für Zwischen- u. Endprodukte in der pharmazeut. u. chem. Ind. sowie oxidative Reinigung von Abluft u. Abwässern u. dgl. mit P. durch. Daneben wird $KMnO_4$ in der *Manganometrie* (s. Oxidimetrie) genutzt. – ***E = F*** permanganates – ***I*** permanganati – ***S*** permanganatos

Lit.: [1] Angew. Chem. **96**, 298 f. (1984); Trahanowski (Hrsg.), Oxidation in Organic Chemistry, S. 147–206, New York: Academic Press 1980. [2] Synthesis **1980**, 1018 f. [3] Angew. Chem. **95**, 634 (1983).

allg.: Brauer (3.) **3**, 1585–1587 ▪ Gmelin, Syst.-Nr. 56, Mn, Tl. C 2, 1975, S. 136–202 ▪ IARC Scient. Publ. **49**, 31–37 (1983); **54**, 31–39 (1983) ▪ Kirk-Othmer (4.) **15**, 1021–1055 ▪ Ullmann (5.) **A 16**, 133–140 ▪ Winnacker-Küchler (4.) **2**, 641–646. – *[HS 2841 61, 2841 69]*

Permanganometrie s. Oxidimetrie (Manganometrie).

Permangansäure s. Permanganate.

Permanickel®. Leg. mit 98,6% Ni u. kleinen Mengen C, Ti, Mn, Mg usw. für Federn, Klammern, Gitterdrähte, Diaphragmen, Kontakte etc. ***B.:*** Inco.

PERMATEX. Kurzbez. für die Permatex GmbH, 71665 Vaihingen/Enz, eine 100%ige Tochter der Herberts GmbH, die im wesentlichen chem. beständige Anstrichstoffe u. flüssige Kunststoffe u. Folienlacke produziert. *Daten* (1995): 170 Beschäftigte, 2 Mio. DM Umsatz.

Permeabilität (von latein.: permeare = durchgehen, durchwandern, passieren). 1. Bez. für die Durchlässigkeit von ggf. porösen Festkörpern, insbes. dünnen Trennwänden, für bestimmte Stoffe (Gase, Flüssigkeiten, gelöste Mol., Ionen od. Atome). So sind z.B. Tonzylinder durchlässig (*permeabel*) für Wasser u. andere polare Flüssigkeiten od. für Gase wie Sauerstoff, Kunststoff-Folien können mehr od. weniger permeabel sein für Wasserdampf, O_2 od. Aromastoffe (was z.B. für Lebensmittel-Verpackungen von Bedeutung ist), Dialyse- u. Elektrolyse-*Diaphragmen sind durchlässig für Ionen, Palladium- u. Platin-Bleche für Wasserstoff-Atome. Von bes. techn. Bedeutung ist auch die – in *Darcy-Einheiten ausgedrückte – P. von Speichergestein für Erdöl. Die Fließgeschw. durch ein *Poren-enthaltendes Medium ist von dessen P. u. der *Viskosität des permeierenden Stoffes abhängig; eine quant. Verknüpfung der Eigenschaften stellt das **Hagen-Poiseuillesche Gesetz* her. Der Quotient aus P. u. Viskosität wird als *Mobilität* dieses Stoffes bezeichnet. Unter *Permeation* versteht man fachsprachlich den Vorgang des Durchwanderns od. Durchdringens eines Stoffes durch einen anderen; der Begriff wird im Zusammenhang mit der *Penetration (s. dort) kosmet. Wirkstoffe in die Haut häufig gebraucht. Im angloamerikan. Schrifttum werden beide Begriffe oft mit *Absorption gleichgesetzt.

Von entscheidender Bedeutung für die Lebens- u. insbes. Stoffwechselvorgänge ist die P. auf molekularbiolog. Ebene, d.h. bei allen Prozessen, bei denen Stoffe durch Zellwände od. Membranen hindurch ausgetauscht werden müssen. Sprach man früher hier von der Wirkung von *Permeasen,* so macht man heute für den Stoff-*Transport auf zellulärer Ebene sog. *Carrier u. *Ionophore verantwortlich [1]. In manchen Fällen kann die Gefäß-P. durch *Kinine erhöht werden. Die körpereigenen, zur *Kompartimentierung* der *Zellen notwendigen Trennwände sind – ebenso wie viele andere natürliche od. auch künstliche *Membranen – *semipermeabel,* d.h. sie lassen aus dem umgebenden Medium nur bestimmte (z.B. nur kleine) Teilchen durchtreten (*Beisp.:* die sog. Blut-Hirn-Schranke, s. Hirnsubstanz) od. selektiv nur eine Ionenart (dann nennt man die Membranen *permselektiv*); weitere Aspekte s. bei Elektrodialyse, Ionenaustauscher, Membranen, u. vgl. a. die Abb. bei Osmose u. umgekehrte Osmose. Auf einem ähnlichen Prinzip wie das Letztgenannte beruhen sowohl die *Trennverfahren der sog. *Gaspermeation,* mit deren Hilfe z.B. H_2 od. CO_2 aus Gasgemischen zurückgewonnen werden können [2] als auch die der sog. **Pervaporation* od. *Membranpermeation* [2], mittels derer Flüssigkeiten trennbar sind.

2. In einem anderen, streng physikal. Sinne wird der Begriff P. bei *magnetischen Werkstoffen gebraucht. Hier versteht man unter P. den Proportionalitätsfaktor (Symbol μ), der die *magnet. Flußdichte* od. *Induktion* (B) mit der *magnet. Feldstärke* (H) in Beziehung setzt: $B=\mu_0 H$, wobei μ_0 die Verhältnisse im Vak. beschreiben soll: μ_0 = abs. P. des Vak. = sog. *magnet. Feldkonstante.* Im materieerfüllten Raum gilt $B=\mu H$, wobei $\mu=\mu_r \cdot \mu_0$ u. μ_r die *relative P.* od. die *P.-Zahl* ist. Charakteristischerweise ist μ_r bei Diamagnetika < 1, bei Paramagnetika > 1, jedoch noch recht klein, bei *Ferromagnetika dagegen 10^3–10^4. Die relative P. ist über $\mu_r - 1 = \chi_m$ mit der *magnet. Suszeptibilität* verknüpft. Auf die begrifflichen Analogien zwischen P. u. *Dielektrizitätskonstante od. *Permittivität* sei hingewiesen. – ***E*** permeability – ***F*** perméabilité – ***I*** permeabilità – ***S*** permeabilidad

Lit.: [1] Chem. Unserer Zeit **8,** 33–43 (1974). [2] Starzak, Membranes, Synthetic (Chemistry), S. 587–606, u. Lee, Membranes, Synthetic (Applications), S. 607–650, in Encyclopedia of Physical Science and Technology, Vol. 9, New York: Academic Press 1992.

allg. *(zu 1):* Comyn, Polymer Permeability, Barking: Elsevier Appl. Sci. Publ. 1985 ▪ Encycl. Polym. Sci. Technol. **9,** 794–806 ▪ Kirk-Othmer (4.) **3,** 934; **16,** 181 (separation membranes); **15,** 727 (magnetic materials).

Permeasen. 1. *Proteine (*Carrier), die den selektiven Transport von Mol. oder Ionen durch biolog. *Membranen bewerkstelligen. Im Gegensatz zu den mol. Pumpen findet kein aktiver Transport gegen ein Konz.-Gefälle, sondern nur erleichterte Diffusion in Richtung der geringeren Konz. des Transportgutes statt. Gegenüber den mol. Kanälen u. Poren zeichnen sich die P. durch eine Sättigungskinetik aus (ähnlich den *Enzymen, daher das Suffix „-ase"); zur Klassifikation der P. aus Hefe s. *Lit.* [1].

2. s. Permeabilität. – ***E*** permeases – ***F*** perméases – ***I*** permeasi – ***S*** permeasas

Lit.: [1] FEMS Microbiol. Rev. **21,** 113–134 (1997).

Permeation s. Permeabilität u. Penetration.

Permeationschromatographie s. Gelchromatographie.

Permethrin.

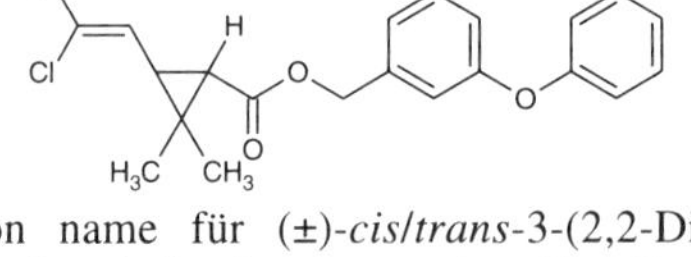

Common name für (±)-*cis*/*trans*-3-(2,2-Dichlorvinyl)-2,2-dimethylcyclopropancarbonsäure-3-phenoxybenzylester, $C_{21}H_{20}Cl_2O_3$, M_R 391,29, Schmp. 34–35 °C, LD_{50} (Ratte oral) >4000 mg/kg, von National Research Development Corp. (England) entwickeltes *Insektizid mit Kontakt- u. Fraßgiftwirkung aus der Gruppe der synthet. *Pyrethroide mit breitem Wirkungsspektrum gegen beißende u. saugende Insekten im Mais-, Kartoffel-, Rüben-, Obst-, Gemüse- u. Weinanbau, im Hygienesektor gegen Fliegen, Schaben, Kleidermotten etc. – ***E*** permethrin – ***F*** perméthrine – ***I*** = ***S*** permetrina

Lit.: Farm ▪ Perkow ▪ Pesticide Manual. – *[HS 291620; CAS 52645-53-1]*

Permissible level (Abk. PL). Der PL entspricht dem Produkt von *ADI-Wert u. Körpergew. dividiert durch die durchschnittlich pro Tag aufgenommene Menge des Nahrungsmittels u. wird in mg/kg Nahrungsmittel angegeben. Der PL gibt somit an, wieviel eines Zusatzstoffes in einem Lebensmittel enthalten sein darf, ohne daß der ADI-Wert überschritten wird, so daß der PL als toxikolog. duldbare Höchstmenge interpretiert werden kann. Eine Darst. der Zusammenhänge zwischen PL, ADI-Wert u. no-effect-level (NEL) ist *Lit.*[1] zu entnehmen. Der PL darf nicht mit der geduldeten Rückstandsmenge *(permitted level)* verwechselt werden. – ***E*** permissible level – ***F*** dose maximale admissible – ***I*** livello permissibile – ***S*** nivel permisible de sustancias extrañas

Lit.: [1] Classen et al., Toxikologisch-hygienische Beurteilung von Lebensmittelinhalts- u. -zusatzstoffen sowie bedenklicher Verunreinigungen, S. 57, Berlin: Parey 1987.
allg.: Baltes, Lebensmittelchemie (4.), Berlin: Springer 1995 ▪ Großklaus, Rückstände in von Tieren stammenden Lebensmitteln, S. 21, Berlin: Parey 1989 ▪ Ullmann (4.) **6**, 93.

Permittivität. Im Dtsch. selten gebrauchter Begriff für die *Dielektrizitätskonstante. Die P. hat für elektr. Felder dieselbe Bedeutung wie die *Permeabilität für Magnetfelder. – ***E*** permittivity – ***F*** permittivité – ***I*** permittività – ***S*** permitividad

Lit.: DIN 1324: 1988-05.

Permselektiv s. Permeabilität u. Membranen.

Permuterm Subject Index (PSI). Im *ISI (Institute of Scientific Information) entwickelter Index aller wichtigen Sachstichwörter aus den Titeln von Zeitschriften, die für den multidisziplinären Science Citation Index (SCI, vgl. Citation Index) elektron. erfaßt werden. Mit Hilfe eines Computerprogramms werden die Begriffe permutiert, alle wichtigen Begriffe verknüpft, Wortpaare erzeugt u. diese alphabet. geordnet. Der PSI erscheint seit 1966 sowohl vierteljährlich als auch jährlich.

Lit.: J. Am. Soc. Inf. Sci. **27**, 288–291 (1976).

Perna-Krankheit s. Chlorakne.

Pernionin®. Gel u. Teilbad mit Methylsalicylat, Benzyl- u. Methylnicotinat; *P. Salbe* enthält Methylsalicylat u. Salbeiöl; *P. Vollbad* enthält Fichtennadelöl, Benzyl- u. Methylnicotinat gegen rheumat. Beschwerden. ***B.:*** Krewel Meuselbach.

Perniziöse Anämie (Perniziosa, Biermersche Krankheit). *Anämie, die durch Mangel an Vitamin B_{12}, das zur Produktion von *Erythrocyten notwendig ist, entsteht. Zum Vitamin-B_{12}-Mangel kommt es dabei durch eine verminderte Resorption des Vitamins im Dünndarm. Die Ursache dafür ist ein Mangel an von den Zellen der *Magen-Schleimhaut gebildeten *Intrinsic factor, z. B. bei Magenschleimhautatrophie. Bei vielen Erkrankten sind im Blutserum *Antikörper gegen die entsprechenden Magenschleimhautzellen u. gegen Intrinsic factor nachzuweisen. Man nimmt daher einen Autoimmunprozeß (s. a. Autoimmunität) als Ursache der Erkrankung an. Die p. A. tritt meist nach dem 45. Lebensjahr auf. Sie entwickelt sich langsam fortschreitend u. führt zur Bildung von wenigen, mit viel *Hämoglobin beladenen (hyperchromen) Erythrocyten, die zum großen Teil schon vor der Ausschüttung in den Kreislauf im *Knochenmark abgebaut werden. Später entwickelt sich auch ein Mangel an *Leukocyten u. *Thrombocyten. Als weitere Störungen im Rahmen des Vitamin-B_{12}-Mangels können (auch ohne Anämie) eine Erkrankung des Rückenmarks mit Gefühlsstörungen u. Lähmungen od. psych. Störungen auftreten. Die Behandlung besteht in dem Ersatz des fehlenden Vitamins. – ***E*** pernicious anemia – ***F*** anémie pernicieuse – ***I*** anemia perniciosa, malattia di Biermer – ***S*** anemia perniciosa

Lit.: Begemann u. Rastetter, Klinische Hämatologie, Stuttgart: Thieme 1992.

Peropal®. Akarizid auf der Basis von *Azocyclotin gegen Spinnmilben im Wein-, Obst-, Citrus- u. Gemüsebau. ***B.:*** Bayer.

Peroral, per os s. oral.

Perowskit. $CaTiO_3$, Mineral; undurchsichtige bis durchscheinende, Diamant-artig glänzende, würfelige, oktaedr. od. skelettförmig verzweigte Kristalle. Farbe schwarz, dunkelbraun od. bernsteinfarbig bis gelb; H. 5,5, D. 4,0. In der allg. Formel ABX_3 für die Vertreter der *P.-Gruppe* können die A-Positionen von über 20 Elementen (z. B. Ca^{2+}, Ba^{2+}, Pb^{2+}, K^+, Na^+, Seltene Erden), die B-Positionen von fast 50 Elementen [z. B. Ti^{4+}, Zr^{4+}, Sn^{4+}, Nb^{5+}, Ta^{5+}, W^{5+}, Ga^{3+} (*Titanate, *Zirkonate usw.)] u. die X-Positionen von Sauerstoff u. Halogenen eingenommen werden. Eine Abart ist *Loparit-(Ce)*, $(Ce,Na,Ca)_2(Ti,Nb)_2O_6$.

Struktur: Natürlicher P. krist. orthorhomb. (pseudokub.), Kristallklasse mmm-D_{2h}, mit extrem dicht gepackter Struktur (vgl. Kristallstrukturen) aus über Ecken verknüpften, gegeneinander verkippten $[TiO_6]$-Oktaedern; Ca^{2+} ist von 12 Sauerstoff-Ionen umgeben. Bei hohen Temp. treten Phasenumwandlungen zu tetragonaler u. kub. Symmetrie auf; dazu u. zu den Mikrostrukturen von P. (Versetzungen, Bildung von *Zwillingen[1], planaren Defekten u. a. *Kristallbaufehlern als Folge der Phasenumwandlungen) s. *Lit.*[2–4]. Der kub. Idealtyp der P.-Struktur wird in der Natur nur verwirklicht, wenn große A-Kationen u. mittelgroße B-Kationen einen P. bilden.

Petrolog. Bedeutung: $MgSiO_3$-P. bzw. $(Mg,Fe)SiO_3$-P. (*Silicat-P.*) ist ein Hauptbestandteil im unteren Erdmantel (*Erde) u. wegen seiner Bedeutung für Diskontinuitäten u. die Konvektion im Erdmantel z. B. hinsichtlich Struktur[5], Phasenübergängen[6,7], elast. Eigenschaften[8] u. potentiellen Fe^{3+}-Gehalten[9] intensiv untersucht. Wegen experimenteller Schwierigkeiten mit $MgSiO_3$-P. wurden häufig analoge Verb. wie z. B. $BaTiO_3$, $KTiO_3$ od. $KNbO_3$ untersucht, vgl. *Lit.*[2].

Verw.: P. weisen *Piezoelektrizität auf u. wirken als *Ferroelektrika. Sie werden deshalb künstlich hergestellt u. bilden die Grundlage der Ind. für Elektrokeramiken. Unter der Abk. *PZT* (kontinuierlicher Ersatz des Ti in $PbTiO_3$ durch Zr bis hin zu $PbZrO_3$) zusammengefaßte P., die einen bes. starken piezoelektr. Effekt zeigen, sind Bestandteile vieler Geräte, z. B. von elektr. Relais, Meßgeräten für hohe Drücke u. als Filter gegen elektron. Rauschen in Fernsehgeräten. Lanthanhaltige PZT finden unter der Bez. *PLZT* Verw. in der Opto-Elektronik. $SrTiO_3$ dient unter dem Namen *Fabulit* als *Diamant-Ersatz. Das breite Spektrum der Eigenschaften u. Verw.-Möglichkeiten der P. reicht von Nichtleitern (Isolatoren) über *Halbleiter (z. B. Barium-Wismut-Oxid $Ba_2Bi^{3+}Bi^{5+}O_6$) u. schnelle Ionen-

Leiter (*elektrische Leiter u. *Halbleiter) bis hin zu metall. Leitern u. *Hochtemperatur-Supraleitern [10].
Vork.: In alkalireichen *magmatischen Gesteinen, z. B. Kola-Halbinsel/Rußland (hier auch Loparit) u. in *Basalten in der Eifel. In *Karbonatiten, z. B. Kaiserstuhl/Baden („*Dysanalyt*"), Oka/Kanada; in *Kimberliten (z. B. Südafrika) u. chondrit. *Meteoriten. Ferner in Slatoust/Ural/Rußland u. bauwürdig in Bagagem/Brasilien. – ***E*** = ***I*** perovskite – ***F*** pérovskite – ***S*** perowskita, pervskita

Lit.: [1] Am. Mineral. **79**, 73–79 (1994). [2] Phys. Chem. Miner. **23**, 337–344 (1996). [3] Am. Mineral. **77**, 359–373 (1992). [4] Phys. Chem. Miner. **20**, 141–175 (1993). [5] Mineral. Mag. **60**, 799–804 (1996). [6] Ann. Rev. Earth Planet. Sci. **20**, 553–600 (1992). [7] Phys. Chem. Miner. **23**, 107–118 (1996). [8] Am. Mineral. **82**, 635–638 (1997). [9] Nature (London) **387** (6634), 694 ff. (1997). [10] Spektrum Wiss. **1988**, Nr. 8, 42–50.
allg.: Deer et al. (2.), S. 556 f. ▪ Navrotsky u. Weidner (Hrsg.), Perovskite: A Structure of Great Interest to Geophysics and Materials Science, Washington (D. C.): American Geophysical Union 1989 ▪ Schröcke-Weiner, S. 402–406 ▪ Ullmann (5.) **A 10**, 318 f. – *[CAS 12194-71-7]*

Peroxidasen. Zu den *Oxidoreduktasen gehörende, im Tier- u. Pflanzenbereich weitverbreitete Enzyme, die mit Hilfe von Wasserstoffperoxid verschiedene Elektronendonoren oxidieren (EC 1.11.1) nach der Gleichung:

$$\text{Donor}+H_2O_2 \rightarrow \text{oxidierter Donor}+2\,H_2O.$$

Im engeren Sinn versteht man unter P. die unspezif. Donor:Wasserstoffperoxid-Oxidoreduktase (EC 1.11.1.7, Abk.: POD). Die Wurzeln des Meerrettichs sind bes. reich an P., ebenso der Saft von Feigenbäumen; anzutreffen sind P. aber auch – häufig zusammen mit *Katalase (eine P. mit Wasserstoffperoxid als Donor u. als Akzeptor) – in den *Peroxisomen. Die *Meerrettich-P.* ist ein *Glyko-, *Eisen- u. *Häm-Protein (M_R 44 000) mit Eisen(III) im Häm u. 2 Calcium-Ionen. Im Gegensatz zu Katalase, die Wasserstoffperoxid durch Zerlegung in Wasser u. Sauerstoff entgiftet, katalysiert P. die Oxid. von Phenolen (z. B. von Coniferylalkohol zu *Lignin), von aromat. Aminen u. a. Donorsubstraten. Die *Glutathion-P.* (M_R 84 000, reduziertes Glutathion – vgl. dort – als Donor) der *Erythrocyten ist tetramer, enthält 4 Atome Selen pro Mol. u. schützt Hämoglobin vor Peroxid-Angriffen. Die P.-Wirkungen lassen sich *in vitro* mit Kupfer(II)-Komplexen simulieren. In Nahrungsmitteln bereitet die Inaktivierung der P. Schwierigkeiten, da sie relativ hitzestabil sind u. außerdem die Fähigkeit zur Regeneration haben.
Nachw.: Mit dem Guajak-Test (Bildung von Furoguajacinblau, s. Guajakharz), durch Oxid. von Pyrogallol zu Purpurogallin, von Homovanillinsäure od. von Tetramethylbenzidin. Die Bestimmung der P.-Aktivität hat diagnost. Bedeutung für bestimmte Erkrankungen.
Verw.: In der Immun- u. Histochemie zur Enzymmarkierung von Antikörpern u. Antigenen, als bakterizider Zusatz zu Milcherzeugnissen, zur Red. des Chlorogensäure-Gehalts u. Aromaverbesserung des Kaffees, zum Nachw. von enzymat. gebildetem Wasserstoffperoxid, z. B. durch Cholesterin-Oxidase (EC 1.1.3.6) od. *Glucose-Oxidase; bei letzterer kann die Reaktion auch zur D-Glucose-Bestimmung dienen. Die in grünen Pflanzenteilen vorkommende *L-Ascorbat-P.* (EC 1.11.1.11) kann zur Vitamin-C-Bestimmung herangezogen werden. – ***E*** peroxidases – ***F*** peroxydases – ***I*** perossidasi – ***S*** peroxidasas

Lit.: Phytochemistry **37**, 1217–1225 (1994). – *[HS 3507 90; CAS 9003-99-0]*

Peroxidation s. Oxygenierung (Dioxygenierung) u. Peroxide.

Peroxid-Chemie. Kurzbez. für die 1911 gegr. Firma Peroxid-Chemie GmbH, 82049 Pullach, an der *Laporte beteiligt ist. *Daten* (1995/96): 480 Beschäftigte, ca. 183 Mio. DM Umsatz. *Produktion:* Organ. Peroxide, Persulfate, organ. Zwischenprodukte, Beschleuniger, Inhibitoren.

Lit.: Chem. Ind. (Düsseldorf) **29**, A 663 f. (1977); **33**, A 620–622 (1981).

Peroxid-Desaktivatoren. Bez. für präventiv einzusetzende *Antioxidantien. P.-D. reagieren mit *Peroxid- od. *Hydroperoxid-Gruppen, die z. B. in einem organ. *Polymeren durch Reaktion mit Luftsauerstoff entstehen, bevor diese in Radikale zerfallen können u. wandeln sie so in Produkte um, die im Gegensatz zu den peroxid. Gruppen nicht mehr in freie *Radikale zerfallen u. somit keine als Kettenreaktion verlaufende, oxidative Zerstörung des Materials mehr auslösen können. Effektive P.-D. sind z. B. viele synergist. Kombinationen aus Organoschwefel-Verb. (z. B. Dilauroylthiodipropionat) u. *Phenol-Derivaten, aber auch Phosphite u. Phosphonite. – ***E*** peroxide decomposer, peroxide destroyer – ***F*** destructeurs du peroxide – ***I*** disattivatori perossidici – ***S*** desactivadores de peróxidos

Peroxide. 1. ***Anorgan. P.:*** Verb. der allg. Formel $M^I_2O_2$ (*Beisp.:* *Natriumperoxid, Na_2O_2) bzw. $M^{II}O_2$ (*Beisp.:* *Bariumperoxid, BaO_2), die früher auch *Superoxide* genannt wurden. P. sind von den Alkali- u. Erdalkalimetallen bekannt, ferner von Cd, Hg, Zn u. a. Übergangsmetallen. Letztere bilden bevorzugt *Peroxo-Komplexe* mit Disauerstoff(O_2)-Liganden, die den Dioxiranen ähnliche Dioxametalla-cyclen enthalten, wie z. B. das abgebildete Pyridin-Addukt des „Chromperoxids" $[Cr(O)(O_2)_2(C_5H_5N)]$ mit verzerrt pentagonal-pyramidaler Struktur.

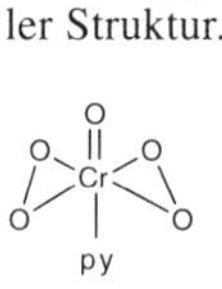

(py = Pyridin)

Abb. 1: Beisp. für ein anorgan. Peroxid.

Die Einführung von O_2 zusammen mit dem metall. Zentralatom wird manchmal *Peroxymetallierung* genannt; Näheres auch zu Reaktionen solcher Verb. s. bei Yoshida u. Vaska (*Lit.* [1] u. bei Oxygenierung). Intermediär treten peroxid. Verb. beim Nachw. von *Wasserstoffperoxid mit Titansulfat od. Dichromat auf (s. a. Chromoxide). Die in Kontakt mit organ. Materie zu explosiver Zers. neigenden anorgan. P. werden als Oxidantien u. H_2O_2-Lieferanten (nach $M_2O_2+2\,HX \rightarrow H_2O_2+2\,MX$) benutzt; ihre Herst. bedient sich meist der Luftoxid. der entsprechenden Oxide bei höherer Temperatur. Techn. bedeutungslos sind die wenigen bekannten *Metallhydroperoxide* des Typs M^I–O–OH. Von den P. sind die *Hyperoxide u. die normalen *Dioxide zu unterscheiden. Dagegen liegen echte P. vor in den zahlreichen *Peroxo...-Verb., s. die folgenden Stichwörter u. Peroxy-Verbindungen.

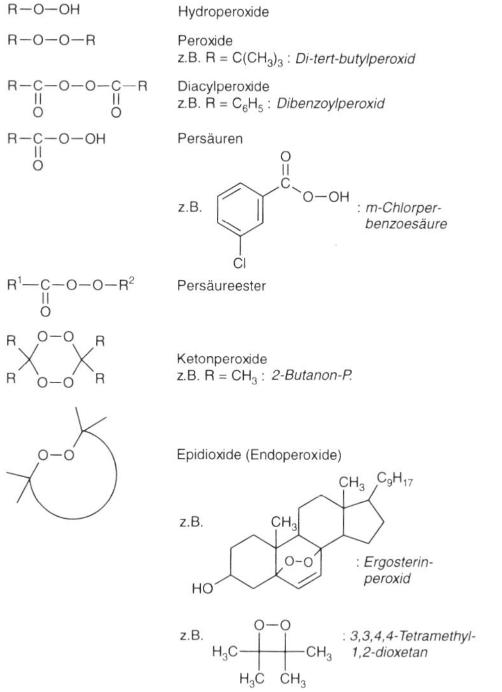

Abb. 2. Typen organ. Peroxide.

2. *Organ. P.*: Bei den v. a. von *Criegee u. *Rieche untersuchten organ. Peroxy-Verb. unterscheidet man neben den *Hydroperoxiden u. *Persäuren die in Abb. 2 dargestellten u. im allg. in Einzelstichwörtern behandelten Typen.
Die Benennung der acycl. organ. P. erfolgt nach IUPAC-Regel C-218.2 durch Voranstellen von *Dioxy... od. Dioxydi..., die der cycl. mit Epidioxy... (s. Epidioxide) od. als heterocycl. Verb. mittels der *Oxa...-Nomenklatur. Das Präfix *Peroxy... ist der Bez. der organ. *Persäuren vorbehalten. In der Natur treten lediglich cycl. P. wie *Ascaridol, Ergosterinperoxid u. einige andere mit z. T. höhergliedrigen Ringen auf. Die organ. P. sind z. T. explosiv u. leicht zersetzlich; diese werden dann meist phlegmatisiert od. in inerten Lsm. geliefert u. angewandt.
Viele organ. P. reizen u. ätzen Haut u. Schleimhäute sowie Atemwege, vgl. MAK-Wert für Dibenzoylperoxid (5 mg/m^3) u. MAK-Liste Va (*Lit.*) auch zur potentiellen Mutagen- u. Carcinogen-Wirkung. Bei biochem. oxidativen Prozessen bildet sich Wasserstoffperoxid, das mit den Doppelbindungen von Fettsäure-Resten der Erythrocyten-Zellmembran reagiert u. dort tox. Hydroperoxide erzeugt. Diese schädigen die Zellmembran u. müssen mit Hilfe von reduziertem *Glutathion u. Glutathion-Peroxidase – einem der seltenen *Selen*-haltigen Enzyme – entfernt werden, anderenfalls verursachen sie eine vorzeitige Zelllyse [2]. Eine Schutzfunktion gegen aktive O_2-Verb. nimmt auch die *Superoxid-Dismutase wahr. Häufig sind organ. P. als Autoxidationsprodukte durchaus unerwünscht, z. B. in Fetten u. Kosmetika [3] wegen ihrer Rolle bei der Entstehung der *Ranzigkeit. Die sog. *Peroxid-Zahl* wird

Tab.: Physikal. Daten einiger Peroxide.

Name, Formel	Summenformel	M_R	Schmp. [°C]	Sdp. [°C] [kPa]	CAS
1,1′-Peroxy-bis-cyclohexanol 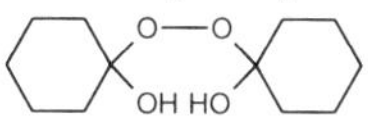	$C_{12}H_{22}O_4$	214,31	69–71	–	2407-94-5
1,2,4-Trioxolan 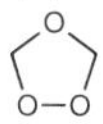	$C_2H_4O_3$	76,05	–	18 [2, 13]	289-14-5
Diethylperoxid (Ethylperoxy-ethan) H_5C_2–O–O–C_2H_5	$C_4H_{10}O_2$	90,12	–	62–63 [101,32]	628-37-5
Di-*tert*-butylperoxid $(H_3C)_3C$–O–O–$C(CH_3)_3$	$C_8H_{18}O_2$	146,23	–18 [101,32]	109	110-05-4
9,10-Dihydro-9,10-epidioxido-anthracen 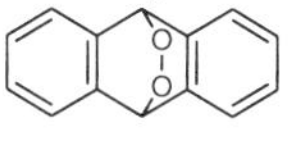	$C_{14}H_{10}O_2$	210,23	120	–	4741-24-6
Dicumolperoxid s. Dicumylperoxid					
Diacetylperoxid H_3C–CO–O–O–CO–CH_3	$C_4H_6O_4$	118,09	26–30	63 [0,28]	110-22-5
Dimethyldioxiran 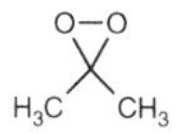	$C_3H_6O_2$	74,08	–	–	74087-85-7
Bis-trimethylsilanyl-peroxid $(H_3C)_3Si$–O–O–$Si(CH_3)_3$	$C_6H_{18}O_2Si_2$	178,38	–	36 [0,4]	5796-98-5

bei Fetten durch iodometr. Titration mit Thiosulfat bestimmt[4]. Störend sind P. auch in Ether u. Kohlenwasserstoffen, in denen sie sich bei der Dest. als schwerflüchtige Bestandteile anreichern u. schließlich zu gefährlichen Explosionen Anlaß geben können[5]. Deshalb ist bei Lsm. wie Diethylether, Dioxan, Tetrahydrofuran, Tetralin etc. *vor* jeder Dest. eine Entfernung der P. vorzunehmen, z. B. mit Fe(II)-Salzlsg., Hydrogensulfit-Lsg., Natriummetall, Triphenylphosphin od. durch Adsorption an Al_2O_3[6]. Andere Stoffe, insbes. Lebensmittel, versucht man durch *Antioxidantien gegen die Einwirkung oxygenierender Agentien zu schützen.

Nachw.: Organ. P. lassen sich durch die Iod-Ausscheidung von Kaliumiodid-Lsg., die Oxid. von Fe^{II} zu Fe^{III}, die titanometr. Oxidimetrie, die Dünnschichtchromatographie od. Teststreifen nachweisen[7]. Die Zerfallskonstanten u. Halbwertszeiten von organ. P. lassen sich polarograph. ermitteln.

Herst.: Durch radikal., katalysierbare *Autoxidation, die ebenso wie die gezielte *Oxidation mit Luft zu Hydroperoxiden u. P. führt – früher nannte man Produkte, die 1 Mol Sauerstoff (in welcher Form auch immer) aufgenommen hatten, *Moloxide*. Mit größerer Selektivität läßt sich die Einführung von O_2 in organ. Verb. (*Peroxidierung* od. besser *Peroxygenierung*, s. Oxygenierung) durch Umsetzung mit Wasserstoffperoxid od. anorgan. P., durch Veresterung od. Veretherung mit organ. Hydroperoxiden od. Persäuren usw. vornehmen; eine spezif. Herst. von 3,3-Dimethyldioxiran – einem P. mit vorzüglichen Oxid.-Eigenschaften – benutzt die Oxygenierung von Aceton mit *Caroscher Säure. Die sensibilisierte *Photooxidation mit – ggf. auch auf anderem Wege erzeugtem – *Singulett-Sauerstoff erfolgt sogar meist stereoselektiv; s. a. Hydroperoxide.

Verw.: Zu 90% in der Kunststoff-Ind. als Polymerisationsinitiatoren sowie als Härter u. Vernetzer, wobei die P. wegen ihrer Gefährlichkeit im allg. als verd. Lsg. in *Phlegmatisierungs-Mitteln od. als heterogene Gemische mit Wasser, Trägerstoffen bzw. Streckmitteln zum Einsatz kommen. P. dienen ferner zum Oxidieren, Bleichen u. Entfärben, im Laboratorium zur Einführung von Sauerstoff-Funktionen in organ. Mol. (*Oxygenierung). 1,2-*Dioxetane u. α-*Peroxylactone sind wegen ihrer Bio- u. Chemilumineszenz-Erscheinungen beim Zerfall interessant. Ähnliche Verw. wie P. finden *Persäuren u. *Hydroperoxide. – ***E*** peroxides – ***F*** peroxydes – ***I*** perossidi – ***S*** peróxidos

Lit.: [1] Pure Appl. Chem. **52**, 713–727 (1980). [2] Voet-Voet (2.), S. 583. [3] Belitz-Grosch (4.), S. 605 f. [4] Hager (5.) **2**, 328; Matissek et al., Lebensmittelanalytik (2.), Berlin: Springer 1992. [5] Bretherick, Hazards in the Chemical Laboratory, 5. Aufl., S. 1746 f., London: The Royal Society of Chemistry 1990. [6] Perrin, Armarego u. Perrin, Purification of Laboratory Chemicals, Oxford: Pergamon Press 1980. [7] Hager (5.) **2**, 135.
allg.: Ando, Organic Peroxides, Chichester: Wiley 1992 ▪ Chem. Rev. **94**, 625–638 (1994) ▪ Gmelin, Syst.-Nr. 3, Sauerstoff, S. 2097–2526, 1966 ▪ Greim et al., Gesundheitsschädliche Arbeitsstoffe (Begründung von MAK-Werten): Organische Peroxide, Weinheim: VCH Verlagsges. 1994 ▪ Houben-Weyl **8**, 1–74; **E 13** ▪ Kirk-Othmer (4.) **18**, 202–229, 230–310 ▪ Katritzky et al. **2**, 95 f. ▪ Patai, The Chemistry of Peroxides, Chichester: Wiley 1983 ▪ Patai, The Chemistry of Hydroxyl, Ether and Peroxide Groups, Chichester: Wiley 1993 ▪ Swern, Organic Peroxids, Bd. 1–3, New York: Wiley 1970–1972 ▪ Ullmann (5.), **A 19**, 177–197, 199–233 ▪ Winnacker-Küchler (4.) **2**, 563–606; **5**, 622 ff.; **6**, 391, 585 f., 755, 846 ff.

Peroxidierung s. Oxygenierung (Dioxygenierung) u. Peroxide.

Peroxid-Initiatoren. Bez. für organ. Verb., die *Peroxid-Einheiten enthalten u. daher beim Erhitzen, unter Bestrahlung od. durch Redox-Reaktionen homolyt. O,O-Bindungsbruch erleiden u. so freie Radikale bilden, die z. B. eine *radikalische Polymerisation geeigneter *Monomerer od. eine *Vernetzungs-Reaktion bereits vorliegender *Polymerer initiieren können (s. a. Initiatoren). – ***E*** peroxide initiators – ***F*** initiateurs au peroxide – ***I*** iniziatori perossidici – ***S*** iniciadores peróxidos

Peroxid-Waschechtheit s. Farbstoffe.

Peroxid-Zahl s. Fette u. Öle.

Peroximon®. Polymerisationsinitiatoren für die Polymerisation, Vernetzung u. Aushärtung von ungesätt. *Polyesterharzen. ***B.:*** Elf Atochem.

Peroxine s. Peroxisomen.

Peroxisomen (Peroxysomen). Von de *Duve aus *Wasserstoff*peroxi*d u. griech.: *soma* = Körper geprägte Bez. für solche *Microbodies, die sich durch einen bes. hohen Gehalt an *Katalase u. *Oxidasen auszeichnen. Die in Einzellern ebenso wie in pflanzlichen u. tier. Organismen weit verbreiteten P. spielen daher eine Hauptrolle z. B. bei körpereigenen Oxid.-Prozessen (z. B. Abbau der langkettigen Fettsäuren, Photoatmung der Pflanzen) u. der Synth. von Ether-Lipiden. Durch Untersuchungen an Hefemutanten hat man Erkenntnisse über die Biogenese der P. gewonnen: Beim Import von Proteinen in diese Organellen sind eine Reihe von Proteinen notwendig, die *Peroxine* (Pex- od. Pas-Proteine) genannt wurden[1]. Anders als bei *Mitochondrien, *Plastiden u. dem *endoplasmatischen Retikulum scheinen die zu importierenden Proteine in voll gefaltetem u. ggf. oligomerem Zustand eingeschleust zu werden; Poren – wie etwa bei der Kernhülle – wurden nicht festgestellt.

Als *P.-Proliferatoren* sind gewisse *Lipidsenker wie z. B. *Clofibrat, aber auch endogene Stoffe wie Fettsäuren u. Steroide bekannt; durch sie wird die Verstoffwechslung der Fettsäuren beschleunigt, ihre Biosynth. jedoch gehemmt. Ihre Wirkung entfalten sie durch Aktivierung eines *Kernrezeptors (*P.-Proliferator-aktivierter Rezeptor*[2]), der als *Transkriptionsfaktor die *Genexpression entsprechend beeinflußt. U. a. wird auch die Aktivierung von *Makrophagen unterdrückt[3]. – ***E*** peroxisomes – ***F*** peroxysomes – ***I*** perossisomi – ***S*** peroxisomas

Lit.: [1] Biospektrum **2**, Nr. 5, 16–22 (1996); J. Cell. Biol. **135**, 1 ff. (1996); Trends Biochem. Sci. **21**, 54–58 (1996). [2] Biochim. Biophys. Acta **1302**, 93–109 (1996). [3] Nature (London) **391**, 79–86 (1998).
allg.: Bioessays **19**, 57–66 (1997) ▪ Alberts et al., Molekularbiologie der Zelle, 3. Aufl., S. 678 ff., Weinheim: VCH Verlagsges. 1995 ▪ Latruffe u. Bugaut, Peroxisomes, Berlin: Springer 1993 ▪ Masters u. Crane, The Peroxisome. A Vital Organelle, Cambridge: Cambridge University Press 1995 ▪ Microscop. Res. Tech. **39**, 453–466 (1997) ▪ Mol. Cell. Biochem. **167**, 1–29 (1997) ▪ Reddy et al., Peroxisomes. Biology and Role in

Toxicology and Disease, New York: The New York Academy of Sciences 1996.

Peroxisomen-Proliferatoren s. Peroxisomen.

Peroxo... a) Bez. für den Liganden O_2^{2-} in Metallkomplexen [IUPAC-Regel I-10.4.5.4: auch *Peroxy... (*Chemical Abstracts*) od. Dioxido(2–)] u. in *Oxosäuren (IUPAC-Regel I-9.5.2.1); als Brückenligand: (μ-Peroxo)...; als „*side-on*" gebundener Ligand (MOO-Dreiring): (η^2-Peroxo)...; bei hoher Oxid.-Zahl des Metalls kann die Benennung mit (Dioxygen)... (= neutraler Ligand O_2) u. tieferer Oxid.-Zahl sinnvoll sein. b) Präfix u. Infix für Austausch der Gruppe –OH gegen –O–OH in Namen für anorgan. *Persäuren (IUPAC-Regel D-5.0, I-9.9.3); Austausch der Brücke –O– gegen –O–O– heißt μ-Peroxo...; *Beisp.:* *Peroxophosphate (= Salze der Phosphoroperoxosäure), μ-*Peroxodischwefelsäure; vgl. Peroxy... – ***E*** = ***F*** = ***S*** peroxo... – ***I*** perosso...

Lit.: *zu Peroxo-Komplexen:* Acc. Chem. Res. **9**, 175–183 (1976) ▪ Angew. Chem. **94**, 750–766 (1982) ▪ Helv. Chim. Acta **67**, 392–398 (1984) ▪ Pure Appl. Chem. **52**, 713–727 (1980); **53**, 2389–2399 (1981).

Peroxoborate (Perborate). Bez. für *Borate, in denen ein Sauerstoff-Atom durch die Disauerstoff-Gruppe –O–O– ersetzt ist. Entgegen früheren Anschauungen sind P. echte *Peroxo-Salze mit ringförmigem Anion (s. die Abb. bei Natriumperborat). – ***E*** = ***F*** peroxoborates – ***I*** perossoborati – ***S*** peroxoboratos

Lit.: DIN 150432: 1982-04 ▪ Gmelin, Syst.-Nr. 13, Erg.-Bd. 28, Tl. 7, Boroxide, Borsäuren, Borate, 1975, S. 221–237 ▪ Kirk-Othmer (4.) **18**, 210 ▪ Tenside, Surfactants, Deterg. **23** (2), 73 ff. ▪ Ullmann (5.) **A 19**, 182 ff. ▪ Winnacker-Küchler (4.) **2**, 584–588. – *[HS 2840 30]*

Peroxocarbonate (veraltet: Percarbonate, Peroxycarbonate). *Anorgan. Peroxomonocarbonate* sind Salze der hypothet. Peroxomonokohlensäure [HO–CO–O–OH] u. *Peroxodicarbonate* Salze der ebenfalls bisher nicht frei bekannten Peroxodikohlensäure [HO–CO–O–O–CO–OH] mit den allg. Formeln M^IHCO_4 u. $M^I_2C_2O_6$. Die Alkali-P. sind gegen Wärme u. Wasser sehr empfindlich; sie sind techn. bedeutungslos. Das gebräuchlichere sog. *Natriumpercarbonat ist kein echtes P., sondern ein H_2O_2-Addukt. Die *organ. Peroxodicarbonate* der allg. Formel R–O–CO–O–O–CO–O–R (R = Alkyl od. Aralkyl), die als Initiatoren zur Polymerisation von olefin. ungesätt. Verb. (insbes. von Vinylchlorid u. Ethylen) benutzt werden [1], sind aus den Chlorameisensäureestern, H_2O_2 u. Laugen zugänglich. Wegen ihrer kurzen HWZ müssen die organ. P., sofern sie Flüssigkeiten sind od. in gelöster Form vorliegen, unter 0 °C gelagert werden. P. mit Schmp., die über etwa 50 °C liegen, sind bei 20 °C stabil. – ***E*** = ***F*** peroxocarbonates – ***I*** perossicarbonati – ***S*** peroxicarbonatos

Lit.: [1] Plaste Kautsch. **28**, 375 f. (1981); **29**, 325–328 (1982); **31**, 1 ff. (1984).
allg.: Angew. Chem. **80**, 954–965 (1968) ▪ Beilstein E IV **3**, 18 ff. ▪ Gmelin, Syst.-Nr. 14, C, Tl. C 3, 1973 ▪ Helv. Chim. Acta **67**, 149–159 (1984) ▪ Kirk-Othmer (4.) **18**, 211 ▪ Ullmann (5.) **A 19**, 192 ff. ▪ Winnacker-Küchler (4.) **2**, 601 ▪ s. a. Peroxide. – *[HS 2836 99]*

Peroxochromate. Es existieren zwei Gruppen von Peroxo-Verb. des Chroms: a) Die *Peroxochromate(VI)*, $M[HCrO_6]$ {= $M^+[Cr(OH)(\eta^2\text{-}O_2)_2O^-]$ mit M z. B. K, NH_4, Tl(I)}, bilden blauviolette, diamagnet. Lösungen. Sie werden durch Zugabe von Wasserstoffperoxid zu sauren Chromat-Lsg. unter Eiskühlung gewonnen. Ihre wäss. Lsg. zersetzen sich leicht unter Sauerstoff-Entwicklung u. Rückbildung der ursprünglichen Chromate. Von der intensiven Blaufärbung der Peroxochromate(VI) macht man beim analyt. Nachw. von *Chromaten u. *Dichromaten Gebrauch. Dazu wird die Peroxochromat-Lsg. mit Ether ausgeschüttelt, wobei sich eine beständige blaue Ether-Anlagerungsverb. des Chrom(VI)-peroxids, $CrO_4 \cdot O(C_2H_5)_2$ = $CrO_2(\eta^2\text{-}O_2)[O(C_2H_5)_2]_2$, bildet. – b) Die roten, paramagnet. *Peroxochromate(V)*, M_3CrO_8 = $(M^+)_3[Cr(\eta^2\text{-}O_2)_4]^{3-}$ entstehen bei Einwirkung von Wasserstoffperoxid auf alkal. Chromat.-Lsg. unter Eiskühlung (s. a. Kaliumchromat). – ***E*** = ***F*** peroxochromates – ***I*** perossocromati – ***S*** peroxocromatos

Lit.: Hollemann-Wiberg (101.).

Peroxodicarbonate s. Peroxocarbonate.

Peroxodiphosphate s. Peroxophosphate.

C 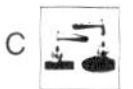
O 

Peroxodischwefelsäure (Perschwefelsäure). $HO_3S\text{–}O\text{–}O\text{–}SO_3H$, M_R 194,14. Weiße, wasserlösl., bei 60 °C schmelzende, unbeständige Kristalle. P. wirkt stark oxidierend u. hydrolysiert in Wasser; sie entsteht bei der Einwirkung von Chlorsulfonsäure auf Peroxomonoschwefelsäure (H_2SO_5, *Carosche Säure) od. bei der Elektrolyse einer 40- bis 50%igen Schwefelsäure unter Verw. glatter Pt-Elektroden bei Temp. unter 30 °C. Die Salze heißen *Peroxodisulfate* (Persulfate). Man erhält sie, wenn man z. B. konz. Alkali- bzw. Ammoniumsulfat-Lsg. bei hoher Stromdichte elektrolysiert. Sie sind starke Oxid.-, Bleich- u. Reinigungsmittel u. werden z. B. zur Hydroxylierung von Phenolen (*Elbs-Reaktion) u. als Initiatoren der Emulsionspolymerisation eingesetzt. – ***E*** peroxodisulfuric acid – ***F*** acide peroxodisulfurique – ***I*** acido perossodisolforico – ***S*** ácido peroxodisulfúrico

Lit.: Acc. Chem. Res. **16**, 27 ff. (1983) ▪ Brauer (3.) **1**, 392 ▪ Büchner et al., S. 27 f., 30 ▪ Gmelin, Syst.-Nr. 9, S, Tl. B, 1960, S. 808–852 ▪ Houben-Weyl **4/1 a**, 59 ff. ▪ Kirk-Othmer (4.) **18**, 217 f. ▪ Rev. Inorg. Chem. **2**, 179–206 (1980) ▪ Ullmann (5.) **A 9**, 216; **A 19**, 189 ff. ▪ Winnacker-Küchler (4.) **2**, 581 f., 590 f. – *[HS 2811 19; CAS 13445-49-3]*

Peroxodisulfate s. Peroxodischwefelsäure.

Peroxomonoschwefelsäure s. Carosche Säure.

Peroxomonosulfate. Bez. für die Salze der Peroxomonoschwefelsäure od. *Caroschen Säure (H_2SO_5) mit dem Anion SO_5^{2-} *(Caroate)*; *Beisp.:* *Kaliumhydrogenperoxomonosulfat ($KHSO_5$). – ***E*** = ***F*** peroxomonosulfates – ***I*** perossomonosolfati – ***S*** peroxomonosulfatos

Lit.: J. Chem. Soc., Chem. Commun. **1984**, 1574 ▪ Kirk-Othmer (4.) **18**, 214–217 ▪ Ullmann (5.) **A 19**, 187 ff. – *[HS 2833 40]*

Peroxonitrat-Ester (Peroxynitrat-Ester). Verb. der allg. Formel $R\text{–}O\text{–}O\text{–}NO_2$, Ester der Peroxosalpetersäure; P.-E. werden in der Atmosphäre als *Photooxidantien gebildet. Wichtige Vertreter sind Methyl-, Ethyl-, Propyl- u. Phenylperoxonitrat (MPN, EPN, PrPN u. PhPN). Sie sind um Größenordnungen kurzlebiger

als die entsprechenden *Peroxyacylnitrate u. können sich nur bei sehr niedriger Temp. anreichern. – ***E*** peroxonitrate esters – ***F*** peroxonitrates organiques – ***I*** perossonitrati organici – ***S*** peroxonitratos orgánicos
Lit.: Hutzinger **4B**, 1–38 ▪ J. Phys. Chem. **93**, 5500–5507 (1989).

Peroxophosphate. Salze der Peroxomonophosphorsäure $(HO)_2(O)P–O–OH$ mit dem Anion PO_5^{3-} od. der Peroxodiphosphorsäure $(HO)_2(O)P–O–O–P(O)(OH)_2$ mit dem Anion $P_2O_8^{4-}$; *Beisp.:* Kaliumperoxodiphosphat ($K_4P_2O_8$), das durch Elektrolyse von Kaliumphosphat-Lsg. an der Anode erhalten wird. – ***E=F*** peroxophosphates – ***I*** perossofosfati – ***S*** peroxofosfatos
Lit.: Kirk-Othmer (4.) **18**, 212 ff. ▪ Ullmann (5.) **A 19**, 191 f. ▪ Winnacker-Küchler (4.) **2**, 589.

Peroxosalpetersäure, Peroxysalpetersäure s. Photooxidantien.

Peroxoschwefelsäure, Peroxosulfate s. Peroxodischwefelsäure u. Carosche Säure.

Peroxtesmo. Testpapier zum Nachw. von Peroxidase in der Nahrungsmittel-Ind. (P. KO) bzw. von Blutspuren in der Kriminalistik (P. KM); in beiden Fällen bilden sich blaue Flecken auf weißem Untergrund. ***B.:*** Macherey-Nagel.

Peroxy... a) Endung von Präfixen für Gruppen –O–O–R in Namen für organ. *Peroxide (IUPAC-Regel R-5.5.5; alte Regel C-218.2 u. *Chemical Abstracts:* *Dioxy...); *Beisp.:* $–O–O–C_2H_5$ Ethylperoxy... (= Ethyldioxy...); vgl. Hydroperoxy...
b) Präfix für Austausch der Gruppe –OH gegen –O–OH in organ. *Persäuren (Regel C-441, R-5.7.1.3; in der Lit. wird bei systemat. Namen das Infix *Peroxo... bevorzugt); *Beisp.:* $H_5C_6–CO–OOH$ *Peroxybenzoesäure (Benzolperoxycarbonsäure od. -carboperoxosäure); früher: Perbenzoe- od. Benzopersäure (s. Per...). – ***E=F*** peroxy... – ***I*** perossi... – ***S*** peroxi...

Peroxyacetylnitrat (PAN). Übliche Bez. für Acetylnitro-peroxid, auch Peroxyessigsäure-salpetersäure-anhydrid od. Essigsäure-peroxosalpetersäure-anhydrid genannt, ein wichtiges Peroxyacylnitrat (Daten s. dort). – ***E*** peroxyacetyl nitrate – ***F*** peroxyacétyl-nitrate – ***I*** nitrato di perossiacetile – ***S*** nitrato de peroxiacetilo
Lit.: Ber. Bunsenges. Phys. Chem. **94**, 1379–1382 (1990). – *[CAS 2278-22-0]*

Peroxyacylnitrate (PAN, Acylperoxonitrate). Übliche Bez. für die Gruppe der gemischten Anhydride aus Peroxycarbonsäure u. Salpetersäure $R–CO–O–O–NO_2$ (R = Alkyl u.a.; s. Tab.), nach IUPAC als Acyl-nitroperoxide zu bezeichnen. Der wichtigste Vertreter der PAN ist das *Peroxyacetylnitrat („das PAN")
Bildung: Die P. entstehen in der Atmosphäre als photochem. Abbauprodukte von Kohlenwasserstoffen u. a. Verbindungen. Die Bildung der P. kann z. B. von *Aldehyden ausgehen, die ihrerseits wichtige Zwischenstufen des *Photoabbaus flüchtiger organ. Verb. sind. Durch H-Atom-Abstraktion (1) u. Addition von Sauerstoff entsteht aus dem Aldehyd ein Acylperoxy-Radikal (2), das im Sinne einer Kettenabbruchreaktion mit einem NO_2-Radikal in Ggw. geeigneter Energieakzeptoren zu P. rekombiniert (3).

(1) $R–CHO + {}^{\bullet}OH \rightarrow R–\dot{C}O + H_2O$

od.

$R–CHO + N\dot{O}_3 \rightarrow R–\dot{C}O + HNO_3$

(2) $R–\dot{C}O + O_2 \rightarrow R–CO–O–\dot{O}$

(3) $R–CO–O–\dot{O} + {}^{\bullet}NO_2 \rightarrow R–CO–O–O–NO_2$

Eigenschaften u. Vork.: P. gehören zu den *Photooxidantien u. sind wesentliche Bestandteile des *Photosmogs. Sie zerfallen in der Wärme recht schnell. Das wichtigste P., Peroxyacetylnitrat, hat bei 30 °C eine atmosphär. Lebensdauer von ca. 0,4 h, bei –10 °C von ca. 14 d, bei –30 °C von ca. 2,6 a. Die Reaktanten in Gleichung (3) bestimmen die Konz. der P. in der Atmosphäre. P. bilden ein Reservoir an Photooxidantien, das mit den Luftströmungen in Reinluftgebiete verfrachtet werden kann. P. sind gut lösl. in apolaren Lsm., aber kaum in Wasser, weshalb sie nur in geringem Umfang durch Niederschläge aus der Atmosphäre gewaschen werden. In bas. Lsg. werden sie jedoch schnell unter Sauerstoff-Freisetzung hydrolysiert (4).

(4) $R–CO–O–O–NO_2 + 2\,OH^- \rightarrow R–COO^- + O_2 + NO_2^- + H_2O$

P. reagieren relativ langsam mit OH-Radikalen. Bei niedriger Temp. gewinnt die Photolyse als Abbauprozeß an Bedeutung. Bei der Elimination aus der Atmosphäre spielt auch die Deposition eine Rolle.
Wirkungen: P. reizen die Augen u. verursachen Atemwegserkrankungen. Sie gelten als mutagen u. carcinogen. Sie weisen eine hohe *Phytotoxizität auf u. verursachen bei empfindlichen Pflanzen Blattverfärbungen. Es wird vermutet, daß cycl. P.-Konformere Lipidmembranen schnell durchdringen.
Nachw.: P. wurden erstmals im *Photosmog von Los Angeles durch IR-Analyse nachgewiesen. Sie können durch Gaschromatographie mit Elektronen-Einfang-detektor[1] od. Massenspektrometer, Chemolumineszenz od. z. B. nach Umsetzung zu Nitrit nachgewiesen werden. – ***E*** peroxyacyl nitrates – ***F*** nitrates de peroxyacyle – ***I*** nitrati di perossiacile – ***S*** nitratos de peroxiacilo
Lit.: [1] Nriagu (Hrsg.), Advances in Environmental Science and Technology, Bd. 24, Gaseous Pollutants, S. 84–89, New York: 1992.
allg.: Chem. Phys. Lett. **191**, 169–174 (1992) ▪ Finlayson-Pitts u. Pitts, Atmospheric Chemistry, S. 548–554, New York: Wiley 1986 ▪ Hutzinger **4B**, 1–38. – *[CAS 2278-22-0 (PAN); 5796-89-4 (PPN)]*

Tab.: Wichtige Peroxyacylnitrate.

Übliche Bez.	Abk.	Strukturformel	Summenformel	M_R
Peroxyacetylnitrat	PAN	$H_3C–CO–O–O–NO_2$	$C_2H_3NO_5$	121,05
Peroxypropionylnitrat	PPN	$H_3C–CH_2–CO–O–O–NO_2$	$C_3H_5NO_5$	135,08
Peroxybutyrylnitrat	PBN	$H_3C–CH_2–CH_2–CO–O–O–NO_2$	$C_4H_7NO_5$	149,10
Peroxybenzoylnitrat	PBzN	$H_5C_6–CO–O–O–NO_2$	$C_7H_5NO_5$	183,12
Chlorperoxyacetylnitrat	Chloro-PAN	$Cl–CH_2–CO–O–O–NO_2$	$C_2H_2ClNO_5$	155,49

Peroxyameisensäure (Methanperoxosäure; veraltet: Perameisensäure, Ameisenpersäure).

$$H-\overset{\overset{O}{\|}}{C}-O-OH$$

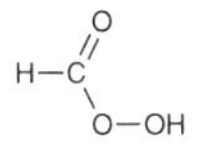

CH_2O_3, M_R 62,02. Als ca. 90%ige wäss. Lsg. eine farblose Flüssigkeit, Schmp. –18 °C, Sdp. 50 °C (133 hPa), mischbar mit Wasser, Alkohol, Ether, bildet instabile Lsg. in Benzol u. Chloroform. P. ist ein starkes Oxid.-Mittel u. explodiert ggf. bei Berührung mit reduzierenden Verb. od. Metallen od. beim Erhitzen, wirkt reizend, stark verd. wäss. Lsg. wirken desinfizierend. P. wird frisch aus HCOOH u. H_2O_2 in Ggw. von konz. H_2SO_4 hergestellt u. für Oxid., Epoxid. u. Hydroxylierungen (s. a. Prileschajew-Reaktion) verwendet. – *E* peroxyformic acid – *F* acide peroxiformique – *I* acido perossiformico – *S* ácido peroxifórmico

Lit.: Beilstein EIV **2**, 42 ■ Bretherick, Handbook of Reactive Chemical Hazards (5.), London: Butterworths 1995 ■ Helv. Chim. Acta **66**, 400–404 (1983) ■ Kirk-Othmer (4.) **18**, 268 ■ Merck-Index (12.), Nr. 7302 ■ Ullmann (5.) **A 19**, 206 ■ s. a. Persäuren. – [CAS *107-32-4*]

Peroxybenzoesäure (Benzolcarboperoxosäure; veraltet: Benzopersäure, Perbenzoesäure).

$$H_5C_6-\overset{\overset{O}{\|}}{C}-O-OH$$

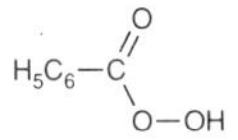

$C_7H_6O_3$, M_R 138,12. Farblose, stechend riechende Krist., sehr flüchtig, Schmp. 41–43 °C, Sdp. 97–110 °C (20 hPa). Wie alle Persäuren ist P. ein starkes Oxid.-Mittel, greift Haut u. Textilien an; wenig lösl. in Wasser, leicht lösl. in organ. Lösungsmitteln. Die Herst. erfolgt aus Dibenzoylperoxid u. Natriumethoxid in Alkohol.
Verw.: Vielseitiges Oxid-Mittel. Mit Olefinen liefert P. Epoxide (*Prileschajew-Reaktion); in der analyt. Chemie wird es als Mittel zur Bestimmung des Gehalts an Doppelbindungen in organ. Verb. benutzt. – *E* peroxybenzoic acid – *F* acide peroxybenzoïque – *I* acido perossibenzoico – *S* ácido peroxibenzoico

Lit.: Angew. Chem. **65**, 57 ff. (1953) (Herst.-Meth.) ■ Beilstein EIV **9**, 715 ■ Bretherick, Handbook of Reactive Chemical Hazards (5.), London: Butterworths 1995 ■ Kirk-Othmer (4.) **18**, 268 ■ Merck-Index (12.), Nr. 7295 ■ Ullmann (5.) **A 19**, 206 ■ s. a. Persäuren. – [HS *291639*; CAS *93-59-4*]

Peroxybenzoylnitrat s. Peroxyacylnitrate.

Peroxycarbonate s. Peroxocarbonate.

Peroxycarbonsäuren s. Persäuren.

Peroxyessigsäure (Ethanperoxosäure; veraltet: Acetopersäure, Peressigsäure).

$$H_3C-\overset{\overset{O}{\|}}{C}-O-OH$$

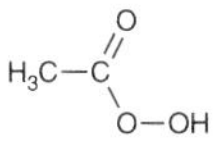

$C_2H_4O_3$, M_R 76,05. Farblose, stechend riechende Flüssigkeit, D. 1,226, Schmp. 0,1 °C, Sdp. 105 °C (explodiert bei Erhitzen auf 110 °C), 25 °C (21 hPa), gut lösl. in Wasser, Alkohol, Ether u. Schwefelsäure; WGK 2 (Selbsteinst.). P. ist stark Haut- u. Augen-reizend u. krebserzeugend, Gruppe III B MAK-Werte-Liste 1996. Die zu den *Persäuren gehörende P. explodiert in >50%igen organ. u. in >70%igen wäss. Lsg., so daß man sie vielfach *in situ*, d. h. im Reaktionsgefäß meist aus Essigsäure u. H_2O_2 in Ggw. von Säuren herstellt. Weitere Herst.-Verf. sind die Oxid. von Acetaldehyd mit O_2 u. die Acetylierung von H_2O_2 mit Acetanhydrid od. Acetylchlorid.
Verw.: Als starkes Oxid.-Mittel, als Bleichmittel bei der Herst. von Papieren, Textilien, Ölen, Wachsen u. Stärke, als bakterizides, fungizides u. viruzides Desinfektionsmittel, bes. zur Epoxidierung von Olefinen (*Prileschajew-Reaktion), als Oxid.-Mittel bei der Herst. von ε-*Caprolacton nach dem Schema der *Baeyer-Villiger-Oxidation u. von N- u. S-Oxiden. – *E* peroxyacetic acid – *F* acide peroxyacétique – *I* acido perossiacetico – *S* ácido peroxiacético

Lit.: Beilstein EIV **2**, 390 f. ■ Bretherick, Handbook of Reactive Chemical Hazards (5.), London: Butterworths 1995 ■ Giftliste ■ Hommel, Nr. 363 ■ Kirk-Othmer (3.) **17**, 60; (4.) **18**, 268 ■ McKetta **1**, 152 f. ■ Merck-Index (12.), Nr. 7293 ■ Methodicum Chimicum **5**, 723 ■ TRGS 906-14 (BArbBl. 6/1997, S. 40; BArbBl. 11/1997, S. 43) ■ Ullmann (5.) **A 19**, 206 ■ Weissermel-Arpe (4.), S. 187, 292 ■ Winnacker-Küchler (4.) **6**, 42 f., 59 ff., 80 f., 94 ■ s. a. Persäuren. – [HS *291590*; CAS *79-21-0*; G *5.2*]

Peroxygenierung s. Oxygenierung (Dioxygenierung) u. Peroxide.

Peroxyketale. Trivialbez. für geminale *Peroxide, die durch Umsetzung von Ketonen mit *tert*-Alkylhydroperoxiden (insbes. *tert*-Butylhydroperoxid) in Ggw. von starken Säuren als Katalysatoren erhalten werden u. die allg. Struktur

$$R^1-\underset{\underset{R^2}{|}}{\overset{\overset{O-O-R^3}{|}}{C}}-O-O-R^3$$

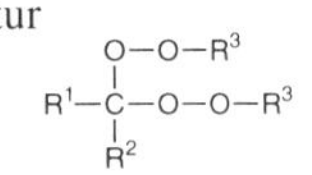

aufweisen, in der R^1 u. R^2 beliebige aliphat., araliphat. od. aromat. Reste u. R^3 einen *tert*-Alkyl-Rest (vorzugsweise *tert*-Butyl) bedeuten. Sie werden als Initiatoren zur Polymerisation olefin. ungesätt. Verb. (insbes. Styrol) u. zum Vernetzen von Kautschuk (vorzugsweise EPM- u. EPDM-Typen) verwendet. – *E* peroxyketals – *F* peroxycétals – *I* perossichetali – *S* peroxicetales

Lit.: s. Peroxide.

Peroxylactone. Bez. für solche *Lactone, die –O–O– statt –O– im Ring enthalten. Von bes. Interesse sind die α-P. (*1,2-Dioxetan-3-one*) als Keton-Derivate viergliedriger cycl. Peroxide (1,2-Dioxetane). Letztere zerfallen ebenso wie andere P. beim Erwärmen unter Lichtemission, d. h. sie zeigen *Chemilumineszenz

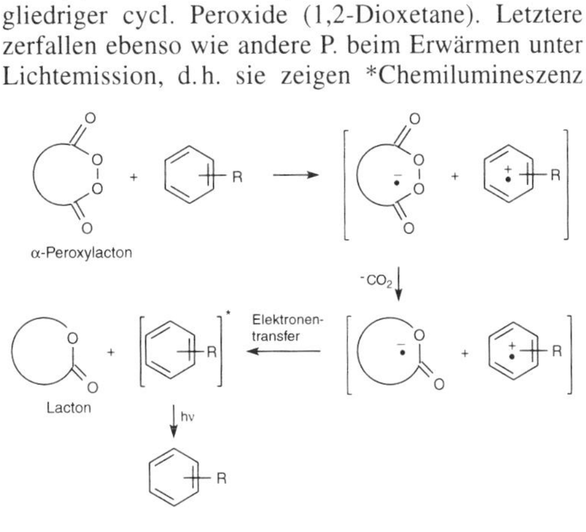

bzw. *Biolumineszenz. In neuerer Zeit ist ein weiterer Mechanismus für die Chemilumineszenz von P. beschrieben worden, nachdem der angeregte Zustand, von dem die Lichtemmision ausgeht, durch Elektronentransfer aus einem Radikal-Ionenpaar gebildet wird (CIEEL-Mechanismus von *chemically induced electron-exchange luminescence*), s. Abbildung. – ***E*** = ***F*** peroxylactones – ***I*** perossilattoni – ***S*** peroxilactonas
Lit.: Adv. Phys. Org. Chem. **18**, 187 f. (1982) ▪ Gundermann u. McCapra, Chemiluminescence in Organic Chemistry, Berlin: Springer 1987 ▪ Klessinger u. Michl, Lichtabsorption und Photochemie organischer Moleküle, S. 407–411, Weinheim: VCH Verlagsges. 1990 ▪ s. a. Dioxetane.

Peroxymetallierung s. Peroxide.

Peroxynitrit s. Stickstoffoxide (Stickstoffmonoxid).

Peroxysomen s. Peroxisomen.

Perphenazin (Rp).

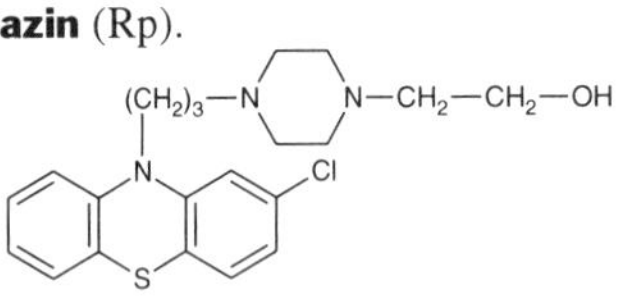

Internat. Freiname für das *Neuroleptikum u. *Antiemetikum 2-(4-[3-(2-Chlorphenothiazin-10-yl)-propyl]-piperazin-1-yl)-ethanol, $C_{21}H_{26}ClN_3OS$, M_R 403,96. Weißes Pulver, Schmp. 94–100 °C, Sdp. 278–281 °C (133 Pa); λ_{max} 213, 257, 314 nm; prakt. unlösl. in Wasser, lösl. in Chloroform (1:1) u. Ethanol (1:7–20). – ***E*** perphenazine – ***F*** perphénazine – ***I*** = ***S*** perfenazina
Lit.: Beilstein E III/IV **27**, 1307 ▪ Hager (5.) **9**, 92 f. ▪ Martindale (31.), S. 728 ▪ Ph. Eur. **1997** u. Komm. – *[HS 2934 30; CAS 58-39-9]*

Perphosphate s. Peroxophosphate.

Perrhenate [Rhenate(VII)]. Farblose beständige Salze der allg. Formel M^IReO_4, die sich von der starken einbas. *Perrheniumsäure*, $HReO_4$, ableiten. Die in Wasser wenig lösl. Ammonium- u. *Kaliumperrhenate sind die wichtigsten Zwischenprodukte für die Herst. von *Rhenium-Metall u. -Katalysatoren. – ***E*** perrhenates – ***F*** perrhénates – ***I*** perrenati – ***S*** perrenatos
Lit.: Brauer (3.) **3**, 1632–1634 ▪ s. a. Rhenium.

Perrin, Jean Baptiste (1870–1942), Prof. für Physikal. Chemie, Sorbonne, Paris. *Arbeitsgebiete:* Sedimentationsgleichgew. u. Bestimmung der Avogadroschen Zahl hieraus, Kathodenstrahlen, Brownsche Molekularbewegung, ionisierende Wirkung der Röntgenstrahlen, Fluoreszenz; Begründer des CNRS (Centre National de la Recherche Scientifique). Nobelpreis für Physik 1926 für die Entdeckung des Sedimentationsgleichgewichts.
Lit.: Krafft, S. 219 ▪ Lexikon der Naturwissenschaftler, S. 325 ▪ Nachmansohn, S. 276 ▪ Neufeldt, S. 120, 357 ▪ Nye, Molecular Reality, Amsterdam: Elsevier 1972 ▪ Pötsch, S. 341 ▪ Poggendorff **7 b/6**, 3939–3941 ▪ Strube **2**, 76, 132.

Persäure s. Perylen-3,4,9,10-tetracarbonsäure-dianhydrid.

Persäureester. Formal als Ester der Peroxycarbonsäuren (*Persäuren) od. als Acylierungsprodukte von Alkylhydroperoxiden aufzufassende Verb. der allg. Formel

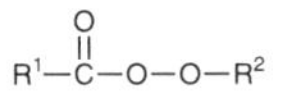

in der R^1 jeden beliebigen aliphat., araliphat. od. aromat. Rest bedeuten kann; R^2 ist prakt. immer ein *tert*-Alkyl-Rest, insbes. ein *tert*-Butyl-Rest. P. *tert.* Carbonsäuren müssen unter 0 °C gelagert werden, P. *sek.* Carbonsäuren sind bei 20 °C gerade noch lagerstabil, u. P. *prim.* Carbonsäuren u. von Benzoesäuren ertragen Lagertemp. um 40 °C. Die niedermol. P. müssen wegen ihrer Schlagempfindlichkeit mit Kohlenwasserstoffen od. Phthalsäureestern phlegmatisiert werden.
P. werden aus Säurechlorid u. Alkylhydroperoxid in Ggw. von Alkalihydroxid u. Wasser hergestellt. P. dienen als Initiatoren zur Polymerisation von olefin. Verb. (z. B. Vinylchlorid, Ethylen, Styrol, ungesätt. Polyesterharze). – ***E*** peracid esters – ***F*** esters de peracides – ***I*** esteri del peracido – ***S*** ésteres de perácidos
Lit.: s. Peroxide u. Persäuren.

Persäuren. Nicht systemat. Sammelbez., unter der man in der Anorgan. Chemie im allg. nur die *Peroxosäuren* (s. Peroxo...), seltener auch *Oxosäuren vom Typ der Perchlorsäure (vgl. Per...) versteht. In der Organ. Chemie faßt man als P. mit der allg. Formel R–C(O)–O–OH die Carbonsäuren zusammen, die eine freie O–OH-Gruppe enthalten *(Peroxycarbonsäuren)* u. die als Acyl-*hydroperoxide aufgefaßt werden können, während Verb. vom Typ R–C(O)–O–O–C(O)–R als *Diacylperoxide behandelt werden, s. Peroxide. Die organ. P. werden systemat. nach IUPAC-Regel C-441 durch Voransetzen von *Peroxy... vor den Namen der Carbonsäure benannt. *Beisp.:* *Peroxyameisensäure, *Peroxybenzoesäure u. *Peroxyessigsäure; die Trivialnamen Perameisen-, Perbenzoe- u. Peressigsäure sollten künftig vermieden werden. Die P. sind nicht sonderlich stabil u. können beim Erhitzen ggf. ohne Vorwarnung explodieren. Mit zunehmender Molmasse steigt die Stabilität an; eine bes. stabile, krist. P. ist die 3-*Chlor-peroxybenzoesäure. Die techn. aus den Carbonsäuren u. H_2O_2 in Ggw. von Mineralsäuren od. auf speziellen Wegen herstellbaren P. werden im Laboratorium u. techn. zur Gewinnung von *Epoxiden (s. Prileschajew-Reaktion) u. bei der Hydroxylierung, daneben zur *Baeyer-Villiger-Oxidation u. zu speziellen Oxid.-Prozessen verwendet. Veresterung liefert die *Persäureester. – ***E*** peracids – ***F*** peracides – ***I*** peracidi – ***S*** perácidos
Lit.: Houben-Weyl **E 13**, 763 ff. ▪ Katritzky et al. **5**, 205 ▪ Patai, The Chemistry of Carboxylic Acids and Esters, S. 669 f., London: Wiley 1969 ▪ s. a. Peroxide.

Persalze. Veraltete, nur in wenigen Fällen noch gebräuchliche Bez. für die Salze einiger Peroxosäuren (z. B: *Ammoniumpersulfat, *Natriumperborat, *Natriumpercarbonat). *Perchlorate, *Permanganate u. a. Salze von Sauerstoff-Säuren enthalten jedoch keine Peroxo-Gruppe u. zählen deshalb auch nicht zu den Persalzen. Um Verwechslungen auszuschließen, wird das O_2^{2-}-Strukturelement der P. nach IUPAC als „Peroxo“ gekennzeichnet (z. B. *Peroxochromate, *Peroxophosphate). – ***E*** per salts, peroxo salts – ***F*** per sels – ***I*** persali – ***S*** persales, peroxosales

Perschwefelsäure s. Peroxodischwefelsäure.

Persiderm®. Sortiment von Deckfarben u. Färbereihilfsmitteln für die Leder-Ind.: P. SI auf Silicon-Basis zum Finishen von Velourleder. ***B.:*** Bayer.

Persil®. Als erstes selbsttätiges Waschmittel der Welt wurde P. von Henkel 1907 entwickelt; es enthielt Seife, Soda, Natriumperborat u. Wasserglas (Name abgeleitet von Perborat u. Silicat). Mitte der 30er Jahre wurden Phosphate u. Stabilisatoren eingeführt, u. später wurden noch Dispergatoren, Schmutzträger, opt. Aufheller, Hautschutzstoffe, Dispersionsvermittler u. Duftstoffe zugesetzt. Weitere Entwicklungsstationen: Einführung von schaumintensiven Tensiden, Ersatz des Sodas durch Polyphosphate (1959), Schaumregulierung, wodurch im niederen Temp.-Bereich (handwarm) reichlich Schaum, im Kochtemp.-Bereich, insbes. in Waschautomaten, nur wenig Schaum gebildet wird (1965), Einführung von proteolyt. Enzymen (1970), weitgehender (1981), völliger (1986) Ersatz der Triphosphate durch Zeolith A. Das heutige P. besteht im wesentlichen aus anion. u. nichtion. Tensiden, Natrium-Aluminium-Silicat (Zeolith A, Marke: SASIL®), Natriumcarbonat, Polycarboxylaten, Natriumperoxoborat, Tetraacetylethylendiamin, Wasserglas, Bleichstabilisatoren, Enzymen, ferner kleinen Mengen opt. Aufheller u. Duftstoffe. *P. color* für Buntwäsche enthält keine opt. Aufheller, statt dessen *Polyvinylpyrrolidon als Verfärbungsinhibitor. *P. supra* ist als Flüssigkonzentrat od. als Schwerpulver mit einer speziellen Builder-Kombination erhältlich. 1995 Einführung von *P. Megaperls*, ein mittels Extrusion hergestelltes Superkompaktwaschmittel in Perlenform, auch parfümfrei u. als Color-Waschmittel erhältlich. ***B.:*** Henkel.

Persimone s. Kaki.

Persio s. Orcein.

Persipan. Nach Abschnitt II C der Leitsätze für Ölsamen u. daraus hergestellte Massen u. Süßwaren [1] ist P. eine Mischung aus *P.-Rohmasse* u. höchstens der eineinhalbfachen Menge Zucker, wobei der Zucker teilw. durch *Glucosesirup od. *Sorbit ersetzt werden kann (bis zu 5% ohne Kenntlichmachung). P.-Rohmasse darf nach Abschnitt II B der Leitsätze aus geschälten, ggf. entbitterten bitteren *Mandeln, Aprikosen- od. Pfirsichkernen unter Zusatz von höchstens 35% Zucker hergestellt werden. Der Feuchtigkeitsgehalt beträgt höchstens 20%. Als Indikator sollte P.-Rohmasse 0,5% *Stärke enthalten, damit man nach dem Einwirken von *Iod durch die charakterist. Blaufärbung der gebildeten Iod-Stärke-Einschlußverb. eine Unterscheidung zwischen P. u. dem qual. höherstehenden *Marzipan vornehmen kann. Den Zusatz von Farbstoffen (Anlage 6 Liste B Nr. 3), *Süßstoffen (Anlage 7 Liste B Nr. 5) u. *Konservierungsmitteln (Anlage 3 Liste B Nr. 30) regelt die *Zusatzstoff-Zulassungs-VO (ZZulV) [2]. Die Verw. von P. muß, falls eine Verwechslungsmöglichkeit mit Marzipan besteht, kenntlich gemacht werden. Der Einsatz von P., v. a. im Konditorhandwerk, ist rückläufig. – ***E = F*** persipan – ***I*** pasta di noccioli di pesche – ***S*** persipán

Lit.: [1] Leitsätze für Ölsamen u. daraus hergestellte Massen u. Süßwaren in der Fassung vom 09. 06. 1987 (Bundesanzeiger Nr. 140 a). [2] VO über die Zulassung von Zusatzstoffen zu Lebensmitteln (ZZulV) vom 22. 12. 1981 in der Fassung vom 08. 06. 1996 (BGBl. I, S. 460).
allg.: Belitz-Grosch (4.), S. 794 ▪ Hoffmann, Zucker u. Zuckerwaren, S. 242 ff., Berlin: Parey 1985 ▪ Ullmann (4.) **24**, 799 ▪ Vollmer et al., Lebensmittelführer, Bd. 2, Stuttgart: Thieme 1995 ▪ Zipfel, C 355, C 355. – *[HS 1704 90]*

Persisch Rot s. Chrom-Pigmente.

Persistenz (von latein.: persistere = verharren). Die Stabilität eines Stoffes gegenüber den Einflüssen u. Kräften der Umwelt (s. a. abbauresistente Substanzen). P. ist ökolog. unerwünscht, wenn Einträge in die Umwelt zu Schadwirkungen u./od. einer Anreicherung des Stoffes in den Umweltmedien führen. Andererseits kann P. mit techn. erwünschten Eigenschaften verknüpft sein (Qualitätsmerkmal Haltbarkeit).
Die P. eines Stoffes kann quant. durch seine HWZ od. im Fall von Gasen durch seine mittlere atmosphär. Lebensdauer beschrieben werden. Letztere ist das Verhältnis von atmosphär. Gehalt zur Gesamtaustragsgeschwindigkeit. Die Schnelligkeit der Abbauprozesse hängt von den physikal. Bedingungen u. der *Abbaukapazität der Umwelt ab.
Prinzipiell sind viele anorgan. Umweltgifte, z. B. Verb. mit Schwermetall-Ionen, persistent, da sie zwar umgewandelt, aber nicht im eigentlichen Sinne abgebaut werden. Für organ. Stoffe gilt das Prinzip, daß die P. von Umwandlungsprodukten der P. des Ausgangsstoffes zugerechnet wird. In der Differenzierung der Stabilität eines Stoffes von leicht abbaubar über schwer abbaubar bis hin zu persistent gibt es keine verbindlichen Regeln. P. ist ein wichtiges neg. Kriterium bei der umweltorientierten Chemikalien-Bewertung (s. a. Ökotoxikologie).
Zu den unerwünscht persistenten Stoffen gehören *PCB, die sich weiträumig verteilen u. in der Biosphäre akkumulieren. DDE [1,1-Dichlor-2,2-bis(4-chlorphenyl)ethen] ist ein persistenter Metabolit des *DDT. Viele *FCKW sind relativ stabil gegen den *Photoabbau in der Atmosphäre u. gelangen in die Stratosphäre; s. a. POP u. PBT.
In der chem. Lit. spricht man gelegentlich von „persistenten" Radikalen od. Anregungszuständen im Gegensatz zu transienten. In der Medizin bezeichnet P. z. B. eine fortdauernde Infektion trotz vorhandener Antikörper (z. B. Herpesinfektion) [1]. – ***E*** persistency – ***F*** persistance – ***I*** persistenza – ***S*** persistencia

Lit.: [1] Hoffmann-La Roche AG (Hrsg.), Roche Lexikon Medizin (2.), 1335, München: Urban & Schwarzenberg 1987.
allg.: Parlar u. Angerhöfer, Chemische Ökotoxikologie (2.), Berlin: Springer 1995 ▪ Umweltwiss. Schadstoff-Forsch. – Z. Umweltchem. Ökotoxikol. **1**, 43–51 (1989); **9**, 169–178 (1997).

Persistenzlänge. Bez. für den Parameter l_p des Modells der *Kratky-Porod-Kette, der ein Maß für die „Steifigkeit" einer *Polymer-Kette ist. Das Rückgrat eines jeden *Makromoleküls kann wegen seiner endlichen Dicke u. der Rotationsbehinderung um die Kettenbindungen nicht alle möglichen Lagen im Raum einnehmen. Es ist daher nicht ideal flexibel. Die daraus resultierende Kettensteifigkeit kann bei hochflexiblen Ketten gut mit Hilfe des Behinderungsfaktors σ beschrieben werden. Für weniger flexible Ketten hat sich hierzu dagegen das Kratky-Porod-Modell u. damit die P. bewährt. Letzteres Modell basiert auf der Beschreibung einer Polymerkette als hypothet., unendlich langes u. wurmartiges Gebilde (*E* wormlike chain model) aus lauter gleichlangen Bindungsvektoren I. Greift man nun einen beliebigen Bindungsvektor I_i aus einer solchen Kette heraus, so kann man mit dessen Hilfe die P. I_P definieren: Sie stellt die mittlere Projektion aller Bindungsvektoren I_j mit j > i auf die Richtung von I_i dar, u. es gilt:

$$I_p = I \sum_{j=i+1}^{\infty} \langle \cos \theta_{ij} \rangle$$

mit I der Länge der Bindungsvektoren u. θ_{ij} dem Winkel zwischen den Vektoren I_i u. I_j in der betrachteten Konformation der Kette. Das Produkt $I \langle \cos \theta_{ij} \rangle$ stellt damit ein Maß für die Korrelation der Richtungen von I_i u. I_j dar. Für hinreichend weit voneinander entfernte Bindungsvektoren I_i u. I_j ist $\langle \cos \theta_{ij} \rangle = 0$. Somit ist in Abhängigkeit von der Steifigkeit der Kette nur ein mehr od. weniger kleiner Teil der Terme der obigen Gleichung von null verschieden. Dadurch bleibt I_p auch dann endlich, wenn sich die Summation bis unendlich erstreckt. Generell wird I_p um so größer, je weniger flexibel die betrachtete Polymerkette ist.

Das der P. zugrundeliegende Modell einer Polymerkette mit „Persistenz" (Kratky-Porod-Kette) gilt streng nur für unendlich dünne Ketten. Der durch die endliche Dicke realer Polymer-Ketten hervorgerufene Fehler ist jedoch vernachlässigbar, wenn die P. viel größer ist als der Kettendurchmesser. – ***E*** persistence length – ***F*** durée de persistance – ***I*** lunghezza secondo la persistenza – ***S*** longitud de peristencia

Lit.: Elias (5.) **1**, 616, 651; **2**, 67 ▪ Lechner, Gehrke u. Nordmeier, Makromolekulare Chemie, S. 34, Basel: Birkhäuser 1993.

Persönliche Schutzausrüstung. Bei vielen Arbeitsvorgängen od. Tätigkeiten treten Gefährdungen auf, die durch techn. Schutzmaßnahmen nicht völlig vermeidbar sind. In solchen Fällen müssen die Beschäftigten durch geeignete p. S. vor Verletzungen od. Gesundheitsschäden geschützt werden.

Der Unternehmer ist verpflichtet, geeignete p. S. kostenlos zur Verfügung zu stellen u. in ordnungsgemäßem Zustand zu halten. Die Beschäftigten sind verpflichtet, die ihnen zur Verfügung gestellte p. S. zu tragen u. sorgsam zu behandeln. Wird die p. S. nicht getragen, so ist der Arbeitgeber im Wiederholungsfall berechtigt, disziplinar. Maßnahmen zu ergreifen.

Vor dem Einsatz von p. S. hat der Unternehmer eine Gefährdungsanalyse durchzuführen u. für die Gefährdung geeignete Ausrüstungen zu wählen. An der Entscheidung, welche p. S. eingesetzt wird, müssen die Beschäftigten od. die Arbeitnehmervertretung beteiligt werden. P. S. müssen Schutz gegenüber der zu verhütenden Gefährdung bieten, für die am Arbeitsplatz gegebenen Bedingungen geeignet sein u. den ergonomischen Anforderungen u. den gesundheitlichen Erfordernissen der Beschäftigten entsprechen.

P. S. sind grundsätzlich für den Gebrauch durch eine Person bestimmt. Erfordern Gefährdungen den gleichzeitigen Einsatz mehrerer p. S., so müssen diese aufeinander so abgestimmt werden, daß die Schutzwirkung der einzelnen p. S. nicht beeinträchtigt wird. P. S. dürfen nur in Verkehr gebracht werden, wenn sie der EG-Richtlinie 89/686/EWG entsprechen. Sie müssen die grundlegenden Anforderungen für Sicherheit u. Gesundheitsschutz des Anhangs II dieser Richtlinie erfüllen. Je nach den zu schützenden Körperpartien werden p. S. unterschieden in

- Kopfschutz
- Augenschutz
- Fußschutz
- Gehörschutz
- Gesichtsschutz
- Handschutz
- Atemschutz
- Körperschutz
- Hautschutz. – ***E*** personal protective equipment – ***I*** attrezzatura pretettiva personale – ***S*** equipamiento de protección personal

Lit.: 8. VO zum Gerätesicherheitsgesetz vom 10.06.1992 (BGBl. I, S. 1019) in der Fassung vom 28.09.1995 (BGBl. I, S. 1213) ▪ Richtlinie 89/686/EWG des Rates vom 21.12.1989 zur Angleichung der Rechtsvorschriften der Mitgliedstaaten für persönliche Schutzausrüstungen (Abl. EG Nr. L 399, S. 18) ▪ UVV „Allgemeine Vorschriften" (VBG 1), in der Fassung vom 01.04.1992 ▪ ZH 1/700 bis ZH 1/708 u. ff. – *Bezugsquelle* für Unfallverhütungsvorschriften u. ZH1/-Schriften: Carl Heymanns Verlag KG, Luxemburger Straße 449, 50939 Köln od. Jedermann-Verlag, Postfach 103140, 69021 Heidelberg.

Persoftal®. *Weichmacher für Textilmaterialien auf der Basis von Fettsäureamiden, ggf. zusammen mit Polyglykolethern, Fettsäureestern mit quartären Ammonium-Verb. od. Siliconen. ***B.:*** Bayer.

Persoz-Reagenz. Nach dem französ. Chemiker J. F. Persoz (1805–1869) benanntes Gemisch aus 10 g Zinkchlorid, 10 mL Wasser u. 2 g Zinkoxid, löst bei 45 °C Seide, nicht aber Wolle. – ***E*** Persoz's solution – ***F*** réactif de Persoz – ***I*** soluzione di Persoz – ***S*** reactivo de Persoz

PERSTABIL®. *Tetrachlorethylen als Lsm. für die chem. u. elektron. Ind., Metallurgie u. Trockenreinigung. ***B.:*** Solvay Alkali.

Perstoff. Dtsch. Deckname für *Diphosgen als Grünkreuz-Kampfstoff.

Lit.: Klimmek et al., Chemische Gifte u. Kampfstoffe, S. 39f., Stuttgart: Hippokrates 1983.

Perstorp. Kurzbez. für den 1881 gegr., weltweit agierenden schwed. Konzern Perstorp AB, S-28480 Perstorp. *Daten* (1996): ca. 10236 Beschäftigte, 1,5 Mrd. $ Umsatz. Der Konzern ist in drei produzierende Geschäftsbereiche aufgeteilt: Perstorp Chemicals, Perstorp Surfaces, Perstorp Plastic Systems u. ein Unternehmen (Pernovo), das für die Entwicklung neuer Geschäftskonzeptionen des Konzerns verantwortlich ist. *Produktion:* Spezialchemikalien (Formaldehyd u. Polyol-Produkte), Bauchemie, Kunststoffe für spezielle Anw. (Transport, Konstruktion, Automobil-Ind., u. a.), dekorative Oberflächenmaterialien (Fertigfolien; Laminate, Pergol®; bedrucktes Papier), *Vertretung* in der BRD: Perstorp GmbH, 68637 Bürstadt.

Persulfate s. Peroxodischwefelsäure.

Perthiocarbonate s. Trithiokohlensäure.

Perthit s. Feldspäte.

Perthotrophie (von „griech.: pérthein = zerstören u. *...troph). Parasitismus, bei dem sich der *Parasit als *Nekrophage von toter organ. Substanz ernährt (*Nekrotrophie), aber lebendes Wirts-Gewebe durch *Toxine, *Hydrolasen od. a. schädigt od. abtötet, bevor er es besiedelt. Bei blattbefallenden *Pilzen z. B. umgeben häufig auffällige Verfärbungen (*Chlorosen) den befallenen Abschnitt. Perthotroph ernähren sich viele phytopathogene (pflanzenbefallende) Bakterien u. Pilze. Wichtige perthotrophe Schädlinge sind z. B. *Phytophthora infestans*, Erreger der Kraut- u. Knollenfäule der Kartoffel, sowie *Penicillium expansum* u. *Rhizopus stolonifer*, Fruchtfäuleerreger an Apfel u. Tomate. Perthotrophe Pilze werden (unrichtigerweise, da Pilze keine Pflanzen sind) auch als Perthophyten bezeichnet. – ***E*** perthotrophy – ***F*** perthotrophie – ***I*** = ***S*** pertotrofia

Lit.: Schlösser, Allgemeine Phytopathologie (2.), S. 93, Stuttgart: Thieme 1997.

Pertussis. Latein. Bez. für *Keuchhusten.

Pertussis-Toxin (Keuchhusten-Toxin). Der *Keuchhusten* (Pertussis) ist eine durch *Bordetella pertussis* hervorgerufene bakterielle Infektionskrankheit, die mit charakterist., im Säuglingsalter lebensgefährlichen Hustenanfällen einhergeht. Gefürchtet sind auch die möglichen Komplikationen wie Lungenentzündung, Hirnschädigung, Aktivierung schlummernder Infektionen (wie Tuberkulose) u. als Spätfolgen Bronchiektasien (irreversible Erweiterungen der Luftröhrenäste in der Lunge). Für diese vielfältigen Wirkungen ist das von den Erregerbakterien ausgeschiedene P.-T. verantwortlich. P.-T. ist ein AB-Toxin aus einer funktionalen u. einer bindenden Untereinheit. Ein vollständiges Toxin-Mol. (Holotoxin) besteht aus sechs Untereinheiten (den Polypeptiden S1, S2, S3, zweimal S4 u. S5). Die enzymat. aktive Untereinheit ist ident. mit S1 (A-Untereinheit); die restlichen Untereinheiten bilden die Bindungskomponente, das B-Oligomer. Die A-Untereinheit besteht aus zwei funktionellen Regionen: Den ersten 187 Aminosäuren, welche die enzymat. Aktivität bestimmen u. den restlichen Aminosäuren (188–234), welche offensichtlich für die Struktur des Toxins wichtig sind. Das B-Oligomer besteht aus zwei Dimeren (S2–S4 u. S3–S4), die über eine S5-Untereinheit verbunden sind. Das B-Oligomer enthält die Bindungsstelle für den Rezeptor, an den sich das Toxin auf der Oberfläche eukaryont. Zellen bindet. Der Rezeptor ist wahrscheinlich ein Glykoprotein. Über die Wirkungsweise des P. besteht folgende Vorstellung [1]: Nachdem das Holotoxin vom Bakterium ausgeschieden wurde, bindet es sich mit den Bindungsstellen auf dem B-Oligomer an die Oberfläche eukaryont. Zellen. Durch einen noch unbekannten Mechanismus wird dann das Toxin in die Zellmembran integriert. Unter dem Einfluß der Membranlipide ändert sich die Konformation, u. es entsteht die aktive Form des Toxins. Aus dem Zellinneren stammendes ATP bindet sich dann an das Toxin u. verringert dadurch die Affinität zwischen A-Untereinheit u. B-Oligomer. Nach der dadurch induzierten Dissoziation wird die A-Untereinheit ins Zellinnere freigesetzt. Dort wird unter dem Einfluß Cystein-modifizierender Faktoren eine Disulfid-Brücke zwischen 2 Cystein-Resten gespalten u. dadurch die enzymat. Aktivität erreicht, die zur ADP-Ribosylierung von *G-Proteinen der Zelle führt. Die modifizierten G-Proteine sind dann in ihrer Fähigkeit zur Signalübertragung gehemmt. Zum Beispiel sind veränderte G-Proteine nicht mehr mit den Hormonrezeptoren verbunden, u. dadurch kann die **Adenyl(at)cyclase* durch Hormone nicht mehr gehemmt werden. Auch weitere signalübertragende Syst. der Zellmembran, wie etwa die K^+-Kanäle u. die Ca^{2+}-Kanäle, werden durch das P.-T. beeinflußt. Auf diese Hemmungseffekte bei einer großen Zahl von Zelltypen u. einer Reihe von signalübertragenden Syst. sind die vielseitigen biolog. Wirkungen des P.-T. zurückzuführen. – ***E*** pertussis toxin – ***F*** toxine de la coqueluche – ***I*** tossina della pertosse – ***S*** toxina pertussis

Lit.: [1] Microbiol. Sci. **5**, 285 ff. (1988); Naturwiss. Rundsch. **42**, 327 (1989).
allg.: Biochem. J. **255**, 1–13 (1988) ▪ Birnbaumer et al. (Hrsg.), G Proteins, S. 267–294, San Diego: Academic Press 1990 ▪ Med. Immunol. **13**, 431 (1987) ▪ Pharmacol. Ther. **19**, 1–53 (1983) ▪ Pharm. Unserer Zeit **15**, 52 (1986) ▪ Scrip **1987**, Nr. 1242, 18 ▪ Sekura et al. (Hrsg.), Proc. Pertussis Toxin Conf. (1984), Orlando: Academic Press 1985 ▪ TIPS **4**, 289 f. (1983); **5**, 277 ff. (1984); **7**, 429 f. (1986). – *[CAS 82248-93-9]*

Perubalsam. Braunrote bis gelbbraune, dickflüssige Masse, unlösl. in Wasser, lösl. in Alkohol, Benzol, Chloroform, Ether, von vanilleähnlichem Geruch. P. wird gewonnen aus den Stämmen des in El Salvador heim. u. in Mittelamerika, Sri Lanka u. Indonesien kultivierten *Myroxylon pereivae* (Fabaceae). Aus P. läßt sich durch Ether-Extraktion der alkal. Lsg. ein *Cinnamein* genanntes Ester-Gemisch gewinnen, das vorwiegend aus Zimt- u. Benzoesäurebenzylester u. *β*-Nerolidol besteht. P. selbst enthält weder Vanillin noch Cumarin, dagegen freie Säuren u. Harze. Durch Dest. erhält man sog. Perubalsamöl.

Verw.: In der Parfümerie, Kosmetik u. als Zusatz zu Kaugummi, in der Medizin als juckreizstillendes, mildes Antiseptikum, als Expectorans in Hustensäften u. in der Mikroskopie als Einbettungsmittel. Von sehr ähnlicher Zusammensetzung u. Verw. ist *Tolubalsam. – ***E*** Peru balsam – ***F*** baume du Pérou – ***I*** balsamo del Perù, balsamo indiano – ***S*** bálsamo del Perú

Lit.: DAB **10**, Bd. II/4; Kommentar Bd. II/3, P 26 ▪ Hager (5.) **5**, 895–898 ▪ Janistyn (2.) **2**, 67 f., 101 ▪ Ullmann (4.) **20**, 277 f.; (5.) **A 11**, 237. – *[HS 1301 90; CAS 8007-00-9]*

Perubohnen s. Rangoonbohnen.

Perückensumach s. Sumach.

Perutz, Max Ferdinand (geb. 1914), Prof. für Molekularbiologie, Cambridge (England). *Arbeitsgebiete:* Proteine, Molekularbiologie, Strukturermittlung der Globulärproteine, bes. Hämoglobin mittels Röntgenstrukturanalyse, wofür er 1962 zusammen mit J. C. *Kendrew den Nobelpreis für Chemie erhielt.

Lit.: Lexikon der Naturwissenschaftler, S. 325 ▪ Nachmansohn, S. 338, 348 ▪ Nachr. Chem. Tech. **10**, 367 (1962) ▪ Neufeldt, S. 261, 368 ▪ Pötsch, S. 341 ▪ Science **1962**, 667–669 ▪ The International Who's Who (16.), S. 1210.

Pervaporation. Von *Per... u. latein.: vapor = Dampf abgeleitete Bez. für ein *Trennverfahren, bei dem ein Dampfgemisch, das sich über einem Gemisch von Flüssigkeiten einstellt (s. Duhem-Margulessche Gleichung), infolge unterschiedlicher *Permeabilität einer geeigneten *Membran aufgetrennt wird. Durch ständiges Abpumpen des Dampfes auf der Gasseite der Membran erzeugt man ein Konz.-Gefälle, das die *Diffusion in Gang hält. Die P. findet Anw. bei der Reinstherst. von *Ethanol u. bei der Trennung von *Azeotropen u. a. durch *Destillation schwer trennbare Gemische. Mit der P. entfernt verwandt ist das Verf. der *Gaspermeation*. – ***E***=***F*** pervaporation – ***I*** pervaporazione – ***S*** pervaporación

Lit.: Kirk-Othmer (3.) **15**, 116–118 ▪ Ullmann (5.) **A 16**, 182 ff. ▪ Winnacker-Küchler (4.) **1**, 235.

Perwoll®. Spezialwaschmittel für Wolle u. Feinwäsche auf der Basis von Alkylpolyglucosid u. a. nichtion. Tensiden, Anion- u. Kationtensiden, Zeolith A (Sasil®), Fettsäureamiden, Schauminhibitoren u. a. Zusätzen, dagegen ohne Bleichmittel u. opt. Aufheller. P.-*flüssig* enthält nichtion., neben wenig kation. Tensiden u. a. *P. Feinwäsche Shampoo*, cremiges Spezialwaschmittel für bes. empfindliche Textilien aus Wolle; besteht aus anion. u. nichtion. Tensiden. ***B.:*** Henkel.

Perxenate, Perxenonsäure s. Xenon-Verbindungen.

Perylen (von *peri*-Dinaphth*ylen*, nach Scholl et al., 1910).

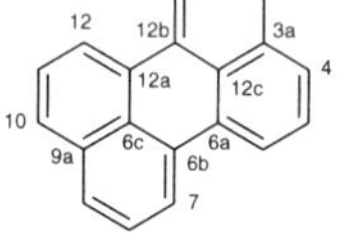

$C_{20}H_{12}$, M_R 252,31. Bronzeglänzende Blättchen, D. 1,35, Schmp. 274 °C (auch 270 u. 277–279 °C angegeben), Sdp. 497 °C (auch 460 u. 503 °C angegeben), subl. bei 350–400 °C, unlösl. in Wasser, wenig lösl. in Alkohol u. Ether, leichter lösl. in Benzol, Chloroform u. Schwefelkohlenstoff.

Vork.: Im Steinkohlenteer, im Feinstaub als Luftverunreinigung in Ballungsgebieten (ein polycycl. aromat. Kohlenwasserstoff). P. entsteht auch durch Erhitzen von Naphthalin mit Aluminiumchlorid od. a. Friedel-Crafts-Katalysatoren (Scholl-Reaktion). Die *P.-Pigmente* sind Diimide der *3,4,9,10-Perylentetracarbonsäure*; sie sind farbstark, beständig gegen Chemikalien, Wärme u. Ausbluten des Lösemittels u. werden in hochwertigen Ind.-Lacken speziell in Autoserien- u. Autoreparaturlacken eingesetzt. Indanthren-Brillantgrün (s. Indanthren®-Farbstoffe) u. -Violett, -Dunkelblau u. Fluorol sind ebenfalls P.-Abkömmlinge. – ***E*** perylene – ***F*** perylène – ***I*** perilene – ***S*** perileno

Lit.: Beilstein E IV **5**, 2689 ▪ Elsevier **14**, 459–470; **14 S**, 733–749 S ▪ Kirk-Othmer (3.) **11**, 278 f.; **17**, 124; **22**, 572 ▪ Ullmann (4.) **18**, 686; (5.) **A 1**, 196; **A 20**, 401. – *[HS 2902 90; CAS 198-55-0]*

Perylen-Pigmente.

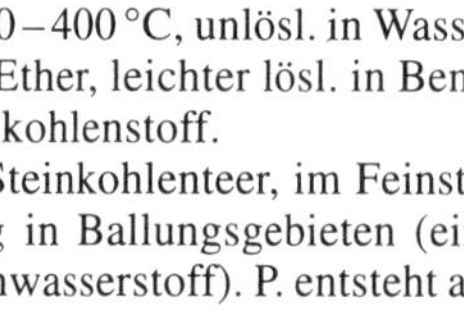

X = O, N—R, mit R = H, CH_3, Phenyl

P.-P. leiten sich von der Perylen-3,4,9,10-tetracarbonsäure (s. Perylen-3,4,9,10-tetracarbonsäure-dianhydrid) ab. Die Herst. erfolgt durch Reaktion des Anhydrids mit Aminen od. *o*-Phenylendiaminen zu Diimiden bzw. Bisbenzimidazo-Verb. in den Farbtönen rot, bordo, violett u. braun. Einige dieser P.-P. werden aufgrund ihrer sehr hohen Temperaturbeständigkeit zum Färben von Polyolefinen (Schmelzspinnfärbung) sowie als Industrielacke eingesetzt. Die P.-P. waren in der Küpenfärberei bereits 1913 bekannt, während ihre Anw. als Pigment erst 1950 einsetzte. – ***E*** perylene pigments – ***I*** pigmenti del perilene – ***S*** pigmentos de perileno

Lit.: Herbst u. Hunger, Industrielle organische Pigmente, 2. Aufl., S. 472 ff., Weinheim: VCH Verlagsges. 1995.

Perylen-3,4,9,10-tetracarbonsäure-dianhydrid (Persäure).

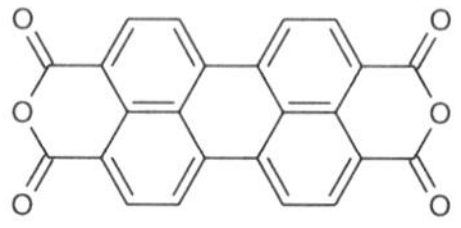

$C_{24}H_8O_6$, M_R 392,32, Schmp. >300 °C, gebildet durch Erhitzen der Perylen-3,4,9,10-tetracarbonsäure, findet Verw. als Zwischenverb. für Küpenfarbstoffe u. zur Herst. von Einzelpigmenten auf Basis Perylen. – ***E*** perylene-3,4,9,10-tetracarboxylic dianhydride – ***F*** dianhydride perylène-3,4,9,10-tetracarboxylique – ***I*** dianidride perilen-3,4,9,10-tetracarbossilica – ***S*** dianhídrido de perileno-3,4,9,10-tetracarboxílico

Lit.: Beilstein E V **19/5**, 432 f. ▪ Ullmann (5.) **A 5**, 256 f; **A 17**, 64. – *[HS 2917 39; CAS 128-69-8]*

Peryllartin s. Perillaaldehydoxim.

PES. 1. Kurzz. für *Poly(ethersulfon)e. – 2. Kurzz. einer Textilfaser aus *Polyethylenterephthalat. – 3. Nach DIN 60001-4: 1991-08 Kurzz. für Chemiefasern aus *Polyester. – 4. Abk. für Poly(diethylsiloxan), vgl. Silicone. – 5. Abk. für *Photoelektronen-Spektroskopie.

Pest. 1. Aus dem Latein.: pestis = Seuche, Verderben. Durch das Gram-neg. Stäbchenbakterium *Yersinia pestis* hervorgerufene Infektionserkrankung, die über Flöhe von Nagetieren auf den Menschen übertragen werden kann (Zooanthroponose). Nach dem Stich eines infizierten Nagetierflohes kann sie lokal als Hautpest oder nach Ausbreitung über das Lymphsyst. (s. Lymphe) als *Bubonen-* od. *Beulenpest* (90–95% der Fälle) mit Beteiligung der Lymphknoten verlaufen. Unbehandelt schreitet die Krankheit fort, indem die Erreger in das Blut einbrechen, was zu einer meist tödlichen Aussaat in alle Organe des Körpers mit Schüttelfrost, Fieber u. Kopfschmerzen führt. Ein Befall der Lunge (*Lungenpest*) kann über das Blut od. prim. als Folge einer aerogenen Infektion von Mensch zu Mensch entstehen u. führt zu einer schweren Lungenentzündung, die unbehandelt innerhalb von 2–3 Tagen zum Tode führt. Zur Behandlung wird die antimikrobielle Chemotherapie, z. B. mit *Streptomycin od. *Tetracyclinen eingesetzt. Eine Impfung mit begrenztem Schutz ist möglich.

Das Auftreten von P.-Epidemien u. -Pandemien läßt sich bis ins Altertum zurückverfolgen. So überzog eine Pandemie im 6. Jh. die Mittelmeerländer, eine weitere, als „Schwarzer Tod“ überlieferte, breitete sich im 14. Jh. über ganz Europa aus u. reduzierte die Bevöl-

kerung etwa um ein Viertel. Die letzte, von Innerasien ausgehende Pestseuche hatte ihren Höhepunkt zu Beginn des 20. Jahrhunderts. Heute kommt die P. in einzelnen Regionen Asiens, des mittleren Ostens, Südafrikas, Süd- u. Nordamerikas vor.
2. P. wird im angloamerikan. Sprachgebrauch als allg. Begriff für *Schädling* u. **Parasit* verstanden, wovon sich auch Bez. wie *Pestizide ableiten.
3. In der *Metallkunde wird der Begriff P. umgangssprachlich für eine durch irreversible Umwandlung gebildete Modif. im Festkörperzustand verwendet, die zu deren Zerstörung führen, u. zwar speziell im Zusammenhang mit Zinn. So wird die Umwandlung des β-*Zinns bei 13 °C in das spezif. schwerere, Tieftemp.-stabile α-Zinn als *Zinnpest* bezeichnet. Gegenstände aus Reinzinn sollten daher nicht bei tiefen Temp. gelagert werden. Ein Zulegieren von Wismut od. Antimon unterdrückt zwar die Umwandlung, ist aber bei der Handhabung von Nahrungsmitteln in Zinn-Gegenständen nicht unbedenklich. – ***E*** plague – ***F*** = ***I*** peste – ***S*** peste del estaño
Lit. *(zu 1.):* Brandis et al., Lehrbuch der Medizin. Mikrobiologie, S. 425–430, Stuttgart: Fischer 1994.

Pestalotin.

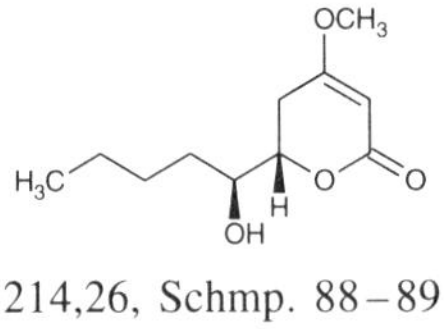

$C_{11}H_{18}O_4$, M_R 214,26, Schmp. 88–89 °C, $[\alpha]_D^{20}$ –86° (CH_3OH). Zu *Gibberellinen synergist. wirkendes Dihydro-α-pyron aus dem pathogenen Pilz *Pestalotia cryptomeriaecola*. P. stimuliert das Pflanzenwachstum (vgl. Pflanzenwuchsstoffe). – ***E*** pestalotin – ***F*** pestalotine – ***I*** pestalotina – ***S*** pestalotín
Lit.: Beilstein EV **18/2**, 505 ▪ Chem. Pharm. Bull. **39**, 1866 (1991) ▪ J. Chem. Soc., Perkin Trans. 1 **1991**, 2627; **1992**, 693–700 (Synth.). – *[CAS 34565-32-7]*

Pestanal®. Hochreine Standards der Wirkstoffe von Pestiziden, Synergisten u. Metaboliten (Reinheit >99%) sowie für hochreine Lsm. für Rückstandsanalysen u. die Pestizid-Toxikologie. ***B.:*** Riedel.

Pestemer, Max (1908–1975), Prof. für Physikal. Chemie, Univ. Köln u. Bayer AG, Leverkusen. *Arbeitsgebiete:* Physikal. Chemie, Spektroskopie organ. Verb., Zusammenhang zwischen opt. Eigenschaften u. chem. Konstitution, Lichtechtheit von Farbstoffen, Kunststoffen etc., Spektrendokumentation.
Lit.: Allg. Prakt. Chem. **19**, 187 (1968) ▪ Nachr. Chem. Tech. **16**, 225 (1968).

Pestizide (von latein.: pestis = Seuche, Unheil u. *...zid). Aus dem engl. Sprachgebrauch übernommene Bez. für chem. *Schädlingsbekämpfungsmittel. – ***E*** = ***F*** pesticides – ***I*** pesticidi – ***S*** pesticidas

Pestwurz s. Petasin.

PESU. Kurzz. (nach ASTM, alternativ für PES) für *Poly(ethersulfon)e.

PET. 1. Kurzz. (nach DIN 7728-1: 1988-01) für *Polyethylenterephthalat. – 2. Abk. für Positronen-Emissions-Tomographie, s. Positronen, Nuklearmedizin u. Szintigraphie.

Peta... (Kurzz.: P). Zahlenvorsatz für 10^{15} bei physikal. Einheiten; aus *Pent(a)... = fünf (für 1000^5) gebildet. – ***E*** = ***F*** = ***I*** = ***S*** peta...

Petalit. $Li[AlSi_4O_{10}]$ od. $Li_2O \cdot Al_2O_3 \cdot 8\,SiO_2$, zu den *Phyllosilicaten gehörendes, auch zu den Gerüst-*Silicaten gerechnetes monoklines Mineral, Kristallklasse 2/m-C_{2h}; *Struktur* s. *Lit.*[1,2]. Farblose, weiße od. graue, selten auch rosafarbige, gut spaltbare Massen; säulige od. dicktafelige Krist. („Kastor"). H. 6–6,5, D. 2,4; Glasglanz. Li_2O-Gehalt nach der Formel 4,9%, in P.-Erzen meist 3,6–4,7%.
Vork.: In Li-haltigen *Granit-*Pegmatiten, z. B. Bikita/Simbabwe, Bernic Lake/Manitoba/Kanada, Minas Gerais/Brasilien, Rubikon bei Karibib/Namibia. In P. von Varuträsk/Schweden wurde das Element Lithium entdeckt.
Verw.: Zur Herst. von Lithium u. Lithium-Verb.; klar durchsichtige farblose bis hellgelbe P., meist von Brasilien, als Edelsteine. – ***E*** = ***I*** petalite – ***F*** pétalite – ***S*** petalita
Lit.: [1] Z. Kristallogr. **160**, 159–170 (1982). [2] Tschermaks Mineral. Petrogr. Mitt. **31**, 81–96 (1983).
allg.: Anthony et al., Handbook of Mineralogy, Vol. II, Tl. 2, S. 641, Tucson (Arizona): Mineral Data Publishing 1995 ▪ Deer et al. (2.), S. 486 f. ▪ Schröcke-Weiner, S. 849. – *[HS 2617 90; CAS 1302-66-5]*

Petasalbin s. Eremophilane.

Petasin.

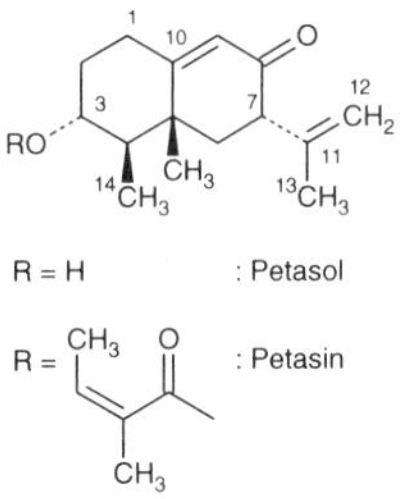

$C_{20}H_{28}O_3$, M_R 316,44. Ester aus *Petasol* {3α-Hydroxy-7α-eremophila-9,11-dien-8-on, $C_{15}H_{22}O_2$, M_R 234,33, viskoses gelbes Öl, $[\alpha]_D$ +124° ($CHCl_3$)} u. Angelicasäure (s. Methyl-2-butensäuren), der aus den Wurzeln der Pestwurz (*Petasites hybridus*, Asteraceae) isolierbar ist. P. wirkt krampflösend u. analgetisch. Diese Wirkung der Pestwurz war bereits Hippokrates, Galen u. Paracelsus bekannt. P. wird heute als pflanzliches Spasmoanalgetikum zur Bekämpfung von Spasmen des Gastrointestinaltraktes, insbes. Harnleiterkoliken, spast. Bronchitiden u. Migräne verwendet, Handelsname z. B. Petadolex®. Pestwurz enthält daneben weitere Sesquiterpene, u. a. *Eremophilane sowie *Pyrrolizidin-Alkaloide, z. B. Petasitenin, u. das Isomer mit 7,11- statt 11,12-Doppelbindung, Isopetasin[1]. P. u. Isopetasin hemmen die *Leukotrien-Biosynthese. – ***E*** petasin – ***F*** pétasine – ***I*** = ***S*** petasina
Lit.: [1] IARC Monogr. **31**, 207–212 (1983).
allg.: Beilstein E IV **8**, 604 ▪ Braun-Frohne (6.), S. 415 ff. ▪ Der Dtsch. Apotheker **40**, Nr. 1, 22 (1988) ▪ Hager (5.) **6**, 82–94 ▪ Pharm. Unserer Zeit **13**, 33–38 (1984) ▪ Phytochemistry **11**, 3235 (1972); **22**, 1619–1622 (1983) (Biosynth.) ▪ Tetrahedron Lett. **36**, 3325 (1995) (Synth.). – *[CAS 26577-85-5 (P.); 469-26-1 (Isopetasin); 64236-38-0 (Petasol)]*

PETE. Kurzz. für *Polyethylenterephthalate.

Petermann-Methode. Bestimmung des sog. Citratlösl. Anteils der Phosphorsäure in *Düngemitteln mittels schwach ammoniakal. Ammoniumcitrat-Lösung. – *E* Petermann's method – *F* méthode de Petermann – *I* metodo di Petermann – *S* método (de) Petermann

Peters, Kurt (1897–1978), Prof. für Verfahrenstechnik, TH Wien. *Arbeitsgebiete:* Brennstoff-Technologie, physikal. Chemie, katalyt. Gasreaktion, Gasadsorption, Trennung u. Reindarst. von Edelgasen u. Kohlenwasserstoffen, Kohlehydrierung, Komplexverbindungen.
Lit.: Chem. Ztg. **58**, 191–193 (1957); **68**, 313 f. (1967).

Petersilie s. Petersilienöl.

Petersiliencampher s. Apiol.

Petersilienöl. Farbloses, gelblich-grünes bis hellbraunes, balsam. riechendes ether. Öl, D. 1,04–1,1, lösl. im 4–8-fachen Vol. 80%igen Alkohols. P. enthält *Apiol („Petersiliencampher"), *Apiin, *Myristicin, *Pinen u. *Selinen u. wirkt diuret. u. abortiv. Es wird v. a. in der BRD, Frankreich u. auf dem Balkan durch Dest. der Früchte von Petersilien (*Petroselinum crispum,* Doldengewächse) gewonnen, Ausbeute 2–7%. Aus dem Kraut u. unreifen Samen erhält man ein P. von ähnlicher Zusammensetzung, D. 0,9, lösl. in 95%igem Alkohol. Die Petersilienfrüchte sind reich an Calciumoxalat; das fette Öl enthält zu 75% *Petroselinsäure. – *E* parsley oil – *F* huile de persil – *I* oli di prezzemolo – *S* aceite de perejil
Lit.: Dev. Food Sci. **34**, 457–467 (1994) ▪ Lebensm. Wiss. Technol. **25**, 55 (1992) ▪ Perfum. Flavor. **14**(5), 54 (1989); **16**(5), 81 f. (1991); **19**(2), 72 (1994). – *[HS 330129; CAS 8000-68-8]*

Peterson-Eliminierung, Peterson-Olefinierung s. Peterson-Reaktion.

Peterson-Reaktion (-Eliminierung, -Olefinierung). Nach D. J. Peterson benannte Alken-Synth., bei der Carbonyl-Verb. mit α-Silylcarbanionen zu β-Hydroxysilanen kondensiert werden, die durch Eliminierung Alkene bilden.

$$\underset{R^3}{\overset{R^2}{\diagdown}} C=O \; + \; \underset{|}{\overset{R^1}{-Si-CH-Li}} \; \longrightarrow \; \underset{Li^+ \; ^-O-Si-}{\overset{R^2}{\underset{|}{R^3-C-CH-R^1}}}$$

$$\xrightarrow{\text{Hydrolyse (H}^+ \text{ od. OH}^-)} \; \underset{R^3}{\overset{R^2}{\diagdown}} C=CH-R^1 \; + \; -Si-OH$$

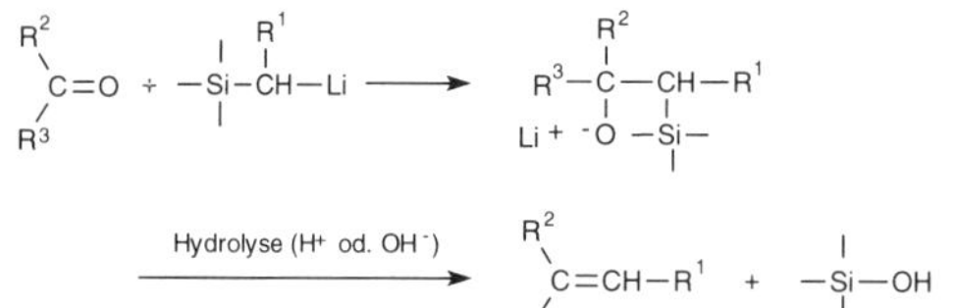

Die P.-R. hat formale Ähnlichkeit mit der Wittig-Reaktion über *Ylide u. v. a. mit der *Horner-Emmons-Reaktion, bei der anstelle von Silylcarbanionen Phosphorylcarbanionen eingesetzt werden. – *E* Peterson reaction – *F* réaction de Peterson – *I* reazione di Peterson – *S* reacción de Peterson
Lit.: Acc. Chem. Res. **10**, 442–448 (1977) ▪ Aldrichimica Acta **13**, 43–51 (1980) ▪ Hassner-Stumer, S. 295 ▪ Laue-Plagens, S. 253 ▪ March (4.), S. 952 ▪ Org. React. **38**, 1–223 (1990) ▪ Synlett **1996**, 600 ▪ Synthesis **1984**, 384–398 ▪ Top. Curr. Chem. **88**, 33–88 (1980) ▪ Trost-Fleming **1**, 731 f., 786 f.

Pethidin (Rp; BtMVV, Anlage III A).

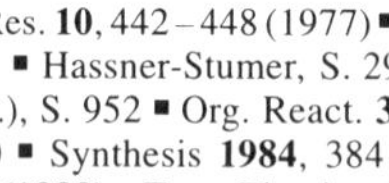

Internat. Freiname für das starke *Analgetikum u. Spasmolytikum 1-Methyl-4-phenyl-piperidin-4-carbonsäureethylester, $C_{15}H_{21}NO_2$, M_R 247,33, Schmp. 30 °C; λ_{max} (H_2O) 251, 257, 263 nm ($A^{1\%}_{1cm}$ 6, 7,2, 5,7); pK_b 6,3. Verwendet wird meist das Hydrochlorid, das in drei Modifikationen vorkommt, wobei das Handelsprodukt meist Modifikation (I) ist. Schmp. (I) 187–188 °C, (II) 163–165 °C, (III) 154–156 °C; LD_{50} (Ratte oral) 170 mg/kg. P. zählt wie *Methadon, *Cetobemidon, *Dextromoramid u. *Levorphanol zu den synthet. *Opiaten mit *Morphin-ähnlicher Wirkung. Es wurde 1939 von Winthrop patentiert u. ist von HMR (Dolantin®) im Handel. Eine ältere Bez. für P. ist *Meperidin*. – *E* pethidine – *F* péthidine – *I = S* petidina
Lit.: ASP ▪ Beilstein E V **22/2**, 466 ▪ Florey **1**, 175–205 ▪ Hager (5.) **9**, 94–98 ▪ Martindale (31.), S. 86 ff. ▪ Med. Res. Rev. **2**, Nr. 2, 167–192 (1982) ▪ Ph. Eur. **1997** u. Komm. – *[HS 2933 39; CAS 57-42-1 (P.); 50-13-5 (Hydrochlorid)]*

Petit, Alexis Thérèse (1791–1820), Prof. für Physik am Lycée Bonaparte u. später an der Ecole Polytechnique in Paris. Er untersuchte die therm. Ausdehnung von Festkörpern u. die Ausdehnungskoeff. vieler Stoffe. 1819 stellte er zusammen mit P. L. *Dulong die Dulong-Petitsche Regel auf, nach der bei Elementen in festem Zustand das Produkt von Atommasse u. spezif. Wärme konstant ist.
Lit.: Lexikon der Naturwissenschaftler, S. 325 ▪ Pötsch, S. 341.

Petite-Mutanten. Bez. für *Hefe-Stämme, denen in den *Mitochondrien lokalisierte Enzyme der *Atmungskette aufgrund von *Mutationen der entsprechenden *Gene fehlen od. defekt sind. Die Energiegewinnung kann nur noch über den weniger effizienten Gärungsprozeß (anaerober Abbau von Nährstoffen) erfolgen. Im Vgl. zu Kolonien des Wildtyps sind daher die Kolonien der P.-M. deutlich kleiner (französ. petit). – *E* petite mutants
Lit.: Stryer 1996, S. 1035 f.

Petitgrainöle. Als P. bezeichnet man ether. Öle, die aus den Blättern von Citrusbäumen gewonnen werden. Am bedeutendsten sind die aus den Bitterorangen-Arten hergestellten Öle; Bergamott-, Mandarinen- u. Zitronenpetitgrainöle werden nur in begrenztem Umfang produziert.
1. Petitgrainöl Paraguay: Schwach gelbes Öl mit einem bitter-frischen, blumigen, leicht süßen u. holzigen, in der Kopfnote etwas strengen Geruch u. einem bitteren, aromat. Geschmack; D^{20}_{20} 0,884–0,892; n^{20}_D 1,4570–1,4650; $[\alpha]^{20}_D$ 0° bis –3,5°; lösl. in höchstens 4 Vol.-Tl. 70% Ethanol.
Herst.: Durch Wasserdampfdest. aus den Blättern einer in Paraguay wildwachsenden u. kultivierten Varietät des Bitterorangenbaums *Citrus aurantium* L. subsp. *aurantium*; Ausbeute 0,5–1%. Mit etwa 300 t Jahresproduktion ist P. Paraguay das Bedeutendste.
Zusammensetzung[1]: Hauptbestandteile (–)-*Linalool (ca. 20–25%) u. (–)-Linalylacetat (s. Linalool) (ca. 50%). Zum typ. Geruchseindruck tragen aber noch eine Vielzahl von Neben- u. Spurenkomponenten bei.
Verw.: Findet breiten Einsatz bei der Parfümherst., v. a. in frischen Noten, z. B. Eau de Colognes u. frischen Eau de Toilettes.

2. ***Petitgrainöl bigarade:*** Schwach gelbes bis gelbbraunes, leicht blau fluoreszierendes Öl mit einem angenehmen frisch-blumigen, an Orangenblüten erinnernden Duft; D_{20}^{20} 0,888–0,898; n_D^{20} 1,4560–1,4720; $[\alpha]_D^{20}$ –6° bis +1°.
Herst.: Durch Wasserdampfdest. aus den Blüten des vorwiegend im Mittelmeerraum kultivierten Bitterorangenbaums *Citrus aurantium* L. subsp. *aurantium*; Ausbeute 0,1–0,3%. Zu den Inhaltsstoffen[2] u. Verw. s. P. Paraguay. – ***E*** petitgrain oils – ***F*** essences de petit-grain – ***I*** essenze di petit-grain – ***S*** esencia de petitgrain

Lit.: [1] Perfum. Flavor. **1** (6), 34 (1976); **5** (5), 28 (1980); **18** (5), 43 (1993). [2] Perfum. Flavor. **16** (6), 1 (1991); **18** (5), 43 (1993). *allg.:* Bauer et al., Common Fragrance and Flavor Materials (2.), 5, 171 Weinheim: VCH Verlagsges. 1990 ▪ Gildemeister **5**, 627, 634 ▪ Das H&R Buch Parfüm, Aspekte des Duftes, Herkunft, Entwicklung, S. 196, Hamburg: Glöss 1991 ▪ ISO 3064 (1977); 8901 (1987) ▪ Ohloff, S. 140. – *Toxikologie:* Food Chem. Toxicol. **30 S**, 101 (1992) ▪ Food Cosmet. Toxicol. **20**, 801 (1982). – *[HS 3301 29; CAS 8014-17-3]*

PETN. Abk. für *Pentaerythrittetranitrat.

PETP. Kurzz. (nach ASTM, ISO, alternativ für *PET) für *Polyethylenterephthalate.

Petramin®. Farbstoffe für *Polypropylen (PP)-Fasern. ***B.:*** Bayer.

Petrefakten s. Fossilien.

Petriperm®. Schalen zum Kultivieren von Gewebe od. Zellen mit gasdurchlässigem Boden zum Einmalgebrauch. ***B.:*** Heraeus Instruments GmbH.

Petrischale.

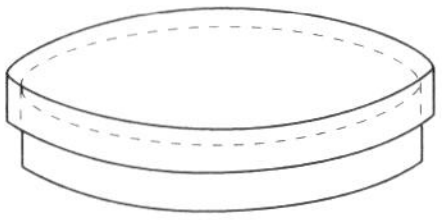

Abb.: Petrischale.

Nach dem Berliner Bakteriologen Richard Julius Petri bezeichnete flache Schale aus Glas od. Kunststoff (PS, PC) mit glattem Rand u. Deckel, die z.B. in der Mikrobiologie nach Einfüllung von Nährböden zur Züchtung von Bakterien u. Pilzen verwendet wird. – ***E*** petri dish – ***F*** boîte de Pétri – ***I*** capsula di Petri, scatola di Petri – ***S*** cápsula de Petri

Petr(o)... Von griech.: petra, petros = Fels, Stein abgeleitetes Präfix in Fremdwörtern [vgl. Lith(o)...], bes. in der *Geologie (vgl. Erde); *Beisp.:* Petrefakten, *Petrographie, *Petroleum. *Ausnahme:* Die Bez. *Petrochemie wird fast nie korrekt für die Chemie der Gesteine (s. Geochemie) verwendet, sondern meist als Kurzbez. für Petrol(eum)chemie = Erdölchemie, ebenso auch Petrodollar (= Erdölverkaufserlöse) u. *Petroproteine. – ***E*** = ***I*** = ***S*** petr(o)... – ***F*** pétro...

Petrochemie. Von *Petroleum [vgl. Petr(o)...] abgeleitete Bez. für ein Teilgebiet der chem. Technik, das sich mit Herst. u. Weiterverarbeitung der aus Erdöl u. Erdgas gewonnenen organ.-chem. Grundstoffe (*Petrochemikalien) befaßt. Die wesentlichsten petrochem. Verf. sind in Einzelstichwörtern behandelt: Kracken (s.a. Pyrolyse), Reformieren, Hydroformieren, Alkylierung, Isomerisierung u. die nachgeschalteten destillativen u. extraktiven Trennprozesse, z.B. mit *Molekularsieben. Welche Rohstofffraktionen für die Verarbeitung herangezogen werden, ist regional sehr unterschiedlich. In Europa u. Japan werden Naphtha u. Rohbenzin bevorzugt, doch werden nach Entwicklung geeigneter Verf. (*Beisp.:* *Isomax-Verfahren) daneben auch Gasöle eingesetzt. In den USA ist Flüssiggas wichtigster Rohstoff, wenn auch zunehmend Rückstände aus der Vakuumdest. herangezogen werden. In neuen P.-Anlagen auf der arab. Halbinsel wird auch das früher nur abgefackelte Ethan eingesetzt. Der „Stammbaum der Erdölchemie" in der Abb. gibt eine Übersicht über die wichtigsten Grundstoffe u. Folgeprodukte der P. (Petrochemikalien), s.a. Erdöl, S. 1198.

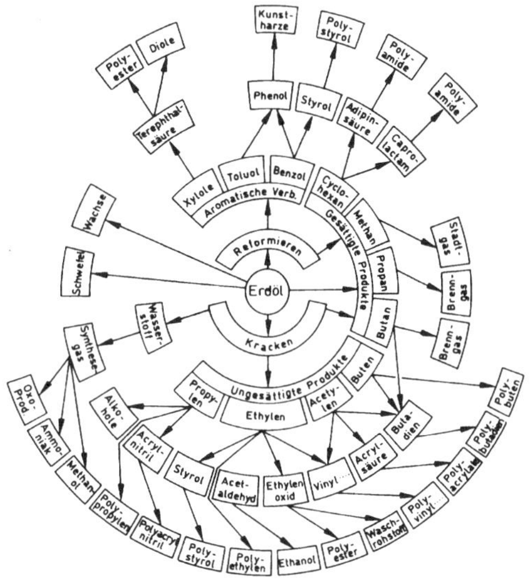

Abb.: Wichtige Produkte der Petrochemie, d.h. Produkte aus Erdöl außerhalb des Mineralöl-Sektors.

Eine ausführliche Darst. der Situation u. Perspektiven der P. aus neuerer Sicht gibt *Lit.*[1]. – ***E*** petrochemistry – ***F*** pétrochimie – ***I*** petrochimica – ***S*** petro(leo)química

Lit.: [1] Erdöl Erdgas Kohle **111**, Nr. 5, 208–218 (1995). *allg.:* Das Buch vom Erdöl, 5. Aufl., Hamburg: Reuter u. Klöckner 1989 ▪ Kirk-Othmer (3.) **4**, 264–277; **9**, 831–845; **17**, 110–271; (4.) **4**, 590–605; **10**, 349–360 ▪ List, Petrochemical Technology, Englewood Cliffs: Prentice Hall 1986 ▪ Ullmann (4.) **10**, 641–714; (5.) **A 18**, 51–99 ▪ Winnacker-Küchler (4.) **5**, 48–272 ▪ Wiseman, Petrochemicals, Chichester: Horwood 1986.

Petrochemikalien. Bez. für chem. Verb. od. Elemente (z.B. Schwefel), die aus *Erdöl od. *Erdgas gewonnen werden od. sich ganz od. teilw. von Erdöl- od. Erdgas-*Kohlenwasserstoffen ableiten u. für den Chemiemarkt bestimmt sind. Beispielsweise rechnet man zu den P. die mit Verf. der *Petrochemie gewonnenen Verb. Ammoniak, Ruß, Synthesegas, Schwefel, Olefine u. Alkane, Olefin-Derivate, Aromaten (Benzol, Toluol, Xylol, oft als BTX abgekürzt) u. deren Derivate, Acetylen, cycl. gesätt. u. ungesätt. Kohlenwasserstoffe, Phenol, Alkohole, Ketone, Acrylnitril, Essigsäureanhydrid, Phthalsäureanhydrid, Maleinsäure u. a., s. a. Abb. bei Petrochemie. – ***E*** petrochemicals – ***F*** produits pétrochimiques – ***I*** prodotti petrochimici – ***S*** productos petro(leo)químicos

Lit.: s. Petrochemie u. die Textstichwörter.

Petrochemische Harze. Alternative Bez. für *Petroleum-Harze.

Pétrochim. Kurzbez. für die 1951 gegr. belg. Pétrochim (Soc. Chimique des Dérivés du Pétrole) SA., B-2030 Antwerpen. Das Unternehmen teilt sich in die Fina Antwerp Olefins N. V., die zu 65% der *PetroFina u. zu 35% der Esso Holding Company Holland Inc. gehört u. die Fina Chemicals Antwerpen N. V., die zu 100% der PetroFina gehört. *Daten* (1996): ca. 5,9 Mrd. belg. Franc Umsatz. *Produktion:* Ethylen, Propylen, Benzol, Toluol, Cyclohexan, Xylol, C4-Schnitt, C6-Schnitt, C5–C9-Schnitt, Pyrolyse Öl, naphten. u. paraffin. Raffinat, Polymere.

PetroFina. 1920 gegr. belg. Erdöl- u. Chemiekonzern PetroFina NV. SA, B-1040 Brüssel; heute das größte Unternehmen in Belgien. *Daten* (1996): 13 500 Beschäftigte, 11,6 Mrd. belg. Franc Umsatz. Die Ges. beschäftigt sich mit der Exploration u. Gewinnung von Erdöl u. -Gas, der Raffinierung u. Distribution von Ölprodukten (Fina®) u. der Produktion u. Verteilung von chem. Produkten (Fina Chemicals). Zudem ist das Unternehmen in der Farben- u. Coating-Ind. (Tochterges. Sigma Coatings Group) u. der Oleochemie tätig. *Vertretung* in d. BRD: Fina Deutschland, 60313 Frankfurt.

Petrographie (Gesteinskunde; von *Petro...; mit Petrologie). Teilgebiet der *Mineralogie. Die P. untersucht u. beschreibt das Vork., die Zusammensetzung u. das *Gefüge der *Gesteine u. der in ihnen auftretenden *Mineralien. Sie benennt die Gesteine nach bestimmten Regeln u. klassifiziert sie nach ihrer Entstehung (*magmatische Gesteine, *metamorphe Gesteine u. *Sedimentgesteine), ihrer Zusammensetzung u. ihrem Gefüge. Die *Petrologie* untersucht die Entstehung, Herkunft u. Umwandlung der Gesteine; aktuelle Forschungsschwerpunkte sind Untersuchungen u. Synth. unter simulierten Bedingungen des Erdinneren (*experimentelle Petrologie*), *Altersbestimmungen (*Geochronologie) von Gesteinen u. ihren Bildungs- bzw. Umbildungs-(*Metamorphose-)Ereignissen sowie die Erstellung von Druck-Temp.-Pfaden (P-T-Pfaden) bzw. Druck-Temp.-Zeit-Pfaden (P-T-t-Pfaden; vgl. Metamorphose). Spektakuläre Ergebnisse erbrachte die 1994 beendete kontinentale Tiefbohrung (KTB) bei Windisch-Eschenbach in der Oberpfalz mit völlig neuen Erkenntnissen über Druck-Temp.-Bedingungen, Zusammensetzung fluider Phasen u. Gesteinsumbildungen in Tiefen von mehreren tausend Metern, s. *Lit.*[1]. Die experimentelle P. besitzt mit ihrer Hoch- u. Höchstdruckforschung Beziehungen zur Festkörperphysik, Hochdruckchemie u. Werkstoffkunde. Als weitere Arbeitsrichtung hat sich die *theoret. Petrologie* entwickelt. Anw.-orientierte Teilgebiete sind die *techn. Gesteinskunde* (s. a. Natursteine) u. die *Kohlenpetrographie.* – ***E*** petrography – ***F*** pétrographie – ***I*** petrografia – ***S*** petrografía

Lit.: [1] Spektrum Wiss. **1996**, Nr. 3, 30–41.

allg.: Blatt u. Tracy, Petrology (2.), New York: Freeman 1996 ▪ Dietrich u. Skinner, Die Gesteine u. ihre Mineralien, Thun: Ott 1984 ▪ Jones, Methoden der Mineralogie, Stuttgart: Enke 1997 ▪ Matthes, Mineralogie (5.), Eine Einführung in die spezielle Mineralogie, Petrologie u. Lagerstättenkunde, Berlin: Springer 1996 ▪ Müller, Gesteinskunde (5.) (Lehrbuch u. Nachschlagewerk über Gesteine für Hochbau, Innenarchitektur, Kunst u. Restauration), Ulm: Ebner 1996 ▪ Nickel, Grundwissen in Mineralogie, Tl. 3, Aufbaukursus Petrographie (2.), München: Ott 1983 ▪ Tröger, Optische Bestimmung der gesteinsbildenden Minerale, Tl. 1: Bestimmungstabellen (3.), Tl. 2: Textband (2.), Stuttgart: Schweizerbart 1959, 1969 (Standardwerk) ▪ s. a. Gesteine, Mineralogie, Erde, Geochronologie, Dünnschliffe u. die einzelnen Gesteine u. Gesteinsgruppen.

Petrolasphalt s. Asphalte.

Petrolatum s. Paraffin.

Petrolchemie s. Petrochemie u. Erdöl.

Petrolene s. Maltene.

Petrolether. Bez. für niedrig siedende Benzin-Fraktionen: Siedebereich 25–80 °C, D. 0,63–0,83, WGK 1, die hauptsächlich aus Kohlenwasserstoffen, meist Pentan u. Hexan bestehen. Klare farblose, leicht brennbare Flüssigkeiten von charakterist. ether. Geruch. Sie finden als Lsm. Verw., vgl. Benzin. – ***E*** petroleum ether, petroleum benzin – ***F*** éther de pétrole – ***I*** etere di petrolio – ***S*** éter de petróleo

Lit.: DAB **8**, 135 ff., Komm.: 196–199 ▪ DIN 51 630: 1986-11 ▪ Merck-Index (12.), Nr. 7329. – *[HS 2710 00; G 3]*

Petroleum. Die als P. [von *Petr(o)...] bezeichneten Fraktionen des *Erdöls, Siedebereich 130–280 °C, dienten früher fast ausschließlich als Leuchtöl, s. Leuchtpetroleum. P.-Lampen waren schon im Altertum in den Ländern des mittleren Ostens bekannt. Auch als Heilmittel spielte das P. früher eine Rolle (äußerlich gegen Rheuma, Frostbeulen u. dgl., innerlich als Wurmkur). Seine Verw. als Brennstoff u. Lsm. sowie als *Traktorenkraftstoff ist heute weit in den Hintergrund getreten gegenüber der Bedeutung als *Düsenkraftstoff bzw. *Kerosin. Zu den chem. u. physikal. Eigenschaften s. Erdöl. Es sei darauf hingewiesen, daß „P." die engl. Übersetzung für *Erdöl* ist. – ***E*** kerosene – ***F*** kérosène, huile de pétrole – ***I*** petrolio – ***S*** queroseno, keroseno

Lit.: DIN 51636: 1981-11 ▪ s. a. Erdöl u. Petrochemie. – *[HS 2710 00; CAS 8008-20-6]*

F 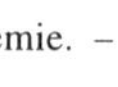

Petroleumbenzin (Wundbenzin). Eine *Benzin-Qualität, dadurch gekennzeichnet, daß mindestens 75% zwischen 40 u. 60 °C überdestillieren. P. findet Verw. zur Wundbehandlung, als Fleckenreiniger u. in der Chromatographie. – ***E = F*** benzine – ***I*** benzina di petrolio – ***S*** bencina de petróleo – *[CAS 8030-30-6]*

Petroleum-Harze (petrochem. Harze). P. sind zur Gruppe der *Kohlenwasserstoff-Harze zählende *synthetische Harze. Sie fallen an bei der *Polymerisation der Petroleum-Crackprodukte, die nach Isolierung von techn. wichtigen C_2–C_4-Monomeren wie Ethylen, Propylen od. Butadienen zurückbleiben. Es handelt sich dabei um die C_5-Fraktion (Cyclopenten, Cyclopenta-

dien, Pentene u. a.) u. die sog. C_9-Fraktion (Harzöl-Fraktion), die im Bereich von ca. 160–220 °C siedet u. cycl. Verb. mit mind. 8 C-Atomen (Styrol, Methylstyrol, Vinyltoluol, Alkylbenzole, Dicyclopentadiene, Inden, Naphthalin u. a.) enthält.
Zu den P.-H. gehören als sog. *Kondensatharze* auch Produkte aus der durch Säuren katalysierten Polymerisation von Erdölfraktionen mit Formaldehyd, die bei Einsatz von relativ reinen Aromaten-Fraktionen zu techn. interessanten Xylol- od. Naphthalin-Formaldehyd-Harzen führt. Die Einsatzbreite der P.-H. wird durch Modifizierung, z. B. mit Maleinsäureanhydrid, wesentlich erweitert. P.-H. besitzen in Abhängigkeit von der Zusammensetzung der Edukte, den Polymerisationsbedingungen u. dem Modifizierungsgrad ein breites Eigenschafts-Spektrum. Zur Verw. s. Kohlenwasserstoff-Harze. – ***E*** petroleum resins – ***F*** résines de pétrole – ***I*** resine di petrolio – ***S*** resinas de petróleo
Lit.: Encycl. Polym. Sci. Eng. **7**, 761–769 ▪ Ullmann (4.) **12**, 541–545; (5.) **A 23**, 89 ff. – *[HS 3911 10]*

Petroleumsulfonate. Durch Sulfonierung von Schmierölfraktionen mit Schwefeltrioxid od. Oleum erhältliche Produkte, von denen die öllösl. (*Mahagonisäuren*) als Emulgatoren in der sog. Tertiärförderung von Erdöl, die Erdalkali-Salze als Zusätze zu Maschinenschmiermitteln techn. Bedeutung haben. – ***E*** petroleum sulfonates – ***F*** sulfonates de pétrole – ***I*** solfonati di petrolio – ***S*** sulfonatos de petróleo – *[HS 3823 90]*

Petrolkoks. Beim therm. Kracken von Erdölen hinterbleibender Rückstand aus fast reinem Kohlenstoff. P. wird als Feuerungsmaterial bei der Herst. von Spezialstählen, zu Elektroden u. Elektrographit verwendet. – ***E*** petroleum coke, oil coke – ***F*** coke de pétrole – ***I*** coke di petrolio – ***S*** coque de petróleo
Lit.: Kirk-Othmer (3.) **4**, 572 f.; (4.) **4**, 954 ff. ▪ Ullmann (4.) **17**, 729–733; (5.) **A 19**, 235–239 ▪ Winnacker-Küchler (4.) **5**, 74 f. – *[HS 2713 11, 2713 12]*

Petrologie s. Petrographie.

Petrolpech (Erdölpech). Hauptsächlich aus *Bitumen bestehendes *Pech als Rückstand der Erdöldestillation.

Petroporphyrine s. Porphyrine u. Ölschiefer.

Petroproteine. Jargonbez. für aus Erdöl-Kohlenwasserstoffen durch Bakterien od. Hefen hergestelltes Eiweiß für Nahrungs- od. Futtermittelzwecke; *Beisp.:* SCP. – ***E*** petroproteins – ***F*** pétroprotéines – ***I*** petroproteine – ***S*** petroproteínas
Lit.: Ullmann (4.) **19**, 518–528.

Petroselinsäure [(*Z*)-6-Octadecensäure].
$H_3C–(CH_2)_{10}–CH{=}CH–(CH_2)_4–COOH$, $C_{18}H_{34}O_2$, M_R 282,45. Gelblich-weiße Blättchen, D. 0,879, Schmp. 33 °C, Sdp. 215–217 °C (0,2–0,3 kPa), lösl. in organ. Lösemitteln. P.-Glyceride kommen in Umbelliferen-Samen vor u. werden aus Petersiliensamenöl isoliert. – ***E*** petroselinic acid – ***F*** acide pétrosélinique – ***I*** acido petroselinico – ***S*** ácido petroselínico
Lit.: Beilstein E IV **2**, 1634 ▪ J. Nutrition **125**, 1563 (1995) ▪ Karrer, Nr. 736 ▪ Merck-Index (12.), Nr. 7330 ▪ Prog. Lipids Res. **33**, 155 (1994) (Rev.) ▪ Ullmann (5.) **A 10**, 248. – *[HS 2916 19; CAS 593-39-5]*

Petrosin.

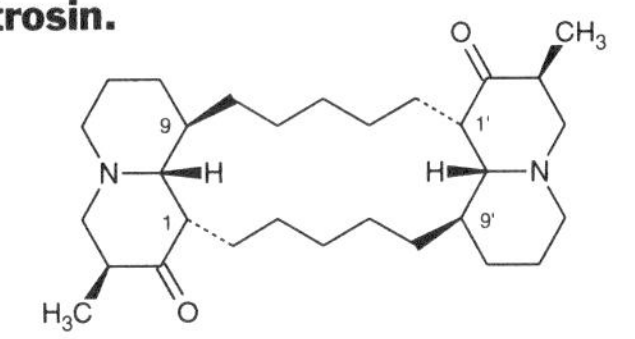

Racemat

$C_{30}H_{50}N_2O_2$, M_R 470,73, Schmp. 215–216 °C. Fischgiftiges dimeres *Chinolizidin-Alkaloid aus dem Schwamm *Petrosia seriata*. Neben dem racem. P. (s. Abb.) wurden 2 Epimere isoliert: P. A (1,9,10-Epimer, zentrosymmetr. achirale *meso*-Form) u. P. B {$[\alpha]_D$ –12° (CH_2Cl_2)}, ein 1,9-Epimer mit unbekannter abs. Konfiguration. – ***E*** petrosin – ***F*** pétrosine – ***I*** = ***S*** petrosina
Lit.: J. Am. Chem. Soc. **116**, 8853 (1994) (Synth.) ▪ Tetrahedron Lett. **23**, 4277 (1982); **30**, 4149 (1989). – *[CAS 84679-41-4 (P.); 95189-04-1 (P. B); 95189-03-0 (P. A)]*

Pettenkofer, Max von (1818–1901), Prof. für Hygiene u. Chemie, München. *Arbeitsgebiete:* Seuchenlehre, Gesundheitsfürsorge, Einfluß klimat. u. ökolog. Bedingungen auf die Entstehung von Epidemien, Systematik der chem. Elemente in Familien, vgl. Periodensystem.
Lit.: Breyer, Max von Pettenkofer, Leipzig: Hirzel 1985 ▪ Lexikon der Naturwissenschaftler, S. 325 ▪ Neufeldt, S. 39, 380 ▪ Pötsch, S. 342 ▪ Strube **2**, 58.

Petun(id)in s. Anthocyan(idin)e.

Petzit. Ag_3AuTe_2, stahlgraues bis eisenschwarzes, stark metallglänzendes, oft Anlauffarben zeigendes kub. Erzmineral, Kristallklasse 432-O; fast nur *derb vorkommend, H. 2,5–3, D. 8,7–9,4. Zusammensetzung nach der Formel 41,71% Ag, 25,42% Au, 32,87% Te.
Vork.: In Golderz-Gängen, z. B. Săcăramb u. Botes/Siebenbürgen, Timmins u. Noranda/Kanada, Kalgoorlie/Australien, USA. – ***E*** = ***F*** = ***I*** petzite – ***S*** petzita
Lit.: Anthony et al., Handbook of Mineralogy, Vol. I, S. 402, Tucson (Arizona): Mineral Data Publishing 1990 ▪ Ramdohr, Die Erzmineralien u. ihre Verwachsungen, S. 457 ff., Berlin: Akademie-Verl. 1975 ▪ Roberts, Campbell u. Rapp, Encyclopedia of Minerals (2.), S. 667 ff., New York: Van Nostrand Reinhold Comp. 1990. – *[CAS 1317-73-3]*

PE-UHM(W). Kurzz. für *Polyethylen mit ultrahoher Molmasse (>3×10^6 g/mol).

PE-V. Kurzz. für vernetztes *Polyethylen.

pe-Wert s. Redoxsysteme.

Pewter. Engl. Bez. für Zinn-Blei-Leg. mit mind. 63% Sn sowie ggf. Zusätzen von Kupfer, Antimon u. Zink zur Herst. von Ziergegenständen. Bei Geräten wie Platten, Schalen u. Bechern zur Handhabung von Nahrungsmitteln wurde P. durch Blei-freie Zinn-Antimon-Kupfer-Leg. (*Britannia-Metall*) mit gleichen Eigenschaften ersetzt. Für kirchliches Gerät findet eine Variante mit 91% Sn u. 9% Sb Anwendung. – ***E*** pewter – ***I*** peltro – ***S*** estaño de vajilla, peltre
Lit.: Concise Encyclopedia of Science and Technology, New York: McGraw-Hill 1984. – *[HS 8001 20]*

PEX. Kurzz. für vernetztes *Polyethylen.

Peyerimhoff, Sigrid (geb. 1937), Prof. für Theoret. Chemie, Univ. Bonn. Mitglied der Akad. der Wissenschaften zu Göttingen. *Arbeitsgebiete: Ab initio* Meth.;

Entwicklung u. Anw. auf Mol.-Spektroskopie; Strukturuntersuchungen u. chem. Reaktionen.

Lit.: Kürschner (16.), S. 2746 ▪ Nachr. Chem. Tech. Lab. **44**, Nr. 10, 1020 (1996).

Peyotl (Peyote, von nahuatl peyotl = Raupe). Kleiner, wollhaariger Igelkaktus (*Lophophora williamsii* Coult u. andere Arten, Cactaceae), der im nördlichen Zentralmexiko verbreitet ist. Zu den wichtigsten, für die *Halluzinogen-Wirkung verantwortlichen P.-Inhaltsstoffen gehören *Anhalonium- od. *Kaktus-Alkaloide wie **Meskalin* u. die *Isochinolin-Alkaloide *Anhalonidin, Lophophorin* u. *Pellotin* (s. Anhalonium-Alkaloide). Insgesamt wurden ca. 50 Alkaloide bei einem Gesamtgehalt von 0,4% (Gewächshaus) bis 2,7% (Freiland, Italien) isoliert. Zur Rauscherzeugung werden Scheiben der Pflanze („Mescal Buttons") gekaut od. deren Auszüge getrunken. – ***E*** = ***F*** peyotl, pellote – ***I*** peyote, peyotl – ***S*** peyote

Lit.: Hager (5.) **5**, 707–712 ▪ Schultes u. Hofmann, The Botany and Chemistry of Hallucinogens, S. 119–133, Springfield: Ch. C. Thomas 1973 ▪ s.a. Halluzinogene, Meskalin, Rauschgifte. – *[HS 1211 90]*

Peyrone-Salz s. Magnus-Salz u. Platin-Verbindungen.

pF. Symbol für Pikofarad = 10^{-12} *Farad.

PF. Kurzz. (nach DIN 7728-1: 1988-01) für Phenol-Formaldehyd(-Harze), s. Phenol-Harze.

PFA. Kurzz. für *Perfluoralkoxy-Polymere.

Pfaffenhütchen (Spindelstrauch). In Europa u. Asien heim., giftiger Strauch *Euonymus europaeus* L. (Celastraceae), der in Rinde, Blättern u. roten Früchten *Cardenolide der Digitoxigenin-Reihe (*Evonosid*, ein Glykosid aus Digitoxigenin, L-Rhamnose u. 2 Mol. D-Glucose), *Bitterstoffe u. *Phytosterine, in den Früchten außerdem noch Alkaloide (z.B. *Evonin*, $C_{36}H_{43}NO_{17}$, M_R 761,73, das für die insektiziden Eigenschaften verantwortlich gemacht wird), Xanthine u. Carotinoide enthält.

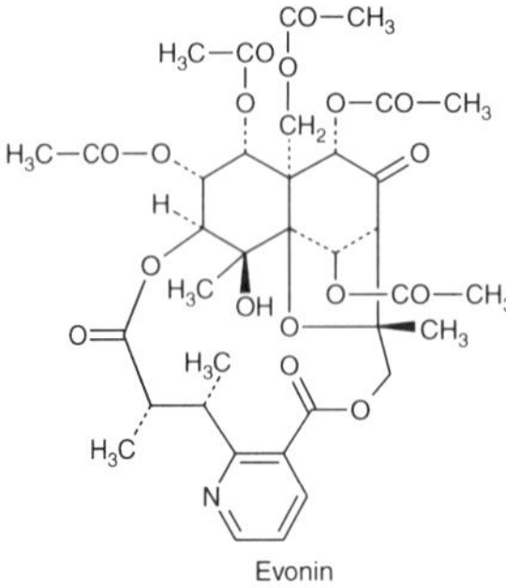

Evonin

Der Spindelbaum liefert zwar als Diuretikum, Laxans u. Herzmittel nutzbare Drogen, ist aber auch für Vergiftungen mit Koliken u. Durchfällen, Kreislaufstörungen u. Krämpfen verantwortlich; 36 Früchte sollen tödlich sein. – ***E*** burning bush, spindle tree – ***F*** bonnet de prêtre – ***I*** evonimo – ***S*** bonetero, evonimo

Lit.: Frohne u. Pfänder, Giftpflanzen, S. 135 ff., Stuttgart: Wiss. Verlagsges. 1997 ▪ Hager (4.) **4**, 865–869. – *[HS 1211 90; CAS 33458-64-9 (Evonin)]*

P-Faktor s. P-Elemente.

Pfaudler. Kurzbez. für die 1907 gegr. Pfaudler-Werke GmbH, 68723 Schwetzingen, eine 100%ige Tochterges. der Pfaudler Inc., Rochester, NY 14692 (1884 gegr.). *Daten* (1994/95): 430 Beschäftigte, 65,5 Mio. DM Umsatz. *Produktion:* Apparate, Behälter u. Zubehör aus glasemailliertem Stahl für Chem.-, Nahrungsmittel- u. Getränke-Ind. u. Verfahrenstechnik, Meßsonden (Marke Glasteel®).

Pfau-Plattner-Synthese. Von den Autoren 1939 gefundener Weg zur Synth. von *Azulen: Aus Diazoessigester erzeugtes Diethoxycarbonyl-carben reagiert mit Indan unter [2+1]-Cycloaddition; das so gebildete bicycl. *Norcaradien-Derivat isomerisiert zu einem Azulen-Derivat. Geht man von 2-Isopropyl-4,7-dimethyl-indan aus, so läßt sich nach der P.-P.-S. ein auch natürlich vorkommendes Azulen (*Vetivazulen*) herstellen (s. Abb.).

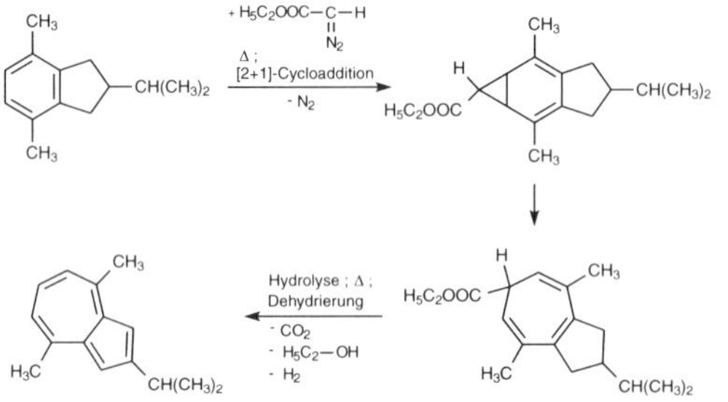

– ***E*** Pfau-Plattner synthesis – ***F*** synthèse de Pfau et Plattner – ***I*** sintesi di Pfau e Plattner – ***S*** síntesis de Pfau-Plattner

Lit.: Hassner-Stumer, S. 296 ▪ Houben-Weyl **10/4**, 834 ▪ Krauch u. Kunz, Reaktionen der Organischen Chemie, 6. Aufl., S. 409, Heidelberg: Hüthig 1997.

PFDD, PFDF s. Dioxine.

Pfeffer. Von griech.: peperi od. latein.: piper = Pfeffer entlehnter Name für eines der bekanntesten Gewürze – dank seiner Eigenschaft ist „pfeffrig" geradezu ein Synonym für „scharf". Man unterscheidet beim *echten P.* zwischen schwarzem, weißem u. grünem P.; daneben gibt es noch eine Vielzahl zwar scharfer, aber nicht od. nur z. T. zu den eigentlichen P.-Arten gehörende Gewürze (s. unten). Unter Schwarzem u. Weißem P. versteht man die kugeligen, 3–5 mm dicken Früchte von *Piper nigrum* (Piperaceae), einem Luftwurzeln bildenden trop. Schlingstrauch (Kletterhöhe bis 15 m). Dieser Strauch ist wahrscheinlich in Vorderindien (Travancore, Malabar) beheimatet, wird in fast allen Tropenländern (bes. Sumatra, Thailand, Malakka) angebaut u. vom 3.–15. Jahr abgeerntet. *Schwarzer P.* stammt von ausgewachsenen, grünen bis gelben, noch unreifen Früchten, die beim Trocknen eine schwarzbraune Farbe annehmen. Je 100 solcher P.-Körnchen wiegen 3–9 g; sie schmecken sehr scharf u. brennend, der Geruch ist schwach gewürzhaft, die Oberfläche grob netzrunzlig. *Weißen P.* erhält man aus reifen, roten P.-Körnern, deren Fruchtfleisch durch Fermentation entfernt wird. Der Weiße P. schmeckt etwas milder als der Schwarze P.; er besteht aus glatten, weißlichen od. hellgrauen, 4–5 mm dicken Kugeln, 100 Körner wiegen 3,5–5 g. Am mildesten ist der

Grüne P.; er kommt vorwiegend aus Madagaskar u. besteht aus unreifen, grünen, ungetrockneten u. statt dessen in Salzlake eingelegten P.-Körnern, die auch unter Essig od. Öl aufbewahrt werden können.
Schwarzer P. enthält im Durchschnitt 12,5% Wasser (Weißer P. 13,5%); wasserfrei enthält Schwarzer P. (in Klammern Werte für Weißen P.) 12,8 (11,9)% Stickstoff-haltige Substanz, 9,1 (8)% Ether-Auszug, 2,25 (1,5)% ether. Öl, 7,5 (7,8)% Piperin, 0,6 (0,3)% Piperidin, 1,05 (0,35)% Harz, 10,3 (9,1)% Alkoholextrakt, 36,5 (56,8)% Stärke, 14 (4,4)% Cellulose, 5,15 (1,9)% Asche. Die *Scharfstoffe sind vor allem *Piperin, Piperanin u. Piperylin, der gewürzhafte Geruch u. Geschmack wird durch *Pfefferöl verursacht. Der scharfe Geschmack kommt durch Erregung der Thermorezeptoren zustande. Reflektor. wird dadurch die Speichel- u. Magensaftsekretion angeregt.
Verw.: Schwarzer u. Weißer P. werden gleicherweise seit alter Zeit, Grüner P. erst seit den 70er Jahren als Küchengewürz benutzt, ferner zur Gewinnung scharfer Essenzen, zur Verschärfung des Branntweins u. zur Herst. des ether. Pfefferöls, gelegentlich auch für *Niespulver. Die nahezu universelle Verwendbarkeit des P. als Speisengewürz (ggf. sogar in Süßspeisen) machten ihn schon von altersher zu einem begehrten Handelsartikel; in Europa soll er unter Alexander dem Großen erstmals eingeführt worden sein.
Weitere als „Pfeffer" benutzte Samen u./od. Früchte sind z.B.: *Langer P.* (aus *Piper longum* u. *P. officinarum*), der bes. im Mittelalter gehandelt wurde, **Cubeben* od. *Stiel-P.* (*P. cubeba*), *Aschanti-P.* od. *Falsche Cubeben* (*P. clusii*) sowie die aus anderen Pflanzengattungen stammenden *Paradieskörner* od. *Guinea-P.* (*Aframomum melegueta*, Zingiberaceae), *Kani-* od. *Mohren-P.* bzw. *Burro-P.* (*Xylopia aethiopica* bzw. *aromatica*, Annonaceae), *Molle-Saat* od. *Schinus-Früchte* des Peruan. Pfefferbaumes (*Schinus molle*, Anacardiaceae), **Mönchspfeffer* od. *Keuschlammfrüchte* (*Vitex agnus castus*, Verbenaceae) aus Südeuropa u. *Japan-* od. *China-P.* des Pfeffer-Gelbholzes (*Xanthoxylum piperitum*, Rutaceae) aus Ostasien. Diese Gewürze haben zumeist nur lokale Bedeutung. Der durch seinen *Capsaicin-Gehalt pfeffrig-scharfe sog. *Cayenne-P.* (Roter od. Span. P.) gehört zu den *Paprika-Gewächsen, aus denen auch die pfeffrig-scharfe Tabasco®-Soße hergestellt wird. *Nelkenpfeffer* ist ein Synonym für *Piment u. stammt von einer Myrtacee. Auch andere Wortzusammensetzungen spielen auf die typ. P.-Eigenschaften an, z.B. Pfefferkraut od. *Bohnenkraut, *Mauerpfeffer, Rauschpfeffer (s. Kawain), aber auch Pfifferling (*Speisepilze), *Pfefferminze u. Pfefferkuchen. – ***E*** pepper – ***F*** poivre – ***I*** pepe – ***S*** pimienta

Lit.: Braun-Frohne (6.), S. 441 f. ▪ Chem. Unserer Zeit **23**, 135–142 (1991) ▪ Franke, Nutzpflanzenkunde, 6. Aufl., S. 382 ff., Stuttgart: Thieme 1997 ▪ s.a. Gewürze. – *[HS 0904 11, 0904 12]*

Pfeffer, Wilhelm Friedrich Philipp (1845–1920), Prof. für Botanik, Univ. Leipzig. *Arbeitsgebiete:* Experimentelle Botanik, Cytologie, Mikrobiologie, Pflanzenphysiologie, osmot. Vorgänge in Pflanzenzellen, Messung des osmot. Drucks (*Osmose), elektrolyt. Dissoziation.

Lit.: Bünning, Wilhelm Pfeffer, Stuttgart: Wissenschaftliche Verlagsges. 1975 ▪ Krafft, S. 303 ▪ Neufeldt, S. 68, 380 ▪ Pötsch, S. 342 ▪ Strube **2**, 69 f.

Pfefferkuchengewürz. Pfefferkuchen ist die alte Bez. für kräftig gewürzten Lebkuchen, so daß *Lebkuchengewürz* als Synonym für die aus *Anis, *Nelken, *Koriander, *Kardamomen, *Zimt u. *Piment hergestellte Gewürzmischung verwendet werden kann, die v.a. in der Weihnachtsbäckerei verwendet wird. P. kann ggf. noch *Muskatnuß, *Ingwer u. Orangenschalen enthalten; s.a. Piment. – ***E*** gingerbread spice – ***F*** condiment de pain d'épice – ***I*** spezie di panpepato – ***S*** condimento de pan de especias

Lit.: H+R Contact **36**, 3–6 (1985). – *[HS 0910 91]*

Pfefferminze. Als bekannteste der zu den Lippenblütlern (Lamiaceae) zählenden *Minzen*-Arten liefert die in verschiedenen Sorten kultivierte krautige, mehrjährige P. (*Mentha piperita* L., Lamiaceae) das in den Öldrüsen ihrer Blätter enthaltene (0,5–4%), viel verwendete *Pfefferminzöl. Die P. ist ein Bastard aus der Wasser- od. Bachminze (*M. aquatica*) u. der Grünen od. Ährenminze (*M. spicata*), deren Varietät Krauseminze (*M. crispata*, auch *M. aquatica crispa*) die *Krauseminzeöle liefert. Weit verbreitet ist auch die Korn-, Acker- od. Feldminze (*M. arvensis*), aus deren Varietät *M. arvensis piperascens* das *Japanische Heilpflanzenöl gewonnen wird. Die Poleiminze od. Flohkraut (*M. pulegium*) dient zur Gewinnung von *Poleiöl, das 80–94% *Pulegon enthält. Eine weitere, wild vorkommende Art ist die Roßminze, auch Wilde, Weiße od. Langblättrige Minze genannt (*M. longifolia*), die vermutlich eine Stammpflanze der Grünen Minze ist. Die getrockneten Blätter der verschiedenen Minze-Arten liefern arzneilich genutzte Drogen u./od. werden für Tees verwendet; Indikationen: in *Carminativa, *Cholagoga u. *Spasmolytika. – ***E*** peppermint – ***F*** menthe poivrée – ***I*** = ***S*** menta piperita

Lit.: Bundesanzeiger 223/30.11.85; 164/01.09.90; 50/13.03.90 ▪ DAB **1997** u. Komm. ▪ Hager (5.) **5**, 821–848 ▪ Wichtl (3.), S. 391–394. – *[HS 1211 90]*

Pfefferminzöle. Durch Wasserdampfdest. aus Blättern u. Blütenständen verschiedener *Pfefferminze-Sorten gewonnene ether. Öle, gelegentlich auch solche aus *Mentha arvensis*. Die P. sind luft- u. wärmeempfindlich, oxidieren u. polymerisieren u. wirken hautreizend u. schwach antisept.; Phenol-Koeff. 0,7, D. 0,892–0,927, kaum wasserlösl., lösl. in Alkohol, Ether u. Chloroform.
Zusammensetzung: In Rohölen, die aber nicht mehr in den Handel kommen: 70–90% *Menthol, dessen Anteil durch Ausfrieren auf ca. 50% gesenkt wird; dieses Öl enthält dann 7,5–31,5% *Menthon, das teilw. zu Isomenthon epimerisiert wird (Entbitterung), sowie 3,1–17,8% Menthylacetat u. ca. 2–6% Menthofuran, das wegen seines starken Aromas weitgehend abdestilliert wird.
Verw.: Die hauptsächlichen Erzeugerländer für P. sind die USA (z. Z. jährlich mehr als 3000 t echtes P.), Brasilien, Argentinien, China u. Indien. 57% des produzierten P. wurden für Mundpflegepräp., 35% für Kaugummi u. 8% für sonstige Süßwaren verwendet, was in etwa der Anw. des Menthols entspricht. In der Me-

dizin als Carminativa, Urologica, Mund- u. Rachentherapeutika, in antirheumat. Einreibemitteln u. als Bronchologika. Das Pulegon- u. Menthofuran-reiche Öl aus bestimmten Pfefferminzarten findet eine spezif. Verw. im Vorratsschutz.

Minzöl[1] ist das ether. Öl von *M. arvensis* L. var. *piperascens* Holmes ex Christy. Es wird auch als „japan. Heilpflanzenöl" bezeichnet u. zeichnet sich durch seinen hohen Menthol-Gehalt aus (80–90%). – ***E*** peppermint oil – ***F*** essences de menthe poivrée – ***I*** olio essenziale di menta piperita – ***S*** esencias de menta piperita

Lit.: [1] DAB **1997** u. Komm.
allg.: Dtsch. Apoth. Ztg. **129**, 2379 (1989) ▪ Miltitzer Ber. **1981**, 93–102 ▪ Sax (7.), S. 2684 ▪ Ullmann (5.) **A 11**, 233 ▪ s. a. etherische Öle. – *[HS 3301 24; CAS 8006-90-4]*

Pfefferöl. Farbloses bis gelbgrünes, würzig riechendes ether. Öl, das durch Wasserdampfdest. aus schwarzem *Pfeffer in 1,0–2,6% Ausbeute gewonnen wird. D. 0,87–0,916, lösl. im 10–15fachen Vol. 95%igem Alkohol, unlösl. in Wasser, enthält 22% *α*-Pinen, 21% Sabinen, 17% *β*-Caryophyllen sowie *β*-Pinen, Phellandrene, Limonen, 3-Caren u. v. a. Terpene u. Sesquiterpene. P. findet Verw. in der Gewürz-Industrie. – ***E*** pepper oil – ***F*** essence de poivre – ***I*** olio essenziale del pepe – ***S*** esencia de pimienta

Lit.: Ullmann (5.) **A 11**, 237 ▪ s. a. Pfeffer. – *[HS 3301 29]*

Pfeffersche Zelle s. Osmose.

Pfeifenstrauch s. Jasmin.

Pfeifentabak s. Tabak.

Pfeifenton. Bes. fette, plast. Tonsorte (*Ton, Tone).

Pfeiffer, Paul (1875–1951), Prof. für Chemie, Univ. Bonn. *Arbeitsgebiete:* Mitbegründer der Koordinationslehre, organ. Mol.-Verb., Beziehungen zwischen Koordinationszahl u. Raumgitter, opt. Aktivität u. *cis-trans*-Isomerie bei organ. Komplexverb., Chinhydrone, Halochromie, Betaine.

Lit.: Angew. Chem. **62**, 201–205 (1950) ▪ J. Chem. Educ. **1951**, 62 ▪ Lexikon der Naturwissenschaftler, S. 326 ▪ Pötsch, S. 343.

Pfeiffer Vacuum. 1890 gegr. u. seit 1996 unabhängige weltweit agierende Aktiengesellschaft. *Daten* (1995): ca. 1000 Beschäftigte, 218 Mio. DM Umsatz. *Produktion:* Turbomolekular-, Drehschieber- u. Wälzkolbenpumpen, Pumpstände sowie komplette maßgeschneiderte Vakuum-Syst.; Vertrieb für das gesamte Balzers Instrumente-Programm.

Pfeifsätze s. pyrotechnische Erzeugnisse.

Pfeil, Emanuel (geb. 1912), Prof. (emeritiert) für Chemie, Chem. Inst. Univ. Marburg. *Arbeitsgebiete:* Anorgan. u. organ. Reaktionskinetik, heterocycl. Verb., Ethanolamine, papierchromatograph. Trennung von Kationen u. Aldohexosen, Metallkorrosion, Mikroanalyse, Cellulose, Emulsin.

Lit.: Kürschner (16.), S. 2755 ▪ Wer ist wer? (35.), S. 1093.

Pfeilgifte. *Gifte, die von verschiedenen Eingeborenenstämmen trop. od. subtrop. Länder auf Pfeilspitzen aufgebracht u. bei der Jagd od. im Krieg verwendet werden. Bei den P. handelt es sich im allg. um *Pflanzengifte, z. B. *Aconitin od. das brasilian. Tike-Uba-Toxin, in geringerem Maße auch um *Schlangengifte u. andere *Tiergifte wie *Spinnen-, *Skorpion-, *Krötengifte, Toxine von Raupen, Käfern, z. B. das afrikan. Buschmann-Gift *Diamphotoxin* (Polypeptid, M_R ca. 60 000) aus Puppen von *Diamphidia nigro-ornata*, Toxine aus Meerestieren u. Algen. Zu den pflanzlichen P. afrikan. Stämme gehören u. a. Extrakte aus *Strophanthus*-, *Adenium*-, *Acokanthera*-, *Calotropis*- u. *Strychnos*-Arten, während tier. P. seltener gebraucht werden. In Süd- u. Mittelamerika werden letztere dagegen bevorzugt eingesetzt, insbes. die hochtox. Hautsekrete von Farbfröschen („Pfeilgift-Frösche", s. Krötengifte, *Batrachotoxine, *Histrionicotoxine, *Gephyrotoxin, *Pumiliotoxine) der Gattungen *Phyllobates* (Blattsteiger) u. *Dendrobates* (Baumsteiger); als pflanzliche P. kommen Curare u. a. Inhaltsstoffe aus *Strychnos*-Arten zur Verwendung. Aus Ostasien ist die Benutzung von Milchsäften des Upas-Baumes u. von Rindenextrakten von *Lophopetalum toxicum* als P. bekanntgeworden. Chem. sind die P. sehr unterschiedlich aufgebaut; weitverbreitet sind *Herzglykoside auf der Basis von Cardenoliden u. *Bufadienoliden, *Steroid-Alkaloide, *Diterpen-Alkaloide, *Strychnin u. *Curare. Dementsprechend verschieden sind die P.-Wirkungen – manche verursachen Herzstillstand u. Krämpfe, andere Lähmungen, Hypoglykämie od. a. Wirkungen. – ***E*** arrow poisons – ***F*** poisons de flèches – ***I*** veleni per frecce – ***S*** venenos de flechas

Lit.: J. Ethnopharmacol. **4**, 247–336 (1981); **6**, 1–11 (1982); **12**, 75–92 (1984); **14**, 273–281 (1985); **25**, 1–41 (1989) ▪ Lewin, Die Pfeilgifte (2.), Hildesheim: Gerstenberg 1984 ▪ Med. Monatsschr. Pharm. **16**, 101 (1993) ▪ Naturwiss. Rundsch. **47**, 379 (1994) ▪ Neuwinger, Afrikanische Arzneipflanzen und Pfeilgifte (2.), Stuttgart: Wissenschaftliche Verlagsges. 1997 ▪ Thromb. Haemostasis **63**, 31–35 (1990) ▪ Toxicon **27**, 1351–1366 (1989); **28**, 435–444 (1990). – *[CAS 87915-42-2 (Diamphotoxin)]*

Pfeilwurz s. Maranta.

Pfennig, Norbert (geb. 1925), Prof. für Mikrobielle Ökologie, Limnologie, Univ. Göttingen, Konstanz. *Arbeitsgebiete:* Kultur, Physiologie u. Ökologie der photosynthet. Bakterien sowie der Schwefel- u. Sulfat-reduzierenden Bakterien.

Lit.: Kürschner (16.), S. 2756 ▪ Wer ist wer? (35.), S. 1093.

Pfersee. Kurzbez. für die 1888 gegr. Pfersee Chemie GmbH, 86460 Langweid, eine Konzernges. der Ciba Geigy AG. *Daten* (1996): 450 Beschäftigte, ca. 250 Mio. DM Umsatz. *Produktion:* Vorbehandlungsprodukte u. opt. Aufheller für Textilien, Hydrophobierungs-, Fleckschutz- u. Flammschutzprodukte, sowie Textilhilfsmittel zur Pflegeleichtausrüstung.

Pfeuffer, Thomas (geb. 1938), Prof. für Physiolog. Chemie, Univ. Würzburg. *Arbeitsgebiete:* Hormonelle Signalübertragung (Hormonrezeptoren, GTP-bindende Kopplungs-Proteine, Desensitisierung des hormonellen Signals).

Lit.: Kürschner (16.), S. 2757.

Pfifferlinge (Eierschwamm). Botan. Name: *Cantharellus cibarius* (Cantharellaceae); Speisepilz, der in der BRD als gefährdete Art zu schützen ist u. daher häufig als Importware angeboten wird. Das dottergelbe Fleisch ist von scharfem, pfefferartigem Geschmack

u. enthält in 100 g Frischgw. 91,5 g Wasser, 1,5 g Protein, 0,5 g Fett, 5,5 g Kohlenhydrate u. 0,8 g Mineralstoffe (davon 2 mg Natrium, 310 mg Kalium, 5 mg Calcium, 25 mg Phosphor u. 4 mg Eisen). P. werden häufig als Trockenprodukte angeboten. Die Beurteilung der in Laub- u. Nadelwäldern vorkommenden P. u. der daraus hergestellten Pilzerzeugnisse (*P. ausgesucht klein, P. mittel, getrocknete P.*) kann nach der Neufassung der Leitsätze für Pilze [1] erfolgen.

Analytik: Der echte P. kann anhand des gaschromatograph. bestimmbaren Kohlenhydrat-Spektrums (unter 3% *Arabit) vom falschen P. (*Hygrophoropsis aurantiaca*) unterschieden werden (28–56% Arabit bezogen auf den Kohlenhydrat-Anteil) [2]. Zur Differenzierung zwischen frischer u. eingesalzener Rohware aus Konserven kann der Phosphat-Gehalt herangezogen werden [3,4], s. a. Speisepilze. – ***E*** = ***F*** chanterelle – ***I*** cantarello – ***S*** cantarela, cabrito

Lit.: [1] Leitsätze für Pilze u. Pilzerzeugnisse vom 27. 01. 1965 in der Fassung vom 25. 07. 1975 (GMBl. Nr. 23, S. 503), abgedruckt in Zipfel, C 325. [2] Lebensmittelchem. Gerichtl. Chem. **39**, 101 ff. (1985). [3] Ind. Obst Gemüseverwert. **72**, 460–463 (1987). [4] Ind. Obst Gemüseverwert. **73**, 235–238 (1988).
allg.: Bon, Pareys Buch der Pilze, Berlin: Parey 1988 ▪ Zipfel, C 325. – *[HS 0709 51]*

Pfingstrose. Wegen der Blüten als Gartenform angebaute Staude *Paeonia officinalis* L. emend. Willd. (Paeoniaceae), die in Südeuropa u. Kleinasien beheimatet ist. Die volksmedizin. Anw. der Blüten bei verschiedenen Krankheiten konnte nicht belegt werden; sie dienen in Teemischungen gelegentlich als Schmuckdroge. Bei Überdosierung können Blüten, auch Samen u. Wurzel Verdauungsbeschwerden hervorrufen, wohl aufgrund des Gehalts an Gallotanninen. – ***E*** peony – ***F*** pivoine, péone – ***I*** peonia – ***S*** peonía oficinal

Lit.: Bundesanzeiger 85/05. 05. 88 ▪ DAB **6**, Ergänzungsbuch u. Komm. ▪ Wichtl (3.), S. 417 f.

Pfirsichaldehyd s. 4-Hydroxyundecansäurelacton.

Pfirsiche. Steinfrüchte des seit ältesten Zeiten kultivierten, wärmeliebenden Pfirsichbaums *Persica vulgaris* (Rosaceae). Der Baum stammt aus China u. kam über Persien nach Europa. Die bis apfelgroßen, samtig behaarten, saftig süßen, gelben u. roten Früchte enthalten einen tief gerunzelten Steinkern, der sich z. T. schwer vom Fruchtfleisch löst. P.-Sorten sind: Edel- od. Pelz-P., Nektarinen, Aprikosen-P. u. Blut-Pfirsiche. Je 100 g eßbare Anteile enthalten durchschnittlich 87,5 g Wasser, 0,76 g Eiweiß, 0,1 g Fett, 10,5 g Kohlenhydrate, 0,7 g Rohfaser, 0,8 g Fruchtsäuren, 0,45 g Mineralstoffe, 0,5 mg Na, 220 mg K, 5 mg Ca, 32 mg P, 0,44 mg Carotin, 9,5 mg C-Vitamin. Grundlagen des P.-Aromas bilden γ-Lactone von C_6–C_{10} u. die δ-Lactone C_8, C_{10} u. C_{12}, Hexyl- u. *trans*-2-Hexenylacetat sowie Nonanal. P.-Bäume enthalten sowohl in den Samen als auch in den Wurzeln *Amygdalin, dessen Hydrolyse-Produkt Benzaldehyd im Boden als *Hemmstoff wirkt u. die sog. „Pfirsichmüdigkeit" verursacht.

Verw.: Als Tafelobst, für Konserven, zur Herst. von Saft u. Marmeladen u. für die Branntweinbereitung, die Kerne als Mandelersatz u. dadurch zur Herst. von *Persipan. – ***E*** peaches – ***F*** pêches – ***I*** pesche – ***S*** melocotón, durazno

Lit.: Franke, Nutzpflanzenkunde, 6. Aufl., S. 303, Stuttgart: Thieme 1997. – *[HS 0809 30]*

Pfizer. Kurzbez. für das 1849 gegr. Unternehmen Pfizer Inc., New York, NY 10017-5755 (USA). *Daten* (1995): ca. 43 800 Beschäftigte, ca. 10,0 Mrd. $ Umsatz. *Produktion:* Arzneimittelgrundstoffe u. pharmazeut. Präp. (bes. Antibiotika, Vitamine, Enzyme u. a.), veterinärmedizin. Produkte, Futterzusatzstoffe, Feinchemikalien für Pharma-, u. Kosmetik-Ind., orthopäd. u. andere Implantate. *Vertretung* in der BRD: Pfizer GmbH, 76139 Karlsruhe.

PFK. 1. Abk. für *Phosphofructokinasen. – 2. Abk. Perfluorkerosin, s. perfluorierte Verbindungen.

Pflanzen. Die Sammelbez. für die den Tieren gegenübergestellten Lebewesen leitet sich von dem latein. Begriff „planta" ab; dieser bedeutete ursprünglich Fußsohle, später auch Setzling (da P.-Setzlinge mit der Fußsohle angedrückt werden) u. schließlich allg. Pflanze. Die „typ." (grünen) höheren P. lassen sich von den Tieren durch eine Reihe von Merkmalen unterscheiden: Sie leben autotroph (*Autotrophie), indem sie aus dem Boden od. (bei *Hydrokulturen) aus dem Wasser Mineralstoffe aufnehmen u. aus der Luft mit Hilfe des *Chlorophylls unter unmittelbarer Ausnutzung der Sonnenenergie CO_2 assimilieren (*Photosynthese). Das aus diesen Vorgängen resultierende, bei manchen P.-Arten auch die *Stickstoff-Fixierung einschließende Wachstum der P. ist potentiell unbegrenzt, d. h. bis zum Tode des Einzelorganismus kann stets ein gewisses Wachstum stattfinden. Man definiert also bei P. eine sog. offene gegenüber einer geschlossenen Form bei Tieren. Im Rahmen des Stoffkreislaufs der Natur stellen die P. die *Produzenten* dar. Weiterhin sind P. ortsfest eingewurzelt, u. ihre Zellen besitzen feste *Cellulose-Zellwände. Die angeführten Unterscheidungskriterien zwischen Tieren u. P. weisen (meist im Bereich der Niederen P.) jedoch in allen Punkten Ausnahmen auf. So leben die Pilze u. bestimmte Schmarotzer-P. heterotroph (*Heterotrophie; ein bekannter Halbschmarotzer ist die *Mistel), u. andererseits haben die einzelligen P. (viele Algen) eine geschlossene Form, sind vielfach beweglich u. ohne Cellulose-Wände. Obwohl ortsfest gebunden, sind auch Höhere P. zu gewissen Bewegungen befähigt [Tropismen (s. ...tropismus), *Nastien].

Die wissenschaftliche P.-Kunde (*Botanik*, von griech.: botane = Kraut) kennt heute etwa 400 000 verschiedene P.-Arten (mit $\gg$250 000 Blütenpflanzenarten) von mikroskop. Einzellern bis zu über 100 m hohen Bäumen. Nur ca. 660 P.-Arten werden angebaut. Nur ein Viertel aller Kulturpflanzen (~160 Arten) werden in größerem Umfang kultiviert – etwa 30 davon liefern jedoch 96% der pflanzlichen Nahrung der Weltbevölkerung! Die typ. Pflanzenzelle (vgl. die Abb. tier. u. pflanzlicher *Zellen) ist ein von eine Zellwand umschlossener Raum, dessen Lumen vom Protoplasma erfüllt ist. Spezif. P.-Organellen sind die *Chromatophoren (*Plastiden), welche als *Chloroplasten in den Thylakoiden (von griech.: thylakos = Beutel) das für die Photosynth. notwendige Chlorophyll u. als *Chromoplasten verschiedene *Pflanzenfarbstoffe enthalten. Der bei tier. Zellen nackte Protoplast wird bei den P. von einer festen *Zellwand* umgeben. Diese besteht aus Cellulose, vergesellschaftet mit *Pektinen, welche eine Mittellamelle zwischen 2 angrenzenden Zellen bilden, oft auch aus *Polyosen (Hemicellulosen). Die Zellwand kann durch Einlagerung von *Lignin verholzen (am augenfälligsten beim *Holz), durch Auflagerung von Suberin (s. Kork) u. dem chem. verwandten *Cutin verkorken bzw. cutinisieren. Die Zellwände bei *Pilzen bestehen meist aus *Chitin. Bei höheren P. erfolgt der *Stofftransport* in den Sprossen, Stengeln u. Stämmen mit Hilfe eines Syst. von ringförmig angeordneten Leitbündeln. Diese sind zu verstehen als ein Syst. von Röhren innerhalb des Grundgewebes (*Parenchym*). Bei Dikotyl(edon)en werden die Röhren (Siebröhren, Leitbündel) durch eine teilungsfähige Gewebeschicht (*Kambium*, von neulatein.: cambiare = wechseln; vgl. Holz) längs unterteilt in *Xylem u. *Phloem (von griech.: xylon = Holz bzw. phloios = Rinde). Das markwärts gelegene, aus verholztem Leitgewebe bestehende *Xylem* besorgt den aufsteigenden Transport von Wasser u. Nährsalzen aus den Wurzeln zu den Blättern u. das rindenwärts gelegene *Phloem* den absteigenden der organ. Photosyntheseprodukte (Assimilate) von den Blättern zu den Wurzeln. Weitere, wie die vorstehend erwähnten Gewebetypen den pflanzlichen *Dauergeweben* zuzurechnende Zellverbände, sind die Kollenchyme als Stütz- od. Festigkeitsgewebe bes. bei krautigen P. u. die Sklerenchyme (von griech.: kolla = Leim bzw. skleros = hart, trocken u. enchymos = saftvoll, Gewebe) als abgestorbene Gewebe z. B. in Samenschalen, Bastfasern u. Holz. Den Dauergeweben stehen die teilungsfähigen *Bildungsgewebe* (Meristeme) gegenüber.

Die „Omni"-Potenz der P.-Zelle zeigt sich natürlicherweise z. B. darin, daß aus einer (Ei-)Zelle ein kompletter vielzelliger Organismus entsteht. Diese Möglichkeit läßt sich künstlich in der *Gewebezüchtung* nachvollziehen, bei der aus einer od. wenigen Zellen ein neuer Organismus gewonnen wird. Heute werden solche Zuchtversuche oft mit Blattzell-*Protoplasten durchgeführt, deren Zellwand enzymat. entfernt wurde. Aus P.-*Zellkulturen auf biotechnolog. Wege physiolog. wirksame Sekundärstoffe zu gewinnen, ist bereits in techn. Maßstab möglich. In Einzelstichwörtern sind in diesem Werk die P.-Gruppen der *Algen, *Pilze, *Farne, *Flechten u. *Moose behandelt u. bei den Blüten-P. eine Reihe von Arten, die in irgendeiner Hinsicht von Interesse sind, bes. im Hinblick auf den möglichen Nutzen od. Schaden (*Nutzpflanzen, Heilpflanzen, Giftpflanzen, Unkräuter*). Außer als Produzenten des lebensnotwendigen O_2 nutzen die P. den Menschen u. Tieren seit jeher als Nahrungsstoffe (Lebensmittel, Nahrungsmittel, Futtermittel). Wichtige Nutzpflanzen sind auch die *Faserpflanzen sowie die *Stärke, *Gerbstoffe, *Kautschuk, *Harze u. a. Exsudate u. natürlich alle *Holz liefernden Gewächse; letzteres ist seinerseits Basisprodukt für *Papier u. eine Reihe weiterer Produkte (s. die mit Holz... u. Cellulose... beginnenden Stichwörter). Wegen der abzusehenden Verknappung fossiler Roh- u. Brennstoffe (Kohle, Erdgas, Erdöl) richtet sich das Augenmerk zunehmend darauf, P. als *nachwachsende Rohstoffe zu nutzen.

Die Nutzung von P. ist in der menschlichen Kulturgeschichte bereits seit Jahrtausenden systematisiert worden. Früher u. verstärkt in der heutigen modernen Land- u. Forstwirtschaft mit ihren vielfältigen Produktionsgebieten stehen zwei Aufgabenbereiche an erster Stelle: Die ausreichende Ernährung der P., meist gefördert durch geeignete *Düngung u. Düngemittel, u. die Vorbeugung bzw. Bekämpfung von P.-Krankheiten aller Art, seien sie endogen od. durch Schädlinge übertragen od. verursacht, mit den Mitteln des *Pflanzenschutzes u. der Schädlingsbekämpfung (*Pestizide) – wenn sich auch manche P. in gewissem Rahmen mit Hilfe von *Phytoalexinen u. *Phytonziden ihrer Feinde zu erwehren vermögen. Manche P. können größere Mengen an Mineralstoffen speichern; *Beisp.:* Wasserlinse (Radium), Spargel (Fluor), Salzkraut (Kalium), während andere bestimmte Schwermetalle aufnehmen (Indikatorpflanzen), was man für die biogeochem. Prospektion, aber auch zum Klären von Gewässern ausnutzen kann. – ***E*** plants – ***F*** plantes, végétaux – ***I*** piante – ***S*** plantas, vegetales

Lit.: Franke, Nutzpflanzenkunde, 6. Aufl., Stuttgart: Thieme 1997 ▪ Frohne u. Pfänder, Giftpflanzen, Stuttgart: Wissenschaftliche Verlagsges. 1982 ▪ Habermehl, Giftpflanzen u. Pflanzengifte in Mitteleuropa, Berlin: Springer 1985 ▪ Nultsch, Allgemeine Botanik, 16. Aufl., Stuttgart: Thieme 1996 ▪ Richter, Biochemie der Pflanzen, Stuttgart: Thieme 1996 ▪ Richter, Stoffwechselphysiologie der Pflanzen, Stuttgart: Thieme 1997 ▪ Strasburger, Lehrbuch der Botanik, 33. Aufl., Stuttgart: Fischer 1991 ▪ s. a. Pflanzenschutz, Photosynthese, Stickstoff-Fixierung.

Pflanzenalkali s. Alkalien u. Kaliumcarbonat.

Pflanzen-Antibiotika s. Phytoalexine u. Phytonzide.

Pflanzenbehandlungsmittel. Gleichbedeutend mit *Pflanzenschutzmittel.

Pflanzenchemie s. Phytochemie.

Pflanzenfarbstoffe. Sammelbez. für die zu den *Naturfarbstoffen zählenden, in Höheren *Pflanzen vorkommenden Farbstoffe, die man nach dem Vork. (*Blütenfarbstoffe, Blattfarbstoffe, Fruchtfarbstoffe, Farbstoffe der Kernhölzer u. Wurzeln) od. nach der chem. Konstitution (Anthranoide, *Carotinoide, *Chinone, *Flavonoide, *Anthocyane, *Betalaine u. a.) unterteilen kann. Früher war man zur Textilfärbung auf Naturfarbstoffe u. unter diesen bes. auf P. angewiesen. Zu den ältesten u. weit verbreitetsten P. mit gewerblicher Nutzung zählen *Alizarin, *Indigo, *Safran, *Henna, Farbstoffe der Farbhölzer u. a., die heute, sofern sie nicht als Kosmetik- u./od. Lebensmittelfarbstoffe eingesetzt werden, durch synthet. Farbstoffe mit besseren Eigenschaften weitgehend ersetzt worden sind. – ***E*** plant pigments – ***F*** colorants végétaux – ***I*** coloranti vegetali – ***S*** colorantes vegetales

Lit.: Britton et al., The Biochemistry of Natural Pigments, Cambridge: Univ. Press 1983 ▪ Roth, Kormann u. Schweppe, Färbepflanzen – Pflanzenfarben, Landsberg/Lech: ecomed 1992 ▪ Schweppe.

Pflanzenfasern. Die *Naturfasern aus *Pflanzen dienen dem Menschen im allg. zur Herst. von Textilien od. Seilerwaren; *Beisp.:* *Bastfasern u. *Hartfasern. Ebenso wichtig sind P. aber als Ballaststoffe der Nahrung zur Regulation der Darmtätigkeit, Bindung von Schadstoffen in den Verdauungswegen u. zur Obstipationsprophylaxe; *Beisp.:* *Cellulose, *Galactane, *Mannane, *Polyosen. – ***E*** plant fibers, vegetable fibers, dietary fibers – ***F*** fibres végétales – ***I*** fibre vegetali – ***S*** fibras vegetales

Lit.: Encycl. Polym. Sci. Eng. **6**, 664–682 ▪ Kirk-Othmer (3.) **7**, 628–638; **10**, 182–197; (4.) **8**, 137–148; **10**, 727–744.

Pflanzenfette s. Fette u. Öle.

Pflanzengallen s. Gallen u. Pflanzenkrebs.

Pflanzengifte (Phytotoxine). Sammelbez. für *Pflanzen-Inhaltsstoffe, die beim Verzehr u./od. Einbringen in die Blutbahn auf Mensch u. Tier giftig, ggf. auch tödlich wirken können. Bei diesen *Giften handelt es sich um sek. Pflanzenstoffe wie *Alkaloide, *Glykoside (*Beisp.:* *Herzglykoside, *Saponine u. *Terpenoide), die aus den unterschiedlichsten Pflanzenarten stammen u. von den Pflanzen in den Vakuolen der Zellen gespeichert werden[1]. Die P. können z. B. als *Pfeilgifte, aber auch – in entsprechender Dosierung – als Arzneimittel Verw. finden. P. können infolge Massenvergiftungen bei Weidetieren erheblichen wirtschaftlichen Schaden verursachen. Die massenhafte Vermehrung giftiger Algen kann zu ausgedehnten Fischsterben führen (vgl. Rote Tide). Algengifte werden auch als Phykotoxine bezeichnet[2]. Eine als *Agglutinine wirkende Gruppe von P. mit Protein-Struktur sind die *Lektine. Die – im weiteren Sinne ebenfalls den P. zuzurechnenden – *Pilzgifte* (s. Giftpilze u. Mykotoxine, Amanitine, Phallotoxine) sind in Einzelfällen Peptide. Die wichtigsten P.-liefernden *Giftpflanzen* u./od. ihre Produkte werden in eigenen Stichwörtern behandelt, *Beisp.:* *Bilsenkraut, *Eisenhut, *Herbstzeitlose, *Maiglöckchen, *Mohn, *Stechapfel, *Tollkirsche, *Schierling, *Seifenwurzel, *Sumach, *Mandragora, *Ricin, Seidelbast (s. Mezerein), *Pfaffenhütchen, Sadebaum (s. Sadebaumöl), *Eiben, *Goldregen, Fingerhut (s. Digitalis-Glykoside), *Strychnos-* u. *Strophanthus*-Arten, *Thuja*, *Schöllkraut, *Nieswurz, *Rittersporn, *Wolfsmilch- u. Nachtschattengewächse, *Kaffee, *Tabak, *Mistel, *Bohnen, Winden (s. Ipomoea-Harz), *Upas, *Derris-Präparate, *Pyrethrum usw. P., Vergiftungen u. Gegenmaßnahmen sind online im Referatedienst TOXLINE abfragbar[3]. – ***E*** vegetable poisons, plant toxins – ***F*** poisons végétaux, phytotoxines – ***I*** veleni vegetali – ***S*** venenos vegetales, fitotoxinas

Lit.: [1] Naturwissenschaften **71**, 18–24 (1984). [2] R. D. K. (4.), 970–980 (Rev.). [3] Toxicon **27**, 259–263 (1989).
allg.: Zeitschriften: Dtsch. Apoth. Ztg. **124**, 2321–2327 (1984) ▪ Microbiol. Sci. **4**, 376 ff. (1987) ▪ Nachr. Chem. Tech. Lab. **31**, 514 (1983) ▪ Schweiz. Apoth. Ztg. **122**, 619–629, 1065–1074 (1984); **125**, 129–135 (1987) ▪ Z. Chem. **29**, 242–7 (1989). – *Bücher:* Daly u. Deverall, Toxins and Plant Pathogenesis, Sydney: Academic Press 1983 ▪ Harris, Natural Toxins, Oxford: Clarendon Press 1986 ▪ Keeler et al., Effects of Poison Plants on Livestock, New York: Academic Press 1978 ▪ Keeler et al., Plant Toxicology, Yeerongpilly (Australien): Queensl. Poison. Plants Comm. 1985 ▪ Kinghorn, Toxic Plants, New York: Columbia Univ. Press 1979 ▪ R. D. K. (4.) ▪ Tu u. Keeler, Handbook of Natural Toxins 1, New York: Dekker 1983.

Pflanzengummen s. Gummi.

Pflanzenhormone (Phytohormone). Sammelbez. für organ. Wirkstoffe, die von *Pflanzen selbst gebildet werden u. wachstumsregulierend (Wachstum, Reife, Blattabwurf usw.), ggf. auch blühinduzierend (*Blühhormon) wirken. Die Bez. P. ist insofern irreführend, als sie zu einer fälschlichen Zuordnung od. Identifizierung mit den eigentlichen *Hormonen führen kann. Korrekterweise spricht man von *Wachstumsregulatoren, d. h. von *Hemmstoffen, wenn es sich um hemmende u. von Wuchsstoffen (*Pflanzenwuchsstoffen), wenn es sich um wachstumsfördernde Wirkstoffe handelt. In neuerer Zeit hat sich jedoch gezeigt, daß bestimmten Reiz- u. Abwehrstoffen, die turgorgesteuerte Bewegungen (*Nastien) bei Pflanzen auslösen (*Turgorine), durchaus ein hormonähnlicher Charakter zuzuordnen ist. Zu den P. zählen die *Abscisinsäure, die *Cytokinine, *Gibberelline, *Auxine u. das *Ethylen. Im Gegensatz zu tier. Hormonen besitzen P. nur geringe Organ- u. Wirkungsspezifität. – ***E*** plant hormones, phytohormones – ***F*** hormones végétales, phytohormones – ***I*** ormoni vegetali, fitormoni – ***S*** fitohormonas, hormonas vegetales

Lit.: s. Pflanzenwuchsstoffe.

Pflanzenkrankheiten. Unter P. versteht man die an Pflanzen durch Bakterien, Pilze od. Viren hervorgerufenen Infektionskrankheiten, die zu Schädigungen der Pflanze u. somit zu Ernteverlusten führen. Zu ihrer Bekämpfung dienen *Bakterizide u. *Fungizide. Bei Virusinfektionen richten sich die Maßnahmen v. a. gegen die Überträger. – ***E*** plant diseases – ***F*** maladies des plantes – ***I*** malattie delle piante – ***S*** enfermedades de las plantas

Lit.: Börner, Pflanzenkrankheiten u. Pflanzenschutz, Stuttgart: Ulmer 1990 ▪ s. a. Pflanzenschutz, Pflanzenschutzmittel.

Pflanzenkrebs (Pflanzentumoren). Die Entartung normaler *Zellen zu *Krebs-Zellen ist nicht nur bei Mensch u. Tier zu beobachten, sondern auch bei Pflanzen. Die Entstehung solcher Neoplasien (ungeordnetes u. ungehemmtes Wachstum von Zellen) wird hier wie dort auf verschiedene Ursachen zurückgeführt. So kann man beim P. unterscheiden: 1. Durch Viren ausgelöste *Wundtumoren*; – 2. durch Infektion mit virulenten *Agrobacterium tumefaciens*-Stämmen bei vielen Dikotyledonen induzierte sog. *Wurzelhalsgallen* (die jedoch zum Unterschied von echten *Gallen amorphe Wucherungen sind); – 3. bei manchen *Brassica-* u. *Nicotiana*-Hybriden auf Unverträglichkeiten bestimmter Genome der Elternpflanzen zurückzuführende *genet. Tumoren.* Aus bakterieninduzierten P. isolierte man einzelne sog. *Opine, wie Agrocinopin, *Octopin u. *Nopalin. Von diesen weiß man heute, daß ihre Produktion in der Tumorzelle von einem Gen veranlaßt wird, das mit Hilfe eines *Plasmids des Bakteriums eingeschleust wurde – es handelt sich hier also um eine genet. Manipulation der Pflanze durch *Agrobacterium tumefaciens.* Damit kennt man ein Beisp. der Krebsentstehung, aus dem sich möglicherweise Rückschlüsse ziehen lassen auf die Verhältnisse beim Menschen. – ***E*** plant cancer – ***F*** cancer végétal – ***I*** cancro vegetale – ***S*** cáncer vegetal

Lit.: Richter, Biochemie der Pflanzen, Stuttgart: Thieme 1996.

Pflanzenöle s. Ölpflanzen.

Pflanzenphysiologie. Die P. ist die wissenschaftliche Lehre von den Lebensfunktionen der *Pflanzen. Sie wird aus Übersichtsgründen in die 3 Hauptbereiche des *Stoffwechsels (Stoffwechsel-Physiologie), des Formwechsels (Wachstum, Entwicklung, Fortpflanzung; Entwicklungs-Physiologie) sowie der Reiz- u. Bewegungsphysiologie unterteilt.
Pflanzlicher *Stoffwechsel* wird entscheidend von der Photoautotrophie (*photoautotroph) geprägt. Hierunter ist die einzigartige Fähigkeit zu verstehen, aus CO_2, Wasser u. anorgan. Salzen im Licht organ. Substrat für Energiegewinnung u. Substanzproduktion aufzubauen. Dieser elementare Prozeß der *Photosynthese liefert die Lebensgrundlage für heterotrophe (*Heterotrophie) Organismen. Außerdem beschäftigt sich die Stoffwechselphysiologie mit Aufnahme-, Transport-, Umbau- (sek. Pflanzenstoffwechsel), Abbau- u. Abgabevorgängen in Pflanzen.
Die Stoffwechselleistungen der Pflanze kommen auch in fortgesetzten *Wachstumsprozessen* zum Ausdruck. Diese basieren auf zwei verschiedenen Prinzipien: Wachstum durch *Mitose, Zellteilung u. anschließende Plasma-Neubildung, wie es bes. an den polaren Stellen von Sprossen u. Wurzeln auftritt (Teilungswachstum), u. Wachstum durch Ein- bzw. Auflagerung von Substanzen (Intussuszeption bzw. Apposition) der Zellwand bei gleichzeitiger Vol.-Zunahme des Plasmas durch Wasseraufnahme, ein Vorgang, der insgesamt als Streckungswachstum bezeichnet wird u. z. B. im Frühjahr beim schnellen Austreiben der Blatt- u. Blütenknospen wirksam wird. Wachstumsregulierend sind eine Reihe von chem. bekannten Hormonähnlich wirkenden Hemmstoffen, Wuchsstoffen (*Pflanzenwuchsstoffe) u. auch das *Phytochrom-Syst. (*Photomorphogenese*).
Die *Reiz-* u. *Bewegungsphysiologie,* das dritte Hauptgebiet der P., beschäftigt sich mit der Reaktion der Pflanzen auf physikal. Reize (Licht, Temp., Schwerkraft etc.) u. chem. Agenzien mit daraus resultierenden gerichteten (Tropismen: Photo-, Thermo-, Geo-, Chemotropismus etc.) od. ungerichteten Bewegungen (*Nastien: Chemo-, Hygro-, Thermo-, Seismo-, Nyktinastie etc.). Als auslösende Faktoren für letztere wurden in Mimosen u. einigen anderen Pflanzen sog. *Leaf Movement Factors od. *Turgorine gefunden, die eine Änderung des Turgors (des osmot. Drucks der Zellsaftvakuolen) u. damit eine entsprechende Bewegung bewirken. – ***E*** plant physiology – ***F*** physiologie des plantes – ***I*** fitofisiologia – ***S*** fisiología de las plantas

Lit.: Nultsch, Allgemeine Botanik, 10. Aufl., Stuttgart: Thieme 1996 ▪ Richter, Biochemie der Pflanzen, Stuttgart: Thieme 1996 ▪ Richter, Stoffwechselphysiologie der Pflanzen, 6. Aufl., Stuttgart: Thieme 1997 ▪ Strasburger, Lehrbuch der Botanik, 33. Aufl., Stuttgart: Fischer 1991.

Pflanzenschleime s. Schleime.

Pflanzenschutz. Bez. für 1. Maßnahmen zur Erhaltung wildwachsender *Pflanzen u. deren Biotope im Rahmen von *Naturschutz u. Landschaftsschutz; – 2. den Schutz von Kulturpflanzen vor *Pflanzenkrankheiten, Schädlingen u. Standortkonkurrenten (Unkräutern u. Ungräsern) sowie den Schutz pflanzlicher Vorräte vor Verderbnis. In der BRD gilt das *Gesetz zum Schutz der Kulturpflanzen (Pflanzenschutzgesetz,* PflSchG) vom 15. 9. 1986, zuletzt geändert am 27. 6. 1994 das u. a. folgendes besagt:
§ 1: Zweck dieses Gesetzes ist:
1. Pflanzen, insbes. Kulturpflanzen, vor Schadorganismen u. nichtparasitären Beeinträchtigungen zu schützen,
2. Pflanzenerzeugnisse vor Schadorganismen zu schützen,
3. Schäden durch den Bisam (*Ondatra zibethicus* L.) abzuwenden,
4. Gefahren abzuwenden, die durch die Anw. von Pflanzenschutzmitteln od. durch andere Maßnahmen des Pflanzenschutzes, insbes. für die Gesundheit von Mensch u. Tier u. für den Naturhaushalt, entstehen können,
5. Rechtsakte von Organen der Europäischen Gemeinschaften im Bereich des Pflanzenschutzrechtes durchzuführen.

§ 2: Im Sinne dieses Gesetzes sind:
1. Pflanzenschutz:
   a) Der Schutz der Pflanzen vor Schadorganismen u. nichtparasitären Beeinträchtigungen,
   b) der Schutz der Pflanzenerzeugnisse vor Schadorganismen (Vorratsschutz) einschließlich der Verw. u. des Schutzes von Tieren, Pflanzen u. Mikroorganismen, durch die Schadorganismen bekämpft werden können; …
3. Pflanzen:
   a) Lebende Pflanzen,
   b) Pflanzenteile, einschließlich der Früchte u. Samen, die zum Anbau bestimmt sind;
4. Pflanzenerzeugnisse:
   a) Erzeugnisse pflanzlichen Ursprungs, die nicht od. nur durch einfache Verf. wie Trocknen od. Zerkleinern be- od. verarbeitet worden sind, ausgenommen verarbeitetes Holz,
   b) Pflanzenteile, einschließlich der Früchte u. Samen, die nicht zum Anbau bestimmt sind; …
7. Schadorganismen:
   Tiere, Pflanzen u. Mikroorganismen in allen Entwicklungsstadien, die erhebliche Schäden an Pflanzen od. Pflanzenerzeugnissen verursachen können, sowie der Bisam. Viren u. ä. Krankheitserreger werden den Mikroorganismen, nicht durch Schadorganismen verursachte Krankheiten werden den Schadorganismen gleichgestellt; …

Pflanzenkrankheiten können durch Bakterien, Pilze od. Viren hervorgerufen werden. Tier. Schädlinge wie Insekten u. deren Larven (Raupen), Milben, Nematoden, Schnecken, Vögel, Wild, Nagetiere u. a. verursachen Fraßschäden. Unkräuter u. Ungräser konkurrieren mit den Kulturpflanzen um Nährstoffe, Wasser, Licht u. Raum. Nach offiziellen Schätzungen der FAO betragen die durch die genannten Schadorganismen verusachten Ernteverluste 30–35% der Welternte. In einzelnen Kulturen kann der Verlust bis zu 55% betragen. Hinzu kommen Schädigungen durch Witterungseinflüsse, Luftschadstoffe u. Nährstoffmangel.
Zu den vorbeugenden Maßnahmen gehört die von vielen Ländern praktizierte amtliche *Pflanzenbeschau*, der in der BRD die *Pflanzenbeschau-VO* zugrunde liegt. Durch die Kontrolle der importierten u. exportierten Pflanzen u. Pflanzenprodukte soll eine weltweite Verschleppung von Pflanzenschädlingen u. Pflanzenkrankheiten bzw. deren Erregern verhindert werden, wie sie in vergangener u. neuerer Zeit wiederholt aufgetreten ist. So wurde nach dem 1. Weltkrieg der Kartoffelkäfer von den USA über Frankreich u. Deutschland bis nach Osteuropa „importiert". Der Tabakblauschimmel gelangte 1958 aus den USA nach England u. von dort über den europ. Kontinent bis in den vorderen Orient u. Nordafrika. Aus Brasilien wurde 1970 die Invasion des gefürchteten Kaffeerosts gemeldet,

der in den 70er Jahren des vorigen Jh. erstmalig in Ceylon auftrat, wobei er dort den Kaffeeanbau völlig zum Erliegen brachte, u. der sich dann schnell über den asiat. u. afrikan. Kontinent ausbreitete. Ein weiteres Beisp. ist die Ulmenkrankheit: Hatte sie 1919 die Niederlande, 1930 Amerika u. 1939 Sibirien überfallen, so ebbte sie nach 1945 ab, flammte jedoch in den 60er Jahren um so schwerer wieder auf u. hat inzwischen den größten Teil des Ulmenbestandes in Europa vernichtet. Ursache dieser auch Ulmensterben genannten Baumkrankheit ist ein durch Käfer verbreiteter Pilz. Das Auftreten derartiger Epidemien ist symptomat. für die ständige Bedrohung der modernen Forst- u. Landwirtschaft durch das Massenaufkommen von Schadorganismen. Entsprechend groß sind die Schäden für die *Ökosysteme, für die Ernährungs- u. Wirtschaftslage u. die Lebensstruktur in den betroffenen Gebieten. So vernichtete Mitte des vorigen Jh. in Irland die Kraut- u. Knollenfäule fast die gesamten Kartoffelbestände. Als Folge verhungerten dort 250000, nach anderen Angaben über 1 Mio. Menschen u. weitere 1,5 Mio. mußten in die USA auswandern. Auch der berüchtigte „Kohl-" od. „Steckrübenwinter" 1916/17, in dem 720000 Menschen verhungerten, war auf den Ausfall der Kartoffelernte in den dtsch. Ostgebieten infolge dieser Pilzkrankheit zurückzuführen – die ersatzweise angebauten Steckrüben konnten die Lücke nicht schließen. Im Hinblick auf die Bevölkerungsexplosion v. a. in den Entwicklungsländern, ist der Schutz der Kulturpflanzen zur Sicherung der Ernährung von Mensch u. Tier unververzichtbar. Für diese Aufgabe stehen physikal., chem., biolog., anbau- u. kulturtechn. Meth. u. deren sinnvolle Kombination (*integrierter Pflanzenschutz*) zur Verfügung.

1. Physikal. (mechan. u. therm.) Meth.: Hierzu gehören Zäune, Gräben od. Fallen zum Abhalten bodenlebender Tiere sowie Leimstreifen an Obstbäumen zum Schutz vor flugunfähigen Insekten. Durch das zeitweise Fluten von Feldern kann man gegen Feldmäuse, Larven, Maden u. a. Bodenschädlinge vorgehen. Zur Vernichtung von Bodenschädlingen eigenen sich auch therm. Verf., wie die bes. in Gewächshäusern durchgeführte Behandlung mit Wasserdampf, od. das Abbrennen von Stoppelfeldern, das aufgrund der ökolog. Nachteile nicht mehr zeitgemäß ist. Unkräuter lassen sich durch mechan. Entfernen u. Bodenbearbeitungsmaßnahmen wie hacken, eggen od. pflügen unter Kontrolle halten. Infektionen durch Bakterien od. Pilze kann in einigen Fällen durch sorgfältiges Ausreißen von Zwischenwirtpflanzen od., z. B. bei Obstbäumen, Beschneidungsmaßnahmen vorgebeugt werden. In der modernen großräumigen Landwirtschaft sind die mechan. Meth. aufgrund des Personalmangels u. der oft nur ungenügenden Bekämpfungserfolge kaum noch von prakt. Bedeutung.

2. Chem. Meth.: Chem. *Pflanzenschutzmittel haben die mechan. Meth. weitgehend abgelöst. Sie werden in separaten Stichwörtern ausführlich behandelt.

3. Biolog. Meth.: Hierunter versteht man die Nutzung lebender Organismen zur Populationsbegrenzung bestimmter tier. u. pflanzlicher Schädlinge. Aber auch die biotechn. Meth., die sich die natürliche Reaktion von Schädlingen auf bestimmte physikal. u. chem. Reize (z. B. Repellents, Lockstoffe, Pheromone, Kairomone, opt., akust. u. über den Geruchssinn wirkende Stimulantien) zu Nutze machen, werden oft dem biolog. P. zugeordnet. Das Haupteinsatzgebiet biolog. Meth. ist die Insektenbekämpfung. Im Rahmen intensiver Forschung wurde eine Vielzahl nutzbarer Lebewesen gefunden: Insektenpathogene Bakterien, Pilze u. Viren, Nematoden sowie parasitäre u. räuber. Insekten. V. a. Schwierigkeiten bei der Massenzüchtung, der Lagerung u. dem Transport sind dafür verantwortlich, daß nur wenige dieser Nützlinge eine prakt. Anw. gefunden haben. Bei den Mikroorganismen ist hier v. a. *Bacillus thuringiensis* zu nennen. Zu den prakt. genutzten Insekten gehört die Schlupfwespe, mit der sich in Gewächshäusern die weiße Fliege u. in Maisfeldern der Maiszünsler bekämpfen läßt, sowie die Raubmilbe, die in Gewächshäusern erfolgreich gegen Spinnmilben eingesetzt wird. Eine Kombination physikal.-biolog. bzw. chem.-biolog. Meth. ist das *Autozid-Verfahren, bei dem sterilisierte kopulationsfähige Männchen freigelassen werden, wodurch unfruchtbare Kopulationen begünstigt u. somit die Schlupfrate lebensfähiger Larven verringert wird. Prakt. Ansätze für eine biolog. Bekämpfung von Unkräutern u. Pflanzenkrankheiten sind vorhanden, z. B. die Präp. DeVine® (auf der Basis des Pilzes *Phytophthora palmivora*) u. Collego® (auf der Basis des Pilzes *Colletotrichum gloeosporioides* f. sp. *aeschynomene*) zum Einsatz gegen Unkräuter. Bei Wirkungsgrad u. -sicherheit sind bei diesen Verf. allerdings noch Schwankungen gegeben, insbes. in Verb. mit der Bekämpfung pilzlicher Krankheiten. Grundsätzlich erfordern die biolog. Meth. sehr sorgfältige Voruntersuchungen hinsichtlich ihrer Auswirkungen auf die Umwelt, bes. bei dem Einsatz von Bakterien, Pilzen u. Viren, deren „Erfolgsradius" außer Kontrolle geraten kann (*Beisp.:* Myxomatose bei Kaninchen).

4. Anbau- u. kulturtechn. Meth.: Klima- u. Bodenbedingungen, Auswahl u. Zusammenstellung der Kulturen, Kulturwechsel, Aussaatbedingungen (Zeitpunkt, Saattiefe, Saatbettqualität), Bodenbearbeitung, *Düngung u. die Gestaltung des Umlandes (Hecken, Randstreifen) sind wesentliche P.-Maßnahmen, bes. im Rahmen des integrierten Pflanzenschutzes.

5. Integrierter Pflanzenschutz (I. P.): Das Pflanzenschutzgesetz definiert den I. P. als „eine Kombination von Verf., bei denen unter vorrangiger Berücksichtigung biolog., biotechn., pflanzenzüchter. sowie anbau- u. kulturtechn. Maßnahmen die Anw. chem. Pflanzenschutzmittel auf das notwendige Maß beschränkt wird". – ***E*** plant protection – ***F*** protection des plantes – ***I*** protezione delle piante – ***S*** protección de las plantas

Lit.: Bayer Pflanzenschutzkurier 2/90 ▪ Börner, Pflanzenkrankheiten u. Pflanzenschutz, Stuttgart: Ulmer 1990 ▪ Haug, Pflanzenproduktion im Wandel, Weinheim: VCH Verlagsges. 1990 ▪ Heitefuß, Pflanzenschutz, Stuttgart: Thieme 1987 ▪ Krieg u. Franz, Lehrbuch der biologischen Schädlingsbekämpfung, Berlin: Parey 1989 ▪ Ullmann (5.) **A 8**, 61–86 ▪ s. a. Pflanzenschutzmittel.

Pflanzenschutzdienst. Von den nach Landesrecht für die Durchführung des Pflanzenschutzgesetzes zuständigen Behörden (Landesanstalten, Pflanzenschutzäm-

ter) getragener Dienst, der gemäß *Pflanzenschutzgesetz* (§ 34, s.a. Pflanzenschutz) folgende Aufgaben hat:
„1. Die Überwachung der Pflanzenbestände sowie der Vorräte von Pflanzen u. Pflanzenerzeugnissen auf das Auftreten von Schadorganismen,
2. die Überwachung des Beförderns, des Inverkehrbringens, des Lagerns, der Einfuhr u. Ausfuhr von Pflanzen, Pflanzenerzeugnissen u. Kultursubstraten im Rahmen des Pflanzenschutzes sowie die Ausstellung der für diese Tätigkeiten erforderlichen Bescheinigungen,
3. die Beratung, Aufklärung u. Schulung auf dem Gebiet des Pflanzenschutzes einschließlich der Durchführung des Warndienstes,
4. die Berichterstattung über das Auftreten u. die Verbreitung von Schadorganismen,
5. die Prüfung von Pflanzenschutzmitteln, Pflanzenschutzgeräten u. Verf. des Pflanzenschutzes,
6. die Durchführung der für die Aufgaben nach den Nummern 1 bis 5 erforderlichen Untersuchungen u. Versuche.“ – ***E*** plant protection service – ***F*** service de la protection des végétaux – ***I*** servizio fitosanitario – ***S*** servicio de protección de plantas, servicio fitosanitario, servicio antiplagas

Pflanzenschutzmittel. Im Sinne des *Pflanzenschutzgesetzes* (PflSchG § 2, s.a. Pflanzenschutz) sind P. „Stoffe, die dazu bestimmt sind
a) Pflanzen vor Schadorganismen od. nichtparasitären Beeinträchtigungen zu schützen,
b) Pflanzenerzeugnisse vor Schadorganismen zu schützen,
c) Pflanzen od. Pflanzenerzeugnisse vor Tieren, Pflanzen od. Mikroorganismen zu schützen, die nicht Schadorganismen sind,
d) die Lebensvorgänge von Pflanzen zu beeinflussen, ohne ihrer Ernährung zu dienen (Wachstumsregler),
e) das Keimen von Pflanzenerzeugnissen zu hemmen,
f) den in den Buchstaben a–e aufgeführten Stoffen zugesetzt zu werden, um ihre Eigenschaften od. Wirkungen zu verändern.
Ausgenommen sind Wasser, *Düngemittel im Sinne des Düngemittelgesetzes u. Pflanzenstärkungsmittel; als P. gelten auch Stoffe, die dazu bestimmt sind, Pflanzen abzutöten od. Flächen von Pflanzenwuchs freizumachen od. freizuhalten, ohne daß diese Stoffe unter die Buchstaben a od. d fallen.“

P. gelangen in zubereiteter Form in den Handel, d.h. sie enthalten neben dem Wirkstoff Zusätze, die eine auf die jeweilige Anw. optimal abgestimmte Ausbringung, Verteilung u. Entfaltung des Wirkstoffs ermöglichen sollen (s. Formulierung). Sie lassen sich bezüglich der bekämpften Schadorganismen in bestimmte Gruppen einteilen (s. Tab. 1), die in entsprechenden Einzelstichwörtern behandelt werden.

Die Entwicklung eines P. dauert heute 8–10 a u. kostet 250–300 Mio. DM. Nur eine von ca. 40000 in der Forschung synthetisierten Verb. wird letztlich Handelsprodukt. Der Markteinführung gehen den Arzneimitteln vergleichbare umfangreiche Untersuchungen voraus. Neben Versuchen zur Wirkung u. Pflanzenverträglichkeit sind dies v.a. Untersuchungen zur Toxizität u. zur Umweltverträglichkeit. In der BRD dürfen P. bis auf wenige in § 11 PflSchG genannte Ausnahmen nur in den Verkehr gebracht od. eingeführt werden, wenn sie von der *Biologischen Bundesanstalt für Land- u. Forstwirtschaft (BBA) in Braunschweig, im Einvernehmen mit dem *Bundesinstitut für gesundheitlichen Verbraucherschutz u. Veterinärmedizin (BgVV) u. dem *Umweltbundesamt (UBA), zugelassen sind. Einzelheiten des Zulassungsverf. regelt die *Verordnung über Pflanzenschutzmittel u. Pflanzenschutzgeräte (Pflanzenschutzmittel-VO)* vom 28.7.87, zuletzt geändert am 24.6.1994, die unter anderem folgendes besagt:

Tab. 1: Einteilung von Pflanzenschutzmitteln nach Schadorganismen.

Gruppenbez.	bekämpfte Schadorganismen
*Akarizide	Milben
*Algizide	Algen
*Aphizide	Blattläuse
*Bakterizide	Bakterien
*Fungizide	Pilze
*Herbizide	Unkräuter, Ungräser
*Insektizide	Insekten
*Molluskizide	Schnecken
*Nematizide	Nematoden
*Rodentizide	Nagetiere
*Viruzide	Viren

„§ 1... Zu den zum Nachw. der Zulassungsvoraussetzungen erforderlichen Unterlagen ... gehören
1. Angaben über
   a) chem. u. physikal. Eigenschaften des P. u. der darin enthaltenen Wirkstoffe, Hilfsstoffe u. Verunreinigungen sowie der Abbau- u. Reaktionsprodukte,
   b) Analyseverf. zur Bestimmung der Wirkstoffe, Hilfsstoffe u. Verunreinigungen,
2. Versuchsberichte über
   a) die Wirksamkeit des P. in allen im Antrag angegebenen Anw.-Gebieten,
   b) die Wirkungsweise auf u. in Pflanzen, Pflanzenerzeugnissen, Tieren u. Mikroorganismen,
   c) die Beeinflußung der Qualität des Erntegutes,
   d) das Verhalten hinsichtlich der akuten, subchron. u. chron. Toxizität, der erbgutverändernden, fruchtschädigenden, krebserzeugenden u. fruchtbarkeitsverändernden Wirkungen sowie das Verhalten im Stoffwechsel bei Mensch u. Tier,
   e) das Verhalten auf u. in Pflanzen u. Pflanzenerzeugnissen, insbes. über Abbau u. Rückstände,
   f) das Verhalten im Wasser,
   g) das Verhalten im Boden,
   h) das Verhalten in der Luft,
   i) die Auswirkungen auf Bienen,
   j) Auswirkungen auf mehrere andere Nutzarthropoden,
   k) Auswirkungen auf andere Tiere u. Pflanzen,
   l) Auswirkungen auf den Naturhaushalt;..“

Zu den einzureichenden Unterlagen gehört außerdem ein Entwurf der Gebrauchsanweisung u. der Vorschlag für die *Kennzeichnung nach GefStoffV* mit den entsprechenden Gefahrensymbolen, Gefahrenbez., Hinweisen auf die bes. Gefahren (R-Sätze) u. Sicherheitsratschlägen (S-Sätze) sowie den Wirkstoffgehalten. Neben Eigenschaften wie Entzündlichkeit u. Reizwirkung werden v.a. die in Tierversuchen (an der Ratte) ermittelten LD_{50}- bzw. LC_{50}-Werte für die Einstufung u. Kennzeichnung herangezogen (s. Tab. 2).

Tab. 2: Grenzwerte für die Einstufung von Schädlingsbekämpfungsmitteln nach GefStoffV, Anhang I Nr. 2.3.

		Aggregatzustand	Einstufung als		
			sehr giftig	giftig	mindergiftig
LD_{50} [mg/kg]	oral	fest	≤5	≤50	≤500
		flüssig	≤25	≤200	≤2000
	dermal	fest	≤10	≤100	≤1000
		flüssig	≤50	≤400	≤4000
LC_{50} [mg/L/4 h]	inhalativ		≤0,5	≤2	≤20

Für die enthaltenen Wirkstoffe werden Kurzbez. (*common names) verwendet, die als Einzelstichworte in diesem Lexikon behandelt werden. Zugelassene P. erhalten eine Zulassungs-Nr., die zusammen mit dem Zulassungszeichen „Ährenschlange im Dreieck" (s. Abb. 1) auf der Verpackung anzubringen ist.

Abb. 1: Zulassungszeichen für Pflanzenschutzmittel.

Tab. 3 zeigt, für wieviele P.-Präp. bzw. -Wirkstoffe in den letzten Jahren in der BRD eine Zulassung bestand. Am 15. 07. 1997 waren in der BRD 977 P. mit 264 Wirkstoffen zugelassen. Von diesen unterliegen 40% keiner Kennzeichnungspflicht, 49% sind als mindergiftig od. reizend, 8% als giftig od. sehr giftig eingestuft.

Tab. 3: In der BRD zugelassene Pflanzenschutzmittelpräp. u. -wirkstoffe (in Stück)*.

	1992	1993	1994	1995	1996
Präp.	905	882	942	981	979
Wirkstoffe	217	229	248	249	256

* aus einer Zusammenstellung der BBA

Abb. 2 gibt für das Jahr 1995 eine Übersicht über die prozentuale Verteilung der 981 zugelassenen P.-Präp. auf die entsprechenden Wirkungsbereiche.

Die im Industrieverband Agrar e. V. (IVA) zusammengeschlossenen Firmen produzierten 1996 ca. 100000 t P.-Wirkstoffe, mit einem Umsatz von 5,3 Mrd. DM, s. *Lit.*[2]. Die in der BRD abgegebene Wirkstoffmenge lag bei ca. 28000 t. Davon entfielen 15000 t auf Herbizide, 9000 t auf Fungizide u. 1000 t auf Insektizide. Im Gartenbereich wurden ca. 480 t angewendet. Rund 99000 t wurden exportiert. Wertmäßig entfielen 1996 ca. 45% des Inlandumsatzes von 2 Mrd. DM auf P. für den Getreidebau; der Zuckerrübenanbau belegte mit 11,5% den zweiten Platz gefolgt von Mais (10,5%) u. Raps (8%). Im Pflanzenschutzweltmarkt, dessen Wert für 1996 auf 42,5 Mrd. DM geschätzt wird, entfallen ca. 50% auf Herbizide, 30% auf Insektizide u. 20% auf Fungizide. Die wichtigsten landwirtschaftlichen Kulturen sind Getreide, Mais, Soja, Reis u. Baumwolle. Der Einsatz der verschiedenen P.-Gruppen in den einzelnen Kulturen unterscheidet sich stark. Während im Sojaanbau fast ausschließlich Herbizide (knapp 90%) eingesetzt werden, spielen im Baumwollanbau Insektizide (ca. 68%) und im Getreideanbau Herbizide u. Fungizide (über 90%) die größte Rolle.

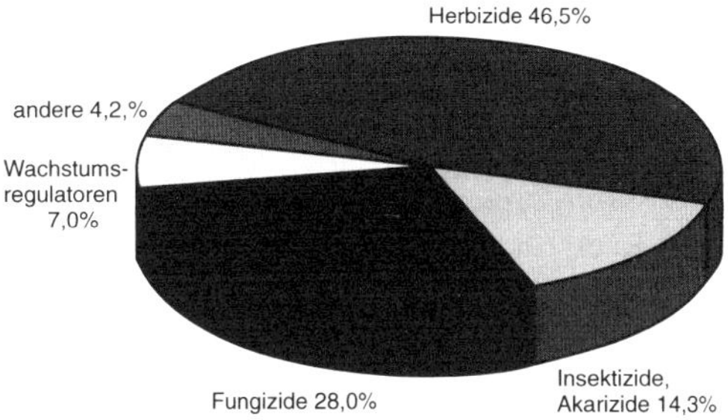

Abb. 2: Wirkungsbereiche für die 1995 in der BRD zugelassenen Pflanzenschutz-Präparate.

Bestimmte Wirkstoffe unterliegen in der BRD *Anwendungsverboten bzw. -beschränkungen.* Tab. 4 gibt eine Übersicht über die P.-Wirkstoffe, für die ein vollständiges Anw.-Verbot besteht

Einzelheiten regelt die *Verordnung über Anwendungsverbote für Pflanzenschutzmittel (Pflanzenschutz-Anw.-VO)* vom 27.7.88, zuletzt geändert am 25.7.1994. Die produzierten Lebensmittel dürfen nur bestimmte Höchstmengen an P. enthalten. Die Werte

Tab. 4: Wirkstoffe, für die in der BRD ein vollständiges Anwendungsverbot besteht.

Acrylnitril	Endrin
Aldrin	Ethylenoxid
Aramit	Fluoressigsäure u. Derivate
Arsen-Verb.	HCH, techn.
Atrazin	Heptachlor
Binapacryl	Hexachlorbenzol
Blei-Verb.	Isobenzan
Bromacil	Isodrin
Cadmium-Verb.	Kelevan
Captafol	Maleinsäurehydrazid u. seine Salze, andere als Cholin-, Kalium- u. Natriumsalz
Carbaryl	
Chlordan	
Chlordecone	
Chlordimeform	Maleinsäurehydrazid-Cholin, -Kalium u. Natriumsalz (mit einem Gehalt von mehr als 1 mg je kg freies Hydrazin)
Chloroform	
Chlorpikrin	
Crimidin	
DDT	
1,2-Dibromethan	Morfamquat
1,2-Dichlorethan	Nitrofen
1,3-Dichlorpropen	Pentachlorphenol
Dicofol (mit einem Gehalt von weniger als 780 g je kg, *pip'*-Dicofol od. mehr als 1 g je kg DDT od. DDT-Verb.)	Polychlorterpene
	Quecksilber-Verb.
	Quintozen
	Schwefelkohlenstoff
	Selen-Verb.
Dinoseb	2,4,5-T
Dieldrin	Tetrachlorkohlenstoff

sind in der VO über Höchstmengen an Pflanzenschutz- u. Schädlingsbekämpfungsmitteln, Düngemitteln u. sonstigen Mitteln in od. auf Lebensmitteln u. Tabakerzeugnissen (Rückstands-Höchstmengen VO-RHmV) von 16. 10. 89, zuletzt geändert am 1. 9. 92 festgelegt. Die Menge der in Lebensmitteln vorhandenen P.-Rückstände hängt wesentlich von der Schnelligkeit des biolog. Abbaus der Wirkstoffe ab. Die zuständige Behörde kann deshalb für einzelne Präp. *Wartezeiten* zwischen der letztmaligen Anw. u. der Ernte vorschreiben. Im Zusammenhang mit der Festlegung von Höchstmengen an P. spielt die in langfristigen Tierversuchen ermittelte Dosis eine Rolle, bei der kein erkennbarer Effekt – auch nicht bei den Nachkommen – eintritt (no effect level, NOEL). Diese Dosis ergibt, geteilt durch den Sicherheitsfaktor 100, den *ADI-Wert (acceptable daily intake). Unabhängig von diesen Werten darf das *Trinkwasser* in der BRD seit dem 1. 10. 1989 nicht mehr als 0,0001 mg/L eines einzelnen P.-Wirkstoffes enthalten. Bei gleichzeitigem Auftreten mehrerer Wirkstoffe sind in Summe max. 0,0005 mg/L zulässig. Damit wurde eine bereits 1980 verabschiedete EG-Richtlinie in dtsch. Recht übernommen. Die genannten Grenzwerte liegen mind. um den Faktor 100, meistens sogar um den Faktor 1000, tiefer als jene stoffspezif. Grenzwerte, die von der WHO für P.-Rückstände im Trinkwasser festgelegt wurden[3] u. müssen daher als polit. Vorsorgewerte angesehen werden, deren Überschreitung nicht automat. mit einer Gesundheitsgefährdung verbunden ist.

Die *Aufwandmengen* für P. haben sich im Laufe der Jahre deutlich verringert. Mußten ältere Produkte wie Arsen-Verb., Dithiocarbamate, Schwefel od. DDT noch in Mengen bis zu 5 kg/ha dosiert werden, kommt man bei neueren Wirkstoffen wie Deltamethrin, Chlorsulfuron u. z. T. auch Triadimenol mit deutlich weniger als 100 g/ha aus. Die P. werden in der Regel als verdünnte wäss. Lsg., Emulsion od. Suspension von Spritzpulvern, Lsg., emulgierbaren Konzentraten od. Suspensionskonzentraten od. in fester Form als Stäubepulver od. Granulate ausgebracht. Dafür stehen dem Landwirt eine Vielzahl von Geräten unterschiedlichster Bauart zur Verfügung, die in der BRD einer Art „Allg. Betriebserlaubnis" durch die BBA bedürfen (s. §§ 25–30 PflSchG). Die P.-produzierenden Firmen in der BRD haben sich im Industrieverband Agrar e. V. zusammengeschlossen; internat. Dachverband ist die *GIFAP. – ***E*** plant protection products – ***F*** produits antiparasitaires, produits phytosanitaires – ***I*** fitofarmaco – ***S*** productos antiparasitarios, productos fitosanitarios

Lit.: [1]Nachrichtenbl. Dtsch. Pflanzenschutzdienst **49**, 270 (1997). [2]Jahresbericht 1996/97 des Industrieverband Agrar e. V. [3]Fakten zur Chemie-Diskussion 40, Hrsg.: Bundesarbeitgeberverband Chemie e. V. u. VCI, Wiesbaden: Haefner 1996. *allg.:* Chemistry of Plant Protection, Bd 1–13, Berlin: Springer 1986–1997 ▪ Heitefuß, Pflanzenschutz, Stuttgart: Thieme 1987 ▪ Ullmann (5.) **A 1**, 17–29; **A 4**, 77–97; **A 8**, 61–81; **A 14**, 263–320; **A 16**, 649–653; **A 17**, 125–133; **A 28**, 165–202 ▪ Wegler, Chemie der Pflanzenschutz- u. Schädlingsbekämpfungsmittel, 8 Bd., Berlin: Springer 1970–1982 ▪ WHO, The WHO Recommended Classification of Pesticides by Hazard and Guidelines to Classification 1988–1989 ▪ Winnacker-Küchler (4.) **7**, 269–345. – *Handbücher*: Farm ▪ Perkow ▪ Pesticide Manual ▪ Wirkstoffe iva.

Pflanzentumoren s. Pflanzenkrebs.

Pflanzenwuchsstoffe. Sammelbez. für eine chem. heterogene Gruppe von organ. Verb., die dadurch zusammenfassend charakterisiert sind, daß sie allg. u. spezielle pflanzliche Wachstums- wie auch Differenzierungs- u. Entwicklungsvorgänge anregen u. im Sinne von *Katalysatoren od. *Effektoren (*Biokatalysatoren, Phytoeffektoren*) regulieren u. (meist) fördern. Unter allg. Wachstum werden dabei vornehmlich Teilungs- u. Streckungswachstum verstanden, unter speziellen Wachstumsleistungen z. B. die Blühinduktion, die Fruchtreifung etc. Auch die pflanzliche Stoffspeicherung wird von P. beeinflußt[1]. Während die P. bei Niederen Pflanzen u. Bakterien vielfach essentielle Milieufaktoren mit Vitamin-Charakter sind, können die Höheren Pflanzen sie selbst synthetisieren. Sie wirken bereits in kleinsten Konz. in meist mehrmillionenfacher Verdünnung, wobei der Bildungsort meist räumlich getrennt vom Wirkort ist. Mit derartigen Wirkungscharakteristiken erinnern die P. an die *Hormone, u. man bezeichnet sie daher oft auch als *Pflanzenhormone (*Phytohormone*) bzw. als Pflanzenwachstums-Regulatoren (*Phytoregulatoren, Wachstumsregler*). Als Test auf P.-Wirkung diente früher der *Went-Test*, der als *Avena-Einheit* eine P.-Menge definierte, die die Krümmung eines Hafer-Keimlings (latein.: *Avena sativa*) um 10° bewirkt[2]. Die Wirkungsweise der im folgenden genannten, in Einzelstichwörtern näher beschriebenen P.-Gruppen ist auch heute noch nicht in allen Einzelheiten verstanden. Viele P. werden nach sorgfältiger Prüfung nach den Kriterien für *Pflanzenschutzmittel im *Pflanzenschutz als *Herbizide u. als *Entlaubungsmittel zur Ernteerleichterung z. B. von Baumwolle eingesetzt. Vom Gesetzgeber werden die P. od. Wachstumsregler mit den Pflanzenschutzmitteln begrifflich zu *Pflanzenbehandlungsmitteln* zusammengefaßt. Speziellere Anw. finden einige P. im gärtner. Bereich zur Förderung von Blüten- u. Wurzelbildung, zur Induktion von Zwergwuchs, buschigeren Wuchsformen od. von Seitentrieben od. Ablegern („Verzweigungshormon"), in der Landwirtschaft als *Halmfestiger zur Erhöhung der Standfestigkeit von Getreide durch Halmverkürzung u. -verdickung, im Ernteschutz zur Beschleunigung der Fruchtreife z. B. bei Äpfeln, Bananen u. Citrusfrüchten u. in der Vorratshaltung zur Keimungshemmung bei Kartoffeln.

Man unterscheidet 4 Hauptgruppen natürlicher u. synthet. P.: 1. Die *3-Indolylessigsäure-Derivate (IES, *Heteroauxin*) u. a. früher als Auxin bezeichnete, an C-3 substituierte Indol-Derivate, bewirken ein ausgeprägtes Streckungswachstum, stimulieren die Wurzel- u. Blütenbildung u. die Tätigkeit des Kambiums (s. Holz) u. beeinflussen die Fruchtreife u. zahlreiche Entwicklungsvorgänge der Pflanze. Im angloamerikan. Schrifttum werden zahlreiche chem. verschieden konstituierte Verb. als *Auxine bezeichnet, sofern sie eine der IES vergleichbare Wirkung haben. Hierhin gehören z. B. die 2-Naphthoxyessigsäure, *Benzoesäure-Derivate, *Phenoxycarbonsäure-Derivate usw. Bes. letztere sind durch Verb. wie *2,4-D, *2,4,5-T, *MCPA, *MCPB, *Mecoprop u. a. (s. a. die Abb. bei Phenoxycarbonsäuren) in selektiven Wuchsstoffherbiziden u. Entlaubungsmitteln vertreten. Die Wirkung dieser im allg. im Nachauflauf-, seltener im Vorauflauf-Verf. (vgl. Auflaufen) angewandten Herbizide beruht auf einem gruppenspezif., konzentrationsabhängigen Effekt. Während z. B. Getreide (einkeimblättrige Pflanzen) bei Anw. geeigneter Konz. in seinem Wachstum nicht beeinflußt wird, bewirkt dieselbe Dosis bei den meisten Unkräutern eines Getreidefeldes, daß diese unter Mißwuchs- u./od. Hypertrophieerscheinungen zugrunde gehen. Die anderen P.-Gruppen werden an anderer Stelle ausführlich behandelt. – 2. Die *Gibberelline sind nicht alle in gleicher Weise biolog. aktiv. – 3. Die *Cytokinine (früher: *Phytokinine*) stimulieren v. a. die Zellteilung u. regulieren zusammen mit Auxinen u. Gibberellinen Entwicklungs- u. Differenzierungsprozesse bei der Fruchtbildung u. -reife, Knospenbildung etc.[3]. – 4. Die als *Hemmstoff wirkende *Abscisinsäure (früher: *Dormin*) ist ein Antagonist der übrigen P. u. reguliert *Laubfärbung, Blattwelke u. -fall (*Seneszenz*), Fruchtabwurf u. Winterruhe (vgl. Hibernation). – Vielfach wird 5. das *Ethylen als P. angesehen, weil es als eine Art Fruchtreifungshormon wirkt. Die Biosynth. des Ethylens in der Pflanze wird durch Auxine stimuliert; Abscisinsäure u. Cytokinine können – je nach Pflanzenart – stimulierend od. hemmend wirken, u. Gewebsverletzungen der Pflanzen lassen sog. „Wundethylen" entstehen. Näheres zur vielfältigen Rolle des Ethylens s. *Lit.*[4]. Eine weitere Stoffgruppe mit Pflanzenhormon-Charakter wurde in den *Leaf Movement Factors gefunden, die die schnelle Blattbewegung bei Mimosen u. einigen anderen Pflanzen auslösen. Für die ihre Wirkung über eine Änderung des Turgordrucks entfaltenden Stoffe hat Schildknecht[5] den Namen *Turgorine vorgeschlagen. Einige weitere pflanzenphysiolog. aktive Stoffe wie die *Morphaktine, Blastokoline, *Welkstoffe, Chlorcholinchlorid usw. haben nach ihrer prim. Wirkung eher *Hemmstoff-* als Wuchsstoffcharakter, u. nicht in allen Einteilungen werden derartige *Hemmstoffe deshalb zu den P. gerechnet. Eine gemeinsame Betrachtungsweise ist jedoch dadurch zu rechtfertigen, daß weder durch Wuchs- noch durch Hemmstoffe allein das Wachstum der *Pflanzen reguliert wird, sondern dieses vielmehr erst aus dem ausbalanzierten – ggf. antagonist. – Zusammenwirken beider Prinzipien resultiert, die man daher gemeinsam als P. bzw. Wachstumsregler bezeichnen kann. In der Lebensgemeinschaft (*Biozönose) bedienen sich die Pflanzen offenbar ebenfalls derartiger Stoffe, die man hier *Allelopathika nennt, vgl. Phytonzide. Zur Beeinflussung des Pflanzenwachstums durch das reversible Hellrot-Dunkelrot-Syst. s. Phytochrom. – ***E*** plant growth substances – ***F*** phyto-hormones, auximones – ***I*** sostanze (regolatori) per la crescita delle piante – ***S*** sustancias de crecimiento, fitohormonas, hormonas vegetales

Lit.: [1]Kirk-Othmer (3.) **18**, 16 f. [2]Chem.-Ztg. **97**, 409–416 (1973). [3]Naturwiss. Rundsch. **29**, 257–262 (1976). [4]Chem. Unserer Zeit **15**, 122–129 (1981); Naturwissenschaften **71**, 210 f. (1984); Naturwiss. Rundsch. **37**, 135–140 (1984). [5]Angew. Chem. **95**, 689–705 (1983).
allg.: ACS Sym. Ser. **557**, 1–14 (1994) ▪ Davies (Hrsg.), Plant Hormones (2. Aufl.), Dordrecht, NL: Kluwer 1995 ▪ Godfrey (Hrsg.), Agrochemical Natural Products, S. 285–310, New York: Dekker 1995 ▪ Proc. Phytochem. Soc. Eur. **36**, 93–102 (1994) ▪ Smith, Gallon u. Chiatante, Biochemical Mechanism Involved in Plant Growth Regulation, Oxford: Clarendon Press 1994.

Pflanzenzellkultur s. Zellkultur.

Pflanzliches Elfenbein s. Elfenbein.

Pflaster (von latein.: emplastrum). 1. Ursprünglich verstand man unter P. für äußerliche Anw. bestimmte Arzneizubereitungen mit einer Grundmasse aus Blei-Salzen von Fettsäuren (z. B. durch längeres Verkochen von Erdnußöl u. Schweineschmalz mit Bleioxid erhalten), Fett, Öl, Wachs, Harz, Terpentin u. dgl. (*Bleipflaster*). Diese P. klebten nur, wenn sie warm aufgestrichen wurden, später trat Erhärtung ein. Gegen Ende des vorigen Jh. kamen aus USA die Bleisalz-freien *Heftpflaster* auf, bei denen die klebende Masse (Kautschuk, Harze, Stärke u. dgl.) auf das Stoffgewebe aufgestrichen war u. ohne vorhergehende Erwärmung schon bei Körpertemp. gut klebte. Um 1900 kamen P. mit Zinkoxid-Naturkautschuk-Gemischen als Klebemassen auf (Leukoplast). Die heutigen P. sind in erster Linie *Klebebänder zum Befestigen von Wundverbänden (*Wundschnellverbände*). Die Pflastermasse besteht z. B. aus Naturkautschuk, Zinkoxid, Harz u. Lanolin im Verhältnis 28,5:18,5:22:9; sie wird (evtl. nach Auflsg. in Benzin) auf textile Gewebe u. Unterlagen maschinell kalt od. warm aufgestrichen bzw. aufgewalzt. Diese P. sind gasundurchlässig u. gegen Wärme u. Feuchtigkeit empfindlich. Zum Ablösen der P.-Reste von der Haut eignet sich Benzin. Moderne *Haftklebstoffe für P. bestehen z. B. aus 17% Phthalat-Harz, 35% Polyvinylether-Dispersionen u. 48% Acrylat-Mischpolymerisat. Aus hautreizenden Stoffen bestehen die *Zugpflaster*, die durch Erzeugung einer *Hyperämie tieferliegender Gewebe ziehend auf Furunkel u. a. eitrige Hauterkrankungen wirken sollen; *Beisp.:* Capsaicin-, Ichthyol-Pflaster, Rheuma-P. (*ABC-Pflaster). In den USA entwickelte *Depotpräparate bestehen aus einem P., das die Pharmaka durch eine poröse Membran allmählich freigibt (*percutane Anw., sog. *transdermale therapeut. Syst.*). Die *Schönheitspflästerchen* der galanten Zeit bestanden aus gummiertem schwarzem Taft.
2. Umgangssprachlich werden auch Straßenbeläge als P. bezeichnet, s. Straßenbaumaterialien. – ***E*** 1. plaster, 2. pavement – ***F*** 1. emplâtre, sparadrap, 2. pavé – ***I*** 1. cerotto, empiastro, 2. selciato, lastrico – ***S*** 1. emplasto, parche, esparadrapo, 2. pavimento

Lit.: Hager (5.) **1**, 579 f. ▪ Sucker et al. (2.), Pharmazeutische Technologie, Stuttgart: Thieme 1991 ▪ Ullmann (4.) **18**, 164 f.

Pflaumen. Runde, große, eiförmige Steinfrüchte des Pflaumenbaums (*Prunus domestica*, Rosaceae) mit blauer bis violetter, seltener roter, gelber od. grüner Haut u. gelblichem Fruchtfleisch von süßem, in gekochtem Zustand säuerlichem Geschmack. Den P. sehr ähnlich sind die etwas kleineren, länglicheren *Zwetsch(g)en* (= Hauspflaumen, *P. domestica* ssp. *domestica*), deren Reifezeit allg. etwas später liegt. Verwandte der P. sind ferner die *Reineclauden* (*Renekloden, P. domestica* ssp. *italica*), große, meist gelbgrüne, runde Früchte, u. die *Mirabellen* (*P. domestica* ssp. syriaca), kirschgroße, runde, gelbe Früchte. Je 100 g genießbare Anteile der P. enthalten durchschnittlich 83,7 g Wasser, 0,6 g Eiweiß, 0,17 g Fett, 11,9 g Kohlenhydrate, 1–2 g Fruchtsäuren, 0,5 g Mineralstoffe, 0,21 mg Carotin, 0,12 mg Vitamin B u. 5,4 mg Vitamin C; Nährwert ca. 220 kJ. Das P.-Aroma geht auf Benzaldehyd, Linalool, Zimtsäuremethylester, Nonansäureethylester, 4-Decanolid, Hexanol u. Nonanal zurück. Die getrockneten Früchte (*Backpflaumen, Dörrpflaumen*) mit ca. 30 g Wasser u. 23–56 g Kohlenhydraten je 100 g werden auch als mild laxierende Mittel angesehen. Der Kern enthält 2,5% *Amygdalin.

Verw.: Zu Konfitüren, Mus, Tafelobst, Obstkonserven, Kernobstbranntwein (*Slibowitz, unter teilw. Zerquetschen der Kerne). – ***E*** plums – ***F*** prunes – ***I*** prugne – ***S*** ciruelas

Lit.: Franke, Nutzpflanzenkunde, 6. Aufl., S. 301 f., Stuttgart: Thieme 1997 ▪ s. a. Obst. – *[HS 0809 40, 0813 20]*

Pflegekennzeichen (für Fasern u. Gewebe) s. Textilien.

Pflegeleicht-Ausrüstung. Begriff aus der *Textilveredlung, mit dem in erster Linie die Behandlung von Textilerzeugnissen aus Cellulose u. Wolle mit *Hochveredlungsmitteln gemeint ist, damit auch bei diesen Fasern die bei Synthesefasern geschätzten Eigenschaften Bügel-, Krumpf- u. Knitterfreiheit, Dimensionsstabilität u. rasches Trocknen erhalten werden. Bei Geweben aus Baumwolle, Leinen od. Regenerat-Cellulose spielt die Bildung von Kunstharzkondensaten an od. in der Faser eine Rolle – hier kommen bes. *Quellfestmittel auf der Basis von Harnstoff/Formaldehyd bzw. Melamin/Formaldehyd in Frage – sowie die Verw. von sog. Reaktantharzen, die mit der Faser unmittelbar reagieren. Bei den jargonhaft Methylolethylenharnstoffe, -propylenharnstoffe u. -melamine genannten Produkten handelt es sich um Hydroxymethyl-Derivate von 2-Imidazolidinon (u. dessen 4-Methyl-Derivate), von Tetrahydro-2(1*H*)-pyrimidinon, von 1,3,5-Triazin u. ähnlichen Heterocyclen. Bei Wollstoffen ist neben der *Krumpffrei-Ausrüstung durch Vernetzung der Fasern mit Polyamiden od. Polyurethanen u. der *Filzfreiausrüstung durch Chlorung u. Oxid. (Dichlorisocyanursäure/Peroxomonoschwefelsäure) die Permanentverformung (z. B. für Bügelfalten) wichtig. Letztere erfolgt durch Behandlung mit Red.-Mitteln u. anschließende Luftoxid. (die Reaktionen sind ähnlich denen der Haarverformung bei der Dauerwelle, s. Haarbehandlung).

Zur P.-A. zählen auch *Permanent-Press-Verfahren u. die *Soil-Release-Ausrüstung, bei Mischgewebe u. Synthetics z. B. mit Polyacrylaten, die bei niedrigen Waschtemp. die Ablösung der Schmutzpartikeln von der nun hydrophilen Faser erleichtert. Eine Behandlung mit perfluorierten Verb., Silicon-Emulsionen etc. macht Gewebe hydrophob u. dadurch wasser- u. schmutzabweisend. Bekannte, teilw. durch Gütezeichen (s. RAL) od. Marken geschützte Bez. für P.-A. sind z. B. Cottonova, Easy care, Minicare, No Iron, Rapid Iron, Sanfor, Super Cotton, Superwash, Wash-and-Wear. – ***E*** easy care finishing, wash and wear finishing – ***F*** finissage entretien facile – ***I*** equipaggiamento pratico – ***S*** acabado de cuidado fácil

Lit.: Encycl. Polym. Sci. Eng. **16**, 682–701 ▪ Kirk-Othmer (4.) **2**, 623–629 ▪ Rouette, Lexikon für Textilveredlung, Bd. 2, S. 1449 f., Dülmen: Laumann-Verl. 1995 ▪ Ullmann (4.) **23**, 77–81; (5.) **A 26**, 302–306 ▪ s. a. Textilveredlung.

Pflegemittel s. Haushaltschemikalien, Polituren, Putzmittel.

Pfleger. Kurzbez. für Dr. R. Pfleger Chemische Fabrik GmbH, 96013 Bamberg (gegr. 1945); Herst. u. Vertrieb pharmazeut. Spezial-Präparate.

Pfleiderer, Gerhard (geb. 1921), Dr. rer. nat. Dr. h. c., Prof. (emeritiert) für Biochemie, Univ. Stuttgart. *Arbeitsgebiete:* Struktur u. Funktion von Enzymen (Isoenzyme, Oxidoreduktasen, Peptidasen), Denaturierung u. Renaturierung von Proteinen, immunolog. Methoden.

Lit.: Kürschner (16.), S. 2760 ▪ Pötsch, S. 343.

Pfleiderer, Wolfgang (geb. 1927), Prof. Dr. Dr. h.c. für Chemie, Univ. Konstanz. *Arbeitsgebiete:* Heterocycl. Chemie: Stickstoff-Heterocyclen, Pteridine, Purine, Pyrimidine; Nucleinsäure-Chemie: Nucleoside, Nucleotide, Oligonucleotide; Naturstoffchemie: Insektenpigmente, natürliche Pteridine.

Lit.: Kürschner (16.), S. 2760 ▪ Nachr. Chem. Tech. Lab. **39**, Nr. 6, 717 (1991).

PFP. Abk. für Poren-formende Proteine, s. Perforine.

Pfropfausbeute s. Pfropf(co)polymerisation.

Pfropfcopolymere (Pfropfpolymere). Als P. werden die nach dem Verf. der *Pfropfcopolymerisation hergestellten *Polymere bezeichnet. Charakterist. für deren Aufbau ist, daß sie an ihrer Hauptkette (in der Abb. die waagerechte Kette) Seitenketten (in der Abb. die senkrechte Kette) tragen, die von einer Länge sind, daß sie bereits für sich als Polymere anzusprechen wären. Haupt- u. Seitenketten können chem. ident. (1) od. verschiedenartig (2 u. 3) sein.

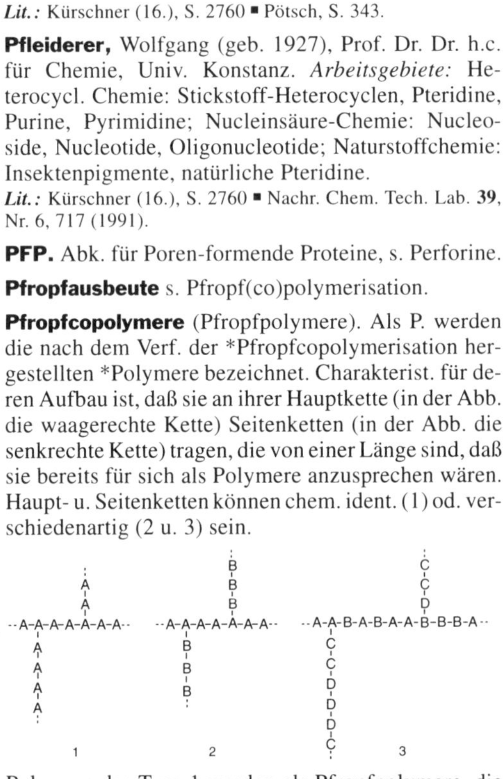

Polymere des Typs 1 werden als Pfropfpolymere, die der Typen 2 u. 3 als Pfropf*co*polymere bezeichnet. In den letzteren können damit Haupt- u. Seitenketten aus verschiedenen *Homopolymeren bestehen (2) od. ihrerseits wiederum aus unterschiedlichen *Monomeren aufgebaut, also bereits für sich alleine betrachtet *Copolymere sein (3).

Die Hauptkette der P. wird im allg. als *Rückgratpolymer, Pfropfsubstrat* od. *Pfropfgrundlage* bezeichnet, die Seitenketten als *Pfropfäste, Pfropfauflage* od. *Pfropfzweige.* Die Einheiten –A– od. –B– werden *Pfropfstellen* genannt u. gelten als Bestandteile der Hauptkette. Aus der engl. Bez. *graft(co)polymers* für P. leitet sich deren Nomenklatur ab. Zwischen die chem. Bez. der Haupt- u. Seitenketten (bzw. der Pfropfgrundlage u. -auflage) wird das Präfix *g* gestellt. Durch

Aufpfropfen von Polystyrol auf Polybutadien bzw. Poly(styrol-co-butadien) synthetisierte Produkte beispielsweise werden Poly(butadien-g-styrol) bzw. Poly(styrol-co-butadien-g-styrol) genannt.
Die Eigenschaften der P. sind sowohl abhängig von der Hauptkette als auch von der Art, Anzahl u. Länge der Seitenketten u. unterscheiden sich deutlich von denen der Basispolymeren. Pfropfungen von Polymeren werden durchgeführt, um u. a. ihre Kompatibilität mit anderen Polymeren zu verbessern, ihre Wasserfestigkeit, Anfärbbarkeit od. Schlagzähigkeit zu erhöhen, ihr Griffverhalten zu verändern od. ihnen Ionenaustauscher-Fähigkeiten zu vermitteln.
Das Gebiet der P. ist sehr intensiv bearbeitet worden. Techn. Anw. gefunden haben von diesen z. B. *ABS u. *HIPS, die durch Copolymerisation von Acrylnitril u. Styrol in Ggw. von *Polybutadien bzw. durch Polymerisation von Styrol in Anwesenheit geringer Mengen eines *Elastomeren hergestellt werden. P. aus Stärke u. Acrylsäure/Acrylamid (aus der Verseifung von Stärke/Acrylnitril-P.) finden Interesse wegen ihres hohen Aufnahmevermögens für wäss. Flüssigkeiten. – ***E*** graft (co)polymers – ***F*** (co)polymères greffés – ***I*** copolimeri a innesto – ***S*** (co)polímeros por injertos
Lit.: Compr. Polym. Sci. **3**, 33–42; **6**, 403–419 ▪ Elias (5.) **1**, 572 f. ▪ Houben-Weyl **E 20/1**, 626–656; E **20/3**, 2127–2137, 2168–2174.

Pfropfcopolymerisation (Pfropfpolymerisation). Bez. für *Polymerisationen, bei denen *Pfropfcopolymere (Pfropfpolymere) gebildet werden. Pfropfcopolymere entstehen z. B. dann, wenn *Monomere in Ggw. vorgefertigter *Polymerer, die als *Makroinitiatoren u. damit gleichzeitig als Pfropfsubstrate dienen, radikal. polymerisiert werden.
Solche radikal. P. können chem., therm. – Spaltung von Peroxid- od. Diazo-Gruppen an der Polymerkette der Pfropfsubstrate – sowie durch Einwirkung von Strahlen od. mechan. Kräften (z. B. beim Mastizieren von Kautschuk) initiiert werden.
Beim Einsatz ungesätt. Polymerer als Pfropfsubstrate, wie Polydien-Kautschuken mit seitenständigen Vinyl-Gruppen, verläuft die P. von Monomeren des Typs $H_2C{=}CR^1R^2$ nach folgendem Mechanismus:

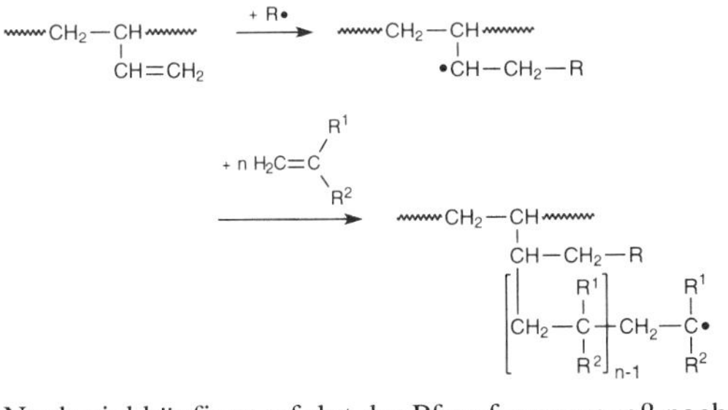

Noch viel häufiger erfolgt der Pfropfungsprozeß nach einem Kettenübertragungs-Mechanismus. Dieser dominiert bes. bei der Herst. von Styrol-Butadien-Blockcopolymeren (s. Abb. rechts, Teil a), er ist aber auch verantwortlich für z. B. das „Anpolymerisieren" von Polystyrol an einen vorgelegten Polyacrylester (s. Abb. rechts, Teil b).
Die radikal. intiierten P., die techn. z. B. für die Herst. von *ABS u. *HIPS genutzt werden, verlaufen damit

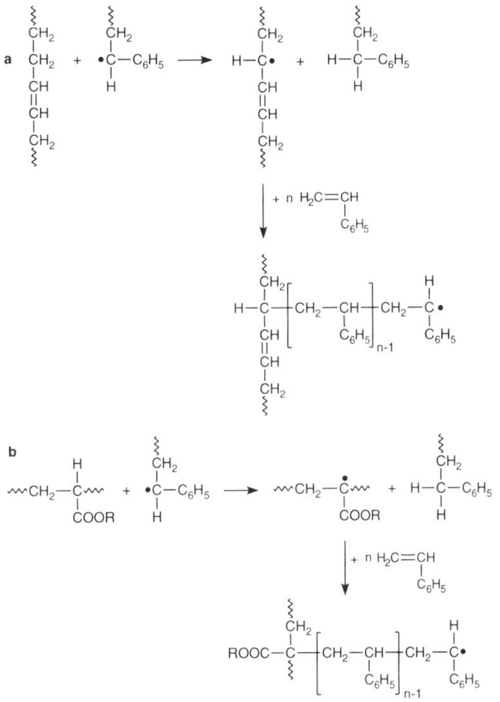

immer unter gleichzeitiger Bildung von Homopolymeren. Homopolymerisation kann bei radikal. P. einzig dann weitgehend ausgeschlossen werden, wenn durch selektive Reaktionen die reaktiven Zentren (Radikale) ausschließlich an den Pfropfsubstraten selbst erzeugt werden. Das ist z. B. bei der Oxid. von *Cellulose od. *Stärke mit Ce^{4+}-Ionen der Fall, die unter Spaltung der C_2–C_3-Bindung von Anhydroglucose-Einheiten dieser *Polysaccharide unter Bildung radikal. Intermediate verläuft:

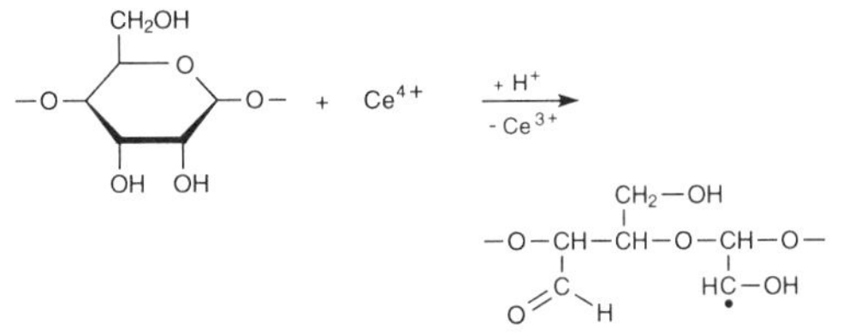

P. können auch nach anion. Polymerisationsmechanismen verlaufen. So liefert z. B. die Reaktion von anion. *lebenden Polymeren mit Pfropfsubstraten mit guten Abgangsgruppen (labile Halogen-Atome; Polyvinylchlorid) od. Oxiran-Funktionen Pfropfcopolymere, für die eine enge *Molmassenverteilung der aufgepfropften Seitenketten kennzeichnend ist.
Ebenfalls P. sind *Polyadditionen von cycl. Monomeren (Oxirane, Lactone, Lactame u. a.), die ringöffnend polymerisiert werden können, an Polymere mit H-aciden Gruppen, die bei Wahl geeigneter Bedingungen unter Ausbildung längerer Seitenketten ablaufen. Weitere Verf. der P. sind Reaktionen zwischen polyfunktionellen Polymeren mit einem monofunktionellen Zweitpolymer, z. B. die von Isocyanat-Gruppen-haltigen Pfropfsubstraten mit monoalkylierten Polydiolen

bzw. die Copolymerisation von *Makromonomeren mit üblichen Monomeren.
Der Vorgang der P. wird häufig auch als *Pfropfung* bezeichnet. Dieser Ausdruck impliziert auch die Modifizierung von anorgan. Substraten (Pigmente, Füllstoffe u.a.) durch P. mit organ. Monomeren.
Zur Charakterisierung der bei der P. eines Monomeren (Zweitmonomer) in Ggw. eines Polymeren anfallenden Pfropf(co)polymeren werden die Begriffe Pfropfausbeute, Pfropfgrad u. Pfropferfolg verwendet, die durch folgende Beziehungen definiert sind

$$\text{Pfropfausbeute } [\%] = \frac{\text{Menge Pfropfauflage}}{\text{Menge polymerisiertes Zweitmonomer}} \cdot 100$$

$$\text{Pfropfgrad } [\%] = \frac{\text{Menge Pfropfauflage}}{\text{Menge Pfropfgrundlage}} \cdot 100$$

$$\text{Pfropferfolg } [\%] = \frac{\text{Menge Pfropf(co)polymer}}{\text{Menge Pfropfgrundlage}} \cdot 100$$

Pfropfauflage u. -grundlage haben die bei *Pfropfcopolymere angegebene Bedeutung. – ***E*** graft copolymerization, grafting – ***F*** (co)polymérisation par greffage – ***I*** copolimerizzazione a innesto – ***S*** (co)polimerización por injertos
Lit.: s. Pfropfcopolymere.

Pfropfpolymere s. Pfropfcopolymere.

Pfropfpolymerisation s. Pfropfcopolymerisation.

Pfropfung s. Pfropfcopolymerisation.

PFT. Abk. für *P*uls-*F*ourier-*T*ransform-Technik, s. NMR-Spektroskopie.

Pfund-Serie s. Atombau (S. 291, Abb. 4).

PG. Abk. für *Prostaglandin.

PGC s. Gaschromatographie.

P-Glykoprotein (P-170, Mdr1-Protein). Membranständiges Transport-*Glykoprotein (M_R 170 000, 1280 Aminosäure-Reste) mit breiter Spezifität, das in größeren Mengen in Tumoren von Niere, Nebenniere, Leber, Darm u. Bauchspeicheldrüse auftritt. Es ist ursächlich an der *Multidrug-Resistenz* (MDR, *multiple Arzneimittel-Resistenz*, pleiotrope Resistenz, Vielfach-Resistenz) von Krebszellen beteiligt, indem es eindiffundierte hydrophobe Mol. wie z.B. viele *Cytostatika unter Verbrauch der in *Adenosin-5′-triphosphat (ATP) gespeicherten chem. Energie aus der Zelle hinaustransportiert. Bei solchen Zellen findet man eine Vermehrung der Gene u. der mRNA (Messenger-*Ribonucleinsäure) für das P-Glykoprotein. Das P-G. gehört zusammen mit etlichen weiteren Transport-Proteinen (z.B. den *periplasmatischen Bindungsproteinen) zur Superfamilie der *ABC-Transporter-Proteine. Die Funktion des P-G. in normalen Zellen könnte mit Entgiftung u./od. Hormon-Transport verbunden sein. Experimente mit dem verwandten P-G. Mdr-2, das in der Leber für die Sekretion von Phospholipiden in die Gallenflüssigkeit zuständig ist, lassen für den Transportmechanismus vermuten, daß eine Umorientierung der hydrophoben Mol. von der inneren in die äußere Halbschicht der Membran bewirkt wird (*Flippase*-Aktivität)[1]. Zur Unterdrückung der multiplen Arzneimittelresistenz entwickelt man Inhibitoren des P-Glykoproteins. Außer dem P-G. wurden inzwischen weitere Membran-Proteine identifiziert, die zum Teil ebenfalls zu den ABC-Transportern gehören u. durch ihre Transport-Aktivität Arzneimittel-Vielfach-Resistenz verursachen[2]; zu einem dem P-G. ähnlichen bakteriellen Protein s. *Lit.*[3]. – ***E*** P-glycoprotein – ***F*** glycoprotéine-P – ***I*** P-glicoproteina – ***S*** gluproteína P
Lit.: [1] Trends Genet. **13**, 217–222 (1997); FASEB J. **11**, 19–28 (1997). [2] Bull. Cancer **84**, 385–390 (1997). [3] Nature (London) **391**, 291–295 (1998).
allg.: Annu. Rev. Pharmacol. Toxicol. **36**, 161–183 (1996) ▪ Gen. Pharmacol. **27**, 1283–1291 (1996) ▪ Int. Rev. Cytol. – Surv. Cell Biol. **171**, 121–165 (1997).

pH. In der Chemie von *Sørensen 1909 (zur Geschichte s. *Lit.*[1]) eingeführte, auch als *pH-Wert* bezeichnete Maßzahl, die nach DIN 19260: 1971-03 als der neg. dekad. Logarithmus der Wasserstoffionen-*Aktivität definiert wird:

$$pH(=paH) = -\lg a_{H^+}$$
$$a_{H^+} = 10^{-pH}.$$

Den auf die H^+-Stoffmengenkonz. c_{H^+} bezogenen pH-Wert bezeichnet man meistens als $pH_c=-\lg c_{H^+}$; somit gilt: $pH=-\lg(c_{H^+}\cdot y_{H^+})$, wobei y_{H^+} der Aktivitätskoeff. (s. Aktivität) der H^+-Ionen ist. Der Aktivitätskoeff. einer einzelnen Ionensorte ist nicht meßbar. Um dennoch einen definierten Vgl. von Meßdaten zu ermöglichen, wurde die *konventionelle pH-Skala* eingeführt, deren einzelne Werte durch Verw. von Eichpuffern als Standardlsg. nach bestimmter Meßvorschrift ermittelt werden (Näheres s. *Lit.*[2–6]). Die operationale Definition des pH-Werts einer Lsg. X ist gegeben durch
$pH(X)=pH(S)+E/2{,}3026\ (RT/F)$,
wobei pH(S) der pH eines Standardpuffers, R die *Gaskonstante, T die abs. Temp. u. F die Faraday-Konstante (s. Fundamentalkonstanten) sind. E ist die EMK (s. elektromotorische Kraft) der Zelle

$$Pt \Leftarrow H_2 | x(aq) | 3{,}5\ M\ KCl(aq) || S(aq) | H_2 | Pt,$$

die aus zwei Wasserstoff-Elektroden (s. Gaselektroden) aufgebaut ist. Als prim. Standard S wird eine 0,05-molare wäss. Lsg. von Kaliumhydrogenphthalat verwendet, deren pH bei 15 °C zu exakt 4 festgesetzt wird. In der Praxis wird anstelle mit der schwieriger handhabbaren Wasserstoff-Elektrode meistens mit der *Glaselektrode gearbeitet, die üblicherweise in Form einer Einstabmeßkette ausgeführt ist. Hiermit erhält man bei 25 °C eine Änderung von 59,1 mV pro pH-Stufe. Die Glaselektrode liefert im Bereich $2 \leq pH \leq 12$ verläßliche, gut reproduzierbare Ergebnisse; die in stärker alkal. Lsg. ($12 \leq pH \leq 14$) auftretenden „Alkalifehler", verursacht durch Einwanderung von *Kationen in die *Haber-Haugaard-Schicht, lassen sich durch Verw. spezieller Glassorten klein halten (Fehler ca. 0,1 pH bei pH = 14). Ebenso gibt es „Säure-Fehler", die aber im allg. weniger stark sind.
Der pH einer Lsg. kann auch neg. sein; dies ist der Fall, wenn a_{H^+} größer als 1 ist („übersaure" Lsg.). Z.B. hat eine Lsg. von 2 mol HCl in 1 kg H_2O bei 25 °C pH-Wert = –0,31; hierbei ist die H^+-Ionenaktivität gleich 2,02 u. der mittlere Aktivitätskoeff. gleich 1,011. Analog werden Lsg. mit pH>14 als überalkal. bezeichnet. Weniger genaue Schnellmessungen von pH-Werten können über *kolorimetr. Messungen* erfolgen; hierbei verwendet man Neutralisations-*Indikatoren, die bei

bestimmten pH-Werten Farbumschläge zeigen u. die z.T. in Form von sog. *Universalindikatoren* (auf Papier, Stäbchen usw. aufgetragen od. in Form von Meßstiften) eingesetzt werden; Näheres s. Indikatoren. Problemat. ist der Einsatz kolorimetr. Meth. bei gefärbten od. stark oxidierend bzw. reduzierend wirkenden Lsg. Entsprechend seinem *Ionenprodukt ($K_W = a_{H^+} \cdot a_{OH^-} = 1{,}004 \cdot 10^{-14}$ mol^2/l^2) hat reines Wasser bei 25 °C den pH-Wert 7,00. Bezeichnet man den neg. dekad. Logarithmus der Hydroxid-Ionen-Aktivität analog dem pH-Wert als *pOH-Wert*, dann gilt: pH+pOH = 14. Lsg. mit einem kleineren pH-Wert als 7 reagieren sauer, ist der pH-Wert höher als 7, so zeigt die Lsg. eine *alkalische Reaktion. Als stark sauer bezeichnet man Lsg., deren pH-Wert zwischen 0 u. 3 liegen, bei schwach sauren Lsg. ist der pH-Wert 3 – 7. Für den schwach bas. Bereich gilt pH = 7 – 11, für starke Basen pH = 11 – 14.

Näheres zur typ. alkal. od. sauren Reaktion, zu starken u. schwachen, harten u. weichen *Basen u. *Säuren s. bei Säure-Base-Begriff u. HSAB-Prinzip. Der pH-Wert Null kommt etwa einer starken Mineralsäure der Äquivalentkonz. 1 mol/L (frühere Bez.: 1-normal, s. Normallösungen) zu. Eine Salzsäure, c = 0,1 mol/l, hat den pH-Wert 1, eine zehnmal dünnere Lsg. den pH-Wert 2, eine hundertmal dünnere Lsg. den pH-Wert 3 usw., s. die Tab., in der einige pH-Werte von bekannteren Flüssigkeiten zusammengestellt sind (im allg. bei 25 °C). Der pH-Wert spielt in Biochemie, Chemie u. Technik eine außerordentliche Rolle. Er beeinflußt zahlreiche chem. Vorgänge, insbes. chem. Gleichgew.-Reaktionen aller Art. Daher hat die pH-Messung z. B. für Ind., Landwirtschaft, Physiologie u. Medizin größere prakt. Bedeutung als die Bestimmung der Konz. von irgendwelchen anderen *Ionen. Die genaue Bestimmung u. Einhaltung bestimmter pH-Werte – unter Zuhilfenahme von Datenverarbeitung, Steuerung u. Regelung (*Automation) – ist von Bedeutung bei einer Vielzahl techn. Prozesse; *Beisp.:* Reinigung von rohem Zuckerrohrsaft, Gewinnung von Invertzucker, enzymat. Prozesse (Insulin-Herst., Eiweiß- u. Labverdauung), Käsereifung, Futtersilierung, Gerbung, Neutralisation von Abwässern, Chlorung von Schwimmbädern, Aufbereitung von Brauchwasser, Papierleimung, Hefefabrikation, Milchsäuregewinnung, Züchtung von Bakterien, Färbungsvorgänge, Textilreinigungsprozesse, Konservierungsprozesse, Herst. von Körperpflegemitteln. Bakterielle Umwandlungsvorgänge in den Böden sind ebenso pH-abhängig wie deren Besiedelung durch *Kalk- od. Kieselpflanzen; zum pH-Wert des Trinkwassers in der BRD s. *Lit.*[7]. Die Ergebnisse vieler analyt. Meth. werden vom pH des Lsm. od. des Puffers beeinflußt; *Beisp.:* Relaxationsmessungen (pH-Sprungmeth.; s. *Lit.*[8]), Elektrophorese, isoelektr. Fokussierung, Ionenaustauschchromatographie, Maßanalyse. Zur interzellulären pH-Bestimmung kann ein Chinolin-Derivat als Fluoreszenzsonde dienen (*Lit.*[15]). Gewebe u. Gefäße des menschlichen Körpers ertragen nur den verhältnismäßig engen pH-Bereich von etwa 3 – 8 (s. *Lit.*[9]). Im entzündeten, lebenden Gewebe beobachtet man eine Abnahme des pH-Wertes. Die Haut hat bei Frauen bzw. Männern pH = 5,6 bzw. 4,9; man spricht oft vom „Säuremantel" der Haut, der von alkal. reagierenden Syst. (Seifen) beeinträchtigt werden kann. Nicht nur für das ökolog. Gleichgew. ist der pH-Wert des Regenwassers (*Lit.*[10]) wichtig, sondern auch für den Bautenschutz, v. a. von Kunstdenkmälern wie Skulpturen u. bunten Glasfenstern. Reines, nur mit dem CO_2 der Luft gesätt. Wasser hat den pH-Wert 5,5 – 5,8, ist also „von Natur aus" sauer, doch hat sich (*Lit.*[11]) der pH-Wert der Niederschläge in Deutschland bereits seit 1870 bei 4,2 eingependelt (pH=4 – 5,5); über die Problematik der pH-Messung in Meerwasser, in Blut u. a. Körperflüssigkeiten od. unter anderen Bedingungen s. *Lit.*[12–14]. – ***E = F = I = S*** pH

Tab.: pH-Werte einiger Flüssigkeiten.

Lösung	pH-Wert
20%ige Salzsäure	–0,3
Salzsäure, 1 mol/L	ca. 0
Salzsäure, 0,1 mol/L	1,0
Schwefelsäure, 0,05 mol/L	1,2
Phosphorsäure, 0,033 mol/L	1,5
Magensaft	0,9–2,3
Salzsäure, 0,01 mol/L	2,0
Weinsäure, 0,05 mol/L	2,2
Citronensäure, 0,033 mol/L	2,3
Citronensaft	2,3
Essigsäure, 1 mol/L	2,4
Essigsäure, 0,1 mol/L	2,86
Salzsäure, 0,001 mol/L	3,0
Handelsessig	3,1
Essigsäure, 0,01 mol/L	3,4
Essigsäure, 0,001 mol/L	3,86
Eingesäuertes Silofutter	3–4
Salzsäure, 0,0001 mol/L	4,0
saure Milch	4,4
Borsäure, 0,033 mol/L	5,2
Schweiß	4–6,8
Milch	6,4–6,7
Harn	4,8–7,4
reines Wasser	7,0
Blut	7,38
Meerwasser	7,8–8,2
Natriumhydrogencarbonat, 0,1 mol/L	8,4
Seifenlauge	8,2–8,7
Dinatriumphosphat, 0,05 mol/L	9,0
Borax-Lsg., 0,05 mol/L	9,2
Ammoniakwasser, 0,1 mol/L	11,0
Soda-Lsg., 0,05 mol/L	11,3
Trinatriumphosphat, 0,033 mol/L	12,0
gesätt. Kalkwasser	12,3
Natronlauge, 0,1 mol/l	13,0
Natronlauge, 1 mol/L	ca. 14
50%ige Kalilauge	14,5

Lit.: [1] Szabadváry, Histroy of Analytical Chemistry, S. 361 – 365, 375 – 378, Oxford: Pergamon 1966. [2] Pure Appl. Chem. **57**, 531 – 542 (1985). [3] DIN 19266: 1979-08. [4] Bates, Electrometric pH-Determination, New York: Wiley 1954. [5] Schwabe, pH-Meßtechnik, Dresden: Steinkopf 1976. [6] Robinson u. Stokes, Electrolyte Solutions, 2. Aufl., London: Butterworths 1959. [7] Aurand et al., Atlas zur Trinkwasserqualität (BIBIDAT), Berlin: Schmidt 1980. [8] Meth. Biochem. Anal. **30** (1984). [9] Curr. Top. Cell. Regulation **21** (1982). [10] Int. J. Environ. Anal. Chem. **18**, 143 (1984). [11] Wasser, Luft, Betrieb **1984**, Nr. 7/8, 31 – 36. [12] Pure Appl. Chem. **54**, 229 – 232 (1982). [13] Pure Appl. Chem. **56**, 567 – 594 (1984). [14] Pure Appl. Chem. **57**, 865 – 898 (1985). [15] J. Biol. Chem. **258**, 5994 – 5997 (1985).

allg.: Atkins, Physikalische Chemie (2.), Weinheim: VCH Verlagsges. 1996 ■ Bliefert, pH-Wert-Berechnungen, Weinheim:

Verl. Chemie 1978 ▪ Bühler, Grundlagen u. Probleme der pH-Messung, Frankfurt: Ingold KG 1980 ▪ Hamann u. Vielstich, Elektrochemie, Weinheim: VCH Verlagsges. 1997 ▪ J. Chem. Educ. **40**, 679 (1968) ▪ Kirk-Othmer **11**, 380–390 ▪ Richtlinien für die pH-Messung in industriellen Anlagen (DIN-Normenheft 22), Berlin: Beuth 1974 ▪ Ullmann (4.) **5**, 653 ff., 926 ff. ▪ Westcott, pH Measurements, New York, Academic Press 1978 ▪ Winnacker-Küchler (3.) **7**, 422–424.

Ph. Symbol für *Phenyl... in Formeln u. Abk.; Kurzz. für Pharmacop(o)eia (s. Pharmakopöen).

Phäniatrie (griech.: phainesthai = erscheinen u. iatreia = Heilung). Von H. Freytag erstelltes Konzept von den Entstellungen des menschlichen Äußeren wie der Haut, der Haare, auch des *Körpergeruchs, ihren Ursachen u. ihren psych. u. sozialen Folgen sowie ihrer Verhütung u. Behandlung durch sog. Phäniatrika (s. a. Kosmetika). – ***E*** pheniatry – ***F*** phéniatrie – ***I*** feniatria – ***S*** feniatría

Phänotyp. In der *Genetik Bez. für die äußere Erscheinungsform (morpholog. Strukturen, physiolog. Leistungen) eines Organismus, wie sie durch Wechselwirkungen zwischen seiner genet. Ausstattung (*Genotyp) u. Umwelteinflüssen entsteht. Variationen im P., die sog. *Modifikationen, können nicht vererbt werden.
In der *Mikrobiologie wird die Bez. P. bei einzelligen Organismen auch auf die Eigenschaften einer *Population, eines Stammes od. einer reinen Linie bezogen, s. a. Genotyp. – ***E*** phenotype – ***F*** phénotype – ***I*** = ***S*** fenotipo

Lit.: Glick u. Pasternak, Molekulare Biotechnologie, S. 416, 425, 432, Heidelberg: Spektrum 1995 ▪ Schlegel (7.), S. 476, 478 f., 485.

Phäo... (von griech.: phaiós = dämmrig, dunkel, grau). Vorsilbe in Trivialnamen für bräunliche od. gräuliche Verb.; *Beisp.:* Phäomelanine (s. Haar u. Melanine), *Phäophytin u. sein Abbauprodukt Phäophorbid. – ***E*** ph(a)eo... – ***F*** phéo... – ***I*** = ***S*** feo...

Phäomelanine s. Melanine.

Phäophytine.

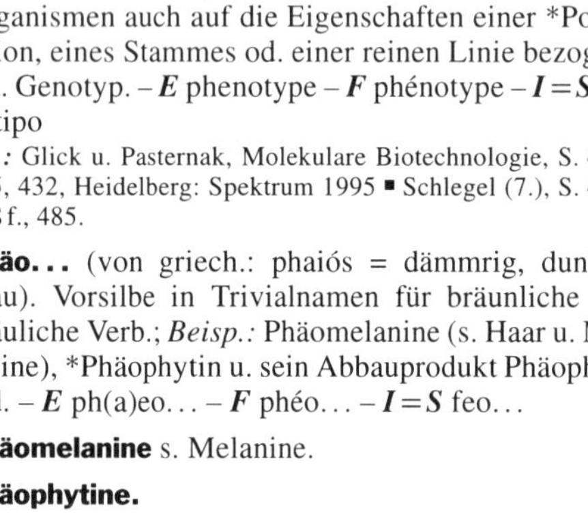

R = CH_3 : P. a
R = CHO : P. b

Von *Phäo... u. *Phyt... abgeleitete Bez. für Abbauprodukte der *Chlorophylle, die bei vorsichtiger Säurebehandlung durch Abspaltung des Mg entstehen: *Phäophytin a* (Phäophorbid-a-phytylester), $C_{55}H_{74}N_4O_5$, M_R 871,21, Schmp. 110 °C, $[\alpha]_D^{20}$ –126° (Hexan), u. *Phäophytin b* (Phäophorbid b-phytylester), $C_{55}H_{72}N_4O_6$, M_R 885,20, $[\alpha]^{20}$ –133° (Hexan), die beide grünschwarze, in organ. Lsm. lösl. Massen sind. Durch Abspaltung des Phytyl-Restes gelangt man zu den entsprechenden *Phäophorbiden a* u. *b*, u. durch eine weitere Verseifung erhält man eine freie Porphyrindicarbonsäure, die bei weiterem Abbau in eine dem *Etioporphyrin sehr ähnliche Verb. übergeht. – ***E*** pheophytins, phaeophytins – ***F*** phaéophytines – ***I*** feofitine – ***S*** feofitinas

Lit.: Beilstein E V **26/15**, 503 ff., 537 ▪ Chem. Pharm. Bull. **38**, 3303 (1990); **39**, 3348 (1991) (Phäophorbide) ▪ Jackson u. Holden, Chemistry and Biochemistry of Plant Pigments, Vol. 1, London: Academic Press 1976 ▪ Karrer, Nr. 4365 ff. ▪ Phytochemistry **42**, 427 (1996) ▪ Pure Appl. Chem. **51**, 2251–2304 (1979) ▪ Synthesis **1983**, 708 ff. – *[CAS 603-17-8 (P. a); 3147-18-0 (P. b)]*

Phäoplasten s. Plastiden.

Phage display s. Phagen.

Phagen (Bakteriophagen). Von griech.: phagein = essen abgeleitete Bez. für *Viren, die *Bakterien spezif. befallen. Die meisten P. (96%) gliedern sich in einen ikosaedr. (20flächigen) „Kopf" u. ggf. einen länglichen „Schwanz". Das *Nucleocapsid (der Kopf) des P. stellt eine regelmäßig gebaute Kapsel aus ident. Proteinen dar, die *Desoxyribo- od. *Ribo-*Nucleinsäuren (DNA bzw. RNA, manchmal mit ungewöhnlichen Basen) enthalten. Der aus kontraktilen Proteinen aufgebaute Schwanz – falls vorhanden – ist hohl u. dient zur Injektion des genet. Materials. Andere P. sind filamentös (stabförmig). Infektion durch *virulente P.* (z. B. Coliphage T7, der *Escherichia coli* befällt) führt zum *lyt. Cyclus.* Dieser beginnt mit der Adsorption des P. an die Bakterienzelle. Der P. od. seine Nucleinsäuren dringen in das Wirtsbakterium ein (Penetrationsphase) u. veranlassen dessen synthet. Maschinerie, P.-spezif. Proteine (frühe Proteine: Regulator. u. katalyt. Proteine sowie späte Proteine: Capsid-Proteine, *Lysozym) u. Nucleinsäuren zu synthetisieren (Phase der *Replikation). Nach dem Zusammenbau neuer P. (Virionen) aus Proteinen u. Nucleinsäuren (Phase der Morphogenese) wird mit Hilfe des Lysozyms die Bakterienzellwand aufgelöst (Lyse) u. die neuen P. werden freigesetzt. Beim *lysogenen Verlauf (temperente P.)* wird die Phagen-DNA dagegen zunächst ins Wirts-Genom integriert, wozu z. B. beim Coliphagen λ ein Wirts-Faktor (*integration host factor) sowie die P.-eigene *Integrase benötigt werden. Die P.-DNA (der *Prophage*), die sich inzwischen zusammen mit dem Bakterium vermehrt, kann zu einem späteren Zeitpunkt wieder aktiviert werden (*Induktion des lyt. Cyclus) u. zur Bildung von Virionen u. zur Lyse führen. Für den lysogenen Zustand ist bei λ die Anwesenheit eines Repressors (λ-Repressor, cI-Protein) nötig. Einige P. lassen sich kristallisieren u. können durch *Röntgenstrukturanalyse aufgeklärt werden. P. sind für Untersuchungen in der *Molekularbiologie, z. B. über Regulation der *Transkription u. Biosynth. der *Proteine u. als Vektoren in der *Gentechnologie geeignet; zur potentiellen Verw. zur Detektion u. Bekämpfung pathogener Bakterien in Lebensmitteln s. *Lit.*[1].
Phage display: Zufallsmischungen von Peptiden[2] (vgl. dort) od. Proteinen (z. B. *Antikörper[3]) können in Nucleinsäuren kodiert u. die Sequenz-Information so in P.-Gene eingebaut werden, daß die Peptide auf der Oberfläche der P. zur Schau gestellt werden. Aus diesen oft Mrd. verschiedener Peptide umfassenden *Peptid-Bibliotheken* können – z. B. bei der Arzneimit-

tel-Entwicklung – in zweckdienlichen Tests solche mit bestimmten Affinitäten od. Aktivitäten selektiert werden mit dem Vorteil, in dem selektierten Phagen die zugehörige Nucleinsäure im Beipack zu haben u. vermehren zu können. Besteht der Test in der Bindung normaler Peptide an synthet. Proteine, die aus D-Aminosäuren bestehen, so kann aus Symmetriegründen auf die Wirksamkeit entsprechender D-Peptide, die gegenüber den L-Peptiden pharmazeut. Vorteile aufweisen (geringere Abbaubarkeit), beim spiegelbildlichen, normalen Protein geschlossen werden (*mirror image phage display*)[4]. Eine elegante Variante eines Protein/Ligand-Bindungstests besteht darin, P. zu konstruieren, die nur bei pos. Ausgang infektiös sind u. sich vermehren (*selectively infective phages*)[5]. – ***E*** = ***F*** phages – ***I*** fago – ***S*** fagos, bacteriófagos

Lit.: [1]Biospektrum **3**, 32–35 (1997). [2]Anal. Biochem. **238**, 1–13 (1996); Annu. Rev. Biophys. Biomol. Struct. **26**, 27–45, 401–424 (1997); Methods Enzymol. **267**, 3–168 (1996). [3]Curr. Opin. Biotechnol. **8**, 503–508 (1997). [4]Science **271**, 1854–1857 (1996). [5]Biol. Chem. **378**, 445 f. (1997).
allg.: Arch. Virol. **141**, 209–218 (1996) ▪ Birge, Bacterial and Bacteriophage Genetics, 3. Aufl., Berlin: Springer 1994.

Phagocyten s. Phagocytose.

Phagocytose (von griech.: phagein = essen u. *Cyto...). Im allg. Sinne Einverleibung fester (un)belebter Bestandteile in lebende *Zellen *(Phagocyten)*; der entsprechende Prozeß bei flüssigen Bestandteilen heißt *Pinocytose, u. beide faßt man zusammen als *Endocytose. Im häufigen Gebrauch steht P. für die Fähigkeit bestimmter Phagocyten (Freßzellen) genannter *Leukocyten (Granulocyten u. *Makrophagen/Monocyten), sich Fremdpartikeln, Bakterien u. funktionsuntüchtige rote Blutkörperchen einzuverleiben. Die P. wird durch *Chemotaxis eingeleitet u. bei Wirbeltieren durch *Opsonine stimuliert. Bei Insekten werden die Hämocyten durch *Hämolin zur P. angeregt. Nach der P. wird der Fremdkörper in *Lysosomen (Phagolysosomen) verdaut. Allerdings sind auch Bakterien bekannt (z. B. *Listeria monocytogenes* u. *Mycobacterium tuberculosis*), die innerhalb von Phagocyten überleben können. – ***E*** phagocytosis – ***F*** phagocytose – ***I*** fagocitosi – ***S*** fagocitosis

Lit.: Curr. Opin. Immunol. **8**, 36–40 (1996).

Phalloidin. $C_{35}H_{48}N_8O_{11}S$, M_R 788,87. Als Hexahydrat farblose, giftige Nadeln, Schmp. 280–282 °C, in siedendem Wasser, Alkoholen, Pyridin löslich. P. ist einer der Giftstoffe des Grünen *Knollenblätterpilzes (*Amanita phalloides*), ein *Cyclopeptid mit einer *Amanitin-ähnlichen Struktur, die durch Th. *Wieland ermittelt wurde (Formel s. Phallotoxine). Bei oraler Aufnahme ist P. unwirksam, injiziert verändert es jedoch die Zellen der Leber infolge irreversibler Bindung an F-*Actin, LD_{50} (Maus i.p.) 2–3 mg/kg. Neben dem P. u. den Amatoxinen enthält der Knollenblätterpilz weitere giftige Verb. mit P.-verwandter Struktur (*Phallotoxine) sowie Bufotenin (s. Psilocybin). – ***E*** phalloidin – ***F*** phalloïdine – ***I*** falloidina – ***S*** faloidina

Lit.: Beilstein E III/IV **27**, 9729 ▪ Chem. Unserer Zeit **13**, 56–63 (1979) ▪ Int. J. Pept. Protein Res. **21**, 3 (1983) ▪ J. Chromatogr. **462**, 442 (1989) ▪ Justus Liebigs Ann. Chem. **1991**, 179 ▪ Manske **40**, 189 ▪ Martindale (30.), S. 1390 ▪ Merck-Index (12.), Nr. 7336 ▪ Naturwissenschaften **74**, 367 (1987) ▪ Wieland, Peptides of Poisonous Amanita Mushrooms, Berlin: Springer 1986 ▪ Sax (8.), Nr. PCU 350 ▪ Zechmeister **25**, 214–250. – *[CAS 17466-45-4]*

Phallotoxine. Neben den Amatoxinen (s. Amanitine) die Giftstoffe des Grünen u. des Weißen *Knollenblätterpilzes. Die P. sind für die chron. Komponente der Knollenblätterpilz-Vergiftung verantwortlich. Es sind zumeist amorphe, wasserlösl. Feststoffe. Bis heute sind 7 natürlich vorkommende P. bekannt.

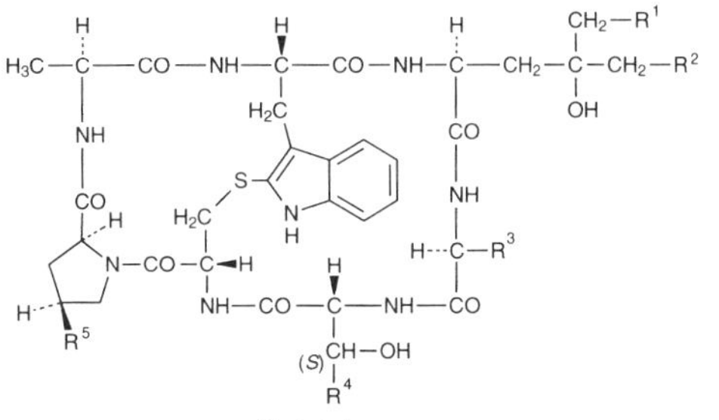

Phallotoxine

Phallotoxine	R^1	R^2	R^3	R^4	R^5
Phalloidin	OH	H	CH_3	CH_3	OH
Phalloin	H	H	CH_3	CH_3	OH
Prophalloin	H	H	CH_3	CH_3	H
Phallisin	OH	OH	CH_3	CH_3	OH
Phallacin	H	H	$CH(CH_3)_2$	COOH	OH
Phallacidin	OH	H	$CH(CH_3)_2$	COOH	OH
Phallisacin	OH	OH	$CH(CH_3)_2$	COOH	OH

Tab.: Daten zu den 7 natürlich vorkommenden Phallotoxinen.

Phallotoxine	Summenformel	M_R	LD_{50} (Maus i.p.) [mg/kg]	CAS
Phalloidin	$C_{35}H_{48}N_8O_{11}S$	788,87	2,0	17466-45-4
Phalloin	$C_{35}H_{48}N_8O_{10}S$	772,87	1,5	28227-92-1
Prophalloin	$C_{35}H_{48}N_8O_9S$	756,87	>100	67739-84-8
Phallisin	$C_{35}H_{48}N_8O_{12}S$	804,87	2,5	19774-69-7
Phallacin	$C_{37}H_{50}N_8O_{12}S$	830,91	1,5	53568-40-4
Phallacidin	$C_{37}H_{50}N_8O_{13}S$	846,91	1,5	26645-35-2
Phallisacin	$C_{37}H_{50}N_8O_{14}S$	862,91	4,5	58286-46-7

– ***E*** phallotoxins – ***F*** phallotoxines – ***I*** fallotossine – ***S*** falotoxinas

Lit.: Beilstein E III/IV **27**, 9728 f.; E V **27/41**, 431 f. ▪ Bresinsky u. Besl, Giftpilze, S. 18–35, Stuttgart: Wissenschaftliche Verlagsges. 1985 ▪ Crit. Rev. Biochem. **5**, 185–260 (1978) ▪ J. Am. Chem. Soc. **112**, 3719 (1990) (Konformation) ▪ J. Chromatogr. **462**, 442 (1989) (Analytik) ▪ Justus Liebigs Ann. Chem. **1991**, 179 (Konformation) ▪ Manske **40**, 189 (Review) ▪ Naturwissenschaften **74**, 367 (1987) (Review) ▪ R. D. K. (3.), S. 693 ff., 947 f. ▪ Sax (8.), Nr. PCU 350 ▪ Wieland, Peptides of Poisonous Amanita Mushrooms, Berlin: Springer 1986 ▪ Zechmeister **25**, 214–250.

Phanchinon s. Phanquinon.

Phane. Sammelbez. für lineare u. mono- od. oligocycl. P.; s. Protophane u. Cyclophane, vgl. Phan-Nomenklatur. – ***E*** = ***F*** phanes – ***I*** fani – ***S*** fanos

Phanerochaete chrysosporium s. Dioxine u. Pigmente.

Phan-Nomenklatur. *Phane sind komplizierte organ. Verb. mit Ring-Ketten-Strukturen. Die P.-N. benutzt Austauschpräfixe für den Ersatz von Atomen durch Ringsyst. im „Phan-Stammgerüst" (*Beisp.:* Benzena, Cyclohexana, Naphthalena, Pregnana, Pyridina) u. kann so einfachere Namen als die klass. *Nomenklatur liefern; Beisp. s. Cyclophane. H. *Zahn [1] benutzte Benzena-Präfixe für den Ersatz von CH_2- durch *Phenylen-Gruppen erstmals 1957 bei Polyestern. Th. *Kauffmann [2] erarbeitete 1971 Regeln zur P.-N. mit „Arena"-Präfixen, über die eine IUPAC-Kommission seither berät u. die in *Beilstein's Handbuch* bereits oft Verw. fanden. Es gibt noch keine veröffentlichten IUPAC-Regeln zur P.-N., da die endgültige Festlegung u. Abgrenzung wohlüberlegt sein muß. Für lineare Phane (*Protophane), z. B. *Polyether-Antibiotika, bringt die P.-N. kaum Vorteile gegenüber normalen Namen, aber für polycycl. Syst. ist sie oft sehr leistungsfähig; *Beisp.:* Hexa(1,3)benzena-cyclohexaphan-$1^2,2^2,3^2,4^2,5^2,6^2$-hexol (= Spherand) u. Hexa(2,6)pyridina-cyclohexaphan (=*cyclo*-Sexi[2,6]pyridin, s. Kronenether, Abb. S. 2288) sind viel einfachere Bez. als die systemat. Heptacyclo-Namen. Für Naturstoffe u. ihre Derivate sind übliche *Trivialnamen u. *halbsystematische Namen meist besser; *Beisp.:* Für *Rifampicin haben Bez. als 2,7-(Epoxypentadeca[1,11,13]trienimino)naphtho[2,1-*b*]furan-1,11-dion od. als 2-Oxa-18-aza-1(2,7)-naphtho[2,1-*b*]furana-cyclooctadecaphan-3,13,15-trien-1^1,17-dion mit je 15 Substituenten u. 13 Stereosymbolen kaum Sinn. – ***E*** = ***F*** phane nomenclature – ***I*** nomenclatura dei fani – ***S*** nomenclatura por terminación en -fano

Lit.: [1] Makromol. Chem. **23**, 32 (1957). [2] Angew. Chem. **83**, 795 f. (1971); Tetrahedron **28**, 5183–5195 (1972).
allg.: s. Cyclophane.

Phanquinon.

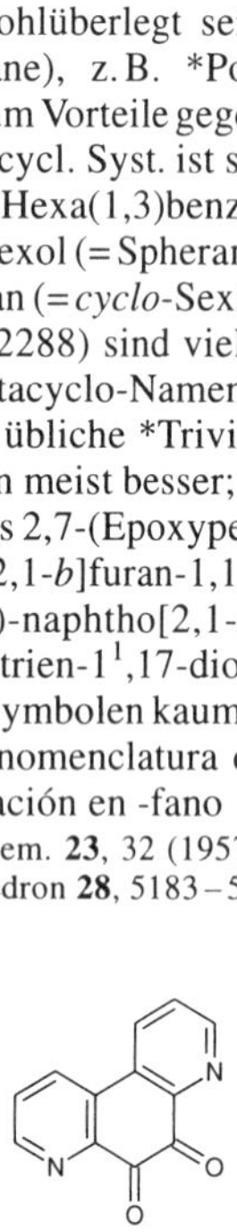

Internat. Freiname für das auch als Phanchinon od. Phanquon bezeichnete *Amöbizid 4,7-Phenanthrolin-5,6-dion, $C_{12}H_6N_2O_2$, M_R 210,19, Schmp. 295 °C (Zers.); λ_{max} (CH_3OH) 232, 270 nm ($A^{1\%}_{1cm}$ 709, 509). P. wurde 1953 von Ciba patentiert. – ***E*** = ***F*** phanquinone – ***I*** fanquinone – ***S*** fanquinona

Lit.: Hager (5.) **9**, 98 f. – *[HS 2933 90; CAS 84-12-8]*

Phanquon s. Phanquinon.

Phantastika s. Psychopharmaka.

Phantomkette. Die Gestalt (*Makrokonformation) von *Makromolekülen wird im allg. durch statist. Größen wie den *mittleren Fadenendabstand od. den *Trägheitsradius charakterisiert. Vielfach bestehen zwischen diesen beiden Größen u. mol. Parametern wie der Zahl der Kettenbindungen, den Bindungslängen, den Bindungswinkeln u. den Torsionswinkeln einfache Zusammenhänge. Diese können mit Hilfe verschiedener mathemat. Modelle erfaßt werden, deren einfachstes das der P. ist. Hierin wird angenommen, daß die Polymer-Kette aus n unendlich dünnen, aber nicht näher spezifizierten Segmenten der Länge l aufgebaut ist, die keine gegenseitige Wechselwirkung zeigen. Außerdem können zwei benachbarte Segmente zueinander beliebige Winkel einnehmen. Die Kette folgt damit dem Weg eines diffundierenden Gasmol., weshalb sich zu ihrer Beschreibung die Irrflug-Statistik als nützlich erweist. Die zweidimensionale Darst. des Problems wird anschaulich als „drunkard's walk" bezeichnet.

Abb.: Phantomkette, bestehend aus n = 40 Segmenten der Länge l. Der Pfeil zeigt den Fadenendabstand r.

Für das mittlere Quadrat des Fadenendabstandes r solcher Knäuel gilt bei großer Zahl der Segmente ($n \to \infty$) der Länge l:

$$\langle r_\infty^2 \rangle = n\, l^2.$$

In Wirklichkeit sind die Segmente einer realen Polymer-Kette jedoch endlich dick, ihre Bindungswinkel sind weitgehend konstant u. Segment-Segment-Wechselwirkungen finden statt. Um dies zu berücksichtigen, wurden zahlreiche verfeinerte Kettenmodelle entwickelt. – ***E*** freely jointed chain – ***F*** chaîne témoin – ***I*** catena fantasma – ***S*** cadena enlazada libremente

Lit.: Elias (5.) **1**, 607; **2**, 65.

Phantom-Polymere, -Polymerisation s. Exotenpolymerisation.

Pharaoschlangen. Zylindr. od. kegelförmige, oft umwickelte Scherzartikel, die beim Anzünden unter Bildung einer sehr lockeren, zusammenhaltenden, voluminösen, schlangenartig aussehenden Aschen-Masse verglimmen. Da wegen des früher vielfach als Hauptbestandteil verwendeten Quecksilber(II)-thiocyanats neben Stickstoff giftige Dämpfe aus Quecksilber u. Schwefelkohlenstoff entstehen, sollen solche P. möglichst im Freien entzündet werden. Harmlosere P. entstehen, wenn man z. B. ein Gemisch von 2 g Kaliumdichromat, 1 g Kalisalpeter u. 3 g Zucker (alles fein pulverisiert) entzündet. Eine sehr stark aufquellende „Asche" erhält man auch, wenn *p*-Nitroacetanilid mit konz. H_2SO_4 od. Nitronaphthol mit Pikrinsäure zu einer Paste angerührt u. in einer Schale über der Bunsenflamme erhitzt werden. – ***E*** pharaoh's serpents – ***F*** serpents de Pharaon – ***I*** serpenti faraonici – ***S*** serpientes faraónicas

Lit.: Kirk-Othmer (3.) **19**, 487 ▪ Ullmann (4.) **19**, 658.

Phardol®. Gel mit *Hydroxyethylsalicylat; *P. Rheuma-Balsam* enthält zusätzlich Kiefernnadelöl u. *Nicotinsäurebenzylester gegen rheumat. Erkrankungen. ***B.:*** Kreussler.

Pharma... Von griech.: pharmakon = Gift, Arznei bzw. pharmakeuein = Gift od. Arznei anwenden abgeleitete Bez., die vielfach als Vorsilbe in den Benennungen für die verschiedenen Disziplinen der Heilmittellehre gebräuchlich ist (Pharmakognosie, Pharmakologie, Pharmakopöen etc.) sowie auch bei Arzneimitteln selbst (Pharmaka, Pharmazie, Pharmazeutika) u. in Kurzbez. wie Pharma-Ind. für pharmazeut. Ind., Pharma-Produkte für pharmazeut. Produkte etc. verwendet wird, vgl. die folgenden Stichwörter. – *E*=*F* pharma... – *I*=*S* farma...

Pharma-Berufe. Berufe, die mit *Arzneimitteln zu tun haben, *Beisp.:* *Apotheker, Pharmazeuten, pharmazeut.-techn. Assistenten, Pharmakanten, Pharmaberater od. Pharmareferenten. – *E* professions in pharmaceutics – *F* professions de pharmacie – *I* professioni farmaceutici – *S* profesiones en el ámbito farmacéutico

Lit.: Pharmakant/Pharmakantin, Blätter zur Berufskunde, 1-IV C 104, Bielefeld: Bertelsmann (aktualisierte Aufl.) ▪ Pharmakologe/Pharmakologin, Blätter zur Berufskunde, 3-I D 05, Bielefeld: Bertelsmann (aktualisierte Aufl.) ▪ Pharmareferent(in), Blätter zur Berufskunde, 2-IX A 26, Bielefeld: Bertelsmann (aktualisierte Aufl.) ▪ Pharmazeutisch-technische(r) Assistent(in), Blätter zur Berufskunde, 2-I F 12, Bielefeld: Bertelsmann (aktualisierte Aufl.).

Pharmacia & Upjohn. Kurzbez. für die 1995 zur Pharmacia & Upjohn, Inc. fusionierten Firmen Pharmacia AB (Schweden) u. The Upjohn Company (USA) mit Sitz in Windsor, Berkshire SL4 3HD, GB. Pharmacia AB fusionierte mit Kabi Vitrum, Schweden (1990), zur Kabi Pharmacia; Kabi Pharmacia u. Farmitalia Carlo Erba, SRL, Italien fusionierten 1993. *Daten* (1995, weltweit): ca. 30000 Beschäftigte, 7 Mrd. $ Umsatz. *Produktion:* Forschung, Produktion u. Vertrieb von Arzneimitteln für die Human- u. Veterinärmedizin, Diagnostiksyst., Biochemie u. Biotechnologie. *Vertretung* in der BRD: Pharmacia GmbH, 91502 Erlangen.

Pharmaka (Singular: Pharmakon). Aus dem Griech. abgeleitete Sammelbez. (s. Pharma...), die oft ebenso wie die Bez. *Pharmazeutika als weitgehend bedeutungsgleich mit dem Begriff *Arzneimittel aufgefaßt wird. Differenzierter kann man den Begriff Pharmazeutika auf die Gesamtpräp. (= *Arzneimittel*) anwenden u. den Begriff P. für die wirksamen Inhaltsstoffe (**Drogen* u. die im allg. unter ihren *Freinamen behandelten *Wirkstoffe*) reservieren. Als *Pro-P.* (*E* prodrugs) bezeichnet man Verb., die im Körper erst durch enzymat. Umwandlung od. Hydrolyse pharmakolog. aktiv werden. – *E* pharmacologically active agents, drug substances – *F* médicaments – *I* farmaci, medicamenti – *S* fármacos, medicamentos

Pharmakodynamik (von *Pharma... u. griech.: dynamis = Kraft). Bez. für die Lehre von den Veränderungen der (normalen od. experimentell veränderten) Funktionen des lebenden Organismus unter der Einwirkung von *Pharmaka u. *Giften: Die P. untersucht, wo, wie u. warum ein pharmakolog. Effekt zustande kommt. Erforscht werden die Wechselwirkungen eines Pharmakons mit seiner Zielstruktur (dem Rezeptor) sowie die Abhängigkeit der Wirkung von der Dosis u. von der chem. Struktur (*QSAR, quant. Struktur-Wirkungs-Analysen; s. a. Hansch-Analyse). Die P. ist ebenso wie die *Pharmakokinetik ein Teilgebiet der *Pharmakologie. – *E* pharmacodynamics – *F* pharmacodynamie – *I* farmacodinanica – *S* farmacodinámica

Pharmakogenetik. Von *Pharma... u. *Genetik abgeleitete Bez. für ein Arbeitsgebiet, das zunächst den Einfluß genet. determinierter Enzymmuster auf die Arzneimittelwirkung, dann aber auch die mutagenen u./od. teratogenen Effekte von Pharmaka untersucht. – *E* pharmacogenetics – *F* pharmacogénétique – *I* farmacogenetica – *S* farmacogenética

Lit.: Dtsch. Apoth. Ztg. **128**, 1465–1473 (1988) ▪ Szórády, Klinische Pharmakogenetik, München: Reinhardt 1991.

Pharmakognosie. Von *Pharma... u. griech.: gnosis = Kenntnis abgeleitete Bez. für die heute bevorzugt *Pharmazeutische Biologie genannte wissenschaftliche Disziplin. – *E* pharmacognosy – *F* pharmacognosie – *I*=*S* farmacognosia

Pharmakokinetik. Von Pharmakon u. *Kinetik abgeleitete Bez. für ein Teilgebiet der *Pharmakologie, das sich mit dem Verhalten von *Arzneimitteln u. Giften im Organismus befaßt. Dabei trennt man heute oftmals diejenigen Prozesse als der *Biopharmazie zugehörig ab, die sich mit den Voraussetzungen für die Resorption der Pharmaka im Organismus [biolog. od. Bioverfügbarkeit; *E* bio(logical) availability] befassen u. direkt durch die *Arzneiform beeinflußt werden. Die P. befaßt sich mit der Resorption, Verteilung, Speicherung, Biotransformation u. Ausscheidung von Pharmaka. Diese Prozesse werden durch endogene u. exogene Faktoren beeinflußt: Zu den ersteren zählen das Alter, genet. (vgl. Pharmakogenetik) sowie hormonelle Faktoren, Stoffwechsellage od. Erkrankungen. Zu den letzteren zählen die Nahrungszusammensetzung, Alkohol- u. Drogenkonsum, Einfluß durch Umweltfaktoren (z. B. Pestizide, Streß) od. durch andere Arzneimittel (Wechselwirkungen). Die Untersuchung der P. bedient sich physikal., chem. u. biolog. Meth., benutzt Modellversuche od. mathemat. Modelle u. mündet in die Beobachtung der *Pharmakodynamik der Wirkstoffe. – *E* pharmacokinetics – *F* pharmacocinétique – *I* farmacocinetica – *S* farmacocinética

Lit.: ADKA-Ausschuß, Klin. Pharmakokinetik, Stuttgart: Dtsch. Apotheker-Verl. 1992 ▪ Derendorff u. Garrett, Pharmakokinetik, Stuttgart: Wissenschaftliche Verlagsges. 1987 ▪ Glaser, Pharmakokinetik, Frankfurt: pmi Verlagsgruppe 1985 ▪ s. a. Pharmakologie u. Arzneimittel.

Pharmakologie (von *Pharma...). Von *Boyle eingeführte Bez. für die Lehre von der Wirkung der chem. Stoffe auf Organismen, gleichgültig, ob diese förderlich od. schädlich ist. Heute ist die P. die Lehre von der Arzneimittelwirkung. Somit ist P. Oberbegriff für *Pharmakodynamik, *Pharmakogenetik, *Pharmakokinetik, *Biopharmazie u. sogar oft auch für die *Toxikologie. Dabei hat sich die *allg. P.* von der summar. Beschreibung der Pharmakonwirkung zur Aufklärung der Wirkungsmechanismen an bestimmten Wirkorten u. *Rezeptoren nach Gesichtspunkten der *Molekularbiologie entwickelt.

Die *spezielle P.* erprobt die Wirkung neuer Substanzen mittels Reihenuntersuchungen (*Screening-Test*) an isolierten Rezeptoren, Zellkulturen, isolierten Orga-

nen u. Versuchstieren. Weiterhin wird geprüft, wie, wann u. an welchen Organen das Pharmakon wirkt, man untersucht seine Haupt- u. Nebenwirkungen, ob u. wie es im Organismus chem. verändert (**Biotransformation*) u. ausgeschieden wird, welche Dosen zum Hervorrufen der Wirkung notwendig sind, ob u. welche Metaboliten in gleicher od. anderer Richtung pharmakodynam. wirksam sind u. welche Applikationsform die zweckmäßigste ist. Zu den notwendigen *toxikolog. Untersuchungen* zählen u. a. die Prüfung auf teratogene, carcinogene u. mutagene Wirkung.
Aufgabe der *klin. P.* ist es, neue od. bereits in der Anw. befindliche Arzneimittel am Menschen zu untersuchen, z. B. als Bestandteil des Zulassungsverf. für neue *Arzneimittel (s. a. Pharmazeutische Industrie). Dabei werden die therapeut. Wirksamkeit, Verträglichkeit, Dosierung, Therapiedauer sowie Arzneimittelwechselwirkung bestimmt. Auch ob *Gewöhnung* (*Arzneimittelsucht u. *Tachyphylaxie) od. *Kumulation* auftritt u. welche Umstände ggf. einer Anw. im Wege stehen können (z. B. Schwangerschaft, Stillzeit od. gewisse Krankheiten), muß geprüft u. als evtl. *Kontraindikation* (Gegenanzeige) offengelegt werden.
Aus den verschiedenen pharmakolog. Untersuchungen resultiert als wichtiges Teilgebiet der P. die *Pharmakotherapie* als Lehre von der medikamentösen *Therapie von Krankheiten. Seltener gebrauchte Begriffszusammensetzungen sind: *Chrono-P.*, die Abhängigkeit der Pharmakon-Wirkung vom Zeitpunkt der Anw.; *Ethno-P.* (von griech.: ethnos = Volk), als von Volks- u. Rassengebräuchen geprägte, z. B. von Medizinmännern praktizierte P.; *Etho-P.* (von griech.: ethos = Gewohnheit), als P. zur Beeinflussung tier. Verhaltens; *Psycho-P.*, als P. mit *Psychopharmaka; *Quanten-P.*, die Anw. von Prinzipien der *MO-Theorie auf die quant. Struktur/Wirkungs-Beziehung (*QSAR, s. a. Hansch-Analyse). – ***E*** pharmacology – ***F*** pharmacologie – ***I*** farmacologia – ***S*** farmacología

Lit.: Ammon, Arzneimittelneben- u.- wechselwirkungen, Stuttgart: Wissenschaftliche Verlagsges. 1991 ▪ Forth et al. (7.) ▪ Goodman u. Gillman, The Pharmacological Basis of Therapeutics, New York: McGraw-Hill 1996 ▪ Kuschinsky, Lüllmann u. Mohr, Kurzes Lehrbuch der Pharmakologie u. Toxikologie (13.), Stuttgart: Thieme 1993 ▪ Mutschler (7.). – *Zeitschriften* u. *Serien:* Advances in Pharmacology and Chemotherapy, New York: Academic Press (seit 1964) ▪ Annual Reviews of Pharmacology and Toxicology, Palo Alto: Ann. Rev. Inc. (seit 1961) ▪ Arzneimitteltherapie, Stuttgart: Wissenschaftliche Verlagsges. (seit 1983) ▪ Arzneistoff-Profile, Frankfurt: Govi (seit 1982, Loseblattsammlung) ▪ British Journal of Pharmacology, London: Macmillan (seit 1957) ▪ Chemistry and Pharmacology of Drugs, New York: Wiley (seit 1982) ▪ European Journal of Pharmacology, Amsterdam: Elsevier (seit 1969) ▪ Excerpta Medica, Section 30 u. 37, Amsterdam: Elsevier (seit 1948) ▪ Handbook of Experimental Pharmacology, Berlin: Springer (1920–1935, 1950 ff.) ▪ Journal of Pharmacology, Baltimore: Williams & Wilkins (seit 1909) ▪ Modern Pharmacology – Toxicology Series, New York: Dekker (seit 1973) ▪ Molecular Pharmacology, Baltimore: Williams & Wilkins (seit 1965) ▪ Naunyn-Schmiedeberg's Archives of Pharmacology, Berlin: Springer (seit 1898) ▪ Pharmacological Reviews, Baltimore: Williams & Wilkins (seit 1951) ▪ Progress in Clinical Pharmacy, Amsterdam: Elsevier (seit 1979) ▪ Reviews in Pure and Applied Pharmacological Sciences, London: Freund & Wiley (seit 1980) ▪ Topics in Molecular Pharmacology, Amsterdam: Elsevier (seit 1981). – *Referatorgane, Dokumentation* u. *Datenbanken:* ABDA-Datenbank, Eschborn ▪ *DIMDI ▪ Hoechst Arzneimittelinformationsbank, Frankfurt: Hoechst AG ▪ Inpharma, New York: Adis Press ▪ International Pharmaceutical Abstracts, Washington: Am. Soc. of Hospital Pharmacists (seit 1964). – *Inst.* u. *Organisationen:* Dtsch. Pharmakolog. Ges. ▪ *IUPhar ▪ Pharma-Dokumentationsring (PDR) ▪ Pharma-Dokumentations-Service (pds).

Pharmakon s. Pharmaka.

Pharmakophagie. Unter P. versteht man bei Insekten das gezielte Suchen nach u. die Aufnahme von bestimmten pflanzlichen Substanzen, die nicht der Ernährung dienen, sondern für andere, spezif. Zwecke verwendet werden. Diese ungewöhnliche Form einer Stoff-Aufnahme wurde bisher bei Schmetterlingen (v. a. bei Monarch-Faltern, Familie Danaidae, der Tropen u. Subtropen), Käfern (v. a. bei Blattkäfern, Familie Chrysomelidae, z. B. Gattung *Gabonia*), Heuschrecken (Unterordnung Caelifera, Feldheuschrecken, z. B. Gattung *Zonocerus*) u. Halmfliegen (Familie Chloropidae) beschrieben. Zur Paarung wird bei Monarch-Faltern obligator. ein ganzes Bukett an *Pheromonen eingesetzt. Sexualbiolog. bes. wichtige Bestandteile sind hierbei Dihydropyrrolizine (Danaidon, Danaidal u. Hydroxydanaidal). Sie werden vom Falter aus für Wirbeltiere hochgiftigen Pyrrolizidin-Alkaloiden synthetisiert, die aktiv mit dem Saugrüssel aus welkenden od. trockenen, an diesen Stoffen reichen Pflanzen (Boraginaceen, Asteraceen, Fabaceen) aufgenommen u. auch als Giftstoffe zum Schutz der Falter gespeichert werden. P. ist bei Insekten vermutlich weit verbreitet. Nicht unter den Begriff der P. fällt die Speicherung bzw. Nutzung pflanzlicher, für andere Tiere meist giftiger Substanzen, wenn die Aufnahme passiv, d. h. „unbeabsichtigt", mit der Nahrung erfolgt, u. zwar auch dann, wenn die gespeicherten Giftstoffe vor dem Gefressenwerden schützen od./u. zur Biosynth. von Pheromonen erforderlich sind (z. B. in der Schmetterlings-Familie Bärenspinner, Arctiidae, bei der Gattung *Uthetheisa*). – ***E*** pharmacophagy – ***I = S*** farmacofagia

Pharmakopöen. Von griech.: pharmakon = Gift, Arznei u. poiein = zubereiten abgeleitete Bez. für – früher auch Dispensatoria (von latein.: dispensare = verteilen) genannte – Vorschriftensammlungen zur Arzneibereitung u. -prüfung.
Mit der mittelalterlichen Entwicklung des *Apotheken-Wesens wandelte sich der Charakter der P. von privaten Notizen zu gesetzlich verbindlichen Vorschriften. Heute versteht man unter P. amtliche Arzneibücher, die in den meisten Kulturstaaten von den obersten Medizinalbehörden zum Gebrauch bei Herstellern u. in Apotheken herausgegeben werden. Diese P. sind Sammlungen von Arbeitsvorschriften, analyt. Meth. u. Verf. sowie von „Monographien", d. h. chem.-analyt. u. evtl. pharmakolog. Stoffbeschreibungen, die Qualität u. Eigenschaften von Arznei- u. Hilfsstoffen normieren. Die Namen der verschiedenen nat. P. werden od. wurden im allg. mit Phamacop(o)eia (Pharmacopoea), gefolgt von der latinisierten Landesbez. gebildet, z. B. Pharmacopeia Austriaca (heute ÖAB), Germanica (heute DAB), Helvetica usw. (abgekürzt Ph. Austr., Ph. Germ., Ph. Helv.). In der BRD sind das *Europäische Arzneibuch 1997 u. das *Deutsche Arznei-

buch 1997 in Kraft. In den USA gelten die 1833 erstmals erschienene United States Pharmacopeia (USP), die offiziell von einer nichtstaatlichen, unabhängigen Inst. erarbeitet wird, u. das National Formulary (NF), ein seit 1888 von der American Pharmaceutical Association herausgegebenes Compendium of Drug Standards. NF u. USP werden seit 1980 gemeinsam in einem Bd. publiziert. Zu diesen amtlichen P. treten in vielen Ländern halb- od. nichtamtliche Kommentare (*Beisp.*: DAB Kommentar), Erg. u. a. Veröffentlichungen von P.-Charakter, wie die engl. Extra-P. (Martindale), die Dispensing Information in den USA u. der *Deutsche Arzneimittel-Codex.
Bemühungen zur Vereinheitlichung der verschiedenen nat. P. sind schon über hundert Jahre alt. Nachdem die *WHO 1951 u. 1955 die ersten Bd. einer Pharmacopoea internationalis herausgebracht hatte (3. Ausgabe in 5 Bd. seit 1980), wurde 1964 die Konvention zur Ausarbeitung der Pharmacopoea Europaea (Ph. Eur. = *Europäisches Arzneibuch) unterzeichnet, der z. Z. die Staaten der *EG u. der *EFTA angehören. Im RGW-Raum gilt neben den nat. P. das Compendium Medicamentorum (CM), das seit 1970 in Lieferungen erscheint. – ***E*** pharmacop(o)eias – ***F*** pharmacopées – ***I*** farmacopee – ***S*** farmacopeas

Lit.: Dtsch. Apoth. Ztg. **132**, 409–414 (1992); **134**, 4703f. (1994); **137**, 3016–3026 (1997). – *Zeitschrift:* Pharmeuropa, Strasbourg: Council of Europe (seit 1989). – Weitere *Lit.* u. P. selbst werden publiziert beim Dtsch. Apotheker-Verl. (Stuttgart) bzw. Govi (Frankfurt), Maisonneuve (Paris), Her Majesty's Stationery Office (London), The Pharmaceutical Press (London) u. US Pharmacopeial Convention (Rockville).

Pharmakotherapie s. Pharmakologie.

Pharmasolve®. **N*-Methyl-2-pyrrolidon, pharmazeut. Qualität. Vollständig mit Wasser u. den meisten organ. Lsm. mischbares Lsm. für die pharmazeut. Wirkstoff- u. Produktherstellung. Nichtwäss. chem. Reaktionsmedium, leicht recyclebar, nicht korrosiv, nichtflüchtig, gute chem. Stabilität, niedrige Toxizität u. Feuergefährlichkeit; biolog. abbaubar. ***B.:*** ISP.

Pharmasorb®. Aktivierter *Attapulgit für kosmet. u. pharmazeut. Anw. (insbes. Diarrhoe). ***B.:*** Chemie-Mineralien AG & Co. KG, Engelhard.

Pharmazeutik s. Pharmazie.

Pharmazeutika. Aus dem Griech. abgeleitete (s. Pharma...) Sammelbez., die (in weiterem Sinne als die Bez. Pharmaka od. Chemotherapeutika) weitgehend bedeutungsgleich mit dem Begriff *Arzneimittel od. Medikament ist, u. Wirk- u. Heilstoffe sowie deren Träger in den verschiedenen Arzneiformen umfaßt. Die Herst. von P. erfolgt in Apotheken durch pharmazeut. Personal od. (heute vorwiegend) durch die *pharmazeutische Industrie, vgl. a. pharmazeutische Chemie u. Pharmazie. Man unterscheidet apothekenpflichtige von freiverkäuflichen P.[1], erstere sind weiter nach verschreibungspflichtig u. nicht verschreibungspflichtig untergliedert[2]. Die von Apotheken im sog. Handverkauf (ohne Rezept) vertriebenen Medikamente (OTC-Präp., von *E* *o*ver *t*he *c*ounter) dienen oft der Selbstmedikation[3,4]. Ihr Anteil ist in der BRD im Zuge der Kostendämpfungsmaßnahmen stark gestiegen. Welche P. von Apotheken frei abgegeben, welche der Rezeptpflicht od. gar der Betäubungsmittelverschreibungs-VO unterliegen, erfährt man aus der *Roten Liste, der *Liste Pharmaindex u. ähnlichen Verzeichnissen. Zu Herst.-, Verkaufs- u. Verbrauchsangaben bei P. s. Arzneimittel u. pharmazeutische Industrie. – ***E*** pharmaceuticals – ***F*** produits pharmaceutiques – ***I*** farmaci, prodotti farmaceutici – ***S*** productos farmacéuticos

Lit.: [1]Arzneimittelgesetz vom 1.1.1978, BGBl. I, S. 2445, §§ 43–46. [2]Arzneimittelgesetz vom 1.1.1978, BGBl. I, S. 2445, §§ 48, 49. [3]Hamacher u. Bornkessel, Selbstmedikation, Stuttgart: Dtsch. Apotheker-Verl. 1997. [4]Pharm. Ind. **50**, 39–44 (1988).
allg.: s. Arzneiformen, Arzneimittel u. Drogen.

Pharmazeutische Biologie. Zur *Pharmazie gehörende wissenschaftliche Disziplin, die sich forschend u. beschreibend mit biogenen *Arzneimitteln (*Drogen) beschäftigt. Das bis zur Approbationsordnung für Apotheker von 1971 als **Pharmakognosie* bezeichnete Fach behandelt die biolog. Gegebenheiten der Drogen-liefernden Organismen (Tiere, Pflanzen, Mikroorganismen), deren Herkunft u. Anbau bzw. Züchtung, sodann die Produktion, Gewinnung u. Charakterisierung von Drogen. Die Beschaffenheit (makro- u. mikroskop. Bau, chem. Zusammensetzung) der Drogen, ihre Anw. für medizin. u. diätet. Zwecke, ihre Giftigkeit sowie die Isolierung von Wirkstoffen sind weitere Schwerpunkte des Fachs, das sich der Chemie u. Biologie als Grundlagenwissenschaften bedient. – ***E*** pharmaceutical biology – ***F*** biologie pharmaceutique – ***I*** biologia farmaceutica – ***S*** biología farmacéutica

Lit.: List u. Schmidt, Technologie pflanzlicher Arzneizubereitungen, Stuttgart: Wissenschaftliche Verlagsges. 1984 ▪ Pharmazeutische Biologie (4 Bd.), Stuttgart: Fischer 1992–1997 ▪ Schneider, Arzneidrogen, Heidelberg: Spektrum 1990 ▪ Steinegger u. Hänsel, Lehrbuch der Pharmakognosie u. Phytopharmazie (4.), Berlin: Springer 1992 ▪ Wichtl (3.). – *Fachzeitschriften:* Fortschritte der Chemie organischer Naturstoffe, Wien: Springer (seit 1938) ▪ Journal of Natural Products (früher: Lloydia), Cincinatti: Am. Soc. of Pharmacognosy (seit 1938) ▪ Phytochemistry, Oxford: Pergamon Press (seit 1961) ▪ Planta Medica, Stuttgart: Thieme (seit 1953). – *Organisationen:* Dtsch. Pharmazeut. Ges., Fachgruppe Pharmazeut. Biologie ▪ Ges. für Arzneipflanzenforschung e. V. ▪ Phytochem. Soc. of Europe.

Pharmazeutische Chemie. Bez. für das Teilgebiet der *Pharmazie, das Zusammensetzung, chem. Verhalten, Analyse u. Synth. der **Arzneimittel*, deren Wirk- u. Hilfsstoffe (z. B. Salbengrundlagen), der arzneilich verwendeten Naturstoffe (*Drogen) u. der Diagnostika (Röntgenkontrastmittel, Radiopharmazeutika etc.) umfaßt. Die p. C. als Studiendisziplin (vgl. Apotheker) ist somit die Grundlage u. a. für *pharmazeutische Biologie, *Pharmakologie, *Toxikologie u. *Pharmazie. Andererseits fließt dieses Wissen in die Synth.-Planung ein. Im Rahmen der Arzneistoffindung beschäftigt sich die p. C. mit der Isolierung, Aufklärung, Synth. u. Modif. von Naturstoffen, mit der Synth. neuer u. der Variation bekannter Leitstrukturen sowie mit der Aufklärung von Wirkmechanismen, wobei die Beziehung zur chem. Struktur (insbes. zur Stereochemie) im Vordergrund steht. Das zunehmende Verständnis für (patho)physiolog. Prozesse auf chem. Ebene u. die Möglichkeit, chem. Strukturen u. Vorgänge mit Computern zu visualisieren, lassen in neuester Zeit eine ganz gezielte Arzneistoffsuche u. -abwandlung erreichbar scheinen (s. QSAR). Die p. C. bemüht sich daneben, das chem. Verhalten medizin. od. diätet. genutzter Stoffe hinsichtlich deren Reinigung, Identifizierung, Analyse u. Stabilität zu erarbeiten (vgl. Pharmakopöen). Die p. C. bedient sich v. a. der Organ. Chemie als Grundlage; denn der größere Teil der Arzneistoffe sind Kohlenstoff-Verbindungen. – ***E*** pharmaceutical chemistry – ***F*** chimie pharmaceutique, pharmacochimie – ***I*** chimica farmaceutica – ***S*** química farmacéutica

Lit.: Ariens, Drug Design (10 Bd.), New York: Academic Press 1971–1980 ▪ Auterhoff, Knabe u. Höltje, 13. Aufl., Lehrbuch der Pharmazeutischen Chemie, Stuttgart: Wissenschaftliche Verlagsges. 1994 ▪ Auterhoff u. Kovar, Identifizierung von Arzneistoffen (6.), Stuttgart: Wissenschaftliche Verlagsges. 1997 ▪ Bindra u. Lednicer, Chronicles of Drug Discovery (3 Bd.), New York: Wiley 1982, 1983, 1985 ▪ Dibbern, UV- u. IR-Spektren wichtiger pharmazeutischer Wirkstoffe (4 Bd.), Aulendorf: Editio Cantor 1978 ▪ Ebel, Handbuch der Arzneimittelanalytik, Weinheim: Verl. Chemie 1977 ▪ Ehrhart-Ruschig ▪ Florey ▪ Fricke u. Klaus, Neue Arzneimittel, Stuttgart: Wissenschaftliche Verlagsges. (jährlich) ▪ Hager ▪ Helwig u. Otto, Arzneimittel (2 Bd.), Stuttgart: Wissenschaftliche Verlagsges. 1997 ▪ *Index Nominum (Hrsg.: Société Suisse de Pharmacie), medpharm-European Scientific publishers 1990 ▪ Kleemann u. Engel, Pharmazeutische Wirkstoffe (3.), Stuttgart: Thieme 1998 ▪ Kleemann, Lindner u. Engel, Arzneimittel: Fortschritte 1972–1985, Weinheim: VCH Verlagsges. 1987 ▪ Merck-Index ▪ Modern Pharmaceuticals of Japan, Tokyo: Maruzen (jährlich) ▪ Negwer ▪ Roth et al., Pharmazeutische Chemie (3 Bd.), Stuttgart: Fischer 1989, 1996, 1997 ▪ Schneider, Geschichte der Pharmazeutischen Chemie, Weinheim: Verl. Chemie 1972 ▪ The Selection of Essential Drugs (Techn. Rep. Series 615, 641), Geneva: WHO 1977, 1979 ▪ Sunshine, CRC Handbook of Spectrophotometric Data of Drugs, Boca Raton: CRC Press 1981 ▪ Sunshine, CRC Handbook of Mass Spectra of Drugs, Boca Raton: CRC Press 1981. – *Zeitschriften:* Archiv der Pharmazie, Weinheim: Wiley-VCH (seit 1822) ▪ Journal of Medicinal Chemistry, Washington: Am. Chem. Soc. (seit 1958) ▪ Journal of Pharmaceutical Sciences, Washington: Am. Pharm. Assoc. (seit 1921) ▪ Progress in Drug Research, Basel: Birkhäuser (seit 1959). – *Dokumentation, Referatorgane* u. *Datenbanken* s. bei Pharmakologie. – *Organisation:* Dtsch. Pharmazeut. Ges., Köln.

Pharmazeutische Industrie (Pharma-Ind.). Bei den Medikamenten auf dem Arzneimittelmarkt der BRD u. a. Staaten handelt es sich heute überwiegend um zugelassene *Arzneimittel, die fast ausschließlich von Unternehmen der p. I. hergestellt werden. Die Entwicklung neuer *Pharmazeutika ist ein komplizierter u. langwieriger Prozeß, zumal der Erfolgsquotient bei der Entwicklung neuer Arzneistoffe gering ist: Durchschnittlich 1 von 6000 Prüfsubstanzen durchläuft erfolgreich alle Phasen des unten skizzierten Verf., u. im Erfolgsfall vergehen oft 10–12 a von der ersten Synth. bis zur Verkaufsfreigabe eines neuen Präparates. Nach einer Zusammenstellung des *Bundesverbandes der Pharmazeutischen Industrie (BPI) umfaßt die Entwicklung eines neuen Arzneimittels folgende wesentliche Schritte, die teilw. parallel ablaufen:

1. Konzeption, Lit.-Studium.
2. Synth. der neuen Substanz od. Isolierung als *Naturstoff aus pflanzlichen od. tier. Rohstoffen (*Drogen).
3. Chem., physikal.-chem., physikal., biolog. u. mikrobiolog. Prüfungen der Substanz.
4. Pharmakolog. Untersuchungen der Substanz, s. Pharmakologie, Pharmakodynamik u. Pharmakokinetik.
5. Toxikol. Prüfung auf akute, subakute u. chron. *Toxizität.
6. Herst. größerer Mengen der Substanz, Entwicklung u. Herst. geeigneter *Arzneiformen.
7. Orientierende klin. Prüfung.
8. Erweiterte klin. Prüfung, Erarbeitung wirtschaftlicher Herst.-Verf. für größere Substanzmengen.
9. Klin. Hauptprüfung.
10. Begutachtung der klin. Ergebnisse, Publikation der verschiedenen Entwicklungsarbeiten.
11. Anmeldung der Arzneispezialität zur Zulassung nach der Arzneimittelgesetzgebung unter Vorlage ausführlicher Prüfungsunterlagen.
12. Herst. des Wirkstoffs u. der Spezialität in der Großproduktion unter ständiger Kontrolle des Wirkstoffs, der Hilfsstoffe, der Verpackungsmittel, der Halbfertig- u. Fertigpräparate.
13. Inverkehrbringen des Arzneimittels unter Einsatz von Informations- u. Werbemaßnahmen.
14. Nachkontrolle der Lagerfähigkeit zurückgelassener Muster der einzelnen Fabrikationschargen über mehrere Jahre.
15. Laufender Erfahrungsaustausch mit dem Arzt, solange das Mittel im Handel ist.

Ähnliche Verf.-Schemata gelten für die p. I. anderer Länder. Im folgenden sollen die einzelnen Schritte kommentiert werden; weitergehende Informationen entnehme man der Fachzeitschrift „Pharmazeut. Industrie".

Zu 1.: Die pharmakotherapeut. Konzeption – d. h. die Auswahl von Stoffen, die in das Prüfverf. (*Screening) kommen sollen – ergibt sich vielfach aus multidisziplinären Beratungen der verschiedenen Fachwissenschaftler (Chemiker, Pharmakologen, Toxikologen, Pharmazeuten, Mediziner)[1], aber auch Erfahrung u. Intuition des einzelnen Forschers u. der nicht auszuschließende Zufall spielen eine Rolle; über spezif. Probleme der Pharmaforschung s. *Lit.*[2,3]. Heute werden zunehmend mathemat. Meth. u. Modelle, sog. *quant. Struktur-Wirkungs-Beziehungen* (*QSAR), zur Auswahl von zu synthetisierenden Verb. herangezogen. Von wesentlicher Bedeutung für die Arzneimittelforschung u. -entwicklung ist die Einbeziehung der bereits bekannten Forschungsergebnisse. Da die pharmakolog. u. *chemische Literatur als Ganzes heute kaum noch zu überschauen ist, muß sich die p. I. für ihre Lit.- u. Patentrecherchen geeigneter *Dokumentations-Syst. bedienen. 1996 gab es 1312 Patentanmeldungen beim Dtsch. Patentamt im Bereich Arzneimittel.

Zu 3.–5.: Hier handelt es sich – abgesehen von der Ermittlung der physikal. u. chem. Stoffdaten – um *Tests an Zellen, Geweben, isolierten Organen, Niederen u. notfalls auch Höheren Tieren, an denen die Einwirkung der Testsubstanz unter Gesichtspunkten der *Pharmakologie, *Toxikologie u. Pathologie untersucht wird, u. a. auch darauf, ob Eigenschaften im Sinne von *Carcinogenen, *Mutagenen, *Teratogenen etc. vorliegen.

Zu 6. u. 12.: Die Qualität eines Arzneimittels[4] wird bestimmt durch die Identität der Verb., durch die Reinheit (bei Parenteralia auch durch Sterilität u. Abwesenheit von *Pyrogenen), durch den Gehalt, die Haltbarkeit u. durch die Kinetik der Freisetzung des Wirkstoffs aus der Arzneiform (als sog. Bioverfügbarkeit, s. a. Pharmakokinetik).

Zu 7.–9.: Nach Hinterlegung der pharmakolog. u. toxikolog. Prüfdaten beim BGA darf mit der Humanpharmakologie, d. h. der *Prüfung* am Menschen begonnen werden[5]. In der Phase I (*Verträglichkeitsprü-*

fung) wird das Arzneimittel Gesunden, in Phase II einer kleinen Zahl, in Phase III einer ausreichend großen Zahl von Patienten verabreicht. Die Ergebnisse von Versuchen u. Blindversuchen werden nach den Regeln der *Statistik ausgewertet (*Biometrie*). Seltene *Arzneimittelnebenwirkungen (z. B. 1:100 000) sind in den Phasen I–III kaum zu erfassen. Sie werden erst nach der Zulassung bei der breiten Anw. in der sog. Phase IV erkannt.

Zu 11., 12. u. 14.: Die WHO hat bereits 1968 die sog. *Good Manufacturing Practices (GMP) als Herst.-Empfehlungen für die p. I. formuliert[6], die auch Bestandteil des dtsch. Arzneimittelgesetzes sind. Selbstverständlich befolgt die p. I. auch die Regeln der *Good Laboratory Practices, GLP, Good Clinical u. Good Storage Practices[7]. Außerdem wird die Qualität der Arzneimittelproduktion durch neutrale – meist staatliche – Organisationen sichergestellt. Erlaß von Prüfungsauflagen bei der Neueinführung einer Spezialität u./od. Kontrollen der laufenden Produktion nehmen in der BRD die Nachfolgeinst. vom ehem. *Bundesgesundheitsamt u./od. die Aufsichtsbehörden der Bundesländer wahr, in der Schweiz die Interkantonale Kontrollstelle für Heilmittel (IKS), in den USA die als bes. streng geltende Food and Drug Administration (*FDA), deren Vorschriften gewissermaßen einen internat. Standard setzen. Die gegenseitige Anerkennung der Prüfungen wurde internat. durch die Pharmazeut. Inspektionskonvention (PIC)[8] gewährleistet, deren Funktion mehr u. mehr durch die „International Conference on Harmonization of Technical Requirements for Registration of Pharmaceuticals for Human Use" (ICH) übernommen wird[9].

Zu 13. u. 15.: Die Einführung eines Medikaments wird begleitet von umfangreicher Werbung u. ausführlicher Information des Arztes, des *Apothekers u. der Öffentlichkeit[10]. Wird in der Öffentlichkeit einerseits oft ein Zuwenig an Information beklagt, so andererseits aber auch ein Zuviel an Werbung, insbes. angesichts *Arzneimittelsucht, vermeidbarer Ärztebelastung u. Kosteninflation. Reine Sachinformation bieten die vom BPI herausgegebene *Rote Liste sowie die Gebrauchsinformation für Fachkreise, beide für Ärzte u. Apotheker, u. die Packungsbeilage für den Patienten. Diese müssen Angaben enthalten über Zusammensetzung, Eigenschaften, Indikationen, Dosierung u. Anw., Nebenwirkungen, Begleiterscheinungen, Unverträglichkeiten u. Risiken, stoffspezif. Hinweise, Darreichungsformen u. Packungsgrößen, die *Packungen* auch Zulassungsnummer des Medikaments, Chargenbez., Verfallsdatum u. Verschreibungs- bzw. Apothekenpflicht. Ähnlichen Auflagen u. Informationsbedürfnissen kommt die p. I. auch bei Präp. für die *Organotherapie u. die *Phytotherapie nach sowie bei verwandten Produkten, deren Herst. ebenfalls in ihr Arbeitsgebiet gehört: *Beisp.:* *Desinfektionsmittel, *Mikrobizide u. veterinäre Präp., *Impfstoffe, *Blutersatzmittel u. dgl.

Trotz aller Prüfmaßnahmen gelangen Arzneimittel in nicht geringer Zahl in den Handel, die später wieder zurückgezogen werden. Dies geschieht jedoch vorwiegend, weil bessere Medikamente entwickelt wurden, od. weil die entsprechenden Pharmazeutika „nicht ansprechen", „unmodern" sind etc., gelegentlich aber auch, weil in der Praxis mehr od. weniger schwere Arzneimittelnebenwirkungen erkannt werden (*Beisp.:* *Thalidomid, *Clioquinol, *Aminophenazon, *Diphesatin). Die p. I. ist ein Teil der chem. Ind., u. häufig stellen die Unternehmen nicht nur Pharmaka, sondern auch andere Chemie-Produkte her – im internat. Vgl. der 15 umsatzstärksten Firmen der p. I. beträgt der Pharma-Anteil 5–100% der Gesamtproduktion. In der BRD gibt es ca. 1100 Arzneimittelhersteller, die 1996 eine Gesamtproduktion im Wert von 34,1 Mrd. DM abgaben (Herstellerabgabepreise). Sie haben sich in verschiedenen Vereinen zusammengeschlossen: Dem Bundesverband der P. I. (BPI; 300 überwiegend mittelständ. Unternehmen), dem Verband forschender Arzneimittelhersteller (VFA; 36 internat. tätige Unternehmen), dem Bundesfachverband der Arzneimittel-Hersteller (BAH; ca. 300 Hersteller nicht-verschreibungspflichtiger Arzneimittel) u. dem Verband aktiver Pharmaunternehmen (VAP; ca. 40 Generika-Hersteller); Doppelmitgliedschaften in den Verbänden sind üblich.

Exportiert wurden 1996 pharmazeut. Erzeugnisse im Wert von 17,5 Mrd. DM, importiert im Wert von 11,8 Mrd. DM. Die dtsch. Arzneimittelhersteller erzielten 37,5% ihres Umsatzes im Ausland. Im Inland hatten sie 1996 einen Anteil von 50,1% am Markt, der insgesamt 29,7 Mrd. DM umsetzte. Davon gingen 18,9 Mrd. DM zu Lasten der gesetzlichen Krankenversicherung; über Krankenhäuser 4,8 Mrd. DM; jeweils Herstellerabgabepreise. Die Erzeugerpreise stiegen 1996 um 1,7%; die Apothekenabgabepreise um 0,1%.

In der p. I. sind ca. 121 000 Beschäftigte (1996) tätig, das sind ca. 14000 weniger als 1992. Etwa 50% der Betriebe beschäftigen weniger als 100, ca. 13% mehr als 500 Mitarbeiter. Die Personalkosten hatten 1994 einen Anteil von etwa 28% am Bruttoproduktionswert. Heute veranschlagt man für die Entwicklung eines neuen Pharmakons 400–600 Mio. DM, wobei die Kosten fehlgeschlagener Projekte eingerechnet sind. Dementsprechend sank die Anzahl der jährlich neu in die Therapie eingeführten Pharmaka zwischen 1961 u. 1985 um etwa ein Drittel auf gegenwärtig ca. 40 Zulassungen neuer Stoffe weltweit; zur Situation der p. I. in der ehemaligen DDR s. *Lit.*[11] u. weltweit s. *Lit.*[12]. Kostendämpfungs-Erfolge erhofft man sich von den Transparenzkommissionen, vom Einsatz von Generics (s. Freinamen) u. sog. Parallelimporten aus EG-Ländern mit niedrigeren, weil z. T. staatlich reglementierten Arzneimittelpreisen sowie durch die Einführung von *Negativlisten für Medikamente, die nicht mehr durch die gesetzliche Krankenversicherung (GKV) erstattet werden. Auf eine Positivliste mit Arzneimittel, die ausschließlich zu Lasten der gesetzlichen Krankenversicherung verordnet werden dürfen, ist von seiten der Regierung verzichtet worden. Am 1. 1. 1989 trat das Gesundheits-Reformgesetz in Kraft (BGBl. I, S. 2477), das auf dem Arzneimittelsektor als weitere kostendämpfende Maßnahme Festbeträge (Höchstsätze für Arzneimittelpreise) einführte, zunächst für wirkstoffgleiche, später aber auch für wirkungsgleiche Präparate. Es wurde durch das Gesundheitsstrukturgesetz (GSG) vom 21. 12. 1992 (BGBl. I, S. 2266) fortgeführt, das im Arzneimittelbereich u. a. Preissenkungen u. Preisstopps verfügte. Das 1. u. 2. GKV-Neuordnungsgesetz vom 23. 6. 1997 (BGBl. I, S. 1518) brachten die dritte Stufe der Neuordnung im Gesundheitswesen. Sie verknüpften u. a. die Beitragsanhebungen der Krankenkassen mit der Zuzahlung der Patienten bei Arzneimitteln, führten arztindividuelle Arzneimittelbudgets ein, brachten erhöhte Zuzahlungen u. legten die Gestaltung des Gesundheitswesens stärker in die Hände der Selbstverwaltungsorgane. – ***E*** pharmaceutical industry – ***F*** industie pharmaceutique – ***I*** industria farmaceutica – ***S*** industria farmacéutica

Lit.: [1] Prog. Drug Res. **24**, 83–100 (1980). [2] Naturwissenschaften **71**, 468–472 (1984). [3] Prog. Drug Res. **32**, 329–375 (1988). [4] Pharm. Ind. **59**, 695 f. (1997); WHO, Quality Assurance of Pharmaceuticals, Albany: WHO 1997. [5] Pharm. Ind. **50**, 145 (1988). [6] Auterhoff, EG-Leitfaden einer Guten Herstellungspraxis für Arzneimittel, Aulendorf: Editio Cantor 1995. [7] Pharm. Ind. **50**, 908 (1988); Schlottmann u. Kayser, GLP – Gute Laborpraxis, Hamburg: Behrs Verl. 1997. [8] Pharm. Ind. **51**, 717 (1989). [9] Dtsch. Apoth. Ztg. **136**, 724 ff. (1996); Pharm. Ind. **59**, 102 f. (1997). [10] Pharma Kodex, Frankfurt: BPI 1985. [11] Pharm. Ind. **52**, 527 (1990). [12] Pharm. Ind. **50**, 277, 415, 1125 (1988).
allg.: Dtsch. Apoth. Ztg. **137**, 3979–3985 (1997) ▪ Die Pharmazeutische Industrie, Aulendorf: Editio Cantor (seit 1939) ▪ pharma daten, Frankfurt: BPI (jährlich). – *Organisation:* Bundesverband der Pharmazeut. Ind. (BPI), Frankfurt.

Pharmazeutische Technologie s. Arzneiformen.

Pharmazie (Pharmazeutik). Aus dem Griech. abgeleitete Bez. (s. Pharma...) für die Wissenschaft, die sich mit Beschaffenheit, Wirkung, Prüfung, Herst. u. Abgabe von *Arzneimitteln befaßt. Sie kann in die Hauptdisziplinen *pharmazeutische Chemie, *pharmazeutische Biologie, pharmazeut. Technologie (= galen. Pharmazie, vgl. Arzneiformen), *Pharmakologie u. Geschichte der Pharmazie eingeteilt werden. Die P. insgesamt bildet die wissenschaftliche Basis für die Arbeit des *Apothekers (=Pharmazeut), dessen Ausbildungsgang nach der Approbationsordnung vom 19. 7. 1989 (BGBl. I, S. 1489) die verschiedenen Grundlagen u. Aspekte der P. widerspiegelt; Näheres s. Apotheker.

Geschichte: Die Pharmazie als Wissenschaft u. der Beruf des Apothekers sind aus der Aufspaltung der Medizin in Spezialdisziplinen entstanden. Schon im antiken Griechenland gab es Pharmazeuten, die für Ärzte Heilmittel herstellten u. lagerten. Das Salernitan. Medizinaledikt (1231) Friedrichs II. trennte die Berufe des Arztes u. Apothekers. Bis zum 18. Jh. war P. ein Handwerk. 1725 wurde in Preußen eine Hochschulausbildung eingeführt u. 1902 in Berlin das erste pharmazeut. Hochschulinst. gegründet. Die Bedeutung der theoret. Ausbildung nahm (u. nimmt) immer mehr zu; z. B. war bis 1971 noch eine zweijährige Praktikantenzeit vor dem Studium Pflicht, die dann durch ein einjähriges Praktikum nach dem Studium ersetzt wurde.

Inhaltlich entstand die P. in Anlehnung nicht nur an die Medizin, sondern gleichermaßen an die Chemie (s. a. Geschichte der Chemie). Europ. u. arab. Alchemisten sammelten zahlreiche Beobachtungen auf den Gebieten der Naturstoffe u. Arzneimittel; *Paracelsus u. a. führten im 16. Jh. mineral. u. chem. Präp. im Rahmen der *Iatrochemie ein; u. im 18. u. 19. Jh. schließlich etablierte sich einerseits die P. mit dem Aufschwung der Chemie als Wissenschaft, andererseits leisteten aber auch viele Apotheker entscheidende Beiträge bes. zur Naturstoffchemie (u. a. *Marggraf, *Döbereiner, *Sertürner, C. W. *Scheele, *Mohr, Gadamer). Die Herst. von Arzneimitteln oblag in früheren Zeiten den Ärzten bzw. den Apothekern. Später kamen, insbes. für die Produktion größerer Mengen, die Klöster hinzu, u. seit dem 19. Jh. verlagerte sich die Herst. mit dem Vordringen synthet. Arzneistoffe, den gestiegenen Reinheitsanforderungen u. den benötigten großen Mengen hauptsächlich auf die *pharmazeutische Industrie. So gehen u. a. die Firmen *Merck, *Riedel u. *Schering auf Gründungen von Apothekern zurück.

Einige herausragende Ergebnisse der pharmazeut. Forschung der letzten Jahrzehnte waren:

Penicilline, Cephalosporine (Fleming 1929, Florey, Chain 1940, Abraham, Newton 1961); Neuroleptika vom Phenothiazin-Typ (Carpentier, Halpern 1952); hormonelle Kontrazeptiva (Pinkus 1953); Imipramin u. ähnliche tricycl. Antidepressiva (Kuhn 1958); Benzodiazepine (Sternbach 1960); β-Rezeptorenblocker (Firma ICI 1958); antimykot. Imidazol-Derivat (Firma Bayer u. Janssen 1969); Histamin-Antagonist Cimetidin (Black 1972); Calcium-Antagonisten vom Dihydropyridin-Typ (Vater et al., 1972); Anthelmintikum Praziquantel (Firma Bayer u. Merck 1976); Captopril, ein spezif. Protease-Inhibitor (Cushman et al., 1977); Protonenpumpenblocker Omeprazol (Firma AB Hässle 1979); Hepatitis-B-Impfstoff (Behringwerke 1982), Virustatikum Aciclovir (Firma Wellcome 1983); Angiotensin-II-Rezeptor-Antagonisten Losartan (Firma Du-Pont 1988).

– ***E*** pharmacy – ***F*** pharmacie – ***I*** = ***S*** farmacia

Lit.: [1] Pharm. Ind. **42**, 220 ff. (1980).
allg.: Banker u. Rhodes, Modern Pharmaceutics, New York: Dekker 1979 ▪ Ebel u. Roth, Lexikon der Pharmazie, Stuttgart: Thieme 1987 ▪ Gaude, Die alte Apotheke, Stuttgart: Dtsch. Apotheker-Verl. 1986 ▪ Hunnius, Pharmazeutisches Wörterbuch, 8. Aufl., Berlin: de Gruyter 1997 ▪ Kranz, Vademecum für Pharmazeuten, 16. Aufl., Aulendorf: Editio Cantor 1995 ▪ Kremers u. Urdang, History of Pharmacy, Philadelphia: Lippincott 1951 ▪ Schmitz, Mörser, Kolben u. Phiolen, Stuttgart: Franckh 1966 ▪ Schneider, Lexikon zur Arzneimittelgeschichte (7 Bd.), Frankfurt: Govi 1968–1975 ▪ Wörterbuch der Pharmazie (4 Bd.), Stuttgart: Wissenschaftliche Verlagsges. (seit 1981). – *Zeitschriften u. Serien:* Archiv der Pharmazie, Weinheim: Wiley-VCH (seit 1822) ▪ Dtsch. Apotheker Zeitung, Stuttgart: Dtsch. Apotheker-Verl. (seit 1861) ▪ Die Pharmazie, Berlin: Verl. Volk u. Gesundheit (seit 1946) ▪ Journal of Pharmaceutical Science, Washington: Am. Pharm. Assoc. (seit 1912) ▪ Pharmaceutical Research, New York: Plenum Press (seit 1984) ▪ Pharmazeutische Zeitung, Frankfurt: Govi (seit 1856) ▪ Pharmazie in Unserer Zeit, Weinheim: Wiley-VCH (seit 1972). – *Organisationen:* Pharmazeut. Ges., berufsständ. Vereinigungen u. Ges. zur Pflege der Geschichte der P. finden sich in fast allen Ländern u. können hier nicht einzeln aufgezählt werden. Erwähnt seien lediglich die Dtsch. Pharmazeut. Ges. (Berlin) u. die Internat. Ges. für Geschichte der Pharmazie (Stuttgart). – *Museen:* im Heidelberger Schloß ▪ CH-4000 Basel, Totengäßlein.

Pharmindex s. Liste Pharmaindex.

Pharming. Nutzung der Milchdrüsen von Säugetieren (s. transgene Organismen) zur Produktion pharmazeut. wirksamer Proteine. Dazu wird das klonierte Gen des gewünschten Proteins in den Zellkern einer befruchteten Eizelle eingeführt (s. Mikroinjektion). Die Eier werden einem empfängnisbereiten Weibchen implantiert. Wenn das klonierte Gen in die Keimbanhnzellen integriert wurde, zieht man neue genet. Linien auf. Eine derartige Nutzung der Milchdrüsen hat vielfältige Vorteile: Milch wird ständig in größerer Menge produziert u. kann ohne Schaden für das Tier in kurzen Zeitabständen gewonnen werden. Da das gewünschte Protein nur in den Milchdrüsen produziert wird, werden voraussichtlich die normalen physiolog. Abläufe im Körper des transgenen Tiers nicht beeinflußt. Die posttranslationalen Modifizierungen des Proteins dürften denen beim Menschen sehr ähnlich sein. Außerdem sollte die Aufreinigung des therapeut. nutzbaren Proteins verhältnismäßig einfach sein, da Milch nur eine geringe Anzahl verschiedener Proteine enthält. – ***E*** = ***F*** = ***I*** pharming – ***S*** farming

Lit.: Biotechnology N. Y., **9**, 844–847 (1991) ▪ Glick u. Pasternak, Molekulare Biotechnologie, S. 387ff., Heidelberg: Spektrum 1995 ▪ J. Biol. Chem. **272**, 8802–8807 (1997).

PHAS. Kurzz. für *Poly(α-hydroxyacrylsäure)n.

Phasen. Von griech.: phasis = Erscheinung abgeleiteter Begriff, der im allg. Sinne für Entwicklungs- u./od. Zeitabschnitte verwendet wird: Mond-P., Wachstums-P., Zellteilungs-P. (s. Mitose). In der Technik, insbes. in der Schwingungs- u. Wellenlehre steht der Begriff P. für den *Zustand eines schwingenden Syst. zu jedem Zeitpunkt, so auch in der (nichtlinearen) *Optik u. Optoelektronik (P.-Konjugation), in der Elektrotechnik (Null-P., P.-Verschiebung) u. der statist. Mechanik (P.-Raum). Bei *thermodynamischen Syst. sind P. homogene (d.h. in allen ihren Teilen physikal. gleichartige), durch scharfe **Grenzflächen* u. daran anschließende *Zwischen-P.* (*E* interphases, s. *Lit.*[1]) gegeneinander abgegrenzte, opt. einheitliche u. teilw. mechan. voneinander trennbare Zustandsformen der Stoffe. *Beisp.* (s.a. Gibbssche Phasenregel): Flüssiges Wasser, Wasserdampf u. Eis sind 3 P. des Wassers; rhomb., monokliner, flüssiger u. dampfförmiger Schwefel sind 4 verschiedene P. des Syst. Schwefel; feine Öltröpfchen in Wasser bilden ein zweiphasiges „mikroheterogenes" Syst., u. das Öl wird hier als die disperse P. der *Emulsion bezeichnet. Ein gasf. Syst. kann nie mehr als eine einzige Gas-P. aufweisen, da sich Gase beliebig miteinander vermischen. Daher sind gasf. Syst. immer homogen. Bei einem flüssigen Syst. (d.h. einer abgeschlossenen Gesamtheit flüssiger Stoffe) können mehrere verschiedene P. auftreten, falls die beteiligten Flüssigkeiten nicht od. nur begrenzt miteinander mischbar sind. Festkörper (z.B. Bodenkörper von *Lösungen, die Mineralien u. *Legierungen) können in so vielen P. auftreten wie verschiedene Kristallformen vorkommen; die Zahl der festen P. eines Syst. ist also prakt. unbegrenzt. Bei Leg. (z.B. gewöhnlichem *Stahl) ist oft eine härtere P. (z.B. Zementit) in einer weicheren P. (z.B. Ferrit) in Körner- od. Lamellenform dispergiert. Bei *intermetallischen Verbindungen sind bekannte P. die *Hume-Rothery-, *Laves- u. *Zintl- sowie die NiAs-P., aber auch viele *Cluster-Verbindungen können hierzu gezählt werden (*Lit.*[2]). Zur *P.-Analyse* können die verschiedenen Meth. der analyt. *Oberflächenchemie u. die zeit- u. temperaturabhängige Pulverdiffraktometrie (s. Kristallstrukturanalyse) herangezogen werden. Unter *verdeckten P.* versteht man die (seltenen) Fälle, in denen Festkörperteilchen von einer Schicht fremder Struktur so umhüllt sind, daß man röntgenograph. nur die letzteren erfaßt, sofern die Krist. nicht vorher zertrümmert wurden.

Die stabile Koexistenz von zwei od. mehr diskreten P. (*Aggregatzuständen u. *Modifikationen) innerhalb des gleichen physikal. definierten Syst. wird als *P.-Gleichgew.* bezeichnet. Dieses *heterogene Gleichgew. stellt sich nur unter ganz bestimmten Temp.- u. Druckbedingungen ein, wobei die Existenzfähigkeit einer P. im Gleichgew. mit den anderen durch das Phasengesetz von Gibbs (*Gibbssche Phasenregel) bestimmt ist. Einfache P.-Gleichgew. lassen sich nach der *Clausius-Clapeyronschen Gleichung berechnen, für kompliziertere gibt es Näherungsrechnungen nach einem Verf. von K. G. Wilson. Die Existenzbereiche von P. werden schemat. dargestellt durch mehr od. weniger übersichtliche sog. *P.-Diagramme,* in denen z.B. der Abszisse die Zusammensetzung eines Gemisches, der Ordinate die Temp. zugeordnet ist (*Zustandsdiagramme).

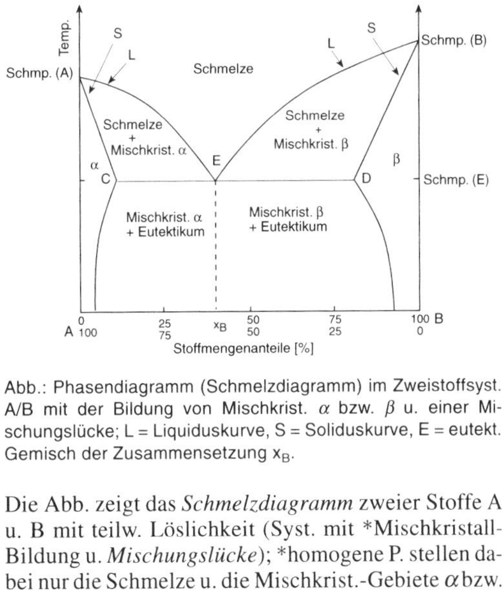

Abb.: Phasendiagramm (Schmelzdiagramm) im Zweistoffsyst. A/B mit der Bildung von Mischkrist. α bzw. β u. einer Mischungslücke; L = Liquiduskurve, S = Soliduskurve, E = eutekt. Gemisch der Zusammensetzung x_B.

Die Abb. zeigt das *Schmelzdiagramm* zweier Stoffe A u. B mit teilw. Löslichkeit (Syst. mit *Mischkristall-Bildung u. *Mischungslücke*); *homogene P. stellen dabei nur die Schmelze u. die Mischkrist.-Gebiete α bzw. β dar. Abweichendes Verhalten zeigen Syst. mit *Peritektika; Schmelzdiagramme ohne Mischungslücken s. Abb. bei Eutektikum. Bei *P.-Umwandlungen* wie den Übergängen Dampf/Flüssigkeit (*Kondensation), bei der *Kristallisation, beim Übergang verschiedener Kristallformen ineinander, z.B. in binären, ternären u.a. Syst., treten oft *metastabile Zustände auf (*Lit.*[3]). Eigene P.-Gesetzmäßigkeiten weisen die *flüssigen Kristalle (*Mesophasen*) auf.

Die aus der Thermoanalyse der P.-Umwandlungen gewonnenen Erkenntnisse führten zur Unterscheidung der *Umwandlungen in solche 1. u. 2. Art. Die oben genannten Beisp. sind alle Umwandlungen 1. Art, für die das Auftreten von *Vol.-Änderungen* (Vol.-Kontraktion od. -Dilatation) u. **Umwandlungswärmen* an den jeweiligen *Umwandlungspunkten obligat ist, während Änderungen der Magnetisierung, Auftreten von *Supraleitungs- u. *Suprafüssigkeits-Phänomenen etc. an entsprechenden Umwandlungspunkten für Umwandlungen 2. Art charakterist. sind. Von *P.-Umkehr* spricht man, wenn eine Emulsion unter mechan., therm. od. chem. Einwirkung ihren Typ ändert, also z. B. von W/O (Wasser in Öl) in O/W (Öl in Wasser) übergeht; *Beisp.:* Übergang von Sahne (O/W) in Butter (W/O). Die krit. Temp. der P.-Umkehr nennt man *P.-Inversionstemp.* (PIT) od. *HLB-Temp.*, weil hier das *HLB-System im Gleichgew. ist. In der Chromatographie versteht man unter P.-Umkehr das Ändern des hydrophilen Charakters einer stationären P. durch Imprägnierung mit einem hydrophoben Mittel, z. B. mit Kohlenwasserstoffen od. Siliconen; *Beisp.:* *Ionenpaar-Chromatographie (*Lit.*[4]). Die Kenntnis von den Eigenschaften u. Gesetzmäßigkeiten in P.-Syst. ist die Voraussetzung für zahllose techn. Prozesse – wie z. B. die verschiedenen *Reinigungs- od. *Trennverfahren (Dest., Subl., Krist., Extraktion) –, für die Entwicklung neuer Werkstoffe, für Reaktionen an P.-Grenzflächen (heterogene *Katalyse, *Korrosion) u. vieles mehr. Auf die erwähnten Eigenschaften von P. greifen natürlich auch Begriffe wie *Festphasen-Technik u. *Phasentransfer-Katalyse zurück. – ***E*** = ***F*** phases – ***I*** fasi – ***S*** fases

Lit.: [1] Pure Appl. Chem. **55**, 1251 (1983). [2] Angew. Chem. **93**, 44 (1981). [3] Pure Appl. Chem. **56**, 1697 (1984). [4] Top. Curr. Chem. **126**, 51 (1984).

allg.: Alper, Mass Transfer with Chemical Reaction in Multiphase Systems, Den Haag: Nijhoff 1983 ▪ Bergeron u. Risbud, Introduction to Phase Equilibria in Ceramics, Columbus (Ohio): Am. Ceramic Soc. 1984 ▪ Bruce u. Cowley, Structural Phase Transitions, London: Taylor & Francis 1981 ▪ Chem. Ztg. **106**, 213 (1982) ▪ Dahmen, Phase Transformations, Crystallographic Aspects, Encyclopedia of Physical Science and Technology, Vol. 12, S. 453, New York: Academic Press 1992 ▪ Franzen, Second Order Phase Transitions and the Irreducible Representation of Space Groups, Berlin: Springer 1982 ▪ Gebhardt u. Krey, Phasenübergänge u. kritische Phänomene, Braunschweig: Vieweg 1980 ▪ Hartmann u. Schirmer, Modellierung von Phasengleichgewichten als Grundlage von Stofftrennprozessen, Berlin: Akademie-Verl. 1981 ▪ Herrmann, Berechnung kritischer Zustände von Mehrstoffsystemen mit thermischen Zustandsgleichungen, Düsseldorf: VDI 1983 ▪ Hetsroni, Handbook of Multiphase Systems, Washington: Hemisphere Publ. 1982 ▪ Hewitt et al., Multiphase Science and Technology, Bd. 1, Washington: Hemisphere Publ. 1982 ▪ Kahlweit, Grenzflächenerscheinungen, Darmstadt: Steinkopff 1981 ▪ *Landolt-Börnstein ▪ Lerner u. Trigg (Hrsg.), Encyclopedia of Physics, S. 897, Weinheim: VCH Verlagsges. 1991 ▪ Lévy et al., Phase Transitions, New York: Plenum 1982 ▪ Mutaftschiev, Interfacial Aspects of Phase Transformations, Dordrecht: Reidel 1982 ▪ Oonk, Phase Theory, Amsterdam: Elsevier 1981 ▪ Paufler, Phasendiagramme, Braunschweig: Vieweg 1981 ▪ Phase Diagrams for Ceramists (5 Bd. u. Index), Columbus (Ohio): Am. Ceramic Soc. 1964 – 1984 ▪ Phys. Bl. **50** (Nr. 11), 1052 (1994) ▪ Sinai, Theory of Phase Transitions, Oxford: Pergamon 1983 ▪ Tsakalakos, Phase Transformation in Solids, Amsterdam: North-Holland 1984 ▪ Ullmann (4.) **1**, 33 ▪ Walas, Phase Equilibria in Chemical Engineering, London: Butterworth 1984 ▪ Walton, Three Phases of Matter, Oxford: University Press 1982 ▪ Winnacker-Küchler (3.) **7**, 155 – 168. – *Zeitschriften u. Serien:* Calphad, Computer Coupling of Phase Diagrams and Thermochemistry, Oxford: Pergamon (seit 1977) ▪ Phase Transition Phenomena, Amsterdam: Elsevier (seit 1978) ▪ Phase Transitions and Critical Phenomena, London: Academic Press (seit 1972) ▪ Phase Transitions, London: Gordon & Breach (seit 1979).

Phasengesetz s. Gibbssche Phasenregel.

Phasengrenzflächen s. Grenzflächen.

Phasenkontrast-Mikroskop s. Mikroskopie.

Phasenproblem s. Kristallstrukturanalyse.

Phasenraum. Für ein Syst. von N Teilchen ist der P. ein 6 N-dimensionaler Raum, der von den 3 N Orts- u. den 3 N Impulskoordinaten aufgespannt wird. Zu einer gegebenen Zeit wird der Zustand eines Syst. aus N klass. Teilchen durch einen Punkt im P. beschrieben, der als Phasenbildpunkt bezeichnet wird; die zeitliche Entwicklung des Syst. wird durch eine P.-Trajektorie beschrieben.
Bei mikroskop. Teilchen, die den Gesetzen der *Quantentheorie gehorchen, sind Ort u. Impuls nicht gleichzeitig scharf meßbar. Anstelle eines Punktes im P. tritt nunmehr die *P.-Zelle* mit dem Vol. h^{6N}, wobei h das *Plancksche Wirkungsquantum ist. – ***E*** phase space – ***F*** espace de phase – ***I*** spazio delle fasi – ***S*** espacio de fase

Phasenregel s. Gibbssche Phasenregel.

Phasentransfer-Katalyse (Abk. PTC, von *E* phase-transfer-catalysis). Bez. für eine in der organ. Synth. wichtige Meth., bei der in der Regel ein anion. Reagenz aus der wäss. od. festen Phase in eine organ. Phase überführt wird. Das transferierte Reagenz besitzt dann, aufgrund der geringeren Hydratisierung, der erhöhten Konz. u. der größeren Nähe zum Reaktanten eine deutlich erhöhte Reaktivität für die beabsichtigte Umsetzung. Die Tab. gibt einen Überblick über gängige Reagenzien, die transferiert werden können. Die Vorteile der P.-K. sind v. a. höhere Ausbeuten, mildere Reaktionsbedingungen, geringere Verunreinigungen u. leichtere Aufarbeitung des Reaktionsgemisches.

Tab.: Reagenzien in der Phasentransfer-Katalyse.

Reagenz	Beisp.
Basen	OH^-, HCO_3^-
Nucleophile	F^-, Cl^-, Br^-, I^-, CN^-, RO^-, RCO_2^-, NO_2^-
Oxid.-Mittel	MnO_4^-, $Cr_2O_7^{2-}$
Red.-Mittel	BH_4^-, HCO_2^-

Die größte Anw. findet wäss. Natriumhydroxid, das unter Phasentransfer-Bedingungen Alkoholate, Amide u. Hydride ersetzen kann. *Nucleophile Substitutionen, *Dehydrohalogenierungen, Oxid. u. Red. u. viele andere, auch für die Herst. von Polymeren wichtige Reaktionen sind der P.-K. zugänglich. Der Mechanismus der nucleophilen Substitution mittels P.-K. läßt sich am Beisp. der häufig verwendeten *quartären Ammonium-Kationen plausibel machen (s. Abb.).

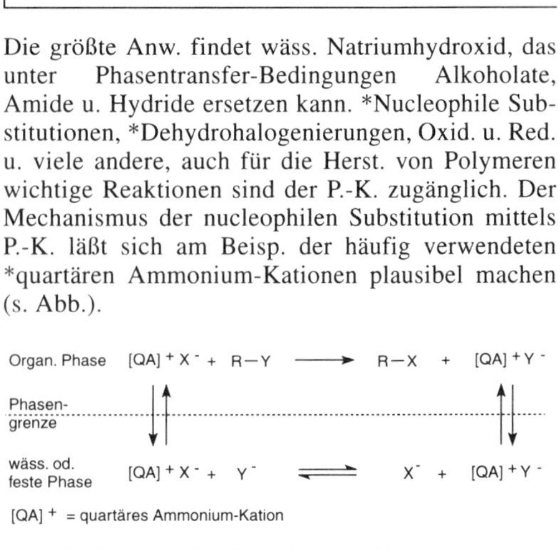

Abb.: Mechanismus der Phasentransfer-Katalyse.

Das Ammonium-Kation bildet mit dem Reagenz X^- ein Ionenpaar, für das sich ein Konz.-Gleichgew. zwischen den beiden Phasen einstellt. X^- reagiert dann schnell in der organ. Phase mit dem Reaktanten RY unter Bildung des Produktes RX u. einem neuen Ionenpaar von Y^- mit dem Ammonium-Kation. Auch für dieses stellt sich ein Konz.-Gleichgew. zwischen den beiden Phasen ein, wobei der Katalysator in der wäss. od. festen Phase das abgespaltene Y^- gegen ein neues Reagenz X^- austauscht u. damit der Katalysecyclus von neuem beginnen kann. Neben *Tetraalkylammonium-Verbindungen (s. a. Tetrabutylammonium-Salze u. Benzyltrimethylammonium-Salze) kommen als Phasentransfer-Katalysatoren weiterhin in Frage: *Phosphonium-Salze (v. a. Tetrabutylphosphonium-Salze), *Onium-Verbindungen, *Kronenether (v. a. 18-*Krone-6) u. *Polyethylenglykole.
Neuere Entwicklungen gehen auf die Verw. von chiralen Phasentransfer-Katalysatoren hinaus, z. B. von quartären Cinchona-Alkaloiden (s. China-Alkaloide), die mit Erfolg in der enantioselektiven Synth. eingesetzt werden können[1]. Eine andere Entwicklung hat die Anw. der P.-K. bei hohen Temp. zum Ziel[2] od. die Verw. von polymergebundenen Katalysatoren[3], die bes. leicht vom gewünschten Produkt entfernt werden können. – ***E*** phase-transfer catalysis – ***F*** catalyse par transfert de phase – ***I*** catalisi tramite il trasferimento i fase – ***S*** catálisis por transferencia de fase

Lit.: [1] J. Org. Chem. **52**, 4745 (1987). [2] Tetrahedron Lett. **25**, 3382 (1984). [3] Mathias u. Carreher, Crown Ethers and Phase-Transfer-Catalyst in Polymer Science, S. 201, New York: Plenum 1984.
allg.: Adv. Catal. **35**, 375 (1987) ▪ Aldrichimica Acta **13**, 55 (1990) ▪ Angew. Chem. **86**, 187 (1974); **89**, 521 (1977) ▪ Chem. Unserer Zeit **12**, 161 (1978) ▪ Dehmlov u. Dehmlov, Phase-Transfer Catalysis, 3. Aufl., Weinheim: VCH Verlagsges. 1993 ▪ Kirk-Othmer (4.) **18**, 662; **20**, 759 ▪ March (4.), S. 362 ▪ Pure Appl. Chem. **43**, 439 (1975) ▪ Starks, Phase-Transfer-Catalysis. New Chemistry, Catalysis and Applications, ACS Symp. Ser. **326** (1987), Washington: American Chemical Society 1987 ▪ Synthesis **1976**, 168; **1985**, 40 ▪ Top. Curr. Chem. **101**, 147 (1982) ▪ Ullmann (5.) **A 19**, 293.

Phasenumkehr s. Phasen.

Phasenumwandlung s. Phasen.

Phaseolin (Phaseollin).

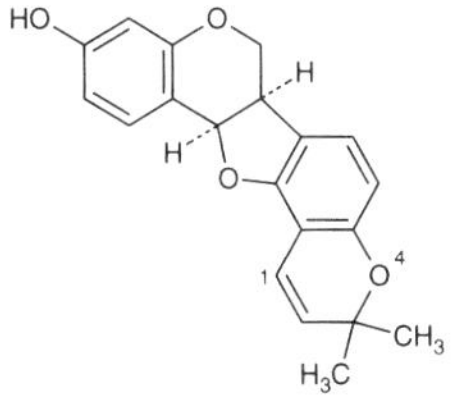

$C_{20}H_{18}O_4$, M_R 322,35, Schmp. 177–178 °C, $[\alpha]_D$ –145° (C_2H_5OH). Aus Bohnen (*Phaseolus vulgaris*) isolierbares *Phytoalexin mit fungizider Wirkung; P. ist ein *Pterocarpan mit einem zusätzlichen anellierten Pyran-Ring. – ***E*** phaseolin – ***F*** phaséoline – ***I*** = ***S*** faseolina

Lit.: Beilstein EV **19/9**, 412 ▪ Cereal Chem. **65**, 435–442 (1988) ▪ Harborne (Hrsg.), The Flavonoids, 3. Ergänzungsband, S. 166–180, London: Chapman & Hall 1994 ▪ J. Chem. Soc., Perkin Trans. 1 **1987**, 431 (Synth.) ▪ Merck-Index (12.), Nr. 7338 ▪ Phytochemistry **21**, 1599 (1982) (Biosynth.) ▪ Tetrahedron **34**, 1849 (1978) ▪ Tetrahedron Lett. **25**, 1099 (1984) ▪ s. a. Phytoalexine. – *[CAS 13401-40-6]*

Phaseolunatin s. Linamarin.

Phase-I-Reaktionen. Bez. für die im Verlauf der *Biotransformation von Arzneistoffen zuerst stattfindenden Umwandlungen, die zum Abbau od. zur Strukturveränderung führen. Grundlegende Reaktionstypen sind Oxid., Red. u. Hydrolyse. – ***E*** phase-I-reactions – ***F*** réaction de phase-I – ***I*** reazioni di fase I – ***S*** reacciones de fase I

Lit.: Mutschler (7.), S. 20–30.

Phase-II-Reaktionen. Bez. für den zweiten Schritt der *Biotransformation von Arzneistoffen, in dem es zur Konjugat-Bildung der Abbauprodukte mit körpereigenen Substanzen wie Glucuronsäure, Glycin u. a. kommt. Dabei entstehen gut harngängige Stoffe. – ***E*** phase-II-reactions – ***I*** reazioni di fase II – ***S*** reacciones de fase II

Lit.: s. Phase-I-Reaktionen.

Phasin. Aus rohen *Bohnen (*Phaseolus vulgaris*) isolierbares giftiges *Lektin. Allg. wirken *Phytohämagglutinine* aus Bohnen (Abk. PHA) Erythrocyten-agglutinierend u. Lymphocyten zur Mitose anregend (mitogen). Bei Kindern kann der Genuß roher, grüner Bohnen u. U. tödliche hämorrhag. Gastroenteritiden hervorrufen, bei Erwachsenen sind Übelkeit u. Benommenheit Zeichen einer *Lebensmittelvergiftung. P. wird allerdings durch Kochen zerstört. – ***E*** phasin – ***F*** phasine – ***I*** = ***S*** fasina

Lit.: Merck-Index (12.), Nr. 7339. – *[CAS 1392-87-6]*

PHB. a) Abk. für *p*-*Hydroxybenzoesäure (Freiname: Paraben), z. B. in PHB-Ester (s. 4-Hydroxybenzoesäureester). – b) Abk. für Poly(D-*β*-hydroxybutyrat), vgl. Polyhydroxybuttersäure.

PHB-Ester s. 4-Hydroxybenzoesäureester.

PhCO. Kurzz. für *Benzoyl... als Schutzgruppe.

PHDD, PHDF. Abk. für polyhalogenierte Dibenzo[1,4]dioxine bzw. Dibenzofurane, s. Dioxine.

PH-Domäne (*P*leckstrin-*H*omologie-Domäne). Familie kompakter Protein-*Domänen (ca. 100 Aminosäure-Reste), die in Wirbeltieren, Insekten, Fadenwürmern u. Hefe gefunden wurden u. in vielen *Proteinen vorkommen, die wichtige regulator. Funktionen in *Signaltransduktion u. Wachstumskontrolle ausüben [z. B. in manchen *Protein-Kinasen, bestimmten Formen der *Phospholipase C, Guanosintriphosphatasen (s. Guanosinphosphate), *GTPase-aktivierenden Proteinen u. Guaninnucleotid-Austauschfaktoren (s. kleine GTP-bindende Proteine)]. Die Raumstruktur der PH-D. besteht in einem 7-strängigen, stark gebogenen antiparallelen *β*-Faltblatt (s. Proteine) mit einer daran angelagerten *C*-terminalen amphiphilen *α*-Helix. Mutierte Formen der PH-D. disponieren oft zu Krebserkrankungen od. Entwicklungsstörungen. PH-D. binden u. a. *Phosphoinositide u. die *βγ*-Untereinheiten von *G-Proteinen sowie in gewissen Fällen bestimmte Formen der *Protein-Kinase C. Eine generelle Funktion der PH-D. ist es wahrscheinlich, Proteine, die sie enthalten, an jeweils spezielle Bereiche der Zellmembran zu binden. Benannt wurde die PH-D. nach dem Protein

Pleckstrin (M_R 47000), dem hauptsächlichen Substrat für Protein-Kinase C in Blutplättchen, das zwei PH-Domänen enthält. – ***E*** PH domain – ***F*** domaine PH – ***I*** = ***S*** dominio PH

Lit.: Biochem. Soc. Trans. **23**, 616f. (1995) ▪ Bioessays **18**, 35–46 (1996) ▪ Curr. Opin. Struct. Biol. **5**, 403–408 (1995).

Phe. Abk. für *Phenylalanin.

α-Phellandren (*p*-Mentha-1,5-dien).

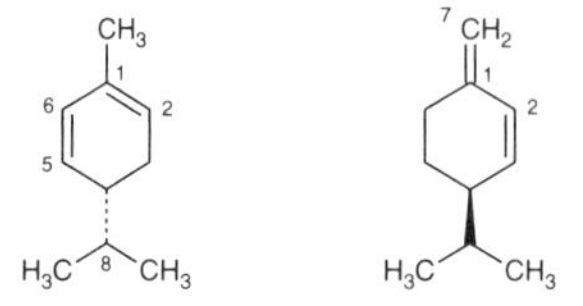

(*R*)-α-P. (*R*)-β-P.

$C_{10}H_{16}$, M_R 136,23, Öl, lösl. in Ether, unlösl. in Wasser. Beide Enantiomeren des monocycl. *Terpens α-P. kommen in natürlichen essentiellen Ölen vor, (–)-(*R*)-α-P. z. B. im Piment- u. Eukalyptusöl, (+)-(*S*)-α-P. z. B. im Fenchel-, Elemi- u. Ginger-Grasöl, Sdp. 175–176 °C, 58–68 °C (21 hPa), $[\alpha]_D^{20}$ ±177° (unverd.), D. 0,841–0,846, n_D^{25} 1,4777. α-P. kommt auch im Terpentinöl u. Eucalyptusöl vor u. wird z. B. in der Parfüm-Ind. verwendet. Das isomere *β-Phellandren* [*p*-Mentha-1(7),2-dien] hat eine Doppelbindung in 1(7)- statt in 1,2-Stellung; (–)-(*R*)- u. (+)-(*S*)-β-P.: Sdp. 172–174 °C, $[\alpha]_D^{20}$ ±74° (unverd.), D. 0,850–0,852. – ***E*** α-phellandrene – ***F*** α-phellandrène – ***I*** α-fellandrene – ***S*** α-felandreno

Lit.: Beilstein E IV **5**, 436f. ▪ J. Chem. Ecol. **16**, 2519 (1990) ▪ Helv. Chim. Acta **62**, 2061–2072 (1979) ▪ Karrer, Nr. 48f. ▪ Merck-Index (12.), Nr. 7340, 7341 ▪ Perfumer Flavorist **2**, 33–38 (1978) ▪ Ullmann (5.) **A 11**, 166. – *[HS 2902 19; CAS 99-83-2 (α-P.); 4221-98-1 ((R)-α-P.); 2243-33-6 ((S)-α-P.); 555-10-2 (β-P.); 6153-17-9 ((R)-β-P.); 6153-16-8 ((S)-β-P.)]*

Phellogensäure s. Japanwachs u. Kork.

PHEMA. Kurzz. für Poly(2-hydroxyethylmethacrylat)e.

phen. Abk. für den Liganden *1,10-Phenanthrolin in Metall-Komplexen (IUPAC-Regel I-10.4.5.7).

...phen. Endung für *kondensierte Ringsysteme aus fünf u. mehr Benzol-Kernen, die bis auf eine angulare Anellierung in der Mitte alle *linear anelliert sind (IUPAC-Regel R-2.4.1.3.2); von *Phenanthren u. *Phen... abgeleitet (E. Clar 1939). Die Zahl der Ringe wird durch *Multiplikationspräfixe angezeigt: Pentaphen, Hexaphen usw.; lineare Isomere: s. Acene. – ***E*** ...phene – ***F*** ...phène – ***I*** ...fene – ***S*** ...feno

Phen... Um 1840 schlug *Laurent die Bez. *Phenyl... für C_6H_5 u. Phen für C_6H_6 vor (von griech.: phaeinós = leuchtend; Vork. in Leuchtgas u. Lampenöl). Für C_6H_6 setzten sich die Bez. Benzen u. *Benzol durch, für Benzol-Derivate dagegen die Silbe „phen"; *Beisp.:* folgende Stichwörter; vgl. Phen(o)...; *Thiophen; *Ausnahme:* *Benz(o)..., C_7-Derivate (Benzoyl..., Benzyl... etc.). – ***E*** phen... – ***F*** phén... – ***I*** = ***S*** fen...

Phenacetin.

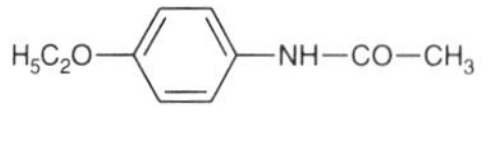

Internat. Freiname für *N*-Acetyl-*p*-phenetidin (4-Ethoxyacetanilid), $C_{10}H_{13}NO_2$, M_R 179,21. Farblose, schwach bitter schmeckende, geruchlose Blättchen, Schmp. 134–135 °C, etwas lösl. in heißem Wasser, besser in Alkohol, lösl. in Glycerin. P. wurde schon 1887 als Antipyretikum eingeführt u. war wegen seiner analget. Wirkung bei Migräne, Ischias, Neuralgien, Rheuma usw. in zahlreichen schmerzstillenden u. fiebersenkenden Präp. enthalten. Die Giftigkeit ist geringer, die fiebersenkende Wirkung stärker als bei dem chem. verwandten Acetanilid; ähnlich wirkende Verb. sind Lactyl-*p*-*Phenetidin u. *Paracetamol. Da Dauergebrauch zu *Nieren-Schäden, hämolyt. *Anämie u. graublauer *Cyanose (*Methämoglobin-Bildung, insbes. auch bei Säuglingen) führen kann u. man bei chron. Ge- u. Mißbrauch mit gehäuftem Auftreten von Tumoren im Nierenbecken u. den ableitenden Harnwegen rechnen muß, ist P. in den meisten Ländern – in der BRD seit 1. 4. 1986 – nicht mehr zugelassen. – ***E*** phenacetin – ***F*** phénacétine – ***I*** = ***S*** fenacetina

Lit.: Arzneimittelchemie I, 191–193 ▪ ASP ▪ Beilstein E IV **13**, 1092 ▪ Hager (5.) **9**, 100–104 ▪ IARC Monogr. **24**, 135–161 (1980) ▪ Martindale (31.), S. 88 ▪ Ph. Eur. **1997** u. Komm. – *[HS 2924 29; CAS 62-44-2]*

Phenacyl... Bez. für die Atomgruppierung $-CH_2-CO-C_6H_5$ (IUPAC-Regel C-318.1; laut Regel R-9.1.27b nur unsubstituiert verwenden!); nicht mit isomerem *Phenylacetyl... verwechseln! Heute üblichere systemat. Bez.: (2-Oxo-2-phenylethyl)... – ***E*** phenacyl... – ***F*** phénacyl... – ***I*** = ***S*** fenacil...

Phenacylbromid s. ω-Bromacetophenon.

Phenacylchlorid s. ω-Chloracetophenon.

Phenakit. $Be_2[SiO_4]$, prismat., nadelige od. linsenartig flach rhomboedr., ein- u. aufgewachsene trigonale Krist., Kristallklasse $\bar{3}$-C_{3i}. P. gehört zu den Nesosilicaten; Bauelemente der Kristallstruktur[1,2] sind $[SiO_4]$- u. $[BeO_4]$-Tetraeder; zur Elektronendichte-Verteilung in P. s. *Lit.*[3]. H. 7,5–8, D. 3,0; farblos, weingelb od. blaßrosa durchsichtig, Glasglanz. Nach der Formel 45,53% BeO. Hellblaue Kathodo-*Lumineszenz.

Vork.: In *Pegmatiten, z. B. Sao Miguel de Piracicaba/Brasilien, New Hampshire/USA, Fichtelgebirge/Bayern. In Glimmerschiefern u. auf *alpinen Klüften*, z. B. in Österreich, der Schweiz u. im Ural/Rußland.

Verw.: Als Edelstein verschleifbar; kann zusammen mit *Beryll aus manchen Pegmatiten als Be-Erz gewonnen werden. – ***E*** phenacite – ***F*** phénacite – ***I*** fenacite – ***S*** fenacita

Lit.: [1] Sov. Phys. Crystallogr. **16**, 1021–1025 (1972). [2] Phys. Chem. Miner. **13**, 69–78 (1986). [3] Am. Mineral. **72**, 769–777 (1987).

allg.: Anthony et al., Handbook of Mineralogy, Vol. II, Tl. 2, S. 644, Tucson (Arizona): Mineral Data Publishing 1995 ▪ Eppler, Praktische Gemmologie (5.), S. 418f., Stuttgart: Rühle-Diebener 1994 ▪ Lapis **10**, Nr. 7–8, 8–11 (1985) („Steckbrief") ▪ Ramdohr-Strunz, S. 661. – *[HS 7103 10, 7103 99; CAS 13598-00-0]*

1*H*-Phenalen.

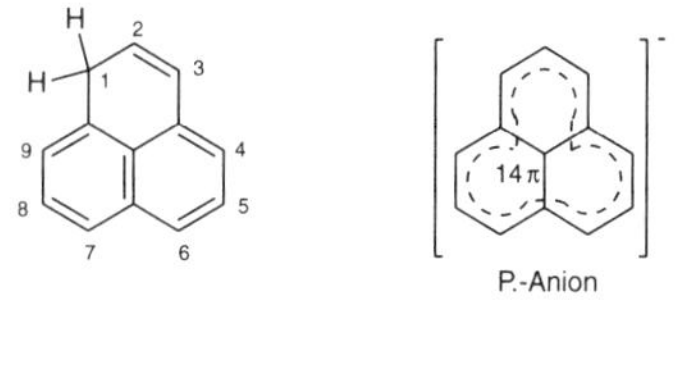

P.-Anion

$C_{13}H_{10}$, M_R 166,22. Farblose Krist., Schmp. 85–86 °C, zersetzt sich an der Luft. Kondensiertes, teilw. aromat. Ringsyst., das mit Phenyllithium od. Kaliummethanolat unter Bildung des vollständig konjugierten aromat. Anions deprotoniert wird. – ***E*** phenalene – ***F*** phénalène – ***I*** fenalene – ***S*** fenaleno

Lit.: Beilstein EIV **5**, 2154 ▪ March (4.), S. 44 ▪ Top. Nonbenzenoid Aromat. Chem. **1**, 159–190 (1973). – *[HS 2902 90; CAS 203-80-5]*

Phenalenone. Phenalen-1-one, die in der Natur vorkommen u. biosynthet. als Polyketide gebildet werden, sind zumeist mehrfach hydroxyliert u. weiter substituiert. – ***E*** phenalenones – ***F*** phénalénones – ***I*** fenalenoni – ***S*** fenalenonas

Lit.: Turner **2**, 134–137 ▪ Zechmeister **40**, 153–190.

Phenamazid.

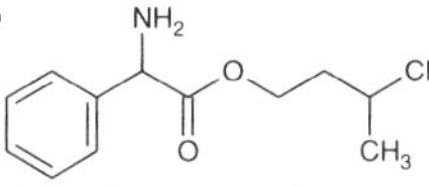

Kurzbez. für das *Spasmolytikum (*R,S*)-Isopentyl-2-amino-2-phenylacetat, $C_{13}H_{19}NO_2$, M_R 221,29. Verwendet wird das Hydrochlorid, Schmp. 154 °C. P. ist von Pharma Werningerode (Aklonin®) gegen Krämpfe des Magen-Darm-Trakts im Handel. – ***E*** phenamacide – ***F*** phénamacide – ***I*** fenamazide – ***S*** fenamacida

Lit.: DAB **7**, DDR. – *[CAS 31031-74-0 (Hydrochlorid)]*

Phenamiphos s. Fenamiphos.

Phenanthren.

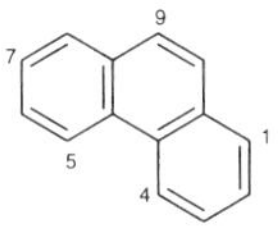

$C_{14}H_{10}$, M_R 178,23. Farblose Tafeln od. Blättchen, D. 0,980, Schmp. 101 °C, Sdp. 340 °C, subl. im Hochvak., leicht lösl. in Benzol, Ether, Eisessig, unlösl. in Wasser, Lsg. fluoresziert blau.

Vork.: Im Steinkohlenteer (5%) zusammen mit dem isomeren *Anthracen. Perhydriertes P. bildet das Grundgerüst vieler Naturstoffe wie z. B. Morphin, Sterine, Gallensäuren, Harzsäuren, Digitalis-Glykoside, Saponine. P. bildet Mol.-Verb. mit *Pikrinsäure u. ähnlichen Nitro-Verbindungen. Die Synth. von P. u. seinen Derivaten geht vielfach von *Stilben u. dessen Derivaten aus (*Pschorr-Synthese), in jüngerer Zeit v. a. photochem. durch Deiodierung geeigneter Derivate u. durch *Dehydrocyclisierung.

Verw.: Zu Synth. von Farbstoffen, Arzneimitteln u. Herbiziden. Der Name wurde (1872) gewählt, um die Beziehung zu Bi*phen*yl u. die Isomerie mit *Anthracen* anzudeuten. – ***E*** phenanthrene – ***F*** phénanthrène – ***I*** fenantrene – ***S*** fenantreno

Lit.: Beilstein EIV **5**, 2297 ▪ Ullmann (4.) **14**, 685 f.; (5.) **A 13**, 270 f. – *[HS 2902 90; CAS 85-01-8]*

9,10-Phenanthrenchinon (Phenanthren-9,10-dion).

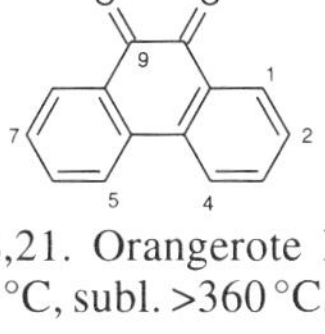

$C_{14}H_8O_2$, M_R 208,21. Orangerote Nadeln, D. 1,405, Schmp. 208–210 °C, subl. >360 °C, lösl. in Ether, Eisessig, unlösl. in Wasser, gibt mit H_2SO_4 eine dunkelgrüne Färbung. P. wird durch Oxid. von Phenanthren hergestellt.

Verw.: In Farbstoff-Synth., Kondensation mit aromat. Aminen liefert Zwischenprodukte für Pharmazeutika od. Fungizide, mildes Reagenz für Dehydrierungen, in organ. Synth. z. B. zur Herst. von polycycl. aromat. Kohlenwasserstoffen über zweifache *Wittig-Reaktion; photochem. geht P. mit Olefinen die *Paterno-Büchi- u./od. *Schönberg-Reaktion ein. P. dient zur Fluoreszenz-spektroskop. Bestimmung von Arginin (halbessentielle Aminosäure). – ***E*** 9,10-phenanthrenequinone – ***F*** 9,10-phénanthrène-quinone – ***I*** 9,10-fenantrenchinone – ***S*** 9,10-fenantrenoquinona

Lit.: Angew. Chem. **96**, 594 f. (1984) ▪ Beilstein EIV **7**, 2565 f. ▪ Chem. Rev. **78**, 317 (1978) ▪ Fortschr. Chem. Forsch. **13**, 251–306 (1969) ▪ Kirk-Othmer (4.) **20**, 799 ▪ Merck-Index (12.), Nr. 7355 ▪ Synlett **1992**, 799 ▪ Ullmann (5.) **A 13**, 270 f. – *[HS 2914 69; CAS 84-11-7]*

Phenanthridin (Benzo[*c*]chinolin, 9-Azaphenanthren).

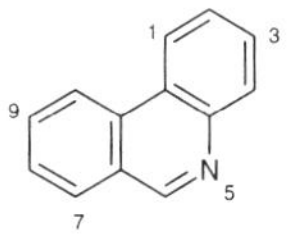

$C_{13}H_9N$, M_R 179,22. Farblose Nadeln, Schmp. 106–107 °C, Sdp. 349 °C, lösl. in Alkohol, Ether, Benzol, unlösl. in Wasser; P. kommt im Steinkohlen-Kokereiteer vor.

Wichtige Derivate sind *Dimidium- u. *Homidiumbromid. – ***E*** phenanthridine – ***F*** phénanthridine – ***I*** = ***S*** fenantridina

Lit.: Beilstein EV **20/8**, 223 ff. ▪ Synthesis **1985**, 107–110 ▪ Ullmann (5.) **A 26**, 98. – *[HS 2933 90; CAS 229-87-8]*

1,10-Phenanthrolin (*o*-Phenanthrolin, 4,5-Diazaphenanthren). T

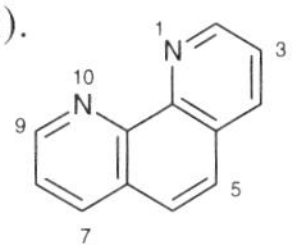

$C_{12}H_8N_2$, M_R 180,20. Farbloses, krist. Pulver, als Hydrat Schmp. 93–94 °C (auch 100 °C angegeben), wasserfrei Schmp. 117 °C, lösl. in siedendem Wasser, lösl. in Alkohol, Aceton; WGK 2 (Selbsteinst.).

Herst.: Durch Erhitzen von *o*-Phenylendiamin od. 8-Aminochinolin mit Glycerin, Nitrobenzol u. konz. H_2SO_4 (*Skraupsche Synthese).

Verw.: *1,10-P.* bildet mit einer Reihe von Schwermetall-Ionen schwerlösl. Komplex-Verb. u. ist daher geeignet zu deren quant. Bestimmung; noch selektiver wirken die Methyl- u. Phenyl-substituierten Derivate wie z. B. *Bathocuproin u. *Bathophenanthrolin. Der Fe(II)-Komplex (*Ferroin) ist als Redox-Indikator verwendbar. P. hemmt die Photosynth. u. Carboxypeptidasen. Ein *4,7-P.*-Derivat ist das Amöbizid *Phanquinon. – ***E*** 1,10-phenanthroline – ***F*** 1,10-phénanthroline – ***I=S*** 1,10-fenantrolina

Lit.: Beilstein EV **23/8**, 419 ff. ▪ Fries-Getrost, S. 85, 105, 123, 137, 287, 308, 383 ▪ Heterocycles **12**, 1207–1237 (1979) ▪ Merck-Index (12.), Nr. 7356 ▪ Ullmann (5.) **A 14**, 140 f. – *[HS 2933 90; CAS 66-71-7]*

Phenate s. Phenolate.

Phenazin (Dibenzopyrazin, 9,10-Diazaanthracen).

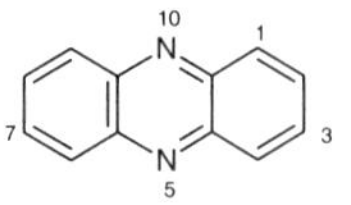

$C_{12}H_8N_2$, M_R 180,20. Gelbe Nadeln, Schmp. 171 °C, sublimiert, Sdp. über 360 °C, unlösl. in Wasser, mäßig lösl. in Alkohol, Ether, Benzol. P. kann z. B. durch Kondensation von *o*-Phenylendiamin mit *o*-Benzochinon hergestellt werden.

P. ist der Grundkörper zahlreicher techn. u. biochem. wichtiger Farbstoffe. Zu diesen im Fachjargon oft nur *Azin-Farbstoffe* genannten P.-Farbstoffen gehören u. a. die *Nigrosine, *Safranine, *Induline, *Mauvein u. *Neutralrot. Von P. leiten sich auch eine Reihe von farbigen Antibiotika ab; *Beisp.:* **Pyocyanin* (1-Hydroxy-5-methylphenazinium-Zwitterion), **Iodinin* (1,6-Phenazindiol-5,10-dioxid), dessen 6-Methylether *Myxin* u. der Kupfer-Komplex des letzteren (*Cuprimyxin*), vgl. die Aufstellung in *Lit.*[1]. Name von Di-*o*-phenylenazin (Merz 1886). – ***E*** phenazine – ***F*** phénazine – ***I*** = ***S*** fenazina

Lit.: [1] Kirk-Othmer (3.) **3**, 1–21.
allg.: Beilstein EV **23/8**, 389–393 ▪ Kirk-Othmer (3.) **3**, 378–382 ▪ Merck-Index (12.), Nr. 7359 ▪ Top. Curr. Chem. **127**, 169–216 (1985) ▪ Ullmann (5.) **A 3**, 216–224; **A 5**, 370 ▪ Weissberger **11** ▪ Winnacker-Küchler (4.) **7**, 48. – *[HS 2933 90; CAS 92-82-0]*

Phenazon. Internat. Freiname für das *Analgetikum 1,2-Dihydro-1,5-dimethyl-2-phenyl-3*H*-pyrazol-3-on; in der Technik noch gebräuchliche Bez.: 2,3-Dimethyl-1-phenyl-3-pyrazolin-5-on, $C_{11}H_{12}N_2O$, M_R 188,22. Schwach bitter schmeckende Blättchen, Schmp. 111–113 °C, Sdp. 319 °C; λ_{max} (CH_3OH) 243, 267 nm ($A^{1\%}_{1cm}$ 504, 492); LD_{50} (Ratte oral) 1,8 g/kg, lösl. in Wasser, Alkohol, Chloroform, wenig lösl. in Ether. P. kann als Reagenz auf Cobalt u. Nitrat-Ionen dienen.

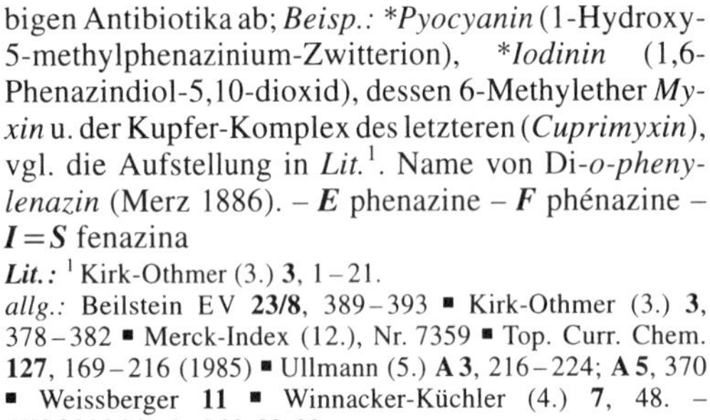

P. ist der erste rein synthet. gewonnene Arzneistoff (1884; bekannte Marke Antipyrin®, Hoechst). Wegen blutbildverändernden Nebenwirkungen wurde seine Anw. eingeschränkt. P. ist heute als Monosubstanz od. in Form des Coffeincitrats, Schmp. 100–108 °C, als Generikum im Handel. – ***E*** phenazone – ***F*** phénazone – ***I*** fenazone – ***S*** fenazona

Lit.: ASP ▪ Beilstein EIII/IV **24**, 75 ▪ Hager (5.) **9**, 105–110 ▪ Martindale (31.), S. 88 f. ▪ Ph. Eur. **1997** u. Komm. – *[HS 2933 11; CAS 60-80-0]*

Phenazopyridin.

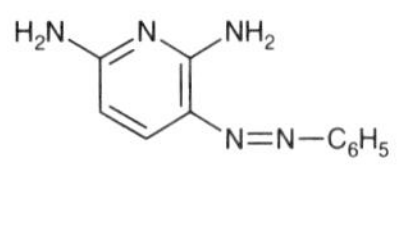

Internat. Freiname für 2,6-Diamino-3-phenylazopyridin, $C_{11}H_{11}N_5$, M_R 213,24, Schmp. 136–137 °C. Verwendet wird das Hydrochlorid, Schmp. 233–238 °C, kurzzeitig (bis 2 d) als Schleimhautanalgetikum bei Entzündungen der ableitenden Harnwege. – ***E*** phenazopyridine – ***F*** phénazopyridine – ***I*** = ***S*** fenazopiridina

Lit.: Beilstein EIII/IV **22**, 7180 ▪ Florey **3**, 465–482 ▪ Hager (5.) **9**, 110 f. ▪ IARC Monogr. **24**, 163–173 (1980) ▪ Martindale (31.), S. 89. – *[HS 2933 39; CAS 94-78-0 (P.); 136-40-3 (Hydrochlorid)]*

Phencarbamid (Internat. Freiname: Fencarbamid). $(H_5C_6)_2N–CO–S–CH_2–CH_2–N(C_2H_5)_2$; Kurzbez. für das *Spasmolytikum u. anticholinerg. *Analgetikum Diphenylthiocarbamidsäure-*S*-(2-diethylaminoethyl)-ester, $C_{19}H_{24}N_2OS$, M_R 328,47, Schmp. 48–49 °C, Sdp. 120–126 °C (13,3 Pa). Verwendet wird das Hydrochlorid, Schmp. 180–181 °C; LD_{50} (Ratte oral) 410 mg/kg. P. wurde 1961 u. 1966 von Bayer patentiert. – ***E*** = ***F*** phencarbamide – ***I*** fencarbamide – ***S*** fencarbamida

Lit.: Martindale (31.), S. 505. – *[HS 2930 20; CAS 3735-90-8 (P.); 58-13-9 (Hydrochlorid)]*

Phencyclidin (BtMVV, Anlage I).

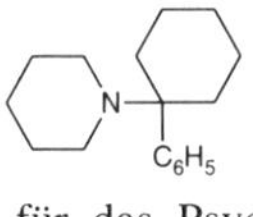

Internat. Freiname für das Psychotomimetikum (s. Psychopharmaka) 1-(1-Phenylcyclohexyl)piperidin, $C_{17}H_{25}N$, M_R 243,39, Schmp. 46–46,5 °C, Sdp. 135–137 °C (133,3 Pa); λ_{max} (0,1 N HCl) 252, 257,5, 268,5 nm ($A^{1\%}_{1cm}$ 7,9, 11,2, 13,0), das unter Codenamen wie PCP, Angel Dust als Rauschmittel mißbraucht wird. – ***E*** = ***F*** phencyclidine – ***I*** = ***S*** fenciclidina

Lit.: Martindale (31.), S. 1740 ▪ Newman, PCP, Springfield/N. J.: Enslow Publishers 1997. – *[HS 2933 39; CAS 77-10-1]*

Phendimetrazin (BtMVV, Anlage II). Internat. Freiname für (2*S*,3*S*)-3,4-Dimethyl-2-phenyl-morpholin, $C_{12}H_{17}NO$, M_R 191,26 (Formel s. Phenmetrazin), Sdp. 122–124 °C (1,07 kPa), 134–135 °C (1,6 kPa); $[\alpha]^{20}_D$ +69,1°; pK_a 7,6. P. wurde 1961 von Boehringer Ingelheim patentiert. Im Ausland werden das Bitartrat, Schmp. 182–188 °C, $[\alpha]^{20}_D$ +32° bis +36°; λ_{max} (0,1 N HCl) 251, 257, 261 nm ($A^{1\%}_{1cm}$ 5,0, 6,8, 6,1), u. das Hydrochlorid, Schmp. 191 °C als *Appetitzügler u. Psychostimulans eingesetzt. – ***E*** phendimetrazine – ***F*** phendimétrazine – ***I*** = ***S*** fendimetrazina

Lit.: Hager (5.) **9**, 111 f. ▪ Martindale (31.), S. 1555 f. – *[HS 2934 90; CAS 634-03-7 (P.); 7635-51-0 (Hydrochlorid); 50-58-8 (Tartrat)]*

Phenethicillin (Rp).

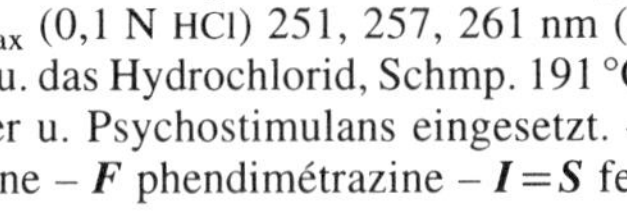

Internat. Freiname für ein synthet. *Penicillin-Derivat (1-Phenoxyethyl-penicillin), $C_{17}H_{20}N_2O_5S$, M_R 364,41. Verwendet wird das Kaliumsalz, Schmp. 230–232 °C; λ_{max} 271 nm ($A^{1\%}_{1cm}$ 44). – ***E*** pheneticilline – ***F*** phénéticiline – ***I*** feneticillina – ***S*** feneticilina

Lit.: Hager (5.) **9**, 114ff. ▪ Martindale (31.), S. 261. – *[HS 2941 10; CAS 147-55-7 (P.); 132-93-4 (Kaliumsalz)]*

Phenethyl... Bez. für die Atomgruppierung $-CH_2-CH_2-C_6H_5$ (IUPAC-Regel A-13.3; Regel R-9.1.19b.2: Substitution nur am Ring erlaubt); nicht mit *Phenetyl... verwechseln! Üblichere, in diesem Werk benutzte systemat. Bez.: (2-Phenylethyl)... – ***E*** phenethyl... – ***F*** phénéthyl... – ***I*** = ***S*** fenetil...

...phenetidid. Veraltete Bez. für *Anilide von *Phenetidinen; *Beisp.:* Benzo-*p*-phenetidid [heute: *N*-(4-Ethoxyphenyl)benzamid od. 4′-Ethoxybenzanilid]. – ***E*** ...phenetidide – ***F*** ...phénétidide – ***I*** ...fenetidide – ***S*** ...fenetidida

Phenetidine (*ar*-Ethoxyaniline, Aminophenetole). $C_8H_{11}NO$, M_R 137,18. Die P. sind die Ethylether der drei *Aminophenole.

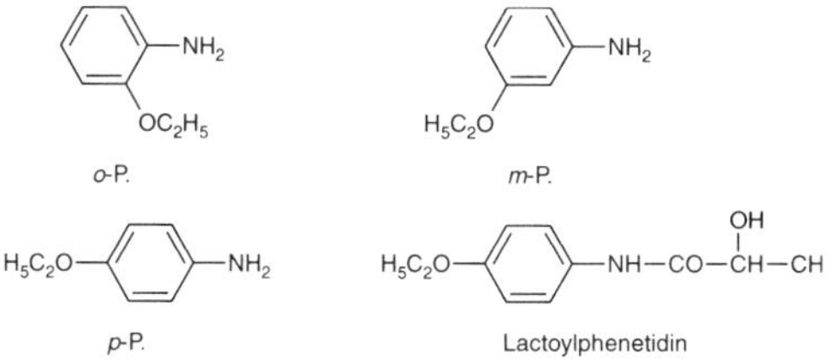

o-P. (2-Ethoxyanilin): Ölige Flüssigkeit, Schmp. unter –20 °C, Sdp. 233 °C, WGK 3 (Selbsteinst.). 

m-P. (3-Ethoxyanilin): Ölige Flüssigkeit, Sdp. 248 °C WGK 3 (Selbsteinst.).

p-P. (4-Ethoxyanilin): Farblose, ölige Flüssigkeit, D. 1,0652, Schmp. ca. 3 °C, Sdp. 253–255 °C, WGK 1. Die P. sind unlösl. in Wasser, lösl. in Alkohol u. anderen organ. Lsm. u. färben sich braun an Luft u. Licht. Das Einatmen der Dämpfe reizt die Augen u. die Atemwege; P. werden auch über die Haut aufgenommen. Bei Aufnahme großer Dosen Symptome, die denen bei der Aufnahme von Anilin ähneln. 

Verw.: Zwischenprodukte für die Synth. von Riech- u. Farbstoffen, Pharmazeutika u. Laborchemikalien. *p*-P. ist eine Vorstufe für *Phenacetin u. das ähnlich wirkende (±)-*Lactoylphenetidin* (*p*-Ethoxy-milchsäureanilid, *p*-Lactophenetidid, Lactophenin, $C_{11}H_{15}NO_3$, M_R 209,25, Schmp. 117–118 °C), für einen heute verbotenen Süßstoff (*Dulcin*, *p*-Ethoxyphenylharnstoff), für Alterungsschutzmittel für die Kautschuk-Ind. u. Futtermittelstabilisatoren. – ***E*** phenetidines – ***F*** phénetidines – ***I*** fenetidine – ***S*** fenetidinas

Lit.: Beilstein E IV **13**, 807, 954, 1017 ▪ Hommel, Nr. 249 ▪ Hunnius, Pharmazeutisches Wörterbuch, S. 612, Berlin: de Gruyter 1986 ▪ Kirk-Othmer (4.) **2**, 580 ▪ Merck-Index (12.), Nr. 7372, 7373 ▪ Ullmann (5.) **A 2**, 101, 308; **A 17**, 448. – *[HS 2922 22; CAS 94-70-2 (o-P.); 621-33-0 (m-P.); 156-43-4 (p-P.); G 6.1]*

Phenetol (Ethoxybenzol, Ethylphenylether). $H_5C_6-O-C_2H_5$, $C_8H_{10}O$, M_R 122,17. Farblose, angenehm riechende ölige Flüssigkeit, D. 0,967, Schmp. –30 °C, Sdp. 172 °C, lösl. in Alkohol, Ether, unlösl. in Wasser. Herst. z. B. durch Veretherung von Phenol mit Ethylchlorid od. Diethylsulfat; vgl. a. Williamson-Synthese. P. dient als Zwischenprodukt für zahlreiche organ. Synth. u. als Spezial-Lsm. im Labor. – ***E*** phenetole – ***F*** phénétol – ***I*** fenetolo – ***S*** fenetol

Lit.: Beilstein E IV **6**, 554 f. ▪ Merck-Index (12.), Nr. 7374 ▪ Ullmann (5.) **A 19**, 355. – *[HS 2909 30; CAS 103-73-1]*

Phenetyl... Veraltete, von *Phenetol abgeleitete Bez. für die Atomgruppierungen $-C_6H_4-O-C_2H_5$, die man heute wegen zu häufiger Verwechslung mit *Phenethyl... nur noch systemat. (2-, 3- u. 4-*Ethoxyphenyl)... statt *o*-, *m*- u. *p*-P. nennt. – ***E*** phenetyl... – ***F*** phénétyl... – ***I*** = ***S*** fenetolil...

Phenformin (Rp, zur *Diabetes-Behandlung).

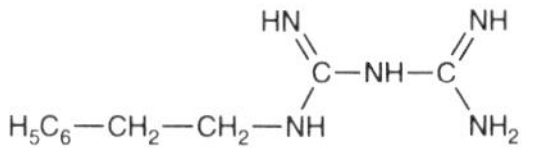

Internat. Freiname für 1-Phenethylbiguanid, $C_{10}H_{15}N_5$, M_R 205,26, s. a. Biguanide. Das als orales Antidiabetikum wirksame P. ist wegen des Verdachts, Lactat-*Azidose hervorzurufen, in der BRD seit 1978 aus dem Handel. Verwendet wurde das Hydrochlorid, Schmp. 175–178 °C; LD_{50} (Maus oral) 450, (Maus i.v.) 19 mg/kg. – ***E*** phenformin – ***F*** phenformine – ***I*** = ***S*** fenformina

Lit.: Beilstein E IV **12**, 2472 ▪ Florey **4**, 319–332; **5**, 556 ▪ Hager (5.) **9**, 117 f. ▪ Martindale (31.), S. 358 ▪ s. a. Biguanide. – *[HS 2925 20; CAS 114-86-3 (P.); 834-28-6 (Hydrochlorid)]*

Phengit s. Muscovit.

Phenhydan® (Rp). Ampullen u. Tabl. mit *Phenytoin-Natrium gegen epilept. Anfälle, Herzrhythmusstörungen u. Trigeminus-Neuralgien. ***B.:*** Desitin.

Phenidon s. Photographie.

Phenindamin.

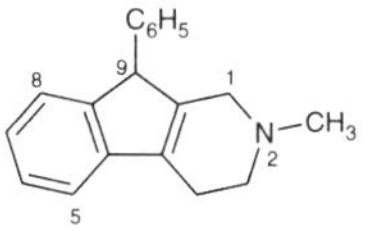

Internat. Freiname für 1,2,3,4-Tetrahydro-2-methyl-9-phenyl-indeno[2,1-*c*]pyridin, $C_{19}H_{19}N$, M_R 261,37, Schmp. 91 °C; n_D^{20} 1,170, λ_{max} (H_2O) 259 nm ($A^{1\%}_{1cm}$ 347). P. wurde 1949 als *Antiallergikum u. *Antihistaminikum von Hoffmann-La Roche patentiert. Verwendet wurde das Hydrogentartrat, Schmp. 165–167 °C; LD_{50} (Ratte oral) 280 mg/kg. – ***E*** phenindamine – ***F*** phénindamine – ***I*** = ***S*** fenindamina

Lit.: Hager (5.) **9**, 119 ff. ▪ Martindale (31.), S. 449. – *[HS 2933 90; CAS 82-88-2 (P.); 569-59-5 (Hydrogentartrat)]*

Phenindion (Rp).

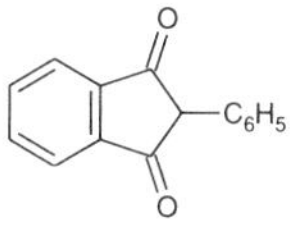

Internat. Freiname für 2-Phenyl-1,3-indandion, $C_{15}H_{10}O_2$, M_R 222,24. Weißliches bis blaß-gelbes krist. Pulver, Schmp. 149–151 °C; in Wasser sehr schwer löslich. Lagerung: vor Luft geschützt. P. findet Verw. als *Antikoagulans bei Thrombosen. – ***E*** phenindione – ***F*** phénindione – ***I*** fenindione – ***S*** fenindiona

Lit.: Beilstein E IV **7**, 2570 ▪ Martindale (31.), S. 927 f. – *[HS 2914 39; CAS 83-12-5]*

Pheniramin.

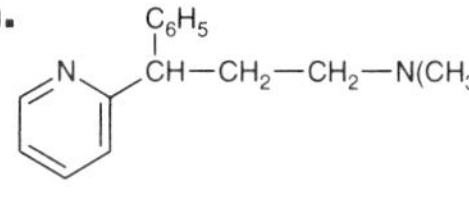

Internat. Freiname für das *Antihistaminikum (*R,S*)-*N,N*-Dimethyl-3-phenyl-3-(2-pyridyl)-propylamin, $C_{16}H_{20}N_2$, M_R 240,34, Sdp. 181 °C (1,7 kPa), 142 °C (267 Pa), 135 °C (67 Pa), n_D^{25} 1,5519 bis 1,5521; $[\alpha]_D^{20}$ +37° (c 9,54/C_2H_5OH). Verwendet wird das 4-Aminosalicylat, $C_{23}H_{27}N_3O_3$, M_R 393,49, Schmp. 142 °C (Zers.), λ_{max} (CH_3OH) 264, 301 nm ($A_{1cm}^{1\%}$ 409, 268) u. das Hydrogenmaleat, $C_{20}H_{24}N_2O_4$, M_R 356,42, Schmp. 106–109 °C. P. wurde 1951 u. 1954 von Schering patentiert u. ist von HMR (Avil®) im Handel. – ***E*** pheniramine – ***F*** phéniramine – ***I*** = ***S*** feniramina

Lit.: ASP ▪ Hager (5.) **9**, 121–124 ▪ Martindale (31.), S. 449. – *[HS 2933 39; CAS 86-21-5 (P.); 3269-83-8 (4-Aminosalicylat); 132-20-7 (Hydrogenmaleat)]*

Phenmedipham.

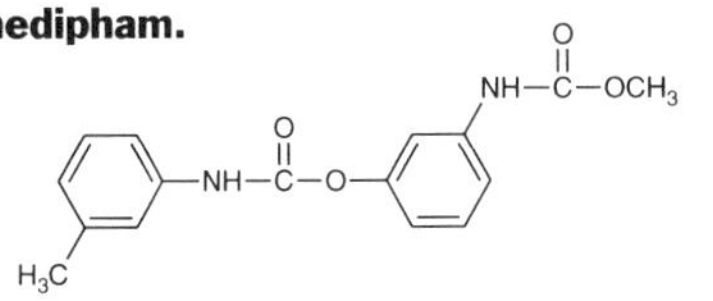

Common name für 3-(Methoxycarbonylamino)phenyl-*N-m*-tolylcarbamat, $C_{16}H_{16}N_2O_4$, M_R 300,31, Schmp. 143–144 °C, LD_{50} (Ratte oral) >8000 mg/kg, von Schering 1968 eingeführtes selektives Nachauflauf-*Herbizid gegen Unkräuter im Futter- u. Zuckerrübenanbau. – ***E*** = ***I*** phenmedipham – ***F*** phenmédiphame – ***S*** fenmedifam

Lit.: Farm ▪ Perkow ▪ Pesticide Manual. – *[HS 2924 29; CAS 13684-63-4]*

Phenmetrazin (BtMVV, Anlage III A).

R = H : Phenmetrazin
R = CH_3 : Phendimetrazin

Internat. Freiname für 3-Methyl-2-phenylmorpholin, $C_{11}H_{15}NO$, M_R 177,24, ein *Sympath(ik)omimetikum u. *Appetitzügler, Sdp. 138–140 °C (1,6 kPa), 104 °C (133 Pa). Eingesetzt wurde das Hydrochlorid, Schmp. 182 °C. P. wurde 1958 von Boehringer Ingelheim patentiert u. gilt ebenso wie das Homologe *Phendimetrazin als *Doping-Mittel. – ***E*** phenmetrazine – ***F*** phenmétrazine – ***I*** = ***S*** fenmetrazina

Lit.: Beilstein E III/IV **27**, 1050 ▪ Hager (4.) **6a**, 586 f. ▪ Martindale (31.), S. 1555 f. – *[HS 2934 90; CAS 134-49-6 (P.); 1707-14-8 (Hydrochlorid)]*

Phen(o)... (vgl. Phen...). a) Präfix in Trivialnamen, das meist auf *Phenyl... od. *Phenol hindeutet. – b) Synonym des Präfix Dibenz(o)... in systemat. Bez. für symmetr. linear *kondensierte Ringsysteme aus drei Sechsringen, deren mittlerer zwei ungleiche Heteroatome in 1,4-Stellung enthält [IUPAC-Regeln B-2.11, D (Anhang IV), R-2.4.1.4.1]; *Beisp.:* *Phenothiazin, *Phenoxazin. – ***E*** phen(o)... – ***F*** phén(o)... – ***I*** = ***S*** fen(o)...

Phenobarbital (Rp; BtMVV, Anlage III C).

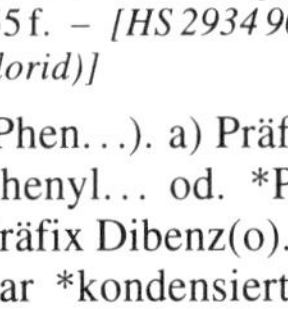

Internat. Freiname für 5-Ethyl-5-phenylbarbitursäure, $C_{12}H_{12}N_2O_3$, M_R 232,23; s. a. Barbitursäure. Schwach bitter schmeckende Krist., Schmp. 156 °C, 167 °C, 178 °C (3 Formen); λ_{max} (0,1 N NaOH) 256 nm ($A_{1cm}^{1\%}$ 314); LD_{50} (Ratte oral) 162 ± 14 mg/kg; in Alkohol, Chloroform, Ether gut, in Benzol u. Wasser kaum löslich. Als *Antiepileptikum, Hypnotikum u. *Sedativum verwendet wird das Natriumsalz. P. wurde 1911 von Bayer patentiert u. ist von Desitin (Luminal®, Phenaemal®) u. AWD (Lepinal®) im Handel. – ***E*** phenobarbital – ***F*** phénobarbital – ***I*** fenobarbitale – ***S*** fenobarbital

Lit.: ASP ▪ Beilstein E III/IV **24**, 2081 ▪ Florey **7**, 359–399 ▪ Hager (5.) **9**, 124–129 ▪ IARC Monogr. **13**, 157–183 (1977); Suppl. **4**, 208–211 (1982) ▪ Martindale (31.), S. 377–380 ▪ Ph. Eur. **1997** u. Komm. – *[HS 2933 51; CAS 50-06-6 (P.); 57-30-7 (Natriumsalz)]*

Phenodur®. Alkohol- od. wasserlösl., feste od. flüssige Phenol-Harze zur Herst. von Korrosionsschutzgrundierungen, Tuben u. Konservendosenlacken, Haftgrundierungen, techn. Schichtpreßstoffen, Schleifmitteln, Schleifkörpern, Kupplungs- u. Bremsbelägen, Isolierstoffen. ***B.:*** Vianova.

Phenol (Carbolsäure, Karbolsäure). T

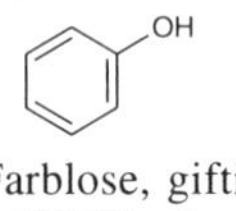

C_6H_6O, M_R 94,11. Farblose, giftige Nadeln, D. 1,06, Schmp. 43 °C, Sdp. 182 °C, die sich an der Luft allmählich röten u. zerfließen. Geringe Feuchtigkeitsmengen senken den Schmp. sehr stark: P. mit 2% Wasser schmilzt bereits bei 33 °C, P. mit 6% Wasser bei 20 °C; die molale kryoskop. Konstante von P. ist 7,40. Es hat einen durchdringenden Geruch u. scharf brennenden Geschmack; mäßig lösl. in Wasser u. Benzol, sehr gut in Alkohol, Ether, Chloroform, in fetten u. ether. Ölen sowie in wäss. Alkalien, schwerlösl. in aliphat. Kohlenwasserstoffen. Die wäss. Lsg. reagiert schwach sauer, da das *Phenolat-Anion (im Gegensatz zu Alkoholaten) durch die Mesomerie mit dem aromat. Kern stabilisiert wird (pK_a 9,75). Durch neg. geladene Substituenten am Kern (z. B. Nitro-Gruppen) wird die Acidität stark erhöht; vgl. Pikrinsäure (*2,4,6-Trinitrophenol*, pK_a 0,25!). P. ist sehr reaktionsfähig. Es läßt sich leicht in *o*- u. *p*-Stellung elektrophil substituieren, z. B. durch Nitro-, Halogen-, Sulfonsäure-Reste; bei milder Oxid. entstehen Dihydroxybenzole, stärkere führt zur Ringsprengung unter Bildung von Oxalsäure u. CO_2. Radikal. Dehydrierung führt zum *Phenoxyl-Radikal (H_5C_6–O•). Bromierung führt zum 2,4,6-Tribromphenol, Eisen(III)-chlorid ergibt eine charakterist., rotviolette Färbung u. mit Säurechloriden erhält man Ester (Schotten-Baumann-Acylierung). Die 3 letztgenannten Reaktionen können auch zur Identifizierung dienen. Mit Säurechloriden od. -anhydriden in Ggw. eines bas. od. sauren Katalysators (Pyridin, Triethylamin od. Schwefelsäure, Bortrifluorid-etherat, Trifluormethansulfonsäure) lassen sich *Phenylester* (Phenolester) gewinnen. Bei UV-Bestrahlung od. beim Erhitzen mit $AlCl_3$ lagern diese sich zu Acylphenolen um (*Fries-Umlagerung). Durch Alkylierung mit Dimethyl- od. Diethylsulfat erhält man die entsprechenden *Phenolether, z. B. *Anisol u. *Phenetol. Diese Meth. dient oft zum Schutz der Hydroxy-Gruppe

während weiterer Operationen, da sich die Ether wieder leicht desalkylieren lassen, z. B. mit $AlCl_3$. Zinkstaub-Dest. reduziert P. zum Benzol. Die *Ammonolyse kann zur Herst. von Anilin genutzt werden.
Physiologie: P. ist ein starkes Protoplasmagift, was auch für seine bakteriostat. Wirkung verantwortlich ist. Auf der Haut wirkt es stark ätzend u. wird leicht resorbiert. Einnahme od. Einatmen der Dämpfe führt zu Atemlähmung, Delirien u. schließlich zu Herzstillstand, chron. Vergiftung zu Nierenschädigungen; MAK-Wert 5 ppm od. 19 mg/m^3, WGK 2, Emissionsklasse I (TA Luft 3.1.7). Von reinem P. sind durch den Mund aufgenommen schon 1 g tödlich, durch die Haut resorbiert 10 g [1]!
Vork.: P. ist der Grundkörper der *Phenole. Kleine P.-Mengen findet man im Kiefernholz u. in Kiefernnadeln (Dehydrierungs- u. Spaltungsprodukt hydroaromat. Verb.), in Form von *Phenolsulfat* (H_5C_6–O–SO_3H) im Harn von Pflanzenfressern (Abbauprodukt von aromat. Aminosäuren) u. im Steinkohlenteer als therm. Zersetzungsprodukt Sauerstoff-haltiger fossiler Pflanzenstoffe. Im Abwasser läßt sich P. durch biolog. Abbau im Belebtschlammverf. beseitigen; aus Kokereiabwässern ist eine techn. Rückgewinnung mit Phenisol od. nach dem *Phenosolvan-Verfahren möglich.
Herst.: Früher aus dem zwischen 170 u. 240 °C überdest. Mittelöl (*Carbolöl*) des Steinkohlenteers: Durch Zusatz von NaOH scheidet man Natriumphenolat (C_6H_5ONa) ab, aus dem man mit Kohlendioxid freies P. zurückbildet; 1 t Steinkohle gibt nur etwa 0,25 kg Phenol. Der P.-Anteil aus Teeren, Kokereiwässern u. Crackabwässern ist gemessen an der Synth.-P.-Produktion nahezu bedeutungslos. Heute wird P. fast ausschließlich synthet. hergestellt u. zwar hauptsächlich durch *Hocksche Spaltung von *Cumolhydroperoxid, wobei pro t P. 0,6 t Aceton anfallen. Andere Verf. werden nur noch wenig praktiziert, z. B. die Herst. aus Benzol über Benzolsulfonsäure od. über Chlorbenzol (Oxychlorierung, Gulf- od. Raschig-Verf.) u. deren Behandlung mit Alkalien, aus Toluol über Benzoesäure u. aus Cyclohexan über Cyclohexanon/Cyclohexanol; Näheres s. bei Weissermel-Arpe, Winnacker-Küchler u. Kirk-Othmer (*Lit.*). 1985 wurden in den USA 1870, u. weltweit 5174 kt P. produziert; s. a. Herst. bei Phenolen.
Verw.: Zur Herst. von Phenol-Harzen, ε-Caprolactam, Bisphenol-A, Adipinsäure, Alkylphenolen, Anilin, Chlorphenolen, Pikrinsäure, Weichmachern, Antioxidantien u. a. Weitere Verw. findet P. als Lsm., sowie als Bestandteil von Mikroskopierfarbstoffen (sog. Karbol-Fuchsin u. -Gentianaviolett) zur *Gram-Färbung. Dagegen hat die einstmals so wichtige keimtötende Eigenschaft von P. heute für die Desinfektion prakt. keine Bedeutung mehr, allenfalls zur Grobdesinfektion von Gegenständen, Instrumenten usw. u. in Form des sog. *Phenol-Koeffizienten für die Standardisierung von Antiseptika. Die Verw. von P. in kosmet. Mitteln (Seifen u. Shampoos) ist unter Einhaltung der angegebenen Einschränkungen erlaubt (Kosmetik-VO Anl. 2, Nr. 19).
Geschichte [2]***:*** P. wurde 1834 von Runge im Steinkohlenteer entdeckt u. Kohlenölsäure (*Carbolsäure*) genannt. Laurent stellte erstmals krist. P. her, das er acide phénique nannte (von griech.: phainein = leuchten, scheinen), um anzudeuten, daß dieser Stoff bei der Leuchtgasgewinnung erhalten wird. Der Name P. stammt von Gerhardt, der diesen Stoff 1843 bei der Dest. von Salicylsäure mit Ätzkalk erhielt u. durch die Endung -ol die Verwandtschaft mit Alkoholen andeuten wollte. 1865 wurde P. erstmals von *Lister, der damit die Antisepsis in der Chirurgie einführte, in 5%iger Lsg. als Wunddesinfektionsmittel verwendet. Damals war P. (Carbol, Carbolsäure) nahezu das einzige Antiseptikum. – ***E*** phenol – ***F*** phénol – ***I*** fenolo – ***S*** fenol

Lit.: [1] Moeschlin, Klinik u. Therapie der Vergiftungen, S. 396–398, Stuttgart: Thieme 1986. [2] Bayer Farben Rev. **36**, 47–68 (1985).
allg.: Beilstein E IV **6**, 531–548 ▪ Blaue Liste, S. 239 ▪ Brauer, Gefahrstoff-Sensorik, Landsberg: ecomed Verlagsges. 1988–1990 ▪ DAB **8**, 374 f., Komm.: 622–626 ▪ Giftliste ▪ Gildemeister **3d**, 364 ff. ▪ Hager (5.) **9**, 131 ▪ Hommel, Nr. 1041, 1042 ▪ Kirk-Othmer (4.) **18**, 592 f. ▪ Koch, Umweltchemikalien (3.), Weinheim: VCH Verlagsges. 1995 ▪ Merck-Index (12.), Nr. 7390 ▪ Rippen ▪ Staub, Reinhalt. Luft **44**, 314 ff. (1984) ▪ TRGS 900 (BArbBl. 10/1996, S. 88; BArbBl. 4/1997, S. 42; BArbBl. 11/1997, S. 27); TRGS 903 (BArbBl. 6/1994, S. 53, 7–8/1995, S. 53; 11/1997, S. 27) ▪ Ullmann (5.) **A 1**, 81–84; **A 19**, 299 ff. ▪ Weissermel-Arpe (4.), S. 375 f. ▪ Winnacker-Küchler (4.) **5**, 480, 483 f.; **6**, 182, 192 ff., 232 ff., 238 ▪ s. a. Phenole. – *[HS 2907 11; CAS 108-95-2; G 6.1]*

Phenolaldehyde. Aromat. Aldehyde mit einer od. mehreren ggf. veretherten, phenol. OH-Gruppen. Die meist angenehm riechenden P. sind in der Natur weit verbreitet u. werden zu Aromen u. in der Parfümerie verwendet; *Beisp.:* Salicylaldehyd (bittermandelähnlich), *p*-Anisaldehyd (Cumarin-artig), Vanillin, Piperonal (heliotropduftend); Abb. s. dort.
Die Herst. der P. geschieht in der Regel durch Formylierung der Phenole nach *Gattermann, Reimer-Tiemann od. Vilsmeier (s. Vilsmeier-Haack-Reaktion). – ***E*** phenolic aldehydes – ***F*** aldéhydes phénoliques – ***I*** aldeidi fenolici – ***S*** aldehídos fenólicos

Lit.: s. Aldehyde u. Phenole.

Phenol-Aralkyl-Harze. Bez. für *Prepolymere, die durch Reaktion von Aralkylethern [1,4-Bis(methoxymethyl)benzol] mit Phenol in Ggw. von Friedel-Crafts-Katalysatoren entstehen u. einen durchschnittlichen Polymerisationsgrad von $P_n = 1{,}6$ aufweisen.

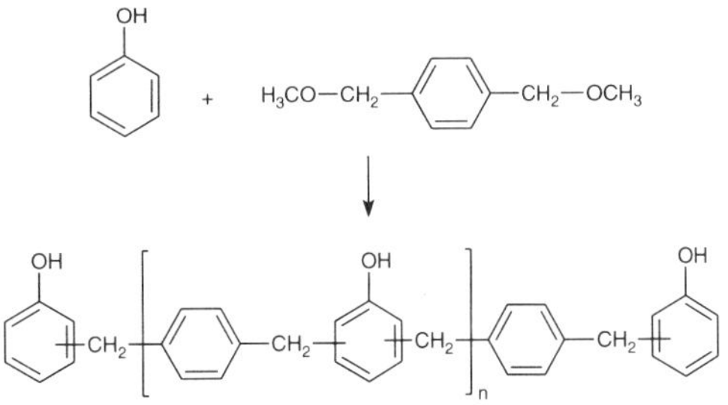

Die P.-A.-H. werden entweder als Pulver od. als 50–60%ige Lsg. in 2-Ethoxyethanol vermarktet, die bereits *Härter wie z. B. *Hexamethylentetramin enthalten. Sie werden zur Herst. von Verbundwerkstoffen aus z. B. Glas- od. Kohlenstoff-Fasern verwendet. – ***E*** phenol aralkyd resins – ***F*** résines aralkyles-phénoliques – ***I*** resine fenol-aralchiliche – ***S*** resinas de fenol-aralquilo

Lit.: Elias (5.) **2**, 189.

Phenolase s. Tyrosinase.

Phenolate (Phenoxide, Phenate). Bez. für die Salze der *Phenole, die im Gegensatz zu den chem. verwandten *Alkoholaten gegen Wasser ziemlich beständig sind u. sich in ihm mit alkal. Reaktion auflösen. Lediglich *Natriumphenolat* (H_5C_6–ONa, M_R 116,09) hat eine gewisse Bedeutung, z. B. als Desinfektionsmittel, in Gasmasken (zusammen mit Aktivkohle u. Hexamethylentetramin) zur Absorption von Phosgen u. H_2S aus techn. Gasen u. für organ. Synth., z. B. in der Kolbe-Schmitt-Reaktion (s. Kolbe-Synthesen). – ***E*** phenolates – ***F*** phénolates – ***I*** fenolati – ***S*** fenolatos

Lit.: s. Phenole.

Phenolchemie. Kurzbez. für die 1952 gegr. Phenolchemie GmbH, 45966 Gladbeck, eine Hüls-Tochter (100%). *Daten* (1995): ca. 560 Beschäftigte, 1,0 Mrd. DM Umsatz. *Produktion:* Synthet. Herst. von alkylierten Benzolen, Phenolen, α-Methylstyrol u. Ketonen.

Phenole. Gruppenbez. für aromat. Hydroxy-Verb., bei denen die *Hydroxy-Gruppen direkt an den Benzol-Kern gebunden sind. Die Namen der P. werden entweder durch Anhängen von *...ol an den Stammnamen od. bei Vorliegen höherer Prioritäten (s. Nomenklatur) durch Voranstellen von *Hydroxy... gebildet (IUPAC-Regeln C-202, 203 u. R-5.5.1.1 [1]); *Beisp.:* Benzol-1,2,4-triol, 8-Chinolinol = 8-Hydroxychinolin. Die P. sind krist., in Wasser mit saurer Reaktion lösl. Stoffe, deren Sdp. mit jedem ins Benzol-Mol. eintretenden Hydroxy-Rest um etwa 100 °C ansteigen. So siedet z. B. Benzol bei 82 °C, Phenol bei 183 °C, Resorcin bei 276 °C. Bekannte P. sind *Phenol selbst, die *Kresole u. *Xylole (*Methylphenole*) – wegen ihres Vork. im Teer auch *Teersäuren* genannt –, *Thymol (*2-Isopropyl-5-methylphenol*), *Brenzcatechin (*Benzol-1,2-diol*), *Resorcin (*Benzol-1,3-diol*), *Hydrochinon (*Benzol-1,4-diol*), *Pyrogallol (*Benzol-1,2,3-triol*), *Phloroglucin (*Benzol-1,3,5-triol*), α- u. β-*Naphthol. Die Toxizität einzelner P. – diese ist je nach Art, Anzahl u. Stellung der Substituenten unterschiedlich – läßt sich anhand ihrer Lipophilität, die man z. B. durch Phasenumkehr-Chromatographie bestimmen kann [2], abschätzen. Ebenso wie der Grundkörper sind viele P. licht-, luft- u. Schwermetall-empfindlich. Sie sind schwache Säuren, da die *phenol.* OH-Gruppen wegen der beträchtlichen Elektronenaffinität des aromat. Kerns polarisiert u. dissoziationsfähig sind; die mit Alkalilaugen entstehenden Salze heißen *Phenolate. Bes. stark sauer sind solche P., die neg. geladene Substituenten (z. B. Nitro-Gruppen am Benzol-Kern) enthalten: 2,4-Dinitrophenol u. Pikrinsäure (*2,4,6-Trinitrophenol*) erreichen fast die Stärke von Mineralsäuren.

Vork.: In der Natur sind P. weit verbreitet. Sie finden sich als Bestandteile vieler Pflanzenfarb- u. -gerbstoffe (aromat. Hydroxycarbonsäuren, Lignin, Depside, Flavonoide, insbes. *Polyphenole*), ether. Öle, Pflanzenwuchsstoffe, Riech- u. Geschmacksstoffe, Steroide (Estrogene), Alkaloide, Antibiotika usw. Brom-P. wurden aus Algen u. anderen Meeresorganismen isoliert. Im menschlichen Organismus entstehen P. als normale Stoffwechselprodukte z. B. des Tyrosins od. als Metabolite von aromat. Fremdstoffen (z. B. von Pharmaka) über *Arenoxide. Als Verunreinigungen sind P. (insbes. die chlorierten) in Gewässern, Klärschlämmen usw. weit verbreitet [3]; zu deren photochem. Umwandlung s. *Lit.* [4]. P. treten auch in Verbrennungsprodukten auf, z. B. in Räuchereiabluft [5] od. in Autoabgasen.

Nachw.: P. lassen sich mit *Folins Reagenz nachweisen. Die Benzoylierung nach Schotten-Baumann (s. Schotten-Baumann-Reaktion) bzw. Einhorn (s. Einhorn-Reaktion), kann zur Derivatisierung u. Charakterisierung von P. herangezogen werden; zum P.-Nachw. in Brauch- u. Abwässern mit 4-Aminoantipyrin s. *Lit.* [6,7]

Herst.: Sie erfolgt über die Alkalischmelze von Sulfonaten (s. Abb. 1 a), die Hydrolyse von *Diazonium-Verbindungen (s. Abb. 1 b) u. Arylhalogeniden (s. Abb. 1 c), durch *Oxychlorierung od. spezielle Verf., vgl. Phenol (s. Abb. 1 d) u. die einzelnen Verbindungen. In vielen Fällen führt auch die enzymat. *Hydroxylierung (mit *Oxygenasen) od. die photochem. Hydroxylierung aromat. Verb. zum Ziel. P. entstehen auch durch Dienon-Phenol-Umlagerung, vgl. Dienone u. Tautomerie.

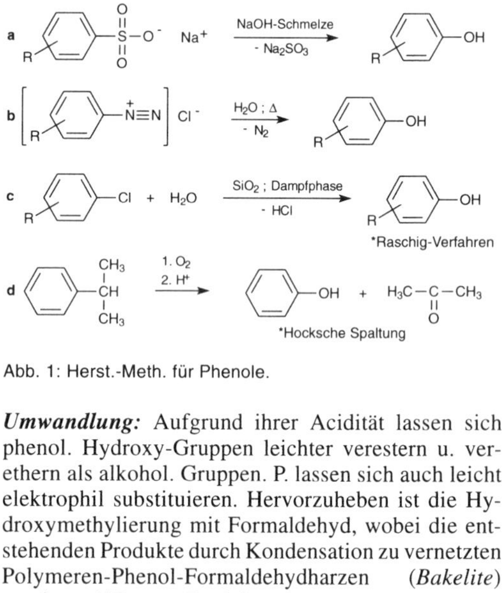

Abb. 1: Herst.-Meth. für Phenole.

Umwandlung: Aufgrund ihrer Acidität lassen sich phenol. Hydroxy-Gruppen leichter verestern u. verethern als alkohol. Gruppen. P. lassen sich auch leicht elektrophil substituieren. Hervorzuheben ist die Hydroxymethylierung mit Formaldehyd, wobei die entstehenden Produkte durch Kondensation zu vernetzten Polymeren-Phenol-Formaldehydharzen (*Bakelite*) reagieren (*Baeyer-Reaktion); s. a. Phenol-Harze. Die univalente Dehydrierung an der OH-Gruppe läßt Phenoxyl-Radikale entstehen, was für die Antioxidantien-Eigenschaft der P. (*Radikal-Fänger) bestimmend ist. Die Oxid. von P. führt je nach Versuchsbedingungen zu Chinonen od. durch *oxidative *Kupp(e)lung* zu Dimeren od. heterocycl. Verb.; Periodsäure ist hierbei oft ein nützliches Oxidans. Die Alkylierung der P. zu Alkylphenolen, vgl. Williamson-Synthese, kann direkt mit den Olefinen vorgenommen werden, vgl. a. Nencki-Reaktion. Mit $K_2S_2O_8$ lassen sich P. in Dihydroxy-Verb. (*Elbs-Reaktion), durch Ammono- bzw. Aminolyse in entsprechende aromat. Amine überführen (*Bucherer-Reaktion, s. Abb. 2).

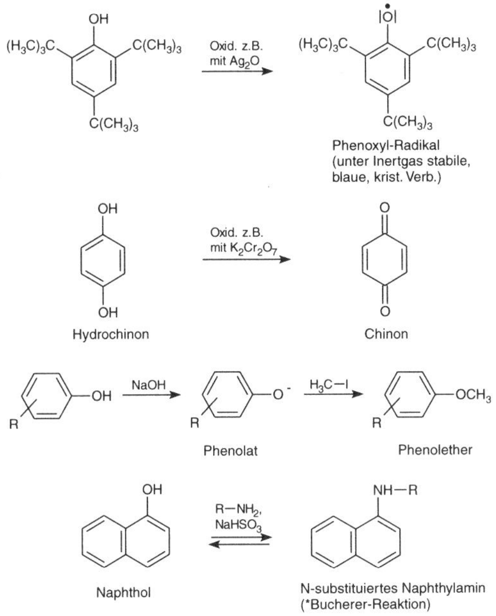

Abb. 2: Typ. Reaktionen von Phenolen.

Verw.: Alkyl-P. spielen eine Rolle als Antioxidantien u. Ausgangsprodukte für nichtion. Tenside, Dermatika u. andere Pharmaka sowie Pestizide. Verschiedene Alkyl-, Aryl- u. Halogen-P. sind wirksame Desinfektionsmittel u. Antimykotika (*Beisp.:* Kresole, Thymol, 2-Phenylphenol, Hexachlorophen). Die Amino-P. haben techn. Bedeutung als Zwischenprodukte für Azo- u. Schwefel-Farbstoffe, u. Hydrochinon, Brenzcatechin u. *p*-Aminophenol sind reversibel zu den entsprechenden Chinonen bzw. Chinoniminen oxidierbar, weshalb sie auch als photograph. Entwickler Verw. finden. Weitere wichtige P.-Derivate sind die *Phenolether, *Phenolaldehyde, Phenolester, Halogenphenole (insbes. *Chlorphenole), Phenylphenole (s. Biphenylole), *Naphthole, *Phenoxycarbonsäuren. Ersetzt man die OH-Gruppe der P. durch eine SH-Gruppe, gelangt man zu *Thiophenolen*. – ***E*** phenols – ***F*** phénols – ***I*** fenoli – ***S*** fenoles

Lit.: [1] IUPAC, Nomenklatur der Organischen Chemie, S. 109, Weinheim: VCH Verlagsges. 1997. [2] Kontakte (Merck) **1982**, Nr. 3, 25–31. [3] Hutzinger **3A**, 157–179. [4] Toxicol. Environ. Chem. **7**, 97–110 (1984). [5] Wittowski, Phenole im Räucherrauch, Weinheim: Verl. Chemie 1985. [6] Marr et al., Umweltanalytik, S. 214, Stuttgart: Thieme 1988. [7] DIN 38409-16: 1984-06.

allg.: Afghan u. Chau, Analysis of Trace Organics in the Aquatic Environment, S. 119–149, Boca Raton: CRC Press 1989 ▪ Contemp. Org. Synth. **3**, 65 (1996) ▪ Houben-Weyl **6/1c** ▪ Katritzky et al. **2**, 635 f. ▪ Patai, The Chemistry of the Hydroxyl Group, London: Wiley 1971 ▪ Patai, The Chemistry of Hydroxyl, Ether and Peroxide Groups, Chichester: Wiley 1993.

Phenolether (Phenylether). Sammelbez. für *Ether der allg. Formel R^1–O–R^2, wobei R^1 ein aromat., R^2 ein aliphat. od. aromat. Rest od. ein Zucker ist; *Beisp.:* *Anisol, *Phenetol, *Diphenylether, *Picein. In der Natur sind P. weit verbreitet, insbes. die Methyl-Derivate; viele P. sind wohlriechend u. finden daher Anw. in der Parfümerie u. Aromen-Industrie. P. entstehen durch *O*-Alkylierung von *Phenolen mit Dialkylsulfaten od. Alkylhalogeniden in alkal. Lsg. (*Williamson-Synthese) od. Diazomethan (für *Methylphenylether*). Die Spaltung gelingt mit Halogenwasserstoffsäuren u. bei hohen Temp. nur schwer, leichter dagegen mit wasserfreiem $AlCl_3$ in Benzol. Allylphenylether gehen die *Claisen-Umlagerung zu 2-Allylphenolen ein. – ***E*** phenol ethers – ***F*** éthers phénoliques – ***I*** eteri fenolici – ***S*** éteres fenólicos

Lit.: s. Ether, Phenole u. einzelne Textstichwörter.

Phenolethoxylate s. Alkylphenolpolyglykolether.

Phenol-Fasern s. Phenol-Harze.

Phenol-Formaldehyd-Harze s. Phenol-Harze.

Phenol-Formaldehyd-Kondensationsprodukte. Sammelbez. (Kurzz. PF) für durch *Polykondensation der genannten Ausgangsverb. entstehende *Phenol-Harze.

Phenol-Harze (Kurzz. PF). Bez. (nach DIN 16916-1: 1981-06) für Kunstharze, die durch Kondensation von Phenolen mit Aldehyden, insbes. Formaldehyd, durch Derivatisierung der dabei resultierenden Kondensate od. durch Addition von Phenolen an ungesätt. Verb., wie z. B. Acetylen, Terpene od. *natürliche Harze, gewonnen werden.

Nicht mehr zu den P.-H. gerechnet werden Produkte, die infolge des Modifizierungsgrades eigenschaftsmäßig dem Modifizierungsmittel näher stehen u. damit einer anderen Harzklasse zugeordnet werden.

P.-H. sind *Reaktionsharze, die über Vernetzungsreaktionen zu *Duroplasten, den Phenoplasten, nachgehärtet werden. Der Begriff *Phenoplaste* wird vielfach übergreifend auch für die P.-H. selbst verwendet. P.-H. lassen sich klassifizieren nach Art ihrer Edukte, den daraus hergestellten Harz-Typen, den Modifizierungsmitteln, den Aggregatzuständen u. den Kondensationsstufen.

Wichtigste Phenol-Komponenten für P.-H. sind neben Phenol selbst seine Alkyl-(Kresole, Xylenole, Nonyl-, Octylphenol) u. Aryl-Derivate (Phenylphenol), zweiwertige Phenole (Resorcin, Bisphenol A) u. Naphthole. Bedeutendste Aldehyd-Komponente ist Formaldehyd in unterschiedlichsten Anbietungsformen (wäss. Lsg., Paraldehyd, Formaldehyd-abspaltende Verb.). Andere Aldehyde (z. B. Acetaldehyd, Benzaldehyd od. Acrolein) werden nur untergeordnet zur Herst. von P.-H. verwendet. In bes. Fällen können auch Ketone als Carbonyl-Komponente Verw. finden.

Aus Kondensationsreaktionen von Phenolen mit Aldehyden (Formaldehyd) resultieren unmodifizierte P.-H., die in Abhängigkeit von den Mengenverhältnissen der Edukte, den Reaktionsbedingungen u. den eingesetzten Katalysatoren in zwei Produktklassen, die *Novolake* (Phenolnovolake) u. *Resole*, eingeteilt werden. Novolake sind lösl., schmelzbare, nicht selbsthärtende u. lagerstabile *Oligomere mit Molmassen im Bereich von ca. 500–5000 g/mol. Sie fallen bei der Kondensation von Formaldehyd u. Phenol im Mol-Verhältnis von ca. 1:1,25–2 in Ggw. saurer Katalysatoren nach Gleichung b (Abb. S. 3252) an:

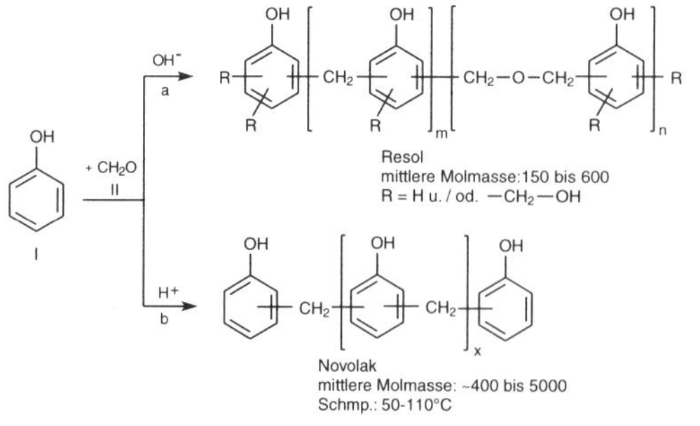

Abb.: Resol- u. Novolak-Bildung; a) Mol-Verhältnis I:II = 1,25–2:1; b) Mol-Verhältnis I:II = 0,4–0,8:1.

Novolake sind also Methylol-Gruppen-freie P.-H., deren aromatische Ringe über Methylen-Brücken verknüpft sind. Sie können nach Zusatz von Härtungsmitteln – bevorzugt Formaldehyd od. diesen abspaltende Verb. (z.B. *Hexamethylentetramin) – bei erhöhter Temp. unter Vernetzung gehärtet werden.

Resole sind Gemische von Hydroxymethylphenolen, die über Methylen- u. Methylenether-Brücken verknüpft sind. Sie werden erhalten aus der bas. katalysierten Reaktion (Reaktionsgleichung: s. Abb. 1, Gleichung a) von Formaldehyd u. Phenolen im Mol-Verhältnis von 1:<1, vorzugsweise ca. 1:0,4–0,8.

Resole sind über die reaktiven Methylol-Gruppen selbsthärtend u. v.a. flüssig od. gelöst nur begrenzt haltbar.

P.-H. durchlaufen bei der Herst. u. Härtung verschiedene Zustände, den A-(Ausgangs-)Zustand: Flüssig od. schmelzbar u. lösl. (*Novolake* u. *Resole*), den B-(Zwischen-)Zustand: Quellbar, unlösl. u. schmelzbar, aber in der Wärme noch formbar (*Resitole*) u. den C-(End-)Zustand: Unschmelzbar u. unlösl. (*Resite*).

Da Phenol u. einige seiner Derivate mit Formaldehyd trifunktionell reagieren können, sind die P.-H. im ausgehärteten Zustand engmaschig vernetzte, unschmelzbare Duroplaste. Aus Strukturuntersuchungen an Modellsyst. ist bekannt, daß sich die bevorzugten Reaktionsstellen der Phenole in *o*- u. *p*-Position zur Hydroxy-Gruppe befinden. Die phenol. Hydroxy-Gruppe bewirkt nicht nur die hohe Reaktivität der Phenole gegenüber Carbonyl-Verb., sondern auch die Härtbarkeit der Zwischenprodukte sowie über Ausbildung von Wasserstoff-Brückenbindungen die Stabilität der Endprodukte.

Die Härtung der P.-H. verläuft bei höheren Temp. (140–180 °C) schnell, kann aber auch bei tieferen Temp., unter Einsatz von starken Säuren als Katalysatoren (*Säurehärtung*), sogar bei 20 °C durchgeführt werden.

Resole lassen sich auch mit verschiedenen nichtphenol. Stoffen, die reaktionsfähige H-Atome od. Doppelbindungen aufweisen, zu *modifizierten* PF umsetzen. So verethern Hydroxymethyl-Gruppen verhältnismäßig leicht mit Alkoholen (meist Butanol) zu gleichfalls noch reaktiven Alkoxymethyl-Gruppen, wodurch man z.B. zu Kohlenwasserstoff-lösl. Resolen für Lackzwecke kommt. Bes. Bedeutung hat die Umsetzung mit Kolophonium zu *naturharzmodifizierten PF* erlangt, die nach Veresterung mit Polyalkoholen als in Kohlenwasserstoffen u. fetten Ölen lösl. Lack- u. Druckfarbenharze Verw. finden. Die direkte Mischkondensation von Resolen mit konjugiert-ungesätt. Ölen gelingt mit reaktiven Alkylphenolharzen (*Ölreaktivität*). Zur Weichmachung gehärteter P.-H. können fette Öle od. Weichharze vor od. während der Härtung in PF chem. eingebaut werden. Von derart *plastifizierten*, wasserlösl. gemachten PF macht man insbes. bei Metall-Einbrennlacken für die Elektrotauchlackierung Gebrauch. Durch säurekatalysierte Vernetzung von schmelzgesponnenen Novolaken mit Formaldehyd erhält man sog. *Novoloid-Fasern* (bekannte Marke: Kynol), die unschmelzbar u. unlösl. u. für flamm- u. chemikalienfeste Gewebe sowie als Ausgangsprodukte für Kohlenstoff-Fasern u. -Verbundstoffe geeignet sind.

Die Verarbeitungs- u. Gebrauchseigenschaften der PF lassen sich in gewissem Rahmen durch Zusatz von Füll- bzw. Verstärkerstoffen beeinflussen: Allerdings fehlen den PF die bei *Aminoplasten gegebene Farblosigkeit u. Lichtbeständigkeit. *P.-Pressmassen* u. *-Formmassen* haben einen Harzanteil von 40 bis 55%. Als organ. Füll- u. Verstärkerstoffe dienen Holzmehl, Zellstoff, Textilfasern u. -gewebe, auch Furnierschnitzel u.a., als anorgan. Gesteinsmehl, Glasfasern u. Glimmer. Unter Zusatz von Farbstoffen, Gleitmitteln u.a. werden die Massen maschinell gemischt u. im Kneter aufbereitet, anschließend zerkleinert u. ggf. tablettiert. Ihre Verarbeitung zu Formkörpern erfolgt bei Härtungstemp. von etwa 140 bis 190 °C unter Drücken bis >500 bar im Preß- u. bis >2000 bar im Spritzgieß- u. Spritzpreßverfahren.

Eigenschaften: Charakterist. für P.-H. sind hohe Festigkeit, Steifheit, Zähigkeit, Wärmebeständigkeit u. Härte; geringe Kriechneigung, niedriger Wärmeausdehnungskoeff. u. geringe Lichtechtheit. Sie sind glutbeständig u. schwer entflammbar, spannungsrißbeständig, beschränkt kriechstromfest, nur in dunklen Tönen einfärbbar u. für den Kontakt mit Lebensmitteln nicht zugelassen. Zur Umweltrelevanz von P.-H. s. *Lit.*[1].

P.-H. können nach sehr unterschiedlichen Verf. verarbeitet werden, z.B. durch Pressen, Spritzpressen u. -gießen, Schichtpressen, Kleben od. Spanen.

Geschichte: P.-H. sind die ältesten vollsynthet. *Kunstharze bzw. *Kunststoffe. Erstmals berichtete A. von *Baeyer über Phenol/Aldehyd-Kondensationsreaktionen (*Baeyer-Reaktion). Techn. genutzt wurde diese Reaktion bereits 1902 zur Herst. von Novolaken (Laccain®) als Ersatz für *Schellack (*E* lac; daher auch die Bez. Novolak). Am bekanntesten wurden die P.-H. als *Bakelite®, einem Phenoplast, dessen Bez. vom Namen des Erfinders *Baekeland abgeleitet wurde.

Produktion: Trotz der wegen der Giftigkeit ihrer wichtigsten Edukte Phenol u. Formaldehyd ausgelösten Diskussion über mit ihrer Anw. verbundene Risiken (*Lit.*[1]) werden P.-H. in nach wie vor steigenden Mengen produziert. Tab. 1 zeigt beispielhaft die Produktionsmengen an P.-H. im Jahre 1994 in der BRD in Frankreich, Japan u. den USA sowie die Entwicklung im Vgl. zum Vorjahr (*Lit.*[2]).

Tab. 1: Phenol-Harz-Produktion (in 1000 t) u. Veränderung gegenüber dem Vorjahr für 1994.

Land	Produktion	Veränderung [%]
BRD	270	+15,9
Frankreich	68	+41,7
Japan	330	+0,6
USA	1468	+5,3

Tab. 2: Produktion von Phenol-Harz-Formmassen nach Regionen (in 1000 t).

Region	1988	1991	1994
Japan	64,9	64,8	58,1
Korea	5,4	6,0	6,5
Südostasien	25,0	28,0	38,2
USA	89,7	70,8	67,4
Westeuropa	72,0	67,0	63,5
insgesamt	257,0	236,6	233,7

Tab. 2 stellt beispielhaft die Entwicklung der Produktion von P.-H.-Formmassen in Asien (außer China), den USA u. Westeuropa von 1988 bis 1994 dar. Danach verzeichnen Westeuropa u. die USA deutliche Produktions-Einbußen, während in Südostasien die Produktionsmengen in den letzten Jahren kräftig gestiegen sind (*Lit.*[2]).

Verw.: Aufgrund des über Wahl der Edukte, der Herst.-Verf., der Modifizierungsmittel u. der Zusatzstoffe (Füllstoffe, Pigmente u.a.) breit variablen Eigenschafts-Spektrums sind P.-H. sehr vielseitig einsetzbar. Tab. 3 gibt einen Überblick über die Hauptanw.-Gebiete für P.-H.-Formmassen. Die größten Mengen werden in der Elektrotechnik, im Haushaltsbereich u. in der Hausgeräte-Technik verbraucht. Glasfaserverstärkte P.-H.-Formmassen, die sich u.a. durch ausgezeichnete thermomechan. Eigenschaften u. eine hohe Dimensionsstabilität bei erhöhter Temp. auszeichnen, haben in den letzten Jahren einen neuen Markt für mechan., therm. u. chem. hochbeanspruchte Formteile erschlossen, wobei vorwiegend metall. Werkstoffe abgelöst wurden. Eine Fortsetzung dieser Entwicklung zeichnet sich ab.

Tab. 4 zeigt im Vgl. die Entwicklung der Marktanteile von Phenol-(PF), Harnstoff-(UF), Melamin-(MF), Melamin-Phenol-(MP) u. Polyester-(UP) Formmassen in Westeuropa von 1988 bis 1994 auf. – ***E*** phenolic resins – ***F*** phenoplastes – ***I*** resine fenoliche – ***S*** resinas fenólicas

Tab. 3: Prozentuale Verbrauchsaufgliederung für Phenol-Harz-Formmassen (1994).

Anw.	Anteil [%]
Elektrotechnik	39
Haushalt u. Elektrohausgeräte	36
Automobil	14
Sanitär	5
Verschlüsse	2
andere	4
insgesamt	100

Tab. 4: Prozentuale Verbrauchsaufgliederung für die verschiedenen härtbaren Formmassen in Westeuropa.

Harzbasis	Marktanteil [%]		
	1988	1991	1994
Phenol	46	43	42
Harnstoff	40	44	44
Melamin/Melamin-Phenol	8	7	8
ungesätt. Polyester	6	6	6
insgesamt	100	100	100

Lit.: [1] Kunststoffe **80**, 510–514 (1990). [2] Kunststoffe **85**, 1635 (1995).
allg.: Compr. Polym. Sci. **5**, 611–647 ▪ Encycl. Polym. Sci. Eng. **11**, 45–95 ▪ Houben-Weyl **E 20/3**, 1794–1810 ▪ Knop u. Pilato, Phenolic Resins, Berlin: Springer 1985 ▪ Woebcken, Duroplaste, Kunststoff-Handbuch, 2. Aufl., Bd. 10, S. 38 ff., München: Hanser 1988 ▪ Ullmann (5.) **A 23**, 89 ff. – *[HS 3909 40]*

Phenolisatine. Gruppenbez. für phenol. *Isatin-Derivate, die als Laxantien eingesetzt wurden; *Beisp.:* Oxyphenisatin, s. die Formeln dort. – ***E*** phenolisatins – ***F*** phénolisatines – ***I*** fenolisatine – ***S*** fenolisatinas

Phenol-Koeffizient (Rideal-Walker-Koeff.). Vgl.-Zahl für die Wirkungskraft von *Desinfektionsmitteln. Man ermittelt, welche Konz. des zu prüfenden Mittels Typhus-Bakterien in der gleichen Zeit abtötet wie eine Phenol-Lsg.: ein Mittel, das Bakterien schon in 1/10 der beim Phenol nötigen Konz. abtötet, erhält den P.-K. 10. Einige typ. P.-K.:
Formaldehyd 0,9, schweflige Säure 0,25, Chlorkalk 35, Quecksilber(II)-chlorid 110, Hexylresorcin 70–150, Thymol 20, Eugenol 8,6, Lavendelöl 1,6, Thiomersal 40–50, Menthol 5–12, Iodtinktur 6–8. – ***E*** phenol coefficient – ***F*** coefficient phénol – ***I*** coefficiente fenolico – ***S*** coeficiente fenólico

Lit.: Horwitz (Hrsg.), Official Methods of Analysis of the AOAC, S. 565 ff., Washington: Association of Official Analytical Chemists 1980.

Phenolnovolake s. Phenol-Harze.

Phenol-Oxidasen (Polyphenol-Oxidasen, EC 1.10.3.1). Kupfer-haltige *Oxidasen, die die Überführung von Monophenolen über 1,2-Diphenole zu den entsprechenden Chinonen katalysieren (*Beisp.:* *Tyrosinase). P. sind in der Natur weit verbreitet; sie bewirken z.B. die Bräunung der Schnittflächen bei Kartoffeln, Obst u. Pilzen, die Braun- u. Schwarzfärbung abgefallenen Herbstlaubes, die Entstehung der *Phlobaphene aus *Polyphenolen u. die Pigmentfärbung u. Cuticula-Härtung der *Insekten. Durch *Melanin-Bildung sind sie wesentlich an der *Hautbräunung beteiligt; ihr Fehlen hat Albinismus zur Folge. Sie werden durch Sonnen-, α- od. Röntgenstrahlung aktiviert, durch Kochen zerstört u. durch L-Ascorbinsäure, Schwefeldioxid, Blausäure, Kohlenmonoxid u. Hydrochinonbenzylether gehemmt. Polyphenol-Oxidasen (*Beisp.:* *Laccase) sind auch beim *Lignin-Abbau beteiligt[1]. – ***E*** phenol oxidases – ***F*** phenol-oxydases – ***I*** fenolossidasi – ***S*** fenol-oxidasas

Lit.: [1] Appl. Environ. Microbiol. **63**, 2637–2646 (1997); FEBS Lett. **407**, 89–92 (1997).

Phenolphtalol s. Phenolphthalol.

Phenolphthalein [3,3-Bis(4-hydroxyphenyl)phthalid].

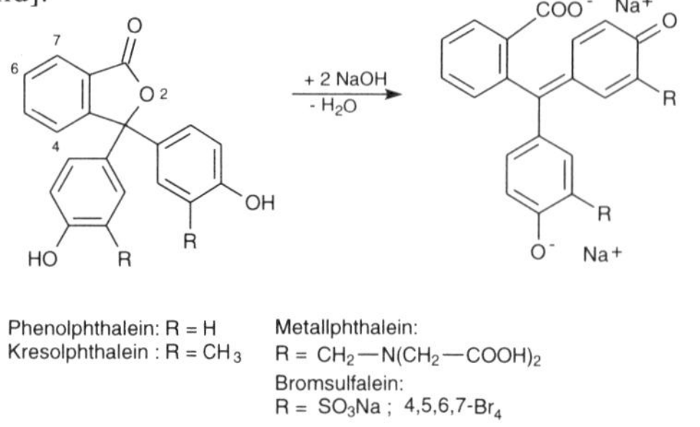

$C_{20}H_{14}O_4$, M_R 318,32. Weißes, krist., geschmacks- u. geruchsfreies, wasserunlösl. Pulver, lösl. in Alkohol u. Alkalien. Schmp. 258–262 °C, WGK 1 (Selbsteinst.). Im sauren bis neutralen Milieu ist die P.-Lsg. farblos (Abb. links: Phthalid-Form), mit Alkalien erfolgt im pH-Bereich 8,4–10,0 die Ausbildung einer chinoiden Struktur (s. Abb. rechts) unter Farbumschlag nach karminrot. Der Farbumschlag kann durch Säurezugabe rückgängig gemacht werden. P. ist daher ein guter Säure-Basen-*Indikator bei Titrationen starker Basen. Die Rotfärbung ist noch in einer Verdünnung von 1:1 000 000 erkennbar.
Herst.: Durch Kondensation von Phenol mit Phthalsäureanhydrid in Ggw. wasserentziehender Mittel wie $ZnCl_2$, Schwefelsäure (von *Baeyer, 1871) od. Toluolsulfonsäure. P. gehört zu den *Phthaleinen u. in seiner Dianion-Form zu den *Triarylmethan-Farbstoffen u. ist verwandt mit *Fluorescein.
Verw.: Als Indikator (1%ige alkohol. Lsg. od. als P.-Papier), als *Polreagenzpapier* [Fließpapier mit P. u. Kochsalz durchtränkt u. getrocknet, gibt am Minuspol (Kathode) Rötung, weil sich dort aus dem Na des NaCl etwas NaOH bildet], in der Medizin als *Abführmittel (vgl. a. Abführmittel). – ***E*** phenolphthalein – ***F*** phénolphtaléine – ***I*** fenolftaleina – ***S*** fenolftaleína
Lit.: Beilstein E V **18/4**, 188 ▪ Hager (5.) **1**, 153; **2**, 352; **9**, 134 ▪ Kirk-Othmer (3.) **11**, 701; (4.) **14**, 501. – *[HS 2932 29; CAS 77-09-8]*

Phenolphthalol (Phenolphtalol).

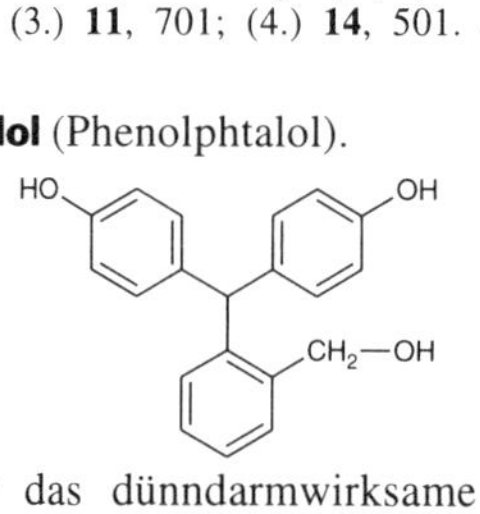

Kurzbez. für das dünndarmwirksame *Laxans 2-[Bis(4-hydroxyphenyl)-methyl]-benzylalkohol, $C_{20}H_{18}O_3$, M_R 306,36, Schmp. 201–202 °C. – ***E*** phenolphthalol – ***F*** phénolphthalol – ***I*** fenolftalolo – ***S*** fenolftalol
Lit.: Hager (5.) **9**, 136 ▪ Martindale (29.), S. 1103. – *[CAS 81-92-5]*

Phenolrot s. Phenolsulfonphthalein.

Phenolsulfat s. Phenol.

Phenolsulfonphthalein [Phenolrot, PSP, 4,4′-(3*H*-2,1-Benzoxathiol-3-yliden)bisphenol-1,1-dioxid]. $C_{19}H_{14}O_5S$, M_R 354,38. Beim P. ist die CO-Gruppe des *Phenolphthaleins durch die SO_2-Gruppe ersetzt, vgl. die Abb. bei Bromphenolblau. Rote, luftbeständige Krist., in wäss. Alkali-Lsg. mit roter Farbe löslich. P. wird seit 1910 zur *Nierenfunktionsprüfung* verwendet, wobei der Prozentsatz des 15 min nach i. v. Injektion von 6 mg PSP im Harn ausgeschiedenen Farbstoffs ermittelt wird. Als Indikator zeigt P. Farbumschlag bei pH 6,4–8,2 (gelb → rot). – ***E*** phenolsulfonephthalein – ***F*** phénolsulfonephthaléine – ***I*** fenolsolfonftaleina – ***S*** fenolsulfonftaleína
Lit.: Beilstein E V **19/3**, 457 ▪ Hager (5.) **9**, 136 ▪ Ullmann (5.) **A 14**, 132; **A 27**, 205. – *[HS 2934 90; CAS 143-74-8]*

Phenolsulfonsäuren (Hydroxybenzolsulfonsäuren).

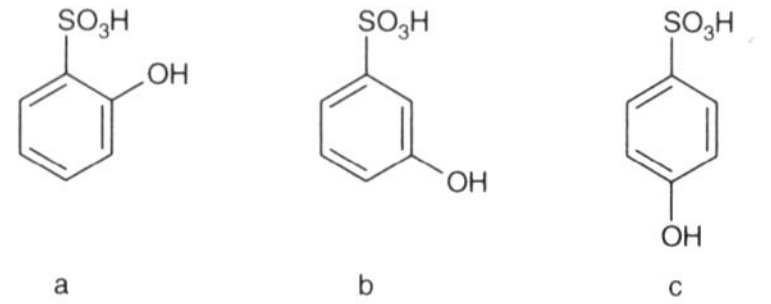

$C_6H_6O_4S$, M_R 174,17. P. sind ähnlich der Benzolsulfonsäure starke Säuren. Sie sind extrem wasserlösl. u. neigen zur Bildung von Hydraten. Ihre Amin-Salze, z. B. des Anilins od. des *S*-Benzylisothioharnstoffs, sind in Wasser schwer lösl. u. haben definierte Schmelzpunkte. Die chem. Eigenschaften der P. sind durch die reaktionsfreudige aromat. Hydroxy-Gruppe gekennzeichnet, sie reagieren u. a. auch mit Diazonium-Salzen unter Bildung von Azofarbstoffen. *o*-P. mit zwei od. mehr vicinalen Hydroxy-Gruppen am Benzol-Kern bilden Chelat-Komplexe mit Metall-Ionen.
(a) *o-Phenol-2-sulfonsäure* (2-Hydroxybenzolsulfonsäure), Schmp. 145 °C (Monohydrat), wird durch Diazotierung u. saure Verkochung von 2-Aminobenzolsulfonsäure od. durch Sulfonierung von Phenol hergestellt. Bei letzterem Verf. entsteht auch 4-Hydroxybenzolsulfonsäure (Verhältnis 2:3), von der sie über das schwerlösl. Barium-Chelat abgetrennt werden kann. *o*-P. hat aufgrund der rel. teuren Herst. nur geringe Bedeutung als Farbstoff-Zwischenprodukt.
(b) *m-Phenolsulfonsäure* (3-Hydroxybenzolsulfonsäure), Schmp. 314 °C (Natrium-Salz), wird aus 1,3-Benzoldisulfonsäure u. NaOH hergestellt.
(c) *p-Phenolsulfonsäure* (4-Hydroxybenzolsulfonsäure), zersetzt sich bei Temp. oberhalb 50 °C. Staub u. Dämpfe verursachen starke Reizung u. Verätzung der Augen, der Atmungsorgane u. der Haut, Lungenödem möglich. Kontakt mit der Flüssigkeit od. dem festen Stoff führt zu starker Verätzung der Augen u. der Haut. Phenol-4-sulfonsäure wird wie (a) durch Sulfonierung von Phenol (elektrophile Substitution von Phenol mit H_2SO_4) hergestellt u. dient als Zwischenprodukt für die Herst. von Farbstoffen, als Zusatz für galvan. Bäder, Waschmittel, synthet. Gerbstoff, Desinfektionsmittel u. Pflanzenschutzmittel. Als Zusatz bei der Herst. von Polyester-Fasern erhöht sie deren Anfärbbarkeit. – ***E*** phenolsulfonic acids – ***F*** acides phénolsulfoniques – ***I*** acidi fenolsolfonici – ***S*** ácidos fenolsulfónicos
Lit.: Beilstein E IV **11**, 574–582 ▪ Hommel, Nr. 878 ▪ Merck-Index (12.), Nr. 7396 ▪ Ullmann (5.) **A 3**, 527. – *[HS 2908 20; CAS 609-46-1 (a); 585-38-6 (b); 98-67-9 (c); G 8]*

...phenon. Endung von Bez. für Phenylketone ($R–CO–C_6H_5$; IUPAC-Regel C-313.2); Regel R-5.6.2.1 empfiehlt nur noch die Bez. *Acetophenon, *Benzophenon u. *Propiophenon ($R = CH_3, C_6H_5$ u. C_2H_5) u. bei Substitution systemat. Bez. (abzuleiten von 1-Phenylethanon, Diphenylmethanon u. 1-Phenyl-1-propanon). – ***E*** ...phenone – ***F*** ...phénone – ***I*** ...fenone – ***S*** ...fenona

Phenonip®. *4-Hydroxybenzoesäureester-Gemisch als Konservierungsmittel in der Kosmetik u. Pharmazie. ***B.:*** Nipa.

Phenoplaste s. Phenol-Harze.

Phenoplast-Preßmassen. Bez. (nach DIN 7708-2: 1975-10) für *Preßmassen auf der Basis von *Phenol-Harzen. Wegen ihrer Eigenfarbe u. farblichen Lichtunbeständigkeit werden P.-P. nur als intensiv eingefärbte Produkte eingesetzt. Nach der genannten DIN-Norm werden P.-P. in solche für eine allg. Verw. bzw. in solche mit einer Verw. für Produkte mit erhöhter Kerbschlagzähigkeit, Produkte mit erhöhter Wärmeformbeständigkeit, Produkte mit verbesserten elektr. Eigenschaften u. für Produkte mit zusätzlichen Eigenschaften unterteilt.
P.-P. werden vielfach in Abmischung mit Füllstoffen eingesetzt. Füllstoffe für wärmehärtende Typen sind anorgan. Stoffe (z.B. Asbest, Glasfasern od. Gesteinsmehl), für kalthärtende Massen auch organ. Produkte wie Holzmehl, Zellstoff od. Baumwollfarben. – ***E*** phenolic moulding material – ***F*** matières de moulage (par compression) phénoliques – ***I*** materie fenoplastiche da stampeggio – ***S*** compuestos de moldeo (por compresión) fenólicos
Lit.: Batzer **3**, 231.

Phenoraffin-Verfahren. Vielstufen-Extraktions- u. Dest.-Verf. zur Gewinnung von Phenol u. Kresolen aus Teerölfraktionen. – ***E*** phenoraffin process – ***F*** procédé phénoraffin – ***I*** processo fenoraffin – ***S*** procedimiento fenorrafín
Lit.: Ullmann (5.) **A 26**, 115 ▪ Weissermel-Arpe (3.) (engl.), S. 347 ▪ Winnacker-Küchler (4.) **5**, 480.

Phenosafranin s. Safranine.

Phenosolvan®-Verfahren. Gegenstromextraktions-Verf. zur Entphenolung wäss. Phasen mittels Ester, Ethern u. Ketonen. ***B.:*** Lurgi.
Lit.: Ullmann (5.) **A 12**, 277.

Phenothiazin.

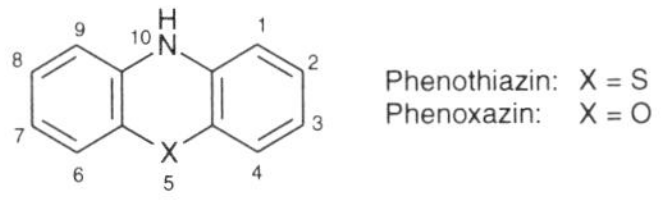

$C_{12}H_9NS$, M_R 199,27. Gelbe, geschmackfreie Blättchen, Schmp. 186 °C, Sdp. 370 °C, sehr wenig lösl. in Wasser, wenig lösl. in Alkohol u. Ether, lösl. in Benzol, Aceton, Xylol, subl. unter Luftabschluß, WGK 2 (Selbsteinst.). Von P. leiten sich verschiedene sog. *Thiazin-Farbstoffe* her, so z.B. *Methylenblau, *Thionin, *Immedial®- u. Immedial-Licht-Farbstoffe, *Hydron®-Blau R, 3R, G u.a. *Schwefel-Farbstoffe. Für Wirbeltiere ist P. verhältnismäßig wenig giftig, dagegen wirkt es auf viele niedere Organismen tödlich, weshalb man es auch bei Menschen u. Haustieren gegen Madenwürmer, in den USA gelegentlich gegen Obst-, Gemüse-, Getreide- u. Baumwollschädlinge verwendet. P. u. seine Verb. sind in kosmet. Mitteln verboten (Kosmetik-VO Anl. 1, Nr. 320). Am Stickstoff substituierte P.-Derivate dienen in der Medizin als *Antiemetika u. bes. als *Neuroleptika [1]. P. selbst ist auch als Polymerisationsinhibitor u. Antioxidans in synthet. Schmiermitteln geeignet. – ***E*** phenothiazine – ***F*** phénothiazine – ***I = S*** fenotiazina
Lit.: [1] Negwer (6.), S. 1324.
allg.: Arzneimittelchemie I, 267–271 ▪ Beilstein EV **27/6**, 245–249 ▪ Drugs **22**, 495–514 (1981) ▪ Heterocycles **10**, 935–964 (1982); **20**, 283–324 (1983) ▪ Kirk-Othmer (4.) **2**, 332 ▪ Ullmann (5.) **A 2**, 41; **A 19**, 387 ff. ▪ Usdin et al., Phenothiazines and Structurally Related Drugs, Amsterdam: Elsevier 1980 ▪ Winnacker-Küchler (4.) **7**, 178 ▪ s. a. Psychopharmaka. – *[HS 2934 30; CAS 92-84-2]*

Phenothrin.

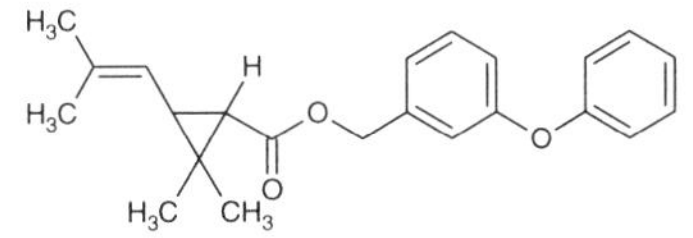

Common name für 3-Phenoxybenzyl-(±)-*cis,trans*-chrysanthemat, $C_{23}H_{26}O_3$, M_R 350,45, LD_{50} (Ratte oral) >5000 mg/kg (WHO), von Sumitomo 1973 eingeführtes nicht-system. *Insektizid gegen Hygiene- u. Vorratsschädlinge. – ***E*** phenothrin – ***F*** phénothrine – ***I = S*** fenotrina
Lit.: Farm. ▪ Perkow ▪ Pesticide Manual. – *[HS 2916 20; CAS 26002-80-2]*

Phenoxazin. $C_{12}H_9NO$, M_R 183,21 (Strukturformel s. Phenothiazin). Farblose Blättchen, Schmp. 156 °C, Zers. beim Sieden, lösl. in Alkohol, Ether, Chloroform, unlösl. in Wasser. Das aus *Aminophenolen durch oxidative *Kuppelung herstellbare P. ist die Grundsubstanz von P.- u. Phenoxazon-Farbstoffen. Die P.-Farbstoffe sind lichtechte Farbstoffe (früher als Oxazin-Farbstoffe bezeichnet), die in 3- u./od. 7-Stellung auxochrome Gruppen wie z.B. Dialkylamino-Gruppen tragen u. Chromier- u. Beizenfarbstoffe darstellen, z.B. Nilblau, Meldolablau, Gallocyanin, Gallophenine. Kation. Farbstoffe dieser Reihe dienen z.B. zum Färben von Leder, Polyacrylnitril-Fasern, zur Herst. von Lackfarben, als Mikroskopierfarbstoffe. – ***E*** phenoxazine – ***F*** phénoxazine – ***I*** fenossazina – ***S*** fenoxazina
Lit.: Beilstein EV **27/6**, 223 ff. ▪ Winnacker-Küchler (3.) **4**, 255 ff., 365 f. – *[HS 2934 90; CAS 135-67-1]*

Phenoxazon (3*H*-Phenoxazin-3-on).

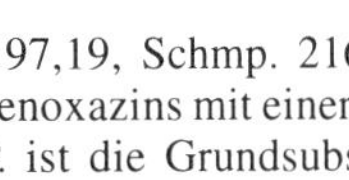

$C_{12}H_7NO_2$, M_R 197,19, Schmp. 216,5 °C. Ein Oxid.-Produkt des *Phenoxazins mit einer Carbonyl-Gruppe in 3-Stellung. P. ist die Grundsubstanz der Phenoxazin-Farbstoffe, die sich formal vom P. durch Substitution u./od. Anellierung weiterer Ringe ableiten, z.B. *Lackmus- u. *Orcein-Farbstoffe, Ommochrome (vgl. die Abb. dort) u. *Actinomycine. Auch in höheren Pilzen wurden P.-Farbstoffe gefunden [1]. P. entstehen ggf. durch oxidative *Kuppelung entsprechender *Aminophenole. – ***E*** phenoxazone – ***F*** phénoxazone – ***I*** fenossazone – ***S*** fenoxazona

Lit.: [1] Helv. Chim. Acta **59**, 1383–1388 (1976).
allg.: Beilstein E V **27/12**, 3 ▪ Ullmann (5.) **A 3**, 228; **A 15**, 162 ▪ Zollinger, Color Chemistry, 2. Aufl., S. 252, Weinheim: VCH Verlagsges. 1991 ▪ s. a. Phenoxazin. – *[HS 2934 90; CAS 7385-67-3]*

Phenoxazon-Farbstoffe. Gruppe natürlich vorkommender Farbstoffe, die sich formal von 3*H*-Phenoxazin-3-on (*Phenoxazon) durch Substitution u./od. Anellierung weiterer Ringe ableiten, z. B. *Actinomycine, *Cinnabarin, *Lackmus- u. *Orcein-Farbstoffe, *Ommochrome. – ***E*** phenoxazone pigments – ***F*** colorants de phénoxazone – ***I*** coloranti fenossazonici – ***S*** colorantes de fenoxazona

Lit.: Ullmann (5.) **A 3**, 224, 228.

Phenoxetol®. 2-Phenoxyethanol zur Verw. als Hautantiseptikum. ***B.:*** Nipa.

Phenoxide. Veraltete Bez. für die Anionen von *Phenolen; s. Phenolate.

Phenoxy... Bez. für die Atomgruppierung $-O-C_6H_5$ (IUPAC-Regel C-205.1, R-5.52; abgelehnte ungekürzte Bez.: Phenyloxy...); freies Radikal $C_6H_5-O^{\bullet}$ s. Phenoxyl. – ***E*** phenoxy... – ***F*** phénoxy... – ***I*** fenossi... – ***S*** fenoxi...

Phenoxybenzamin (Rp).

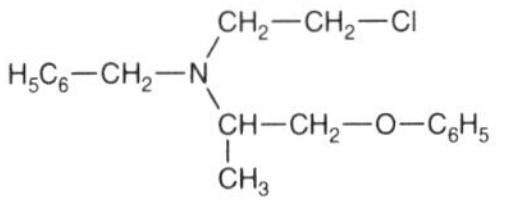

Internat. Freiname für den Alpha-Rezeptoren-Blocker (s. Adrenozeptoren) *N*-(2-Chlorethyl)-*N*-(1-methyl-2-phenoxyethyl)-benzylamin, $C_{18}H_{22}ClNO$, M_R 303,83, Schmp. 38–40 °C. Verwendet wird das Hydrochlorid, Schmp. 137,5–140 °C; λ_{max} ($CHCl_3$) 272 nm ($A^{1\%}_{1cm}$ 56,3). P. wurde 1952 von SK & F patentiert u. ist von Procter & Gamble Pharmaceuticals (Dibenzyran®) im Handel. Im Tierversuch hat sich P. bei intraperitonealer Anw. als carcinogen erwiesen. – ***E*** phenoxybenzamine – ***F*** phénoxybenzamine – ***I*** fenossibenzamina – ***S*** fenoxibenzamina

Lit.: Hager (5.) **9**, 140–143 ▪ Martindale (31.), S. 928. – *[HS 2922 19; CAS 59-96-1 (P.); 63-92-3 (Hydrochlorid)]*

Phenoxycarbonsäuren. Bez. für eine Gruppe chem. Verb. aus der die unten aufgeführten Präp. in Form von Estern u. Salzen als *Pflanzenschutzmittel Bedeutung erlangt haben.

Bei der Suche nach synthet. Substanzen, die wie das natürliche Pflanzenhormon Auxin das Wachstumsverhalten von Pflanzen beeinflußen können, stieß man Anfang der 40er Jahre auf die Verb. *2,4-D u. *MCPA. Die Entdeckung, daß diese Stoffe nicht nur als *Wachstumsregulatoren, sondern in höherer Konz. auch als selektive *Herbizide gegenüber zweikeimblättrigen (dikotylen) Pflanzen wirkten, war der Beginn der modernen chem. Unkrautbekämpfung. Mitte der 40er Jahre kam mit *2,4,5-T ein weiteres Phenoxyessigsäure-Derivat zum Einsatz. Die in der Tab. genannten Abkömmlinge der 2-Phenoxypropionsäure,

	common name	R¹	R²
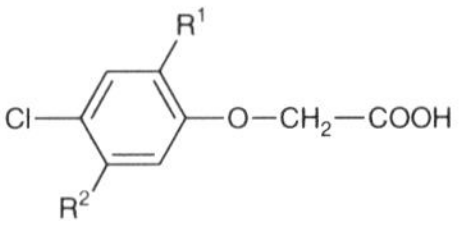	*2,4-D	Cl	H
	*2,4,5-T	Cl	Cl
	*MCPA	CH_3	H
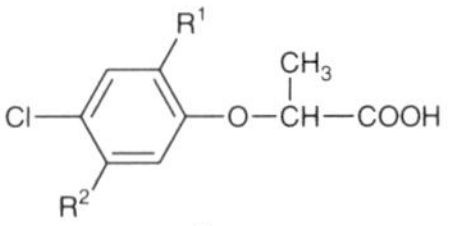	*Dichlorprop	Cl	H
	Fenoprop	Cl	Cl
	*Mecoprop (MCPP)	CH_3	H
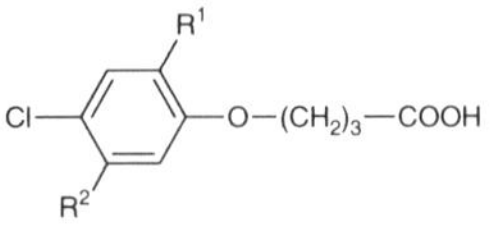	*2,4-DB	Cl	H
	*MCPB	CH_3	H

die ausschließlich in der D-(+)-Form aktiv sind, u. der 4-Phenoxybuttersäure, die in der Pflanze durch *β*-Oxid. in die entsprechenden Phenoxyessigsäure-Derivate umgewandelt werden können, wurden in den 50er u. 60er Jahren eingeführt. Entsprechende Derivate der 3-Phenoxypropionsäure besitzen interessanterweise nur eine schwach ausgeprägte herbizide Wirkung. – ***E*** phenoxycarboxylic acid – ***F*** acides phénoxy-carboxyliques – ***I*** acidi fenossicarbonici – ***S*** ácidos fenoxicarboxílicos

Lit.: Kirk-Othmer (3.) **12**, 311–315; **21**, 272–275 ▪ Winnacker-Küchler (4.) **7**, 284–286. – *[HS 2918 90]*

Phenoxyessigsäure. $H_5C_6-O-CH_2-COOH$, $C_8H_8O_3$, M_R 152,15. Farblose, hautreizende Nadeln, Schmp. 98 °C, Sdp. 285 °C (Zers.), wenig lösl. in Wasser, lösl. in Methanol, Ethanol, Schwefelkohlenstoff, Eisessig, Benzol; WGK 2 (Selbsteinst.). Die aus Phenol u. *Chloressigsäure herstellbare P. dient als Ausgangsstoff für Farb- u. Riechstoffe, Pharmazeutika usw.; chlorierte u. methylierte P. sind wirksame Herbizide. – ***E*** phenoxyacetic acid – ***F*** acide phénoxyacétique – ***I*** acido fenossiacetico – ***S*** ácido fenoxiacético Xi

Lit.: Beilstein E IV **6**, 634 f. ▪ Merck-Index (12.), Nr. 7407 ▪ Ullmann (4.) **18**, 226 ▪ Z. Chem. **20**, 421 f. (1980). – *[HS 2918 90; CAS 122-59-8]*

2-Phenoxyethanol s. Ethylenglykol (Tab.: Phe-Glykol=Phe-Cellosolve).

Phenoxyharze. Bez. für wirtschaftlich bedeutende, zu den *Epoxidharzen gerechnete thermoplast. *Polymere, die aus Bisphenolen, z. B. *Bisphenol A, durch Reaktion mit *Epichlorhydrin gewonnen werden u. – bei Bisphenol A als Eduktbasis – die Gruppierung

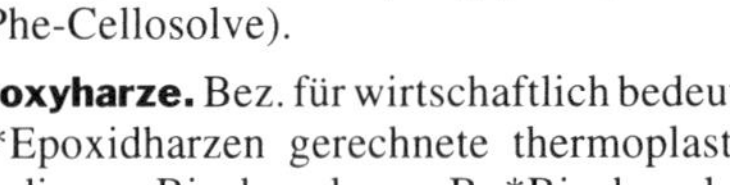

als Grundbaustein enthalten. P. sind also prinzipiell Hydroxy-Gruppen-haltige *Polyether. Sie besitzen keine Epoxid-Gruppen u. sind therm. stabil, über die Hydroxy-Funktion aber vernetzbar, u. a. mit polyfunktionellen Isocyanaten, Anhydriden od. Epoxiden. P. haben in der Regel deutlich höhere Molmassen als übliche Epoxidharze. Sie sind aus Lsg. od. aus der Schmelze applizierbar. P. werden als Imprägnier-, Kleb-, Lack- u. Schmelzharze verwendet. – ***E*** phenoxy resins – ***F*** phénoxyrésines – ***I*** resine fenossici – ***S*** fenoxirresinas

Lit.: Encycl. Polym. Sci. Eng. **6**, 331 ■ Ullmann (5.) **A 23**, 89 ff. – *[HS 3909 40]*

Phenoxyl. Bez. für das freie Radikal H_5C_6–O$^{\bullet}$ (IUPAC-Regel C-81.1, R-5.8.1.3, RC-81.2.4; *Chemical Abstracts:* Phenoxy; *Beilstein's Handbuch:* Phenyloxyl). Derartige *Aroxyl*-Radikale entstehen aus *Phenol u. phenol. *Antioxidantien bei Reaktion mit freien Radikalen u. wirken selbst wieder als *Radikalfänger. – ***E*** phenoxyl – ***F*** phénoxyle – ***I*** fenossile – ***S*** fenoxilo

Lit.: Chem. Rev. **67**, 475–531 (1967) ■ Houben-Weyl E **19 a**, 7 ■ Russ. Chem. Rev. **37**, 435–448 (1968) ■ s. a. Radikale.

Phenoxymethylpenicillin (Rp). Internat. Freiname für die meist als Penicillin V (Formel s. dort) bezeichnete 6-Phenoxyacetamidopenicillansäure, $C_{16}H_{18}N_2O_5S$, M_R 350,39. Weißes, krist. Pulver, Schmp. 120–128 °C unter Zers., $[\alpha]_D^{20}$ +186° bis +200° (c 1/1-Butanol); λ_{max} (CH_3OH) 268, 274 nm ($A_{1cm}^{1\%}$ 38, 31,4); pK_a 2,73. Verwendet wird meist das Kaliumsalz, M_R 388,5, Schmp. 263–265 °C, $[\alpha]_D^{25}$ +223° (c 0,2/H_2O) u. als Depotform das P.-Benzathin, $C_{48}H_{56}N_6O_{10}S_2$, M_R 914,13, Schmp. 105–109 °C, auch 111–118 °C angegeben; in Wasser kaum, in Ethanol (1:7) u. in Aceton sehr leicht löslich. Lagerung: vor Luft geschützt. P. wurde 1949 von Lilly patentiert u. ist eines der meistverwendeten Antibiotika. – ***E*** phenoxymethylpenicillin – ***F*** phénoxyméthylpénicilline – ***I*** fenossimetilpenicillina – ***S*** fenoximetilpenicilina

Lit.: ASP ■ Beilstein E III/IV **27**, 5884 ■ Florey **1**, 249–300; **17**, 677–748 ■ Hager (5.) **9**, 143–149 ■ Martindale (31.), S. 261 f ■ Ph. Eur. **1997**. – *[HS 2941 10; CAS 87-08-1 (P.); 5928-84-7 (Benzathinsalz); 132-98-9 (Kaliumsalz)]*

Phenpentermin s. Pentorex.

Phenprobamat (Rp). H_5C_6–$(CH_2)_3$–O–CO–NH_2. Internat. Freiname für den als *Tranquilizer u. *Muskelrelaxans wirkenden Carbamidsäure-(3-phenylpropyl)-ester, $C_{10}H_{13}NO_2$, M_R 179,22, Schmp. 101–104 °C; λ_{max} 253, 259, 268 nm ($A_{1cm}^{1\%}$ 9,4, 11,4, 9,4); LD_{50} (Maus oral) 840 mg/kg; in Wasser prakt. nicht, in Ethanol löslich. P. wurde 1960 von Siegfried AG patentiert. – ***E=F*** phenprobamate – ***I=S*** fenprobamato

Lit.: Hager (5.) **9**, 149 ■ Martindale (31.), S. 928 f. – *[HS 2924 29; CAS 673-31-4]*

Phenprocoumon (Rp).

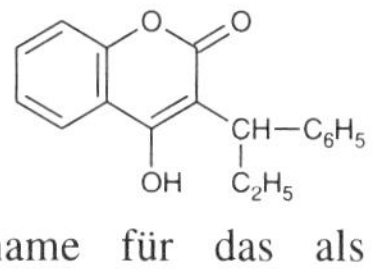

Internat. Freiname für das als *Antikoagulans wirkende 4-Hydroxy-3-(1-phenylpropyl)-cumarin, $C_{18}H_{16}O_3$, M_R 280,32. Feines, weißes, krist. Pulver, Schmp. 179–180 °C; λ_{max} (CH_3OH) 285, 310 nm ($A_{1cm}^{1\%}$ 415, 440); pK_a 4,20; in Wasser prakt. unlösl., in Alkalihydroxid-Lsg., Chloroform u. Methanol löslich. P. wurde 1955 von Hoffmann-La Roche (Marcumar®) patentiert u. ist als Generikum im Handel. – ***E*** phenprocoumon – ***F*** phenprocoumone – ***I*** fenprocumone – ***S*** fenprocumón

Lit.: ASP ■ Beilstein E V **18/2**, 343 ■ Hager (5.) **9**, 150–153 ■ Martindale (31.), S. 928 f. – *[HS 2932 29; CAS 435-97-2]*

Phensuximid (Rp).

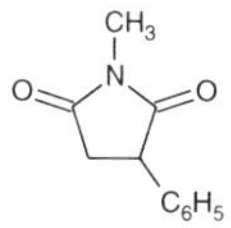

Internat. Freiname für das *Antiepileptikum 1-Methyl-3-phenylpyrrolidin-2,5-dion, $C_{11}H_{11}NO_2$, M_R 189,21. Weißliches, krist. Pulver, Schmp. 68–74 °C; λ_{max} (C_2H_5OH) 247, 252, 258, 264 nm ($A_{1cm}^{1\%}$ 17,2, 16,2, 14,5, 9,6); lösl. in Ethanol (1:11) u. Wasser (1:210). Lagerung: vor Luft geschützt. P. wurde 1953 von Parke Davis patentiert. – ***E=F*** phensuximide – ***I*** fensuccimide – ***S*** fensuximida

Lit.: Beilstein E III/IV **21**, 5465 ■ Hager (5.) **9**, 153 f. ■ Martindale (31.), S. 380. – *[HS 2925 19; CAS 86-34-0]*

Phentermin (Rp; BtmVV, Anlage III C).

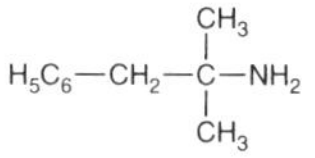

Internat. Freiname für den *Appetitzügler α,α-Dimethylphenethylamin, $C_{10}H_{15}N$, M_R 149,23. Farblose, ölige Flüssigkeit, Sdp. 205 °C (100 kPa), 100 °C (2,8 kPa), 89–90 °C (1,3 kPa); n_D^{20} 1,5130. Verwendet wird meist das Hydrochlorid, weißes, geruchloses, krist. Pulver, hygroskop., Schmp. 202–205 °C; λ_{max} (0,05 M H_2SO_4) 252, 257,5, 264, 281 nm ($A_{1cm}^{1\%}$ 13,3, 18,5, 20,4, 23,8). P. wurde 1946 von Merrell, 1952 von Wyeth patentiert u. wird auch als *Doping-Mittel mißbraucht. – ***E=F*** phentermine – ***I=S*** fentermina

Lit.: Beilstein E IV **12**, 2820 ■ Hager (5.) **9**, 154 ff. ■ Martindale (31.), S. 1556. – *[HS 2921 49; CAS 122-09-8 (P.); 1197-21-3 (Hydrochlorid)]*

Phenthoat.

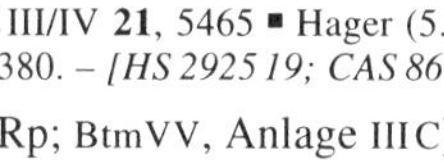

Xn

Common name für *S*-α-Ethoxycarbonylbenzyl-*O,O*-dimethyldithiophosphat, $C_{12}H_{17}O_4PS_2$, M_R 320,35, Schmp. 17–18 °C, LD_{50} (Ratte oral) 400 mg/kg (GefStoffV), von Montecatini 1961 eingeführtes nicht-systém. *Insektizid u. *Akarizid mit breitem Wirkungsspektrum gegen saugende u. beißende Insekten in zahlreichen Kulturen sowie gegen Ectoparasiten bei Haustieren. – ***E=F*** phenthoate – ***I=S*** fentoato

Lit.: Farm. ■ Perkow ■ Pesticide Manual. – *[HS 2930 90; CAS 2597-03-7]*

Phentolamin (Rp).

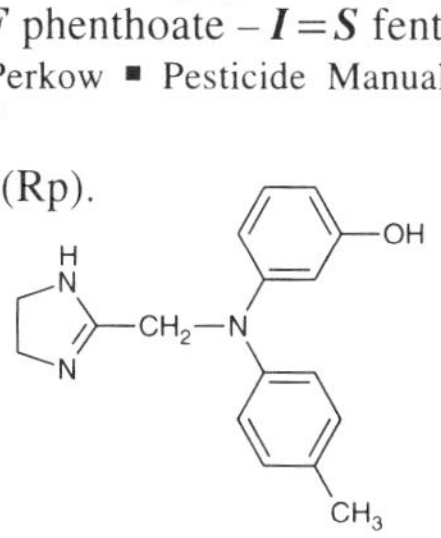

Internat. Freiname für das *Sympath(ik)olytikum u. *Antihypertonikum 3-[*N*-(2-Imidazolin-2-ylmethyl)-*p*-toluidino]-phenol, $C_{17}H_{19}N_3O$, M_R 281,35, Schmp. 174–175 °C. Verwendet wird meist das Hydrochlorid, Schmp. 239–240 °C; LD_{50} (Ratte i.v.) 75, (Ratte s.c.) 275, (Ratte oral) 1250 mg/kg; u. das Mesilat, Schmp. 177–181 °C. P. wurde 1950 von Ciba patentiert. – ***E=F*** phentolamine – ***I=S*** fentolamina

Lit.: ASP ■ Beilstein E III/IV **25**, 2011 ■ Hager (5.) **9**, 156 f. ■ Martindale (31.), S. 929 ■ Ph. Eur. **1997** u. Komm. – *[HS 2933 29; CAS 50-60-2 (P.); 73-05-2 (Hydrochlorid); 65-28-1 (Mesilat)]*

Phenyl. Bez. für das kurzlebige freie *Radikal $H_5C_6^{\bullet}$, das durch Photolyse von Phenyl-Verb. des Iods u. mancher Metalle u. durch Thermolyse von *Benzoylperoxid od. *Phenylazo-Verb. entstehen kann. – ***E*** phenyl – ***F*** phényle – ***I*** fenile – ***S*** fenilo

Lit.: Houben-Weyl E **19 a**, 167.

Phenyl... Bez. für die Atomgruppierung:

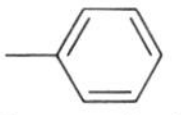

Herkunft s. Phen...; Kurzz. in Struktur- u. Zeilenformeln: meist $-C_6H_5$ (trotz Uneindeutigkeit) od. –Ph, manchmal Φ, ϕ od. φ (griech. Buchstabe Phi). Phenylester (*O*-acylierte *Phenole) sind meist bei den jeweiligen Säuren beschrieben. – ***E*** phenyl... – ***F*** phényl(e)... – ***I*** = ***S*** fenil...

Phenylacetaldehyd (Benzolacetaldehyd; veraltet: α-Tolualdehyd). $H_5C_6-CH_2-CHO$, C_8H_8O, M_R 120,15. Farblose, nach Hyazinthen riechende, ölige, leicht polymerisierende Flüssigkeit, D. 1,023, Schmp. 33–34 °C, Sdp. 195 °C, lösl. in Alkohol, Ether, wenig in Wasser. P. wird an der Luft leicht zu Phenylessigsäure u. Benzoesäure oxidiert. P. wurde in vielen ether. Ölen u. als flüchtiger Bestandteil von Nahrungsmitteln nachgewiesen; er ist ein Aromabestandteil von schwarzem Tee. Im Handel als 50%ige Lsg. in Phthalsäurediethylester od. auch in Form der stabileren, meist wohlriechenden Acetale, z. B. cycl. Ethylenacetal (honigartig), Diethylacetal (feiner, süßer Blattduft) u. Dipentylacetal (herbschwül).

Herst.: Durch Oxid. von Phenylethanol mit Chromsäure od. von Styrol mit Perameisensäure u. nachfolgende Isomerisierung des *Styroloxids.

Verw.: In der Parfümerie; zur Herst. von Pharmazeutika, Insektiziden u. Desinfektionsmitteln; zur Synth. von DL-Phenylalanin über die Kondensation mit *Hydantoin. – ***E*** phenylacetaldehyde – ***F*** phénylacétaldéhyde – ***I*** fenilacetaldeide – ***S*** fenilacetaldehído

Lit.: Beilstein E IV **7**, 664 ■ Kirk-Othmer (3.) **3**, 742 ■ Merck-Index (12.), Nr. 7419 ■ Ullmann (5.) **A 1**, 341. – *[HS 2912 29; CAS 122-78-1]*

***N*-Phenylacetamid** s. Acetanilid.

Phenylacetat (Essigsäurephenylester). $H_3C-CO-O-C_6H_5$, $C_8H_8O_2$, M_R 136,14. Farblose, Phenol-artig riechende Flüssigkeit, D. 1,073, Sdp. 195–196 °C, WGK 2, unlösl. in Wasser, mischbar mit Alkohol, Ether. P. hat fast den gleichen Brechungsindex wie Glas. Die Herst. erfolgt aus Phenol u. Acetylchlorid. P. wird verwendet in organ. Synth. u. als Lösemittel. – ***E*** phenyl acetate – ***F*** acétate de phényle – ***I*** acetato di fenile – ***S*** acetato de fenilo

Lit.: Beilstein E IV **6**, 611 f. ■ Giftliste ■ Merck-Index (12.), Nr. 7421. – *[HS 2915 39; CAS 122-79-2]*

Phenylacetate. Sammelbez. für Salze der *Phenylessigsäure u. für *Phenylessigsäureester.

Phenylaceton s. 1-Phenyl-2-propanon.

Phenylacetonitril (Benzolacetonnitril; veraltet: Benzylcyanid). T+

$H_5C_6-CH_2-CN$, C_8H_7N, M_R 117,15. Farblose Flüssigkeit mit charakterist. aromat. Geruch, D. 1,021, Schmp. –24 °C, Sdp. 234 °C. Dämpfe u. Flüssigkeit sind sehr giftig, das Vergiftungsbild entspricht dem einer schleichend verlaufenden Blausäure-Vergiftung; WGK 3 (Selbsteinst.), unlösl. in Wasser, lösl. in Alkohol u. Ether. Natürlich in Gartenkresse vorkommend, aus Benzylchlorid u. NaCN synthetisierbar.

Verw.: Zwischenprodukt zur Herst. von synthet. Penicillinen u. Barbituraten, zur Synth. opt. Bleichmittel für Fasern, zur Herst. von Insektiziden u. von Riech- u. Geschmackstoffen. – ***E*** phenylacetonitrile – ***F*** phénylacétonitrile – ***I*** fenilacetonitrile, cianuro di benzile – ***S*** fenilacetonitrilo

Lit.: Beilstein E IV **9**, 1663 f. ■ Hager (5.) **5**, 656 f. ■ Hommel, Nr. 801 ■ Merck-Index (12.), Nr. 1166 ■ Ullmann (4.) **17**, 334; (5.) **A 17**, 372. – *[HS 2926 90; CAS 140-29-4]*

Phenylacetyl... Aus *Phenyl... u. *Acetyl... gebildete Bez. der Atomgruppierung $-CO-CH_2-C_6H_5$; nicht verwechseln mit isomerem *Phenacyl...! – ***E*** phenylacetyl... – ***F*** phénylacétyl... – ***I*** = ***S*** fenilacetil...

Phenylalanin (2-Amino-3-phenylpropansäure, α-Amino-β-phenylpropionsäure, Kurzz. der L-Form: Phe od. F).

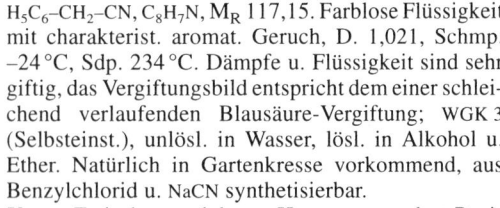

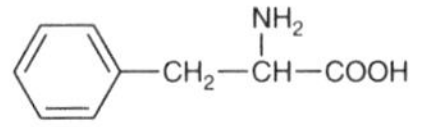

$C_9H_{11}NO_2$, M_R 165,19. P. ist opt. aktiv; das in der Natur in *Proteinen zu 4–5% vorkommenden L-P. (Phe) bildet farblose Blättchen od. Nadeln, Zers. bei 310–312 °C (ebenso D-Phe, DL-Phe 273 °C), subl. im Vak., wenig lösl. in Wasser, Methanol, Ethanol. Ebenso wie L-Tryptophan u. L-Tyrosin zeigt Phe die *Xanthoprotein-Reaktion, was zum qual. Nachweis dienen kann.

Phe gehört zu den *essentiellen *Aminosäuren, die nicht vom menschlichen Organismus synthetisiert werden können; der Erwachsene benötigt pro Tag etwa 2,2 g, die durch die Ernährung zugeführt werden müssen. Die Biosynth. von Phe in Pflanzen u. Mikroorganismen verläuft von *Shikimi- über *Chorismin-, *Prephen- u. *Phenylbrenztraubensäure; in einigen Organismen wird Phe jedoch durch eine *Prätyrosin-Dehydratase* aus *Prätyrosin (Arogensäure) gebildet, das sich durch Transaminierung mit Hilfe einer *Prephenat-Aminotransferase* aus Prephensäure ableitet. Der Abbau erfolgt über L-Tyrosin u. *Homogentisinsäure. Bei Fehlen von od. Mangel an *Phenylalanin-4-Monooxygenase* [1] (Phenylalanin-4-Hydroxylase, EC 1.14.16.1), die Phe mit Hife von Tetrahydro-*biopterin als *Coenzym zu *Tyrosin hydroxyliert, wird Phe zu *Phenylbrenztraubensäure abgebaut, die im Harn ausgeschieden wird (*Phenylketonurie). Durch Einwirkung von *Phenylalanin-Ammoniak-Lyase* (EC 4.3.1.5, M_R ca. 330000, 4 gleiche Untereinheiten) auf Phe u. Eliminierung von Ammoniak wird mit *trans*-*Zimtsäure in Pflanzen die Vorstufe für *Flavonoide u. *Lignin bereitgestellt.

Das aus Milchweiß, Zein, Fibrin etc. od. aus Bakterienkulturen isolierbare Phe schmeckt bitter, das seltener, z. B. im Antibiotikum *Gramicidin S u. einigen Mikroorganismen vorkommende D-Phe schmeckt

ebenso wie das Racemat süß. DL-Phe (ca. 150 t/a) erhält man synthet., z. B. aus 2-Acetaminozimtsäure, aus 2-Brom-3-phenylpropionsäure od. aus Benzaldehyd durch Kondensation mit Hydantoin. Stereospezif. Synth. von Phe bedienen sich opt. aktiver Übergangsmetall-Katalysatoren od. enzymat. Prozesse.
Verw.: In Infusionslsg. für die parenterale Ernährung, zur Herst. von Süßstoffen (L-Aspartyl-L-phenylalaninmethylester, Aspartame®). Phe wurde 1881 von E. Schulze in Lupinen entdeckt. – ***E*** phenylalanine – ***F*** phénylalanine – ***I = S*** fenilalanina
Lit.: [1] Adv. Enzymol. Rel. Areas Mol. Biol. **67**, 77–264 (1993). *allg.:* Beilstein EIV **14**, 1552–1555. – *[HS 2922 49; CAS 63-91-2]*

Phenylalanin-Ammoniak-Lyase s. Phenylalanin.

Phenylalanin-4-Monooxygenase s. Phenylalanin.

Phenylaminoessigsäure s. Phenylglycine.

Phenylazid. $C_6H_5N_3$, M_R 119,13. Zur Explosion neigende, durch Diazotierung von *Phenylhydrazin (s. Abb. a) herstellbare [1], farblose Flüssigkeit vom Sdp. 49–50 °C (6,7 hPa) [VORSICHT! Schutzschild benutzen, Temp.-Kontrolle!], die für die Synth. von *Triazolen u. anderen Heterocyclen durch 1,3-*dipolare Cycloaddition breite Anw. findet (s. Abb. b). P. dient außerdem zur Erzeugung von *Nitrenen (Bildung von Aziridinen) u. Iminophosphoranen durch Staudinger-Reaktion.

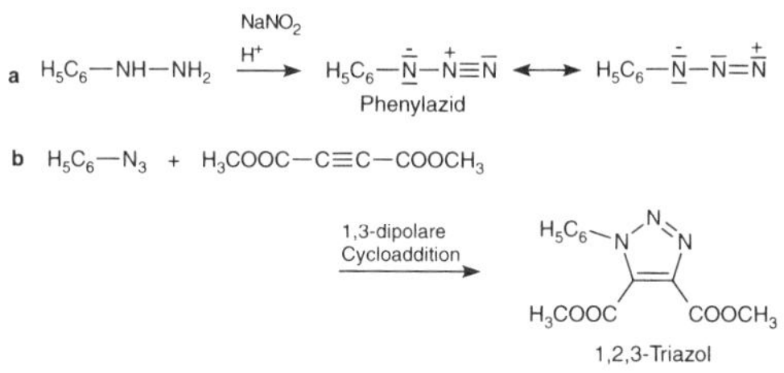

Abb.: Herst. u. typ. Reaktion von Phenylazid.

– ***E*** phenylazide – ***F*** phénylacide – ***I*** azide de fenile – ***S*** fenilazida
Lit.: [1] Org. Synth. Coll. Vol. **3**, 710 (1955).
allg.: Paquette **6**, 3954 ▪ s. a. Azide. – *[CAS 622-37-7]*

Phenylazo... Bez. für die Atomgruppierung $-N{=}N-C_6H_5$ (IUPAC-Regel C-912.3–5); die systemat. Bez. Phenyldiazenyl... (in neuer Regel R-5.3.3.1 allg. bevorzugt) wird oft bei Bindung an Heteroatome verwendet, bes. am O-Atom, da Phenylazooxy... u. *Phenylazoxy... leicht zu verwechseln sind. – ***E*** phenylazo... – ***F*** phénylazo... – ***I = S*** fenilazo...

4-(Phenylazo)anilin s. 4-Aminoazobenzol.

Phenylazophenole (veraltet: Hydroxyazobenzole).

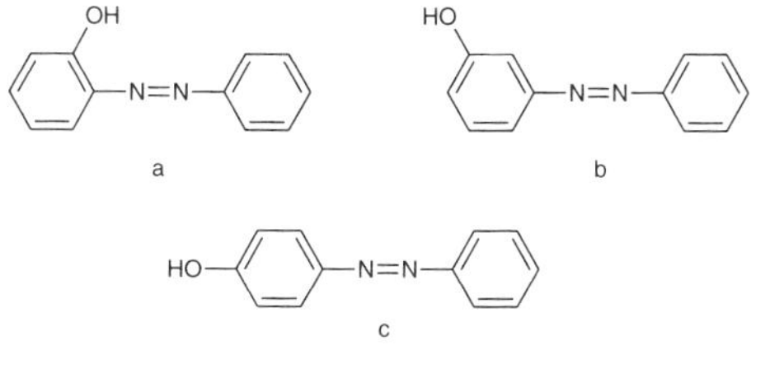

$C_{12}H_{10}N_2O$, M_R 198,22. (a) *2-P.:* Orangerote, bläulich schimmernde Nadeln, Schmp. 83 °C, entsteht bei der Einwirkung von Sonnenlicht auf *Azoxybenzol; – (b) *3-P.:* Gelbe Krist., Schmp. 117 °C; – (c) *4-P.* (C.I. Solvent Yellow 7, C.I. 11800): Orangegelbe, hautreizende Nadeln, Schmp. 155–157 °C, Sdp. 220–230 °C (27 hPa), im Vak. unzersetzt destillierbar, in Ammoniak-Lsg., Alkohol, Ether u. Laugen leicht löslich. 4-P., das durch Kupplung von Diazonium-Verb. mit alkal. Phenol-Lsg. entsteht, ist ein wichtiges Zwischenprodukt bei der Herst. von Azofarbstoffen. – ***E*** (phenylazo)phenols – ***F*** (phénylazo)phénols – ***I*** fenilazofenoli – ***S*** (fenilazo)fenoles
Lit.: Beilstein EIV **16**, 135, 155, 159 ▪ Giftliste ▪ s. a. Azo-Farbstoffe u. Azo-Verbindungen. – *[CAS 2362-57-4 (a); 2437-11-8 (b); 1689-82-3 (c); G 6.1]*

4-Phenylazo-*m*-phenylendiamin s. 2,4-Diaminoazobenzol.

Phenylazoxy... Bez. für *N*-Oxide der *Phenylazo-Gruppe; $-N{=}N(O)-C_6H_5$; (Phenyl-*ONN*-azoxy)...; $-N(O){=}N-C_6H_5$: (Phenyl-*NNO*-azoxy)...; bei ungewisser Oxid-Position: (Phenyl-*NON*-azoxy)... od. P. (IUPAC-Regel C-913, R-5.3.3.2). – ***E*** phenylazoxy... – ***F*** phénylazoxy... – ***I*** fenilazossi... – ***S*** fenilazoxi...

Phenylbase. Trivialname für 4,4′-Methylendianilin, s. 4,4′-Diaminodiphenylmethan.

***N*-Phenylbenzhydroxansäure** s. *N*-Benzoyl-*N*-phenylhydroxylamin.

***N*-Phenylbenzylamin** s. *N*-Benzylanilin.

Phenylboronsäure (Benzolboronsäure, PBS). $H_5C_6-B(OH)_2$, $C_6H_7BO_2$, M_R 121,93. Farblose, in Methanol leicht, in Wasser schwer lösl. Krist., die spontan unter Wasserabspaltung in das cycl. trimere Anhydrid (Triphenyl-*Boroxin, Schmp. 216 °C) übergehen, WGK 3 (vorläufige Einstufung aufgrund fehlender Daten). Herst. aus Phenylmagnesiumbromid u. Trimethylborat. Die P. wirkt schwach antisept. u. Verb. der P. wirken als Pflanzenwuchsstoff; P. findet ferner Verw. in organ. Synth. sowie zur Herst. cycl. Phenylboronat-Ester als *Schutzgruppe u. zur Identifizierung von Kohlenhydraten [1]. – ***E*** phenylboronic acid – ***F*** acide phénylboronique – ***I*** acido fenilboronico – ***S*** ácido fenilborónico
Lit.: [1] Carbohydr. Res. **36**, 247, (1974); **37**, 203 (1974).
allg.: Angew. Chem. **85**, 412 f. (1973) ▪ Beilstein EIV **16**, 1654 ▪ Merck-Index (12.), Nr. 1096 ▪ Ullmann (5.) **A 4**, 323 ▪ s. a. Bor-organische Verbindungen. – *[HS 2931 00; CAS 98-80-6]*

Phenylbrenztraubensäure (2-Oxo-3-phenylpropionsäure). $H_5C_6-CH_2-CO-COOH$, $C_9H_8O_3$, M_R 164,16. Farblose Blättchen, Schmp. 158 °C (Zers.), sehr schwer lösl. in Wasser, lösl. in Alkohol, Ether, gibt mit $FeCl_3$ eine dunkelgrüne Färbung. Phenylpyruvat (= P. Salze) wird bei *Phenylketonurie in erhöhtem Maße ausgeschieden. – ***E*** phenylpyruvic acid – ***F*** acide phénylpyruvique – ***I*** acido fenilpiruvico – ***S*** ácido fenilpirúvico
Lit.: Beilstein EIV **10**, 2760 f. – *[CAS 156-06-9]*

1-Phenyl-1-butanon s. Butyrophenon.

Phenylbutazon (Rp). Internat. Freiname für das *Antirheumatikum 4-Butyl-1,2-diphenylpyrazolidin-3,5-

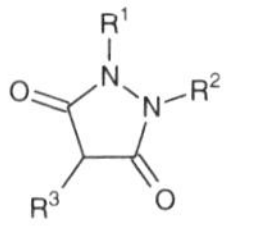

	R^1	R^2	R^3
Butazon	H	H	C_4H_9
Fenprazon	C_6H_5	H	$CH_2{-}CH{=}C(CH_3)_2$
Phenylbutazon	C_6H_5	C_6H_5	C_4H_9

dion, $C_{19}H_{20}N_2O_2$, M_R 308,37. Farblose Krist., Schmp. 105 °C; λ_{max} (CH_3OH) 243 nm ($A^{1\%}_{1cm}$ 482), pK_a 4,89; wenig lösl. in Wasser mit schwach saurer Reaktion, lösl. in Ether, Aceton, Ethylacetat. P. wurde 1951 von Geigy (Butazolidin®) patentiert u. ist als Generikum im Handel. Aufgrund der hohen Rate schwerwiegender Nebenwirkungen (Schädigung der Blutbildung u. der Magen-Darmschleimhäute, Wasseransammlung durch Nieren-Funktionsstörung), wurde seine Anw. auf Morbus Bechterew (eine Form von *Rheuma), akute Schübe der chron. Polyarthritis u. akute *Gicht-Anfälle eingeschränkt. – ***E*** phenylbutazone – ***F*** phénylbutazone – ***I*** fenilbutazone – ***S*** fenilbutazona

Lit.: ASP ▪ Beilstein E III/IV **24**, 1123 ▪ Florey **11**, 483–521 ▪ Hager (5.) **9**, 163–168 ▪ IARC Monogr. **13**, 183–199 (1977); Suppl. **4**, 212 (1982) ▪ Martindale (31.), S. 90 f. ▪ Ph. Eur. **1997** u. Komm. – *[HS 2933 19; CAS 50-33-9]*

4-Phenyl-3-buten-2-on s. Benzylidenaceton.

Phenylcarbamid s. Phenylharnstoff.

***N*-Phenylcarbamidsäure(ethylester)** s. Carbanilsäure u. *N*-Phenylurethan.

2-Phenyl-chinolin-4-carbonsäure s. Cinchophen.

Phenylcyclohexanol s. stereoselektive Synthese.

N*-Phenyldiethanolamin** [2,2′-(Phenylimino)diethanol, PDEA]. $H_5C_6{-}N(CH_2{-}CH_2{-}OH)_2$, $C_{10}H_{15}NO_2$, M_R 181,23. Farblose, krist. Masse, Schmp. 58 °C, Sdp. 190 °C (1,3 hPa); wenig lösl. in kaltem Wasser, lösl. in Ethanol, Ether, Aceton, Methylenchlorid; WGK 1 (Selbsteinst.). Verw. in organ. Synth., Farbstoffen, Kondensation zu *N*-Phenylmorpholin. – ***E phenyldiethanolamine – ***F*** *N*-phényldiethanolamine – ***I*** *N*-fenildietanolammina – ***S*** *N*-fenildietanolamina

Lit.: Beilstein E IV **12**, 285 ▪ Giftliste. – *[HS 2922 19; CAS 120-07-0; G 8]*

. . .phenylen. Endung für *kondensierte Ringsysteme, die aus einem Kranz von *o*-*Phenylen-Einheiten bestehen, deren Zahl ein *Multiplikationspräfix anzeigt (IUPAC-Regel R-2.4.1.3.4); *Beisp.:* *Biphenylen, *Triphenylen, Tetraphenylen usw. – ***E*** ...phenylene – ***F*** ...phénylène – ***I*** ...fenilene – ***S*** ...fenileno

Phenylen. . . Bez. für die isomeren Atomgruppierungen $-C_6H_4-$ in *Multiplikativnamen [IUPAC-Regel A-11.6, A-13.2, R-2.5 (auch Benzoldiyl...), R-9.1.19b.1] u. Polymernamen:

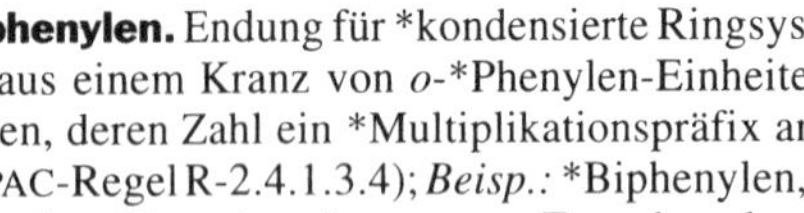

1,2- 1,3- 1,4-

1,2-, 1,3- u. 1,4-P. (= *o*-, *m*- u. *p*-P.). Die 1,2-P.-Brücke über *kondensierten Ringsystemen heißt [1,2]- od. *o*-Benzeno... (vgl. Triptycen). – ***E*** phenylene... – ***F*** phénylène... – ***I*** fenilen... – ***S*** fenilen(o)...

2,2′-*p*-Phenylenbis(5-phenyloxazol) s. POPOP.

Phenylendiamine (Benzoldiamine, Diaminobenzole).

T 

N 

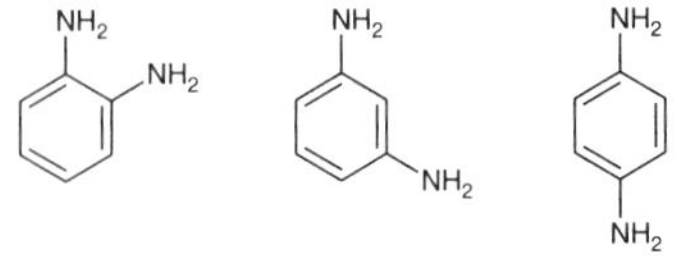

a b c

$C_6H_8N_2$, M_R 108,14. (a) *o-P.* (1,2-P.): Farblose, an der Luft braun werdende Krist., Schmp. 102–104 °C, Sdp. 256–258 °C, WGK 3. Herst. durch Red. von 2-Nitroanilin mit Zn-Staub/NaOH.

Verw.: Zwischenprodukt für Farbstoffe, Schädlingsbekämpfungsmittel, Photoentwickler, Ausgangsprodukt zur Synth. heterocycl. Verb., z. B. 2,3-Diaminophenazin durch Oxidation. 1,2-P. findet auch Verw. zum Nachw. von Oxalaten im Urin u. als Fluoreszenz-Indikator für *Pyruvate. Die Verw. von 1,2-P. u. seiner Salze ist in kosmet. Mitteln verboten (Kosmetik-VO Anl. 1, Nr. 363).

(b) *m-P.* (1,3-P.): Farblose, an der Luft rot werdende Krist., Schmp. 63 °C, Sdp. 287 °C, lösl. in Wasser, Alkohol, Ether, Aceton, Chloroform, kaum lösl. in Benzol, Toluol, Xylol, WGK 2. Herst. durch Red. von 1,3-Dinitrobenzol mit Fe/HCl.

Verw.: Zwischenprodukt für Farbstoffe, Photochemikalien, Pharmazeutika, Aramide, Härter für Epoxidharze, als Reagenz auf Brom u. HBr, Au, Nitrite, Ozon u. reduzierende Zucker.

(c) *p-P.* (1,4-P.): Farblose bis schwach rote Krist., die an der Luft dunkel werden, D. 1,135, Schmp. 145–147 °C, Sdp. 267 °C, lösl. in Alkohol, Ether, Chloroform, wenig in Wasser, WGK 2 (Selbsteinst.). Herst. durch Red. von 4-Nitroanilin mit Fe/HCl.

Verw.: Zwischenprodukt für Azofarbstoffe, zur Herst. photograph. Entwickler, Antioxidantien u. Beschleuniger in der Gummi-Ind. sowie von Arzneimitteln u. Aramiden; Verw. in kosmet. Mitteln mit Einschränkungen erlaubt (Kosmetik-VO Anl. 2, Nr. 8).

Alle 3 Isomeren sind Blutgifte (Bildung von *Methämoglobin, Zerfall von roten Blutkörperchen), Leber- u. Nierenschäden sind möglich. Der Staub kann durch die Atemwege, die Augen u. über die Haut aufgenommen werden u. verursacht lokal sehr starke Reizung sowie Gefährdung der Augen. Die P. wirken allergisierend, für *p*-P. gilt ein MAK-Wert von 0,1 mg/m³ gemessen als einatembarer Aerosolanteil; *p*-P. gilt als potentiell krebserzeugend (MAK-Liste III B). P. sind wahrscheinlich für viele allerg. Erscheinungen bei Friseuren verantwortlich [1]. – ***E*** phenylendiamines – ***F*** phénylènediamines – ***I*** fenilendiammine – ***S*** fenilendiaminas

Lit.: [1] Dtsch. Ärztebl. **82**, 1505–1508 (1985).

allg.: Beilstein E IV **13**, 38 ff., 79 f., 104 f. ▪ Blaue Liste, S. 243 ▪ Braun-Dönhardt, S. 298 ▪ Chem. Unserer Zeit **12**, 89–98 (1978) ▪ Hommel, Nr. 644, 644 a ▪ Janistyn **1**, 692 ▪ Kirk-Othmer (3.) **2**, 348–354; **12**, 102–108; (4.) **2**, 473 ff. ▪ Merck-Index (12.), Nr. 7437–7439 ▪ Ullmann (5.) **A 19**, 405. – *[HS 2921 51; CAS 95-54-5 (a); 108-45-2 (b); 106-50-3 (c); G 6.1]*

Phenylephrin.

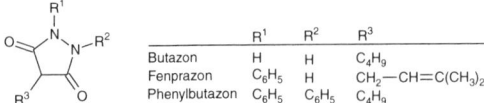

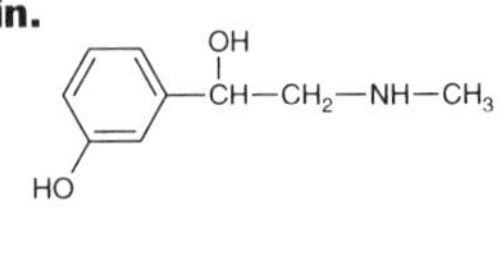

Internat. Freiname für das *Sympath(ik)omimetikum (*R*)-1-(3-Hydroxyphenyl)-2-(methylamino)-1-ethanol, $C_9H_{13}NO_2$, M_R 167,20, Schmp. 169–172 °C. Verwendet wird das Hydrochlorid, Schmp. 140–145 °C; $[\alpha]_D^{20}$ –46,2° bis –47,2°; λ_{max} (CH$_3$OH) 275 nm (A$_{1cm}^{1\%}$ 106). P. ist in mydriat. Augentropfen als Generikum im Handel. – *E* phenylephrine – *F* phényléphryne – *I* = *S* fenilefrina

Lit.: Beilstein E IV **13**, 2652 ▪ Florey **3**, 483–512 ▪ Hager (5.) **9**, 168–171 ▪ Martindale (31.), S. 1585f. ▪ Ph. Eur. 1997 u. Komm. – *[HS 2922 50; CAS 59-42-7 (P.); 61-76-7 (Hydrochlorid)]*

Phenylessigsäure (Benzolessigsäure, α-Tolusäure). $H_5C_6-CH_2-COOH$, $C_8H_8O_2$, M_R 136,15. Weiße, glänzende Blättchen, Schmp. 76 °C, Sdp. 266 °C, wenig lösl. in kaltem, gut in heißem Wasser, lösl. in Alkohol, Ether, Chloroform, Tetrachlormethan, WGK 1 (Selbsteinst.). P. kommt verestert im Neroli- u. Pfefferminzöl vor u. ist synthet. durch Hydrolyse von *Phenylacetonitril zugänglich. Das Handelsprodukt hat einen durchdringenden Geruch nach Pferdestall, in starker Verdünnung nach Wachs u. Honig. P. ist ein natürlicher Bestandteil des Honigaromas.

Verw.: Zur Herst. von Arzneimitteln, Penicillin G, *1-Phenyl-2-propanon als Vorprodukt für Amphetamin, Farbstoffen u. *Phenylessigsäureestern für die Parfümerie. – *E* phenylacetic acid – *F* acide phénylacétique – *I* acido fenilacetico – *S* ácido fenilacético

Lit.: Beilstein E IV **9**, 1614 ff. ▪ Merck-Index (12.), Nr. 7422 ▪ Ullmann (4.) **11**, 71; (5.) **A 1**, 61; **A 19**, 403. – *[HS 2916 33; CAS 103-82-2]*

Phenylessigsäureester. Auch *Phenylacetate* genannte Ester der *Phenylessigsäure.

$H_5C_6-CH_2-COOR$

a) R = C_2H_5
b) R = $CH_2-CH(CH_3)_2$
c) R = CH_3
d) R = $CH_2-CH\overset{E}{=}C-CH_2-CH_2-CH=C-CH_3$
        $\quad\quad\quad\quad|\quad\quad\quad\quad\quad\quad\quad|$
        $\quad\quad\quad\quad CH_3\quad\quad\quad\quad\quad CH_3$

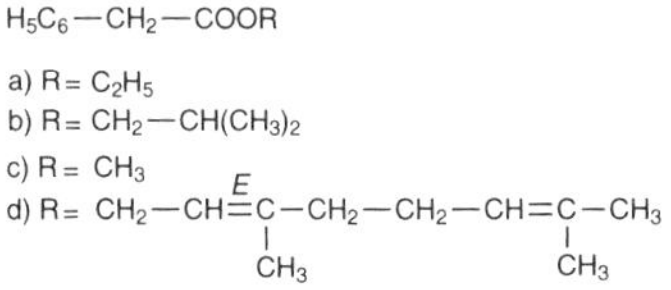

Farblose, meist angenehm riechende Flüssigkeiten, die hauptsächlich in der Parfümerie u. zu Aromen Verw. finden (teilw. natürliche Bestandteile des Honigaromas). Die P. sind im allg. unlösl. in Wasser, lösl. in Alkoholen, Ether u. fetten Ölen. Hervorzuheben sind: (a) *Phenylessigsäureethylester*, $C_{10}H_{12}O_2$, M_R 164,20, D. 1,033, Sdp. 226 °C, honigartiger Geruch; – (b) *Phenylessigsäureisobutylester*, $C_{12}H_{16}O_2$, M_R 192,26, D. 0,999, Sdp. 247 °C, süßer, honigartiger Rosenduft; – (c) *Phenylessigsäuremethylester*, $C_9H_{10}O_2$, M_R 150,17, D. 1,063, Sdp. 218 °C, Honigaroma; – (d) *Phenylessigsäuregeranylester*, $C_{18}H_{24}O_2$, M_R 272,38, gelbe Flüssigkeit mit mildem Rosenduft, leicht honigartig. – *E* phenylacetates – *F* phénylacétates – *I* fenilacetati – *S* fenilacetatos

Lit.: Beilstein E IV **9**, 1617–1624 ▪ Merck-Index (12.), Nr. 3885 ▪ Ullmann (5.) **A 11**, 193; **A 19**, 403. – *[HS 2916 33; CAS 101-97-3 (a); 3581-70-2 (b); 101-41-7 (c); 102-22-7 (d)]*

Phenylester s. Phenol.

Phenylethanolamin s. 2-Amino-1-phenylethanol.

Phenylethanole. $C_8H_{10}O$, M_R 122,16. (a) *1-P.* (α-Methylbenzylalkohol, Methylphenylcarbinol), ist als flüchtiger Bestandteil von Nahrungsmitteln, z. B. im Teearoma u. in Pilzen, nachgewiesen worden. Farblose, blumig riechende Flüssigkeit, Racemat: D. 1,009–1,014, Schmp. 21 °C, Sdp. 203–205 °C; (*R*)-Form (Abb. a): D. 1,018, Schmp. 9 °C, $[\alpha]_D^{20}$ +42° (unverd.); lösl. in Alkohol, Glycerin, Mineralöl, wenig lösl. in Wasser. Die Herst. erfolgt z. B. durch katalyt. Hydrierung von Acetophenon.

Verw.: Lsm. für fette Öle, Ethylcellulose, natürliche u. synth. Harze, in der Parfümerie u. zu Aromen. Die beiden reinen Enantiomeren finden Verw. als chirale Reagenzien in *enantioselektiven Synthesen, z. B. bei der stereoselektiven Ringöffnung von Epoxiden od. als chiraler Ligand bei der enantioselektiven Red. von Ketonen mit Aluminiumhydriden, u. bei der Bestimmung der Enantiomeren-Reinheit von Säuren u. ihrer *Racemattrennung.

(b) *2-P.* (β-Phenylethylalkohol, Benzylcarbinol, Phenethylalkohol, Phenethanol). Farblose, rosen- u. leicht honigartig riechende, brennend schmeckende Flüssigkeit, D. 1,017–1,020, Schmp. –27 °C, Sdp. 219 °C, lösl. in 50%igem wäss. Alkohol, fetten Ölen, wenig lösl. in Mineralöl. 2-P. kommt in Rosen-, Orangenblüten-, Neroli-, Geranien- u. Nelkenölen vor.

Herst.: Durch Friedel-Crafts-Reaktion von Ethylenoxid mit Benzol, Hydrierung von Styroloxid an Raney-Nickel, Red. von Phenylessigsäureestern mit Na in abs. Alkohol. od. aus Phenylmagnesiumbromid u. Ethylenoxid mit nachfolgender Hydrolyse.

Verw.: Zu synthet. Rosenöl, in Seifen, Aromen etc., als Bakteriostatikum, zu organ. Synth., insbes. der *2-Phenylethylester u. des Methyl(2-phenylethyl)ethers (sog. Kewda-Ether [1]). – *E* phenylethanols – *F* phényléthanols – *I* feniletanoli – *S* feniletanoles

Lit.: [1] Riechst., Aromen, Kosmet. **32**, 71 (1982).
allg.: Beilstein E IV **6**, 3029 ff., 3067 ff. ▪ Chirality **3**, 104 (1991) ▪ Hager (5.) **9**, 171; **7 b**, 323 f. ▪ Janistyn **1**, 714; **2**, 228–231 ▪ Kirk-Othmer (3.) **3**, 796–802 ▪ Merck-Index (11.), Nr. 7185 ▪ Snell-Ettre **7**, 89–102 ▪ Tetrahedron **46**, 4995 (1990) ▪ Ullmann (5.) **A 1**, 202; **A 16**, 567. – *[HS 2906 29; CAS 98-85-1 (1-P.); 13323-81-4 ((±)-1-P.); 1517-69-7 ((+)-1-P.); 1445-91-6 ((–)-1-P.); 60-12-8 (2-P.)]*

1-Phenylethanon s. Acetophenon.

Phenylether s. Diphenylether u. Phenolether.

Phenylethylacetat. 1. s. Phenylester. – 2. Marke für Phenethylacetat (2-Phenylacetat), Riech- u. Aromastoff; Duftrichtung: Süß-blumig, Rose, fruchtig. *B.:* BASF.

Phenylethylalkohol. Phenethylalkohol (s. Phenylethanole), Riech- u. Aromastoff; Duftrichtung: Mildblumig, Rose, im Fond Honig-artig. *B.:* BASF.

Phenylethylamine.

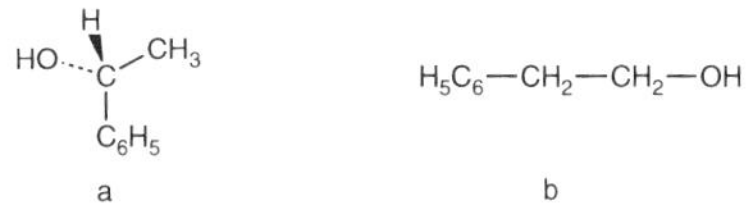

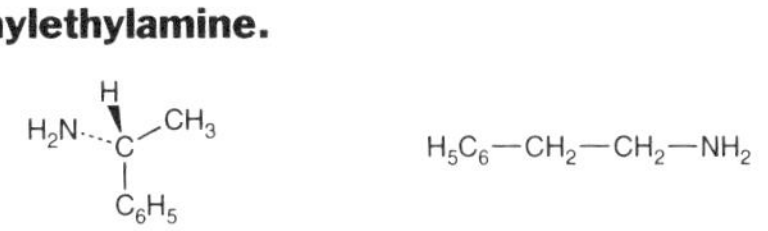

$C_8H_{11}N$, M_R 121,18. Farblose Flüssigkeiten, die CO_2 aus der Luft absorbieren, bas. reagieren u. lösl. in Wasser, Alkohol, Ether sind. (a) *1-* od. *α-P.* (*α*-Methylbenzylamin); Racemat: D. 0,940, Sdp. 188 °C, 80–81 °C (24 hPa); (*R*)-Form (Abb. a): $[\alpha]_D^{20}$ +30° (c 10/Ethanol); schwach ammoniakal. Geruch. Die Herst. erfolgt durch reduktive Carbonylaminierung von Acetophenon mit Ammoniumformiat (Leuckart-Wallach-Reaktion).

Verw.: Das Racemat zu Synth. u. als Emulgator. Die beiden reinen Enantiomeren dienen zur Bestimmung der Enantiomerenreinheit von Carbonsäuren u. als chirale Standardamine zur Racemattrennung von Carbonsäuren sowie für *enantioselektive Synthesen: Aminosäuren, Imine, Aminonitrile u.a. können mit Hilfe von (*R*)-(+)- u. (*S*)-(–)-1-P. enantioselektiv hergestellt werden, so z.B. in der enantioselektiven *Strecker-Synthese.

(b) *2-* od. *β-P.* (Phenethylamin, Benzolethanamin), D. 0,9640, Sdp. 195 °C, fischartiger Geruch. 2-P. kommt im Bittermandelöl u. in Schokolade vor u. wurde auch im Gehirn u. im Harn nachgewiesen, insbes. bei psychot. Erkrankungen. Das *biogene Amin 2-P. als Stammsubstanz der *Catecholamine u. vieler *Halluzinogene wird mit dem Entstehen von Lust- u. Glücksempfindungen in Verb. gebracht. Von einigen Derivaten erwartet man eine Stimulierung des Körperfett-Abbaus [1]. 2-P. wird durch Red. von *Phenylacetonitril mit Na u. Alkohol od. mit Raney-Nickel hergestellt u. als CO_2-Absorber u. zu Synth. von pharmazeut. Präparaten verwendet. – ***E*** phenylethylamines – ***F*** phényléthylamines – ***I*** feniletilammine – ***S*** feniletilaminas

Lit.: [1] Nature (London) **309**, 163 (1984).

allg.: Angew. Chem. **90**, 136 (1978) ▪ Beilstein EIV **12**, 2424ff., 2453 ▪ Chem. Pharm. Bull. **29**, 3387 (1981) ▪ Kirk-Othmer (3.) **15**, 775f. ▪ Merck-Index (12.), Nr. 6106, 7371 ▪ Mosnaim u. Wolf, Noncatecholic Phenylethylamines (2 Bd.), New York: Dekker 1978, 1980 ▪ Org. Synth. **70**, 35 (1992) ▪ Pharm. Unserer Zeit **3**, 33–47 (1974) ▪ Science **206**, 470 (1979); **215**, 1127 (1982) ▪ Ullmann (4.) **7**, 146; **12**, 650; (5.) **A1**, 357f. ▪ s.a. Amine. – *[HS 2921 49; CAS 98-84-0 (1-P.); 618-36-0 ((±)-1-P.); 3886-69-9 ((+)-1-P.); 2627-86-3 ((–)-1-P.); 64-04-0 (2-P.); G 3]*

Phenylethylen s. Styrol.

2-Phenylethylester (Phenethylester). Die Ester des 2-Phenylethanols mit der allg. Formel

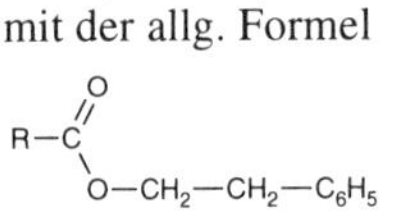

a) R = CH_3
b) R = $CH(CH_3)_2$
c) R = $CH_2—CH(CH_3)_2$

finden als Riech- u. Aromastoffe verbreitet Anw.; die folgenden werden in größerem Umfang verwendet: (a) *(2-Phenylethyl)-acetat,* $C_{10}H_{12}O_2$, M_R 164,20, Sdp. 232,6 °C (101,3 kPa), farblose Flüssigkeit mit feinem Rosenduft, kommt in einigen ether. Ölen vor u. ist flüchtiger Aromabestandteil zahlreicher Früchte u. alkohol. Getränke; – (b) *(2-Phenylethyl)-isobutyrat,* $C_{12}H_{16}O_2$, M_R 192,25, Sdp. 122–124 °C (2 kPa), kommt in Pfefferminzölen vor, schwer fruchtiger Blütengeruch; – (c) *(2-Phenylethyl)-isovalerat,* $C_{13}H_{18}O_2$, M_R 206,28, Sdp. 141–145 °C (7,2 kPa), ist als flüchtiger Bestandteil in Pfefferminzölen enthalten, schwerer, fruchtig-rosenartiger Duft. – ***E*** 2-phenylethylesters – ***F*** esters 2-phényléthyliques – ***I*** esteri del 2-feniletanolo – ***S*** ésteres 2-feniletílicos

Lit.: Ullmann (4.) **20**, 237f.; (5.) **A11**, 191. – *[HS 2915 39, 2915 60; CAS 103-45-7 (a); 103-48-0 (b); 140-26-1 (c)]*

(2-Phenylethyl)-isobutyrat s. 2-Phenylethylester.

(2-Phenylethyl)-isovalerat s. 2-Phenylethylester.

Phenylethylketon s. Propiophenon.

Phenylfluoron (2,6,7-Trihydroxy-9-phenyl-3*H*-xanthen-3-on).

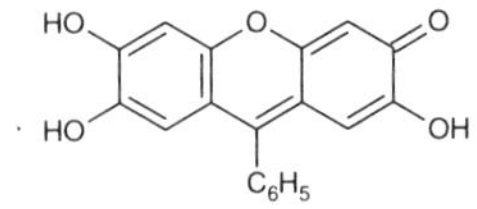

$C_{19}H_{12}O_5$, M_R 320,30. Orangerotes bis braunrotes Pulver, lösl. in heißem Alkohol, Pyridin, konz. H_2SO_4, Alkalilaugen u. Eisessig, das zur kolorimetr. Bestimmung von Ge, Mo, Sb, Sn, Ta u. Zr Verw. findet – ***E*** phenylfluorone – ***F*** phénylfluorone – ***I*** fenilfluorone – ***S*** fenilfluorona

Lit.: Beilstein EIII/IV **18**, 2824 ▪ Fries-Getrost, S. 155ff., 411f. ▪ Onishi, Photometric Determination of Traces of Metals, Teil IIa, S. 407, New York: Wiley 1986. – *[HS 2932 99; CAS 975-17-7]*

Phenylglycine.

$H_5C_6—NH—CH_2—COOH$

a

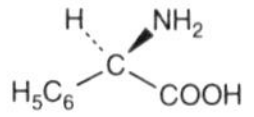

b

$C_8H_9NO_2$, M_R 151,16. (a) *N-P.* (Anilinoessigsäure, *N*-Phenylaminoessigsäure) bildet farblose Krist., Schmp. 127 °C, mäßig lösl. in Wasser, wenig in Alkohol, Ether, gibt mit Alkalihydroxiden wasserlösl. Salze. P. wird aus Anilin u. Chloressigsäure od. aus Anilin, Formaldehyd u. Blausäure mit anschließender Verseifung des Nitrils hergestellt u. ist ein Zwischenprodukt bei der Heumannschen Indigo-Synthese.

(b) *α-P.* (*α*-Aminophenylessigsäure); Racemat: farblose Krist., Schmp. 290 °C (nach anderen Angaben 255 °C); (*R*)-Form (D-*α*-P., Abb. b): $[\alpha]_D^{20}$ –156° (c 1/1-M HCl), Schmp. 300–310 °C (Zers.); ähnlich lösl. wie *N*-P. (a). Das durch Hydrolyse des entsprechenden Nitrils zugängliche (*R*)-*α*-P. ist ein Ausgangsprodukt für die Antibiotika-Synthese, z.B. den Penicillin-Derivaten *Ampicillin u. *Epicillin. – ***E*** phenylglycines – ***F*** phényl-glycines – ***I*** fenilglicine – ***S*** fenilglicinas

Lit.: Beilstein EIV **12**, 872f.; **14**, 1317 ▪ Hager (5.) **7**, 240; **8**, 42 ▪ Merck-Index (12.), Nr. 7445 ▪ Ullmann (4.) **13**, 178; (5.) **A2**, 504; **A9**, 425; **A14**, 150. – *[HS 2922 49; CAS 103-01-5 (N-P.); 875-74-1 ((–)-α-P.); 2935-35-5 ((+)-α-P.); 2835-06-5 ((±)-α-P.)]*

Phenylglykol. Trivialname für (a) 1-Phenyl-1,2-ethandiol u. (b) Ethylenglykol-monophenylether (2-Phenoxyethanol, s. Ethylenglykol).

Phenylglykolsäure. Trivialname für *Mandelsäure u. für *Phenoxyessigsäure.

Phenylharnstoff (Phenylcarbamid). H_5C_6-NH-CO-NH_2, $C_7H_8N_2O$, M_R 136,15. Farblose Prismen, D. 1,3, Schmp. 147 °C, lösl. in heißem Wasser, Alkohol, Ether, Eisessig. Herst. aus Phenylisocyanat u. Ammoniak; WGK 2 (Selbsteinst.). P. ist die Stammsubstanz vieler Arzneimittel u. Herbizide u.

dient auch als PVC-Stabilisator. – ***E*** phenylurea – ***F*** phénylurée – ***I*** = ***S*** fenilurea

Lit.: Beilstein E IV **12**, 734 ▪ Chem.-Ztg. **102**, 205–212 (1978) ▪ Int. J. Environ. Anal. Chem. **14**, 99–103 (1983); **18**, 101–123 (1984) ▪ Kirk-Othmer (3.) **21**, 275 f. ▪ Merck-Index (12.), Nr. 7472 ▪ Ullmann (5.) **A 27**, 356. – *[HS 2924 21; CAS 64-10-8]*

1-Phenyl-hex-2-en-4-in s. Agropyren.

Phenylhydrargyri boras s. Quecksilber-organische Verbindungen.

Phenylhydrazin. H_5C_6–NH–NH_2, $C_6H_8N_2$, M_R 108,14. Gelbliche bis rotbraune, in reinstem Zustand nahezu farblose Flüssigkeit od. Krist., D. 1,098, Schmp. 19,6 °C, Sdp. 243 °C (Zers.), WGK 2 (Selbsteinst.), in Wasser wenig, in Alkohol, Ether, Benzol, Chloroform u. verd. Säuren löslich. P. wird durch Licht u. Luftsauerstoff rasch gebräunt; es ist ein starkes Blutgift (bildet *Methämoglobin u. zerstört rote Blutkörperchen), Allergisierung möglich. Die Dämpfe reizen stark die Augen, die Atemwege u. die Haut, Lungenödem möglich, Kontakt mit der Flüssigkeit bewirkt starke Reizung der Augen u. der Haut. P. kann auch über die Haut aufgenommen werden. P. gilt als Stoff mit begründetem Verdacht auf krebserzeugendes Potential (MAK-Liste III B), MAK-Wert deshalb ausgesetzt. Häufiger wird das Hydrochlorid des P. verwendet; dieses bildet beständige, seidenglänzende, wasserlösl. Kristallblättchen, Schmp. 239–246 °C (Zers.).

T 

N 

Herst.: Durch Red. von Benzoldiazoniumchlorid mit einer Natriumsulfit-Lsg. bestimmter Konz. (*Fischer-Reaktion*).

Verw.: Als Reagenz auf Aldehyde, Ketone u. Zucker durch Bildung der gut kristallisierenden *Phenylhydrazone u. *Osazone, zur spektroskop. Bestimmung von Al, Cr, Mo (Rotfärbung), Ti, Zr, als Zwischenprodukt bei Synth. von Aminen, Aminosäuren, Heterocyclen, Farbstoffen u. Pharmazeutika, z. B. *Mofebutazon. – ***E*** phenylhydrazine – ***F*** phénylhydrazine – ***I*** fenilidrazina – ***S*** fenilhidrazina

Lit.: Beilstein E IV **15**, 50 ff. ▪ Braun-Dönhardt, S. 298 ▪ Fries-Getrost, S. 249 f. ▪ Giftliste ▪ Hager (5.) **1**, 534 f.; **8**, 1025 ▪ Hommel, Nr. 585 ▪ Merck-Index (12.), Nr. 7447 ▪ Roth, Krebserzeugende Stoffe, S. 67, 195, 204, Stuttgart: Wissenschaftliche Verlagsges. 1988 ▪ Synthetica **1**, 385 ff. ▪ Ullmann (5.) **A 5**, 265; **A 13**, 188; **A 22**, 392. – *[HS 2928 00; CAS 100-63-0 (P.); 59-88-1 (P. × HCl); G 6.1]*

Phenylhydrazone. Im allg. gut kristallisierende Substanzen der allg. Formel

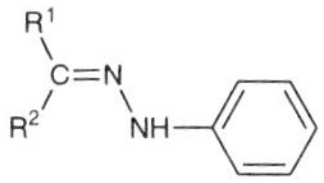

mit scharfem Schmp., die durch Kondensation von Carbonyl-Verb. (Aldehyde, Ketone) mit *Phenylhydrazin entstehen; bei Zuckern tritt ggf. Bildung von *Osazonen ein. Die P. dienen zur Identifikation von Carbonyl-Verb. od., da sie sich durch Kochen mit verd. HCl od. H_2SO_4 leicht zurückspalten lassen, zu deren Reinigung. Zur qual. u. quant. Bestimmung bedient man sich oft des *2,4-Dinitrophenylhydrazins, das relativ hoch schmelzende *Hydrazone liefert. Eine weitere wichtige Reaktion der P. ist ihre Umlagerung in die entsprechenden *Indol-Derivate durch Erhitzen mit $ZnCl_2$ (*Fischer-Reaktion*; s. a. Japp-Klingemann-Reaktion). – ***E*** phenylhydrazones – ***F*** phénylhydrazones – ***I*** fenilidrazoni – ***S*** fenilhidrazonas

Lit.: s. die Teststichwörter.

N*-Phenylhydroxylamin.** H_5C_6–NH–OH, C_6H_7NO, M_R 109,13. Farblose, seidenglänzende Kristallnadeln, Schmp. 82 °C, zersetzt sich beim Lagern, lösl. in Wasser (alkal. Reaktion), Alkohol, Ether, Chloroform, wenig lösl. in Benzol, Petrolether. Im Organismus ist P. ein Stoffwechselprodukt des *Acetanilids u. ein *Methämoglobin-Bildner. P. bildet mit Säuren stabile Salze, wird durch konz. H_2SO_4 zu 4-Aminophenol umgelagert (*Bamberger-Reaktion), reduziert Fehlingsche Lsg. u. wird in wäss. Lsg. durch Luftsauerstoff in Azoxybenzol umgewandelt. P. ist das erste faßbare Reaktionsprodukt bei der sauren Red. von Nitrobenzol mit Zn-Staub/verd. Essigsäure u. dient als Ausgangsprodukt für *Kupferron. – ***E *N*-phenylhydroxylamine – ***F*** *N*-phénylhydroxylamine – ***I*** *N*-fenilidrossilammina – ***S*** *N*-fenilhidroxilamina

Lit.: Beilstein E IV **15**, 4 f. ▪ Merck-Index (12.), Nr. 7448 ▪ Ullmann (5.) **A 2**, 51; **A 17**, 417. – *[HS 2928 00; CAS 100-65-2]*

Phenylierung. Bez. für die Einführung der *Phenyl-Gruppe in organ. Verb., u. zwar als Radikal ($H_5C_6^{\cdot}$) od. als Kation ($H_5C_6^+$, *Phenylium*), die ggf. aus *Diazonium-Verbindungen od. aus Verb. wie Diphenyliodoniumhalogeniden zugänglich sind. – ***E*** phenylation – ***F*** phénylation – ***I*** fenilazione – ***S*** fenilación

2-Phenyl-1,3-indandion s. Phenindion.

Phenylisocyanat (Carbanil). H_5C_6–N=C=O, C_7H_5NO, M_R 119,12. Klare, farblose, tränenreizende Flüssigkeit, D. 1,095, Schmp. –33 °C, Sdp. 165 °C, WGK 2, wird von Wasser unter Bildung von Anilin u. CO_2 zersetzt, reagiert mit Alkoholen (zu *N*-Phenylurethanen) u. Aminen (zu Harnstoffen). Die Dämpfe reizen sehr stark die Augen, die Atemwege (Lungenödem möglich) u. die Haut. Kontakt mit der Flüssigkeit bewirkt sehr starke Reizung u. Verätzung der Augen u. der Haut, Allergisierung möglich. P. wird aus Anilin u. Phosgen hergestellt (s. a. Isocyanate) u. findet Verw. als Reagenz auf Amine u. Alkohole, in der Lack- u. Photo-Ind., zur Herst. von Pharmazeutika, opt. Aufhellern, Textilhilfsmitteln, Weichmachern. – ***E*** phenyl isocyanate – ***F*** isocyanate de phényle – ***I*** fenilisocianato – ***S*** isocianato de fenilo

Lit.: Beilstein E IV **12**, 864 f. ▪ Hommel, Nr. 586 ▪ Kirk-Othmer (3.) **2**, 311 ▪ Merck-Index (12.), Nr. 7449 ▪ Synthetica **2**, 350–353 ▪ Ullmann (5.) **A 14**, 611–625. – *[HS 2929 10; CAS 103-71-9; G 6.1]*

Phenylisothiocyanat (Phenylsenföl, Thiocarbanil). H_5C_6–N=C=S, C_7H_5NS, M_R 135,18. Farblose, beißend senfartig riechende, giftige, tränenreizende wasserdampfflüchtige Flüssigkeit, D. 1,1303, Schmp. –21 °C, Sdp. 221 °C, unlösl. in Wasser, lösl. in Alkohol, Ether, WGK 2 (Selbsteinst.).

Herst.: Aus 1,3-Diphenylthioharnstoff durch Behandeln mit konz. HCl od. durch Reaktion von Thiophosgen ($CSCl_2$) mit Anilin.

Verw.: Zur Herst. von Photochemikalien u. Pharmazeutika, zur Analyse von Aminosäuren im *Edman-

Abbau von Proteinen, zur Synth. von Pyrrol-Derivaten u. Pyrimidinen. – ***E*** phenyl isothiocyanate – ***F*** isothiocyanate de phényle – ***I*** fenilisotiocianato – ***S*** isotiocianato de fenilo

Lit.: Beilstein EIV **12**, 867 f. ▪ Brauer, Gefahrstoff-Sensorik, Landsberg: ecomed Verlagsges. 1988–1990 ▪ Heterocycles **26**, 899 (1987) ▪ Justus Liebigs Ann. Chem. **1988**, 471 ▪ Merck-Index (12.), Nr. 7450 ▪ Ullmann (5.) **A 26**, 753. – *[HS 2930 90; CAS 103-72-0; G 6.1]*

Phenylium s. Phenylierung.

Phenylketonurie (PKU, Föllingsche Krankheit). Eine 1934 von dem norweg. Physiologen A. Fölling (1880–1972) entdeckte erbliche Stoffwechselerkrankung, bei der der Organismus aufgrund eines Mangels od. Defekts des Enzyms *Phenylalanin-4-Monooxygenase* (s. a. Phenylalanin) nicht fähig ist, Phenylalanin in Tyrosin umzuwandeln u. damit dessen Abbau einzuleiten. Statt dessen wird Phenylalanin durch Transaminierung in Phenylbrenztraubensäure übergeführt, die vermehrt im Harn ausgeschieden wird. Die P. wird autosomal rezessiv vererbt u. tritt in Deutschland mit einer Häufigkeit von etwa 1:6550 auf. Die Krankheitssymptome sind schwerer Schwachsinn, verkümmertes Wachstum u. allg. Pigmentmangel. Bei unbehandelten Kindern zeigen sich etwa vom 4. Lebensmonat an neurolog. Auffälligkeiten, die rasch fortschreiten u. aus denen im 3. Lebensjahr ein schwerer irreversibler Hirnschaden entsteht. Die Symptome werden auf die Anhäufung von Phenylalanin u. seiner Metaboliten zurückgeführt, die den Stoffwechsel des Tryptophans in Mitleidenschaft ziehen u. dadurch die Synth. der für die Gehirnfunktionen wichtigen Stoffe Serotonin u. γ-Aminobutyrat vermindern. Bei rechtzeitiger Erkennung, heute mit Hilfe eines obligator. Screening-Tests kurz nach der Geburt (Guthrie-Test), kann der Stoffwechseldefekt durch Phenylalanin-arme Diät wirksam ausgeglichen werden. Bei den sehr viel seltener auftretenden Störungen am Coenzymsyst. der Phenylalanin-4-Monooxygenase (Tetrahydrobiopterin) leiden die Patienten außer an P. auch an Dopamin- u. Serotonin-Mangel. – ***E*** phenylketonuria – ***F*** phénylcétonurie – ***I*** fenilchetonuria – ***S*** fenilcetonuria

Lit.: Hopf, Neurologie in Praxis u. Klinik, Bd. II, S. 6.1–6.4, Stuttgart: Thieme 1992.

Phenyllithium. C_6H_5Li, M_R 84,05 (im allg. dimer od. tetramer). Farblose, pyrophore, monokline Krist., Zers. ohne Schmelzen bei 150 °C. P. verbrennt mit gelber Flamme, reagiert heftig mit Wasser u. ist als Lsg. in Cyclohexan/Diethylether im Handel; WGK 1 (Selbsteinst.).

Herst.: Aus Chlor- od. Brombenzol u. Li-Metall in Ether od. Benzol/Ether-Gemisch od. aus Iodbenzol u. *n*-Butyllithium (Transmetallierung).

Verw.: Ähnlich wie Grignard-Reagenzien zur Phenylierung, als mildes Metallierungsmittel, s. a. Lithium-organische Verbindungen u. Metall-organische Reaktionen. – ***E*** phenyllithium – ***F*** phényl-lithium – ***I*** fenillitio – ***S*** fenil-litio

Lit.: Angew. Chem. **97**, 222 (1985); **98**, 756 (1986) ▪ Beilstein EIV **16**, 1696 ▪ Brauer (3.) **2**, 968 ▪ Bretherick, Handbook of Reactive Chemical Hazards (5.), London: Butterworths 1995 ▪ Helv. Chim. Acta **67**, 1972–1988 (1984) ▪ Kirk-Othmer (3.) **14**, 471 ▪ Ullmann (5.) **A 15**, 411. – *[HS 2931 00; CAS 591-51-5]*

Phenylmagnesiumbromid. H_5C_6–MgBr, C_6H_5BrMg, M_R 181,31. Häufig verwendetes Grignard-Reagenz (s. Grignard-Reaktion), das durch Reaktion von Brombenzol mit Mg-Spänen in Ether entsteht. – ***E*** phenylmagnesium bromide – ***F*** bromure de phénylmagnésium – ***I*** bromuro di fenilmagnesio – ***S*** bromuro de fenilmagnesio

Lit.: Beilstein EIV **16**, 1696 ▪ s. a. Grignard-Reaktion u. Magnesium-organische Verbindungen. – *[CAS 100-58-3]*

Phenylmenthol s. stereoselektive Synthese.

Phenylmercaptan s. Thiophenol.

Phenylmercuri... s. Quecksilber-organische Verbindungen.

Phenylmethanol s. Benzylalkohol.

Phenylmethyl... *Chemical-Abstracts*-Bez. für *Benzyl...

***C*-Phenylmethylamin** s. Benzylamin.

4-Phenylmorpholin (*N*-Phenylmorpholin).

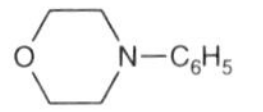

$C_{10}H_{13}NO$, M_R 163,21. Farblose, krist. Masse mit schwachem Amin-Geruch, Schmp. 56 °C, Sdp. 270 °C, 140–141 °C (20 hPa), wasserdampfflüchtig, unlösl. in Wasser, lösl. in Benzol, Alkohol, Aceton; WGK 2 (Selbsteinst.). P. findet Verw. zur Extraktion von Aromaten aus wäss. Emulsionen, als Stabilisator in gaserzeugenden Substanzgemischen (Treibstoffen) u. als Zwischenprodukt in organ. Synthesen. – ***E*** 4-phenylmorpholine – ***F*** 4-phénylmorpholine – ***I*** 4-fenilmorfolina – ***S*** 4-fenilmorfolina

Lit.: Beilstein EV **27/1**, 424. – *[HS 2934 90; CAS 92-53-5]*

***N*-Phenyl-2-naphthylamin** (*N*-Phenyl-β-naphthylamin, PBN).

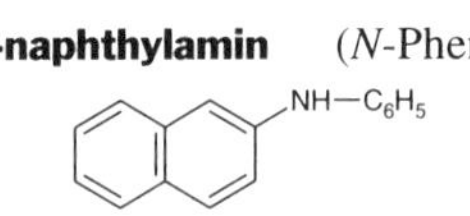

$C_{16}H_{13}N$, M_R 219,28. Farbloses Pulver od. Schuppen (an der Luft graurosa Färbungen ohne Wirkungsänderung), D. 1,19, Schmp. 108 °C, Sdp. 400 °C, unlösl. in Wasser, leicht lösl. in Chloroform, Alkohol u. Benzol. P. gilt als Stoff mit begründetem Verdacht auf krebserzeugendes Potential (Gruppe III B der MAK-Liste), da es im Körper wahrscheinlich zu 2-*Naphthylamin abgebaut wird[1]. Herst. aus Anilin u. 2-Naphthol.

Verw.: Als Alterungsschutzmittel für Kautschuk u. synthet. Elastomere, Schmiermittel, Asphalt u. als Zwischenprodukt für Farbstoffe. Das isomere *N-Phenyl-1-* od. *-α-naphthylamin* (PAN, Schmp. 62–63 °C) dient ähnlichen Zwecken sowie zur Synth. von Pestiziden. – ***E*** *N*-phenyl-2-naphthylamine – ***F*** *N*-phényl-2-naphthylamine – ***I*** *N*-fenil-2-naftilammina – ***S*** *N*-fenil-2-naftilamina

Lit.: [1] Gesundheitsschädliche Arbeitsstoffe: toxikologisch-arbeitsmedizinische Begründung von MAK-Werten, Weinheim: Verl. Chemie 1972–1997.

allg.: Beilstein EIII/IV **12**, 3128 ▪ Hutzinger **3 C**, 1–40, bes. 30 f. ▪ Kirk-Othmer (3.) **15**, 726 f.; (4.) **16**, 988 ▪ Roth, Krebserzeugende Stoffe, S. 67, 195, Stuttgart: Wissenschaftliche Verlagsges. 1988 ▪ Ullmann (5.) **A 5**, 265; **A 17**, 18. – *[HS 2921 45; CAS 135-88-6 (PBN); 90-30-2 (PAN)]*

Phenylnitrosohydroxylamin s. Kupferron.

Phenyl-2-oxazolidon s. stereoselektive Synthese.

Phenyloxid-Polymere s. Polyphenylenoxide.

Phenyloxiran s. Styroloxid u. stereoselektive Synthese.

Phenylphenole s. Biphenylole.

Phenylphosphat-Dinatriumsalz (Phosphorsäure-monophenylester-Dinatriumsalz).

$$H_5C_6-O-\overset{O}{\underset{O^-\ Na^+}{\overset{\|}{P}}}-O^-\ Na^+$$

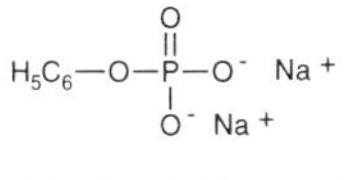

$C_6H_5Na_2O_4P$, M_R 218,05. Weißes Kristallpulver, lösl. in Wasser, schwer lösl. in Alkohol, unlösl. in Aceton u. Ether. P. dient zum *Phosphatase-Nachw. in Milch u. ermöglicht die Feststellung vorschriftsmäßiger Milchpasteurisierung. – *E* disodium phenyl phosphate – *F* phénylphosphate de disodium – *I* fenilfosfato disodico – *S* fenilfosfato de disodio

Lit.: Beilstein E IV **6**, 708 ▪ Biochem. Biophys. Acta **52**, 36 – 48 (1961) ▪ Merck-Index (12.), Nr. 3421. – *[HS 2919 00; CAS 3279-54-7]*

Phenylpropanolamine. Unsystemat. Bez. für die in diesem Werk unter ihren Kurzbez. *Norephedrin u. Norpseudoephedrin behandelten pharmakolog. aktiven Verb. u. deren Homologe u. Derivate; *Beisp.:* *Ephedrin, s. a. die Tab. in *Lit.*[1]. – *E* phenylpropanolamines – *F* phénylpropanolamines – *I* fenilpropanolamine – *S* fenilpropanolaminas

Lit.: [1] Kuschinsky u. Lüllmann, Kurzes Lehrbuch der Pharmakologie u. Toxikologie (13.), S. 96, Stuttgart: Thieme 1993.
allg.: Chem. Ztg. **106**, 169 – 183 (1982) ▪ s. a. Norephedrin.

Phenylpropanole.

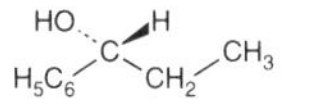

$C_9H_{12}O$, M_R 136,19. Farblose, meist flüssige, z.T. wohlriechende Substanzen, die als Zwischenprodukte in organ. Synth. u. in der Parfümerie Verw. finden, lösl. in Alkohol, Ether, Benzol, unlösl. in Wasser. Dreidimensional vernetzte P. bilden das *Lignin.
(a) *1-Phenyl-1-propanol* (α-Ethylbenzylalkohol); Racemat: D. 0,9915, Sdp. 219 °C, 107 °C (20 hPa). (*R*)-Form (1a): $[\alpha]_D^{20}$ +47° (c 2,2/Hexan). Das bei Gallenwegserkrankungen eingesetzte Racemat läßt sich z.B. über den sauren Phthalsäureester u. dessen Strychnin-Salz in die opt. Antipoden spalten. Die beiden reinen Enantiomere sind chirale Bausteine in der *enantioselektiven Synthese, z.B. in der Synth. von chiralen, nemat. Flüssigkristallen.
(b) *1-Phenyl-2-propanol* (α-Methyl-β-phenylethanol); Racemat: D. 0,994, Sdp. 219 – 221 °C. (*R*)-Form (1b): $[\alpha]_D^{20}$ –41° (c 5,3/Benzol). Die beiden reinen Enantiomere kann man entweder mit Thionylchlorid unter *Retention od. mit Thionylchlorid/Pyridin (Abb.) unter *Inversion der Konfiguration in chirale Aralkylchloride umwandeln; vgl. nucleophile Substitution u. Walden-Umkehr.

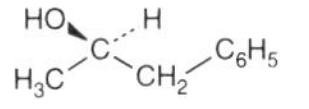

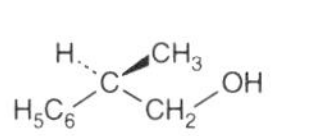

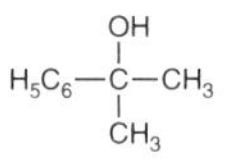

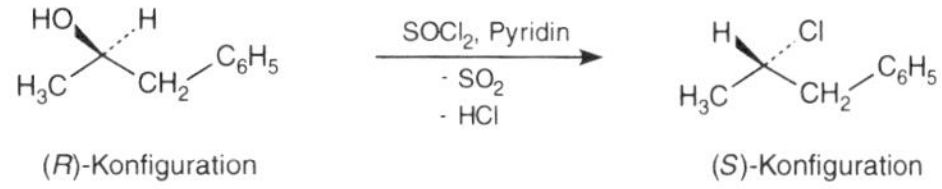

Abb.: Umwandlung von (*R*)-1-Phenyl-2-propanol in das (*S*)-Aralkylchlorid.

(c) *2-Phenyl-1-propanol* (Hydratropaalkohol, 2-Phenylpropylalkohol), Sdp. 112 – 114 °C (16 hPa). (*R*)-Form (1c): $[\alpha]_D^{20}$ +12° (c 1/Toluol).
(d) *2-Phenyl-2-propanol* (α,α-Dimethylbenzylalkohol) (1d), D. 0,9735, Schmp. 35 – 37 °C, Sdp. 202 °C, 93 °C (17 hPa).
3-Phenyl-1-propanol s. Hydrozimtalkohol. – *E* phenylpropanols – *F* phénylpropanols – *I* fenilpropanoli – *S* fenilpropanoles

Lit.: Beilstein E IV **6**, 3183 f., 3192, 3219 f., 3229 f. ▪ Hager (5.) **9**, 179 ▪ Merck-Index (12.), Nr. 3816 ▪ Ullmann (4.) (5.) **A 11**, 185; **A 12**, 145. – *[HS 2906 29; CAS 1565-74-8 (a: (R)); 613-87-6 (a: (S)); 93-54-9 (a: (±)); 1572-95-8 (b: (R)); 1517-68-6 (b: (S)); 14898-87-4 (b: (±)); 19141-40-3 (c: (R)); 37778-99-7 (c: (S)); 98103-87-8 (c: (±)); 617-94-7 (d)]*

1-Phenyl-1-propanon s. Propiophenon.

1-Phenyl-2-propanon (Phenylaceton, Benzylmethylketon). $H_5C_6-CH_2-CO-CH_3$, $C_9H_{10}O$, M_R 134,18. Farblose Flüssigkeit, D. 1,0157, Schmp. –15 °C, Sdp. 216 °C, unlösl. in Wasser, sehr gut lösl. in Ethanol, Ether, Benzol u. Xylol. P. wird als Zwischenprodukt für die Herst. von Arzneimitteln, z. B. Amphetaminen, verwendet. – *E* 1-phenyl-2-propanone – *F* 1-phényl-2-propanone – *I* 1-fenil-2-propanone – *S* 1-fenil-2-propanona

Lit.: Beilstein E IV **7**, 687 f. ▪ Merck-Index (12.), Nr. 7423 ▪ Ullmann (4.) **14**, 223 f. – *[HS 2914 30; CAS 103-79-7]*

2-Phenylpropen s. α-Methylstyrol.

2-Phenylpropionaldehyd (Hydratropaaldehyd).

$$H_5C_6-\underset{CH_3}{\overset{|}{C}H}-CHO$$

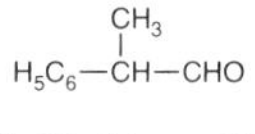

$C_9H_{10}O$, M_R 134,17. Farblose Flüssigkeit, D. 1,009, Sdp. 92 – 94 °C (1,5 kPa); LD_{50} (Ratte oral) 2800 mg/kg; wassergefährdender Stoff, WGK 1 (Selbsteinst.); lösl. in Alkohol, unlösl. in Wasser. Der Flieder-Hyazinthen-artig duftende P. wird in der Parfümerie für Blütengerüche verwendet. – *E* hydratropic aldehyde – *F* aldéhyde hydratropique – *I* aldeide idratropico – *S* aldehído hidratrópico

Lit.: Beilstein E IV **7**, 695 ▪ Ullmann (4.) **20**, 234; (5.) **A 11**, 187. – *[HS 2912 29; CAS 93-53-8 (allg.); 34713-70-7 (±); G 3]*

3-Phenylpropionaldehyd s. Hydrozimtaldehyd.

3-Phenylpropionsäure s. Hydrozimtsäure.

2-Phenylpropylalkohol s. Phenylpropanole.

Phenylquecksilber-Verbindungen s. Quecksilber-organische Verbindungen.

Phenylsalicylat s. Salicylsäureester.

4-Phenylsemicarbazid. $H_5C_6-NH-CO-NH-NH_2$, $C_7H_9N_3O$, M_R 151,17. Farblose Blättchen, Schmp.

122 °C, lösl. in Alkohol, verd. Säuren u. Laugen, Reagenz auf Aldehyde u. Ketone (Bildung von schwer lösl. 4-Phenylsemicarbazonen). Herst. aus Hydrazinhydrat u. Phenylharnstoff. – ***E*** 4-phenylsemicarbazide – ***F*** 4-phénylsemicarbazide – ***I*** 4-fenilsemicarbazide – ***S*** 4-fenilsemicarbazida

Lit.: Beilstein E III **12**, 822 f. ▪ Hager **6 a**, 612 f. ▪ Merck-Index (12.), Nr. 7465. – *[HS 2928 00; CAS 537-47-3]*

Phenylsenföl s. Phenylisothiocyanat.

Phenylsulfat s. Phenol.

Phenylsulfinyl... s. Benzolsulfinyl...

Phenylsulfonyl... s. Benzolsulfonyl...

1-Phenyl-1*H*-tetrazol-5-thiol (u. Tautomeres, 1-Phenyl-1,4-dihydro-5*H*-tetrazol-5-thion).

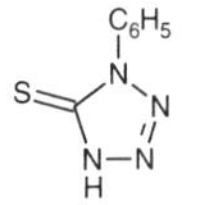

$C_7H_6N_4S$, M_R 178,21. Farblose Krist., Schmp. ca. 153 °C (Zers.), in organ. Lsm. lösl., unlösl. in Wasser. P. wird als Antischleiermittel u. Sensibilisator in der Photographie u. zur spektrometr. Bestimmung von Palladium verwendet. – ***E*** 1-phenyl-1*H*-tetrazole-5-thiol – ***F*** 1-phényl-1*H*-tétrazole-5-thiol – ***I*** 1-fenil-1*H*-tetrazolo-5-tiolo – ***S*** 1-fenil-1*H*-tetrazolo-5-tiol

Lit.: Beilstein E V **26/13**, 97 ▪ Z. Anal. Chem. **261**, 151 (1972). – *[CAS 86-93-1]*

Phenylthioharnstoff (Phenylthiocarbamid).

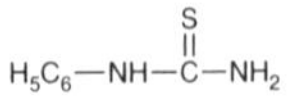

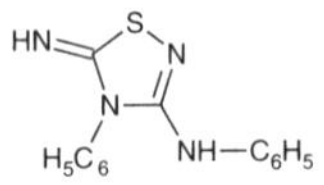

Hectors Base

$C_7H_8N_2S$, M_R 152,21. Farblose, sehr giftige Krist., D. 1,3, Schmp. 154 °C, lösl. in siedendem Wasser u. Alkohol.

Herst.: Aus Anilinhydrochlorid u. Ammoniumthiocyanat. Bei der Oxid. entsteht *Hectors Base* ($C_{14}H_{12}N_4S$, M_R 268,33).

Verw.: Als Rattengift, in organ. Synth., als Korrosionsinhibitor in sauren Metallbeizen, Hilfsmittel bei der Flotation von Erzen, Vulkanisationsbeschleuniger. In der Humangenetik u. Sensorik ist stark verd. P. eine Testsubstanz, die je nach Genkonfiguration des Probanden als Bitterstoff od. als geschmacklos empfunden wird. – ***E*** phenylthiourea – ***F*** phénylthiourée – ***I*** = ***S*** feniltiourea

Lit.: Beilstein E IV **12**, 804 f. ▪ Giftliste ▪ Keith u. Walters, Compendium of Safety Data Sheets for Research and Industrial Chemicals, Part III, S. 1372 f., Deerfield Beach, Florida: VCH Publishers, Inc. 1985 ▪ Merck-Index (12.), Nr. 7468. – *[HS 2930 90; CAS 103-85-5; G 6.1]*

3-Phenyl-2-thiohydantoine s. Edman-Abbau.

Phenyltoloxamin.

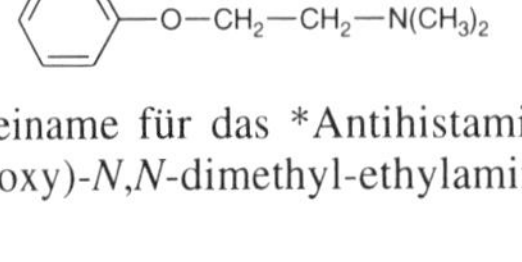

Internat. Freiname für das *Antihistaminikum 2-(2-Benzylphenoxy)-*N*,*N*-dimethyl-ethylamin, $C_{17}H_{21}NO$, M_R 255,35, Sdp. 141–144 °C (13 Pa); λ_{max} (0,05 M H_2SO_4) 276 nm ($A^{1\%}_{1cm}$ 73). Verwendet wird das Dihydrogencitrat, $C_{23}H_{29}NO_8$, M_R 447,49, Schmp. 138–140 °C. P. wurde 1955 von Bristol Labs. patentiert – ***E*** phenyltoloxamine – ***F*** phényltoloxamine – ***I*** = ***S*** feniltoloxamina

Lit.: Hager (5.) **9**, 181 f. ▪ Martindale (31.), S. 449 f. – *[HS 2922 19; CAS 92-12-6 (P.); 1176-08-5 (Dihydrogencitrat)]*

***N*-Phenyl-1,2,4-triazolin-3,5-dion** s. Triazoline.

1-Phenyl-2,2,2-trifluorethanol s. stereoselektive Synthese.

N*-Phenylurethan** (Ethyl-*N*-phenylcarbamat, Ethylcarbanilat, Phenylcarbamidsäureethylester). H_5C_6–NH–$COOC_2H_5$, $C_9H_{11}NO_2$, M_R 165,19. Farblose, aromat. riechende Nadeln, D. 1,1064, Schmp. 52 °C, Sdp. 238 °C, schwerlösl. in kaltem Wasser, leicht lösl. in Alkohol u. Ether. *N*-P. diente früher als Konservierungsmittel für Kartoffeln (verhindert das Auskeimen während der Lagerung). „Phenylurethane“ dienen zum Nachw. von Alkoholen (mit *Phenylisocyanat). – ***E *N*-phenylurethane – ***F*** *N*-phényluréthane – ***I*** = ***S*** *N*-feniluretano

Lit.: Beilstein E IV **12**, 619 ▪ Merck-Index (12.), Nr. 7473. – *[HS 2924 29; CAS 101-99-5]*

Phenytoin (Rp).

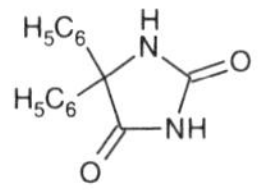

Internat. Freiname für das *Antiepileptikum 5,5-Diphenyl-2,4-imidazolidindion (5,5-Diphenylhydantoin), $C_{15}H_{12}N_2O_2$, M_R 252,27; vgl. a. Hydantoine. Farbloses Pulver, Schmp. 295–298 °C; λ_{max} (CH_3OH) 258, 264 nm ($A^{1\%}_{1cm}$ 27, 16); LD_{50} (Maus i.v.) 92, (Maus s.c.) 110 mg/kg, in Wasser nicht, in Alkohol u. Aceton mäßig löslich. Verwendet wird auch das Natrium-Salz. P. wurde 1946 von Parke Davis (Epanutin®) patentiert u. ist auch von Desitin (Phenhydan®) u. Knoll (Zentropil®) im Handel. P. zeigt teratogene Effekte am Hühnerembryo u. durch Bildung cytotox. Epoxymetaboliten können Leberschädigungen auftreten. – ***E*** phenytoin – ***F*** phénytoïne – ***I*** fenitoina – ***S*** fenitoína

Lit.: American Health Research Institute Staff, Phenytoin: Therapy and Clinical Uses, Washington: ABBE Publishers 1997 ▪ ASP ▪ Beilstein E III/IV **24**, 1748 ▪ Florey **13**, 417–445 ▪ Hager (5.) **9**, 183–187 ▪ IARC Monogr. **13**, 201 ff., 225 (1977), Suppl. **4**, 215–217 (1982) ▪ Martindale (31.), S. 380–386 ▪ Ph. Eur. **1997** u. Komm. – *[HS 2933 21; CAS 57-41-0 (P.); 630-93-3 (Natriumsalz)]*

Pherogramm s. Elektrophorese.

Pherographie. Wenig gebräuchliches Synonym für Träger-*Elektrophorese.

Pheromone (von griech.: pherein = tragen u. hormon = antreibend). Unter dem 1959 von *Karlson u. Lüscher anstelle des früheren Namens *Ektohormone* eingeführten Begriff versteht man schon in äußerst geringen Konz. wirksame Stoffe, die der chem. Verständigung von Organismen einer Art dienen (im Gegensatz zu *Allomonen). Zwar wird das P.-Konzept gelegentlich auch auf die „zwischenmenschlichen Beziehungen“ u. deren Steuerung durch den *Geruch angewandt (vgl. Körpergeruch), doch spricht man von P. im engeren Sinne hauptsächlich im Zusammenhang mit *Insekten, daneben auch bei anderen Arthropoden. Den P. kann man eine Reihe anderer *Signalstoffe* an die Seite stellen: Bei Pflanzen, wie den mit frei beweglichen Gameten ausgestatteten niederen Pilzen, Algen, Moosen u. Farnen, spricht man häufig von *Gamonen. Als eine Art von *Aggregations-P. kann man die *Acrasine der zellulären Schleimpilze (sog. soziale *Amöben) bezeichnen, die als *Chemotaxis-Reizstoffe die Ausbildung von Fruchtkörpern initiieren. Bei der geschlechtlichen Vermehrung bestimmter *Hefen spielen Lipid-lösl. Peptide (z. B. Tremerogene u. Rhodotorucine) als Paarungs-P. eine Rolle. Bei Meerestieren findet man P. (z. B. Anthopleurin von Seeanemonen, Navanone bestimmter Meeresschnecken) mit *Alarmstoff-Funktion. Auch bei Wirbeltieren, insbes. solchen mit gut entwickeltem Geruchssinn – im Prinzip stellen P. ja *Riechstoffe dar, auch wenn sie der Mikrosmatiker Mensch im allg. nicht als solche wahrnehmen kann – findet man P.-artige Exkrete, meist mit *Sexuallockstoff-Charakter, z. B. bei Schlangen (Vitellogenin), läufigen Hündinnen (Methylparaben), Ebern (5α-Androst-16-en-3-on) u. a. Tieren. Die P. der *Musteliden u. Waschbären werden wegen ihrer vielfältigen Funktionen manchmal *Ökomone* genannt.

Ökomone (auch Allelochemikalien) sind zu den *Semiochemikalien gehörende Naturstoffe, die als Signalstoffe zwischen Organismen verschiedener *Arten wirken u. z. B. Flucht, Abwehr od. Nahrungserwerb ermöglichen od. erleichtern. Die Wirkung der Ökomone hängt sowohl von Sender als auch Empfänger ab. So wirkt *Allylisothiocyanat, das aus dem Sinigrin der Senfpflanzen (*Brassica* sp.) insbes. nach Verletzung freigesetzt wird, als Toxin gegen Schadpilze u. als Deterrens gegen viele Insekten (Allomon-Wirkung), wohingegen manche Schmetterlinge (*Pieris brassicae* u. *P. rapae*) u. die Röhrenlaus (*Brevicoryne brassicae*) durch Allylisothiocyanat angelockt werden (Kairomon-Wirkung). *Cantharidin, ein starkes Insektizid u. Antifeedant (Allomon-Wirkung), das lediglich von Ölkäfern (Meloidae) u. Schenkelkäfern (Oedemeridae) synthetisiert wird, ist für viele Verfolger dieser Käfer, für die sog. canthariphilen Insekten, ein Lockstoff (Kairomon-Wirkung). Umgekehrt finden Brackwespen (Braconidae), die canthariphile Ameisenbuntkäfer (Anthicidae) befallen, erst durch Cantharidin zum Wirt (für den Produzenten Allomon-, für den Sender Kairomon-Wirkung). Canthariphile männliche Feuerkäfer (Pyrochroidae) wiederum sind erst nach der Aufnahme von Cantharidin für ihre Weibchen sexuell attraktiv (P.-Wirkung; auch beim Menschen wirkt Cantharidin als Aphrodisiakum). Zu den Ökomonen werden auch Ausscheidungsprodukte gestellt, die für den abgebenden Produzenten keine erkennbare Auswirkung haben, andere Organismen aber fördern od. hemmen können, z. B. Exkremente, die andere behindern (s. Amensalismus) od. von Phytoplankton abgeschiedene organ. Produkte (DOC, s. TOC).

Hatte man früher angenommen, daß die P. – auf oralem (durch *Geschmack) od. olfaktor. Wege (durch *Geruch) – weitgehend artspezif. wirken, also als Signale nur von Lebewesen der gleichen Art verstanden werden, so weiß man heute, daß derselbe Stoff nicht selten mehreren Arten als P. dient, also gattungsspezif. ist, wenn auch das durch das P. gesteuerte Sozialverhalten artspezif. ist, vgl. die Beisp. unten. Zu den P. rechnet man *Sexuallockstoffe, Alarmstoffe, Aggregations-* od. *Versammlungsstoffe, Angriffssignalstoffe, Rekrutierungsstoffe, Spurfolge-* od. *Wegmarkierungsstoffe,* die im allg. in winzigen Mengen wirksam werden, letztere z. B. in Mengen von 0,1 Pikogramm/cm! Verständlicherweise sind die Grenzen zwischen P. u. tierarteigenen „*chemischen Waffen" od. *Wehrstoffen* (*Repellentien) nicht scharf zu ziehen. Solchen P., die dem sie produzierenden Organismus einen Vorteil bringen, gibt man zuweilen den Namen *Allomone* (*Beisp.:* *Alarmstoffe) u. solchen, die dem Empfänger einen Vorteil bringen, *Kairomone* (*Beisp.:* Spurfolge-P. u. *Insektenlockstoffe, auch für Feinde der produzierenden Art). In gewissem Sinne könnte man den Geruch des heimatlichen Gewässers, nach dem sich Lachse bei ihrer Rückkehr aus dem Ozean orientieren, auch den Spurfolge-P. zurechnen. Am intensivsten untersucht (weil von prakt. Bedeutung für den *integrierten *Pflanzenschutz*) sind die P. der Insekten. Ihrer chem. Struktur nach stellen nur die Sexuallockstoffe weiblicher Schmetterlinge (Lepidoptera) eine einigermaßen einheitliche Gruppe dar, u. zwar Polyene sowie mono- od. polyolefin. Alkohole, deren Ester u. Aldehyde (*Beisp.:* *Bombykol aus Seidenspinnern, 1959 von Butenandt u. Mitarbeitern erstmals isoliert u. rein hergestellt). Die zugehörigen Männchen benutzen als entsprechende Stoffe verschiedene aromat. Verb., Pyrrolizin-Derivate, aliphat. Aldehyde, Ketone, Alkohole u. Säuren sowie Terpenoide, die Borkenkäfer bes. Terpenalkohole u. bicycl. Ketale als Aggregations- u. Sexual-P. (*Beisp.:* *Ipsdienol), während anderen *Käfern ganz unterschiedliche Verb. als P. dienen. Staatenbildende Insekten benötigen spezif. P., um das Sozialverhalten zu steuern (Brutpflege, Wohnungsbau, Futtersammeln, Feindabwehr, Regulierung der Population usw.), Honig-Bienen z. B. 2-Heptanon u. Isopentylacetat als Alarm-P., Geraniol, Citral u. a. Terpene als Markierungs-P. (Sterzelduft) u. ungesätt. Fettsäuren (bes. 9-Oxo-*trans*-2-decensäure) als *Königinnensubstanz. Mit verfeinerten Analysen- u. Synthesenmeth. sind seit 1960 zahlreiche P. isoliert, in ihrer Konstitution aufgeklärt u. z. T. auch synthetisiert worden. Aus der Vielfalt der P. seien hier erwähnt: *cis*-9-Tricosen (*Muscalure, Sexuallockstoff bei *Fliegen), *trans*-β-Farnesen (Alarm-P. bei Blattläusen), *trans,trans*-α-Farnesen (Wegmarkierungs-P. bei Feuerameisen), *Dendrolasin, 2-Heptanon, Dimethyltrisulfid (Alarm-P. bei *Ameisen), Methylpyrrolcarbonsäuremethylester, C_6/C_{12}-Fettsäuren od. Alkylpyrazine (Spurfolge-P. bei Ameisenarten), Dioxaspiro-Verb. (Aggregations-P. bei Käfern, Abwehr-P. bei Wespenarten), Periplanon B als zehngliedriges Sesquiterpenketon (Sexual-P. der amerikan. Küchenschabe), Hexenal u. Octenal (Abwehr-P. bei Wanzen), Citral (Angriffs-P. bei Ameisen), *trans*-6-Nonensäuremethylester (Sexuallockstoff bei Fruchtfliegen), *Disparlur (Sexuallockstoff des Schwammspinners), Ethyl- u. Butyldiglykol in Ku-

gelschreiberpasten (!) (Spurfolge-P. bei Termiten) usw. Die *Chiralität der P. spielt bei der selektiven Wirkung eine bemerkenswerte Rolle, sei es, daß nur 1 Enantiomeres wirksam ist od. daß zum Wirkungseintritt ein bestimmtes Verhältnis zweier Enantiomerer zueinander nötig ist, od. sei es, daß die Anwesenheit eines „falschen" Enantiomeren die P.-Wirkung unterdrückt (z.B. bei sympatr., d.h. denselben Lebensraum bewohnenden Insekten). Die Messung der Aktivität von P. mit Mikroelektroden, die an den Riechhaaren der Antennen von Männchen angebracht werden, liefert über die Potentiale ein sog. Elektro-Antennogramm. Auch auf anderem Wege läßt sich eine *Lockstoff-Einheit definieren. Zur stereochem. Analyse chiraler P. läßt sich die sog. Komplexierungs-Gaschromatographie heranziehen. Angesichts der Mannigfalt der Organismen u. der P.-Strukturen ist es nicht verwunderlich, daß quant. Struktur-Wirkungsbeziehungen (*QSAR) noch nicht aufgestellt werden konnten.
Verw.: Zur Überwachung u. Bestimmung des Flugmaximums u. der Populationsdichte, zum Forst- u. Pflanzenschutz durch Massenfang von Männchen mit Hilfe von P.-Fallen od. durch Anw. der sog. Verwirrungstechnik, bei der ein Überangebot von ausgebrachten Lockstoffen die männlichen Falter desorientiert. – ***E*** pheromones – ***F*** phéromones – ***I*** feromoni – ***S*** feromonas

Lit.: Jacobs u. Renner, Biologie u. Ökologie der Insekten, 2. Aufl., Stuttgart: Fischer 1988 ▪ Krieg u. Franz, Lehrbuch der biologischen Schädlingsbekämpfung, Berlin: Parey 1989 ▪ s. a. Insekten-(hormone, -lockstoffe), Pflanzenschutz, Riechstoffe.

pH-Fix. Serie von nicht-blutenden Teststäbchen zur Bestimmung von pH-Werten im Bereich von 0 bis 14, bei denen die Indikatorfarbstoffe substantiv u./od. reaktiv an die Cellulose-Faser gebunden sind. Dadurch wird das Ausbluten der Farbstoffe selbst in stark alkal. Lsg. vermieden u. eine sichere pH-Bestimmung garantiert. Diese Stäbchen eigenen sich im Gegensatz zu herkömmlichen Indikatorpapieren vorzüglich zur Messung von pH-Werten in stark alkal. u. sehr schwach gepufferten Lösungen. ***B.:*** Macherey-Nagel.

Phi s. φ u. Φ (vor p).

...phil (von griech.: phílos = Freund od. liebend, freundlich). Endsilbe von Haupt- u. Eigenschaftswörtern als Bez. anziehender Wirkung (*...philie* bedeutet griech.: philía = Liebe, Zuneigung); *Beisp.:* Dienophil, Elektrophil, hydrophil, lipophil, Halophilie, Thermophilie; vgl. philosophisch; Gegensatz: *...phob. – ***E*** ...phile, ...philic – ***F*** ...phile – ***I*** = ***S*** ..filo

δ-Philanthotoxin (Philanthotoxin-4.3.3, PTX-4.3.3).

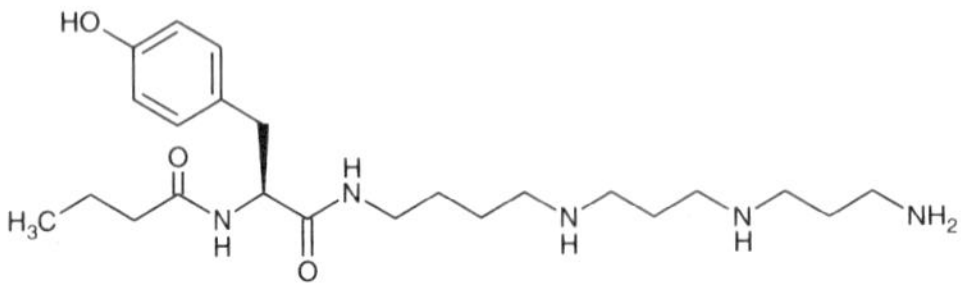

$C_{23}H_{41}N_5O_3$, M_R 435,61. Das Gift der Solitärwespe *Philanthus triangulum* wirkt als potenter nicht-kompetitiver Glutamat-Rezeptor-Antagonist (neurotox. Wirkung auf Beutetiere, z.B. Heuschrecken). Hauptkomponente ist δ-P., ein mit *N*-Butyryl-L-tyrosin acyliertes Polyamin mit großer Ähnlichkeit zu anderen *Spinnengiften. – ***E*** philanthotoxin – ***F*** philanthotoxine – ***I*** filantotossina – ***S*** filantotoxina

Lit.: J. Med. Chem. **39**, 515 (1996) ▪ Proc. Natl. Acad. Sci. USA **85**, 4910 (1988) ▪ Pure Appl. Chem. **62**, 1223–1230 (1990) ▪ Tetrahedron **46**, 3267–3286 (1990); **49**, 5777 (1993) ▪ Tetrahedron Lett. **36**, 9401 (1995). – *[CAS 115976-91-5]*

Philips. Kurzbez. für das 1891 gegr. niederländ. Großunternehmen Philips Electronics N.V., Eindhoven. *Daten* (1996): ca. 250000 Beschäftigte, ca. 69,2 Mrd. Gulden Umsatz. *Produktion:* Elektron. u. elektrotechn. Artikel, Beleuchtung, Kunststoffe, Metalle u. Geräte für physikal. u. medizin. Untersuchungen. *Tochterges.* in der BRD: Philips GmbH, 20099 Hamburg.

Philipsbecher.

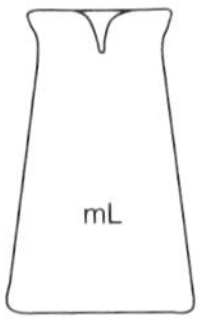

Abb.: Philipsbecher.

Nach oben verengte Bechergläser, die ein Verspritzen von Substanz beim Kochen verhindern sollen. – ***E*** Philips beakers – ***F*** béchers Philips – ***I*** bicchiere Philips – ***S*** vasos Philips

Phillipinite s. Tektite.

Phillipsit. $K_2(Ca_{0,5},Na)_4[Al_6Si_{10}O_{32}] \cdot 12\,H_2O$, zu den *Zeolithen mit Viererring-Ketten gehörendes monoklines Mineral, Kristallklasse 2/m-C_{2h}; Struktur s. Gottardi-Galli (*Lit.*). *Krist.* nur als meist prismat. ausgebildete *Zwillinge, z.B. als pseudo-tetragonale *Vierlinge* aus 2 sich rechtwinklig durchkreuzenden Zwillingen (Abb. a) od. als *Zwölflinge* (Abb. b). Die Krist. sind oft zu kugeligen Gebilden od. Krusten verwachsen. Zum Formenreichtum des P. s. *Lit.*[1]. H. 5, D. 2,2. Glasglanz, farblos durchsichtig, meist aber trüb weiß od. gelblich.

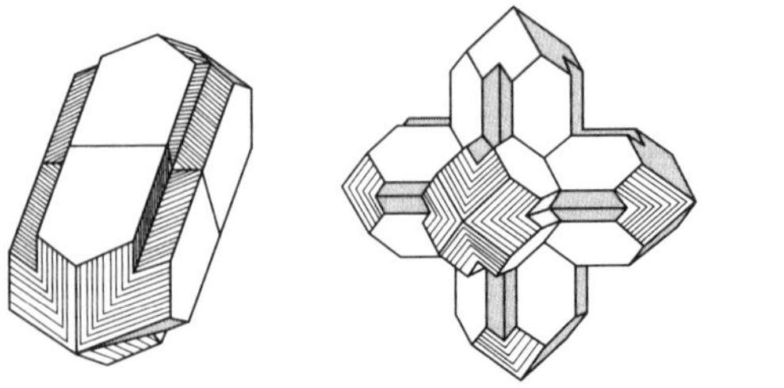

a b

Abb.: Krist. (Zwillinge) von Phillipsit. (a) Vierling, (b) Zwölfling; nach *Lit.*[2].

Vork.: In Hohlräumen in *Basalten, z.B. Eifel, Vogelsberg, Island, Italien, Japan. Als Umwandlungsprodukt von *Tuffen u. *Ignimbriten, z.B. in den westlichen USA, der Türkei u. Italien (s. *Lit.*[3]). Rezent in Tiefsee-*Sedimenten, z.B. im Pazifik.
Verw.: Natürliche, chem. abgewandelte u. synthet. P. als *Molekularsiebe (*Zeolithe) u. als Adsorptions-

mittel zur Entfernung von Ammonium u. Schwermetallen (z.B. Blei u. Chrom[4]) aus Abwässern. Zur Synth. u. den Eigenschaften von P. aus Flugaschen s. *Lit.*[5]. – ***E*** = ***F*** = ***I*** phillipsite – ***S*** filippsita, phillippsita

Lit.: [1]Aufschluß **40**, 153–164 (1989). [2]Ramdohr-Strunz, S. 795. [3]Mineral. Deposita **31**, 452–472, 500f., 539–547, 589–596 (1986). [4]Mineral. Deposita **31**, 568–571 (1996). [5]Clay Sci. **9**, 219–229, 231–239 (1995).

allg.: Gottardi-Galli, Natural Zeolites, S. 134–155, Berlin: Springer 1985 ▪ Pure Appl. Chem. **51**, 1091–1100 (1979) ▪ Ramdohr-Strunz, S. 794f. ▪ s. a. Zeolithe. – *[CAS 12174-18-4]*

Phillips-Katalysatoren. Bez. für auf *Chromoxid basierende Katalysatoren, die große Bedeutung für die Herst. von *Polyolefinen wie *Polyethylen besitzen. Man erhält sie durch Tränken eines hochporösen SiO_2- od. SiO_2/Al_2O_3-Trägermaterials mit einer CrO_3-Lsg. u. nachfolgendes Erhitzen auf 500–800 °C. Dabei reagiert das CrO_3 vermutlich mit den Silanol-Gruppen, wodurch es auf der Oberfläche des Trägers als Chromat I u. Dichromat II fixiert wird.

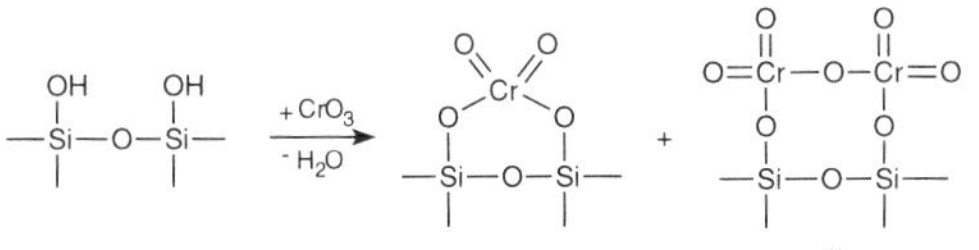

I II

Der so präparierte Katalysator, dessen Chrom-Gehalt etwa ein Prozent beträgt, wird anschließend in einer reduzierenden Wasserstoff- od. Kohlenmonoxid-Atmosphäre, durch Metallhydride, Aluminiumalkyle od. das *Monomer selbst reduziert. Der Mechanismus der sich an die Red. anschließenden *Polymerisation ist noch nicht völlig aufgeklärt. Man geht aber davon aus, daß in Analogie zu den *Ziegler-Natta-Katalysatoren auch hier das jeweils neu eintretende Monomer-Mol. zunächst an eine freie Koordinationsstelle am Chrom angelagert wird, wodurch ein Komplex III entsteht. Über den Zwischenzustand IV insertiert das Monomer in die bereits vorhandene Chrom-Alkyl-Bindung. Dadurch wird ein Chrom-Komplex mit einer um zwei Kohlenstoff-Atome verlängerten Alkyl-Kette u. wiederum einer freien Koordinationsstelle gebildet, an die

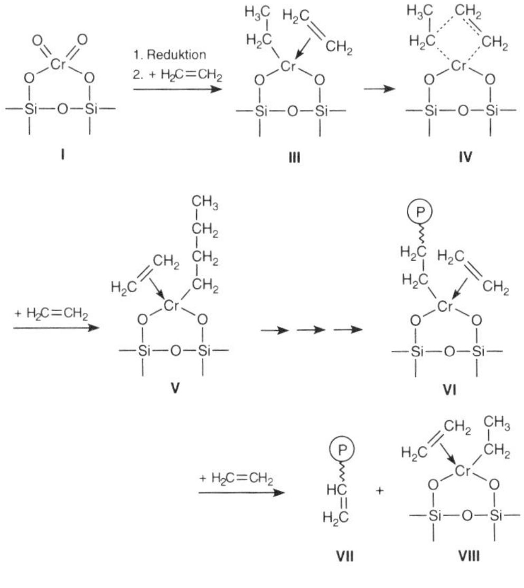

I III IV V VI VII VIII

sich das nächste Monomer anlagern kann (V). Durch vielfache Wiederholung dieses *Polyinsertions-Prozesses entsteht schließlich ein Polymer VII, das z.B. durch Hydrid-Übertragung aus dem Komplex VI freigesetzt wird. Gleichzeitig entsteht ein Chrom-Komplex VIII, von dem aus eine neue Kette zu wachsen beginnt.

Während P.-K. sehr aktive Katalysatoren für die Ethylen-Polymerisation sind, ist ihr Nutzen zur Synthese von *Polypropylen u. anderen Poly(α-olefin)en geringer, da keine stereoregulären Polymere erhalten werden (s. a. Taktizität). – ***E*** Phillips catalysts – ***F*** catalysateurs Phillips – ***I*** catalizzatori Phillips – ***S*** catalizadores Phillips

Lit.: Odian (3.), S. 653 ▪ Tieke, Makromolekulare Chemie, S. 141, Weinheim: VCH Verlagsges. 1997.

Phillips Petroleum. Kurzbez. für das amerikan. Petrochemieunternehmen Phillips Petroleum Comp., Bartlesville, OK 74004 (USA). *Daten* (1995): 17400 Beschäftigte, 13,5 Mrd. $ Umsatz. *Produktion:* Förderung von Erdöl u. Erdgas, Mineralöle, Rohöle, Benzin, Petrochemikalien, Kunststoffe, Polyethylen, Polypropylen, hochreine Spezialchemikalien.

Philosophisch (griech.: philósophos = Freund der Weisheit u. Wissenschaft). Bez. für alchemist. „Prinzipien" (Stoffeigenschaften): *ph. Quecksilber* = metall./flüssig, *ph. Schwefel* = brennbar, *ph. Salz* = trocken/wasserlösl., *Philosophenstein* = Umwandlung (s. Stein der Weisen), *ph. Säure* = *Eisensalmiak, *ph. Wolle* s. Lana philosophica. – ***E*** philosophic, philosophers' – ***F*** philosophal(e), philosophique – ***I*** filosofale, filosofico – ***S*** filosofal, filosófico

Phiole (von griech.: phiale = Schale). In mittelalterlichen Laboratorien verwendetes birnenförmiges Fläschchen mit langem Hals. – ***E*** phiole – ***F*** fiole – ***I*** fiala – ***S*** redoma

Phleb... (griech.: phlebos = Blutader). Wortteil mit der Bedeutung Vene.

Phlebodril®. Kapseln mit standardisiertem Trockenextrakt aus Mäusedornwurzelstock u. Trimethylhesperidinchalkon; Creme enthält statt letztgenanntem wäss. Extrakt aus Steinklee u. Dextran-Natriumsulfat gegen Symptome venöser u. kapillarer Durchblutungsstörungen. ***B.:*** Pierre Fabre Pharma.

Phlegma (griech. = Schleim). Abgesehen von der bekannten Bedeutung als Schwerfälligkeit, von der sich *Phlegmatisierung ableitet, hatte P. in der mittelalterlichen Chemie-Fachsprache den Bedeutungsinhalt „Rückstand" od. „was beim Erhitzen übrig bleibt"; *Beisp.:* Der bei der Dest. vom *Dephlegmator* (Name!, s. Destillation, S. 915) durch den *Rückfluß in die Dest.-Blase zurückgeführte u. sich dort anreichernde Rest. Von griech.: phlegmainein = entzünden sind sowohl das „P." der *Phlogiston-Theorie als auch die *Phlegmone* (= *Entzündung) abgeleitet, während *Phlogiston* ebenso wie **Antiphlogistika* auf das verwandte griech.: phlegein = anzünden zurückgehen dürften. – ***E*** phlegma – ***F*** phlegme – ***I*** flemma – ***S*** flema

Phlegmacine. Dimere Präanthrachinon-Farbstoffe aus Pflanzen (*Cassia torosa*, Fabaceae) u. Höheren Pilzen der Gattung *Cortinarius*, Untergattung *Phlegmacium* (Schleimköpfe, Klumpfüße). Beide Mol.-Hälften sind 7,10′-verknüpft (Unterschied zu den 7,7′-verknüpften *Flavomanninen). Es handelt sich biosynth. um Octaketide. Es wurden 4 stereoisomere Verb. isoliert (Enantiomere u. Atropisomere); $C_{32}H_{30}O_{10}$, M_R 574,58, dunkelbraune Krist. od. gelb-braunes Pulver.

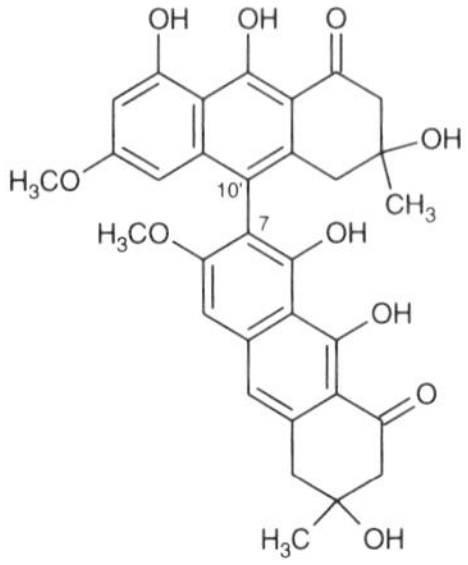

P. A_1 (Schmp. 210 °C, Zers.) aus *Cortinarius odorifer* ist das Enantiomer von P. A_2 (Schmp. 195 °C, Zers.) u. atropisomer zu P. B_1. P. A_2 aus *Cassia torosa* ist entsprechend atropisomer zu P. B_2 (Schmp. 199 °C, Zers.). *Cassia* u. *Cortinarius* enthalten unterschiedliche Enantiomere, die Atropisomeren sind in wechselnden Mischungsverhältnissen vorhanden. – ***E*** phlegmacins – ***F*** phlegmacines – ***I*** flemmacine – ***S*** flegmacinas

Lit.: Phytochemistry **16**, 999 (1977) ▪ Zechmeister **51**, 150–167. – *[CAS 40501-61-9 (P.); 64233-77-8 (P. A_1); 64233-78-9 (P. B_1); 64233-73-4 (P. A_2); 64233-72-3 (P. B_2)]*

Phlegmatisierung (von *Phlegma). Herabsetzung der Empfindlichkeit eines *Explosivstoffs gegen mechan. Einwirkungen (Schlag, Stoß, Erschütterung u. dgl.) durch Zusatz von Öl, Paraffin, Wachs, Dimethylphthalat, Centralit u. a. Stabilisatoren. Wahrscheinlich wirken die P.-Mittel als Wärmeübertragungsisolatoren; sie verhindern die Wärmeleitung von einem Sprengstoffkrist. zum andern. Im gleichen Sinn phlegmatisiert man z. B. auch organ. Peroxide, indem man sie mit Wasser anteigt. Bei der P. explosionsfähiger Gemische, z. B. von Stäuben, spricht man eher von *Inertisierung. P. kann allg. bei stark exotherm verlaufenden Reaktionen, sofern die Reaktionskinetik es zuläßt, angewendet werden, um krit. Reaktionen zu verlangsamen od. ihre Geschw. zu halten. Im Gegensatz zu den P.-Mitteln wirken *Inhibitoren auf chem. Wege. – ***E*** desensitization, phlegmatizing – ***F*** stabilisation d'explosifs – ***I*** desensibilizzazione – ***S*** estabilización de explosivos

Lit.: Köhler u. Meyer, Explosivstoffe, 8. Aufl., Weinheim: VCH Verlagsges. 1995.

Phlobaphene. Von griech.: phloios = innere Rinde u. baphe = Farbstoff abgeleitete Bez. für wasserunlösl., rotbraune Kondensationsprodukte, die aus wasserlösl. Catechin-Gerbstoffen z. B. durch Einwirkung von Phenol-Oxidasen entstehen u. sich z. B. bei der Ledergerbung in alternden Pflanzengerbstoff-Brühen als rotbrauner Schlamm absetzen. Die P. sind u. a. für die dunkle Farbe des Kernholzes, der abgefallenen Laubblätter u. der Fermentationsprodukte von Kaffee, Tee, Kakao u. Tabak verantwortlich. – ***E*** phlobaphenes – ***F*** phlobaphènes – ***I*** flobafeni – ***S*** flobafenos

Phloem (von griech.: phloios = innere Rinde). Bei höheren *Pflanzen Bez. für das Parenchym-Gewebe, das die aus Siebröhren bestehenden Leitbündel für den absteigenden Stoff-(Assimilat-)Transport enthält. – ***E*** phloem – ***F*** phloème – ***I*** = ***S*** floema

Phlogenzym®. Filmtabl. mit *Bromelaine, *Trypsin u. *Rutosid Trihydrat gegen entzündliche Erkrankungen. ***B.:*** Mucos.

Phlogiston (von griech.: phlogistos = verbrannt, vgl. Phlegma). Nach der von *Becher 1669 in dem Buch „Physica subterranea" begründeten u. von G. E. *Stahl weiter ausgebauten P.-Theorie enthalten alle brennbaren Körper das gleiche „Prinzip" *(Phlogiston)*, das ihnen die Eigenschaft der Brennbarkeit verleiht. Unbrennbare Körper sind frei von P., brennbare enthalten um so mehr P., je leichter u. je energischer sie verbrennen. Beim Verbrennen u. Rosten (damals *Verkalken* genannt) entweicht das P. u. **Phlegma* od. *dephlogistierte Materie* bleibt zurück. Metalle bestanden nach dieser Theorie aus „Metallkalken" (heute: Metalloxiden) u. P.; beim Erhitzen des Metalls entweicht das P., u. der Metallkalk bleibt zurück. Um aus diesem wieder Metall zu gewinnen, mußte man ihm P.-reiche Kohle (Red.!) od. „phlogistierte Luft" (Wasserstoff) zuführen. Daß die Metalle bei der *Verkalkung* (heute: Oxid.) trotz des Entweichens von P. an Gew. nicht ab-, sondern zunehmen, war Stahl bereits bekannt; er betrachtete diese Tatsache aber als unwesentliche Begleiterscheinung. Was heute als Oxid. bezeichnet wird, war ein Verlust, die Red. dagegen ein Gewinn an Phlogiston. Die P.-Theorie war etwa von 1670–1775 als wichtigste Theorie des Verbrennungsvorgangs allg. anerkannt; ihr Ende war gekommen, als *Lavoisier ab 1774 denselben Prozeß als – mit Gewichtszunahme verbundene – Reaktion mit dem 1771 entdeckten *Sauerstoff (Oxid.) deutete. Die Bedeutung der P.-Theorie für die *Geschichte der Chemie besteht jedoch darin, daß sie zum Unterschied von den vorausgehenden Vorstellungen der *Alchemie* u. **Iatrochemie* den Blick für die Zusammensetzung der Körper aus Einzelstoffen öffnete. – ***E*** = ***F*** phlogiston – ***I*** = ***S*** flogisto

Lit.: Chem. Ztg. **108**, 219–222 (1984) ▪ Partington u. McKie, Historical Studies on the Phlogiston Theory, Salem (N. Y.): Ayer-Arno 1981 ▪ Spektrum Wiss. **1984**, Nr. 3, 106–115 ▪ Ströker, Theorienwandel in der Wissenschaftsgeschichte – Chemie im 18. Jahrhundert, Frankfurt: Klostermann 1982 ▪ s. a. Geschichte der Chemie, Sauerstoff.

Phlogont®. Dragées mit dem *Antirheumatikum *Oxyphenbutazon Monohydrat gegen akute Schübe von Morbus Bechterew u. chron. Polyarthritis, Gichtanfall, *P. Muskel- u. Gelenk-Roll-on, P. Rheuma:* Lsg., Salbe u. Gel enthalten *Hydroxyethylsalicylat, *P.-Thermal Rheuma:* Salbe u. Gel enthalten zusätzlich *Nicotinsäurebenzylester; *P. Rheuma Bad:* Methylsalicylat, als Adjuvans bei rheumat. Erkrankungen. ***B.:*** Azupharma.

Phlogopit (Magnesiaglimmer). $KMg_3[(OH,F)_2/AlSi_3O_{10}]$, zu den trioktaedr. *Glimmern gehörendes Mineral; häufigster Polytyp (*Glimmer) ist *P.-1M*. Sechsseitige tafelige od. prismat. Krist.; blättrige, schuppige od. derbe, öfters gefaltete Aggregate. Gelblich, rötlich-

braun, grau, grün; Perlmutterglanz; Spaltbarkeit höchst vollkommen. H. 2,5, D. 2,75–2,9.
Varietäten, Substitutionen: P. bildet über Biotit (Glimmer) *Mischkristalle mit Annit, $KFe_3[(OH)_2/AlSi_3O_{10}]$. Eine Eisen-freie Varietät ist *Amberglimmer.* P. kann mehrere Prozent MnO u. BaO enthalten; durch den Ersatz von (OH) durch F – bis hin zu *Fluor-P.* – u. den Einbau von Ti^{4+} (auf Oktaeder-Plätzen) wird die therm. Stabilität von P. erhöht[1]. Bei *Tetraferri-P.* (Ferri-P.) ist ein Teil der Tetraeder-Plätze durch Fe^{3+} besetzt[2,3]. Zu Kationen-Verteilung u. Substitutionen in P.-1M s. *Lit.*[4]; zur Kristallstruktur von Al-reichem P. s. *Lit.*[5].
Vork.: In Marmoren, *Kalksilicatgesteinen u. *Skarnen. In *Pegmatiten, z. B. Ontario/Kanada u. Madagaskar. In Mg-reichen bas. bis ultrabas. *magmatischen Gesteinen der Erdkruste u. des oberen Erdmantels (wegen seiner Stabilität bis >1000 °C), z. B. in *Peridotiten, *Kimberliten, *Lamproiten[1] u. *Karbonatiten.
Verw.: P. wird in Quebec/Kanada, Madagaskar u. Finnland abgebaut u. findet Verw. u. a. in Kunststoffen, in Ersatzstoffen für Asbest, in Fugenzement, im Ölbohr-Sektor, in Perlmutt-Pigmenten u. zur Herst. von Isoliermaterialien in der Elektrotechnik. Amberglimmer ist der chem. u. Elektro-Industrie. Von techn. Bedeutung (z. B. für Glaskeramiken) ist die Herst. von Fluor-P., vgl. Glimmer. – ***E*** = ***F*** phlogopite – ***I*** flogopite, mica nera – ***S*** flogopita

Lit.: [1] Eur. J. Mineral. **2**, 327–341 (1990). [2] Clays Clay Miner. **44**, 540–545 (1996). [3] Eur. J. Mineral. **7**, 255–265 (1995). [4] Am. Mineral. **79**, 289–301 (1994). [5] Mineral. Mag. **59**, 149–157 (1995).
allg.: Deer et al. (2.), S. 298–307 ▪ Schröcke-Weiner, S. 818 ff. ▪ s. a. Glimmer. – *[HS 2525 10; CAS 12251-00-2]*

Phloion(ol)säure s. Kork.

Phlorin s. Porphyrine.

Phloroglucin (Benzol-1,3,5-triol).

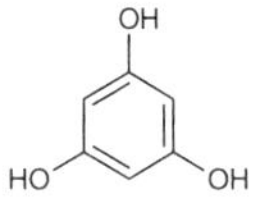

$C_6H_6O_3$, M_R 126,11. Rhomb., farb- u. geruchlose Krist. (aus Wasser mit 2 Mol Kristallwasser pro Mol P.), Schmp. wasserfrei: 218–221 °C, Dihydrat: 117 °C, lösl. in Ether, Ethanol, Pyridin, wenig lösl. in Wasser, WGK 2 (Selbsteinst.). P. verfärbt sich im Licht, reduziert Fehlingsche Lsg. in der Wärme u. reizt Haut u. Schleimhäute. Das mit *Pyrogallol isomere P. kann aus pflanzlichen *Polyphenolen (Gerbstoffen, Flavonen u. Anthocyanen) durch Abbau isoliert werden. In freier Form kommt P. in Eucalyptus- u. Akazien-Arten (*Eucalyptus kino, Acacia arabica*) vor. P. konnte auch aus Streptomyceten-Kulturen isoliert werden. Die Herst. erfolgt durch Schmelzen von Resorcin mit Natriumhydroxid.
Verw.: Zum Nachw. von Lignin (Rotfärbung mit HCl), Pentosen (Violettfärbung mit HCl, *Tollens-Reagenz), freier HCl im Magensaft (*Günzburgs Reagenz), Nitrilen, Methylendioxy-Gruppen, Metallen u. zur Unterscheidung von aromat. u. aliphat. Aldehyden, Zwischenprodukt bei der Synth. von schwarzen Farbstoffen, Arzneimitteln, Flüssigkristallen u. Kunststoffen, als Blumenfrischhaltemittel, Zusatz zu galvan. Bädern, beim Diazodruck, in der Mikroskopie zum Entkalken von Knochen u. als Aufhellungsmittel. – ***E*** phloroglucinol – ***F*** phloroglucinol, phloroglucine – ***I*** floroglucina, floroglucinolo – ***S*** fluroglucinol, floroglucina

Lit.: Beilstein EIV **6**, 7361 f. ▪ Helv. Chim. Acta **68**, 1251–1275 (1985) ▪ Kirk-Othmer (3.) **18**, 684–691 ▪ Merck-Index (12.), Nr. 7482 ▪ Org. Synth. Coll. Vol. **1**, 455 ▪ Ullmann (5.) **A 19**, 347. – *[HS 2907 29; CAS 108-73-6]*

Phloxin (2′,4′,5′,7′-Tetrabrom-3,6-dichlorfluorescein, C. I. Acid Red 98, C. I. 45405). $C_{20}H_6Br_4Cl_2O_5$, M_R 716,79, Formel s. bei Fluorescein. Braunes Pulver, als Natrium-Salz lösl. in Wasser mit leuchtend karminroter Farbe (fluoresziert gelb).
Verw.: Zum Färben von Seide, Papier, mikroskop. Präp. (P. färbt die eosinophilen Zellen des Blutes leuchtend rot), als Adsorptions- u. Fluoreszenzindikator usw., die Al-, Pb- u. Sn-Salze als Farblacke für Druckfarben. Zur Färbung von kosmet. Präp. darf nur die 3,4,5,6-Tetrachlor-Verb. *Phloxin B* ($C_{20}H_4Br_4Cl_4O_5$, M_R 785,68, Cyanosin, C. I. Acid Red 92, C. I. 45410) benutzt werden. Das Chlor-freie Derivat ist das *Eosin. – ***E*** phloxin – ***F*** phloxine – ***I*** flossina – ***S*** floxina

Lit.: Beilstein EV **19/6**, 465 ▪ s. a. Xanthen-Farbstoffe. – *[CAS 6441-77-6 (P.); 18472-87-2 (P. B)]*

...phob. Endung für ...meidend, ...scheu, ...abstoßend in Eigenschaftswörtern (griech.: phóbos = Flucht, Scheu, Furcht); abgeleitete Hauptwörter enden auf *...phobie*; *Beisp.:* hydrophob, lipophob, lyophob, Oleophobierung; Gegensatz: *...phil. – ***E*** ...phobic, ...phobe – ***F*** ...phobe – ***I*** = ***S*** ...fobo

Phobotaxis s. Phototaxis.

PHOBOTEX®. Mittel für die dauerhafte Hydrophobierung von Textilien auf der Basis von fettmodifizierten Kunstharzen. ***B.:*** Pfersee.

PHOBOTON®. Mittel für die dauerhafte Hydrophobierung von Textilien auf der Basis von *Siliconen. ***B.:*** Pfersee.

Phoenicin s. Oosporein.

Phoenix. Kurzbez. für die 1856 gegr. Phoenix AG, 21079 Hamburg. *Daten* (1995): 7965 Beschäftigte, 1,4 Mrd. DM Umsatz. *Produktion:* Fahrzeugzubehör, Profile, Schläuche u. Halbfertigprodukte, techn. Gummiwaren, Airbags, Metallgummi-Erzeugnisse.

Pholcodin (BtMVV, Anlage II).

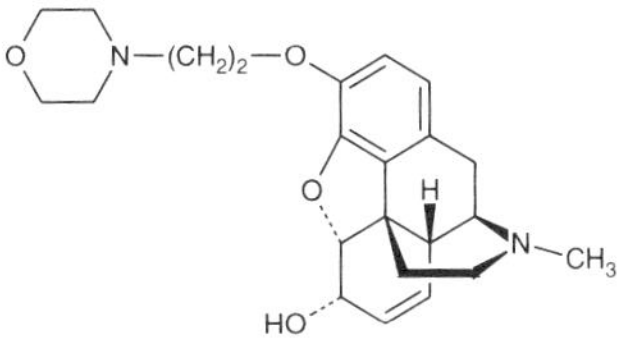

Internat. Freiname für den 3-(2-Morpholinoethyl)-ether des *Morphins, $C_{23}H_{30}N_2O_4$, M_R 398,50, Schmp. 91–99 °C; Monohydrat: Schmp. 91 °C; $[\alpha]_D^{20}$ –95,3° (c 2/C_2H_5OH); λ_{max} (CH_3OH) 285 nm ($A_{1cm}^{1\%}$ 39); LD_{50} (Maus s.c.) 540 mg/kg. P. ist ein *Antitussivum mit analget. Eigenschaften. P. wurde 1952 von Lab. Dausse patentiert. – ***E*** = ***F*** pholcodine – ***I*** = ***S*** folcodina

Lit.: ASP ▪ Hager (5.) **9**, 187 ff. ▪ Martindale (31.), S. 1073 ▪ Ph. Eur. **1997** u. Komm. – *[HS 2939 10; CAS 509-67-1]*

Pholedrin.

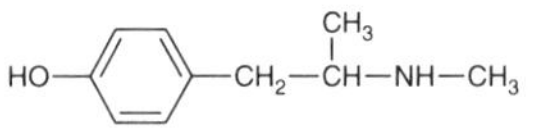

Internat. Freiname für das kreislaufstimulierende *Sympath(ik)omimetikum 4-(2-Methylaminopropyl)-phenol, $C_{10}H_{15}NO$, M_R 165,23, Schmp. 162–163 °C, in Wasser schwer lösl., in Ethanol löslich. Verwendet wird das Sulfat, $C_{20}H_{32}N_2O_6S$, M_R 428,54, Schmp. 320–323 °C (Zers.); LD_{50} (Ratte s.c.) 500 mg/kg. P. wurde 1937, 1938, 1939 u. 1951 von Knoll patentiert u. ist als Generikum im Handel. – ***E*** pholedrine – ***F*** pholédrine – ***I*** = ***S*** foledrina

Lit.: Beilstein E IV **13**, 1871 ▪ Hager (5.) **9**, 189 ff. ▪ Martindale (31.), S. 1587. – *[HS 2922 29; CAS 370-14-9 (P.); 6114-26-7 (P.-Sulfat)]*

Phomin s. Cytochalasine.

Phonolith (Klingstein). Graues bis grünliches od. bräunliches, dichtes bis feinkörniges, auch porphyr. (*Gefüge) vulkan. od. subvulkan. Gestein, dessen Hauptminerale Alkali-*Feldspäte (v. a. Sanidin) u. *Feldspat-Vertreter (Foide) sind. Je nach vorherrschendem Foid werden *Nephelin-P. (P. sensu stricto), *Sodalith-P., *Nosean-P. od. *Leucit-P. unterschieden. Blasenräume in P. enthalten oft *Zeolithe. Dunkle Gemengteile sind Na-*Pyroxene u./od. Alkali-*Amphibol. Ausbildung u. a. als Platten, die beim Anschlagen klingen (Name!), od. säulig.

Vork.: Z. B. Eifel, Rhön, Kaiserstuhl, Hegau, böhm. Mittelgebirge, ostafrikan. Gräben.

Verw.: Als Dachdeck- u. Fußbodenbelag, Gehsteig- u. Tischplatten, Schotter, ferner in der Glasschmelzerei u. in der Düngerproduktion. – ***E*** = ***F*** phonolithe – ***I*** fonolite – ***S*** fonolita

Lit.: Hall, Igneous Petrology (2.), S. 120 f., 420–436, Harlow (U. K.): Longman 1996 ▪ Matthes, Mineralogie (5.), S. 186, 191 f., 209, Berlin: Springer 1996.

Phononen. In Analogie zu *Photonen (*Lichtquanten*) geprägte u. von griech.: phone = Laut, Ton abgeleitete Bez. für *Schallquanten* als Elementarquanten der *mechan. *Schwingung*. Ein P. entspricht einer Elementaranregung des Kristallgitters eines Festkörpers, wobei es zu gemeinsamen kleinen Schwingungen aller Gitterbausteine kommt. Die Quantelung der Energie der Gitterschwingungen äußert sich experimentell z. B. darin, daß die spezif. Wärmekapazität von Festkörpern mit Annäherung an den abs. Nullpunkt gegen Null geht od. daß die bei *inelastischer Streuung von Röntgen- od. Neutronenstrahlen ausgetauschten Energie- u. Impulsüberträge in festen Portionen erfolgen. Einzelnen P. kommt eine Energie von $\hbar\omega$ zu, wobei $\hbar$ das durch 2π geteilte *Plancksche Wirkungsquantum (s. a. Fundamentalkonstanten) u. ω die Kreisfrequenz sind.

Der Zusammenhang zwischen Energie $\hbar\omega$ u. Quasiimpuls $\hbar\vec{k}$ dieser *Quasiteilchen, die sog. Dispersionskurve, ist in der Abb. schemat. dargestellt (s. a. elementare Anregung).

Alle Festkörper haben drei „akust." Äste, die je nach Kristallsymmetrie u. Richtung z. T. zusammenfallen, d. h. entartet sein können, nämlich zwei transversal akust. (TA_1, TA_2) u. einen longitudinal akust. (LA). Die

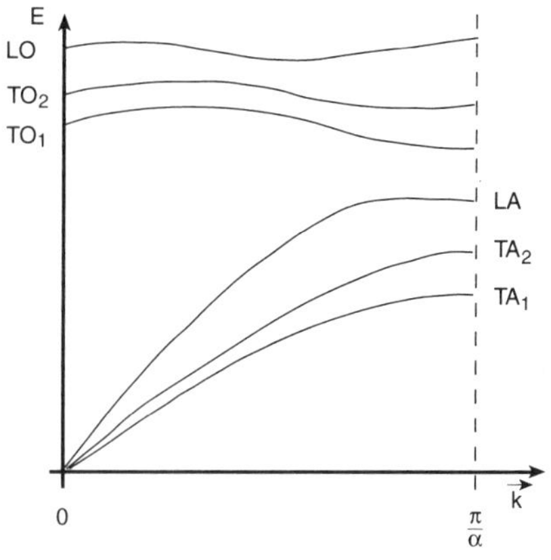

Abb.: Phononendispersion für einen Krist. mit 2-atomiger Basis.

Dispersion der akust. Plasmonen beginnt stets linear vom Ursprung aus. Hat ein Krist. eine *Basis aus mehr als einem Atom, so treten neben den 3 akust. noch (3s–3) „opt." Äste (z. B. LO) auf, wobei s die Anzahl der Atome in der Einheitszelle, d. h. in der Basis angibt. Die Dispersionskurven der opt. Äste beginnen stets bei $\vec{k} = 0$ bei endlicher Energie. Die P.-Dispersion erstreckt sich je nach Material bis zu Werten von etwa 100 meV. Schall breitet sich durch akust. P. aus, die Anfangssteigerung der Dispersionsrelation gibt gerade die Schallgeschw. in dem betreffenden Material. Die opt. P. können je nach Symmetrie an das Lichtfeld ankoppeln u. zu ausgeprägten Absorptions- u. Reflexionsstrukturen führen (Reststrahlbande).

Der experimentelle Nachw. der P. erfolgt durch inelast. Neutronenstreuung für alle Äste, für die opt. nahe $\vec{k} = 0$ durch IR-Spektroskopie u. durch Raman-Streuung, für die akust. durch Messung der Schallgeschw. od. durch Brillouinstreuung.

Die P. zählen zu den *Bosonen u. gehorchen damit der *Bose-Einstein-Statistik. Man kann daher näherungsweise die Anregungszustände des Gitters als ein ideales Gas, das *Phononengas*, betrachten.

Diese Tatsache u. die lineare Dispersion bei kleinen Energien erklären, warum der Gitteranteil zur spezif. Wärme bei tiefen Temp. wie T^3 variiert u. erst bei höheren Temp. den auch klass. herleitbaren Wert der *Dulong-Petitschen Regel erreicht.

Die Wärmeleitfähigkeit von Isolatoren u. Halbleitern geht auf diffusiven P.-Transport zurück, dabei ist insbes. die Anharmonizität der Wechselwirkung zwischen Atomen wichtig (*Umklapp- u. Normalprozesse*). Diese führt auch zur therm. Ausdehnung des Gitters. Langwellige P. existieren auch in amorphen Festkörpern, Flüssigkeiten u. Gasen. – ***E*** = ***F*** phonons – ***I*** fononi – ***S*** fonones

Lit.: Ibach u. Lüth, Festkörperphysik, 4. Aufl., Berlin: Springer 1995 ▪ Kittel, Einführung in die Festkörperphysik, 11. Aufl., München: Oldenbourg 1995 ▪ Klingshirn, Semiconductor Optics, Berlin: Springer 1997 ▪ *Landolt-Börnstein, Neue Serie, Gruppe III, Vol. 17 a–i, Vol. 22 a ▪ Yu u. Cardona, Fundamentals of Semiconductors, Berlin: Springer 1996.

. . .phor. Von griech.: . . .phoros = . . .tragend, . . .bringend abgeleitete Endsilbe (Ableitungen: . . .phorese =

...übertragung, ...transport; ...phorie = ...sein, ...befinden); *Beisp.:* *Phosphor („Licht gebend"), *Chrom(at)ophore(n), *Ionophore, *pyrophor, Euphorie („Wohlsein"), *Elektrophorese. – ***E*** ...phore, ...phoric – ***F*** ...phore – ***I*** ...foro, ...forico – ***S*** ...foro

Phorbol (4,9,12*β*,13,20-Pentahydroxy-1,6-tigliadien-3-on).

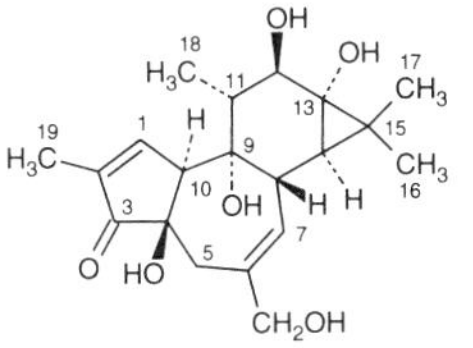

$C_{20}H_{28}O_6$, M_R 364,43. Krist., Schmp. 240–251 °C, $[\alpha]_D^{20}$ +118° (Dioxan). Der Diterpen-Alkohol P. kommt in Form seiner Diester im hydrophilen Anteil des *Crotonöls u. in anderen Bestandteilen vieler Wolfsmilch- u. Seidelbastgewächse vor. Ähnlich wie bei den chem. verwandten *Mezerein u. Daphnan-Orthoestern[1] sind die Ester (v.a. das 12-*O*-Tetradecanoylphorbol-13-acetat, TPA) u. nicht die Alkohole selbst sehr potente *Cocarcinogene[2]. Ihre Wirkung soll darin bestehen, daß sie das Enzym Proteinkinase C, das Tyrosin-Reste phosphoryliert, aktivieren[3]. P.-Ester können auch das Epstein-Barr-Virus zur Vermehrung anregen[4]. – ***E*** = ***F*** phorbol – ***I*** forbolo – ***S*** forbol

Lit.: [1]Naturwissenschaften **72**, 373ff. (1985). [2]Naturwissenschaften **65**, 640–648 (1978); **71**, 259ff. (1984). [3]Nature (London) **306**, 487 (1983). [4]Proc. Natl. Acad. Sci. USA **76**, 782 (1979). *allg.:* Beilstein E III **8**, 4217 ▪ Cancer Res. **37**, 2487 (1977) ▪ Crit. Rev. Toxicol. **8**, 199–234 (1981) ▪ Evans, Naturally Occurring Phorbol Esters, Boca Raton: CRC 1986 ▪ J. Am. Chem. Soc. **111**, 8957f. (1989); **112**, 4595ff., 4956ff. (1990) ▪ Nature (London) **301**, 621 (1983) ▪ Pharm. Unserer Zeit **19**, 30f. (1990) ▪ Phytochemistry **22**, 1231 (1983) ▪ Sax (8.), Nr. PGS 250, 500, PGU 000–500, PGV 000, TCA 250 ▪ Science **213**, 655 (1981); **222**, 1036 (1983) ▪ Zechmeister **31**, 377–467; **44**, 1–100. – *[CAS 17673-25-5 (P.); 16561-29-8 (TPA)]*

Phoresie. Unter P. versteht man die vorübergehende Nutzung anderer Tiere als „Transportmittel". Diese Chance bzw. Notwendigkeit einer passiven Raumüberbrückung kommt bes. häufig bei solchen Tierarten vor, die sehr kleine u. sehr weit auseinanderliegende Substrate bewohnen u. deren eigene Fortbewegungsmöglichkeiten nicht ausreichen, um diese Entfernung zu überwinden. Z.B. heften sich viele kotfressende Milben an Mistkäfer u. lassen sich so zu einem frischen, nährstoffreichen Dunghaufen transportieren. Aasbewohnende Fadenwürmer (Nematoden) verbergen sich z.B. unter den Flügeln von Aaskäfern u. können auf diese Weise ebenfalls neues Substrat erreichen. Die P. gilt als ein erster evolutiver Schritt in der vielfältigen Entwicklung des Parasitismus, gerade bei Fadenwürmern. – ***E*** phoresis – ***F*** phorésie – ***I*** foresia – ***S*** foresis

Lit.: Dönges, Parasitologie, 2. Aufl., Stuttgart: Thieme 1988.

Phormium (Kurzz. NF nach DIN 60001-4: 1991-08). *Hartfaser aus den bis 4 m langen Blättern der in Neuseeland u. Australien wachsenden Pflanze *Phormium tenax* (Liliaceae). P. wird meist als *Neuseeländischer Flachs* ausgeführt u. in der Hauptsache in Seilereien verwendet.

Lit.: Brücher, Tropische Nutzpflanzen, S. 220f., Berlin: Springer 1977 ▪ Kirk-Othmer (3.) **10**, 189; (4.) **10**, 738f. – *[HS 5305 91]*

Phoron (Diisopropylidenaceton, 2,6-Dimethyl-2,5-heptadien-4-on).

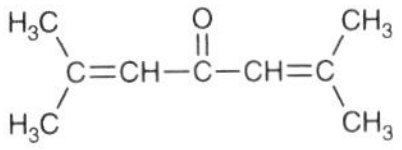

$C_9H_{14}O$, M_R 138,20. Gelblichgrüne Krist. mit geranienähnlichem Geruch, D. 0,885, Schmp. 28 °C, Sdp. 198 °C, lösl. in Ethanol, Ether, wenig lösl. in Wasser. P. entsteht bei der Einwirkung von HCl auf Aceton; Zwischenstufe ist Mesityloxid (s. Abb. 4 bei Ketonen). P. dient als Lsm. für Nitrocellulose u. Lacke u. ist Zwischenprodukt bei organ. Synthesen. – ***E*** = ***F*** phorone – ***I*** forone – ***S*** forona

Lit.: Beilstein E IV **1**, 3564 f. ▪ Giftliste ▪ Kirk-Othmer (3.) **13**, 900, 914 ▪ Merck-Index (12.), Nr. 7488 ▪ s.a. Ketone. – *[HS 2914 19; CAS 504-20-1]*

Phos... a) Abk. für *Phosph(a)..., *Phospho..., *Phosphor usw. in chem. Trivialnamen. – b) Von griech.: phōs (Genitiv phōtós) = Licht entlehnte Vorsilbe [meist *Phot(o)...]; *Beisp.:* *Phosgen („mit Licht erzeugt" aus $CO + Cl_2$), *Phosgenit, *Phosphor (vgl. ...phor). – ***E*** = ***F*** phos... – ***I*** = ***S*** fos...

Phosalon. T

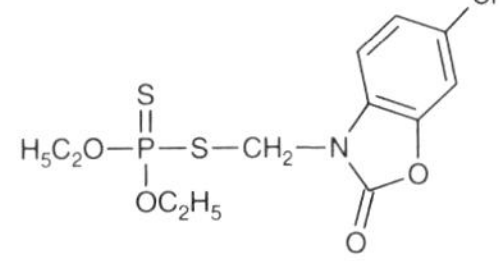

Common name für *S*-6-Chlor-2,3-dihydro-2-oxobenzoxazol-3-ylmethyl-*O,O*-diethyldithiophosphat, $C_{12}H_{15}ClNO_4PS_2$, M_R 367,80, Schmp. 45–48 °C, LD_{50} (Ratte oral) 135 mg/kg, von Rhône-Poulenc 1963 eingeführtes breit wirksames system. *Insektizid u. *Akarizid gegen saugende u. beißende Insekten in zahlreichen Kulturen. – ***E*** = ***F*** phosalone – ***I*** fosalone – ***S*** fosalona

Lit.: Beilstein E V **27/10**, 472f. ▪ Farm ▪ Perkow ▪ Pesticide Manual. – *[HS 2934 90; CAS 2310-17-0]*

Phosducin (MEKA). Im *Cytosol vorkommendes *Protein (Mensch: M_R 33000), das den *βγ*-Teil von *G-Proteinen fest bindet (s. G-Proteine), dadurch dessen Funktionen entgegenwirkt u. die *Signaltransduktion beeinflußt. Da der *βγ*-Komplex bei Bindung von P. nicht mehr mit der *α*-Untereinheit des G-Proteins in Beziehung treten kann, wird die Regeneration (Wiederansprechbarkeit) des Signalsyst. verzögert. Andererseits wird durch P. die Bindung von *βγ* an die Zellmembran verhindert. Am besten untersucht ist das P. in der Netzhaut, wo es mit *βγ* des *Transducins wechselwirkt u. deshalb die Lichtadaptation des Auges verlangsamt; es soll aber auch in der Zirbeldrüse u. möglicherweise im Geruchsorgan[1] eine Rolle spielen. Bei Phosphorylierung durch *Protein-Kinase A büßt P. seine Affinität zu *βγ* ein u. inhibiert nicht mehr die Signaltransduktion. – ***E*** phosducin – ***F*** phosducine – ***I*** = ***S*** fosducina

Lit.: [1]J. Biol. Chem. **272**, 4606–4612 (1997). *allg.:* Biochem. Biophys. Res. Commun. **233**, 370–374 (1997) ▪ Cell **87**, 577–588 (1996) ▪ J. Biol. Chem. **271**,

11 781–11 786, 19 232–19 237, 22 546–22 551 (1996) ▪ Proc. Natl. Acad. Sci. USA **93**, 1475–1479, 10 145–10 150 (1996).

Phosgen (Kohlenoxidchlorid, Carbonyldichlorid, Kohlensäuredichlorid). $COCl_2$, M_R 98,92. T+ Farbloses, sehr giftiges, nicht brennbares Gas mit einem in hoher Verdünnung süßlichen, in hoher Konz. fauligen Obstgeruch, der allerdings erst bei tox. Konz. wahrgenommen wird, D. 1,387 (flüssig, 20 °C, 162 kPa), 3,4-fache Luftdichte (Gas, 20 °C), Schmp. –127,84 °C, Sdp. 7,48 °C; krit. Druck 56,74 bar, krit. Temp. 182,0 °C, krit. D. 0,520. P. ist in Benzol, Toluol, Tetrachlormethan, Chloroform, Essigsäure lösl., mit Wasser u. Alkoholen tritt Reaktion unter Zers. ein. P. ist ein sehr gefährliches Atemgift, MAK-Wert 0,4 mg/m³ bzw. 0,1 ppm, dessen Inhalation zu Atemnot, Husten, Tränenreiz u. Cyanose führt; schwerere Symptome treten oft erst nach einigen Stunden auf: Lungenödem u. ggf. Herzstillstand, s. *Lit.*[1]. Der Nachw. des P. mit *Dräger-Prüfröhrchen bzw. mit Testpapieren beruht auf der Reaktion mit 4-(Dimethylamino)benzaldehyd u. Diethyl- od. Dimethyl- bzw. Diphenylamin (Orangerotfärbung); Näheres zu diesem u. a. Nachw. s. *Lit.*[2]. P. entsteht bei Belichtung eines Gasgemisches aus Kohlenmonoxid u. Chlor (Name von griech.: phos = Licht u. *...gen), ggf. bei der Verbrennung von Chlor-haltigen Kunststoffen u. bei der Pyrolyse von *Chlorkohlenwasserstoffen in Ggw. von Metallen od. Kohle – z. B. aus *Trichlorethen-Dampf an einer brennenden Zigarette. Das techn. aus CO u. Cl_2 in Ggw. von katalyt. wirkender Aktivkohle in exothermer Reaktion hergestellte P. kommt als Flüssiggas in den Handel, sofern es nicht sofort weiterverarbeitet wird. P. disproportioniert in Ggw. von Aktivkohle od. Katalysatoren zu Tetrachlormethan u. Kohlendioxid u. zerfällt >300 °C in CO u. Chlor.

Verw.: Für organ. Synth. z. B. zur Chlorierung, Dehydratisierung, Einführung der CO-Gruppe, vgl. die Übersicht über die Reaktionen mit Aminen, Aminosäuren, Alkoholen, Carbonsäuren etc. in *Lit.*[3]. Mit Ammoniak bildet P. Harnstoff, mit Alkoholen reagiert es zu *Chlorameisensäureestern u. Carbonaten (*Kohlensäureestern). Etwa 85% der Produktion an P. werden für die Reaktion mit sek. u. prim. Aminen (*Phosgenierung*) zu Carbamoylchloriden u. Harnstoffen sowie zu Isocyanaten verbraucht, die zu Polyurethanen verarbeitet werden. Neuere Verf. zur Synth. von Isocyanaten, z. B. reduzierende Ethoxycarbonylierung von Nitroaromaten mit anschließender Ethanol-Abspaltung, kommen ohne den Einsatz von Chlor aus u. können gegenüber der Verw. von P. künftig an Bedeutung gewinnen. P. dient auch zur Herst. von Polycarbonaten, Metallchloriden, Farbstoffen, Pharmazeutika, Herbiziden, Insektiziden, Kunstharzen usw., im Laboratorium ggf. auch als polares *nichtwäßriges Lösemittel u. zur Synth. reaktiver Zwischenprodukte, vgl. folgendes Stichwort. Für viele Laboratoriumssynth. konnten inzwischen weniger tox. Alternativen zu P. entwickelt werden[4], z. B. Bis(trichlormethyl)carbonat, $(Cl_3CO)_2CO$ („trimeres P."). Als *Kampfstoff wurde P. in der 2. Hälfte des 1. Weltkrieges (1916–1918) aus Gasgranaten od. mit Hilfe primitiver Gaswerfer verschossen[5]. – ***E*** phosgene – ***F*** phosgène – ***I*** fosgene – ***S*** fosgeno

Lit.: [1] Braun-Dönhardt, S. 299; Dtsch. Ärztebl. **79**, Nr. 2, 45 ff. (1982). [2] Braker u. Mossman, Matheson Gas Data Book, S. 596–600, Lyndhurst, N. J.: Matheson 1980; Analyst (London) **84**, 463 (1959). [3] Chem. Rev. **73**, 75–91 (1973). [4] Kontakte (Merck) **1981**, Nr. 1, 14–18. [5] Haber, The Poisonous Cloud, Chemical Warefare in the First World War, Oxford: Clarendon 1986.
allg.: Beilstein E IV **3**, 31 f. ▪ Brauer (3.) **2**, 624 f. ▪ Chem. Ind. (Düsseldorf) **37**, 105–108 (1985) ▪ Encycl. Gaz, S. 197–203 ▪ Gmelin, Syst.-Nr. 14, C, Tl. D 3, 1976, S. 47–103 ▪ Health Assessment Document for Phosgene, Washington, DC: EPA 1986 ▪ Hommel, Nr. 157 ▪ Kirk-Othmer (4.) **18**, 645–656 ▪ Merkblatt (M015, ZH 1/298) Phosgen, Heidelberg: BG Chemie 1984 ▪ Ullmann (5.) **A 19**, 411–420 ▪ Weissermel-Arpe (4.), S. 411 ▪ Winnacker-Küchler (4.) **2**, 427 f.; **6**, 221–224, 239 f., 417 f. – *[HS 2812 10; CAS 75-44-5; G 2]*

Phosgen-Iminium-Salze (Dichlormethylen-ammonium-Salze). Klasse sehr reaktionsfähiger Verb. vom Typ des sog. *Phosgen-Iminiumchlorids* [(Dichlormethylen)dimethylammoniumchlorid], $[Cl_2C{=}\overset{+}{N}(CH_3)_2]Cl^-$, $C_3H_6Cl_3N$, M_R 162,45. Farbloses, hygroskop. Pulver, Schmp. 183–187 °C (Zers.), das mit einer Vielzahl von Verb. mit reaktiven H-Atomen od. elektronenreichen Mehrfachbindungen reagiert, z. B. unter Bildung von Heterocyclen. – ***E*** phosgene iminium salts – ***F*** sels de phosgène-iminium – ***I*** sali di fosgene-imminio – ***S*** sales de fosgeno-iminio

Lit.: Adv. Org. Chem. **9/1**, 343–420 (1976) ▪ Angew. Chem. **85**, 837–849 (1973) ▪ Synthesis **1985**, 201 f. ▪ s. a. Imine u. vgl. Mannich-Reaktion. – *[CAS 33842-02-3 [$Cl_2CN(CH_3)_2$]Cl]*

Phosgenit (Bleihornerz). $Pb_2[Cl_2/CO_3]$, farblose, weiße, graue, gelbe od. braune kurzsäulige od. pyramidale tetragonale Krist. u. *derbe Massen; Kristallklasse 422-D_4, Struktur s. *Lit.*[1]. Vollkommene Spaltbarkeit, Bruch muschelig; H. 2–3, D. 6,0–6,3; Glas-, Fett- u. Diamantglanz. P. fluoresziert im langwelligen UV-Licht gelblich.

Vork.: In *Oxidationszonen von Blei-Lagerstätten, z. B. Monteponi/Sardinien, mehrorts in England; in antiken Blei-Schlacken in Lavrion/Griechenland. P. wird lokal als Bleierz verwendet. – ***E*** phosgenite – ***F*** phosgénite – ***I*** fosgenite – ***S*** fosgenita

Lit.: [1] Tschermaks Mineral. Petrogr. Mitt. **21**, 101–109 (1974).
allg.: Lapis **7**, Nr. 11, 5 ff. (1982) („Steckbrief") ▪ Schröcke-Weiner, S. 550 f. – *[HS 2607 00; CAS 12202-69-6]*

Phosmet. Xn

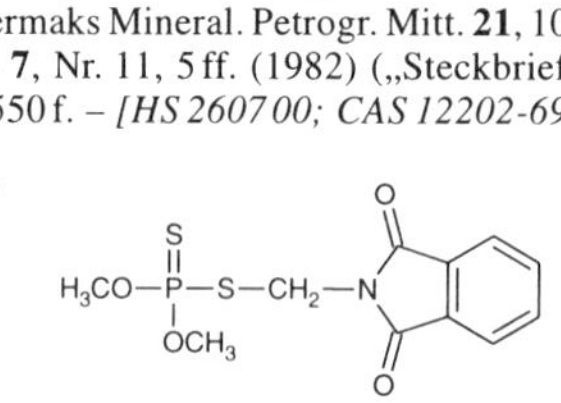

Common name für *O,O*-Dimethyl-*S*-phthalimidomethyldithiophosphat, $C_{11}H_{12}NO_4PS_2$, M_R 317,31, Schmp. 72–73 °C, LD_{50} (Ratte oral) 230 mg/kg (GefStoffV), von Stauffer 1966 eingeführtes nicht-system. *Insektizid u. *Akarizid mit breitem Wirkungsspektrum in zahlreichen Kulturen, auch geeignet zur Bekämpfung von Ektoparasiten an Haus- u. Weidetieren. – ***E = F*** phosmet – ***I = S*** fosmet

Lit.: Beilstein E V **21/10**, 389 ▪ Farm ▪ Perkow ▪ Pesticide Manual. – *[HS 2930 90; CAS 732-11-6]*

Phosph(a)... Präfix nach IUPAC-Regel R-2 für: a) Ersatz einer CH-Gruppe durch ein P-Atom in *Austauschnamen u. (vor Vokal: Phosph...) im *Hantzsch-Widman-System (*Beisp.:* Phosphabenzol, *Phosphole); – b) Einheit -PH- in Namen für alternierende Heteroatom-Ketten u. -Ringe [*Beisp.:* *Phosphazane, *Phosphazene, Diphosphazan (H_2P–NH–PH_2)]; – c) selten: Ersatz von N durch P; *Beisp.:* 21-Phosphaporphin (IUPAC-Regel TP-1.5), Phosphindol („1-Phosphaindol"). Bez. für Ersatz von C durch P^+: *Phosphonia...*; *Beisp.:* 5-Phosphoniaspiro[4.4]nonan. Für kondensierte Ringsyst. sind *Anellierungsnamen üblicher; *Beisp.:* Benzo[*b*]phosphindol („9-Phosphafluoren"). – ***E*** = ***F*** phosph(a)... – ***I*** = ***S*** fosf(a)...

Phosphaalkene, Phosphaalkine s. Phosphor-organische Verbindungen.

Phosphabenzol s. Phosphinin.

Phosphagene s. Kreatinphosphat, Phosphorylierung.

Phosphalugel®. Suspension mit *Aluminiumphosphat wasserfrei gegen Sodbrennen u. Reizmagen. ***B.:*** Yamanouchi.

Phosphamidon.

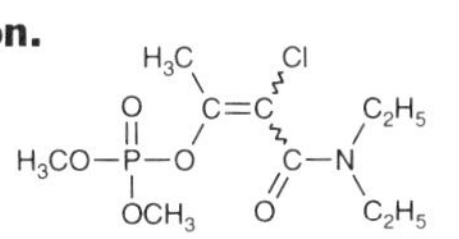

T 

Common name für (2-Chlor-2-diethylcarbamoyl-1-methylvinyl)dimethylphosphat, $C_{10}H_{19}ClNO_5P$, M_R 299,69, Sdp. 94 °C (5,3 Pa), Gemisch von 70% (*Z*)- u. 30% (*E*)-Isomer, LD_{50} (Ratte oral) 17 mg/kg, von Ciba 1956 eingeführtes system. *Insektizid u. *Akarizid gegen beißende u. saugende Insekten in Obst-, Gemüse-, Wein-, Getreide-, Mais-, Reis- u. a. Kulturen. – ***E*** = ***F*** phosphamidon – ***I*** fosfamidone – ***S*** fosfamidón

Lit.: Beilstein E IV **4**, 407 ▪ Farm. ▪ Perkow ▪ Pesticide Manual. – *[HS 2924 10; CAS 13171-21-6 (E/Z); 23783-98-4 (Z); 297-99-4 (E)]*

Phosphane. 1. Bez. für Phosphor-Wasserstoff-Verb. (Phosphorhydride) der allg. Formel P_nH_{n+2}; *Beisp.:* Diphosphan(P_2H_4), Tetraphosphan(P_4H_6). Hypothet. Stammverb. mit fünfbindigen P-Atomen werden mit λ^5-Symbol bezeichnet; *Beisp.:* λ^5-Phosphan (PH_5), $1\lambda^5,2\lambda^5$-Diphosphan (P_2H_8). Diese P.-Nomenklatur nach IUPAC benutzt z. B. Chemical Abstracts *nicht* u. bezeichnet die Verb. statt dessen als *Phosphine* bzw. **Phosphorane*.

a) Einfachster u. techn. wichtigster Vertreter ist *Phosphan* (Phosphorwasserstoff; IUPAC-Regel R-2.1 läßt für PH_3 u. seine organ. Derivate auch die ältere Bez. *Phosphin* weiterhin zu, die z. B. Chemical Abstracts beibehält), PH_3, M_R 34,00. Farbloses, unangenehm nach faulen Fischen od. „knoblauchartig" riechendes, sehr giftiges Gas, D. 1,529 g/L, Schmp. –133 °C, Sdp. –87 °C, MAK 0,15 mg/m^3 = 0,1 ppm; Nachw. mit *Dräger-Prüfröhrchen im Bereich 0,1 – 3000 ppm. Eingeatmetes PH_3 bewirkt Blutdruckabfall, Erbrechen, Lungenödem, Krämpfe u. Koma [1]. In Analogie zu NH_3 bildet PH_3 *Phosphoniumsalze u. Metallkomplexe.

Herst.: Reinstes PH_3 erhält man durch Zers. von Phosphoniumiodid mit Alkalien od. durch Behandlung von Weißem Phosphor mit Alkalien in der Wärme; bei der Reaktion zwischen *Calciumphosphid u. Wasser entsteht neben PH_3 auch etwas P_2H_4, das sich von selbst entzündet u. auch PH_3 zur Entzündung bringt. Das Gas ist in Stahlflaschen abgefüllt im Handel.

Verw.: In der Elektronik-Ind. (*Lit.* [2]) zur Herst. von *LED auf Basis von GaAs(P) u. zur Dotierung von Silicium-Krist. durch Epitaxie; als Ausgangsmaterial für organ. Synth. mit Olefinen, Epoxiden, Isocyanaten, Aldehyden für Produkte, die zur Feuerschutzimprägnierung, als Benzin-Additive, Insektizide, Katalysatoren dienen; nach Maßgabe des Lebensmittelrechts als Fumigans gegen Vorratsschädlinge wie Kornkäfer u. Mehlmotten u. in Rodentiziden, die das aus feuchtem Zink- od. Calciumphosphid freiwerdende PH_3 als Gift verwenden.

b) *Diphosphan* (P_2H_4, Diphosphin), M_R 65,98, ist in reinem Zustand eine an Luft selbstentzündliche, farblose, wasserklare Flüssigkeit, die in Wasser sinkt, ohne sich zu lösen, Schmp. –99 °C, Sdp. +51,7 °C.

c) Von den höheren, farblosen bis gelben, flüssigen bis festen, Wasserstoff-ärmeren Homologen wurden in Reihen der Zusammensetzung P_nH_{n+2} kettenförmige, P_nH_n monocycl. u. P_nH_{n-2m} (m = 1 – 9) polycycl. Einzelverb. mit bis zu 22 P-Atomen im Mol. identifiziert. Über die Strukturen u. über organosubstituierte Phosphane, Hydrogenpolyphosphide u. a. Polyphosphor-Verb. s. *Lit.* [3].

Der sog. „feste Phosphorwasserstoff", ein hellgelbes, luftbeständiges, wasserunlösl. Pulver, ist wahrscheinlich ein Adsorptionsprodukt von PH_3 an amorphem Phosphor.

2. Bez. für organ. Derivate des Phosphorwasserstoffs; *Beisp.:* Trimethylphosphan $(H_3C)_3P$, *Triphenylphosphin [$(H_5C_6)_3P$]. Als Präfix erhält die PH_2-Gruppe den Namen **Phosphino...* (od. *Phosphanyl...*). Analog den *Aminen unterscheidet man auch hier *prim.*, *sek.* u. *tert. P.*, je nachdem, ob 1, 2 bzw. 3 H-Atome durch organ. Gruppen substituiert sind.

Die niederen Alkyl-Derivate der P. sind Flüssigkeiten, riechen unangenehm, sind allg. recht reaktionsfähig u. neigen teilw. zur Selbstentzündung. Die Triaryl-P. sind fest u. meist luftstabil. P. verhalten sich wie schwache Basen u. bilden *Phosphoniumsalze. Mit Oxid.-Mitteln wie Peroxiden werden *Phosphanoxide gebildet, worauf z. B. die Verw. des Triphenylphosphans für die Red. von Peroxiden beruht. Ein in neuerer Zeit viel verwendetes P. ist Tris(trimethylsilyl)phosphan, das als ein Syntheseäquivalent für PH_3 angesehen werden kann, da die Silyl-Reste leicht entfernt werden können. Die Verb. dient auch zum Aufbau niederkoordinierter Phosphor-Verb., z. B. von Phosphaalkinen.

Herst.: Aus Alkylhalogeniden od. Olefinen mit PH_3 od. aus Lithium-organ. od. Grignard-Verb. mit PCl_3 od. $P(OC_6H_5)_3$.

Verw.: Für organ. Synth. (bes. Triphenylphosphin, vgl. *Lit.* [4]), kombiniert mit CCl_4 als Ersatz für *Phosgen in Chlorierungs-Reaktionen [5], zur Herst. von *Yliden (*Beisp.:* Vitamin A-Synth.), zur Herst. von Feuerschutzimprägniermitteln, Benzin-Additiven u. Insektiziden. Mit ihrem *einsamen Elektronenpaar sind die P. als Liganden in Koordinationsverb. sehr geeignet. Heute konzentriert sich das Interesse auf die Synth. von P.-haltigen chiralen Homogenkatalysatoren mit Übergangsmetallen z. B. für *Hydroformylierungen od. *asymmetrische Synthesen. Die Abb. zeigt einige gebräuchliche chirale P.-Komplexe bzw. P., die in der stereoselektiven Synth. Verw. finden.

Tab.: Daten von chiralen Phosphanen.

	Summenformel	M_R	Schmp. [°C]	$[\alpha]_D$	CAS
1	$C_{35}H_{36}BF_4P_2Rh$	708,33	212		82499-43-2
2	$C_{31}H_{28}P_2$	462,51	130	+45° (20 °C) (c 1,0/CHCl$_3$)	71042-54-1 (+) 71042-55-1 (−) 76740-45-9 (±)
3	$C_{44}H_{32}P_2$	622,70	242 (S)	−229° (25 °C) (c 0,312/Benzol)	76189-55-4
4	$C_{28}H_{28}P_2$	426,48	108	+195° (20 °C) (c 1,5/CHCl$_3$)	74839-84-2 (2R,3R) 64896-28-2 (2S,3S)

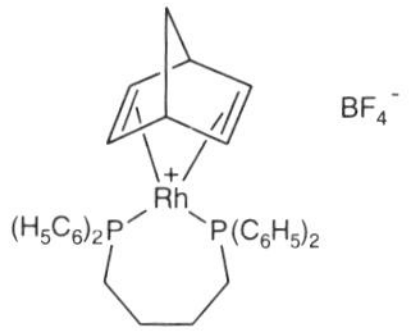

(Bicyclo[2.2.1]hepta-2,5-dien)-[1,4-bis-(diphenylphosphino)-butan]rhodium(I)-tetrafluoroborat
1

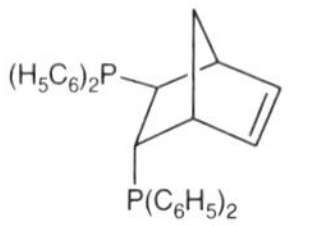

(+)-*trans*-(2S,3S)-Bis(diphenylphosphino)-bicyclo[2.2.1]hept-5-en [(+)-NORPHOS]
2

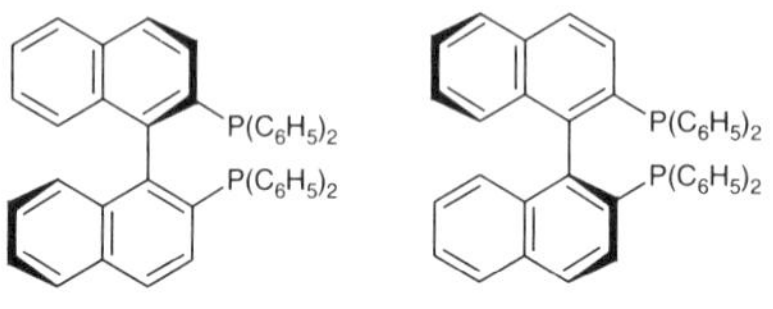

(R)- bzw. (S)-2,2'-Bis(diphenylphosphino)-1,1'-binaphthyl [(R)- bzw. (S)-BINAP]
3

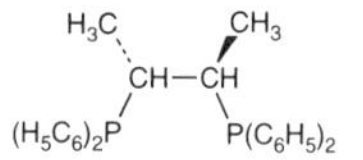

(2R,3R)-2,3-Bis(diphenylphosphino)-butan [(R,R)-CHIRAPHOS]
4

Abb.: Einige chirale Phosphane bzw. Phosphan-Komplexe.

− *E* = *F* phosphanes − *I* fosfani − *S* fosfanos
Lit.: [1] Braun-Dönhardt, S. 302. [2] Ullmann (5.) **A 9**, 289 f., 293. [3] Angew. Chem. **99**, 429–451 (1987); Pure Appl. Chem. **52**, 755–769 (1980). [4] Synthetica **1**, 510–517. [5] Angew. Chem. **87**, 863–874 (1975).
allg.: Adv. Chem. Ser. **196** (1982) ▪ Angew. Chem. **90**, 195–206 (1978) ▪ Brauer (3.) **1**, 510–516 ▪ Chem. Soc. Rev. **12**, 99–128 (1983) ▪ Chemtech. (Washington) **11**, 118–127 (1981) ▪ Chem. Unserer Zeit **14**, 177–183 (1980) ▪ Chem. Ztg. **107**, 77–91 (1983) ▪ Fogg u. Young, Ammonia, Amines, Phosphine and Arsine in Organic Solvents (Solub. Data Series 21), Oxford: Pergamon 1985 ▪ Gmelin, Syst.-Nr. 16 P, Tl. C, 1965, S. 7–50 ▪ Hommel, Nr. 163 ▪ J. Mol. Catal. **8**, 369–375 (1980) ▪ Kirk-Othmer (4.) **18**, 656–668 ▪ McAuliffe u. Levason, Phosphine, Arsine and Stilbine Complexes of the Transition Elements, Amsterdam: Elsevier 1979 ▪ Perkow ▪ Pignolet, Homogeneous Catalysis with Metal Phosphine Complexes, New York: Plenum 1983 ▪ Pregosin u. Kunz, ^{31}P and ^{13}C NMR of Transition Metal Phosphine Complexes, Berlin: Springer 1979 ▪ Pure Appl. Chem. **51**, 2211–2224 (1979) ▪ Synthetica **2**, 471–475, 477 ff. ▪ Ullmann (5.) **A 19**, 539, 546 ff. ▪ Winnacker-Küchler (4.) **2**, 255, 259 f. ▪ Wirkstoffe ips, S. 285 f. ▪ Z. Chem. **21**, 341–349 (1981); **24**, 365–375 (1984). − *[HS 284800; CAS 7803-51-2 (PH$_3$); 13445-50-6 (P$_2$H$_4$); G 2]*

Phosphanoxide (nach IUPAC-Regel R-2.1 weiterhin auch zulässige Bez., z. B. in Chemical Abstracts: Phosphinoxide). Gruppenbez. für die analog den *N*-*Oxiden gebildeten Oxide der *Phosphane

$$R^2-\underset{R^3}{\overset{R^1}{P}}\rightarrow O \quad = \quad R^2-\underset{R^3}{\overset{R^1}{P^+}}-O^- \quad \longleftrightarrow \quad R^2-\underset{R^3}{\overset{R^1}{P}}=O$$

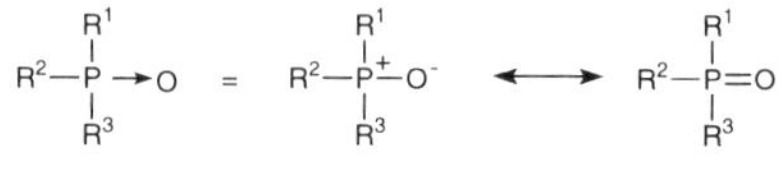

mit R^1, R^2, R^3 = Kohlenwasserstoff-Resten od. H, die durch Oxid. von Phosphanen z. B. mit Peroxiden od. als Reaktionsprodukte bei der Olefin-Synth. mit *Yliden (*Wittig-Reaktion) erhalten werden können. Zur Red. von tert. P. zu Phosphanen eignen sich z. B. Chlorsilane. Verw. findet v. a. Trioctyl-P. als Extraktionsmittel bes. für Uran-Verb., aber auch für Verb. von Au, Bi, Cr, Mo u. Sn aus Phosphorsäure. − *E* phosphane oxides − *F* oxydes de phosphanes − *I* ossidi di fosfani − *S* óxidos de fosfanos
Lit.: Chem. Ztg. **107**, 257–260 (1983); **108**, 7–12 (1984) ▪ Corbridge, Phosphorus (4.), S. 320–323, Amsterdam: Elsevier, 1990 ▪ Houben-Weyl **E 2**, 1 ff. ▪ Ullmann (5.) **A 19**, 552 ff.
▪ s. a. Phosphor-organische Verbindungen.

Phosphanyl... s. Phosphino...

Phosphatasen. Eine Gruppe von Enzymen (EC 3.1.3), die die Hydrolyse von *Phosphorsäureestern organ. Verb. katalysieren u. deshalb der Gruppe der *Hydrolasen (EC 3) od. spezieller der *Esterasen (EC 3.1) zugerechnet werden. Die unspezif. P. sind monomere od. dimere Enzyme mit Molmassen zwischen 10000 u. 100000, die als Isoenzyme vorkommen. Nach ihrem pH-Wirkungsoptimum unterscheidet man *saure P.* (EC 3.1.3.2), die in *Lysosomen u. im *Cytosol verschiedener tier. Gewebe wie Niere, Prostata u. Fett, aber auch in Weizen, Kartoffeln u. a. Pflanzen vorkommen, u. die vorzugsweise aus Bakterien, Niederen Tieren u. Organen (Leber, Knochen) Höherer Tiere sowie Milch isolierten *alkal. P.* (EC 3.1.3.1)[1], die Zink-Proteine darstellen. Eine alkal. P. ist bei der Knochen-Mineralisation beteiligt, u. in Osteoclasten (Knochen-abbauenden Zellen) u. *Leukocyten kommt eine Tartrat-resistente purpurrote saure P. (*E purple acid phosphatase*) vor[2]. Bei vielen Stoffwechselvorgängen spielen spezifischere P. eine Rolle, z. B. bei der Gluconeogenese (Glucose-6-phosphatase, EC 3.1.3.9, Fructose-1,6-bisphosphatase, EC 3.1.3.11), im Nucleinsäure-Stoffwechsel (z. B. Nucleotidasen, EC 3.1.3.5–3.1.3.7, 3.1.3.31 u. a.) u. im Phospholipid-Stoffwechsel (z. B. Phosphatidat-Phosphatase, EC 3.1.3.4)[3]. Im Bereich der Signalübertragung u. Regulation sind spezielle P. am Abbau der *Inositphosphate u. *Phosphoinositide[4]

beteiligt. Als Gegenspieler der *Protein-Kinasen dephosphorylieren sie phosphorylierte *Rezeptoren, *Enzyme u.a. Proteine, s. Protein-Phosphatasen.
Nachw.: Als Substrate für Nachw. u. Bestimmung der P. eignen sich organ. Phosphate wie 4-Nitrophenylphosphat, *Naphtol-AS®-phosphat, Natrium-*sn*-glycerin-3-phosphat (vgl. Glycerinphosphate) u.dgl., die unter Einwirkung der alkal. P. od. der sauren P. kolorimetrierbare Spaltprodukte liefern. Die Bestimmung der sauren P. in Serum ist von Bedeutung bei der Tumor-Diagnostik (Prostatacarcinom); ebenso ist die Serum-Konz. der alkal. P. bei verschiedenen Tumoren der Knochen u.a. Krankheiten erhöht. Um Frischmilch von erhitzter Milch zu unterscheiden, bestimmt man die Aktivität der alkal. P.: Ist dieses thermolabile Enzym noch nachweisbar, kann geschlossen werden, daß die Milch nicht od. nur ungenügend erhitzt (pasteurisiert) wurde.
Die Phosphorsäureanhydrid-Bindungen hydrolysierenden *Pyrophosphatasen* (EC 3.6.1, z.B. *Adenosintriphosphatase) werden im allg. ebensowenig zu den P. gezählt, wie die *Phosphodiesterasen. – ***E*** = ***F*** phosphatases – ***I*** fosfatasi – ***S*** fosfatasas

Lit.: [1]Annu. Rev. Biophys. Biomol. Struct. **21**, 441–483 (1992). [2]Leukemia **11**, 10–13 (1997); Science **268**, 1489–1492 (1995). [3]Lipids **31**, 785–802 (1996). [4]Trends Biochem. Sci. 427–431 (1997).
allg.: Vincent u. Crowder, Phosphatases in Cell Metabolism and Signal Transduction. Structure, Function and Mechanism of Action, Berlin: Springer 1995. – *[CAS 9013-05-2]*

Phosphat-Austauschstoffe s. Natriumphosphate.

Phosphatdünger s. Düngemittel, Düngung.

Phosphate. Bez. für die Salze u. Ester der verschiedenen *Phosphorsäuren; die Ester werden als *Phosphorsäureester beschrieben. Bei den anorgan. P. kennt man die von der Orthophosphorsäure (H_3PO_4) abgeleiteten, systemat. als Dihydrogenphosphate bezeichneten *prim.* (sauren) Ortho-P. mit allg. Formeln wie $M^IH_2PO_4$ (z.B. NaH_2PO_4) od. $M^{II}(H_2PO_4)_2$ [z.B. $Ca(H_2PO_4)_2$]; diese sind in Wasser alle lösl. u. reagieren sauer. Werden 2 Wasserstoff-Atome der H_3PO_4 durch Metall-Ionen ersetzt, so erhält man die *sek.* Ortho-P. (Hydrogenphosphate) mit allg. Formeln wie $M^I_2HPO_4$ od. $M^{II}HPO_4$ (z.B. K_2HPO_4, $CaHPO_4$); von diesen sind nur die Alkalisalze in Wasser leicht lösl., die Lsg. reagieren schwach basisch. Werden alle 3 Wasserstoff-Atome von H_3PO_4 durch Metall-Ionen ersetzt, so bilden sich *tert.* Ortho-P. (systemat. Bez.: Phosphate) mit allg. Formeln wie $M^I_3PO_4$ od. $M^{II}_3(PO_4)_2$ [z.B. Na_3PO_4, $Ca_3(PO_4)_2$]; diese sind – mit Ausnahme der leichtlösl., alkal. reagierenden Alkalisalze – in Wasser prakt. unlösl., in starken Säuren dagegen meist lösl. (eine Ausnahme bilden die völlig unlösl. P. der vierwertigen Kationen von Ti, Zr, Hf, Sn, Ce, Th, U) u. ändern sich beim Glühen nicht. Von den sauren Salzen der Orthophosphorsäure leitet sich die umfangreiche Gruppe der beim Erhitzen durch Wasseraustritt entstehenden *kondensierten Phosphate ab, die sich wiederum in *Metaphosphate (systemat. Bez.: *cyclo*-Poly-P.) u. *Polyphosphate (systemat. Bez.: *catena*-Poly-P.) unterteilen lassen; bekannte Trivialnamen sind: Grahamsches, Kurrolsches u. Maddrellsches Salz sowie Schmelz- od. Glühphosphate. Daneben kennt man noch düngemitteltechn. Bez. wie Super-P., Doppel- u. Tripelsuper-P. für $Ca(H_2PO_4)_2$ mit jeweils 18%, 35% u. 46% P_2O_5; im angelsächs. Sprachgebrauch weichen die Daten etwas ab, u. zudem kennt man dort noch sog. Ultra-P. mit Strukturen zwischen den Meta-P. u. P_2O_5.
Nachw.: Als schwerlösl. Silber-, Magnesium-, Ammonium- u. Ammoniummolybdato-P., letztgenannte Bestimmung auch durch Trübungsmessung. Als Mikronachw. bieten sich die Fluoreszenzlöschung von Al-Morin-Chelat durch P.-Spuren [1] u. die Analyse mit *Phosphorylase an; zur photometr., titrimetr., amperometr. od. potentiometr. Bestimmung sowie zur Atomabsorptionsspektrometrie u. anderen Meth. s. *Lit.*[2]. Zum Nachw. der P. in biolog. Syst. eignet sich die ^{31}P-NMR-Spektroskopie[3].
Vork.: Anorgan. P. sind in der belebten u. unbelebten Natur weit verbreitet u. im Kreislauf miteinander verbunden[4]; eine Übersicht über den P.-Gehalt des Trinkwassers in der BRD findet man in *Lit.*[5]. Im menschlichen Organismus finden sich ca. 700 g P., wovon ca. 2/3 als Ca-P. in *Knochen gebunden ist. Da der Calcium- u. P.-Stoffwechsel gekoppelt sind, wird durch Parathormon auch P. mobilisiert, so daß es im Harn z.B. mit *Gallein nachweisbar ist; zum Transport durch die Nieren s. *Lit.*[6]. Geschichtliche u. vorgeschichtliche Siedlungen verraten sich oft nur durch einen höheren P.-Gehalt des Bodens (häufig aus der Luft beobachtbar anhand des üppigen Pflanzenwuchses), der von verwitterten Knochen u. Ausscheidungsprodukten herrührt. P. gewinnt man aus *Guano. Die für die P.-Gewinnung wichtigsten Minerale (man spricht von *P.-Erzen*) sind *Apatit [$Ca_5(PO_4)_3(F,Cl,OH)$], bes. Fluorapatit u. Phosphorit; geringere Bedeutung haben Vivianit [$Fe_3(PO_4)_2 \cdot 8H_2O$], Wavellit [$Al_3(OH)_3(PO_4)_2 \cdot 5H_2O$] u. Pseudowavellit. Die wichtigsten P.-Erz-Lagerstätten – hauptsächlich marin-sedimentären Ursprungs – liegen in Marokko-Westsahara, Algerien, Syrien, Jordanien, Tunesien, USA, China, der ehem. UdSSR, Mexiko, Brasilien, Südafrika u. Finnland; Näheres zu den geschätzten Vorräten – die Qualität der P.-Erze wird nach dem Gehalt an Tricalciumphosphat (als BPL = bone phosphate of lime) beurteilt – s. *Lit.*[7], über Abbaumeth. u. Anreicherungsverf. von P.-Erzen u. zur Rein-Herst. der P. aus der sog. nassen Phosphorsäure s. *Lit.*[8].
Die Weltproduktion an P.-Erzen betrug 1989 ca. 161,4 Mio. t; Haupterzeugerländer (Produktion in Mio. t in Klammern) waren: USA (49,9), UdSSR (35,0), Marokko (18,0), China (18,5), Tunesien (6,6) u. Jordanien (6,7), ferner Brasilien, Togo, Südafrika, Senegal, Israel u. Syrien. Die P.-Erze enthalten häufig kleine Anteile an Uran (30–200 ppm), die extrahiert u. als Kernbrennstoff-Reserve genutzt werden können[9].
Verw.: Der größte Teil der P.-Erze (ca. 90%) dient zur Herst. von *Düngemitteln. Die restliche Menge wird für Futtermittel u. z.T. noch als Builder in *Waschmitteln gebraucht. Dazu wird bes. das – häufig nur als *Tri-P.* od. *Tripoly-P.* bezeichnete – Pentanatriumtriphosphat (vgl. Natriumphosphate) aufgrund seiner komplexbildenden, waschaktiven, synergist. u. nicht

gesundheitsschädigenden Eigenschaften verwendet. Allerdings ist in vielen Ländern (z. B. BRD, Schweiz, Österreich, Niederlande, Italien, Norwegen u. Japan) der Anteil P.-freier Waschmittel prakt. 100% u. weltweit ist der Anteil an P.-haltigen Waschmitteln rückläufig. Anorgan. P. sind außerdem enthalten in Mineralwässern, Zahncremes, Backpulvern, Speiseeis, Korrosionsschutzmitteln (s. a. Phosphatieren), Flammschutzmitteln, keram. Werkstoffen, pharmazeut. Präparaten. Im Laboratorium benutzt man Gemische aus prim. u. sek. Alkali-P. als Puffersubstanzen im neutralen pH-Bereich. Polymere P. (sog. Schmelz-P.) finden z. B. Verw. bei der Wasseraufbereitung u. Käseerzeugung. Unter dem Blickwinkel des Umweltschutzes ist der P.-Einsatz in verschiedenen Produkten nicht unproblemat., da ein wesentlicher Teil des P. (über Haushalt- u. Ind.-Abwässer rund 75%, durch Tierhaltung, Düngemittelauswaschung u. Bodenerosion rund 25%) in die Gewässer gelangt u. insbes. in stehenden Gewässern (Seen, Staustufen) eine bedenkliche Rolle bei der Überdüngung (*Eutrophierung) spielt[10]. Die seit 1978 aufgrund gesetzlicher Auflagen erfolgte Verringerung des P.-Gehalts in Wasch- u. Reinigungsmitteln (s. Natriumphosphate) reicht zur Behebung dieses Problems nicht aus. Zur weitgehenden Senkung des P.-Gehalts in Abwässern erfolgt in Kläranlagen eine Ausfällung des P. mittels Aluminium-, Eisen(III)-Ionen od. Kalk; die Fällungsreinigung kann mit einem biolog. Verf. kombiniert sein (s. a. *Lit.*[11]). Durch die Verw. von *Klärschlämmen als Düngemittel läßt sich P. aus dem Abwasser weitgehend wieder nutzbar machen, vgl. *Lit.*[12]. – ***E*** = ***F*** phosphates – ***I*** fosfati – ***S*** fosfatos

Lit.: [1] Anal. Biochem. **30**, 51–57 (1969). [2] Townshend, Encyclopedia of Analytical Science, S. 3957 ff., London: Academic Press 1995. [3] Biol. Magnetic Resonance **6**, 1 ff. (1984). [4] Hutzinger **1 A**, 147–167. [5] Aurand et al., Atlas zur Trinkwasserqualität der Bundesrepublik Deutschland (BIBIDAT), S. 24 f., Berlin: Schmidt 1980. [6] Klinke u. Silbernagl, Lehrbuch der Physiologie (2.), S. 312 f., 319, 354 f., Stuttgart: Thieme 1996. [7] Spektrum Wiss. **1982**, Nr. 8, 16–23; Chem. Ind. (Düsseldorf) **34**, 144–147, 288–294 (1982); **36**, 721 ff. (1984); **37**, 76–79, 509–515 (1985). [8] Becker, Phosphates and Phosphoric Acid: Raw Materials, Technology, and Economics of the Wet Process, New York: Dekker 1982. [9] Chem. Ind. (Düsseldorf) **37**, 76–79 (1985). [10] Ullmann (5.) **A 10**, 408 f.; Chem. Unserer Zeit **22**, 201–207 (1988). [11] Gewässerschutz, Wasser, Abwasser **100**, 637–669 (1987). [12] Chem. Ind. (Düsseldorf) **36**, 20–23 (1984).

allg.: Baturin, Phosphorites on the Sea Floor, Amsterdam: Elsevier 1982 ▪ Brauer (3.) **1**, 529–545 ▪ Bronner u. Peterlik (Hrsg.), Cellular Calcium and Phosphate Transport in Health and Disease, New York: Liss 1988 ▪ Corbridge, Phosphorus (5.), S. 170–305, Amsterdam: Elsevier 1995 ▪ Kirk-Othmer (4.) **10**, 453–475; **17**, 587 f.; **18**, 669–718 ▪ Ramdohr-Strunz, S. 622–657 ▪ Ullmann (5.) **A 19**, 421–463, 465–503 ▪ Winnacker-Küchler (4.) **2**, 206–223, 237–250 ▪ Z. Wasser Abwasser-Forsch. **12**, Nr. 2, 46–56 (1979). – *Organisationen:* Fachvereinigung phosphorsaure Salze u. Industrieverband Agrar im Verband der Chem. Ind., 60329 Frankfurt; Institute Mondial du Phosphat, F-75 Paris.

Phosphat-Ersatzstoffe s. Natriumphosphate.

Phosphatgips s. Gips.

Phosphat-Gläser. Gruppe von Gläsern (s. Glas, S. 1539), die als Glasbildner überwiegend Phosphorpentoxid enthalten, z. B. Natrium-P.-G. mit dem Na:P-Verhältnis 1 (Grahamsches Salz). Derartige P.-G. zeichnen sich durch eine hohe UV-Durchlässigkeit u. hohe mittlere Dispersion aus, sind aber wenig beständig gegen Chemikalien.

Verw.: Für phototrope Brillengläser, in Dosimetern, zum Schutz gegen ionisierende Strahlung. Zur Herst. von Nd-Lasern werden aufgrund ihrer nichtlinearen Brechzahl auch BeF_2-haltige *Fluor-P.-G.* eingesetzt. – ***E*** phosphate glasses – ***F*** verres phosphatés – ***I*** vetri fosfatici – ***S*** vidrios fosfatados

Lit.: s. Glas.

Phosphatidasen s. Phospholipasen.

Phosphatide s. Phospholipide.

Phosphatidsäuren s. Phospholipide.

Phosphatidyl... Präfix zur Kennzeichnung von Derivaten der Phosphatidsäuren (s. Phospholipide). – ***E*** = ***F*** phosphatidyl... – ***I*** = ***S*** fosfatidil...

Phosphatidylcholine s. Lecithine.

Phosphatidylethanolamine s. Kephaline.

Phosphatidylglycerine s. Phospholipide.

Phosphatidylinosite (Abk.: PI, auch: Inositphosphatide od. Inositide).

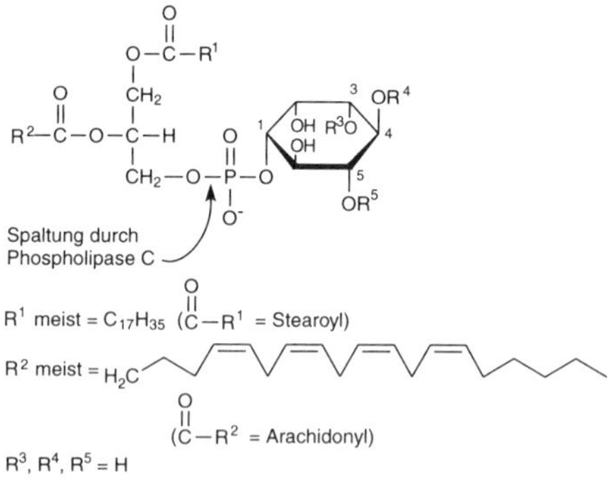

Gruppenbez. für solche *Glycero-*phospholipide*, die sich aus Fettsäuren, Glycerin, Phosphorsäure u. *myo*-Inosit durch Veresterung ableiten u. daher auch zu den *Inosit-(Phospho)-Lipiden* gerechnet werden. Die in biolog. *Membranen vorkommenden PI sind am *P.-Cyclus* beteiligt, der bei Stimulation verschiedener *Rezeptoren in Gang gebracht wird. Er führt durch schrittweise Phosphorylierung über die *Phosphoinositide (PI-Phosphate) 1-Phosphatidyl-D-*myo*-inosit-4-phosphat (PtdIns-4-P, PIP; Abb.: $R^3 = R^4 = H$, $R^5 = PO_3^{2-}$) u. 1-Phosphatidyl-D-*myo*-inosit-4,5-bisphosphat (PtdIns-4,5-P_2, PIP_2; Abb.: $R^3 = H$, $R^4 = R^5 = PO_3^{2-}$) zu D-*myo*-Inosit-1,4,5-trisphosphat (Ins-1,4,5-P_3, IP_3, s. Inositphosphate). Dieses kann sich von der Membran entfernen u. eine Freisetzung von Calcium-Ionen ins Cytoplasma bewirken. Im weiteren Verlauf des PI-Cyclus kommt es zur Bildung von *Diacylglycerinen (DG), die die *Protein-Kinase C aktivieren. IP_3 u. DG bilden sich bei der *Signaltransduktion aus PIP_2 durch Einwirkung der Rezeptor-aktivierten *Phospholipase C (*Phosphoinositidase*), wobei außerdem das *P.-Transfer-Protein* benötigt wird[1], u. üben Funktionen als *second messengers bei der Signal-Übertragung aus. IP_3 wird durch *Phosphatasen über D-*myo*-Inosit-1,4-bisphosphat u. D-*myo*-Inosit-4-phosphat zu *myo*-Inosit dephosphoryliert, während die DG durch eine *Kinase zu Phosphatidsäuren phosphoryliert u. nach Aktivierung durch Cytidin-5′-triphosphat (s. Cytidinphosphate) als CDP-Diacylglycerine mit *myo*-Inosit zu PI kondensieren u. somit den PI-Cyclus abschließen. In analoger Weise können auch Phosphatidyl*choline* (*Lecithine) second messengers erzeugen. PI sind auch Bestandteile der *Glykosylphosphatidylinosit-Anker. – ***E*** phosphatidyl inositols – ***F*** phosphatidylinositols – ***I*** fosfatidilinositoli – ***S*** fosfatidilinositoles

Lit.: [1] Curr. Biol. **7**, 184–190 (1997); FEBS Lett. **410**, 44–48 (1997).
allg.: Alberts et al., Molekularbiologie der Zelle, 3. Aufl., S. 880 ff., Weinheim: VCH Verlagsges. 1995 ▪ M. S. – Méd. Sci. **11**, 240–246 (1995).

Phosphatidylinositphosphate s. Phosphatidylinosite u. Phosphoinositide.

Phosphatidylserine s. Kephaline.

Phosphatieren. 1. Nach DIN 50942: 1987-05 Bez. für das Behandeln von Metallen mit sauren, Phosphat-haltigen Lsg., um auf ihrer Oberfläche eine Schicht zu erzeugen, die im wesentlichen aus *Phosphaten besteht (*Phosphat-Schicht*). Das Phosphat-Anion dieser Schicht wird stets aus der Lsg., das Kation aus der Lsg. u./od. von dem Trägerwerkstoff geliefert. Dem P. *nicht* zugerechnet werden *Beizen mit Phosphorsäure, die Anw. von *Reaktions- od. *Shop-Primern, *Rostumwandlern u. das Einbrenn-Phosphatieren. Je nach Badtemp. unterscheidet man *Heiß-P.* (>80 °C), *Warm-P.* (50–80 °C) u. *Kalt-P.* (20–50 °C). Beim Tauch-P. werden die Gegenstände in die Behandlungslsg. eingetaucht. Das P. wird häufig nach dem Bonder®-, Parker®- od. dem *Granodine®-Verf. ausgeführt [im Jargon: Parker(isiere)n, Bondern, Granodieren]. Weitere bekannte Tauchphosphatierungsmittel sind Atrament® u. Granodraw®. Die Phosphatierungsmittel bestehen im wesentlichen aus Zink-, Mangan- od. Schwermetallphosphaten u. Phosphorsäure sowie Beschleunigungsmitteln wie z. B. Nitraten, Nitriten, Chloraten, Wasserstoffperoxid u. Spezialzusätzen (wie z. B. Schichtverfeinerungskomponenten). Die *Oberflächenchemie bei der Entstehung einer Zinkphosphat-Schicht auf Eisen kann z. B. entsprechend folgender Reaktionsgleichungen erfolgen, wobei (a) die Beiz-Reaktion, (c) die Schichtbildungs-Reaktion u. (d) die Gesamt-Reaktion darstellen:

$$\text{(a)}\ Fe + 2\,H_3PO_4 \rightleftharpoons Fe(H_2PO_4)_2 + H_2$$
$$\text{(b)}\ Fe(H_2PO_4)_2 \rightleftharpoons FeHPO_4 + H_3PO_4$$
$$\text{(c)}\ 3\,Zn(H_2PO_4)_2 + 4\,H_2O \rightleftharpoons 4\,H_3PO_4 + Zn_3(PO_4)_2 \cdot 4\,H_2O$$

$$\text{(d)}\ 3\,Zn(H_2PO_4)_2 + Fe + 4\,H_2O \rightarrow [Zn_3(PO_4)_2 \cdot 4\,H_2O + FeHPO_4] + 3\,H_3PO_4 + H_2.$$

Die bei der Reaktion entstehenden Wasserstoff-Ionen werden durch die Beschleunigungsmittel depolarisiert u. entladen. Die Beschleuniger wirken gleichzeitig auf die Schichtbildung ein u. fördern die Ausbildung heterogener Oberflächen. Ein bekanntes nicht-wäss. Phosphatierungsmittel ist z. B. Kephos®. Die Langzeitverf. (70–100 °C), <1 h Tauchen ohne Beschleunigungsmittel) sind heute weitgehend durch die Kurzzeitverf. (wenige s bis min) u. die Tauch- durch die Spritz-Verf. ersetzt worden, v. a. in der Automobil-, Kühlschrank- u. Büromöbel-Industrie. Die mit Zink-Phosphatierungschemikalien auf Eisen u. Stahl erzeugten hellgrauen, feinkrist. Phosphat-Schichten bestehen aus *Hopeit u. *Phosphophyllit, mit Zink-Calciumphosphat-Bädern erzeugte außerdem noch aus *Scholzit, u. mit Manganphosphat-Lsg. werden auf Eisen dunkle Schichten von $(Mn,Fe)_5H_2(PO_4)_4 \cdot 4\,H_2O$ (Huréaulith) gebildet. Außer Fe können auch Al, Cd, Mg u. Zn durch P. geschützt werden. Im Phosphat-Rostschutz beim Eisen liegen die Schichtdicken zwischen 1 u. 25 µm. Sie sind bis 200 °C beständig, unlösl. in organ. Lsm., aber lösl. in Säuren u. Laugen. Die Phosphat-Schicht allein bietet für sich noch keinen abs. Schutz gegen *Korrosion. Sie muß wegen ihrer Porosität mit Öl, Wachs, Lack od. organ. Beschichtungsmitteln geschützt werden. Für eine Lackierung sind die dünnen Phosphat-Schichten bes. geeignet; sie gewähren eine vorzügliche Lackhaftung, bieten einen guten Unterrostungsschutz, elektr. Isolation, Verminderung des Gleitwiderstandes u. erleichtern die Kaltverformung. Auch für wasserlösl. Lacke u. modernere Lackierverf. wie z. B. *elektrostatische Beschichtung od. *elektrophoretische Lackierung haben sich die Zinkphosphat-Schichten bes. bewährt.

2. In der **Textilchemie* wird als P. ein Arbeitsgang der Seidenveredlung bezeichnet, wobei zur *Beschwerung von ungefärbter od. bunt zu färbender *Seide im entbasteten u. gebleichten Zustand diese zunächst mehrere Stunden in eine Zinntetrachlorid-Lsg. (*Pinke*) eingelegt u. nach Schleudern u. Spülen in hartem Wasser in ein warmes Bad von sek. Natriumphosphat gebracht wird, wobei sich in bzw. auf der Faser ein wasserunlösl. Zinnsalz bildet. – ***E*** phosphatizing – ***F*** phosphatation – ***I*** fosfatazione, fosfatizzazione – ***S*** fosfatación

Lit.: Kirk-Othmer (3.) **15**, 304–308 ▪ Ullmann (5.) **A 16**, 411; **A 18**, 489 ▪ Winnacker-Küchler (4.) **4**, 663 ff. ▪ s. a. Korrosion.

Phosphatkali s. Düngemittel.

Phosphat-Rostschutz s. Phosphatieren.

Phosphazane.

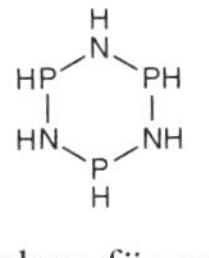

Cyclotriphosphazan (1,3,5,2,4,6-Triazatriphosphinan)

Gruppenbez. für gesätt. *Phosphor-Stickstoff-Verbindungen mit alternierenden P- u. N-Atomen; *Beisp.: Catenadi(phosphazan):* $H_2N–PH–NH–PH_2$, *Triphosphazan:* $H_2P–NH–PH–NH–PH_2$, *Cyclotriphosphazan:* s. Formelbild. – ***E*** = ***F*** phosphazanes – ***I*** fosfazani – ***S*** fosfazanos

Lit.: s. Phosphazene.

Phosphazen-Base P_4-t-Bu.

C

F

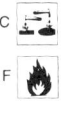

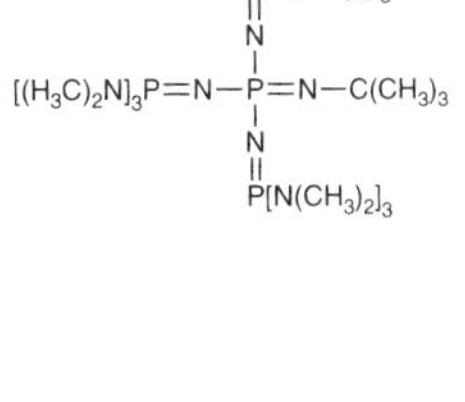

$C_{22}H_{63}N_{13}P_4$, M_R 633,86. Hygroskop., in vielen organ. Lsm. lösl. Feststoff, Schmp. ca. 207 °C. Extrem starke, ster. gehinderte, im kinet. Sinne sehr reaktive organ. *Base, die in der Lage ist, „nackte“ Carbanionen zu erzeugen, die anschließend in hohen Ausbeuten auch *stereoselektiv [1] alkyliert werden können. P.-B. (pK_a 30,25 in DMSO) ist um ca. 10^{18} basischer als DBU (*1,5-Diazabicyclo[4.3.0]non-5-en). Eine weitere Verw. findet P.-B. als bas. Katalysator für die anion. Polymerisation, z. B. für Methacrylsäure-methylester, die vorwiegend syndiotakt. erfolgt [2]. – ***E*** phosphazene base P_4-t-bu – ***I*** base fosfazene P_4-t-bu – ***S*** fosfazena base P_4-t-bu

Lit.: [1] J. Org. Chem. **61**, 2690 (1996). [2] Angew. Chem. Int. Ed. Engl. **32**, 716 (1993).
allg.: Angew. Chem. **99**, 1212 (1987); **105**, 1420 (1993) ■ Nachr. Chem. Tech. Lab. **38**, 1214 (1990) ■ Paquette **6**, 4110. – *[CAS 111324-04-0]*

Phosphazene. Gruppenbez. für ungesätt. *Phosphor-Stickstoff-Verbindungen mit alternierenden P- u. N-Atomen; *Beisp.: Phosphor-Stickstoff-*Ylide* s. Formelbild,

$$R_3P{=}N{-}R \longleftrightarrow R_3\overset{+}{P}{-}\overset{-}{N}{-}R$$

Catenatri(phosphazen): HN=P–N=P–N=PH, $2\lambda^5,4\lambda^5,6\lambda^5$-*Cyclotri(phosphazen):* s. Formelbild.

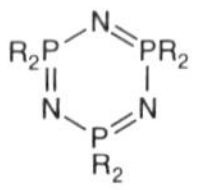

Chlorierte P. entstehen z. B. als Oligomerisationsprodukt von Phosphornitridchlorid (s. dort zur Nomenklatur der Verb. mit fünfbindigem Phosphor) od. durch Erhitzen von an den Phosphor-Atomen chlorierten *cyclo*-*Phosphazanen; diese kann man durch die 1952 entdeckte *Kirsanov-Reaktion*

$$n\,R^1{-}NH_2 + n\,X_2PR^2_3 \rightarrow 2n\,HX + (R^1{-}N{=}PR^2{}_3)_n$$

(n = 2 – 4) erhalten (*Lit.* [1]). Cyclotri(phosphazen) kann durch Ringöffnungspolymerisation in unvernetzte Polymere umgewandelt werden, deren Cl-Atome sich nucleophil substituieren lassen. Dadurch sind schwerentzündliche, transparente, chem. u. therm. stabile Polymere mit Glasübergangstemp. bis unter –100 °C zugänglich. Durch entsprechende Substituenten können auch Eigenschaften wie Photochromismus, Photovernetzbarkeit od. Flüssigkristallinität eingeführt werden. Bioinerte od. bioaktive, membranbildende u. bioabbaubare Poly-P. werden für spezielle biomedizin. Anw. eingesetzt [2]. – ***E*** phosphazenes – ***F*** phosphazènes – ***I*** fosfazeni – ***S*** fosfazenos, fosfacenos

Lit.: [1] Angew. Chem. **87**, 875 f. (1975). [2] Angew. Chem. **108**, 1716 ff. (1996).
allg.: Corbridge, Phosphorus (5.), S. 447 – 499, Amsterdam: Elsevier 1995 ■ Kirk-Othmer (4.) **18**, 777 ff. ■ Nachr. Chem. Tech. Lab. **32**, 582 – 585 (1984) ■ Ullmann (5.) **A 19**, 540 ■ s. a. Phosphornitridchloride.

Phosphazen-Kautschuk, -Polymere s. Polyphosphazene.

Phosphide. Bez. für Verb. des *Phosphors mit Metallen u. Nichtmetallen geringerer Elektronegativität. Die P. der Alkalimetalle (M^I_3P), Erdalkalimetalle ($M^{II}_3P_2$) u. des Aluminiums (AlP) werden durch verd. Säuren od. durch Wasser unter Entwicklung von PH_3 zersetzt. Neben diesen einfachen P. gibt es noch die umfangreiche Gruppe der Polyphosphide; *Beisp.:* SrP_3, $Ba_3(P_7)_2$ u. Abb.:

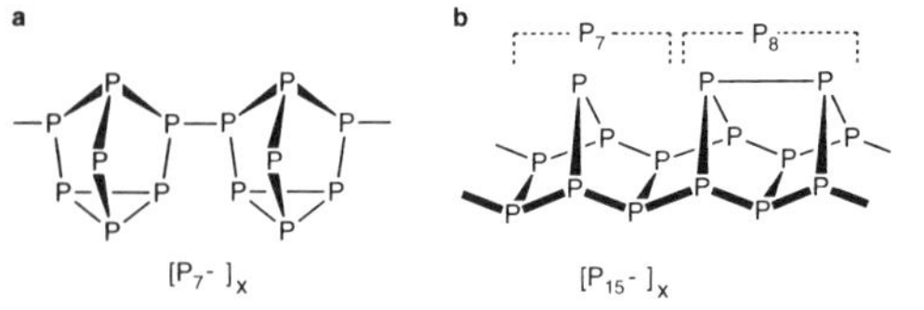

Abb.: Struktur von Alkalipolyphosphiden.

RbP_7 u. CsP_7 enthalten Ketten aus $[P_7^-]$-Käfigen (s. Abb. a), während M^IP_{15} (M^I = Li, Na, K, Rb, Cs) das polymere $[P_{15}^-]_x$-Anion (s. Abb. b) enthalten, das den Röhren des Hittorf'schen violetten Phosphors gleicht: Dort, wo im Polyanion ein zweibindiges P-Atom der P_7-Untereinheit eine neg. Formalladung trägt, verläuft im Element eine P–P-Bindung zur nächsten, quer darüberliegenden Röhre. Beide Polymerstrukturen finden sich nebeneinander in RbP_{11} u. CsP_{11}, andere Schreibweise:

$$M^I_2[P_7^-, P_{15}^-].$$

Die P. der meisten Schwermetalle zeigen dagegen in Zusammensetzung u. Aussehen Ähnlichkeit mit *intermetallischen Verbindungen, werden von verd. Säuren u. Wasser nicht od. nur schwer angegriffen u. sind schwer schmelzbar u. hitzebeständig. Man erhält sie z. B. durch Erhitzen von pulverisiertem Metall u. Phosphor unter Luftabschluß; von Kupfer-P. kennt man CuP_2-, Cu_2P-, Cu_3P_2- u. Cu_3P-Phasen. Einige P., z. B. GaP u. InP haben als Halbleiter Bedeutung erlangt. Die Bildung von Mg_3P_2 aus *Phosphaten u. Mg dient als Vorprobe auf Phosphate (Geruch nach PH_3 bei der Zers. durch Wasser).

Verw.: Aluminium- u. Magnesium-P. für Seenotfeuer u. -rauchsignale sowie (unter bestimmten Auflagen) ebenso wie *Zink- u. *Calciumphosphid in *Fumigantien u. *Rodentiziden als Phosphan-Quelle, Kupfer-, Zinn- u. Eisen-P. als *Desoxidationsmittel, *Indium- u. Gallium-P. als III-V-Halbleiter. – ***E*** phosphides – ***F*** phosphures – ***I*** fosfuri – ***S*** fosfuros

Lit.: Brauer (3.) **2**, 3 ■ Chem. Rev. **88**, 243 – 273 (1988) ■ Kirk-Othmer (4.) **18**, 780 – 783 ■ *Landolt-Börnstein NS 3/7c2 ■ Phosphine and Selected Metal Phosphides (Environmental Health Criteria, Vol. 73), Genf: WHO 1988 ■ Ullmann (5.) **A 19**, 537 f. – *[HS 2848 00; G 2, 6.1]*

Phosphin. PH_3, einfachster u. techn. wichtigster Vertreter der Phosphor-Wasserstoff-Verb., s. Phosphane.

Phosphinalkylene s. Ylide.

Phosphinane s. Phosphinin.

Phosphinate. Bez. für die Salze u. Ester der *Phosphinsäure $H_2P(O)(OH)$. Die Säure wurde früher Unterphosphorige Säure u. die Derivate wurden *Hypophosphite* genannt; *Beisp.:* Natriumhypophosphit s. Natriumphosphinat. Ein organ. P. ist z. B. Natriumdiphenylphosphinat [$(H_5C_6)_2P(O)ONa$, $C_{12}H_{10}NaO_2P$, M_R 240,17]. – ***E = F*** phosphinates – ***I*** fosfinati – ***S*** fosfinatos

Lit.: Chem. Tech. (Leipzig) **34**, 142 ff., 192 – 195 (1982) ■ Synthesis **1974**, 358 f. ■ s. a. Phosphinsäure u. Natriumphosphinat. – *[HS 2835 10]*

Phosphine s. Phosphane.

Phosphinige Säure. Bez. für eine in freier Form unbekannte Säure des 3-wertigen Phosphors der allg. Formel H₂P(OH), M_R 50,00, deren Salze u. Ester *Phosphinite* heißen. Auch organ. P. S. sind bekannt; *Beisp.:* Diphenylphosphinigsäure-alkylester [(H₅C₆)₂P–O–R]. – *E* phosphinous acid – *F* acide phosphineux – *I* acido fosfinoso – *S* ácido fosfinoso
Lit.: Synthesis **1974**, 358 f. – *[HS 2811 19; CAS 25756-87-0]*

Phosphinin.

Phosphinin   λ⁵ - Phosphinin

C₅H₅P, M_R 96,07. Bez. nach IUPAC-Regel R-2.3.3 für das auch *Phosphorin* (Regel B-1; Chemical Abstracts) od. *Phosphabenzol* (Regel R-2.3.3.2 u. B-4) genannte Analogon des Pyridins mit einem P- statt eines N-Atoms im Ring. Um Verb. des P mit der Bindigkeit 3 von denen mit einem 5-bindigem Phosphor-Atom unterscheiden zu können, bezeichnet man letztere mit der λ-*Nomenklatur als Derivate des λ⁵-Phosphinins (Chemical Abstracts: 1,1-Dihydrophosphorin). Gesätt. Abkömmlinge heißen *Phosphinane* (auch: Phosphorinane). Beim unsubstituierten P. handelt es sich um eine farblose, luftempfindliche, flüchtige Flüssigkeit, die Phosphan-Geruch aufweist u. die aufgrund ihrer *Aromatizität in ihren Reaktionen eher dem Benzol als dem Pyridin entspricht. Dagegen verhalten sich die unter Schutzgas stabilen Derivate des λ⁵-P. (gelbe bis rote, in Lsg. grün fluoreszierende Verb.) chem. wie konjugierte Alkene. – *E* = *F* phosphinine – *I* = *S* fosfinina
Lit.: Acc. Chem. Res. **11**, 153–157 (1978); **15**, 58–64 (1982) ▪ Chem. Unserer Zeit **16**, 139–148 (1982) ▪ Houben-Weyl **E 1**, 72 ff. ▪ Quin, The Heterocyclic Chemistry of Phosphorus, S. 141–152, 390–401, New York: Wiley 1981 ▪ Regitz u. Scherer, Multiple Bonds and Low Coordination in Phosphorus Chemistry, S. 220 ff., Stuttgart: Thieme 1990 ▪ Top. Curr. Chem. **38**, 1 (1973). – *[CAS 289-68-9]*

Phosphinite s. Phosphinige Säure.

Phosphinmethylen s. Ylide.

Phosphino... Bez. für die Atomgruppierung –PH₂ in systemat. Namen organ. Verb. (IUPAC-Regel D-5.12; nach neuer Regel R-2.5 auch: Phosphanyl...), s. Phosphane. – *E* = *F* phosphino... – *I* = *S* fosfino...

Phosphinothricin [(*S*)-2-Amino-4-(hydroxymethyl-phosphinoyl)buttersäure, L-Glufosinate].

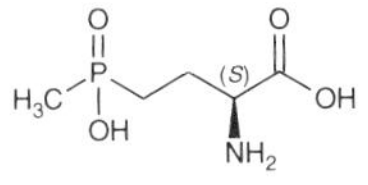

C₅H₁₂NO₄P, M_R 181,12, Schmp. 208–211 °C, $[\alpha]_D^{19}$ +16° (H₂O). P. war die erste beschriebene natürlich vorkommende Aminosäure mit einer Phosphinsäure-Gruppierung. P. ist ein Glutaminsynthetase-Inhibitor mit herbizider u. (schwacher) akarizider Wirkung. Es ist aktiver Bestandteil mehrerer Peptid-Antibiotika aus *Streptomyceten*-Kulturen. P. kann durch Hydrolyse aus *Bilanafos* (Bialaphos), einem Antibiotikum aus *Streptomyces hygroscopicus*, gewonnen werden[1]. Frei kommt P. in Kulturen von *S. viridochromogenes* vor.

Das Monoammoniumsalz von (±)-P. ist als (wasserlösl.) Nachauflauf-Totalherbizid unter dem Namen Basta oder Total im Handel, LD_{50} (Maus, Ratte p.o.) 410–430 bzw. 1600–2000 mg/kg. – *E* phosphinothricin – *F* phosphinotricine – *I* = *S* fosfinotricina
Lit.: [1] Biotechnol. Ser. **28**, 197 (1995) (Review); Bull. Chem. Soc. Jpn. **61**, 3705 (1988) (Synth.); J. Antibiot. **38**, 678 (1985) (Biosynth.).
allg.: Bull. Chem. Soc. Jpn. **64**, 1707 (1991) ▪ Curr. Top. Plant Physiol. **7**, 174 (1991) (Review) ▪ J. Chem. Soc., Perkin Trans. 1 **1989**, 125; **1992**, 1525 (Synth.) ▪ Tetrahedron **48**, 8263 (1992) (Review) ▪ Z. Naturforsch. Teil C **42**, 270 (1987) (Wirkung). – *[CAS 51276-47-2 (Betain); 53369-07-6 (Racemat); 35597-44-5 ((S)-P.); 73777-49-8 ((S)-P.-Hydrochlorid)]*

Phosphinoxide s. Phosphanoxide.

Phosphinoyl... Bez. für die Atomgruppierung

$$\begin{array}{c} H \\ | \\ -P=O \\ | \\ H \end{array}$$

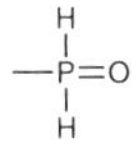

in organ. Verb. [IUPAC-Regeln D-5.66, I-9.10.3, R-3.3 (auch: Dihydrophosphoryl...); Chemical Abstracts: Phosphinyl...], auch bei Substitution der H-Atome durch organ. Reste; *Ausnahme:* –P(O)XX' (X, X' = Heteroatom-Reste) wird mit *Phosphoryl... benannt. – *E* = *F* phosphinoyl... – *I* = *S* fosfinoil...

Phosphinsäure. Bez. für die Säure H₂P(O)(OH), M_R 66,00, die früher *Unter-* od. *Hypophosphorige Säure* genannt wurde u. die mit *Phosphoniger Säure [HP(OH)₂] tautomer ist. P. sind organ. Säuren der allg. Formel

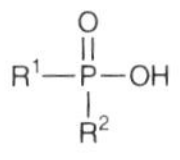

$$\begin{array}{c} O \\ \| \\ R^1-P-OH \\ | \\ R^2 \end{array}$$

mit R¹, R² = organ. Rest od. H. Salze u. Ester heißen *Phosphinate. P. selbst bildet farblose Kristallblättchen, D. 1,49, Schmp. 26,5 °C, in Wasser, Alkohol u. Ether leicht löslich. In wäss. Lsg. ist P. eine einbasige, mittelstarke Säure (pK_a = 1,23), die beim Erwärmen auf 140 °C zu Phosphan u. Phosphonsäure disproportioniert.
Herst.: Man erwärmt Weißen Phosphor mit Bariumhydroxid-Lsg. u. zersetzt das neben PH₃ entstandene Bariumphosphinat mit H₂SO₄.
Verw.: P. u. ihre Salze sind starke Red.-Mittel u. werden zur stromlosen Metall-Abscheidung, insbes. zur stromlosen Vernickelung eingesetzt. Bifunktionelle P. werden für die Herst. schwer entflammbarer Polyester-Fasern verwendet. – *E* phosphinic acid – *F* acide phosphinique – *I* acido fosfinico – *S* ácido fosfínico
Lit.: Brauer (3.) **1**, 539 ff. ▪ Chem. Tech. (Leipzig) **34**, 142 ff., 192–195 (1982) ▪ Gmelin, Syst.-Nr. 16, P, Tl. C, 1965, S. 94–116 ▪ Houben-Weyl **E 2** ▪ Kirk-Othmer (4.) **18**, 737 f. ▪ Organic Phosphorus Compounds, Bd. 5, S. 1 ff., New York: Wiley 1973 ▪ Ullmann (5.) **A 19**, 555 ▪ s. a. Phosphor-organische Verbindungen. – *[HS 2811 19; CAS 6303-21-5]*

Phosphite. Bez. für Salze u. Ester der *Phosphorigen Säure*, P(OH)₃, M_R 82,00, die selbst nur in Form der tautomeren Phosphonsäure existiert (vgl. Formeln dort). Da in den Salzen nur 1 od. 2 der an O-Atome gebundenen H-Atome der Säure durch Metall-Kationen ersetzt sind, müssen diese eigentlich als *Phosphonate bezeichnet werden. Die *prim.* P. haben die allg. Formel $HP(O)(OH)(OM^I)$ (z. B. NaH_2PO_3 = „Natriumphosphit", Natriumhydrogenphosphonat), die *sek.* P. entsprechend $HP(O)(OM^I)_2$. Die P. der Alkalimetalle u. des Calciums sind in Wasser leicht lösl., die übrigen P. dagegen schwer. Die Ester der Phosphorigen Säure (organ. P. u. *Phosphonate), z. B. *Dimethyl- u. *Diethylphosphit (= Dimethyl- u. Diethylphosphonat), *Trimethyl- u. *Triethylphosphit, werden aus PCl_3 u. Alkoholen in techn. Maßstab hergestellt (meist farblose, z. T. übel riechende, von Wasser allmählich hydrolysierte Flüssigkeiten) u. zur Synth. von Insektiziden, Herbiziden, Textilhilfsmitteln, Arzneistoffen, Klebstoffen, Antioxidantien, Flammschutzmitteln, komplexbildenden Additiven, Stabilisatoren, Weichmachern u. dgl. verwendet. – ***E*** = ***F*** phosphites – ***I*** fosfiti – ***S*** fosfitos

Lit.: Houben-Weyl **12/2**, 5–130 ▪ Kirk-Othmer (4.) **18**, 737 ff. ▪ Kontakte (Merck) **1975**, Nr. 2, 3–11 ▪ Synthetica **1**, 391–398; **2**, 362–372 ▪ Ullmann (5.) **A 19**, 556 f. ▪ s. a. Phosphonsäure. – *[HS 2835 10]*

Phospho... a) Bez. für die an N, O od. S gebundene Gruppe $-PO(OH)_2$ (*Phosphono...) in biochem. Namen (IUPAC-Regel D-5.52, *Lit.*[1]); *Beisp.:* folgende Stichwörter. – b) Bez. für die hypothet. Atomgruppierung $-PO_2$; wahre Strukturen: Polymere u. cycl. Oligomere (z. B. *Metaphosphate). Kurzlebige monomere P.-Verb. (Dioxo-λ^5-phosphane) können bei exot. Reaktionen auftreten[2]. – ***E*** = ***F*** phospho... – ***I*** = ***S*** fosfo...

Lit.: [1] Eur. J. Biochem. **79**, 1–9 (1977). [2] J. Am. Chem. Soc. **100**, 6394–6398 (1978); Phosphorus Sulfur **18**, 97–100 (1983).

3′-Phosphoadenosin-5′-phosphosulfat (PAPS, 3′-Phosphoadenylylsulfat).

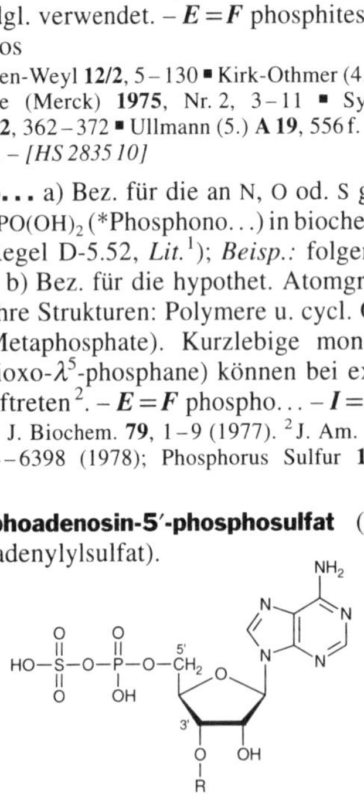

Vierwertiges Anion der 3′-Phosphoadenosin-5′-phosphoschwefelsäure ($C_{10}H_{15}N_5O_{13}P_2S$, M_R 507,26; s. Abb., $R = PO_3H_2$). PAPS kommt bei Pflanzen u. Tieren vor, bei letzteren v. a. in der Leber, u. dient als Donor für Sulfat-Gruppen, die durch *Sulfotransferasen auf verschiedene endogene Substrate (z. B. bei der Biosynth. von *Glykosaminoglykanen wie *Carrageen, *Chondroitinsulfaten, *Heparin) u. auf *Xenobiotika (zur *Entgiftung u. Ausscheidung) übertragen werden. PAPS wird im Organismus in einer zweistufigen Reaktion aus anorgan. Sulfat u. *Adenosin-5′-triphosphat (ATP) synthetisiert:

$$ATP + SO_4^{2-} \underset{(EC\ 2.7.7.4)}{\overset{\text{ATP-Sulfurylase}}{\rightleftharpoons}} APS + PP_i$$

$$ATP + APS \underset{(EC\ 2.7.1.25)}{\overset{\text{APS-Kinase}}{\rightleftharpoons}} PAPS + ADP$$

[APS: Adenosin-5′-phosphosulfat, Adenylylsulfat (als freie Säure in der Abb., R = H); PP_i: anorgan. Diphosphat; ADP: *Adenosin-5′-diphosphat]. Der Abbau von PAPS zu *Adenosin-5′-monophosphat erfolgt durch hydrolyt. Abspaltung von anorgan. Phosphat u. Sulfat in dieser od. auch in der umgekehrten Reihenfolge. – ***E*** 3′-phosphoadenosine 5′-phosphosulfate – ***F*** 3′-phosphoadénosine 5′-phosphosulfate – ***I*** 3′-fosfoadenosina-5′-fosfosolfato – ***S*** 3′-fosfoadenosina-5′-fosfosulfato

Lit.: FASEB J. **11**, 404–418 (1997).

3′-Phosphoadenylylsulfat s. 3′-Phosphoadenosin-5′-phosphosulfat.

Phospho-Cellulose (P-Cellulose). Bez. für *Cellulose-Derivate, in denen einige der Cellulose-Hydroxy-Gruppen durch Phosphat-Gruppen ersetzt sind. Die P.-C. wird z. B. als Kationen-Austauscherharz bei der Chromatographie von Proteinen eingesetzt. – ***E*** phosphocellulose – ***F*** phospho-cellulose – ***I*** fosfocellulosa – ***S*** fosfocelulosa

Phosphodiester (Phosphorsäurediester). Mit 2 Alkohol-Komponenten veresterte Phosphorsäure-Derivate der allg. Form:

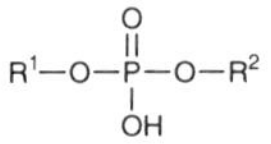

P. besitzen ein acides Wasserstoff-Atom u. reagieren demnach als Protonensäuren. Bei physiolog. (etwa neutralem) pH-Wert sind sie weitgehend deprotoniert u. liegen als Anionen vor. Da sie in Biomol., z. B. in *Phospholipiden u. *Nucleinsäuren, gehäuft auftreten, spricht man dort von *P.-Brücken.* Die *cyclischen Nucleotide, z. B. *Adenosin-3′,5′-monophosphat, enthalten intramol. P.-Brücken. P. werden in Anwesenheit von Laugen, besser jedoch von Säuren od. *Phosphodiesterasen gespalten. Die Verteilung der P. in Geweben kann mit ^{31}P-*NMR-Spektroskopie untersucht werden. – ***E*** = ***F*** phosphodiesters – ***I*** fosfodiestere – ***S*** fosfodiésteres, diésteres del ácido fosfórico

Phosphodiesterasen (PDE). *Hydrolasen (genauer: *Esterasen), die *Phosphodiester spalten (EC 3.1.4). *Beisp.:* Die *Nucleasen, die *Phospholipasen C u. D sowie die Cyclonucleotid-PDE, die *Adenosin-3′,5-monophosphat u. Guanosin-3′,5-monophosphat (cGMP, s. Guanosinphosphate) zu desaktivieren vermögen u. als *second messengers in der Signalfortleitung bei *Hormonen bzw. beim *Sehprozeß wirken. Letztere PDE stellen eine große Gruppe verwandter Enzyme dar, bei denen mind. 7 genet. bedingte Typen unterschieden werden können. Inhibitoren des Typs 4 zeigen entzündungshemmende Wirkung [1]; zum Typ 3, der durch cGMP gehemmt wird, s. *Lit.*[2]. – ***E*** phosphodiesterases – ***F*** phosphodiestérases – ***I*** fosfodiesterasi – ***S*** fosfodiesterasas

Lit.: [1] Trends Pharmacol. Sci. **18**, 164–170 (1997). [2] Curr. Topics Cell. Regul. **34**, 63–100 (1996); J. Biol. Chem. **272**, 6823–6826 (1997). – *[CAS 9025-82-5]*

Phosphoenolbrenztraubensäure s. Phosphoenolpyruvat.

Phosphoenolpyruvat (2-Phosphonooxypropenoat, 2-Phosphonooxyacrylat, Abk.: PEP).

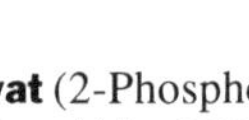

Salz der *Phosphoenolbrenztraubensäure* (s. Abb., $C_3H_5O_6P$, M_R 168,04). In krist. Zustand sind Barium-

Silber-P. (Dihydrat als Nadeln aus wäss. Aceton), Natrium-Dihydrogen-P. (Monohydrat aus Methanol u. Ether) u. Barium-P. (Hexahydrat aus wäss. Alkohol) bekannt.

Biochemie: PEP entsteht in der *Glykolyse aus 2-Phospho-D-glycerat unter Einwirkung des Enzyms *Enolase u. ist die Vorstufe des Pyruvats, in das es unter Übertragung seines Phosphat-Rests auf *Adenosin-5′-diphosphat übergeht. Die damit verbundene Bildung von *Adenosin-5′-triphosphat (ATP) wird auch als Substratketten-*Phosphorylierung bezeichnet. Ermöglicht wird die Reaktion durch die Katalyse der *Pyruvat-Kinase u. das hohe Phosphatgruppen-Übertragungspotential des PEP (apparente freie Standard-Reaktionsenthalpie der Hydrolyse von PEP $\Delta G^{0'} = -61{,}9$ kJ/mol; von einer Phosphat-Gruppe des ATP zum Vgl.: $\Delta G^{0'} = -30{,}5$ kJ/mol), das hauptsächlich in der Tautomerisierung der Enol-Form zur Keton-Form des Pyruvats ($\Delta G^{0'} = -42$ kJ/mol) nach Abspaltung des Phosphat-Rests seine Ursache hat. Die Rückreaktion ist aus energet. Gründen nicht möglich; PEP bildet sich bei der Gluconeogenese aus Pyruvat auf dem Umweg über Oxalacetat (s. Schema bei Glykolyse). In trop. Pflanzen wie Zuckerrohr jedoch kann auf dem C_4-Weg, einem Transport-Cyclus für Kohlendioxid, PEP direkt aus Pyruvat durch die *Pyruvat,Orthophosphat-Dikinase* (EC 2.7.9.1) entstehen; dabei verliert ein ATP-Mol. 2 Phosphat-Gruppen. Biosynthet. von Bedeutung ist PEP als eine der Ausgangsverb. für aromat. Aminosäuren. Beim bakteriellen *PEP-Glykose-Phosphotransferase-Syst.*[1] dient PEP als Phosphatgruppen-Donor: Durch Phosphorylierung der importierten Zucker wird der Import irreversibel. – ***E*** phosphoenolpyruvate – ***F*** phosphoénolpyruvate – ***I*** = ***S*** fosfoenolpiruvato

Lit.: [1] FEMS Microbiol. Rev. **19**, 187–207 (1997); Curr. Biol. **3**, 303 ff. (1993).

allg.: Beilstein E IV **3**, 977 f. ▪ Biospektrum **3**, Nr. 5, 43 ff. (1997) ▪ Chem. Biol. **3**, 83–91 (1996) ▪ Stryer 1996, S. 471, 513 ff., 528, 600–605, 712, 756, 762. – *[HS 291900; CAS 138-08-9]*

Phosphoenolpyruvat-Carboxykinase (PEPCK, EC 4.1.1.32). *Enzym der Gluconeogenese (s. Glykolyse), das die Reaktion katalysiert:

Oxalacetat + GTP → *Phosphoenolpyruvat + GDP + CO_2

(GTP, GDP s. Guanosinphosphate). PEPCK ist bei Tieren ein Schlüsselenzym der Biosynth. von D-*Glucose in Niere u. Leber sowie von *Glycerin in Fettgewebe u. Dünndarm. Die *Transkription des Enzym-Gens u. somit die Bereitstellung des Enzyms wird durch *Adenosin-3′,5′-monophosphat, Gluco-*Corticosteroide u. *Thyroid-Hormone gefördert, durch *Insulin aber behindert. – ***E*** phosphoenolpyruvate carboxykinase – ***F*** phosphoénolpyruvate carboxykinase – ***I*** fosfoenolpiruvato carbossichinasi – ***S*** fosfoenolpiruvato-carboxiquinasa

Lit.: Annu. Rev. Biochem. **66**, 581–611 (1997) ▪ J. Biol. Chem. **272**, 8105–8108 (1997).

Phosphoenolpyruvat-Carboxylase (PEPC, EC 4.1.1.31). Bei Pflanzen, Bakterien u. Cyanobakterien verbreitetes *Enzym, das die Reaktion katalysiert:

*Phosphoenolpyruvat + CO_2 + H_2O → Oxalacetat + P_i

(P_i: anorgan. Phosphat). PEPC ist an *anaplerotischen Reaktionen, bei *CAM-Pflanzen am *diurnalen Säurerhythmus u. bei *C_4-Pflanzen an der photosynthet. Fixierung von Kohlenstoffdioxid (*Hatch-Slack-Cyclus) beteiligt. Das photosynthet. *Isoenzym der PEPC wird *in vivo* bei Lichteinfall an einem Serin-Rest phosphoryliert u. dadurch aktiviert; im Dunkeln wird es durch Malat gehemmt; für die PEPC der CAM-Pflanzen gilt das Umgekehrte: Sie wird bei Tag gehemmt u. ist bei Nacht aktiv. – ***E*** phosphoenolpyruvate carboxylase – ***F*** phosphoénolpyruvate carboxylase – ***I*** fosfoenolpiruvato-carbossilasi – ***S*** fosfoenolpiruvato-carboxilasa

Lit.: Annu. Rev. Plant Physiol. Plant Mol. Biol. **47**, 273–298 (1996) ▪ Richter, Biochemie der Pflanzen, S. 127–134, Stuttgart: Thieme 1996 ▪ Trends Plant Sci. **2**, 230–237 (1997).

Phosphoenolpyruvat-Glykose-Phosphotransferase-System s. Phosphoenolpyruvat.

Phosphofructokinasen (Abk. PFK). Zu den *Transferasen gehörende Enzyme, die eine Phosphat-Gruppe aus *Adenosin-5′-triphosphat auf ein Fructosephosphat übertragen. Mit Hilfe von *6-Phosphofructo-1-kinase* (EC 2.7.1.11), neben Hexokinase ein Schlüsselenzym der *Glykolyse, wird aus D-Fructose-6-phosphat D-Fructose-1,6-bisphosphat (vgl. dort) gebildet. Das unter der Wirkung von *6-Phosphofructo-2-kinase* (EC 2.7.1.105) aus D-Fructose-6-phosphat entstehende β-D-Fructose-2,6-bisphosphat (vgl. dort) wirkt regulator. auf das erstgenannte Enzym. – ***E*** = ***F*** phosphofructokinases – ***I*** fosfofruttochinasi – ***S*** fosfofructoquinasas

Phosphoglucomutase s. α-D-Glucose-1-phosphat.

Phosphogluconat-Weg s. Pentosephosphat-Weg od. Cyclus.

Phosphoglycerate s. Phosphoglycerinsäuren.

Phosphoglycerat-Mutase s. Phosphoglycerinsäuren, Glykolyse (Abb.).

Phosphoglyceride s. Phospholipide.

Phosphoglycerinsäuren (Glycerinsäurephosphate).

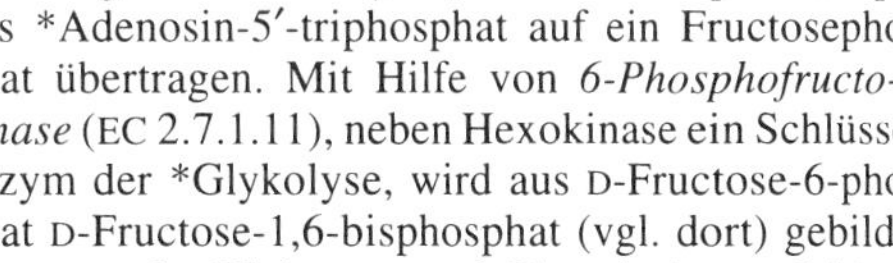

3-Phospho-D-glycerat (D-Glycerat-3-phosphat) 2-Phospho-D-glycerat (D-Glycerat-2-phosphat)

Für die freien Säuren: $C_3H_7O_7P$, M_R 186,06. Beim Abbau der D-Glucose in der *Glykolyse u. bei der Dunkel-Reaktion der *Photosynthese (Calvin-Cyclus) entsteht die D-Form der 3-P., die bei physiolog. pH-Wert (7,2) allerdings überwiegend ionisiert als 3-Phospho-D-glycerat (Nilsson-Ester, s. Abb.) vorliegt u. in der Glykolyse durch *Phosphoglycerat-Mutase* (EC 5.4.2.1) reversibel zu 2-Phospho-D-glycerat isomerisiert wird. – ***E*** phosphoglyceric acids – ***F*** acides phosphoglycériques – ***I*** acidi fosfoglicerici – ***S*** ácidos fosfoglicéricos

Lit.: Beilstein E IV **3**, 1050 f.

Phosphoinosite. Synonym für *Inositphosphate.

Phosphoinositidase s. Inositphosphate u. Phospholipasen.

Phosphoinositide (Phosphatidylinositphosphate). Zu den Inosit-Phospholipiden gehörige, mit einer od. mehreren Phosphorsäure-Gruppen veresterte Phosphatidylinosite (vgl. dort). Von bes. biolog. Bedeutung bei der Weiterleitung von Hormon-, Neurotransmitter- u. a. Signalen in die Zelle (*Signaltransduktion) ist 1-Phosphatidyl-D-*myo*-inosit-4,5-bisphosphat (PtdIns-4,5-P_2, PIP_2, s. Abb. bei Phosphatidylinosite mit $R^3=H$, $R^4=R^5=PO_3^{2-}$) als Substrat der *Phospholipase C (*Phosphoinositidase*) u. unmittelbarer Vorläufer der *second messengers D-*myo*-Inosit-1,4,5-trisphosphat (s. Inositphosphate) u. *Diacylglycerine. Zur Entdeckung eines neuen Biosynth.-Wegs für PtdIns-4,5-P_2 s. *Lit.*[1]. Das isomere 1-Phosphatidyl-D-*myo*-inosit-3,5-bisphosphat (PtdIns-3,5-P_2; $R^4=H$, $R^3=R^5=PO_3^{2-}$) wird von Hefen bei osmot. Streß synthetisiert[2]. Auch 1-Phosphatidyl-D-*myo*-inosit-3,4,5-trisphosphat (PtdIns-3,4,5-P_3; $R^3=R^4=R^5=PO_3^{2-}$) u. -3,4-bisphosphat ($R^3=R^4=PO_3^{2-}$, $R^5=H$) haben Signalfunktion: Ersteres entsteht an der Innenseite der Plasmamembran aus PtdIns-4,5-P_2 durch Einwirkung der *P.-3-Kinase*[3], Letzteres aus PtdIns-3,4,5-P_3 mit Hilfe einer *Phosphatase[4] od. aus 1-Phosphatidyl-D-*myo*-inosit-4-phosphat ($R^4=PO_3^{2-}$, $R^3=R^5=H$) mit Hilfe der P.-3-Kinase[5]. Sie sind Teile der z. B. durch *Insulin, *Insulin-artigen Wachstumsfaktor I u. *Integrine bei Vereinigung mit ihren *Rezeptoren ausgelösten Signalketten. In Ggw. dieser P. phosphoryliert die *3.-P.-abhängige Protein-Kinase 1* (PDK1)[6] die *Protein-Kinase B* (PKB, c-Akt) an einem Threonin-Rest, was zu deren Aktivierung beiträgt. In der Folge wird u. a. Glykogen-Synthase-Kinase 3 phosphoryliert u. dadurch inaktiviert, Glykogen-Synthase dephosphoryliert u. aktiviert, u. somit die Biosynth. von *Glykogen beschleunigt. Die Aktivierung von c-Akt schützt Zellen auch vor drohender *Apoptose[5]. Über eine Phosphorylierung der p70S6-Kinase durch PDK1 wirken Insulin u. andere P.-abhängige Wachstumsfaktoren auf den Zellcyclus ein[7]. Zur Rolle der P. beim intrazellulären Membran-Transport u. zu Auswirkungen auf das *Cytoskelett s. *Lit.*[8]. – ***E*** **=** ***F*** phosphoinositides – ***I*** fosfoinositidi – ***S*** fosfoinosítidos

Lit.: [1]Nature (London) **390**, 192–196 (1997). [2]Nature (London) **390**, 187–192 (1997). [3]FEBS Lett. **410**, 91–95 (1997); Nature (London) **387**, 673–676 (1996); Trends Biochem. Sci. **22**, 267–272, 355–358 (1997). [4]Trends Biochem. Sci. **22**, 427–431 (1997). [5]Cell **88**, 435 ff. (1997). [6]Curr. Biol. **7**, 261–269 (1997); FEBS Lett. **410**, 3–10 (1997). [7]Curr. Biol. **8**, 69–81 (1997). [8]Cell Develop. Biol. **7**, 691–697 (1996); Science **271**, 1533–1539 (1996); Trends Cell Biol. **6**, 92–97 (1996). *allg.:* Nature (London) **387**, 673–676 (1997) ▪ Science **275**, 628 ff. (1997).

Phosphokinasen. Synonym für *Kinasen.

Phosphokreatin s. Kreatinphosphat.

Phospholamban. Bez. für ein Membran-*Phosphoprotein aus 5 ident. Untereinheiten (M_R je 6000) des *sarkoplasmatischen Retikulums, das in seiner unphosphorylierten Form als Inhibitor der dort ebenfalls vorhandenen u. für die Muskel-Relaxation bedeutenden Calcium-Ionen-Pumpe wirkt. Die Phosphorylierung von P. u. somit die Freisetzung u. Aktivierung der Pumpe ist von *Adenosin-3′,5′-monophosphat u. *Calmodulin abhängig. – ***E*** phospholamban – ***F*** phospholambane – ***I*** **=** ***S*** fosfolambano

Lit.: Annu. Rev. Biophys. Biomol. Struct. **26**, 157–179 (1997).

Phospholane s. Phosphole.

Phosphole. Sammelbez. für *heterocyclische Verbindungen, die einen ungesätt. Fünfring mit einem P-Heteroatom enthalten (IUPAC-Regel B-1, R-2.3.3). 1*H*-Phosphol zeigt noch weniger *Aromatizität als *Pyrrol. Gesätt. Derivate heißen *Phospholane*, partiell gesätt. *Dihydrophosphole* (früher: *Phospholene*). – ***E*** **=** ***F*** phospholes – ***I*** fosfoli – ***S*** fosfoles

Lit.: Struct. Bonding (Berlin) **55**, 153–201 (1983) ▪ Top. Phosphorus Chem. **10**, 1–128 (1980).

Phospholipasen. Eine Gruppe von *Hydrolasen, spezieller: *Esterasen, die *Phospholipide hydrolyt. spalten; meist versteht man einschränkend die *Phosphatidasen*, d. h. auf Glycero-phospholipide wirkende Phospholipasen. Diese lösen entweder Carbonsäureester- (P. A u. B, Carbonsäure-Esterasen) od. *Phosphodiester-Bindungen (P. C u. D, Phosphodiesterasen); bei P., die Phosphatidylcholine (PC, *Lecithine) hydrolysieren, spricht man auch speziell von *Lecithinasen*. Man unterscheidet die P. nach ihrem Angriffspunkt (s. Abb.).

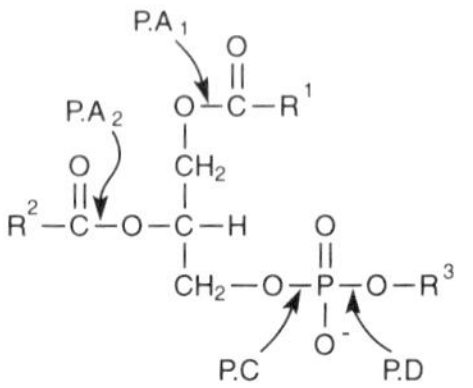

Die *P. A* trennen aus PC bzw. PE (Phosphatidylethanolaminen, s. Kephaline) eine Fettsäure ab unter Hinterlassung von Lyso-PC (*Lysolecithinen) bzw. Lyso-PE, zerstören dadurch die Zellwandstruktur u. bewirken *Hämolyse der roten Blutkörperchen. Dabei spaltet P. A_1 (EC 3.1.1.32) endständige, P. A_2 (EC 3.1.1.4 aus PC u. PE, EC 3.1.1.52 aus PI, 1-Phosphatidyl-D-*myo*-inositen) mittelständige, meist ungesätt. Fettsäuren ab, die im Fall von *Arachidonsäure zu *Eicosanoiden metabolisiert werden. Dies kann durch Rezeptor-Aktivierung ausgelöst u. durch *Annexine gehemmt werden. Die P. A_2 aus Schweine-*Pankreas, bestehend aus 123 Aminosäure-Resten, wird aus einem *Zymogen (M_R 14660) aus 130 Aminosäure-Resten bekannter Sequenz durch Trypsin freigesetzt. Andere Quellen für P. A_2 sind *Bienen-, Wespen- u. *Schlangengifte. Weitere bei Säugern sezernierte Formen der P. A_2 (sPLA_2, M_R ca. 14000), s. *Lit.*[1]. Eine Calcium-Ionen-sensitive im *Cytosol vorkommende P. A_2 (cPLA_2, M_R 85000) spaltet in stimulierten Zellen Arachidonsäure-haltige Phospholipide[2]. Da die Spaltprodukte Entzündungs-fördernd sind, ist diese P. ein potentielles Ziel neuartiger *Antiphlogistika. Die ebenfalls cytosol., aber Ca^{2+}-unabhängige P. A_2 (iPLA_2, M_R 80000) ist wahrscheinlich an der Regulation der Phospholipid-Zusammensetzung der Membranen beteiligt[3]. *P. B* (EC 3.1.1.5) spalten aus Lyso-PC Fettsäure ab (*Lysophospholipasen* bzw. *Lysophosphatidasen*), wobei Glycerinphosphorsäurecholinester übrigbleiben; pH-Optimum bei 6,0–6,3, Temp.-Optimum bei 25 °C; Vork. in Reiskleie, Gerstenmalz, Erbsen, Kartoffeln, Getreide, Schimmelpilzen, tier. Gewebe, Wespengift.

P. C (EC 3.1.4.3, eine Phosphodiesterase) greift PE unter Bildung von *Diacylglycerinen u. Phosphorylethanolamin an; Vork. in den Kulturfiltraten einiger pathogener Mikroorganismen vom Typ des Gasbranderregers, im Hirn u. in Schlangengiften. Auf PI bzw. deren 4,5-Bisphosphate (PIP_2) wirken PI-Phosphodiesterase (EC 3.1.4.10) bzw. PIP_2-Phosphodiesterase (*Phosphoinositidase*, EC 3.1.4.11), die als *Rezeptorgekoppelte P. C* eine Rolle bei der Übertragung von *Hormon-, *Neurotransmitter- u. a. Signalen (*Signaltransduktion) spielt[4,6].
Die Phosphodiesterase *P. D* (EC 3.1.4.4)[5] setzt aus Phosphatidylestern Phosphatidsäuren frei; Vork. in Tieren, Pflanzen, Bakterien u. Hefe. Die in den Membranen tier. Zellen vorkommende P. D unterliegt der Regulation durch *ARF, Rho-Proteine, Phosphatidylinosit-4,5-bisphosphat (s. Phosphatidylinosite u. Phosphoinositide) u. *Protein-Kinase C[6]. – *E = F* phospholipases – *I* fosfolipasi – *S* fosfolipasas
Lit.: [1] J. Biol. Chem. **272**, 17 247 – 17 250 (1997); Trends Biochem. Sci. **22**, 1 f. (1997). [2] J. Biol. Chem. **272**, 16 709 – 16 712 (1997); FEBS Lett. **410**, 49 – 53 (1997). [3] J. Biol. Chem. **272**, 16 069 – 16 072 (1997). [4] J. Biol. Chem. **272**, 15 045 – 15 048 (1997); Tobin, The Phospholipase C Pathway. Its Regulation and Desensitation, Berlin: Springer 1996. [5] Chem. Phys. Lipids **80**, 1 – 116 (1996); J. Biol. Chem. **272**, 15 579 – 15 582 (1997); Physiol. Rev. **77**, 303 – 320 (1997); Sem. Cell Develop. Biol. **8**, 305 – 310 (1997); Trends Plant Sci. **2**, 261 – 266 (1997). [6] Annu. Rev. Biochem. **66**, 475 – 509 (1997).
allg.: FASEB J. **10**, 1159 – 1172 (1996).

Phospholipide. P. sind Phosphorsäuredi-, seltener -monoester, die wegen ihrer fettähnlichen Löslichkeitseigenschaften aufgrund der lipophilen u. hydrophilen Komponenten zu den *Lipiden gerechnet werden u. im Organismus als *Membranlipide* am Aufbau von Schichten-Strukturen, den *Membranen, beteiligt sind. Bes. reichlich sind P. vorhanden in der *Hirnsubstanz u. im *Myelin. P. sind in Wasser unlöslich. Suspendiert man sie, so vereinigen sie sich zu geordneten Aggregaten wie *Micellen, Lamellen, *Liposomen u. a. Membran-Strukturen. Die Fettsäure-Ketten sind dabei parallel ausgerichtet wie in *flüssigen Kristallen, u. die Phosphorsäureester-Gruppen weisen in die wäss. Phase. So bilden P. eine Matrix, in der bei biolog. Membranen die Membran-Proteine eingelagert u. orientiert sind – viele dieser Proteine sind nur in Ggw. von spezif. P. aktiv. Als Lösungsvermittler für die *Blutfette findet man P. in mehreren *Lipoprotein-Fraktionen. Das Gehirn benötigt sogenannte *essentielle P.*, worunter man Phosphatidylcholine (*Lecithine) mit hochungesätt. Fettsäuren versteht. Unter dem Einfluß bestimmter Arzneimittel kann es zu Fehlentwicklung in der P.-Speicherung kommen (*Phospholipidosen*). Eine bes. Gruppe der P., die sich vom *Sphingosin ableitet, wird bei den *Sphingolipiden behandelt. Die meisten P. sind jedoch Derivate des *Glycerins bzw. des *sn*-Glycerin-3-phosphats (s. Glycerinphosphate) als hydrophiler Komponente u. werden auch als *Phosphoglyceride* od. *Phosphatide* bezeichnet (letzteres auch veraltete Bez. für P. insgesamt). Ohne Phosphorsäure-Rest u. daher *nicht* zu den P. gehörig – obgleich prinzipiell u. im Vork. verwandt – sind die *Cerebroside, *Ganglioside u. *Sulfatide; sie sind bei den *Glykolipiden einzureihen.

Zur Analyse der P. s. Lit.[1]. In der Lipid-Nomenklatur hat sich für asymmetr. Glycerin-Derivate die sog. *stereospezif. Numerierung* (Abk.: *sn-*, nach *IUPAC/*IUBMB-Regel Lip-1.13[2]) als nützlich erwiesen, bei der die (freie od. substituierte) Hydroxy-Gruppe in Position 2 des Glycerin-Teils nach links weisend u. das geminale Wasserstoff-Atom nach rechts gezeichnet u. als über die Papierebene ragend gedacht werden, woraufhin das Kohlenstoff-Atom 1 des Glycerin-Teils nach oben, Kohlenstoff-Atom 3 jedoch nach unten gerichtet sind:

$$\begin{array}{l} \text{1-sn}\,CH_2-O-R^1 \\ \quad\quad\quad 2| \\ R^2-O\!\leftarrow\!C\!\leftarrow\!H \\ \quad\quad\quad | \\ \text{3-sn}\,CH_2-O-R^3 \end{array}$$

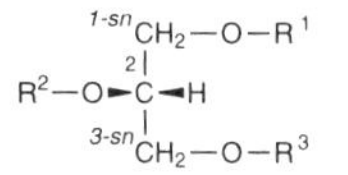

Phosphatidsäuren sind Glycerin-Derivate, die in 1-*sn*- u. 2-Stellung mit Fettsäuren (1-*sn*-Position: meist gesätt., 2-Position: meist ein- od. mehrfach ungesätt.), an Atom 3-*sn* dagegen mit Phosphorsäure verestert sind (Abb.: R^1, R^2 = Acyl, R^3 = Phosphoryl). Die Phosphatidsäuren selbst haben wahrscheinlich regulator. Funktionen für *Cytoskelett, Membrantransport u. Sekretion, werden durch *Phospholipase D aus Phosphatiden freigesetzt u. nur in kleinen Konz. im Gewebe gefunden; ihr Phosphat-Rest ist meist verestert mit Aminoalkoholen wie Cholin (Lecithin = 3-*sn*-Phosphatidylcholin, Abk.: PC) od. 2-Aminoethanol (Ethanolamin) bzw. L-Serin (*Kephalin = 3-*sn*-Phosphatidylethanolamin bzw. -L-serin, Abk. PE bzw. PS), mit *myo*-Inosit zu den in Geweben häufigen Phosphoinositiden [1-(3-*sn*-Phosphatidyl)-D-*myo*-inositen], mit Glycerin zu den im Fruchtwasser nachgewiesenen *Phosphatidylglycerinen*, die auch beim Protein-Export aus Gram-neg. Bakterien eine Rolle spielen sollen. *Cardiolipine* (1,3-Bisphosphatidylglycerine) sind aus *Mitochondrien-Membranen des Herzmuskels isolierte P. aus zwei über Glycerin verknüpften Phosphatidsäuren. *Lysophospholipide* erhält man, wenn aus P. ein Acyl-(Fettsäure-)Rest durch *Phospholipase A abgespalten wird; *Beisp.:* *Lysolecithine. *Phosphatasen u. Phosphodiesterasen wie die Phospholipasen C u. D spalten P. demgegenüber an den Phosphat-Bindungen. Zu den P. rechnet man ferner die *Plasmalogene*, in denen statt einer Fettsäure in 1-Stellung ein Aldehyd (in Form eines Enolethers) gebunden ist; die den Phosphatidylcholinen entsprechenden *O*-1-*sn*-Alkenyl-Verb. z. B. heißen Phosphatid*a*lcholine. Vom Namen Plasmalogen leitet sich die Sammelbez. *Plasmensäuren* her für P. mit einer Enolether-Gruppierung in 1-, einer (ungesätt.) Acyl-Gruppe in 2- u. einer Phosphorsäure-Gruppe in 3-Stellung; die entsprechenden 1-Alkylether-Derivate heißen *Plasmansäuren* u. desacylierte Derivate z. B. *Lysoplasmenylserin*; zur Nomenklatur s. Lit.[2]. Ein weiteres P. ist der *Thrombocyten-aktivierende Faktor* (platelet-activating factor, *PAF, s. die Abb. mit R^1 = Octadecyl, R^2 = Acetyl u. R^3 = Phosphorylcholin). In Ciliaten-Membranen wurden *Phosphonolipide* entdeckt, deren Funktion möglicherweise darin besteht, ein Überleben in Anwesenheit von – selbst sezernierten – Phospholipasen zu ermöglichen.

Biosynth. u. Abbau: Phosphatidyl-L-serine u. Phosphatidylinosite entstehen durch enzymat. Reaktion

von L-Serin bzw. *myo*-Inosit mit 3-CDP-1,2-Diacyl-*sn*-glycerinen (zu CDP s. Cytidinphosphate) unter Freisetzung von Cytidin-5′-monophosphat (CMP, s. Cytidinphosphate). Phosphatidylethanolamine bilden sich bei Decarboxylierung von Phosphatidyl-L-serinen, Phosphatidylcholine wiederum durch schrittweise Methylierung der Ethanolamin-Derivate. Andererseits können freigesetztes Cholin u. Ethanolamin mit Hilfe von Cytidin-5′-triphosphat (s. Cytidinphosphate) aktiviert werden zu den CDP-Derivaten u. dann mit 1,2-Diacyl-*sn*-glycerinen unter Abspaltung von CMP zu den korrespondierenden Phosphoglyceriden reagieren. Deren Abbau erfolgt durch Phospholipasen, Näheres s. dort. Phosphatidsäuren werden durch eine Phosphatase (EC 3.1.3.4) dephosphoryliert. – ***E*** phospholipids – ***F*** phospholipides – ***I*** fosfolipidi – ***S*** fosfolípidos

Lit.: [1] J. Chromatogr. B **692**, 145–156 (1997). [2] Eur. J. Biochem. **79**, 11–21 (1997).
allg.: Annu. Rev. Biochem. **66**, 199–232 (1997) ▪ Cevc, Phospholipids Handbook, New York: Dekker 1993.

Phospholipidosen s. Phospholipide.

Phosphomycin s. Fosfomycin.

Phosphonate. Salze u. Ester der *Phosphonsäure. Die anorgan. P. $HP(O)(OM^I)_2$ werden auch als sek. *Phosphite bezeichnet. Organ. *P*-substituierte P. $[R^1P(O)(OR^2)_2]$ entstehen z. B. durch *Michaelis-Arbusov-Reaktion; sie lassen sich zur Synth. von Olefinen durch die *Horner-Emmons-Reaktion heranziehen. Die Reaktion hat Ähnlichkeit mit der über *Ylide verlaufenden *Wittig-Reaktion.
Verw.: Zur stereoselektiven Synth. von *trans*-Olefinen, techn. als Extraktions- u. Flammschutzmittel, einige als Fungizide, z. B. Aluminium-tris(*O*-ethylphosphonat) unter dem Common name *Aluminiumfosetyl*; s. a. Phosphite. – ***E*** = ***F*** phosphonates – ***I*** fosfonati – ***S*** fosfonatos

Lit.: s. Phosphite, Phosphonsäure, Phosphor. – *[HS 2835 10]*

Phosphonia... s. Phosph(a)...

Phosphonige Säure. Bez. für die Säure $HP(OH)_2$, die selbst nur in Form der tautomeren *Phosphinsäure $[H_2P(O)(OH)]$ existiert (veraltete Bez.: Hypophosphorige Säure); entsprechend liegen Salze u. Monoester als *Phosphinate vor; so sind nur Diester der P. S. bekannt, die als *Phosphonite* zu bezeichnen sind u. am P-Atom organ. Reste tragen können. – ***E*** phosphonous acid – ***F*** acide phosphoneux – ***I*** acido fosfonoso – ***S*** ácido fosfonoso

Lit.: Corbridge, Phosphorus (5.), Amsterdam: Elsevier 1995. – *[CAS 14332-09-3]*

Phosphonite s. Phosphonige Säure.

Phosphonitrildichloride s. Phosphornitridchloride.

Phosphonium-Salze. In Analogie zu *Ammonium gewählte Bez. für quartäre *Onium-Verbindungen des Typs $[PY_4]^+X^-$, wobei Y = H, Halogene, organ. Reste u. X = Halogen od. auch nichtbas. Säurerest sein kann. Die anorgan. P. sind meist wenig stabil; *Beisp.:* Phosphoniumiodid (PH_4I). Die organ. P. bilden sich durch *Quaternisierung von *Phosphor-organischen Verbindungen. Als „innere P." kann man die Verb. vom Typ $R^1_3\overset{+}{P}-\overset{-}{C}R^2_2$ auffassen, die in der *Wittig-Reaktion (*Ylide) eine wichtige Rolle spielen. P.-S. finden Verw. bei der *Phasentransfer-Katalyse, in Antimykotika, im Pflanzenschutz u. bei der *Mottenbekämpfung. – ***E*** phosphonium salts – ***F*** sels de phosphonium – ***I*** sali di fosfonio – ***S*** sales de fosfonio

Lit.: Corbridge, Phosphorus (5.), Amsterdam: Elsevier 1995 ▪ Houben-Weyl **12/1**, 79–135 ▪ Org. React. **29**, 1–162 (1983) ▪ Top. Phosphorus Chem. **11**, 339–435 (1983).

Phosphono... Präfix für die unsubstituierte *Phosphonsäure-Gruppe $-PO(OH)_2$ in Namen für organ. Verb. [IUPAC-Regel D-5.52, R-3.3 (auch: Dihydroxyphosphoryl...); in biochem. Bez.: *Phospho...]. Ester u. a. veränderte P.-Gruppen: s. Phosphoryl... u. Phosphinoyl... – ***E*** = ***F*** phosphono... – ***I*** = ***S*** fosfono...

2-Phosphonobutan-1,2,4-tricarbonsäure (3-Carboxy-3-phosphonoadipinsäure). $C_7H_{11}O_9P$, M_R 270,13.

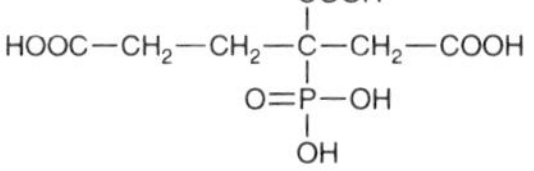

P. u. das Na-Salz finden Verw. als Stein- u. Korrosionsinhibitor in Kühl- u. Prozeßwässern, Sequestriermittel (s. Maskierung) in alkal. Industriereinigern. – ***E*** 2-phosphonobutane-1,2,4-tricarboxylic acid – ***F*** acide 2-phosphonobutane-1,2,4-tricarboxylique – ***I*** acido 2-fosfonobutan-1,2,4-tricarbossilico – ***S*** ácido 2-fosfonobutan-1,2,4-tricarboxílico – *[HS 2931 00; CAS 37971-36-1]*

Phosphonolipide s. Phospholipide.

2-Phosphonooxypropenoat s. Phosphoenolpyruvat.

Phosphonoyl... Bez. für die Atomgruppierung

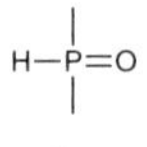

in *Multiplikativnamen [IUPAC-Regel D-5.66, R-3.3 (auch: Hydrophosphoryl...); *Chemical Abstracts:* Phosphinyliden...] u. Polymernamen, auch bei Substitution des H-Atoms mit organ. Resten (mit Heteroatom-Rest aber: *Phosphoryl...). – ***E*** = ***F*** phosphonoyl... – ***I*** = ***S*** fosfonoil...

Phosphonsäure. Bez. für die Säure $HP(O)(OH)_2$, M_R 82,00, die mit der *Phosphorigen Säure* $[P(OH)_3]$ tautomer ist (sog. *dyad. *Tautomerie*, s. *Lit.* [1]).

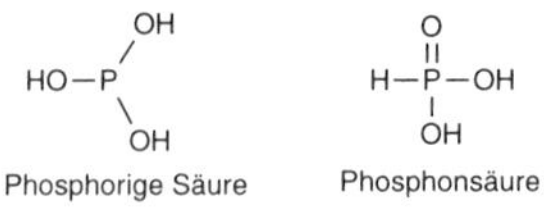

Phosphorige Säure   Phosphonsäure

Echte Derivate der Phosphorigen Säure (*Phosphite) sind nur die Triester. Die in der *Lit.* als sek. Phosphite bezeichneten u. auch in diesem Werk so behandelten Verb. sind dagegen als Salze u. Ester der P. anzusprechen (*Phosphonate). Die durch Hydrolyse von Phosphortrichlorid herstellbare P. bildet farblose, sehr hygroskop. Krist., D. 1,65, Schmp. 74 °C, in Wasser sehr leicht löslich. P. schmilzt beim Erhitzen zu einem farblosen Sirup, der unter Entwicklung brennbarer, giftiger Dämpfe (Phosphan) in Phosphorsäure übergeht: $4\,H_3PO_3 \rightarrow 3\,H_3PO_4 + PH_3$. Durch naszierenden Wasserstoff wird P. zu Phosphan reduziert. Durch Entzug von Wasser erhält man *Diphosphonsäure* [früher: *Diphos-*

phorige Säure, (HO)(O)PH–O–PH(O)(OH)]. Von ungleich größerer Bedeutung als die P. selbst sind die organ. Derivate mit einer P–C-Bindung, z. B. die Alkyl- u. Arylphosphonsäuren wie Ethylphosphonsäure [H_5C_2–P(O)$(OH)_2$] od. *2-Phosphonobutan-1,2,4-tricarbonsäure, deren Namen durch Anhängen von „...phosphonsäure" an den Radikalnamen od. durch Voranstellen von *Phosphono... gebildet werden. Derartige P., z. B. auch (Nitrilotrismethylen)trisphosphonsäure), 1-Amino- u. 1-Hydroxyalkylidendiphosphonsäuren, u. ihre Salze finden Verw. z. B. in der Wasserenthärtung (s. Härte des Wassers), Erzflotation, Schwermetall-Komplexierung, Extraktionstechnik, als Schlickverflüssiger, Abbindeverzögerer für Gips, zur Synth. von Flammschutzmitteln, Pharmaka[2] u. Pestiziden (bei Vergiftungen sind sog. H-*Oxime als Antidot wirksam. – ***E*** phosphonic acid – ***F*** acide phosphonique – ***I*** acido fosfonico – ***S*** ácido fosfónico

Lit.: [1] Pure Appl. Chem. **50**, 945–957 (1980). [2] Chem. Unserer Zeit **18**, 96–106 (1984).
allg.: Brauer (3.) **1**, 538 f. ▪ Büchner et al., S. 100 ff., 105 ▪ Domsch, Pestizide im Boden, S. 280 f., Weinheim: VCH Verlagsges. 1992 ▪ Gmelin, Syst.-Nr. 16, P, Tl. C, 1965, S. 117–138 ▪ Houben-Weyl **E 2** ▪ Kirk-Othmer (4.) **18**, 737 f. ▪ Synthetica **1**, 391–398; **2**, 362–372 ▪ Ullmann (5.) **A 19**, 558 ff. ▪ Winnacker-Küchler (4.) **2**, 257–259 ▪ Z. Chem. **22**, 117–126 (1982); **24**, 290 f. (1984) ▪ s. a. Phosphor-organische Verbindungen. – *[HS 2811 19; CAS 13598-36-2]*

Phosphonsäureamide (cycl.) s. Phostamsäuren.

Phosphophyllit. $Zn_2(Fe^{2+},Mn)[PO_4]_2 \cdot 4\,H_2O$, farblose bis tief blaugrüne, langprismat. od. tafelige, glasglänzende, monokline Krist., Kristallklasse 2/m-C_{2h}; Struktur s. *Lit.*[1]. H. 3–3,5, D. 3,0–3,1, durchsichtig bis durchscheinend.
Vork.: Potosi/Bolivien, Hagendorf/Oberpfalz, USA. P. entsteht auch beim *Phosphatieren. – ***E*** = ***F*** phosphophyllite – ***I*** fosfofillite – ***S*** fosfofilita

Lit.: [1] Am. Mineral. **62**, 812–817 (1977).
allg.: Nriagu u. Morre, Phosphate Minerals, S. 90 f., Berlin: Springer 1985. – *[CAS 12274-71-4]*

Phosphoproteine. Sammelbez. für *Proteine, die kovalent gebundene Phosphorsäure-Reste enthalten, z. B. Casein, Ovalbumin, Pepsin, Phosvitin, Vitelline. Viele Proteine werden zur Regulation ihrer Aktivität durch *Protein-Kinasen in P. überführt u. durch *Protein-Phosphatasen wieder dephosphoryliert (*Beisp.:* *Phosphorylase); Näheres s. Phosphorylierung. – ***E*** phosphoproteins – ***F*** phosphoprotéines – ***I*** fosfoproteine – ***S*** fosfoproteínas

Phosphoprotein-Phosphatasen s. Protein-Phosphatasen.

Phosphor (chem. Symbol P). Nichtmetall. Element der 15. Gruppe des *Periodensystems. Der Name kommt von griech.: phōsphóros = lichtbringend. P. ist ein *anisotopes Element, Atomgew. 30,973762, Ordnungszahl 15. Man kennt künstliche Isotope ^{28}P–^{36}P mit HWZ zwischen 0,28 s u. 25 d sowie das äußerst kurzlebige ^{26}P, von denen z. B. ^{32}P als Tracer Verw. findet. P. tritt in allen Oxidationsstufen zwischen –3 (gegen Wasserstoff) u. +5 (gegen Sauerstoff) u. mit Koordinationszahlen zwischen 1 u. 6 auf (normal sind 3 u. 4). Bei Substitutionsreaktionen am fünfbindigen P. werden bes. topolog. Eigenheiten diskutiert, die mit Begriffen wie *Pseudorotation (od. Berry-Mechanismus) u. *Turnstile-Prozeß belegt werden. In Analogie zu anderen Elementen der Stickstoff-Gruppe kommt P. in verschiedenen allotropen Modif. vor.

T+ F+

Weißer (Gelber od. Farbloser) *α-P.*: Wachsweiche, an frischen Schnittflächen gelbliche, an der Oberfläche weiße, durchscheinende Massen von eigenartigem Geruch, D. 1,83 (fest), 1,74 (flüssig, 50 °C), Schmp. 44,1 °C, Sdp. 280,5 °C, gut lösl. in Schwefelkohlenstoff (krist. daraus regulär, meist in Rhombendodecaedern), Dischwefeldichlorid (S_2Cl_2) u. Phosphortrichlorid (PCl_3), weniger gut in Ether, Benzol, Terpentinöl u. fetten Ölen. α-P. raucht an der Luft, wobei er unter *Chemilumineszenz (deren Mechanismus noch unbekannt ist) u. Wärmeentwicklung langsam zu Phosphorpentoxid (P_2O_5) oxidiert wird; oberhalb von ca. 50 °C tritt *Selbstentzündung ein, weshalb er im allg. unter Wasser aufbewahrt wird. Unterhalb von –76,9 °C geht α-P. in den hexagonalen *Weißen β-P.* (D. 1,88) über. Im festen, geschmolzenen u. gelösten Zustand besteht Weißer P. aus P_4-Mol., im Dampfzustand dissoziiert er >800 °C in P_2-Mol. u. >2000 °C in P-Atome.
P. hat nach Kohlenstoff die am stärksten ausgeprägte Fähigkeit zur Bildung von homonuclearen Element-Element-Bindungen. Diese wurde am Beisp. der *Phosphane mit mehr als 80 nachgewiesenen Spezies P_mH_n (m = 1–22) eindrucksvoll belegt[1]. Außergewöhnlich variantenreich sind auch Metall-organ. Komplex-Verb. mit substituentenfreien („nackten") P-Atomen u. P_n-Liganden[2].

F

Erhitzt man Weißen P. unter Luftabschluß, so entsteht >250 °C *Roter P.* als amorphes dunkelrotes Pulver (D. 2,10), das bei weiterem Erhitzen >450 °C krist. wird. Dieser sog. *Violette* od. *Hittorfsche Phosphor* (D. 2,32) – die zwischen 550 u. 620 °C stabilste P-Modifikation – geht beim Erhitzen über den Schmp. in den dann stabilen Weißen P. über. *Schwarzer P.* als Hochdruck-Modif. des Weißen P. bildet eisengraue, metall. glänzende rhomb. Krist. (D. 2,67, H. 2) mit guter Wärme- u. elektr. Leitfähigkeit, die >550 °C in Roten P. übergehen. Dieser u. der Schwarze P. sind in keinem Lsm. lösl., nicht selbstentzündlich, nichtleuchtend u. nichtflüchtig u. daher auch nicht giftig. Allerdings kann Roter P. im Gemisch mit Kaliumchlorat od. anderen Oxid.-Mitteln durch Stoß u. Reibung (vgl. Zündhölzer) zur Explosion gebracht werden. Aus Schmelzen aller Modif. entsteht immer der Weiße Phosphor. Dieser verbrennt im Chlor-Strom zu Phosphorpentachlorid unter Selbstentzündung, wird durch starke Oxid.-Mittel in wäss. Lsg. zu Phosphorsäure oxidiert u. bildet mit Schwefel zusammengeschmolzen gefährliche, selbstentzündliche Massen. Brände von Weißem P. sind mit Wasser od. Schaum schwer zu löschen, da nach dem Ablaufen od. Verdunsten des Löschmittels mit weiterer Selbstentzündung zu rechnen ist. Der hellrote *Schencksche P.*, den man durch Erhitzen von Weißem P. in siedendem Phosphortribromid erhält, enthält je nach den Herst.-Bedingungen 10–30% Brom.
Nachw.: In Form des Phosphats als schwerlösl. Silberphosphat, Magnesiumammoniumphosphat (mittels *Magnesiamixtur), Ammoniummolybdatophosphat,

durch Polarographie in nichtwäss. Lsm., qual. nach Erhitzen mit Mg u. wäss. Zers. des gebildeten Phosphids durch den Geruch nach PH_3, in der forens. Chemie früher durch den *Mitscherlich-Test* (Wasserdampfdest. des Mageninhalts P.-vergifteter Personen, Chemilumineszenz des mitgerissenen P.). Die quant. Analyse durch Red. mit H_2 bei hohen Temp. u. gaschromatograph. Bestimmung des gebildeten PH_3 ist bes. für Pflanzenmaterial geeignet; weitere Meth. s. bei Phosphate. Aufgrund seines Kernspins 1/2 läßt sich ^{31}P in seinen Verb. NMR-spektroskop. untersuchen, sofern gewisse Einschränkungen (*Lit.*[3]) berücksichtigt werden.

Physiologie: In den Organismen ist P. als Calciumphosphat in den Knochen u. in Form von Phosphorsäureestern – als Baustein von Nucleinsäuren (die Nucleoside werden erst durch Phosphorsäure zu Ketten verknüpft, s. die Abb. der DNA bei Desoxyribonucleinsäuren) u. als Bestandteil von Phospholipiden – in allen belebten Zellen anzutreffen; Phosphate, bes. als Baustein vieler *Coenzyme, energiespeichernder Nucleosid-Phosphate (z.B. *Adenosin-5′-triphosphat) u. der *Phosphoproteine, sind für die normalen Lebensabläufe – in Pflanze od. Tier – unentbehrlich. Ein Mensch vom Durchschnittsgew. 70 kg enthält ca. 700 g P., von denen ca. 600 g im Knochensyst. fest gebunden sind. Der P.-Bedarf liegt bei 0,8–1,2 g/d (*Lit.*[4]). Süßwasserorganismen können P. sehr stark anreichern; so enthalten z.B. Algen rund 1000mal, Süßwasserschwämme 4500mal, Fische 13000mal u. Planktonkrebse 40000mal soviel P. wie das gleiche Vol. des umgebenden Wassers. Das ist sowohl im Hinblick auf *Eutrophierung als auch auf die Entgiftung von *Phosphat-haltigen Abwässern u. den Abbau organ. Substanz mit Rückführung des P. in den Kreislauf (s. unten) von Bedeutung.

Toxikologie: Weißer P. ist sehr giftig (MAK 0,1 mg/m^3), doch kommen akute Vergiftungen kaum vor, denn sie setzen Inhalation von Dampf od. Staub od. orale Aufnahme voraus, was in der Praxis leicht vermeidbar ist. Als Symptome treten Kollaps, Atemlähmung u. Koma auf. Subakute Vergiftungen (z.B. durch Dämpfe od. Hautresorption) äußern sich durch Übelkeit u. Erbrechen, später durch blutige Durchfälle, Nierenschäden u. Lebernekrosen, die noch nach 3 Wochen zum Tode führen können. Lokal verursacht Weißer P. schwere Verbrennungen mit tiefen, sehr schlecht heilenden Wunden. Chron. Vergiftungen haben Knochendegenerationen mit Verdickung, Schleimhautblutungen u. Kiefernekrosen zur Folge; zur Ersten Hilfe u. Therapie bei P.-Vergiftungen u. -Verbrennungen s. *Lit.*[5]. Bei dem an sich ungiftigen Roten P. kann es nach Inhalation größerer Mengen P.-Staub ggf. zu Pneumonien kommen.

Vork.: P. kommt infolge seiner Reaktionsfähigkeit nie elementar, sondern fast ausschließlich in Form der beständigen Phosphate vor; Näheres s. dort. Mit ca. 0,1 Gew.-% ist P. am Aufbau der obersten, 16 km dicken Erdkruste beteiligt u. steht damit in der Häufigkeitsliste der Elemente an 12. Stelle zwischen Chlor u. Kohlenstoff. Der Kreislauf des P. in der Natur ist wegen der Nichtflüchtigkeit sowohl der anorgan. als auch der organ. Phosphate auf Litho- u. Hydrosphäre beschränkt. Im lithosphär. Cyclus wird im Boden vorhandenes Phosphat von den Pflanzen aufgenommen u. in Ester umgewandelt: Oxidative u. photosynthet. *Phosphorylierung. Zurück in den Boden gelangt das Phosphat durch Verrottung der Pflanzen od. – über die Nahrungskette mit den Gliedern Pflanzen, Tiere u. Menschen – teils durch Exkremente, teils durch Verwesungsprozesse. Aus dem Boden ausgewaschenes od. von Abwässern eingeschlepptes Phosphat wird von den Flüssen in Seen u. Ozeane transportiert. In aquat. Syst. läuft der P.-Cyclus sehr viel rascher ab. Insbes. Algen vermögen P. außerordentlich schnell aufzunehmen u. zu verwerten (sog. „Algenblüte" bei *Eutrophierung von Gewässern). Sie spielen im Wasser die gleiche Rolle wie die Pflanzen an Land. Ein großer Teil des über Zooplankton u. Fische weiterverwerteten P. wird am Boden des Gewässers als Phosphat-Gestein bildendes Sediment aus dem Kreislauf ausgeschleust; Näheres dazu s. *Lit.*[6].

Herst.: Als „weißer P." durch elektrotherm. Red. von granuliertem Phosphaterz (meist Fluorapatit) mit Kohle, in Ggw. von Kies (SiO_2) zur Bildung einer niedrig schmelzenden Schlacke ($CaSiO_3$). Die Reaktion erfolgt etwa bei 1500 °C nach der Summengleichung

$$2\,Ca_5[F/(PO_4)_3] + 9\,SiO_2 + 15\,C \rightarrow 3\,P_2 + 15\,CO + 9\,CaSiO_3 + CaF_2$$

in einem geschlossenen Niederschachtofen unter Verw. von *Söderberg*-Elektroden; Ofenleistung 50–70 MW. Das Verf.-Schema gibt die Abb. wieder.

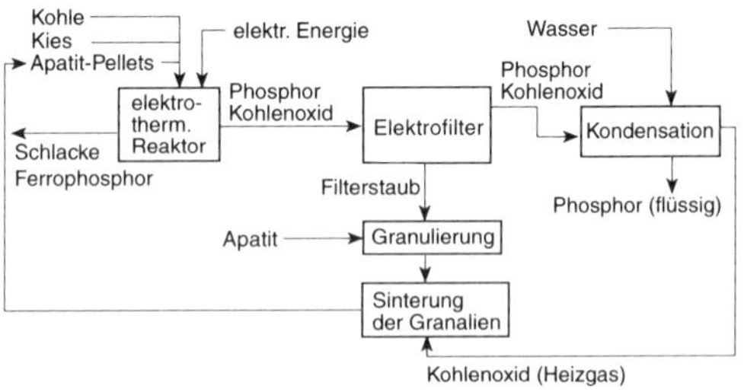

Abb.: Schemat. Ablauf der Phosphor-Herstellung.

Vom unteren, mit Kohle ausgekleideten Teil des Ofens werden Schlacke u. Ferrophosphor (aus dem Eisen-Anteil im Rohmaterial) abgezogen; am Kopf entweichen Kohlenoxid u. P.-Dampf. Der bei der folgenden, bei 280 °C mit Elektrofiltern betriebenen Gasreinigung abgeschiedene Staub wird der Rohstoff-Granulierung zugeführt, u. das bei der Kondensation des P. mit Wasser verbleibende CO kann als Energieträger zum Sintern der Apatit-Pellets verwendet werden. Der Stromverbrauch liegt bei ca. 13 kWh pro kg Phosphor. Zur Umwandlung in Roten P. wird der Weiße in geschlossenen Kugelmühlen im Laufe von ca. 24 h auf 270–275 °C erhitzt; gegen Autoxid. kann die rote Modif. durch Stabilisatorbeschichtung geschützt werden. Die Weltkapazitäten zur Erzeugung von P. lagen 1995 bei 1,25 Mio. t/a; davon entfielen 504000 auf die GUS-Staaten, 264000 auf die USA u. 171000 auf Westeuropa.

Verw.: Weißer P. ist Ausgangsprodukt zur Herst. von Phosphorpentoxid, Phosphorsäure u. Phosphaten,

Phosphorchloriden, Phosphorpentasulfid u. Rotem P., geringe Mengen dienen auch zur Herst. P.-haltiger Legierungen. Im 2. Weltkrieg wurden größere Mengen von Weißem P. für Brandbomben u. andere militär. Zwecke verwendet. Roter P. dient u. a. zur Herst. von P.-Verb. u. Phosphiden, als Halogen-Überträger (z. B. bei Bromwasserstoffsäure-Synth.), in der Pyrotechnik für Rauch- u. Feuerwerkskörper, als Flammschutzmittel in Kunststoffen u. zur Herst. der Reibflächen von Streichholzschachteln (s. Zündhölzer); zur Anw. in der organ. Synth. s. *Lit.*[7]. Einen Überblick über die anorgan. u. organ. Chemie des P. bietet *Lit.*[8]. Verb. des radioaktiven ^{32}P finden Verw. in der Nuklearmedizin u. Diagnostik. Den Fortschritten der P.-Chemie sind internat. Konferenzen gewidmet (ICPC, vgl. *Lit.*[9]).

Geschichte: P. wurde 1669 von dem dtsch. Alchimisten Hennig Brand durch Dest. von Urin u. Glühen des Rückstands erstmals gewonnen, wenn auch seine Entdeckung anderen (*Kunckel von Löwenstern u. Krafft) zu Unrecht zugeschrieben wurde. Als Element wurde P. erst von *Lavoisier erkannt. Roter P. wurde 1848 von Anton von Schrötter isoliert u. als allotrope Modif. des Weißen P. gedeutet, was zuvor schon Berzelius vermutet hatte [10]; Näheres zur Geschichte des P. s. *Lit.*[11], wo auch auf die Zusammenhänge zwischen dem Element P. u. den „Phosphoren" vom Typ der *Lenard-Phosphore eingegangen wird. – *E* phosphorus – *F* phosphore – *I* fosforo – *S* fósforo

Lit.: [1] Chem. Rev. **94**, 1273–1297 (1994). [2] Regitz u. Scherer, Multiple Bonds and Low Coordination in Phosphorus Chemistry, S. 112–127, Stuttgart: Thieme 1990. [3] Gorenstein, Phosphorus-31 NMR, Orlando: Academic Press 1984. [4] Belitz-Grosch (4.), S. 380. [5] Braun-Dönhardt, S. 300. [6] Hutzinger **1 A**, 147–167. [7] Synthetica **1**, 388–390. [8] Corbridge, Phosphorus (5.), Amsterdam: Elsevier 1995. [9] Phosphorus Sulfur Silicon Relat. Elem. **90**–92 (1994). [10] J. Chem. Educ. **1968**, 110–130. [11] New Sci. **74**, 769 (1977); Angew. Chem. **81**, 634–645 (1969); Phosphorus Sulfur Silicon Relat. Elem. **78**, 1–13 (1993).
allg.: Brauer (3.) **1**, 506–510 ▪ Büchner et al., S. 68–105 ▪ Gmelin, Syst.-Nr. 16, P, 1964–1967 ▪ Hommel, Nr. 99, 969 ▪ Hutzinger **3 D**, 207–216 ▪ Hydrobiologia **107**, 19–34, 91–101 (1988) ▪ Kettrup u. Hüppe in: Seiler u. Sigel (Hrsg.), Handbook on Toxicity of Inorganic Compounds, S. 521–532, New York: Dekker 1988 ▪ Kirk-Othmer (4.) **18**, 719–736 ▪ Mitteilungsbl. Chem. Ges. DDR **31** (6), 98–107 (1984); **34** (4), 74–79 (1987) ▪ Polyhedron **6** (3), 351–382 (1987) ▪ Pure Appl. Chem. 52, 755–1150 (1980) ▪ Ullmann (5.) **A 19**, 505–525 ▪ Winnacker-Küchler (4.) **2**, 204–267. – *Zeitschriften u. Serien:* Phosphorus, New York: Gordon & Breach (1971–1975) ▪ Phosphorus and Sulfur (seit 1989: Phosphorus, Sulfur, Silicon, and Related Elements), New York: Gordon & Breach (seit 1976) ▪ Topics in Phosphorus Chemistry, New York: Wiley (1964–1983). – *[HS 280470; CAS 7723-14-0 (P. allg.); 100320-09-0 (weißer P.)]*

Phosphoramide (Phosphorsäureamide). Zu den Amiden der Phosphorsäure gehören Phosphortriamid (a), Phosphordiamidsäure (b) u. Phosphoramidsäure (c).

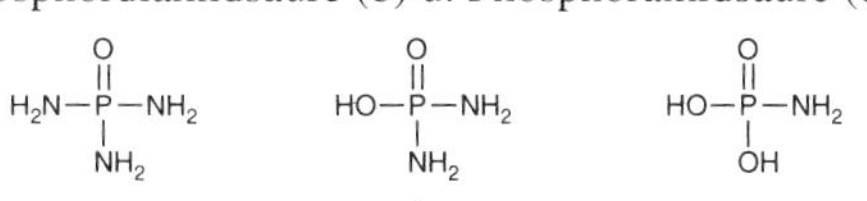

$$\underset{a}{\overset{O}{\underset{NH_2}{H_2N-P-NH_2}}} \quad \underset{b}{\overset{O}{\underset{NH_2}{HO-P-NH_2}}} \quad \underset{c}{\overset{O}{\underset{OH}{HO-P-NH_2}}}$$

Unter den mit organ. Gruppen substituierten P. finden sich interessante Lsm. (*Beisp.:* *Hexamethylphosphorsäuretriamid), verschiedene Pestizide (*Beisp.:* *Fosthiazat, Phosfolan, *PB-Toxin) u. unter den cycl. P. wichtige Cytostatika (*Beisp.:* *Cyclophosphamid, *Ifosfamid, *Trofosfamid). – *E* phosphoric amides – *F* amides phosphoriques – *I* ammidi fosforiche – *S* amidas fosfóricas

Lit.: Brauer (3.) **1**, 558–563 ▪ Lappert et al., Metal and Metalloid Amides, Chichester: Horwood 1979 ▪ Z. Chem. **19**, 161–169 (1979).

Phosphoramidon {*N*-[*N*-[(6-Desoxy-α-L-mannopyranosyloxy)hydroxyphosphoryl]-L-leucyl]-L-tryptophan}.

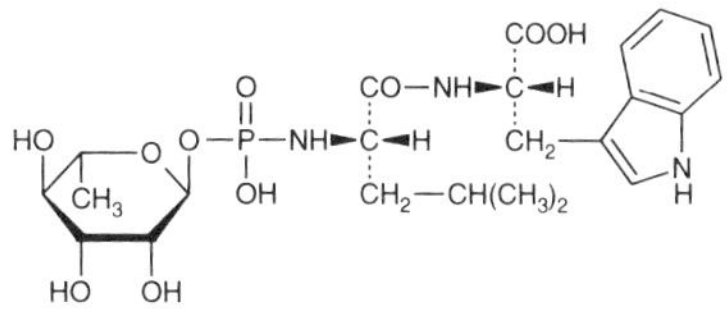

$C_{23}H_{34}N_3O_{10}P$, M_R 543,51, Schmp. des Na-Salzes: 173–178 °C (Zers.). Antibiotikum aus Kulturen von *Streptomyces tanashiensis* u. anderen Actinomyceten. P. ist ein spezif. Inhibitor für Thermolysin u. Enkephalinase sowie das Endothelin Converting Enzyme (ECE). Es hemmt die spontane Metastasierung bestimmter Tumorzellen. – *E* phosphoramidon – *F* phosphoramidone – *I* fosforoamidone – *S* fosforamidona

Lit.: Anticancer Res. **4**, 221 (1984) ▪ Beilstein E V **22/14**, 101 ▪ J. Mol. Biol. **114**, 119 (1977) ▪ Tetrahedron Lett. **36**, 1435 (1995). – *[CAS 36357-77-4]*

Phosphorane. Nach IUPAC-Regel D-5.7 sowie R-2.2.2 u. R-5.1.3.3 [1] veraltete Bez. für *Phosphor-organische Verbindungen mit der Koordinationszahl u. der Wertigkeit 5, die sich von PH$_5$ ableiten u. besser als λ^5-Phosphane benannt werden sollten; *Beisp.:* (H$_5$C$_6$)$_3$PCl$_2$ (λ^5-Dichlortriphenylphosphan, Dichlortriphenylphosphoran). Auch *Ylide werden gelegentlich als P.-Derivate bezeichnet; *Beisp.:* (H$_5$C$_6$)$_3$P=CH$_2$ (Methylentriphenylphosphoran). Cycl. P. werden als Phosphor-haltige *heterocyclische Verbindungen benannt. Chemical Abstracts benutzt die P.-Nomenklatur auch für anorgan. Verb. vom Typ des H$_4$P-PH$_4$ (Diphosphoran), die nach IUPAC Di-λ^5-phosphan heißen sollten. – *E = F* phosphoranes – *I* fosforani – *S* fosforanos

Lit.: [1] IUPAC, Nomenklatur der Organischen Chemie, S. 44, 93, Weinheim: VCH Verlagsges. 1997.
allg.: s. Phosphor-organische Verbindungen.

Phosphorbromide. Die Bromide des Phosphors sind giftige, stark ätzende u. korrodierend wirkende Stoffe, die verschlossen aufzubewahren sind. a) *Phosphortribromid*, PBr$_3$, M_R 270,69. Farblose, rauchende, stechend riechende Flüssigkeit, D. 2,88, Schmp. –41,5 °C, Sdp. 173,3 °C, unter Zers. lösl. in Wasser u. Alkohol, lösl. in Schwefelkohlenstoff, Chloroform, Ether u. Tetrachlormethan.

b) *Phosphorpentabromid*, PBr$_5$, M_R 430,49. Gelbe Kristallmasse, Subl. bei 83,3 °C, Sdp. >106 °C (Zers.), wird durch Wasser u. Alkohol zersetzt, lösl. in Schwefelkohlenstoff u. Tetrachlormethan.

Verw.: Zu organ. Synth., insbes. zu Bromierungen. – *E* phosphorus bromides – *F* bromures de phosphore – *I* bromuri di fosforo – *S* bromuros de fósforo

Lit.: Gmelin, Syst.-Nr. 16, P, Tl. C, 1965, S. 373f., 491–504 ▪ Hommel, Nr. 679, 880 ▪ Kirk-Othmer (4.) **18**, 755f. ▪ Pure Appl. Chem. **44**, 307–316 (1975) ▪ Synthetica **2**, 375f. ▪ Ullmann (5.) **A 4**, 424 ▪ Winnacker-Küchler (4.) **2**, 251f. – *[HS 2812 90; CAS 7789-60-8 (a); 7789-69-7 (b); G 8]*

Phosphorbronzen. Umgangssprachliche Bez. für *Bronzen, denen *Phosphor als Leg.-Element zugesetzt wird. Phosphor erniedrigt die Viskosität der Schmelze, verbessert das Formfüllungsvermögen u. die Gießbarkeit. – ***E*** phosphor bronzes – ***F*** bronzes phosphoreux – ***I*** bronzi al fosforo – ***S*** bronces de fósforo

Phosphorchloride. a) *Phosphortrichlorid*, PCl_3, M_R 137,33. Farblose, an feuchter Luft stark rauchende Flüssigkeit, D. 1,575, Schmp. –93,6 °C, Sdp. 76,1 °C, MAK-Wert 3 mg/m^3 od. 0,5 ppm. PCl_3 addiert leicht O, S, Cl u. geht dabei in Phosphor(V)-Verb. über; in Wasser hydrolysiert es unter Bildung von *Phosphonsäure, in Ether, Chloroform u. Schwefelkohlenstoff ist es leicht löslich.

C 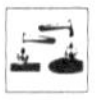

Verw.: Zur Herst. z. B. von Säurechloriden, organ. Phosphiten, Phosphonsäuren u. deren Derivaten, Phosphorpentachlorid, *Phosphoroxidtrichlorid ($POCl_3$), Phosphorsulfidtrichlorid ($PSCl_3$).
b) *Phosphorpentachlorid*,, PCl_5, M_R 208,24. Weiße od. leicht gelbliche, rauchende, giftige Kristallmasse, D. 2,114, Schmp. 167 °C (unter Druck), subl. bei 159 °C, MAK-Wert 1 mg/m^3. PCl_5 zieht an feuchter Luft H_2O an (Bildung von $POCl_3$ u. HCl), löst sich in Wasser sehr leicht unter Erwärmung u. Zers. (Bildung von Phosphorsäure u. Salzsäure) u. zerfällt beim Erhitzen unter Chlor-Abspaltung. In der Gasphase liegen trigonal-bipyramidale PCl_5-Mol. vor, im Krist. u. in Schmelzen ist PCl_5 ionisiert in $[PCl_4]^+$ u. $[PCl_6]^-$, in unpolaren Lsm. löst sich PCl_5^- teils als Monomer, teils als Dimer mit Chloro-Brücken, u. in polaren Lsm. findet ebenfalls Ionisierung zu $PCl_4^+PCl_6^-$ statt (bei sehr kleinen Konz. auch zu $PCl_4^+Cl^-$).
Verw.: PCl_5 dient als starkes Chlorierungsmittel in der organ. u. anorgan. Synth., z. B. zur Herst. von Vilsmeier-Reagenzien, von Säurechloriden u. als Katalysator für Kondensations- u. Cyclisierungsreaktionen. – ***E*** phosphorus chlorides – ***F*** chlorures de phosphore – ***I*** cloruri di fosforo – ***S*** cloruros de fósforo

Lit.: Chem. Tech. (Leipzig) **33**, 190–192 (1981) ▪ Encycl. Gaz, S. 793–797 ▪ Fortschr. Chem. Forsch. **10**, 207–237 (1968) ▪ Gmelin, Syst.-Nr. 16, P, Tl. C, 1965, S. 372 f., 412–542 ▪ Hommel, Nr. 162, 652 ▪ Kirk-Othmer (4.) **18**, 755 ff. ▪ Phosphorus Trichloride and Phosphorus Oxychloride Health and Safety Guide, Genf: WHO 1989 ▪ Pure Appl. Chem. **44**, 307–316 (1975) ▪ Ullmann (5.) **A 19**, 532 f. ▪ Winnacker-Küchler (4.) **2**, 251 ff. – *[HS 2812 10; CAS 7719-12-2 (a); 10026-13-8 (b); G 8]*

Phosphordichloridnitrid s. Phosphornitridchloride.

Phosphore. Materialien, die *Phosphoreszenz zeigen; s. Leuchtstoffe, Lenard-Phosphore u. Lumineszenz.

Phosphoreisen s. Ferrophosphor.

Phosphoreszenz. Neben der *Fluoreszenz eine Erscheinungsform der *Lumineszenz, d. h. der Lichtemission nach Energiezufuhr. Unter P. versteht man je nach Autor Emissionsprozesse mit langen Abklingzeitkonstanten (>10^{-3} s) bzw. solche mit temperaturabhängigem, exponentiellem od. nichtexponentiellem Zeitverhalten. Die Unterscheidung zwischen P. u. Fluoreszenz (schnelle bzw. monomol. temperaturunabhängige Prozesse) ist nicht immer eindeutig, zudem etwas veraltet u. sollte in Zukunft vermieden werden. Zu den Anregungsmöglichkeiten von P. vgl. Lumineszenz. – ***E*** = ***F*** phosphorescence – ***I*** fosforescenza – ***S*** fosforescencia

Lit.: s. Lumineszenz.

Phosphoreszenz-Spektroskopie (Phosphorimetrie). Analog zur *Fluoreszenz-Spektroskopie Meth. zur quant. Untersuchung der *Phosphoreszenz, insbes. der spektralen Verteilung des emittierten Lichtes, aber auch dessen Zeitverhalten, Polarisation, Abhängigkeit von der Probentemperatur. Die Messungen werden häufig bei der Temp. des flüssigen Stickstoffs od. Heliums durchgeführt, da dadurch therm. Verbreiterungen der Banden in Emissionsspektren vermieden werden. Die P.-S. u. die Fluoreszenz-Spektroskopie können auch zum Nachw. von Spurenelementen u. a. geringen Beimischungen verwendet werden. – ***E*** phosphorescence spectroscopy – ***F*** spectroscopie de phosphorescence – ***I*** spettroscopia di fosforescenza – ***S*** espectroscopia de fosforescencia

Phosphorfluoride. a) *Phosphortrifluorid*, PF_3, M_R 87,97. Farbloses Gas, D. 3,907 g/L, Schmp. –151,5 °C, Sdp. –101,2 °C. – b) *Phosphorpentafluorid*, PF_5, M_R 125,97. Farbloses Gas, D. 5,805 g/L, Schmp. –93,7 °C, Sdp. –84,5 C°. Verw. als Katalysator für ion. Polymerisationen, zur Ionen-Implantation in Halbleiter. – c) *Diphosphortetrafluorid*, P_2F_4, M_R 137,94. Farbloses Gas, Schmp. –86,5 °C, Sdp. –6,2 °C. – d) *Tetraphosphorhexafluorid*, F_6Pe $P(PF_2)_3$, M_R 237,89. Farblose Flüssigkeit, Schmp. –68 °C. – ***E*** phosphorus fluorides – ***F*** fluorures de phosphore – ***I*** fluoruri di fosforo – ***S*** fluoruros de fósforo

Lit.: Brauer (3.) **1**, 207 f. ▪ Encycl. Gaz, S. 853–856 ▪ Gmelin, Syst.-Nr. 16, P, Tl. C, 1965, S. 388–399 ▪ Kirk-Othmer (4.) **11**, 405 f. ▪ Ullmann (5.) **A 11**, 340 f.; **A 19**, 534. – *[HS 2826 19; CAS 7783-55-3 (a); 7647-19-0 (b)]*

Phosphor-haltige Polymere. Sammelbez. für anorgan. u. organ. *Polymere, die Phosphor-Atome als Bestandteile der Haupt- od. Seitenketten enthalten. Zu den anorgan. P.-h. P. zählen Verb. wie *Polyphosphate, Phosphoroxynitrile [$(PON)_x$] od. Phosphor-Stickstoff-Polymere. Zu der weitaus größeren Klasse der organ. P.-h. P. gehören die in Einzelstichworten behandelten *Polyphosphine, *Polyphosphinoxide, *Polyphosphite, *Polyphosphonate, *Polyphosphate od. *Polyphosphazene, die mit wenigen Ausnahmen (z. B. Polyvinylphosphonsäure) Phosphor-Atome in der Hauptkette enthalten. Die genannten organ. P.-h. P. sind im allg. teuer in der Herst. u./od. hydrolyseinstabil; sie haben daher bis heute keine größere techn. Bedeutung erlangt. Großes Interesse hat dagegen die Modifizierung konventioneller Polymerer mit Phosphor-haltigen Verb. gefunden. Hauptziel dabei ist, den Polymeren erhöhte Flammfestigkeit zu vermitteln. Die Modifizierung entsprechender Polymeren kann erreicht werden durch *Copolymerisation der Basis-Monomeren mit Vinylphosphonaten od. Phosphor-haltigen Diaminen u. Diolen. Auch über *Polymer-analoge Reaktionen, z. B. durch Umsetzung von *Polyethylen mit Phosphortrichlorid u. Sauerstoff, od. durch *Pfropfcopolymerisations-Reaktionen ist der Einbau von Phosphor in Polymere möglich. Über diese Meth.

kann eine breite Vielzahl organ. Polymere, u. a. Polyolefine, Polyvinyl- u. Polyacryl-Verb., Polyester od. Polyamide, modifiziert werden. Von größter Bedeutung sind P.-h. P. schließlich in der belebten Natur. So sind die *Nucleinsäuren hochmol. *Polynucleotide, in denen die einzelnen *Nucleotide über Phosphorsäure-Einheiten esterartig miteinander verknüpft sind (s. a. Desoxyribonucleinsäuren u. Nucleinsäuren). – ***E*** phosphorous-containing polymers – ***F*** polymères qui contiennent de phosphore – ***I*** polimeri contenente fosforo – ***S*** polímeros que contienen fósforo

Lit.: Encycl. Polym. Sci. Eng. **11**, 96 – 126 ▪ Mark, Allcock u. West, Inorganic Polymers, Englewood Cliffs, New Jersey: Prentice Hall 1992.

Phosphor-Heterocyclen s. Phosphor-organische Verbindungen.

Phosphorhölzer s. Zündhölzer.

Phosphorhydride s. Phosphane.

Phosphorige Säure. Bez. für die hypothet. Verb. $P(OH)_3$, von der lediglich Triester (*Phosphite) bekannt sind. Die stabile tautomere Form $HP(O)(OH)_2$ heißt Phosphonsäure; Näheres s. dort. – ***E*** phosphorous acid – ***F*** acide phosphoreux – ***I*** acido fosforoso – ***S*** ácido fosforoso – *[HS 2811 19; CAS 10294-56-1]*

Phosphorimetrie s. Phosphoreszenz-Spektroskopie.

Phosphorinane, Phosphorin s. Phosphinin.

Phosphorite. Bez. für sedimentäre (*Sedimente) marine, seltener lakustrine *Phosphat-*Erze mit >20% Gehalt an P_2O_5 bzw. >43% an Tricalciumphosphat (als BPL = bone phosphate of lime), die neben ursprünglich amorph-kolloidalem, später feinkörnig rekristallisiertem *Carbonat-Fluor-*Apatit* (*Francolith*, Kollophan) oft auch Knochenreste, Fischzähne, *Koprolithe, *Quarz, *Calcit, *Dolomit, *Pyrit u. *Ton enthalten. Ausbildung hart- bis weicherdig, *Konglomerat-artig, knollig, pelletoid bis sehr feinkörnig u. strukturlos; Farbe grauweiß, grünlich od. braun. Entstehung mariner P. durch Hochströmen kalten, nährstoffreichen Tiefenwassers an Kontinentalrändern, damit verbundener Steigerung der Lebensdichte u. Anhäufung der Überreste als Phosphat-reicher Schutt od. Schlamm auf dem Meeresboden.

Vork.: Hauptförderländer sind die USA, Kasachstan, Marokko (Hauptexporteur), China u. Jordanien; weitere Vork. in Tunesien, Algerien, Togo, Israel, Mexiko, Venezuela u. Peru. – ***E*** = ***F*** phosphorites – ***I*** fosforiti – ***S*** fosforitas

Lit.: Earth Sci. Rev. **40**, 55 – 124 (1996) ▪ Harben u. Bates, Industrial Minerals, Geology and World Deposits, S. 190 – 201, London: Industrial Minerals Division of Metal Bulletin Plc 1990 ▪ Nriagu u. Moore (Hrsg.), Phosphate Minerals, S. 249 – 291, Berlin: Springer 1984 ▪ Pohl, Lagerstättenlehre (4.), S. 283 – 287, Stuttgart: Schweizerbart 1992 ▪ s. a. Phosphate u. Apatit.

Phosphormolybdänsäure s. 12-Molybdatophosphorsäure.

Phosphornitridchloride (Phosphonitrildichloride). Oligomere des im monomeren Zustand nicht bekannten $PNCl_2$ mit der allg. Formel $(PNCl_2)_x$ u. ketten- od. ringförmiger Struktur. Die Verb. $N{\equiv}PCl_2$ wird nach IUPAC *Phosphordichloridnitrid* od. *Phosphoronitridsäurechlorid*, nach Chem. Abstr. *Phosphonitrilchlorid* genannt. Hexachlor-2λ^5,4λ^5,6λ^5-cyclotri(phosphazen) (Formel a), $[PNCl_2]_3$, M_R 347,66, D. 1,98, Schmp. 114 °C, ist – ebenso wie die anderen cycl. P. (mit x = 4 – 8) – hochsiedend (Sdp. 256 °C), unlösl. od. zersetzlich in Wasser u. lösl. in organ. Lösemitteln.

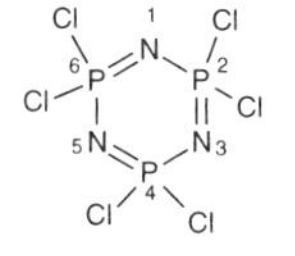

Hexachlor-2λ5,4λ5,6λ5-cyclotri(phosphazen)

a

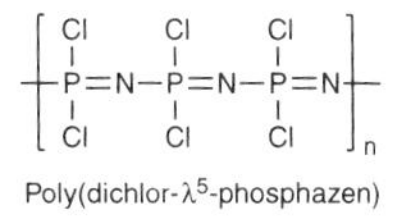

Poly(dichlor-λ5-phosphazen)

b

Die P. entstehen z. B. durch Reaktion von Ammoniumchlorid mit Phosphorpentachlorid. Als *Phosphor-Stickstoff-Verbindungen mit alternierenden Kettengliedern werden die oligomeren P. als *Phosphazene (s. die *Beisp.*) benannt; die Verb. sind in Chem. Abstr. nach dem *Hantzsch-Widman-System u. bei mehr als 10 Ringgliedern mit extrem langen *Austauschnamen benannt. Die P. sind in ihren niedermol. Vertretern sehr reaktionsfreudig im Hinblick auf z. B. Polymerisation, Hydrolyse, Ammonolyse, Aminolyse, Veresterung, Reaktion mit Phenylmagnesiumbromid, Fluorwasserstoff, Natriumazid, Kaliumthiocyanat u. Friedel-Crafts-Reaktion. Bei längerdauerndem Erhitzen auf 250 °C entstehen elastomere *Polyphosphazene* (s. Formel b, sog. *anorgan. Kautschuk*), die an feuchter Luft jedoch unter HCl-Entwicklung allmählich zu einer krümeligen Masse aus Ammoniumchlorid u. Ammoniumphosphat hydrolysieren. Ersetzt man die Cl-Atome durch Alkoxy-, Phenoxy-, Amino-, bes. aber durch Perfluoralkoxy-Gruppen, so erhält man chem. u. therm. beständige Polymere, deren elastomere u./od. thermoplast. Eigenschaften sie zu einer Vielzahl von speziellen Anw. in der Textil-, Luftfahrt-, Fahrzeug- u. Erdöl-Ind. geeignet erscheinen lassen; *Beisp.:* Phosphornitrid(perfluoralkoxid)-Elastomere (PNF). – ***E*** phosphorus dichloride nitrides, phosphonitrile dichlorides – ***F*** dichlorures phosphonitriliques, nitrures-dichlorures de phosphore – ***I*** dicloruri di fosfonitrile – ***S*** dicloruros fosfonitrílicos, nitruros-dicloruros de fósforo

Lit.: Brauer (3.) **1**, 554 ff. ▪ Chem. Ztg. **105**, 213 – 216 (1981) ▪ Gmelin, Syst.-Nr. 16, P, Tl. C, 1965, S. 533 f., 540 – 545 ▪ J. Elast. Plast. **9**, 3 – 24 (1977) ▪ Kirk-Othmer (4.), **18**, 777 ff. ▪ Mark, Allcock u. West, Inorganic Polymers, Englewood Cliff.: Prentice Hall 1992 ▪ Naturwissenschaften **62**, 530 (1975) ▪ Polym. News **5**, Nr. 1, 9 – 17 (1978) ▪ Pure Appl. Chem. **52**, 1063 – 1097 (1980) ▪ Ullmann (5.) **A 19**, 540 ▪ s. a. Phosphazene. – *[CAS 940-71-6* $(PNCl_2)_3$*]*

Phosphornitrilchlorid-Polymere s. Polyphosphazene.

Phosphorochalcit s. Pseudomalachit.

Phosphorolyse. In Analogie zum Begriff der *Hydrolyse ist P. die heterolyt. Spaltung einer polaren kovalenten Bindung durch Phosphorsäure od. Phosphate, wobei eines der Spaltprodukte das Dihydrogenphosphat-Ion ($H_2PO_4^-$, od. je nach pH-Wert stärker deprotonierte Formen) anlagert, das andere ggf. ein Wasserstoff-Ion (H^+) aufnimmt. Ein Beisp. ist die P. von

*Glykogen zu *α-D-Glucose-1-phosphat unter Katalyse des Enzyms *Phosphorylase. – *E* phosphorolysis – *F* phosphorolyse – *I* fosforolisi – *S* fosforólisis
Lit.: Stryer 1996, S. 614f.

Phosphor-organische Verbindungen. Im engeren Sinne gesätt. od. ungesätt. offenkettige od. cycl. Verb. mit einer od. mehreren Kohlenstoff-Phosphor-Bindungen. Die Anzahl der P.-o. V. ist in den letzten Jahren stark angewachsen, wobei Verb., in denen der Phosphor ungewöhnliche Bindungsverhältnisse eingeht, z. B: $\sigma^1\lambda^3$- od. $\sigma^3\lambda^5$-Koordination, zur Zeit im Mittelpunkt aktueller Forschung stehen. Die IUPAC-Regeln RB1 u. D-5 sowie R-2.2.2, R-5.1.3.3 u. R-5.7.3[1] behandeln die Nomenklatur der P.-o. V., wobei zur Unterscheidung der verschiedenen Wertigkeiten u. Koordinationszahlen die σ- u. *λ*-Nomenklatur eingeführt wurde[2]. Nach diesem Prinzip läßt sich leicht ein Überblick über die verschiedenen Typen von P.-o. V. erhalten, wie Abb. 1 u. 2 zeigen.

Bindigkeit (λ)	Koordinationszahl (σ)	Formel	Stoffklassenname (veraltete Bez.)
1	1	R—P:	Phosphinidene
3	1	—C≡P	Alkylidinphosphane (Phosphaacetylene)
	2	\C=P/	Alkylidenphosphane (Phosphaalkene)
	3	R—⬡(P)	Phosphinine (Phosphorine)
		R$_3$P	Phosphane (Phosphine)
	4	R$_4$P$^+$ X$^-$	Phosphonium-Salze
5	3	\C=P=C/	Bis(alkyliden)-λ^5-phosphane
	4	—P=C\	Alkyliden-λ^5-phosphane (Phosphor-Ylide)
		—P=O	Phosphanoxide (Phosphinoxide)
		—P—OH ‖ O	Phosphinsäuren
		OH | —P—OH ‖ O	Phosphonsäuren
	5	R$_5$P	λ^5-Phosphane (Phosphorane)

Abb. 1: Ausgewählte Phosphor-organische Verbindungstypen.

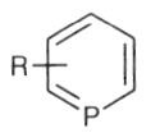

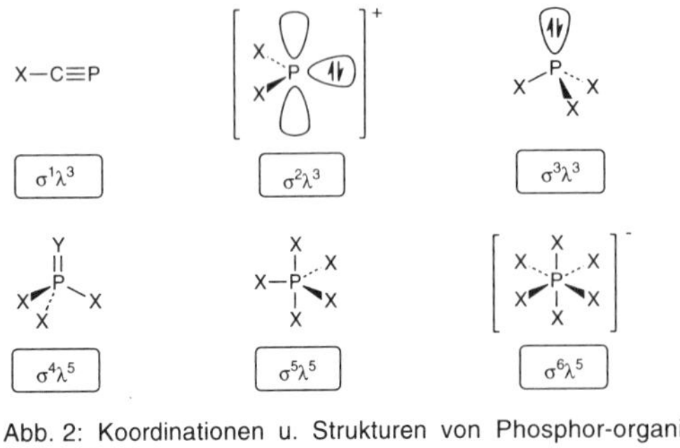

Abb. 2: Koordinationen u. Strukturen von Phosphor-organischen Verbindungen.

Als Vertreter der P-haltigen *heterocyclischen Verbindungen[3] sind neben den Phosphininen auch die *Phosphole – als P-Analoga der Pyrrole – zu nennen. Eine Reihe von Phosphan-Komplexen sind nützliche Homogenkatalysatoren, die auch für *asymmetrische Synthesen geeignet sind; s. Beisp. bei Phosphane u. vgl. dazu die Herst. von (S)-Dopa durch katalyt. asymmetr. *Hydrierung. *Nitroxyl-Radikale enthaltende P.-o. V. lassen sich zur *Spinmarkierung bei der Untersuchung von Phosphorylierungen in organ. Syst. benutzen.
Als Pioniere auf dem Gebiet der P.-o. V. müssen Arbuzov u. Michaelis angesehen werden (s. Michaelis-Arbuzov-Reaktion u. Abb. 3a); die Wittig-Reaktion[4] (s. Abb. 3b), die Synth. des ersten opt. aktiven Phosphans durch Horner[5] u. das von Berry entwickelte Konzept der *Pseudorotation (od. des *Turnstile-Prozesses) waren weitere Meilensteine zur Entwicklung der Phosphor-organ. Chemie. In jüngster Zeit stehen die Synth. u. die Reaktionen von P.-o. V. mit Phosphor-Kohlenstoff-Doppel- u. -Dreifachbindung (s. Abb. 3c, d) – allg. von niederkoordinierten P.-o. V. mit Mehrfachbindungen – u. hypervalente P.-o. V.[6] im Blickpunkt des Interesses. Die Einführung von Phosphor-Resten in organ. Verb. bezeichnet man als *Phosphorylierung[7], die insbes. in biochem. Syst. eine große Bedeutung besitzt.

a $(R^1O)_3P$ + R^2-X $\xrightarrow{-R^1-X}$ $(R^1O)_2\overset{O}{\overset{\|}{P}}-R^2$ Michaelis-Arbusov-Reaktion

b $R^1_3P=CH_2$ + $\underset{R^3}{\overset{R^2}{\diagdown}}C=O$ $\longrightarrow$ $R^1_3P=O$ + $H_2C=C\underset{R^3}{\overset{R^2}{\diagup}}$ Wittig-Reaktion

c $H_3C-\underset{Cl}{\overset{Cl}{P}}$ $\xrightarrow[-2\,HCl]{\triangle}$ $H-C\equiv P$

d $[(H_3C)_3Si]_3P$ + $R-\underset{\|\,O}{C}-Cl$ $\xrightarrow{-(H_3C)_3Si-Cl}$

$(H_3C)_3Si-P=C\underset{R}{\overset{O-Si(CH_3)_3}{\diagup}}$ $\xrightarrow[-[(H_3C)_3Si]_2O]{+NaOH/\triangle}$ $R-C\equiv P$

Phosphaalken — Phosphaalkin

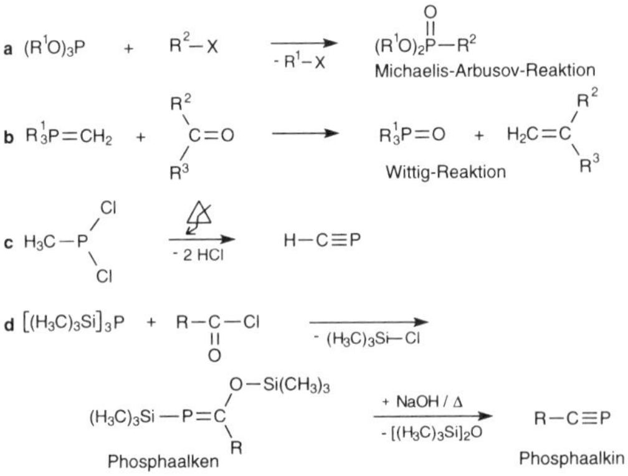

Abb. 3: Wichtige Reaktionen Phosphor-organischer Verbindungen.

Im weiteren Sinne versteht man bes. in der Technik unter P.-o. V. die Ester der phosphorigen Säure (*Phosphite*), der Phosphonsäure (*Phosphonate*) u. v. a. Phosphorsäureester sowie Derivate, in denen der Sauerstoff gegen Schwefel ausgetauscht ist. Während von den oben erwähnten P.-o. V. nur wenige von Interesse sind, finden sich unter den P.-o. V. mit Sauerstoff-Phosphor-Bindungen Schädlingsbekämpfungsmittel (auch Kampfstoffe, s. chemische Waffen), Flotationsmittel, Antioxidantien, Flammschutzmittel, Stabilisatoren, Schmieröladditive, Weichmacher usw. Von überragender Bedeutung im Pflanzenschutz sind die *Insektizide auf der Basis der *Phosphorsäureester* (Näheres s. dort). Nicht zu den P.-o. V. rechnet man die körpereigenen Nucleotide u. Nucleinsäuren, Phospholipide wie Lecithine, Phosphoproteide wie Casein u. die Phosphate des Zuckers u. des Glycerins. – *E* organophosphorus compounds – *F* composés organo-phosphoriques – *I* composti organici del fosforo – *S* compuestos organofosfóricos

Lit.: [1] IUPAC, Nomenklatur der Organischen Chemie, S. 44, 93, 139, Weinheim: VCH Verlagsges. 1997. [2] Pure Appl. Chem. **56**, 769–778 (1984). [3] Trends Org. Chem. **5**, 151 (1995). [4] Justus Liebigs Ann. Chem. **580**, 44 (1953). [5] Tetrahedron Lett. **1961**, 161. [6] Chem. Rev. **96**, 927 (1996). [7] Chem. Ber./Recueil **130**, 1021 (1997).

allg.: Angew. Chem. **93**, 771–788 (1981); **100**, 1541–1565 (1988); **108**, 261 ▪ Berger et al., NMR-Spektroskopie von Nichtmetallen, Bd. 3, ^{31}P-NMR-Spektroskopie, Stuttgart: Thieme 1993 ▪ Chem. Rev. **88**, 1327 f. (1988); **90**, 191–213, 997–1025 (1990); **97**, 3401 (1997) ▪ Corbridge, Phosphorus, An Outline of its Chemistry, Biochemistry and Technology, 5. Aufl., Amsterdam: Elsevier 1995 ▪ Dillon, Nixon u. Mathey, The Phosphorus Carbon Analogy, Chichester: Wiley 1997 ▪ Edmundson, Dictionary of Organophosphorus Compounds, London: Chapman & Hall 1985 ▪ Engler, Handbook of Organophosphorus Compounds, New York: Dekker 1992 ▪ Patai, The Chemistry of Organophosphorus Compounds, Bd. 1–4, Chichester: Wiley 1990–1996 ▪ Houben-Weyl **12/1**; **12,2**; **E 1**; **E 2** ▪ Katritzky et al. **2**, 425 f., 819 f. ▪ Kirk-Othmer (4.) **18**, 737 ff. ▪ Quin, The Heterocyclic Chemistry of Phosphorus, New York: Wiley 1981 ▪ Regitz u. Scherer, Multiple Bonds and Low Coordination in Phosphorus Chemistry, Stuttgart: Thieme 1990 ▪ Ullmann (5.) **A 19**, 545 ff. ▪ Verkade u. Quin, Phosphorus-31 NMR Spectroscopy in Stereochemical Analysis, Deerfield Beach: VCH Publishers 1987 ▪ Winnacker-Küchler (4.) **2**, 256–267. – *Serien:* Organophosphorus Chemistry, Bd. 1–21, Cambridge: The Royal Society of Chemistry 1969–1996. – *Zeitschriften:* Phosphorus and the Related Group V Elements, New York: Gordon and Breach 1973–1976; abgelöst von: Phosphorus, Sulfur and the Related Elements: New York: Gordon and Breach 1977–1988; abgelöst von: Phosphorus, Sulfur and Silicon and the Related Elements, New York: Gordon and Breach ab 1989.

Phosphoroxide. Von den Oxiden des Phosphors hat nur das „Diphosphorpentoxid" techn. Bedeutung.

a) *Phosphortrioxid*, P_2O_3 (P_4O_6), M_R 109,95 (219,89), wachsweiche, weiße, monokline, sehr giftige, brennbare Krist., D. 2,135, Schmp. 24 °C, Sdp. 175 °C (Stickstoff-Atmosphäre), lösl. in Benzol u. Schwefelkohlenstoff. P_2O_3 ist ein Anhydrid der Phosphorigen Säure u. reagiert an der Luft weiter zu Phosphorpentoxid (bei vermindertem Druck unter Chemilumineszenz). Oberhalb 210 °C zersetzt es sich zu Phosphor u.

b) *Phosphortetroxid*, P_2O_4 (P_4O_8; Gemisch von P_4O_7, P_4O_8 u. P_4O_9), M_R 125,96 (251,92), D. 2,54, Schmp. >100 °C.

c) *Phosphorpentoxid*, P_2O_5, (P_4O_{10}), M_R 141,96 (283,92), farb- u. geruchlose, sehr hygroskop., ätzende Krist., MAK 1 mg/m^3, D. 2,30, krist. hexagonal, Subl. 358,9 °C. Bei längerem Erhitzen wandeln sich die P_4O_{10}-Mol. in polymeres P_2O_5 um [Schichtstruktur, mehrere Kristallformen, stabilste Form: Schmp. 580–585 °C (unter Abschluß)]. P_4O_{10} reagiert heftig mit Wasser zu Phosphorsäure, polymeres P_2O_5 dagegen sehr langsam.

Herst.: P_4O_{10} entsteht beim Verbrennen von Weißem Phosphor im trockenen Luftstrom.

Verw.: Zum Trocknen von Gasen, Flüssigkeiten u. festen Stoffen sowie zur Abspaltung von Wasser aus organ. Verb., zu Kondensations- u. Polymerisationsreaktionen, Acylierungen, Umlagerungen, zur Herst. von Phosphorsäure, organ. Phosphaten u. anderen P-Verb., zur Erhöhung des Erweichungspunktes von Asphalten. Der dichte, weiße Rauch, der beim Verbrennen von Phosphor auftritt, wurde im 1. Weltkrieg zeitweise zum Einnebeln verwendet. – *E* phosphorus oxides – *F* oxides de phosphore – *I* ossidi fosforici – *S* óxidos de fósforo

Lit.: Angew. Chem. **93**, 120 f., 1023 f. (1981) ▪ Brauer (3.) **1**, 526 ff. ▪ Gmelin, Syst.-Nr. 16, P, Tl. C, 1965, S. 68–95 ▪ Hommel, Nr. 673 ▪ Kirk-Othmer (4.) **18**, 768–773 ▪ Pure Appl. Chem. **52**, 825–842 (1980) ▪ Ullmann (5.) **A 19**, 527–530 ▪ Winnacker-Küchler (4.) **2**, 253 f. ▪ Z. Chem. **23**, 117–125 (1983). – *[HS 2809 10; CAS 1314-24-5 (P_2O_3); 12440-00-5 (P_4O_6); 1314-56-3 (P_2O_5); 16752-60-6 (P_4O_{10}); G 8]*

Phosphoroxidtrichlorid (nach IUPAC: Phosphorylchlorid, Phosphorsäuretrichlorid od. Phosphortrichloridoxid; veraltet: Phosphoroxychlorid). $POCl_3$, M_R 153,33. Farblose, an feuchter Luft rauchende, giftige, haut- u. schleimhäutereizende Flüssigkeit, D. 1,68, Schmp. 1,3 °C, Sdp. 108,7 °C, MAK-Wert 1 mg/m^3 od. 0,2 ppm, die bei der katalysierten Luftoxid. von PCl_3 entsteht. Bei Wasserzusatz wird $POCl_3$ zu Phosphorsäure u. Salzsäure hydrolysiert:

$$POCl_3 + 3\,H_2O \rightarrow H_3PO_4 + 3\,HCl.$$

Verw.: Zur Chlorierung ($POCl_3 + 3\,ROH \rightarrow H_3PO_4 + 3\,RCl$), zur Herst. von Säurechloriden [1], Anhydriden, *Vilsmeier-Reagenzien, Triphenylmethan-Farbstoffen u. Phosphorsäureestern (z. B. Trikresylphosphat), als Kondensationsmittel in organ.-chem. Synth., auch als Lsm. in der Kryoskopie u. allg. als nichtwäss. Lösemittel [2]. – *E* phosphorus trichloride oxide, phosphoryl chloride – *F* oxyde de trichlorure de phosphore, chlorure de phosphoryle – *I* triclorurossido di fosforo(V), ossicloruro di fosforo – *S* óxido de tricloruro de fósforo, cloruro de fosforilo

Lit.: [1] Angew. Chem. **90**, 740 f. (1978). [2] Waddington, Nichtwäßrige Lösungsmittel (UTB 142), S. 79–86, Heidelberg: Hüthig 1972.

allg.: Gmelin, Syst.-Nr. 16, P, Tl. C, 1965, S. 458–480 ▪ Hommel, Nr. 158 ▪ Kirk-Othmer (4.) **18**, 761 ff. ▪ Ullmann (5.) **A 19**, 535 ▪ Winnacker-Küchler (4.) **2**, 251–254. – *[HS 2812 10; CAS 10025-87-3; G 8]*

Phosphoroxychlorid s. Phosphoroxidtrichlorid.

Phosphorsäure. Die wichtigste Oxosäure des Phosphors, von der sich die *Di- u. die kondensierten *Meta- u. *Polyphosphorsäuren ableiten, ist die dreibasige, auch *Orthophosphorsäure* genannte P., $(HO)_3P(O)$, M_R 98,00, die sich bei stufenweisem Ersatz der H-Atome zu prim. (sauren), sek. u. tert. Phosphaten umsetzen läßt (Näheres s. dort). P. bildet in reinem Zustand wasserklare, harte, an der Luft zerfließliche, rhomb. Säulen, D. 1,87, Schmp. 42,35 °C, die in Wasser in jedem beliebigen Verhältnis lösl. sind. Geschmolzene P. läßt sich sehr leicht um 10–20 °C unter den Schmp. unterkühlen u. kann so lange Zeit gelagert werden. Gewöhnlich kommt P. als sirupartige, 83–90%ige, konz. wäss. Lsg. (D. 1,7–1,75) in den Handel. Sie ist eine mittelstarke Säure mit $pK_{a1} = 2{,}161$, $pK_{a2} = 7{,}207$, $pK_{a3} = 12{,}325$; ihr scheinbarer Dissoziationsgrad beträgt in 1 N Lsg. 6%. P. wirkt weniger ätzend als Schwefelsäure u. erst bei höheren Temp. oxidierend; beim Verdünnen mit Wasser erwärmt sie sich weniger als Schwefelsäure. Wasserfreie P. zeigt in geschmolzenem Zustand aufgrund der Bildung des sog. Phosphatacidium-Ions hohe elektr. Leitfähigkeit: $2\,H_3PO_4 \rightleftharpoons P(OH)_4^+ + H_2PO_4^-$.

Abgesehen von der Ätzwirkung der konz. P. ist, bes. von verd. Lsg., keine gesundheitsschädigende Wirkung bekannt – der menschliche Körper enthält in Form von *Phosphorsäureestern, *Phospholipiden u. -proteinen sowie *Nucleinsäuren ca. 700 g P u. benötigt ca. 0,8–1,2 g P/d. Die Nachw.-Reaktionen entsprechen denen der *Phosphate; zur P.-Bestimmung in Cola-Getränken s. Lit.[1].
Herst.: Naß-P. (in wäss. Lsg. hergestellte P.) erhält man durch Aufschließen von Rohphosphat-Mehl (meistens Apatite) mit Schwefelsäure, Salzsäure od. Salpetersäure, z. B. nach dem *Central-Prayon-Verf.*; zur Verwertung der dabei anfallenden Abfallprodukte $CaSO_4$ u. $H_2[SiF_6]$ s. Lit.[2]. Naß-P. u. hieraus hergestellte Phosphat-Düngemittel werden zunehmend von den Rohphosphat-Förderländern in Eigenverarbeitung produziert, vgl. Lit.[3] u. Phosphate. Therm. P. wird durch Verbrennen von elementarem Phosphor mit Luftsauerstoff u. Hydratisieren gewonnen. – Im Dtsch. wird die Phosphorsäure üblicherweise nicht zu den *Mineralsäuren gerechnet; im Engl. bezeichnet man Naß-P. mit 70% P_2O_5 als *Superphosphorsäure*.
Verw.: Hauptsächlich zur Herst. von Phosphat-Düngemitteln (in den USA >90% der Produktion), von Phosphaten, Porzellankitten, Emaillen, in der Textil-Ind. zum Färben, Sauerstellen u. Krumpffreimachen von Wolle, zur Wasseraufbereitung, als Katalysator für Polymerisation u. Hydratisierung, zum Phosphatieren, als Ätzmittel für Offsetplatten u. Halbleiter, zum Abbeizen u. elektrolyt. Polieren von Metallen, zur Herst. von Aktivkohle, Klebstoffen, piezoelektr. Krist., Flammschutzmitteln, als P.-Lieferant bei der Gewinnung von Hefen, Antibiotika, Enzymen, Silofutter, Arzneimitteln u. Kosmetika, zu Speziallacken, für flüssige WC-Reiniger. Eine farblose, leicht wasserlösl. Additionsverb. aus Harnstoff u. P. wird als starker Säureträger u. Ersatz für flüssige P. verwendet. Als säuernder Zusatzstoff (E 338) ist P. in Coffein-haltigen Erfrischungsgetränken in Mengen bis 0,7 g/kg, als Träger für Antioxidantien in Mengen bis 0,005 g/kg Lebensmittel zugelassen. – *E* phosphoric acid – *F* acide phosphorique – *I* acido fosforico – *S* ácido fosfórico
Lit.: [1] J. Chem. Educ. **60**, 420 f. (1983). [2] DECHEMA-Monogr. **86**, 251–257 (1980). [3] Chem. Ind. (Düsseldorf) **36**, 721–723 (1984); Phosphorus Potassium **166**, 6 f. (1990).
allg.: Becker, Phosphates and Phosphoric Acid: Raw Materials, Technology, and Economics of the Wet Process, New York: Dekker 1983 ▪ Brauer (3.) **1**, 528 f. ▪ Corbridge, Phosphorus (5.), Amsterdam: Elsevier 1995 ▪ Gmelin, Syst.-Nr. 16, P, Tl. B, 1964, S. 1 ff., Tl. C, 1965, S. 155 ff. ▪ Hommel, Nr. 160 ▪ Kirk-Othmer **18**, 669–718 ▪ Ullmann (5.) **A 19**, 465–503 ▪ Winnacker-Küchler (4.) **2**, 206–223, 234–250. – [HS 2809 20; CAS 7664-38-2]

Phosphorsäureamide s. Phosphoramide.

Phosphorsäurediester s. Phosphodiester.

Phosphorsäureester. Ester der *Phosphorsäure mit Alkoholen od. Phenolen (organ. *Phosphate); hierbei unterscheidet man

$$RO-\underset{\underset{OH}{|}}{\overset{\overset{O}{\|}}{P}}-OH \qquad RO-\underset{\underset{OR}{|}}{\overset{\overset{O}{\|}}{P}}-OH \qquad RO-\underset{\underset{OR}{|}}{\overset{\overset{O}{\|}}{P}}-OR$$

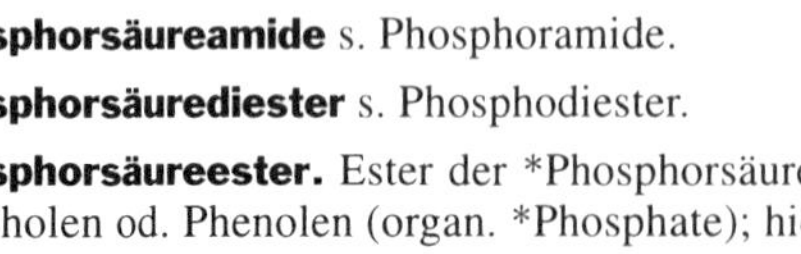

Monoester Diester Triester
der Orthophosphorsäure

sowie Ester der Di- u. Triphosphorsäure. Im Organismus sind die (durch *Phosphorylierung gebildeten u. durch *Phosphatasen spaltbaren) P. lebenswichtig, da sie als Zwischenprodukte in zahlreichen Stoffwechselprozessen auftreten u. so prakt. an allen biolog. Vorgängen beteiligt sind. Biolog. wichtige P. sind z. B. *Adenosin-5′-mono-, -di- u. -triphosphat, die *Lecithine, *Kephaline u. a. *Phospholipide, *Nucleotide (s. a. Nucleinsäuren, Desoxyribonucleinsäuren) u. *Coenzyme (*Coenzym A, *Nicotinamid-Adenin-Dinucleotid, *Flavin-Adenin-Dinucleotid) usw. Die oft zu den *Phosphor-organischen Verbindungen gerechneten P. entstehen durch Reaktion von Phosphorpentoxid bzw. Polyphosphorsäure mit Alkoholen, Oxid. von Phosphonsäureestern od. *Phosphiten od. Umsetzung von *Phosphoroxidtrichlorid mit Alkoholen u. anschließende Hydrolyse der Esterchloride. Je nach Art des organ. Restes R sind P. mehr od. weniger viskose, farblose Flüssigkeiten od. feste, krist. od. wachsartige Massen. Die Mono- u. Diester sind starke Säuren u. bilden Salze mit anorgan. u. organ. Basen. Um Verwechslungen mit Estern der *Diphosphorsäure auszuschließen, sollten bei Orthophosphorsäureestern von mehrwertigen Alkoholen die Namen mit …bisod. …trisphosphat statt …di- od. …triphosphat geprägt werden.
Verw.: Aryl-, Alkyl- u. gemischte P. dienen in Kunststoffen u. Lacken als Weichmacher, nichtreaktive Flammschutzmittel, Härter u. Beschleuniger, als Beizu. Haftmittel beim Aufbringen von Farben u. Lacken (wirken viskositätsmindernd u. flammhemmend), in der Metalloberflächenbehandlung als reinigende, korrosionshemmende u. haftvermittelnde Substanzen, als Hilfsmittel für Textilien u. Papier, in der chem. Ind. als Netzmittel, Flotationsmittel, Entschäumer, Emulgatoren, Stabilisatoren (z. B. für organ. Persäuren), Extraktionsmittel (z. B. für die Uran-Gewinnung u. Phosphorsäure-Herst.), als Putz- u. Reinigungsmittel, schwer entflammbare Hydraulik-Flüssigkeit, Öl- u. Treibstoffadditive (z. B. *ICA) u. dergleichen. Die wichtigsten P. für die verschiedenen Verw.-Zwecke sind in Einzelstichwörtern abgehandelt, z. B. *Tributylphosphat, *Triethylphosphat, *Trikresylphosphat, *Trimethylphosphat, *Triphenylphosphat, *Tris(2,3-dibrompropyl)-phosphat. Erhebliche techn. u. wirtschaftliche, aber auch toxikolog. Bedeutung haben neben den P. die entsprechenden *Thiophosphorsäureester $(R^1O)_2P(O)(SR^2)$ bzw. Dithiophosphorsäureester $(R^1O)_2P(S)(SR^2)$ als *Pflanzenschutzmittel, insbes. als *Insektizide u. *Nematizide. Charakterist. für diese Verb. ist eine bestimmte, auf Entwicklung von *Schrader zurückgehende Grundstruktur („Schradersche Acyl-Formel")

$$R^1-\underset{\underset{R^2}{|}}{\overset{\overset{O}{\|}}{P}}-X \quad \text{od.} \quad R^1-\underset{\underset{R^2}{|}}{\overset{\overset{S}{\|}}{P}}-X$$

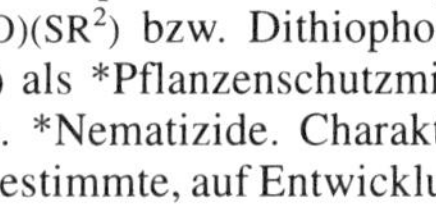

mit R^1 u. R^2 = kurzkettige Alkyl-, Alkoxy-, Alkylthio- od. Amino-Gruppen u. X („Acyl") = leicht abspaltbare Gruppe wie Halogen-, Cyanid-, Phenoxy-, Thiol-Gruppe; *Beisp.:* *Azinphos-methyl u. -ethyl, *Demeton-S-methyl, *Dichlorvos, *Dimethoat, *Malathion, *Parathion, *Phosphamidon u. v. a.

Dieselbe Struktur besitzen auch *Kampfstoffe u. Nervengase wie *Tabun, *Sarin, *Soman u. *VX. Die Labilität der Abgangsgruppe ist Voraussetzung für die Wirkung solcher P. als *Acetylcholin-Esterase-Hemmer: Das Enzym wird (nach Abspaltung von X) irreversibel phosphoryliert u. kann *Acetylcholin nicht mehr spalten, was innere Acetylcholin-Vergiftung mit Erbrechen, Durchfällen, Blutdrucksenkung, Krämpfen u. schließlich Atemlähmung u. Tod zur Folge haben kann. Bei Vergiftungen mit oben angegebenen Kampfstoffen kommen zur Therapie *Atropin, *Obidoximchlorid, *Pralidoximiodid u. sog. H-Oxime (gewisse Pyridiniumoxime) in Frage, s. *Lit.*[1].
Nachw.: Mit *4-(4-Nitrobenzyl)-pyridin, in Abwässern durch Felddesorptions-Massenspektrometrie, im Harn von exponierten Personen mittels Gaschromatographie, über ein Prüfröhrchen zur Bestimmung von *Cholin-Esterase-Hemmern. – ***E*** phosphoric esters, organophosphates – ***F*** esters phosphoriques, phosphates organiques, esters de l'acide phosphorique – ***I*** esteri fosforici – ***S*** ésteres fosfóricos, fosfatos orgánicos, ésteres del ácido fosfórico

Lit.: [1] Klimmek et al., Chemische Gifte u. Kampfstoffe, S. 68–83, Stuttgart: Hippokrates 1983.
allg.: Fett. Wiss. Technol. **92**, 389–392 (1990) ▪ Heitefuß, Pflanzenschutz, S. 147–156, Stuttgart: Wissenschaftliche Verlagsges. 1987 ▪ Ullmann (5.) **A 14**, 284–295; **A 19**, 545–572; **A 20**, 442; **A 28**, 365.

Phosphorsalzperle s. Salzperlen.

Phosphor-Stickstoff-Verbindungen. Sammelbez. für offenkettige u. cycl. Verb., die (meist alternierend) Phosphor u. Stickstoff in direkter Bindung enthalten; *Beisp.:* *Phosphazane, *Phosphazene u. Cyclophosphazene wie *Phosphornitridchlorid. In weiterem Sinne kann man zu den P.-S.-V. auch N-*Ylide u. *Phosphoramide, selbst *1,3,2-Oxazaphosphinan-2-amin-2-oxide zählen. – ***E*** phosphorus-nitrogen compounds – ***F*** composés de phosphore et azote – ***I*** composti di fosforo ed azoto, composti di fosforo-azoto – ***S*** compuestos de fósforo y nitrógeno

Phosphorsulfide. Von den Schwefel-Verb. des Phosphors P_4S_x (x = 3, 5, 7, 9, 10) besitzt heute nur noch P_4S_{10} größere Bedeutung. *Tetraphosphortrisulfid* (Phosphorsesquisulfid), P_4S_3, M_R 220,09: Schwach gelbe Prismen, D. 2,03, Schmp. 173 °C, Sdp. 407 °C, unlösl. in Wasser, Salzsäure u. Schwefelsäure, lösl. in Salpetersäure u. Schwefelkohlenstoff, P_4S_3 fand früher Verw. zur Herst. der sog. Überall-*Zündhölzer.

F

Xn

Tetraphosphordecasulfid [Phosphor(V)-sulfid, „Phosphorpentasulfid"], P_4S_{10}, M_R 444,50: Hellgelbe Krist., D. 2,09, Schmp. 290 °C, Sdp. 515 °C, lösl. in Schwefelkohlenstoff, Alkalien u. Alkohol. Das durch Zusammenschmelzen von P u. S erhältliche P_4S_{10} wird von Wasser zersetzt, riecht daher an feuchter Luft nach Schwefelwasserstoff u. ist bei Reibung entzündlich (verbrennt zu P_2O_5 u. SO_2), MAK-Wert 1 mg/m³.
Verw.: Zur Herst. von Zündmassen, Sicherheitszündhölzern, Flotationsmitteln, Insektiziden (Thiophosphorsäureestern), Schmiermitteladditiven (Thiophosphaten), zur Einführung von Schwefel in organ. Verb., bes. Austausch von Oxo- gegen Thioxo-Gruppen. – ***E*** phosphorus sulfides – ***F*** sulfures de phosphore – ***I*** solfuri di fosforo – ***S*** sulfuros de fósforo

Lit.: Brauer (3.) **1**, 545–548 ▪ Chem. Ing. Tech. **37**, 705–709 (1965) ▪ Gmelin, Syst.-Nr. 16, P, Tl. C, 1965, S. 567–583 ▪ Hommel, Nr. 159, 161 ▪ Kirk-Othmer (4.) **18**, 750–755 ▪ Synthesis **1973**, 149–151 ▪ Ullmann (5.) **A 19**, 535 ff. ▪ Winnacker-Küchler (4.) **2**, 254 f. ▪ Z. Chem. **23**, 117–125 (1983). – *[HS 2813 90; CAS 1314-85-8 (P_4S_3); 1314-80-3 (P_4S_{10}); G 4.1]*

Phosphortrichloridoxid s. Phosphoroxidtrichlorid.

Phosphorwasserstoff s. Phosphane.

Phosphorwolframsäure s. 12-Wolframatophosphorsäure.

Phosphoryl... a) Bez. für die Atomgruppierung

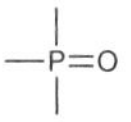

in *Multiplikativnamen (IUPAC-Regel D-5.66, R-3.3; *Chemical Abstracts:* Phosphinylidin...) u. in Gruppierungen –P(O)X– u. –P(O)XX′ (IUPAC-Regel D-5.68; X, X′ = Heteroatom-Reste; mit C-Resten meist *Phosphonoyl... u. *Phosphinoyl...); *Beisp.:* Aminophosphoryl... $-PO(NH_2)-$, Dichlorphosphoryl... $-POCl_2$; früher auch in Bez. für anorgan. Verb., z. B. *Phosphoroxidtrichlorid. – b) Veraltete biochem. Bez. für *Phosphono... = *Phospho...; s. Phosphorylierung. – ***E*** = ***F*** phosphoryl... – ***I*** = ***S*** fosforil...

Phosphorylase (Glykogen-Phosphorylase, EC 2.4.1.1). In vielen Organismen verbreitete Glykosyl-*Transferase, die Glykogen (s. dort) u. a. α-1,4-D-*Glucane durch *Phosphorolyse* abbaut. Unter dieser sog. *Glykogenolyse* versteht man die Abspaltung eines endständigen D-Glucose-Rests u. dessen Übertragung auf anorgan. Phosphat, wobei *α-D-Glucose-1-phosphat gebildet wird, das nach Isomerisierung in die *Glykolyse eintritt. Die P. ist ein dimeres Protein mit Pyridoxalphosphat als *prosthetischer Gruppe[1]. Im Säugetiermuskel stellt dieses Dimere (*Phosphorylase b*, M_R 185 000) die Ruheform dar. Die aktive Form des Enzyms, die *Phosphorylase a* (M_R 370 000), enthält phosphorylierte L-Serin-Reste u. ist tetramer.
Regulation: Aufgrund einer durch die Hormone L-*Adrenalin u. *Glucagon ausgelösten Aktivierungs-Kettenreaktion, an der *Adenosin-3′,5′-monophosphat als *second messenger beteiligt ist, wird P. b durch Phosphorylierung am Serin-Rest 14 mit Hilfe einer spezif. Phosphorylase-Kinase (EC 2.7.1.38) in die aktive a-Form überführt. Letztere kann durch Phosphatasen wieder in Phosphorylase b umgewandelt werden. Beide Formen unterliegen alloster. Regelmechanismen, u. a. durch die Hemmstoffe D-*Glucose-6-phosphat, einem Stoffwechsel-Abkömmling des α-D-Glucose-1-phosphats (Rückkopplungs-Hemmung), u. *Adenosin-5′-triphosphat, das ebenfalls bei weiterer Metabolisierung der Glucosephosphate entsteht, sowie durch den Aktivator *Adenosin-5′-monophosphat (AMP), dessen Anhäufung einen niedrigen Energiezustand der Muskelzelle anzeigt. Dabei spielt der Übergang des Enzyms von einem T-Zustand (von *E* tense = gespannt), einer Konformation mit geringer Affinität zu Substrat u. Aktivatoren, zu einem hochaffinen R-Zustand (von relaxed = gelockert) eine Rolle. – Zu ge-

net. Defekten der P. s. *Lit.*[2]. – ***E*** phosphorylase – ***F*** phosphorylases – ***I*** fosforilasi – ***S*** fosforilasas

Lit.: [1]Biofactors **3**, 159–172 (1992). [2]Hum. Genet. **97**, 551–556 (1996).
allg.: Acharya et al., Glycogen Phosphorylase b: Description of the Protein Structure, London: World Scientific 1991 ▪ FASEB J. **6**, 2274–2282 (1992) ▪ Science **273**, 1539 ff. (1996) ▪ Trends Biochem. Sci. **17**, 66–71 (1992). – *[CAS 9035-74-9 (P.); 9012-69-5 (P. b); 9032-10-4 (P. a)]*

Phosphorylchlorid s. Phosphoroxidtrichlorid.

Phosphorylide s. Ylide u. Wittig-Reaktion.

Phosphorylierung. Bez. für die Acylierung durch Einführung der Atomgruppierung

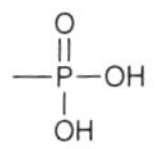

„Phosphoryl-Rest"

od. ihrer entsprechend dem pH-Wert deprotonierten Formen in Säuren, Alkohole, Thiole, Amine od. a. Nucleophile unter Bildung von Phosphorsäure- u. gemischten Anhydriden, Phosphorsäure-estern, -thioestern, -amiden od. deren anion. Formen.

Chem. P.: Die chem. P. von Alkoholen wird meist mit *Phosphoroxidtrichlorid vorgenommen; starke P.-Mittel sind auch cycl. Acylphosphate (1,3,2-Dioxaphospholanone), 1-Phosphorylpyrazole u. Chlorophosphorsäureester, z. B. zur Nucleosid-Phosphorylierung.

Biolog. Bedeutung: Phosphorsäureanhydride spielen eine große Rolle im Stoffwechsel, denn alle Lebewesen speichern Energie durch P. von *Adenosin-5′-diphosphat (ADP) zu *Adenosin-5′-triphosphat (ATP) mittels anorgan. Phosphat (P_i):

$$ADP + P_i \rightleftharpoons ATP + H_2O.$$

Je nach Stoffwechsel-Zusammenhang unterscheidet man die *oxidative P.*, *Photo-P.* u. *Substratketten-Phosphorylierung*. Auch gemischte Phosphorsäure-anhydride wie *Acetylphosphorsäure sowie Phosphorsäureamide wie *Kreatinphosphat u. L-Argininphosphat treten als Energie-reiche Phosphat-Carrier (*Phosphagene*) auf. Eine kaum geringere Bedeutung, wenn auch nicht in der Energie-, sondern in der Signal-Umwandlung u. der Regulation des Stoffwechsels, besitzt die Bildung von Phosphorsäureestern durch P. von *Proteinen an den Hydroxy-Gruppen von L-Serin-, L-Threonin- u. L-Tyrosin-Resten. Diese Prozesse sind – ebenso wie die *P. von Metaboliten* wie Monosacchariden unter Entstehung von Phosphatestern – als *Kinase-Reaktionen ATP-verbrauchende Schritte.

Oxidative P.: Darunter versteht man die an der inneren *Mitochondrien-Membran ablaufende Bildung von ATP aus ADP u. P_i. Die Energie für die Knüpfung der Anhydrid-Bindung entstammt den Redox-Prozessen der *Atmungskette, bei denen Red.-Äquivalente (Elektronen) von reduzierten Coenzymen auf einen terminalen Akzeptor (bei aeroben Lebewesen Sauerstoff) übertragen werden. Die oxidative P. u. die Atmungskette sind gekoppelt, was heute durch die *chemiosmotische Theorie erklärt wird, für deren Entwicklung *Mitchell 1978 den Chemie-Nobelpreis erhielt. Danach trennen die Enzyme der Atmungskette in einem Energie-aufwendigen Prozeß die Protonen u. Hydroxyl-Ionen des Wassers voneinander u. reichern die ersteren auf der Außenseite des Membran an. Beim Zurückströmen durch bestimmte Kanäle (F_0F_1-*ATP-Synthase) verrichten diese dann chem. Arbeit, indem sie die P. von ADP durch die Synthase antreiben.

Photo-P.: In den *Chloroplasten der Pflanzen wird bei der *Photosynthese durch Pigmentsyst. Licht-Energie absorbiert u. werden photochem. zwei Redoxsyst. (Photosyst. I u. II, auch: P700 bzw. P680) aktiviert. Dadurch werden Elektronenübertragungs-Reaktionen ermöglicht, die einerseits die Oxid. von Wasser zu Sauerstoff u. die Red. von *Nicotinamid-Adenin-Dinucleotid-Phosphat ($NADP^+ + H^+ + 2e^- \rightarrow NADPH$) zulassen. NADPH wird in der sog. Dunkelreaktion (Calvin-Cyclus) zur Erzeugung von organ. Verb. aus Kohlendioxid (CO_2-Fixierung, CO_2-Assimilation) verwendet. Gleichsam als Nebenreaktion, die jedoch bei der *cycl. Photo-P.* auch zur Hauptreaktion werden kann, wird andererseits – ähnlich wie im voranstehenden Fall der oxidativen P. – ein Energie-haltiges Konz.-Gefälle von Protonen über die Thylakoid-Membran aufgebaut, dessen Ausgleichsbestreben vom Chloroplasten-Kopplungsfaktor (CF_0F_1-ATP-Synthase) zur Synth. von ATP durch P. benützt wird.

Substratketten-P.: Zusätzliches ATP entsteht aus ADP u. P_i bei einigen exergon. Stoffwechsel-Reaktionen der *Glykolyse [Phosphoglycerat-Kinase (EC 2.7.2.3), Pyruvat-Kinase (EC 2.7.1.40)] u. des *Citronensäure-Cyclus [Succinat-CoA-Ligase (EC 6.2.1.5)].

P. von Proteinen [1] ***u. Signalmol.:*** *Proteine werden *in vivo* durch *Protein-Kinasen phosphoryliert, wobei die Phosphatester von L-Serin-, L-Threonin- u. L-Tyrosin-Resten gebildet werden. Diese Modifizierungen, die als reversibel bezeichnet werden, da sie durch *Protein-Phosphatasen wieder rückgängig gemacht werden können, haben in den allermeisten Fällen regulator. Bedeutung, da die betreffenden Proteine daraufhin in ihrer biolog. Aktivität verändert (gesteigert od. geschwächt) werden. Nicht selten handelt es sich bei ihnen um Bestandteile von Signalübertragungs-Ketten (s. Signaltransduktion). Die Beisp. sind vielfältig u. reichen von Enzymen wie *Phosphorylase über mol. Motoren wie *Myosin, über Sehpigmente wie *Rhodopsin, über Kern-*Lamine, *Cyclin-abhängige Kinasen, über *Desoxyribonucleinsäure-bindende Proteine wie die *Histone bis hin zu Hormon-Rezeptoren [*Insulin-Rezeptor, EGF-Rezeptor (s. epidermaler-Wachstumsfaktor), die Kinase-Aktivität besitzen u. sich selbst phosphorylieren] u. zu dem Cytoskelett-Bindungs-Protein für synapt. Vesikeln *Synapsin. Ebenfalls der Signalübertragung (als *second messengers) dienen etliche phosphorylierte Derivate des *myo*-Inosits. Zum immer komplexer erscheinenden Netz der Inositphosphate u. deren Membran-gebundener Vorstufen, der Phosphoinositide, s. bei diesen Stichwörtern u. bei Phosphatidylinosite.

P. von Metaboliten: Die enzymat. P. von Metaboliten durch Kinasen dient entweder der schrittweisen Verfügbarmachung der Stoffwechsel-Energie (z. B. D-Glucose → D-Glucose-6-phosphat, D-Fructose-6-phosphat → D-Fructose-1,6-bisphosphat) od. der Biosynth. phosphorylierter Verb. wie z. B. von 3-*sn*-Phosphatidsäuren aus 1,2-Diacyl-*sn*-glycerinen (s. Phospholipide), von Nucleotiden aus Nucleosiden od. von $NADP^+$ aus NAD^+ (s. Nicotinamid-Adenin-Dinucleotid). – ***E*** = ***F*** phosphorylation – ***I*** fosforilazione – ***S*** fosforilación

Lit.: [1]Cell **86**, 845–848 (1996); Clemens, Protein Phosphorylation in Cell Growth Regulation, Newark, NJ: Harwood Academic Publishers 1996; Hardie, Protein Phosphorylation, Oxford: IRL Press 1993; J. Bacteriol. **178**, 4759–4764 (1996).
allg.: Stryer 1996, S. 256ff., 470–473, 557–587, 698–701.

Phosphoserin.

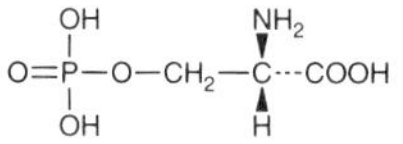

$C_3H_8NO_6P$, M_R 185,07, Schmp. 166–167 °C. Phosphorsäureester der *Aminosäure *Serin (*O*-Phosphono-L-serin); Abk. Ser (*P*), Pse.
P. kommt in größeren Mengen im *Phosvitin vor u. wird in Kombination mit L-*Glutamin u. *Vitamin B_{12} in *Roborantien eingearbeitet. P. soll *Lit.*[1] zufolge die prim. Bindungsstelle für *Zink u. *Calcium in *Milch-Proteinen sein. P. ist auch Kopfgruppe der Phosphatidylserine (s. Kephaline). – ***E*** phosphoserine – ***F*** phosphosérine – ***I*** = ***S*** fosfoserina

Lit.: [1]J. Dairy Res. **56**, 235–248 (1989).
allg.: Beilstein EIV **4**, 3126 ▪ Merck-Index (12.), Nr. 7520. – *[HS 2922 50; CAS 407-41-0]*

Phostamsäuren (cycl. Phosphonsäureamide). Unsystemat., in Anlehnung an Lactame gebildete Bez. für cycl. Phosphor-organ. Verbindungen.

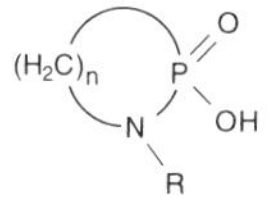

Die analogen *Phostonsäuren* (cycl. *Phosphonsäureester*) enthalten Sauerstoff anstelle der NR-Gruppe. – ***E*** phostamic acids – ***F*** acides phostamiques – ***I*** acidi fostamici – ***S*** ácidos fostámicos

Phostonsäuren s. Phostamsäuren.

Phosvitin. Wasserlösl., zu ca. 4,6% im Eigelb vorkommendes Glykophosphoprotein, in dem bis zu 54% der Aminosäure-Reste *Phosphoserin-Reste sind. P. besteht aus zwei Komponenten, α- u. β-P. (s. *Lit.*[1]), die Protein-Aggregationen mit molaren Massen von 160000 bzw. 190000 darstellen. α-P. enthält 3 Subeinheiten (M_R 37500, 42500 u. 45000), β-P. nur eine Subeinheit (M_R 45000). Neuere Arbeiten zur Charakterisierung des P. mittels isoelektr. Fokussierung weisen noch auf eine dritte Komponente hin[2]. Die Aminosäure-Sequenz wird aus reinen Blöcken von Phosphoserin-Resten (6–8 Reste) gebildet, die von gemischten Blöcken anderer *Aminosäuren unterbrochen werden. Der Kohlenhydrat-Anteil ist *N*-glykosid. an N^4 eines *Asparagin-Restes gebunden u. besteht aus 13 Einheiten: 3 *Mannose, 3 *Galactose, 5 *N*-Acetylglucosamin (s. D-Glucosamin) u. 2 *N*-Acetylneuraminsäure (s. Acylneuraminsäuren). P. kann *Eisen(III), *Calcium u. *Magnesium so komplexieren, daß deren ernährungsphysiolog. Verfügbarkeit abnimmt. – ***E*** phosvitin – ***F*** phosvitine – ***I*** = ***S*** fosvitina

Lit.: [1]J. Food Sci. **48**, 1755ff. (1983). [2]J. Food Sci. **54**, 756–764 (1989).
allg.: Belitz-Grosch (4.), S. 500f. ▪ J. Food Sci. **49**, 78–81 (1984) ▪ Merck-Index (12.), Nr. 7522. – *[CAS 9008-96-2]*

Photinus-Luciferin s. Luciferine.

Phot(o)... [auch: Fot(o)...]. Von griech.: phōtós = des Lichts (vgl. Phos...) abgeleitete Silbe, z. B. in Namen für chem. Verb., die durch photochem. Reaktion entstehen (vgl. Lumi...); *Beisp.:* Photodieldrin, *Photopolymere, Photosantonin (s. Santonin). – ***E*** phot(o)... – ***F*** photo... – ***I*** = ***S*** foto...

Photoabbau. Bez. für den abiot. Abbau von Stoffen durch unmittelbare Einwirkung von UV-Strahlung od. kurzwelligem Licht (direkter P.) od. durch chem. Reaktionen mit *Photooxidantien (indirekter P.). Als photochem. Primärreaktion bezeichnet man die durch Absorption eines Photons ausgelöste Bildung eines od. mehrerer Radikale (od. eines anderen reaktiven Teilchens). Im Falle eines durch Lichtabsorption verursachten Mol.-Zerfalls (direkter P.) spricht man auch von Photolyse od. Photodissoziation. Die Produkte der photochem. Primärreaktion reagieren mit anderen Teilchen weiter (sek. Photoreaktionen), wobei eine Vielzahl von Photooxidantien entsteht u. z. T. auch Radikal-Kettenreaktionen ausgelöst werden. Diese Reaktionen führen in der Regel in Ggw. von Sauerstoff zum oxidativen P. organ. Verb. (Photooxid.), bei sehr geringen Sauerstoff-Partialdrücken auch zu Red., z. B. zu reduktiven *Dehalogenierungen (Photored.; s. z. B. PCB).
Die Geschw. einer photochem. Reaktion hängt u. a. von der Intensität u. der Wellenlänge des Lichtes sowie der Konz. der absorbierenden Mol. u. ihrer Absorptionskoeff. ab.
In der Luft, im belichteten Oberflächenwasser u. auf der Bodenoberfläche ist P. maßgeblich am Abbau organ. Stoffe beteiligt.
Für den P. in der Atmosphäre sind v. a. Ozon, OH-Radikale (Hydroxyl-Radikale) u. Nitrat-Radikale wichtig. Ozon kann sich durch Photolyse von NO_2 bilden (s. Abb. 1 sowie Tab. 1 bei Photooxidantien). Es addiert sich leicht an Alkene u. leitet damit deren P. ein, ist aber für den P. anderer Verb. weitgehend bedeutungslos. Durch Photolyse entsteht aus Ozon elektron. angeregter atomarer Sauerstoff O(^{1}D), der mit Wasser zu OH-Radikalen weiterreagiert.

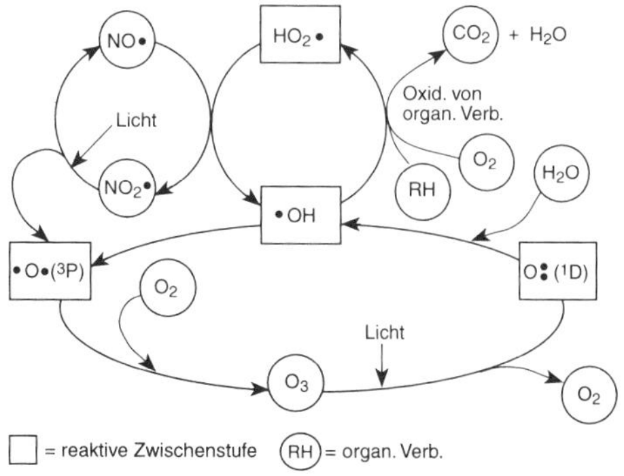

Abb. 1: Troposphärischer Kreislauf des OH-Radikals.

OH-Radikale spalten von gesätt. organ. Verb. beliebiger Struktur Wasserstoff ab od. lagern sich an ungesätt. Verb. an, wobei organ. Radikale entstehen. Die sich daraus für die organ. Verb. ergebenden Lebensdauern in der Atmosphäre werden in Abb. 2 dargestellt.

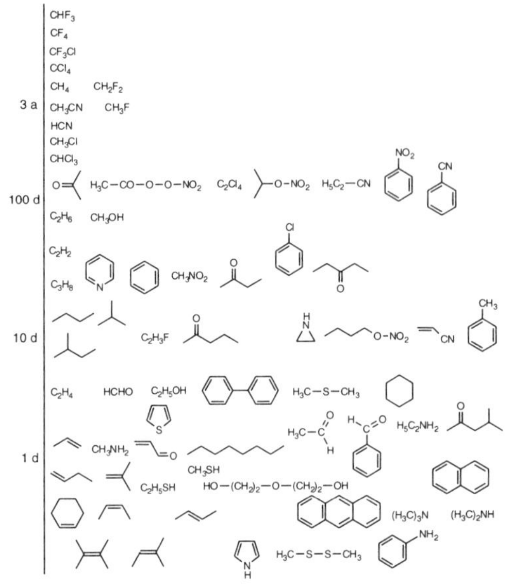

Abb. 2: Chem. Lebensdauer organ. Verb. in der Atmosphäre.

In einer Radikalketten-Reaktion werden die organ. Verb. durch wiederholte Addition von Sauerstoff u. Reaktion mit Stickstoffoxid oxidiert u. OH-Radikale regeneriert.

$$R_2CH_2 + {}^{\cdot}OH \rightarrow R_2\dot{C}H + H_2O$$
$$R_2\dot{C}H + O_2 + M \rightarrow R_2CH\text{-}O\text{-}O^{\cdot} + M^*$$
$$R_2CH\text{-}O\text{-}O^{\cdot} + {}^{\cdot}NO \rightarrow R_2CH\text{-}O^{\cdot} + {}^{\cdot}NO_2$$
$$R_2CH\text{-}O^{\cdot} + O_2 \rightarrow R_2C{=}O + HO_2^{\cdot}$$
$$HO_2^{\cdot} + {}^{\cdot}NO \rightarrow {}^{\cdot}OH + {}^{\cdot}NO_2$$

Kettenabbruch-Reaktionen führen u.a. zur Bildung von Salpetersäure, N_2O_5 u. organ. Nitraten wie *Peroxyacylnitrat (s. Tab. bei Photooxidantien sowie Gleichung 3 bei Peroxyacylnitrate). Nachts, wenn die Bildung von OH-Radikalen aus Ozon abnimmt, sinkt die Konz. der OH-Radikale sehr stark. Aus den in den Kettenabbruch-Reaktionen gebildeten Stickstoff-Verb. entstehen jedoch Nitrat-Radikale, die ihrerseits z.B. organ. Sulfide abbauen. Im Licht werden Nitrat-Radikale schnell photolysiert.

Im Wasser finden sich Alkylperoxy-Radikale, Singulett-Sauerstoff [$O_2(^1\Delta_g)$] u. OH-Radikale als wichtige Photooxidantien. Ihre Bildung geht u.a. von Huminstoffen aus, die den VOC-Ausgangsprodukten für die Photooxidantien-Bildung in der Luft entsprechen.

Für den P. auf dem Boden u. an Partikeloberflächen in Luft u. Wasser kann der Energietransfer zwischen Partikeln u. adsorbierten organ. Verb. eine wesentliche Rolle spielen. Der P. von organ. Verb. ist nach Adsorption bis zu zwei Zehnerpotenzen schneller als in der Gasphase. – ***E*** photodegradation, photodecomposition – ***F*** photodégradation, photodécomposition – ***I*** fotodegradazione, fotodecomposizione – ***S*** fotodegradación, fotodescomposición

Lit.: Becker u. Guderian, Air Pollution by Photochemical Oxidants, Berlin: Springer 1985 ▪ Becker u. Löbel, Atmosphärische Spurenstoffe u. ihr physikal.-chem. Verhalten, Berlin: Springer 1985 ▪ Borell et al. (Hrsg.), Proceedings of EUROTRAC Symposium **94**, S. 67–74, Den Haag: SPB Acad. Publ. 1994 ▪ Chemosphere **35**, 931–935 (1997) ▪ Environ. Sci. Technol. **31**, 2198–2203 (1997) ▪ Fonds der Chem. Industrie, Umweltbereich Luft (2.), Frankfurt: VCI 1995 ▪ Hutzinger **2A**, 77–105, 145–159, 247–302; **2B**, 19–41, 43–72 ▪ Klöpffer, Verhalten und Abbau von Umweltchemikalien, S. 167–247, Landsberg: ecomed 1996 ▪ Le Bras (Hrsg.), Chemical Processes in Atmospheric Oxidation, Berlin: Springer 1997 ▪ Minisci (Hrsg.), Free Radicals in Biology and Environment, S. 365–385, Dordrecht: Kluwer Acad. Publ. 1997 ▪ Naturwissenschaften **82**, 472–474 (1995) ▪ OECD Environmental Monographs **61**, 1–93 (1992) ▪ Ullmann (5.) **B7**, 582–598 ▪ WHO, Photochemical Oxidants, Environmental Health Criteria, Vol. 7, Genf: WHO 1979.

Photoaffinitäts-Markierung s. Affinitätsmarkierung.

Photoakustische Spektroskopie (Abk. PAS). Obwohl die Grundlagen der PAS schon 1880–81 von Alexander Graham Bell entdeckt wurden, ist sie erst Ende der siebziger Jahre zu einer anwendbaren physikal. Meth. entwickelt worden, um die Absorption von Licht in verschiedenen Stoffen zu messen. Ihre Wirkungsweise beruht auf der Umwandlung von absorbierter Lichtenergie mittels strahlungsloser Desaktivierungsprozesse in Wärme. Die entstandene Wärme diffundiert an die Probenoberfläche u. wird z.B. an ein Gasreservoir weitergeleitet, dessen Druckerhöhung durch einen Sensor, z.B. eine Art Mikrophon, gemessen wird (s. Abb.).

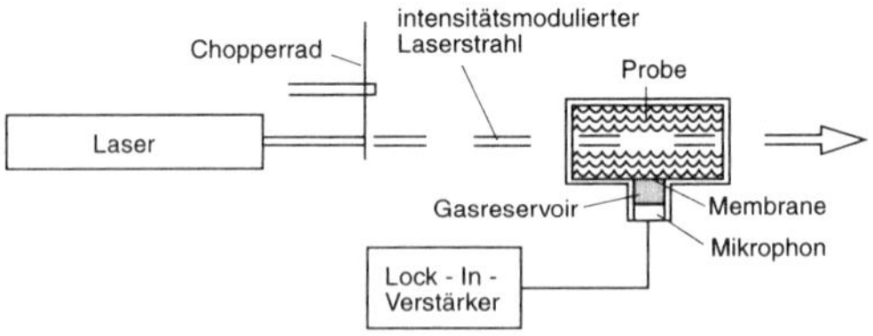

Abb.: Typ. Aufbau einer Apparatur für die photoakustische Spektroskopie.

Um nur die durch die Lichtabsorption erzeugte Druckerhöhung zu registrieren u. nicht die, die durch andere Effekte verursacht wird, wird die Lichtintensität, z.B. durch ein Chopperrad, moduliert u. das Signal des Detektors phasenempfindlich verstärkt (*Lock-In-Verstärker, *Modulationsspektroskopie).

Die PAS hat den Vorteil, in der Detektion unabhängig von der Wellenlänge des anregenden Lichtes zu sein. Sie kann in Festkörpern, Flüssigkeiten u. Gasen ebenso eingesetzt werden, wie in biolog. Syst. (z.B. Gewebe od. Zellmembranen); *Beisp.*[1]: Festkörper (schwache Absorption von Ho_2O_3 u. Er_2O_3, Wärmeleitfähigkeit von Diamanten[2]), anorgan. Pigmente (Fe_2O_3, Cr_2O_3), Ruß od. organ. Pigmente. PAS wurde eingesetzt um die Bandkanten von *Halbleitern wie ZnS, CdS, CdSe od. GaP sowie Phasenübergänge bei VO_2 auszumessen. Die Reinheit dünner TlI-Filme (*Dünne Schichten) od. die Absorptionsspektren von Farb- u. Filtergläsern wurden ebenso untersucht sowie die Licht-Absorption von Farbstoffen in Lsm. (Phenol-Rot in Wasser ergibt z.B. keine Fluoreszenz). Bei biolog. Syst. wurde Blut untersucht (wegen der hohen Lichtabsorption u. der großen Lichtstreuung scheiden viele andere Spektroskopietechniken dafür aus), ferner die Absorptionsspektren von grünen Blättern u. von Pflanzenfarbstoffen. U. a. konnte der UV-Schutz von Haaren durch PAS nachgewiesen werden. – ***E*** photo acoustic spectroscopy – ***F*** spectroscopie photoacoustique – ***I*** spettroscopia fotoacustica – ***S*** espectroscopia fotoacústica

Lit.: [1] Perkampus, Photoacoustic Spectroscopy, Encyclopedia of Physical Science and Technology, Vol. 12, S. 489–508, New York: Academic Press 1992. [2] Mandelis (Hrsg.), Photoacoustic and Thermal Wave Phenomena in Semiconductors, Kap. 4, S. 69, New York: Elsevier 1987 ▪ Sell (Hrsg.), Photothermal of Solids and Fluids, Kap. 6, S. 191, New York: Academic Press 1988.

allg.: Analyt.-Taschenb. **5,** 93–134 ▪ Bartolo, in Goldberg (Hrsg.), Radiationless Processes, S. 431ff., New York: Plenum Press 1980 ▪ Encyclopedia of Applied Physics, Vol. 19, S. 413, Weinheim: VCH Verlagsges. 1997 ▪ Tam, Ultrasensitive Laser Spectroscopy, S. 1–108, New York: Academic Press 1983 ▪ Top. Curr. Chem. **111,** 1–32 (1983).

Photoallergie s. photodynamischer Effekt.

Photoatmung s. Ribulosebisphosphat-Carboxylase.

Photoautotroph. Als p. werden *Pflanzen, *Algen, *Bakterien u. *Zellkulturen bezeichnet, die *Kohlendioxid (CO_2) als einzige Kohlenstoff-Quelle nutzen können. Die Energie hierfür wird aus der *Photosynthese erhalten (s. a. Autotrophie). P. Organismen werden z. T. auch als photolithotroph bezeichnet. – ***E*** photoautotrophic – ***F*** photoautotrophe – ***I*** fotoautotrofo – ***S*** fotoautótrofo

Lit.: Schlegel (7.).

Photobiologie. Ein interdisziplinäres Forschungsgebiet zwischen Biologie, Chemie u. Physik, das die Wechselwirkung zwischen sichtbarem *Licht u. *Ultraviolettstrahlung einerseits u. lebender Materie (Mensch, Tiere, Pflanzen u. Mikroorganismen bis hin zu Organellen) andererseits zum Objekt hat; gelegentlich betrachtet man die P. u. die *Radiobiologie als Teilgebiete der *Strahlenbiologie. Hier können nur einige wichtige, z. T. in Einzelstichwörtern behandelte Begriffe erwähnt werden: Der *Sehprozeß*, die **Photosynthese* u. die Untersuchung der dabei auftretenden *Photophosphorylierung*, der **photodynamische Effekt*, **Photorespiration*, *Photorezeption*, die *Photoreaktivierung* als photochem. Reparationsmechanismus für Photoläsionen der DNA, **Phototrophie* als Ernährungsweise bei Pflanzen u. Mikroorganismen, *Photodinese* als Auslösung bzw. Beschleunigung von Plasmaströmungen od. Zelleinschlüssen durch Licht; *Photokinese* als Auslösung od. Beschleunigung von Bewegungen freibeweglicher Organismen durch Licht; **Phototaxis* als meist zur Lichtquelle hin gerichtete Wanderungsbewegung von Algen u. a. Mikroorganismen, *Phototropismus* als (meist zum Licht hin) gerichtete u. *Photonastie* als ungerichtete Bewegung von Pflanzen od. einzelnen Teilen derselben, *Photomorpho(gene)se* der Pflanzen einschließlich der „Blaulicht-Phänomene", *Photoperiodizität* als Ergebnis der tagesperiod. Verteilung des Lichtes (Lang- u. Kurztagpflanzen, „innere Uhr", vgl. Phytochrom-Syst.; bei Tieren als circadianer, durch die Epiphyse über Melatonin geregelter Rhythmus).

Den Menschen betreffende photobiolog. Effekte sind u. a.: Die *Heliotherapie* od. *Phototherapie* gegen Rachitis u. Gelbsucht bei Neugeborenen, die *photodynam. Therapie*, die **Photochemotherapie* gegen Psoriasis, die Untersuchung der Einwirkung des Lichtes auf menschliche Haut (*Hautbräunung*) u. des Schutzes derselben vor Sonnenbrand (durch Sonnenschutzmittel), vor *Lichtkrebs* u. vor *Photodermatitiden*, die z. B. durch einige Arzneimittel, Farbstoffe u. in Kosmetika evtl. enthaltene, *phototox., photodynam.* u. *photoallergisierend* wirkende Stoffe (vgl. photodynamischer Effekt) verursacht werden können sowie die Therapie von Lichtkrankheiten wie *Porphyrie.*

Die P. beschäftigt sich jedoch nicht nur mit den Ergebnissen der Lichteinwirkung auf biolog. Syst., sondern umgekehrt auch mit der Aussendung von Licht durch Organismen, d. h. mit **Biolumineszenz* (s. a. Luciferine). Viele der photobiolog. Effekte lassen sich an Modellverb. u. -syst. *in vitro* studieren. Die Untersuchung der chem. Primärwirkung des Lichtes ist das Thema der *Photochemie. – ***E*** photobiology – ***F*** photobiologie – ***I*** fotobiologia – ***S*** fotobiología

Lit.: Popp, Biologie des Lichts, Berlin: Parey 1984 ▪ Wehner u. Gehring, Zoologie, 23. Aufl., Stuttgart: Thieme 1995 ▪ s. a. Pflanzen.

Photochemie (von griech.: phos = Licht). Teilgebiet der Chemie, das sich mit elektron. angeregten Mol. befaßt. Im allg. werden hierzu die Mol. durch passende elektromagnet. Strahlung des Wellenlängenbereichs 100–1000 nm (*ultraviolette Strahlung, *Licht, *Infrarotstrahlung) angeregt (s. a. Laser-Chemie). Es können aber auch elektron. angeregte Mol. durch chem. Prozesse gebildet werden, wozu der Begriff „Photochemie ohne Licht" eingeführt wurde (s. unten). Nach den Gesetzen von *Grotthus (1817) u. Draper (1839; John William Draper, 1811–1882, New York) vermag nur derjenige Bruchteil des Lichtes chem. od. physikal. Wirkung auszulösen, der von dem belichteten Stoff tatsächlich absorbiert wird, nicht aber der reflektierte od. hindurchgelassene Strahlungsanteil (*Grotthus-Draper-Gesetz*, Anw. des Energiesatzes). Wieviel Licht tatsächlich absorbiert werden kann, wird durch das **Lambert-Beersche Gesetz* beschrieben. Strahlung (Licht) kann von Materie stets nur in Form von ganzen *Quanten* (Photonen, $h\nu$), nie in Bruchteilen von Quanten absorbiert werden (s. Quantentheorie). Auch das absorbierte Licht führt lange nicht in allen Fällen zu chem. Reaktionen; oft wird es lediglich in Wärme umgewandelt od. als Lumineszenzstrahlung anderer Wellenlänge innerhalb von 10^{-10} bis 10^{-7} s nach Anregung (*Fluoreszenz*) od. später (*Phosphoreszenz*) zurückgestrahlt. Häufig sind die absorbierten Lichtquanten zu energiearm, um direkt eine chem. Reaktion auszulösen; diesen Fall beobachtet man bei farbigen Stoffen; – so absorbieren z. B. blaugrüne Farbstoffe rotes Licht, aber für einen chem. Vorgang reicht diese Strahlungsenergie im allg. nicht aus. Dennoch lassen sich viele Farbstoffe, sofern sie Sensibilisator-Eigenschaften aufweisen, für photochem. Reaktionen ausnutzen (s. unten). Entsprechend dem *Stark-Einstein*-Gesetz (*Quantenäquivalentgesetz*) kann in der photochem. Primärreaktion ein absorbiertes Photon nur ein Mol. anregen – ähnlich wie etwa in der Elektrochemie ein Atom durch die Elektrizitätsmenge von $1{,}60 \cdot 10^{-19}$ C (= Elektron) verändert wird.

Da ein Mol eines jeden Stoffes aus 6,023 · 10^{23} Teilchen (z. B. Mol.) besteht, benötigt dieses zur Anregung od. Umsetzung 6,023 · 10^{23} hν; diese Energiemenge wird als *photochem. Äquivalent* („1 Einstein") bezeichnet. Energet. entspricht 1 Einstein der Wellenlänge 150 nm ca. 800 kJ (190 kcal) u. ein solches von 700 nm ca. 170 kJ (40 kcal).

Die Zahl der bei photochem. Prozessen umgesetzten Mol. ist (bei Betrachtung des Primärvorgangs u. Außerachtlassung von häufig sich anschließenden, sek. chem. Reaktionen) proportional der Zahl der absorbierten Lichtquanten. Die *Quantenausbeute* Φ_j eines Prozesses j ist definiert als die Zahl n_A der Mol. A, bei denen dieser Prozeß abläuft, dividiert durch die Zahl n_Q der absorbierten Lichtquanten: $\Phi_j = n_A/n_Q$ bzw. auch durch die Geschw. dn_A/dt mit der der Prozeß j abläuft, dividiert durch die Intensität der absorbierten Strahlung $I_{abs} = dn_Q/dt$. Das Stark-Einstein-Gesetz ($\Phi \leq 1$) hat ebenso wie das *Bunsen-Roscoe-* od. *Lichtmengengesetz* in all denjenigen einfacheren Fällen Gültigkeit, in denen sich an die Primärreaktion (das ist der erste, unmittelbar durch die Lichtquanten ausgelöste chem. Vorgang) keine komplizierten sek. Reaktionen anschließen, so z. B. bei der Zers. von Bromwasserstoff u. Iodwasserstoff durch Ultraviolettlicht, bei der photochem. Zers. von Schwefelwasserstoff (in Hexan gelöst), flüssigem Ethyliodid, Nitrosylchlorid. In anderen Fällen können aber auch durch ein einziges absorbiertes Quant viele Mol. in *Kettenreaktionen* umgesetzt werden, od. es erfolgt bei einer Vielzahl von absorbierten Quanten nur bei wenigen Mol. eine chem. Umsetzung. Als *Zweiquanten-Photochemie* bezeichnet man diejenigen Fälle, in denen Mol. nacheinander 2 Photonen absorbieren – das erste im Grund-, das zweite im Anregungszustand (*Zweiphotonen-Anregung*) – u. trennt hiervon begrifflich die *Biphotonen-Anregung* als simultan ablaufenden Prozeß ab. Auch *Multiphotonen-Anregungen* sind bekannt [1], die bis zur Ionisation od. Dissoziation der Mol. führen können u. außerdem Grundlage der *Mehrphotonen-Spektroskopie sind.

Primärprozesse (vgl. Abb. 1): Im *Grundzustand* befinden sich die meisten Mol. im sog. *Singulett*-Grundzustand (S_0), in dem sich die Elektronen gepaart mit antiparallel ausgerichteten Spins (symbol. dargestellt als: ↑↓) auf derselben Bahn (Orbital, s. a. Atombau) befinden. Durch Absorption eines Photons gehen Mol. vom Grundzustand in den angeregten Zustand (*Anregung*) über, u. zwar zunächst ebenfalls in einen Singulettzustand (S^*_1), wobei das eine Elektron nun ein vom Kern weiter entferntes Orbital besetzt; die Multiplizität ändert sich nicht. Die Übergangswahrscheinlichkeit für diesen Vorgang ist von Auswahlregeln abhängig, die auf Eigenschaften der Wellenfunktionen von Grund- u. Anregungszustand beruhen.

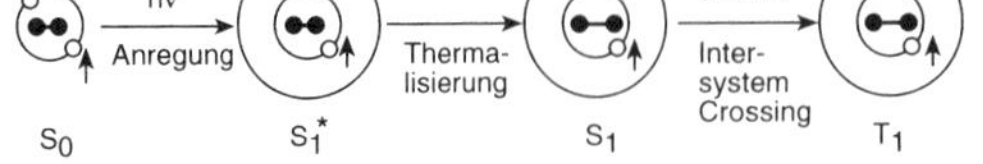

Abb. 1: Übergang eines Mol. vom Grund- in den (angeregten) Singulett- u. Triplettzustand.

Während des nur 10^{-15} s dauernden Absorptions- u. Anregungsprozesses ändern sich die relativen Kernabstände nicht wesentlich (sog. *Franck-Condon-Prinzip*), doch müssen sich diese neu einschwingen, nachdem das Elektron sein kernferneres Orbital eingenommen hat. Vom Absorptionsprozeß herrührende, überschüssige Schwingungsenergie geben die Mol. unter Übergang in den S_1-Zustand an die Umgebung (z. B. das Lsm.) ab; man nennt diesen Vorgang der therm. Gleichgew.-Einstellung der elektron. angeregten Mol. *Thermalisierung* (allg. *Relaxation*). Damit sind die Primärprozesse abgeschlossen.

Sekundärprozesse (vgl. Abb. 2): Aus dem S_1-Zustand kann das Mol. auf verschiedenen Wegen in den Grundzustand S_0 zurückkehren. Einige Möglichkeiten zeigt Abb. 2, die ein auch als *Jabłoński-Termschema* bezeichnetes u. hier vereinfacht wiedergegebenes Energiediagramm darstellt.

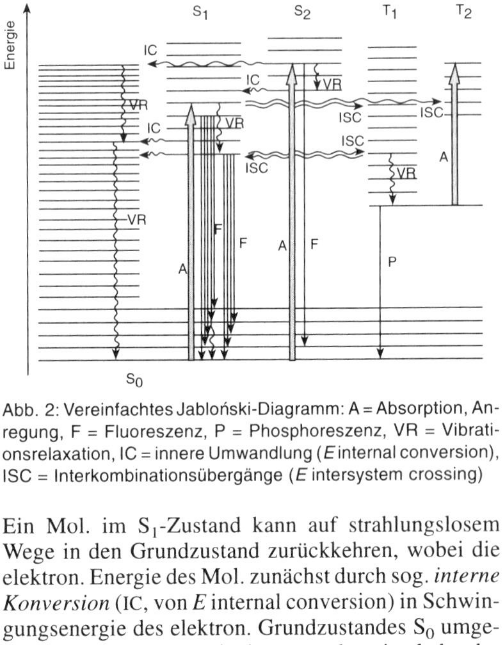

Abb. 2: Vereinfachtes Jabłoński-Diagramm: A = Absorption, Anregung, F = Fluoreszenz, P = Phosphoreszenz, VR = Vibrationsrelaxation, IC = innere Umwandlung (*E* internal conversion), ISC = Interkombinationsübergänge (*E* intersystem crossing)

Ein Mol. im S_1-Zustand kann auf strahlungslosem Wege in den Grundzustand zurückkehren, wobei die elektron. Energie des Mol. zunächst durch sog. *interne Konversion* (IC, von *E* internal conversion) in Schwingungsenergie des elektron. Grundzustandes S_0 umgewandelt wird. Durch Schwingungsrelaxation kehrt das Mol. wieder in die niedrigen Schwingungszustände zurück. Die freiwerdende Energie wird durch Stoßprozesse mit der Umgebung als Wärme abgegeben (*Energie-Dissipation*); diese wird z. B. bei der *photoakustischen Spektroskopie aufgrund einer Druckerhöhung gemessen. Durch Aussendung eines *Fluoreszenz*-Lichtquants (hν'), das im allg. energieärmer als das absorbierte Quant (hν) ist, wird der Grundzustand ebenfalls erreicht. Ferner kann das Mol. durch sog. Interkombinationsübergänge (ISC, von *E* intersystem crossing) von Singulett-Zuständen in Triplettzustände hin- u. herwechseln. Beim Übergang $S_1 \rightarrow T_1^*$ muß allerdings eine Spinumkehr des Anregungselektrons eintreten: Im Triplettzustand T_1 haben die beiden Elektronen parallele Spins (symbol. dargestellt als: ↑↑). Intersystem Crossing ist also mit einer Multiplizitätsänderung verbunden u. nach den Auswahlregeln eigentlich verboten. Die Rückkehr des angeregten Mol. von

T_1 in den Grundzustand S_0 kann strahlungslos od. unter Emission eines *Phosphoreszenz*-Lichtquants (hν'') erfolgen. Die Lebensdauer der verschiedenen Zustände ist sehr unterschiedlich: S_1 ca. 10^{-10}–10^{-7} s u. $T_1 \geq 10^{-3}$ s. T_1 ist ein metastabiler Zustand, dessen relativ lange Lebensdauer dadurch zu erklären ist, daß es sich bei $T_1 \rightarrow S_0$ um einen verbotenen Übergang handelt. Von *verzögerter Fluoreszenz* spricht man, wenn diese später eintritt, als nach den oben genannten Zeiten zu erwarten wäre. Als Ursachen kommen Stoßprozesse (sog. Triplett-Triplett-Annihilation) od. reversibles Intersystem Crossing vom therm. angeregten T_1- in den elektron. angeregten S_1-Zustand in Frage. Man spricht von *photostationären Zuständen*, wenn in der Zeiteinheit ebenso viele angeregte Mol. gebildet werden, wie durch strahlende od. strahlungslose Prozesse od. durch chem. Reaktionen verschwinden.

Eine weitere, in Abb. 2 nicht dargestellte Möglichkeit, seine Anregungsenergie abzugeben, besteht für ein Mol. (im folgenden Donator genannt, $_DS$) in der *Energieübertragung* auf ein anderes Mol. (im folgenden Akzeptor genannt, $_AS$), dessen Anregungsenergie kleiner sein muß als die des angeregten Donatormoleküls. Von den beiden wichtigen intermol. Energieübertragungsprozessen $_DS_1 + {_AS_0} \rightarrow {_DS_0} + {_AS_1}$ u. $_DT_1 + {_AS_0} \rightarrow {_DS_0} + {_AT_1}$ ist wegen der höheren Lebensdauern des Triplettzustandes bes. der letztere bedeutsam. Im allg. spricht man statt von Donatormol. von *opt. Photosensibilisatoren* (s.a. Sensibilisatoren), wenn man Mol. meint, die die von ihnen absorbierte Strahlungsenergie auf solche Mol. übertragen, die die eingestrahlte Energie nicht selbst absorbieren. Photosensibilisierte Prozesse spielen in Natur u. Technik eine große Rolle: Photosynth., Photodermatitiden (s. Photobiologie), Fagopyrismus (s. photodynamischer Effekt) u. Photochemotherapie, aber auch präparative Photooxid. sind Resultate von Sensibilisator-Wirkungen; über die in der *Photographie wichtigen *spektralen Sensibilisatoren* s. dort u. bei Sensibilisation. Wenn die Akzeptormol. die soeben aufgenommene Anregungsenergie des Donators (Sensibilisators) durch strahlungslose Desaktivierung unwirksam machen, nennt man sie *Löscher* (*E* quencher), s. a. Farbstofflaser. Techn. Anw. finden derartige Löschprozesse in Licht- u. Sonnenschutzmitteln.

Neben der physikal. Energieübertragung existieren noch Anzeichen für einen chem. Mechanismus (*Schenck-Mechanismus*), dessen erster Schritt z. B. als $_DT_1 + {_AS_0} \rightarrow {_{(D-A)}T_1}$ zu formulieren wäre, wobei $_{(D-A)}T_1$ ein labiles, angeregtes Zwischenprodukt aus Sensibilisator u. Akzeptor darstellt (vgl. Excimere). Das Zwischenprodukt reagiert dann mit einem weiteren Akzeptormol. zu Endprodukt u. nicht-angeregtem Sensibilisator weiter. Physikal. verwandt mit dem Donator-Akzeptor-Modell der Sensibilisation sind die *Charge-transfer-Komplexe*, chem. verwandt die *Exciplexe* (s. Excimere).

Die anorgan. P. beschäftigt sich v. a. mit Koordinations- u. Metall-organ. Verb., deren prim. Photoreaktionen meist unter Spaltung einer Metall-Ligand-Bindung ablaufen. Spezielles Interesse findet die *Photolyse des Wassers* zu H_2 u. O_2 – z. B. mit Hilfe von Ruthenium- od. anderen Komplexen – als vielversprechende Möglichkeit, Sonnenenergie in Form von chem. Energie zu speichern; mit der P. der Sonne beschäftigt sich Ryason[2]. Ein anderer Aspekt der anorgan. P. ist der der sog. *Photokatalyse*, worunter sowohl die Bildung von Katalysatoren durch Belichtung von Koordinationsverb. (*photounterstützte Katalyse*) als auch eine Reaktion verstanden werden könnte, bei der entweder der Katalysator od. das Substrat selbst Licht absorbiert.

Photochem. Reaktionen finden in der organ. Chemie breite Verw., so daß dieser Aspekt der P. in einem eigenen Stichwort abgehandelt wird, s. organische Photochemie. Photopolymerisationen, Lackhärtung, Einsatz von Photolacken (oft Photoresists genannt) in der Elektronik u. Druckformenherst., Wasserentkeimung u. die verschiedenen Verf. der Reprographie, insbes. Photographie, Lichtpausen, Elektrophotographie u. die photochem. Druckverf. (s. *Lit.* bei Offsetdruck) sind wichtige techn. Prozesse, die von der P. Verw. machen. Das monochromat. Licht von Lasern ist für die Isotopentrennung notwendig. Die Wirkung des Lichtes macht man sich auch zunutze in photochromen (phototropen) Gläsern (s. Photochromie) u. in der gezielten Verrottung von Kunststoffen, die man durch Einbau lichtempfindlicher Substanzen schneller abbaubar zu machen hofft. Andererseits kann die Lichteinwirkung durchaus unerwünscht sein; zum Schutz gegen neg. Lichteinfluß setzt man Kunststoffen u. Elastomeren Lichtschutzmittel zu, die wie die Sonnenschutzmittel in den Hautpflegemitteln wirken. Bier wird durch die Färbung der Flaschen vor dem Entstehen des „Lichtgeschmacks“ geschützt. Bei Arzneimitteln ist Lichteinwirkung oft mit Wirkungseinbuße, gelegentlich sogar mit fast vollständigem Wirkungsverlust verbunden[3].

Bis zum Beginn dieses Jh. nutzte man für photochem. Reaktionen ausschließlich das Mischlicht der *Sonnenstrahlung* (Emissionsmaximum ca. 500–600 nm), u. entsprechend waren die frühen photochem. Experimente von *Ciamician u. Silber, von *Paternò u. a. auf die optimale Ausnutzung dieser Strahlung ausgerichtet. Heute benutzt man im photochem. Laboratorium als *Strahlenquellen* Lampen hoher Leistung auf der Basis von *Gasentladungen* in Natrium-, Xenon- u. v. a. Quecksilber-Atmosphäre (Quecksilberdampf-Lampen), wobei Leuchtdichte, Wellenlängenbereich u. Energieausbeute der diversen, in sehr vielfältigen Formen u. Abmessungen angebotenen Lampentypen nicht nur von der Art des verwandten Gases od. Dampfes (u. evtl. Dotierungszusätze), sondern auch von den herrschenden Binnendruckverhältnissen abhängen; *Beisp.:* Natrium-Niederdrucklampen, Quecksilber-Hochdrucklampen, Xenon-Höchstdrucklampen. Oft ist bei photochem. Versuchen die Verw. von *Lichtfiltern* notwendig, um bereits gebildete Produkte vor Folgereaktionen zu schützen; man benutzt hierzu entweder Glasfilter (gewöhnliches Glas absorbiert z. B. UV-Licht), Farbglasfilter od. Filterlsg. auf der Basis anorgan. Salze. Um *Quantenausbeuten* bestimmen zu können, muß man unter Zugrundelegung des Bunsen-Roscoeschen Gesetzes die Menge photochem. wirksamer Lichtenergie im Reaktionsgefäß bestimmen, eine Aufgabe der *Aktinometrie. Die Mehrzahl der photochem. Reaktionen wird mit Lsg. durchgeführt, doch sind Anregungs- u. Folgeprozesse prinzipiell auch in gasf. u. fester Phase möglich: Ein im Rahmen der Untersuchungen über die Quellen der *Luftverunreinigung* intensiv studiertes Objekt der Gasphasen-P. ist der *photochem. Smog*[4], bei dessen Entstehung Singulett-Sauerstoff, Radikale (HO˙, RO˙, ROO˙) u. andere **Photooxidantien*, insbes. *Peroxyacetylnitrat u. *Ozon, eine Rolle spielen. Die Reaktion des letzteren mit photolysierten Chlorfluorkohlenstoffen (*FCKW) in der Stratosphäre (s. Ozonloch) sind für die Schwächung der Ozon-Schicht verantwortlich.

Geschichte: Die alten Ägypter benutzten „Photolacke" aus Lavendelöl u. bituminösen Stoffen zur lichthärtenden Beschichtung von Mumien. Die bleichende Wirkung des Sonnenlichts u. die Unentbehrlichkeit des Lichts für das Wachstum grüner Pflanzen wurden schon von Aristoteles um 350 v. Chr. erkannt. Die Entdeckung der Lichtempfindlichkeit von Silbersalzen wird zwar allg. Schulze (1727) zugeschrieben, doch soll diese bereits von Glauber 1658 beschrieben worden sein. Als weitere wichtige Entdeckungen folgten im 18. u. 19. Jh.: Unterschiedliche Wirkung verschiedener Spektralbezirke (Scheele, 1777), Zers. von Chlorwasser im Sonnenlicht (Berthollet, 1785), Photosynth. des Phosgens (Davy, 1812), Photographie, Strahlungsmessungen von Bunsen u. Roscoe (1854). Die präparative Nützlichkeit der P. wurde erstmals in den Arbeiten von Ciamician u. Silber anfangs des 20. Jh. unter Beweis gestellt. In der Folge wurde eine Fülle von weiteren experimentellen Tatsachen zutage gefördert u. gleichzeitig nach Aufstellung der Quantentheorie u. der modernen Atommodelle eine wissenschaftliche Theorie der photochem. Prozesse gegeben. Die neuesten Entwicklungen der P. kann man den jeweils in der Zeitschrift Pure Appl. Chem. erscheinenden Konferenzberichten entnehmen. – ***E*** photochemistry – ***F*** photochimie – ***I*** fotochimica – ***S*** fotoquímica

Lit.: [1]Chin u. Lambropoulos, Multiphoton Ionization of Atoms, New York: Academic Press 1984. [2]Survey Prog. Chem. **9**, 89–120 (1980); Schuster, Photochemistry, Organic Encyclopedia of Physical Science and Technology, Vol. 12, S. 509–558, New York: Academic Press 1992. [3]Pharm. Ind. **47**, 207 (1985). [4]J. Phys. Chem. Ref. Data **13**, 315–444 (1984).

allg.: Allen u. Schnabel, Photochemistry and Photophysics in Polymers, Barking: Elsevier Appl. Sci. 1984 ▪ An Abridgement of Evaluated Kinetic and Photochemical Data for Chemistry: Suppl. 1 (CODATA Bull. 45), Oxford: Pergamon 1982 ▪ Andrews, Lasers in Chemistry, Berlin: Springer 1997 ▪ Applications of Photochemistry, Lancaster (Pa): Technomic 1984 ▪ Bäuerle, Laser Processing and Chemistry, Berlin: Springer 1996 ▪ Becker et al., Einführung in die Photochemie (3.), Leipzig: Barth 1991 ▪ Bordon, Diradicals, New York: Wiley 1982 ▪ Coyle et al., Light, Chemical Change and Life: A Source Book in Photochemistry, Stony Stratford: Open University Press 1982 ▪ Daudel et al., Quantum Theory of Chemical Reactions, Bd. 2, Dordrecht: Reidel 1981 ▪ Hall et al., Photochemical, Photoelectrochemical and Photobiological Processes (2 Bd.), Dordrecht: Reidel 1981, 1983 ▪ Houben-Weyl **4/5 a,b** ▪ Hutzinger **2 B**, 19–41 ▪ Kirk-Othmer (4.) **14**, 1034; **15**, 41 ▪ Levine, The Photochemistry of Atmospheres, New York: Academic Press 1985 ▪ Manz u. Wöste, Femtosecond Chemistry, Weinheim: VCH Verlagsges. 1994 ▪ McGlynn et al., Photophysics and Photochemistry in the Vacuum Ultraviolet, Dordrecht: Reidel 1985 ▪ Phys. Bl. **50** (3), 215 (1994) ▪ Rabek, Experimental Methods in Photochemistry and Photophysics (2 Bd.), New York: Wiley 1982 ▪ Shlyapintokh, Photochemical Conversion and Stabilization of Polymers, München: Hanser 1984 ▪ Ullmann (4.) **3**, 305–320 ▪ Umschau **83**, 564–568 (1983) ▪ Zewail, Photochemistry and Photobiology (2 Bd.), New York: Harwood 1984. – *Zeitschriften u. Serien:* Advances in Multi-Processes and Spectroscopy, Singapore: World Scient. Publ. (seit 1984) ▪ Advances in Photochemistry, New York: Wiley (seit 1963) ▪ Developments in Polymer Photochemistry, Barking: Appl. Sci. Publ. (seit 1980) ▪ EPA Newsletter, Mülheim (Ruhr): MPI Strahlenchemie (seit 1978) ▪ Journal of Radiation Curing, Norwalk (Conn.): Technol. Marketing Corp. (seit 1974) ▪ Padwa u. Tolbert (Hrsg.), Organic Photochemistry, New York (seit 1979) ▪ Polymer Photochemistry, Barking: Elsevier Appl. Sci. (seit 1981). – *Organisationen:* European Photochemistry Association, c/o H. J. Kuhn, MPI Strahlenchemie, 45470 Mülheim ▪ GDCh Fachgruppe „Photochemie" ▪ Inter-American Photochemical Society, c/o F. Saeva, Eastman Kodak Company, Rochester, N. Y. 14650 ▪ Japanese Photochemistry Association, c/o Dep. Synthetic Chemistry, Fac. of Engineering, Univ. Tokyo, Hongo, Bunkyoku, Tokyo 113.

Photochemikalien s. Photographie.

Photochemische Polymerisation s. Photopolymerisation.

Photochemische Reaktionen s. organische Photochemie.

Photochemisches Äquivalent s. Photochemie.

Photochemotherapie. Bez. für solche Meth. der *Chemotherapie, die die Einwirkung des Lichtes, insbes. des UV-A, einbeziehen, also auf photochem. Reaktionen von Arzneimitteln im Körper beruhen. Bei der P. von *Psoriasis, *Vitiligo u. ä. Dermatitiden wendet man *Xanthotoxin (8-Methoxy-psoralen) als *Sensibilisator oral od. lokal an u. bestrahlt die erkrankten Hautpartien nach einer gewissen Zeit mit UV-A-Licht (*PUVA*-Therapie). Angriffsort des *Furocumarins ist die DNA; zusätzlich wird die *Hautbräunung angeregt, nicht jedoch bei *Albinismus. Allerdings ist die PUVA-Therapie mit nicht unerheblichen Mutagenitäts- u. Carcinogenitäts-Risiken behaftet. Von der P. mit Hämatoporphyrin erhofft man sich Erfolge gegen einige Krebsarten. Porfimer-Natrium, ein Hämatoporphyrin-Derivat, wurde 1997 als Photosensitizer zur *photodynam. Therapie* nicht-kleinzelliger endobronchialer Frühcarcinome zugelassen[1]. Wird das Gewebe dann einem *Laser-Licht von bestimmter Wellenlänge ausgesetzt, führt eine photochem. Reaktion zum Zelltod, wohl über eine Freisetzung von freien Sauerstoff-Radikalen. Diese Technik ist auf Tumoren anwendbar, die einer Lichtquelle zugänglich sind. So können die Laserstrahlen auf die Haut od. mit Hilfe von Endoskopen im Bronchialsyst. od. Verdauungstrakt appliziert werden[2]. – ***E*** photochemotherapy – ***F*** photochimiothérapie – ***I*** fotochemioterapia – ***S*** fotoquimioterapia

Lit.: [1]Dtsch. Apoth. Ztg. **137**, 3188 (1997). [2]Hautarzt **46**, 315–318 (1995).

allg.: Acc. Chem. Res. **17**, 417 ff. (1984) ▪ Berns, Hematoporphyrin Derivative Photoradiation Therapy of Cancer, New York: Liss 1985 ▪ Gschnait, Orale Photochemotherapie, Wien: Springer 1982 ▪ IARC Monogr. **24**, 101–124 (1980), Suppl. **4**, 158 ff. (1982) ▪ Morrison, Phototherapy and Photochemotherapy of Skin Disease, Philadelphia: Lippincott-Raven 1990.

Photochromie (Phototropie). Von griech.: chrôma = Farbe abgeleitete Bez. für eine durch sichtbares od. ultraviolettes Licht hervorgerufene reversible Umwandlung eines Stoffes in einen anderen, der sich von der Ausgangsverb. durch seine Farbe (u. somit durch sein Absorptionsspektrum) unterscheidet. Die Rückreaktion kann durch Licht anderer Wellenlänge od. durch Wärme ausgelöst werden od. spontan erfolgen. So färbt sich z. B. das orangefarbene Triphenyl-*Fulgid (2-Benzhydryliden-3-benzylidenbernsteinsäureanhydrid) bei Belichtung mit kurzwelligem Licht bläulich; im Dunkeln od. bei Bestrahlung mit rotem Licht stellt sich wieder die gewöhnliche Färbung ein; farblose Spiropyrane gehen bei UV-Belichtung in blaue Verb. über (Isomerisierung), die bei erneuter Bestrahlung, aber nun mit sichtbarem Licht, zu den farblosen Ausgangsstoffen zurückreagieren. Bei der P. handelt es sich also um *reversible Photoisomerisierungen* (Valenzisomerie, Stereoisomerie, Zwitterion-Bildung) od. um *Photolysen* mit ggf. isolierbaren Ausgangs- u. Endprodukten. P. wurde z. B. auch beobachtet bei Acetaniliden, Aldehydhydrazonen, Thioindigo, Stilben-, Rhodamin- u. Anthrachinon-Derivaten u. Benzofuroxanen. Manche Verb. zeigen sowohl P. als auch *Thermo- u. selbst *Piezochromie, z. B. Dehydrodianthron (*Lit.*[1]); mit *o*-Nitrobenzyliden-Derivaten läßt sich ggf. *Photothermochromie* beobachten. Organ. photochrome Substanzen wurden für Informationsspeicherung u. Silber-freie Photographie vorgeschlagen, doch erleiden die bisher benutzten photochromen Verb. rasch Zers. u. Intensitätsverluste durch Fluoreszenz od. Phosphoreszenz. Ein gut funktionierendes natürliches P.-Syst. ist das des *Phytochroms.

Anorgan. photochrome Substanzen sind meist farblose Festkörper, die bei Belichtung Elektronen-Löcher-Paare bilden, die als *Farbzentren (Kristallbaufehler) wirken; *Beisp.:* Alkalihalogenide, Phosphat-Gläser, mit Seltenerdmetallen dotiertes Calciumfluorid, Titanate mit Perowskit-Struktur. Techn. angewendet werden die *photochromen Gläser,* die im dtsch. Sprachraum meist als *phototrope Gläser* bezeichnet werden; Näheres s. dort. – ***E*** photochromism – ***F*** photochromie – ***I*** = ***S*** fotocromismo

Lit.: [1] Ber. Bunsenges. Phys. Chem. **78**, 391–403 (1974).
allg.: Acc. Chem. Res. **11**, 170 ff. (1978) ▪ Chem. Unserer Zeit **9**, 85–95 (1975) ▪ Kirk-Othmer (3.) **6**, 121–128; **11**, 822 ff. ▪ s. a. Glas.

Photocycloadditionen s. organische Photochemie.

Photodermatitis s. Furocumarine, Photobiologie, Pigmentierung, Porphyrie, Sensibilisation.

Photodetachment. Ablösung eines Elektrons aus einem neg. geladenen Atom od. Mol. mit Hilfe von elektromagnet. Strahlung (*Photonen); *Beisp.:* *Laserphotodetachment-Elektronenspektrometrie mittels Laserlicht. – ***E*** photodetachment – ***F*** photodétachement – ***I*** fotoespulsione – ***S*** fotodesprendimiento

Photodimerisierung s. organische Photochemie.

Photodioden. Bauelemente der *Optoelektronik, die zur Messung von Licht dienen, bes. im sichtbaren, nahen IR- u. UV-Bereich. Es gibt zwei Ausführungsformen. Bei den *Vak.-P.* werden Elektronen durch den äußeren *Photoeffekt aus einer Metallkathode durch Lichtquanten hinreichender Energie freigesetzt u. von einer pos. gepolten Anode eingesammelt. Der Anodenstrom ist proportional zur einfallenden Lichtintensität. Eine Weiterentwicklung der Vak.-P. stellt der *Photomultiplier dar. Bei den *Halbleiter*-P. wird Licht in einen in Sperrichtung gepolten pn-Übergang eingestrahlt. Die dadurch in der Verarmungszone erzeugten Elektronen u. Löcher (innerer Photoeffekt) werden von der Sperrspannung abgesaugt u. führen zu einem Photostrom, der wiederum zur Lichtintensität proportional ist. Gute Empfindlichkeiten von P. liegen vor bei Photoströmen im Bereich von 0,1 A pro Watt einfallender Lichtleistung, Anstiegs- u. Abfallzeiten können bis in den 100 ps-Bereich reichen; vgl. a. Halbleiter, Optoelektronik u. Photoeffekt. – ***E*** = ***F*** photodiode – ***I*** fotodiodi – ***S*** fotodiodos

Lit.: Paul, Elektronische Halbleiterbauelemente (3.), Stuttgart: Teubner 1992 ▪ Paul, Optoelektronische Halbleiterbauelemente (2.), Stuttgart: Teubner 1992 ▪ Sze, Physics of Semiconductor Devices, 2. Aufl., New York: Wiley 1981.

Photodynamischer Effekt (von griech.: dýnamis = Kraft). Bez. für die Erscheinung, daß (v. a. Niedere) Organismen durch bestimmte, insbes. farbige Stoffe (z. B. Eosin) im Licht geschädigt werden, im Dunkeln aber nicht. Heute weiß man, daß zum Zustandekommen des p. E. Sauerstoff durch die als *Photosensibilisatoren* wirksamen, photodynam. aktiven Stoffe in *Singulett-Sauerstoff umgewandelt werden muß, um wirksam zu werden (vgl. Photochemie). Zu den mehr als 1000 bekannten Stoffen, die den p. E. zeigen, gehören sowohl Pharmaka wie Antibiotika, Phenothiazine u. Sulfonamide als auch polycycl. Aromaten[1] u. Carcinogene. Erscheinungen des p. E. sind nicht nur die unter Sonneneinstrahlung entstehenden Hautläsionen bei *Porphyrie-Kranken, sondern auch die bei Weidetieren, insbes. bei Albinos, die *Buchweizen (enthält Fagopyrin) od. *Johanniskraut (enthält *Hypericin) gefressen haben, zu beobachtenden ggf. tödlichen Hauterkrankungen (Lichttod, *Fagopyrismus, Hypericismus*)[2]. Prakt. Anw. findet der p. E. bei manchen Insektiziden[3] u. bei der *Photochemotherapie mit Hämatoporphyrin u. a. Porphyrin-Derivaten. In weniger systemat. Sinn werden in der Kosmetik als *photodynam. Stoffe* (od. *phototox.* od. *photoallergisierende Stoffe*) alle Verb. zusammengefaßt, die unter Sonneneinwirkung Erytheme od. Allergien hervorrufen, unabhängig davon, ob dabei Sauerstoff zugegen ist od. nicht[4]. – ***E*** photodynamic effect – ***F*** effet photodynamique – ***I*** effetto fotodinamico – ***S*** efecto fotodinámico

Lit.: [1] Chem. Eng. News **63**, Nr. 18, 10 (1985). [2] Photochem. Photobiol. Rev. **5**, 229–256 (1980). [3] Residue Rev. **88** (1983). [4] Parfüm. Kosmet. **57**, 149–156 (1976).
allg.: Chem. Unserer Zeit **8**, 10–16 (1974) ▪ Dragoco-Rep. **28**, 71–76 (1981) ▪ Experientia Suppl. **37**, 166–175 (1979) ▪ Naturwissenschaften **69**, 401 f. (1982) ▪ Photochem. Photobiol. Rev. **7**, 141–186 (1983) ▪ s. a. Photobiologie.

Photodynamische Therapie s. Photochemotherapie.

Photoeffekte. Im allg. Bez. für alle Veränderungen der Materie, die durch Bestrahlung mit Licht hervorgerufen werden. Im engeren Sinn versteht man unter P. (auch *photoelektr.* od. *lichtelektr. Effekt*) die Erzeugung von freien beweglichen Ladungsträgern durch

Absorption von Lichtquanten (Photonen). Die Photonenenergie liegt im allg. im sichtbaren, IR- u. UV-Spektralbereich, gelegentlich handelt es sich auch um Röntgen- u. Gammaquanten (*Comptoneffekt, *Photoionisation).
Beim *äußeren P.* werden Ladungsträger (Elektronen) durch Absorption von Photonen aus *Metallen ins Vak. (od. in Luft) emittiert u. können dort nachgewiesen werden, z. B. durch den Strom, der über eine Anode (*Photodiode) abfließt. Der Effekt wurde 1887/88 von Hertz u. Hallwachs entdeckt. Lenard fand, daß die Energie der austretenden Elektronen nur von der Wellenlänge des eingestrahlten Lichtes u. vom Metall abhängt, nicht jedoch von der Lichtintensität; eine Erhöhung dieser Größe erhöht zwar die Zahl der pro Zeiteinheit austretenden Elektronen, nicht jedoch ihre Energie. Die Deutung dieses Befundes durch Einstein im Rahmen der Quantentheorie erklärt dies zwanglos. Die Maximalenergie E_{kin}^{max} der Elektronen ist gegeben durch $E_{kin}^{max} = h\nu - A$, dabei ist $h\nu$ die Quantenenergie der Photonen u. A die Austrittsarbeit, d. h. die Mindestenergie, die aufgebracht werden muß, um ein Elektron aus dem Metall ins Vak. zu bringen. Die Frequenz ν des Lichtes hängt mit der Wellenlänge λ u. der Lichtgeschw. c gemäß $c = \lambda\nu$ zusammen. Die Austrittsarbeit bestimmt das niederenerget., d. h. langwellige Ende der Photoempfindlichkeit der unterschiedlichen Metalle. Für Alkalimetalle ist dieser Wert bes. niedrig, daher werden für Vak.-*Photodioden u. *Photomultiplier häufig neben Bismut- auch Trialkali-Kathoden verwendet, die aus einer Mischung von drei verschiedenen Alkalimetallen bestehen u. eine niedrige Auslösearbeit für Elektronen mit hoher Quantenausbeute verbinden. Dipolschichten an der Oberfläche, z. B. hervorgerufen durch Fremdatome, können die Austrittsarbeit erhöhen od. erniedrigen. Die Photoelektronenspektroskopie, bei der die emittierten Elektronen nach ihrer Energie (u. Richtung) in Abhängigkeit von der Quantenenergie der einfallenden Photonen untersucht werden, gibt Informationen über die Bandstruktur (*Halbleiter) der besetzten Zustände im Festkörper.
Beim *inneren P.* verlassen die durch Lichtabsorption angeregten Ladungsträger den Festkörper nicht. Dieser Effekt wurde bes. an Halbleitern (*Beisp.:* CdS u. a. II–VI-Verb.), aber auch an Isolatoren u. organ. Molekülkrist. beobachtet. Übergänge, bei denen frei bewegliche Ladungsträger, entstehen, sind schemat. in das Bänderschema (*Halbleiter) eingezeichnet (s. Abb.). Bei a ist die Photonenenergie größer als die Breite der verbotenen Zone. Ein Elektron kann vom Valenzband ins Leitungsband angehoben werden (Band-Band-Anregung) u. hinterläßt dort ein Loch. Beide Ladungsträger, Elektronen u. Löcher, sind frei beweglich (*Halbleiter, *Löcherleitung) u. tragen zum Stromtransport bei, wobei der Beitrag der Löcher wegen ihrer größeren effektiven Masse u. damit geringeren Beweglichkeit kleiner ist. Für Quantenenergien kleiner als die Bandlücke sind evtl. noch Übergänge zwischen räumlich lokalisierten Störstellenzuständen u. den Bändern möglich: Bei b wird ein Elektron von eine Störstelle ins Leitungsband angehoben, bei c vom Valenzband, in dem es ein Loch hinterläßt, auf ein Störstellenniveau; dieser Prozeß kann auch so beschrieben werden, daß durch Absorption des Lichtquants ein Loch von der Störstelle ins Valenzband gebracht wird.

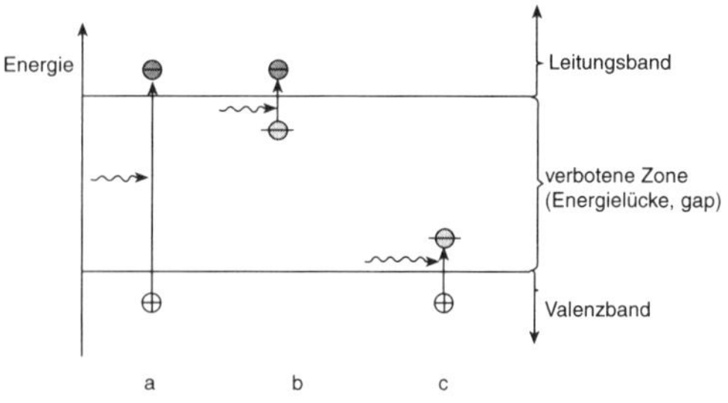

Abb.: Schemat. Darst. von Absorptionsprozessen, die zur Photoleitung führen.

Die Abhängigkeit der Leitfähigkeit σ von der Wellenlänge u. der Intensität I des eingestrahlten Lichtes kann recht kompliziert sein. Im allg. setzt sich die Leitfähigkeit aus einer Dunkelleitfähigkeit σ_d u. der *Photoleitfähigkeit σ_{Ph} zusammen: $\sigma = \sigma_d + \sigma_{Ph}$. Für σ_{Ph} findet man oft Proportionalität zu I^{α}, wobei der Exponent α von λ u. I selbst abhängt u. Werte im Bereich zwischen $0{,}5 \leq \alpha \leq 2$ annehmen kann, je nach Erzeugungs- u. Rekombinationsprozeß der Ladungsträger. Selbst $\alpha < 0$ kann in manchen Materialien beobachtet werden. Eine Abnahme (Tilgung) der Photoleitung durch Einstrahlung im IR-Bereich ist möglich z. B. durch Prozeß c (s. Abb.), da eine Zunahme der Löcherdichte die Elektronen-Loch-Paarrekombination begünstigt u. so zu einer Abnahme der Elektronen-Konz. im Leitungsband führen kann.
Der P. hat in einem gewissen Wellenlängenbereich ein Maximum u. sinkt zu kleinen Quantenenergien hin ab, wenn diese zur Freisetzung der Ladungsträger nicht mehr ausreichen. Zu großen Quantenenergien hin tritt ebenfalls ein Abfall auf, der durch die beginnende Absorption im Fenstermaterial [(Quarz-)Glas, Saphir] bedingt ist u. beim *inneren* P. auch durch die mit zunehmender Quantenenergie abnehmende Eindringtiefe des Lichtes in die Materie in Verbindung mit schnellen Rekombinationsprozessen an der Oberfläche hervorgerufen wird.
Das Zeitverhalten der Photoleitfähigkeit ist bei gepulster od. zeitlich modulierter Anregung u. U. sehr komplex. Im allg. ist höhere Photoempfindlichkeit mit längeren Zeitkonstanten verknüpft. Neben den *homogenen* Photoleitern wird der *innere P.* auch bei *Halbleiter-*Photodioden u. *Photoelementen angewandt. Der P. dient zur Lichtmessung; vgl. a. Photodiode, Halbleiter, Optoelektronik u. Photoelement. – ***E*** photoeffects, photoelectric effects – ***F*** effets photoélectriques – ***I*** effetti fotoelettrici – ***S*** fotoefectos, efectos fotoeléctricos

Lit. *(v. a. zum äußeren Photoeffekt):* Gerthsen, Physik, 18. Aufl., Heidelberg: Springer 1995 ▪ Bergmann u. Schäfer, Lehrbuch der Experimentalphysik, 9. Aufl., Bd. 3, Berlin: de Gruyter 1993. – *(Zum inneren Photoeffekt u. Photoleitfähigkeit zusätzlich):* Bube, Photoconductivity of Solids, New York: Wiley 1960 ▪ Festkörperprobleme **19**, 271 (1979) ▪ Hamann et al., Organische Leiter, Halbleiter u. Photoleiter Berlin: Akademiker 1980 u. Wiesbaden: Vieweg 1981 ▪ Phys. Status Solidi A **15**, 387 (1973).

Photoelektrischer Effekt s. Photoeffekte.

Photoelektrizität. Auftreten einer elektr. Spannung u./od. eines elektr. Stromes an einem Bauelement durch Einstrahlung von Licht (s. Photoelement, Photoeffekte, Halbleiter). – ***E*** photoelectricity – ***F*** photoélectricité – ***I*** fotoelettricità – ***S*** fotoelectricidad

Photoelektronen. Sammelbez. für freie *Elektronen, die durch Einwirkung von elektromagnet. Strahlung aus Materie freigesetzt werden, z.B. beim äußeren *Photoeffekt od. bei der *Photoionisation. Ihre Analyse ist Grundlage für mehrere Meth. der Elektronenspektroskopie (s. die Abb. dort) wie *Photoelektronen-Spektroskopie, *ESCA u. *Auger-Spektroskopie (hier sind allerdings *Sekundärelektronen die Untersuchungs-Objekte). – ***E*** photoelectrons – ***F*** photo-électrons – ***I*** fotoelettroni – ***S*** fotoelectrones

Lit.: s. Elektronenspektroskopie u. die Textstichwörter.

Photoelektronen-Spektroskopie (PES, UPS). Untersuchung der Energieverteilung von Elektronen (*Photoelektronen), die durch energiereiche Ultraviolett-Strahlung aus Atomen u. Mol. (*Photoionisation) od. Festkörpern (*Photoeffekte) ausgelöst werden: $M \xrightarrow{h\nu} M^+ + e^-$. Die Photonenenergie ($h\nu$) wird dabei z.T. von der *Ionisationsenergie (Ablösearbeit) des Mol. (Festkörpers) verbraucht, u. die Überschußenergie wird in kinet. Energie des Elektrons umgewandelt, s. die Einstein-Gleichung bei Photoionisation (*Photoeffekte). P.-S. wird als Analysemeth. zur Untersuchung der Elektronenstruktur von Atomen u. Mol. (PES) u. Festkörpern (UPS) benutzt. Bei der Anfang der 60er Jahre in der ehem. UdSSR von Filesov (Vilessov) et al. u. in England von Turner et al. entwickelten PES läßt man monochromat. Vak.-UV-Licht [meist aus einer Helium-Entladungslampe mit 21,22 eV (=58,43 nm, HeI) od. 40,81 eV (=30,38 nm, HeII)] im Hochvak. auf die gasf. Probe einwirken. Die freigesetzten Photoelektronen werden im Elektronenspektrometer nach ihrer kinet. Energie getrennt u. in cps (counts per second) gezählt. Im Photoelektronenspektrum ist die Intensität (cps) gegen die kinet. Energie aufgetragen; man erkennt Spitzen u. strukturierte Banden, die auf Übergänge zwischen dem Mol. im Grundzustand u. seinem evtl. angeregten Ion zurückzuführen sind. Bei der heutzutage erreichbaren Energieauflösung von etwa 10 meV (FWHM; *Lit.*[1]) kann die Schwingungsstruktur von (kleinen) Mol. aufgelöst werden, die Rotationsstruktur jedoch nur in Einzelfällen (z.B. H_2). Die gemessenen *Ionisationsenergien sind ein Indiz dafür, aus welchem *Molekülorbital (MO) das Elektron entfernt wurde. Die Emission von Photoelektronen aus Atomen u. Mol. ist nicht isotrop; die Winkelverteilung von Photoelektronen ist symmetr. zur Orientierung des elektr. Vektors der ionisierenden Strahlung (polarisiertes Licht) bzw. zu ihrer Ausbreitungsrichtung (unpolarisiertes Licht) u. wird im letzteren Fall durch folgende Formel beschrieben:

$$I(\Theta) = \left(\frac{\sigma}{4\pi}\right)\left\{1 + \left(\frac{\beta}{2}\right)\left[\frac{3}{2}\sin^2\Theta - 1\right]\right\},$$

mit σ = totaler Photoionisationsquerschnitt u. Θ = Nachweiswinkel der Photoelektronen (bezogen auf die Ausbreitungsrichtung des Lichts). Bei $\Theta = 54°44'$, dem sog. *mag. Winkel*, verschwindet der Winkelterm, u. die gemessene Photoelektronenintensität $I(\Theta)$ ist proportional zum totalen Querschnitt, d.h. unabhängig von β, dem sog. Asymmetrieparameter, der von der Symmetrie des beteiligten Mol.-Orbitals (u. von der Photoelektronenenergie) abhängt u. zwischen –1 u. +2 variieren kann. Die Interpretation der Banden u. die Berechnung der Einzelorbitalenergien nach dem *Hartree-Fock-Verfahren sind nur auf der Basis der *MO-Theorie u. unter Zugrundelegung des *Koopmans-Theorems (zu den Grenzen s. *Lit.*[2]) möglich.

Mit Hilfe der PES lassen sich in der Metall-organ. u. organ. Chemie nicht nur Ionisationsenergien bestimmen, sondern Probleme der chem. Bindung, Konfiguration u. Konformation, Konjugation u. Hyperkonjugation, transannularen u. anderer Nachbargruppeneffekte, der Aromatizität u. Delokalisierungsenergie etc. studieren. Die PES an Festkörpern – wegen ihrer zur Ionisation benutzten UV-Strahlung meist Ultraviolett-PES (UPS) genannt – tastet wegen der sehr beschränkten Austrittstiefe der Photoelektronen nur wenige äußere Atomlagen des Festkörpers, insbes. seine Oberfläche u. Adsorbate, ab. Das UP-Spektrum eines reinen Festkörpers ist ein Spiegelbild seiner elektron. Bandstruktur. Bei Untersuchungen zur *Oberflächenchemie u. -physik wird die UPS ergänzt durch die von K. Siegbahn entwickelte (hierfür Physik-Nobelpreis 1981) *ESCA od. XPS (X-ray-PES), die zur Ionisation weiche Röntgenstrahlung [häufig 1253,6 eV (Mg-K_α) od. 1486,7 eV (Al-K_α)] verwendet, u. die *Auger-Spektroskopie. In neuerer Zeit wird neben den bereits erwähnten Linienquellen (HeI, HeII u.a., Mg-K_α, Al-K_α u.a.) vermehrt monochromatisierte *Synchrotron-Strahlung, welche sich vom IR bis zum Röntgenbereich erstreckt, zur PES u. XPS verwendet. Für spezielle Fragestellungen der Mol.-Physik wird auch die resonante u. nicht-resonante Mehrphotonenionisation mittels schmalbandiger (Hochleistungs-)Laser angewendet. Mit Hilfe der Null-Elektronenvolt-Kinet.-Energie-PES (*E*ZEKE-PES, *Lit.*[3]) konnte hierbei eine Auflösung von 0,15 meV erreicht werden, wodurch eine Trennung der Rotationsniveaus von NO^+ möglich war. Die Photodissoziation von Mol. wird schon seit längerem durch Kombination der PES mit der *Massenspektrometrie im Detail untersucht: Hierbei werden die Photoelektronen in Koinzidenz mit den Photo-(Fragment-)Ionen nachgewiesen (Photoelektron-Photoion-Koinzidenz, PEPICO) u. dadurch die Reaktionskanäle charakterisiert. In jüngster Zeit wird auch die Photodoppelionisation von Atomen u. Mol. durch verschiedene *Koinzidenz-Meth. studiert (Photoelektron-Photoelektron-Koinzidenz, PEPECO; Photoion-Photoion-Koinzidenz, PIPICO; Photoelektron-Photoion-Photoion-Koinzidenz, PEPIPICO; *Lit.*[4]); zum Einsatz von Photoelektronenbeugung zur Strukturanalyse s. *Lit.*[5]. Eine interessante Meth.-Kombination stellt die Photoelektronen-Mikroskopie dar. – ***E*** photoelectron spectroscopy – ***F*** spectroscopie en photo-électrons – ***I*** settroscopia fotoelettronica – ***S*** espectroscopia de fotoelectrones

Lit.: [1] Rev. Sci. Instrum. **72**, 1837 (1981). [2] Angew. Chem. **95**, 221 (1983). [3] Z. Naturforsch. Teil A **39**, 1089 (1984). [4] Mol. Phys. **3**, 725 (1987). [5] Phys. Bl. **52**, 997 (1996).

allg.: Acc. Chem. Res. **15**, 18–23, 40ff. (1982); **16**, 370ff. (1983) ▪ Adv. Atomic Molec. Phys. **19**, 395 (1983) ▪ Adv.

Catal. **29**, 55–95 (1980) ▪ Brundle u. Baker (Hrsg.), Electron Spectroscopy: Theory, Techniques and Applications, Vol. 1–5, New York: Academic Press 1977, 1978, 1979, 1981, 1984 ▪ Eland, Photoelectron Spectroscopy, London: Butterworth 1983 ▪ Ghosh, Introduction to Photoelectron Spectroscopy, New York: Wiley 1983 ▪ Hohlneicher, Photoelectron Spectroscopy, Encyclopedia of Physical Science and Technology, Vol. 12, S. 569–598, New York: Academic Press 1992 ▪ Lerner u. Trigg (Hrsg.), Encyclopedia of Physics, S. 908, Weinheim: VCH Verlagsges. 1991 ▪ Windawi u. Ho, Applied Electron Spectroscopy for Chemical Analysis, New York: Wiley 1982 ▪ s. a. Elektronenspektroskopie.

Photoelement (Solarzelle). Halbleiterdiode, meist auf Si-Basis, in deren pn-Übergang Licht der Quantenenergie hν eingestrahlt wird. Lichtquanten mit einer Energie größer als die Bandlücke E_g werden absorbiert u. erzeugen Elektron-Loch-Paare (s. Abb. 1). Diese werden aufgrund ihrer entgegengesetzten elektr. Ladungen in dem in der Sperrschicht herrschenden elektr. Feld getrennt u. führen bei offenen Klemmen zu einer Photospannung, beim Anschließen eines Verbrauchers zu einem Photostrom (s. a. Photoeffekte). Die Leerlaufspannung wächst im allg. proportional zum Logarithmus der einfallenden Lichtintensität, der Kurzschlußstrom linear.

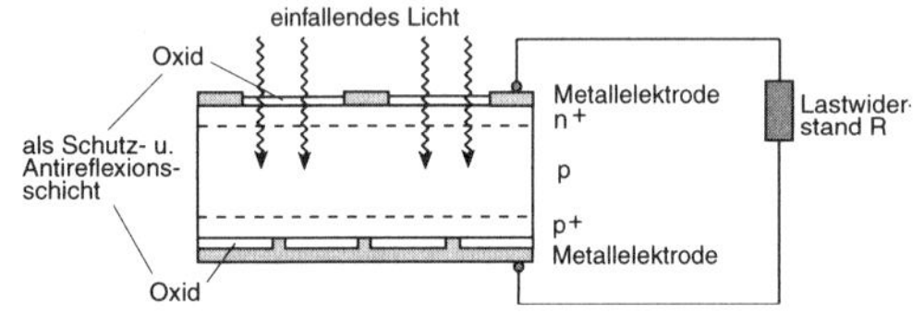

Abb. 1: Schemat. Aufbau einer Solarzelle; p = p-Dotierung, p^+ = starke p-Dotierung, n^+ = starke n-Dotierung.

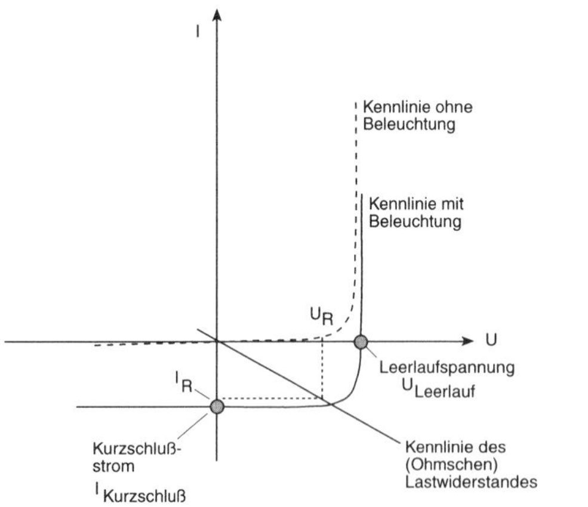

Abb. 2: Strom-Spannungskennlinie eines (un-)beleuchteten Photoelements.

Die Kennlinie ohne Beleuchtung geht durch den Ursprung, die mit Beleuchtung ist in neg. Stromrichtung parallel verschoben (s. Abb. 2). Die an einem Ohmschen Lastwiderstand R entnommene elektr. Leistung läßt sich durch das Einzeichnen von dessen Kennlinie im 2. Quadranten bestimmen u. entspricht dem gestrichelten Rechteck. Das Verhältnis $(I_R \cdot U_R)/(I_{Kurzschluß} \cdot U_{Leerlauf})$ wird als Füllfaktor bezeichnet. Er sollte möglichst nahe bei 1 liegen.

Anw.: P. dienen u. a. zur direkten Umwandlung von Sonnenlicht in elektr. Energie. Die besten Wirkungsgrade von zur Zeit ca. 22% (theoret. ca. 35%) für solare Energiekonversion werden mit *Halbleitern erreicht, die eine Bandlücke von etwa 1,1 bis 1,5 V haben (s. Abb. 3). Für größere Bandlücken wird der Anteil des absorbierten Sonnenspektrums zu klein, für kleinere Bandlücken die in Wärme umgewandelte Überschußenergie $h\nu - E_g$ der Photonen zu groß.

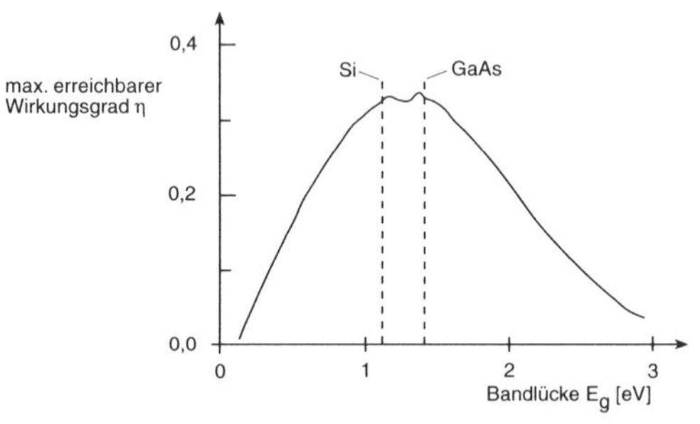

Abb. 3: Max. erreichbarer Wirkungsgrad als Funktion der Bandlücke, nach Würfel, s. *Lit.*

Die Anw. von P. zur elektr. Energieerzeugung ist zur Zeit noch nicht wirtschaftlich im Vgl. zur Stromerzeugung in Großkraftwerken, kann aber sinnvoll zur Stromversorgung in entlegenen, sonnigen Gegenden eingesetzt werden. P. stellen jedoch im Betrieb eine bes. umweltschonende Technologie dar, da sie weder in den CO_2- noch in den Gesamtwärmehaushalt der Erde eingreifen. Die Weiterentwicklung der Anw. von P., die sog. *Photovoltaik*, ist daher sinnvoll. Allerdings sind hocheffiziente ($\eta \gtrsim 20\%$) P., die auf hochreinem, einkristall. Si od. GaAs als Ausgangsmaterial beruhen, sehr teuer u. sollten daher ca. 10–20 a ohne Ausfall u. Degradation arbeiten, nur um die zu ihrer Herst. aufgewendete elektr. Energie wieder einzuspielen. Man versucht daher, preiswerte, mit weniger Energieaufwand herstellbare P. zu entwickeln, z. B. unter Einsatz von gegossenem, polykristall. od. direkt abgeschiedenem, amorphem Si. Diese haben typ. Wirkungsgrade um 8%, brauchen aber immer noch einige Jahre, um ihre Herst.-Energie wieder zu liefern.

Da die Sonneneinstrahlung in den Ind.-Ländern oft relativ gering ist – im Winter bei höherem Energiebedaf noch geringer als im Sommer – benötigt man Energiespeicher. Die Speicherung elektr. Energie ist aber nur sehr schlecht möglich. Daher gibt es Pläne, die mit P. in sonnigen Wüstenregionen erzeugte elektr. Energie zur elektrolyt. Spaltung von Wasser einzusetzen. Der so erzeugte Wasserstoff kann leicht gespeichert, transportiert u. beim Verbraucher in Brennstoffzellen od. Kraftwerken verbrannt werden u. so elektr. Energie u./od. Prozeßwärme erzeugen.

In der BRD wird z. B. der Bedarf an elektr. Energie des Kurhauses auf der Nordseeinsel Pellworm teilw. durch eine Photovoltaik-Anlage gedeckt. – ***E*** photo cell, solar cell – ***F*** photopile, photocellule, pile solaire – ***I*** pila fotoelettrica, cellula fotoelettrica – *S* fotoelemento, célula fotoeléctrica

Lit.: Goetzberger, Voß u. Knobloch, Sonnenenergie: Photovoltaik, 2. Aufl., Stuttgart: Teubner 1997 ▪ Phys. Bl. **53**, 1197 (1997) ▪ Phys. Unserer Zeit **21**, 237–244 (1990) ▪ Römpp Lexikon Umwelt, S. 553 f. ▪ Würfel, Physik der Solarzellen, Heidelberg: Spektrum 1995 ▪ s. a. Halbleiter.

Photoemission(sspektroskopie) s. Photoeffekte u. Photoelektronen-Spektroskopie.

Photoglycin. Trivialname für **N*-(4-Hydroxyphenyl)-glycin.

Photographie (von griech.: phōs = Licht u. graphein = schreiben). Bez. für die Herst. dauerhafter Abb. durch Einwirkung von Strahlung auf Material. Die P. beruht im wesentlichen auf der photochem. Veränderung lichtempfindlicher Substanzen unter dem Einfluß elektromagnet. Strahlung, z. B. von sichtbarem Licht, Röntgen-, UV- od. von Elektronenstrahlen. Wenn auch für speziellere Aufgaben (z. B. in der Raumfahrt, für techn. u. militär. Zwecke) verschiedene andere photochem. empfindliche Materialien herangezogen werden (z. B. Vesikularfilme), so spielt doch photograph. Material auf Silbersalz-Basis z. Z. noch immer die größte Rolle [1,2]. Elektron. Bildaufzeichnungsverf. (*Lit.*[3]) können bei vielen Anw. – u. a. wegen der vergleichsweise geringen Auflösung – noch nicht konkurrieren, haben aber eine rasch zunehmende Bedeutung. Die folgenden Ausführungen beziehen sich im wesentlichen auf die *Schwarzweiß-P.;* die Farb-P. ist – ebenso wie die meisten der hier erwähnten Begriffe – in einem selbständigen Stichwort behandelt.

Die Empfindlichkeit für elektromagnet. Strahlung der in der P. verwendeten Silberhalogenide erstreckt sich von der γ-Strahlung bis in den kurzwelligen Teil des sichtbaren Spektrums. Durch spektrale Sensibilisierung mit organ. Farbstoffen (s. unten) läßt sich die Empfindlichkeit bis in den Infrarotbereich ausdehnen. Die Halogenide sind in den allermeisten Fällen als Körner in dünnen Schichten von Gelatine eingebettet, die nicht nur als Bindemittel fungiert, sondern auch für die sensitometr. Eigenschaften (d. h. die Empfindlichkeit) des photograph. Materials eine wesentliche Rolle spielt. Man spricht zwar allg. (u. auch im folgenden) von *photograph. Emulsionen,* doch handelt es sich dabei tatsächlich um *Dispersionen* von Silberhalogenid-Körnern (Korngröße ca. 1 μm^3) in Xerogelen. Am häufigsten wird Silberbromid (AgBr) benutzt, das meist mit geringen Silberiodid-Zusätzen (2–5 Mol-%) zur Anw. kommt. Silberchlorid (AgCl) wird nur in einigen niedrigempfindlichen photograph. Schichten, insbes. für Photopapiere, verwendet. Da das Silberbromid seine Lichtempfindlichkeit vorwiegend im ultravioletten u. im blauen Bereich des Lichtes hat, muß man für die bildmäßige P. die lichtempfindlichen Schichten für die anderen Bereiche des Spektrums empfindlich machen, d. h. *sensibilisieren.* Das geschieht durch Zugabe von bestimmten Farbstoffen, insbes. vom Typ der *Cyanin-, *Merocyanin- u. anderer *Polymethin-Farbstoffe, zur Emulsion. Durch geeignete *Sensibilisatoren* (vgl. Photochemie) kann man eine Sensibilisation selbst für Infrarotstrahlung bis ca. 1,3 µm Wellenlänge erreichen. Schichten, die für den gesamten Spektralbereich außer Rot empfindlich bzw. für den gesamten sichtbaren Bereich sensibilisiert sind, bezeichnet man als *orthochromat.* bzw. *orthopanchromat.; panchromat.* Schichten sind zwar ebenfalls im Gesamtbereich empfindlich, stellen jedoch Rot etwas heller u. Grün dunkler dar.

Die gebräuchlichste Art der P. unter Verw. von Silberhalogeniden ist die, daß man die auf einem durchsichtigen Trägermaterial aus Glas (bei der *photograph. Platte*) od. Kunststoff (*photograph. Film*) aufgetragene lichtempfindliche Schicht in einem *Photoapparat* od. einer *Filmkamera* durch Öffnen des Verschlusses mit dem Bild einer Vorlage *belichtet* (*Exposition*), das dadurch in der Schicht entstandene *latente* (d. h. äußerlich unsichtbare) *Bild* durch *Entwickler* in Form von abgestuften Schwärzungen sichtbar macht u. diese schließlich durch Herauswaschen des unbelichteten Silberhalogenids *fixiert* u. damit lichtbeständig macht. Man erhält so ein *Negativ,* in dem die Helligkeitswerte der Vorlage umgekehrt sind. Belichtet man durch dieses Negativ hindurch wieder eine lichtempfindliche Schicht, so erhält man jetzt ein *Positiv* mit gleichen Helligkeitswerten wie die Vorlage, also eine *Kopie.* Vom Negativ kann man beliebig oft *kopieren* od. aber mit entsprechenden opt. Syst. *Vergrößerungen* od. *Verkleinerungen* herstellen.

Für die Entstehung des latenten Bildes sind von Gurney u. *Mott (1938), Hamilton (1968) u. Mitchell (1978) verschiedene Theorien entwickelt worden, die alle auf der Annahme beruhen, daß im AgBr-Krist. Ag^+-Ionen auf *Zwischengitterplätzen vorhanden sind (*Frenkel-Defekt,* s. Kristallbaufehler). Photonen ausreichender Energie erzeugen entweder direkt od. mit Hilfe von Sensibilisator-Mol. Elektron/Loch-Paare (Elektron/Defektelektron, e^-/h^+, vgl. Excitonen). Dabei wird das Elektron eines Br^--Ions (Photoelektron) vom Valenz- ins Leitungsband gehoben, während das *Defektelektron (h^+) als an ein Brom-Atom gekoppelter pos. Ladungszustand zurückbleibt. Die Vereinigung mehrerer e^- mit mehreren Ag^+-Ionen läßt ein Silber-Aggregat (den *Latentbildkeim*) entstehen, bei dessen Bildung sog. *Reifkeime* aus Ag_2S (s. unten) beteiligt sind; zu Einzelheiten der mehrstufig ablaufenden Prozesse u. zum Zustandekommen des enormen „Photonen-Verstärkungsfaktors" (Quanteneffizienz) von ca. 10^{10} s. *Lit.*[2,4]. Je nach der Entwickelbarkeit der in der photograph. Schicht enthaltenen AgBr-Körner spricht man von *Vollbild-, Schleier-* u. *Subbildkörnern.* Je nachdem, wieviele entwickelbare Körner je Flächeneinheit der belichteten Schicht vorhanden sind (d. h., wie stark diese belichtet wurde), erhält man bei der Entwicklung unterschiedliche Schwärzung. Diese läßt sich durch die sog. Schwärzungs- od. Gradationskurve darstellen, s. a. die Abb. der Schwärzungskurve.

Photograph. Emulsionen: Zur Herst. der lichtempfindlichen Schicht auf Filmen, Platten u. Papieren wird z. B. in eine wäss. Kaliumbromid-Lsg. mit einem Gelatine-Gehalt von 0,1 bis einigen Prozent, die außerdem noch ca. 3–5 Mol-% Kaliumiodid enthalten kann, eine wäss. Silbernitrat-Lsg. unter intensivem Rühren eingetragen, wobei es wesentlich ist, daß das Halogenid stets im Überschuß bleibt, da andernfalls die fertige Emulsion möglicherweise „verschleiert". Die die

Korngrößenverteilung steuernde Fällungstemp. liegt je nach Emulsionstyp zwischen 40 u. 90 °C, wobei die sog. *Siedeemulsionen* (*Kochemulsionen*) an der oberen u. die sog. *Ammoniak-Emulsionen* an der unteren Temp.-Grenze liegen. Bei den Letztgenannten wird Ammoniak im Überschuß hinzugegeben, wobei durch Komplexbildung (Bildung von $[Ag(NH_3)_2]^+$-Komplexionen) ein schnelles Kristallitwachstum begünstigt wird. *Korngröße* u. *Kornverteilung* lassen sich – außer durch die Temp. – durch die Silberionen-Konz., die Art u. Menge der Gelatine, die Digestionszeit (Zeit, in der das Reaktionsgemisch auf der Fällungstemp. gehalten wird) u. den Iodid-Gehalt beeinflussen. Bes. wichtige Zusätze zur Emulsion stellen die Stoffe zur *chem. Sensibilisation* (Reifkörper, s. unten) u. zur *spektralen Sensibilisation* (Farbstoffe) dar. Der 1. Reifung (*physikal.* od. **Ostwald-Reifung*) schließt sich – nach Verfestigung der Gelatinemischung zu sog. *Nudel-* od. *Flockenemulsionen* u. der Auswaschung der lösl. Salze – die 2. Reifung (*chem. Reifung* od. *Nachdigestion*) an, während derer sich aus zugesetzten *Reifkörpern,* insbes. Thiosulfaten u. Polythionaten, die oben erwähnten Reifkeime von Ag_2S bilden, die die Empfindlichkeit beträchtlich erhöhen. Daneben enthalten Gelatinen ggf. noch sog. *Hemmkörper* (Nucleinsäure-Abbauprodukte usw.) u. *Gradationskörper,* die der Reifung entgegenwirken. Eine weitere wesentliche Erhöhung der Empfindlichkeit brachte der 1935 von R. Koslowsky entdeckte *Gold-Effekt:* Gold als Thiocyanat od. Chlorid in Mengen von ca. 6 mg pro Mol Ag zugesetzt bewirkt bei der chem. Reifung einen teilw. Ersatz von Silber- durch Gold-Ionen. Sobald die Empfindlichkeit der Emulsion nicht mehr zunimmt, muß man zur Schleierverhütung die Reifung abbrechen, was durch Abkühlung u. Zugabe sog. *Stabilisatoren* geschieht. Hierfür eignen sich bes. Benzimidazole, -triazole, Phenylmercaptotetrazole u. a. Stickstoff-Heterocyclen. Bei Repro- u. Papieremulsionen werden Rh- od. Ir-Salze in geringsten Mengen zugesetzt, die zwar stark desensibilisierend, dafür aber „gradationsaufsteigend" wirken. Gelegentlich werden auch Polyethylenoxide zur Empfindlichkeitssteigerung eingesetzt. Eine erhebliche Empfindlichkeitssteigerung bes. bei infrarotempfindlichen Photoschichten, ist durch die sog. *Hypersensibilisierung* möglich, die sich rein opt. durch Vorbelichtung od. chem. durch Einwirkung von Quecksilber-Dampf bzw. Ammoniak-Lsg. erreichen läßt.

Aufnahmematerial: Als Unterlage für die Emulsionsschichten, d. h. als Schichtträger, wurde ursprünglich Glas benutzt, das heute noch wegen seiner Dimensionsstabilität für einige Spezialzwecke Verw. findet. Celluloid, dessen Verw. den Übergang von der photograph. Platte zum photograph. *Film* einleitete, wurde wegen seiner großen Feuergefährlichkeit von Celluloseestern u. Polyethylenterephthalat abgelöst; für spezielle Zwecke sind auch Folien aus Polycarbonat geeignet. Die heute ausschließlich verwendeten *Sicherheitsfilme* gelten als „schwer entflammbar", wenn sie sich bei einer Temp. von 300 °C innerhalb von 10 min nicht selbst entzünden. Auf die Schichtträger werden Haftvermittler aufgebracht u. danach die photograph. Emulsionen „aufgegossen". Diese enthalten Härtungsmittel für die Gelatine wie z. B. Chrom- od. Aluminiumalaun, aliphat. Aldehyde (bes. Formaldehyd), Diketone, Polyanhydride u. ä., Antiseptika wie z. B. Kresol-Derivate, Netzmittel u. gelegentlich Antistatika. Schließlich erhält das Material einen *Überguß* als Schutzschicht u. einen *Rückguß* auf der Unterseite als *Rollschutzschicht.* Umkehrfilme haben als *Lichthofschutz* zwischen Emulsionsschicht u. Substratschicht eine durch kolloides Silber schwarz gefärbte Schicht, die beim Bleichvorgang entfärbt wird. Der Schichtträger des modernen Kleinbildfilmes ist etwa 0,12 mm dick, der des Rollfilmes etwa 0,1 mm u. der des Planfilmes etwa 0,23 mm. Die Emulsion selbst hat (im getrockneten Zustand) eine Dicke von 0,01 – 0,02 mm.

Ganz anders sind die Anforderungen, die an die Röntgenfilme gestellt werden. Diese haben einen wesentlich höheren Silberhalogenid-Auftrag pro Flächeneinheit als die vorgenannten Filme. Medizin. Röntgenfilme werden, um die Strahlenbelastung des durchleuchteten Patienten möglichst niedrig zu halten, zwischen zwei Folien gebracht, die mit einem Röntgenleuchtstoff beschichtet sind. Das Lumineszenzlicht dieses *Leuchtstoffes (im allg. $CaWO_4$) trägt zusätzlich zur Schwärzung des Röntgenfilmes bei. Der Verstärkungsfaktor kann ein Mehrfaches des ohne Verstärkerfolie belichteten Filmes ausmachen. Für wissenschaftliche Zwecke gibt es noch eine Vielzahl von Spezialmaterialien wie z. B. die Kernspuremulsionen sowie für die Untersuchung der verschiedensten Spektralbereiche sensibilisierte Emulsionen. Da für UV-empfindliches Material als Bindemittel keine Gelatine mehr benutzt werden kann, die im kurzwelligen UV absorbiert, wird Kollodium als Bindemittel benutzt. Photopapiere (s. Papier) werden heute oft mit undurchlässigen PE-Harzschichten hydrophobiert, die mit Titandioxid geweißt sind.

Die *Allgemeinempfindlichkeit* (gegen weißes Licht) des Aufnahmematerials wird in Zahlen angegeben mit dem Zusatz ASA (von *A*merican *S*tandards *A*ssociation) od. *DIN. Die amerikan. ASA-Skale ist arithmet., die dtsch. DIN-Skale logarithm. eingeteilt. Eine Verdoppelung der Sensitivität entspricht einer Zunahme um 3 DIN bzw. einer Verdoppelung des ASA-Wertes:

DIN	12	15	18	21	24	27	30
ASA	12	25	50	100	200	400	800

Beisp.: Um gleiche Schwärzung im Film zu erreichen, muß man einen Film von 12 DIN 1 s, einen solchen von 30 DIN 1/64 s belichten. Höchstempfindliches Material kann >36 DIN (3200 ASA) haben. Die älteren Angaben in °Scheiner entsprachen etwa der Empfindlichkeit in (DIN + 10), also 17 DIN ≈ 27 °Scheiner. Je höher allerdings die Empfindlichkeit des Films, desto größer die Körnung u. desto geringer das *Auflösungsvermögen.* Hierunter versteht man die Fähigkeit einer Aufnahmeschicht, feinste Einzelheiten noch exakt wiederzugeben. Diese hängt ab von der Größe der eingelagerten AgBr-Krist. u. der Art der Diffusion der Lichtstrahlen im trüben Medium der Schicht. Die günstigsten Ergebnisse erzielt man mit solchem Aufnahmematerial, das bis zu 120 Linien pro mm noch getrennt wiedergibt, während höchstempfindliches Material

nur etwa 50 Linien pro mm zu trennen vermag. Die DIN-Zahl ist zugleich ein Maß für die Größe der Silber-Körner im Negativ.
Im folgenden soll auf die Verw. von photograph. Material eingegangen werden, wobei bei Rollfilm, Platte, Kinofilm od. Papier prinzipiell gleichartig gearbeitet wird. Auf die Beschreibung der Belichtungstechnik (Exposition) kann hier verzichtet werden.
Entwicklung: Bei der Entwicklung wird das Silber-Ion zu Silber reduziert, wobei die Red. an den Stellen einsetzt, wo sich *Latentbildkeime* befinden. Die Red. erfolgt an Silber-Keim-reicheren Stellen (also stärker belichteten Stellen) rascher als an solchen mit geringerer Silber-Keimzahl (weniger belichteten Stellen). Die für den sichtbaren Bereich sensibilisierten Filme müssen in völliger Dunkelheit entwickelt werden, während Photopapiere meist bei Rotlicht verarbeitet werden können. Die *Entwickler* bestehen im wesentlichen aus einer alkal. wäss. Lsg. eines Red.-Mittels. Hart arbeitende Entwickler enthalten Kalium- od. Natriumhydroxid, weiche (*Ausgleichentwickler*) die entsprechenden Carbonate od. Borate. Als Red.-Mittel werden am häufigsten benutzt: Hydrochinon, Brenzcatechin, *N*-(4-Hydroxyphenyl)-aminoessigsäure („Glycin“, Photoglycin), 1-Phenyl-pyrazolidin-3-on (Phenidon), allg. Aminophenole, 1,4-Diazine u. insbes. für Farbentwickler *p*-Phenylendiamin-Derivate. Gemeinsam ist vielen der Red.-Mittel die sog. *Kendall-Struktur* $A{-}(CH{=}CH)_n{-}B$ mit A bzw. B = OH, NR^1R^2 u. n = 1, 2, 3 usw. Ein Zusatz von Natriumsulfit verringert die Luftoxid. der gelösten Red.-Mittel u. fängt bei der Entwicklung gebildete Oxid.-Produkte ab. Die über *freie Radikale verlaufenden Reaktionen in Entwicklern lassen sich mittels EPR-Spektroskopie untersuchen. Kaliumbromid dient als *Verzögerer* einer allzu raschen Entwicklung u. verhindert damit die Schleierbildung. Die Entwickler enthalten oft noch eine Vielzahl weiterer Substanzen. *Regeneratoren* sind im wesentlichen normale Entwicklerbestandteile, jedoch ohne Verzögerer. Zur Schleierverhütung gibt man sog. *Stabilisatoren* (s. oben) zu, die bei Papierentwicklern gleichzeitig den Farbton des Bildes beeinflussen. Zur Wasserenthärtung enthalten die handelsüblichen Entwickler meistens noch Komplexbildner wie Ethylendiamintetraessigsäure od. Natriummetaphosphat. Tropenentwickler enthalten Natriumsulfat zur Verringerung der Gelatinequellung, Netzmittel verbessern die Gleichmäßigkeit der Entwicklung, Hydrazine u. Polyethylenazine können die Empfindlichkeit erhöhen, wobei jedoch gleichzeitig die Gefahr der Schleierbildung vergrößert wird. Feinkornentwickler u. Umkehrentwickler enthalten häufig noch Kaliumthiocyanat als Komplexbildner für Silberhalogenide.
Zur Beendigung des Entwicklungsvorganges wird das photograph. Material ungefähr 30 s in ein Stoppbad gegeben, das im allg. lediglich aus etwa 2%iger Essigsäure besteht. Bei der *Umkehrentwicklung,* bei der man direkt vom „Umkehrfilm“ zu einem Positiv kommt, wird der normal entwickelte Film in ein Chromsäure-haltiges Bad gebracht, in dem das entwickelte Silber oxidiert wird. Der gewässerte Film wird anschließend mit diffusem Licht belichtet, wobei das bei der Erstbelichtung nicht geschwärzte Silberhalogenid nach erneuter Entwicklung das *Diapositiv* liefert. Durch vorsichtige Oxid. mit sog. *Abschwächern* kann man zu stark geschwärzte, fertig entwickelte u. fixierte Negative aufhellen; ein bekanntes Präp. war der *Farmersche Abschwächer* aus $K_3[Fe(CN)_6]$ u. $Na_2S_2O_3$. Umgekehrt kann man mit sog. *Verstärkern* die opt. Dichte unterbelichteter photograph. Negative, d. h. den Kontrast, erhöhen, da sich die Metalle an die vorhandenen Silber-Körner anlagern. Geeignete Metallsalze enthalten z. B. Hg- u. Cr-Ionen od. auch *Schlippesches Salz* ($Na_3[SbS_4] \cdot 9\,H_2O$). Zur Verbesserung der Alterungsbeständigkeit kann zusätzlich eine *Tonung* fertiger Schwarzweißphotos vorgenommen werden, indem man zunächst eine Abschwächung (s. oben) u. anschließend eine Behandlung z. B. mit Natriumsulfid vornahm, wodurch eine bräunliche (sepia) Tönung des Bildes erreicht wurde.
Fixieren (Fixage): Nach beendeter Entwicklung wird das nichtreduzierte Silberhalogenid im allg. durch Baden in einer Natrium- od. Ammoniumthiosulfat-Lsg. entfernt, wobei man das lichtbeständige, jedoch lichtverkehrte Negativ erhält. Bei ausreichendem Thiosulfat-Überschuß bilden sich wasserlösl. Silber-Komplexe der Zusammensetzung $M^I_x[Ag_y(S_2O_3)_z]$; Ammoniumthiosulfat-Lsg. ($M^I = NH_4$) wirken schneller als gleich konz. Natriumthiosulfat-Lsg. ($M^I = Na$), was z. B. bei der automat. Verarbeitung von Röntgenfilmen eine große Rolle spielt. Gelegentlich enthalten die Fixierbäder auch noch einen Zusatz von Gelatinehärtungsmitteln, z. B. Kalialaun. Der max., mit handelsüblichen Silber-Prüfpapieren abschätzbare Silber-Gehalt der Lsg., bei dem noch eine gründliche Fixierung möglich ist, beträgt je nach Thiosulfat-Ausgangskonz. zwischen 2 u. 4 g/L. Für spezielle Zwecke gibt es sog. *Fixierentwickler*, bei denen durch ein geeignetes Puffersyst. Entwicklung u. Fixage in einer Lsg. miteinander ablaufen; naturgemäß läßt sich so nicht die volle Empfindlichkeit des photograph. Materials ausnutzen. Oft folgt noch ein Nachbad mit Monochloressigsäure. Fixiersalz-Reste in verarbeitetem photograph. Material sind häufig die Ursache für das Verbleichen u. Verfärben von archivierten Filmen od. Bildern. Verbrauchte Fixierbäder können auf Ag aufgearbeitet werden. Die gleichen Vorgänge wie vorstehend beschrieben laufen auch beim *Kopieren* (vgl. Photokopie) ab. Die Mannigfalt der erwähnten Herst.- u. Verarbeitungsprozesse von photograph. Material spiegelt zugleich die Probleme der Abfall- u. Abwasserbeseitigung in der photograph. Ind. wider.
Spezielle Begriffe: *Dichte:* Den Grad der Lichtundurchlässigkeit (Opazität) bzw. das Maß für die Lichtschwächung durch photograph. Schichten bezeichnet man als *opt. Dichte.* Die mit Densitometern bestimmbare Dichte ist ein Maß für die Schwärzung des Filmmaterials u. beträgt für Mikrofilme z. B. optimal 0,9 bis 1,2.
Sensitometrie: Trägt man die Schwärzung bzw. die Dichte eines unter definierten Entwicklungsbedingungen verarbeiteten Films gegen den Logarithmus der Lichtmenge auf, so erhält man die sog. *Schwärzungskurve* (*Gradationskurve*, s. Abb. auf Seite 3310), die man vergleichen kann mit einer meßtechn. durch Auf-

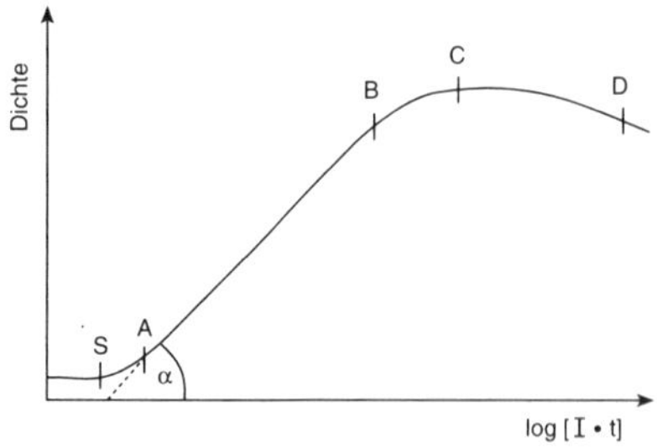

Abb.: Schwärzungskurve; zu den Punkten S, A, B, C u. D s. Text.

belichtung eines sog. Graukeils (Glas od. Film mit kontinuierlicher od. stufenweiser Änderung der opt. Dichte) auf photograph. Material u. durch photometr. Auswertung des entwickelten u. fixierten Meßstreifens erhaltenen Kurve. Eine sichtbare Schwärzung beginnt erst oberhalb des *Schwellenwertes S;* die unterhalb dessen auftretenden Schwärzungen unbelichteter Emulsionskörner bezeichnet man als *Schleier.* Der sog. Durchhang S–A ist der Bereich der *Unterbelichtung,* an den sich der nutzbare Normalbelichtungsbereich A–B anschließt. Die in Werten von Gamma ($\gamma = \tan \alpha$) angegebene Steilheit dieses Kurventeils (sog. *Gradation*) ist ein Maß für die Weichheit ($\gamma < 1$, $\alpha < 45°$) od. Härte ($\gamma > 1$, $\alpha > 45°$) des Kontrastes einer Aufnahme. Die sog. Schulter B–C entspricht der *Maximalschwärzung.* Sie leitet zur *Überbelichtung* (ab C) u. schließlich zur *Solarisation* (ab D) über, in der die Dichte wieder abnimmt. Diese Erscheinung, die z. B. eine direkt photographierte Sonne dunkler zeigt als ihre Umgebung, beruht auf der Rekombination der bei Belichtung entstandenen Br- u. Ag-Atome.

Es gibt darüber hinaus eine Vielzahl von – häufig mit den Namen ihrer Entdecker belegten – *photograph. Effekten,* von denen nur einige wesentliche herausgegriffen werden sollen. Die Reziprozitätsregel, wonach die photochem. Wirkung (Schwärzung) nur abhängig ist von dem Produkt aus der Intensität u. der Belichtungszeit (*Bunsen-Roscoesches Gesetz), gilt in der Photographie nicht exakt. Die Abweichung von dieser Regel wird als *Schwarzschild-Effekt* bezeichnet. Wird eine nicht-rotempfindliche Emulsion normal belichtet u. anschließend mit Rotlicht belichtet, so verringert man die Schwärzung des ersten Bildes: *Herschel-Effekt.* Die kurzzeitige Vorbelichtung mit diffusem Licht starker Intensität erhöht die Empfindlichkeit für die nachfolgende Belichtung mit niedrigerer Intensität: *Weinland-Effekt.* Bei längerer Nachbelichtung einer durch Blitz sehr kurz belichteten Schicht tritt oft eine Verringerung der Schwärzung ein, die man nach der Vorbelichtung erwarten würde: *Clayden-Effekt.* Unterbricht man den Entwicklungsprozeß eines normal belichteten photograph. Materials, belichtet es diffus u. entwickelt weiter, so findet eine Bildumkehr statt, u. es entsteht direkt ein Positiv: *Sabattier-Effekt.* Bei sehr kurzen Belichtungszeiten von etwa $<1/1000$ s stellt man eine Gradationsverflachung fest: *Ultrakurzzeit-Effekt.* Bei der Belichtung vorexponierten Silberhalogenid-Photopapiers mit linear polarisiertem Licht beobachtet man, daß das reflektierte Licht ebenfalls polarisiert u. seine Helligkeit in der Polarisationsebene des eingestrahlten Lichtes am größten ist: *Weigert-Effekt.*

Weitere photograph. Verf.: Das sog. *Silbersalz-Diffusionsverf.* arbeitet nach folgendem Prinzip: Eine normal aufgebaute Emulsionsschicht wird belichtet, mit einer konz. alkal. Entwickler-Lsg. angefeuchtet u. auf eine Bildempfangsschicht gepreßt. Diese enthält einen Silber-Komplexbildner, im allg. Thiosulfat sowie Silber-Keime (z. B. kolloides Silber od. Silbersulfid). An den Stellen der Emulsionsschicht, die nicht belichtet worden sind, wird nun das Silberhalogenid durch das Thiosulfat herausgelöst u. diffundiert in die Empfangsschicht, wo es an den Kristallkeimen adsorbiert u. durch den Entwickler reduziert wird, wobei ein pos. Bild entsteht. Durch Abziehen der beiden Schichten voneinander wird der Vorgang abgebrochen. Naturgemäß haben die nach diesem Verf. erhaltenen Bilder nicht die Qualität u. die Haltbarkeit (das Thiosulfat bleibt ja in der Schicht) derjenigen, die durch das normale Negativ-Positiv-Verf. hergestellt worden sind. Nach dem Diffusionsverf. mit Schichtentrennung arbeiteten die frühen Agfa-Copyrapid- u. die Land-Polaroid-Verfahren. Die heutige *Sofortbild-P.* unterbricht den Prozeß durch Säureeinwirkung; bekannte Anw. sind die Herst. von Farbfilmen, -diapositiven u. Farbbildern, s. a. Farbphotographie u. *Lit.*[5]. Zu den *Verf. ohne Silberhalogenide* gehört das auf der Chrom-Gerbung von Gelatine unter Lichteinfluß beruhende *Technicolor-Verf.* (s. Farbphotographie). Nach dem gleichen Prinzip arbeiten auch einige photograph. Druck-Verf. wie z. B. der *Pigmentdruck.* Bes. in der *Reprographie (s. den Überblick in *Lit.*[6]) benutzt man die *Lichtpausen,* d. h. die im Eisensalz-Verf. hergestellten *Blaupausen* od. die *Diazokopien,* in denen ebenso wie in den *Ozalid-* u. *Kalvar-Verf.* Diazo(nium)-Verb. zur Anw. kommen (im letztgenannten Fall jedoch in einem *Vesikularfilm*). Auf der Wärmeeinwirkung von IR-Strahlung beruhen *Thermokopie-Verf.,* die z. B. die Bildung von Azofarbstoffen aus Nitrosaminen u. aromat. Aminen ausnutzen, u. das ähnliche *Thermofax-Verfahren.* Die sog. *Kirlian-P.* läßt sich als Hochspannungs-P. auffassen. Das *Photoresist-Verf.,* das auf Photopolymerisations-Effekten beruht, findet Anw. in der Mikroelektronik u. zur Herst. von gedruckten Schaltungen. In der P. gehen heute die Tendenzen einerseits immer mehr zur *Elektro-P.* (Xerographie), andererseits zielen sie auf die Verbesserung der sog. *Silber-freien photograph. Verf.,* bei denen Silberhalogenide nur noch als Träger der Empfindlichkeit fungieren, im übrigen aber mit den Techniken der Farb-P. gearbeitet wird, die Negative also kein Ag mehr enthalten u. das im Film enthaltene Ag bei der Verarbeitung zurückgewonnen werden kann. *Auskopierschichten* sind Photopapiere, die bei starker Belichtung direkt ein sichtbares Bild ergeben, d. h. die Entwicklung entfällt.

Verw.: Auf die Anw. der P. – die *Amateur-,* aber auch die *professionelle P.* gibt es schließlich schon seit der Mitte des vergangenen Jh. – braucht hier nicht eingegangen zu werden, u. auch die Eigenschaften u. Möglichkeiten des *Schmalfilms* u. des *Kinofilms,* zunächst des Stumm-, dann des Tonfilms, sind hinreichend bekannt. Von geringerer Bedeutung im Amateurbereich ist die dreidimensionale P. (*Xographie,* 3D-Kino-

filme). Die *wissenschaftliche P.* – als Hilfswissenschaft unentbehrlich (*Lit.*[7]) – macht dagegen mehr Gebrauch von räumlichen Darst., zum einen in der *Holographie*, zum anderen in Form stereoskop. Bilder z. B. für die *Photogrammetrie* (*Lit.*[8]) bei der Beschreibung der Stereochemie von Mol.; eine gute Übersicht wird in *Lit.*[9] gegeben.
In der BRD wurden 1983 photochem. Erzeugnisse (Filme, Fixiersätze etc., d. h. „Photochemikalien") im Wert von ca. 1,5 Mrd. DM produziert. Der Umsatz der Firma Agfa-Gevaert mit Filmen, Photopapier, Photo-Chemikalien u. Laborgeräten betrug 1990 ≈1,8 Mrd. DM, wobei 750 t Silber verbraucht wurden (das zum großen Teil in den Photolabors wieder zurückgewonnen wird).
Geschichte (in Schlagworten, *Lit.*[10]): Entdeckung der Lichtempfindlichkeit von Silbersalzen [1658 durch Glauber, 1727 durch J. H. Schulze (1687–1744)], 1826 erste wirkliche P. mittels eines lichtempfindlichen Asphalts auf einer polierten Zinn-Platte [*Heliographie*, J. N. Niepce (1765–1833)], 1835 erstes Papiernegativ (Talbot), 1835 Sichtbarmachen auf iodierten Silber-Platten, nicht kopierbares Positiv [*Daguerre (1787 od. 1789–1851), *Daguerreotypie], 1839 erste Papierpositive im Umkehrverf. (H. Bayard, 1801–1887), 1841 Erzeugung von kopierbaren Negativen durch Entwicklung mit Gallussäure u. $AgNO_3$ u. Fixierung durch $Na_2S_2O_3$ [*Kalotypien*, W. H. F. *Talbot (1800–1877)], 1847 Ersatz von Papier als Schichtträger durch Glas (C. Niepce de Saint-Victor, 1805–1870), 1851 Kollodium als Schichtträger (F. S. Archer, 1813–1857), 1871 Silberbromid-Gelatine-Trockenplatte (R. L. Maddox, 1816–1902), 1873 Sensibilisierung der photograph. Platten durch Farbstoffe für den gelben, grünen u. roten Spektralbereich (H. W. Vogel, 1834–1898), 1882 Benutzung von Celluloid als Trägermaterial (H. Goodwin, 1822–1900). – *E* photography – *F* photographie – *I* fotografia – *S* fotografía
Lit.: [1] Chem. Tech. **34**, 343–349 (1982); **37**, 137–142 (1985); Böttcher u. Epperlein, Moderne photographische Systeme, Leipzig: Grundstoffind. 1983. [2] Umschau **84**, 606–611 (1984); Phys. Unserer Zeit **12**, 22ff., 36ff. (1981). [3] Umschau **84**, 612 (1984). [4] Chem. Unserer Zeit **17**, 85–95 (1983). [5] Naturwiss. Rundsch. **37**, 29 (1984); Chem. Unserer Zeit **19**, 1 (1985). [6] Kirk-Othmer (4.) **18**, 905. [7] LABO **13**, 1188–1192, 1290–1296 (1982); **15**, 1047–1052 (1984). [8] Umschau **84**, 615 (1984). [9] Vincett, Photographic Processes and Materials, Encyclopedia of Physical Science and Technology, Vol. 12, S. 599–650, New York: Academic Press 1992. [10] Endeavour N. S. **1**, 18–22 (1977).
allg.: Proudfoot (Hrsg.), The Handbook of Photographic Science and Engineering, Springfield: IS & T 1997. – *Zeitschriften:* J. Imaging Science ■ s. a. Farbphotographie, Photochemie, Reprographie.

Photographische Chemie u. **Effekte** s. Photographie.

Photohalbleiter. *Halbleiter, die *Photoeffekt zeigen.

Photoinitiatoren. Bez. für *Initiatoren, die bei Bestrahlung mit Licht geeigneter Wellenlänge radikal. od. ion. *Polymerisationen (*Photopolymerisationen) auslösen. *Azoisobutyronitril (AIBN, I) zerfällt beispielsweise nicht nur therm. in zwei Radikale II, die eine radikal. Polymerisation auslösen können, sondern auch unter UV-Bestrahlung ($\lambda \approx 350$ nm).

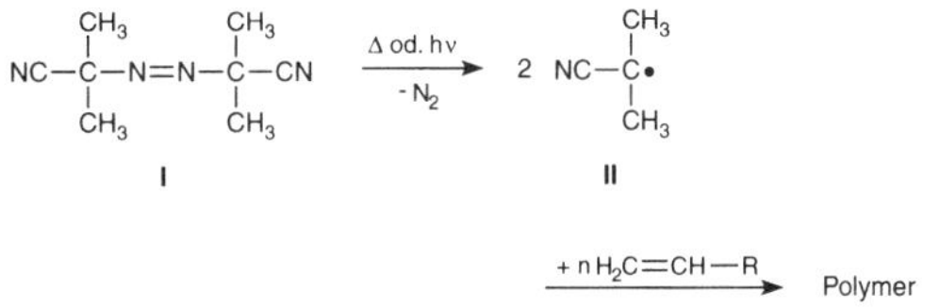

Auch *Peroxide, *Disulfide, *Benzoin-Derivate sowie bestimmte aliphat. *Ketone zerfallen bei Bestrahlung unter homolyt. Bindungsspaltung in Polymerisations-auslösende Radikale. Die wirksamsten P. für kation. Polymerisationen sind Diaryliodonium-Salze, $(C_6H_5)_2I^+ MX_n^-$, aber auch Verb. wie $(C_6H_5)_3S^+ MX_n^-$, $H_5C_6-CO-CH_2-\overset{+}{S}(CH_3)_2\ MX_n^-$ u. $H_5C_6-CO-CH_2-\overset{+}{Pyr}\ MX_n^-$ sind geeignet. In Ggw. einer Wasserstoff-spendenden Verb. AH werden bei Bestrahlung mit UV-Licht ($\lambda < 300$ nm) Brønsted-Säuren HMX_n gebildet, die die kation. Polymerisation auslösen.

$$Ar_2I^+ \xrightarrow[-ArI]{h\nu} Ar^+ \xrightarrow{+AH} Ar\overset{+}{A}H \xrightarrow[-ArA]{+MX_n^-} HMX_n$$

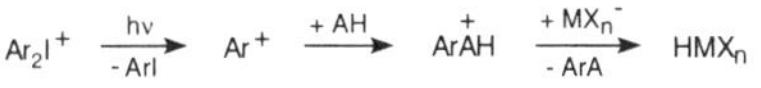

Um zu verhindern, daß während einer solchen Polymerisation Kettenabbruch durch Bindungsknüpfung zwischen kation. Kettenende u. Gegenion stattfindet, müssen die Gegenionen möglichst wenig nucleophil sein. Brauchbar sind v. a. komplexe Gegenionen MX_n^- wie BF_4^-, SbF_6^-, AsF_6^- u. PF_6^-.

Die bes. Bedeutung der P. besteht einerseits in der Möglichkeit, Polymerisationen auch bei sehr tiefen Temp. durchzuführen. Dies erlaubt beispielsweise, auch stark zur Kettenübertragung neigende Polymere durch radikal. Polymerisation herzustellen. Andererseits eröffnen P. elegante Wege zur Untersuchung von Polymerisations-*Kinetiken. Insbes. kation. P. sind darüber hinaus zur Aushärtung Lsm.-freier Beschichtungen (Lacke, Druckfarben, Kleber) interessant: Die durch sie ausgelösten, kation. Polymerisationen sind im Gegensatz zu radikal. unempfindlich gegen Luftsauerstoff, weshalb auch obere Lackschichten besser aushärten. Im Hinblick auf die Lagerfähigkeit muß allerdings gewährleistet sein, daß die P. auch in Ggw. des Monomeren bei Dunkelheit völlig stabil sind u. erst bei Belichtung mit hoher Quantenausbeute u. frei von Nebenreaktionen die Polymerisation starten. – *E* photoinitiators – *F* photodéclencheurs – *I* fotoiniziatori – *S* fotoiniciadores
Lit.: Elias (5.) **1**, 451, 494 ■ Lechner, Gehrke u. Nordmeier, Makromolekulare Chemie, S. 51, Basel: Birkhäuser 1993.

Photoionisation (atomarer u. mol. *Photoeffekt). Allg. Bez. für die Abspaltung eines Elektrons (*Photoelektron) aus einem Atom od. Mol. durch elektromagnet. Strahlung. Die P. tritt auf, wenn die *Ionisationsenergie (IP) des Atoms od. Mol. kleiner ist als die Photonenenergie ($h\nu$), was für kurzwellige Ultraviolettstrahlung (UV), insbes. für Vakuumultraviolett- (VUV) u. Röntgenstrahlung, erfüllt ist; es gilt die sog. *Einstein-Gleichung* $h\nu = IP + E_{el}$ (E_{el} = kinet. Energie des Photoelektrons). Im sichtbaren u. infraroten (IR) Spektralbereich tritt bei Verw. von Hochleistungslasern die sog. Multiphotonenionisation (s. Mehrphotonen-Spektroskopie) in Erscheinung (s. Photochemie). Häufig wird die (direkte) P. von einem zweistufigen Prozeß, der (resonanten) Photoabsorption mit anschließender *Autoionisation begleitet. Die durch P. freigesetzten Elektronen werden durch die *Photoelektronen-Spektroskopie, die gebildeten Photoionen durch *Massenspektrometrie näher untersucht. Die P. von Mol. ist häufig mit der Fragmentierung des Muttermol.-Kations verbunden (Photodissoziation). Die P. wird auch zur Detektion in der *Gaschromatographie verwendet. Die sog. *Photoablösung* (*Photodetachment), bei der ein Anion photoionisiert wird, ist eine wichtige Meth. zur Messung der *Elektronenaffinität von Atomen u. Mol. (bzw. Radikalen). – ***E*** = ***F*** photoionisation – ***I*** fotoionizzazione – ***S*** fotoionización

Lit.: Amusia, Atomic Photoeffect, New York: Plenum 1990 ▪ Berkowitz, Photoabsorption, Photoionization and Photoelectron Spectroscopy, New York: Academic Press 1979 ▪ Chin u. Lambropoulos, Multiphoton Ionization of Atoms, New York: Academic Press 1984 ▪ J. Phys. Chem. Ref. Data **14**, 731 (1985) ▪ Lawley, Photodissociation and Photoionization, New York: Wiley 1985 ▪ Lerner u. Trigg (Hrsg.), Encyclopedia of Physics, S. 912, Weinheim: VCH Verlagsges. 1991 ▪ Phys. Bl. **51**, 279 (1995).

Photoisomerisierung s. organische Photochemie.

Photokatalyse s. Photochemie.

Photokopie. Im engeren Sinne Bez. für eine meist maßstabgetreue Wiedergabe eines Dokuments durch einen photograph. Prozeß, früher meist mit dem Silbersalz-Diffusionsverf. (s. Photographie). Umgangssprachlich wird mit P. oft wahllos jede Art von Duplikat (auch Lichtpause, sogar Thermokopien u. die heute bevorzugten elektrophotograph. Kopien) bezeichnet. Zum Schutz gegen unerwünschtes Kopieren von Dokumenten kann eine fluoreszierende Flüssigkeit (enthält *Rubren) dienen, die zwar noch das Lesen des Originals, nicht aber die Wiedergabe durch P. erlaubt. Zum Problem der Urheberrechts-Verletzung durch exzessives Kopieren vgl. Copyright. – ***E*** photocopy – ***F*** photocopie – ***I*** = ***S*** fotocopia

Lit.: s. a. Photographie, Reprographie.

Photokoppler s. Photorezeptoren.

Photolacke s. Photoresists.

Photoleitfähige Polymere. Bez. für *Polymere, die sich im Dunkeln wie Isolatoren verhalten, unter Lichteinfluß aber elektr. Strom leiten, also in *elektrisch leitfähige Polymere umgewandelt werden. Derartige Eigenschaften besitzen Polymere mit polykonjugierten Mehrfachbindungen, z. B. *Polyacetylene u. Poly(phenylen-vinylen)e, insbes. aber *Polycarbazole u. Polymere mit großen aromat. Gruppen (Anthracen, Pyren) od. aromat. Amino-Gruppen in od. an der Hauptkette sowie auch Produkte mit rein anorgan. Hauptkette (*Polyphosphazene u. *Polysilane). Zum Mechanismus der Generierung von Leitfähigkeit in Polymeren durch Lichteinwirkung s. *Lit.*

Verw.: U. a. in der *Elektrophotographie (*Xerographie) als Ladungsträgerschicht für Photorezeptoren. – ***E*** photoconductive polymers – ***F*** polymères photoconducteurs – ***I*** polimeri fotoconduttivi – ***S*** polímeros fotoconductores

Lit.: Adv. Polym. Sci. **115**, 1 (1994) ▪ Encycl. Polym. Sci. Eng. **11**, 154–175.

Photoleitfähigkeit. Elektr. Leitfähigkeit, die durch Bestrahlung eines Materials mit Licht (Photonen) hervorgerufen wird; s. Photoeffekte. – ***E*** photoconductivity – ***F*** photoconductivité – ***I*** fotoconducibilità, fotoconduttività – ***S*** fotoconductividad

Photolithotrophie. Ernährungsform von *Mikroorganismen, die dadurch gekennzeichnet ist, daß Licht als Energiequelle u. anorgan. Wasserstoff-Donatoren zum Wachstum genutzt werden; s. a. Lithotrophie. – ***E*** photolithotrophy – ***F*** photolithotrophie – ***I*** = ***S*** fotolitotrofia

Lit.: Schlegel (7.), S. 72, 140, 175.

Photolumineszenz s. Lumineszenz.

Photolyase (Desoxyribodipyrimidin-P., DNA-P., EC 4.1.99.3). In allen Lebewesen vorkommendes, Licht-abhängiges *Enzym, das in *Desoxyribonucleinsäuren (DNA) Pyrimidin-Dimere spaltet. DNA können durch ultraviolette Strahlung inaktiviert werden, indem benachbarte *Thymin-Reste eines DNA-Strangs zu *cis-syn*-Cyclobutadipyrimidin-Einheiten dimerisieren. Unter Ausnützung der Energie sichtbaren Lichts (300–500 nm) in Anwesenheit von P. können diese Dimer-Bindungen gespalten (*Photolyse*) u. die Funktionsfähigkeit der DNA wiederhergestellt werden (*Photoreaktivierung*). Daneben wurde auch eine P. gefunden, die ein (6-4)-Addukt zweier Pyrimidin-Reste spaltet. Als Coenzyme enthält die P. reduziertes *Flavin-Adenin-Dinucleotid u. entweder 5,10-Methenyl-*Tetrahydrofolsäure od. *Coenzym F_{420}. Es besteht Verwandtschaft in Struktur u. Wirkungsweise zum Photorezeptor des pflanzlichen Blaulicht-Syst. (s. Phytochrom)[1]. Zur räumlichen Struktur der P. aus **Escherichia coli* s. *Lit.*[2]. – ***E*** = ***F*** photolyase – ***I*** fotoliasi – ***S*** fotoliasa

Lit.: [1] Science **272**, 109–112 (1996). [2] Science **268**, 1858 f., 1866–1872 (1995).
allg.: Science **272**, 48 f. (1996).

Photolyse. Bez. für die Spaltung einer chem. Bindung nach Absorption von Lichtenergie (s. Photochemie u. Organische Photochemie); bekannte Beisp. sind u. a. die P. von *Diazo-Verbindungen, *Diazirinen (Abspaltung von Stickstoff) u. von Ketonen (*Norrish-Reaktionen); die P. der Chlorfluorkohlenstoffe in der Stratosphäre, die unter Bildung von langlebigen Chlor-Radikalen verläuft, spielt eine wichtige Rolle beim Abbau des Ozons (s. Ozon u. FCKW). Manchmal werden als P. auch photochem. Reaktionen bezeichnet, die nach ganz anderen Mechanismen ablaufen; s. z. B. Photosynthese (*Hill-Reaktion). Die Verw. des Begriffs P. als allg. Synonym für Belichtung od. *Bestrahlung ist bis auf den Spezialfall der *Blitzlicht-Photolyse abzulehnen. – ***E*** photolysis – ***F*** photolyse – ***I*** fotolisi – ***S*** fotólisis

Lit.: Angew. Chem. **92**, 815 f. (1980) ▪ Chem. Rev. **80**, 99 f. (1980) ▪ Top. Curr. Chem. **62**, 173 f. (1976); **66**, 53 (1976) ▪ s. a. Photochemie, Organische Photochemie.

Photomer®. Strahlenhärtbare reaktive Acrylate u. Epoxide als Bindemittel zur Metall-, Holz- u. Papierbeschichtung u. für Klebstoffe. ***B.:*** Henkel.

Photometer s. Photometrie.

Photometrie. Die P. als Messung von Lichtströmen wird, je nachdem, ob man das Auge od. ein physikal. Gerät als Empfänger verwendet, in *visuelle* (subjektive) u. *physikal.* (objektive) P. unterteilt. Die visuellen Meßverf. u. Vgl.-Prinzipien beruhen auf dem Abgleich zweier dem Auge dargebotenen Leuchtdichten. Diese Verf. unterscheiden sich nach ihrer Art (Direktvgl. u. Filterverf.); sie können mit verschiedenen Vgl.-Prinzipien (Gleichheitsprinzip, Kontrastprinzip u. Flimmerprinzip) angewendet werden. Die physikal. Meßverf. benutzen für den Vgl. von Licht unterschiedlicher spektraler Strahldichteverteilung lichtelektr. Empfänger, z. B. *Photoelemente, *Photozellen, thermoelektr. u. photograph. Empfänger (vgl. DIN, *Lit.*). Die wichtigsten Strahlungsgrößen sind in der Tab. rechts zusammengefaßt.

Unter der *Intensität* versteht man die Leistung einer Strahlung pro Flächeneinheit. Die *spektralen Strahlungsgrößen* sind die in der Tab. aufgeführten Strahlungsgrößen pro Wellenlängenintervall $\partial\lambda$ bzw. Frequenzintervall $\partial\nu$, z. B. Anzahl der Photonen pro Frequenz

$$N_{p\nu} = \frac{\partial N_p}{\partial \nu} = \frac{I}{h\nu} \cdot Q_{e\nu}$$

bzw. pro Wellenlänge

$$N_{p\lambda} = \frac{\partial N_p}{\partial \lambda} = \frac{\lambda}{h\nu} \cdot Q_{e\lambda};$$

weitere Details s. *Lit.*[1]. Ebenso wie die *Kolorimetrie beruht die P. auf den Gesetzmäßigkeiten der Lichtabsorption – beide werden daher zur *Absorptiometrie zusammengefaßt – u. impliziert die Gültigkeit des *Lambert-Beerschen Gesetzes. Die zur Absorptionsmessung an Lsg. od. Gasen geeigneten *Photometer* arbeiten in einem bestimmten Wellenlängenbereich, dessen Auswahl durch Farb- od. Interferenzfilter bewirkt wird; bei den *Spektralphotometern* (s. Spektroskopie u. vgl. die Abb. dort mit denen bei IR- u. UV-Spektroskopie) wird dagegen das Licht der Beleuchtungseinrichtung mit einem Monochromator spektral zerlegt. Die Photometer können Ein- od. Doppelstrahlinstrumente sein, je nachdem, ob zwischen Lichtquelle u. Empfänger ein od. zwei (vgl. Abb.) Strahlengänge angeordnet sind. Doppelstrahlgeräte können 2 gleichartige Empfänger haben (z. B. Photozellen in der Abb.), od. es wird die über die beiden Lichtwege verteilte Strahlung

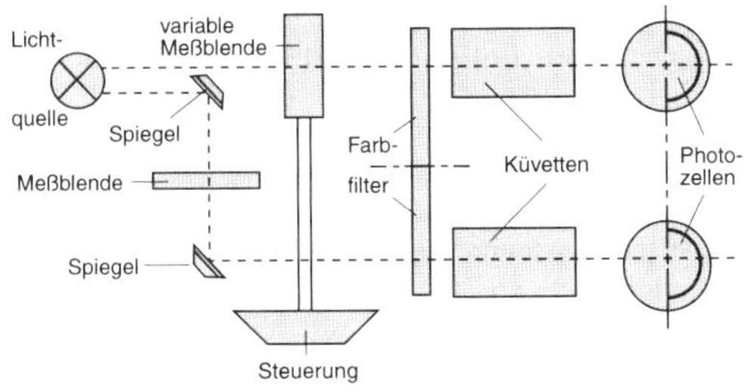

Abb.: Schemat. Aufbau eines Doppelstrahlphotometers.

zeitlich aufeinanderfolgend wechselweise auf den gleichen Empfänger vereinigt. Moderne Photometer werden oft durch Mikroprozessoren gesteuert u. sind an die elektron. Datenverarbeitung anschließbar; die *Automation hat v. a. für Routineuntersuchungen im klin. Labor Bedeutung.

Tab.: Die wichtigsten Strahlungsgrößen.

Größe	Zeichen bzw. Formel	Einheit
Teil 1: Ausgangsgrößen		
Strahlungsmenge	Q_e	J
Lichtmenge	Q_v	lm (=Lumen) · s
Photonenzahl	N_p	
Zeit	t	s
Raumwinkel	Ω	sr (sterad)
Strahlerfläche	A_S	m^2
Empfängerfläche	A_E	m^2
Winkel zwischen Strahlrichtung u. Flächennormale	φ	
Teil 2: Abgeleitete Größen		
Strahlungsleistung	$\Phi_e = \frac{\partial Q_e}{\partial t}$	W
Lichtstrom	$\Phi_v = \frac{\partial Q_v}{\partial t}$	lm
Photonenstrom	$\Phi_p = \frac{\partial N_p}{\partial t}$	s^{-1}
spezif. Ausstrahlung	$M_e = \frac{\partial \Phi_e}{\partial A_s}$	W/m^2
spezif. Lichtausstrahlung	$M_v = \frac{\partial \Phi_v}{\partial A_s}$	lm/m^2
spezif. Photonenausstrahlung	$M_p = \frac{\partial \Phi_p}{\partial A_s}$	$[m^2 \cdot s]^{-1}$
Strahlstärke	$I_e = \frac{\partial \Phi_e}{\partial \Omega}$	W/sr
Lichtstärke	$I_v = \frac{\partial \Phi_v}{\partial \Omega}$	lm/sr = cd (= Candela)
Photonenstrahlstärke	$I_p = \frac{\partial \Phi_p}{\partial \Omega}$	$[s \cdot sr]^{-1}$
Strahldichte	$L_e = \frac{\partial^2 \Phi_e}{\partial \Omega \cdot \partial A_s \cdot \cos\varphi}$	$W/(sr \cdot m^2)$
Leuchtdichte	$L_v = \frac{\partial^2 \Phi_v}{\partial \Omega \cdot \partial A_s \cdot \cos\varphi}$	cd/m^2
Photonenstrahldichte	$L_p = \frac{\partial^2 \Phi_p}{\partial \Omega \cdot \partial A_s \cdot \cos\varphi}$	$[s \cdot sr \cdot m^2]^{-1}$
Bestrahlungsstärke	$E_e = \frac{\partial \Phi_e}{\partial A_E}$	W/m^2
Beleuchtungsstärke	$E_v = \frac{\partial \Phi_v}{\partial A_E}$	lm/m^2 = lx (= Lux)
Photonenbestrahlungsstärke	$E_p = \frac{\partial \Phi_p}{\partial A_E}$	$[s \cdot m^2]^{-1}$
Bestrahlung	$H_e = \int_{t_1}^{t_2} E_e \, dt$	J/m^2
Belichtung	$H_v = \int_{t_1}^{t_2} E_v \, dt$	lx · s
Photonenbestrahlung	$H_p = \int_{t_1}^{t_2} E_p \, dt$	m^{-2}

Verw.: In der quant. Analyse, in der sog. *photometr. Titration* als Meth. zur Endpunktsbestimmung bei der Maßanalyse, als mikrochem. Arbeitsverf. (*Mikropho-*

tometrie), zur direkten quant. Auswertung von Dünnschichtchromatogrammen, zur Bestimmung von Enzym-Kinetiken u. chem. Gleichgew., zur Prozeßkontrolle, im Umweltschutz (*Lit.*[2]). Spezielle Formen der P. sind die Verf. der *Emissions-P.* mit Flammen-P. (*Flammenspektroskopie) u. Fluoro-P. od. Fluorimetrie (*Fluoreszenzspektroskopie) sowie die *Streulicht-P.* (s. Lichtstreuung u. Nephelometrie). – ***E*** photometry – ***F*** photométrie – ***I*** fotometria – ***S*** fotometría

Lit.: [1] Kohlrausch, Praktische Physik 1, S. 134, Stuttgart: Teubner 1996. [2] Analyt.-Taschenb. **5**, 183–197.
allg.: Charlot, Dosages absorptiométriques des éléments minéraux, Paris: Masson 1978 ▪ DIN 5032-1: 1996-06 u. 5032-6: 1994-01 ▪ Egan, Photometry and Polarization in Remote Sensing, Amsterdam: Elsevier 1985 ▪ Hediger, Quantitative Photometrie im ultravioletten u. infraroten Spektralbereich, Heidelberg: Hüthig 1984 ▪ Kakáč u. Vejdělek, Handbuch der photometrischen Analyse organischer Verbindungen (2 Bd. u. 2 Erg.-Bd.), Weinheim: Verl. Chemie 1974–1982 ▪ Lange u. Vejdělek, Photometrische Analyse, Weinheim: Verl. Chemie 1980 ▪ Schwedt, Taschenatlas der Analytik, S. 108, Stuttgart: Thieme 1996.

Photomorphogenese s. Phytochrom.

Photomultiplier. Detektoren zur Lichtmessung (s. Photometrie), die eine Kombination aus *Photozelle u. Sekundärelektronenvervielfacher darstellen. Zwischen der lichtempfindlichen Kathode, aus der durch äußeren *Photoeffekt *Photoelektronen ausgelöst werden, u. der Anode sind mehrere (bis zu 13) Elektroden, sog. Dynoden, angeordnet (s. Abb. 1). Aufgrund der elektr. Spannung zwischen den Dynoden (Größenordnung: ~100 V) treffen die beschleunigten Elektronen mit kinet. Energien von ~100 eV auf die Dynodenoberflächen u. lösen mehrere Sekundärelektronen aus. Jedes Photoelektron erzeugt auf diese Weise eine Kaskade von Sekundärelektronen; der Verstärkungsfaktor liegt zwischen 10^3 u. 10^8.

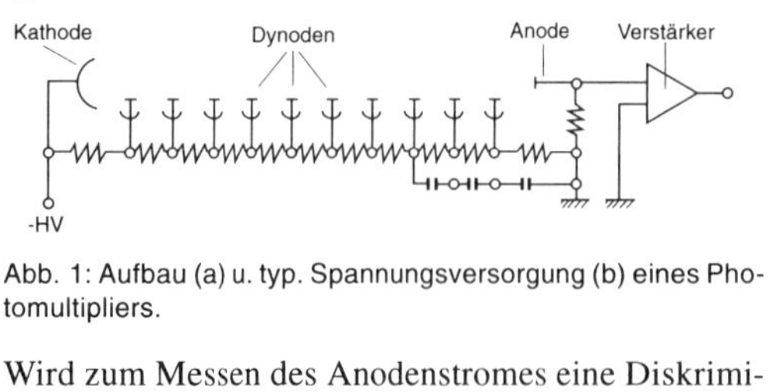

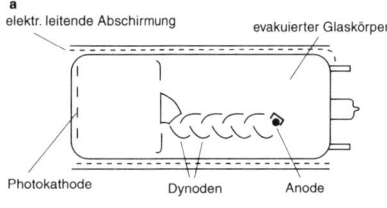

Abb. 1: Aufbau (a) u. typ. Spannungsversorgung (b) eines Photomultipliers.

Wird zum Messen des Anodenstromes eine Diskriminatorschaltung verwendet, so ist es möglich, einzelne Photonen zu detektieren (*E* photon counting). Da die Energie eines Photons im sichtbaren Spektralgebiet nur wenige eV beträgt (s. Abb. bei Anregung), muß das Kathodenmaterial eine entsprechend niedrige Elektronenauslösearbeit aufweisen. Es werden hauptsächlich Alkali-Kathoden eingesetzt.

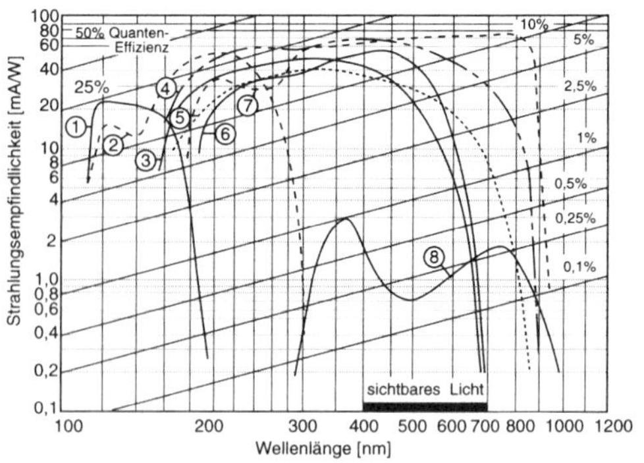

Abb. 2: Spektrale Empfindlichkeit einiger Photokathodenmaterialien. Die Zahlen bedeuten:

① Cs-I	⑤ Multialkali
② Cs-Te	⑥ Multialkali
③ Sb-Cs	⑦ GaAs(Cs)
④ Multialkali	⑪ Ag-O-Cs

Abb. 2 zeigt die spektrale Empfindlichkeit der am häufigsten verwendeten Kathodenmaterialien. Die niedrige Austrittsarbeit, bes. bei rotempfindlichen Kathoden, hat zur Folge, daß bereits bei Zimmertemp. die kinet. Energie einiger Elektronen (s. Boltzmann'sches Energieverteilungsgesetz) ausreicht, das Kathodenmaterial zu verlassen u. eine Kaskade von Sekundärelektronen auszulösen. Dieser Strom wird als *Dunkelstrom* bezeichnet; er wird durch Kühlen (üblicherweise bis –40 °C, z. B. mit Flüssig-Stickstoff) verringert. Die Zeitauflösung eines P. liegt bei einigen ns. – ***E*** photo multiplier (tube) – ***F*** photomultiplicateur – ***I*** fotomoltiplicatore – ***S*** (tubo) fotomultiplicador

Lit.: Kirk-Othmer (4.) **14**, 386, 1036; **16**, 809 ▪ Kohlrausch, Praktische Physik 2, S. 161, Stuttgart: Teubner 1996.

Photonastie s. Nastien.

Photon counting s. Photomultiplier.

Photonen (Licht-, Strahlungsquanten, Quanten; Symbol: γ; in chem. Gleichungen: $h\nu$). Bez. für die Energiequanten (s. Quantentheorie) der elektromagnet. Strahlung, also z.B. von Mikrowellen-, Infrarot-, Licht-, UV-, Röntgen- u. Gamma-Strahlung. Ihre Energie E errechnet sich aus dem Produkt $E = h\nu$, wobei h das *Plancksche Wirkungsquantum u. ν die *Frequenz bedeuten. Entsprechend dieser Energie hat nach der speziellen Relativitätstheorie auch jedes P. eine Masse m, die sich aus A. *Einsteins Masse-Energie-Gleichung zu $m = E/c^2$ (mit c = Lichtgeschw.) ergibt. Die Ruhemasse der P. ist gleich Null; sie bewegen sich mit *Lichtgeschwindigkeit. P. haben den *Spin 1 (in Einheiten von $\hbar = h/2\pi$) u. zählen damit zu den *Bosonen (s. a. Bose-Einstein-Statistik). Die Energie der P. variiert beträchtlich. *Mikrowellen-P. haben eine Energie von ca. 10^{-4} eV, *IR-P. von 0,01–1,5 eV, *UV-P. von 3–100 eV, Röntgen-P. von 10^2–10^5 eV u. Gammaquanten eine solche von etwa 10^6 eV. Die mit Hilfe von *Teilchenbeschleunigern erzeugten P. können Energien >20 GeV erreichen. Wegen des Fehlens einer elektr. Ladung u. eines magnet. Moments sind P. in Feldern nicht ablenkbar. Bei der Wechselwirkung mit Materie treten P. mal als Teilchen (z. B. bei *Photoeffekt,

*Compton-Effekt u. *Paarbildung), mal als Welle (bei *Beugung u. *Reflexion) in Erscheinung. Dieser *Welle-Teilchen-Dualismus (*Welle-Korpuskel-Dualismus*) hat seine Deutung erst durch die *Quantentheorie erfahren. Innerhalb der Elementarteilchen (s. Tab. 1 auf S. 1135) zählt man die P. zu den Eichbosonen. Sie sind die Überträger der elektromagnet. Kraft. – ***E*** = ***F*** photons – ***I*** fotoni – ***S*** fotones

Lit.: s. Photochemie u. Strahlenchemie.

Photonenecho. Zuerst bei der *NMR-Spektroskopie beobachtetes Phänomen eines Mehrteilchen-Syst., wenn dieses mit zwei Pulsen im Zeitabstand τ angeregt wird (s. oberer Teil von Abb. 1), nach einer weiteren Zeitspanne τ einen zusätzlichen Puls zu emittieren (s. unterer Teil von Abb. 1).

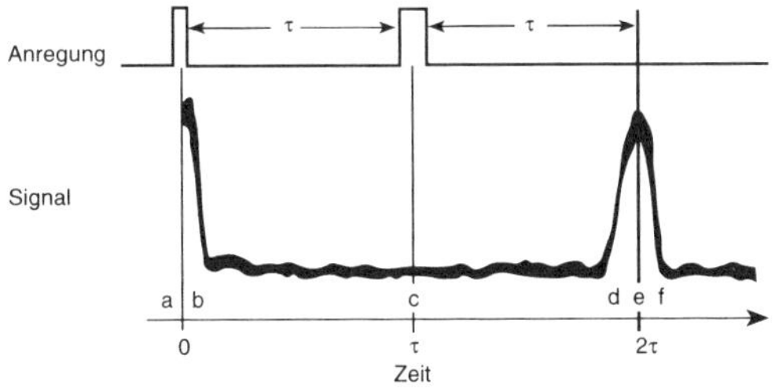

Abb. 1: Zeitverhalten von Anregung u. Signal; bei der Hochfrequenz entspricht das Signal der Magnetisierung, im opt. Bereich der Photonenemission. Die Buchstaben a – f entsprechen den Teilbildern in Abb. 2.

Erklärung: Im Folgenden wird als Hochfrequenzanregung die Magnetisierung $\vec{M}$ betrachtet; sie ist die Summe der *magnetischen Momente aller Atome u. bestimmt die Größe des Meßsignales. In einem Magnetfeld präzediert $\vec{M}$ mit der *Larmorfrequenz um die Magnetfeldrichtung (z-Richtung). Das in Abb. 2 dargestellte Koordinatensyst. dreht sich ebenfalls mit der Larmorfrequenz um z. Zum Zeitpunkt t = 0 wird ein sog. $\pi/2$-Puls eingestrahlt, der den Vektor $\vec{M}$ um 90° auf die y-Achse kippt (Teil a, Abb. 2).

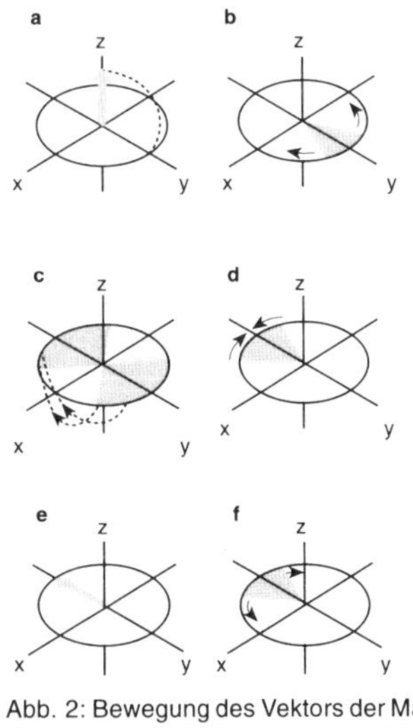

Abb. 2: Bewegung des Vektors der Magnetisierung in einem rotierenden Koordinatensystem. Details s. Text.

Würden alle Atome den gleichen Bedingungen unterliegen, so würden alle magnet. Momente mit der gleichen Larmorfrequenz präzedieren, d. h. $\vec{M}$ bliebe konstant in y-Richtung. Unterschiedliche atomare Umgebungen lassen aber die einzelnen magnet. Momente mit leicht unterschiedlicher Frequenz präzedieren; d. h. in dem (sich drehenden) Koordinatensyst. fächern sie auf (Teil b, Abb. 2). Zum Zeitpunkt τ wird ein π-Puls eingestrahlt, der die magnet. Momente um die x-Achse um 180° dreht (Teil c, Abb. 2). Da die einzelnen Momente weiterhin mit der für sie eigenen Larmorfrequenz präzedieren, laufen sie in der x,y-Ebene wieder zusammen (hierbei haben die schnellen einen längeren Winkelbereich zurückzulegen als die langsamen). Zum Zeitpunkt t = 2 τ sind alle atomaren magnet. Momente wieder in –y-Richtung ausgerichtet u. ergeben die große Magnetisierung $\vec{M}$ (Teil e, Abb. 2). Danach laufen sie wieder auseinander (Teil f, Abb. 2). Ein ähnliches Modell wurde aufgestellt, um das P. im opt. Bereich zu erklären. P. werden in der *Spektroskopie ausgemessen (d. h. es wird die Größe des Echos bei 2 τ in Abhängigkeit von τ bestimmt), um Relaxationszeiten zu ermitteln. – ***E*** photon echo – ***F*** écho de photon, écho photonique – ***I*** eco di fotoni – ***S*** eco fotónico

Lit.: Chem. Unserer Zeit **24**, 13 (1990) ▪ Demtröder, Laser Spectroscopy, Berlin: Springer 1996 ▪ Sargent, Scully u. Lamb, Laser Physics, S. 216, London: Addison Wesley 1977.

Photonen-Hall-Effekt s. Hall-Effekt.

Photoorganotroph s. Organotrophie.

Photooxidantien. Aus Sauerstoff, Stickstoffoxiden, Wasser, Kohlenwasserstoffen u. a. in der Atmosphäre unter dem Einfluß von Sonnenstrahlung gebildete Reaktionsprodukte, die oxidierend wirken (s. a. Photoabbau). Zu den P. gehören *Ozon, Peroxyacetylnitrat u. a. *Peroxyacylnitrate, *Salpetersäure u. v. a. reaktive Sauerstoff-Teilchen (s. Tab. 1 auf Seite 3316).

Bildung: V. a. durch Photolyse der Vorläufersubstanzen Stickstoffdioxid u. Ozon entstehen Radikale, die mit Wasser, Sauerstoff, Stickoxiden u. organ. Substanzen reagieren u. damit weitere Radikal-Bildungs- u. Verbrauchscyclen in Gang setzen (s. Tab. 1 sowie Photoabbau).

Vork.: P. kommen in der gesamten Atmosphäre, in überdurchschnittlicher Konz. in der Abluftfahne von *Emissions-Quellen vor. Typischerweise liegen die Konz.-Maxima in einiger Entfernung zu VOC-Quellen (flüchtige organ. Chemikalien, von *E* volatile organic chemicals), weil die P.-Bildung auch von der Bestrahlungsstärke u. Einwirkungsdauer abhängig ist. Die Konz. fast aller P. ist im Sommer deutlich höher als im Winter. Zudem weist sie einen ausgeprägten Tagesgang mit Maxima meist im Tageslicht auf (s. Tab. 2 auf Seite 3317).

Eigenschaften: In hoher Konz. reizen P. die Atemwege u. die Augen. Manche P. wie z. B. $O_2(^1\Delta_g)$ reagieren mit ungesätt. Fettsäuren u. verändern so die Eigenschaften von Biomembranen.

Den P. wird einerseits eine Mitverantwortung für *Waldschäden zugesprochen, andererseits sind P. verantwortlich für den schnellen Abbau (*Photoabbau) von organ. Substanzen (z. B. VOC) in der Atmosphäre.

Tab. 1: Ausgewählte Photooxidantien u. wichtige Reaktionen in der Atmosphäre [M bezeichnet ein Teilchen, das an einem Stoßprozeß beteiligt ist u. dabei Energie aufnimmt (M*), ohne chem. verändert zu werden].

Photooxidans	Formel	Bildungsreaktionen	Abbau- bzw. Folgereaktionen	CAS
Sauerstoff-Atom (Singulett)	$O(^1D)$	$O_3 + h\nu \rightarrow O(^1D) + O_2(^1\Delta_g)$	$O(^1D) + H_2O \rightarrow 2\,OH$ $O(^1D) + M \rightarrow O(^3P) + M$	
Sauerstoff-Atom (Triplett)	$O(^3P)$	$O(^1D) + M \rightarrow O(^3P) + M^*$ $NO_2 + h\nu\,(\lambda < 430\text{ nm}) \rightarrow NO + O(^3P)$	$O(^3P) + O_2 + M \rightarrow O_3 + M^*$	
metastabiler Sauerstoff (Singulett)	$O_2(^1\Delta_g)$	Energietransfer von angeregten Teilchen (Intersystem Crossing)	1,4-Addition an Diene 1,2-Cycloaddition an elektronenreiche Alkene Addition an Doppelbindungen mit Allyl-Wasserstoff (Bildung von Allylperoxiden durch *En-Synthese)	
*Ozon	O_3	$O(^3P) + O_2 + M \rightarrow O_3 + M^*$	$O_3 + h\nu\,(\lambda < 310\text{ nm}) \rightarrow O(^1D) + O_2(^1\Delta_g)$ Addition an Alkene $NO_y + O_3 \rightarrow NO_{y+1} + O_2$	10028-15-6
Wasserstoff-Atom	H	$CO + OH \rightarrow CO_2 + H$ $H_2 + OH \rightarrow H_2O + H$	$H + O_2 + M \rightarrow HO_2 + M^*$	
Hydroxyl-Radikal	OH	$O(^1D) + H_2O \rightarrow 2\,OH$ $HONO + h\nu \rightarrow OH + NO$ (analog HNO_3, H_2O_2 u. a.) $HO_2 + NO \rightarrow OH + NO_2$	$R{-}H + OH \rightarrow R + H_2O$ $H_2O_2 + OH \rightarrow HO_2 + H_2O$	3352-57-6
Hydroperoxyl-Radikal (s. Wasserstoffperoxid)	HO_2	$R{-}CH_2{-}O + O_2 \rightarrow HO_2 + RCHO$ $H + O_2 + M \rightarrow HO_2 + M^*$ $H_2O_2 + OH \rightarrow HO_2 + H_2O$ $HCO + O_2 \rightarrow HO_2 + CO$	$HO_2 + NO \rightarrow OH + NO_2$	3170-83-0
*Wasserstoffperoxid	H_2O_2	$2\,HO_2 \rightarrow H_2O_2 + O_2$	Reaktion mit Sulfit in Aerosol-Tröpfchen	7722-84-1
Alkoxyl-Radikal	RO	$RO_2 + NO \rightarrow RO + NO_2$	$RR'CH{-}O + O_2 \rightarrow RR'CO + HO_2$	
Alkylperoxyl-Radikal	RO_2	$R + O_2 + M \rightarrow RO_2 + M^*$	$RO_2 + NO \rightarrow RO + NO_2$ $RO_2 + NO_2 + M \rightarrow RO_2 + NO_2$	
Acylperoxyl-Radikal	$RCO{-}O_2$	$R{-}CHO + OH \rightarrow R{-}CO + H_2O$ $R{-}CO + O_2 \rightarrow R{-}CO{-}O_2$	$R{-}CO{-}O_2 + NO \rightarrow R + CO_2 + NO_2$	
Stickstoffdioxid- (-Radikal; s. Stickstoffoxide)	NO_2	$NO + O_3 \rightarrow NO_2 + O_2$ $NO + HO_2 \rightarrow NO_2 + OH$ $NO + RO_2 \rightarrow NO_2 + RO$ $NO + NO_3 \rightarrow 2\,NO_2$ $N_2O_5 \rightarrow NO_3 + NO_2$	$NO_2 + h\nu\,(\lambda < 430\text{ nm}) \rightarrow NO + O(^3P)$ $NO_2 + RCO{-}O_2 + M \rightarrow RCO{-}O_2{-}NO_2(PAN) + M^*$ $NO_2 + NO_3 + M \rightarrow N_2O_5 + M^*$ $N_2O_{5aq} + H_2O \rightarrow 2\,HNO_{3aq}$	10102-44-0
Stickstofftrioxid (-Radikal; s. Stickstoffoxide)	NO_3	$NO_2 + O_3 \rightarrow NO_3 + O_2$ $HNO_3 + OH \rightarrow NO_3 + H_2O$	$NO_3 + NO \rightarrow 2\,NO_2$ $NO_3 + NO_2 + M \rightarrow N_2O_5 + M^*$ $NO_3 + h\nu\,(\lambda < 670\text{ nm}) \rightarrow NO + O_2$ $NO_3 + h\nu\,(\lambda < 670\text{ nm}) \rightarrow NO_2 + O(^3P)$ Addition an ungesätt. Verb.	12033-49-7
*Salpetrige Säure	HNO_2	$NO + OH + M \rightarrow HNO_2 + M^*$	$HNO_2 + h\nu \rightarrow NO + OH$ $HNO_2 + OH \rightarrow NO_2 + H_2O$	7782-77-6
*Salpetersäure	HNO_3	$NO_2 + OH \rightarrow HNO_3$ $N_2O_5 + H_2O \rightarrow 2\,HNO_3$	$HNO_3 + OH \rightarrow NO_3 + H_2O$	7697-37-2
Alkylnitrate	$RONO_2$	$R{-}O_2 + NO + M \rightarrow R{-}ONO_2 + M^*$		
Peroxosalpetersäure	$HOONO_2$	$NO_2 + HO_2 + M \rightarrow HOONO_2 + M^*$	$HOONO_2 + M \rightarrow NO_2 + HO_2 + M^*$	
*Peroxonitrat-Ester	$ROONO_2$	$R + O_2 + M \rightarrow RO_2 + M^*$ $RO_2 + NO_2 \rightarrow R{-}O{-}O{-}NO_2$		
*Peroxyacylnitrate		s. Peroxyacylnitrate	s. Peroxyacylnitrate	
Chlor-Atome	Cl	aus Meersalz-*Aerosol	H-Abstraktion von organ. Verb. Addition an ungesätt. Verb.	

Die Bildung von P. in der Atmosphäre wird durch Emissionsminderungsmaßnahmen verringert, insbes. durch *Entstickung (*Immissionsschutz). – ***E*** photochemical oxidants – ***F*** photooxydants – ***I*** fotoossidanti – ***S*** fotooxidantes

Lit.: Atmospheric Environ. **29**, 2401–2407 (1995) ▪ Bandy (Hrsg.), The Chemistry of the Atmosphere – Oxidants and Oxidations in the Earth Atmosphere, Cambridge: Royal Soc. Chem. 1995 ▪ Environ. Sci. Technol. **29**, 2322–2332 (1995); **31**, 2130–2135 (1997) ▪ Hutzinger **2A**, 107–143; **2F**, 229–252 ▪ J. Phys. Chem. **94**, 2413–2419 (1990); **101**,

Tab. 2: Konz. von ausgewählten Photooxidantien in verschmutzter Luft.

Photo-oxidans	Konz. [Vol.-ppb]	Tageszeit der max. Konz.
O_3	$\leqq 10^4$ (Stratosphäre), bis 50 (obere Mischungsschicht Troposphäre)	später Nachmittag
OH	$\leqq 1 \cdot 10^{-4}$	tagsüber
OH_2	10^{-2}	
NO_2	100–800 (0,02–2000)	Morgen – Nachmittag
NO_3	0,005–0,4	nach Sonnenuntergang
N_2O_5	$\leqq 15$	nachts
HNO_2	$\leqq 15$	vor Sonnenaufgang
HNO_3	$\leqq 50$	Mittag – Nachmittag
HNO_4	$\leqq 1$	
PAN	0,05–20	Mittag – Nachmittag
RO_2NO_2	<0,1	

9694–9698 (1997) ▪ Nachr. Chem. Tech. Lab. **45**, 9ff. (1997) ▪ Nature **346**, 256ff. (1990) ▪ Niki u. Becker (Hrsg.), The Tropospheric Chemistry of Ozone in the Polar Regions (NATO ASI Series 17), Berlin: Springer 1993 ▪ Seinfeld et al., Atmospheric Chemistry and Physics, New York: Wiley 1998 ▪ Ullmann (5.) **B7**, 582–598 ▪ Z. Physikal. Chem. **188**, 119–142 (1995).

Photooxidation. Sammelbez. für *Oxidationen, die unter Beteiligung von Licht ablaufen, im weitesten Sinne also auch Dehydrierungen durch photochem. gebildete Radikale u. durch Licht initiierte, als Kettenreaktion ablaufende *Autoxidationen. Im engeren Sinne versteht man unter P. meist *Oxygenierungen (*Photooxygenierungen*), in denen *Singulett-Sauerstoff in organ. Mol. eingeführt wird, u. zwar im allg. unter Beteiligung von *Sensibilisatoren (*Photosensibilisatoren*, s. Photochemie). Die Produkte der sensibilisierten P. sind *Hydroperoxide (der En-Reaktion analoge P.) od. cycl. *Peroxide (Bildung von *Dioxetanen; s.a. Peroxylactone). Als Sensibilisatoren kommen in Frage: Farbstoffe wie Bengalrosa, Erythrosin, Methylenblau, Hämatoporphyrin; weitere Details s.a. Photochemie u. Singulett-Sauerstoff. – ***E*** photooxidation – ***F*** photo-oxydation – ***I*** fotoossidazione – ***S*** fotooxidación

Photooxygenierung s. Photooxidation.

Photoperiodizität s. Photobiologie u. Phytochrom.

Photophosphorylierung s. Phosphorylierung.

Photopolymere (photoreaktive Polymere). Bez. für *Polymere, deren Eigenschaften sich unter Lichteinfluß ändern. Angestrebt wird bei Anw. der P. überwiegend eine Änderung ihrer Löslichkeitseigenschaften. Durch Lichteinwirkung induzierte Vernetzungs- od. (Nach-)Polymerisationsreaktionen bewirken eine Verringerung der Löslichkeit der P., Modifizierungen funktioneller Gruppen od. Depolymerisationsreaktionen dagegen eine Erhöhung.

Vernetzungsreaktionen können z.B. über C,C-Mehrfachbindung von Polymeren wie Poly(*cis*-isopren) od. Poly(1,2-butadien) nach Zusatz bifunktioneller Reagenzien wie Bisaziden verlaufen. Sie sind ferner möglich über photoreaktive funktionelle Gruppen als Substituenten der Polymer-Hauptkette, wie über den Zimtsäure-Rest in Poly(vinylcinnamaten I).

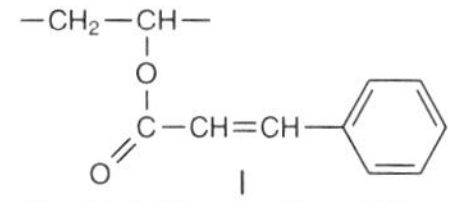

I

Ein Beisp. für die Erhöhung der (Wasser-)Löslichkeit von P. durch Lichteinfluß ist die Umwandlung von Diazoketon- in Carboxy-Gruppen enthaltende Produkte:

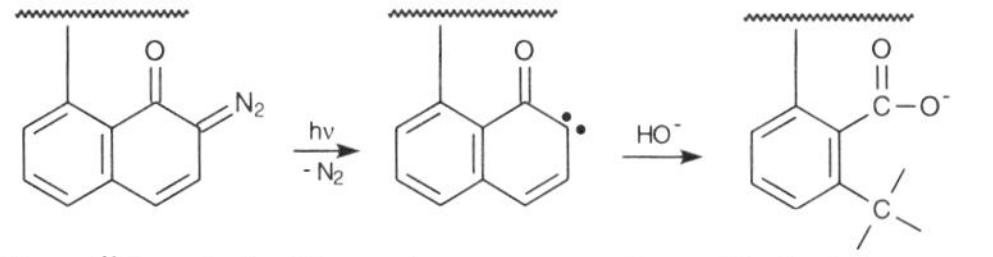

Eine Übersicht über photovernetzbare Einheiten von P., die u.a. neben Substituenten mit ungesätt. Gruppen (außer Zimtsäure- z.B. auch sog. Styrylacrylat-Reste, II)

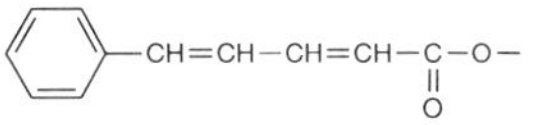

II

auch solche mit Azido-Gruppen enthalten, gibt die *Lit.*

Verw.: Hauptsächlich als *Photoresists; desweiteren in der Elektronik-, Druck- u. Lack-Industrie. – ***E*** photoreactive polymers, photopolymers – ***F*** photopolymères, polymères photochimiques – ***I*** fotopolimeri – ***S*** polímeros fotorreactivos, fotopolímeros

Lit.: Encycl. Polym. Sci. Eng. **9**, 97–137 ▪ Kirk-Othmer (3.) **17**, 680–708.

Photopolymerisation (photochem. Polymerisation). Die P. ist ein Verf. zum Aufbau von *Polymeren durch lichtinduzierte Initiierung (s. Photoinitiatoren) von *Polyreaktionen, die nach radikal. od. ion. Mechanismen ablaufen können. Substrate für die P. können sowohl *Monomere od. *Oligomere als auch vernetzbare, chromophore Gruppen tragende Polymere selbst sein (s. Photovernetzung). Anwendungstechn. breit genutzt zur Auslösung der P. wird Licht mit einem Wellenlängenbereich von ca. 200–700 nm (sichtbares u. UV-Licht). Bei der radikal. initiierten P. werden geeigneten Monomeren – (Meth)acrylsäure u. -Derivate, Maleinsäureester, Vinyl-Verb. (Styrol, Vinylchlorid, Vinylester) – Photoinitiatoren zugesetzt, die bei Lichteinwirkung Radikale ausbilden, die polymerisationsauslösend wirken. Initiatoren für die ion. gestartete P. sind Verb., z.B. Sulfonium-, Iodonium- od. Diazonium-Salze, die bei Belichtung Lewis- od. Brønsted-Säuren freisetzen. Ion. initiiert photopolymerisierbar sind insbes. Olefine (Isobuten, Butadien, Isopren), Vinyl-Verb. (Vinylether, Vinylester, Styrol) u. heterocycl. Monomere (Oxirane, Tetrahydrofurane, Lactone). Erhöhte Empfindlichkeit bei der P. von Monomeren wird durch Zusatz von Photosensibilatoren (s. Photochemie) wie Acetophenon, Benzophenon, Thioxanthon od. Farbstoffen erreicht. Die P. wird u.a. auch zur Vernetzung von Polymeren angewandt. Für diesen Prozeß geeignet sind Produkte, die Chromophore, bei Belichtung Radikale bildende Gruppen, enthalten. Die P. wird bevorzugt als *Massepolymerisation durchgeführt.

Anw.: U.a. für die Lichthärtung von Druckfarben u. Zahnfüllmassen, die UV-Härtung von Lacken, die Beschichtung von Disks u. Glasfasern, die Herst. von Photoresists in der Lithographie sowie auf dem Elektronik-Sektor. – ***E*** photopolymerisation – ***F*** photopolymérisation – ***I*** fotopolimerizzazione – ***S*** fotopolimerización

Lit.: Adv. Polym. Sci. **42**, 1–49 (1982); **63**, 1–48 (1984) ▪ Houben-Weyl **E 20/1**, 89–94.

Photoproteine. Heterogene Gruppe von z. B. in bestimmten Quallen, Borstenwürmern, Ringelwürmern u. Kleinkrebsen vorkommenden Proteinen (z. B. *Aequorin), die bei Einwirkung von Metall-Ionen (z. B. Ca^{2+}) Licht emittieren. Im Gegensatz zum *Luciferin/*Luciferase-Syst. findet keine Oxid.-Reaktion statt. P. werden als intrazelluläre Calcium-Indikatoren verwendet. – ***E*** photoproteins – ***F*** photoprotéines – ***I*** fotoproteine – ***S*** fotoproteínas

Lit.: Chem. Biol. **3**, 337–347 (1996).

Photoreaktive Polymere s. Photopolymere.

Photoreaktivierung s. Photolyase.

Photorefraktiver Effekt. Von A. Ashkin u. Mitarbeitern 1965 bei der Untersuchung des Verhaltens von Lithiumniobat-Krist. im Laserlicht entdeckter Effekt. Photorefraktive Materialien ändern ihren Brechungsindex (s. Refraktion) bereits bei schwacher Lichteinstrahlung; je nach Material bleibt die Änderung für Millisekunden bis Jahre erhalten. Photorefraktive Elemente sind zukunftsträchtige Bausteine für opt. Computer, da sie sehr lichtempfindlich sind, Licht von verschiedenen Lasern zu koppeln u. ein Informationsmuster in ein anderes umzuwandeln vermögen. – ***E*** photorefractive effect – ***F*** effet photoréfractif – ***I*** effetto fotorefrattario – ***S*** efecto fotorrefractivo

Lit.: Fisher, Optical Phase Conjugation, New York: Academic Press 1983 ▪ Phys. Today **41**, Nr. 10, 46–52 (1988) ▪ Spektrum Wiss. **1990**, Nr. 12, 72–79 ▪ Top. Appl. Phys. **61**, 62 (1988).

Photoresists. Dem Engl. (to resist = widerstehen) entlehnte Bez. für lichtempfindliche, filmbildende Materialien (*Photolacke*), deren Löslichkeitsverhalten sich durch Belichtung od. Bestrahlung ändert (was schon den alten Ägyptern bekannt war, vgl. Photopolymere). Man kann analog zum Offsetdruck (vgl. die Abb. dort) pos. u. neg. arbeitende P. unterscheiden: Erstere werden durch photochem. Abbau od. Umwandlung von funktionellen Gruppen leicht lösl., letztere durch *Vernetzung od. *Photopolymerisation – ähnlich wie bei der *Lackhärtung – schwerlösl. bis unlöslich. Die Photolacke müssen ätzresistent u. unempflindlich gegen Wärme sein. Eine Übersicht über geeignete Syst. findet man in *Lit.*[1].

Verw.: Zum Formteilätzen, in Photolithographie u. Offsetdruck, in der Halbleitertechnik zur Herst. von integrierten Schaltkreisen u. Leiterplatten. – ***E*** photoresists – ***F*** photorésists – ***I*** fotoresistenti – ***S*** fotoresists, fotolacas

Lit.: [1] Kirk-Othmer (3.) **17**, 680–708.

allg.: Encycl. Polym. Sci. Technol. **S 1**, 401–443 ▪ Ullmann (5.) **A 9**, 274 ff. ▪ s. a. Lackhärtung, Offsetdruck, Photochemie, Photopolymerisation.

Photorespiration (Lichtatmung; von latein.: respiratio = Atemholen). Oxid. von Red.-Äquivalenten, die hauptsächlich in *C_3-Pflanzen durch eine Ausweichreaktion des Calvin-Cyclus (s. Photosynthese) in Ggw. von Sauerstoff u. Licht entstehen. Dabei reagiert im *Glykolat-Weg* Ribulose-1,5-bisphosphat – statt wie im Calvin-Cyclus mit Kohlendioxid unter Bildung von 2 Mol. Phosphoglycerinsäure – mit Sauerstoff unter Bildung von je 1 Mol. Phosphoglycerinsäure (C_3-Einheit) u. Glykolsäure (C_2-Einheit). Nach dem Transport von Glykolsäure in *Peroxisomen bilden sich aus 2 Mol. Glykolsäure (2 C_2-Einheiten) 1 Mol. Phosphoglycerinsäure (C_3-Einheit) u. Kohlendioxid (C_1-Einheit). Die P. bewirkt auf diese Weise eine Schmälerung der durch die *Photosynthese bereitgestellten Red.-Kraft. Die biolog. Bedeutung der P., durch die bis zu 50% der Photosynth.-Leistung „verschwendet" werden, ist unklar. Vorteilhaft ist jedoch das Auftreten der *Aminosäuren L-Glycin, L-Serin u. L-Glutamin als Zwischenprodukte, die biosynthet. verwertet werden können. – ***E*** = ***F*** photorespiration – ***I*** fotorespirazione – ***S*** fotorrespiración

Lit.: Richter, Stoffwechselphysiologie der Pflanzen, 6. Aufl., S. 189–194, Stuttgart: Thieme 1998 ▪ s. a. Photosynthese.

Photo-Rex®. 4-(Methylamino)-phenolsulfat, Entwickler in der Photo-Technik. ***B.:*** Merck.

Photorezeptoren. Bez. für *Rezeptoren, die anstatt durch Agonisten durch Licht stimuliert werden u. in der *Zelle Reaktionen in Gang setzen, die entweder auf der absorbierten Lichtenergie beruhen (*Photokoppler*, z. B. *Photosynthese-Pigmente) od. Energie aus anderen Quellen beziehen (*Photosensoren*, z. B. *Rhodopsin, *Phytochrom). – ***E*** photoreceptors – ***F*** photorécepteurs – ***I*** fotorecettori – ***S*** fotorreceptores

Photosensibilisatoren s. Photochemie u. photodynamischer Effekt.

Photosensoren s. Photorezeptoren.

Photosmog (Los-Angeles-Smog, Sommersmog). *Smog, der im Unterschied zum *Sauren Smog bei intensiver Sonneneinstrahlung aus Stickstoffoxiden, flüchtigen organ. Substanzen (*VOC, SVOC), Wasserdampf u. Luftsauerstoff entsteht u. als Leitsubstanz *Ozon u. a. *Photooxidantien enthält.

P. wurde zuerst in Los Angeles beobachtet. Diese Stadt liegt in einem Becken, das bei hoher Sonneneinstrahlung beständige Inversionswetterlagen aufweist. Für die P.-Bildung entscheidend ist die Akkumulation urbaner Abgase mit sog. reaktiven Kohlenwasserstoffen u. Stickstoffoxiden, wie sie v. a. in *Kraftfahrzeugabgasen vorkommen.

Die Toxizität von P. wird durch Ozon u. a. Photooxidantien bestimmt. Starker, anhaltender P. kann Augenreizungen, Kopfschmerzen, Pflanzenschäden u. vorzeitiges Brüchigwerden von Produkten aus Naturgummi verursachen.

Von den gasf. Photooxidantien absorbiert v. a. $^{\cdot}NO_2$ sichtbares Licht in nennenswertem Umfang. Die Atmosphärentrübung geht auf *Aerosole zurück, wobei Sulfate u. Nitrate wesentlich zur Lichtstreuung u. elementarer Kohlenstoff, Ruß u. a. organ. Verb. auch zur Lichtabsorption beitragen. Die Partikelgröße u. damit die Atmosphärentrübung wachsen mit der Luftfeuchtigkeit; zu Maßnahmen gegen P. s. Ozon-Schwellenwert. – ***E*** = ***F*** photosmog – ***I*** = ***S*** fotosmog

Lit.: Allegrini u. De Santis (Hrsg.), Urban Air Pollution (NATO ASI-Series, Subseries 2, Vol. 8), Berlin: Springer 1996

■ Finlayson-Pitts u. Pitts, Atmospheric Chemistry, S. 3–8, 43, 725–869, New York: Wiley 1986 ■ Fonds der Chem. Ind., Folienserie Umweltbereich Luft, Frankfurt: VCI 1995 ■ Hutzinger **4 A**, 53–105.

Photostabilisatoren. Chemikalien, die eingesetzt werden, um Schleierbildung bei der *Photographie zu verhüten. – ***E*** photo stabilizer – ***F*** photostabilisateurs – ***I*** fotostabilizzatori – ***S*** fotoestabilizadores

Photostationäre Zustände s. Photochemie u. stationärer Zustand.

Photosulfochlorierung s. Sulfochlorierung.

Photosynthese. Allg. jede durch die Strahlungsenergie des sichtbaren od. ultravioletten Lichtes bewirkte Synth. chem. Verb. (photochem. Synth., s. organische Photochemie), meist jedoch nur im engeren Sinne verwendet für die auch als *Assimilation (Kohlenstoff-Fixierung) bezeichnete Bildung von *Kohlenhydraten aus Kohlendioxid (CO_2) u. Wasser, die in grünen *Pflanzen mit Hilfe von Sonnenlicht erfolgt, wobei unter Mitwirkung von *Chlorophyll *Sonnenenergie in chem. Energie umgewandelt wird. Formal gesehen erfolgt dabei eine Red. von Kohlendioxid unter Freisetzung von Sauerstoff (O_2).

Ökolog. Bedeutung: Die P. ist einer der wichtigsten biolog. *Energie-Direktumwandlungs-Prozesse (vgl. Bioenergetik). Durch P. werden auf der Erde jährlich $1{,}5-2 \cdot 10^{11}$ t Kohlenstoff aus dem CO_2 der Luft in organ. gebundener Form gespeichert. Von der täglich von der Sonne auf die Erde abgestrahlten Energiemenge ($1{,}5 \cdot 10^{22}$ J) werden durch pflanzliche P. jedoch nur $4 \cdot 10^{18}$ J verwertet. Tatsächlich ist die P. der einzige Lieferant des für ird. Leben nötigen Sauerstoffs u. bestimmender Faktor im Kreislauf des Kohlenstoffs. Dazu ein Beisp.: Eine 115jährige Buche (200 000 Blätter = 1200 m^2 Oberfläche, 180 g *Chlorophyll in 10^{14} *Chloroplasten) setzt an einem Sonnentag 9,4 m^3 CO_2 um u. erzeugt dabei 9,4 m^3 O_2 u. 12 kg Kohlenhydrate. Die Leistung für das Ökosyst., aber auch die Verletzlichkeit durch Luftverunreinigungen, Photooxidantien etc. ersieht man daraus, daß das CO_2 für die erwähnte P.-Bilanz aus 36 000 m^3 Luft extrahiert werden muß u. dabei 45 m^3 Luft mit O_2 regeneriert werden – Tagesbedarf für 2–3 Menschen.

Biolog. Bedeutung: Zur P. sind nicht nur Höhere Pflanzen befähigt, sondern auch *Algen, *Flechten u. eine Reihe von *Bakterien (*Phototrophie). Wie alle lebenden Organismen verbrauchen auch die Pflanzen Sauerstoff, um durch die Verbrennung der aufgenommenen organ. Nährstoffe die zur Aufrechterhaltung ihrer Lebensfunktionen notwendige Energie zu erzeugen (Atmung). Entgegen früheren Auffassungen haben viele Pflanzen allerdings nicht nur eine vom Licht unabhängige Dunkelatmung. Die *Lichtatmung* (*Photorespiration; Funktion unklar) der *C_3-Pflanzen ist sogar um ein Mehrfaches stärker als jene. Die Beziehungen zwischen P. u. Atmung lassen sich schemat. durch eine einfache Gleichung ausdrücken:

$$6\,CO_2 + 6\,H_2O + 2{,}88\text{ MJ} \xrightleftharpoons[\text{Atmung}]{\text{Photosynthese}} C_6H_{12}O_6 + 6\,O_2.$$

Tatsächlich sind die Verhältnisse aber wesentlich komplizierter, u. man teilt die P. in Primär- u. Sekundärreaktionen auf. Die *Primärreaktionen* der P. dienen der Bereitstellung chem. Energie durch Spaltung des Wassers mit Hilfe von Licht (Photolyse), die *Sekundärprozesse* benutzen diese Energie zur reduktiven Fixierung des Kohlenstoffdioxids in organ. Substanz (Assimilation).

Lichtreaktionen: Die Lichtreaktion, also der Primärvorgang, benötigt in Algen u. Höheren Pflanzen zwei verschiedene Pigmentsyst., die zwei verschiedene photochem. Reaktionen auslösen, *Photosyst. I* u. *Photosyst. II*. Beide sind über therm. Reaktionen miteinander verknüpft.

Absorption des Lichts u. Weiterleitung zu den Reaktionszentren: Zur effektiven Absorption des Lichts enthalten beide Pigmentsyst. bestimmte Pigment-Komplexe, die *Antennen-Komplexe (Lichtsammel-Syst.). Die unter anderem enthaltenen *Carotinoide haben neben ihrer Lichtsammelfunktion die Aufgabe, den P.-Apparat vor übermäßiger Lichteinstrahlung zu schützen. Die absorbierte Lichtenergie wird dann mit Hilfe noch nicht ganz verstandener Mechanismen zu den *photosynthet. Reaktionszentren* weitergeleitet. Die Antennen-Komplexe u. Reaktionszentren (zusammengefaßt als *photosynthet. Einheiten* od. *Quantasomen*) finden sich in den grünen Pflanzen lokalisiert in den Membranen der *Thylakoiden* der Chloroplasten.

Elektronentransport: Das Photosyst. II enthält etliche Antennen-Komplexe LHC II (von *E l*ight *h*arvesting *c*omplex) u. den Kern-Komplex (KK, *E* core complex). Dieser umfaßt neben anderen Polypeptiden das Reaktionszentrum, bestehend aus den Polypeptiden D1 (M_R 37 000) u. D2 (M_R 39 500), dem – wahrscheinlich paarweise vorhandenen – Chlorophyll P680 (chem. ein Chlorophyll a, Absorptionsmaximum 680 nm; auch: „spezielles Paar"), 4 weiteren Mol. Chlorophyll a, 2 Mol. *Phäophytin a, 2 Mol. *β-Carotin u. 2 Mol. *Plastochinon.

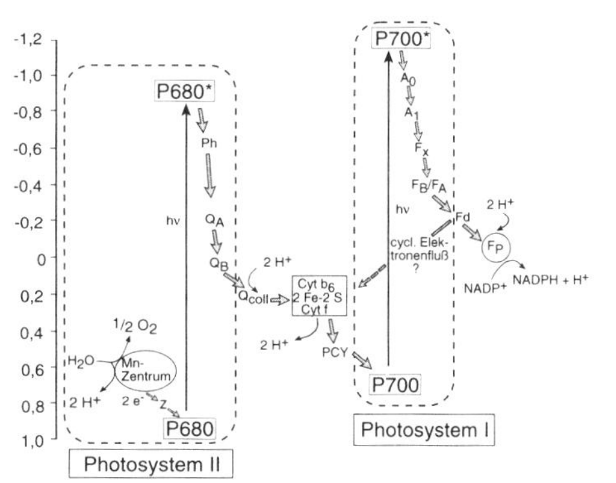

Abb. 1: Schema des Elektronentransports (dicke Pfeile) von Wasser zu NADP+. Abk. s. Text.

P680 erhält von den Antennen-Pigmenten ein Lichtquant (*hν*; Abb. 1) zugespielt u. geht in einen angeregten Zustand über (P680*). Dieser besitzt ein um einiges negativeres Redoxpotential (größere Reduktionskraft) als der Grundzustand u. gibt daraufhin ein Elektron an eines der Phäophytine (Ph) ab. Von dort wird das Elektron zu den Plastochinonen Q_A u. Q_B weitergeleitet. Nach Übernahme eines weiteren Elektrons

u. zweier Protonen (H^+) steht Q_B im Austausch mit dem in der Membran frei beweglichen Plastochinon-Kollektiv (Q_{coll}).
Die am P680 entstandene Elektronenlücke wird aus der Wasser-Oxid. aufgefüllt. Zwischenzeitlich gebildete reaktive Sauerstoff-Spezies bleiben am Mangan-Zentrum (4 Mangan-Ionen) gebunden; erst nach Transfer von 4 Elektronen (Oxid. von 2 Wasser-Mol.) wird ein Mol. Sauerstoff freigesetzt. Die Elektronen werden einzeln über Tyrosyl-Radikale (Z) des Reaktionszentrums zum P680 transportiert.
Die Plastochinone befördern (in ihrer Hydrochinon-Form) jeweils zwei Elektronen zum *Cytochrom-b_6f-Komplex (Cyt b_6f), wo wieder zwei Protonen freigesetzt werden. Cyt b_6f ähnelt in Aufbau u. Funktion sehr der *Cytochrom-c-Reduktase der *Atmungskette; es besteht u. a. aus Cytochrom b_6 (Cyt b, M_R ca. 24 000), Cytochrom f (M_R ca. 31 000) u. dem Rieske-Protein, einem Eisen-Schwefel-Protein (2 Fe – 2 S; M_R ca. 19 000). Durch Plastocyanin (PCY), ein Kupfer-Protein (M_R 10 000 – 11 000) werden die Elektronen (nun wieder einzeln) vom Cyt b_6f übernommen u. dem Photosyst. I überbracht.
Das Photosyst. I gliedert sich ebenfalls in ein Lichtsammelsyst. (bestehend aus Antennen-Komplexen LHC I) u. einen Kern-Komplex mit dem Reaktionszentrum. Ein spezielles (Paar) Chlorophyll a (P700) wird durch Lichtenergie (aus den Antennen-Komplexen) angeregt (P700*) u. überträgt ein Elektron über A_0 u. A_1 (wahrscheinlich Chlorophyll a) sowie F_X, F_A u. F_B (Eisen-Schwefel-Zentren) auf ein *Ferredoxin (Fd). Das in P700 entstehende Elektronen-Defizit wird durch ein (vom Photosyst. II stammendes) Elektron des PCY ausgeglichen. Das reduzierte Fd andererseits ist Substrat der Ferredoxin-$NADP^+$-Oxidoreduktase (EC 1.18.1.2, Abk. Fp in Abb. 1, enthält *Flavin-Adenin-Dinucleotid) u. liefert die benötigten zwei Elektronen – eines nach dem anderen – zur Red. des $NADP^+$ zum NADH (*Nicotinamid-Adenin-Dinucleotid-Phosphat, oxid. bzw. red. Form). Als Bilanz der Photoreaktionen ergibt sich:

$$H_2O + NADP^+ \xrightarrow{h\nu} \tfrac{1}{2}\, O_2 + NADPH + H^+$$

Die Elektronentransportkette – z. B. das Plastochinon – ist auch der Angriffspunkt P.-hemmender *Herbizide. Luftschadstoffe (z. B. SO_2 u. O_x) wirken baumschädigend, indem sie das Mangan-haltige Elektronentransportsyst. stören.
Photophosphorylierung (s. a. Phosphorylierung): Durch den Wasser-spaltenden Komplex, das Cytochrom b_6f u. das Flavoprotein werden während des Elektronentransports Protonen in den Innenraum der Thylakoiden gepumpt. Die entstehende Konz.-Differenz kann von einer in der Membran vorhandenen *ATP-Synthase (CF_0F_1) benutzt werden, um *Adenosin-5′-triphosphat (ATP) aus *Adenosin-5′-diphosphat (ADP) u. anorgan. Phosphat (P_i) zu synthetisieren:

$$ADP + P_i \rightarrow ATP + H_2O.$$

Schon lange wird ein cycl. Elektronenfluß postuliert (gestrichelter dicker Pfeil in Abb. 1), der das Pumpen von Protonen u. somit die ATP-Synth. ohne gleichzeitige Red. von $NADP^+$ erlauben würde. Er konnte bis jetzt aber nicht bewiesen werden.

Sekundärreaktionen („*Dunkelreaktionen*"): In den meisten grünen Pflanzen hat der im Stroma (außerhalb der Thylakoiden) der Chloroplasten stattfindende *Calvin-Cyclus* (Abb. 2) die größte Bedeutung.

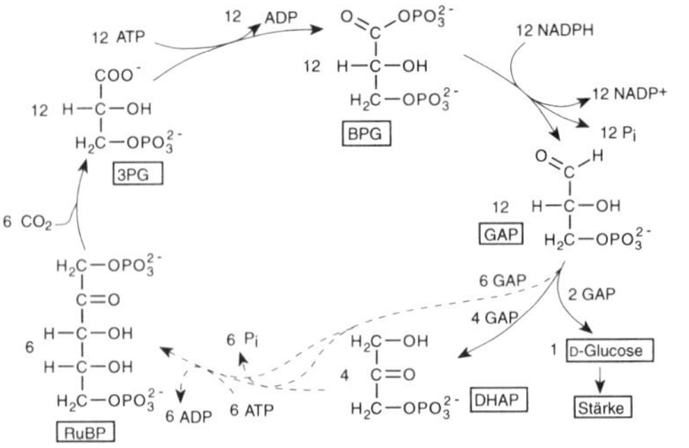

Abb. 2: Stark vereinfachter Calvin-Cyclus.

Dabei wird Kohlendioxid – in einer energet. lichtunabhängigen, aber dennoch durch Licht aktivierten u. in der nächtlichen Dunkelphase gehemmten Reaktion – durch *Ribulosebisphosphat-Carboxylase mit D-Ribulose-1,5-bisphosphat (RuBP) verknüpft u. geht in zwei Mol. 3-Phospho-D-glycerat (3PG, s. Phosphoglycerinsäuren) über – diese Verb. tritt auch bei der *Glykolyse in Erscheinung. Nach diesem ersten stabilen Zwischenprodukt, das 3 Kohlenstoff-Atome besitzt, werden die Pflanzen, die Kohlenstoff über den Calvin-Cyclus fixieren, *C_3-Pflanzen* genannt. Durch den Verbrauch von ATP [z. B. bei der Phosphorylierung von 3PG zu 1,3-Bisphosphoglycerat (BPG)] u. von NADPH [bei der Red. zu D-Glycerinaldehyd-3-phosphat (GAP)] hängt der Calvin-Cyclus von den Lichtreaktionen ab. GAP kann – in Umkehrung der Glykolyse (s. Abb. dort) – über mehrere Stufen zu D-Glucose dimerisieren. Um jedoch das als Einstiegspunkt für CO_2 benötigte Ribulosebisphosphat zu regenerieren, müssen ⁵⁄₆ der potentiellen Hexose-Menge (od. 10 von 12 GAP) reinvestiert werden. Über mehrere enzymat. katalysierte Reaktionsschritte wird aus dem C_3-Körper GAP das RuBP zurückgebildet. Die Stoffbilanz der CO_2-Red. läßt sich wie folgt zusammenfassen:

$$6\, CO_2 + 12\, NADPH + 18\, ATP + 12\, H_2O \rightleftharpoons C_6H_{12}O_6 + 12\, NADP^+ + 12\, H^+ + 18\, ADP + 18\, P_i.$$

Die Aufbauleistung des Calvin-Cyclus wird, wie man heute weiß, stark geschmälert (um ca. 30%) durch die Lichtatmung (*Photorespiration). Diese Ausweichreaktion des Calvin-Cyclus findet man allg. bei C_3-Pflanzen.
**Hatch-Slack-Cyclus* u. *Crassulaceen-Säure-Metabolismus (CAM):* Einige Pflanzen jedoch können die Photorespiration vermeiden u. daher effizienter photosynthetisieren: Die *C_4-Pflanzen* (erstes P.-Produkt ist eine Dicarbonsäure mit 4 Kohlenstoff-Atomen) wie Zuckerrohr, Mais u. Hirse u. die **CAM-Pflanzen* wie Kakteen u. a. Sukkulenten, deren CO_2-Assimilation nachts stattfindet (s. diurnaler Säurerhythmus).
Geschichte: *Priestley soll um 1772 beobachtet haben, daß ein Krauseminze-Zweig, in ein Glasgefäß gebracht, in dem der Sauerstoff durch einen Verbrennungsvorgang (Kerze) verbraucht worden war, die At-

mosphäre in dem Gefäß im Verlaufe vieler Tage so wiederherstellen konnte, daß eine Maus darin atmen konnte. Der Reaktionsverlauf der P. wurde erstmals 1804 von de *Saussure erfaßt, der die Bedeutung des Wassers als Reaktionspartner bereits deutlich erkannte:

$$\text{Kohlendioxid} + \text{Wasser} + \text{Licht} \xrightarrow{\text{grüne Pflanze}} \text{organ. Substanz} + \text{Sauerstoff.}$$

J. R. *Mayer hat diesen Prozeß 1845 in sein „Gesetz von der Erhaltung von Stoff u. Energie" eingeordnet. Erst nach dem 2. Weltkrieg konnte man einen tieferen Einblick in den Mechanismus der P. gewinnen, als nämlich radioaktiv markiertes Kohlendioxid ($^{14}CO_2$) für die Untersuchungen zur Verfügung stand u. man mit der Papierchromatographie auch über eine geeignete Analysemeth. verfügte. Dem Amerikaner *Calvin (Chemie-Nobelpreis 1961) gelang es so, den Weg des Kohlenstoff-Atoms aus dem von der Pflanze aufgenommenen CO_2 bis zu den Endprodukten der Assimilation zu verfolgen, wobei ihm die Alge **Chlorella pyrenoidosa* als Modellsyst. diente. Bereits O. *Warburg hatte angenommen, daß die P. aus einer Licht- u. einer Dunkel-Reaktion bestehe, u. Calvin wies nach, daß im Stroma der Chloroplasten grüner Pflanzen das Kernstück des Reaktionsablaufes der CO_2-Red. eine als Kreisprozeß ablaufende Folge von Reaktionsschritten ist. An der Aufklärung der Chemismen der P. waren daneben bes. R. Hill (*Hill-Reaktion), *Arnon, *Mitchell, Whittingham u. H. T. *Witt beteiligt. Heute ist (auch) ein Ziel der P.-Forschung die Entwicklung wirksamer Verf. der *Biotechnologie zum Einfang u. zur Umwandlung der Sonnenenergie in Biomasse od. zur Erzeugung von Wasserstoff. Ein anderer Weg ist die Züchtung pflanzlicher Mutanten mit höherem biosynthet. Wirkungsgrad. – ***E*** photosynthesis – ***F*** photosynthèse – ***I*** fotosintesi – ***S*** fotosíntesis

Lit.: Richter, Biochemie der Pflanzen, S. 54–137, Stuttgart: Thieme 1996 ▪ Richter, Stoffwechselphysiologie der Pflanzen, 6. Aufl., S. 67–211, Stuttgart: Thieme 1998 ▪ Stryer 1996, S. 687–717 ▪ Voet u. Voet, Biochemistry, 2. Aufl., S. 626–661, Chichester: Wiley 1995.

Phototaxis (*Taxis). Bez. für eine Bewegungsänderung von freibeweglichen Organismen (Bakterien; Algen u. a.) aufgrund eines Wechsels der Lichtintensität. Die Kontrastempfindlichkeit mancher Mikroorganismen entspricht der des menschlichen Auges. *Topo-P.* bezeichnet die Bewegung aufgrund der Strahlenrichtung. Bei pos. Topo-P. bewegt sich die Zelle zur Lichtquelle hin, bei neg. Topo-P. von ihr weg. Beim Passieren einer Hell-Dunkel- od. Dunkel-Hell-Grenze kommt es zur schlagartigen Richtungsänderung (Schreckreaktion), die als *Phobotaxis* bezeichnet wird. – ***E*** phototaxis – ***F*** phototaxie, phototaxisme – ***I*** fototassia – ***S*** fototaxis

Lit.: Schlegel (7.), S. 72, 140, 175.

Phototherapie s. Photobiologie u. Photochemotherapie.

Phototransduktion. Bez. für die Übertragung des Signals eines erregten Photosensors (s. Photorezeptoren) ins Innere der Zelle, z. B. beim *Sehprozeß durch *Rhodopsin; vgl. Signaltransduktion. – ***E*** = ***F*** phototransduction – ***I*** fototrasduzione – ***S*** fototransducción

Lit.: J. Biol. Chem. **269**, 14329–14332 (1994) ▪ Trends Biochem. Sci. **22**, 350–354 (1997).

Phototrope Gläser. Gläser, die ihre Lichtdurchlässigkeit den jeweiligen Lichtverhältnissen anpassen. Bei Bestrahlung mit ultraviolettem Licht od. sichtbarem Licht im kürzerwelligen Bereich vermindert sich bei p. G. die Durchlässigkeit im sichtbaren u. ultravioletten Spektralbereich; bei fehlender Lichteinwirkung geht sie nach relativ kurzer Zeit (im allg. wenigen Minuten) auf ihren Ausgangswert zurück. Diese als *Phototropie* bezeichnete Eigenschaft beruht auf submikroskop. Silberhalogenid-haltigen Ausscheidungen, die entweder glasiger od. krist. Natur sind. Bei p. G. unterscheidet man zwei Grundglasarten, *Borosilikat-Gläser* od. *Phosphat-Gläser.* Bei der Herst. werden dem Gemenge Silber-Salze u. Metallhalogenide zugegeben; die gewünschten Silberhalogenid-haltigen Ausscheidungen erhält man durch programmierte Temp.-Führung. Zur quant. Beschreibung p. G. verwendet man als Kenngrößen die *Transmission des unbelichteten Glases (im allg. 70–90%), die Sättigungstransmission bei hellem Tageslicht (im allg. 15–30%) u. die Halbwertszeit für die Wiederaufhellung. Letztere nimmt mit zunehmender Temp. ab; bei Raumtemp. beträgt sie ca. 3 min. P. G. werden hauptsächlich für Brillengläser verwendet. – ***E*** phototropic glass – ***F*** verres phototropiques – ***I*** vetri fototropi – ***S*** vidrios fototropos (fototrópicos)

Lit.: Pfaender, Schott-Glaslexikon, 4. Aufl., München: Moderne Verlags GmbH 1989.

Phototrophie. Bez. für einen Stoffwechseltyp von *Mikroorganismen, bei dem zur Gewinnung der biochem. Energieform (*ATP) elektromagnet. Strahlung (Licht) genutzt wird (*Photosynthese). Im Gegensatz dazu sind die chemotrophen Mikroorganismen auf die Oxid. von Nährstoffen zur ATP-Gewinnung angewiesen (s. a. Chemotrophie).

Man unterscheidet zwei Gruppen: 1. Purpurbakterien (s. Schwefelbakterien) u. grüne Bakterien. Im Gegensatz zu grünen Pflanzen können sie Wasser als Wasserstoff-Donator nicht verwenden, sondern sind auf stärker reduzierende Wasserstoff-Donatoren wie H_2S, H_2 od. einfache organ. Verb. angewiesen (anoxygene Photosynth. mit nur einem Pigmentsyst.). – 2. *Cyanobakterien. Diese verwerten Wasser als Wasserstoff-Donator u. entwickeln unter Einwirkung von Licht Sauerstoff (oxygene Photosynth. mit zwei Pigmentsyst.). Phototrophe, Gram-neg. *Bakterien (s. Gram-Färbung) sind in vielen aquat. Standorten (Süß-, Salz- u. Brackwasser, nasse Böden) nachweisbar. – ***E*** phototrophy – ***F*** phototrophie – ***I*** = ***S*** fototrofia

Lit.: Schlegel (7.), S. 201, 397, 411, 413.

Phototropie. Von Marckwald (1899) eingeführter, zu *Photochromie synonymer Begriff, der v. a. beim *Glas verwendet wird; s. a. phototrope Gläser. – ***E*** phototropy – ***F*** phototropie – ***I*** fototropia – ***S*** fototropía

Phototropismus s. Photobiologie u. ...tropismus.

Photovernetzung. Bez. für die nachträgliche Vernetzung von Polymeren durch sichtbares Licht, UV-, γ- od. Röntgen-Strahlung. Durch Bestrahlung von z. B. Azo- od. Peroxy-Gruppen tragenden Polymeren (**A**), aber auch von unfunktionalisierten Polymeren (**B**) können kettenständige Radikale entstehen. Durch intermol. Radikal-Rekombination werden verschiedene Polymerketten miteinander verknüpft u. das Material vernetzt.

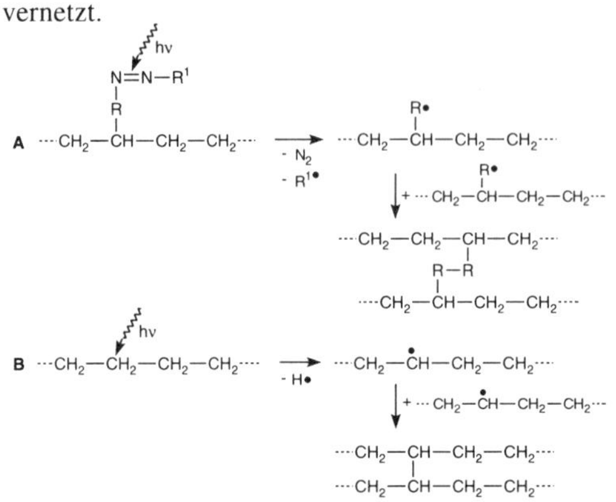

Neben radikal. Prozessen können auch andere Photoreaktionen zur P. führen, z.B. [2+2]-*Cycloadditionen.

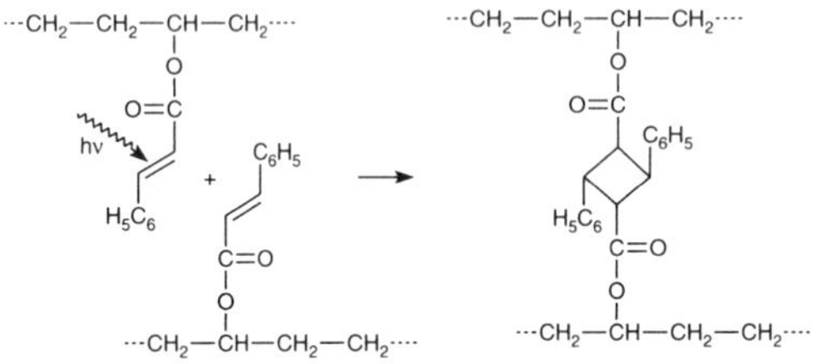

Photovernetzende Lacke werden beispielsweise als *Photoresists bei der Herst. elektron. Bauteile verwendet (s. a. Photopolymere). – ***E*** radiation crosslinking – ***F*** formation de réseau par irradiation – ***I*** fotoreticolazione – ***S*** entrecruzamiento por radiación

Lit.: Odian (3.), S. 705 ▪ Tieke, Makromolekulare Chemie, S. 186, Weinheim: Wiley-VCH 1997.

Photovervielfacher s. Photomultiplier.

Photo-Volta-Effekt (Photovoltaik). Auftreten einer Spannung über einem pn-Übergang bei Einstrahlung von Licht, s. Photoelement u. Halbleiter.

Photovoltaik s. Photo-Volta-Effekt u. Photoelement.

Photowiderstand. Zunahme der elektr. Leitfähigkeit durch Einstrahlung von Licht, s. Photoeffekte u. Halbleiter.

Photozellen. Man unterscheidet grundsätzlich zwischen Halbleiter-P., die den inneren Photoeffekt nutzen (s. Halbleiter, Photoelement, Photodiode) u. den älteren Vak.-P., über die nachfolgend berichtet wird. P. sind den äußeren *Photoeffekt ausnutzende elektron. Bauteile (*Elektronenröhren*) zur Lichtmessung (*Photometrie) im Bereich von nahem IR-, sichtbarer u. UV-Strahlung. P. bestehen aus gasdichten Glaskolben mit eingebauter Photokathode u. Anode; durch Bestrahlung mit *Photonen erzeugte *Photoelektronen werden dabei durch das vorgegebene Spannungsgefälle zwischen den Elektroden „abgesaugt". Der resultierende sog. *Photostrom* ist proportional der einfallenden Lichtintensität. Einige P. sind mit einem verd. Edelgas gefüllt. Sie werden mit so hoher Spannung zwischen Kathode u. Anode betrieben, daß die beschleunigten Photoelektronen durch Stoßionisation weitere Elektronen erzeugen können. Vorteilhaft ist, daß der Photostrom um einen Faktor 10 verstärkt werden kann; nachteilig, daß die Proportionalität zwischen Photostrom u. Lichtintensität beeinträchtigt wird. Höhere Verstärkungsfaktoren werden mit einem *Photomultiplier erreicht. Die spektrale Empfindlichkeit der P. hängt über die *Austrittsarbeit vom verwendeten Kathodenmaterial ab. Die Empfindlichkeit der P. liegt bei 0,1 A Photostrom pro 1 W einfallende Lichtleistung. Bei geeigneter Bauweise (planare Anordnung der Elektroden) u. hoher Beschleunigungsspannung (2–3 kV) sind die Anstiegs- u. Abfallszeiten des Photostromes sehr kurz (<0,1 ns). – ***E*** phototubes – ***F*** cellule photo-électrique, photopile – ***I*** fotocellule, cellule fotoelettriche – ***S*** célula fotoeléctrica, fotocélula

Lit.: Kohlrausch, Praktische Physik 2, S. 161 f., Stuttgart: Teubner 1996.

Phoxim.

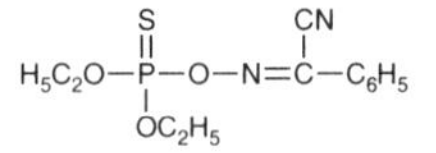

Common name für 2-(Diethoxythiophosphoryloxyimino)-2-phenylacetonitril, $C_{12}H_{15}N_2O_3PS$, M_R 298,29, Schmp. 5–6 °C, zersetzt sich beim Destillieren, LD_{50} (Ratte oral) 1845 mg/kg (GefStoffV), von Bayer 1969 eingeführtes nicht-system. leicht abbaubares *Insektizid gegen Hygiene- u. Vorratsschädlinge, gegen Ectoparasiten bei Nutz- u. Haustieren sowie gegen Bodeninsekten im Kartoffel-, Mais-, Sorghum-, Tabak- u. Bananenanbau. – ***E*** phoxim – ***F*** phoxime – ***I*** fossima – ***S*** foxima

Lit.: Farm. ▪ Perkow ▪ Pesticide Manual. – *[HS 292800; CAS 14816-18-3]*

PhPN s. Peroxonitrat-Ester.

phr. Mengeneinheit (*E p*arts per *h*undred parts of *r*ubber) für *Additive, die einem *Kautschuk zur „Formulierung" zugegeben werden.

Phreatomagmatisch s. Vulkane.

Phtalogen®-Farbstoffe. Gruppe von blauen bis grünen *Phthalocyanin-Farbstoffen, deren erste Vertreter 1951 zum Färben u. Bedrucken von Cellulose-Fasern in den Handel kamen. Man bringt monomere Amino-imino-1*H*-isoindolen u. komplexe Schwermetall-Polyisoindolenine auf die Faser u. läßt dann die Farbstoffsynth. auf der Faser ablaufen, wobei sich der Farbstoff unlösl. mit der Faser verbindet (*Entwicklungsfarbstoffe). ***B.:*** Bayer.

Phtalotrop®. Reservierungsmittel für *Phtalogen-Farbstoffe von Bayer.

Phthal... s. Phthal(o)...

Phthalaldehyd (Phthaldialdehyd, 1,2-Benzoldicarbaldehyd, „o-Phthalaldehyd", Abk.: oPA od. OPA).

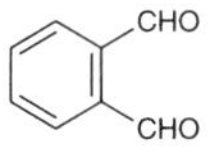

$C_8H_6O_2$, M_R 134,13. Farblose Krist., Schmp. 54–56 °C, lösl. in Wasser u. Methanol.

Verw.: Zur Fluoreszenzanalyse von prim. Aminen, Harnstoff, Aminozuckern u. Aminosäuren u. zur Fluoreszenz-Markierung [1,2], die v. a. zur Vorsäulenderivatisierung von *Aminosäuren in der *HPLC angewendet wird. Nachteilig ist die fehlende Reaktivität mit sek. *Aminen [3,4] (*Prolin reagiert nicht) u. die Instabilität der Derivate. Dies wird allerdings durch den geringen Einfluß auf die Polarität [5,6] der zu trennenden Aminosäuren ausgeglichen. Syst., die mit P. arbeiten, sind automatisierbar. – ***E*** phthalaldehyde – ***F*** phtalaldéhyde – ***I*** ftalaldeide – ***S*** ftalaldehído

Lit.: [1] J. Chromatogr. **83**, 353–356 (1973). [2] Anal. Biochem. **153**, 189–198 (1986). [3] GIT Fachz. Lab. **33**, 783–790 (1989). [4] Labor Praxis **14**, 26–31 (1990). [5] GIT Fachz. Lab. **32**, 1218–1221 (1988). [6] Pharmacia LKB. (Hrsg.), Amino Acid Analysis, S. 16–20, Uppsala, Schweden: Pharmacia 1988.
allg.: Beilstein E IV **7**, 2138 f. ▪ J. Chromatogr. **284**, 201 (1984); **613**, 223 (1993) ▪ Kirk-Othmer (4.) **2**, 533. – *[HS 2912 29; CAS 643-79-8]*

Phthalate s. Phthalsäureester.

Phthalatharze. Sammelbez. für *Alkydharze auf der Basis von Phthalsäure(anhydrid).

Phthalazin.

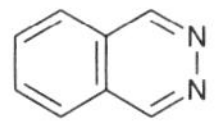

$C_8H_6N_2$, M_R 130,14. Gelbliche Nadeln, Schmp. 90–91 °C, Sdp. 315–317 °C, lösl. in Wasser, Alkohol u. Benzol. Der Name des zweikernigen heterocycl. Ringsyst. P. (regelwidrige, seltenere Bez.: 2,3-Benzodiazin, Benzo[*d*]pyridazin, 2,3-Diazanaphthalin, *β*-Phenodiazin) ist von „cycl. Phthalaldehyd- *Azin" abgeleitet. Einige P.-Derivate, z. B. *Dihydralazin u. *Hydralazin, haben als *Antihypertonika Bedeutung erlangt [1,2]. – ***E*** = ***F*** phthalazines – ***I*** ftalazine – ***S*** ftalazinas

Lit.: [1] Negwer (6.), S. 1725. [2] Arzneimittelchemie II, 74 ff.
allg.: Beilstein E V **23/7**, 149 ff. ▪ Merck-Index (12.), Nr. 7526. – *[CAS 253-52-1]*

Phthalazol s. Phthalylsulfathiazol.

Phthaleine. Farbstoffe, die bei der Reaktion von *Phthal*säureanhydrid mit Phenolen, 3-Aminophenolen od. Resorcin-Derivaten entstehen u. in der neutralen Form als *Phthalide vorliegen. Hierher gehören z. B. *Phenolphthalein u. die *Xanthen-Farbstoffe *Fluorescein, *Eosin, *Rhodamin. – ***E*** phthaleins – ***F*** phthaléines – ***I*** ftaleine – ***S*** ftaleínas

Lit.: Kirk-Othmer (3.) **24**, 662–677 ▪ Winnacker-Küchler (4.) **7**, 41.

Phthaleinpurpur s. Metallphthalein.

Phthalide [1(3*H*)-Isobenzofuranone].

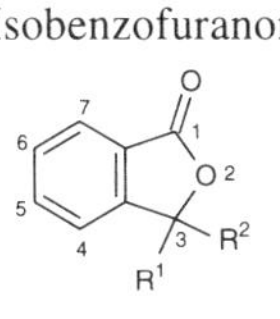

Nach IUPAC-Regel C-473 Gruppenbez. für substituierte Lactone der 2-(Hydroxymethyl)-benzoesäure, bei denen die Wasserstoff-Atome der Methylen-Gruppe durch aliphat. u./od. aromat. Reste ersetzt sein können; s. Fluorescein u. Phenolphthalein. P.-Derivate kommen in der Natur als typ. Geruchsstoffe der ether. Öle von *Sellerie u. *Liebstöckel in Form von *3-Butyl-* u. *3-Butylidenphthalid* vor, ferner als Bestandteile von Alkaloiden, z. B. *(–)-*α*-Narcotin. Einige P. dienen auch als Arzneimittel. Der Grundkörper ist das heute meist 1(3*H*)-Isobenzofuranon genannte *Phthalid*, $C_8H_6O_2$, M_R 134,14; farblose Tafeln, Schmp. 68–72 °C, Sdp. 290 °C, lösl. in Ethanol u. anderen polaren organ. Lsm.; unlösl. in kaltem Wasser, WGK 1. – ***E*** = ***F*** phthalides – ***I*** ftalidi – ***S*** ftalidas

Lit.: Beilstein E V **17/10**, 7 ▪ Ullmann (5.) **A 1**, 375; **A 20**, 183. – *[HS 2932 29; CAS 87-41-2]*

Phthalimid (1,3-Isoindolindion).

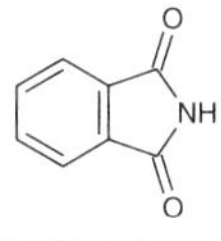

$C_8H_5NO_2$, M_R 147,13. Weißes, lockeres, krist. Pulver od. auch Blättchen, Schmp. 238 °C, subl., unlösl. in Wasser, fast unlösl. in Benzol u. Petrolether, wenig lösl. in Alkohol, lösl. in Alkalilaugen u. Eisessig; WGK 1. Die Herst. erfolgt aus Phthalsäureanhydrid mit Ammoniak.

Verw.: Herst. von Pflanzenschutzmitteln, Farbstoffen, Ionenaustauschern, für organ. Synth., Ausgangsprodukt zur Herst. von Anthranilsäure. Das Wasserstoff-Atom der NH-Gruppe kann leicht ersetzt werden (der organ. Rest heißt *Phthalimido...*), z. B. durch Alkalimetalle: *Phthalimidkalium* ($C_8H_4KNO_2$, M_R 185,22, farblose, in Wasser lösl. Krist.) wird bei organ. Synth. zur Herst. von prim. Aminen od. Aminosäuren mit Hilfe von Halogeniden (*Gabriel-Synthese) verwendet. – ***E*** = ***F*** phthalimide – ***I*** ftalimmide – ***S*** ftalimida

Lit.: Beilstein E V **21/10**, 270 f. ▪ Merck-Index (12.), Nr. 7529 ▪ Ullmann (4.) **18**, 532; (5.) **A 20**, 190 f. – *[HS 2925 19; CAS 85-41-6 (P.); 1074-82-4 (P.-Kalium)]*

Phthalimidkalium s. Phthalimid.

Phthalimido... s. Phthalimid.

Phthal(o)... Präfix in chem. Bez., abgeleitet von *Phthalsäure, die *Laurent 1836 bei Oxid. von *Na*phthal*in erhielt; *Beisp.* sind die benachbarten Stichwörter. – ***E*** = ***F*** phthal(o)... – ***I*** ftal(o)- – ***S*** ftal(o)...

Phthalocyanin (C. I. Pigment Blue 16, C. I. 74 100).

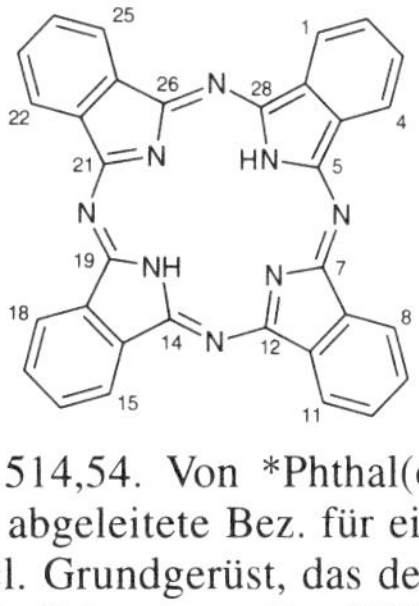

$C_{32}H_{18}N_8$, M_R 514,54. Von *Phthal(o)... u. griech.: ký́anos = blau abgeleitete Bez. für eine Verb. mit einem heterocycl. Grundgerüst, das dem der *Porphyrine sehr ähnlich ist. P. (29*H*,31*H*-Tetrabenzo[*b*,*g*,*l*,*q*][5,10,15,20]tetraazaporphin, Tetrabenzoporphyrazin) ist eine grünlichblaue, sehr beständige Verb. ohne Schmelzpunkt. P. wird nach dem ursprünglichen ICI-Verf. durch Umsetzen von *Phthalsäuredinitril mit Natriumamylat u. anschließende Alkoholyse des Dinatriumphthalocyanins hergestellt; weitere Synth. s. Ullmann (*Lit.*), zur Verw. s. Phthalocyanin-Farbstoffe. – ***E*** = ***F*** phthalocyanine – ***I*** = ***S*** ftalocianina

Lit.: Beilstein E V **26/19**, 599 – 610 ▪ Ullmann (5.) **A 20**, 219 ff. ▪ s. a. Phthalocyanin-Farbstoffe. – *[CAS 574-93-6]*

Phthalocyanin-Farbstoffe. Eine umfangreiche Gruppe von Metall-haltigen organ. Pigmenten auf der Basis von *Phthalocyanin.

Herst.: Durch Reaktion von *Phthalsäuredinitril mit Alkoholaten, Metalloxiden, Metallsalzen u. nachfolgende Chlorierung, Sulfonierung usw.; *Beisp.: Kupfer-P.* (Linstead, 1929) aus Phthalsäuredinitril mit Kupfer(I)-chlorid.

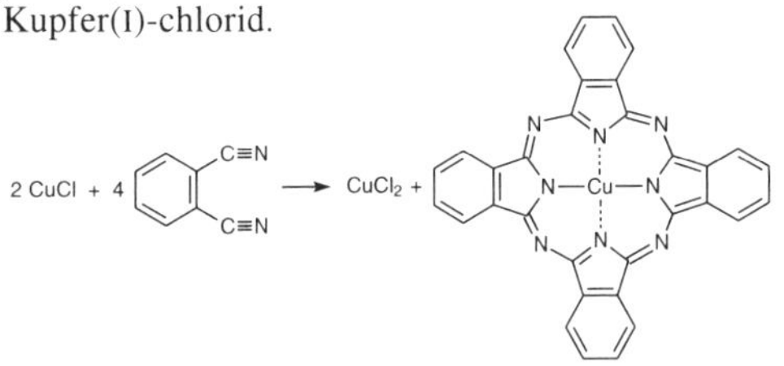

Kupfer-Phthalocyanin

Hier sind die beiden inneren Wasserstoff-Atome des Phthalocyanins durch ein Kupfer-Atom substituiert. Es sind unlösl. blaue, metall. glänzende Kristallnadeln, die man bei 500 – 600 °C unzersetzt sublimieren kann. Die Strukturformel (vgl. die elektronenmikroskop. Abb. bei Gruehn, *Lit.*[1]) läßt die große Ähnlichkeit mit dem im *Hämoglobin u. *Chlorophyll enthaltenen Porphyrin-Kern erkennen, s. die Abb. bei Chlorophyll. Durch Sulfonierung erhält man lösl. P.-F., u. durch Einführung von Halogenen kann man die Farbe beeinflussen. Unter Einwirkung von Säuren verlieren manche Metallphthalocyanine ihr Zentralatom. Durch partielle Oxid. mit Iod werden P.-F. in Verb. mit Metall-ähnlicher Leitfähigkeit überführt (Hoffmann, *Lit.*[2]).

Verw.: Bei den seit 1934 techn. hergestellten P.-F. handelt es sich um blaue, grüne, auch rote, bes. lebhafte Farbstoffe mit hoher Färbekraft, die entweder Metallfrei sind od. als Kupfer-, Nickel- od. Cobalt-Komplexverb. (*Metallkomplex-Farbstoffe) vorliegen, als Pigmente, Küpenfarbstoffe, Direktfarbstoffe usw. Verw. finden u. auch als Stempelfarben für Lebensmitteloberflächen u. -verpackungen sowie zum Färben von Eierschalen zugelassen sind. Eisen- u. a. P.-F. sind auch als Polymerisationsbeschleuniger (z. B. in Sikkativen für trocknende Öle) verwendbar. Die P.-F. katalysieren die Autoxid. von Cumol, die Zers. von Acetylen, die Gasphasenhydrierung u. -dehydrierung u. die Abspaltung bestimmter Schutzgruppen (Eckert, *Lit.*[3]). In der Gaschromatographie können sie als Adsorbentien für die Retention von Aminen dienen (Giam, *Lit.*[4]). Aufgrund ihrer Halbleiter- bzw. Photoleiter-Eigenschaften werden P.-F. auch in Brennstoffzellen bzw. als Photosensibilisatoren z. B. in der Farbphotographie od. der Elektrophotographie eingesetzt; zum Triplett-Zustand s. Jacques (*Lit.*[5]). – ***E*** phthalocyanine dyes – ***F*** colorants de phthalocyanine – ***I*** coloranti di ftalocianina – ***S*** colorantes de ftalocianina

Lit.: [1] Naturwissenschaften **69**, 53 – 62 (1982). [2] J. Am. Chem. Soc. **99**, 286 (1977). [3] Angew. Chem. **87**, 847 (1975); **88**, 717 (1976). [4] Int. J. Environ. Anal. Chem. **16**, 285 – 293 (1984). [5] Helv. Chim. Acta **64**, 1800 – 1806 (1981).

allg.: Acc. Chem. Res. **15**, 73 – 79 (1982) ▪ Beilstein E V **26/19**, 599 – 611, 634 ▪ Berezin, Coordination Compounds of Porphyrins and Phthalocyanins, New York: Wiley 1981 ▪ Coord. Chem. Rev. **32**, 67 – 95 (1980) ▪ Gmelin, Erg.-Werk, Bd. **36**, Tl. B 1, 77 ff. ▪ Kirk-Othmer (4.) **6**, 794 ▪ Moser u. Thomas, The Phthalocyanines, Boca Raton: CRC Press 1983 ▪ Pure Appl. Chem. **38**, 427 ff. (1974) ▪ Ullmann (5.) **A 20**, 234 f. ▪ Winnacker-Küchler (4.) **7**, 45 ff.

Phthalocyanin-Polymere. Bez. für *Polymere, die *Phthalocyanine als konstitutionelle Einheiten der Hauptkette enthalten. Sie können gebildet werden durch axiale Verknüpfung von Phthalocyanin-Mol. über Metallkomplexe (I) od. durch Kondensation von Phthalocyanin-Derivaten über Substituenten an der Peripherie der Makrocyclen (II):

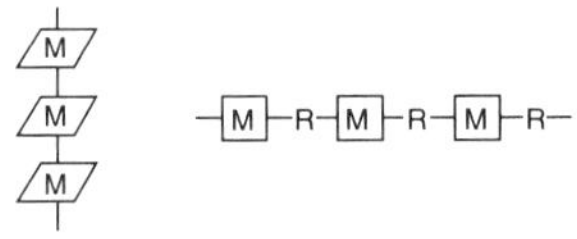

I II

M = Phthalocyanin-Rest; M = Metall

Polymere des Typs I sind linear aufgebaut u. z. B. über Polykondensationsreaktionen zugänglich [*Beisp.:* Poly(phthalocyaninato)siloxane, s. Formel III, S. 3325 oben]. Löslichkeit kann diesen stäbchenförmigen u. daher in der Regel unlöslichen Polymeren durch das Anheften flexibler Seitenketten (z. B. Alkyl R, Alkoxy OR) vermittelt werden. Neben den kovalent aufgebauten P.-P. des Typs I sind auch zahlreiche Phthalocyanin-*Koordinationspolymere bekannt, z. B.

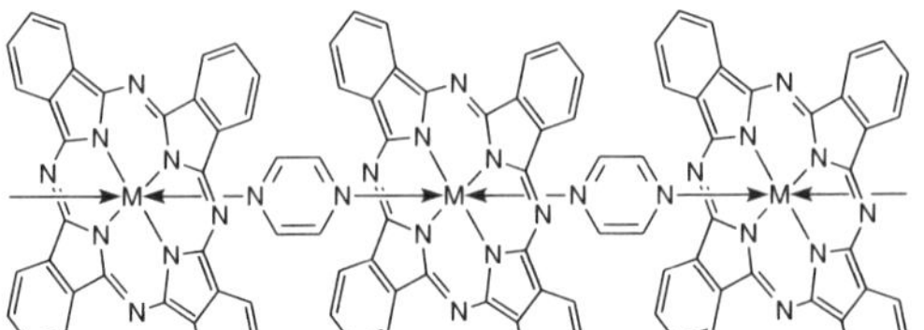

Ausgangsmonomere für peripher. verknüpfte P.-P. sind Phthalocyanin-Derivate, z. B. Tetracarboxyphthalocyanin (IV), das beim Erhitzen zu dem vernetzten Produkt V polykondensiert:

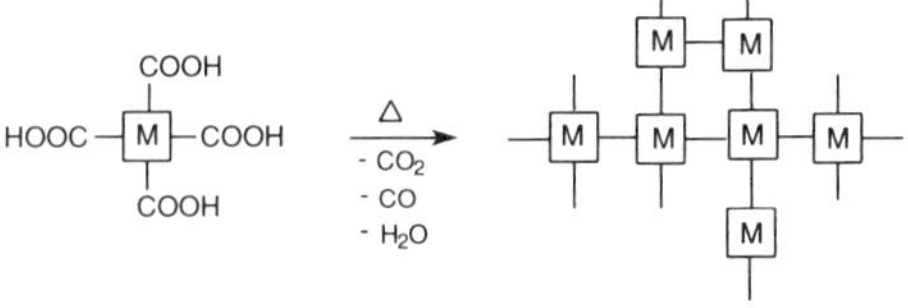

IV V

Andere Synth.-Meth. für P.-P. sind *Polymerisationen von Tetracyanobenzol (VI), z. B. unter Filmbildung auf Metallen. Auch Bis-phthalonitrile der allg. Struktur VII sind geeignete Ausgangsmonomere für Phthalocyanin-Polymere.

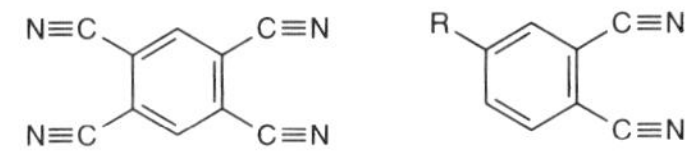

R = NH_2, NO_2

VI VII

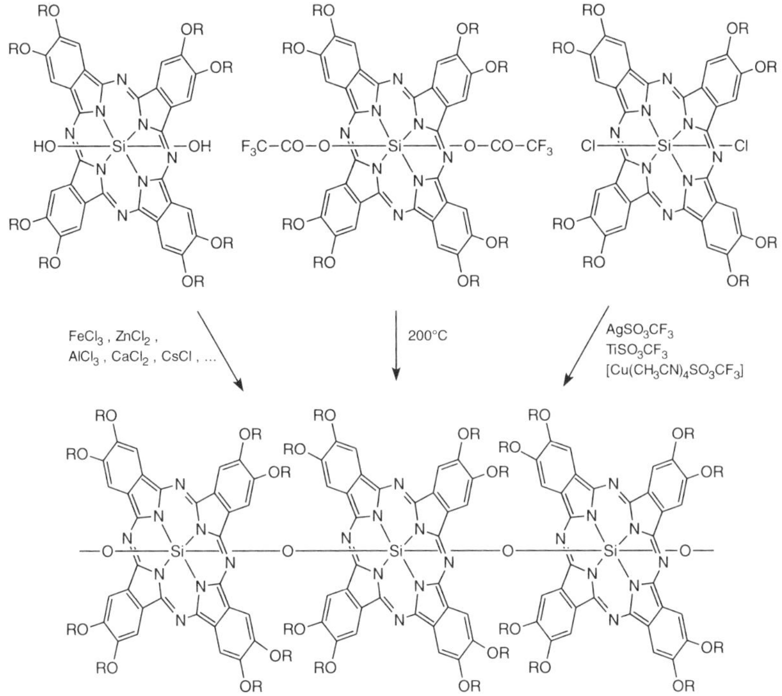

III

R z.B. Alkyl

P.-P. gehören zu der Klasse der *Metall-organischen Polymeren. Sie sind von bes. Interesse wegen ihrer elektr. Eigenschaften, haben aber bisher noch keine größere Anw. gefunden. – ***E*** phthalocyanine polymers – ***F*** polymères de phthalocyanine – ***I*** polimeri di ftalocianina – ***S*** polímeros de ftalocianina

Lit.: Ciardelli, Tsuchida u. Wöhrle, Macromolecule-Metal Complexes, Berlin: Springer 1996 ▪ Moser u. Thomas, The Phthalocyanines, Vol. 1 u. 2, Boca Raton, Florida: CRC Press 1983.

Phthalonitril s. Phthalsäuredinitril.

Phthalopal® Marken. Ölfreie Phthalat-Harze für Sprit- u. Nitrocellulose(C)-Lacke; in verseifter Form Bindemittel für wäss. Flexodruckfarben. ***B.:*** BASF.

Phthaloyl... Bez. für die Atomgruppierung

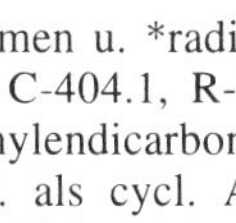

in *Multiplikativnamen u. *radikofunktionellen Namen (IUPAC-Regel C-404.1, R-9.1.28a.1; *Chemical Abstracts:* 1,2-Phenylendicarbonyl... bzw. 1,2-Benzoldicarbonyl...) u. als cycl. Amin-*Schutzgruppe (IUBMB-Regel 3AA-18.1); *Beisp.: N,N′*-Phthaloylbisglycin, Phthaloylchlorid, *N,N*-Phthaloylglycin; vgl. Phthalyl... – ***E*** = ***F*** phthaloyl... – ***I*** = ***S*** ftaloil...

Phthaloylchlorid s. Phthalsäuredichlorid.

Phthalsäure (1,2-Benzoldicarbonsäure).

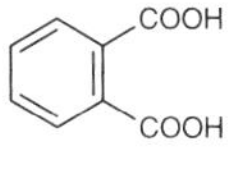

$C_8H_6O_4$, M_R 166,13. Monokline, farblose Tafeln, Nadeln od. Schuppen, D. 1,59, Schmp. ca. 208 °C (unscharf wegen Anhydrid-Bildung), in kaltem Wasser wenig, in heißem Wasser u. Alkohol leicht lösl., WGK 0. Die akute Toxizität der P. ist gering, sie liegt etwa in der Größenordnung der Toxizität von Salicyl- u. Benzoesäure; lokale Haut- u. Schleimhautreizungen stehen im Vordergrund des Wirkungsbildes; LD_{50} (Ratte oral) 7900 mg/kg. Durch Hydrierung an Rh-Katalysatoren erhält man 1,2-*Cyclohexandicarbonsäure. P. hat techn. kaum eine Bedeutung u. somit auch kaum eine Anw. gefunden. Die in der Praxis hergestellte u. verwendete Form ist das Phthalsäureanhydrid. P. wurde zum erstenmal von Laurent im Jahre 1836 hergestellt. – ***E*** phthalic acid – ***F*** acide phthalique – ***I*** acido ftalico – ***S*** ácido ftálico

Lit.: Beilstein EIV **9**, 3167 ff. ▪ s. Phthalsäureanhydrid. – *[HS 2917 39; CAS 88-99-3]*

Phthalsäureanhydrid (PSA, 1,3-Isobenzofurandion).

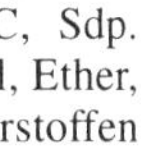

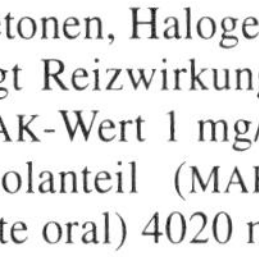

$C_8H_4O_3$, M_R 148,11. Weiße, aromat. riechende, sublimierbare Nadeln, D. 1,527, Schmp. 131 °C, Sdp. 285 °C, wenig lösl. in kaltem Wasser, Alkohol, Ether, lösl. in Estern, Ketonen, Halogenkohlenwasserstoffen u. Benzol. P. zeigt Reizwirkung auf Augen, Haut u. Schleimhäute, MAK-Wert 1 mg/m^3 gemessen als einatembarer Aerosolanteil (MAK-Werte-Liste 1996); WGK 0; LD_{50} (Ratte oral) 4020 mg/kg.

Herst.: Bis 1960 wurde P. fast ausschließlich auf der Basis von Steinkohlenteer aus Naphthalin (durch katalyt. Oxid. mit Luftsauerstoff) hergestellt. Heute wird P. überwiegend (weltweit etwa 85%) durch Oxid. von *o*-Xylol hergestellt; ausführliche Beschreibung s. Weissermel, Kirk-Othmer, Ullmann (*Lit.*). P. kann durch Auflösen u. Ausfällen mit wäss. HCl in *Phthalsäure überführt werden. Als Nebenprodukt der Herst. von P. gebildetes Maleinsäureanhydrid läßt sich durch eine nachgeschaltete Abgaswäsche zurückgewinnen.

Verw.: P. gehört zu den techn. wichtigsten aromat. Verb.: Es ist ein wichtiges Zwischenprodukt zur Herst. von Phthalatweichmachern, Alkyd- u. Polyesterharzen, Phthalocyanin-Farbstoffen u. zahlreichen Feinchemikalien. Die Herstellkapazität für P. betrug 1991 weltweit etwa 3,2 Mio. t. – ***E*** phthalic anhydride – ***F*** anhydride phthalique – ***I*** anidride ftalica – ***S*** anhídrido ftálico

Lit.: Beilstein E V **17/11**, 253–257 ▪ Hommel, Nr. 321 ▪ Kirk-Othmer (4.) **18**, 991 ff. ▪ Merck-Index (12.), Nr. 7528 ▪ Ullmann (4.) **18**, 521–544; (5.) **A 20**, 182 ff. ▪ Weissermel-Arpe (4.) S. 415 ff. – *[HS 2917 35; CAS 85-44-9; G 8]*

Phthalsäuredichlorid (Phthaloylchlorid).

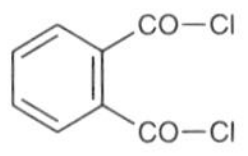

$C_8H_4Cl_2O_2$, M_R 203,02. Farblose, ölige Flüssigkeit, D. 1,409, Schmp. 16 °C, Sdp. 280–282 °C, lösl. in Ether, wird durch Wasser u. Alkohol zersetzt; WGK 2 (Selbsteinst.). P. entsteht bei der Einwirkung von PCl_5 auf Phthalsäureanhydrid. Es wird zur Synth. von Weichmachern, Kunstharzen u. anderen organ. Verb. verwendet. – ***E*** phthaloyl chloride – ***F*** chlorure de phthaloyle – ***I*** cloruro di ftaloile – ***S*** cloruro de ftaloilo

Lit.: Beilstein E IV **9**, 3261 ▪ Merck-Index (12.), Nr. 7531. – *[HS 2917 39; CAS 88-95-9; G 8]*

Phthalsäuredinitril [Phthalo(di)nitril].

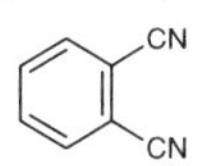

$C_8H_4N_2$, M_R 128,13. Schwach graugelbe Krist., Schmp. 141 °C, lösl. in Alkohol, Aceton, Benzol, Nitrobenzol, unlösl. in Wasser. Dämpfe u. Staub reizen die Augen, die Nasen- u. Rachenschleimhäute sowie die Haut; P. ist wie alle *Nitrile giftig u. wird auch über die Haut aufgenommen; WGK 2 (Selbsteinst.).

Herst.: Durch Dampfphasenreaktion von Phthalsäureanhydrid mit Ammoniak bei hohen Temp. über Aluminium-Katalysatoren od. aus *o*-Xylol mit NH_3 durch Gasphasenoxid. (*Ammonoxidation).

Verw.: Hauptsächlich als Vorprodukt für *Phthalocyanin-Farbstoffe. – ***E*** phthalonitrile – ***F*** phthalo(di)nitrile – ***I*** ftalo(di)nitrile – ***S*** ftalo(di)nitrilo

Lit.: Beilstein E IV **9**, 3268 ▪ Hommel, Nr. 435 ▪ Ullmann (4.) **18**, 533; (5.) **A 20**, 191. – *[HS 2926 90; CAS 91-15-6; G 6.1]*

Phthalsäureester (Phthalate).

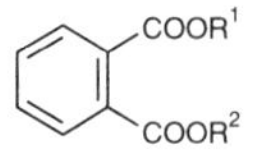

Die wichtigste Gruppe der P. sind die Ester, die aus Phthalsäureanhydrid mit C_4–C_{10}-Alkoholen gebildet werden; es sind im allg. farblose, wenig wasserlösl., schwer flüchtige Flüssigkeiten. Der überwiegende Teil der P. wird als Zusatzstoff für PVC-Polymere, PVC-Vinylacetat-Copolymere, Nitrocellulose, Polystyrol, Polymethylmetacrylat u. synthet. Gummi eingesetzt. Infolge ihrer physikal.-chem. Eigenschaften werden die P. darüber hinaus in der Kosmetik-Ind., im medizin. Bereich u. in der Sprengstoff-Ind. verwendet. Die wichtigsten P. (mit Kurzz. nach DIN 7723: 1987-12 in Klammern) sind in der Tab., S. 3327 aufgeführt.

Von den verschiedenen P. sind Dioctylphthalat [Diisooctylphthalat, Phthalsäurebis-(2-ethylhexyl)ester, nach DIN 7723 DOP, oft wird jedoch die eindeutigere Abk. DEHP für Di-(2-ethylhexylphthalat) verwendet] sowie Diisodecylphthalat (DIDP) u. Diisononylphthalat (DINP) die mengenmäßig bedeutendsten Produkte.

P. sind nahezu ubiquitär. Ursachen hierfür sind u. a. hohe Produktions- u. Anw.-Mengen, eine Vielzahl von Einsatzbereichen (diffuse Eintragsquellen in die Umwelt), sowie die Bio- u. Geoakkumulationstendenz[1]. Zwar ist die akute Toxizität der P. im allg. gering[2], jedoch haben Untersuchungen zur chron. Toxizität des häufig verwendeten DOP Hinweise dafür erbracht, daß bei langfristiger Einwirkung mit Organveränderungen der Leber, der Nieren sowie mit Schädigungen des ZNS gerechnet werden muß, wenn sehr hohe Dosen vom Organismus aufgenommen werden. Ferner hat DOP in einzelnen Versuchen teratogene u. mutagene Eigenschaften erkennen lassen. – ***E*** phthalic esters, phthalates – ***F*** esters de l'acide phtalique, phtalates – ***I*** esteri dell' acido ftalico, ftalati – ***S*** ésteres del ácido ftálico, ftalatos

Lit.: [1] Koch, Umweltchemikalien (3.), Weinheim: VCH Verlagsges. 1995. [2] Kemper et al., Zum Thema Weichmacher, Phthalsäuredialkylester, pharmakologische u. toxikologische Aspekte, Frankfurt: VKI 1983.

allg.: Beilstein E IV **9**, 3170–3259 ▪ BUA-Stoffbericht 4, 1986: Di-(2-ethylhexyl)phthalat, Weinheim: VCH Verlagsges. 1986 ▪ Kirk-Othmer (4.) **18**, 1004 f. ▪ Rippen ▪ Ullmann (4.) **18**, 534 ff.; (5.) **A 1**, 437; **A 20**, 193 ff. ▪ Weissermel-Arpe (4.), S. 419–422 ▪ s. a. Weichmacher. – *[HS 2917 39]*

Phthalyl... Bez. für: a) 2-Carboxybenzoyl... (IUBMB-Regel 3AA-18.1), – b) *Phthaloyl... u. – c) *o*-*Xylylen... (Phthalylalkohol = *o*-Phenylendimethanol); wegen Mehrdeutigkeit abzulehnen. – ***E*** = ***F*** phthalyl... – ***I*** = ***S*** ftalil...

Phthalylsulfathiazol [Phthalazol, (Rp)].

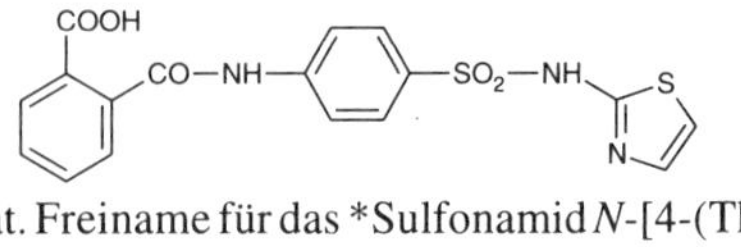

Internat. Freiname für das *Sulfonamid *N*-[4-(Thiazol-2-ylsulfamoyl)-phenyl]-phthalamidsäure, $C_{17}H_{13}N_3O_5S_2$, M_R 403,42, Schmp. 272–277 °C (Zers.); LD_{50} (Maus i.p.) 920 mg/kg. P. wurde 1943 von Sharp & Dohme patentiert. – ***E*** phthalylsulfathiazole – ***F*** phtalylsulfathiazol – ***I*** ftalilsulfatiazolo – ***S*** ftalilsulfatiazol

Lit.: Martindale (31.), S. 262. – *[HS 2935 00; CAS 85-73-4]*

Tab.: Daten zu Phthalsäureestern.

Name	R^1	R^2	Summen-formel	M_R	D.	Sdp. [°C]	WGK	MAK (nach TRGS 900)	CAS
Benzylbutylphthalat (BBP)	$CH_2–C_6H_5$	C_4H_9	$C_{19}H_{20}O_4$	312,37	1,093	280–288 (27 hPa)	2	3 mg/m³	85-68-7
Diallylphthalat (DAP)	$CH_2–CH=CH_2$	$CH_2–CH=CH_2$	$C_{14}H_{14}O_4$	246,26	1,122	190–195 (23 hPa)	2		131-17-9
Dibutylphthalat (DBP)	$(CH_2)_3–CH_3$	$(CH_2)_3–CH_3$	$C_{16}H_{22}O_4$	278,35	1,047	340	2		84-74-2
Didecylphthalat (DDP)	$(CH_2)_9–CH_3$	$(CH_2)_9–CH_3$	$C_{28}H_{46}O_4$	446,67	–	Schmp. 3–5			84-77-5
Diethylphthalat (DEP)	C_2H_5	C_2H_5	$C_{12}H_{14}O_4$	222,24	1,118	298	2	3 mg/m³	84-66-2
Diisobutylphthalat (DIBP)	$CH_2–CH(CH_3)_2$	$CH_2–CH(CH_3)_2$	$C_{16}H_{22}O_4$	278,37	1,049	195 (5 hPa)			84-69-5
Diisodecylphthalat (DIDP)	i-$C_{10}H_{21}$	i-$C_{10}H_{21}$	$C_{28}H_{46}O_4$	446,67	0,962–0,973	255 (7 hPa)	1	3 mg/m³	26761-40-0
Diisononylphthalat (DINP)	i-C_9H_{19}	i-C_9H_{19}	$C_{26}H_{42}O_4$	418,62	~0,97	270–280 (27 hPa)	1		28553-12-0
Diisooctylphthalat (DIOP)	i-C_8H_{17}	i-C_8H_{17}	$C_{24}H_{38}O_4$	390,56	~0,985	260–266 (5 hPa)			27554-26-3
Bis(2-methoxyethyl)phthalat	$CH_2–CH_2–OCH_3$	$CH_2–CH_2–OCH_3$	$C_{14}H_{18}O_6$	282,29	1,17	204–207 (7 hPa)			117-82-8
Dimethylphthalat (DMP)	CH_3	CH_3	$C_{10}H_{10}O_4$	194,19	1,191	284	1		131-11-3
Dinonylphthalat (DNP)	$(CH_2)_8–CH_3$	$(CH_2)_8–CH_3$	$C_{26}H_{42}O_4$	418,62	0,978	275–285 (27 hPa)		5 mg/m³	84-76-4
Di-*n*-octylphthalat (DNOP)	$(CH_2)_7–CH_3$	$(CH_2)_7–CH_3$	$C_{24}H_{38}O_4$	390,56	–	230–280 (26 hPa)			117-84-0
Dioctylphthalat (DOP) [Bis(2-ethylhexyl)phthalat, DEHP]	$CH_2–CH(C_2H_5)–C_4H_9$	$CH_2–CH(C_2H_5)–C_4H_9$	$C_{24}H_{38}O_4$	390,56	0,986	216 (7 hPa)	1	10 mg/m³	117-81-7
Dipentylphthalat (Diamylphthalat)	$(CH_2)_4–CH_3$	$(CH_2)_4–CH_3$	$C_{18}H_{26}O_4$	306,40	1,025–1,027	340–345			131-18-0
Diphenylphthalat	C_6H_5	C_6H_5	$C_{20}H_{14}O_4$	318,33	1,28	405			84-62-8

Phthiokol (2-Hydroxy-3-methyl-1,4-naphthochinon).

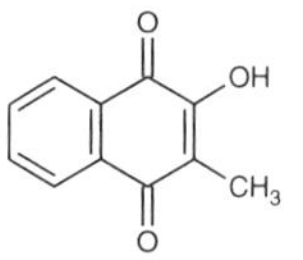

$C_{11}H_8O_3$, M_R 188,18, gelbe Nadeln, Schmp. 173–174 °C, subl., wenig lösl. in Wasser, lösl. in organ. Lösemitteln. Antibiot. Substanz aus Tuberkelbazillen (*Mycobacterium tuberculosis*), besitzt Vitamin K-Aktivität. P. wurde auch aus *Streptococcus faecalis* u. *Asplenium laciniatum* isoliert. – ***E*** = ***F*** phthiocol – ***I*** ftiocolo – ***S*** ftiocol

Lit.: Beilstein EIV **8**, 2375 ▪ J. Org. Chem. **42**, 3793 (1977) ▪ Sax (8.), Nr. HMI 000 ▪ Synth. Commun. **25**, 1669 (1995) (Synth.) ▪ s. a. Hydroxy-1,4-naphthochinone. – *[HS 2941 90; CAS 483-55-6]*

pH-Wert s. pH.

Phycobiline (von griech.: phykos = Tang u. *Bil...). Sammelbez. für die Chromophore in den *Antennen-Komplexen der Blau- u. Rotalgen. Die P. sind offenkettige *Tetrapyrrole u. strukturell mit den *Gallenfarbstoffen verwandt; nach dem Substitutionsmuster unterscheidet man *Phycocyanobiline*, *Phycoerythrobiline* u. *Phycourobiline*. Die P. sind in den *Phycobiliproteinen* kovalent an Protein gebunden. Diese *Chromoproteine – sie gehören wie auch das *Phytochrom zu den *Biliproteinen* – werden nach der Farbe unterschieden in blaue *Phycocyanine* bzw. *Allophycocyanine* u. rote *Phycoerythrine* u. befinden sich dicht gepackt in den *Phycobilisomen* [1], ca. 40 nm großen Partikeln auf den Thylakoiden (Membransyst. der *Photosynthese) der *Algen. Im Phycobiliprotein wird das prozentuale Verhältnis der drei P. zueinander durch Licht gesteuert; dieses Syst. scheint analog dem Phytochrom-Syst. bei der Photomorphogenese wirksam zu sein. – ***E*** phycobilins – ***F*** phycobilines – ***I*** ficobiline – ***S*** ficobilinas

Lit.: [1] Photosynth. Res. **48**, 47–53; **49**, 103–118 (1996).
allg.: Biol. Chem. **378**, 167–176 (1997) ▪ Richter, Biochemie der Pflanzen, S. 68f., 73–78, 184–187, Stuttgart: Thieme 1996.

Phycobiliproteine s. Phycobiline.

Phycobilisomen s. Phycobiline, Antennen-Komplexe.

Phycocyanin. Blaues *Photoprotein bestimmter Algen, das Lichtenergie in chem. Energie umwandelt. – ***E*** phycocyanin – ***F*** phicocyanine – ***I*** = ***S*** ficocianina

Lit.: Chem. Rev. **89**, 807–825 (1989) ▪ s. a. Phycobiline.

Phycocyan(obil)ine s. Phycobiline.

Phycoerythr(obil)ine s. Phycobiline.

Phycokolloide s. Gele.

Phycourobiline s. Phycobiline.

Phykobiont s. Flechten.

Phykologie s. Algen.

Phyllanthocin. $C_{25}H_{30}O_7$, M_R 442,51, Schmp. 126–127 °C, $[\alpha]_D^{24}$ +25° (CCl_4). Aglykon des Sesquiterpenoid-Glykosids *Phyllanthosid*, $C_{40}H_{52}O_{17}$, M_R 804,84, Schmp. 125–126 °C, $[\alpha]_D^{24}$ +19° ($CHCl_3$), das

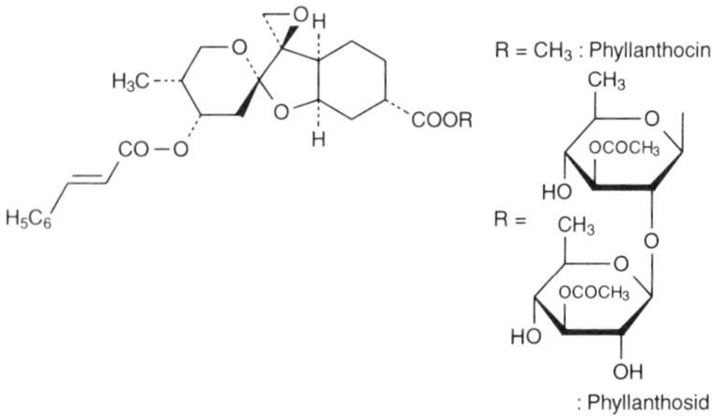

aufgrund guter Wirkung in bestimmten Tiermodellen der Leukämie u. maligner Melanome klin. geprüft wird. Die Spiroketal-Struktur u. die interessante Wirkung von P. waren Anlaß für zahlreiche synthet. Arbeiten [1]. – ***E*** phyllanthocin – ***F*** phyllanthocine – ***I*** fillantocina – ***S*** filantocina

Lit.: [1] Angew. Chem. **102**, 541 f. (1990); ApSimon **8**, 601–612; J. Am. Chem. Soc. **109**, 1269 (1987); J. Org. Chem. **49**, 843 (1984); **50**, 3420 (1985); **52**, 3706 (1987); **54**, 2209 (1989); **55**, 2138 (1990); Synform **8**, 1–37 (1990).
allg.: Beilstein EV **19/11**, 49 ▪ Can. J. Chem. **60**, 544, 939 (1982); **61**, 2630 (1983). – *[CAS 62948-37-2 (P.); 63166-73-4 (Phyllantosid)]*

Phyllanthosid s. Phyllanthocin.

Phyllit. Feinkörniges, dünnschiefrig-blättriges, spaltbares, aus tonigen *Sedimentgesteinen entstandenes *metamorphes Gestein mit seidenartigem Glanz; die Oberflächen sind oft gefältelt bis fein gerunzelt. Hauptminerale sind feinschuppiger Sericit (*Muscovit) u. *Chlorite. Außer in verschiedenen Grautönen auch schwärzlich (durch *Graphit), rötlich (durch *Hämatit) od. grünlich (durch Chlorit).

Vork.: U.a. vielerorts in den Alpen, z.B. Schweiz u. Österreich. Verw. als Schottermaterial. – ***E*** = ***F*** phyllite – ***I*** fillite – ***S*** filita

Lit.: Dietrich u. Skinner, Die Gesteine u. ihre Mineralien, S. 302, Thun: Ott 1984 ▪ Wimmenauer, Petrographie der magmatischen u. metamorphen Gesteine, S. 235, Stuttgart: Enke 1985. – *[HS 2516 90]*

Phyll(o)... Von griech.: phýllon = Blatt abgeleitete Vor- u. Nachsilbe, z.B. für Inhaltsstoffe von Pflanzenblättern (*Beisp.:* *Chlorophyll) u. Mineralien mit Blattstruktur (*Beisp.:* *Phyllosilicate); aus Fröschen der Gattung *Phyllobates* (= Blattsteiger) stammen indian. *Pfeilgifte. – ***E*** = ***F*** phyll(o)... – ***I*** fill(o)... – ***S*** filo...

Phyllochinon s. 2-Methyl-1,4-naphthochinone, Vitamine (K).

Phyllomanganate s. Braunsteine.

Phyllosilicate (Schichtsilicate, Blattsilicate). *Silicat-Strukturen mit zweidimensional unendlichen Schichten aus $[SiO_4]^{4-}$-Tetraedern. Jedes $[SiO_4]$-Tetraeder ist über 3 Brücken-Sauerstoffe mit Nachbar-Tetraedern verbunden; das Si:O-Verhältnis wird damit 2:5 od. $[Si_2O_5]^{2-}$. Bei den *Zweischichtgittern* ist je eine $Mg(OH)_2$- od. $Al(OH)_3$-Oktaeder-Schicht mit je einer Si_2O_5-Schicht verknüpft, z.B. bei *Serpentin u. *Kaolinit. Die *Dreischichtgitter* bestehen aus Wechselfolgen Tetraederschicht/Oktaederschicht/Tetraederschicht, z.B. bei *Talk od. *Pyrophyllit; bei den

*Glimmern sind zwischen den Dreischicht-Paketen große Kationen wie K^+, Na^+ od. Ca^{2+}. – ***E*** phyllosilicates, sheet silicates – ***F*** phyllosilicates – ***I*** fillosilicati – ***S*** filosilicatos

Lit.: Bailey (Hrsg.), Hydrous Phyllosilicates (Exclusive of Micas) (Review in Mineralogy, Vol. 19), Washington (D. C.): Mineralogical Society of America 1988 ▪ Deer et al. (2.), S. 279–387 ▪ Matthes, Mineralogie (5.), S. 140–150, Berlin: Springer 1996 ▪ s. a. Silicate.

Phylogenese, Phylogenie s. Ontogenese.

Physalaemin. H-(5-Oxo-Pro)-Ala-Asp-Pro-Asn-Lys-Phe-Tyr-Gly-Leu-Met-NH_2
$C_{58}H_{84}N_{14}O_{16}S$, M_R 1265,45. Ein aus Häuten des Frosches *Physalaemus fuscumaculatus* isolierbares Undecapeptid mit *Kinin-ähnlicher Wirkung (ein sog. *Tachykinin*). P. ist verwandt mit *Eledoisin u. *Substanz P. Es wirkt stark blutdrucksenkend, gefäßerweiternd u. speichelflußanregend. – ***E*** physalemin – ***F*** physalaemine – ***I*** = ***S*** fisalaemina

Lit.: Eur. J. Pharmacol. **86**, 59–64 (1982); **97**, 171–189 (1984) ▪ Merck-Index (12.), Nr. 7537 ▪ Science **219**, 79 (1983). – *[CAS 2507-24-6]*

Physalien s. Zeaxanthin.

Physarochrom (Physarochrom A).

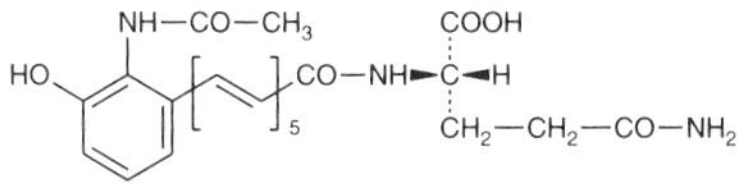

$C_{24}H_{27}N_3O_6$, M_R 453,49, gelbes Pulver, $[\alpha]_D$ +7,2° (CH_3OH) Pentaen-Pigment aus dem Schleimpilz *Physarum polycephalum*; vgl. Fuligorubin. – ***E*** = ***F*** physarochrome – ***I*** = ***S*** fisarocromo

Lit.: Tetrahedron Lett. **28**, 3667 (1987) ▪ s. a. Myxomyceten-Farbstoffe. – *[CAS 114670-90-5]*

Physcion (Parietin, 1,8-Dihydroxy-3-methoxy-6-methylanthrachinon, Emodin-3-*O*-methylether).

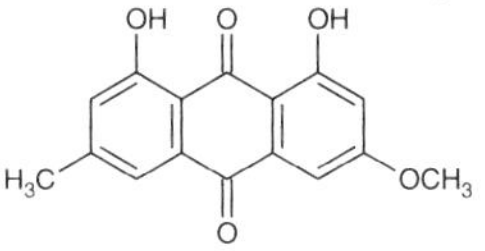

$C_{16}H_{12}O_5$, M_R 284,26, orange Nadeln, Schmp. 209–210 °C. Hydroxyanthrachinon (Octaketid), das in Sennesblättern (*Cassia senna*), Rhabarberwurzeln, Flechten u. Pilzen vorkommt. Es wirkt schwach spasmolyt. u. ist zumeist glykosid. gebunden. – ***E*** physcion – ***F*** physcione – ***I*** fiscione – ***S*** fisciona

Lit.: Beilstein E IV **8**, 3575 ▪ Fitoterapia **57**, 271 (1986) ▪ J. Agric. Food Chem. **28**, 1139 ff. (1980) ▪ Planta Med. **45**, 48 (1981); **46**, 159 ff. (1982) ▪ Schweppe, S. 215 ▪ Turner **1**, 365; **2**, 144 ff. – *Biosynth.:* Phytochemistry **25**, 1115 ff. (1986). – *[CAS 521-61-9]*

Physetölsäure s. Palmitoleinsäure.

Physik (von griech.: physike = Naturforschung, Naturlehre). Die Wissenschaft von den Vorgängen in der unbelebten Natur, die durch Beobachtung u. Messung gesetzmäßig erfaßt u. damit der mathemat. Darst. zugänglich gemacht werden können. Die P. wird seit altersher in Mechanik, Wärmelehre, Optik, Akustik u. die Lehre von Elektrizität u. Magnetismus eingeteilt, in diesem Jh. haben sich die Gebiete Quantenmechanik, Atom- u. Kern-P., Astro-P., Hochenergie-P. u. a. beigesellt. Erkenntnisse in der P. werden im Zusammenspiel von Experimenten u. theoret. Modellen erhalten. Eine über viele Jh. erfolgreiche Vorgehensweise in der P., ein komplexes Problem in einzelne Phänomene aufzuteilen, diese separat zu untersuchen u. dann das komplexe Problem als die Summe der Einzelphänomene (mit Kreuzkorrelationen) zu beschreiben, ist bei der Beschreibung des Begriffs *Chaos auf Grenzen gestoßen. Hier zeigt sich, daß in einem Syst. mit mehreren Freiheitsgraden, selbst kleinste Änderungen der Eingangsparameter zu nicht vorhersagbaren, großen Änderungen im Endergebnis führen. Physikal. Erkenntnisse u. Untersuchungsmeth. werden in großem Umfang auf die angrenzenden Gebiete der Biologie (*Biophysik), Molekularbiologie, Medizin u. bes. der Chemie angewandt, s. physikalische Chemie u. physikalische Analyse. Die internat. Dachorganisation der nat. physikal. Ges. *IUPAP erläßt Empfehlungen zur Schreibweise u. Anw. physikal. Größen- u. Einheiten-Symbole in der Nomenklatur der Physik. – ***E*** physics – ***F*** physique – ***I*** fisica – ***S*** física

Physikalische Analyse. Bezüglich Chemie u. Biochemie versteht man unter p. A. im engeren Sinne die Bestimmung von Stoffen aufgrund ihrer physikal. Eigenschaften, so z. B. durch Messungen von Dichte, Schmp., Sdp., Dampfdruck, Grenzflächenspannung, Viskosität od. Brechungsindex (Refraktometrie). Dazu bedient man sich der Verf. der *instrumentellen Analyse*, die im allg. in Einzelstichwörtern behandelt sind:
(a) *Spektroskop. Meth.:* Absorptions- u. Emissions-Messungen im sichtbaren *Spektralbereich*, mit IR-, UV-, Röntgen- u. γ-Strahlung, Ionen- u. Elektronenstrahlen, Polarimetrie, CD, MCD, ORD, MORD, Optoakust. u. Photoelektronenspektroskopie;
(b) *Resonanzverf.:* Mößbauer-, NMR-, EPR- u. NQR-Spektroskopie;
(c) *Elektroanalyt. Meth.:* Elektrolyse, Polarographie, Potentiometrie, Konduktometrie, Coulometrie u. die Verf. ionenselektiver Elektroden;
(d) *Lichtstreuung:* Nephelometrie, Turbidimetrie;
(e) *Beugungsverf.:* Neutronenbeugung, Elektronenbeugung, Röntgenbeugung;
(f) *Massenspektrometrie;*
(g) *Aktivierungsanalyse:* Neutronenaktivierungsanalyse;
(h) *Radiochem. Meth.:* Isotopenverdünnungsanalyse, Radioimmunoassay;
(i) *Thermochem. Meth.:* Differentialthermoanalyse, Thermometrie, Kalorimetrie;
(j) *Oberflächenanalyse:* Elektronenmikroskopie, REM, Auger-Spektroskopie, ESCA, LEED usw.

Weiterhin können zur p. A. auch die Trennverf. wie Gaschromatographie, HPLC u. Verf. der Elektrophorese gezählt werden. Da die Übergänge zwischen chem. u. physikal. Untersuchungs-Meth. oft fließend sind, dürfen p. A. nur im Zusammenhang mit Meth. der *chemischen Analyse u. der *physikalischen Chemie betrachtet werden. – ***E*** physical analysis – ***F*** analyse physique – ***I*** analisi fisica – ***S*** análisis físico

Lit.: Analyt.-Taschenb. **5**, 304–310 ▪ Galen, Analytical Instrumentation Handbook, New York: Dekker 1997 ▪ Gottwald, Instrumentell-analytisches Praktikum, Weinheim: VCH Verlagsges. 1996 ▪ Näser u. Peschel, Physikalisch-chemische Meßmethoden, Leipzig: Dtsch. Verl. für Grundstoffindustrie 1990 ▪ Steeb, Physikalische Analytik, Ehningen: Expert-Verl. 1988 ▪ Ullmann (5.) **5**.

Physikalische Chemie (Physikochemie, PC). Bez. für das Grenzgebiet zwischen Chemie u. Physik, das sich mit der Erforschung der bei chem. Vorgängen auftretenden physikal. Erscheinungen sowie mit dem Einfluß physikal. Einwirkung auf chem. Vorgänge befaßt. Die Bedeutung des eigenständigen Forschungsgebietes wird auch dadurch beleuchtet, daß von den 55 Chemie-*Nobelpreisen der Jahre 1966–1996 16 für Arbeiten auf dem Gebiet der p. C. verliehen wurden. Die Bez. p. C. wurde erstmals 1752 von *Lomonossow verwendet (s. Ostwalds Klassiker, Nr. 178); ihre Entwicklung zur selbständigen Wissenschaft verdankt sie im wesentlichen den Arbeiten von M. *Faraday, van't *Hoff, Wilhelm *Ostwald, *Arrhenius u. *Nernst. Histor. gesehen beschränkte sich der prakt. Lehrstoff der p. C. zunächst auf die bei *chem. Reaktionen,* also bei stöchiometr. Mol.-Umwandlungen im Elementarprozeß od. in makroskop. Phasensyst. meßbar auftretenden energet. Effekte: Thermochemie, Elektrochemie, Thermodynamik, Photochemie, Magnetochemie. Bald nahm man auch die entsprechenden meßbaren stofflichen u. energet. Effekte bei den nicht mit stöchiometr. Mol.-Umwandlungen verbundenen Erscheinungen der Phasen (Phasenumwandlungen, Reaktionen an Phasengrenzen), also die Phasenlehre hinzu. Im weiteren Verlauf mußten Gesichtspunkte aus Atom- u. Kernphysik, Strukturchemie, Festkörper- u. Polymer-Forschung, Erkenntnisse u. Theorien der Valenz, Ungleichgewichts-Syst., Kinetik, Quantenchemie, der Biologie u. Biochemie etc. einbezogen werden. Für die Gesamtheit dieser ziemlich verschiedenartigen Teilgebiete wurde schließlich die Sammelbez. p. C. gewählt, als deren Teilgebiet zuweilen auch die *physikalische Analyse angesehen wird. Früher wurde gelegentlich die theoret. p. C. im Unterschied zur experimentellen p. C. auch einfach als *theoretische Chemie* (vgl. jedoch dieses Stichwort) bezeichnet. Die Bez. *chem. Physik,* die die p. C. als Teilgebiet der Physik versteht, hat sich in Deutschland nicht durchsetzen können. Als *angewandte p. C.* könnte man die Verfahrenstechnik (chem. Technologie, techn. Chemie) ansehen. Die *Nomenklatur der p. C. ist von der IUPAC in dem sog. „Grünen Buch" teilw. festgelegt worden, u. Ergänzungen u. Neufassungen werden in der Zeitschrift Pure Appl. Chem. publiziert. Zum Studiengang des Physikochemikers s. Chemie-Studium u. Chemiker; statist. Angaben lassen sich den Schriften des *Fonds der Chemischen Industrie u. der *Deutschen Bunsengesellschaft für Physikalische Chemie entnehmen. – ***E*** physical chemistry – ***F*** chimie physique – ***I*** chimica fisica – ***S*** fisicoquímica

Lit. *(mit Ausnahme typ. Lehrbücher):* Henderson u. Rettnes, Physical Chemistry, Vol. 10, S. 516, Encyclopedia of Physical Science and Technology, New York: Academic Press 1987 ▪ Epling, Physical Organic Chemistry, Vol. 10, S. 552, Encyclopedia of Physical Science and Technology, New York: Academic Press 1987 ▪ s. a. Nachschlagewerke, Tabellenwerke u. die Teilgebiete der physikal. Chemie, z. B. Thermodynamik. – *Zeitschriften u. Serien:* Annual Reviews of Physical Chemistry, Palo Alto: Annual Reviews, Inc. (seit 1949) ▪ Benchmark Papers in Physical Chemistry and Chemical Physics, Stroudsburg: Dowden, Hutchinson & Ross (seit 1978) ▪ Berichte der Bunsengesellschaft für Physikalische Chemie, Weinheim: Wiley-VCH (seit 1897) ▪ Faraday Transactions 1 & 2, London: Royal Soc. Chem. (seit 1972) ▪ Journal of Physical Chemistry, Washington: Amer. Chem. Soc. (seit 1896) ▪ Physical Science Data, Amsterdam: Elsevier (seit 1978) ▪ Studies in Physical and Theoretical Chemistry, Amsterdam: Elsevier (seit 1978).

Physikalische Vernetzung. Bez. für die Vernetzung eines *makromolekularen Stoffes, die nicht unter Ausbildung chem. Bindungen zustande kommt, sondern aus einer mehr od. minder beständigen, physikal. Zusammenlagerung von funktionellen Gruppen od. Kettenabschnitten der Polymeren resultiert. So lassen sich z. B. Carboxygruppen-haltige Polymere durch Salzbildung mit mehrwertigen Kationen vernetzen.

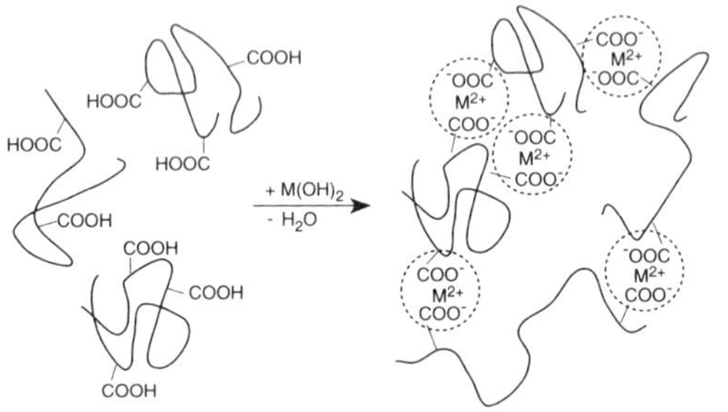

Die einzelnen ion. Netzpunkte können sich dann ihrerseits zu größeren Ionenassoziaten zusammenlagern. So resultiert schließlich ein Mikrophasen-separiertes Material aus Ionen-Domänen, die Anionen verschiedener Polymer-Ketten enthalten u. so als Vernetzungsbereiche wirken, u. einer Matrix aus Ionen-freien Polymer-Segmenten. Prakt. Bedeutung hat diese Form der p. V. beispielsweise bei Ethylen-Acrylsäure-Copolymeren mit 5–10% Acrylsäure.

Eine ähnliche Form der p. V. zeigen auch zahlreiche nichtion. *Blockcopolymere. Hierbei wird ausgenutzt, daß verschiedenartige Polymere fast immer unverträglich sind, d. h. daß sich die verschiedenen Blöcke Mikrophasen-separieren (s. Mikrophasentrennung). Kann nun eine Sorte der Blöcke z. B. *Wasserstoff-Brückenbindungen ausbilden, ist bei der Gebrauchstemp. glasartig erstarrt od. gar (teil)krist. (Hartdomäne), während die andere Phase plast. ist (Weichdomäne), so wirken die „harten" Bereiche als p. V.-Stellen, u. es resultiert ein *Elastomer.

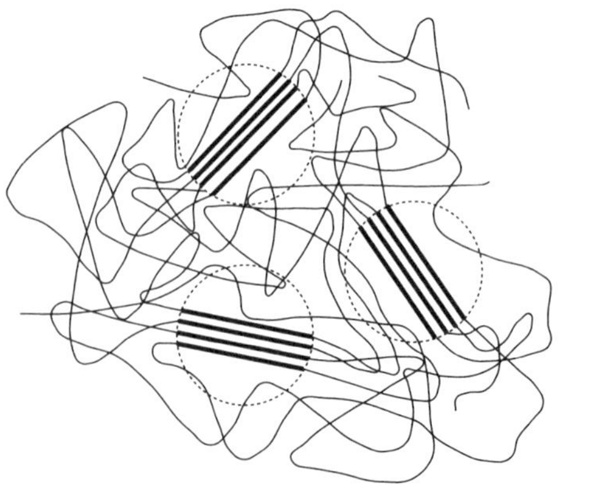

Abb.: Schemat. Darst. eines durch krist. Kettensegmente (– – –) physikal. vernetzten Blockcopolymers.

Da die p. V. im Gegensatz zu einer Vernetzung über kovalente Bindungen (z. B. *Vulkanisation von *Kautschuk zu *Gummi) thermoreversibel ist, können die harten Domänen durch Erhitzen auf Temp., die höher sind als deren *Glasübergangstemperaturen bzw. Schmelztemp., wieder aufgebrochen werden. Daher lassen sich diese Elastomere thermoplast. verarbeiten (s. a. thermoplastische Elastomere). – ***E*** physical crosslinking – ***F*** formation en réseau par procédé physique – ***I*** reticolazione fisica – ***S*** entrecruzamiento físico

Lit.: Odian (3.), S. 148, 426, 520 ▪ Tieke, Makromolekulare Chemie, S. 186, Weinheim: VCH Verlagsges. 1997.

Physikalisch-Technische Bundesanstalt (PTB). Eine dem Bundeswirtschaftsministerium unterstehende Bundesbehörde mit Sitz in 38116 Braunschweig, Bundesallee 100, u. weiteren Standorten in Berlin-Charlottenburg u. Berlin-Friedrichshagen (seit 1991, ehemals Amt für Standardisierung, Meßwesen u. Warenprüfung der DDR). Die aus der 1887 gegründeten Physikal.-Techn. Reichsanstalt (PTR) hervorgegangene Behörde ist natur- u. ingenieurwissenschaftliches Staatsinst. u. techn. Oberbehörde der BRD für das Meßwesen u. die physikal. Sicherheitstechnik.

Die PTB, die ca. 2000 Mitarbeiter beschäftigt, ist für die Realisierung u. Weitergabe der Einheiten im Meßwesen zuständig, führt Zulassungsprüfungen an Meßgeräten durch, leitet den Dtsch. Kalibrierdienst (DKD) u. berät Entwicklungsländer im Rahmen von Projekten bei der Einrichtung einer metrolog. Infrastruktur. Die PTB ist zusammen mit der *DECHEMA u. der *BAM, Hersteller der Datenbank CHEMSAFE, die geprüfte Daten zu sicherheitstechn. Kenngrößen von brennbaren Substanzen u. ihren Mischungen enthält. *Publikationen:* Jahresbericht, PTB-News, PTB-Berichte. INTERNET-Adresse: http://www.ptb.de.

Physikalisch-technischer Assistent. Beruf mit 2–3jähriger Ausbildungsdauer u. vielseitiger Tätigkeit, bei der insbes. Physiker u. Ingenieure in industriellen od. wissenschaftlichen Labors bei der Weiterentwicklung u. Anw. physikal.-techn. Verf. unterstützt werden. Wegen der bes. Bedeutung der Meßtechnik u. der breiten Anw. physikal. Meth. erfolgt der Einsatz häufig auch in der Biologie, Medizin od. z. B. im Umweltschutz. Der p.-t. A. führt seine Aufgaben meist nach Anweisung durch. Beim Aufbau u. der Prüfung von Versuchsanlagen ist ebenso wie bei der Messung u. Auswertung handwerkliches u. experimentelles Geschick eine wichtige Voraussetzung. – ***E*** physics laboratory technician – ***F*** assistant physico-technique – ***I*** assistinte fisico-tecnico – ***S*** técnico de laboratorio de física

Physikochemie, Physikochemiker s. Physikalische Chemie.

Physikochemisches Screening. Das p. S. ist ein Begriff aus der Wirkstoffsuche u. bezeichnet die Suche nach auffälligen Stoffen in Naturstoffextrakten, Substanzgemischen u. Reinsubstanz-Bibliotheken auf Basis physiko-chemischer Parameter. Ähnlich wie ein *chemisches Screening besteht zunächst keine Korrelation zwischen dem Suchsyst. u. z. B. gewünschter biolog. Aktivität (indikationsoffenes Screening, s. a. biologisches Screening). Für ein p. S. nutzt man häufig zunächst chromatograph. Trennschritte wie z. B. *HPLC, *Gaschromatographie, *Dünnschichtchromatographie od. die *Kapillarelektrophorese u. detektiert die aufgetrennten Verb. u. a. mit Hilfe der UV/VIS-, *IR- od. *NMR-Spektroskopie bzw. mit *Massenspektrometrie. Mit p. S. von Naturstoffextrakten lassen sich effizient neue Sekundärmetabolite auffinden. – ***E*** physico-chemical screening – ***I*** screening fisico-chimico – ***S*** tamizado fisicoquímico

Lit.: Omura (Hrsg.), The Search for Bioactive Compounds from Microorganisms, New York: Springer 1992.

Physiologie (griech.: physis = Natur). Wissenschaft von den natürlichen Lebensvorgängen der Organismen. Die P. steht somit im Grenzbereich zwischen Medizin u. Biologie. Sie vertritt gegenüber stat. Betrachtungsweisen von Bau u. Struktur der Lebewesen v. a. funktionell-dynam. Aspekte u. erforscht die Grunderscheinungen der Lebensvorgänge in Zellen u. Geweben (*allg. P.*), die Funktionssyst. u. Leistungen der verschiedenen Organismen u. Organismengruppen (*spezielle P.*) u. versucht sie im Zusammenhang zu sehen (*vergleichende P.*). Die spezielle P. untergliedert sich in die **Pflanzenphysiologie* u. die P. des Menschen u. der Tiere. In letzterem Bereich untersuchen die *vegetative P.* die Funktionen von Stoffwechsel, Ernährung, Verdauung, Ausscheidung, Kreislauf, Atmung u. Fortpflanzung (die weitgehend schon bei *Pflanzen vorkommen) u. die sog. Zoo-P. die Funktionen der Muskeln, Sinnesorgane u. Nerven. Entsprechend spricht man auch von *Stoffwechsel-P., Ernährungs-P., Sinnes-P.* usw. Weitere wichtige Teilgebiete sind die *Entwicklungs-P.*, welche unter genet. Gesichtspunkten die Entwicklung eines Organismus von der Befruchtung der Eizelle an verfolgt, u. die patholog. P. (*Pathophysiologie*), welche die krankhaften Abweichungen von der normalen P. erforscht. Die Arbeitsmeth. der P. schließen elektron. Meßverf. (*Elektrophysiologie*) ebenso ein wie Meth. der *Biochemie u. Molekularbiologie, oft kombiniert mit morpholog. Verf. (*Histologie u. *Histochemie). – ***E*** physiology – ***F*** physiologie – ***I*** fisiologia – ***S*** fisiología

Lit.: Schmidt u. Thews, Physiologie des Menschen, Berlin: Springer 1995 ▪ Schultheisz, History of Physiology, Oxford: Pergamon 1981.

Physiologische Bedingungen. Bedingungen für Experimente, Tests u. chem. Reaktionen in Biologie u. Medizin, die den normalerweise im Organismus bzw. seiner Umwelt herrschenden Zuständen entsprechen. So sind z. B. im menschlichen Organismus herrschende p. B. eine Temp. von 37 °C, ein pH-Wert von 7,4 u. ein osmot. Druck (s. a. Osmose) von ca. 300 mosmol/kg. – ***E*** physiological conditions – ***F*** conditions physiologiques – ***I*** condizioni fisiologiche – ***S*** condiciones fisiológicas

Physiologische Chemie (chem. *Physiologie). Wissens- u. Arbeitsgebiet, das zwischen *Biochemie, *Physiologie u. *klinischer Chemie angesiedelt ist u. für das bes. im engl. Schrifttum die Bez. *medizin. Chemie* vorgezogen wird. Die Aufgabe der p. C. besteht in der Erforschung physiolog. Vorgänge, soweit sie chem. Natur od. mit chem. Meth. faßbar sind. Die p. C., die es als Begriff erst seit Beginn des 19. Jh. gibt, wird häufig als selbständiger Wissenschaftszweig gleichgeordnet neben die Biochemie gestellt, nicht selten allerdings mit dieser identifiziert, was schon von *Hoppe-Seyler 1877 vorgeschlagen wurde. Auch wurde versucht, ihr einen Platz innerhalb der Biochemie zuzuweisen u. sie als *dynam. Biochemie* od. *Biochemie der Lebenserscheinungen* neben die *deskriptive* (beschreibende) *Biochemie*, die die Kenntnis von Konstitution u. Eigenschaften der organ. wichtigen Naturstoffe vermittelt, einzuordnen. Mit der Bez. *biolog. Chemie* sollte ein zusammenfassender Ausdruck geprägt werden. – ***E*** physiological chemistry – ***F*** chimie physiologique – ***I*** chimica fisiologica – ***S*** química fisiológica

Physiologische Kochsalzlösung. 0,9%ige Lsg. von NaCl in Wasser, die den gleichen osmot. Druck hat wie das Blutserum (s. a. isotonische Lösungen). – ***E*** physiological saline, normal saline – ***F*** sérum physiologique – ***I*** soluzione salina fisiologica – ***S*** solución salina fisiológica

Physiologischer Brennwert. Bez. für die bei der „Verbrennung" der Nährstoffe im Organismus freiwerdende Energiemenge. Der p. B. stimmt mit dem physikal. Brennwert nur für den Fall überein, daß als Endprodukte im menschlichen Körper nur Kohlendioxid u. Wasser entstehen, wie es bei Kohlenhydraten u. Fetten der Fall ist. Zur Bestimmung des p. B. ist eine Analyse der Einzelbestandteile eines Lebensmittels notwendig, während der *physikal. Brennwert* kalorimetr. bestimmt werden kann [1]; s. Nährwert. – ***E*** physiological energy (calorific) value – ***F*** valeur calorifique (énergétique) physiologique – ***I*** valore calorifico fisiologico – ***S*** valor calorífico fisiológico

Lit.: [1] Labor Praxis **14**, 612–615 (1990).

Physiotens® (Rp). Filmtabl. mit dem *Antihypertonikum *Moxonidin. ***B.:*** Solvay Arzneimittel.

Physisorption s. Adsorption u. Chemisorption.

Physostigmin (Eserin).

T+

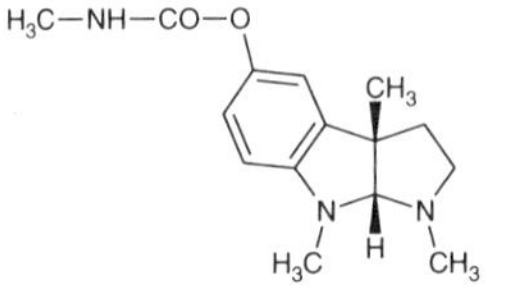

Physostigmin

$C_{15}H_{21}N_3O_2$, M_R 275,35; orthorhomb. Krist. od. Aggregate von Blättchen; stabile Form: Schmp. 105–106 °C, $[\alpha]_D$ –76° ($CHCl_3$); instabile Form: 86–87 °C, $[\alpha]_D$ –120° (Benzol), wenig lösl. in Wasser, lösl. in Alkohol, Chloroform u. Ölen. P. verfärbt sich (krist. u. in Lsg.) rot unter Einwirkung von Luft, Licht, Hitze u. in Kontakt mit Metallen. P. ist ein hochgiftiges *Indol-Alkaloid (Hauptalkaloid) aus *Calabar-Bohnen (*Physostigma venenosum*).

Toxikologie: Letale Dosis bei oraler Applikation 6–10 mg für den Menschen, parenteral ist die Toxizität noch höher. Bei unsachgemäßer Anw. von Augentropfen kann P. in den Rachenraum gelangen u. bewirkt dann Übelkeit, Erbrechen, Durchfälle. Schwere Vergiftungen führen nach Krämpfen u. Atemlähmung zum Tod. Als Antidot kommen kleine Dosen an *Atropin-Sulfat od. *Scopolamin zur Anwendung.

Verw.: P. wird aus den Bohnen im industriellen Maßstab isoliert. Es wirkt ähnlich wie *Muscarin u. *Pilocarpin als indirektes Parasympathomimetikum durch Hemmung der Acetylcholin-Esterase; Einsatz in der Ophthalmologie als Miotikum zur Pupillenverengung nach Verabreichung von Atropin zur Pupillenerweiterung, als Antiglaukom-Mittel, zur Erniedrigung des Augapfel-Innendrucks. P. kann experimentell für die Therapie von Hirnleistungsstörungen u. Demenzerscheinungen verwendet werden. Es ist ein wichtiges Antidot bei Atropin- u. Diphenhydramin-Vergiftungen. P. war ein Modellalkaloid zur Entwicklung vollsynthet. Derivate, wie Neostigmin, Pyridostigmin, Distigmin. – ***E*** physostigmine, eserine – ***F*** physostigmine – ***I*** fisostigmina – ***S*** fisostigmina

Lit.: Aust. J. Chem. **49**, 171 (1996) ▪ Beilstein E V **23/11**, 401 f. ▪ Clin. Neuropharmacol. **1976**, 63–79 ▪ Drug Rev. Eval. **15**, 1–9 (1989) ▪ Hager (5.) **1**, 730 f.; **9**, 193–200 ▪ Manske **10**, 383; **13**, 213 ▪ Negwer (7.), S. 4767 ▪ Stöckel, Das zentralanticholinergische Syndrom: Physostigmin in der Anästhesiologie u. Intensivmedizin, Stuttgart: Thieme 1982. – *Synth.:* Chem. Lett. **57** (1991) ▪ Heterocycles **31**, 411 (1990); **39**, 519 (1994) ▪ J. Am. Chem. Soc. **114**, 556 (1992) ▪ J. Org. Chem. **56**, 872, 5982 (1991); **58**, 6949 (1993) ▪ Tetrahedron: Asymmetry **5**, 111, 363 (1995) ▪ Tetrahedron Lett. **35**, 6087 (1994). – *Toxikologie:* Ludewig u. Lohs, Akute Vergiftungen, Jena: G. Fischer 1988 ▪ Sax (8.), Nr. PIA 500, PIB 000. – *[HS 2939 90; CAS 57-47-6]*

Phyt... (Phyto...). Von griech.: phytón = Pflanze abgeleitete Vor- u. Nachsilbe; *Beisp.:* folgende Stichwörter. – ***E*** phyt(o)... – ***F*** phyt... – ***I*** fito... – ***S*** fit...

Phytagglutinine s. Lektine.

Phytal s. Phytol.

Phytansäure (3,7,11,15-Tetramethylhexadecansäure). Zwei natürlich vorkommende Formen: (3*R*,7*R*,11*R*)-Form: Öl, Schmp. –7 °C, Sdp. (1,0 kPa) 221 °C; (3*S*,7*R*,11*R*)-Form: Sdp. (26,6 Pa) 174 °C.

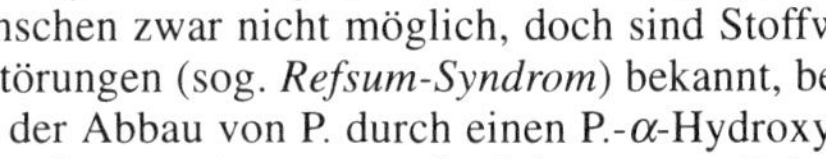

(3*R*, 7*R*, 11*R*)-Form

$C_{20}H_{40}O_2$, M_R 312,53, $[\alpha]^{20}_{500}$ –3,8° ($CH_3OH/CHCl_3$). Verzweigte Fettsäure, die als Oxid.-Produkt des *Phytols (das wiederum dem *Chlorophyll entstammt) in der Milch von Wiederkäuern vorkommt. Die Phytol-Abspaltung aus Chlorophyll ist im Verdauungsapparat des Menschen zwar nicht möglich, doch sind Stoffwechselstörungen (sog. *Refsum-Syndrom*) bekannt, bei denen der Abbau von P. durch einen P.-α-Hydroxylase-Mangel gestört ist u. es zur Speicherung von P. im Blut u. in den Geweben kommt, was zu schweren neurolog. Schäden führt. Der *Fettsäure-Abbau kann erst nach Kettenverkürzung zu *Pristansäure* (vgl. Pristan) normal verlaufen. – ***E*** phytanic acid – ***F*** acide phytanique – ***I*** acido fitanico – ***S*** ácido fitánico

Lit.: Beilstein E IV **2**, 1285 ▪ Karlson et al., Pathobiochemie, Stuttgart: Thieme 1982 ▪ Lough, Chemistry and Biochemistry of Phytanic, Pristanic and Related Acids (Progr. Lipid Res. 14/1), Oxford: Pergamon 1973. – *[CAS 18654-64-3]*

Phytase s. Phytinsäure.

Phytinsäure (*myo*-Inosithexaphosphat, internat. Freiname: Fytinsäure).

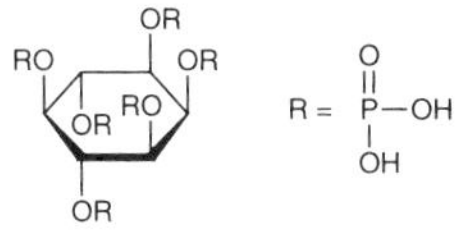

$C_6H_{18}O_{24}P_6$, M_R 660,03. Strohfarbene, sirupöse Flüssigkeit mit saurer Reaktion, Zers. bei Erhitzen, mischbar mit Wasser, Glycerin u. 95%igem Alkohol, unlösl. in wasserfreien Lösemitteln. P. findet sich meist in Form des Ca-Mg-Salzes in pflanzlichen Organen, insbes. in Samen, wo sie eine Phosphat-Speicherfunktion erfüllt. P. ist auch Bestandteil tier. Gewebe u. Organe; im Darm stört P. die Ca-, Mg- u. Fe-Resorption durch konkurrierende Chelatisierung. Unter der Einwirkung von *Phytase*, einer im Magen-Darm-Trakt u. in Pflanzen vorkommenden Phosphatase wird P. in Phosphat u. *myo*-*Inosit gespalten, der nur in dieser Form resorbierbar ist.

Verw.: Zur Chelat-Bildung von Schwermetallen bei Fettsynth., anstelle von Kaliumhexacyanoferrat zur Schönung von Rotwein, als Rost- u. Korrosionsschutzmittel, zur Behandlung von hartem Wasser, das Natrium-Salz als Hypocalcaemikum (Phytate Natrium, USAN). – ***E*** phytic acid, *myo*-inositol hexaphosphate – ***F*** acide phytique – ***I*** acido fitico – ***S*** ácido fítico

Lit.: Adv. Food Res. **28**, 1 ff. (1982) ▪ Am. J. Gastroenterol. **82**, 983–986 (1987) ▪ Anal. Biochem. **119**, 413 (1982) ▪ Beilstein E IV **6**, 7927 ▪ Billington; The Innositol Phosphates, Weinheim: VCH Verlagsges. 1993 ▪ Hager (5.) **4**, 440 ▪ J. Food Sci. **47**, 1257 (1982) ▪ Karrer, Nr. 285 ▪ Naturwiss. Rundsch. **33**, 199 f. (1980) ▪ Nutr. Rev. **41**, 64 ff. (1983) ▪ Ullmann (5.) **A 11**, 568 ▪ s. a. Inosite. – *[HS 2919 00; CAS 83-86-3]*

Phytoalexine. Durch K. O. Müller u. Börger 1940 geprägte u. von *Phyt… u. griech.: alexein = abwehren abgeleitete Bez. für solche Stoffe, die von Pflanzen aufgrund einer Infektion *(postinfektionell)* zur Abwehr des Schadorganismus – meist Pilze – gebildet werden. Die Akkumulation solcher P. wird u. a. für die *Resistenz bestimmter Pflanzen gegenüber pathogenen Pilzen verantwortlich gemacht. Damit lassen sich die P. mit den *Interferonen der Säugetiere vergleichen: beide sind wirtsspezif., werden auf einen äußeren Reiz hin gebildet, wirken aber ziemlich unspezifisch. Zur Rolle der P. innerhalb der pflanzlichen „Überlebensstrategie" s. *Lit.*[1] Die P. gehören sehr unterschiedlichen Stoffgruppen an (*Beisp.* in Klammern): Terpenoide u. Sesquiterpenoide (*Gossypol, *Rishitin aus Kartoffeln, Capsidiol aus Paprikafrüchten), Isoflavonoide [*Pisatin, *Phaseolin, *Sativan, Glyceol(l)in aus Sojabohnen], Furanoterpenoide (Ipomeamaron), Polyine (Safinol aus Saflor, Wyeron u. Wyeronsäure aus Saubohnen), Dihydrophenanthrene (Orchinol), *Furocumarine (Xanthotoxin) u. a. Gruppen[2]. Einige dieser für das Immunsyst. der Pflanzen wichtigen Verb. sind dort auch als *präinfektionelle* Abwehrstoffe (vgl. Phytonzide; beide Stoffgruppen faßte man früher manchmal als *Phytoantibiotika* zus.) wirksam, so daß die Zuordnung nicht immer eindeutig ist. Auslöser der P.-Bildung sind nicht nur Pilz-Infektionen, sondern auch die Einwirkung von Bakterien, Viren, Nematoden, aber auch Verletzungen, Kälte, UV-Strahlung, Schwermetalle etc. Im einzelnen wird die P.-Synth. z. B. bei Pilzinfektionen durch bestimmte Polysaccharide der Pilz-Zellwand eingeleitet. Als derart auslösende Stoffe, für die Keen 1972 die Bez. *Elicitoren* (von latein.: elicere = hervorlocken) einführte, wirken Glucane, Glykoproteine, Polypeptide u. Enzyme[3]. Man nimmt an, daß die Wirkung der Elicitoren über Enzyminduktionen erfolgt. Andererseits besitzen die Pilze ihrerseits Mechanismen zur Überwindung der pflanzlichen Resistenz, z. B. durch Blockierung der P.-Biogenese[4] od. durch Metabolisierung der P. zu unwirksamen Produkten. – ***E*** phytoalexins – ***F*** phytoalexines – ***I*** fitoalessine – ***S*** fitoalexinas

Lit.: [1] Angew. Chem. **93**, 164–183 (1981). [2] Angew. Chem. **90**, 668–681 (1978); Zechmeister **34**, 187–248. [3] Naturwissenschaften **68**, 447–457 (1981); Pure Appl. Chem. **53**, 79–88 (1981); Science **201**, 364 (1978). [4] Naturwissenschaften **67**, 310 f. (1980); **64**, 643 f. (1997); Annu. Rev. Phytopathol. **30**, 391–418 (1992).
allg.: Acta Hortic. **381**, 526–539 (1994) ▪ Annu. Rev. Phytopathol. **33**, 275–297 (1995) ▪ Daniel u. Purkayastha (Hrsg.), Handbook of Phytoalexin Metabolism, New York: Dekker 1994 ▪ Proc. Phytochem. Soc. Eur. **41**, 221–241 (1997) ▪ Sharma u. Salunkhe (Hrsg.), Mycotoxins and Phytoalexins, Boca Raton: CRC 1991.

Phytoantibiotika. Wenig gebräuchliche Sammelbez. für als *Phytoalexine u./od. *Phytonzide antibiot. wirksame *sekundäre Pflanzenstoffe*. – ***E*** phytoantibiotics – ***F*** phytoantibiotiques – ***I*** fitoantibiotici – ***S*** fitoantibióticos

Phytochelatine. L-Cysteinyl- u. γ-L-Glutamyl-reiche *Isopeptide der Form $(\gamma\text{-Glu-Cys})_n$-X (n = 2–11, X = Gly od. β-Ala), die von Pflanzen als Reaktion auf Schwermetall-Belastung gebildet werden (wahrscheinlich aus *Glutathion) u. als Komplexbildner wirken.

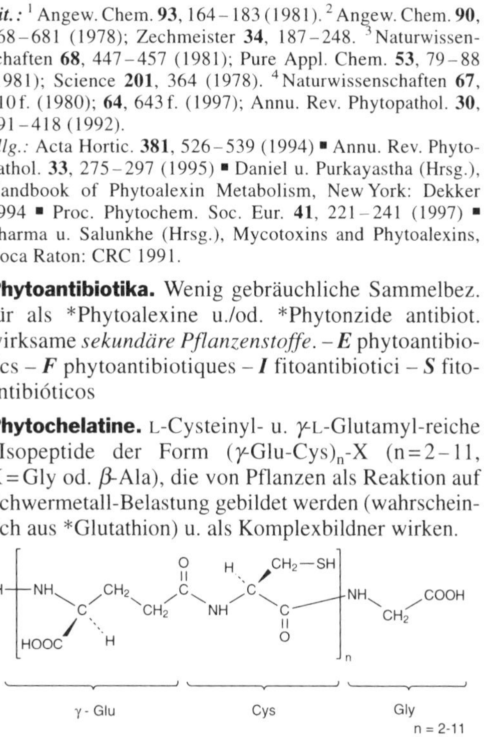

Abb.: Struktur der Phytochelatine.

In ihrer Entgiftungs-Funktion entsprechen sie den *Metallothioneinen des Tierreichs. – ***E*** phytochelatins – ***F*** phytochélatines – ***I*** fitochelatine – ***S*** fitoquelatinas

Lit.: Annu. Rev. Biochem. **59**, 61–86 (1990) ▪ Chem. Unserer Zeit **23**, 193–199 (1989) ▪ FEBS Lett. **197**, 115–120 (1986); **205**, 47–50 (1986); **258**, 42–46 (1989) ▪ Plant, Cell Environ. **11**, 383–394 (1988) ▪ Proc. Nat. Acad. Sci. USA **86**, 6838–6842 (1989) ▪ Proc. R. Soc. London Ser. B **236**, 79–89 (1989) ▪ Science **230**, 674 ff. (1985) ▪ Z. Naturforsch. Teil C **44**, 361–369 (1989). – *[CAS 98726-08-0]*

Phytochemie (Pflanzenchemie). Im dtsch. Sprachbereich wenig gebräuchliche Bez., die weitgehend durch die Bez. Biochemie der *Pflanzen u. *Pflanzenphysiologie ersetzt werden kann, sofern nicht die Ergebnisse dieser Gebiete im Sinne einer *Chemotaxonomie ausgewertet werden, was als spezielle Aufgabe der P. verstanden werden könnte. – ***E*** phytochemistry – ***F*** phytochimie – ***I*** fitochimica – ***S*** fitoquímica

Lit.: s. Pflanzen, Chemotaxonomie.

Phytochrom. Ein in grünen *Pflanzen weit verbreitetes blaugrünes *Chromoprotein. *Phytochromobilin*, die prosthet. Gruppe vom Biliverdin-Typ (offenkettiges *Tetrapyrrol) ist kovalent an ein dimerisierendes Protein mit M_R ca. 125000 (Tabak) gebunden: P. ist also ein *Biliprotein*. Als photochromes Pigment (vgl. Photochromie) existiert P. in zwei Formen, die durch Lichteinwirkung ineinander übergehen können u. die nach ihren Absorptionsmaxima unterschieden werden als P_{660} od. P_r (von *E* red = rot) u. P_{730} od. P_{fr} (von *E* far red = fernes, dunkles rot). Im Dunkeln bildet eine Keimpflanze nur P_r, das im Dunkeln stabil u. pflanzenphysiolog. inaktiv ist. Durch Belichtung mit Hellrot (Sonnenstrahlung) geht P_r in das energiereiche, physiolog. aktive P_{fr} über, das im Dunkelroten absorbiert u. im Dunkeln od. bei Bestrahlung mit Licht der Wellenlänge 730 nm in die inaktive Form P_r zurückkehrt.

$$P_r \underset{\lambda=730\text{ nm od. Dunkelheit}}{\overset{\lambda=660\text{ nm}}{\rightleftharpoons}} P_{fr} \rightarrow \text{physiolog. Wirkung}$$

Da Tageslicht beide Wellenlängen enthält, sind am Tage P_r u. P_{fr} in den grünen Pflanzen im Verhältnis 1:2 vorhanden. P_{fr} hat keine Funktion innerhalb der *Photosynthese, sondern dient als Lichtempfänger (Photorezeptor) bei der *Photomorphogenese*, der Pflanzenentwicklung unter Lichteinfluß. Es fungiert also als Photosensor-Pigment (mol. Schalter) u. steht insoweit in Analogie zum *Rhodopsin (beim *Sehprozeß der Wirbeltiere). Als morphogenet. wirksames *Effektor-Mol.*, das wahrscheinlich als *Protein-Kinase wirkt[1], induziert P_{fr} nicht nur bei der *Keimung das Flächenwachstum der Keimblätter, eine Steigerung von Zellatmung, Protein- u. Ribonucleinsäure-Synth. u. eine Hemmung des Hypokotylwachstums (Abschnitt zwischen Wurzel u. Keimblättern), sondern greift außerdem regulierend in die *Chloroplasten-Bildung ein u. ist an der Synth. der Elektronentransportkette der Photosynthese regulierend beteiligt. Auch auf die *Photoperiodizität*, insbes. auf das Blühverhalten von Langtagpflanzen (Blüte bei >12 h Tagesdauer) u. Kurztagspflanzen (Blüte bei <12 h Tagesdauer) wirkt das P.-Syst. steuernd ein („innere Uhr"). In manchen Pflanzen tritt zu dem Hellrot-Dunkelrot-Syst. der P. noch ein *Blaulicht-Syst.* hinzu, das als Chromophor möglicherweise ein Isoalloxazin (Flavin) u./od. ein *Carotinoid hat („Kryptochrom"). Die *Signaltransduktion des P. erfolgt über ein *G-Protein u. die *second messengers Ca^{2+}/*Calmodulin u. Guanosin-3′,5′-monophosphat (s. Guanosinphosphate)[2]. Bei Cyanobakterien dient ein P.-ähnliches Syst. dazu, den Bestand an Antennen-Pigmenten (s. Antennen-Komplexe) dem Lichtangebot anzupassen[3]. Der Komplex aus P. u. Phycoerythrobilin (s. Phycobiline) wurde als fluoreszierende Sonde für die Molekularbiologie vorgeschlagen[4]. Experimentelle Untersuchungen der P.-Wirkung u. a. pflanzenphysiolog. Vorgänge können in sog. *Phytotrons* durchgeführt werden, in denen verschiedene Stoffwechsel- u. Klimaverhältnisse simulierbar sind. – ***E*** = ***F*** phytochrome – ***I*** = ***S*** fitocromo

Lit.: [1] Cell **91**, 713–716 (1997). [2] Curr. Biol. **4**, 844 ff. (1994). [3] Science **277**, 1505–1508 (1997). [4] Curr. Biol. **7**, 870–876 (1997).
allg.: Bioessays **19**, 571–579 (1997) ▪ Crit. Rev. Plant Sci. **15**, 455–478 (1996) ▪ Richter, Biochemie der Pflanzen, S. 184–187, Stuttgart: Thieme 1996 ▪ Science **268**, 675–680 (1995).

Phytodolor®. Tinktur mit standardisierten alkohol. Frischpflanzenauszügen aus Zitterpappelrinde u. -blättern, echtem Goldrutenkraut u. Eschenrinde gegen rheumat. Erkrankungen. ***B.:*** Steigerwald.

Phytoecdysteroide s. Ecdyson.

Phytoeffektoren. Sammelbez. für solche *Effektoren, die bei Pflanzen irgendwelche spezif. od. allg. Wirkungen hervorrufen; *Beisp.:* *Herbizide, *Pflanzenwuchsstoffe, *Phytochrom. – ***E*** phytoeffectors – ***F*** phytoeffecteurs – ***I*** fitoeffettori – ***S*** fitoefectores

Phytoen (7,7′,8,8′,11,11′,12,12′-Octahydro-ψ,ψ-carotin).

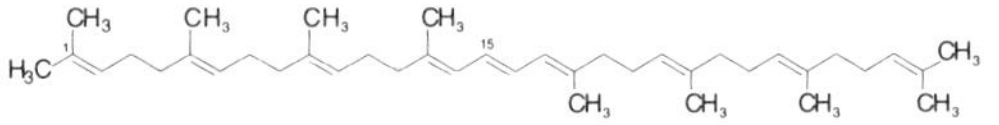

$C_{40}H_{64}$, M_R 544,94, viskoses, stark fluoreszierendes Öl. Partiell gesätt. *Tetraterpen aus *Mycobacterium phlei* u. anderen Bakterien u. Pflanzen, das biosynthet. eine Vorstufe der *Carotinoide darstellt; s. a. Isopren-Regel. Das (15*Z*)-Isomer wurde aus Tomaten isoliert. – ***E*** phytoene – ***F*** phytoène – ***I*** fitoene – ***S*** fitoeno

Lit.: Beilstein E IV **1**, 1155 f. ▪ Biochemistry **13**, 1538 (1974) ▪ J. Chem. Soc., Perkin Trans. 1 **1975**, 1457; **1983**, 3011; **1993**, 1869. – *[CAS 540-04-5 (P.); 13920-14-4 ((15Z)-P.)]*

Phyto-Estrogene s. Estrogene.

Phytogen. Von Phyto... u. *...gen abgeleitetes Adjektiv mit der Bedeutung: Von Pflanzen stammend; *Beisp.:* Die *Kaustobiolithe sind p. *Gesteine. – ***E*** phytogen – ***F*** phytogène – ***I*** fitogenico – ***S*** fitógeno

Phytohämagglutinine s. Lektine.

Phytohistol®. Einbettungs- u. Konservierungsmittel für mikroskop. Schnitte u. botan. Präp. nach Art des Canadabalsams; vorige Entwässerung entfällt, Brechungsindex ~ 1,50. ***B.:*** Roth.

Phytohormone s. Pflanzenhormone.

Phytokinine. Frühere Bez. der *Cytokinine.

Phytol [(2*E*,7*R*,11*R*)-3,7,11,15-Tetramethyl-2-hexadecen-1-ol].

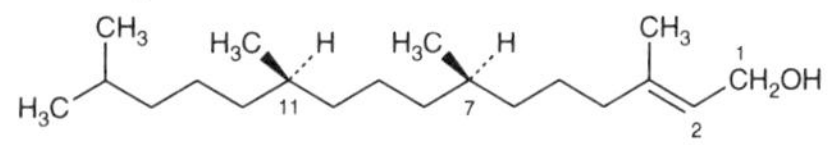

$C_{20}H_{40}O$, M_R 296,53. Ölige Flüssigkeit, Sdp. 202–204 °C (1,3 kPa), 140–141 °C (4 Pa), $[\alpha]_D^{18}$ +0,2°, lösl. in den üblichen organ. Lsm., unlösl. in Wasser. Diterpen-Alkohol, der, mit *Chlorophylliden bzw. Phäophorbiden verestert, den lipophilen Bestandteil der *Chlorophylle bzw. *Phäophytine darstellt u. somit in allen grünen Pflanzen vorkommt. Der biolog. Abbau des P.-Restes verläuft über *Phytansäure u. Pristansäure. Der Phytyl-Rest ist auch der lipophile Anteil in den Vitaminen E u. K_1, so daß P. zur Synth. dieser Vitamine Verw. findet. Für denselben Zweck ist auch das Allylisomere **Isophytol* (mit endständiger 1,2-Doppelbindung u. OH-Gruppe an C-3) einsetzbar. P. wurde erstmals von Willstätter (1907) aus Chlorophyll isoliert. Naturstoffe sind auch das isomere *cis-*

Phytol in der (2Z,7R,11R)-Konfiguration, sowie der 1-Aldehyd des Phytols: *Phytal* $C_{20}H_{38}O$, M_R 294,52. – ***E*** = ***F*** phytol – ***I*** fitolo – ***S*** fitol

Lit.: Beilstein EIV **1**, 2208 ▪ Helv. Chim. Acta **65**, 684–702 (1982) ▪ Janistyn **1**, 718f. ▪ J. Chem. Res. S **1990**, 154f. ▪ J. Chem. Soc., Chem. Commun. **1995**, 2529 (Biosynth.) ▪ Karrer, Nr. 114 ▪ Methods Geochem. Geophys. **24**, 1–42 (1986) ▪ Phytochemistry **21**, 1361 (1982); **25**, 509 (1986) ▪ Tetrahedron **43**, 4481 (1987) ▪ Tetrahedron Lett. **22**, 4823 (1981). – *[HS 2905 22; CAS 150-86-7 (P.); 5492-30-8 (2Z); 13754-69-3 (Phytal)]*

Phytolacca-Antivirus-Proteine (PAP). Gruppe von aus der Kermesbeere *Phytolacca americana* erhältlichen Proteinen, die Virusinfektionen der Pflanze verhindern können. Aus Frühlingsblättern gewinnt man PAP I (M_R 29000), aus Sommerblättern PAP II (M_R 31000) u. aus Samen PAP-S (M_R 30000). Als *Toxine gehören die PAP wie die in Struktur u. Wirkung ähnliche A-Kette des *Ricins zu den Ribosomen-inaktivierenden Proteinen (s. Ribosomen). Sie legen die lebenswichtige Protein-Biosynth. lahm, indem sie die glykosid. Bindung eines bestimmten Adenosin-Restes der 28S-*Ribonucleinsäure der Ribosomen enzymat. (als rRNA-*N*-Glykosidase, EC 3.2.2.22) spalten. Die antivirale Schutzwirkung für die Pflanze besteht möglicherweise in der Abtötung infizierter Zellen[1]. Allerdings kennt man auch PAP-Mutanten, die zwar antivirale, aber nicht Ribosomen-inaktivierende Eigenschaft haben[2]. *Phytolacca* selbst schützt sich vor der Inaktivierung seiner Ribosomen durch Bildung eines Inhibitor-Komplexes[3]. PAP wirken auch in einigen Fällen als Inhibitoren der Virus-Replikation in Tieren.

Herst. u. ***Verw.:*** Neben der Gewinnung aus Pflanzen kann PAP gentechn. in **Escherichia coli* produziert werden[4]. *Immuntoxine, in denen PAP mit *monoklonalen Antikörpern konjugiert ist, werden als spezif. Cytostatika gegen bestimmte Blutkrebsarten für die klin. Erprobung hergestellt[5]. Auch die Verw. von Fusionsproteinen (s. dort 1.) als Immuntoxine ist möglich[6]. – ***E*** pokeweed antiviral proteins – ***F*** protéines antivirales de *Phytolacca* – ***I*** proteine antivirali della *Phytolacca* – ***S*** proteínas antivirales de *Phytolacca*

Lit.: [1]Biosci. Biotechnol. Biochem. **61**, 994–997 (1997). [2]Proc. Natl. Acad. Sci. USA **94**, 3866–3871 (1997). [3]FEBS Lett. **410**, 303–308 (1997). [4]FEBS Lett. **406**, 97–100 (1997). [5]Leuk. Lymphoma **27**, 275–302 (1997). [6]FEBS Lett. **402**, 50ff. (1997).

Phytolacca-Mitogen (engl. Abk.: PWM). *Lektin aus der Kermesbeere *Phytolacca americana*, das – ähnlich wie *Concanavalin A – als Mitogen (s. Mitose) bei B- u. T-*Lymphocyten Vermehrung u. *Differenzierung (*Interleukin-2-Produktion) anregt. Dabei ist die Anwesenheit von *Monocyten erforderlich[1]. Bestimmte Carbonsäuren modulieren den mitogenen Effekt[2]. In der Kohlenhydrat-erkennenden *Domäne des PWM besteht Sequenz-*Homologie zum Weizenkeim-*Agglutinin[3].

Anw.: In der *Immunologie zur Untersuchung der Differenzierung u. *Immunglobulin-Produktion von Lymphocyten sowie potentiell in der Immuntherapie gegen Krebs. In der Hämatologie zur Untersuchung der Haltbarkeit von Vollblut[4]. – ***E*** pokeweed mitogen – ***F*** mitogène de *Phytolacca* – ***I*** mitogeno della *Phytolacca* – ***S*** mitógenos de *Phytolacca*

Lit.: [1]Immunology **90**, 57–65 (1997). [2]Int. J. Immunopharmacol. **18**, 761–769 (1996). [3]Glykobiology **5**, 663–670 (1995). [4]Vet. Immunol. Immunopathol. **56**, 353–362 (1997).

Phytolipasen. Pflanzliche *Lipasen wie z. B. Ricinus-Lipase.

Phytomedizin. Wissenschaft von den kranken u. geschädigten Pflanzen u. der Fertigkeit, sie gesund zu erhalten od. zu heilen. Ihr Aufgabenbereich geht damit weit über denjenigen der traditionellen Pflanzenpathologie hinaus. – ***E*** phytomedicine – ***F*** phytatrie – ***I*** fitomedicina – ***S*** fitatría, fitopatología

Phytomenadion s. 2-Methyl-1,4-naphthochinone, Vitamine (K).

Phytone s. Phytonzide.

Phytonzide (von *Phyt... u. *...zid). Von Tokin (1956) geprägte, wegen der Analogie zu Begriffen wie Herbizide, Fungizide, Bakterizide usw. allerdings etwas irreführende Bez. für feste, flüssige u. gasf., antibiot. wirkende Abwehrstoffe, mit denen sich Pflanzen gegen Feinde, Schädlinge u. Lästlinge zu schützen versuchen. Diese von Höheren Pflanzen *präinfektionell* in aktiver od. aktivierbarer Form gebildeten u. bei Bedarf od. ständig an die Umgebung abgegebenen Stoffe werden manchmal per se, manchmal zusammen mit den *Phytoalexinen, als *Phytoantibiotika* bezeichnet. Als *sek. Pflanzenstoffe* mit P.-Wirkung sind v. a. Phenole, ungesätt. Lactone, Saponine, Glucosinolate, cyanogene Glykoside u. flüchtige Terpenoide zu nennen, die meist (außer in ether. Ölen) als Glykoside vorliegen, bei Verletzung der Pflanze enzymat. freigesetzt werden u. so eine Infektion mit pathogenen Keimen verhindern. Rein empir. wurde die antibiot. Wirkung in zahlreichen *Heilpflanzen schon seit Jahrtausenden genutzt, vgl. die Zusammenstellung bekannter pflanzlicher Antibiotika u. ihrer Stammpflanzen in *Lit.*[1]. Zu den P. kann man auch die *Wundgase* – insbes. *Ethylen, C_6- u. C_9-Aldehyde u. -Alkohole (am verbreitetsten ist *trans*-2-*Hexenal) – rechnen, die aus den verletzten Membranen entweichen. Für solche Stoffe, die nicht nur Mikrobizid-, sondern z. T. auch Wuchsstoff-Eigenschaften haben, hat Schildknecht die Bez. *Phytone* vorgeschlagen. In erweitertem Sinn könnte man auch die allelopath. Abwehrstoffe Höherer Pflanzen zu den P. rechnen. Bei diesen **Allelopathika* (von griech.: allēlōn = gegenseitig, einander u. pathos = Leid), mit denen sich Pflanzen gegenseitig in Schach halten, handelt es sich in der Regel um *Pflanzenwuchsstoff-Antagonisten, die auch für bestimmte Formen von *Bodenmüdigkeit verantwortlich gemacht werden. Diese Hemmstoffe wirken z. T. auch als *Keimhemmungsmittel u. befähigen innerhalb der „chem. Ökologie der Pflanzen" einzelne Individuen, sich gegen andere mit chem. Mitteln durchzusetzen. Gelegentlich spricht man auch von *Phytoaggressinen* od. chem. Waffen der Pflanzen. – ***E*** = ***F*** phytoncides – ***I*** fitoncidi – ***S*** fitoncidas

Lit.: [1]Pharm. Unserer Zeit **1**, 42–53 (1972).
allg.: s. Phytoalexine.

Phytopathologie. Lehre von den *Pflanzenkrankheiten.

Phytopharmaka (Phytotherapeutika). Sammelbez. für Arzneimittel aus getrockneten (*Drogen) od. frischen, ganzen od. nur teilw. genutzten Pflanzen od. aus daraus isolierten Wirkstoffen, die zur *Phytotherapie geeignet sind. In der BRD spielen – im Gegensatz zu anderen Ländern – P. eine große Rolle; so sind von den 9185 Fertig-Arzneimitteln der *Roten Liste 1997 1248 Präp. pflanzlicher Herkunft; 1991–1994 importierte die BRD 120000 t Arzneidrogen [1]. Der Weltmarkt für P. setzte 1994 12,4 Mrd. US-$ um, auf die BRD entfielen 2,5 Mrd. US-$ [2]. Im Mittelalter stellte die *Signaturenlehre* sehr vordergründige Beziehungen zwischen P. u. Krankheiten her. Da von Arzneipflanzen (*Heilpflanzen) eine bes. Qualität verlangt werden muß, ist heute bei Anbau u. Pflanzenschutz bes. Vorsicht vonnöten [3]; zu den Möglichkeiten, P. aus pflanzlichen Zellkulturen zu gewinnen s. *Lit.* [4]; zur Suche nach neuen bioaktiven Pflanzenprodukten s. *Lit.* [5]. – ***E*** phytopharmaceuticals – ***F*** produits phytopharmaceutiques – ***I*** fitofarmaci – ***S*** fitofármacos

Lit.: [1] Pharm. Ztg. **141**, 4260 (1996). [2] Pharm. Ind. **58**, 209–214 (1996). [3] Pharm. Ztg. **137**, 2715–2725 (1992); Dtsch. Apoth. Ztg. **135**, 159–165 (1995). [4] Ann. N. Y. Acad. Sci. **745**, 426–441 (1994); Plant Cell Tissue Organ Cult. **43**, 97–109 (1995). [5] Pharm. Ind. **59**, 339–347 (1997).
allg.: Wichtl (3.) ▪ s. a. Drogen u. Pharmazeutische Biologie.

Phytoplankton s. Plankton.

Phytoregulatoren s. Pflanzenwuchsstoffe.

Phytosterine (Phytosterole). Sammelbez. für *Sterine (Sterole), die aus *Pflanzen u. *Hefen (Mykosterine) isoliert wurden. Sie unterscheiden sich von Sterolen tier. Ursprungs durch eine Doppelbindung an C-22 u. C_1- od. C_2-Substituenten an C-24. *Beisp.* für P.: *Ergosterin, *Stigmasterin, *Sitosterin. Die P. kommen in den Pflanzen frei, in Ester- od. in Glykosid-Form im unverseifbaren Anteil der Fette vor. Sie finden teilw. in kosmet. Produkten Verwendung. Sterine tier. Herkunft nennt man analog *Zoosterine. – ***E*** phytosterols – ***F*** phytostérols – ***I*** fitosterine – ***S*** fitoesteroles, fitosteroles

Lit.: Adv. Lipid Res. **15** (1977) ▪ Janistyn **1**, 719 f. ▪ Karrer, Nr. 2050–2086, 3713–3899 ▪ Parfüm. Kosmet. **63**, 8–18 (1982) ▪ Q. Rev. **23**, 453–481 (1969) ▪ Tetrahedron Lett. **23**, 3043 (1982).

Phytosterol(e) s. Phytosterine.

Phytotherapeutika s. Phytopharmaka.

Phytotherapie. Bez. für die auf den Überlieferungen der Volksmedizin aufbauende Therapie, die ausschließlich Gebrauch von pflanzlichen Präp. (*Phytopharmaka, -therapeutika) macht. Nach dem dtsch. Arzneimittelgesetz von 1976 ist die P. (zusammen mit der *Homöopathie u. der anthroposoph. Medizin) als bes. Therapie-Richtung zusätzlich zur sog. Schulmedizin anerkannt u. entsprechend eine Zulassungs- u. Aufbereitungskommission für den humanmedizin. Bereich (Kommission E) berufen worden, die für die in Frage kommenden *Heilpflanzen, deren Teile u. Zubereitungen Monographien erstellt, die deren Wirksamkeit u. Anw.-Möglichkeiten bewertet. Bis Ende 1996 sind 344 relevante Pflanzen bearbeitet worden, deren Monographien je nach neuen Erkenntnissen ständig überarbeitet werden; diese werden jeweils im Bundesanzeiger veröffentlicht. In 135 Monographien wurde eine negative Bewertung hinsichtlich beanspruchter Wirkung oder wegen Giftigkeit vorgenommen. Damit soll die bisher auf traditionell überlieferten Erfahrungen basierende P. auf eine wissenschaftliche Grundlage gestellt werden. Aufgrund dieser Bearbeitungen haben sich bereits bestimmte Zulassungsbeschränkungen ergeben, wie etwa für *Pyrrolizidin-Alkaloide enthaltende Pflanzen (z. B. Huflattich, Pestwurz, Fuchskreuzkraut). Allerdings sind die Dosierungen bei sachgemäßer Anw. in der P. im allg. so gering, daß Nebenwirkungen relativ selten vorkommen. – ***E*** phytotherapy – ***F*** phytothérapie – ***I = S*** fitoterapia

Lit.: s. Drogen, Pharmazeutische Biologie u. Phytopharmaka.

Phytotoxine s. Pflanzengifte u. Gifte.

Phytotoxizität. Von griech.: phytón = Pflanze u. toxikón = Pfeilgift abgeleitete Bez. für Giftigkeit gegen Pflanzen, s. Toxikologie u. Toxizität. Die P. ist nicht nur an die Stoffe u. deren Strukturmerkmale gebunden, sondern auch abhängig von der Dosis u. Konz., der Einwirkungsart (Kontaktort u. Aufnahmeweg), der Einwirkungshäufigkeit u. der Einwirkungszeit. Darüber hinaus bestimmt der physiolog. Zustand der Pflanze die P.; Klima- u. Witterungsfaktoren, Bodeneigenschaften, Agrar- u. Kulturmaßnahmen, *Parasiten, Vektoren, Wunden od. a. *Umwelt-Faktoren wirken sich auf diesen aus. Auf P. kann mit standardisierten Testverfahren an z. B. Algen od. Gartenkresse geprüft werden [1]. In niedriger Konz. sollen *Algizide, *Herbizide u. *Allelopathika phytotox. wirken. – ***E*** phytotoxicity – ***F*** phytotoxicité – ***I*** fitotossicità – ***S*** fitotoxicidad

Lit.: [1] Steinberg et al., Ökotoxikologische Testverfahren, S. 15–22, 57 f., 79–87, Landsberg: ecomed 1995.
allg.: Heitefuß, Pflanzenschutz, Stuttgart: Thieme 1987 ▪ Hoffmann et al., Lehrbuch der Phytomedizin, Berlin: Blackwell 1994.

Phytotron s. Phytochrom.

Phytoxin II s. Okadainsäure.

Phytyl... Bez. des unsubstituierten, von *Phytol abgeleiteten Restes (2*E*,7*R*,11*R*)-3,7,11,15-Tetramethyl-2-hexadecenyl... (IUPAC-Regel A-75.1, TP-4.3.2). – ***E = F*** phytyl... – ***I = S*** fitil...

pi (Pi) s. π u. Π (vor p), π-Mesonen, Pi-Bindungen, Pi-Elektronensysteme u. Pi-Komplexe.

P_i. In der Biochemie Abk. für anorgan.* Phosphat ($H_2PO_4^-$, HPO_4^{2-}, PO_4^{3-}; *E i*norganic *p*hosphate).

PI. 1. Kurzz. (nach DIN 7728-1: 1988-01) für *Polyimide, – 2. Abk. für *Phosphatidylinosite.

Pi-Addukte s. Pi-Komplexe.

Piassave (Piassava, Picaba). Harte, steife *Bastfaser aus den Palmen *Raphia vinifera* (Sierra Leone), *Attalea fungifera* (Bahia) u. *Leopoldinia piassaba* (Para-Piassave). Piassavabast wird als Bindebast zu Bürsten, Besen u. dgl. verarbeitet. – ***E*** piassava fiber – ***F*** raphia – ***I*** piassave – ***S*** fibra de la palmera piasava

Lit.: Kirk-Othmer (3.) **10**, 189; (4.) **10**, 740. – *[HS 1403 90]*

PIB. Kurzz. (nach DIN 7728-1: 1988-01) für *Polyisobuten.

Pi-Bindungen (π-Bindungen). Bez. für solche *chemische Bindungen, die mit Hilfe von π-Orbitalen (s. Molekülorbitale u. Pi-Elektronensysteme) beschrieben werden. Die *Dreifachbindung im N_2 setzt sich z.B. aus einer σ-Bindung u. zwei äquivalenten π-B. zusammen. Der Aufbau der π-Orbitale aus Atomorbitalen ist bei *chemische Bindung beschrieben. – ***E*** pi bonds – ***F*** liaisons pi – ***I*** legami π (pi) – ***S*** enlaces π (pi)

PIBO. Kurzz. für *Polyisobutylenoxide.

PIC. 1. Kurzz. (von *E p*olymer *i*mpregnated *c*oncrete) für Polymer-imprägnierten *Beton. Zur Herst. von PIC werden fertige Betonteile mit Monomeren wie z.B. Methylmethacrylat, Styrol, Acrylnitril od. Vinylacetat getränkt u. diese anschließend polymerisiert. PIC zeigt gegenüber konventionellem Beton reduziertes Kriechen, geringere Wasseraufnahme (0,4 statt 7%), erhöhte Elastizitätsmoduln sowie erhöhte Zug-, Kompressions- u. Scherfestigkeiten.
2. Abk. für *P*rior *I*nformed *C*onsent, Teil des Verf. nach VO EWG 2455/92 zur Aus- u. Einfuhr bestimmter gefährlicher Chemikalien. Die dem PIC-Verf. unterworfenen Stoffe u. Länder sind im Anhang 2 zur VO aufgelistet (EG 41/94).
3. Abk. für *P*roduct of *I*ncomplete *C*ombustion, Produkt einer unvollständigen Verbrennung. Mit PIC werden in der Regel die organ. *Pyrolyse-Produkte wie *PAH u. *Dioxine bezeichnet, die als Nebenprodukte techn. Verbrennungsvorgänge anfallen.
4. Abk. für Pharmazeut. Inspektionskonvention, s. pharmazeutische Industrie.
5. Abk. für *Ionenpaarchromatographie (*E* paired-ion chromatography).
Lit. *(zu 1):* Elias (5.) **2**, 317 ▪ Nachr. Chem. Tech. Lab. **46**, 10 (1998).

Picaba s. Piassave.

Piceatannol s. Pinosylvin.

Picein. Name für zwei unterschiedliche Substanzen: a) *p*-β-D-Glucopyranosyloxy-acetophenon, Piceosid, Ameliarosid, Salinigrin.

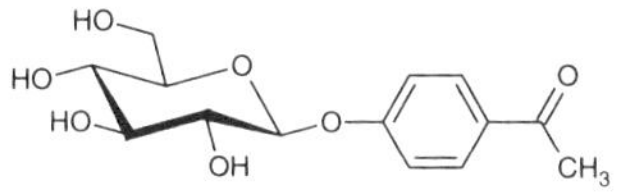

$C_{14}H_{18}O_7$, M_R 298,29, bitter schmeckende Nadeln, als Monohydrat Schmp. 195–196 °C, $[\alpha]_D^{23}$ –88° (H_2O). P. kommt in Nadelhölzern, Weidenrinde u. Misteln sowie in der Bärentraube (*Arctostaphylos uva-ursi*) vor, bei Behandlung mit verd. Säure od. Emulsin erhält man D-Glucose u. *p*-Hydroxyacetophenon (*Piceol*), $C_8H_8O_2$, M_R 136,15, Schmp. 109 °C, Sdp. 148 °C (4 hPa), pK_a 8,05 (25 °C), welches in freier Form u.a. aus *Picea glehnii* isoliert wurde.
b) (Pizein). Schwarzes, asphaltartiges (Name von latein.: pix = Pech) u. siegellackähnliches Material für luftdichte Abschlüsse zwischen Glas u. Metall, Glas u. Glas, Porzellan u. Metall usw. Die Verklebung kann durch Erhitzen auf 100 °C od. 130–150 °C jederzeit wieder gelöst werden. P. kommt in Stangen mit Schmp. 50–60 °C bzw. 80–100 °C in den Handel. – ***E*** picein – ***F*** picéine – ***I*** piceina – ***S*** (a) piceína, (b) pizeína

Lit. *(zu a):* Beilstein E V **17/7**, 151; E IV **8**, 339 f. ▪ Karrer, Nr. 448 ▪ Merck-Index (12.), Nr. 7549 ▪ Phytochemistry **28**, 2115–2125, 2071–2078 (Isolierung), 3009 ff. (1989) (Biosynth.) ▪ Planta Med. **53**, 307 f. (1987) ▪ Tetrahedron Lett. **1974**, 3029 ff. (Synth.) ▪ Z. Anal. Chem. **327**, 535–538 (1987). – *[HS 2914 50 (Pizein); CAS 530-14-3 (P.); 99-93-4 (Piceol)]*

Picein-Dichtungskit. Zum gas- u. flüssigkeitsdichten Verkitten, v.a. zwischen Glas u. Metall (z.B. Aquarium); wird wie Siegellack erhitzt u. härtet nach Erkalten zu einer festen Masse aus Tropfpunkt +110 °C, löst sich in Benzol u. Terpentinöl leicht, in Alkohol spurenweise u. in Wasser gar nicht auf. ***B.:*** Roth.

Picen.

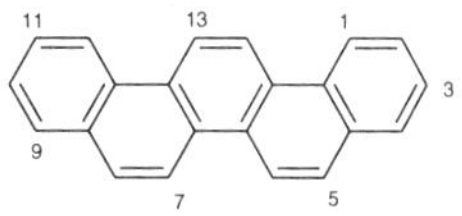

$C_{22}H_{14}$, M_R 278,35. Farblose, fluoreszierende Platten, Schmp. 367–369 °C, Sdp. 518–520 °C (subl.), lösl. in Cumol u. konz. H_2SO_4. P. kommt in Braunkohlenteerpech (Name von latein.: pix = Pech) u. Rückständen von Erdöl-Krackprozessen vor. P. bildet das Grundgerüst der *Amyrine u.a. Triterpene (vgl. die Abb. dort). – ***E*** = ***I*** picene – ***F*** picène – ***S*** piceno
Lit.: Beilstein E IV **5**, 2724. – *[HS 2902 90; CAS 213-46-7]*

Piceol s. Picein.

Pichler, Helmut (1904–1974), Prof. für Chemie, TU Karlsruhe. *Arbeitsgebiete:* Kohlenoxid-Hydrierung, Paraffin-Mitteldrucksynth., Wirbelschichtsynth., Synth. von Acetylen aus Methan, Synth. u. Spaltung von Kohlenwasserstoffen, Petrochemie, Mineralölveredlung, Stadtgas.
Lit.: Nachr. Chem. Tech. **12**, 285 (1964).

Pickeln. Vorbehandlung tier. Häute u. Felle mit Lsg. von Salzen u. Säuren zur Konservierung bzw. Sauerstellung bereits enthaarter Blößen vor der Chrom-*Gerberei. Als *Pickel* bezeichnet man auch die entsprechende Lsg. selbst. – ***E*** pickling – ***F*** picklage – ***I*** piclaggio – ***S*** piclaje
Lit.: s. Gerberei.

Pickering-Emulgator. Bez. für feinverteilte, wasserunlösl. anorgan. *Emulgatoren (z.B. Bariumsulfat), die u.a. bei *Suspensions-Polymerisationen eingesetzt werden, um ein Verkleben der polymerisierenden Monomertröpfchen zu verhindern. Die P.-E. können nach der Polymerisation leicht ausgewaschen werden, weshalb sie anderen Emulgatoren oft vorgezogen werden. – ***E*** pickering emulsifier, pickering surfactant – ***F*** émulsifiants récupérables – ***I*** emulsionante pickering – ***S*** emulsificador pickering
Lit.: Elias (5.) **2**, 92.

Picloram.

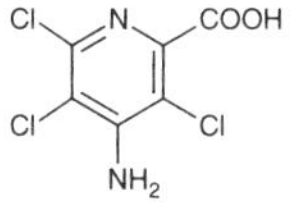

Common name für 4-Amino-3,5,6-trichlorpyridin-2-carbonsäure, $C_6H_3Cl_3N_2O_2$, M_R 241,46, Zers. bei ca. 215 °C ohne zu schmelzen, LD_{50} (Ratte oral) 8200 mg/kg, von Dow Chemical 1963 eingeführtes selektives *Herbizid gegen Unkräuter u. Buschwerk auf

Wiesen u. Nichtkulturland. – ***E*** = ***S*** picloram – ***F*** = ***I*** piclorame

Lit.: Beilstein EV **22/13**, 585 ▪ Farm ▪ Perkow ▪ Pesticide Manual. – *[HS 2933 39; CAS 1918-02-1]*

Pico... s. Picoline u. Piko...

Picoline (Methylpyridine).

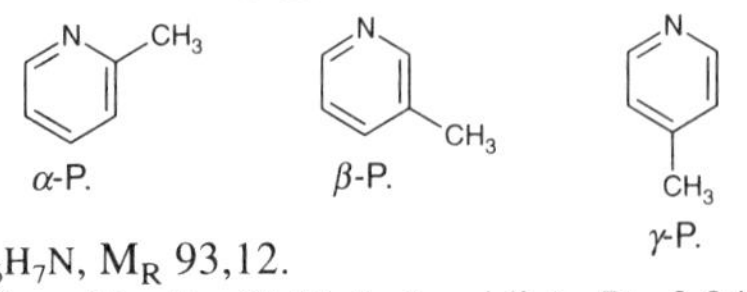

C_6H_7N, M_R 93,12.
(a) *α-Picolin* (2-Methylpyridin), D. 0,944, Schmp. –67 °C, Sdp. 129 °C
(b) *β-Picolin* (3-Methylpyridin), D. 0,9566, Schmp. –18 °C, Sdp. 144 °C
(c) *γ-Picolin* (4-Methylpyridin), D. 0,9548, Schmp. 4 °C, Sdp. 145 °C.
Die drei P. sind farblose, brennbare Flüssigkeiten von unangenehmem (α-P.) bis süßlichem (γ-P.) Geruch, die mit Wasser, Ethanol, Ether mischbar sind u. mit CuI unterschiedlich fluoreszierende Verb. geben. Sie kommen im Trockendestillat von Kohle u. Knochen vor.
Verw.: Als Lsm., bei der Herst. von Pharmazeutika, Farbstoffen, Kautschukchemikalien, Harzen, Insektiziden, zur Synth. von Nicotinsäure- bzw. Isonicotinsäure-Derivate u. 2-Vinylpyridin. P. (Name von latein.: pix = Pech u. *Oleum) wurde 1846 von Anderson aus Steinkohlenteeröl isoliert. – ***E*** = ***F*** picolines – ***I*** picoline – ***S*** picolinas

Lit.: Beilstein EV **20/5**, 464, 506, 543 ▪ Hommel, Nr. 770, 771, 772 ▪ Kirk-Othmer (3.) **19**, 454–459, 463; (4.) **20**, 641–646 ▪ Ullmann (4.) **19**, 591–599; (5.) **A 22**, 399–408 ▪ Winnacker-Küchler (4.) **6**, 295. – *[HS 2933 39; CAS 109-06-8 (a); 108-99-6 (b); 108-89-4 (c)]*

Picolinsäure (Pyridin-2-carbonsäure).

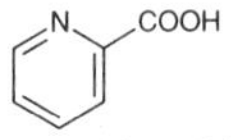

$C_6H_5NO_2$, M_R 123,11. Farblose bis schwach rote Krist., 136–137 °C, lösl. in heißem Wasser u. Ethanol. P. wird durch Oxid. von α-*Picolin (2-Methylpyridin) mit Kaliumpermanganat hergestellt. Die mit *Nicotinsäure u. *Isonicotinsäure isomere P. findet Verw. in organ. Synthesen. – ***E*** picolinic acid – ***F*** acide picoli(ni)que – ***I*** acido picolinico – ***S*** ácido picolínico

Lit.: Beilstein EV **22/2**, 3f. ▪ Merck-Index (12.), Nr. 7557 ▪ Ullmann (4.) **19**, 604; (5.) **A 22**; 415. – *[HS 2933 39; CAS 98-98-6]*

Picopur®. Hochreine Säuren zur Verw. in der Spurenanalytik. ***B.:*** Riedel.

Picotamid (Rp).

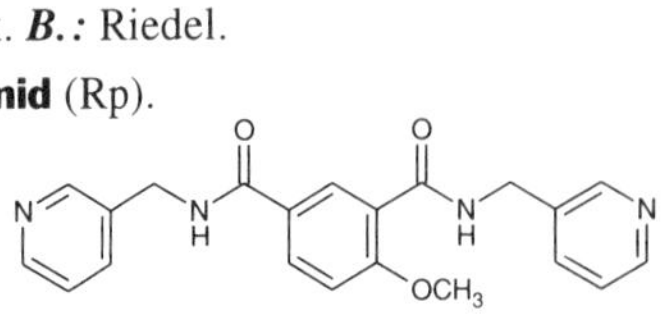

Internat. Freiname für den Thrombozyten-Aggregations-Hemmer 4-Methoxy-*N,N'*-bis(3-pyridylmethyl)-isophthalamid, $C_{21}H_{20}N_4O_3$, M_R 376,41, Schmp. 124 °C; LD_{50} (Maus i.p.) 1205 mg/kg. Nach ersten Ergebnissen klin. Prüfung ist P. in der Lage, bei Patienten, deren Blutdruck mit ACE-Hemmern gesenkt wird, die Anfallshäufigkeit des trockenen Reizhustens (eine Nebenwirkung der ACE-Hemmer) zu verringern. – ***E*** = ***F*** = ***I*** picotamide – ***S*** picotamida

Lit.: Lancet **350**, 15–18 (1997) ▪ Pharm. Ztg. **137**, 3457f. (1997). – *[CAS 32828-81-2]*

Picotit s. Spinelle.

Picr... (u. folgende Stichwörter) vgl. Pikr...

Picratol. Explosivstoff aus 48 Tl. TNT (s. 2,4,6-Trinitrotoluol) u. 52 Tl. Ammoniumpikrat, D. 1,62, der in panzerbrechenden Waffen u. Bomben verwendet wurde. – ***E*** = ***F*** = ***S*** picratol – ***I*** picratolo

Lit.: Kirk-Othmer (4.) **10**, 41 ▪ Köhler u. Meyer, Explosivstoffe, 8. Aufl., Weinheim: VCH Verlagsges. 1995. – *[HS 3602 00]*

Picro... vgl. Pikr...

Picromycin (Albomycetin, Amaromycin, Pikromycin).

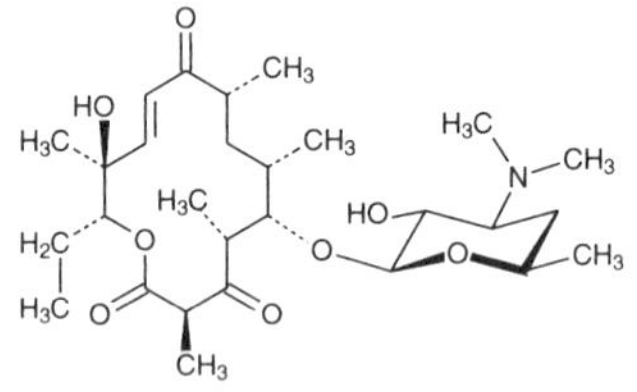

$C_{28}H_{47}NO_8$, M_R 525,68, Schmp. 169,5 °C. Bitter schmeckende Krist., leicht lösl. in Aceton, Benzol, Chloroform, schwer lösl. in Wasser u. Schwefelkohlenstoff. P. ist der erste aus der Gruppe der *Makrolid-Antibiotika beschriebene *Sekundärmetabolit u. kann aus Kulturen von *Streptomyces felleus, S. albus* u. *S. griseolus* isoliert werden. Das Aglykon ist ein 14gliedriger Lacton-Ring, der mit *Desosamin, einem Desoxy-aminozucker (s.a. Erythromycin) verknüpft ist. P. ist wirksam gegen Gram-pos. Bakterien (s. Gram-Färbung) einschließlich Mycobakterien, hat aber wegen seiner Toxizität bislang jedoch keine medizin. Anw. gefunden. – ***E*** picromycin – ***F*** picromycine – ***I*** = ***S*** picromicina

Lit.: Beilstein EV **18/10**, 393 ▪ Omura, Macrolide Antibiotics. Chemistry, Biology, and Practise, New York: Academic Press: 1984 ▪ Präve et al. (4.), S. 663–702. – *[HS 2941 90; CAS 19721-56-3]*

Picrotin, Picrotoxinin s. Picrotoxin.

Picrotoxin. Das P. ist eine seit langem bekannte Drogenkomponente aus getrockneten Früchten (Kokkelskörner, Fructus cocculi) der in Indonesien beheimateten Scheinmyrte *Anamirta cocculus* od. *Menispermum cocculus* [1]. Der aus der Pflanze isolierbare Bitterstoff P., $C_{30}H_{34}O_{13}$, M_R 602,59, Schmp. 203–204 °C, $[\alpha]_D^{12}$ –30° (H_2O), ist eine äquimolare Mischung der beiden Sesquiterpen-Dilactone *Picrotoxinin*, $C_{15}H_{16}O_6$, M_R 292,29, Schmp. 210 °C $[\alpha]_D$ –5,85° (H_2O) u. dem ungiftigen *Picrotin*, $C_{15}H_{18}O_7$, M_R 310,30, Schmp. 255 °C $[\alpha]_D^{16}$ –70° (C_2H_5OH); s. Abbildung.

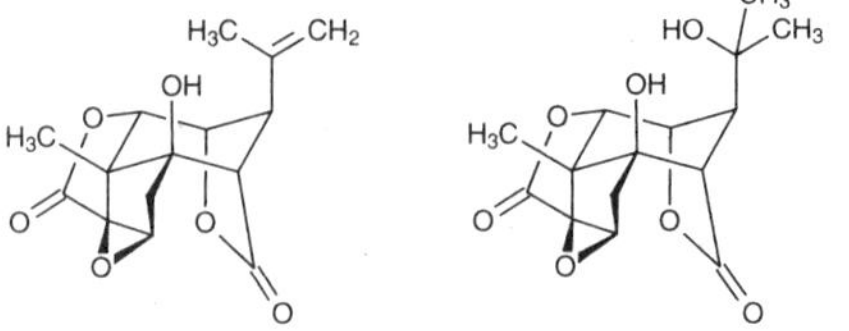

Picrotoxinin Picrotin

Picrotoxinin, lösl. in siedendem Wasser u. Alkohol, ist hochgiftig für Fische. Es stimuliert das Zentralnervensyst. u. wirkt als potenter GABA-Antagonist [LD_{50} (Maus i.p.) 3 mg/kg]. Die letale Dosis beträgt für den Menschen etwa 20 mg Picrotoxinin od. 2–3 g Kokkelskörner. P. wirkt ähnlich dem *Strychnin in kleinen Dosen als Analeptikum, in größeren konvulsiv. Es wird bei Barbiturat-Vergiftungen als Antidot eingesetzt. P. wird aufgrund seiner sehr effektiven Inhibierung präsynapt. Hemmechanismen in der neurochem. Forschung verwendet. – ***E*** picrotoxin – ***F*** picrotoxine – ***I*** picrotossina – ***S*** picrotoxina

Lit.: [1] Aust. J. Chem. **36**, 2111, 2219 (1983); J. Am. Chem. Soc. **111**, 3728 (1989); Chem. Rev. **67**, 441 (1967); ACS Symp. Ser. **356**, 44–70 (1987); Karrer, Nr. 3629 ff.
allg.: Beilstein E V **19/10**, 530, 605. *Wirkung:* Adv. Biochem. Psychopharmakol. **41**, 67 (1986) ▪ Brain Res. Bull. **5**, 919 (1980) ▪ Hager (5.) **3**, 319; **4**, 268 f.; **9**, 201 ▪ Med. Biol. **64**, 301 (1986) ▪ Merck-Index (12.), Nr. 7569–7571 ▪ Neurotoxicology **6**, 139 (1985) ▪ Sax (8.), Nr. PIE 500, PIE 510 ▪ Toxicol. Lett. **42**, 117 (1988). – *Synth.:* J. Am. Chem. Soc. **111**, 3728 (1989) ▪ Tetrahedron Lett. **21**, 1823 (1980). – *[CAS 21416-53-5 (Picrotin); 124-87-8 (Picrotoxin); 17617-45-7 (Picrotoxinin)]*

Pictet-Spengler-Reaktion. Bez. für eine Isochinolin-Synth.[1,2] (*1,2,3,4-Tetrahydroisochinoline*) aus *β*-Phenylethylamin u. einem Aldehyd in Ggw. von Salzsäure, wobei *Imine (*Schiffsche Basen) als Zwischenstufen auftreten.

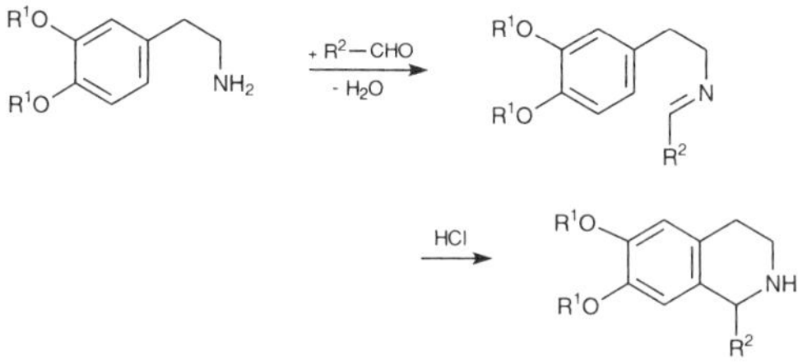

Im Prinzip handelt es sich um eine intramol. Variante der *Mannich-Reaktion. – ***E*** Pictet-Spengler reaction – ***F*** réaction de Pictet et Spengler – ***I*** reazione di Pictet-Spengler – ***S*** reacción de Pictet-Spengler

Lit.: [1] Pearson, Advances in Heterocyclic Natural Product Synthesis, Vol. 3, S. 217 ff., Greenwich, CT: JAI-Press 1996. [2] Pelletier, Alkaloids: Chemical and Biological Perspectives, S. 23 ff., New York: Elsevier Science 1995.
allg.: Adv. Heterocycl. Chem. **3**, 79 f. (1964) ▪ Chem. Rev. **95**, 1797 (1995) ▪ Hassner-Stumer, S. 299 ▪ Krauch u. Kunz, Reaktionen der Organischen Chemie, 6. Aufl., S. 426, Heidelberg: Hüthig 1997 ▪ Houben-Weyl **4/2**, 33; **E 16 d** 1073 ▪ Org. React. **6**, 151 (1951) ▪ Trost-Fleming **6**, 736 f. ▪ Weissberger **38/1**, 170 ff. ▪ s. a. Mannich-Reaktion u. Isochinolin-Alkaloide.

Pictet-Trouton-Regel. Der im allg. nur *Trouton-Regel* genannte Erfahrungssatz besagt, daß die molare Verdampfungsentropie S_s (= Quotient aus Verdampfungsenthalpie H_s u. abs. Siedetemp. T_s : $S_s = H_s/T_s$) um einen Durchschnittswert von ≅88 J/mol · K (21 cal/mol · K), die sog. *(Pictet-)Trouton-Konstante*, streut. Bei unpolaren Flüssigkeiten wird die P.-T.-R. gut befolgt, z. B: Benzol: H_s = 30750 J/mol (7344 cal/mol), T_s = 353 K, Quotient ca. 87 J/mol · K (21 cal/mol · K); bei assoziierenden Stoffen (z. B. Essigsäure, Wasser etc.) treten Abweichungen auf (s. *Lit.*[1]). Die 1876 von R.-P. Pictet (1846–1929) u. 1884 von F. Th. Trouton (1863–1922) aufgestellte Regel gestattet die Abschätzung der Verdampfungswärme einer Flüssigkeit von bekanntem Siedepunkt. Besser übereinstimmende Werte liefert die von Hildebrand formulierte Regel, derzufolge die Verdampfungsentropie H_s/T_s bei gleichem Dampfvol. für alle nichtassoziierten Flüssigkeiten konstant ist. – ***E*** Pictet-Trouton rule – ***F*** règle de Pictet et Trouton – ***I*** regola di Pictet e Trouton – ***S*** regla de Pictet y Trouton

Lit.: [1] Barrow, Physikalische Chemie, Bd. II, S. 197, Braunschweig: Vieweg 1984.
allg.: Atkins, Physikalische Chemie, Weinheim: VCH Verlagsges. 1996.

PID®. Stückförmiges Körperreinigungsmittel auf der Basis synthet. Tenside (Syndet), stark überfettet, auch in hartem Wasser gut schäumend. ***B.:*** Henkel.

Pidilat® (Rp). Kapseln, Retardtabl. u. Tropfen mit dem *Calciumantagonisten *Nifedipin. ***B.:*** Solvay Arzneimittel.

Pi-Elektronen s. Pi-Elektronensysteme.

Pi-Elektronensysteme. Mehratomige Mol. mit lokalisierten *σ*- u. lokalisierten od. delokalisierten *π*-Bindungen (s. Pi-Bindungen). Pi-E. haben ein planares od. zumindest lokal planares Kerngerüst. Die *σ*-Bindungen werden durch *σ*-*Orbitale beschrieben, die bei der Spiegelung an der Mol.-Ebene unverändert bleiben (symmetr. Verhalten). Die Beschreibung der *π*-Bindungen erfolgt mit Hilfe von *π*-Orbitalen, die bei dieser Symmetrieoperation ihr Vorzeichen ändern u. sich damit antisymmetr. verhalten. *Elektronen, die *π*-Orbitale besetzen, werden als *π*-Elektronen bezeichnet. Die speziellen Eigenschaften von Pi-E. hängen nur von den *π*-Bindungen u. insbes. von deren Delokalisierung ab. Das „*σ*-Gerüst" sorgt näherungsweise für ein effektives Feld, in dem sich die *π*-Elektronen bewegen. Diese Vorstellung bildet die Grundlage der *π*-Elektronentheorien, z. B. der *HMO-Theorie od. *PPP-Methode. Bezüglich einer detaillierten Analyse der *σ*-*π*-Trennung u. einer krit. Würdigung der *π*-Elektronentheorien s. *Lit.*[1]. Pi-E. sind v. a. in der organ. Chemie weit verbreitet; z. B. kommen in allen ungesätt. Kohlenwasserstoffen Pi-E. vor. Ein einfaches Beisp. aus der anorgan. Chemie ist das BF_3. Hier werden die drei Valenzelektronen des Bor-Atoms zur Ausbildung von drei *σ*-Bindungen verwendet, zu denen auch jedes Fluor-Atom ein Elektron bereitstellt. Das Pi-E. wird von 6 Elektronen gebildet, die drei delokalisierte *π*-Orbitale besetzen. Zwei der *π*-Orbitale haben dieselbe Energie u. sind damit entartet, das nicht-entartete *π*-Orbital liegt energet. tiefer. – ***E*** *π*-electron systems – ***F*** systèmes d'électrons *π* (pi) – ***I*** sistemi di elettroni *π* (pi) – ***S*** sistemas de electrones *π* (pi)

Lit.: [1] Fortschr. Chem. Forsch. **22**, 1 (1971).
allg.: Kutzelnigg, Einführung in die Theoretische Chemie, Bd. 2: Die chemische Bindung, 2. Aufl., Weinheim: VCH Verlagsges. 1994 ▪ s. a. chemische Bindung, HMO-Theorie u. PPP-Methode.

Piemontit s. Epidot.

Pier, Matthias (1882–1965), Prof. für Physikal. Chemie, Heidelberg, Industriechemiker bei BASF. *Arbeitsgebiete:* Katalyt. Hochdruck-Methanol-Synth., Weiterentwicklung der Bergiusschen katalyt. Druck-

hydrierung von Kohle u. Ölen zu Kraftstoffen (s. Benzin), Schmierölen u. Paraffin.
Lit.: Angew. Chem. **64**, 407 f. (1952) ▪ Lexikon der Naturwissenschaftler, S. 328 ▪ Neufeldt, S. 131, 145 ▪ Pötsch, S. 344.

Pierce. Kurzbez. für die amerikan. Firma Pierce Chemical Comp., Rockford (IL) 61105, ein Unternehmen der *Perstorp-Gruppe. *Produktion:* Produkte für Dialyse, Molekularbiologie, ELISA, Immunbiologie, Protein-Chemie.

Piesteritz-Verfahren. Bei Piesteritz entwickelte Verf. zur Herst. von *Kaliumcarbonat u. von *Kryolith. – ***E*** Piesteritz process – ***F*** procédé Piesteritz – ***I*** processo Piesteritz – ***S*** procedimiento Piesteritz

Pietsch, Erich (1902–1979), Prof. für Anorgan. Physikal. Chemie, Gmelin-Inst., Frankfurt. *Arbeitsgebiete:* Korrosion, Katalysatoren, Methan-Spaltung, Hydride, Frühgeschichte der chem. Technologie, Höhlenforschung (Altamira); Herausgabe von Gmelins Hdb. der Anorgan. Chemie.
Lit.: Dietschmann u. Ockenfeld, Erich Pietsch. Vom Chemiker zum Informationswissenschaftler, Frankfurt: Erbrich 1981 ▪ Nachr. Dok. **13**, 53–55 (1962); **28**, 144 (1977); **30**, 147 f. (1979).

Piezo... Von griech.: piézein = drücken, pressen abgeleitete Vorsilbe in Bez. für druckabhängige Eigenschaften fester Stoffe; *Beisp.*: folgende Stichwörter. – ***E*** = ***I*** = ***S*** piezo... – ***F*** piézo...

Piezochromie (von *Piezo... u. *Chromo...). Bez. für eine der *Thermo- u. *Photochromie analoge u. ebenfalls reversible Erscheinung, wobei Substanzen in fester Form od. in fester Lsg. unter Einwirkung von Druck farbig (od. anders farbig als vorher) werden; nach Druckentlastung kehrt die Farbe zurück. P. wurde erstmals am Dehydrodianthron beobachtet, bei dem sich ein druckabhängiges Gleichgew. zwischen energet. verschiedenen Konformeren einstellt. – ***E*** piezochromism – ***F*** piézochromie – ***I*** piezocromia – ***S*** piezocromismo
Lit.: Ber. Bunsenges. Phys. Chem. **78**, 391–403 (1974).

Piezoelektrische Polymere. Bez. für *Polymere, die unter Einwirkung mechan. Kräfte, z. B. unter Druck- od. Zugbelastung, das Phänomen der *Piezoelektrizität zeigen. P. P. sind u. a. *Polyvinylidenchloride. – ***E*** piezoelectric polymers – ***F*** polymères piézo-électriques – ***I*** polimeri piezoelettrici – ***S*** polímeros piezoeléctricos
Lit.: Umschau **85**, 222–226 (1985).

Piezoelektrizität. Bez. für das Auftreten von elektr. Ladungen an der Oberfläche von Festkörpern bei Verformung durch Druck, Zug od. Torsion. In *Einkristallen tritt P. nur bei solchen ohne Inversionszentrum auf (s. Kristallsysteme), wobei ein nichtverschwindender Anteil an ion. Bindung vorliegen muß. *Beisp.:* Quarz, Turmalin, $BaTiO_3$, Li_2SO_4, KD_2PO_4, Kalium(natrium)tartrat, Ethylendiamintartrat, *Ferroelektrika mit *Perowskit-Struktur, Krist., die auch den linearen *elektrooptischen Effekt aufweisen u. *Elektrete, bei denen P. mit *Pyroelektrizität gepaart ist. Auch Polymere, die Kristallite ausbilden (PVDF, PVF, PVC), können P. zeigen. Die *elektrostatische Aufladung, die beim Zusammendrücken von Krist. in Richtung der polaren Achsen beobachtet wird, ist der Größe der einwirkenden Kraft proportional u. Ausdruck einer *Polarisation des Krist. unter Druckeinwirkung, d. h. der Verschiebung pos. gegenüber neg. Ionen relativ zueinander entlang der polaren Achse. Dadurch haben die Ladungen der einander gegenüberliegenden Kristallflächen entgegengesetzte Vorzeichen. Läßt man auf den Krist. Zugkräfte einwirken, so tritt elektr. Aufladung mit umgekehrter Ladungsverteilung ein.
Anw.: Der *piezoelektr. Effekt* findet z. B. Verw. in Kraft-, Druck- u. Beschleunigungsmeßgeräten, Feuerzeugen, als Ultraschall-Umwandler, in der medizin. Diagnostik u. zerstörungsfreien Werkstoffprüfung u. im Echolot. Durch elektr. Felder können umgekehrt an piezoelektr. erregbaren Krist. Kompression u. Dilatation, durch elektr. Wechselfelder mechan. *Schwingungen erzeugt werden (z. B. Schwingquarz). Der *reziproke piezoelektr. Effekt* (Elektrostriktion) findet vielseitige Anw. in der Hochfrequenztechnik (Hochfrequenzfilter, Quarzuhren) u. zur Erzeugung von *Ultraschall.
Wichtigste P.-Materialien sind Quarz u. a. Krist. sowie einige *Oxidkeramiken, *Piezokeramik u. Kunststoff-Folien. Die Bez. P. wurde 1881 von Hankel eingeführt. Entdecker des piezoelektr. Effektes waren die Brüder J. u. P. *Curie (1880); letzterer fand auch zusammen mit J. Lippmann 1881 die Elektrostriktion. Zum Zusammenhang mit den verwandten Effekten Pyro- (s. dort) u. Ferroelektrizität vgl. Ferroelektrika. – ***E*** piezoelectricity – ***F*** piézoélectricité – ***I*** piezoelettricità – ***S*** piezoelectricidad
Lit.: Broadhurst et al., PVDF and Associated Piezoelectric Polymers, New York: Gordon & Breach 1981 ▪ Gagnepain et al., Piezoelectricity, New York: Gordon & Breach 1982 ▪ *Landolt-Börnstein NS 3/1, 2, 11, 18 ▪ Lu u. Czanderna, Applications of Piezoelectric Quartz Crystal Microbalances, Amsterdam: Elsevier 1984 ▪ Naturwissenschaften **48**, 465–472 (1961) ▪ Ramdohr-Strunz, S. 233–236 ▪ Ullmann (4.) **11**, 415, 421; **15**, 107 ▪ Umschau **85**, 222–226 (1985) ▪ Wada et al., Charge Storage, Charge Transport and Electrostatics With Their Applications, Amsterdam: Elsevier 1979 ▪ Zemel, in: Janata u. Huber, Solid State Chemical Sensors, New York: Academic Press 1985.

Piezokeramik. Aus piezoelektr. Material hergestellte Keramik. Infolge ihrer polykrist. Struktur ist P. bezüglich ihrer Eigenschaften weitgehend isotrop; s. Piezoelektrizität.

Piezopolymere s. piezoelektrische Polymere.

Pigeonit $(Mg,Fe^{2+},Ca)(Mg,Fe^{2+})[Si_2O_6]$; Calcium-armer, monokliner, brauner, grünlichbrauner od. schwarzer *Pyroxen mit 5–15 Mol.-% $CaSiO_3$-Komponente. Hoch- u. Tieftemp.-Modif.; während der Umwandlung von *Hoch-P.* zu *Tief-P.* entsteht eine Domänenstruktur[1]. Bei langsamer Abkühlung wandeln sich ursprünglich einheitliche Hochtemp.-P. in Ortho-*Pyroxene (*umgewandelter P.*) mit sehr komplizierten Entmischungserscheinungen[2] um. D. 3,17–3,46.
Vork.: In rasch abgekühlten Laven vulkan. Gesteine, v. a. in Tholeiitbasalten (z. B. Vogelsberg/Hessen, Dekan-Trapp/Indien, Japan). In manchen *Gabbros. In *Mondgesteinen u. *Meteoriten. – ***E*** = ***F*** = ***I*** pigeonite – ***S*** pigeonita
Lit.: [1] Am. Mineral. **77**, 107–114 (1992). [2] Am. Mineral. **71**, 1322–1336 (1986).

allg.: Anthony et al., Handbook of Mineralogy, Vol. II, Tl. 2, S. 649, Tucson (Arizona): Mineral Data Publishing 1995 ▪ Deer et al. (2.), S. 166–169 ▪ s. a. Pyroxene. – *[CAS 19496-20-9]*

Pigmente (von latein.: pigmentum = Malerfarbe). Nach DIN 55943: 1993-11 u. DIN 55945: 1996-09 ist ein Pigment „ein im Anwendungsmedium prakt. unlösl., anorgan. od. organ., buntes od. unbuntes *Farbmittel". Früher übliche Bez. wie *Farbkörper, Körperfarben* od. *Lackfarbstoffe* für die P. allg. od. *Erdpigmente* bzw. *Mineralpigmente* für die anorgan. P. der Gruppen 1 bzw. 2 (s. unten) sind abzulehnen. Die chem. Grundstruktur ist in vielen Fällen für Farbstoffe u. P. gleich. Die für die P. benötigte Unlöslichkeit läßt sich durch den Ausschluß löslichmachender Gruppen, durch die Bildung unlösl. Salze („Verlackung") von Carbon- u. insbes. Sulfonsäuren u. durch die Einführung von die Löslichkeit herabsetzenden Gruppen (z. B. Carbonsäureamid-Gruppen) erreichen. Viele anorgan. P. fungieren auch als *Füllstoffe (Extender) u. umgekehrt. Eine Einteilung der P. läßt sich in Anlehnung an DIN 55944: 1990-04 (vgl. Farbmittel) vornehmen:

Anorgan. P.: 1. In der Natur vorkommende *anorgan. P.*, erhalten durch mechan. Behandlung wie Mahlen, Schlämmen, Trocknen usw.; *Beisp.:* Kreide, *Ocker, *Umbra, Grünerde, *Terra di Siena gebrannt, *Graphit.

2. *Synthet. anorgan. P.*, insbes. Weiß-, Schwarz-, Bunt- u. Glanzpigmente, die man aus anorgan. Grundstoffen durch chem. u./od. physikal. Umwandlung wie Aufschließen, Fällen, Glühen usw. erhält. *Beisp.: Weißpigmente* wie Titanweiß (*Titandioxid), *Bleiweiß, Zinkweiß, *Lithopone, Antimonweiß, *Schwarzpigmente* wie *Ruß (über 90% Marktanteil), Eisenoxidschwarz, *Manganschwarz sowie Cobaltschwarz u. Antimonschwarz, die prakt. bedeutungslos sind, *Buntpigmente* wie *Bleichromat, Mennige, Zinkgelb, *Zinkgrün, Cadmiumrot, *Cobaltblau, *Berliner Blau, *Ultramarin, *Manganviolett, Cadmiumgelb, *Schweinfurter Grün, Molybdatorange u. Molybdatrot, Chromorange u. -rot, Eisenoxidrot, Chromoxidgrün, Strontiumgelb u. viele andere. Aus der Zusammensetzung resultiert die evtl. Giftigkeit (Schwermetalle) einiger P., die eine Verw. z. B. zur Einfärbung von Nahrungsmittelverpackungen, Kosmetika, Spielzeug, Fingermalfarben usw. ausschließt. Ferner **Glanzpigmente* mit *Metalleffekt-P.* u. **Perlglanzpigmente, Aufdampfschichten*, **Leuchtpigmente* mit Fluoreszenz- u. Phosphoreszenz-P. sowie die **Füllstoffe* od. Extender.

Als Gruppen lassen sich bei den anorgan. P. also unterscheiden: Metalloxide, -hydroxide u. -oxidhydrate; Mischphasenpigmente; Schwefel-haltige Silicate; Metallsulfide u. -selenide; komplexe Metallcyanide; Metallsulfate, -chromate u. -molybdate; Mischpigmente (anorgan.-organ.) sowie die Metalle selbst (Bronzepigmente). Die Entstehung der *Farbe, die auf der Absorption von Licht bestimmter Wellenlänge beruht, kann durch Kristallmodif. u. Kristallgröße erklärt werden [1]; *Beisp.:* Ligandenfeldübergänge (Chromoxidgrün, Ni- u. Co-Ionen in Rutil- od. Spinell-Wirtsgittern), Charge-Transfer-Prozesse ($PbCrO_4$), verschiedene Oxid.-Stufen desselben Elements (Pb_3O_4, Fe_3O_4), Nichtstöchiometrie (*Molybdänblau), Halbleitereigenschaften mit Übergängen vom Valenz- ins Leitfähigkeitsband [CdS(Se)-Mischkrist.]. Der Farbeindruck wird wesentlich durch Lichtstreuung an den P.-Teilchen beeinflußt [2]. Die ausgezeichnete Licht-, Wetter- u. Temp.-Beständigkeit anorgan. P. sind Zeichen ihrer chem. Stabilität. Lediglich P., die wie Eisenoxidgelb od. Chromoxidhydratgrün Kristallwasser enthalten, ändern beim Erhitzen den Farbton, wenn das im Feststoff gebundene Wasser abgespalten wird; ebenso ändert Eisenoxidschwarz (Fe_3O_4) beim Brennen seine Farbe durch Oxid. zum roten Fe_2O_3, was bereits im Altertum die Griechen zur Herst. ihrer rotschwarz gemusterten Vasen zu nutzen wußten. Oft weisen anorgan. P. neben colorist. Nachteilen auch anwendungstechn. Mängel auf. So ist *Ultramarin nicht säurebeständig; *Berliner Blau nicht alkalibeständig, was z. B. den Einsatz für Anstrichmittel auf bas. Untergrund (Hausputz) ausschließt. Mit anorgan. Stoffen wie Wasser, Luft, Zement, Kalk, Beton u. Glas reagieren anorgan. P. meistens nicht. Sie sollen jedoch auch nicht mit organ. Lsm., Leinöl, Kunstharzen, Weichmachern u. Kunststoffen reagieren, mit denen sie verarbeitet werden u. in die sie eingebettet sind. Das Vergilben von *Anstrichen u. das anschließende *Kreiden sind Zeichen für eine Zers. des *Bindemittels, die vom P. verursacht sein kann. Andererseits kann ein P. durch Absorption von UV-Strahlung auch die Zers. des Bindemittels verhindern helfen.

Organ. P.: 1. In der Natur vorkommende *organ. P.*; *Beisp.:* *Sepia, Gummigutt, *Knochenkohle, *Kasseler Braun, *Indigo, *Chlorophyll u. a. Pflanzen-P. (s. Pflanzenfarbstoffe).

2. *Synthet. organ. P.*; *Beisp.:* Azo-P. (s. Azofarbstoffe, größte Pigmentgruppe), *Indigoide, Dioxazin-, *Chinacridon-, *Phthalocyanin-, Isoindolinon-, *Perylen- u. Perinon-, Metallkomplex-, *Alkaliblau- u. neuerdings die Diketopyrrolopyrrol(DPP)-P., die extreme Licht- u. Wetterechtheiten besitzen u. als klare, reine Orange- bis Rottöne sehr viel in Lacken eingesetzt werden. Auf die Vielfalt der organ. P. kann hier nicht eingegangen werden, vgl. die erwähnten P.-Gruppen u. *Lit.* [3]. Neben der chem. Konstitution der P. ist deren physikal. Beschaffenheit (Kristallmodif. u. Kristallinität, Teilchengröße u. Teilchengrößenverteilung) für ihre anwendungstechn. u. colorist. Eigenschaften (Dispergierbarkeit, rheolog. Eigenschaften, Farbton, Farbstärke, Licht- u. Lsm.-Echtheit, Temperaturbeständigkeit usw.) von ausschlaggebender Bedeutung.

In erster Linie werden von P. ausgezeichnete physikal. Eigenschaften erwartet in bezug auf hohes Deckvermögen od. gute Transparenz (Lasur, z. B. bei *Lüster), großes Aufhell- od. Färbevermögen, bei Weißpigmenten möglichst großer Brechungsindex (Kreide 1,6, ZnO 2,0, TiO_2 2,55–2,75), möglichst vollständige Unlöslichkeit in Bindemitteln (z. B. Kunststoffen) u. Lsm. (z. B. Wasser), große u. gleichmäßige Feinheit der P.-Teilchen, leichte Verteilbarkeit der P.-Teilchen im Bindemittel. Man lenkt den Herstellungsprozeß – ggf. durch Mikronisieren od. Zusatz grenzflächenaktiver Substanzen – so, daß möglichst viele Primärteilchen optimaler Größe entstehen u. diese in möglichst geringem Umfang zu den verhältnismäßig großen, groben Sekundärteilchen agglomerieren. Je nachdem, ob diese Sekundärteilchen lockere od. feste Agglomerate darstellen, die sich leicht od. schwer in den Lackbindemitteln, Druckfirnissen od. thermoplast. Kunststoffen mit entsprechenden Mahlaggregaten (z. B. Sand-, Perl- od. Kugelmühle, Paint-shaker, Attritor, Dissolver, Extruder) wieder in die Primärteilchen zerlegen lassen, unterscheidet man weich- od. hartkörnige u. damit leicht od. schwer dispergierbare Pigmente. Zur Prüfung von P. auf Deckvermögen, Streuvermögen, Körnigkeit, Dichte etc. sind zahlreiche Normen entwickelt worden. Außer den meist unverschnittenen Pulver- od. Granulat-Marken sind *P.-Zubereitungen* (formierte P., Dispers-P., vordispergierte P., P.-Masterbatches) im Handel, die in einem entsprechenden Medium (Trägermaterial) weitgehend bis zu den Primärteilchen verteilt bzw. dispergiert sind. Es gibt sie pulverförmig, in Chip-, Granulat- u. Teigform, letztere in wäss. od. organ. Lsm.-Medien, z. B. nach Flush-Verf. hergestellt. Bei der Herst. wird auch bereits Vorsorge getroffen, daß bei der späteren Anw. *Kreiden, *Flockung (Rub-out Effekte)[4], *Ausbluten u. *Ausblühen u. Mottling-Effekte (sprenkelndes Auftrocknen) nicht auftreten können.

Verw.: Zur Herst. von Druckfarben, zum Färben von Lacken u. Anstrichmitteln, für die Einfärbung von Kunststoffen, Papier, Textilien, Zement, Beton, Keramik, Glas u. Email (v. a. anorgan. P. wegen ihrer hohen Temp.-Beständigkeit), Kosmetika (z. B. Lippenstifte, Nagellack, Augenkosmetika), Lebensmitteln, für die Spinnfärbung. Neuere Anw. finden P. z. B. in „berührungslosen Druckverf." (z. B. Fotokopierer, Laserdrucker, Digital Color Printing). Hier sind neben den Farbeigenschaften auch funktionale Materialeigenschaften, wie z. B. der triboelektr. Effekt von Pigmenten (s. funktionelle Farbstoffe) von Bedeutung. Bei der Verw. im Haushalt ist die Toxizität mancher Schwermetall-P. zu beachten, u. die DFG-Ringbücher[5] beschreiben die für entsprechende Anw. zugelassenen P. u. Farbstoffe. Bestimmte anorgan. P. erfüllen zusätzliche Funktionen, z. B. im Rostschutz (*Korrosionsschutz-P.*, s. *Lit.*[6]) u. bei der Herst. von Magnetbändern (*Magnet-P.*, s. *Lit.*[7]). Die Anteile der anorgan. P. (ohne Ruße) lassen sich anhand ihrer Produktionskapazitäten weltweit wie folgt aufschlüsseln: ca. 80% Titandioxid, ca. 15% Eisenoxide, ca. 2,5% Chromgelb-P. u. 2,5% alle restlichen Buntpigmente. In der BRD wurden 1993 ca. 927 000 t derartiger anorgan. P. u. ca. 200 000 t organ. P. hergestellt; Näheres zum Markt der anorgan. P. s. *Lit.*[8].

Von P. spricht man auch im Zusammenhang mit der *Hautbräunung (s. a. Melanine u. Pigmentierung), mit der *Lipofuszin-Bildung (sog. Abnutzungspigmente; Schloter[9]), mit der Färbung der *Haare u. mit der Farbenpracht von Pflanzen u. manchen Tieren. Die Farben von Schmetterlingen[10] u. Käfern beruhen z. T. auf *Interferenzen an dünnen Blättchen[11]; der Mensch versucht sie in den *Interferenzpigmenten nachzustellen. Dagegen wird der Mechanismus der raschen Farbänderungen beim Chamäleon u. a. Tieren[12] bisher erst sehr unvollkommen verstanden.

Abbau: Die wichtigsten anorgan. P. sind prakt. chem. inert u. nicht bioverfügbar. Organ. P. gelten als biolog. nicht abbaubar. Allerdings ist nachgewiesen, daß einige organ. P. (z. B. durch Lignin-Peroxidase aus dem Pilz *Phanerochaete chrysosporium*) oxidativ[13] sowie z. B. Azofarbstoffe reduktiv abgebaut werden können.

Rechtliches: Von den Verboten des *Chemikaliengesetzes, der *Gefahrstoffverordnung u. der *Chemikalienverbotsverordnung sind auch traditionelle P. wie *Bleicarbonate u. *Bleisulfate sowie Cadmium-Verb. (s. *Lit.*[14]) betroffen. Nach Gefahrstoffverordnung gelten Azofarbstoffe mit einer krebserzeugenden Aminkomponente als krebserzeugende Gefahrstoffe. Dies gilt auch für *Auramin. Außerdem sind Anlagen zur Herst. von Ruß *genehmigungsbedürftige Anlagen.

Luft: P. sind in der Regel als inerte Stäube einzustufen, für die ein allg. Staubgrenzwert (*MAK-Wert) entsprechend einer Feinstaubkonz. von 6 mg/m^3 festgelegt ist. Die Emissionen aus der Titandioxid-Ind. sind u. a. nach der 25. VO zur Durchführung des *Bundes-Immissionsschutzgesetzes begrenzt[15].

Abwasser: In der Abwasserherkunftsverordnung nach § 7 *Wasserhaushaltsgesetz sowie in den Indirekteinleiterverordnungen der Länder gelten u. a. die Herst. von anorg. P. u. Mineralfarben u. die Herst. von organ. Farbstoffen, Farben u. Anstrichstoffen als Herkunftsbereiche von Abwasser mit gefährlichen Stoffen[16]. Einige für die traditionelle P.-Herst. wichtige Schwermetalle gelten nach *Abwasserabgabengesetz als *Schadstoffe. Die Anforderungen an die *Abwasser-Beschaffenheit bzw. Behandlung sind in der Abwasserverordnung bzw. ihr nachgeordneten VwV (s. Rahmen-Abwasserverwaltungsvorschrift) geregelt.

Geschichte: In der Natur vorkommende anorgan. P. sind schon seit prähistor. Zeiten bekannt: Eiszeitmenschen benutzten *Naturfarbstoffe (mineral. P.) wie Ocker, Hämatit, Manganbraun u. verschiedene Tone für Höhlenzeichnungen vor mehr als 20 000 a[17]. Zinnober, Azurit, Malachit u. Lapislazuli waren schon im 3. Jahrtausend v. Chr. in China u. Ägypten als P. bekannt. Um etwa 2000 v. Chr. stellte man bereits durch Brennen von natürlichem Ocker rote u. violette P. für Töpferwaren her. Arsensulfid gilt als das erste reine gelbe P., Ultramarin (Lapis lazuli) u. künstlicher Lasurstein (Kupfer-Calciumsilicat = Ägyptischblau[18]) waren die ersten blauen, Grünerde u. Malachit die ersten grünen Pigmente. Daneben wurden Antimonsulfid u. Bleiglanz als schwarzes, Zinnober als rotes u. gemahlenes Cobaltglas als blaues P. häufig verwendet. Plinius der Jüngere beschreibt außerdem Auripigment, Realgar, Massicot, Mennige, Grünspan, Bleiweiß u. Farblacke mit Alaun. Die eigentliche P.-Ind. begann erst im 18. Jh. mit der Entdeckung der P. Berliner Blau (1704; erstes synthet. P.), Cobaltblau, Scheeles Grün u. Chromgelb. Im 19. Jh. gelang die Herst. von Ultramarin u. Guignetgrün sowie verschiedener Cobalt-, Eisen- u. Cadmium-P.; im 20. Jh. wurden mit dem Aufkommen verfeinerter wissenschaftlicher Meth. u. mit der weiteren Verbesserung der techn. Verf. dann Pigmente wie Cadmiumrot, Manganblau, Molybdatrot, Molybdatorange, Titandioxid mit Anatas- u. Rutil-Struktur, Bleititanat u. nadelförmiges Zinkoxid entwickelt. Die heute mit den Meth. der physikal. Analyse zerstörungsfrei arbeitende Analyse von P. in mittelalterlichen Gemälden u. antiken Vasen u. Kultgegenständen ist ein interessantes Arbeitsgebiet, vgl. Kunstwerkprüfung sowie *Lit.*[19–22]. Noch später als bei den anorgan. P. sind bei den organ. P. die synthet. auf die natürlichen gefolgt, u. zwar wurden zunächst Textil-Farbstoffe synthetisiert u. dann erst aus diesen die organ. P. durch Verlackung, Fällung od. Salzbildung hergestellt. Zur Chronologie der Entwicklung seit 1900 s. *Lit.*[3]. – ***E*** = ***F*** pigments – ***I*** pigmento – ***S*** pigmentos

Lit.: [1] Spektrum Wiss. **1980**, Nr. 12, 64–81, 142. [2] Angew. Chem. **93**, 763–771 (1981). [3] Kaluzza, Physikalisch chemische Grundlagen der Pigmentverarbeitung für Lacke u. Druckfarben, Filderstadt: Edition Lack u. Chemie 1980; Defazet-Aktuell **27**, 427–439 (1973); **28**, 449–459 (1974). [4] Chem. Labor Betr. **31**, 290–293 (1980); Defazet-Aktuell **31**, 152–155, 190–196 (1977). [5] Yoshida u. Shiota, Chemistry of Functional Dyes, Bd. 2, Tokyo: Mita Press 1993; J. Imaging Technol. **14**, 189–193 (1988); J. Electrostatics **40/41**, 621–626 (1997); DFG-Ringbücher: Farbstoffe für Lebensmittel, Boppard: Boldt 1978; DFG-Ringbücher: Farbstoffe für kosmet. Färbemittel, Weinheim: Verl. Chemie 1984. [6] Farbe + Lack **88**, 183–188 (1982). [7] Angew. Chem. **92**, 187–194 (1980). [8] Statist. Bundesamt, Produzierendes Gewerbe, Fachserie 4: Produktion im Produzierenden Gewerbe des In- u. Auslandes, S. 121, Stuttgart: Metzler Poeschel 1988. [9] DFG-Mitteilung **1985**, Nr. 1, 19ff. [10] Kosmos **81**, Nr. 3, 66–71 (1985); Spektrum Wiss. **1982**, Nr. 1, 32–40. [11] Kontakte (Merck) **1979**, Nr. 2, 22–31; **1983** Nr. 1, 29–37. [12] Naturwiss. Rundsch. **32**, 1–11 (1985). [13] Appl. Environ. Microbiol. **59**, 4010–4016 (1993). [14] Römpp Lexikon Lacke u. Druckfarben, S. 100 (Cadmium-Pigmente). [15] Verordnung zur Begrenzung von Emissionen aus der Titandioxid-Industrie vom 8. 11. 1996, BGBl I, S. 1722 (1996). [16] Schendel et al. (Hrsg.), Umwelt u. Betrieb, Tl. 305, 310 u. 312, Berlin: E. Schmidt (Loseblatt-Ausgabe seit 1990). [17] Sci. News **125**, 348 (1984). [18] Naturwissenschaften **70**, 525–535 (1983). [19] Die BASF **1977**, Nr. 2, 60–75. [20] Spektrum Wiss. **1982**, Nr. 8, 52–61. [21] Naturwissenschaften **69**, 82–86 (1982); Analyt.-Taschenb. **5**, 1–32. [22] Naturwissenschaften **70**, 21–429 (1983).
allg.: Lacke, Anstriche u. ähnliche Beschichtungsstoffe (DIN-Taschenbuch 30, 195), Berlin: Beuth 1996 ▪ Billmeyer u. Saltzman, Principles of Color Technology, New York: Wiley 1981 ▪ Coating Technol. **60**, 37 (1988) ▪ Flick, Handbook of Paint Raw Materials, Park Ridge: Noyes 1982 ▪ Gutcho, Inorganic Pigments, Park Ridge: Noyes 1980 ▪ Hagemeyer, Pigments of Paper, Atlanta: TAPPI 1984 ▪ Harley, The Artist's Pigments, London: Butterworth 1982 ▪ Herbst u. Hunger, Industrielle Organische Pigmente, 2. Aufl., Weinheim: VCH Verlagsges. 1995 ▪ Hutzinger **3A**, 181–215, 217–229 ▪ Kirk-Othmer (3.) **6**, 549–561, 600–617; **17**, 788–889 ▪ Lewis, Pigment Handbook (2.), Vol. I, New York: Wiley 1988 ▪ Mc Laren, The Color Science of Dyes and Pigments, Bristol: Hilger 1983 ▪ Römpp Lexikon Lacke u. Druckfarben, S. 451 ▪ Salomon u. Hawthrone, Chemistry of Pigments and Fillers, New York: Wiley 1983 ▪ Ullmann (5.) **A3**, 145 ff.; **A20**, 326 ff.; **A27**, 191 ff. ▪ Winnacker-Küchler (3.) **2**, 141–194, 309 f.; **4**, 234–421; (4.) **3**, 349–407.

Pigmentfarbstoffe. Widersinniger (*Pigmente sind unlösl., *Farbstoffe lösl. *Farbmittel) u. daher abzulehnender Begriff.

Pigmentierung (latein.: pigmentum = Farbe). Färbung, im Hinblick auf Lebewesen Färbung der *Haut od. Hautanhangsgebilde (Haare, Federn etc.). Dazu tragen zum einen starke Durchblutung (z. B. Lippenrot) od. Strukturfarben (Schillern, Reflexion) bei, zum anderen Pigmente im engeren Sinne. Man unterscheidet im Körper selbst entstandene (*endogene*) u. von außen in od. auf den Körper gebrachte (*exogene*) Pigmente. Zu den endogenen Pigmenten gehören *Melanine, *Lipochrome u. Abkömmlinge des Blutfarbstoffs wie Hämatoidin, *Hämosiderin, *Bilirubin, Hämofuszin u. das bei Alterung u. Atrophie entstehende *Lipofuszin. Viele Pigmente werden von bestimmten Zellen (**Chromatophoren*) gebildet. Melanin-bildende Zellen werden als **Melanocyten* od. *Melanophoren* bezeichnet. *Lipochrome sind Oxid.-Produkte von Carotinen. Die sie bildenden Zellen werden, je nach Färbung ihres Lipochroms, *Xanthophoren* od. *Erythrophoren* genannt. Sie erzeugen z. B. Färbungen von Gefieder u. Schnabel der Vögel. Weitere farbstoffbildende Zellen sind die *Allophoren* mit einem Pigment aus *Pteridinen u. die *Iridophoren* od. *Guanophoren*, deren Iridiszenz durch plättchenförmig übereinandergelagerte *Guanin- od. *Hypoxanthin-Krist. zustandekommt. Zu den vielen, z. T. noch unbekannten Farbstoffen der Vogelfedern zählen auch *Porphyrine. Die Vielfalt der Farben bei Tieren kommt zudem durch das Zusammenwirken verschiedener farberzeugender Strukturen u. Farbstoffe zustande. Viele Fische, Amphibien u. einige Reptilien besitzen die Fähigkeit zum Farbwechsel. Dabei werden die Pigmentgranula innerhalb der jeweiligen Pigmentzellen verschoben, wobei durch das Zusammenwirken mit Strukturfarben unterschiedliche Effekte entstehen.

Außer der Haut u. ihren Anhangsgebilden sind oft auch Gewebe innerhalb des Körpers wie Hirnhäute, Bauchfell, Muskelfascien u. Bindegewebe um die Gefäße pigmentiert. Beim Menschen findet man Melanine in den Melanocyten im Epithel der Haut (s. a. Hautbräunung), in der Gefäßschicht u. im Pigmentepithel der Netzhaut des Auges als Schutz gegen intensive Belichtung. Auch bestimmte Kerngebiete im Hirnstamm sind durch Melanin-haltige Zellen pigmentiert. Der Melanin-Gehalt der Haut ist bei verschiedenen Rassen unterschiedlich. Die Melanin-Produktion wird durch UV-Bestrahlung stimuliert (Sonnenbräunung), eine vermehrte P. tritt aber auch während der Schwangerschaft u. bei Erkrankungen wie der *Addisonschen Krankheit (Bronzehautkrankheit) auf. Lipopigmente wie die *Lipochrome geben dem Fettgewebe seine gelbe Farbe, das *Rhodopsin ist am Sehvorgang beteiligt. Verschiedene Krankheiten führen zur Anreicherung von Pigmenten, die meist aus dem *Hämoglobin-Stoffwechsel stammen. So führen defekte Enzyme der Porphyrin-Synth. (*Porphyrien) zur Anreicherung von atyp. Metaboliten, die nach Lichtexposition Hautschäden (*Photodermatitis*) hervorrufen; Schäden der Leber od. Störungen der Gallesekretion führen zu *Bilirubin-Einlagerung in das Gewebe (*Ikterus).

Exogene Pigmente werden freiwillig als Kosmetika auf die Haut gebracht od. können als berufstox. Pigmente bei entsprechender Exposition angereichert werden. So kommt es z. B. bei allen Menschen zu einer Schwarzfärbung der Lunge durch Kohle- u. Rußstaub (*Anthrakose*). Eine chron. Blei-Vergiftung führt zur Verfärbung des Zahnfleisches durch Bleisulfid (*Saturnismus*). – ***E*** = ***F*** pigmentation – ***I*** pigmentazione – ***S*** pigmentación

Lit.: Braun-Falco et al., Dermatologie u. Venerologie, Heidelberg: Springer 1995 ▪ Pathak et al., Pigment Biology, Tokyo: University of Tokyo Press 1985 ▪ Riede u. Schäfer, Allgemeine u. spezielle Pathologie, S. 115–126, Stuttgart: Thieme 1995.

Pigmentverteiler-Marken. Salze organ. Polysäuren in gelöster od. fester Form als Dispergiermittel für anorgan. Pigmente u. Füllstoffe in wäss. Medium. ***B.:*** BASF.

Piko... (vermutlich von italien.: piccolo = klein). Vorsatz vor physikal. Einheiten zur Bez. des billionsten Teils (10^{-12}); Symbol: p; *Beisp.:* Pikofarad (pF = 10^{-12} F), Pikosekunde (ps = 10^{-12} s). Die Konz.-Einheit *ppt = 10^{-12} wird in der Lit. viel verwendet, ist aber mehrdeutig u. nicht SI-konform (Massen-, Vol.- od. Stoffmengenanteil 10^{-12}; US-Trillion = Billion; vgl. Milliarde). Der Duden läßt Piko... u. die internat. Schreibweise Pico... zu. – ***E*** = ***F*** = ***I*** = ***S*** pico...

Pi-Komplexe (π-Komplexe). Jargonhafte Bez. für – häufig nur intermediär als Zwischenstufen auftretende – Koordinationsverb. (s. Koordinationslehre) v. a. zwischen Metallen u. ungesätt. Verb., wobei deren π-Elektronenpaare Koordinationslücken am Metall-Atom besetzen; in vielen Fällen kommt es zur sog. *Rückbindung* von Metallorbitalen an Liganden. Als *Liganden kommen v. a. Olefine wie Ethylen, Propen, Butadien, Cyclopentadien, aromat. Kohlenwasserstoffe in Frage, u. als π-Elektronenakzeptoren spielen die *Übergangsmetalle die Hauptrolle. Beisp. sind *π-Allyl-Übergangsmetall-Verbindungen, *Aromaten-Übergangsmetall-Komplexe, *Carbonylkomplexe, *Metallocene, *Sandwich-Verbindungen, s. a. Metall-organische Verbindungen. Zur Nomenklatur der Pi-K. s. Koordinationslehre u. IUPAC-Regel D-2.5. Im erweiterten Sinne kann man unter π-K. allg. *Elektronen-Don(at)or-Akzeptor-Komplexe wie auch *Charge-transfer-Komplexe verstehen. Die IUPAC rät vom Gebrauch der Bez. π-K. ab u. bezeichnet als *Pi-Addukte* solche *Molekülverbindungen, die durch Elektronenpaardonation von π-Orbital zu π- od. σ-Orbital bzw. von σ- zu π-Orbital entstehen; *Beisp.:* Das Addukt von Tetracyanoethylen mit Mesitylen. – ***E*** π(pi) complexes – ***F*** complexes π(pi) – ***I*** complessi π (pi) – ***S*** complejos π (pi)

Pikosekunden-Spektroskopie. Teilgebiet der Kurzzeit-*Spektroskopie, bei dem eine Zeitauflösung von einigen Pikosekunden erreicht wird. Heute durchweg eine Domäne der *Laser-Spektroskopie, wobei durch *Modenkopplung die entsprechend kurzen Pulse erzeugt werden (s. a. Farbstofflaser). – ***E*** picosecond spectroscopy – ***F*** spectroscopie de picosecondes – ***I*** spettroscopia a picosecondi – ***S*** espectrocopia de picosegundos

Lit.: Annu. Rev. Phys. Chem. **37**, 81 (1986) ▪ Austin u. Eisenthal, Ultrafast Phenomena IV, Berlin: Springer 1984 ▪ Fleming, Chemical Applications of Ultrafast Spectroscopy, London: Oxford University Press 1986 ▪ Knee, Ultrashort Laser Pulse Chemistry and Spectroscopy, Encyclopedia of Physical Science and Technology, Vol. 17, S. 145–152, New York: Academic Press 1992 ▪ Science **240**, 777 (1988).

Pikospuren s. Konzentration u. Spurenanalyse.

Pikr... [Pikro..., Picr(o)...]. Von griech.: pikrós = scharf, bitter abgeleitete Silbe; *Beisp.:* folgende u. Picr...-Stichwörter. – ***E*** picr... (picro...) – ***F*** = ***I*** = ***S*** picr...

Pikramid s. Pikrinsäure.

Pikraminsäure (2-Amino-4,6-dinitrophenol).

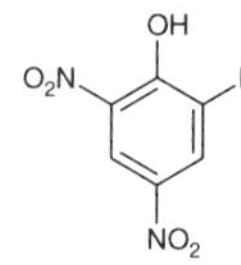

$C_6H_5N_3O_5$, M_R 199,12. Rote Krist., Schmp. 169 °C, lösl. in Benzol, Eisessig, Anilin, sehr wenig lösl. in Wasser, explosionsgefährlicher Stoff; Verpuffungspunkt 240 °C, Bleiblockausbauchung 166 cm^3; Schlagempfindlichkeit 34 Nm. Die aus *Pikrinsäure durch Red. mit Natriumhydrogensulfid hergestellte P. findet Verw. zur Herst. von Azofarbstoffen, als Indikator u. Eiweißreagenz. – ***E*** picramic acid – ***F*** acide picramique – ***I*** acido picramico – ***S*** ácido picrámico

Lit.: Beilstein E III/IV **13**, 909 ▪ Merck-Index (12.), Nr. 7561 ▪ Meyer, Explosivstoffe (8.), S. 241, Weinheim: VCH Verlagsges. 1995 ▪ Ullmann (5.) **A 2**, 106; **A 17**, 393, 395. – *[HS 2922 29; CAS 96-91-3]*

Pikrate. 1. Salze der *Pikrinsäure, die empfindlich gegen Stoß u. Reibung u. hochexplosiv sind. Das Ammoniumpikrat hat als Explosivstoff, das Bleisalz in Zündsätzen Verw. gefunden u. das Kalium-P. eignet sich zur Spurenbestimmung von polyethoxylierten nichtion. Tensiden [1].

2. Als P. bezeichnet man auch *Molekül-Verbindungen aus Pikrinsäure u. kondensierten aromat. Kohlenwasserstoffen, die wenig lösl. u. als *Charge-transfer-Komplexe od. besser *Elektronen-Don(at)or-Akzeptor-Komplexe häufig tief gefärbt sind, weshalb sie sich zur Isolierung u. Identifizierung dieser Aromaten eignen. – ***E*** = ***F*** picrates – ***I*** picrati – ***S*** picratos

Lit.: [1] Int. J. Environ. Anal. Chem. **10**, 23-33 (1981); **14**, 201–214 (1983).

allg.: s. Pikrinsäure u. Elektronen-Don(at)or-Akzeptor-Komplexe.

Pikringelb s. Pikrinsäure.

Pikrinit s. Pikrinsäure.

Pikrinsäure (2,4,6-Trinitrophenol, Pikringelb, Pikrinit).

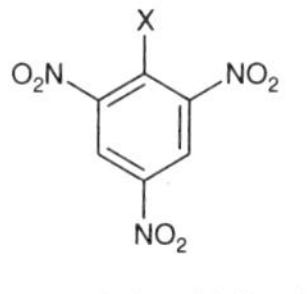

X = OH : Pikrinsäure
X = NH_2 : Pikramid
ohne X : Pikryl...

$C_6H_3N_3O_7$, M_R 229,10. Hellgelbe, geruchlose, bitter schmeckende Blättchen, D. 1,69, Schmp. 122–123 °C, mäßig lösl. in heißem Wasser, Ethanol, Ether, Chloroform, leicht lösl. in Benzol u. Aceton. P. verpufft beim Erhitzen über 225 °C od. bei Schlag; zur Gefährlichkeit s. a. *Lit.* [1]. Zur Sprengkraft vgl. die Kennzahlen in der Tab. bei Explosivstoffe. Die P. des Handels ist im allg. mit 10–50% Wasser angeteigt. P. u. ihre Salze sind giftig; schwere Vergiftungen kommen bereits nach Aufnahme von 1–2 g zustande, P. kann auch über die Haut aufgenommen werden. P. reizt Augen, Haut u. Atemwege, zerstört die roten Blutkörperchen, Nierenschäden sind möglich; MAK 0,1 mg/m^3 gemessen als ein atembarer Aerosolanteil (MAK-Werteliste 1996); WGK 2. Die wäss. Lsg. reagiert stark sauer

(pK_a = 0,38) u. färbt Seide, Wolle, Leder, die menschliche Haut u. andere Eiweißstoffe leuchtend gelb; bei innerlichen P.-Vergiftungen färben sich Haut u. Hornhaut von ausgeschiedener P. allmählich gelb. Beim Entzünden an der Luft verbrennt P. mit starkem Rauch; nach Initialzündung explodiert sie nach der Gleichung: $2\,C_6H_2(OH)(NO_2)_3 \rightarrow CO_2 + 11\,CO + H_2O + 2\,H_2 + 3\,N_2$. Mit P. wurden die Brisanzgranaten (z. B. im 1. Weltkrieg) gefüllt, weil infolge ihrer relativen Stoßunempfindlichkeit kaum Rohrkrepierer auftraten. Da P. aber ziemlich hoch schmilzt u. als Säure die Metalle der Granaten angreift, wobei sich hochexplosive, stoßempfindlichere *Pikrate bilden können, ist P. durch andere Explosivstoffe ersetzt worden. Das der P. ähnliche *Pikramid* (2,4,6-Trinitroanilin, TNA, $C_6H_4N_4O_6$, M_R 228,12, orangerote Krist., D. 1,762, Schmp. 192–195 °C) wird ebenfalls nicht mehr als Explosivstoff verwendet.

Herst.: Durch Nitrierung von Phenol (über Phenol-2,4-disulfonsäure) od. von Dinitrophenol.

Verw.: P. wurde früher in erheblichem Umfang als Farb- u. Explosivstoff (*Ekrasit, *Lyddit) verwendet, ferner bei der Herst. von Zündhölzern, elektr. Batterien, farbigen Gläsern, zum Kupferätzen, als Beizmittel in der Textil- u. Leder-Ind. u. zur Herst. von Pikraminsäure. In der Analytik dient P. als Reagenz z. B. zum Nachw. von Alkaloiden, Cardenoliden u. Kreatinin durch *Meisenheimer-Komplexe, von Aromaten u. Aminen als *Pikrate. Es findet bei der kolorimetr. Blutzucker-Bestimmung u. in der Mikroanalyse von Kohlenstoff-Stählen (*Igeweskys Reagenz) Verw.; früher diente P. auch als Antiseptikum. P. darf beim Herstellen od. Behandeln von kosmet. Mitteln nicht verwendet werden (Kosmetik-VO, Anlage 1, Nr. 268).

Geschichte: P. wurde von Woulfe bereits 1771 bei der Oxid. von Indigo mit Salpetersäure beobachtet. Laurent erkannte 1841 die Identität von P. u. Trinitrophenol, u. der Sprengstoffcharakter wurde 1885 von Turpin entdeckt. – ***E*** picric acid – ***F*** acide picrique – ***I*** acido picrico – ***S*** ácido pícrico

Lit.: [1] J. Chem. Educ. **45**, A 321 (1968).
allg.: Beilstein E IV **6**, 1388–1456 ▪ Hager (5.) **3**, 1220 ▪ Hommel, Nr. 303 ▪ Merck-Index (12.), Nr. 7562 ▪ Meyer, Explosivstoffe (8.), S. 242, Weinheim: VCH Verlagsges. 1995 ▪ Ullmann (4.) **21**, 660 f., 694; (5.) **A 10**, 160 f. – *[HS 2908 90; CAS 88-89-1 (P.); 489-98-5 (Pikramid); G 4.1]*

Pikrite (von *Pikr..., wegen des Gehaltes an MgO = Bittererde). Bez. für ultramaf. (<10% helle Mineralien) vulkan. Gesteine mit *Olivin (>50% der dunklen Mineralien, meist größtenteils in *Serpentin umgewandelt) u. *Pyroxenen als Hauptbestandteilen. Nach *Lit.*[1] ist P. chem. definiert als Gruppenbez. für Magnesium-reiche *Vulkanite mit SiO_2 <47%, Gesamtalkalien ($Na_2O + K_2O$) <2% u. MgO >18%. P. sind fein-, mittel-, gelegentlich auch grobkörnige schwarzgrüne Gesteine, D. 2,96–3,1, die oft zusammen mit *Diabas vorkommen, z. B. im Rhein. Schiefergebirge, Frankenwald, Vogtland, Erzgebirge u. Harz. Verw. als Werksteine u. Platten zum Wegebau. – ***E*** = ***F*** picrites – ***I*** picriti – ***S*** picritas

Lit.: [1] Le Maitre (Hrsg.), A Classification of Igneous Rocks and Glossary of Terms, S. 27, 105, Oxford: Blackwell 1989.
allg.: Matthes, Mineralogie (5.), S. 205, Berlin: Springer 1996.

Pikro... s. Pikr...

Pikrolonsäure [2,4-Dihydro-5-methyl-4-nitro-2-(4-nitrophenyl)-3(4*H*)-pyrazolon].

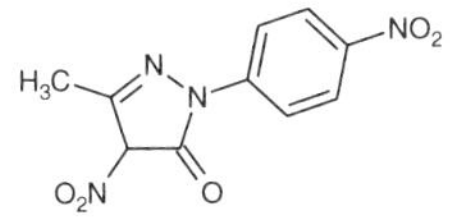

$C_{10}H_8N_4O_5$, M_R 264,19. Gelbe Blättchen, Schmp. 116–118 °C, Zers. bei 125 °C, wenig lösl. in Wasser, lösl. in Alkohol.

Verw.: Reagenz für Alkaloide, Amine u. Aminosäuren wie Tryptophan u. Phenylalanin, zur Bestimmung von Ca, Pb, Mg, Sr u. Th, zum Mikronachw. von Na, Hg, Ca, Sr, Cu. – ***E*** picrolonic acid – ***F*** acide picrolonique – ***I*** acido picrolonico – ***S*** ácido picrolónico

Lit.: Beilstein E III/IV **24**, 105 ▪ Merck-Index (12.), Nr. 7565 – *[HS 2933 19; CAS 550-74-3]*

Pikromerit s. Schönit.

Pikryl... Bez. für die unsubstituierte 2,4,6-Trinitrophenyl-Gruppe (IUPAC-Regel C-202.2; Abb. s. Pikrinsäure). – ***E*** = ***F*** picryl... – ***I*** = ***S*** picril...

Piktogramme. Internat. graph. Symbole, s. Gefahrensymbole (auch auf den Banddeckel-Innenseiten).

Pilfor® (Rp). Schmerztabl. mit *Paracetamol u. *Codein-phosphat-Monohydrat. ***B.:*** BASF Generics.

Pili s. Piline.

Pilierte Seifen (von latein.: pila = Mörser, Ball). Bez. für *Seifen, deren Parfümierung derart vorgenommen wird, daß man die Duftstoffe kalten Seifenflocken zusetzt, bevor man diese zu Stücken preßt. Dadurch ist die Parfümierung haltbarer als beim Zusatz der ether. Öle zum warmen Seifenleim. – ***E*** milled soaps – ***F*** savons broyés – ***I*** saponi pilati – ***S*** jabones mejorados

Lit.: s. Seife.

Piline. *Pili* od. *Fimbrien* sind fadenförmige Auswüchse (Stärke ca. 25 nm) Gram-neg. Bakterien, die der Anheftung an Oberflächen u., im Fall der röhrenförmigen F-Pili (Geschlechts-Pili), der Übertragung von Erbmaterial (Plasmiden) dienen (entweder als Transport-Röhre od. als Zugfaser zur Herst. direkten Zellkontakts). Sie bestehen aus Protein-Monomeren, den P. (M_R 17 000–20 000). An der Pilus-Spitze ist ein spezielles Adhäsions-Protein identifiziert worden. Durch Genrekombination verändern pathogene Bakterien die *Antigen-Eigenschaften ihres P.[1]. – ***E*** pilin – ***F*** piline – ***I*** piline, pili, fimbrie – ***S*** pilina

Lit.: [1] Mol. Microbiol. **21**, 433–440 (1996).
allg.: Nature (London) **378**, 32–38 (1995).

Pilkington-Verfahren s. Glas (S. 1542).

Pillen. 1. Von latein.: pilula (zu pila = Ball) abgeleitete Bez. für kugelförmige Arzneizubereitungen, die aus einer plast. Masse hergestellt werden, zur oralen Einnahme bestimmt sind u. im allg. zwischen 0,1 u. 0,25 g wiegen. Der Arzneistoff wird zusammen mit den Hilfsstoffen homogen gemischt, zu einer plast. Masse verarbeitet u. nach dem Abteilen zu P. geformt, die mit geeigneten Mitteln bestreut od. überzogen werden können. Es heißen z. B. Pilulae asiaticae = Arsenik-P., P. Cascarae sagradae = Sagrada-P., P. Ferri ar-

senicosi = Eisen-Arsen-P., P. Ferri carbonici Blaudi = Blaudsche Eisen-P., P. Jalapae = Jalapen-Pillen. An die Stelle von P. sind heute die *Kapseln getreten.
2. „Die Pille" ist eine umgangssprachliche Bez. für hormonelle *Antikonzeptionsmittel. – ***E*** pills – ***F*** pilules – ***I*** 1. pillole, compresse, 2. pillole – ***S*** píldoras
Lit. *(zu 1):* DAB **7** u. Komm. ▪ Hager (5.) **1**, 633–636.

Pilling. Bez. für das durch Reiben bewirkte Herausziehen feiner Fäserchen aus Woll- u. Acrylfasern. Diese rollen sich zu nur noch durch wenige Einzelfasern mit der Oberfläche der Gewebe verbundenen Faserkügelchen („Pills", „Knötchen") zusammen u. brechen im Falle der Wollfasern leicht ab. Bei den wesentlich festeren Acrylfasern bleiben sie dagegen haften, so daß Acryl- u. Modacryl-Gewebe leicht unansehnlich werden. Aus diesem Grunde werden letztere vorwiegend für kurzlebige Modebekleidung verwendet. Durch sog. *Anti-Pilling-Ausrüstung* od. durch Variation in der Zusammensetzung von Synth.-Fasern läßt sich das P. vermindern. – ***E*** = ***F*** = ***I*** = ***S*** pilling
Lit.: Elias (5.) **2**, 534.

Pillow-Lava s. Lava.

Pilocarpin [(3*S*)-*cis*-3-Ethyl-4-(1-methyl-5-imidazolylmethyl)dihydro-2(3*H*)-furanon]. T+

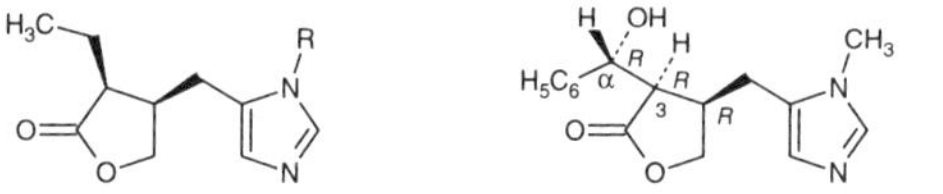

R = CH3 : Pilocarpin (**1**)
R = H : Pilocarpidin (**2**)

Pilosin (Carpidin) (**3**)
(3*S*)-Epimer : *Isopilosin (Carpilin) (**4**)
(3*S*,α*S*)-Epimer : Epiisopilosin (**5**)

$C_{11}H_{16}N_2O_2$, M_R 208,26. Ölige Flüssigkeit od. Krist., Schmp. 34 °C (als Hydrochlorid: 193–205 °C; als Nitrat: 174 °C), Sdp. 260 °C (0,7 kPa), $[\alpha]_D^{18}$ +106° (H_2O), lösl. in Wasser, Ethanol, Chloroform, bildet mit Säuren gut kristallisierende Salze. P. ist das Hauptalkaloid des südamerikan. Jaborandi-Baumes (*Pilocarpus jaborandi*). Es wird aus *Jaborandi-Blättern isoliert. Das auch synthet. zugängliche P. findet in Form der Salze medizin. Verw. als cholinerges Parasympathikomimetikum, Hidrotikum, Miotikum (gegen Glaukome) u. als Atropin-Antagonist, veterinärmedizin. gegen Koliken u. Verstopfung.
Nachw.: Durch die sog. *Helchsche Reaktion:* Eine Lsg. von P. od. einem P.-Salz wird mit Wasserstoffperoxid (3%ig) u. einer Lsg. von $K_2Cr_2O_7$ versetzt u. mit Benzol überschichtet. Die wäss. Phase wird violett, die Farbe geht beim Schütteln in die Benzol-Schicht über. Weitere *Pilocarpus-Alkaloide* (Nebenalkaloide) zeigt die Abb. und die Tabelle. – ***E*** = ***F*** pilocarpine – ***I*** = ***S*** pilocarpina
Lit.: Beilstein E III/IV **27**, 7463 f.; E V **27/32**, 113 ▪ Florey **12**, 385–432 ▪ Hager (5.) **3**, 972 ff.; **6**, 127–135; **9**, 204–210 ▪ Martindale (29.), S. 1335 f. ▪ Progr. Drug. Res. **25**, 421–460 (1981). – *Biosynth.:* Planta Med. **28**, 1 (1975) ▪ Ullmann (5.) **A 18**, 140–145. – *Synth.:* J. Org. Chem. **58**, 62 ff., 1159 (1993) ▪ Tetrahedron Lett. **30**, 2145 ff. (1989); **33**, 2447 (1992). – *Toxikologie:* Sax (8.), Nr. PIF 000–500. – *Wirkung:* Annu. Rev. Med. **35**, 185–205 (1984) ▪ Drugs **49**, 143 (1995) (Review) ▪ J. Ocul. Pharmacol. **5**, 119–125 (1989) ▪ Synapse (N. Y.) **3**, 154–171 (1989). – *[HS 2939 90; CAS 92-13-7 (P.); 54-71-7 (Hydrochlorid)]*

Tab.: Daten von Pilocarpus-Alkaloiden.

P.-Alkaloide	Summenformel	M_R	Schmp. [°C]	CAS
2	$C_{10}H_{14}N_2O_2$	194,23	Öl	127-67-3
3	$C_{16}H_{18}N_2O_3$	286,33	171–172[a]	13640-28-3
4	$C_{16}H_{18}N_2O_3$	286,33	182–183	491-88-3
5	$C_{16}H_{18}N_2O_3$	286,33	179–180	38993-92-9

[a] Dihydrat von **3**: Schmp. 101–104°C.

Pilocarpol® (Rp). Augentropfen mit öliger Lsg. von *Pilocarpin gegen Glaukom. ***B.:*** Winzer.

Pilocarpus-Alkaloide s. Pilocarpin.

Pilomann® (Rp). Augentropfen mit *Pilocarpin-Hydrochlorid; *P.-Öl* mit öliger Lsg. von Pilocarpin gegen Glaukom. ***B.:*** Mann.

Pilomotorika (von latein.: pilus = Haar u. motor = Beweger). Bez. für solche Stoffe, die ein Aufrichten der Haare, insbes. der Bartstoppeln, durch Reizung der Haarbalgmuskeln bewirken (vgl. Haar). P. wie 2-(3,6-Dimethoxy-2,4-dimethylbenzyl)-4,5-dihydro-1*H*-imidazol

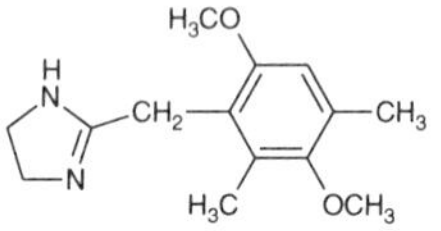

($C_{14}H_{20}N_2O_2$, M_R 248,32) u. seine Salze werden in *Rasiermitteln vor der Trockenrasur (*Pre-Shaves*) angewendet, um ein besseres Erfassen u. Schneiden der Haare durch den Rasierapparat zu ermöglichen. – ***E*** pilomotorics – ***F*** substances pilomotrices – ***I*** pilomotorici – ***S*** sustancias pilomotrices
Lit.: Janistyn **1**, 721 ▪ Ullmann (4.) **12**, 448.

Pilosin s. Isopilosin.

Pilot Plant. Aus dem Engl. übernommene Bez. für eine *halbtechn. Versuchsanlage*, die größenordnungsmäßig mit einem größeren *Technikum* gleichzusetzen u. zwischen *Laboratoriums-Versuch u. großtechn. Anlage angesiedelt ist. Im P. P. sollen techn. Erfahrungen in der Prozeßführung gesammelt u. die techn. u. wirtschaftlichen Parameter optimiert (s. Optimierung) werden. In der *Industriellen Chemie ist die Stufe des P. P. ein üblicher Schritt in der Entwicklung der jeweiligen chem. *Verfahrenstechnik, da sich die Arbeitsbedingungen gewöhnlich nicht ohne weiteres vom Labormaßstab auf großtechn. Anlagen übertragen lassen. – ***E*** pilot plant – ***F*** usines pilotes – ***I*** impianto pilota – ***S*** planta piloto
Lit.: Kirk-Othmer (3.) **17**, 890–905; **18**, 23–86 ▪ Ullmann (5.) **B 4**, 458 – *Serie:* McKetta.

Pilulae s. Pillen.

Pilzaroma. Das Aroma frischer Pilze ist je nach Art sehr verschieden. Es gibt charakterist. Duftnoten, die zur Arterkennung beitragen können, so z. B. der Fenchelgeruch des Fenchelporlings (*Gloeophyllum odoratum*), der Aasgeruch der Stinkmorchel, der Bonbongeruch von *Cortinarius odoratus*. Aromakomponenten können u. a. aromat. Aldehyde, Ester, Allylalkohole, Terpene u. Schwefel-Verb. (s. Lenthionin) sein. Da das P. bei der Konservierung im allg. verlorengeht, können charakterist. Komponenten zu Trockenpilzen od. Konserven zugegeben werden [1]. Ein ubiquitärer Aromastoff von Pilzen ist (–)-(*R*)-*1-Octen-3-ol, auch oft synonym für P. verwendet [2]. – ***E*** mushroom flavor – ***F*** arôme de champignons – ***I*** aroma dei funghi – ***S*** aroma de hongos

Lit.: [1] H&R Contact **23**, 12–15 (1979). [2] Experientia **36**, 406 f. (1980); Lebensm. Wiss. Technol. **9**, 371 ff. (1976); Z. Lebensm. Unters. Forsch. **160**, 401–405 (1976); **176**, 16 (1983).
allg.: Acta Chem. Scand. Ser. B **30**, 235–244 (1976) ▪ Arch. Pharm. (Weinheim, Ger.) **308**, 843–851 (1975) ▪ Dtsch. Apoth. Ztg. **122**, 2361 ff. (1982) ▪ Phytochemistry **22**, 705–709 (1983) ▪ s. a. Aromen.

Pilzcin® (Rp). Creme u. Gel mit dem *Antimykotikum *Croconazol-Hydrochlorid. ***B.:*** Merz & Co.

Pilze (latein.: fungi, griech.: mykes). Im weiteren Sinne Bez. für eine polyphylet. Gruppe Chlorophyll-freier, heterotropher, eukaryot. Organismen. Die Bez. Pilze kann als Oberbegriff für „echte Pilze" (Funghi) u. „pilzähnliche Protisten" gelten. Das Reich der Funghi besteht aus ca. 120000 Arten, die aufgrund der Merkmale ihrer geschlechtlichen Entwicklung (Teleomorphe) eingeteilt werden in die Abteilungen Zygomycota (Jochpilzartige), Ascomycota (Schlauchpilzartige) u. Basidiomycota (Ständerpilzartige). Echte Pilze, deren Entwicklung unvollständig ist od. unvollständig bekannt ist, werden als Deuteromycota (Funghi imperfecti) bezeichnet. Als pilzähnliche Protisten werden 6 phylogenet. voneinander unabhängige Abteilungen wie z. B. die Schleimpilze (Myxomycota, Oomycota u. Chytridiomycota) zusammengefaßt. In jeder Abteilung kommen im Gegensatz zu den echten Pilzen aktiv bewegliche Keime vor, am häufigsten Zoosporen, manchmal amöboide Zellen.

Die echten Pilze sind selten Einzeller, meist vielzellige od. coenocyt. Organismen. Der Pilzkörper (*Mycel, oft makroskop. sichtbar) wird aus mikroskop. feinen Zellfäden (Hyphen) gebildet, die ggf. durch Querwände (Septen) gegliedert sein können (regelmäßig bei Asco- u. Basidiomyceten). Diese besitzen elektronenopt. unterschiedlich gebaute Poren, ein für systemat. Betrachtungen wichtiges Merkmal. Bei Fruchtkörper-bildenden Formen sind die Hyphen meist zu einem Plectenchym, einem Scheingewebe, verflochten. Die Zellwände bestehen aus einem Gemisch von Chitin u. Hemicellulosen, sehr selten ist Cellulose neben Chitin nachweisbar; vielen Hefen scheint das Chitin zu fehlen. An zellulären Reservestoffen finden sich Fette u. Glykogen, Mannit u. Trehalose, aber niemals Stärke od. Saccharose.

Die Vermehrung der P. verläuft wie bei allen *Eukaryonten mit *Mitose u. Meiose u. durch Bildung geschlechtlicher od. ungeschlechtlicher *Sporen od. auch durch Sprossung. Die einzelligen, durch Sprossung sich fortpflanzenden Pilze werden häufig als Hefen zusammengefaßt. Das Merkmal Sprossung ist jedoch nicht geeignet, eine monophylet. Gruppe zu begründen, so daß die „*Hefen" ein Konglomerat verschiedener Verwandtschaftskreise darstellen.

Die Lebensweise der P. ist saprophyt., parasit. od. symbiont.; aufgrund ihres Chlorophyll-Mangels ernähren sie sich chemoorganoheterotroph (vgl. Organotrophie) durch oxidativen Abbau organ. Substanzen, wozu sie durch eine Vielzahl von Enzymen befähigt sind (neben Oxidasen z. B. Amylasen, Lipasen, Trehalasen, Peptidasen). Oftmals ist der biolog. Abbau – z. B. von Nahrungsmitteln, Vorräten od. Gegenständen – durchaus unerwünscht, weshalb man *Konservierungs-Maßnahmen ergreifen muß. Als *Saprophyten kommen P. in u. auf abgestorbenen organ. Substraten vor, z. B. auf krautigen Pflanzenresten u. auf (in) *Holz. In letzterem Fall zersetzen sie die abgestorbenen Holzgewächse, wirken aber auch als Bauholzschädlinge, die durch geeignete *Holzschutzmittel ferngehalten od. bekämpft werden müssen (z. B. die verschiedenen Hausschwamm-Arten, der Kellerschwamm u. der Zaun- u. Tannenblättling). Mit Hilfe von P. gezielt partiell abgebautes Holz findet Verw. als sog. Mykoholz (Bleistiftherst.). Saprophyt. u. auch verschiedene parasit. P. lassen sich auf synthet. Nährböden (s. Nährmedium) kultivieren. Viele P. u. pilzähnliche Organismen leben als *Parasiten u. sind in dieser Eigenschaft häufig pathogen. Man kennt human- u. tierpathogene P., die als krankheitserregende Hygieneschädlinge Ursachen von *Lebensmittelvergiftungen u. von *Mykosen sind; s. a. Antimykotika. Nicht weniger zahlreich sind phytopathogene P., die als Erreger von Pflanzenkrankheiten wie Brand, Rost (z. B. an Getreide u. *Kaffee), *Mehltau, Fäule usw. großen Schaden verursachen, mitunter auch regelrechte Epidemien hervorrufen wie z. B. die Ulmenkrankheit. Die natürlichen Schutzmechanismen der Pflanzen (*Phytoalexine) helfen nicht immer gegen P.-Infektionen, u. auch die Bekämpfung mit *Fungiziden ist oft unzureichend. Einen interessanten Aspekt bieten die P. als Bio-Pestizide („Fungi-Herbizide", „Fungi-Insektizide" u. „Fungi-Fungizide"). Viele Bodenpilze leben in *Symbiose mit den Wurzeln von Bäumen u. a. Pflanzen; sie bilden eine sog. *Mykorrhiza*, eine Stoffwechselgemeinschaft, die für manche der betreffenden Pflanzen (z. B. Orchideen) obligatorisch ist. Eine Dauersymbiose zwischen P. (*Mykobionten*) u. *Algen u./od. Cyanobakterien (=Blaualgen) (*Photobionten*) ist in den *Flechten entstanden; eine Ektosymbiose stellen die von Blattschneiderameisen u. Termiten angelegten P.-Kulturen dar (s. Ameisen).

Ähnlich den *Pflanzen produzieren die P. in ihrem Stoffwechsel oftmals Stoffe, die keine für uns erkennbare Funktion in ihrem Leben haben. Unter diesen zahlreichen *Sekundärstoffen* finden sich nicht nur *Mykotoxine, d. h. Gifte, von denen nicht wenige als *Carcinogene wirken (s. a. Giftpilze), sondern auch nützliche Verb., wie organ. Säuren (Citronensäure, Itaconsäure, Milchsäure, Oxalsäure, Gluconsäure, Kojisäure u. a.) od. medizin.-pharmazeut. wichtige Produkte (*Antibiotika, *Ergot-Alkaloide, *Cytochalasine, *Siderochrome). Bes. auffällig sind oft die Farbstoffe vieler Basidiomyceten, unter denen sich *Chinone, *Betalaine, *Carotinoide, *Azulene, *Xanthene, *Phenoxazone, *Pteridine finden. Manche der oft ebenfalls lebhaft gefärbten Schleimpilze (z. B. *Dictyostelium*) bedienen sich zur Einleitung der Aggregationsphase bestimmter *Chemotaxis-Reizstoffe (*Acrasin* = cyclisches *Adenosin-3′,5′-monophosphat

– cAMP). Pheromon-ähnliche Lockstoffe – sog. *Gamone wie *Sirenin (Allomyces, Chytridiomycetes), Trisporsäure (Phycomyces, Zygomycetes), Antheridiol (Achlya, Oomycetes) – sind auch von anderen P. od. pilzähnlichen Organismen bekannt.
Verw.: Zu dem nützlichen Aspekt der Eßbarkeit der *Speisepilze tritt der allg. Nutzen aus der Lebensweise vieler P., die zum Abbau organ. Stoffe u. der Aufbereitung des Bodens beitragen u. durch die Mykorrhiza-Bildung für Pflanzen notwendig od. nützlich sind. In Molekularbiologie, Genetik u. Mutagenitätsprüfung sind P. u. pilzähnliche Organismen unverzichtbare Untersuchungsobjekte. Wirtschaftlich-techn. nutzt man mikrobielle Gärungsprozesse, an denen bes. Hefen u. a. P. beteiligt sind, z. T. schon seit Jahrtausenden bei der Herst. von *Brot, alkohol. Getränken (bes. *Wein u. *Bier) u. Käse, heute auch zur Gewinnung von organ. Säuren (bes. *Citronensäure), von Eiweiß (*Single Cell Protein) aus Alkanen od. Stärke u. von Antibiotika u. a. Pharmaka. Dieser Nützlichkeit steht die Schädlichkeit infolge Bildung von Toxinen u. Giften u. durch die Pathogenität für Menschen, Tiere u. Pflanzen entgegen. – ***E*** fungi (allg.), mushrooms – ***F*** champignons – ***I*** funghi – ***S*** hongos, setas

Lit.: Dörfelt, Lexikon der Mykologie, Stuttgart: Fischer 1989 ▪ Müller u. Löffler, Mykologie, 5. Aufl., Stuttgart: Thieme 1992 ▪ s. a. Fungizide, Giftpilze, Mykotoxine, Pflanzenschutz.

Pilzgifte s. Giftpilze u. Mykotoxine.

Pimafucin s. Natamycin.

Pimaricin s. Natamycin.

Pimarsäure s. Harzsäuren.

Pimelinsäure (1,5-Pentandicarbonsäure, Heptandisäure). HOOC–$(CH_2)_5$–COOH, $C_7H_{12}O_4$, M_R 160,17. Farblose Krist., D. 1,329, Schmp. 105 °C, Sdp. 342 °C, in Wasser schwer, in Alkohol u. Ether leicht lösl.; LD_{50} (Ratte oral) 7000 mg/kg. P., ein Oxid.-Produkt von Fetten, eignet sich zur Herst. von *Polyamiden, Polyestern u. für organ. Synthesen. – ***E*** pimelic acid – ***F*** acide pimélique – ***I*** acido pimelico – ***S*** ácido pimélico

Lit.: Beilstein E IV **2**, 2003 f. ▪ Merck-Index (12.), Nr. 7585 ▪ Ullmann (4.) **10**, 136, 140 f.; (5.) **A 8**, 525, 531. – *[HS 2917 19; CAS 111-16-0]*

Piment (Allgewürz). Die kurz vor der Reife geernteten, getrockneten Früchte des hauptsächlich auf Jamaica u. Kuba kultivierten immergrünen Pimentbaumes, *Pimenta dioica* L. Merrill (= *Pimenta officinalis*, Myrtaceae), werden als ganze Früchte od. gemahlen unter dem Namen P. in den Handel gebracht. *Neugewürz*, *Nelkenpfeffer* u. *Jamaicapfeffer* sind umgangssprachliche Bez. für Piment. Der Geschmack erinnert an *Nelken, *Zimt, *Pfeffer u. *Muskatnuß.
Analytik: Verfälschungen von P. mit Walnußschalen u. gedörrtem Obst od. roten Eisen-haltigen Pigmenten sind mikroskop. nachweisbar. Qualitätsnormen zur Einstufung von P. sind *Lit.*[1] zu entnehmen.
Verw.: Pimentbeeren werden Marinaden u. Beizen zugesetzt. Die Gewürzdroge wird verschiedenen Wurstarten (Blutwurst, Leberwurst, Zungenwurst) zugesetzt u. ist Bestandteil von *Curry, Chili-Pulver (s. Paprika), *Pfefferkuchengewürz u. Würzsoßen (*Worcestersauce). P. besitzt antimikrobielle[2] u. antioxidative[3] Eigenschaften; daher ist die Belastung von P. mit anaeroben Sporenbildnern im Vgl. zu anderen Gewürzen (Cardamom, *Koriander) gering[4]. Aus pharmakolog. Sicht ist P. ein *Stomachikum. – ***E*** allspice, pimento, Jamaica pepper – ***F*** piment – ***I*** pimento – ***S*** pimienta de Jamaica

Lit.: [1] Fleischwirtschaft **69**, 320–330 (1989). [2] Int. J. Food Microbiol. **5**, 165–180 (1987). [3] J. Food Prot. **50**, 25 ff. (1987). [4] Z. Lebensm. Unters. Forsch. **185**, 281–287 (1987).
allg.: Baltes, Lebensmittelchemie (4.), Berlin: Springer 1995 ▪ Belitz-Grosch (4.), S. 883 ▪ Gassner, Mikroskopische Untersuchung pflanzlicher Lebensmittel (5.), S. 276 ff., Stuttgart: Fischer 1989 ▪ Herrmann, Exotische Lebensmittel (2.), S. 140, Berlin: Springer 1987 ▪ Zipfel, C 380. – *[HS 0904 20]*

Pimentöl (Oleum Amomi seu Pimentae). Oberbegriff für das durch Wasserdampfdest. aus den Beeren od. Blättern des Pimentbaumes gewonnene gelblich-bräunliche, nelkenartig riechende Pimentbeeren- u. Pimentblattöl. P. wurde bis zur Entdeckung der analyt. u. sensor. Ähnlichkeit oben genannter Öle ausschließlich aus Pimentbeeren hergestellt. Eine Unterscheidung ist anhand des *Caryophyllen- u. Methyleugenol-Gehaltes möglich[1]. P. enthält *Eugenol (70%), Methyleugenol (10%), sowie *β*-*Caryophyllen, **α*-Phellandren u. das Campher-artig riechende 1,8-*Cineol. Neuere Untersuchungen berichten über den erstmaligen Nachw. von *Camphen, *β*-Phellandren u. Guanin in Pimentbeerenöl[2]. Der *Geschmack* ist scharf, würzig, nelkenähnlich, je nach Varietät mit leichter Bitternote.
Verw.: In der Likörfabrikation ist P. ein preiswerter Konkurrent des *Nelkenöls u. wird in Kräuterlikör (z. B. *Chartreuse) u. *Magenbitter eingearbeitet. Die Verw. in der Backwaren- u. Essenzen-Ind. ist steigend. Das sog. *Bayöl, das aus *Pimenta racemosa* (Bayrumbaum) extrahiert wird, ist Bestandteil von Haarwässern u. Seifen. Es enthält weniger Eugenol aber mehr *Chavicol als Pimentöl. – ***E*** piment essential oil – ***F*** essence de piment – ***I*** olio di pimento – ***S*** esencia de pimienta

Lit.: [1] Fleischwirtschaft **69**, 320–330 (1989). [2] Nahrung **33**, 717–720 (1989).
allg.: Ullmann (5.) **A 11**, 238. – *[HS 3301 29]*

Pi-Mesonen s. Mesonen.

Pimiento s. Paprika.

Pimobendan (Rp).

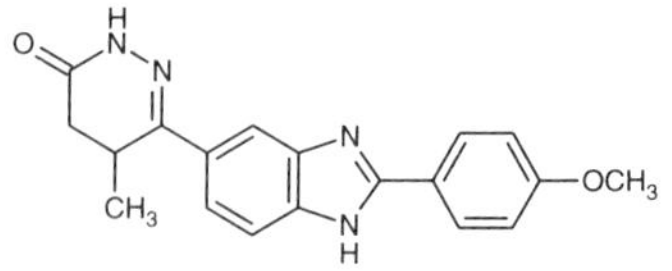

Internat. Freiname für 4,5-Dihydro-6-[2-(4-methoxyphenyl)-1*H*-benzimidazol-5-yl]-5-methyl-3(2*H*)-pyridazinon, $C_{19}H_{18}N_4O_2$, M_R 334,38. Verwendet wird das Hydrochlorid, Schmp. 331 °C (Zers.); LD_{50} (Maus oral) 600 mg/kg. P. wurde 1980 u. 1982 von Thomae patentiert. P., ein oral wirksamer Phosphodiesterase-Hemmer, ist zur Behandlung leichter bis mäßiger Herzinsuffizienz von Boehringer Ingelheim in der klin. Prüfung. – ***E*** = ***I*** pimobendan – ***F*** pimobendane – ***S*** pimobendán

Lit.: Drugs Aging **4**, 417–441 (1994) ▪ J. Chromatogr. **614**, 135–141 (1994) ▪ Martindale (31.), S. 929. – *[CAS 74150-27-9 (P.); 77469-98-8 (Hydrochlorid)]*

Pimozid (Rp).

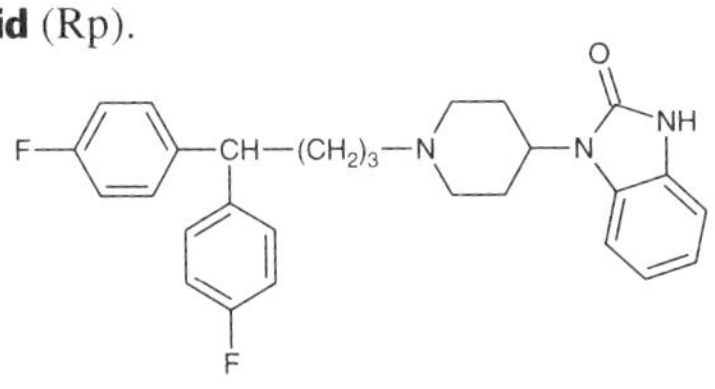

Internat. Freiname für das *Neuroleptikum 1-{1-[4,4-Bis(4-fluorphenyl)-butyl]-4-piperidinyl}-2-benzimidazolinon, $C_{28}H_{29}F_2N_3O$, M_R 461,55, Schmp. 214–218 °C; λ_{max} (C_2H_5OH) 268, 274, 283 nm ($A^{1\%}_{1cm}$ 97, 134, 153); pK_a 7,32, in Wasser prakt. unlöslich. P. wurde 1965 von Janssen (Orap®) patentiert u. wird zur Langzeit-Behandlung von Schizophrenie verwendet. – ***E*** = ***F*** = ***I*** pimozide – ***S*** pimozida

Lit.: Hager (5.) **9**, S. 211 f. ▪ Martindale (31.), S. 728 f. – *[HS 2933 39; CAS 2062-78-4]*

Pimpinelle (Bibernelle). Die Große [*Pimpinella major* (L.) Hudson, Apiaceae] u. die Kleine P. (*Pimpinella saxifraga* L.) sind ausdauernde, auf Wiesen Mitteleuropas heim. Doldengewächse mit unangenehm riechenden Wurzeln, die *Pimpinellin* u. a. Furocumarin-Derivate (s. die Formelbilder dort), Saponine u. ether. Öl enthalten u. als mildes Expektorans dienen. Diese P. ist eng verwandt mit der *Anis-Pflanze. Dagegen entstammen die als säuerlich-aromat. Salatgewürz geschätzten Blätter nicht *dieser* P., sondern dem gleichnamigen Rosengewächs *Sanguisorba minor* Scop. bzw. *officinalis* L. (Rosaceae; Kleiner bzw. Großer Wiesenknopf, Kleine bzw. Große Pimpinelle, Bibernelle, Pimpernelle), die auf Kalk-Böden häufig vorkommt u. in Gewürzgärten angebaut wird. – ***E*** pimpernell – ***F*** boucage – ***I*** pimpinella – ***S*** pimpinela

Lit.: Hager (5.) **6**, 135–156 (Pimpinella); 586–594 (Sanguisorba) ▪ Wichtl (3.), S. 440. – *[HS 1211 90]*

Pimpinellin (5,6-Dimethoxy-2*H*-furo[2,3-*h*]-1-benzopyran-2-on).

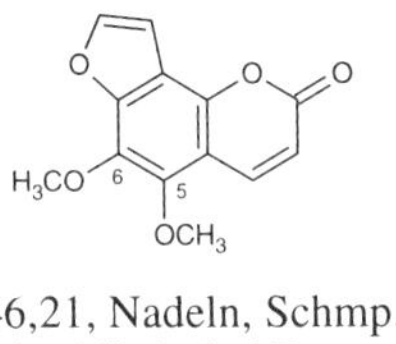

$C_{13}H_{10}O_5$, M_R 246,21, Nadeln, Schmp. 119 °C, unlösl. in Wasser, lösl. in Alkohol. *Furocumarin aus Doldengewächsen (Apiaceae), z. B. aus den Wurzeln der Großen [*Pimpinella major* (L.) Hudson] u. der Kleinen Pimpinelle (*P. saxifraga* L.), u. in zahlreichen *Heracleum*-Arten (Bärenklau). In Sellerie u. Petersilie ist P. ein Phytoalexin. – ***E*** pimpinellin – ***F*** pimpinelline – ***I*** pimpinellina – ***S*** pimpinelina

Lit.: Beilstein E V **19/6**, 319 ▪ J. Org. Chem. **53**, 4166 (1988) ▪ Merck-Index (12.), Nr. 7591 ▪ Nat. Prod. Rep. **6**, 591–624 (1989) ▪ s. a. Furocumarine, Pimpinelle. – *[CAS 131-12-4]*

Pina®. Sortiment von Farbstoffen u. Photochemikalien für die Silberhalogenid-Photographie u. allg. Bildtechnologie-Anw., insbes. Sensibilisatoren, Desensibilisatoren, Stabilisatoren, Antihalo- u. Filterfarbstoffe u. Imtec-Farbstoffe. ***B.:*** Riedel.

Pinacyanoliodid.

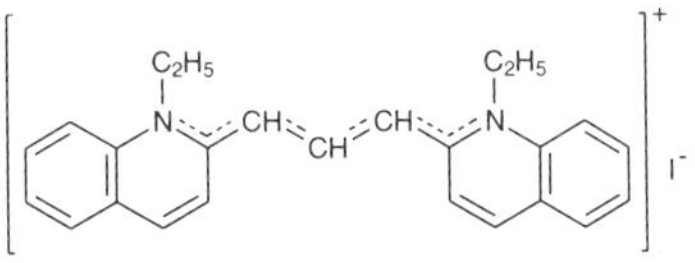

$C_{25}H_{25}IN_2$, M_R 480,39. Lichtunechter Chinolinium-Cyanin-Farbstoff für die Mikroskopie u. photograph. Sensibilisator für Orange u. Rot. Das entsprechende ebenfalls blaue Chlorid ist als *Chinaldinblau* im Handel. – ***E*** pinacyanol iodide – ***F*** iodure de pinacyanol – ***I*** ioduro di pinacianolo – ***S*** yoduro de pinacianol

Lit.: Beilstein E V **23/10**, 129 f. ▪ Kirk-Othmer (4.) **7**, 335 f. ▪ Ullmann (5.) **A 16**, 513; **A 22**, 466. – *[HS 2933 40; CAS 605-91-4 (P.); 2768-90-3 (Chinaldinblau)]*

Pinakoid s. Kristallmorphologie.

Pinakol (2,3-Dimethyl-2,3-butandiol, Tetramethylethylenglykol).

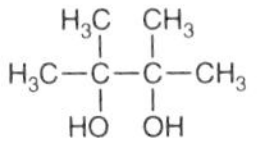

$C_6H_{14}O_2$, M_R 118,17. Farblose Täfelchen (griech.: pinákion = Täfelchen; 1866 hieß P. zunächst *Pinakon*) mit 6 Mol. Kristallwasser pro P.-Mol., D. 0,967, Schmp. 47 °C (entwässert 41 °C), Sdp. 171–174 °C, in kaltem Wasser u. Schwefelkohlenstoff wenig, in heißem Wasser, Alkohol u. Ether leichter löslich. Beim Erhitzen mit Säuren (z. B. verd. Schwefelsäure) erhält man *Pinakolon (*Pinakol-Pinakolon-Umlagerung). P. entsteht, wenn Aceton in stark alkal. Lsg. mit Na- od. Mg-Amalgam od. elektrochem. reduziert wird. Von P. leiten sich formal die *Pinakole ab. P. findet Verw. als Zwischenprodukt für Pestizid-, Arzneimittel- u. Riechstoff-Synthesen. – ***E*** = ***F*** = ***S*** pinacol – ***I*** pinacolo

Lit.: Beilstein E IV **1**, 2575 f. ▪ Merck-Index (12.), Nr. 7593 ▪ Ullmann (5.) **A 1**, 314. – *[HS 2905 39; CAS 76-09-5]*

Pinakole. Gruppenbez. für 1,2-*Diole des Typs

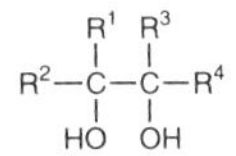

deren typischster Vertreter das Glykol *Pinakol (R^1 bis $R^4 = CH_3$) ist. Die früher *Pinakone* genannten Verb. entstehen durch Red. aus Ketonen (*Dihydrodimerisierung), s. dort, Abb. 3 b. Es sind sowohl symmetr. als auch gemischte P. bekannt. Aromat. P. (z. B. Benzopinakol, *1,1,2,2-Tetraphenyl-1,2-ethandiol*, $C_{26}H_{22}O_2$, M_R 366,46, Schmp. 222 °C, lösl. in Ether u. Trichlormethan) sind als Initiatoren für radikal. Polymerisationen geeignet. Unter der Einwirkung von Säuren gehen die P. die *Pinakol-Pinakolon-Umlagerung ein. – ***E*** = ***F*** pinacols – ***I*** pinacoli – ***S*** pinacoles

Lit.: Angew. Chem. **108**, 67 (1996) ▪ s. a. Pinakol u. Pinakol-Pinakolon-Umlagerung. – *[CAS 76-09-5]*

Pinakolin s. Pinakolon.

Pinakol-Kupplung s. McMurry-Reaktion.

Pinakolon (3,3-Dimethyl-2-butanon, *tert*-Butylmethylketon; histor. Bez.: *Pinakolin*).

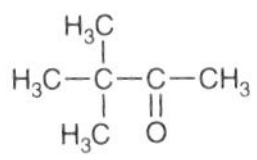

$C_6H_{12}O$, M_R 100,16. Farblose, campher- bis pfefferminzähnlich riechende Flüssigkeit, D. 0,801, Schmp. −50 °C, Sdp. 106 °C, in Wasser wenig, in Alkohol, Ether u. Aceton besser lösl.; LD_{50} (Ratte oral) 610 mg/kg; WGK 1 (Selbsteinst.), ausfuhrgenehmigungspflichtig gemäß Außenwirtschaftsordnung (Ausfuhrliste Position 2002). P. entsteht aus *Pinakol über die *Pinakol-Pinakolon-Umlagerung. Ketone der allg. Formel R^1–CO–CR_3^2 werden auch heute noch vereinzelt als *Pinakolone* bezeichnet. P. findet als Zwischenprodukt bei der Herst. von Fungiziden u. Herbiziden Verwendung. – ***E*** = ***F*** = ***I*** pinacolone – ***S*** pinacolona

Lit.: Beilstein E IV **1**, 3310 ff. ▪ Ullmann (5.) **A 15**, 81 ▪ s. Pinakol u. Pinakol-Pinakolon-Umlagerung. – *[HS 2914 19; CAS 75-97-8; G 3]*

Pinakol-Pinakolon-Umlagerung. Bez. für die Umwandlung von 1,2-Diolen mit Säuren zu Aldehyden od. Ketonen. Die Reaktion hat ihren Namen von der Umwandlung von 2,3-Dimethyl-2,3-butandiol (*Pinakol) in 3,3-Dimethyl-2-butanon (*Pinakolon), die als typ. angesehen werden kann.

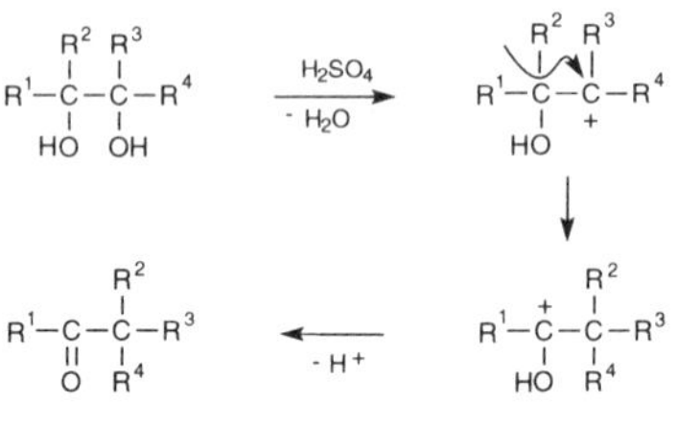

R^1–R^4 = CH_3: *Pinakol* ⟶ *Pinakolon*

Der Mechanismus der P.-P.-U. schließt sich eng an die *Neopentyl- u. *Wagner-Meerwein-Umlagerung an, d. h. treibende Kraft ist die Ausbildung des stabileren – hier durch die Hydroxy-Gruppe stabilisierten – *Carbenium-Ions. Mit gemischt substituierten 1,2-Diolen entstehen in Abhängigkeit von den Reaktionsbedingungen unterschiedliche Reaktionsprodukte, je nachdem welcher Rest bevorzugt wandert. – ***E*** pinacol rearrangement – ***F*** réarrangement pinacol-pinacolone – ***I*** trasposizione pinacolica – ***S*** transposición pinacol-pinacolona

Lit.: Krauch u. Kunz, Reaktionen der Organischen Chemie, 6. Aufl., S. 569, Heidelberg: Hüthig 1997 ▪ Houben-Weyl **4/2**, 15; **7/2a**, 1016 ▪ Laue-Plagens, S. 256 ▪ March (4.), S. 1059 ▪ Patai, The Chemistry of the Carbonyl Group, S. 762–772, London: Wiley 1966 ▪ Patai, The Chemistry of Ethers, Crown Ethers, Hydroxyl Groups and their Sulphur Analogues, S. 722 f., Chichester: Wiley 1980 ▪ Trost-Fleming **3**, 721 f.

Pinakon(e) s. Pinakol(e).

Pinan (2,6,6-Trimethylbicyclo[3.1.1]heptan).

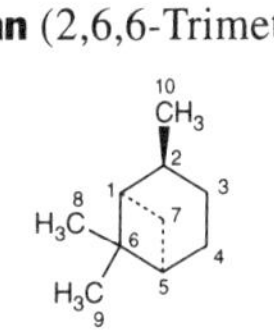

(+)-(1*R*)-*cis*-Pinan

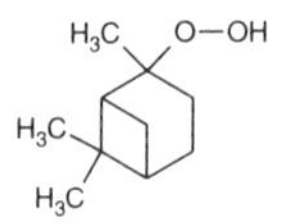

Pinanhydroperoxid

$C_{10}H_{18}$, M_R 138,25. P. repräsentiert das Grundgerüst der „Pinane", die in Holz u. in den Blättern vieler Höherer Pflanzen u. auch in einigen Algen u. Insekten vorkommen. P. selbst, das in je zwei enantiomeren 2 *endo*- u. 2 *exo*-Formen (=*cis*- bzw. *trans*-) existiert, wurde

Tab.: Pinane.

	Sdp. [°C]	$[\alpha]_D^{20}$ (unverd.)	CAS
(+)-(1*R*)-*cis*-P.	168–169	+24 ± 1°	4795-86-2
(–)-(1*S*)-*cis*-P.		−24 ± 1°	4755-33-3
(+)-(1*R*)-*trans*-P.	165–167	+17 ± 1°	4863-59-6
(–)-(1*S*)-*trans*-P.		−17 ± 1°	10281-53-5

bisher nicht in der Natur gefunden. Es entsteht bei der Hydrierung der Pinan-Abkömmlinge.
P. wird hauptsächlich zur Synth. von *Pinanhydroperoxid verwendet. – ***E*** = ***F*** pinane – ***I*** = ***S*** pinano

Lit.: Beilstein E IV **5**, 318 f. ▪ Ullmann (4.) **22**, 543; (5.) **A 26**, 212 ▪ s. a. Terpene. – *[HS 2906 19; CAS 473-55-2 (Isomerengemisch)]*

Pinanhydroperoxid (2-Pinanylhydroperoxid). $C_{10}H_{18}O_2$, M_R 170,25, Sdp. 57 °C (0,13 hPa) (Formel s. Pinan). Farblose bis blaßgelbe, leichtbewegliche Flüssigkeit aus 50% Pinanhydroperoxid u. 50% Pinan, die durch Einwirkung von Sauerstoff auf Pinan hergestellt wird. Die Dämpfe reizen sehr stark die Augen u. die Atemwege sowie die Haut. Selbst kurzer Kontakt mit der Flüssigkeit reizt sehr stark Haut u. Augen u. gefährdet die Augen ernsthaft (Hornhautschäden).

O  C

Verw.: P. kann als Initiator für Polymerisationen z. B. von Diolefinen u. aromat. Vinyl-Verb. od. zur Härtung ungesätt. Polyesterharze eingesetzt werden. Zwischenprodukt bei der Herst. von Duftstoffen. – ***E*** pinane hydroperoxide – ***F*** hydroperoxyde de pinane – ***I*** idroperossido di pinano – ***S*** hidroperóxido de pinano

Lit.: Beilstein E IV **6**, 277 ▪ Hommel, Nr. 692 ▪ Ullmann (4.) **17**, 663; **22**, 544; (5.) **A 26**, 212. – *[HS 2909 60; CAS 28324-52-9; G 5.2]*

Pinchbeck. Kupfer-Zink-Leg. (*Messing) mit ca. 10% Zn.

Pincheffekt. Einschnüreffekt in Hochstromplasmen. In der gleichen Weise wie sich parallele, stromdurchflossene Drähte aufgrund ihres Magnetfeldes anziehen, kommt es in Plasmen (s. Plasma), wenn sie von einem genügend großen Strom durchflossen werden, zu einem Zusammenziehen des von den Ladungsträgern (Elektronen, Ionen) durchflossenen Gebietes. Der P. wird ausgenutzt, um Plasmen mit extrem hohen Temp., wie sie bei der kontrollierten *Kernfusion benötigt werden, aufzuheizen u. zu begrenzen. – ***E*** Pinch effect – ***F*** effet de Pinch – ***I*** reostrizione – ***S*** efecto de Pinch

Lit.: Bergmann u. Schäfer, Lehrbuch der Experimentalphysik, Bd. 5: Vielteilchensysteme, S. 192, Berlin: de Gruyter 1992.

Pincus, Gregory Goodwin (1903–1967), Prof. für Physiologie, Boston. *Arbeitsgebiete:* Sexualhormone, Ovulations-Physiologie, Entwicklung hormoneller Antikonzeptionsmittel (sog. Antibabypille).

Lit.: Lexikon der Naturwissenschaftler, S. 328 ▪ Neufeldt, S. 185.

Pindolol (Rp).

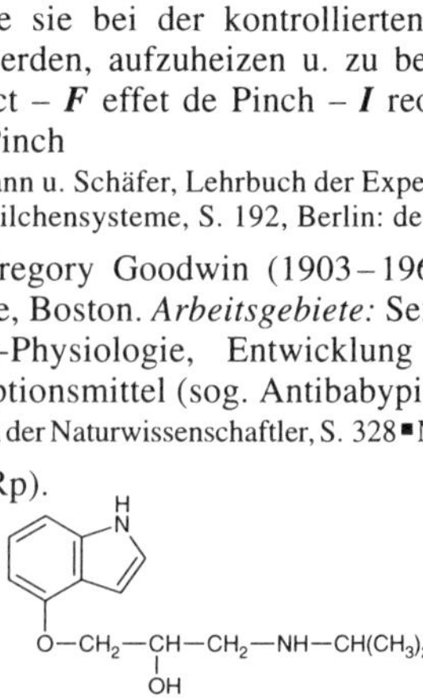

Internat. Freiname für den Beta-Rezeptoren-Blocker (*R,S*)-1-(4-Indolyloxy)-3-isopropylamino-2-propanol, $C_{14}H_{20}N_2O_2$, M_R 248,32. Weißliches krist. Pulver, Schmp. 171–173 °C; λ_{max} (CH_3OH) 265, 288 nm ($A^{1\%}_{1cm}$ 320, 169); in Wasser prakt. unlösl., in Ethanol löslich. Lagerung: Vor Licht geschützt. P. wurde 1969 von Sandoz (Visken®, heute Wander Pharma) patentiert u. ist als Generikum im Handel. – ***E*** = ***F*** = ***S*** pindolol – ***I*** pindololo

Lit.: ASP ▪ Acta Chem. Scand. Ser. B **34**, 131 (1980) ▪ Beilstein E V **21/3**, 17 ▪ Hager (5.) **9**, 213 ff. ▪ Martindale (31.), S. 930 ▪ Ph. Eur. **1997** u. Komm. – *[HS 2933 90; CAS 13523-86-9]*

Pindon.

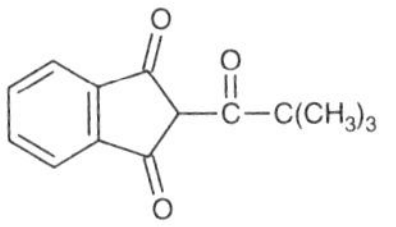

T

Common name für 2-Pivaloylindan-1,3-dion, $C_{14}H_{14}O_3$, M_R 230,26, Schmp. 108,5–110,5 °C, von Kilgore Chemical 1952 eingeführtes Rodentizid mit blutgerinnungshemmender Wirkung. Verw. v. a. in Giftköder gegen Ratten. – ***E*** = ***F*** = ***I*** pindone – ***S*** pindona

Lit.: Beilstein E IV **7**, 2791 ▪ Farm ▪ Perkow ▪ Pesticide Manual. – *[HS 2914 39; CAS 83-26-1]*

Pinene (*α*-P. = 2,6,6-Trimethylbicyclo[3.1.1]hept-2-en; *β*-P. = 6,6-Dimethyl-2-methylenbicyclo[3.1.1]heptan).

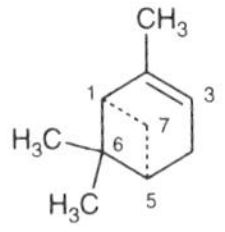

(+)-α-Pinen

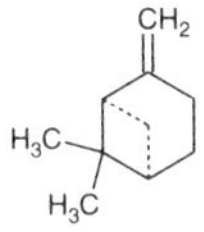

(+)-β-Pinen

$C_{10}H_{16}$, M_R 136,24, terpentinartig riechende, leicht entzündbare Flüssigkeiten (FP. 33 °C); MAK 560 mg/m³. Ungesätt. bicycl. Monoterpene mit Pinan-Struktur, die leicht eine Umlagerung in das Bornan- od. das Menthan-Gerüst eingehen. Von *α*- u. *β*-P. gibt es in der Natur je zwei Enantiomere: (1*R*,5*R*)(+)- u. (1*S*,5*S*)(–)-*α*-P., Sdp. 155–156 °C, $[\alpha]_D$ ±52,4° (unverd.). (1*R*,5*R*)(+)- u. (1*S*,5*S*)(–)-*β*-P., Sdp. 164–165 °C, $[\alpha]_D$ ±22,7° (unverd.).

Vork.: P. kommen in den ether. Nadel- u. Zapfen-Ölen der meisten Nadelhölzer (Coniferen) vor. Industriell werden P. aus *Terpentinöl (ether. Öle der *Pinus*-Arten, Pinaceae) gewonnen.

Verw.: Zur Synth. von *Campher u. Insektiziden, als Lsm. für Wachse u. als Weichmacher für Kunststoffe, zur Herst. chiraler Reagenzien für enantioselektive Synth. (s. ALPINE...). Durch oxidaktive Spaltung der Doppelbindung in *α*-P. erhält man opt. aktive Cyclobutan-Derivate, die als Ausgangsverb. zur Herst. von cyclobutanoiden Naturstoffen dienen können. – ***E*** pinenes – ***F*** pinènes – ***I*** pineni – ***S*** pinenos

Lit.: Acta Chem. Scand. Ser. B **34**, 131 (1980) ▪ Beilstein E IV **5**, 452–459 ▪ Experientia **46**, 227–230 (1990) ▪ Gildemeister **3a**, 127–177 ▪ J. Am. Chem. Soc. **98**, 1227 (1976) ▪ J. Chem. Ecol. **15**, 807–817 (1989); **18**, 1693 (1992) ▪ J. Org. Chem. **53**, 4059 (1988); **54**, 1764 (1989) (Synth.) ▪ Karrer, Nr. 62, 63 ▪ Merck-Index (12.), Nr. 7599, 7600 ▪ Miltitzer Ber. **1982**, 17–25 ▪ Parfums, Cosmet., Aromes **71**, 61–67 (1986) ▪ Sax (8.), Nr. PIH 250, POH 750 ▪ Ullmann (5.) **A 9**, 536; **A 11**, 155 f., 167–171. – *[HS 2902 19; CAS 7785-70-8 ((+)-α-P.); 7785-26-4 ((–)-α-P.); 19902-08-0 ((+)-β-P.); 18172-67-3 ((–)-β-P.)]*

Pinen-Harze. Bez. für Harze, die durch Polymerisation von *α*- u. *β*-*Pinen – Bestandteile z. B. des *Terpentinöls – entstehen. Durch kation. *Copolymerisation von *β*-Pinen mit ca. 20% Isobutylen erhält man schlagzähe *Thermoplaste, während bei Erhöhung des Isobutylen-Anteils auf >90% vulkanisierbare *Elastomere gebildet werden. *β*-Pinen I homopolymerisiert darüber hinaus ohne Katalysator unter Ringöffnung zum krist. Polymeren II. *α*-Pinen III isomerisiert dagegen unter den Bedingungen einer kation. Polymerisation zunächst unter Ringöffnung zum Limonen IV, das erst dann über seine seitenständige Isoprenyl-Gruppe zu V polymerisiert:

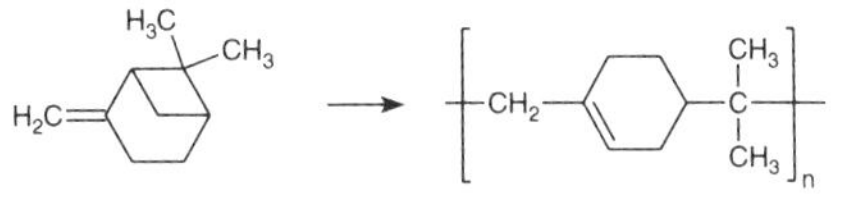

I II

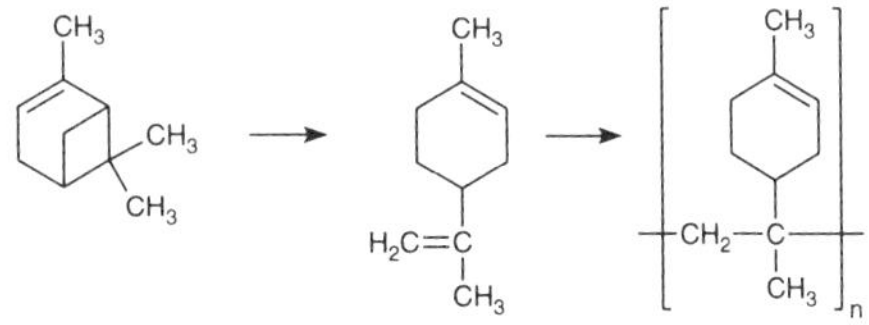

III IV V

– ***E*** pinene resins – ***I*** resini pineniche – ***S*** resinas de pinenos

Lit.: Elias (5.) **2**, 153.

Pine Oil. Farblose bis hellgelbe Flüssigkeit mit einem herbfrischen, kernigen, etwas bitteren Geruch, D^{25}_{25} 0,925–0,935, n^{20}_D 1,480–1,485.

Herst.: Durch Dest. aus rohem *Holzterpentinöl; Ausbeute ca. 2%. Der größte Teil des marktgängigen P. O. wird heute allerdings synthet. durch Hydratisierung von *Terpentinöl hergestellt. Andere P. O.-Typen werden aus *Sulfatterpentinöl od. synthet. aus *Pinen durch säurekatalysierte Hydratisierung erzeugt. Man rechnet P. O zu den sog. *Naval Stores Oils.

Zusammensetzung: Hauptbestandteil ist *α*-*Terpineol. Daneben finden sich kleine Mengen hauptsächlich an Monoterpenalkoholen wie *Borneol, *Fenchol, *β*-Terpineol u. Terpinenol.

Verw.: Als Ausgangsmaterial für *α*-Terpineol, in der Textil-Ind. zum Entbasten u. als Netzmittel, als Flotationsöl bei der Aufarbeitung von Cu-, Pb- u. Zn-Erzen, zur Herst. von Schmierseifen, Türkischrotölen (Anteil bis zu 20%), Desinfektionsmitteln (Phenol-Koeff. 3,5–4), für preiswerte Parfümierungen im techn. Bereich. – ***E*** pine oil – ***I*** essenza di pino

Lit.: Food Chem. Toxicol. **21**, 875 (1983) ▪ Gildemeister **4**, 142 ▪ Hommel, Nr. 190 ▪ Kirk-Othmer (3.) **7**, 819; **16**, 326 f.; **22**, 747, 749 ▪ Sax (7.), S. 2793 f. ▪ Ullmann (5.) **A 24**, 472 ▪ Winnacker-Küchler (3.) **3**, 497 f. ▪ s. a. Terpentinöl, Pinene. – *[HS 3805 20; CAS 8000-41-7]*

Pinidin s. Pinus-Alkaloide.

Pinimenthol®. *Badezusatz* mit Eucalyptusöl, *Campher u. *Levomenthol; *P.-S mild Salbe:* Salbe mit Eucalyptusöl, Kiefernnadelöl; *P. Liquidum/N Salbe:* Flüssigkeit u. Salbe zusätzlich mit Levomenthol; *P.-Oral N:* Kapseln mit *Anethol, *Cineol u. Ol. Pini Pumil. gegen Erkältungskrankheiten u. Bronchitis. ***B.:*** Spitzner.

Pinke s. Phosphatieren.

Pinkfarben. Keram. Pigmente aus Zinn(IV)-oxid, in deren aufgeweitetem Kristallgitter geringe Mengen von Chromoxid (*Pinkrot*) od. Vanadiumpentoxid (*Pinkgelb*) eingebaut sind. – ***E*** pink colo(u)rs – ***I*** colori rosati – ***S*** pigmentos rosados
Lit.: s. keramische Pigmente.

Pinkgelb s. Pinkfarben.

Pinkrot s. Pinkfarben.

Pinksalz s. Zinnchloride.

pINN s. Freinamen.

Pin(o)... Von latein.: pinus = Pinie, Fichte, Kiefer od. deren Inhaltsstoff *Pinen abgeleitete Vorsilbe; andere Bedeutungen: s. Pina®, Pinakol u. Pinocytose. – ***E=F=I=S*** pin(o)...

Pinocytose. Von griech.: pinein = trinken u. Endocytose (vgl. dort) abgeleitete Bez. für die Einverleibung flüssiger Stoffe (vgl. dagegen Phagocytose) durch lebende Zellen. Dabei wird die Zellmembran mitsamt dem zu transportierenden Stoff ins Zellinnere gestülpt u. zu Vesikeln (pinocytot. Vesikeln, *Pinosomen*) abgeschnürt. Nach deren Verschmelzung mit *Lysosomen werden die Inhaltsstoffe verdaut; evtl. können sie auch ins *Cytoplasma entleert werden. Man unterscheidet zwischen der unspezif. *Makro-P.* u. der *Mikro-* od. *Rezeptor-vermittelten Pinocytose.* Letztere erfordert die Bindung der Substanz an *Rezeptoren u. deren Anreicherung in speziellen Vertiefungen der Membran (*coated pits*), an deren Innenseite das Protein *Clathrin den Einstülpungs- u. Abschnürungs-Prozeß unterstützt. – ***E*** pinocytosis – ***F*** pinocytose – ***I*** pinocitosi – ***S*** pinocitosis

Pinoresinol s. Lignane.

Pinosomen s. Pinocytose.

Pinosylvin (3,5-Stilbendiol).

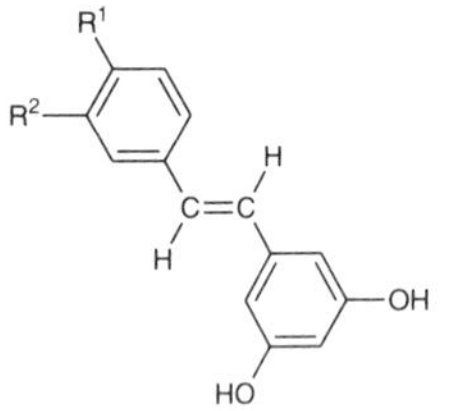

R¹, R² = H : Pinosylvin
R¹ = OH, R² = H : Resveratrol
R¹, R² = OH : Piceatannol

$C_{14}H_{12}O_2$, M_R 212,25. Nadeln, Schmp. 156 °C, unlösl. in Wasser, lösl. in Benzol, Aceton, Chloroform, Eisessig.
Vork.: Neben dem Mono- u. Dimethylether im Kernholz von Kiefern. P. schützt dieses gegen Fäulnis u. wirkt etwa 30mal stärker desinfizierend als Phenol, für Fische ist es stark giftig. P. behindert infolge Kondensation mit Lignin den Sulfit-Aufschluß des Holzes. Stilben-Derivate mit 3–5 Hydroxy-Gruppen findet man auch in anderen Pflanzen, z. B. *Resveratrol* ($C_{14}H_{12}O_3$, M_R 228,25) im Weißen Germer *Veratrum grandiflorum*, in *Pinus-*, *Eucalyptus-*, *Polygonum-*, *Nothofagus-*Arten u. Rotwein. *Piceatannol* kommt in Fichten vor ($C_{14}H_{12}O_4$, M_R 244,25). – ***E=F*** pinosylvine – ***I=S*** pinosilvina
Lit.: Arch. Pharmacol. Res. **13**, 132 (1990) ▪ Beilstein EIV **6**, 7592, 7787 ▪ Karrer, Nr. 333, 336, 338a ▪ Nat. Prod. Rep. **10**, 233–263 (1993) ▪ Phytochemistry **24**, 321 (1985); **32**, 1083 (1993) ▪ Winnacker-Küchler (3.) **3**, 410. – *[CAS 22139-77-1 (E-Form); 501-36-0 ((E)-Resveratrol); 10083-24-6 ((E)-Piceatannol)]*

Pint (Symbol: pt). Anglo-amerikan. Vol.-Einheit (1 pt = 1/2 *quart = 1/8 *gallon; vgl. Bushel, Ounce): a) Brit. imperial Syst.: 1 pt = 0,56826125 L. – b) US-Syst. für Flüssigkeiten (Verw. z. B. auch in Apotheken): 1 liq pt = 0,4731765 L. – c) US-Syst. für feste Stoffe: 1 dry pt = 0,5506105 L.

Pintasol® E. Pigment-Präparationen für die Einfärbung von Malerabtönpasten. ***B.:*** Clariant.

Pinus-Alkaloide. Lange Zeit war das aus der amerikan. Kiefer *Pinus sabiniana* isolierte *Pinidin*[1] {(2*R*)-*cis*-2-Methyl-6-((*E*)-1-propenyl)piperidin, $C_9H_{17}N$, M_R 139,24, $[\alpha]_D^{25}$ –10,5°} das einzige aus Pinaceen bekannte Alkaloid.

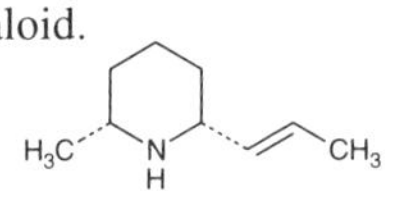

Pinidin

In jüngerer Zeit wurden einige weitere strukturverwandte Derivate gefunden u. es konnte gezeigt werden, daß 2,6-disubstituierte Piperidine in allen untersuchten Arten von *Pinus* (Kiefer) u. *Picea* (Fichte) vorkommen[2]. Die P.-A. sind in der ganzen Pflanze nachzuweisen. Erste Beobachtungen lassen vermuten, daß die potentiell tox. Alkaloide (Strukturähnlichkeit mit *Coniin) als Schutzstoffe gegenüber Herbivoren fungieren[3]. – ***E*** pinus alkaloids – ***F*** alcaloides du pin – ***I*** alcaloidi del pino – ***S*** alcaloides de pino
Lit.: [1] J. Am. Chem. Soc. **78**, 4467 (1956). [2] J. Org. Chem. **58**, 4813 (1993); Phytochemistry **35**, 951 (1994); **40**, 401 (1995). [3] J. Nat. Prod. **54**, 905 (1991).
allg.: Beilstein EV **20/4**, 395 ▪ J. Org. Chem. **40**, 2151 (1975) (Synth.) ▪ Tetrahedron Lett. **1975**, 3779 (Biosynth.). – *[HS 2939 90; CAS 501-02-0 (Pinidin)]*

Pionen. Phonet. Schreibweise für π- od. Pi-*Mesonen, s. a. Elementarteilchen.

Pionium s. exotische Atome u. Mesonenatome.

PIP. Kurzz. für *Polyisopren.

Pipamperon (Rp).

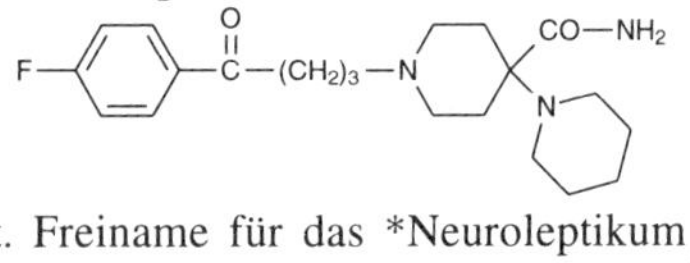

Internat. Freiname für das *Neuroleptikum 1-[3-(4-Fluorphenyl)4-oxobutyl]-4-piperidino-4-piperidincarboxamid, $C_{21}H_{30}FN_3O_2$, M_R 375,48. Verwendet wird das Dihydrochlorid, Schmp. 124,5–126 °C; λ_{max} (0,05 M H_2SO_4) 248,5 nm ($A_{1cm}^{1\%}$ 207,5). P. wurde 1962 von Janssen (Dipiperon®) patentiert. – ***E=I*** pipamperone – ***F*** pipampérone – ***S*** pipamperona
Lit.: Hager (5.) **9**, 219f. ▪ Martindale (31.), S. 729. – *[HS 2933 39; CAS 1893-33-0 (P.); 2448-68-2 (Dihydrochlorid)]*

Pipazetat.

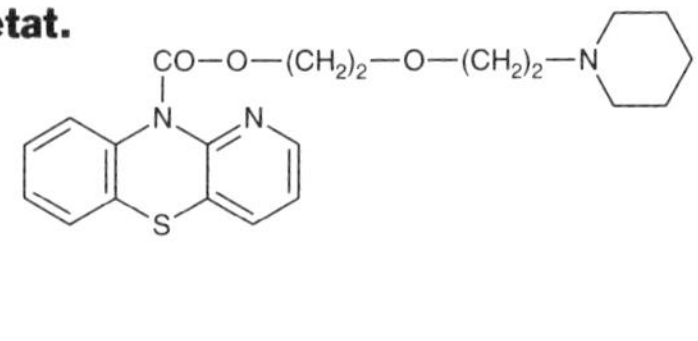

Internat. Freiname für das *Antitussivum 10*H*-Pyrido[3,2-*b*][1,4]benzothiazin-10-carbonsäure-[2-(2-piperidinoethoxy)-ethyl]-ester, $C_{21}H_{25}N_3O_3S$, M_R 399,50. Verwendet wird das Hydrochlorid, blaß gelbe Krist., Schmp. 160–161 °C; LD_{50} (Ratte oral) 560 mg/kg. P. wurde 1961 von Degussa patentiert u. ist von Asta Medica (Selvigon®) im Handel. – ***E*** pipazethate – ***F*** pipacétate – ***I*** = ***S*** pipazetato

Lit.: ASP ▪ Hager (5.) **9**, 220 f. ▪ Martindale (31.), S. 1073 f. – *[HS 2934 90; CAS 2167-85-3 (P.); 6056-11-7 (Hydrochlorid)]*

Pipe... Nach latein.: piper = Pfeffer benannte man *Piperin u. seine Abbauprodukte Piperinsäure, *Piperonal u. *Piperidin (dessen Abbau *1,3-Pentadien, *Piperylen* ergab), später auch andere *Scharfstoffe. Da die *Perhydro-Verb. von *Pyridin nun Pi*pe*ridin hieß, nannte man gesätt. *Picoline, *Pyrazin u. *Nicotinsäure dann *Pipecoline* (*2-Methylpiperidin), *Piperazin u. Nipecotinsäure. – ***E*** = ***I*** = ***S*** pipe... – ***F*** pipé...

α-Pipecolin s. 2-Methylpiperidin.

Pipecolinsäure s. Piperidincarbonsäuren.

Pipeline (von *E* pipe = Röhre u. line = Leitung). Meist unterird., in unbewohnten Gebieten (Wüsten, Tundren) auch oberird. verlegte Fernleitungen aus je nach Transportgut unterschiedlich dimensionierten Stahlrohren mit zwischengeschalteten Pump- od. Kompressorstationen. P. dienen zum *Transport von Gasen (Erdgas, Wasserstoff, Stickstoff, Sauerstoff, Acetylen, Ethylen), Flüssigkeiten (Erdöl, Wasser, Salzsole, Ammoniak, Flüssiggase) od. festen Stoffen in Form von Suspensionen (Schlämme von Kohle, Eisen- u. Kupfer-Erzen, Phosphaten, Kali-Salzen, Schwefel; beim *Hydrotransport* ist das Gut suspendiert in Wasser). Beim Transport gefährlicher Stoffe durch P. werden bes. hohe Sicherheitsanforderungen gestellt, damit Korrosion od. Selbstentzündung verhindert werden. Oft schützt man die Rohrsyst. durch *kathodischen Korrosionsschutz. Techniken der gezielten *Lecksuche sind entwickelt worden, um evtl. Unfälle (*Beisp.:* *Ölpest) rasch lokalisieren zu können. – ***E*** pipeline – ***F*** pipeline, (bei Erdöl: oléoduc) – ***I*** pipe-line, oleodotto – ***S*** pipeline, conducto de materiales (bei Erdöl: oleoducto)

Lit.: Kirk-Othmer **S**, 694–711; (3.) **17**, 906–957 ▪ Ullmann (5.) **A 17**, 109; **B 8**, 549.

Pipemidsäure (Rp).

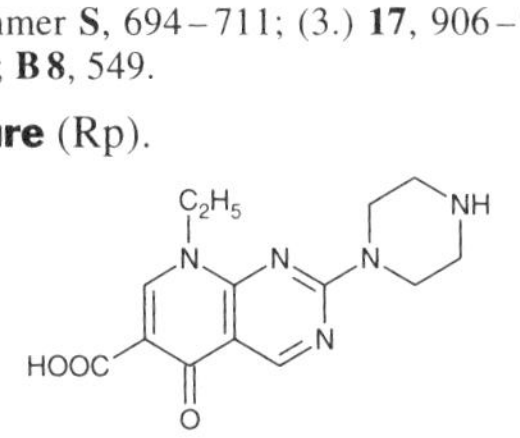

Internat. Freiname für den *Gyrase-Hemmer 8-Ethyl-5,8-dihydro-5-oxo-2-(1-piperazinyl)-pyrido[2,3-*d*]pyrimidin-6-carbonsäure, $C_{14}H_{17}N_5O_3$, M_R 303,32, Schmp. 253–255 °C; λ_{max} (H_2O) 264 nm ($A^{1\%}_{1cm}$ 1525); LD_{50} (Maus oral) 4000 mg/kg, (Maus i.p.) 1000 mg/kg, (Maus i.v.) 50 mg/kg, in Wasser sehr schwer löslich. P. wurde 1974 u. 1975 von Dainippon Pharm. patentiert u. ist von Madaus (Deblaston®) im Handel. – ***E*** pipemidic acid – ***F*** acide pipémidique – ***I*** acido pipemidico – ***S*** ácido pipemídico

Lit.: ASP ▪ Hager (5.) **9**, 221 ff. ▪ Martindale (31.), S. 262. – *[HS 2933 59; CAS 51940-44-4]*

Pipenzolatbromid (Rp).

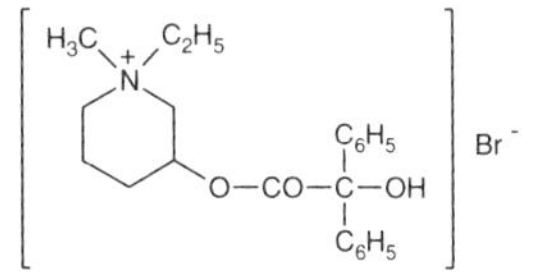

Internat. Freiname für das spasmolyt. wirkende *Parasympath(ik)olytikum 1-Ethyl-3-[(hydroxydiphenylacetyl)oxy]-1-methylpiperidiniumbromid, $C_{22}H_{28}BrNO_3$, M_R 434,37, Schmp. 179–180 °C; λ_{max} (CH_3OH) 258, 264 nm ($A^{1\%}_{1cm}$ 9,7, 7,4); in Wasser leicht löslich. P. wurde 1959 von Lakeside patentiert. – ***E*** pipenzolate bromide – ***F*** bromure de pipenzolate – ***I*** pipenzolato bromuro – ***S*** bromuro de pipenzolato

Lit.: Beilstein E V **21/1**, 43 ▪ Hager (5.) **9**, 223 f. ▪ Martindale (31.), S. 505. – *[HS 2933 39; CAS 125-51-9]*

Piper... s. Pipe...

Piperacillin (Rp).

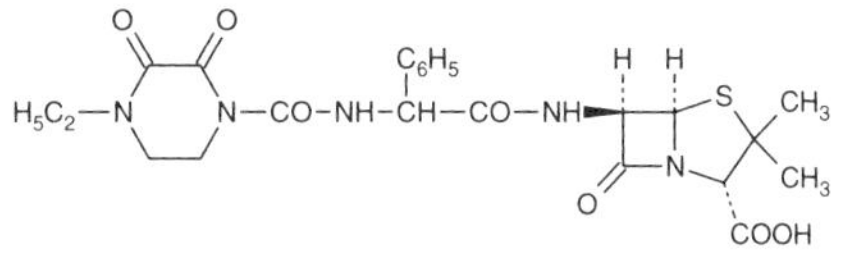

Internat. Freiname für das Breitband-Antibiotikum, ein halbsynthet. *Penicillin-Derivat, *N*-(4-Ethyl-2,3-dioxopiperazin-1-carbonyl)-ampicillin, $C_{23}H_{27}N_5O_7S$, M_R 517,55. Verwendet wird meist das Natriumsalz, Schmp. 183–185 °C (Zers.); LD_{50} (Maus i.v.) 5 g/kg. P. wurde 1976 u. 1978 von Toyama patentiert u. ist von Lederle (Pipril®) im Handel. – ***E*** piperacillin – ***F*** pipéracilline – ***I*** piperacillina – ***S*** piperacilina

Lit.: ASP ▪ Hager (5.) **9**, 226–229 ▪ Jackson u. Phillips, From Penicillin to Piperacillin, London: Academic Press 1982 ▪ Martindale (31.), S. 262 f. ▪ Nordbring, Piperacillin, Amsterdam: Excerpta Medica 1983. – *[HS 2941 10; CAS 61477-96-1 (P.); 59703-84-3 (Natriumsalz)]*

Piperazin (Hexahydropyrazin, 1,4-Diazin, Diethylendiamin). C 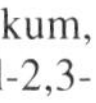

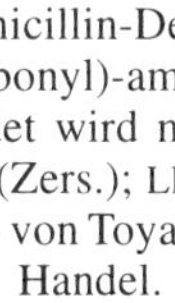

$C_4H_{10}N_2$, M_R 86,13. Farblose, haut- u. schleimhautätzende, hygroskop. Schuppen, D. 1,11, Schmp. 106 °C, Sd46 °C, als Hexahydrat Schmp. 44 °C, p. 1Sdp. 130 °C, lösl. in Wasser, Alkohol, Glykolen, unlösl. in Ether; WGK 2 (Selbsteinst.). Als Base absorbiert P. CO_2 aus der Luft u. bildet mit Säuren gut kristallisierende Salze.

Herst.: P. fällt als Nebenprodukt bei der Herst. von Ethylendiamin an.

Verw.: P. dient als Anthelmintikum gegen Oxyuriasis u. Askaridiasis, sowie als Harnsäure-Lsm.; als Zwischenprodukt zur Herst. von Polyamiden, Puffern (*PIPES), Korrosionsinhibitoren, Insektiziden, Pharmazeutika, Kautschukhilfsmitteln, Vulkanisationsbeschleunigern, usw. *N*-Methyl- u. *N*-Phenylpiperazin dienen zum Nachw. von *Carbonsäuren. – ***E*** piperazine – ***F*** pipérazine – ***I*** = ***S*** piperazina

Lit.: Beilstein E V **23/1**, 30–39 ▪ Hager (5.) **9**, 229 ▪ Hommel, Nr. 881 ▪ Merck-Index (12.), Nr. 7617 ▪ Ullmann (4.) **7**, 385; (5.) **A 2**, 15 f., 30, 333, 339. – *[HS 2933 59; CAS 110-85-0 (P.); 142-63-2 (Hexahydrat); G 8]*

2,5-Piperazindion (Glycinanhydrid, Cycloglycylglycyl, 2,5-Diketo- od. 2,5-Dioxopiperazin).

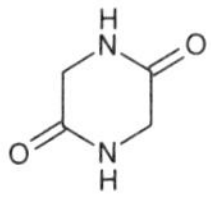

$C_4H_6N_2O_2$, M_R 114,10. Farblose Blättchen, subl. bei 260 °C, Zers. bei 318–320 °C, lösl. in Salzsäure, wenig in Wasser. P. ist eine schwache Base, hydrolysiert mit Säuren u. Alkalien zu Glycylglycin. Im allg. bitter schmeckende Derivate des P. entstehen beim Abbau von Proteinen. Umgekehrt können sie als Zwischenprodukt der Peptid-Synth. dienen. – ***E*** 2,5-piperazinedione – ***F*** 2,5-pipérazinedione – ***I*** 2,5-piperazindione – ***S*** 2,5-piperazindiona

Lit.: Beilstein E V **24/5**, 294 f. ▪ Heterocycles **20**, 1407–1433 (1983) ▪ Merck-Index (12.), Nr. 7619. – *[HS 2933 59; CAS 106-57-0]*

Piperidin (Hexahydropyridin, Pentamethylenimin).

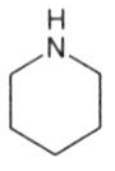

$C_5H_{11}N$, M_R 85,14. Farblose, leicht brennbare, fischig bis Ammoniak-artig riechende Flüssigkeit, D. 0,8622, Schmp. –13 °C, Sdp. 106 °C, FP. 16 °C, mit Wasser mischbar, lösl. in Alkohol, Ether, Benzol, Chloroform; WGK 2 (Selbsteinst.). P. ist bas., bildet Komplexe mit Schwermetall-Salzen u. reduziert ammoniakal. Silbernitrat-Lösung. Die Dämpfe reizen u. schädigen stark die Augen, die Atemwege sowie die Lunge u. verätzen außerdem die Haut; Lungenödem möglich. Kontakt mit der Flüssigkeit bewirkt sehr starke Reizung der Augen sowie der Haut; P. wird auch über die Haut aufgenommen. Das P.-Grundgerüst ist Baustein einer Reihe wichtiger *Alkaloide (*Piperidin-Alkaloide*) wie z. B. Anabasin, Arecolin, Pelletierin, Piperin, Coniin, Lobinalin, im weiteren Sinne auch Cocain u. der Tropan-Alkaloide.

Herst.: Durch elektrochem. Red. von Pyridin.

Verw.: Lsm., Zwischenprodukt bei Synth. von Pharmazeutika, Pflanzenschutzmitteln u. Riechstoffen, als Härter für Epoxidharze, Katalysator für Kondensationsreaktionen, Kautschukhilfsmittel u. als Reagenz auf Aldehyde, Au, Ce, Mg, Zr. – ***E*** piperidine – ***F*** pipéridine – ***I*** = ***S*** piperidina

Lit.: Beilstein E V **20/2**, 3–21 ▪ Hommel, Nr. 718 ▪ Kirk-Othmer (4.) **20**, 648 ▪ Merck-Index (12.), Nr. 7621 ▪ Ullmann (4.) **7**, 383; (5.) **A 1**, 359–362. – *[HS 2933 32; CAS 110-89-4; G 3]*

Piperidin-Alkaloide. Sammelbez. für sehr verschiedenartige Alkaloide, die einen Piperidin-Ring enthalten. Wegen ihrer Heterogenität werden die meisten P.-A. nach ihrem Vork. u. ihrer biogenet. Herkunft als eigene Gruppen behandelt. Die wichtigsten Gruppen sind die Scharfstoffe des Pfeffers (s. Piperin), 2-monosubstituierte Piperidine vom Typ der Sedum-Alkaloide od. des *Pelletierins, die 2,6-disubstituierten Piperidine vom Typ der *Lobelia-Alkaloide; die *Conium-Alkaloide u. die erst in jüngerer Zeit in ihrer Bedeutung erkannten *Pinus-Alkaloide.

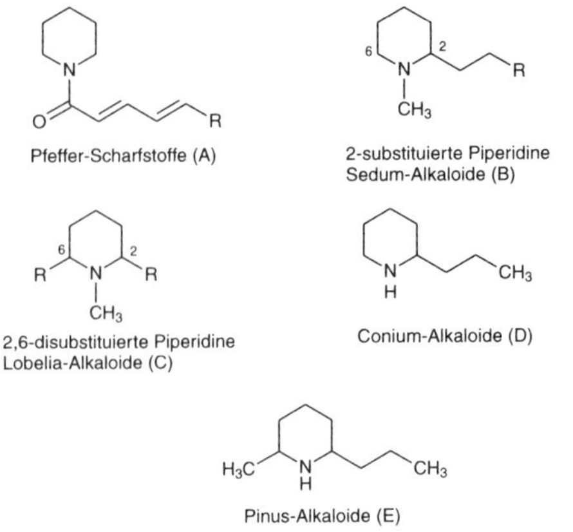

Abb.: Die wichtigsten Strukturtypen einfacher Piperidin-Alkaloide.

– ***E*** piperidine alkaloids – ***F*** alcaloïdes de pipéridine – ***I*** alcaloidi della piperidina – ***S*** alcaloides de piperidina

Lit.: Mothes, Schütte u. Luckner, Biochemistry of Alkaloids, S. 128, Berlin: VEB-Verl. der Wissenschaften 1985, Weinheim: Verl. Chemie 1985 ▪ Nat. Prod. Rep. **9**, 581 (1992). – *[HS 2939 90]*

Piperidincarbonsäuren.

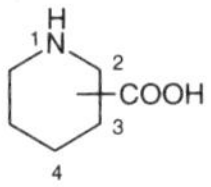

$C_6H_{11}NO_2$, M_R 129,16. 2-, 3- u. 4-P. sind Hydrierungsprodukte von *Picolinsäure, *Nicotinsäure u. *Isonicotinsäure. – a) 2-P. (*Pipecolinsäure*); (*S*)-Isomer: Schmp. 271–272 °C; $[\alpha]_D^{23}$ –26,3°, Vork. z. B. in *Allium-*, *Galega-*, *Humulus-*, *Phaseolus-*, *Pisum-* u. *Trifolium*-Arten, Baustein einiger Naturstoffe, z. B. *FK-506, *Marcfortine, *Rapamycin, *Virginiamycine u. a. *Peptolide; Racemat: Schmp. 282 °C. – b) 3-P. (*Nipecotinsäure*); (*S*)-Isomer: Schmp. 259–260 °C, $[\alpha]_D^{21}$ +3,6°; Racemat: Schmp. 250 °C. – c) 4-P. (*Isonipecotinsäure*), Schmp. 328 °C. – ***E*** piperidinecarboxylic acids – ***F*** acides pipéridine carboxyliques – ***I*** acidi carbossilici di piperidina, acidi piperidinici – ***S*** ácidos piperidin carboxílicos

Lit.: Beilstein E V **22/1**, 220, 235, 244.

Piperidindione. Bez. für eine Gruppe von Arzneistoffen mit sedativ-hypnot. Wirkung, deren gemeinsames Strukturmerkmal ein 2,4- od. 2,6-Piperidindion-Ring ist u. die den *Barbituraten verwandt sind. *Beisp.:* *Methyprylon, *Thalidomid. – ***E*** piperidindiones – ***F*** pipéridindiones – ***I*** piperidindioni – ***S*** piperindionas

Lit.: Ehrhart-Ruschig (2.) **1**, S. 49 f.

Piperidino... (Piperidin-1-yl...).

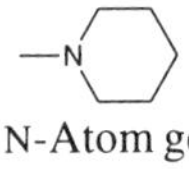

Bez. für den über das N-Atom gebundenen *Piperidin-Rest [IUPAC-Regeln B-2.12, B-5.11, R-2.5 (neben 1-Piperidyl...); *Chemical Abstracts:* 1-Piperidinyl...];

vgl. Piperidyl... – ***E = I = S*** piperidino... – ***F*** pipéridino...

3-Piperidinol s. 3-Hydroxypiperidin.

Piperidinyl... s. Piperidino... u. Piperidyl...

2-Piperidon (Piperidin-2-on, δ-Valerolactam, α-Piperidon).

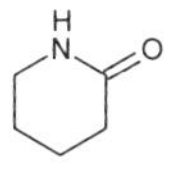

C_5H_9NO, M_R 99,13. Farblose krist. Masse, Schmp. 39 °C, Sdp. 256 °C, 137 °C (19 hPa), lösl. in Wasser u. den meisten organ. Lösemitteln. P. findet als selektives Lsm. zur Herst. von Polykondensaten u. Pharmazeutika Verwendung. – ***E*** 2-piperidone – ***F*** 2-pipéridone – ***I*** 2-piperidone – ***S*** 2-piperidona

Lit.: Beilstein E V **21/6**, 396 f. ▪ Chem.-Ztg. **109**, 82 ff. (1985). – *[HS 2933 79; CAS 675-20-7]*

Piperidyl... (*x*-Piperidyl..., Piperidin-*x*-yl...; *x* = 2, 3, 4). Bez. für C-gebundene *Piperidin-Reste

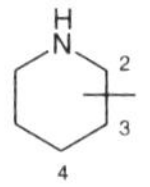

(IUPAC-Regel B-2.12, B-5.11, R-2.5; *Chemical Abstracts: x*-Piperidinyl...); vgl. Piperidino... – ***E*** piperidyl... – ***F*** pipéridyl... – ***I = S*** piperidil...

Piperin (1-Piperoylpiperidin).

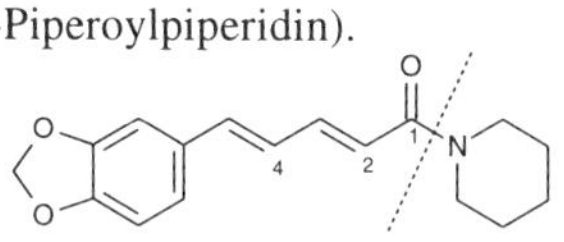

$C_{17}H_{19}NO_3$, M_R 285,34. Gelbliche od. farblose monokline Prismen, Schmp. 128–129 °C. P. findet sich zu 5–9% im *Pfeffer (*Piper nigrum*) als dessen wichtigster Scharfstoff [LD_{50} (Ratte oral) 514 mg/kg] u. in vielen weiteren *Piper*-Arten (Piperaceae). Neben P. sind über 50 analoge Amide, meist mit Piperidin, Pyrrolidin u. Isobutylamin als Basenteil aus *Piper*-Arten bekannt. Der scharfe Pfeffergeschmack bedingt auch die Verw. als Stomachikum u. in alkohol. Getränken (Brandy). Wie eine große Zahl der Piper-Alkaloide zeigt P. antimikrobielle Eigenschaften. Unter Lichteinwirkung isomerisiert P. zu einem Gemisch von Stereoisomeren, das noch 18% P. neben 27% des *Z,Z*-Isomeren (*Chavicin*, Öl), 22% des *Z,E*-Isomeren (*Isopiperin*, Schmp. 89 °C) u. 33% *E,Z*-Isomeres (*Isochavicin*, Schmp. 110 °C) enthält. – ***E*** piperine – ***F*** pipérine – ***I = S*** piperina

Lit.: Beilstein E V **20/3**, 469 f. ▪ Dtsch. Lebensm.-Rundsch. **80**, 148 (1984) ▪ Hager (5.) **6**, 199 f. ▪ J. Agric. Food Chem. **29**, 942 (1981) ▪ Karrer, Nr. 1021, 1022 ▪ Merck-Index (12.), Nr. 7625 ▪ Pelletier **3**, 41–46 ▪ Sax (8.), Nr. PIV 600. – *Synth.:* Justus Liebigs Ann. Chem. **1981**, 1725 ▪ Synlett **1994**, 607. – *[HS 2939 90; CAS 94-62-2 (P.); 495-91-0 (Chavicin); 30511-76-3 (Isopiperin); 30511-77-4 (Isochavicin)]*

Piperonal [Heliotropin, Piperonylaldehyd, 3,4-(Methylendioxy)benzaldehyd].

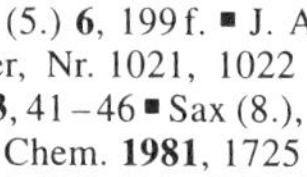

$C_8H_6O_3$, M_R 150,13. Süßlich heliotropartig riechende, glänzende Krist., Schmp. 37 °C, Sdp. 263 °C, in kaltem Wasser sehr schwer, in 70%igem Alkohol zu 5%, in reinem Alkohol u. Ether sehr leicht löslich. P. zersetzt sich an Licht u. Luft allmählich unter Dunkelfärbung u. Bildung von *Protocatechualdehyd u. abgeleiteten Säuren sowie Polymeren. P. kommt in geringen Mengen in den Blütenölen von *Veilchen, Mädesüß (*Spierstaude) u. Robinien (*Robinia pseudoacacia*, Fabaceae) sowie in *Vanille-Arten vor.

Herst.: Durch Oxid. von Isosafrol mit Kaliumdichromat od. aus Brenzcatechin u. Glyoxylsäure.

Verw.: Als Basis für Heliotropgerüche, zur Seifenparfümierung, als Glanzzusatz beim Verzinken. – ***E = S*** piperonal – ***F*** pipéronal – ***I*** piperonale

Lit.: Beilstein E V **19/4**, 225 ▪ Karrer, Nr. 401 ▪ Merck-Index (12.), Nr. 7628 ▪ Mölleken u. Bauer, in: Croteau, Fragrance and Flavor Substances, S. 75–81, Pattensen: D & PS 1980 ▪ Sax (8.), Nr. PIW 250 ▪ Ullmann (5.) **A 11**, 200. – *[HS 2932 93; CAS 120-57-0]*

Piperonyl... Veraltete Bez. für 1,3-Benzodioxol-5-ylmethyl... = 3,4-(Methylendioxy)benzyl... (IUPAC-Präfixliste, Anhang der Regeln C; vgl. Piperonal), oft auch für *Piperonyloyl...* [Rest der *Piperon(yl)säure* = 1,3-Benzodioxol-5-carbonsäure], daher nicht ratsam. – ***E*** piperonyl... – ***F*** pipéronyl... – ***I = S*** piperonil...

Piperonylbutoxid (Abk.: PBO).

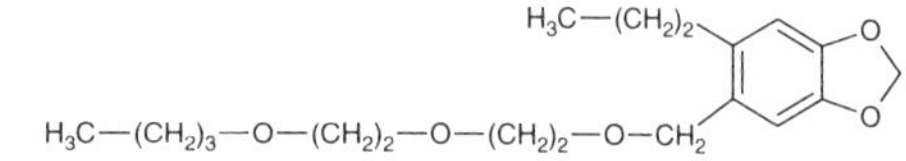

Common name für 5-[2-(2-Butoxyethoxy)ethoxymethyl]-6-propyl-1,3-benzodioxol, $C_{19}H_{30}O_5$, M_R 338,44, Sdp. 180 °C (133 Pa, techn. Produkt mit >85% Gehalt), LD_{50} (Ratte oral) 7950 mg/kg, Synergist zur Steigerung der insektiziden Wirksamkeit von Pyrethroiden u. zur Verbesserung der Stabilität von Phyrethrum-Extrakten. – ***E*** piperonyl butoxide – ***F*** butoxyde de pipéronyle – ***I*** butosside di piperonile – ***S*** butóxido de piperonilo

Lit.: Farm. ▪ Perkow ▪ Pesticide Manual. – *[HS 3932 99; CAS 51-03-6]*

Piperophos.

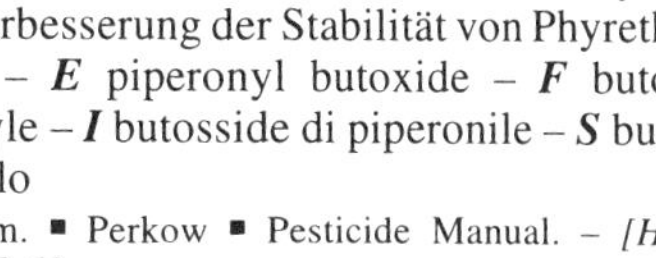

Common name für *S*-2-Methylpiperidinocarbonylmethyl-*O,O*-dipropyldithiophosphat, $C_{14}H_{28}NO_3PS_2$, M_R 353,47, zersetzt sich beim Destillieren, LD_{50} (Ratte oral) 324 mg/kg (WHO), von Ciba-Geigy 1969 eingeführtes selektives *Herbizid gegen Ungräser im Saat- u. Pflanzreisbau, oft in Kombination mit Dimethametryn, um gleichzeitig auch Unkräuter zu bekämpfen. – ***E*** piperophos – ***F*** pipérophos – ***I = S*** piperofos

Lit.: Farm. ▪ Pesticide Manual. – *[HS 2933 39; CAS 24151-93-7]*

1-Piperoylpiperidin s. Piperin.

Piperylen s. 1,3-Pentadien.

Pipes s. Kimberlit.

PIPES. Piperazin-*N,N'*-bis(ethansulfonsäure), $C_8H_{18}N_2O_6S_2$, M_R 302,36; biolog. Puffer, pk_a 6,8 (25 °C), pH-Bereich 6,1–7,5. ***B.:*** Serva.

Pipetierhilfen. Elektr. od. manuell betriebene Laborhilfsgeräte, die ein gefahrloses Aufsaugen von Flüssigkeiten in *Pipetten erlauben. Die einfachsten P. stellen *Saugbälle* dar, die wohl bekanntesten sind der *Howorka-Ball®* u. der *Peleus-Ball*. Letzterer (s. Abb.) ist mit drei Ventilen ausgerüstet, wobei Ventil A zum Ausblasen der Luft, Ventil S zum Ansaugen der Flüssigkeit in die Pipette u. Ventil E zum Entleeren der Pipette dient.

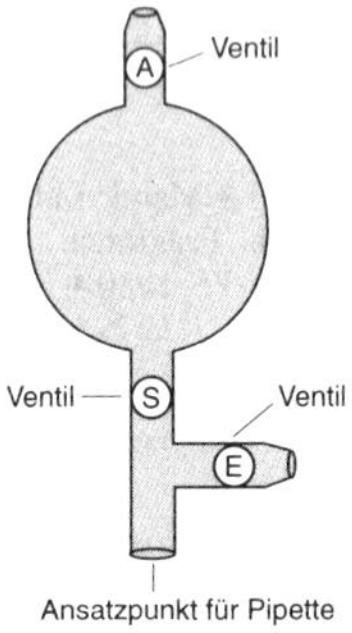

Abb.: Peleus-Ball.

– ***E*** pipetting aid, pipette controller – ***I*** aspiratore per la pipetta – ***S*** ayuda por pipeteo

Pipetten (von französ.: pipette = Pfeifchen). Bez. für Geräte zur Vol.-Messung in Form von (meist geeichten) dünnen Röhren, die im chem. Laboratorium z. B. bei der *Maßanalyse zur Entnahme u. Dosierung bestimmter Flüssigkeitsmengen dienen. P. werden meist aus Borosilicat-Glas, das einen kleinen Wärmeausdehnungskoeff. hat, od. aus Kunststoffen wie Polypropylen gefertigt. Das Füllen der P. erfolgt durch Eintauchen in die Flüssigkeit u. Ansaugen am oberen, offenen Ende bis zur Eichmarke. Durch Verschließen der oberen Öffnung wird die Flüssigkeit am Ausfließen gehindert, durch Lockern des Verschlusses kann die P. ganz od. teilw. entleert werden. Um Vergiftungen, Verätzungen etc. zu vermeiden, empfiehlt sich der Einsatz von *Pipetierhilfen, Sicherheits- od. Kolbenhub-Pipetten. Man unterscheidet in der Hauptsache zwischen *Voll-* (Abb. a) u. *Meß-*P. (Abb. b, c); beide Arten sind in unterschiedlichen Ausführungsformen erhältlich.

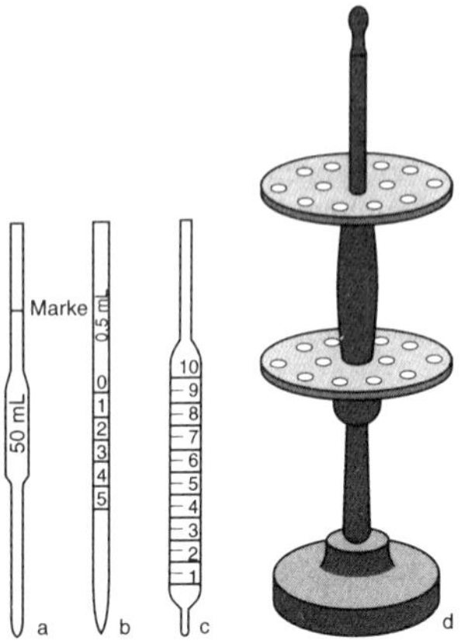

Abb.: Pipetten u. Pipettenständer

Sie können auf vollständigen od. teilw. Auslauf mit Ablaufzeiten od. Ausblasen geeicht sein. Die P. werden in einem *P.-Ständer* (Abb. d) abgestellt, der aus Holz, Kunststoff od. Metall gefertigt ist. Für das klin. u. biochem. Laboratorium wurden spezielle P. entwickelt. *Beisp.: Mikro-P.* für 1–200 µL Flüssigkeit, sog. *Pasteur-P.* mit langausgezogener Spitze u. ohne Graduierung zum Umfüllen kleiner Flüssigkeits-Vol., P. für Blut-Untersuchungen usw. Für Serienbestimmungen, bes. Mikrobestimmungen, sind heute zahlreiche automat. Pipettiereinrichtungen u. -geräte im Handel. Eine bes. Form von P. ist die Hempel-P. für die *Gasanalyse. Die kalibrierten P. sollen von *Mohr erfunden worden sein. – ***E*** = ***F*** pipettes – ***I*** pipette – ***S*** pipetas

Pipettieren. Dosieren einer bestimmten Flüssigkeitsmenge mit Hilfe einer *Pipette.

PIPICO. Abk. für Photoion-Photoion-Koinzidenz s. Photoelektronen-Spektroskopie.

Pipoxolan (Rp).

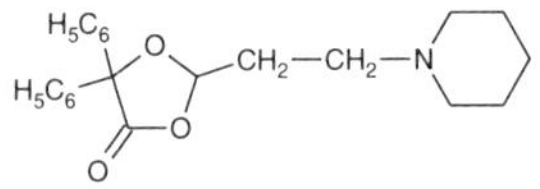

Von der WHO vorgeschlagener Freiname für das *Spasmolytikum 5,5-Diphenyl-2-(2-piperidinoethyl)-1,3-dioxolan-4-on, $C_{22}H_{25}NO_3$, M_R 351,44. Verwendet wird meist das Hydrochlorid, Schmp. 207–209 °C; LD_{50} (Maus oral) 700 mg/kg, (Maus i.v.) 30 mg/kg, (Maus i.p.) 130 mg/kg. P. wurde 1968 u. 1969 von Rowa-Wagner (Roxapraxin®) patentiert. – ***E*** pipoxolane – ***F*** pipoxolan – ***I*** pipossolano – ***S*** pipoxolán

Lit.: Beilstein E V **20/3**, 464 ▪ Hager (5.) **9**, 237 f. ▪ Martindale (31.), S. 1742. – *[HS 2934 90; CAS 55837-21-3 (P.); 18174-58-8 (Hydrochlorid)]*

Pipradrol (Rp; BtMVV, Anlage III C).

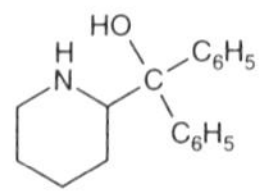

Internat. Freiname für das zentral stimulierend wirkende *α,α*-Diphenyl-2-piperidinmethanol, $C_{18}H_{21}NO$, M_R 267,37, Schmp. 97–98 °C; λ_{max} (0,05 M H_2SO_4) 252,2, 258 nm ($A^{1\%}_{1cm}$ 14,7, 17). Verwendet wird meist das Hydrochlorid, Schmp. 308–309 °C (Zers.). P. wurde 1953 von Merrell patentiert u. wird auch als *Doping-Mittel mißbraucht. – ***E*** = ***F*** = ***S*** pipradrol – ***I*** pipradrolo

Lit.: Beilstein E III/IV **21**, 1521 ▪ Hager (5.) **9**, 238 f. ▪ Martindale (31.), S. 1556. – *[HS 2933 39; CAS 467-60-7 (P.); 71-78-3 (Hydrochlorid)]*

Piprinhydrinat.

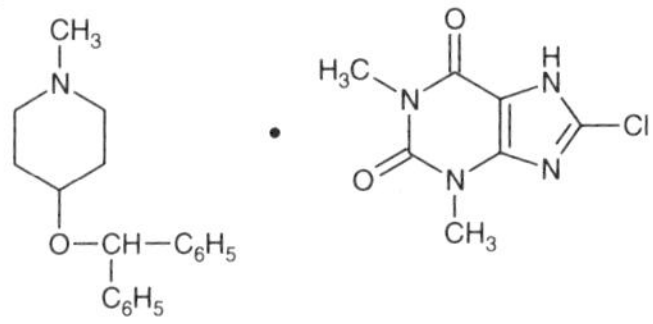

Internat. Freiname für das als *Antihistaminikum wirksame 4-(Benzhydryloxy)-1-methylpiperidin-Salz des 8-Chlortheophyllins, $C_{26}H_{30}ClN_5O_3$, M_R 496,00,

Schmp. 151–152 °C, auch 174–176 °C angegeben, in Wasser wenig u. in Ethanol leicht löslich. P. wurde 1955 von Promonta patentiert. – ***E*** = ***F*** piprinhydrinate – ***I*** piprinidrinato – ***S*** piprinhidrinato

Lit.: Hager (5.) **9**, 239 f. ▪ Martindale (31.), S. 450. – *[HS 2939 50; CAS 606-90-6]*

Piproctanyl-bromid.

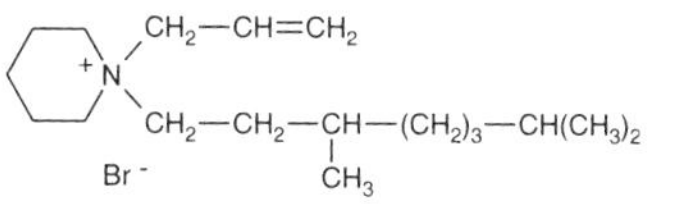

Common name für 1-Allyl-1-(3,7-dimethyloctyl)piperidiniumbromid, $C_{18}H_{36}BrN$, M_R 346,39, Schmp. 75 °C, LD_{50} (Ratte oral) 820–990 mg/kg, von R. Maag Ltd. 1975 eingeführter Pflanzen-*Wachstumsregulator, verzögert das Längenwachstum bei Zierpflanzen. – ***E*** piproctanyl bromide – ***F*** bromure de piproctanyle – ***I*** bromuro di piproctanile – ***S*** bromuro de piproctanilo

Lit.: Pesticide Manual. – *[HS 2933 39; CAS 56717-11-4 (P.-b.); 69309-47-3 (Piproctanyl)]*

Piprozolin.

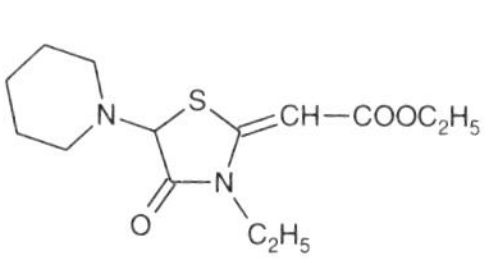

Internat. Freiname für das *Choleretikum (*R,S*)-(3-Ethyl-4-oxo-5-piperidinothiazolidin-2-yliden)-essigsäureethylester, $C_{14}H_{22}N_2O_3S$, M_R 298,40, Schmp. 86–87 °C, λ_{max} (CH_3OH) 245, 285 nm ($A^{1\%}_{1cm}$ 275, 670); LD_{50} (Maus oral) 1070 mg/kg; in Wasser prakt. nicht, in vielen organ. Lsm. u. in verd. wäss. Säuren löslich. P. wurde 1975 von Goedecke patentiert. – ***E*** piprozolin – ***F*** piprozoline – ***I*** = ***S*** piprozolina

Lit.: ASP ▪ Hager (5.) **9**, 240 f. ▪ Martindale (31.), S. 1742. – *[HS 2934 10; CAS 17243-64-0]*

PIR. Kurzz. (nach DIN 7728-1: 1988-01) für *Polyisocyanurate.

Piracebral® (Rp). Filmtabl. u. Lsg. mit dem Antidementivum (Nootropikum) *Piracetam. ***B.:*** Hexal.

Piracetam (Rp).

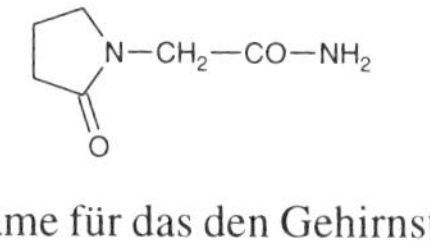

Internat. Freiname für das den Gehirnstoffwechsel stimulierende Nootropikum 2-(2-Oxopyrrolidino)-acetamid, $C_6H_{10}N_2O_2$, M_R 142,15, Schmp. 151,5–152,5 °C; lösl. in Wasser (1:4). P. wurde 1966 u. 1969 von U. C. B. (Nootrop®) patentiert u. ist als Generikum im Handel. – ***E*** = ***I*** = ***S*** piracetam – ***F*** piracétam

Lit.: ASP ▪ Beilstein E V **21/6**, 360 ▪ Hager (5.) **9**, 241 f. ▪ Martindale (31.), S. 1742 ▪ Platt, Piracetam in der Geriatrie, Stuttgart: Schattauer 1982. – *[HS 2933 79; CAS 7491-74-9]*

Pirbuterol (Rp).

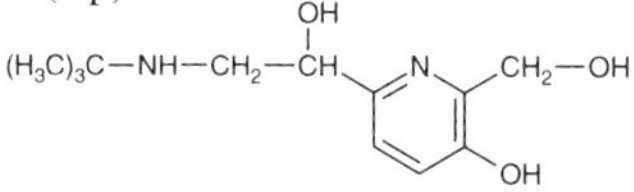

Internat. Freiname für das *β*-*Sympath(ik)omimetikum (*R,S*)-2-(*tert*-Butylamino)-1-(6-hydroxymethyl-5-hydroxy-2-pyridyl)ethanol, $C_{12}H_{20}N_2O_3$, M_R 240,30, das als *Broncholytikum dient. Verwendet wird das Acetat, $C_{14}H_{24}N_2O_5$, M_R 300,35 u. das Dihydrochlorid, Schmp. 182 °C. P. wurde 1972 von Pfizer patentiert u. ist von 3M Medica (Zeisin®) im Handel. – ***E*** = ***S*** pirbuterol – ***F*** pirbutérol – ***I*** pirbuterolo

Lit.: ASP ▪ Hager (5.) **9**, 244 f. ▪ Martindale (31.), S. 1587. – *[HS 2933 39; CAS 38677-81-5 (P.); 65652-44-0 (Acetat); 38029-10-6 (Dihydrochlorid)]*

Pirenoxin (Rp).

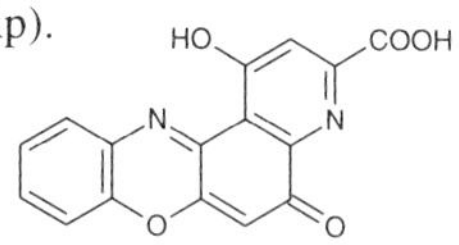

Internat. Freiname für 1-Hydroxy-5-oxo-5*H*-pyrido[3,2-*a*]phenoxazin-3-carbonsäure, $C_{16}H_8N_2O_5$, M_R 308,24, Schmp. 247–248 °C (Zers.). Verwendet wird das Natriumsalz; LD_{50} (Maus oral) >10 g/kg, (Maus s.c.) >5 g/kg. P. wurde 1959 u. 1961 von Chizu Drug patentiert u. ist von Alcon-Thilo (Clavisor®) gegen Katarakt im Handel. – ***E*** pirenoxine – ***F*** pirénoxine – ***I*** pirenossina – ***S*** pirenoxina

Lit.: Martindale (31.), S. 1742. – *[HS 2934 90; CAS 1043-21-6 (P.); 51410-30-1 (Natriumsalz)]*

Pirenzepin (Rp).

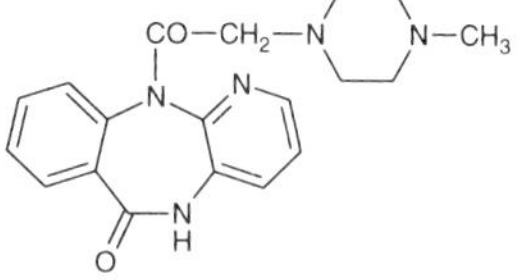

Internat. Freiname für das die Magensekretion hemmende *Ulcus-Mittel 5,11-Dihydro-11-[(4-methyl-1-piperazinyl)-acetyl]-6*H*-pyrido[2,3-*b*][1,4]benzodiazepin-6-on, $C_{19}H_{21}N_5O_2$, M_R 351,40. Verwendet wird das Dihydrochlorid-Monohydrat, Schmp. 250–252 °C; λ_{max} (H_2O) 280 nm ($A^{1\%}_{1cm}$ 237). P. wurde 1967 von Thomae (Gastrozepin®) patentiert u. ist als Generikum im Handel. – ***E*** pirenzepine – ***F*** pirenzépine – ***I*** = ***S*** pirenzepina

Lit.: ASP ▪ DAB **1997** u. Komm. ▪ Florey **16**, 445–506 ▪ Hager (5.) **9**, 246 ff. ▪ Martindale (31.), S. 505 f. – *[HS 2933 59; CAS 28797-61-7 (P.); 29868-97-1 (Dihydrochlorid-Monohydrat)]*

Piretanid (Rp).

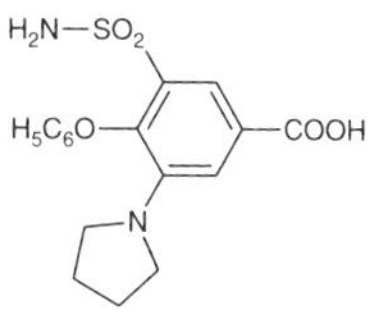

Internat. Freiname für das *Diuretikum 4-Phenoxy-3-(1-pyrrolidinyl)-5-sulfamoylbenzoesäure, $C_{17}H_{18}N_2O_5S$, M_R 362,40, Schmp. 225–227 °C; λ_{max} (CH_3OH) 275, 348 nm ($A^{1\%}_{1cm}$ 313, 90); pK_a 3,85. P. wurde 1975 u. 1977 von Hoechst (Arelix®) patentiert. – ***E*** = ***I*** piretanide – ***F*** pirétanide – ***S*** piretanida

Lit.: Drugs **29**, 489–530 (1985) ▪ Hager (5.) **9**, 248 ff. ▪ Martindale (31.), S. 930 f. – *[HS 2935 00; CAS 55837-27-9]*

Piribedil (Rp).

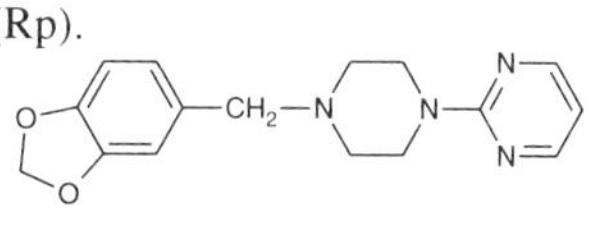

Internat. Freiname für den *Dopamin-Agonisten 2-(4-Piperonylpiperazin-1-yl)-pyrimidin, $C_{16}H_{18}N_4O_2$, M_R 298,34, Schmp. 98 °C; LD_{50} (Maus i.p.) 690,3 mg/kg, in Wasser nicht, in Chloroform löslich. P. wurde 1965, 1967 u. 1968 von Science Union patentiert u. ist von Servier Deutschland (Trivastal®) im Handel. – ***E*** = ***I*** = ***S*** piribedil – ***F*** piribédil

Lit.: ASP ▪ Hager (5.) **9**, 250 ff. ▪ Martindale (31.), S. 1166. – *[HS 2934 90; CAS 3605-01-4]*

Piridoxilat (Rp).

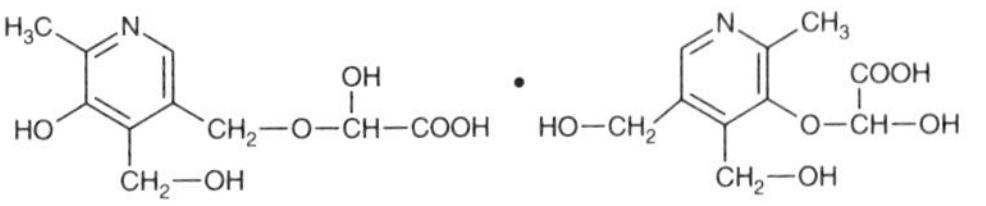

Internat. Freiname für ein durchblutungsförderndes Gemisch von Acetalen der *Glyoxylsäure mit *Pyridoxin (innere Salze), $C_{20}H_{26}N_2O_{12}$, M_R 486,43, Schmp. ~166 °C, in Wasser löslich. – ***E*** = ***F*** piridoxilate – ***I*** piridossilato – ***S*** piridoxilato

Lit.: Hager (5.) **9**, 253 ▪ Martindale (31.), S. 1742. – *[HS 2942 00; CAS 24340-35-0]*

Pirimicarb. T 

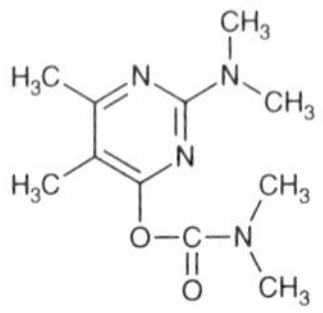

Common name für (2-Dimethylamino-5,6-dimethylpyrimidin-4-yl)dimethylcarbamat, $C_{11}H_{18}N_4O_2$, M_R 238,28, Schmp. 90,5 °C, LD_{50} (Ratte oral) 147 mg/kg, von ICI 1969 eingeführtes selektives schnell wirkendes *Insektizid mit system. u. Kontaktgiftwirkung gegen Blattläuse, auch Phosphorsäureester-resistente Arten, in zahlreichen Kulturen. – ***E*** = ***I*** = ***S*** pirimicarb – ***F*** pyrimicarbe

Lit.: Beilstein E V **25/13**, 63 ▪ Farm ▪ Perkow ▪ Pesticide Manual. – *[HS 2933 59; CAS 23103-98-2]*

Pirimiphos-ethyl. T 

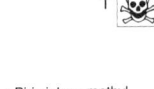

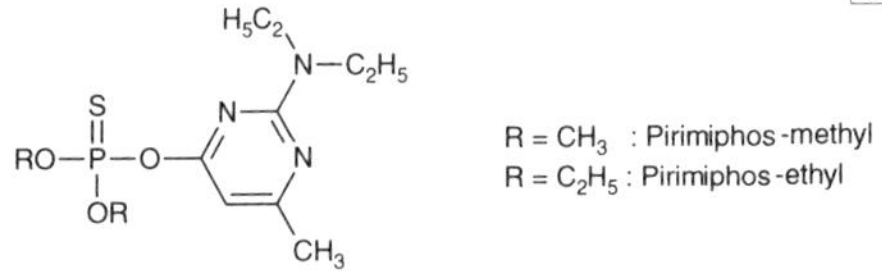

Common name für *O*-(2-Diethylamino-6-methylpyrimidin-4-yl)-*O*,*O*-diethylthiophosphat, $C_{13}H_{24}N_3O_3PS$, M_R 333,38, Zers. bei >130 °C, LD_{50} (Ratte oral) 140 mg/kg (GefStoffV), von ICI 1971 eingeführtes *Insektizid mit breitem Wirkungsspektrum gegen Bodeninsekten in zahlreichen Kulturen, auch als Saatgutbehandlungsmittel. – ***E*** pirimiphos-ethyl – ***F*** pyrimiphos-éthyle – ***I*** pirimifos-etile – ***S*** pirimifos-etil

Lit.: Farm. ▪ Pesticide Manual. – *[HS 2933 59; CAS 23505-41-1]*

Pirimiphos-methyl. Xn  Common name für *O*-(2-Diethylamino-6-methylpyrimidin-4-yl)-*O*,*O*-dimethylthiophosphat (Formel s. Pirimiphos-ethyl), $C_{11}H_{20}N_3O_3PS$, M_R 305,33, Schmp. ca. 15 °C, LD_{50} (Ratte oral) weiblich 2050 mg/kg, von ICI 1970 eingeführtes *Insektizid u. *Akarizid mit breitem Wirkungsspektrum in zahlreichen Kulturen. P.-m. findet auch gegen Vorrats- u. Hygieneschädlinge Verwendung. – ***E*** pirimiphos-methyl – ***F*** pyrimiphos-méthyle – ***I*** pirimifos-metile – ***S*** pirimifos-metil

Lit.: Farm ▪ Perkow ▪ Pesticide Manual. – *[HS 2933 59; CAS 29232-93-7]*

Piritramid (Rp; BtMVV, Anlage III A).

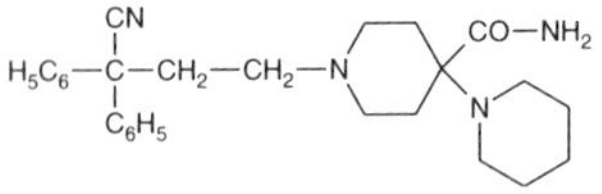

Internat. Freiname für das stark wirksame *Analgetikum 1-(3-Cyano-3,3-diphenylpropyl)-4-piperidino-4-piperidincarboxamid, $C_{27}H_{34}N_4O$, M_R 430,59, Schmp. 149–150 °C; λ_{max} (0,1 M HCl/Isopropanol, 1+9) 252, 258, 264 nm ($A^{1\%}_{1cm}$ 8,7, 10,2, 7,9). Verwendet werden das (*R*,*R*)-Hydrogentartrat, $C_{31}H_{40}N_4O_7$, M_R 580,68 u. das Bis(*R*,*R*)-Hydrogentartrat, $C_{35}H_{46}N_4O_{13}$, M_R 730,77. P. wurde 1961 u. 1963 von Janssen (Dipidolor®) patentiert. – ***E*** = ***F*** = ***I*** piritramide – ***S*** piritramida

Lit.: ASP ▪ Hager (5.) **9**, 254 ff. ▪ Martindale (31.), S. 91. – *[HS 2933 39; CAS 302-41-0]*

Piromidsäure (Rp).

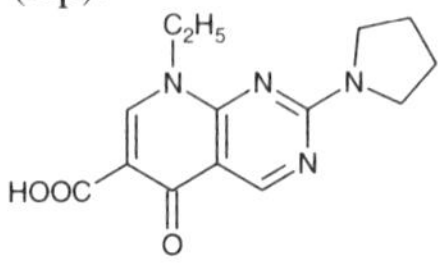

Internat. Freiname für das *Bakterizid (*Gyrase-Hemmer) 8-Ethyl-5,8-dihydro-5-oxo-2-(1-pyrrolidinyl)-pyrido[2,3-*d*]pyrimidin-6-carbonsäure, $C_{14}H_{16}N_4O_3$, M_R 288,30, Schmp. 314–316 °C; LD_{50} (Maus i.v.) 277 mg/kg, (Maus oral, i.p., s.c.) >4 g/kg; in Wasser u. Ethanol prakt. unlösl., in Natriumhydroxid-Lsg. löslich. P. wurde 1967 u. 1968 von Dainippon patentiert. – ***E*** piromidic acid – ***F*** acide piromidique – ***I*** acido piromidico – ***S*** ácido piromídico

Lit.: Martindale (31.), S. 263. – *[HS 2933 59; CAS 19562-30-2]*

Pirorheum A®. Gel mit dem *Antirheumatikum *Piroxicam. ***B.:*** Hexal.

Piroxicam (Rp).

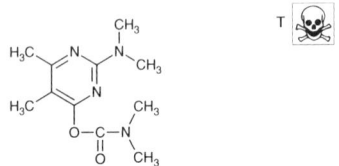

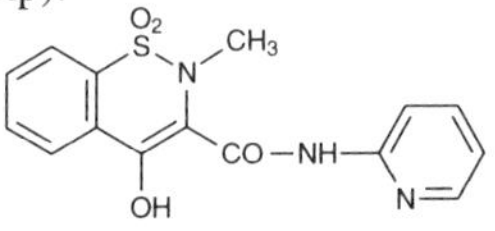

Internat. Freiname für das *Antirheumatikum 4-Hydroxy-2-methyl-*N*-(2-pyridyl)-2*H*-1,2-benzothiazin-3-carboxamid-1,1-dioxid, $C_{15}H_{13}N_3O_4S$, M_R 331,34, Schmp. 198–200 °C; λ_{max} (CH_3OH) 256, 290 nm ($A^{1\%}_{1cm}$ 383, 302); LD_{50} (Maus oral) 360 mg/kg. P. wurde als erstes *Oxicam 1970 von Pfizer (Felden®) patentiert u. ist als Generikum im Handel. Die Schwere der ulcerogenen, renalen, tokolyt. u. bronchospast. Nebenwirkungen, die auf die Hemmung der Cyclooxygenase 2 zurückzuführen sind, haben zu einer Anw.-Einschränkung geführt. – ***E*** = ***F*** = ***I*** = ***S*** piroxicam

Lit.: ASP ▪ Florey **15**, 509–531 ▪ Hager (5.) **9**, 256–260 ▪ Martindale (31.), S. 91 f. ▪ O'Brien u. Wiseman, Piroxicam, London: Academic Press 1979 ▪ Ph. Eur. **1997** u. Komm. – *[HS 2934 90; CAS 36322-90-4]*

Pirprofen (Rp).

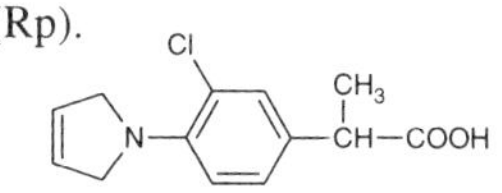

Internat. Freiname für das *Antirheumatikum (*R,S*)-2-[3-Chlor-4-(2,5-dihydro-pyrrol-1-yl)]-phenylpropionsäure, $C_{13}H_{14}ClNO_2$, M_R 251,71, Schmp. 98–100 °C. P. wurde 1972 von Ciba patentiert. – ***E*** pirprofen – ***F*** pirprofène – ***I*** pirprofene – ***S*** pirprofeno

Lit.: ASP ▪ Drugs **32**, 509–537 (1986) ▪ Hager (5.) **9**, 260 f. ▪ Martindale (31.), S. 92. – *[HS 2933 90; CAS 31793-07-4]*

Pisangfrüchte s. Bananen.

Pisatin.

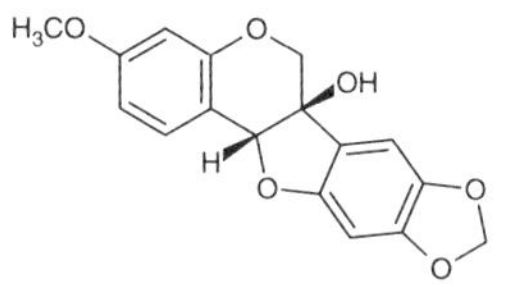

$C_{17}H_{14}O_6$, M_R 314,29, Krist., Schmp. 61 °C, $[\alpha]_D^{20}$ +280° (C_2H_5OH). Aus mit *Sclerotinia*-Sporen infizierten *Erbsen (*Pisum sativum*) isoliertes *Pterocarpan mit den Eigenschaften eines *Phytoalexins. P. wirkt antimykot. u. bewirkt vermutlich die Resistenz der Erbsen gegen Pilzinfektionen. – ***E*** pisatin – ***F*** pisatine – ***I*** = ***S*** pisatina

Lit.: Arch. Biochem. Biophys. **290**, 468 (1991) (Biosynth.) ▪ Beilstein E V **19/11**, 647 ▪ Justus Liebigs Ann. Chem. **1989**, 35 (Synth.) ▪ Karrer, Nr. 4454 a ▪ Zechmeister **43**, 121–151. – *[CAS 469-01-2 ((+)-(6aR)-cis); 20186-22-5 ((–)-(6aS)-cis)]*

Pisolithe s. Oolithe.

Pistazien. Ölhaltige, haselnußgroße, grüne Samen der im Mittelmeerraum schon vor 4000 Jahren kultivierten Pistazie (*Pistacia vera*, Sumachgewächs). P. benötigen als relativ salztolerante subtrop. Art kühle Winter u. heiße trockene Sommer. Hauptanbaugebiete sind Vorderasien u. die Südstaaten der USA. 100 g eßbare Anteile enthalten 5,9 g Wasser, 20,8 g Eiweiß, 51,6 g Fett, 12,5 g Kohlenhydrate, 6,5 g Ballaststoffe u. 2,7 g Mineralstoffe, dazu 0,9 mg Vitamin B u. 7,0 mg Vitamin C. P. werden wie Mandeln verwendet, z. B. für Gebäck, Torten, Speiseeis u. Konfekt, dazu zur Aromatisierung von Wurstwaren (z. B. Mortadella) u. als gesalzenes Schalenobst. Andere P. liefern *Mastix. – ***E*** pistachio nuts – ***F*** pistaches – ***I*** pistacchi – ***S*** pistachos, alfóncigos

Lit.: Franke, Nutzpflanzenkunde, 6. Aufl., S. 253 f., Stuttgart: Thieme 1997. – *[HS 0802 50]*

Pistazit s. Epidot.

Pistill s. Reibschalen.

Pistillarin.

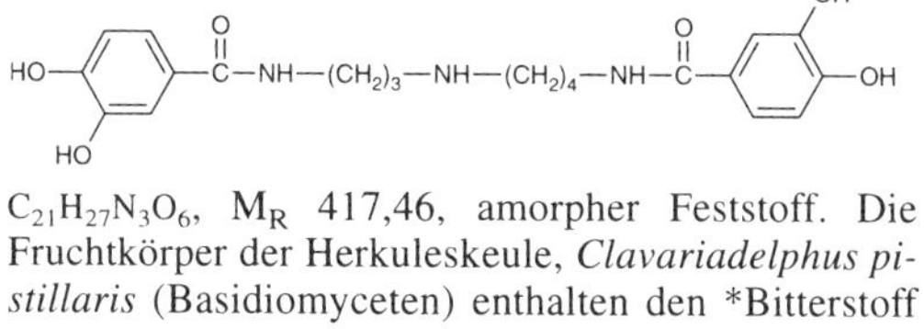

$C_{21}H_{27}N_3O_6$, M_R 417,46, amorpher Feststoff. Die Fruchtkörper der Herkuleskeule, *Clavariadelphus pistillaris* (Basidiomyceten) enthalten den *Bitterstoff P., der für die dunkelgrüne Farbreaktion der Pilze mit Eisen(III)-chlorid-Lsg. verantwortlich ist. P. ist ein Spermidin-Derivat u. kommt auch in bitteren Arten von Korallenpilzen (*Ramaria*) vor. – ***E*** = ***F*** pistillarine – ***I*** pistillarina – ***S*** pistilarina

Lit.: Z. Naturforsch. Teil C **39**, 10 ff. (1984). – *[CAS 89647-69-8]*

Pistor, Gustav (1872–1960), Prof. für Elektrochemie, Univ. Frankfurt, Industriechemiker bei der I. G. Farben. *Arbeitsgebiete:* Begründung der mitteldtsch. Al- u. Mg-Ind. (Bitterfeld, Lauta), techn. Anw. von Mg-Leg. (Elektron), elektrotherm. Phosphor-Herst., Chloralkali-Elektrolyse, PVC, Graphit-Elektroden usw.

Lit.: Chem.-Ztg. **84**, 353–355 (1960).

Pit-1. Protein, das als Hypophysen-spezif. Transkriptionsfaktor an der Expression (*Transkription) von *Somatotropin, *Prolactin, *Thyrotropin u. dem Rezeptor für Somatoliberin [1] beteiligt ist u. dessen Fehlen bei Mäusen zu Zwergenwuchs führt. Pit-1 enthält die POU-Domäne (s. Octamer-Transkriptionsfaktoren).

Lit.: [1] Nature (London) **360**, 765–768 (1992).
allg.: Trends Endocrinol. Metab. **4**, 81–85 (1993).

Pita-Fasern s. Mauritius-Fasern.

Pitchpine (Parkett-Gelbkiefer). Gelbrotes bis rotbraunes, ziemlich hartes, zähes, elast., tragkräftiges u. dauerhaftes Holz der nordamerikan. Kiefer *Pinus rigida* bzw. *P. palustris* u. a. Kiefernsorten. Begehrtes Bauholz für Türen, Treppen, Fußböden, Fensterrahmen, Zäune u. den Schiffsbau. – ***E*** pitch pine – ***F*** pitchpin – ***I*** pino rigido – ***S*** madera de pino americano

Pitofenon.

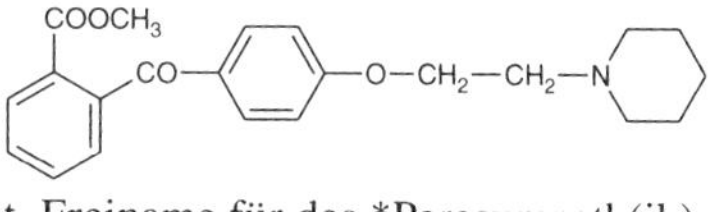

Internat. Freiname für das *Parasympath(ik)olytikum u. *Spasmolytikum 2-[4-(2-Piperidinoethoxy)-benzoyl]-benzoesäuremethylester, $C_{22}H_{25}NO_4$, M_R 367,44. Verwendet wird das Hydrochlorid, Schmp. 168–169 °C; λ_{max} (H_2O) 290 nm ($A_{1cm}^{1\%}$ 452). – ***E*** = ***I*** pitofenone – ***F*** pitofénone – ***S*** pitofenona

Lit.: Hager (5.) **9**, 262 ▪ Martindale (31.), S. 1742. – *[HS 2933 39; CAS 54063-52-4 (P.); 1248-42-6 (Hydrochlorid)]*

Pituitary adenylate cyclase-activating polypeptide (hypophysäres Adenylat-Cyclase-aktivierendes Polypeptid, PACAP).

His-Ser-Asp-Gly-Ile-Phe-Thr-Asp-Ser-Tyr-Ser-Arg-Tyr-Arg-Lys-Gln-Met-Ala-Val-Lys-Lys-Tyr-Leu-Ala-Ala-Val-Leu-Gly-Lys-Arg-Tyr-Lys-Gln-Arg-Val-Lys-Asn-Lys-$\mathbf{NH_2}$

PACAP38; halbfett: PACAP27 (Mensch)

In Zentralnervensyst., Nebennierenmark u. Hoden vorkommendes *Polypeptid (Mensch: PACAP38: 38 Aminosäure-Reste, $C_{203}H_{331}N_{63}O_{53}S$, M_R 4534,31; Nebenform PACAP27: 27 Aminosäure-Reste, $C_{142}H_{224}N_{40}O_{39}S$, M_R 3147,65), das in den genannten Organen an verschiedene Typen spezif. Rezeptoren (M_R ca. 57000) bindet u. über *G-Proteine *Adenylat-Cyclase aktiviert. Die PACAP-Rezeptoren können durch variables *Spleißen ihrer Prämessenger-*Ribonucleinsäuren unterschiedliche Funktionalität erlangen, z. B. die zusätzliche Fähigkeit zur Aktivierung der *Phospholipase C [1]. In der Aminosäure-Sequenz besteht Ähnlichkeit des PACAP mit *Glucagon, *Glucagon-artigen Peptiden, *Secretin u. dem *vasoaktiven intestinalen Polypeptid. Die biolog. Funktion des PACAP ist noch nicht vollständig erforscht, jedoch übt es wohl auf die Hypophyse Hormonwirkung aus u. steigert die Ausschüttung der *gonadotropen Hormone, im Gehirn dient es als *Neurotransmitter, Neuromodulator u. *neurotropher Faktor, u. im Nebennierenmark beeinflußt es die Sekretion der *Catecholamine. Im *Pankreas scheint es die *Insulin-Sekretion Glucose-abhängig zu regulieren u. in den Hoden die Spermiogenese (s. Sperma) zu steuern. – ***E*** pituitary adenylate cyclase-activating polypeptide – ***F*** polypeptide hypophysaire activant l'adénylate cyclase – ***I*** polipeptide ipofisario attivante l'adenilato ciclasi – ***S*** polipéptido hipofisario activador de la adenilato ciclasa

Lit.: [1] Semin. Cell Biol. **5**, 263–272 (1994).
allg.: Arimura u. Said, VIP, PACAP, and Related Peptides. Second International Symposium, New York: The New York Academy of Sciences 1996 ▪ Biochem. Soc. Trans. **23**, 133–137 (1995) ▪ Front. Neuroendocrinol. **16**, 53–88 (1995).

Pitzer, Kenneth Sanborn (1914), Prof. für Physikal. Chemie an der University of California, Berkeley u. Forschungschemiker am Maryland Research Lab, Washington. *Arbeitsgebiete:* Konformationsbestimmung, Berechnung der Entropie u. spezif. Wärme einfacher Kohlenwasserstoffe. Nach ihm ist die *Pitzer-Spannung benannt.

Lit.: Pötsch, S. 346.

Pitzer-Spannung. Nach K. S. *Pitzer benannte Bez. für diejenige Spannung eines Mol., die durch van der Waals-Kräfte (s. zwischenmolekulare Kräfte) ungenügend gestaffelter Substituenten benachbarter Kohlenstoff-Atome hervorgerufen wird. Der einfachste Fall von P.-S. liegt beim Ethan-Mol. vor. Hier entspricht die P.-S. der Energiedifferenz zwischen der energet. ungünstigen eklipt. *Konformation u. der energet. günstigen gestaffelten Konformation (s. Abb. 1 bei Konformation). Die P.-S. ist auch der Grund dafür, daß *Cyclopentan nicht in der ebenen Form eines regelmäßigen Fünfecks vorliegt, sondern bevorzugt gewellte Konformationen (Envelope u. Halbsessel) annimmt. In *cyclischen Verbindungen stellt die P.-S. einen Teil der Gesamtringspannung dar, deren weitere Komponenten die *Baeyer-Spannung u. die *transannulare Spannung sind. – ***E*** Pitzer tension – ***F*** tension de Pitzer, contrainte de Pitzer – ***I*** tensione di Pitzer – ***S*** tensión de Pitzer

Lit.: Acc. Chem. Res. **16**, 207–210 (1983) ▪ Science **101**, 672 (1945) ▪ s. a. Stereochemie u. Konformation.

Pivalate. Trivialname u. internat. Freiname für Salze u. Ester der Pivalinsäure; zum Namen s. 2,2-Dimethylpropionsäure. – ***E*** pivalates – ***F*** pivalats – ***I*** pivalati – ***S*** pivalatos

Pivalinsäure s. 2,2-Dimethylpropionsäure.

Pivaloyl... Bez. für die Atomgruppierung $-CO-C(CH_3)_3$ [nur unsubstituiert, neben (2,2-Dimethylpropionyl)...: IUPAC-Regel C-404.1; *Chemical Abstracts:* (2,2-Dimethyl-1-oxopropyl)...]; veraltete Bez.: Trimethylacetyl... (regelwidrig), Pivalyl... – ***E = F*** pivaloyl... – ***I = S*** pivaloil...

Pivaloylchlorid s. 2,2-Dimethylpropionylchlorid.

Pivalyl... s. Pivaloyl...

Pivampicillin (Rp).

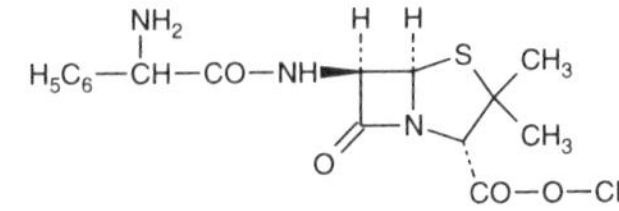

Internat. Freiname für das halbsynthet. *Penicillin-Derivat *Ampicillin-(pivaloyloxymethyl)-ester, $C_{22}H_{29}N_3O_6S$, M_R 463,54. Verwendet wird das Hydrochlorid, Schmp. 155–156 °C; $[\alpha]_D^{20}$ +196° (c 1/H_2O); λ_{max} (H_2O) 256, 262, 268 nm ($A_{1cm}^{1\%}$ 6,3, 5,7, 3,9); pK_a 7,0; LD_{50} (Maus oral) 3,34 g/kg, (Maus s.c.) 3,6 g/kg. P. wurde 1969 von Lövens Kemiske Fabrik patentiert. – ***E*** pivampicillin – ***F*** pivampicilline – ***I*** pivampicillina – ***S*** pivampicilina

Lit.: ASP ▪ Hager (5.) **9**, 262–265 ▪ Martindale (31.), S. 263 ▪ Ph. Eur. **1997** u. Komm. – *[HS 2941 10; CAS 33817-20-8 (P.); 26309-95-5 (Hydrochlorid)]*

Pivmecillinam (Rp).

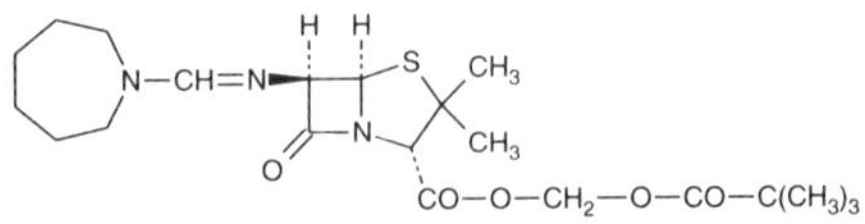

Internat. Freiname für das halbsynthet., dem *Penicillin verwandte *Antibiotikum Pivaloyloxymethyl-(2*S*,5*R*,6*R*)-(azepan-1-ylmethylenamino)-penicillanat, $C_{21}H_{33}N_3O_5S$, M_R 439,57, Schmp. 118,5–119,5 °C; $[\alpha]_D^{20}$ +231° (c 1/C_2H_5OH); pK_b 5,1; LD_{50} (Maus i.v.) 475 mg/kg, (Maus s.c.) 1736 mg/kg, (Maus oral) 3020 mg/kg. Verwendet wird das Hydrochlorid, Schmp. 172–173 °C; $[\alpha]_D^{20}$ +219° (c 1/0,1 N HCl); λ_{max} 216 nm ($A_{1cm}^{1\%}$ 396). P. wurde 1971 u. 1976 von Lövens Kemiske Fabrik patentiert u. ist insbes. gegen Gram-neg. Erreger wirksam. – ***E = I*** pivmecillinam – ***F*** pivmécillinam – ***S*** pivmecilinam

Lit.: Hager (5.) **9**, 265–268 ▪ Martindale (31.), S. 263 f. – *[HS 2941 10; CAS 32886-97-8 (P.); 32887-03-9 (Hydrochlorid)]*

Pix. Latein. Bez. für *Pech bzw. *Teer; *Beisp.:* Pix alba = Weißpech, Kiefernharz, P. Fagi = Buchenholzteer, P. Betulae = Birkenrindenteer, P. liquida = Nadelholzteer, P. navalis = Schiffsteer, schwarzes Pech, P. Lithantracis = Steinkohlenteer, P. Juniperi = Wacholderteer. – ***E*** pix – ***I*** pece – ***S*** pez

PIXE. Abk. für *E* *P*roton (od. *P*rojectile) *I*nduced *X*-ray *E*mission = Protonen-induzierte Röntgenemission, s. Röntgenspektroskopie u. Oberflächenanalysemethoden.

PIZ. Abk. für *Patentinformationszentren.

Pizein s. Picein.

Pizotifen (Rp).

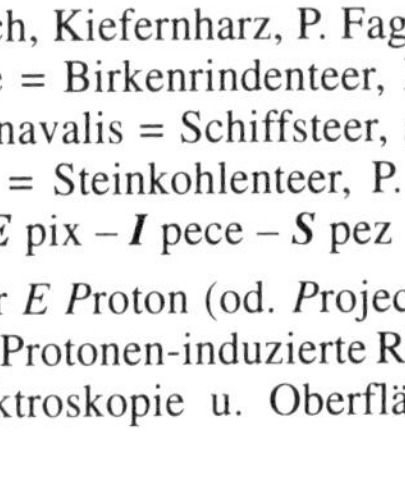

Internat. Freiname für 9,10-Dihydro-4-(1-methyl-4-piperidyliden)-4*H*-benzo[4,5]cyclohepta[1,2-*b*]thiophen, $C_{19}H_{21}NS$, M_R 295,44, Schmp. 197–198 °C (Zers.); pK_b 7,0. Verwendet wird das Hydrogenmalat, $C_{23}H_{27}NO_5S$, M_R 429,53, Schmp. 185–186 °C (Zers.); λ_{max} (CH_3OH) 231, 252 nm ($A^{1\%}_{1cm}$ 412, 249). P. ist ein *Orexigen u. wirkt als Serotonin-Antagonist gegen *Migräne. Es wurde 1966 von Sandoz (Sandomigran®) patentiert u. ist auch von Wander (Mosegor®) im Handel. – ***E*** pizotifen – ***F*** pizotifène – ***I*** pizotifene – ***S*** pizotifeno

Lit.: Drugs **3**, 159–203 (1972) ▪ Hager (5.) **9**, 268–271 ▪ Martindale (31.), S. 484f. – *[HS 2934 90; CAS 15574-96-6 (P.); 5189-11-7 (Hydrogenmalat)]*

Pizzagewürz s. Origanum.

pK s. pK-Wert.

PK-Dünger s. Düngemittel.

p34-Kinasen. *Cyclin-abhängige Kinasen mit M_R 34 000, z. B. $p34^{cdc2}$ (Cdc2-Protein-Kinase) aus der Spalthefe *Schizosaccharomyces pompe* od. $p34^{CDC28}$ aus der Bäckerhefe *Saccharomyces cerevisiae*. – ***E*** p34 kinases – ***F*** kinases p34 – ***I*** chinasi p34 – ***S*** quinasas p34

PK-Merz® (Rp). Tabl. u. Infusionslsg. mit *Adamantan-aminsulfat gegen *Parkinsonismus. ***B.:*** Merz.

PKU. Abk. für *Phenylketonurie.

pK-Wert. Der pK-W. od. *Gleichgewichtsexponent* ist definiert als der neg. dekad. Logarithmus der Gleichgewichtskonstanten (s. chemische Gleichgewichte bzw. Massenwirkungsgesetz) einer chem. Reaktion. Er wird u. a. dazu benutzt, um die *Acidität bzw. *Basizität von anorgan. od. organ. Säuren bzw. Basen bei bestimmten Temp. auszudrücken. Bei Säuren ist der jeweilige *Säureexponent* (pK_s od. pK_a) der neg. dekad. Logarithmus der Säurekonstanten [$pK_s = -\lg K_s$ od. $pK_a = -\lg Ka$, K_s od. K_a = *Säure-(Dissoziations-)Konstante*]; Analoges gilt für den *Basenexponenten* [$pK_B = -\lg K_B$ bzw. $pK_b = -\lg K_b$; K_B, K_b = *Basen-(Dissoziations-)Konstante*]. Bei der *elektrolytischen Dissoziation ist allg. der pK-W. um so höher, je schwächer ein Elektrolyt ist; *Beisp.:* H_2SO_4 in Wasser –3 (1. Stufe), 1,92 (2. Stufe). Wasser hat bei Zimmertemp. einen pK-Wert von 14 (pK_w, s. Ionenprodukt), u. da im neutralen Zustand *pH = pOH ist, ergibt sich mit pH + pOH = pK der pH-Wert zu 7. Ist in der Lsg. einer schwachen Säure die Konz. (die *Aktivität) des undissoziierten Anteils gleich der Konz. (*Aktivität) des Säure-Anions, so ist der pK-Wert gleich dem pH-Wert. Auf diesen Beziehungen beruht die Berechnung des pK-Wertes von *Puffer-Lösungen. Einige Beisp. für pK-Werte findet man bei elektrolytische Dissoziation, ausführlichere Zusammenstellungen in der *Lit.* u. im *Handbook. – ***E*** pK-value – ***F*** valeur pK – ***I*** valore pK – ***S*** valor pK

Lit.: Perrin et al., pK_a, Prediction for Organic Acids and Bases, London: Chapman & Hall 1981.

PKWF®. Eng fraktioniertes Druckfarbenöl von Haltermann.

Formelregister für Band 4

Das folgende Formelregister enthält alle im vorliegenden Band 4 behandelten anorgan., Metall-organ. u. organ. Verbindungen. Zur Einordnung wird das **Hill'sche System* angewandt, d. h., mit Ausnahme der Kohlenstoff-Verb. wird in den *Bruttoformeln aller Verb. die alphabet. Folge der Elementsymbole streng eingehalten. Innerhalb der Elementsymbole, die jeweils wie 1 Buchstabe behandelt werden, wird dann nach Atomzahlindices numer. aufsteigend geordnet. Dies hat allerdings zur Folge, daß z. B. die Di-, Tri- u. Tetrahalogenide eines Elements im allg. *nicht* zusammensortiert auftreten. So ergibt sich z. B. für die im Chemie Lexikon erwähnten Chlor-Verb. von Calcium, Cobalt, Eisen, Iod, Natrium, Schwefel, Silber, Silicium u. Zinn die Folge: AgCl, $CaCl_2$, ClI, ClNa, Cl_2Co, Cl_2Fe, Cl_2S, Cl_2S_2, Cl_2Sn, Cl_3Fe, Cl_3I, Cl_4S, Cl_4Si, Cl_4Sn, Cl_6Si_2 etc. Das evtl. enthaltene Kristallwasser od. Hydratwasser bleibt bei der Aufstellung der Bruttoformel unberücksichtigt. Die Bruttoformeln der Carbonate u. Hydrogencarbonate finden sich unter denen der Kohlenstoff-Verbindungen. Im allg. wurden in das Formelregister *nicht aufgenommen*: Verb. mit nichtstöchiometr. Zusammensetzung wie $Na_{0,3}(Mg_{2,7}Li_{0,3})[Si_4O_{10}(OH)_2]$, Mischkrist. u. Mineralien mit variabler Zusammensetzung wie $Zn_5[(OH)_3/CO_3]_2$ u. dgl. Die mit Eigennamen belegten Isotope ^2H u. ^3H werden alphabet. unter den Symbolen D u. T geführt (z. B. D_2O).

Eine abweichende Behandlung erfahren alle Verb., die C-Atome enthalten. Hier wird *in jedem Fall* das Elementsymbol C vorangestellt. Diesem folgen – aber nur bei *Wasserstoff-freien C-Verb.* – die übrigen Elementsymbole (die der *Heteroatome) in alphabet. Reihung. Daraus ergibt sich z. B. für einige Carbonate, Carbonyl-Verb., Cyanide, Cyanate, Fulminate, Tetrachlormethan u. Phosgen die Folge: CAgNO, CAg_2O_3, $CBaO_3$, CCl_2O, CCl_4, CKN, CNNaO, CO_3Zn, $C_2HgN_2O_2$, C_4NiO_4, C_5FeO_5. Bei *Wasserstoff-haltigen Verb.* des Kohlenstoffs folgt dem Symbol C zunächst dasjenige des Wasserstoffs u. erst hiernach werden die übrigen Elementsymbole von A–Z angeführt. Die Namen der Verb. mit gleicher Bruttoformel sind alphabet. geordnet.

Es ist zu beachten, daß Bruttoformeln von Verb., die kein eigenes Stichwort im Lexikon sind, im Register unter dem Stichwort erscheinen, in dem sie besprochen werden.

AgS_2Sb=Miargyrit
Ag_3AuTe_2=Petzit

AlH_4Na=Natriumaluminiumhydrid
$AlKO_8Si_3$=Orthoklas
$AlLiO_{10}Si_4$=Petalit
$AlNaO_2$=Natriumaluminate
$AlNaO_4Si$=Natriumaluminiumsilicat
$Al_5CaKMgO_{36}Si_{13}$=Offretit
$Al_6Na_8O_{28}SSi_6$=Nosean
$Al_8Ca_2KNa_3O_{96}Si_{40}$=Mordenit
$Al_{16}Na_{16}O_{80}Si_{24}$=Natrolith

$AsHNa_2O_3$=Natriumarsenate
$AsHNa_2O_4$=Natriumarsenate
$AsNaO_2$=Natriumarsenate
$AsNa_2O_3$=Natriumarsenate
$AsNi$=Nickelin

BF_4Na=Natriumtetrafluoroborat
BH_2NaO_4=Natriumperborat
BH_4Na=Natriumborhydrid
B_2Nb=Niob-Verbindungen
B_5H_9=Pentaboran(9)

$BaMnO_4$=Mangangrün

Be_2O_4Si=Phenakit

$BiNaO_3$=Natriumbismutat(V)

$BrHO_4$=Perbromate
$BrNa$=Natriumbromid
$BrNaO_3$=Natriumbromat
Br_2Mg=Magnesiumbromid
Br_2Ni=Nickel(II)-bromid
Br_3P=Phosphorbromide
Br_5P=Phosphorbromide

CCl_2O=Phosgen
$CHNaO_2$=Natriumformiat
$CHNaO_3$=Natriumhydrogencarbonat
CH_2Br_2=Methylenbromid
CH_2I_2=Methyleniodid
CH_2O_3=Peroxyameisensäure
CH_3BNNa=Natriumborhydrid
CH_3Br=Methylbromid
CH_3ClO_2S=Methansulfonylchlorid
CH_3Cl_3Si=Methylchlorsilane
CH_3I=Methyliodid
CH_3IMg=Methylmagnesiumiodid
CH_3NO_2=Nitromethan
CH_3NaO=Natriummethoxid
CH_4=Methan
$CH_4N_4O_2$=Nitroguanidin
CH_4O=Methanol
CH_4O_3S=Methansulfonsäure
CH_4S=Methanthiol
CH_5N=Methylamin
$CH_6N_2O_3$=Percarbamid
$CMgO_3$=Magnesit, Magnesiumcarbonat
$CMnO_3$=Mangan(II)-carbonat
$CNNa$=Natriumcyanid
$CNNaO$=Natriumcyanat
$CNNaS$=Natriumthiocyanat
CNa_2O_3=Natriumcarbonat
CNb=Niob-Verbindungen
$CNiO_3$=Nickel(II)-carbonat
CSi=Moissanit

$C_2Cl_2O_2$=Oxalylchlorid
C_2HCl_5=Pentachlorethan
$C_2H_2ClNO_5$=Peroxyacylnitrate
$C_2H_2Cl_2O_2$=Palite
$C_2H_2MgO_6$=Magnesiumhydrogencarbonat
$C_2H_2N_2O$=Oxadiazole
$C_2H_2NiO_4$=Nickel(II)-formiat
$C_2H_2O_4$=Oxalsäure
C_2H_3NO=Methylisocyanat
$C_2H_3NO_5$=Peroxyacylnitrate
C_2H_3NS=Methylisothiocyanat
$C_2H_3NaO_2$=Natriumacetat
$C_2H_3NaO_2S$=Natriumthioglykolat
$C_2H_4NNaS_2$=Metam-Natrium
$C_2H_4N_2$=Nephelometrie
$C_2H_4N_2O_2$=Oxamid
$C_2H_4O_3$=Peroxide, Peroxyessigsäure
C_2H_5NO=N-Methylformamid
$C_2H_5NO_2$=Nitroethan
$C_2H_5N_3O_2$=Nitrosamine
C_2H_5NaO=Natriumethoxid
$C_2H_5NaO_3S_2$=Mesna
$C_2H_6Cl_2Si$=Methylchlorsilane
$C_2H_6MgO_2$=Magnesiummethoxid
$C_2H_6N_2O$=Nitrosamine, N-Nitrosodimethylamin
C_2H_6OS=2-Mercaptoethanol
$C_2H_6O_3S$=Methansulfonsäure
$C_2H_8NO_3PS$=Methamidophos
C_2Mg=Magnesiumcarbide
$C_2Na_2O_4$=Natriumoxalat

$C_3H_2N_2$=Malonsäuredinitril
$C_3H_2N_2O_3$=Parabansäure
$C_3H_2O_5$=Mesoxalsäure
C_3H_3NO=Oxazole
$C_3H_3NO_4S$=1,2,3-Oxathiazin-4(3)H-on,2,2-dioxid
$C_3H_3N_3O_2$=Nitroimidazole
$C_3H_3Cl_2F_2O$=Methoxyfluran
$C_3H_4O_2$=Methylglyoxal
$C_3H_4O_4$=Malonsäure
$C_3H_4O_6$=Mesoxalsäure
$C_3H_5NO_2$=Oxazolidinone
$C_3H_5NO_5$=Peroxyacylnitrate
$C_3H_5NaO_2S$=Natriumxanthate
$C_3H_5NaO_2$=Natriumpropionat
$C_3H_5NaO_3$=Natriumlactat
$C_3H_5O_6P$=Phosphoenolpyruvat
$C_3H_6Cl_3N$=Phosgen-Iminium-Salze
$C_3H_6N_6$=Melamin
C_3H_6O=Oxetane
$C_3H_6O_2$=Peroxide
$C_3H_6O_2S$=Mercaptopropionsäuren
$C_3H_6O_3$=Milchsäure
C_3H_7ClHgO=(2-Methoxyethyl)quecksilberchlorid
C_3H_7NO=N-Methylacetamid
$C_3H_7NO_2$=Nitropropane
$C_3H_7N_3O_2$=Nitrosamine
$C_3H_7O_7P$=Phosphoglycerinsäuren
$C_3H_8NO_6P$=Phosphoserin
$C_3H_8N_2O$=Nitrosamine
$C_3H_8O_2$=Methylal
$C_3H_8O_2S$=3-Mercapto-1,2-propandiol
$C_3H_8O_3S$=Methansulfonsäure
C_3H_9ClSi=Methylchlorsilane
C_3H_9NO=N-Methylethanolamin
$C_3H_9NO_3S$=N-Methyltaurin
$C_3H_{11}NO_7P_2$=Pamidronsäure
C_3Mg_2=Magnesiumcarbide

C_4HKO_3=Moniliformin
$C_4H_2O_3$=Maleinsäureanhydrid
$C_4H_3AuNa_2O_4S$=Natriumaurothiomalat
$C_4H_3NO_2$=Maleinimid
$C_4H_3NO_3$=Nitrofurane
$C_4H_3N_3O_5$=5-Nitrobarbitursäure
$C_4H_4AuNaO_4S$=Natriumaurothiomalat
C_4H_4ClNOS=Methylisothiazolone
$C_4H_4N_2O_2$=Maleinsäurehydrazid
$C_4H_4Na_2O_5$=Natriumsuccinat
$C_4H_4Na_2O_6$=Natriumtartrat
$C_4H_4O_4$=Maleinsäure
$C_4H_4O_5$=Oxobernsteinsäure
C_4H_5NOS=Methylisothiazolone
$C_4H_6MgO_4$=Magnesiumacetat
$C_4H_6MnO_4$=Manganacetate
$C_4H_6N_2$=4-Methylimidazol
$C_4H_6N_2O_2$=Muscimol, 2,5-Piperazindion
$C_4H_6NiO_4$=Nickel(II)-acetat
$C_4H_6O_2$=Methacrylsäure, Methylacrylat
$C_4H_6O_3$=4-Methyl-1,3-dioxolan-2-on, 2-Oxobuttersäuren
$C_4H_6O_4$=Oxalsäureester, Peroxide
$C_4H_6O_4Pd$=Palladium(II)-acetat
$C_4H_7NO_3$=Oxetin
$C_4H_7NO_5$=Peroxyacylnitrate
$C_4H_8N_2O$=Nitrosamine
$C_4H_8N_2O_2$=Nitrosamine
$C_4H_8N_8O_8$=Octogen
C_4H_8OS=Methional
$C_4H_8O_3$=Milchsäureester
$C_4H_8O_3S$=Methansulfonsäure
C_4H_9NO=Morpholin
$C_4H_{10}MgO_2$=Magnesiumethoxid
$C_4H_{10}N_2$=Piperazin
$C_4H_{10}N_2O$=Nitrosamine
$C_4H_{10}N_2O_3$=Nitrosamine
$C_4H_{10}O_3$=Peroxide
$C_4H_{10}O_3$=Orthoester
$C_4H_{11}NO$=3-Methoxypropylamin
$C_4H_{11}N_5$=Metformin
C_4NiO_4=Nickeltetracarbonyl

$C_5FeN_6Na_2O$=Nitroprussidnatrium
C_5HMnO_5=Mangancarbonyle
$C_5H_3Cl_3O_3$=MX
$C_5H_3F_6NO_2$=N-Methylbis(trifluoracetamid)
$C_5H_4N_2O_4$=Orotsäure
$C_5H_4N_4S$=Mercaptopurin
$C_5H_4O_3$=Methylmaleinsäureanhydrid
C_5H_5Na=Natrium-organische Verbindungen
C_5H_5N=Phosphinin
$C_5H_6N_2OS$=Methylthiouracil
$C_5H_6N_2O_4$=Muscazon
$C_5H_6O_4$=Methylfumarsäure, Methylmaleinsäure
$C_5H_6O_5$=Oxoglutarsäuren
$C_5H_7N_3O$=5-Methylcytosin
C_5H_8=1,3-Pentadien
$C_5H_8NNaO_4$=Natrium-L-glutamat
$C_5H_8N_4O_{12}$=Pentaerythrittetranitrat
C_5H_8O=2-Methyl-3-butin-2-ol
$C_5H_8O_2$=Methacrylsäureester, Methyl-2-butensäuren
C_5H_9NO=N-Methyl-2-pyrrolidon, 2-Piperidon
$C_5H_9NO_4$=N-Methyl-D-aspartat
C_5H_{10}=Methylbutene, Pentene
$C_5H_{10}NNaS_2$=Natrium-diethyldithiocarbamat
$C_5H_{10}N_2O$=Nitrosamine
$C_5H_{10}N_2O_2S$=Methomyl
$C_5H_{10}O$=3-Methyl-2-butanon, Methylbutanol, 3-Methylbutyraldehyd, Pentanal, Pentanone, Pentenole
$C_5H_{10}O_2$=3-Methylbuttersäure
$C_5H_{10}O_3$=Milchsäureester
$C_5H_{11}Cl$=Pentylchlorid
$C_5H_{11}N$=Piperidin
$C_5H_{11}NO$=4-Methylmorpholin
$C_5H_{11}NO_2$=3-Methylbutylnitrit, Norvalin
$C_5H_{11}NO_2S$=Methionin, Penicillamin
$C_5H_{11}NO_2Se$=Methionin
$C_5H_{11}NS_2$=Nereistoxin
C_5H_{12}=2-Methylbutan, Pentane
$C_5H_{12}NO_4P$=Phosphinothricin
$C_5H_{12}NO_4PS$=Omethoat
$C_5H_{12}N_2O_2$=Ornithin
$C_5H_{12}O$=Methylbutanole, Pentanole
$C_5H_{12}O_2$=Pentandiole
$C_5H_{12}O_4$=Orthocarbonate, Pentaerythrit
$C_5H_{13}N$=1-Pentanamin
$C_5H_{13}NO_2$=N-Methyl-2,2′-iminodiethanol
$C_5H_{14}N_2$=1,5-Pentandiamin

$C_6FeN_6Na_3$=Natriumhexacyanoferrate
$C_6FeN_6Na_4$=Natriumhexacyanoferrate
C_6HCl_5O=Pentachlorphenol
$C_6H_2ClN_3O_5$=NBD-Chlorid
$C_6H_3Cl_3N_2O_2$=Picloram
$C_6H_3MnO_6$=Mangan-organische Verbindungen
$C_6H_3N_3O_7$=Pikrinsäure
$C_6H_4N_4O_6$=Pikrinsäure
C_6H_5BrMg=Phenylmagnesiumbromid
C_6H_5Li=Phenyllithium
C_6H_5NO=Nitrosobenzol
$C_6H_5NO_2$=Nicotinsäure, Nitrobenzol, 4-Nitrosophenol, Picolinsäure
$C_6H_5NO_3$=Nitrophenole
$C_6H_5N_3$=Phenylazid
$C_6H_5N_3O_5$=Pikraminsäure
C_6H_5NaO=Phenolate
$C_6H_5Na_2O_4P$=Phenylphosphat-Dinatriumsalz
$C_6H_5Na_3O_7$=Natriumcitrat
$C_6H_6N_2O$=Nicotinsäureamid, Nitrosamine
$C_6H_6N_2O_2$=ar-Nitroaniline
$C_6H_6N_4O_3$=Niridazol
$C_6H_6N_4O_4$=Nitrofural
C_6H_6O=Phenol
$C_6H_6O_3$=Maltol, Phloroglucin
$C_6H_6O_4$=Muconsäure
$C_6H_6O_4S$=Phenolsulfonsäuren
C_6H_7N=Picoline
C_6H_7NO=N-Phenylhydroxylamin
$C_6H_7N_3O_2$=2-Nitro-1,4-phenylendiamin, (4-Nitrophenyl)hydrazin
$C_6H_7NaO_6$=Natriumascorbat
$C_6H_8N_2$=Phenylendiamine, Phenylhydrazin
$C_6H_8N_2O$=3,3′-Oxydipropionitril
$C_6H_8N_6O_{18}$=Mannit(ol)hexanitrat
$C_6H_8O_2$=Nüsse
$C_6H_8O_3$=Osmundalacton
$C_6H_9NO_4$=Meldrumsäure
$C_6H_9MnO_6$=Manganacetate
$C_6H_9N_3O_6$=NTA
$C_6H_9N_3O_2$=Metronidazol
$C_6H_{10}N_2O_2$=Nioxim, Piracetam
$C_6H_{10}N_4$=Pentetrazol
$C_6H_{10}O$=Mesityloxid, Methylpentynol, Pantolacton
$C_6H_{10}O_2$=Naphthensäuren
$C_6H_{10}O_3$=Mevalolacton
$C_6H_{10}O_4$=Oxalsäureester

$C_6H_{11}NO$=1-Methyl-4-piperidinon
$C_6H_{11}NO_2$=Piperidincarbonsäuren
$C_6H_{11}N_2O_4PS_3$=Methidathion
$C_6H_{11}NaO_7$=Natrium-D-gluconat
C_6H_{12}=Methylcyclopentan
$C_6H_{12}NNaO_3S$=Natriumcyclamat
$C_6H_{12}O$=Methylpentanone, Pinakolon
$C_6H_{12}O_3$=Milchsäureester, Paraldehyd
$C_6H_{12}O_4$=Mevalonsäure, Pantothensäure
$C_6H_{12}O_6$=Mannose
$C_6H_{13}N$=2-Methylpiperidin
$C_6H_{13}NO_2$=Norleucin
$C_6H_{13}NO_2S$=Methionin
$C_6H_{13}NO_4S$=MES
$C_6H_{13}NO_5$=Nojirimycin
$C_6H_{13}N_5O$=Moroxydin
C_6H_{14}=Methylpentane
$C_6H_{14}ClNO_2S$=*S*-Methyl-L-methioninsulfoniumchlorid
$C_6H_{14}INO_2S$=*S*-Methyl-L-methioninsulfoniumchlorid
$C_6H_{14}N_2O$=Nitrosamine
$C_6H_{14}O$=Methylpentanole
$C_6H_{14}O_2$=(±)-2-Methyl-2,4-pentandiol, Pinakol
$C_6H_{14}O_6$=Mannit
$C_6H_{15}NO_3$=2,2′,2″-Nitrilotriethanol
$C_6H_{15}O_4PS_2$=Oxydemeton-methyl
$C_6H_{16}AlNaO_4$=Natriumaluminiumhydrid
$C_6H_{18}O_2Si_2$=Peroxide
$C_6H_{18}O_{24}P_6$=Phytinsäure
C_6MoO_6=Molybdänhexacarbonyl

$\mathbf{C_7}H_4ClNNa_2O_4S$=Monalazon-Dinatrium
$C_7H_4ClNO_3$=4-Nitrobenzoylchlorid
$C_7H_4O_7$=Mekonsäure
C_7H_5NO=Phenylisocyanat
$C_7H_5NO_3$=Nitrobenzaldehyde
$C_7H_5NO_4$=Nitrobenzoesäuren
$C_7H_5NO_5$=Peroxyocylnitrate
C_7H_5NS=Phenylisothiocyanat
$C_7H_5NS_2$=2-Mercaptobenzothiazol
$C_7H_5N_3O_2$=5-Nitrobenzimidazol
$C_7H_5NaO_2$=Natriumbenzoat
$C_7H_5NaO_3$=Natriumsalicylat
$C_7H_5NaO_4$=Natriumgentisat
$C_7H_6N_2S$=2-Mercaptobenzimidazol
$C_7H_6N_4S$=1-Phenyl-1*H*-tetrazol-5-thiol
$C_7H_6O_2S$=2-Mercaptobenzoesäure
$C_7H_6O_3$=Peroxybenzoesäure
$C_7H_6O_4$=Patulin
$C_7H_7NO_2$=*ar*-Nitrotoluole
$C_7H_7NO_3$=Mesalazin, 2-Nitroanisol
C_7H_8=2,5-Norbornadien
$C_7H_8N_2O$=Nitrosamine, Phenylharnstoff
$C_7H_8N_2O_2$=4-Methyl-2-nitroanilin
$C_7H_8N_2S$=Phenylthioharnstoff
$C_7H_8O_2$=4-Methoxyphenol, 4-Methylbrenzcatechin, Orcinol
C_7H_9N=*N*-Methylanilin
$C_7H_9N_3O$=4-Phenylsemicarbazid
C_7H_{10}=Norbornen
$C_7H_{10}ClN_3O_3$=Ornidazol
$C_7H_{10}N_2$=*ar*-Methylphenylendiamine
$C_7H_{10}N_2O_2$=*N,N′*-Methylenbis(acrylamid)
$C_7H_{10}N_2O_2S$=Mafenid
$C_7H_{11}NO_4$=Oxaceprol
$C_7H_{11}N_3O_2S$=Ovothiole
$C_7H_{11}O_9P$=2-Phosphonobutan-1,2,4-tricarbonsäure
C_7H_{12}=Norcaran
$C_7H_{12}O$=Methylcyclohexanone
$C_7H_{12}O_2$=Methyl-*trans*-2-hexenoat
$C_7H_{12}O_4$=Malonsäurediethylester, Pimelinsäure
$C_7H_{13}NO$=*N*-Methyl-caprolactam
$C_7H_{13}NO_3S$=Methionin
$C_7H_{13}N_3O_3S$=Oxamyl
$C_7H_{13}O_5PS$=Methacrifos
$C_7H_{13}O_6P$=Mevinphos
C_7H_{14}=Methylcyclohexan
$C_7H_{14}NO_5P$=Monocrotophos
$C_7H_{14}O$=Methylcyclohexanole
$C_7H_{14}O_2$=Oenanthsäure
$C_7H_{14}O_3$=Milchsäureester
$C_7H_{14}O_4$=L-Oleandrose
$C_7H_{14}O_6$=α-Methylglucosid
$C_7H_{15}N$=*N*-Methylcyclohexylamin
$C_7H_{15}NO_4S$=MOPS
$C_7H_{16}ClN$=Mepiquatchlorid
$C_7H_{16}O_3$=Orthoester
$C_7H_{17}NO_5$=*N*-Methyl-D-glucamin

$\mathbf{C_8}H_3NO_2$=Nudinsäure
$C_8H_4Cl_2O_2$=Phthalsäuredichlorid
$C_8H_4KNO_2$=Phthalimid
$C_8H_4N_2$=Phthalsäuredinitril
$C_8H_4O_3$=Phthalsäureanhydrid
$C_8H_5NO_2$=Phthalimid
$C_8H_5N_5O_6$=Murexid
$C_8H_6N_2$=Phthalazin
$C_8H_6N_4O_5$=Nitrofurantoin
$C_8H_6O_2$=Phthalaldehyd, Phthalide
$C_8H_6O_3$=Piperonal
$C_8H_6O_4$=Phthalsäure
C_8H_7N=Phenylacetonitril
C_8H_7NO=Oxindol
$C_8H_8N_6O_6$=Murexid
C_8H_8O=Phenylacetaldehyd
$C_8H_8O_2$=Phenylacetat, Phenylessigsäure, Picein
$C_8H_8O_3$=Mandelsäure, 4-Methoxybenzoesäure, Phenoxyessigsäure
$C_8H_8O_4$=Orsellinsäure
$C_8H_9HgNaO_3S_2$=Natriumtimerfonat
$C_8H_9NO_2$=Nitroxylole, Phenylglycine
$C_8H_9N_3O_4$=Nicorandil
$C_8H_9N_3S$=MBTH
$C_8H_{10}NO_5PS$=Parathion-methyl
$C_8H_{10}N_2O$=Nitrosamine
$C_8H_{10}N_2O_3S$=*N*-Methyl-*N*-nitroso-*p*-toluolsulfonamid
$C_8H_{10}N_2O_4$=Mimosin
$C_8H_{10}O$=Methylenomycine, Phenetol, Phenylethanole
$C_8H_{10}O_2$=4-Methylbrenzcatechin, Orcinol
$C_8H_{11}N$=Phenylethylamine
$C_8H_{11}NO$=Phenetidine
$C_8H_{11}NO_2$=Norfenefrin, Octopamin
$C_8H_{11}NO_3$=Noradrenalin
$C_8H_{12}O_4$=Maleinsäureester
$C_8H_{12}O_5$=Oxobernsteinsäure
$C_8H_{13}N_3O_2S$=Ovothiole
$C_8H_{14}N_4OS$=Metribuzin
$C_8H_{14}O$=1-Octen-3-on
$C_8H_{15}NO$=Pelletierin
C_8H_{16}=Octene
$C_8H_{16}NO_3PS_2$=Mephosfolan
$C_8H_{16}O$=Octanal, Octanone, (−)-(*R*)-1-Octen-3-ol
$C_8H_{16}OS$=2-Methyl-4-propyl-1,3-oxathian
$C_8H_{16}O_2$=Octansäure, Oenanthsäure
$C_8H_{16}O_4$=Metaldehyd
$C_8H_{17}Br$=Octylbromid
$C_8H_{17}NO_5$=Miglitol
C_8H_{18}=Octan
$C_8H_{18}N_2O$=Nitrosamine
$C_8H_{18}N_2O_6S_2$=PIPES
$C_8H_{18}O$=Octanole
$C_8H_{18}O_2$=Peroxide
$C_8H_{18}S$=1-Octanthiol
$C_8H_{19}N$=Octanamine, Octodrin

$\mathbf{C_9}H_6Cl_2N_2O_3$=Methazol
$C_9H_6N_2O_3$=4-Nitrochinolin-1-oxid, Nitroxolin
$C_9H_6O_4$=Ninhydrin
$C_9H_7MnO_3$=(Methylcyclopentadienyl)mangantricarbonyl
$C_9H_8N_2O_2$=Pemolin
$C_9H_8N_4O_6$=Nifurtoinol
$C_9H_8O_3$=Phenylbrenztraubensäure
$C_9H_9ClO_3$=MCPA
C_9H_9N=2-Methylindol
$C_9H_9NO_5$=Muscaflavin
C_9H_{10}=α-Methylstyrol
$C_9H_{10}N_6O_5$=Orazamid
$C_9H_{10}O$=*p*-Methylacetophenon, 1-Phenyl-2-propanon, 2-Phenylpropionaldehyd
$C_9H_{10}O_2$=*p*-Methoxyacetophenon, Paroxypropion, Phenylessigsäureester
$C_9H_{10}O_4$=Methylenomycine
$C_9H_{11}BrN_2O_2$=Metobromuron
$C_9H_{11}ClN_2O_2$=Monolinuron
$C_9H_{11}NO$=*N*-Methylacetanilid
$C_9H_{11}NO_2$=Phenylalanin, *N*-Phenylurethan
$C_9H_{11}N_5O_4$=Neopterin
C_9H_{12}=Mesitylen
$C_9H_{12}ClN_5O$=Moxonidin
$C_9H_{12}N_2$=Nicotin
$C_9H_{12}N_2O_3$=5-Nitro-2-propoxyanilin
$C_9H_{12}O$=Phenylpropanole
$C_9H_{13}ClN_6O_2$=Nimustin
$C_9H_{13}NO$=Norephedrin
$C_9H_{13}NO_2$=Metaraminol, Phenylephrin
$C_9H_{14}N_4O_3$=Nimorazol
$C_9H_{14}N_4O_4$=Molsidomin
$C_9H_{14}O$=Phoron
$C_9H_{15}NO_3S$=Mycobacidin
$C_9H_{15}N_3O_2S$=Ovothiole
$C_9H_{15}N_5O$=Minoxidil
$C_9H_{16}O_2$=Olean
$C_9H_{17}N$=Pinus-Alkaloide
$C_9H_{17}NOS$=Molinat
$C_9H_{17}NO_5$=Pantothensäure
$C_9H_{17}NO_7$=Muraminsäure
$C_9H_{17}NO_8$=Miserotoxin, Neuraminsäure
$C_9H_{18}N_2O_4$=Meprobamat
$C_9H_{18}N_4O_4$=Octopin
$C_9H_{18}O_2$=Oenanthsäure, Pelargonsäure
$C_9H_{19}NO_4$=Panthenol
C_9H_{20}=Nonan
$C_9H_{20}ClNO_2$=Muscarin
$C_9H_{20}NO_2$=Muscarin
$C_9H_{20}O$=1-Nonanol
$C_9H_{21}NO_3$=1,1′,1″-Nitrilotri-2-propanol

$\mathbf{C_{10}}H_4N_2Na_2O_8S$=Naphthol-Farbstoffe
$C_{10}H_5NNa_2O_8S_2$=Nitroso-R-Salz
$C_{10}H_5NaO_5S$=1,2-Naphthochinon-4-sulfonsäure-Natriumsalz
$C_{10}H_6N_2O_4$=Nitronaphthaline
$C_{10}H_6N_2O_5$=Naphthol-Farbstoffe
$C_{10}H_6O_2$=Naphthochinone
$C_{10}H_6O_4$=Naphthazarin
$C_{10}H_7NO_2$=Nitronaphthaline, Nitrosonaphthole
$C_{10}H_8$=Naphthalin
$C_{10}H_8N_2O_2$=Neokupferron
$C_{10}H_8N_2O_4$=Orellanin
$C_{10}H_8N_2O_5$=Orellanin
$C_{10}H_8N_2O_6$=Orellanin
$C_{10}H_8N_4O_4$=Nitrefazol
$C_{10}H_8N_4O_5$=Pikrolonsäure
$C_{10}H_8NaO_4P$=Natrium-1-naphthylhydrogenphosphat
$C_{10}H_8O$=Naphthole
$C_{10}H_8O_2$=6-Methylcumarin, Naphthole
$C_{10}H_8O_3S$=Naphthalinsulfonsäuren
$C_{10}H_8O_6S_2$=Naphthalinsulfonsäuren
$C_{10}H_9F_3O_3$=MTPA
$C_{10}H_9N$=Methylchinoline, Naphthylamine
$C_{10}H_{10}N_2$=Nicotyrin
$C_{10}H_{10}N_2O$=5-Methyl-2-phenyl-1,2-dihydro-3*H*-pyrazol-3-on
$C_{10}H_{10}N_4O$=Metamitron
$C_{10}H_{10}N_4OS$=Metisazon
$C_{10}H_{10}N_6$=Parazoanthoxanthine
$C_{10}H_{10}Ni$=Nickel-organische Verbindungen
$C_{10}H_{10}O_3$=Mellein
$C_{10}H_{10}O_4$=Phthalsäureester
$C_{10}H_{10}Os$=Osmocen
$C_{10}H_{11}ClO_3$=Mecoprop
$C_{10}H_{11}N_3OS$=Methabenzthiazuron
$C_{10}H_{11}N_3O_2$=Neokupferron
$C_{10}H_{11}N_3O_5S$=Nifuratel
$C_{10}H_{12}CaN_2Na_2O_8$=Natriumcalciumedetat
$C_{10}H_{12}N_2O_8$=Orotsäure
$C_{10}H_{12}N_4O_4$=Nebularin
$C_{10}H_{12}O_2$=Phenylessigsäureester, 2-Phenylethylester
$C_{10}H_{12}O_4$=Orcinol
$C_{10}H_{13}ClN_2O_2$=Metoxuron
$C_{10}H_{13}NO$=4-Phenylmorpholin
$C_{10}H_{13}NO_2$=Phenacetin, Phenprobamat
$C_{10}H_{13}NO_4$=Methyldopa
$C_{10}H_{13}N_2O_{11}P$=Orotsäure
$C_{10}H_{13}N_3O_5S$=Nifurtimox
$C_{10}H_{13}N_5O_3$=Oxetanocin
$C_{10}H_{13}N_5O_4$=Oxetanocin
$C_{10}H_{14}NO_5PS$=Parathion
$C_{10}H_{14}N_2$=Nicotin
$C_{10}H_{14}N_2O$=Nicethamid
$C_{10}H_{14}N_2O_2$=Pilocarpin
$C_{10}H_{14}O$=Ocimenon, Perillaaldehydoxim
$C_{10}H_{14}O_2$=Mintlacton, Nepetalacton, Perillaketon
$C_{10}H_{14}O_3$=Mephenesin
$C_{10}H_{15}N$=Methamphetamin, Phentermin
$C_{10}H_{15}NO$=Perillaaldehydoxim, Pholedrin
$C_{10}H_{15}NO_2$=Oxilofrin, *N*-Phenyldiethanolamin
$C_{10}H_{15}N_5$=Phenformin
$C_{10}H_{15}N_5O_3$=Penciclovir
$C_{10}H_{15}N_5O_{13}P_2S$=3′-Phosphoadenosin-5′-phosphosulfat

$C_{10}H_{16}$=Methylbenzyl..., Myrcen, Ocimen, 1,2,3,4,5-Pentamethylcyclopentadien, α-Phellandren, Pinene
$C_{10}H_{16}Cl_4N_2Zn_2$=Nicotin
$C_{10}H_{16}N_2O_4S$=Nicotin
$C_{10}H_{16}O$=Menthon, Nepetalacton, Ocimenon, Perillaaldehydoxim
$C_{10}H_{17}NO_2$=Methyprylon
$C_{10}H_{18}$=Menthene, p-Menthene, Pinan
$C_{10}H_{18}O$=Menthon, Myrcen, Necrodole
$C_{10}H_{18}OS$=p-Menth-1-en-8-thiol
$C_{10}H_{18}O_2$=Multistriatine, Pinanhydroperoxid
$C_{10}H_{18}O_4$=Nonactin, Oxalsäureester
$C_{10}H_{18}S$=p-Menth-1-en-8-thiol
$C_{10}H_{19}ClNO_5P$=Phosphamidon
$C_{10}H_{19}O_6PS_2$=Malathion
$C_{10}H_{20}$=p-Menthan
$C_{10}H_{20}NO_5PS_2$=Mecarbam
$C_{10}H_{20}O$=Menthol
$C_{10}H_{20}O_2$=p-Menthanhydroperoxid
$C_{10}H_{20}O_3$=Myrmicacin
$C_{10}H_{21}NOS$=Pebulat
$C_{10}H_{22}Cl_2N_2O_4$=Mannomustin
$C_{10}H_{22}O_7$=Pentaerythrit
$C_{10}Mn_2O_{10}$=Mangancarbonyle

$C_{11}H_7NO$=1-Naphthylisocyanat
$C_{11}H_8O_2$=2-Methyl-1,4-naphthochinone, Naphthalincarbonsäuren
$C_{11}H_8O_3$=Phthiokol
$C_{11}H_9N_3O_2$=PAR
$C_{11}H_{10}$=Methylnaphthaline
$C_{11}H_{10}N_4O_4$=Masthilfsmittel
$C_{11}H_{10}O$=Methyl(2-naphthyl)ether
$C_{11}H_{10}O_2$=Menadiol
$C_{11}H_{11}NO_2$=Phensuximid
$C_{11}H_{11}N_5$=Phenazopyridin
$C_{11}H_{12}NO_4PS_2$=Phosmet
$C_{11}H_{12}N_2O$=Peganin, Phenazon
$C_{11}H_{12}N_2O_3$=Oxitriptan
$C_{11}H_{12}N_2S$=Ölsyndrom, spanisches
$C_{11}H_{12}N_6$=Parazoanthoxanthine
$C_{11}H_{12}O_3$=Myristicin
$C_{11}H_{12}O_5$=Oliven
$C_{11}H_{13}ClO_3$=MCPB
$C_{11}H_{13}N_5O_3$=Neplanocine
$C_{11}H_{13}N_5O_4$=Neplanocine
$C_{11}H_{15}ClN_4O_2$=Nitenpyram
$C_{11}H_{15}NO$=Metamfepramon, Phenmetrazin
$C_{11}H_{15}NO_2S$=Methiocarb
$C_{11}H_{15}NO_3$=Phenetidine
$C_{11}H_{15}NO_4$=Mephenesin
$C_{11}H_{15}NO_5$=Methocarbamol
$C_{11}H_{15}NO_5S$=Neplanocine
$C_{11}H_{16}N_2O_2$=Pilocarpin
$C_{11}H_{16}N_2O_3$=Nifenalol
$C_{11}H_{16}N_4O_2$=Pemostatin
$C_{11}H_{17}N$=Pentorex
$C_{11}H_{17}NO$=Mexiletin
$C_{11}H_{17}NO_3$=Meskalin, Orciprenalin
$C_{11}H_{18}N_2O_3$=Pentobarbital
$C_{11}H_{18}N_4O_2$=Pirimicarb
$C_{11}H_{18}O_4$=Pestalotin
$C_{11}H_{19}NOS$=Octhilinon
$C_{11}H_{20}N_2$=1-Octyl-1H-imidazol
$C_{11}H_{20}N_3O_3PS$=Pirimiphos-methyl
$C_{11}H_{20}N_4O_6$=Nopalin
$C_{11}H_{22}N_2O_4S$=Pantothensäure
$C_{11}H_{22}O_2$=Melusat®, Pelargonate

$C_{12}Al_2O_{12}$=Mellit
$C_{12}Br_{10}$=PBB
$C_{12}Br_{10}O$=PBDE
$C_{12}Cl_{10}$=PCB
$C_{12}HBr_9$=PBB
$C_{12}HBr_9O$=PBDE
$C_{12}HCl_9$=PCB
$C_{12}H_2Br_8$=PBB
$C_{12}H_2Br_8O$=PBDE
$C_{12}H_2Cl_8$=PCB
$C_{12}H_3Br_7$=PBB
$C_{12}H_3Br_7O$=PBDE
$C_{12}H_3Cl_7$=PCB
$C_{12}H_4Br_6$=PBB
$C_{12}H_4Br_6O$=PBDE
$C_{12}H_4Cl_6$=PCB
$C_{12}H_5Br_5$=PBB
$C_{12}H_5Br_5O$=PBDE
$C_{12}H_5Cl_5$=PCB
$C_{12}H_6Br_4$=PBB
$C_{12}H_6Br_4O$=PBDE
$C_{12}H_6Cl_4$=PCB
$C_{12}H_6N_2O_2$=Phanquinon
$C_{12}H_6O_3$=Naphthalincarbonsäuren
$C_{12}H_6O_{12}$=Mellit(h)säure
$C_{12}H_7Br_3$=PBB
$C_{12}H_7Br_3O$=PBDE
$C_{12}H_7Cl_3$=PCB
$C_{12}H_7NO_2$=Phenoxazon
$C_{12}H_8Br_2$=PBB
$C_{12}H_8Br_2O$=PBDE
$C_{12}H_8Cl_2$=PCB
$C_{12}H_8N_2$=1,10-Phenanthrolin, Phenazin
$C_{12}H_8O_4$=Naphthalincarbonsäuren
$C_{12}H_9Br$=PBB
$C_{12}H_9BrO$=PBDE
$C_{12}H_9Cl$=PCB
$C_{12}H_9ClF_3N_3O$=Norflurazon
$C_{12}H_9NO$=Phenoxazin
$C_{12}H_9NS$=Phenothiazin
$C_{12}H_9N_3O$=Milrinon
$C_{12}H_9N_3O_4$=Mageson
$C_{12}H_9N_3O_5$=Nifuroxazid
$C_{12}H_{10}Mg_3O_{14}$=Magnesiumcitrat
$C_{12}H_{10}N_2O$=Nitrosamine, Phenylazophenole
$C_{12}H_{10}N_2O_2$=4-(4-Nitrobenzyl)pyridin
$C_{12}H_{10}NaO_2P$=Phosphinate
$C_{12}H_{10}O$=Methyl(2-naphthyl)keton
$C_{12}H_{10}O_2$=1-Naphthalinessigsäure
$C_{12}H_{10}O_3$=2-Naphthyloxyessigsäure
$C_{12}H_{12}N_2O_3$=Nalidixinsäure, Oxabetrinil, Phenobarbital
$C_{12}H_{13}NO_2$=Mesuximid
$C_{12}H_{13}NO_4S$=Oxycarboxin
$C_{12}H_{13}N_3O_4$=Masthilfsmittel
$C_{12}H_{14}Cl_2N_2$=Paraquat-dichlorid
$C_{12}H_{14}NO_3$=(−)-Narcotin
$C_{12}H_{14}N_2$=N-(1-Naphthyl)ethylendiamin-dihydrochlorid
$C_{12}H_{14}N_2O_2$=Mephenytoin
$C_{12}H_{14}N_6$=Parazoanthoxanthine
$C_{12}H_{14}O_4$=Phthalsäureester
$C_{12}H_{15}AsN_6O_2S_2$=Melarsoprol
$C_{12}H_{15}ClNO_4PS_2$=Phosalon
$C_{12}H_{15}N_2O_3PS$=Phoxim
$C_{12}H_{16}ClNOS$=Orbencarb
$C_{12}H_{16}ClNO_3$=Meclofenoxat
$C_{12}H_{16}Cl_2N_2O$=Neburon
$C_{12}H_{16}O_2$=Phenylessigsäureester, 2-Phenylethylester
$C_{12}H_{16}O_3$=Myristicin, Oudemansine
$C_{12}H_{17}N$=Nigrifactin
$C_{12}H_{17}NO$=Phendimetrazin

$C_{12}H_{17}NO_3$=Nicoboxil
$C_{12}H_{17}N_5O$=Peramin
$C_{12}H_{17}O_4PS_2$=Phenthoat
$C_{12}H_{18}ClN$=Mefenorex
$C_{12}H_{18}N_2O$=Oxotremorin
$C_{12}H_{18}N_2O_2$=Nicametat
$C_{12}H_{18}N_2O_4$=Midodrin
$C_{12}H_{18}N_4O_6$=Oryzalin
$C_{12}H_{18}O_8$=Osmundalacton
$C_{12}H_{19}BrN_2O_2$=Neostigmin
$C_{12}H_{20}N_2$=Oxotremorin
$C_{12}H_{20}Br_2O_3$=Pirbuterol
$C_{12}H_{20}O_2$=Nerylacetat
$C_{12}H_{20}O_2S$=p-Menth-1-en-8-thiol
$C_{12}H_{21}N$=Memantin
$C_{12}H_{21}N_3O_6$=Nicotianamin
$C_{12}H_{21}N_5O_2S_2$=Nizatidin
$C_{12}H_{22}MgO_{14}$=Magnesiumgluconat
$C_{12}H_{22}O_4$=Peroxide
$C_{12}H_{22}O_5$=Narbosine
$C_{12}H_{22}O_{11}$=Maltose
$C_{12}H_{24}O$=2-Methylundecanal
$C_{12}H_{24}O_2$=Peranat®
$C_{12}H_{24}O_5$=Narbosine
$C_{12}H_{24}O_{11}$=Maltose, Palatinit®
$C_{12}H_{25}NaO_4S$=Natriumdodecylsulfat
$C_{12}H_{26}N_4O_6$=Neomycin

$C_{13}H_8Cl_2N_2O_4$=Niclosamid
$C_{13}H_9F_3N_2O_2$=Nifluminsäure
$C_{13}H_9N$=Phenanthridin
$C_{13}H_{10}$=Phenanthren
$C_{13}H_{10}N_2O_3S$=Neo Heliopan® Hydro
$C_{13}H_{10}O_2$=Mycomycin
$C_{13}H_{10}O_5$=Pimpinellin
$C_{13}H_{10}O_6$=Morin
$C_{13}H_{11}NO_2$=Nicotinsäurebenzylester
$C_{13}H_{11}NO_5$=Oxolinsäure
$C_{13}H_{12}Cl_2N_2$=MOCA
$C_{13}H_{12}N_2O_5S$=Nimesulid
$C_{13}H_{12}N_2O_6$=Monobenzon
$C_{13}H_{13}As_2N_2NaO_4S$=Neoarsphenamin
$C_{13}H_{13}N_3$=Nitrite
$C_{13}H_{13}N_3O_4$=Metronidazol
$C_{13}H_{14}ClNO_2$=Pirprofen
$C_{13}H_{14}N_2O_3$=Methylphenobarbital
$C_{13}H_{14}N_2O_{10}$=Octosylsäuren
$C_{13}H_{14}N_4O_2$=Pasiniazid
$C_{13}H_{15}Cl_2N_3$=Penconazol
$C_{13}H_{15}HgNNaO_6$=Mersalyl
$C_{13}H_{16}N_2O_3$=Melatonin, Mofebutazon
$C_{13}H_{16}N_2O_5S$=Olivansäuren
$C_{13}H_{16}N_2O_8S_2$=Octosylsäuren
$C_{13}H_{16}N_2O_9S$=Olivansäuren
$C_{13}H_{16}N_3NaO_4S$=Metamizol-Natrium
$C_{13}H_{16}N_6$=Parazoanthoxanthine
$C_{13}H_{17}ClN_2O_2$=Moclobemid
$C_{13}H_{18}Cl_2N_2O_2$=Melphalan
$C_{13}H_{18}F_3N_3O_4S_2$=Penflutizid
$C_{13}H_{18}N_2O_5S$=Olivansäuren
$C_{13}H_{18}N_2O_8S_2$=Olivansäuren
$C_{13}H_{18}N_4O_3$=Pentoxifyllin
$C_{13}H_{18}O_2$=2-Phenylethylester
$C_{13}H_{19}ClN_2O_5S_2$=Mefrusid
$C_{13}H_{19}N_3O$=Phenamazid
$C_{13}H_{19}NO_8$=Metaraminol
$C_{13}H_{19}N_3O_4$=Pendimethalin
$C_{13}H_{22}N_2O_2$=Pentifyllin
$C_{13}H_{22}N_2O_5S$=Neostigmin
$C_{13}H_{24}N_3O_3PS$=Pirimiphos-ethyl
$C_{13}H_{24}O_5$=Narbosine
$C_{13}H_{24}O_6$=Narbosine

$C_{13}H_{25}N$=Monomorine
$C_{13}H_{29}N$=Octamylamin

$C_{14}H_8O_2$=9,10-Phenanthrenchinon
$C_{14}H_8O_8$=Naphthalincarbonsäuren
$C_{14}H_{10}$=Phenanthren
$C_{14}H_{10}N_2O_6$=Olsalazin
$C_{14}H_{10}O_2$=Peroxide
$C_{14}H_{10}O_6$=Oosporein
$C_{14}H_{10}O_8$=Oosporein
$C_{14}H_{11}N_3O_3S$=Nocodazol
$C_{14}H_{12}N_4S$=Phenylthioharnstoff
$C_{14}H_{12}O_2$=Pinosylvin
$C_{14}H_{12}O_3$=Neo Heliopan® BB, Oxybenzon, Pinosylvin
$C_{14}H_{12}O_4$=Pinosylvin
$C_{14}H_{12}S_2$=Mesulfen
$C_{14}H_{13}ClFN_3O_4S_2$=Paraflutizid
$C_{14}H_{13}N_3$=Mepanipyrim
$C_{14}H_{13}N_3O_4S_2$=Meloxicam
$C_{14}H_{13}NaO_2$=Naproxen
$C_{14}H_{14}N_2$=Naphazolin
$C_{14}H_{14}N_2O_2$=Metyrapon
$C_{14}H_{14}N_3NaO_3S$=Methylorange
$C_{14}H_{14}O_3$=Naproxen, Pindon
$C_{14}H_{14}O_4$=Phthalsäureester
$C_{14}H_{15}NO_2$=Methfuroxam
$C_{14}H_{15}N_5O_6S$=Metsulfuron-methyl
$C_{14}H_{16}ClNO_3$=Ofurac
$C_{14}H_{16}ClN_3O$=Metazachlor
$C_{14}H_{16}ClN_2O_4O_3$=Obidoximchlorid
$C_{14}H_{16}N_4O_3$=Piromidsäure
$C_{14}H_{17}NO_6$=Nitrothal-isopropyl
$C_{14}H_{17}N_2NaO_3$=Methohexital-Natrium
$C_{14}H_{17}N_5O_5$=Pipemidsäure
$C_{14}H_{18}B_2$=1,8-Naphthalindiylbis(dimethylboran)
$C_{14}H_{18}N_2O$=Oxadixyl
$C_{14}H_{18}N_6$=Parazoanthoxanthine
$C_{14}H_{18}O$=α-Pentylzimtaldehyd
$C_{14}H_{18}O_4$=Phthalsäureester
$C_{14}H_{18}O_7$=Picein
$C_{14}H_{19}NO_2$=Methylphenidat
$C_{14}H_{20}N_2O_2$=Pilomotorika, Pindolol
$C_{14}H_{20}N_2O_6S$=4-(Methylamino)-phenol-sulfat
$C_{14}H_{21}NO$=Mauerpfeffer
$C_{14}H_{21}N_3O_3$=Oxamniquin
$C_{14}H_{22}ClN_3O_2$=Metoclopramid
$C_{14}H_{22}N_2O$=Octacain
$C_{14}H_{22}N_2O_3S$=Piprozolin
$C_{14}H_{22}N_4O_2$=Oxalsäure-bis(cyclohexylidenhydrazid)
$C_{14}H_{22}O$=Methyljonone, 4-tert-Octylphenol, Patchouliöl
$C_{14}H_{24}N_2O_5$=Pirbuterol
$C_{14}H_{26}O_3$=Menglytat
$C_{14}H_{28}NO_3PS_2$=Piperophos
$C_{14}H_{28}O_2$=Myristinsäure

$C_{15}H_8N_2O_3$=Necatoron
$C_{15}H_{10}N_2O_2$=4,4'-Methylendi(phenylisocyanat)
$C_{15}H_{10}O_2$=2-Methylanthrachinon, Phenindion
$C_{15}H_{10}O_7$=Morin
$C_{15}H_{11}ClF_3NO_4$=Oxyfluorfen
$C_{15}H_{11}ClN_2O$=Mecloqualon, Nordazepam
$C_{15}H_{11}ClN_2O_2$=Oxazepam
$C_{15}H_{11}N_3O_3$=Nitrazepam
$C_{15}H_{11}O_5$=Pelargonin
$C_{15}H_{12}N_2O_2$=Phenytoin
$C_{15}H_{12}O_5$=Naringin
$C_{15}H_{13}N_3O_4S$=Piroxicam
$C_{15}H_{14}Cl_2N_4O_4$=Metosulam

$C_{15}H_{14}N_4O$=Nevirapin
$C_{15}H_{14}O_3$=Mandelsäurebenzylester
$C_{15}H_{14}O_4$=Menadiol
$C_{15}H_{15}NO_2$=Mefenaminsäure
$C_{15}H_{15}NO_2S$=Modafinil
$C_{15}H_{15}N_3O_2$=Methylrot
$C_{15}H_{16}O_2$=Nabumeton
$C_{15}H_{16}O_5$=Pentalenolactone
$C_{15}H_{16}O_6$=Picrotoxin
$C_{15}H_{17}Br_2ClO_2$=Obtusallen I
$C_{15}H_{17}ClN_4$=Myclobutanil, Neutralrot
$C_{15}H_{17}NaO_3S$=Natriumgualenat
$C_{15}H_{18}Cl_2N_2O_3$=Oxadiazon
$C_{15}H_{18}N_4O_5$=Mitomycine
$C_{15}H_{18}N_6O_6S$=Nicosulfuron
$C_{15}H_{18}O_4$=Marasminsäure
$C_{15}H_{18}O_5$=Pentalenolactone
$C_{15}H_{18}O_7$=Mellitoxin, Picrotoxin
$C_{15}H_{19}NO_2$=Mesembrin-Alkaloide
$C_{15}H_{20}ClN_3O$=Paclobutrazol
$C_{15}H_{20}O$=Nuciferal, Periplanone
$C_{15}H_{20}O_2$=Periplanone
$C_{15}H_{20}O_3$=Neo Heliopan® E 1000, Periplanone
$C_{15}H_{20}O_7$=Nivalenol
$C_{15}H_{21}N$=Patchouliöl
$C_{15}H_{21}NO_2$=Pethidin
$C_{15}H_{21}NO_4$=Metalaxyl
$C_{15}H_{21}N_3O_2$=Physostigmin
$C_{15}H_{22}ClNO_2$=Metolachlor
$C_{15}H_{22}N_2O$=Mepivacain, Milnacipran
$C_{15}H_{22}N_2O_2$=Mepindolol
$C_{15}H_{22}O$=Nootkaton, Nuciferal, Periplanone
$C_{15}H_{22}O_2$=Periplanone, Petasin
$C_{15}H_{22}O_3$=Neo Heliopan® OS
$C_{15}H_{23}NO$=Meptazinol
$C_{15}H_{23}NO_3$=Oxprenolol
$C_{15}H_{24}$=Modhephen, Patchouliöl, Pentalenen
$C_{15}H_{24}N_2O$=Matrin
$C_{15}H_{24}O$=Nonylphenol, Patchouliöl
$C_{15}H_{25}NO_3$=Metoprolol
$C_{15}H_{26}O$=Nerolidol, Patchoulialkohol
$C_{15}H_{26}O_2$=Patchouliöl
$C_{15}H_{27}N$=Monomorine
$C_{15}H_{27}NO_{13}$=Miserotoxin
$C_{15}H_{28}O_2$=15-Pentadecanolid
$C_{15}H_{30}O_2$=Myristinsäureester
$C_{15}H_{31}N$=Monomorine
$C_{15}H_{32}$=Pentadecan

$\mathbf{C_{16}}H_8N_2O_5$=Pirenoxin
$C_{16}H_8N_4Na_2O_{11}S_2$=Nitrazingelb
$C_{16}H_9N_3Na_2O_9S_2$=Naphthol-Farbstoffe
$C_{16}H_{10}ClN_3O_3$=Permanent-Pigmente
$C_{16}H_{11}N_2NaO_4S$=Naphthol-Farbstoffe
$C_{16}H_{11}N_3O_3$=Magneson, Pararot
$C_{16}H_{12}$=Pentalen
$C_{16}H_{12}N_2O_2$=Perlolin
$C_{16}H_{12}O_5$=Physcion
$C_{16}H_{13}ClO_6$=Päoninchlorid
$C_{16}H_{13}N$=*N*-Phenyl-2-naphthylamin
$C_{16}H_{13}N_3O_3$=Mebendazol
$C_{16}H_{14}N_2O$=Methaqualon
$C_{16}H_{14}N_2O_2S$=Mefenacet
$C_{16}H_{15}ClN_2$=Medazepam
$C_{16}H_{15}Cl_3O_2$=Methoxychlor
$C_{16}H_{15}F_2N_3O_4S$=Pantoprazol
$C_{16}H_{16}$=Paracyclophane
$C_{16}H_{16}ClN_3O_3S$=Metolazon
$C_{16}H_{16}N_2O_4$=Phenmedipham
$C_{16}H_{18}ClN_3S$=Methylenblau
$C_{16}H_{18}FN_3O_3$=Norfloxacin
$C_{16}H_{18}N_2$=Nomifensin
$C_{16}H_{18}N_2O_3$=Pilocarpin
$C_{16}H_{18}N_2O_5S$=Phenoxymethylpenicillin
$C_{16}H_{18}N_4O_2$=Piribedil
$C_{16}H_{20}N_2$=Pheniramin
$C_{16}H_{21}N$=Morphinane
$C_{16}H_{22}FNO$=Melperon
$C_{16}H_{22}O_4$=Phthalsäureester
$C_{16}H_{23}NO_6$=Monocrotalin
$C_{16}H_{24}N_2O$=Oxymetazolin
$C_{16}H_{25}NO_3$=Moxisylyt
$C_{16}H_{30}O$=Muscon
$C_{16}H_{30}O_3$=Malyngolid
$C_{16}H_{31}ClO$=Palmitinsäurechlorid
$C_{16}H_{32}O_2$=Myristinsäureester, Palmitinsäure

$\mathbf{C_{17}}H_9NO_3$=3-Nitrobenzanthron
$C_{17}H_{12}ClFN_2O$=Nuarimol
$C_{17}H_{13}NO_2$=Naphtol® AS
$C_{17}H_{13}N_3O_5S_2$=Phthalylsulfathiazol
$C_{17}H_{14}O_6$=Pisatin
$C_{17}H_{15}ClO_7$=Malvidinchlorid
$C_{17}H_{16}F_6N_2O$=Mefloquin
$C_{17}H_{16}N_4O_2$=Nifenazon
$C_{17}H_{18}N_2O_5S$=Piretanid
$C_{17}H_{18}N_2O_6$=Nifedipin
$C_{17}H_{19}NO$=Nefopam
$C_{17}H_{19}NO_3$=Morphin, Piperin
$C_{17}H_{19}NO_4$=Oxymorphon
$C_{17}H_{19}N_3$=Mirtazapin
$C_{17}H_{19}N_3O$=Phentolamin
$C_{17}H_{19}N_3O_3S$=Omeprazol
$C_{17}H_{20}FN_3O_3$=Pefloxacin
$C_{17}H_{20}N_2O$=Michlers Keton
$C_{17}H_{20}N_2O_5S$=Phenethicillin
$C_{17}H_{20}N_4S$=Olanzapin
$C_{17}H_{20}O_6$=Mycophenolsäure
$C_{17}H_{21}NO$=Phenyltoloxamin
$C_{17}H_{21}NO_2$=Napropamid
$C_{17}H_{22}ClN_3O$=Metconazol
$C_{17}H_{22}N_2$=4,4'-Methylenbis(*N,N'*-dimethylanilin)
$C_{17}H_{22}O_4$=Oudemansine
$C_{17}H_{22}O_5$=Naematolin
$C_{17}H_{23}NO$=Morphinane
$C_{17}H_{23}NO_3$=Mesembrin-Alkaloide
$C_{17}H_{23}N_3O$=Mepyramin
$C_{17}H_{24}O_5$=Naematolin
$C_{17}H_{24}O_6$=Naematolin
$C_{17}H_{25}N$=Phencyclidin
$C_{17}H_{25}NO_3$=Pecilocin
$C_{17}H_{25}N_3O_2S$=Naratriptan
$C_{17}H_{25}N_3O_5S$=Meropenem
$C_{17}H_{27}NO_3$=Nonivamid
$C_{17}H_{27}NO_4$=Metipranolol, Nadolol
$C_{17}H_{28}N_2O_3$=Oxybuprocain
$C_{17}H_{31}NO$=Myrtecain
$C_{17}H_{34}O_2$=Margarinsäure, Myristinsäureester, Palmitinsäuremethylester

$\mathbf{C_{18}}H_{10}O_6$=Ninhydrin
$C_{18}H_{11}BaClN_2O_6S$=Permanent-Pigmente
$C_{18}H_{12}$=Naphthacen
$C_{18}H_{13}ClFN_3$=Midazolam
$C_{18}H_{13}Cl_4N_3O$=Oxiconazol
$C_{18}H_{13}NNa_2O_8S_2$=Natriumpicosulfat
$C_{18}H_{14}Cl_4N_2O$=Miconazol
$C_{18}H_{15}ClN_2O$=Meldolablau
$C_{18}H_{15}Cl_4N_3O_4$=Miconazol
$C_{18}H_{16}O_3$=Phenprocoumon
$C_{18}H_{17}ClN_2O_2$=Oxazolam
$C_{18}H_{18}BrClN_2O$=Metaclazepam
$C_{18}H_{19}N_3O$=Ondansetron
$C_{18}H_{20}FN_3O_4$=Ofloxacin
$C_{18}H_{20}N_2$=Mianserin
$C_{18}H_{20}N_2O_6$=Nitrendipin
$C_{18}H_{21}NO$=*N*-(4-Methoxybenzyliden)-4-butylanilin, Pipradrol
$C_{18}H_{21}NO_4$=Oxycodon
$C_{18}H_{22}ClNO$=Phenoxybenzamin
$C_{18}H_{22}I_3N_3O_8$=Metrizamid
$C_{18}H_{22}N_2O_2S$=Oxomemazin
$C_{18}H_{22}O_4$=Nordihydroguajaretsäure
$C_{18}H_{23}ClO_5$=Oudemansine
$C_{18}H_{23}NO$=Orphenadrin
$C_{18}H_{23}NO_2$=Medrylamin
$C_{18}H_{23}NaO_3S$=Natriumdibunat
$C_{18}H_{24}O_2$=Nimbaum, Phenylessigsäureester
$C_{18}H_{25}N$=Morphinane
$C_{18}H_{25}NO$=Morphinane
$C_{18}H_{26}O_2$=Nandrolon
$C_{18}H_{26}O_3$=Neo Heliopan® AV
$C_{18}H_{26}O_4$=Phthalsäureester
$C_{18}H_{28}O_3$=Oiticicaöl
$C_{18}H_{29}NO_2$=Penbutolol
$C_{18}H_{30}$=Perhydrotriphenylen
$C_{18}H_{32}O_2$=Malvaliasäure
$C_{18}H_{33}NaO_2$=Natriumoleat
$C_{18}H_{34}O_2$=Ölsäure, Petroselinsäure
$C_{18}H_{35}NO$=Ölsäureamid
$C_{18}H_{35}NaO_2$=Natriumstearat
$C_{18}H_{36}BrN$=Piproctanyl-bromid
$C_{18}H_{36}O$=9-Octadecen-1-ol
$C_{18}H_{36}O_2$=Myristinsäureester, Palmitinsäureethylester
$C_{18}H_{38}$=Octadecan
$C_{18}H_{38}O$=1-Octadecanol
$C_{18}H_{39}N$=1-Octadecanamin

$\mathbf{C_{19}}H_{12}N_2O_6$=Ornithin
$C_{19}H_{12}O_2$=α-Naphthoflavon
$C_{19}H_{12}O_5$=Phenylfluoron
$C_{19}H_{13}NO$=α-NPO
$C_{19}H_{14}O_5S$=Phenolsulfonphthalein
$C_{19}H_{17}NO_4$=Pavin- u. Isopavin-Alkaloide
$C_{19}H_{17}NO_7$=Nedocromil
$C_{19}H_{17}N_3$=Parafuchsin
$C_{19}H_{18}ClN_3$=Parafuchsin
$C_{19}H_{18}N_4O_2$=Pimobendan
$C_{19}H_{19}N$=Phenindamin
$C_{19}H_{19}N_3O$=Pararosanilin
$C_{19}H_{19}NO_4$=Pavin- u. Isopavin-Alkaloide
$C_{19}H_{19}N_3O_5S$=Oxacillin
$C_{19}H_{19}N_3O_6$=Nilvadipin
$C_{19}H_{20}FNO_3$=Paroxetin
$C_{19}H_{20}N_2$=Mebhydrolin
$C_{19}H_{20}N_2O_2$=Phenylbutazon
$C_{19}H_{20}N_2O_3$=Oxyphenbutazon
$C_{19}H_{20}O_4$=Phthalsäureester
$C_{19}H_{21}ClN_2O$=Pencycuron
$C_{19}H_{21}FN_2O_4$=Nadifloxacin
$C_{19}H_{21}N$=Nortriptylin
$C_{19}H_{21}NO_2$=Nuciferin
$C_{19}H_{21}NO_3$=Nalorphin
$C_{19}H_{21}NO_4$=Naloxon, Pavin- u. Isopavin-Alkaloide
$C_{19}H_{21}NS$=Pizotifen
$C_{19}H_{21}N_5O_2$=Pirenzepin
$C_{19}H_{22}N_2O$=Noxiptilin
$C_{19}H_{23}NO_3$=Oxyfedrin
$C_{19}H_{24}ClNO$=Mecloxamin
$C_{19}H_{24}N_2OS$=Phencarbamid
$C_{19}H_{24}N_4O_2$=Pentamidin
$C_{19}H_{24}O_9$=Nivalenol
$C_{19}H_{26}BrNO_4$=Oxitropiumbromid
$C_{19}H_{26}N_2S$=Pergolid
$C_{19}H_{27}NO$=Pentazocin
$C_{19}H_{29}N_3O$=Pamaquin
$C_{19}H_{30}N_8O_9$=Mildiomycin
$C_{19}H_{30}O_5$=Piperonylbutoxid
$C_{19}H_{32}N_2O_5$=Perindopril
$C_{19}H_{32}N_4O_{11}$=Muramyl-Dipeptid
$C_{19}H_{34}O_3$=Methopren
$C_{19}H_{35}N$=Perhexilin
$C_{19}H_{37}NO$=Octadecylisocyanat
$C_{19}H_{38}O_2$=Palmitinsäureisopropylester
$C_{19}H_{40}$=Nonadecan

$\mathbf{C_{20}}H_4Br_4Cl_4O_5$=Phloxin
$C_{20}H_6Br_4Cl_2O_5$=Phloxin
$C_{20}H_8Br_2HgNa_2O_6$=Merbromin
$C_{20}H_{11}N_2Na_3O_{10}S_3$=Naphthol-Farbstoffe
$C_{20}H_{12}$=Perylen
$C_{20}H_{13}N_3O_8$=Ommochrome
$C_{20}H_{14}N_2O$=PBD
$C_{20}H_{14}O_4$=Phenolphthalein, Phthalsäureester
$C_{20}H_{15}NO_3$=Oxyphenisatin
$C_{20}H_{15}N_3O_{11}S$=Ommochrome
$C_{20}H_{16}N_2O_3$=Perlolin
$C_{20}H_{16}N_4$=Nitron
$C_{20}H_{17}Cl_3N_2O_2$=Omoconazol
$C_{20}H_{17}N_2O_3$=Perlolin
$C_{20}H_{18}ClNO_6$=Ochratoxin A
$C_{20}H_{18}N_2O_4$=Perlolin
$C_{20}H_{18}O_3$=Phenolphthalol
$C_{20}H_{18}O_4$=Phaseolin
$C_{20}H_{21}NO_2$=Moxaverin
$C_{20}H_{21}NO_4$=Papaverin
$C_{20}H_{22}ClN_3O$=Nilblau A
$C_{20}H_{22}N_2S$=Mequitazin
$C_{20}H_{22}N_8O_5$=Methotrexat
$C_{20}H_{22}O_6$=Mirestrol
$C_{20}H_{23}N$=Maprotilin
$C_{20}H_{23}NO_4$=Naltrexon, Pavin- u. Isopavin-Alkaloide
$C_{20}H_{23}NS$=Metixen
$C_{20}H_{24}N_2O_4$=Pheniramin
$C_{20}H_{24}N_2O_6$=Nisoldipin
$C_{20}H_{25}NO$=Normethadon
$C_{20}H_{25}N_3O_2$=Methylergometrin
$C_{20}H_{25}N_3S$=Perazin
$C_{20}H_{25}N_5O_{10}$=Nikkomycine
$C_{20}H_{26}NO_3P$=PB-Toxin
$C_{20}H_{26}N_2O_{12}$=Piridoxilat
$C_{20}H_{26}O_2$=Norethisteron, Noretynodrel
$C_{20}H_{28}N_2O_3$=Oxyphencyclimin
$C_{20}H_{28}O_2$=Metandienon
$C_{20}H_{28}O_3$=Petasin
$C_{20}H_{28}O_4$=Manoalid
$C_{20}H_{28}O_6$=4β-Phorbol
$C_{20}H_{30}$=Pentalen
$C_{20}H_{30}O_2$=Metenolon, Methyltestosteron, Neoabietinsäure, Palustrinsäure
$C_{20}H_{30}O_3$=Oxymesteron
$C_{20}H_{31}NO_3$=Pentoxyverin
$C_{20}H_{32}N_2O_6S$=Pholedrin
$C_{20}H_{32}O_2$=Mesterolon, Methandriol
$C_{20}H_{33}NO_3$=Oxeladin
$C_{20}H_{38}O$=Phytol
$C_{20}H_{40}O$=Phytol
$C_{20}H_{40}O_2$=Phytansäure

$\mathbf{C_{21}}H_{15}NO$=PBO
$C_{21}H_{16}O_9$=Mitorubrin
$C_{21}H_{18}O_7$=Mitorubrin
$C_{21}H_{18}O_8$=Mitorubrin
$C_{21}H_{20}Cl_2O_3$=Permethrin
$C_{21}H_{20}N_4O_3$=Picotamid
$C_{21}H_{21}N$=Naftifin
$C_{21}H_{21}NO_4$=Ochotensin
$C_{21}H_{22}N_2O_5S$=Nafcillin
$C_{21}H_{22}O_5$=Monascus purpureus
$C_{21}H_{23}N_3OS$=Periciazin
$C_{21}H_{24}FN_3O_4$=Moxifloxacin

$C_{21}H_{25}N$=Melitracen
$C_{21}H_{25}NO_4$=Pavin- u. Isopavin-Alkaloide
$C_{21}H_{25}N_3O_3S$=Pipazetat
$C_{21}H_{25}N_5O_8S_2$=Mezlocillin
$C_{21}H_{26}BrNO_3$=Methantheliniumbromid
$C_{21}H_{26}ClN_3OS$=Perphenazin
$C_{21}H_{26}N_2O_7$=Nimodipin
$C_{21}H_{26}N_4O_{10}$=Nikkomycine
$C_{21}H_{26}N_5NaOgS_2$=Mezlocillin
$C_{21}H_{26}O_2$=Mestranol
$C_{21}H_{27}NO$=Methadon
$C_{21}H_{27}NO_4$=Nalbuphin
$C_{21}H_{27}N_3O_2$=Methysergid
$C_{21}H_{27}N_3O_5$=Mepyramin
$C_{21}H_{27}N_3O_6$=Pistillarin
$C_{21}H_{27}N_7O_{14}P_2$=Nicotinamid-Adenin-Dinucleotid
$C_{21}H_{28}N_7O_{17}P_3$=Nicotinamid-Adenin-Dinucleotid
$C_{21}H_{28}O_2$=Norgestrel
$C_{21}H_{29}N_7O_{14}P_2$=Nicotinamid-Adenin-Dinucleotid
$C_{21}H_{30}FN_3O_2$=Pipamperon
$C_{21}H_{30}N_7O_{17}P_3$=Nicotinamid-Adenin-Dinucleotid
$C_{21}H_{31}NO_7$=Monocrotalin
$C_{21}H_{32}N_4O_8S_2$=Pentamidin
$C_{21}H_{32}O_3$=Oxymetholon
$C_{21}H_{33}N_3O_5S$=Pivmecillinam
$C_{21}H_{34}BrNO_3$=Oxyphenoniumbromid
$C_{21}H_{41}N_5O_7$=Netilmicin
$C_{21}H_{46}NO_4P$=Miltefosin

$\mathbf{C_{22}}H_{14}$=Pentacen, Picen
$C_{22}H_{14}N_6Na_2O_9S_2$=Naphtholschwarz 6 B
$C_{22}H_{17}ClFN_3O_4$=Midazolam
$C_{22}H_{21}ClN_2O_8$=Meclocyclin
$C_{22}H_{22}N_2O_8$=Metacyclin
$C_{22}H_{23}NO_4$=Ochotensin
$C_{22}H_{23}NO_7$=(–)-Narcotin
$C_{22}H_{24}ClN_3$=Neufuchsin
$C_{22}H_{24}N_2O_9$=Oxytetracyclin
$C_{22}H_{25}F_2NO_4$=Nebivolol
$C_{22}H_{25}NO_3$=Pipoxolan
$C_{22}H_{25}NO_4$=Pitofenon
$C_{22}H_{28}BrNO_3$=Pipenzolatbromid
$C_{22}H_{28}Cl_2O_4$=Mometason
$C_{22}H_{28}N_2O_5$=Metobenzuron
$C_{22}H_{28}N_4O_6$=Mitoxantron
$C_{22}H_{28}O_3$=Norethisteron
$C_{22}H_{29}FO_5$=Paramethason
$C_{22}H_{29}N_3O_6S$=Pivampicillin
$C_{22}H_{30}O_3$=Megestrol
$C_{22}H_{30}O_5$=Methylprednisolon
$C_{22}H_{30}O_6$=Megaphon
$C_{22}H_{31}NO_3$=Oxybutynin
$C_{22}H_{32}O_3$=Medryson, Metenolon
$C_{22}H_{37}N_5O_5S_2$=Malformine
$C_{22}H_{38}O_5$=Misoprostol
$C_{22}H_{49}NO_4S$=Mecetronium-etilsulfat
$C_{22}H_{63}N_{13}P_4$=Phosphazen-Base P_4-t-Bu

$\mathbf{C_{23}}H_{24}N_4O_9$=Nocardicine
$C_{23}H_{25}ClN_2$=Malachitgrün
$C_{23}H_{25}ClO_{12}$=Malvidinchlorid
$C_{23}H_{26}O_3$=Phenothrin
$C_{23}H_{26}O_5$=Monascus purpureus
$C_{23}H_{27}NO_5S$=Pizotifen
$C_{23}H_{27}N_3O_2$=Morazon
$C_{23}H_{27}N_3O_3$=Pheniramin
$C_{23}H_{27}N_3O_7$=Minocyclin
$C_{23}H_{27}N_5O_7S$=Piperacillin
$C_{23}H_{29}NO_8$=Phenyltoloxamin
$C_{23}H_{29}N_3O$=Opipramol
$C_{23}H_{29}N_3O_2$=Oxypertin
$C_{23}H_{30}ClN_3O$=Mepacrin
$C_{23}H_{30}N_2O_4$=Pholcodin
$C_{23}H_{31}NO_7$=Mycophenolatmofetil
$C_{23}H_{32}O_2$=Medrogeston
$C_{23}H_{34}N_3O_{10}P$=Phosphoramidon
$C_{23}H_{36}N_4O_5S_3$=Octotiamin
$C_{23}H_{36}N_4O_{10}S$=Pentamidin
$C_{23}H_{36}O_4$=Mastix
$C_{23}H_{39}N_5O_5S_2$=Malformine
$C_{23}H_{41}N_5O_3$=δ-Philanthotoxin
$C_{23}H_{43}N_3O_5$=Perindopril
$C_{23}H_{45}N_5O_{14}$=Paromomycin
$C_{23}H_{46}$=Muscalur
$C_{23}H_{46}ClNO_4$=Pahutoxin
$C_{23}H_{46}N_6O_{13}$=Neomycin

$\mathbf{C_{24}}H_8O_6$=Perylen-3,4,9,10-tetracarbonsäure-dianhydrid
$C_{24}H_{12}$=Pendletonit
$C_{24}H_{16}Cl_3N_3O_2$=Permanent-Pigmente
$C_{24}H_{20}BNa$=Natriumtetraphenylborat
$C_{24}H_{25}FN_6O$=Mizolastin
$C_{24}H_{26}BrN_3O_3$=Nicergolin
$C_{24}H_{27}N_3O_6$=Physarochrom
$C_{24}H_{29}N_3O_6$=Methylergometrin
$C_{24}H_{30}N_2O_8$=Mitopodozid
$C_{24}H_{31}FO_6$=Paramethason
$C_{24}H_{32}O_4$=Megestrol
$C_{24}H_{32}O_5$=Marinobufagin
$C_{24}H_{32}O_6$=Methylprednisolon
$C_{24}H_{33}NO_3$=Naftidrofuryl
$C_{24}H_{34}O_4$=Medroxyprogesteronacetat
$C_{24}H_{34}O_5$=Macrolactine
$C_{24}H_{36}O_3$=Nabilon
$C_{24}H_{38}O_4$=Phthalsäureester
$C_{24}H_{39}NaO_4$=Natriumdesoxycholat
$C_{24}H_{41}NO_{10}$=Mycalamide

$\mathbf{C_{25}}H_{17}NO$=PBBO
$C_{25}H_{19}Cl_2N_3O_2$=Permanent-Pigmente
$C_{25}H_{19}Cl_2N_3O_4$=Permanent-Pigmente
$C_{25}H_{23}INP$=(Methylphenylamino)triphenylphosphoniumiodid
$C_{25}H_{25}IN_2$=Pinacyanoliodid
$C_{25}H_{27}ClN_2$=Meclozin
$C_{25}H_{29}N_3O_2$=Metergolin
$C_{25}H_{30}O_7$=Phyllanthocin
$C_{25}H_{31}N_3O$=Methysergid
$C_{25}H_{32}ClN_5O_2$=Nefazodon
$C_{25}H_{32}O_{13}$=Oliven
$C_{25}H_{33}N_3O_3S_2$=Myxothiazol
$C_{25}H_{35}NO_5$=Mebeverin
$C_{25}H_{36}O_3$=Ophioboline
$C_{25}H_{36}O_4$=Ophioboline
$C_{25}H_{36}O_5$=Manoalid
$C_{25}H_{38}O_3$=Ophioboline
$C_{25}H_{43}NO_{10}$=Mycalamide
$C_{25}H_{45}NO_9$=Pederin
$C_{25}H_{46}$=Ophioboline

$\mathbf{C_{26}}H_{22}O_2$=Pinakole
$C_{26}H_{25}N_3O_{13}$=Ommochrome
$C_{26}H_{29}N_3O_6$=Nicardipin
$C_{26}H_{30}ClN_5O_3$=Piprinhydrinat
$C_{26}H_{33}N_3O_8S$=Perazin
$C_{26}H_{35}NO_7$=Naftidrofuryl
$C_{26}H_{38}O_4$=Oxaboloncipionat
$C_{26}H_{39}NO_{10}$=Pentoxyverin
$C_{26}H_{42}O_4$=Phthalsäureester

$\mathbf{C_{27}}H_{30}Cl_2O_6$=Mometason
$C_{27}H_{30}N_4O$=Oxatomid
$C_{27}H_{31}ClO_{16}$=Mohn
$C_{27}H_{31}N_2NaO_6S_2$=Patentblau-Farbstoffe
$C_{27}H_{32}O_{14}$=Naringin
$C_{27}H_{33}N_3O_3$=Marcfortine
$C_{27}H_{33}N_3O_4$=Marcfortine
$C_{27}H_{34}N_2O_7$=Moexipril
$C_{27}H_{34}N_4O$=Piritramid
$C_{27}H_{35}BrClN_3$=Methylgrün
$C_{27}H_{38}O_3$=Norethisteron
$C_{27}H_{42}O_3$=Metenolon
$C_{27}H_{58}N_2O_3$=Olaflur

$\mathbf{C_{28}}H_{18}O_4$=α-Naphtholphthalein
$C_{28}H_{22}O_{10}$=Maduramicin α
$C_{28}H_{28}P_2$=Phosphane
$C_{28}H_{29}F_2N_3O$=Pimozid
$C_{28}H_{33}ClO_{16}$=Päoninchlorid
$C_{28}H_{35}N_3O_4$=Marcfortine
$C_{28}H_{35}N_3O_5$=Marcfortine
$C_{28}H_{36}O_{15}$=Neohesperidin-Dihydrochalkon
$C_{28}H_{37}ClN_2O_8$=Maytansinoide
$C_{28}H_{41}N_3O_3$=Oxetacain
$C_{28}H_{44}ClNO_2$=Methylbenzethoniumchlorid
$C_{28}H_{44}O_3$=Nandrolon
$C_{28}H_{45}N_3O_5$=Majusculamide
$C_{28}H_{46}O_4$=Phthalsäureester
$C_{28}H_{47}NO_8$=Picromycin
$C_{28}H_{56}O_2$=Montansäure

$\mathbf{C_{29}}H_{34}O_4$=Mulberrofurane
$C_{29}H_{35}ClO_{17}$=Malvidinchlorid
$C_{29}H_{35}NO_2$=Mifepriston
$C_{29}H_{38}FN_3O_3$=Mibefradil
$C_{29}H_{44}O_{10}$=Maiglöckchen
$C_{29}H_{53}NO_5$=Orlistat

$\mathbf{C_{30}}H_{14}N_4O_4$=Necatoron
$C_{30}H_{14}N_4O_6$=Necatoron
$C_{30}H_{15}FeN_3Na_3O_{15}S_3$=Naphthol-Farbstoffe
$C_{30}H_{18}FeN_3NaO_6$=Oralithgrün B
$C_{30}H_{24}N_4O_{10}$=Nicofuranose
$C_{30}H_{31}ClN_4O_7S$=Permanent-Pigmente
$C_{30}H_{34}N_2O_7$=Manumycine
$C_{30}H_{34}O_{13}$=Picrotoxin
$C_{30}H_{36}O_9$=Nimbaum
$C_{30}H_{39}ClN_2O_9$=Maytansinoide
$C_{30}H_{46}O_4$=Melianol
$C_{30}H_{46}O_6$=Medicagensäure
$C_{30}H_{48}$=Oleanan
$C_{30}H_{48}O_3$=Oleanolsäure, Olibanum
$C_{30}H_{48}O_4$=Melianol
$C_{30}H_{50}$=Oleanan
$C_{30}H_{50}N_2O_2$=Petrosin
$C_{30}H_{50}O_2$=Oleanan
$C_{30}H_{50}O_3$=Oleanan
$C_{30}H_{50}O_4$=Oleanan
$C_{30}H_{50}O_5$=Melianol, Oleanan
$C_{30}H_{50}O_6$=Oleanan
$C_{30}H_{52}$=Oleanan

$\mathbf{C_{31}}H_{20}O_{13}$=Myxomyceten-Farbstoffe
$C_{31}H_{28}P_2$=Phosphane
$C_{31}H_{34}N_2O_7$=Manumycine
$C_{31}H_{36}N_2O_{11}$=Novobiocin
$C_{31}H_{38}N_2O_7$=Manumycine
$C_{31}H_{40}N_4O_7$=Piritramid
$C_{31}H_{42}O_5$=Milbemycine
$C_{31}H_{44}O_7$=Milbemectin
$C_{31}H_{44}O_8$=Meproscillarin
$C_{31}H_{46}O_2$=2-Methyl-1,4-naphthochinone

$\mathbf{C_{32}}H_{18}N_8$=Phthalocyanin
$C_{32}H_{24}Cl_2N_8O_2$=Permanent-Pigmente
$C_{32}H_{30}O_{10}$=Phlegmacine
$C_{32}H_{32}N_2O_{12}$=Metallphthalein
$C_{32}H_{38}N_2O_6$=Naproxen
$C_{32}H_{39}NO_4$=Paspalitreme
$C_{32}H_{43}ClN_2O_9$=Maytansinoide
$C_{32}H_{45}N_3O_4S$=Nelfinavir
$C_{32}H_{46}O_7$=Milbemectin
$C_{32}H_{48}O_4$=Mastix
$C_{32}H_{48}O_9$=Oleandrin

$\mathbf{C_{33}}H_{40}N_4O_6$=Mesobilirubin
$C_{33}H_{45}ClN_2O_9$=Maytansinoide
$C_{33}H_{47}NO_{13}$=Natamycin
$C_{33}H_{48}O_7$=Milbemycine
$C_{33}H_{49}N_3O_7S_2$=Nelfinavir

$\mathbf{C_{34}}H_{18}CaCl_2N_4Na_2O_{12}S_2$=Permanent-Pigmente
$C_{34}H_{26}O_8$=Mulberrofurane
$C_{34}H_{44}N_4O_{15}$=Methanofuran
$C_{34}H_{44}O_{12}$=Meliatoxine
$C_{34}H_{46}ClN_3O_{10}$=Maytansinoide
$C_{34}H_{52}O_7$=Milbemycine
$C_{34}H_{63}N_5O_9$=Pepstatin A

$\mathbf{C_{35}}H_{33}NO_{12}$=Neocarzinostatin A
$C_{35}H_{36}BF_4P_2Rh$=Phosphane
$C_{35}H_{36}ClNO_3S$=Montelukast
$C_{35}H_{46}N_4O_{13}$=Piritramid
$C_{35}H_{46}O_{12}$=Meliatoxine
$C_{35}H_{48}N_8O_9S$=Phallotoxine
$C_{35}H_{48}N_8O_{10}S$=Phallotoxine
$C_{35}H_{48}N_8O_{11}S$=Phalloidin, Phallotoxine
$C_{35}H_{48}N_8O_{12}S$=Phallotoxine
$C_{35}H_{50}N_8O_6S_2$=Patellamide
$C_{35}H_{52}Cl_2O_6$=Nostocyclophane
$C_{35}H_{56}O_4$=Mastix
$C_{35}H_{60}Br_2N_2O_4$=Pancuroniumbromid
$C_{35}H_{60}O_{11}$=Monensin
$C_{35}H_{61}NO_{12}$=Oleandomycin

$\mathbf{C_{36}}H_{43}NO_{17}$=Pfaffenhütchen
$C_{36}H_{44}N_4O$=Manzamin
$C_{36}H_{54}Cl_2O_6$=Nostocyclophane
$C_{36}H_{62}O_{11}$=Monensin
$C_{36}H_{64}Cl_2N_4$=Octenidin-dihydrochlorid
$C_{36}H_{68}O_2$=Ölsäureoleylester
$C_{36}H_{70}MgO_4$=Magnesiumstearat

$\mathbf{C_{37}}H_{27}N_3Na_2O_9S_3$=Methylblau
$C_{37}H_{35}N_2NaO_6S_2$=Patentblau-Farbstoffe
$C_{37}H_{44}ClNO_4$=Penitreme
$C_{37}H_{44}ClNO_5$=Penitreme
$C_{37}H_{44}ClNO_6$=Penitreme
$C_{37}H_{44}N_2O_{13}S$=Methylthymolblau
$C_{37}H_{45}NO_4$=Penitreme
$C_{37}H_{45}NO_5$=Penitreme
$C_{37}H_{45}NO_6$=Penitreme
$C_{37}H_{48}O_6$=Peridinin
$C_{37}H_{50}N_8O_{12}S$=Phallotoxine
$C_{37}H_{50}N_8O_{13}S$=Phallotoxine
$C_{37}H_{50}N_8O_{14}S$=Phallotoxine
$C_{37}H_{64}O_{11}$=Monensin

$\mathbf{C_{38}}H_{38}O_{10}$=Mezerein
$C_{38}H_{63}N_7O_8$=Neuromedine

$\mathbf{C_{39}}H_{50}O_7$=Peridinin

$\mathbf{C_{40}}H_{52}O_{17}$=Phyllanthocin
$C_{40}H_{60}O_6$=Mactraxanthin
$C_{40}H_{64}$=Phytoen
$C_{40}H_{64}O_{12}$=Nonactin
$C_{40}H_{68}O_{11}$=Nigericin

$\mathbf{C_{41}}H_{58}O_9$=Melianol
$C_{41}H_{66}O_{12}$=Nonactin

$\mathbf{C_{42}}H_{45}N_3O_7$=Pamaquin
$C_{42}H_{58}O_6$=Peridinin
$C_{42}H_{64}Cl_2O_{11}$=Nostocyclophane
$C_{42}H_{66}O_{14}$=Metildigoxin
$C_{42}H_{68}O_{12}$=Nonactin
$C_{42}H_{92}N_{10}O_{34}S_5$=Netilmicin

$C_{43}H_{65}N_5O_{10}$=Majusculamide
$C_{43}H_{66}N_{12}O_{12}S_2$=Oxytocin
$C_{43}H_{70}O_{12}$=Nonactin
$C_{43}H_{72}O_{11}$=Narasin

$C_{44}H_{32}P_2$=Phosphane
$C_{44}H_{68}O_{13}$=Okadainsäure
$C_{44}H_{68}O_{13}S$=Okadainsäure
$C_{44}H_{72}O_{12}$=Nonactin

$C_{45}H_{63}N_{13}O_{12}S_2$=Ornipressin
$C_{45}H_{70}O_{13}$=Okadainsäure
$C_{45}H_{74}O_{17}$=Osladin

$C_{46}H_{64}O_2$=2-Methyl-1,4-naphthochinone

$C_{47}H_{75}NO_{17}$=Nystatin
$C_{47}H_{80}O_{17}$=Maduramicin α

$C_{48}H_{36}N_8$=Nigranilin
$C_{48}H_{56}N_6O_{10}S_2$=Phenoxymethylpenicillin
$C_{48}H_{74}Cl_2O_{16}$=Nostocyclophane
$C_{48}H_{91}NO_8$=Nervon

$C_{49}H_{66}N_{10}O_{10}S_2$=Octreotid
$C_{49}H_{75}N_{13}O_{12}$=Microcystine

$C_{50}H_{73}N_{17}O_{11}S$=Neuromedine
$C_{50}H_{80}N_8O_{12}$=Majusculamide
$C_{50}H_{80}N_{14}O_{14}S$=Neurokinine

$C_{51}H_{74}O_{19}$=Pengitoxin

$C_{52}H_{73}N_{15}O_{12}S$=Neuromedine

$C_{54}H_{62}CaN_4O_{14}S_4$=Patentblau-Farbstoffe
$C_{54}H_{78}N_{16}O_{10}$=Neuromedine

$C_{55}H_{72}N_4O_6$=Phäophytine
$C_{55}H_{74}N_4O_5$=Phäophytine
$C_{55}H_{79}N_{13}O_{14}S_2$=Neurokinine

$C_{58}H_{80}Cl_2N_2O_{14}$=Mivacurium-chlorid
$C_{58}H_{84}N_{14}O_{16}S$=Physalaemin

$C_{63}H_{91}CoN_{13}O_{14}P$=Methylcobalamin

$C_{66}H_{83}N_{17}O_{13}$=Nafarelin

$C_{70}H_{131}N_{19}O_{15}$=Mastoparan

$C_{72}H_{97}N_{21}O_{14}S$=Melanotropin

$C_{74}H_{70}CaN_4O_{14}S_2$=Patentblau-Farbstoffe

$C_{75}H_{107}N_{21}O_{18}S$=Melanotropin

$C_{78}H_{121}N_{21}O_{20}$=Neurotensin

$C_{79}H_{129}N_{27}O_{22}$=Nociceptin

$C_{98}H_{138}N_{28}O_{29}S$=Melanotropin

$C_{105}H_{160}N_{30}O_{26}S_4$=Melanin-konzentrierendes Hormon

$C_{110}H_{192}N_{40}O_{24}S_4$=Mastzellen-degranulierendes Peptid

$C_{120}H_{188}N_{34}O_{35}S$=Motilin

$C_{129}H_{223}N_3O_{54}$=Palytoxin

$C_{131}H_{229}N_{39}O_{31}$=Melittin

$C_{142}H_{224}N_{40}O_{39}S$=Pituitary adenylate cyclase-activating polypeptide

$C_{143}H_{230}N_{42}O_{37}S_7$=Nisin

$C_{144}H_{217}N_{43}O_{37}$=Neuromedine

$C_{164}H_{256}Na_2O_{68}S_2$=Maitotoxin

$C_{185}H_{287}N_{53}O_{54}S_2$=Pankreatisches Polypeptid

$C_{189}H_{285}N_{55}O_{57}S$=Neuropeptid Y

$C_{194}H_{295}N_{55}O_{57}$=Peptid YY

$C_{203}H_{331}N_{63}O_{53}S$=Pituitary adenylate cyclase-activating polypeptide

$C_{212}H_{334}N_{62}O_{81}S$=Pankreastatin

CaO_3Ti=Perowskit
$Ca_2HNaO_9Si_3$=Pektolith
$Ca_{10}O_{46}Si_{18}$=Okenit

$ClHO_4$=Perchlorsäure
ClH_3O_5=Perchlorsäure
$ClNO$=Nitrosylchlorid
$ClNa$=Natriumchlorid
$ClNaO$=Natriumhypochlorit
$ClNaO_2$=Natriumchlorit
$ClNaO_3$=Natriumchlorat
$ClNaO_4$=Natriumperchlorat
Cl_2Mg=Magnesiumchlorid
Cl_2MgO_8=Magnesiumperchlorat
Cl_2Mn=Manganchlorid
Cl_2Mo=Molybdänchloride
Cl_2Ni=Nickel(II)-chlorid
Cl_2Pd=Palladium(II)-chlorid
Cl_3Mo=Molybdänchloride
Cl_3Nd=Neodym-Verbindungen
Cl_3OP=Phosphoroxidtrichlorid
Cl_3P=Phosphorchloride
Cl_4H_2Pd=Palladium(II)-chlorid
$Cl_4H_{12}N_4Pt_2$=Magnus-Salz
Cl_4Mo=Molybdänchloride
Cl_5Mo=Molybdänchloride
Cl_5Nb=Niob-Verbindungen
Cl_5P=Phosphorchloride
$Cl_6N_3P_3$=Phosphornitridchloride

$CoN_6Na_3O_{12}$=Natriumhexanitrocobaltat(III)

$CrNa_2O_4$=Natriumchromat(VI)
$Cr_2Na_2O_7$=Natrium-dichromat(VI)

FNa=Natriumfluoride
FNa_2O_3P=Natriumfluorophosphat
F_2HNa=Natriumfluoride
F_2Mg=Magnesiumfluorid
F_2Ni=Nickel(II)-fluorid
F_3P=Phosphorfluoride
F_4P_2=Phosphorfluoride
F_5Nb=Niob-Verbindungen
F_5P=Phosphorfluoride
F_6MgSi=Magnesiumhexafluorosilicat
F_6Na_2Si=Natriumhexafluorosilicat

FeS_2=Markasit
Fe_3O_4=Magnetit

HHg_2NO=Millonsche Base
HIO_4=Periodsäure
$HMgO_4P$=Magnesiumphosphate
$HMnO_2$=Manganit
$HMnO_4$=Permanganate
$HMnO_4P$=Manganphosphate
HNO=Nitrosylwasserstoff
HNO_5S=Nitrosylschwefelsäure
HNa=Natriumhydrid
$HNaO$=Natriumhydroxid
$HNaO_3S$=Natriumhydrogensulfit
$HNaO_4S$=Natriumhydrogensulfat
$HNaS$=Natriumhydrogensulfid
HNa_2O_4P=Natriumphosphate
$HNiO_2$=Nickelhydroxide
H_2Mg=Magnesiumhydrid
H_2MgO_2=Magnesiumhydroxid
H_2NNa=Natriumamid
$H_2N_2O_2$=Nitramine
$H_2N_3P_3$=Phosphazene
H_2NaO_2P=Natriumphosphinat
H_2NaO_4P=Natriumphosphate
H_2NiO_2=Nickelhydroxide
$H_2O_8S_2$=Peroxodischwefelsäure
$H_3Mo_{12}O_{40}P$=12-Molybdatophosphorsäure
H_3OP=Phosphinige Säure
H_3O_2P=Phosphinsäure, Phosphonige Säure
H_3O_3P=Phosphite, Phosphonsäure
H_3O_4P=Phosphorsäure
H_3P=Phosphane
$H_4I_2O_9$=Periodsäure
H_4MgNO_4P=Magnesium-ammoniumphosphat
$H_4MgO_8P_2$=Magnesiumphosphate
$H_4MnNO_7P_2$=Manganviolett
$H_4MnO_8P_2$=Manganphosphate
H_4NO_3P=Phosphoramide
$H_4N_2NiO_6S_2$=Nickel(II)-sulfamat
H_4P_2=Phosphane
H_5IO_6=Periodsäure
$H_5N_2O_2P$=Phosphoramide
$H_6N_2P_2$=Phosphazane
H_6N_3OP=Phosphoramide
$H_6N_3P_3$=Phosphazane
H_6P_4=Phosphane
$H_8N_2NiO_8S_2$=Nickel(II)-ammoniumsulfat

Ha=Nielsbohrium

INa=Natriumiodid
$INaO_3$=Natriumiodat
$INaO_4$=Natriumperiodate
INa_3O_5=Natriumperiodate
INa_5O_6=Natriumperiodate
INa_7O_7=Natriumperiodate

Md=Mendelevium

Mg=Magnesium
MgN_2O_6=Magnesiumnitrat
MgO=Magnesiumoxid, Periklas
MgO_2=Magnesiumperoxid
MgO_3Si=Magnesiumsilicate
MgO_4S=Magnesiumsulfat
Mg_2O_4Si=Magnesiumsilicate
$Mg_2O_7P_2$=Magnesiumphosphate
$Mg_2O_8Si_3$=Magnesiumsilicate
Mg_2Si=Magnesiumsilicid
Mg_3N_2=Magnesiumnitrid
$Mg_3O_8P_2$=Magnesiumphosphate

Mn=Mangan
MnN_2O_6=Mangan(II)-nitrat
MnO=Manganoxide
MnO_2=Mangandioxid
MnO_4P=Manganphosphate
MnO_4S=Mangansulfate
MnO_8S_2=Mangansulfate
MnO_9P_3=Manganphosphate
MnS=Mangansulfide
MnS_2=Mangansulfide
Mn_2O_3=Manganoxide
Mn_2O_7=Manganoxide, Permanganate
$Mn_2O_7P_2$=Manganphosphate
$Mn_2O_{12}S_3$=Mangansulfate
Mn_3O_4=Manganoxide
$Mn_3O_8P_2$=Manganphosphate

$MoNa_2O_4$=Natriummolybdat
MoO_3=Molybdäntrioxid
MoS_2=Molybdändisulfid

$NNaO_2$=Natriumnitrit
$NNaO_3$=Natriumnitrat
N_2NiO_6=Nickel(II)-nitrat
N_2O_6Pd=Palladium(II)-nitrat
N_3Na=Natriumazid
N_3NdO_9=Neodym-Verbindungen
N_3P_3=Phosphazene

Na=Natrium
NaO_2=Natriumoxide
NaO_3=Natriumoxide
NaO_3V=Natriumvanadate
Na_2O=Natriumoxide
Na_2O_2=Natriumperoxid
Na_2O_3S=Natriumsulfit
$Na_2O_3S_2$=Natriumthiosulfat
Na_2O_3Se=Natriumselenit
Na_2O_3Si=Natriumsilicate
Na_2O_4S=Natriumsulfat
$Na_2O_4S_2$=Natriumdithionit
Na_2O_4W=Natriumwolframat
$Na_2O_5S_2$=Natriumdisulfit
$Na_2O_7S_2$=Natriumhydrogensulfat
$Na_2O_8S_2$=Natriumperoxodisulfat
Na_2S=Natriumsulfide
Na_2S_2=Natriumsulfide
Na_2S_3=Natriumsulfide
Na_2S_4=Natriumsulfide
Na_2S_5=Natriumsulfide
Na_3O_4P=Natriumphosphate
Na_3O_4V=Natriumvanadate
Na_3S_4Sb=Natrium(tetra)thioantimonat(V)
Na_4O_4Si=Natriumsilicate
$Na_4O_7P_2$=Natriumphosphate
$Na_5O_{10}P_3$=Natriumphosphate

Nb=Niob
Nb_2O_5=Niob-Verbindungen

Nd=Neodym
Nd_2O_3=Neodym, Neodym-Verbindungen
$Nd_2O_{12}S_3$=Neodym-Verbindungen

Ne=Neon

Ni=Nickel
NiO=Nickeloxide
NiO_2=Nickeloxide
NiO_4S=Nickel(II)-sulfat
NiS=Millerit, Nickelsulfide
Ni_2O_3=Nickeloxide

No=Nobelium

Np=Neptunium

Ns=Nielsbohrium

OOs=Osmiumtetroxid
OPd=Palladium(II)-oxid
O_2Os=Osmiumtetroxid
O_2Si=Moganit, Opal
O_3=Ozon
O_3Os=Osmiumtetroxid
O_3P_2=Phosphoroxide
O_4Os=Osmiumtetroxid
O_4P_2=Phosphoroxide
O_5P_2=Phosphoroxide
$O_8Pb_3Sb_2$=Neapelgelb

Os=Osmium

P=Phosphor
P_4S_3=Phosphorsulfide
P_4S_{10}=Phosphorsulfide

Pd=Palladium

S_4V=Patronit

Lang Kurt

Verzeichnis der Abkürzungen

E  Explosionsgefährlich

O  Brandfördernd

F  Leichtentzündlich

F+  Hochentzündlich

C  Ätzend

$[\alpha]$	spezifische Drehung
a	Jahr
a.	auch, andere(n, m) in Zusammensetzungen wie: s.a., u.a.
Abb.	Abbildung
Abk.	Abkürzung
abs.	absolut
ADI	acceptable daily intake = annehmbare tägliche Aufnahme
allg.	allgemein
Anw.	Anwendung
Aufl.	Auflage
B.	Bezugsquelle
BAT	Biologischer Arbeitsstoff Toleranzwert
Bd.	Band, Bände
Beisp.	Beispiel
bes.	besonders, besondere(r, s)
Bez.	Bezeichnung
Btm	Betäubungsmittel
CAS	Chemical Abstracts Service-Nr.
ChemG	Chemikaliengesetz
d	Tag
D.	Dichte
Darst.	Darstellung
Dest.	Destillation
dest.	destilliert
dgl.	dergleichen
Diss.	Dissertation
E	englische Bezeichnung
EC	Enzyme Commission
ehem.	ehemals, ehemalig
Erg.	Ergänzung
et al.	et alii = und andere
F	französische Bezeichnung
f., ff.	die nächst folgende Seite, die folgenden Seiten
FP.	Flammpunkt
G	Gefahrenklasse
gasf.	gasförmig

geb.	geboren
GefStoffV	Gefahrstoffverordnung
gegr.	gegründet
Ges.	Gesellschaft
gesätt.	gesättigt
Geschw.	Geschwindigkeit
Gew.	Gewicht
ggf.	gegebenenfalls
Ggw.	Gegenwart
h	Stunde
H.	Härte nach Mohs
Hdb.	Handbuch, Handbook
Herst.	Herstellung
Hrsg.	Herausgeber
HS	Harmonisiertes System
HWZ	Halbwertszeit
I	italienische Bezeichnung
i.m.	intramuskulär
Ind.	Industrie
Inst.	Institut(ion)
i.p.	intraperitoneal
i.Tr.	in der Trockenmasse
IZ	Iod-Zahl
i.v.	intravenös
Jh.	Jahrhundert
KBwS	Klassifizierung durch Kommission zur Bewertung wassergefährdender Stoffe beim BMU
Koeff.	Koeffizient
Konz.	Konzentration
konz.	konzentriert
Krist.	Kristallisation, Kristall
krist.	kristallisiert, kristallin
Kurzz.	Kurzzeichen
LD	letale Dosis
Leg.	Legierung
Lit.	Literatur
lösl.	löslich
Lsg.	Lösung
Lsm.	Lösemittel